sit-in ['sɪtɪn] **1.** Sit-in, Sitzblockade **2.** Sitzstreik
sitting ['sɪtɪŋ] Sitzung (*auch Malerei usw.*)
sitting room ['sɪtɪŋ‿ruːm] Wohnzimmer
situated ['sɪtʃʊeɪtɪd] ***be situated*** *Haus usw.*: gelegen sein, liegen
situation [ˌsɪtʃʊ'eɪʃn] **1.** *übertragen* Lage, Situation **2.** ***situations*** *Pl.* ***vacant*** Stellenangebote; ***situations*** *Pl.* ***wanted*** Stellengesuche **3.** Lage (*eines Hauses usw.*)
six[1] [sɪks] sechs
six[2] [sɪks] *Buslinie, Spielkarte usw.*: Sechs
six-pack ['sɪkspæk] **1.** *von Getränken*: Sechserpack(ung); ***he's one can short of a six-pack*** *umg.* er hat nicht alle Tassen im Schrank **2.** *humorvoll* Waschbrettbauch

Bedeutungshinweise in *kursiver Schrift*

Stilangaben in *kursiver Schrift*

six-pack

Six-pack ist ein aus den USA stammender Begriff, der einen „Sechserpack" Bierdosen beschreibt. Auch findet man ihn in der Wendung **"He's/She's one can short of a six-pack"** („Ihm/Ihr fehlt eine Bierdose zum Sechserpack", d. h. er/sie hat nicht alle Tassen im Schrank).

Mit **six-pack** bezeichnet man umgangssprachlich auch einen ☞ Waschbrettbauch.

Info-Fenster mit zusätzlichen sprachlichen und landeskundlichen Informationen

sixteen[1] [ˌsɪks'tiːn] sechzehn
sixteen[2] [ˌsɪks'tiːn] *Buslinie usw.*: Sechzehn
sixth[1] [sɪksθ] sechste(r, -s)
sixth[2] [sɪksθ] **1.** Sechste(r, -s) **2.** *Bruchteil*: Sechstel
sixth form ['sɪksθ‿fɔːm] *BE*; *Schule*: Abschlussklasse

Hochgestellte Ziffern für gleich aussehende Stichwörter unterschiedlicher Wortart oder ganz unterschiedlicher Bedeutung

sixth form

Sixth form heißt die Abschlussklasse in der Schule, während der sich Schüler im Alter von ca. 16 bis 18 auf ihre **A levels** vorbereiten. Die **sixth form** besteht aus der **lower sixth** (1. Jahr) und der **upper sixth** (2. Jahr) und entspricht in etwa der deutschen Kollegstufe oder Sekundarstufe II.

In neuer deutscher Rechtschreibung

sixty[1] ['sɪkstɪ] sechzig
sixty[2] ['sɪkstɪ] Sechzig; ***he's in his sixties*** er ist in den Sechzigern; ***in the sixties*** in den Sechzigerjahren (*eines Jahrhunderts*)
size [saɪz] **1.** Größe, *übertragen auch*: Ausmaß; ***what's the size of …?*** wie groß ist …? **2.** *Kleider usw.*: Größe, Nummer

Anwendungsbeispiele und Wendungen in ***halbfetter Kursivschrift***

Georg Wecken

Langenscheidt
Power Dictionary Englisch

Englisch – Deutsch
Deutsch – Englisch

Völlige Neubearbeitung

Herausgegeben von der
Langenscheidt-Redaktion

Langenscheidt
Berlin · München · Wien · Zürich · New York

Konzeption: Dr. Vincent J. Docherty

Projektleitung: Dr. Wolfgang Walther

Lexikographische Arbeiten: Dr. Sonia Brough, Martin Fellermayer, Eveline Ohneis, M.A., Dr. Wolfgang Walther, Wolfgang Worsch

Muttersprachliche Durchsicht: Thomas Bennett-Long, M.A., Dr. Sonia Brough, David Marks, M.A.

Didaktik und beratende Mitwirkung: Thomas Bennett-Long, M.A., Dr. Sonia Brough, Dr. Vincent J. Docherty, Professor Holger Freese, Dr. Werner Kieweg
Für Österreich: Professor Alois Breitfuß
Für die Schweiz: Eugen Hefti

Illustrationen: Jürgen Bartz, Andrew Clark, Eva Gleifenstein, Harald Juch, John York (Simon Girling & Associates)

Umschlagfoto: zefa visual media gmbh

Ergänzende Hinweise, für die wir jederzeit dankbar sind,
bitten wir zu richten an:
Langenscheidt Verlag, Postfach 40 11 20, 80711 München

Druck: Graph. Betriebe Langenscheidt, Berchtesgaden/Obb.
Printed in Germany
ISBN 3-468-13113-5

5 6 07 06 05 04

Inhaltsverzeichnis

Karten

Strichzeichnungen

Vorwort

Das ***Power Dictionary Englisch*** hat sich seit seinem ersten Erscheinen im Jahre 1997 zu einem Standard-Nachschlagewerk für Englischlernende entwickelt. Es handelt sich um ein Wörterbuch für deutsche Muttersprachler mit völlig neuem Konzept, das speziell auf den Einsatz in der Schule abgestimmt wurde, aber auch über diesen Bereich hinaus zahlreiche Interessenten gefunden hat.

Nach fünf erfolgreichen Jahren seit seinem Erscheinen liegt nun eine aktualisierte und erweiterte Neubearbeitung des Buches vor, in die das Autorenteam zahlreiche Benutzeranregungen hat einfließen lassen. So wurden z. B. die Zahl der Stichwörter und Wendungen von 66.000 auf 76.000 und die Zahl der Info-Fenster zu sprachlichen und landeskundlichen Themen des britischen und amerikanischen Englisch auf fast 400 erhöht. Im Anhang befindet sich u. a. jetzt auch eine separate Länderübersicht in beiden Sprachrichtungen (Englisch-Deutsch und Deutsch-Englisch). Damit wurde dem Wunsch vieler Benutzer nach quantitativer Erhöhung unter Beibehaltung des didaktischen Grundkonzepts Rechnung getragen.

Was macht das Power-Konzept aus? Das Werk unterscheidet sich von anderen Wörterbüchern vor allem dahin gehend, dass die beiden Teile Englisch-Deutsch und Deutsch-Englisch ganz auf die unterschiedlichen Fähigkeiten ausgerichtet sind, die beim Verstehen englischer Texte einerseits und beim Formulieren in Englisch andererseits entwickelt werden müssen. Im englisch-deutschen Teil, in dem in erster Linie nachgeschlagen wird, um das zu ***verstehen***, was man auf Englisch ***liest*** oder ***hört***, wurde bei der Auswahl der Stichwörter großes Gewicht auf einen repräsentativen Querschnitt aus dem Wortschatz der englischen und amerikanischen Alltagssprache gelegt. Im deutsch-englischen Teil, in dem die Benutzer immer dann nachschlagen, wenn sie ***aktiv*** etwas auf Englisch ***sagen*** oder ***schreiben*** wollen, fand bewusst eine Konzentration auf den Sprachgebrauch der meist jugendlichen Benutzer statt. Viel Wert wurde auch auf einen benutzerfreundlichen Zugang zu den Einträgen und auf didaktische Hilfen gelegt. So werden die Stichwörter – wo nötig – durch die Angabe von Wendungen, Beispielsätzen, typischen Wortverbindungen (Kollokationen), Synonymen und dazugehörigen Subjekten oder Objekten stets in ihren natürlichen sprachlichen Kontext gestellt. Weitere wertvolle Hilfen, die die Sicherheit bei der Sprachproduktion erhöhen, sind Hinweise auf typische Fehlerquellen, Warnhinweise und Informationen zu lexikalischen, grammatischen und stilistischen Besonderheiten.

Zum Power-Konzept gehören auch ausführliche Lautschriftangaben, und zwar in voller ausgeschriebener Form bei den englischen Stichwörtern im Teil Englisch-Deutsch, ebenso aber bei schwierig auszusprechenden englischen Übersetzungen im Teil Deutsch-Englisch. Auf diese Weise entfällt nochmaliges (mitunter zeitraubendes) Nachschlagen im Teil Englisch-Deutsch, wenn es „nur“ um die Aussprache einer unbekannten englischen Übersetzung im Teil Deutsch-Englisch geht.

Betont schülerfreundliche Merkmale dieses Wörterbuchs sind außerdem die sehr leicht verständlichen Erklärungen und Abkürzungen sowie die ausführliche Behandlung der unregelmäßigen englischen Verben, die auch im deutsch-englischen Teil gekennzeichnet sind. Was deutsche Wörter betrifft, so wurde auf Angaben zur Wortart, zum Geschlecht der Substantive und zur Betonung bewusst verzichtet, weil diese von deutschen Wörterbuchbenutzern oft als „unnötiger Ballast“ empfunden werden. Dadurch wurde mehr Raum für wichtige Hinweise zum Englischen gewonnen.

Das ***Power Dictionary*** beinhaltet **zahlreiche Neuheiten**, **die es von traditionellen Wörterbüchern unterscheiden**:

- Alle Stichwörter sind stets voll ausgeschrieben.
- Jedes Stichwort erscheint gut erkennbar in Blau auf einer neuen Zeile.
- In so genannten Info-Fenstern werden auf Deutsch sprachliche Zusatzinformationen gegeben (zu Wortschatz, Grammatik, Sprachgebrauch und Aussprache) sowie Wissenswertes aus der Landeskunde Großbritanniens und der USA im Zusammenhang mit dem Stichwortartikel präsentiert. Hierin sieht das Autorenteam einen geeigneten Anknüpfungspunkt für den Einsatz im Unterricht einerseits und für die persönliche Kenntnisbereicherung andererseits. Info-Fenster geben z. B. Antwort auf die Frage:

  Wie führe ich mit meiner englischsprachigen Freundin / meinem englischsprachigen Freund ein Telefongespräch? Was bedeutet PC (political correctness)? Welche Entsprechungen gibt es für weibliche Berufsbezeichnungen im Englischen? Wie entschuldigt man sich für etwas? Wann sagt man England, wann (Great) Britain, wann UK?

- In 20 verschiedenen, zum Teil auch neuen Farbillustrationen werden Begriffe aus alltags- und schülerrelevanten Themenbereichen in einen authentischen sprachlichen und kulturellen Kontext gestellt.
- Landkarten von *The British Isles*, *The United States of America*, *Australia and New Zealand* liefern mit zusätzlichen didaktischen Elementen und Erläuterungen Einstiegsmöglichkeiten in die Landeskunde. Die in den Illustrationen enthaltenen Begriffe werden stets an Ort und Stelle in Englisch und in Deutsch erklärt. Hieraus ergeben sich weitere interessante Ansätze für den Einsatz im Unterricht.

- In 20 Strichzeichnungen schließlich wird gezielt auf Verwechslungsmöglichkeiten im deutsch-englischen und englisch-deutschen Sprachgebrauch eingegangen. z. B. *Deutsch* Chef = *Englisch* boss; *Englisch* chef = *Deutsch* Koch.

Das ***Power Dictionary*** bietet Lehrenden und Lernenden eine Fülle didaktischer Hilfen für eine sichere, umfassende Sprachrezeption und eine korrekte, zuverlässige Sprachproduktion. Wir hoffen, dass wir mit der neuen, erweiterten Ausgabe zahlreiche Interessenten hinzugewinnen werden und sie davon überzeugen können, dass sich die Arbeit mit dem ***Power Dictionary*** in jeder Hinsicht lohnt. In diesem Sinne wünschen wir allen viel Spaß beim Nachschlagen und Lernen.

LANGENSCHEIDT VERLAG

Abkürzungen und Symbole

Abk.	Abkürzung
Adj.	Adjektiv
AE	amerikanisches Englisch
allg.	allgemein
BE	britisches Englisch
bes.	besonders
brit.	britisch
bzw.	beziehungsweise
d.h.	das heißt
dt.	deutsch
engl.	englisch
GB	Großbritannien
Gen.	Genitiv
Illu	Illustration
Inf.	Infinitiv
Info	Information
mst.	meist, meistens
Pl.	Plural
Sg.	Singular
Subst.	Substantiv
umg.	umgangssprachlich
USA	Vereinigte Staaten von Amerika
usw.	und so weiter
≈	ist in etwa gleich
→	Verweis auf
☞	Hinweis auf
↔	Gegenteil von
⚠	Achtung, aufgepasst!
Ⓐ	Österreich
(CH)	Schweiz
®	eingetragene Marke
*	unregelmäßiges englisches Verb

Erklärung der Lautschriftzeichen

Laut-schrift-zeichen	**Englische Beispielwörter**	**Wie wird das ausgesprochen?**
ʌ	**mu**ch [mʌtʃ], **bu**tter ['bʌtə]	sprichtst du wie das **a** in Matsch, Quatsch
ɑː	f**a**ther ['fɑːðə], **a**fter ['ɑːftə], b**a**th [bɑːθ]	diesen langen a-Laut sprichst du wie **ah** in B**ah**n oder **a** in Kram, Scham, also immer recht dunkel, ***niemals*** so hell wie in „Sahne“!
æ	b**a**d [bæd], fl**a**t [flæt], c**a**t [kæt]	Achtung aufgepasst! Das ist eher ein sehr hell gesprochener a-Laut als ein deutsches „ä“! Sprichst du am besten wie das kurze **a** in Quatsch oder waschen
ə	**a** [ə], **an** [ən], butt**er** ['bʌtə]	der Laut heißt „Schwa“ und ist ein ***ganz schwaches*** **e** wie am Ende von bitt**e**
e	b**e**d [bed], h**ea**d [hed]	wie **e** in w**e**tten oder **ä** in h**ä**tte
ɜː	f**ir**st [fɜːst], b**ir**d [bɜːd], **hurt** [hɜːt], **learn** [lɜːn], **her** [hɜː]	sprichst du etwa so wie das **ö** in H**ö**rner, nur etwas länger (aber das „r“ darfst du ***nicht*** mitsprechen!)
ɪ	**i**n [ɪn], b**i**t [bɪt], cr**i**sp [krɪsp]	kurzes **i** wie in b**i**tte, K**i**nd, **i**st
iː	s**ee** [siː], j**ea**ns [dʒiːnz], r**ea**d [riːd]	wie langes **i** in n**ie**
ɒ	sh**o**p [ʃɒp], l**o**t [lɒt]	sprichst du wie das ***kurze*** **o** in G**o**tt, L**o**tto, S**o**cken
ɑ̃	croiss**ant** ['kwæsɑ̃]	dieses ***kurze*** **a** oder **o** wird „***durch die Nase***“ gesprochen

Laut-schrift-zeichen	Englische Beispielwörter	Wie wird das ausgesprochen?
ɔː	**morning** ['mɔːnɪŋ], **door** [dɔː], **naughty** ['nɔːtɪ]	klingt wie ***langes*** **o** in fr**oh**, **Zoo**
ʊ	**good** [gʊd], **put** [pʊt]	wie das kurze **u** in M**u**tter
uː	**too** [tuː], **shoot** [ʃuːt]	wie **uh** in Sch**uh**
aɪ	**ride** [raɪd], **my** [maɪ], **bright** [braɪt]	wie **ei** in l**ei**se, n**ei**disch
aʊ	**now** [naʊ], **round** [raʊnd], **about** [ə'baʊt]	wie **au** in Fr**au**
əʊ	**home** [həʊm], **road** [rəʊd], **cold** [kəʊld]	du sprichst erst ein „Schwa" (Erklärung ist oben bei „ə") und sofort darauf ein kurzes **u**; ist ganz einfach!
eə	**hair** [heə], **pear** [peə], **care** [keə]	klingt wie **-är** in B**är** oder **-er** in h**er**, das „r" darfst du aber ***nicht*** mitsprechen!
eɪ	**eight** [eɪt], **sail** [seɪl], **pale** [peɪl]	klingt wie **äi**
ɪə	**here** [hɪə], **beer** [bɪə], **dear** [dɪə]	klingt wie **-ier** in h**ier**, das „r" wird aber ***nicht*** mitgesprochen!
ɔɪ	**join** [dʒɔɪn], **boy** [bɔɪ]	du sprichst erst ein **o** wie das am Ende von Lott**o** und gleich darauf ein kurzes **i**
ʊə	**tour** [tʊə], **sure** [ʃʊə]	klingt wie **-ur** in K**ur**, das „r" darfst du aber ***nicht*** mitsprechen!
j	**y**es [jes], beyond [bɪ'jɒnd]	wie **j** in **j**etzt
v	**v**ery [verɪ], over ['əʊvə]	wie **v** in **V**ase oder **w** in **W**asser
w	**w**ay [weɪ], **w**ater ['wɔːtə]	musst du ganz anders als ein deutsches „w" sprechen! Ist im Englischen ein ***kurzes*** **u**!
ŋ	**thing** [θɪŋ], **uncle** ['ʌŋkl]	wie **-ng** in Di**ng**

Laut-schrift-zeichen	Englische Beispielwörter	Wie wird das ausgesprochen?
r	**r**oom [ruːm], hu**rr**y [ˈhʌrɪ]	kein deutsches „r”, weder ein gerolltes noch ein im Rachen gesprochenes! Man spricht es mit zurückgebogener Zunge.
s	**s**ee [siː], gla**ss** [glɑːs]	wie in la**ss**en, Li**s**te, hei**ß**
z	**z**ero [ˈzɪərəʊ], new**s** [njuːz]	wie in le**s**en, **S**and
ʃ	**sh**op [ʃɒp], fi**sh** [fɪʃ]	wie **sch** in **Sch**olle, Fi**sch**
tʃ	**ch**eap [tʃiːp], mu**ch** [mʌtʃ]	wie **tsch** in **tsch**üs!
ʒ	televi**si**on [ˈtelɪˌvɪʒn]	wie **g** in **G**enie und Eta**g**e
dʒ	**j**ust [dʒʌst], bri**dge** [brɪdʒ]	wie **j** in **J**ob und **g** in **G**entle-man
θ	**th**anks [θæŋks], **th**ought [θɔːt]	wie wenn du in „fassen“ das stimmlose („scharfe”) Dop-pel-s ***lispeln*** würdest
ð	**th**e [ðə], **th**at [ðæt]	wie wenn du in „**S**en**s**e“ die beiden weichen, stimmhaften s-Laute ***lispeln*** würdest
x	lo**ch** [lɒx]	wie **ch** in a**ch**

Längungszeichen

ː bedeutet, dass du den ***vor*** diesem Zeichen stehenden Laut ***lang*** sprechen musst

Betonungszeichen

ˈ ist der ***Hauptakzent***, der ***vor*** der Stelle steht, wo du ein Wort ***am stärksten betonen*** musst

ˌ ist der ***Nebenakzent***, der ***vor*** der Stelle steht, wo ein Wort die ***zweitstärkste Betonung*** hat

Du solltest jedoch immer daran denken, dass sich die Betonung der einzelnen Wörter in einem zusammenhängenden Satz verschieben kann!

Gelegentlich findest du einen Hauptakzent auch vor einem Wort eines Satz-beispiels und/oder seiner Übersetzung. So bewältigst du auch schwierigere oder zunächst unklare Satzbetonungsmuster.

Einführung in die Benutzung des Power Dictionary

Dieses Wörterbuch ist kein großes Puzzle-Spiel, das dich aufs Äußerste fordert und dir jegliche Lust zum Nachschlagen verdirbt. Im Gegenteil: **Du sollst es leicht haben** und die Angst vor Wörterbüchern soll erst gar nicht aufkommen. Es gibt in diesem Buch keine ineinander geschachtelten Stichwörter, auch keine merkwürdigen Sonderzeichen. Wir haben die Stichwörter nicht abgekürzt, auch nicht die Lautschrift. Jeder Beispielsatz hat eine vollständige Übersetzung. Zahlreiche Erläuterungen zu den Übersetzungen führen dich an die jeweils passende Bedeutung heran. In den Wörterbuchtext eingestreute Kurz-Infos oder auch längere Kommentare (Info-Fenster) zu bestimmten Problemen lockern die Stichwortliste auf. Du bekommst den Wortschatz – nicht zu viel und nicht zu wenig –, den du wirklich brauchst, nicht nur, um englische Texte zu verstehen, sondern insbesondere auch, um dich auf Englisch unterhalten zu können – mit Gleichaltrigen, versteht sich.

Du musst auch nicht ständig in diesem Einführungsteil nachsehen um zu verstehen, wie dies und das gemeint ist. Wir haben uns sehr bemüht, die Einträge so klar und eindeutig wie möglich zu gestalten, **sodass sie sich weitestgehend selbst erklären**. Die folgenden Erläuterungen dienen vor allem dazu, dir die wichtigsten Prinzipien des ***Power Dictionary*** näher zu bringen und dich vor etwaigen Missverständnissen zu bewahren.

1. Stichwörter, Alphabetisierung

Alle blau gedruckten Stichwörter sind streng alphabetisch angeordnet. Im englisch-deutschen Teil gibt es bei der alphabetischen Anordnung nur eine Ausnahme: die so genannten *phrasal verbs* (Verben, die zusammen mit einer Präposition oder einem Adverb gebraucht werden) wie z. B. **get across**, **get away with**, **get round to**, **get up** und Verbindungen mit Verben wie **run out** in der wörtlichen Bedeutung „hinausrennen" oder **know about** usw. Diese erscheinen immer unmittelbar im Anschluss an das Stammverb (bei **get across** also unter **get**, bei **run out** unter **run** usw.), sind eingerückt und im Gegensatz zu den blauen Hauptstichwörtern schwarz gedruckt. So kommt es, dass etwa das blaue Stichwort **getaway** erst hinter **get up** im Wörterbuch steht.

Auch im deutsch-englischen Teil gibt es – ebenfalls eingerückte und schwarz gedruckte – Ausnahmen von der streng alphabetischen Reihenfolge der Einträge. Sie sind alle auf die Reform der deutschen Rechtschreibung zurückzuführen. So werden etwa früher zusammengeschriebene Verben wie **aus-**

einander gehen und **auseinander nehmen** nach den neuen Regeln getrennt geschrieben, was Auswirkungen auf die Zuordnung zu einem Stichwort hat.

Gelegentlich findest du gleich geschriebene **Stichwörter mit hochgestellten Ziffern** (so genannten „Exponenten") als blaue Stichwörter untereinander stehend. Hier handelt es sich entweder um unterschiedliche Wortarten, um Wörter der gleichen Wortart mit **sehr** unterschiedlicher Bedeutung oder um Wörter derselben Wortart mit unterschiedlicher Betonung. Beispiele:

> **back**[1] [bæk] **1.** *Körperteil*: Rücken … ⟨Substantiv⟩
> **back**[2] [bæk] rückwärtig, Hinter…; ***back entrance*** Hintereingang ⟨Adjektiv⟩
> **back**[3] [bæk] **1.** zurück, rückwärts… ⟨Adverb⟩

> **Bank**[1] **1.** (≈ *Sitzbank*) bench **2.** (≈ *Schulbank*) desk …
> **Bank**[2] **1.** (≈ *Geldinstitut*) bank …

> **umgehen**[1] **1.** go* round (*Hindernis usw.*) …
> **umgehen**[2]: ***umgehen mit*** handle (*Ding, Maschine, Person, Tier*) …

Stichwörter, die typisch für das **österreichische Deutsch** bzw. das **Schweizerdeutsch** sind, haben wir mit dem Auto-Länderkennzeichen Ⓐ für Österreich bzw. ⒸⒽ für die Schweiz versehen.

2. Stichwortsuche und neue deutsche Rechtschreibung

Die deutschsprachigen Bestandteile des ***Power Dictionary*** folgen den Regeln der neuen deutschen Rechtschreibung.

Getrennt geschriebene deutsche Verben haben wir unter ihrem **ersten Wort** eingeordnet. Wenn es sich um nur **ein** getrennt geschriebenes Verb handelt, findest du es häufig auch als Unterpunkt mit einer neuen arabischen Ziffer im Stichwortartikel des Grundwortes. Es ist dann in ***fetter Schrägschrift*** gedruckt. Wenn es aber eine ganze Reihe solcher Verben gibt, findest du sie eingerückt und schwarz gedruckt gleich hinter dem Stichwortartikel des blauen Grundwortes. Willst du beispielsweise ***sich mit jemandem auseinander setzen*** finden, musst du unter dem blauen Stichwort **auseinander** nachschlagen. Dort steht der gesuchte Begriff am Schluss der eingerückten und getrennt geschriebenen Zusammensetzungen. Das gilt auch für ***kennen lernen, Rad fahren*** *usw.*

Auch Begriffe wie ***so viel***, ***wie viel*** findest du unter dem jeweils ersten Wort.

Zu beachten ist natürlich stets die korrekte Schreibung von Wörtern wie **nummerieren**, **Ketschup**, **Stängel**, **Stopp**, **rau**, ***sich schnäuzen***, **Schifffahrt**, **Stillleben**, **Tipp**. Du findest sie nur an der alphabetisch richtigen Stelle.

3. Auswahl der Stichwörter

Die beiden Teile Englisch-Deutsch und Deutsch-Englisch sind bewusst auf die unterschiedlichen Bedürfnisse der Benutzer in beiden Sprachrichtungen zugeschnitten.

Im Teil Englisch-Deutsch schlägt man nach, wenn man etwas auf Englisch hört oder liest und wissen will, was ein Wort oder eine Wortgruppe bedeutet. Im Teil Deutsch-Englisch dagegen holt man sich Rat, wenn man etwas auf Englisch sagen oder schreiben will. Während für den deutschen Benutzer in der Richtung Englisch-Deutsch oft schon wenige Hinweise zur richtigen Übersetzung führen, müssen ihm in der Richtung Deutsch-Englisch meist mehr Hinweise für richtiges, „gutes" Englisch gegeben werden, das sich so anhört oder liest, als hätte es ein englischer Muttersprachler formuliert. Aus diesem Grund sind die beiden Teile des Wörterbuchs unterschiedlich gestaltet. Es kann daher auch nicht erwartet werden, dass jede Übersetzung sich in der jeweils anderen Sprachrichtung als Stichwort oder Beispiel wieder findet.

Auch das zu den Farbillustrationen gehörige Wortgut auf der jeweils gegenüberliegenden Seite der Abbildung steht für sich und kann – unterstützt durch die Abbildung – an Ort und Stelle gelernt werden. Jeder Begriff hat eine Ziffer, eingekreiste Ziffern bezeichnen Oberbegriffe. Wir haben darauf geachtet, dass der in den Farbillustrationen enthaltene „Grundwortschatz" auch in den beiden Teilen des Wörterbuchs enthalten ist. Auf Hinweise zu jeder Einzelabbildung in den Farbtafeln haben wir im Stichwortteil bewusst verzichtet. Auf das Thema, also den Namen der Farbillustration, wird aber sowohl in der Richtung Englisch-Deutsch als auch in der Richtung Deutsch-Englisch verwiesen.

4. Ausspracheangaben

Die Stichwörter und auch die eingerückten *phrasal verbs* im Teil Englisch-Deutsch haben alle Ausspracheangaben in eckigen Klammern. Wir verwenden dabei die Lautschriftzeichen der *International Phonetic Association* (IPA), wie sie auch in den Schulbüchern üblich sind. Eine Aufstellung der Lautschriftzeichen mit typischen Aussprachebeispielen findest du auf den Seiten 8 bis 10. Häufig werden englische Wörter ganz anders gesprochen, als man glaubt. In besonders krassen Fällen und dort, wo du wegen eines besser bekannten und ähnlich geschriebenen englischen Wortes zu einer falschen Aussprache neigen könntest, haben wir vor der Lautschrift noch ein Warndreieck ⚠ platziert.

Ganz neu an diesem Wörterbuch sind die **Ausspracheangaben auch im Teil Deutsch-Englisch bei schwierig auszusprechenden englischen Übersetzungen**. Das erspart dir ein lästiges Zurückblättern zu dem entsprechenden Stichwort im englisch-deutschen Teil.

5. Unregelmäßige Wortformen

Für alle Wortarten werden im **englisch-deutschen Teil** unregelmäßige Formen angegeben, bei Substantiven also unregelmäßige Pluralbildungen, bei Verben unregelmäßige Vergangenheits- und Partizipbildungen, bei Adjektiven unregelmäßige Steigerungen. Beispiele:

> **mouse** [maʊs] *Pl.*: ***mice*** [maɪs] …
> **go**[1] [gəʊ], ***went*** [went], ***gone*** [gɒn] …
> **get** [get], ***got*** [gɒt], ***got*** [gɒt] *oder AE* ***gotten*** ['gɒtn]; *-ing-Form* ***getting*** …
> **bad** [bæd], ***worse*** [wɜːs], ***worst*** [wɜːst] …

Im Teil Englisch-Deutsch stehen unregelmäßige Formen zusätzlich als eigene blaue Einträge im Wörterbuch, falls sie alphabetisch nicht unmittelbar hinter dem Grundwort stehen. Bei **zusammengesetzten** Wörtern mit einem unregelmäßigen Bestandteil (z. B. **oversleep**, **businesswoman**) haben wir die unregelmäßigen Formen allerdings nicht als eigene Stichwörter aufgenommen.

Bei den Übersetzungen im **Teil Deutsch-Englisch** gilt etwas Ähnliches. Auch hier werden unregelmäßige Formen der englischen Wörter angegeben, allerdings **nicht** bei **zusammengesetzten** Wörtern mit einem unregelmäßigen Teil. Beispiele:

> **schlecht** **1.** *allg.*: bad (⚠ ***schlechter*** worse, ***schlechtest-*** worst) …
> **Laus** louse [laʊs] *Pl.*: lice

Damit du unregelmäßige englische Verben bei den Übersetzungen der deutschen Stichwörter und Anwendungsbeispiele erkennst, haben wir sie mit einem Sternchen (*) versehen. Die unregelmäßigen Formen kannst du in der Liste der unregelmäßigen Verben im Anhang nachschlagen.

Wenn ein unregelmäßiges Verb in einer bestimmten Wendung im Wörterbuch nur in der Grundform (im Infinitiv) verwendet wird, erhält es dort kein Sternchen.

6. Angaben in kursiver (= schräg gestellter) Schrift

Sehr häufig findest du Angaben *in kursiver Schrift* im Text eines Stichworteintrags. Sie sollen dir helfen zu verstehen, in welchem Zusammenhang die Bedeutung oder Unterbedeutung eines Wortes angewendet wird oder wie sie eigentlich gemeint ist. So kann auch die jeweilige Übersetzung richtig eingeordnet werden. Zum anderen geben die kursiven Anmerkungen Hinweise zum richtigen Gebrauch eines Wortes oder einer Übersetzung.

6.1 Angaben zur Grammatik

Auf komplizierte Grammatikangaben wie z. B. *transitives Verb* oder *intransitives Verb* und überhaupt auf Wortartbezeichnungen haben wir ganz verzichtet. Aus dem Stichwort **plus** der Übersetzung wird ja zumeist auf einen Blick klar, ob es sich um ein Substantiv, ein Adjektiv usw. handelt.

Die wenigen Abkürzungen findest du in der Abkürzungsliste auf S. 7. Die wichtigsten Abkürzungen sind *Sg.* und *Pl.* Und die Unterstreichungen zur Verdeutlichung von Schwierigkeiten verstehen sich ja von selbst. Beispiele:

> **news** [nju:z] (⚠ *nur im Sg. verwendet*) **1.** Neuigkeit(en), Nachricht(en) …
> **Brille 1.** glasses, spectacles …, *umg.* specs (⚠ *alle Pl.*); ***meine Brille ist kaputt*** my glasses are broken …

Wird der unbestimmte Artikel (**a** bzw. **an**) oder der bestimmte Artikel (**the**) im Englischen weggelassen, weisen wir darauf hin:

> **Sauwetter**: ***so ein Sauwetter!*** *umg.* what lousy weather! (⚠ *ohne* a)
> **Landwirtschaft** …; ***die Landwirtschaft*** agriculture *oder* farming (⚠ *ohne* the)

Wir geben auch Hinweise zur Stellung eines Wortes oder Mehrwortausdrucks im englischen Satz:

> **käuflich 1.** for sale (⚠ *immer hinter dem Verb*) …
> **kein 1.** *vor Subst.*: no, not any …
> **kurzfristig 1.** *Lösung, Planung usw.*: … short-term (⚠ *nur vor dem Subst.*)

6.2 Angaben zum Sprachgebrauch

Wo ein englisches oder deutsches Wort von der Standardsprache abweicht bzw. wörtlich oder im übertragenen Sinn verstanden werden kann, haben wir eine oder mehrere der folgenden Bezeichnungen verwendet:

abwertend	*förmlich*	*frauenfeindlich*	*im negativen Sinn*
ironisch	*kritisch*	*salopp*	*tabu*
übertragen	*umg.* (= *umgangssprachlich*)	*vulgär*	*wörtlich*

Hat ein Wort eine **übertragene**, d. h. über den wörtlichen Sinn hinausgehende, sinnbildliche Bedeutung, findest du die Bezeichnung *übertragen* oder *auch übertragen*. Beispiele:

point of view … *übertragen* Gesichtspunkt, Standpunkt
bark[1]… **1.** bellen (*auch übertragen*: *brüllen*)
…
dehnen 1. stretch (*auch übertragen*) …
Rezept 1. *vom Arzt*: prescription … **2.** (≈ *Kochrezept*) recipe [⚠ 'resəpɪ] **3.** *übertragen* remedy …, cure

6.3 Angaben zu Sachgebieten und zum Bedeutungsumfeld

Wo ein englisches Wort bzw. eine seiner Bedeutungen einem Sachgebiet zugeordnet werden kann, ist dies angegeben. Beispiele für Sachgebiete sind: *Chemie*, *Computer*, *EDV*, *Kunst*, *Musik*, *Schule*, *Sport*, *Wirtschaft* usw.

Das Umfeld, den Zusammenhang, in dem eine spezielle Bedeutung eines Stichwortes häufig vorkommt, geben wir sehr oft statt mit einem Sachgebiet mit ganz „normalen“ Wörtern an. Beispiel:

quay … *Hafenanlage*: Kai
Bar … **2.** *im Schrank usw.*: drinks cabinet
Gerippe 1. skeleton … **2.** *von Schiff usw.*: frame(work)

6.4 Angabe von Kollokatoren

Kollokatoren sind Wörter, die typischerweise mit einem oder mehreren Wörtern zusammen auftreten und eine so genannte „Kollokation“ bilden. Kollokatoren wären im Deutschen etwa „saftig“ und „Gebühr“, eine Kollokation wäre „eine saftige Gebühr“.

Mithilfe solcher Kollokatoren lässt sich sehr gut zeigen, in welchem Zusammenhang die jeweilige Übersetzung eines Wortes auftritt. Zu beachten ist, dass wir Kollokatoren immer, auch vor den **englischen** Übersetzungen im Teil Deutsch-Englisch, **in Deutsch** angeben, damit du auf jeden Fall verstehst, was gemeint ist. Beispiele:

rampant … **1.** *Krankheit usw.*: grassierend **2.** *Pflanze*: wuchernd
firm[1] … **3.** *Beweise*: sicher **4.** *Angebot*: bindend
frisch … **2.** *Farbe*: bright …
überstürzt *Entscheidung usw.*: rash

6.5 Synonyme und Antonyme

Manchmal eignen sich **Synonyme** (= Wörter oder Wendungen mit gleicher oder ähnlicher Bedeutung) oder **Antonyme** (= Wörter mit gegensätzlicher

Bedeutung) besser als alles andere, um die verschiedenen Bedeutungen eines Stichworts voneinander abzugrenzen.

Vor **Synonymen** haben wir nicht das Gleichheitszeichen, sondern das Symbol für „ist ungefähr gleich" (≈) verwendet, da die betreffenden kursiven Wörter die entsprechende Bedeutung oder Unterbedeutung des Stichworts nicht immer ganz exakt wiedergeben. Beispiele:

fabulous … **1.** *umg.* (≈ *großartig*) fabelhaft **2.** (≈ *mythisch*) sagenhaft …
Gerät **1.** (≈ *Vorrichtung*) device … **2.** (≈ *Radio*, *Fernseher*) set **3.** (≈ *Elektrogerät*, *Haushaltsgerät*) appliance **4.** (≈ *Maschine*) machine …

Vor **Antonymen** steht das Zeichen ↔. Beispiele:

right[1] [raɪt] ↔ ***left*** **1.** rechte(r, -s), Rechts …
right[3] [raɪt] ↔ ***wrong*** **1.** richtig, recht …
linke(r, -s) **1.** ↔ *rechte*(*r*, *-s*): left …

6.6 Objekte und Subjekte bei Verben

Statt mit abstrakten Begriffen wie *transitiv* oder *intransitiv* zu arbeiten, ziehen wir es im ***Power Dictionary*** vor, dort, wo es nötig oder angebracht erscheint, zusätzlich grammatische Objekte bzw. Subjekte anzugeben. Wir verwenden dafür immer nur deutsche Wörter, auch vor bzw. hinter englischen Übersetzungen im Teil Deutsch-Englisch.

Objekte stehen in runden Klammern **hinter** der Übersetzung. Beispiele:

give … **3.** spenden (*Blut*) … **6.** bieten (*Schutz*) …
run … **2.** *Sport*: laufen (*Rennen*, *Strecke*) …
bannen ward off (*Gefahr*)
bestellen … **2.** book, *bes. AE* reserve (*Zimmer usw.*) …

Subjekte stehen in runden Klammern **vor** der Übersetzung. Beispiele:

give … **9.** (*Material usw.*) nachgeben …
run … **14.** (*Theaterstück usw.*) laufen …
laufen … **3.** (*Motor usw.*) run* … **8.** (*Vertrag usw.*) be* valid, run* …

Manchmal kommen sowohl Subjekt- als auch Objektangaben bei einer Übersetzung vor:

run … **18.** (*Zeitung usw.*) abdrucken, bringen (*Artikel usw.*) …

7. Britisches und amerikanisches Englisch

Unterschiede zwischen dem britischen und dem amerikanischen Englisch – sei es in Schreibweise, Bedeutung und gelegentlich auch Aussprache – werden mit den Kürzeln *BE* bzw. *AE* markiert. Im englisch-deutschen Teil des Wörterbuchs erhält die amerikanische Schreibvariante einen eigenen Stichworteintrag, falls sie alphabetisch von der britischen entfernt ist (z. B. *AE* **tire** – *BE* **tyre**). Im deutsch-englischen Teil werden aus Platzgründen amerikanische Schreibvarianten in der Regel nicht angeführt. In der folgenden Übersicht zur britischen und amerikanischen Schreibweise findest du die wichtigsten Unterschiede mit Beispielen.

Britische und amerikanische Schreibweise

Im alphabetischen Teil des ***Power Dictionary*** haben wir Abweichungen in der Schreibweise des amerikanischen Englisch vom britischen Englisch in der Regel nicht extra aufgeführt. Folgende wichtige Unterschiede solltest du dir aber merken:

BE **-our**	*AE* **-or**	
behaviour	**behavior**	Benehmen
colour	**color**	Farbe
favour	**favor**	Gefallen
honour	**honor**	Ehre
neighbour	**neighbor**	Nachbar
usw.		
BE **-ce**	*AE* **-se**	
defence	**defense**	Verteidigung
licence	**license**	Lizenz
offence	**offense**	Verstoß
pretence	**pretense**	Vorwand
BE **-re**	*AE oft* **-er**	
centre	**center**	Mitte, Zentrum
fibre	**fiber** *oder* **fibre**	Faser
litre	**liter** *oder* **litre**	Liter
metre	**meter** *oder* **metre**	Meter
theatre	**theater** *oder* **theatre**	Theater
usw.		
BE **-ae, oe**	*AE* **-e**	
anaesthetic	**anesthetic**	Narkose
diarrhoea	**diarrhea**	Durchfall
encyclopaedia	**encyclopedia**	Enzyklopädie
manoeuvre	**maneuver**	Manöver
usw.		
BE **-ogue**	*AE* **-og**	
catalogue	**catalog**	Katalog
dialogue	**dialog**	Dialog
monologue	**monolog**	Monolog
usw.		

Fortsetzung nächste Seite

Britische und amerikanische Schreibweise

BE **-ll-**	*AE* **-l-**	
councillor	**councilor**	Stadtrat, Stadträtin
counsellor	**counselor**	Berater(in)
marvellous	**marvelous**	wunderbar
traveller	**traveler**	Reisende(r)
woollen	**woolen**	aus Wolle
BE **-l-**	*AE* **-ll-** (*gelegentlich auch* **-l-**, *mit Ausnahme von* **skillful**)	
enrol	**enroll**	sich einschreiben
fulfil	**fulfill**	erfüllen
instalment	**installment**	Sendefolge, Fortsetzung
skilful	**skillful**	geschickt
Weitere Unterschiede:		
BE	*AE*	
analyse	**analyze**	analysieren
axe	**ax**	Axt
cheque	**check**	Scheck
cosy	**cozy**	gemütlich
draught	**draft**	Durchzug
grey	**gray** *oder* **grey**	grau
jewellery	**jewelry**	Schmuck
mould	**mold**	Schimmel
paralysed	**paralyzed**	gelähmt
plough	**plow**	Pflug
practise	**practice**	üben; ausüben
programme (*aber EDV*: **program**)	**program**	Programm
Weitere Unterschiede:		
BE	*AE*	
sceptical	**skeptical**	skeptisch
storey	**story**	Etage
tyre	**tire**	Reifen

8. Die Übersetzungen

8.1 Allgemeines

Im einfachsten Fall gibt es zu einem Stichwort eine einzige Übersetzung. Häufig hat ein Stichwort aber zwei oder mehr Übersetzungsmöglichkeiten. Handelt es sich dabei um bedeutungsgleiche Übersetzungen, werden sie einfach durch **Kommas** getrennt.

Gibt es zu einem Stichwort mehrere, von der Bedeutung her deutlich unterschiedliche Übersetzungen, werden sie durch **arabische Ziffern** untergliedert. Mittels kursiv gedruckter Anmerkungen werden diese Bedeutungen erläutert und voneinander abgegrenzt. Beispiele:

wild[1] [waɪld] **1.** *allg.*: wild … **2.** *Wetter, Applaus usw.*: stürmisch … **4.** *Idee usw.*: verrückt
reinigen **1.** *allg.*: clean **2.** (≈ *waschen*) clean, wash

Oft unterscheidet sich eine Übersetzungsvariante nur geringfügig von der vorhergehenden. In solchen Fällen wird die zweite Variante nur durch ein Komma abgetrennt und der Unterschied durch eine kursive Bemerkung verdeutlicht:

one-way … **2.** ***one-way ticket*** *bes. AE* einfache Fahrkarte, *bei Flug*: einfaches Ticket …
tausend **1.** *allg.*: a thousand, *betont*: one thousand …
Verfallsdatum … **2.** *von Gütern*: sell-by date, *von Lebensmitteln auch*: best-before date

Um **bei Anwendungsbeispielen**, **typischen Wendungen usw**., die mehrere und deutlich unterschiedliche Übersetzungen haben, diese Wendungen nicht wiederholen zu müssen (und dadurch Platz zu sparen), haben wir auch hier die zweite (und dritte usw.) Übersetzung nur durch eine kursive Bemerkung hinter dem Komma von der vorhergehenden abgehoben. Beispiel:

oil[1] … **2.** Erdöl; ***strike oil*** auf Öl stoßen, *übertragen* Glück haben …
gehen … **11.** ***es geht nicht*** (≈ *funktioniert nicht*) it doesn't (*oder* won't) work, (≈ *ist unmöglich*) it's impossible, *umg.* no way …

8.2 Annähernde Übersetzungen

Gibt es für das englische bzw. deutsche Stichwort oder eine Wendung keine direkte Entsprechung auf der Übersetzungsseite, sondern nur eine **annähernd „richtige" Übersetzung**, findest du das Wörtchen „*etwa*" vor der Übersetzung. Beispiele:

bankbook … *etwa*: Sparbuch
pools [puːlz] ***the pools*** *bes. BE*; *etwa*: (Fußball)Toto …
Studienrat, Studienrätin *etwa*: secondary school teacher, *AE* high school teacher
Justizminister(in) … **2.** *in GB etwa*: Lord Chancellor … **3.** *in USA etwa*: Attorney General …

8.3 Länderbezogene Übersetzungen

Vor Übersetzungen, die speziell in **Österreich** gebräuchlich sind, steht das Auto-Länderkennzeichen Ⓐ. Vor speziell **schweizerischen** Wörtern auf der Übersetzungsseite findest du das Länderkennzeichen (CH).

9. Anwendungsbeispiele: Beispielsätze, idiomatische Wendungen und Kollokationen

Beispielsätze und typische Wendungen (*idioms*) bringen Leben in ein Wörterbuch. Sie zeigen dir – besonders wichtig im deutsch-englischen Teil –, wie ein englisches Wort im Satzzusammenhang verwendet wird und helfen dir dabei, selber korrektes Englisch zu sprechen oder zu schreiben.

Im ***Power Dictionary*** erscheinen Anwendungsbeispiele entweder als Satzmuster (als so genanntes „pattern"), als knappe oder verkürzte Wendung oder, wo es sinnvoll erschien, als kompletter Satz. Sie sind ***in einer fetten Schrägschrift*** (= halbfett-kursiv) gedruckt.

Beispiele für Satzmuster:

have something done etwas tun lassen
take turns at doing something *oder* ***take it in turn(s) to do something*** etwas abwechselnd tun
etwas hastig tun do* something quickly …
Eindruck machen auf impress, make* an impression on

Beispiele für kurze Begriffe, verkürzte Wendungen und „Idioms":

in pairs paarweise
on our left zu unserer Linken
take captive gefangen nehmen
be over the moon *umg*. überglücklich sein
put up a good fight sich tapfer schlagen
römische Ziffer Roman numeral
auf (die) Dauer in the long run
eine ganze Latte von Fragen *usw*. a whole string of questions *usw*.

Beispiele für voll ausformulierte Sätze:

this is the last time I'm going to ask you das ist das letzte Mal, dass ich dich frage
schlag dir das aus dem Kopf! forget it!
er steht unter dem Pantoffel he's a henpecked husband

In vielen Anwendungsbeispielen, insbesondere im Teil Deutsch-Englisch, sind Wörter oder Wortteile unterstrichen, um dir die Andersartigkeit und die Eigenheiten der (idiomatisch korrekten) englischen Wendungen und Übersetzungen vor Augen zu führen. Beispiele:

in his field auf seinem Gebiet, in seinem Fach
the police have caught the thieves die Polizei hat die Diebe verhaftet
über die Telefonzentrale through the switchboard
Thema Nummer eins the number one topic
eine Uhr auf Wasserfestigkeit testen test whether a watch is waterproof
anfangen zu arbeiten *usw*. start working *usw*., start work *usw*.

Kollokationen (Mehrwortausdrücke, deren einzelne Wörter häufig zusammen verwendet werden) geben wir in der Regel als kurze Wendungen wieder:

dead heat totes Rennen
meet a deadline einen Termin einhalten
a wide range of goods ein großes Warenangebot
unübersichtliche Kurve blind corner
toter Winkel blind spot
ein gerissener Bursche a shrewd operator

10. Präpositionale Anschlüsse und andere Ergänzungen

Sind englische Stichwörter oder Übersetzungen mit einer bestimmten **Präposition** verbunden, geben wir diese, zusammen mit der deutschen Entsprechung bzw. Konstruktion, in Klammern an. Beispiele:

accuse … anklagen (***of*** wegen) …
brood[2]… brüten (*auch übertragen* ***on***, ***over***, ***about*** über)
horchen … listen … (***auf*** to) …
Abbau **1.** (≈ *Reduzierung*) reduction (+*Gen. oder* ***von*** of, in) …

Auch andere nützliche Ergänzungen geben wir in Klammern an:

vergewissern: ***sich vergewissern*** make* sure, check (***ob*** that)

11. Angabe möglicher Alternativen

11.1 Alternativen in runden Klammern

Alternativen oder Varianten **in Klammern** findest du besonders häufig bei den Anwendungsbeispielen und Übersetzungen. Beispiele:

Summer (*bzw.* ***Winter***) ***Olympics*** Olympische Sommerspiele (*bzw.* Winterspiele)
Summer Olympics = Olympische Sommerspiele; ***Winter Olympics*** = Olympische Winterspiele.

einkaufen (***gehen***) go* shopping
Sowohl ***einkaufen*** als auch ***einkaufen gehen*** haben also die Übersetzung „go shopping".

(***mit jemandem***) ***abrechnen*** *übertragen* get* even (with someone)
abrechnen im übertragenen Sinn wird übersetzt mit „get even", während ***mit jemandem abrechnen*** mit „get even with someone" zu übersetzen ist.

(***sich***) ***etwas patentieren lassen*** take* a patent out on something
etwas patentieren lassen und ***sich etwas patentieren lassen*** haben die gleiche Übersetzung.

sich mit etwas abquälen struggle (*oder* have* a hard time) with something

Die Übersetzung lautet wahlweise „struggle with something" oder „have a hard time with something".

keep (*oder* ***have***) ***a file on*** eine Akte führen über

Im Englischen kannst du entweder ***keep a file on*** oder ***have a file on*** sagen.

das ist überhaupt nicht vergleichbar you can't compare (the two)

Die Übersetzung lautet wahlweise „you can't compare" oder „you can't compare the two".

er trug eine Latzhose he was wearing overalls *oder* (a pair of) dungarees

Als Übersetzung werden drei Möglichkeiten angegeben: „he was wearing overalls" oder „he was wearing dungarees" oder „he was wearing a pair of dungarees".

Reihenhaus terrace(d) house …

Du kannst entweder mit „terrace house" oder „terraced house" übersetzen.

first … **1.** erste(r, -s) …

Das Stichwort kann sowohl mit „erste" als auch mit allen anderen Formen dieses Wortes, also z. B. mit „erster", „erstes", „ersten" und „erster" übersetzt werden.

leader … **3.** *Sport*: Spitzenreiter(in), Erstplatzierte(r) …

Das Stichwort lässt sich sowohl mit „Spitzenreiter" als auch mit „Spitzenreiterin" übersetzen. Entsprechend auch mit „Erstplatzierter" und „Erstplatzierte" (***der*** oder ***die*** Erstplatzierte).

Auch **bei Stichwörtern** kommen gelegentlich Klammern vor:

einige(r, -s) …

Die folgenden Übersetzungen gelten sowohl für **einige** als auch für alle anderen Formen des Stichworts, also auch für **einiger**, **einiges**, **einigen** usw.

Maurer(in) …

Die Klammern sagen dir hier, dass **Maurer** und **Maurerin** dieselbe(n) Übersetzung(en) haben.

Angestellte(r) …

Der **Angestellte**, ein **Angestellter** und eine **Angestellte** haben alle dieselbe Übersetzung (wobei 'a' bzw. 'the' im Englischen dazukommt).

Wo die weibliche Form des Stichworts eine andere Übersetzung als die männliche Form hat, ist sie entweder ein eigenes Stichwort (z. B. bei **Arzt** und **Ärztin**), oder wir haben die Übersetzung der weiblichen Form durch kursive Anmerkungen deutlich gekennzeichnet. Beispiel:

Millionär(in) millionaire …, *Frau auch*: millionairess …

Für **Millionärin** kannst du als Übersetzung entweder „millionaire" oder „millionairess" wählen.

Vorsitzende(r) chairperson, *Mann auch*: chairman ..., *Frau auch*: chairwoman

Das bedeutet, du kannst die Übersetzung „chairperson“ sowohl für Männer als auch für Frauen verwenden. Einen **Vorsitzenden** kannst du zusätzlich mit „chairman“ übersetzen, eine **Vorsitzende** zusätzlich mit „chairwoman“.

Bei **Nationalitätenbezeichnungen** geben wir Varianten in Klammern an. Beispiele:

Inder Indian; ***er ist Inder*** he's (an) Indian
...

Die Übersetzung von ***er ist Inder*** lautet wahlweise „he's Indian“ oder „he's an Indian“.

Inderin Indian woman (*oder* lady *bzw.* girl); ***sie ist Inderin*** she's (an) Indian ...

Für **eine Inderin** gilt also die Übersetzung „an Indian woman“ oder „an Indian lady“. Wenn bekannt ist, dass es sich um eine sehr junge Frau oder ein Mädchen handelt, solltest du das „*bzw.*“ beachten (es bedeutet ja: je nach Zusammenhang) und in diesem Fall **eine Inderin** mit „an Indian girl“ übersetzen. ***Sie ist Inderin*** kannst du wieder wahlweise mit „she's Indian“ oder „she's an Indian“ übersetzen.

11.2 „auch“-Alternativen

Alternativen werden gelegentlich mit dem Wort „*auch*“ eingeleitet. Beispiele:

oddly ... **2.** *auch* ***oddly enough*** seltsamerweise, merkwürdigerweise

Das bedeutet, sowohl für ***oddly*** als auch für ***oddly enough*** gelten die angegebenen deutschen Übersetzungen.

Tierfreund(in) animal lover; ***bist du ein Tierfreund?*** *auch*: do you like animals?

Das „*auch*:“ weist dich darauf hin, dass du als Übersetzung sowohl die vorausgehende Grundübersetzung - also „are you an animal lover“ - als auch die hinter „*auch*:“ stehende Übersetzung verwenden kannst.

12. „Falsche Freunde“

Manche englischen und deutschen Wörter ähneln sich so sehr, dass man sie für gleichbedeutend halten könnte. In Wirklichkeit sind sie aber „falsche Freunde“, d. h., sie haben eine ganz andere Bedeutung als die vermutete. Um dir peinliche Verwechslungen zu ersparen, haben wir in kritischen Fällen einen Warnhinweis in Klammern angebracht. Beispiele:

gymnasium … Turnhalle, Sporthalle (⚠ *dt. Gymnasium* = ***grammar school***, *AE* ***high school***)
actual … **1.** wirklich, tatsächlich **2.** eigentlich (⚠ *nicht* ***aktuell***)
sensible … vernünftig … (⚠ *sensibel* = ***sensitive***)

Gymnasium *etwa*: grammar school, *AE* high school (⚠ *engl.* gymnasium = ***Sport-***, ***Turnhalle***) …
pink, Pink shocking pink (⚠ *engl.* pink = ***rosa***)

13. Verweise und Hinweise

Verweise auf andere Stichwörter haben den Verweispfeil →. Er zeigt an, dass sich unter dem Stichwort, auf das verwiesen wird, detailliertere oder zusätzliche Angaben zur Übersetzung usw. finden.

Hinweise haben ein Handsymbol: ☞. Es bedeutet, dass sich bei dem betreffenden anderen Stichwort nützliche Zusatzinformationen oder auch eine genauere Erläuterung eines Problems in Form eines Info-Fensters usw. finden lassen.

Das Handsymbol findest du auch als Hinweis auf eine Farbillustration oder eine Länderkarte.

Wörterverzeichnis Englisch-Deutsch

A

A [eɪ] ***from A to Z*** *umg.* von A bis Z
a [ə], *vor vokalischem Anlaut* **an** [ən] **1.** ein(e); ***he's a doctor*** er ist Arzt **2.** ***half an hour*** eine halbe Stunde; ***quite a long time*** eine ziemlich lange Zeit; ***many a*** *förmlich* manche(r, -s), manch ein(e) **3.** per, pro, je; ***twice a week*** zweimal die Woche; ***he earns £300 a week*** er verdient 300 Pfund pro Woche
aback [ə'bæk] ***taken aback*** *Person*: überrascht, verblüfft, bestürzt
abandon [ə'bændən] **1.** verlassen (*Frau usw.*) **2.** aussetzen (*Tier, Kind*) **3.** aufgeben (*Hoffnung usw.*), einstellen (*Suche*) **4.** *Sport*: abbrechen (*Spiel*)
abashed [ə'bæʃt] beschämt, verlegen; ***feel abashed*** sich schämen
abattoir [⚠ 'æbətwɑː] Schlachthof
abbess ['æbes] Äbtissin
abbey ['æbɪ] Abtei
abbot ['æbət] Abt
abbreviate [ə'briːvɪeɪt] kürzen, abkürzen, verkürzen (*Wort, Geschichte usw.*); ***abbreviated form*** Kurzform
abbreviation [əˌbriːvɪ'eɪʃn] Abkürzung; ☞ *Tabelle S. 30*
ABC [ˌeɪbiː'siː] **1.** *AE oft* **ABC's** *Pl.* Abc, Alphabet; ***(as) easy as ABC*** kinderleicht **2.** *übertragen* Abc, Anfangsgründe
abdicate ['æbdɪkeɪt] (*König usw.*) abdanken
abdication [ˌæbdɪ'keɪʃn] *von König usw.*: Abdankung
abdomen ['æbdəmən] *Körper*: Unterleib
abdominal [æb'dɒmɪnl] Unterleibs…
abduct [æb'dʌkt] entführen (*Kind usw.*)
abhor [əb'hɔː] ***abhorred, abhorred*** verabscheuen
abhorrent [əb'hɒrənt] abscheulich, zuwider
abide [ə'baɪd] ***I can't abide him*** ich kann ihn nicht ausstehen

> **abide by** [ə'baɪd‿baɪ] sich halten an (*Regeln, ein Versprechen usw.*)

ability [ə'bɪlətɪ] Fähigkeit
abject ['æbdʒekt] **1.** *Verhältnisse*: elend, erbärmlich **2.** ***abject poverty*** bittere Armut **3.** *ein Verhalten*: demütig, unterwürfig
able ['eɪbl] fähig, tüchtig, geschickt; ***be able to do something*** etwas tun können, imstande *oder* in der Lage sein, etwas zu tun; ***able to pay*** zahlungsfähig
able-bodied [ˌeɪbl'bɒdɪd] **1.** kräftig **2.** *militärisch*: tauglich
abnormal [æb'nɔːml] *Verhalten, Wetter usw.*: anormal, abnorm
aboard [ə'bɔːd] *Schiff, Flugzeug*: an Bord (+ *Genitiv*); ***go aboard*** an Bord gehen
abode [ə'bəʊd] *auch* ***place of abode*** *Recht*: Wohnsitz; ***of*** (*oder* ***with***) ***no fixed abode*** ohne festen Wohnsitz
abolish [ə'bɒlɪʃ] abschaffen, aufheben (*Gesetz, Institution usw.*)
abolition [ˌæbə'lɪʃn] Abschaffung, Aufhebung
abominable [ə'bɒmɪnəbl] *Verbrechen, umg. auch Wetter, Essen usw.*: abscheulich
aboriginal [⚠ ˌæbə'rɪdʒnəl], **aborigine** [ˌæbə'rɪdʒənɪ] *in Australien*: Ureinwohner(in)
abort [ə'bɔːt] **1.** *medizinisch*: abtreiben (*Embryo*) **2.** (*Frau*) eine Fehlgeburt haben **3.** abbrechen (*Raumflug, Programm usw.*)
abortion [ə'bɔːʃn] Schwangerschaftsabbruch, Abtreibung; ***have an abortion*** abtreiben lassen
abortive [ə'bɔːtɪv] *Versuch usw.*: erfolglos
abound [ə'baʊnd] reichlich vorhanden sein

> **abound in** *oder* **with** [ə'baʊnd‿ɪn *oder* wɪð] **1.** reich sein an **2.** voll sein von, wimmeln von

about [ə'baʊt] **1.** über (*Thema usw.*); ***talk about business*** über Geschäfte reden **2.** *räumlich*: herum, umher; ***run about in the garden*** im Garten herumlaufen; ***don't leave your books lying about*** lass deine Bücher nicht herumliegen **3.** *zeitlich*: um, gegen; ***about noon*** um die Mittagszeit, gegen Mittag **4.** *umg.* ungefähr,

abbreviations – gängige Abkürzungen im Englischen

In folgender Liste findest du eine kleine Auswahl von Abkürzungen, die du eventuell in englischen Texten antreffen wirst. Beachte, dass man heute im britischen Englisch die Punkte meist weglässt, sie dagegen im amerikanischen Englisch häufig setzt.

Abkürzung	Vollform / Lautschrift	Übersetzung
abbr	**abbreviation**	Abkürzung, Abk.
AD	(lateinisch **anno domini**) **in the year of our Lord**	im Jahre unseres Herrn, nach Christus, n. Chr.
am	(lateinisch **ante meridiem**) **in the morning**	morgens, vormittags
approx	**approximately**	ungefähr, circa, ca.
BC	**before Christ**	vor Christus, v. Chr.
C	**century**	Jahrhundert, Jh.
c/o	**care of**	bei; zu Händen, z. Hd.
Co	**Company**	Gesellschaft
Dept	**Department**	Abteilung, Abt.
Dr	**Doctor**	Doktor, Dr.
eg	(lateinisch **exempli gratia**) **for example**	zum Beispiel, z. B.
esp	**especially**	besonders, bes.
etc	**etcetera**	und so weiter, usw.
extn	**extension**	Nebenstelle, NSt
Fri	**Friday**	Freitag, Fr
GP	**General Practitioner**	Arzt für Allgemeinmedizin, Hausarzt
ie	(lateinisch **id est**) **that is**	das heißt, d. h.
incl	**including**	inklusiv, inkl.
LA	**Los Angeles**	
Mon	**Monday**	Montag, Mo
MP	**Member of Parliament**	Parlamentsmitglied
Mr	**Mister**	Herr
Mrs	['mɪsɪz]	Frau (bei verheirateter Frau)
Ms	[mɪz]	Frau (meist bei unverheirateter Frau)
no, No	**number**	Nummer, Nr.
NYC	**New York City**	*die Stadt* New York
p	**page**	Seite, S.
pm	(lateinisch **post meridiem**) **in the afternoon / evening**	nachmittags, abends
PO Box	**Post Office Box**	Postfach, PF
PTO	**please turn over**	bitte wenden, b.w.
Sat	**Saturday**	Sonnabend, Samstag, Sa
Sq	**Square**	Platz, Pl.
St	**Street** **Saint**	Straße, Str. Sankt, St.
Sun	**Sunday**	Sonntag, So
Thur, Thurs	**Thursday**	Donnerstag, Do
Tue, Tues	**Tuesday**	Dienstag, Di
Wed	**Wednesday**	Mittwoch, Mi

etwa; ***that's about right*** das kommt so ungefähr hin; ***he's about 50*** er ist so um die 50 herum **5.** im Begriff, dabei; ***he was about to go out*** er wollte gerade weggehen; ***it's about to rain*** es regnet gleich **6.** ***be up and about*** auf den Beinen sein **7.** in der Nähe, da; ***there was no one about*** es war kein Mensch da **8.** ***what about …?*** wie wärs mit …?; ***how about a drink?*** wie wärs mit einem Drink?

above[1] [ə'bʌv] **1.** über, oberhalb; ***above sea level*** über dem Meeresspiegel **2.** ***above all*** vor allem **3.** ***be above something*** über etwas stehen; ***she thinks she's above doing the dishes*** sie hält sich für zu gut abzuwaschen **4.** oben; ***from above*** von oben **5.** darüber (hinaus); ***children aged six and above*** Kinder im Alter von sechs Jahren und älter

above[2] [ə'bʌv], **above-mentioned** [əˌbʌv'menʃnd] obige(r, -s), oben erwähnte(r, -s)

abreast [ə'brest] **1.** Seite an Seite; ***three abreast*** zu dritt nebeneinander **2.** ***keep abreast of*** *übertragen* Schritt halten mit; ***keep abreast of the times*** auf dem Laufenden bleiben

abridge [ə'brɪdʒ] kürzen (*Buch, Rede usw.*); ***abridged version*** gekürzte Fassung

abridgement [ə'brɪdʒmənt] **1.** Kürzung **2.** *von Text*: Kurzfassung

abroad [ə'brɔːd] **1.** im Ausland; ***from abroad*** aus dem Ausland; ***at home and abroad*** im In- und Ausland **2.** ins Ausland; ***go abroad*** ins Ausland gehen **3.** ***on a trip abroad*** auf einer Auslandsreise

abrupt [ə'brʌpt] **1.** plötzlich, abrupt **2.** *Benehmen*: schroff

abs [æbz] *Pl.* (*Abk. für* abdominal muscles) *umg.* Bauchmuskeln *Pl.*

abscess [⚠ 'æbses] (≈ *Eiterbeule*) Abszess

abscond [əb'skɒnd] sich heimlich davonmachen

absence ['æbsəns] **1.** Abwesenheit, Ⓐ, Ⓒⓗ *bes. von der Schule*: Absenz **2.** Fehlen, Mangel (***of*** an); ***in the absence of*** aus Mangel an, in Ermangelung (+ *Genitiv*)

absent ['æbsənt] **1.** abwesend; ***be absent*** fehlen; ***be absent from school*** (*bzw.* ***from work***) in der Schule (*bzw.* am Arbeitsplatz) fehlen **2.** *Blick usw.*: (geistes)abwesend

absentee [ˌæbsn'tiː] Abwesende(r)

absenteeism [ˌæbsən'tiːɪzm] häufiges (unentschuldigtes) Fehlen (*am Arbeitsplatz, in der Schule*)

absent-minded [ˌæbsənt'maɪndɪd] geistesabwesend, zerstreut

absolute ['æbsəluːt] **1.** *allg.*: absolut **2.** *Herrscher, Macht usw.*: unumschränkt **3.** *Unsinn usw.*: vollkommen

absolutely ['æbsəluːtlɪ] **1.** absolut, vollkommen; ***absolutely brilliant*** ganz toll **2.** ***absolutely*** [ˌæbsə'luːtlɪ]! *als Antwort*: unbedingt!

absolution [ˌæbsə'luːʃn] *in der Kirche*: Absolution

absolve [⚠ əb'zɒlv] **1.** ***absolve someone from something*** jemanden von etwas freisprechen (*von einer Sünde usw.*) **2.** ***absolve someone*** (*Priester*) jemandem die Absolution erteilen (⚠ *nicht* ***absolvieren***)

absorb [əb'sɔːb] **1.** aufsaugen (*Flüssigkeit*) **2.** *übertragen* in sich aufnehmen (*Wissen usw.*) **3.** ***be absorbed in*** *übertragen* vertieft sein in

absorbent [əb'sɔːbənt] saugfähig

absorbing [əb'sɔːbɪŋ] fesselnd

abstain [əb'steɪn] **1.** ***abstain (from voting)*** *bei der Wahl*: sich der Stimme enthalten **2.** ***abstain from smoking*** *usw.* das Rauchen *usw.* unterlassen

abstention [əb'stenʃn] ***abstention (from voting)*** (Stimm)Enthaltung

abstinence ['æbstɪnəns] *bes. von Alkohol*: Abstinenz, Enthaltsamkeit

abstinent ['æbstɪnənt] abstinent, enthaltsam

abstract ['æbstrækt] *Gemälde, Begriff usw.*: abstrakt

absurd [əb'sɜːd] **1.** (≈ *gegen jede Vernunft*) absurd **2.** *Aussehen, Situation usw.*: albern, lächerlich

abundance [ə'bʌndəns] (≈ *große Menge*) Fülle (***of*** von), Überfluss; ***in abundance*** in Hülle und Fülle

abundant [ə'bʌndənt] *Vorräte usw.*: reich, reichlich

abuse[1] [ə'bjuːz] **1.** beschimpfen **2.** missbrauchen (*auch sexuell*) **3.** misshandeln

abuse[2] [⚠ ə'bjuːs] (⚠ *nur im Sg. verwendet*) **1.** Beschimpfungen **2.** Missbrauch; ***drug abuse*** Drogenmissbrauch

abusive [ə'bjuːsɪv] beleidigend; ***use abusive language*** jemanden beschimpfen

abysmal [ə'bɪzməl] miserabel

abyss [⚠ ə'bɪs] Abgrund (*auch übertragen*)

AC [ˌeɪ'siː] (*Abk. für* **a**lternating **c**urrent) Wechselstrom

academic[1] [ˌækə'demɪk] **1.** *allg.*: akademisch **2.** wissenschaftlich **3.** theoretisch; ***a purely academic question*** eine rein theoretische Frage

academic[2] [ˌækəˈdemɪk] Wissenschaftler(in), Hochschullehrer(in) (⚠ *Akademiker(in)* = ***university graduate***)
academy [əˈkædəmɪ] Akademie; ***academy of music*** Musikhochschule
accelerate [əkˈseləreɪt] **1.** *im Auto usw.*: Gas geben **2.** (*Fahrzeug usw.*) (sich) beschleunigen, schneller werden (*auch übertragen Prozess, Entwicklung usw.*)
acceleration [əkˌseləˈreɪʃn] Beschleunigung
accelerator [əkˈseləreɪtə] Gaspedal
accent [ˈæksnt] Akzent
accentuate [əkˈsentʃʊeɪt] hervorheben, betonen (*Gegensatz usw.*)
accept [əkˈsept] **1.** annehmen (*Geld, Geschenk usw.*) **2.** akzeptieren (*Person, Entscheidung usw.*) **3.** hinnehmen, sich abfinden mit (*Tatsache, Schicksal usw.*) **4.** übernehmen (*Verantwortung*)
acceptable [əkˈseptəbl] **1.** *Leistung, Qualität usw.*: akzeptabel, ausreichend **2.** *Risiko, Benehmen usw.*: annehmbar, zu vertreten
acceptance [əkˈseptəns] **1.** Annahme, Entgegennahme **2.** ***gain*** (*oder* ***find, win***) ***acceptance*** Anerkennung finden
accepted [əkˈseptɪd] allgemein anerkannt
access [⚠ ˈækses] **1.** Zugang (***to*** zu) **2.** *Computer*: Zugriff (***to*** auf) **3.** ***access only*** *Straßenschild*: Anlieger frei
accessible [əkˈsesəbl] (leicht) erreichbar, zugänglich
accessory [əkˈsesərɪ] **1.** *mst.* ***accessories*** *Pl.*; *beim Auto usw.*: Zubehör **2.** *mst.* ***accessories*** *Pl.* modisches Zubehör, Accessoires
access provider [ˈækses‿prəˌvaɪdə] *Internet*: Provider
accident [ˈæksɪdənt] **1.** Unfall, Unglück, Unglücksfall **2.** Zufall; ***by accident*** durch Zufall, zufällig **3.** *in Kernkraftwerk*: Störfall
accidental [ˌæksɪˈdentl] **1.** *Begegnung usw.*: zufällig **2.** *Fehler usw.*: versehentlich
accidentally [ˌæksɪˈdentlɪ] **1.** zufällig **2.** versehentlich
acclimatize [əˈklaɪmətaɪz] sich gewöhnen (***to*** an), sich eingewöhnen (in)
accommodate [əˈkɒmədeɪt] **1.** *in Wohnraum*: unterbringen **2.** Platz haben für, fassen (*Personen, Gegenstände*); ***the hall can accommodate four hundred people*** der Saal hat Platz für vierhundert Personen
accommodation [əˌkɒməˈdeɪʃn] (≈ *Zimmer, Quartier*) Unterkunft; ***look for accommodation*** eine Unterkunft suchen
accompaniment [⚠ əˈkʌmpənɪmənt] *bes. musikalische*: Begleitung
accompany [⚠ əˈkʌmpənɪ] begleiten (*auch musikalisch*)
accomplice [⚠ əˈkʌmplɪs] *bei Verbrechen*: Komplize, Komplizin
accomplish [⚠ əˈkʌmplɪʃ] erreichen (*Ziel, Zweck*)
accomplished [⚠ əˈkʌmplɪʃt] *Künstler, Vorstellung usw.*: vollendet, perfekt
accomplishment [⚠ əˈkʌmplɪʃmənt] Fähigkeit, Fertigkeit
accord [əˈkɔːd] ***he did it of his own accord*** er hat es freiwillig gemacht (⚠ *nicht* ***Akkord***)
accordance [əˈkɔːdns] ***in accordance with your wishes*** Ihren Wünschen entsprechend
according [əˈkɔːdɪŋ] ***according to*** laut, nach; ***according to John, she's a good pianist*** laut John ist sie eine gute Pianistin
accordingly [əˈkɔːdɪŋlɪ] entsprechend (*handeln, sich verhalten*)
accordion [əˈkɔːdɪən] Akkordeon
accost [əˈkɒst] **1.** (in eindeutiger Absicht) ansprechen (*bes. eine Frau*) **2.** anpöbeln
account [əˈkaʊnt] **1.** *Bank usw.*: Konto (***with*** bei); ***savings account*** Sparkonto **2.** Bericht; ***give an account of*** Bericht erstatten über **3.** ***on account of*** wegen; ***on my account*** meinetwegen; ***on no account*** auf keinen Fall **4.** ***take into account*** berücksichtigen

> **account for** [əˈkaʊnt‿fɔː] **1.** Rechenschaft ablegen über **2.** erklären, begründen; ***there's no accounting for taste*** über Geschmack lässt sich (nicht) streiten **3.** ***that accounts for …*** das ist der Grund für …

accountable [əˈkaʊntəbl] verantwortlich (***for*** für); ***hold someone accountable for something*** jemanden für etwas verantwortlich machen
accountant [əˈkaʊntənt] Buchhalter(in)
account number [əˈkaʊntˌnʌmbə] Kontonummer
accumulate [⚠ əˈkjuːmjəleɪt] **1.** ansammeln (*Reichtümer, Schätze*) **2.** (*Gegenstände, Staub, Schulden usw.*) sich ansammeln
accuracy [⚠ ˈækjərəsɪ] Genauigkeit
accurate [ˈækjərət] genau; ***my watch is accurate*** meine Uhr geht genau
accusation [ˌækjuːˈzeɪʃn] **1.** Anklage; ***bring an accusation against*** Anklage

erheben gegen **2.** Anschuldigung **3.** Vorwurf

accusative [⚠ ə'kjuːzətɪv] *auch* ***accusative case*** *Sprache*: Akkusativ, 4. Fall

accuse [ə'kjuːz] **1.** *Recht*: anklagen (***of*** wegen) **2.** beschuldigen (***of***; *dt. Genitiv*); ***are you accusing me of stealing?*** willst du etwa sagen, dass ich gestohlen habe?

accused [ə'kjuːzd] ***the accused*** der *oder* die Angeklagte, die Angeklagten *Pl.*

accusing [ə'kjuːzɪŋ] *Blick usw.*: anklagend, vorwurfsvoll

accustomed [ə'kʌstəmd] ***be accustomed to doing something*** gewohnt sein etwas zu tun; ***get accustomed to something*** sich an etwas gewöhnen

ace [eɪs] **1.** *Spielkarte, auch Tennis*: Ass; ***ace of hearts*** Herzass; ***have an ace up one's sleeve*** *übertragen* noch einen Trumpf in der Hand haben **2.** *umg.* Ass, Kanone

ache[1] [eɪk] wehtun, schmerzen; ***my head aches*** *oder* ***is aching*** mir tut der Kopf weh; ***I'm aching all over*** mir tut alles weh

ache[2] [eɪk] Schmerz(en); ***aches and pains*** Wehwehchen

achieve [ə'tʃiːv] **1.** erreichen (*Ziel*) **2.** erzielen (*Erfolg*) **3.** leisten (*Großes usw.*)

achievement [ə'tʃiːvmənt] Leistung; ***sense of achievement*** Erfolgserlebnis

acid[1] [⚠ 'æsɪd] sauer; ***acid drops*** *Pl.* saure Drops *Pl.*

acid[2] [⚠ 'æsɪd] Säure

acid rain [ˌæsɪd'reɪn] saurer Regen

acid test [ˌæsɪd'test] *übertragen* Feuerprobe

acknowledge [ək'nɒlɪdʒ] **1.** anerkennen (*Autorität, Gericht usw.*) **2.** zugeben (*Fehler usw.*) **3.** bestätigen (*Brief, Empfang usw.*)

acknowledgement, **acknowledgment** [ək'nɒlɪdʒmənt] **1.** Anerkennung (*für Leistung usw.*) **2.** (≈ *Antwortschreiben*) Empfangsbestätigung

acne ['æknɪ] Akne

acorn [⚠ 'eɪkɔːn] Eichel

acoustics [⚠ ə'kuːstɪks] *Pl.* Akustik; ***the acoustics aren't very good*** die Akustik ist nicht sehr gut

acquaintance [ə'kweɪntəns] **1.** *Person*: Bekannte(r) **2.** Bekanntschaft; ***make someone's acquaintance*** jemandes Bekanntschaft machen **3.** Kenntnis (***with***; *dt. Genitiv*) (*einer Sprache usw.*)

acquainted [ə'kweɪntɪd] **1.** ***be acquainted with someone*** jemanden kennen; ***become acquainted with someone*** jemanden kennen lernen **2.** ***be acquainted with something*** mit etwas vertraut sein

acquire [ə'kwaɪə] **1.** erwerben (*Besitz, Vermögen usw.*) **2.** sich aneignen (*Kenntnisse usw.*)

acquisition [ˌækwɪ'zɪʃn] **1.** Erwerb **2.** Anschaffung

acquisitive [ə'kwɪzətɪv] habgierig

acquit [ə'kwɪt], ***acquitted, acquitted*** **1.** freisprechen (*Angeklagten*) (***of*** von) **2.** ***he acquitted himself well*** er hat seine Sache gut gemacht

acquittal [ə'kwɪtl] *vor Gericht*: Freispruch

acre ['eɪkə] *Maßeinheit, 4047m²*: Acre

acrimonious [ˌækrɪ'məʊnɪəs] **1.** *Auseinandersetzung usw.*: erbittert **2.** *Worte usw.*: scharf, beißend

acrobat [⚠ 'ækrəbæt] Akrobat(in)

across [ə'krɒs] **1.** (quer) über (*die Straße usw.*) **2.** (quer) durch (*einen Fluss usw.*) **3.** auf der anderen Seite (*der Straße usw.*) **4.** hinüber; ***go across*** hinübergehen **5.** herüber; ***come across*** herüberkommen **6.** breit; ***2 miles across*** 2 Meilen breit **7.** im Durchmesser (*See usw.*) **8.** *im Kreuzworträtsel*: waagerecht

act[1] [ækt] **1.** (≈ *aktiv werden*) handeln **2.** *Theater usw.*: spielen; ***act the part of Hamlet*** den Hamlet spielen; ***she can't act*** sie ist eine schlechte Schauspielerin **3.** sich verhalten, sich benehmen; ***she's always acting the martyr*** sie spielt immer die Leidende **4.** (*Medikament usw.*) wirken (***on*** auf) **5.** tätig sein; ***act as*** amtieren *oder* fungieren als

> **act up** [ˌækt'ʌp] *umg.* **1.** Theater machen **2.** (*Gerät usw.*) verrückt spielen

act[2] [ækt] **1.** *Theater*: Aufzug, Akt **2.** ***Act (of Parliament***, *AE* ***of Congress)*** Gesetz **3.** Tat, Handlung; ***an act of God*** höhere Gewalt

acting[1] ['æktɪŋ] stellvertretend, amtierend

acting[2] ['æktɪŋ] Schauspielerei, Spielen

action ['ækʃn] **1.** Handeln; ***man of action*** Mann der Tat; ***put into action*** in die Tat umsetzen; ***take action*** handeln, Schritte unternehmen **2.** *Roman usw.*: Handlung **3.** *im Film usw.*: Action; ***where the action is*** *umg.* wo was los ist **4.** (Ein)Wirkung (***on*** auf) **5.** Klage, Prozess; ***bring an action against*** verklagen **6.** Gefecht, Einsatz; ***killed in action*** gefallen

action-packed ['ækʃnpækt] *Film usw.*: voller Action, spannend

action replay ['ækʃnˌriːpleɪ] *BE* (Zeitlupen)Wiederholung (*einer Spielszene*)

activate ['æktɪveɪt] **1.** auslösen (*Alarm usw.*) **2.** *bes. Chemie, Technik*: aktivieren

active ['æktɪv] **1.** *allg.*: aktiv, *Vulkan auch*: tätig **2.** *Interesse, Beteiligung usw.*: lebhaft, rege **3. *active (voice)*** *Sprache*: Aktiv, Tatform
activist ['æktɪvɪst] *bes. in Zusammensetzungen*: Aktivist(in), Kämpfer(in); ***anti-nuclear activist*** Atomgegner(in)
activity [æk'tɪvətɪ] **1.** Aktivität **2.** *mst.* ***activities*** *Pl. in Schule, Freizeit usw.*: Aktivität, Beschäftigung
actor ['æktə] Schauspieler
actress ['æktrəs] Schauspielerin
actual ['æktʃʊəl] **1.** wirklich, tatsächlich **2.** eigentlich (⚠ *nicht* ***aktuell***)
actually ['æktʃʊəlɪ] **1.** *als Füllwort, oft nicht übersetzt*: ***actually, I think that's a good idea*** ich halte das für eine gute Idee! **2.** eigentlich; ***what did she actually say?*** was hat sie eigentlich gesagt? **3.** tatsächlich; ***he actually did it*** er hat es tatsächlich getan **4.** sogar; ***oh, he's actually ready*** oh, er ist sogar fertig!
acumen ['ækjʊmən] Scharfsinn; ***business acumen*** Geschäftssinn
acupressure ['ækjʊˌpreʃə] Akupressur
acupuncture ['ækjʊˌpʌŋktʃə] Akupunktur
acute [ə'kjuːt] **1.** *Gehör usw.*: scharf **2.** *Analyse usw.*: scharfsinnig **3.** *Krankheit*: akut **4.** *Schmerzen*: stark **5.** *Mangel usw.*: erheblich **6.** *Winkel*: spitz
AD [ˌeɪ'diː] (*Abk. für* **a**nno **D**omini) n. Chr. (*nach Christus*)
ad [æd] *umg.* Anzeige, Inserat, Annonce
adapt [ə'dæpt] **1.** anpassen (***to*** an) **2.** umbauen (*Auto, Gerät*) **3.** bearbeiten (*Text*) **4.** sich anpassen(***to*** an)
adaptable [ə'dæptəbl] anpassungsfähig
adaptation [ˌædæp'teɪʃn] **1.** *von Person, Tier*: Anpassung (***to*** an) **2.** Bearbeitung (*eines Theaterstücks usw.*)
adapter, adaptor [ə'dæptə] Adapter, Zwischenstecker
add [æd] **1.** hinzufügen (***to*** zu; ***that*** dass) **2.** addieren, zusammenzählen

> **add to** ['æd‿tə] vergrößern, noch hinzukommen zu (*Schwierigkeiten usw.*)
> **add up** [ˌæd'ʌp] **1.** addieren, zusammenzählen **2.** (*Rechnung*) aufgehen, stimmen **3.** *übertragen* einen Sinn ergeben
> **add up to** [ˌæd'ʌp‿tə] **1.** sich belaufen auf, betragen **2.** *übertragen* hinauslaufen auf

added ['ædəd] zusätzlich
adder ['ædə] *Schlange*: Natter
addict ['ædɪkt] **1.** *Drogen usw.*: Süchtige(r) **2.** *Fußball usw.*: Fanatiker(in)
addicted [ə'dɪktɪd] süchtig; ***be addicted to drugs*** drogensüchtig sein
addiction [ə'dɪkʃn] Sucht; ***addiction to alcohol*** Alkoholsucht
addictive [ə'dɪktɪv] ***be addictive*** (*Drogen, Fernsehen usw.*) süchtig machen
addition [ə'dɪʃn] **1.** Zusatz, Ergänzung; ***an addition to the family*** Familienzuwachs **2.** *Rechenart*: Addition **3.** ***in addition*** noch dazu, außerdem; ***in addition to*** außer, zusätzlich zu
additional [ə'dɪʃnəl] zusätzlich
additive ['ædətɪv] Zusatz (*bes. chemischer*)
add-on ['ædɒn] *für Computer*: Zusatzgerät
address[1] [ə'dres] **1.** *allg.*: Adresse, Anschrift **2.** *Computer*: Adresse **3.** *vor Versammlung usw.*: Ansprache, Rede
address[2] [ə'dres] **1.** adressieren (*Brief*) **2.** *mit Titel usw.*: anreden; ***how should I address him?*** wie soll ich ihn anreden? **3.** sprechen zu (*Zuhörern usw.*) **4. *address to*** richten an (*Worte usw.*)
addressee [⚠ ˌædres'iː] Empfänger(in)
adept[1] [ə'dept] erfahren, geschickt (***at, in*** in)
adept[2] ['ædept] Meister(in), Experte, Expertin (***at, in*** in)
adequate ['ædɪkwət] **1.** ausreichend **2.** (≈ *gerade genug*) hinreichend **3.** angemessen
adhere [əd'hɪə] kleben, haften (***to*** an)

> **adhere to** [əd'hɪə‿tə] festhalten an, bleiben bei (*Plan, Überzeugung usw.*)

adherence [əd'hɪərəns] Festhalten (***to*** an)
adhesive [əd'hiːsɪv] haftend, klebend, Haft…, Kleb(e)…; ***adhesive plaster*** Heftpflaster; ***adhesive tape*** Klebstreifen, *AE* Heftpflaster
adjacent [ə'dʒeɪsnt] angrenzend; ***it's adjacent to the station*** es befindet sich direkt neben dem Bahnhof
adjective ['ædʒɪktɪv] *Sprache*: Adjektiv, Eigenschaftswort
adjoin [ə'dʒɔɪn] **1.** (*Raum, Garten usw.*) grenzen an **2.** (*Räume usw.*) aneinander grenzen, nebeneinander liegen
adjoining [ə'dʒɔɪnɪŋ] Nachbar…, Neben…
adjourn [ə'dʒɜːn] **1.** vertagen (***till, until*** auf; ***for*** um), unterbrechen **2.** sich vertagen
adjust [ə'dʒʌst] **1.** (richtig) einstellen (*Bremse, Zündung usw.*) **2.** regulieren (*Ton, Farbe usw.*) **3.** anpassen (***to*** an)
adjustable [ə'dʒʌstəbl] verstellbar, regulierbar

adjustment [ə'dʒʌstmənt] **1.** *technisch*: Einstellung (*einer Maschine usw.*) **2.** Anpassung (*an Lebensbedingungen usw.*)
adland ['ædlænd] *umg.* die Werbebranche
ad-lib [ˌæd'lɪb], ***ad-libbed, ad-libbed*** *umg.*; *Theater usw.*: improvisieren
admin[1] ['ædmɪn] *bes. BE, umg.* Verwaltung
admin[2] ['ædmɪn] *bes. BE, umg.* Verwaltungs…
administer [əd'mɪnɪstə] **1.** verwalten **2.** ***administer justice*** Recht sprechen **3.** verabreichen (*Medizin*)
administration [ədˌmɪnɪ'streɪʃn] **1.** Verwaltung **2.** *AE* Amtsperiode, Regierung (*eines Präsidenten usw.*) **3.** ***administration of justice*** Rechtsprechung
administrative [əd'mɪnɪstrətɪv] Verwaltungs…
administrator [əd'mɪnɪstreɪtə] **1.** Verwalter(in) **2.** Verwaltungsbeamter, Verwaltungsbeamtin
admirable [⚠ 'ædmərəbl] bewundernswert
admiral ['ædmərəl] Admiral
admiration [ˌædmə'reɪʃn] Bewunderung (***for*** für)
admire [əd'maɪə] **1.** bewundern (***for*** wegen) **2.** verehren
admirer [əd'maɪərə] **1.** Bewunderer, Bewunderin **2.** Verehrer(in)
admission [əd'mɪʃn] **1.** Eintritt, Zutritt; ***admission free*** Eintritt frei; ***admission charge*** (*oder* ***fee***) Eintritt(sgeld) **2.** Eintritt(sgeld) **3.** *zum Studium usw.*: Zulassung **4.** Eingeständnis; ***by his own admission*** wie er selbst zugibt; ***admission of guilt*** Schuldbekenntnis
admit [əd'mɪt], ***admitted, admitted*** **1.** zugeben, (ein)gestehen; ***he admitted breaking into the house*** er gab zu, in das Haus eingebrochen zu sein **2.** *ins Kino usw.*: hereinlassen (***into*** in) **3.** *ins Krankenhaus usw.*: aufnehmen (***into, to*** in) **4.** *zum Studium usw.*: zulassen
admittance [əd'mɪtns] Eintritt, Zutritt; ***no admittance*** Eintritt verboten
admittedly [əd'mɪtɪdlɪ] zugegebenermaßen
admonish [əd'mɒnɪʃ] ermahnen (***for*** wegen)
admonition [ˌædmə'nɪʃn] Ermahnung
ado [ə'duː] ***without further ado*** ohne weitere Umstände
adolescent[1] [⚠ ˌædə'lesnt] Jugendliche(r) (*zwischen 13 und 16 Jahren*)
adolescent[2] [⚠ ˌædə'lesnt] pubertär
adopt [ə'dɒpt] **1.** adoptieren; ***adopted child*** Adoptivkind **2.** übernehmen (*Methode, Idee, Sitte usw.*) **3.** einnehmen (*Haltung, Standpunkt usw.*) **4.** annehmen (*anderen Namen usw.*)
adoption [ə'dɒpʃn] **1.** Adoption; ***give a child up for adoption*** ein Kind zur Adoption freigeben **2.** Übernahme (*einer Methode usw.*)
adoptive [ə'dɒptɪv] Adoptiv… (*Kind, Eltern*)
adorable [ə'dɔːrəbl] hinreißend, entzückend
adore [ə'dɔː] **1.** über alles lieben (*auch übertragen Schokolade usw.*) **2.** anbeten, schwärmen für (*Filmstar usw.*)
adorn [ə'dɔːn] schmücken, zieren
adornment [ə'dɔːnmənt] Schmuck, Verzierung
adroit [ə'drɔɪt] geschickt, gewandt (***at*** in)
adult[1] ['ædʌlt] Erwachsene(r); ***Adults only*** Nur für Erwachsene
adult[2] ['ædʌlt] **1.** erwachsen **2.** *Film usw.*: (nur) für Erwachsene
adulterate [ə'dʌltəreɪt] **1.** panschen (*Milch, Wein usw.*) **2.** verfälschen (*Nahrungsmittel, Text usw.*)
adulterer [ə'dʌltərə] Ehebrecher
adulteress [ə'dʌltəres] Ehebrecherin
adultery [ə'dʌltərɪ] Ehebruch
advance[1] [əd'vɑːns] **1.** (*Truppen usw.*) vorrücken **2.** fördern (*Projekt, Interessen usw.*) **3.** vorschießen, als Vorschuss geben (*Geld*)
advance[2] [əd'vɑːns] **1.** Vorrücken, Vormarsch **2.** Vorschuss, Vorauszahlung **3.** ***in advance*** im Voraus
advance booking [ədˌvɑːns'bʊkɪŋ] **1.** Vorbestellung **2.** *Theater usw.*: Vorverkauf
advanced [əd'vɑːnst] fortgeschritten; ***advanced course*** Kurs für Fortgeschrittene
advancement [əd'vɑːnsmənt] **1.** Fortschritt (*in der Forschung usw.*) **2.** *im Beruf*: Weiterkommen, Aufstieg
advance payment [ədˌvɑːns'peɪmənt] Vorauszahlung
advantage [əd'vɑːntɪdʒ] Vorteil; ***gain an advantage over someone*** sich jemandem gegenüber einen Vorteil verschaffen; ***have an advantage over someone*** jemandem gegenüber im Vorteil sein; ***it has the advantage of saving time*** es hat den Vorteil Zeit zu sparen; ***take advantage of someone*** jemanden ausnutzen
advantageous [⚠ ˌædvən'teɪdʒəs] vorteilhaft, günstig
adventure [əd'ventʃə] Abenteuer; ***adventure holiday*** Abenteuerurlaub; ***adventure playground*** Abenteuerspielplatz

adventurer [əd'ventʃərə] Abenteurer(in)
adventurous [əd'ventʃərəs] **1.** *Leben, Reise usw.*: abenteuerlich **2.** *Person*: abenteuerlustig
adverb ['ædvɜːb] *Sprache*: Adverb, Umstandswort
adverbial [əd'vɜːbɪəl] adverbial; ***adverbial phrase*** Adverbialbestimmung
adversary ['ædvəsərɪ] Gegner(in)
adverse ['ædvɜːs] **1.** ***adverse conditions*** widrige Umstände **2.** ungünstig, nachteilig (***to*** für)
adversity [əd'vɜːsətɪ] Not, Unglück; ***in times of adversity*** in Zeiten der Not
advert ['ædvɜːt] *BE, umg.* Anzeige, Inserat, Annonce
advertise ['ædvətaɪz] **1.** Reklame machen für, werben für (*Produkt usw.*) **2.** *in Zeitung*: inserieren, annoncieren; ***advertise for*** durch Inserat suchen
advertisement [əd'vɜːtɪsmənt] Anzeige, Inserat, Annonce
advertising ['ædvətaɪzɪŋ] Werbung, Reklame; ***advertising agency*** Werbeagentur
advertorial [ˌædvə'tɔːrɪəl] *Inserat in Form eines Zeitungsartikels*
advice [əd'vaɪs] (⚠ *kein Plural und kein unbestimmter Artikel*) **1.** Rat, Ratschlag; ***a piece of advice*** ein Ratschlag; ***on someone's advice*** auf jemandes Rat hin; ***take my advice and …*** hör auf mich und …; ***take medical advice*** einen Arzt zurate ziehen **2.** Ratschläge *Pl.*
advisable [əd'vaɪzəbl] ratsam
advise [əd'vaɪz] **1.** raten; ***advise someone against*** (***doing***) ***something*** jemandem von etwas abraten **2.** beraten; ***be well advised*** gut beraten sein, gut daran tun (***to do*** zu tun)
adviser [əd'vaɪzə] Berater(in)
advisory [əd'vaɪzərɪ] beratend
advocate[1] [⚠ 'ædvəkət] Verfechter(in), Befürworter(in)
advocate[2] [⚠ 'ædvəkeɪt] befürworten, eintreten für
aerial[1] ['eərɪəl] *bes. BE* Antenne
aerial[2] ['eərɪəl] Luft…; ***aerial photograph*** Luftbild
aerobics [eə'rəʊbɪks] (⚠ *mit* ***-s***, *aber Sg.*) Aerobic
aerodynamic [ˌeərəʊdaɪ'næmɪk] aerodynamisch
aerodynamics [ˌeərəʊdaɪ'næmɪks] *Pl.* Aerodynamik
aeronautics [ˌeərə'nɔːtɪks] *Sg.* Aeronautik, Luftfahrt
aeroplane ['eərəpleɪn] *bes. BE* Flugzeug
aerosol [⚠ 'eərəsɒl] **1.** Spray **2.** Spraydose
aesthetic [iːs'θetɪk] ästhetisch
affable ['æfəbl] leutselig, umgänglich
affair [ə'feə] **1.** Angelegenheit, Sache **2.** *Liebe, Politik*: Affäre
affect [ə'fekt] **1.** sich auswirken auf, beeinflussen, in Mitleidenschaft ziehen **2.** (*Krankheit*) befallen **3.** *gefühlsmäßig*: bewegen, rühren; ***be deeply affected*** tief bewegt sein (***by*** von)
affectation [ˌæfek'teɪʃn] *abwertend* Affektiertheit
affection [ə'fekʃn] Zuneigung, Liebe (***for*** zu)
affectionate [ə'fekʃnət] liebevoll
affectionately [ə'fekʃnətlɪ] ***yours affectionately X*** *Briefschluss*: in Liebe dein X
affiliated [ə'fɪlɪeɪtɪd] *Verein, Firma*: angeschlossen, angegliedert
affinity [ə'fɪnətɪ] **1.** (geistige) Verwandtschaft **2.** Neigung (***for, to*** zu)
affirm [ə'fɜːm] **1.** (*Beschuldigter usw.*) versichern, beteuern (*Unschuld usw.*) **2.** *offiziell*: bestätigen
affirmation [ˌæfə'meɪʃn] **1.** Versicherung, Beteuerung **2.** *juristisch*: eidesstattliche Versicherung
affirmative [ə'fɜːmətɪv] bejahend, zustimmend; ***answer in the affirmative*** mit „ja" antworten
afflict [ə'flɪkt] plagen; ***be afflicted with something*** an etwas leiden
affliction [ə'flɪkʃn] **1.** *Krankheit usw.*: Gebrechen **2.** Not, Elend
affluent ['æfluənt] wohlhabend; ***affluent society*** Wohlstandsgesellschaft, *im negativen Sinn*: Überflussgesellschaft
afford [ə'fɔːd] sich leisten; ***we can't afford it*** wir können es uns nicht leisten
affordable [ə'fɔːdəbl] **1.** *Preis*: erschwinglich **2.** *Anschaffung usw*: finanziell tragbar
afforestation [əˌfɒrɪ'steɪʃn] Aufforstung
affront [⚠ ə'frʌnt] Beleidigung
afield [ə'fiːld] ***far afield*** weit weg, weit entfernt
afloat [ə'fləʊt] ***be afloat*** (*Boot*) schwimmen
afoot [ə'fʊt] *bes. negative Dinge*: im Gange
afraid[ə'freɪd] **1.** ***be afraid*** (***of something***) sich (vor etwas) fürchten, Angst (vor etwas) haben; ***be afraid to do something*** sich fürchten etwas zu tun **2.** ***I'm afraid…*** leider; ***I'm afraid I've got to go*** leider muss ich jetzt gehen; ***I'm afraid so*** *als Antwort*: ich fürchte ja; ***I'm afraid not*** *als Antwort*: ich fürchte nein
afresh [ə'freʃ] von neuem, von vorn
Africa ['æfrɪkə] Afrika
African[1] ['æfrɪkən] afrikanisch; ***he's African*** er ist Afrikaner

African[2] ['æfrɪkən] Afrikaner(in)
Afro ['æfrəʊ] *Frisur*: Afrolook
Afro-American [ˌæfrəʊ‿ə'merɪkən] Afroamerikaner(in)
after ['ɑːftə] **1.** *zeitlich*: nach; ***after breakfast*** nach dem Frühstück; ***the day after tomorrow*** übermorgen; ***the week after next*** übernächste Woche; ***ten after five*** *AE* zehn nach fünf; ***day after day*** Tag für Tag **2.** *räumlich*: hinter; ***close the door after you*** mach die Tür hinter dir zu **3.** *Reihenfolge*: nach, hinter; ***after you*** *Höflichkeitsfloskel*: nach Ihnen **4.** ***be after someone*** (*bzw.* ***something***) hinter jemandem (*bzw.* etwas) her sein **5.** danach, hinterher; ***shortly after*** kurz darauf; ***for months after*** noch monatelang **6.** nachdem; ***after you had left I felt lonely*** nachdem du gegangen warst, fühlte ich mich einsam **7.** ***after all*** schließlich, immerhin (*ist er dein Bruder usw.*), schließlich doch (*etwas tun*) **8.** ***look after someone*** sich um jemanden kümmern
aftercare ['ɑːftəkeə] *medizinisch*: Nachbehandlung, Nachsorge
after-effect ['ɑːftərɪˌfekt] **1.** *von Medikament, Alkohol usw.*: Nachwirkung **2.** *von Ereignis*: Folge
afterlife ['ɑːftəlaɪf] Leben nach dem Tode
aftermath ['ɑːftəmæθ] Folgen *Pl.*, Nachwirkungen *Pl.*
afternoon [ˌɑːftə'nuːn] Nachmittag; ***in the afternoon*** am Nachmittag; ***this afternoon*** heute Nachmittag; ***good afternoon!*** guten Tag!
afters ['ɑːftəz] *Pl. BE, umg.* Nachtisch
after-sales service [ˌɑːftə'seɪlzˌsɜːvɪs] Kundendienst
aftershock ['ɑːftəʃɒk] *bei Erdbeben*: Nachbeben
aftertaste ['ɑːftəteɪst] Nachgeschmack (*auch übertragen*)
afterthought ['ɑːftəθɔːt] nachträglicher Einfall
afterwards ['ɑːftəwədz] danach, nachher
again [ə'gen] **1.** wieder, noch einmal; ***again and again*** immer wieder; ***not again!*** nicht schon wieder! **2.** ***as much again*** noch einmal so viel **3.** ***now and again*** ab und zu
against [ə'genst] **1.** gegen; ***be against something*** gegen etwas sein **2.** *räumlich*: gegen, an; ***lean against the wall*** sich an die Wand lehnen **3.** ***as against*** verglichen mit, im Vergleich zu
age[1] [eɪdʒ] **1.** *von Person*: Alter; ***at the age of*** im Alter von; ***she's your age*** sie ist in deinem Alter; ***when I was your age*** als ich so alt war wie du **2.** (≈ *Epoche*) Zeit, Zeitalter; ***the atomic age*** das Atomzeitalter **3.** ***come of age*** mündig (*oder* volljährig) werden; ***under age*** minderjährig, unmündig **4.** ***ages*** *Pl. umg.* eine Ewigkeit; ***for ages*** *Pl.* seit einer Ewigkeit
age[2] [eɪdʒ] alt werden, altern
aged[1] [eɪdʒd] ***aged ten*** zehnjährig, zehn Jahre alt, im Alter von zehn Jahren
aged[2] [⚠ 'eɪdʒɪd] *Person*: betagt, alt
age group ['eɪdʒ‿gruːp] Altersgruppe
ageism ['eɪdʒɪzm] *Diskriminierung alter Menschen*
age limit ['eɪdʒˌlɪmɪt] Altersgrenze
agency ['eɪdʒənsɪ] **1.** *für Werbung, Nachrichten, Künstlervermittlung*: Agentur; ***news agency*** Nachrichtenagentur **2.** *einer Firma*: Geschäftsstelle, Vertretung
agenda [⚠ ə'dʒendə] Tagesordnung; ***be on the agenda*** auf der Tagesordnung stehen
agent ['eɪdʒənt] **1.** *für Künstler*: Agent(in) **2.** *für Firmen*: Vertreter(in) **3.** *für Grundstücke*: Makler(in) **4.** (≈ *Spion*) Agent(in) **5.** *Substanz*: Wirkstoff, Mittel
aggravate ['ægrəveɪt] **1.** verschlimmern **2.** *umg.* (ver)ärgern
aggravating ['ægrəveɪtɪŋ] *umg.* **1.** ärgerlich **2.** *Kind, Lärm*: lästig
aggravation [ˌægrə'veɪʃn] **1.** Verschlimmerung (*einer Situation usw.*) **2.** *umg.* Ärger
aggregate ['ægrɪgət] Aggregat
aggression [ə'greʃn] Aggression
aggressive [ə'gresɪv] aggressiv
aggressiveness [ə'gresɪvnəs] Aggressivität
aggressor [ə'gresə] Angreifer, Aggressor
aggro ['ægrəʊ] *BE, salopp* **1.** Ärger; ***we had so much aggro with …*** wir hatten so viel Ärger mit … **2.** Zoff; ***are you looking for aggro?*** suchst du Streit?
aghast [ə'gɑːst] entgeistert, entsetzt
agile [⚠ 'ædʒaɪl] beweglich, wendig
agitate ['ædʒɪteɪt] **1.** aufregen, aus der Fassung bringen (*Person*) **2.** hetzen (***against*** gegen), Propaganda machen (***for*** für)
agitation [ˌædʒɪ'teɪʃn] Erregung
agitator ['ædʒɪteɪtə] Agitator, Hetzer
ago [ə'gəʊ] *zeitlich*: vor; ***a year ago*** vor einem Jahr; ***long ago*** vor langer Zeit; ***not long ago*** (erst) vor kurzem
agog [ə'gɒg] gespannt (***for*** auf); ***be all agog*** *bei Neuigkeiten usw.*: ganz aus dem Häuschen sein
agonize ['ægənaɪz] sich den Kopf zermartern (***over*** über)
agonized ['ægənaɪzd] *Blick, Laut usw.*: gequält
agonizing [⚠ 'ægənaɪzɪŋ] qualvoll

agony [⚠ 'ægənɪ] Qual (*auch seelisch*)
agony aunt ['ægənɪ‿ɑːnt] *BE, umg.* Kummerkastentante (*einer Zeitung*)
agony column [⚠ 'ægənɪˌkɒləm] *BE, umg.* Kummerkasten (*einer Zeitung*)

agony column

Neben der **agony column** ['ægənɪˌkɒləm] gibt es natürlich auch die **agony aunt** [ɑːnt]: So heißt auf Englisch die Kummerkastentante. Wesentlich seltener trifft man den **agony uncle** an.

agree [ə'griː] **1.** sich einig sein, einer Meinung sein; ***I agree!*** der Meinung bin ich auch **2.** zustimmen, einverstanden sein (***to*** mit); ***agreed!*** einverstanden! **3.** ***agree on something*** sich auf etwas einigen; ***agree to do something*** etwas (zu tun) abmachen *oder* ausmachen **4.** (*Aussagen usw.*) übereinstimmen; ***… don't agree*** (***with each other***) … stimmen nicht (miteinander) überein **5.** ***agree to differ*** sich auf verschiedene Standpunkte einigen

agree with [ə'griː‿wɪð] ***something doesn't agree with someone*** *Speise, Klima usw.*: etwas bekommt jemandem nicht, jemand verträgt etwas nicht

agreeable [ə'griːəbl] angenehm
agreed [ə'griːd] ***be agreed*** sich einig sein, gleicher Meinung sein
agreement [ə'griːmənt] **1.** Übereinstimmung **2.** Vereinbarung, Abmachung **3.** Einigung; ***reach*** (***an***) ***agreement*** *oder* ***come to an agreement*** sich einigen (***on*** über) **4.** *Politik*: Abkommen, Vertrag
agricultural [ˌægrɪ'kʌltʃrəl] landwirtschaftlich
agriculture ['ægrɪkʌltʃə] Landwirtschaft
agritourism ['ægrɪˌtʊərɪzm] Ferien auf dem Bauernhof
aground [ə'graʊnd] ***run aground*** (*Schiff*) auf Grund laufen
ahead [ə'hed] **1.** vorwärts, voraus; ***ahead of*** vor; ***get ahead*** vorwärts kommen; ***be ahead of one's time*** seiner Zeit voraus sein **2.** ***look*** (*bzw.* ***go***) ***straight ahead*** nach vorne schauen (*bzw.* gehen) **3.** ***be thirty metres*** (*bzw.* ***ten points***) ***ahead*** einen Vorsprung von 30 Metern (*bzw.* 10 Punkten) haben
aid[1] [eɪd] **1.** Hilfe, Unterstützung; ***come to someone's aid*** jemandem zu Hilfe kommen; ***in aid of the homeless*** zugunsten der Obdachlosen **2.** Hilfsmittel **3.** *bes. politisch*: Berater(in)
aid[2] [eɪd] ***aid someone*** jemanden unterstützen, jemandem helfen
aide [eɪd] *bes. politisch*: Berater(in)
AIDS, Aids [eɪdz] (*Abk. für* **A**cquired **I**mmune **D**eficiency **S**yndrome) Aids
ailing ['eɪlɪŋ] *Mensch*: kränkelnd (*auch übertragen Wirtschaft*)
ailment ['eɪlmənt] Gebrechen
aim[1] [eɪm] **1.** zielen (***at*** auf) **2.** ***aim a gun*** *usw.* ***at someone*** einen Revolver *usw.* auf jemanden richten **3.** ***was that remark aimed at me?*** *übertragen* war diese Bemerkung gegen mich gerichtet? **4.** ***aim to do something*** beabsichtigen, etwas zu tun
aim[2] [eɪm] **1.** Ziel; ***take aim*** (***at***) zielen (auf) **2.** *übertragen* Ziel, Absicht
aimless ['eɪmləs] ziellos
ain't [eɪnt] *salopp* **1.** *Kurzform von* ***am not, is not, are not***; ***I ain't*** ich bin nicht; ***he ain't*** er ist nicht *usw.* **2.** *Kurzform von* ***have not, has not***; ***I ain't got it*** ich habe es nicht; ***he ain't got it*** er hat es nicht *usw.*
air[1] [eə] **1.** Luft; ***by air*** auf dem Luftweg; ***in the open air*** im Freien; ***get some fresh air*** frische Luft schnappen **2.** ***be on the air*** *Rundfunk, TV*: auf Sendung sein **3.** Miene, Gehabe; ***an air of importance*** eine gewichtige Miene **4.** ***put on airs*** *oder* ***give oneself airs*** vornehm tun
air[2] [eə] lüften; ***this place needs airing*** hier muss mal gelüftet werden
air-bag ['eəbæg] *im Auto*: Airbag, Luftsack
air base ['eə‿beɪs] Luftstützpunkt
airbed ['eəbed] Luftmatratze
air-conditioned ['eəkənˌdɪʃnd] mit Klimaanlage, klimatisiert
air-conditioning ['eəkənˌdɪʃnɪŋ] Klimaanlage
aircraft ['eəkrɑːft] *Pl.*: ***aircraft*** Flugzeug
aircraft carrier ['eəkrɑːftˌkærɪə] Flugzeugträger
air crash ['eə‿kræʃ] Flugzeugabsturz
airdrop[1] ['eədrɒp] Fallschirmabwurf (*von Hilfsgütern usw.*)
airdrop[2] ['eədrɒp] mit dem Fallschirm abwerfen
airfield ['eəfiːld] Flugplatz
airforce ['eəfɔːs] Luftwaffe
airfreight ['eəfreɪt] Luftfracht
air gun ['eə‿gʌn] Luftgewehr
air hostess ['eəˌhəʊstes] Stewardess
airing ['eərɪŋ] **1.** ***the room needs a good airing*** das Zimmer muss anständig gelüftet werden **2.** ***give something an airing*** etwas zur Sprache bringen

air kiss ['eə‿kɪs] *humorvoll* Küsschen in die Luft (*ohne gegenseitige Berührung*)
air-kiss ['eəkɪs] *humorvoll* Küsschen austauschen (*ohne sich zu berühren*)
airless ['eələs] **1.** *Zimmer usw.*: stickig **2.** ***it was an airless day*** es wehte den ganzen Tag über kein Lüftchen
airlift[1] ['eəlɪft] ***airlift something to a disaster area*** etwas per Luftbrücke in ein Katastrophengebiet bringen
airlift[2] ['eəlɪft] Luftbrücke
airline ['eəlaɪn] Fluggesellschaft
airmail ['eəmeɪl] Luftpost
air mattress ['eəˌmætrəs] Luftmatratze
airplane ['eəpleɪn] *AE* Flugzeug
air pocket ['eəˌpɒkɪt] Luftloch
air pollution ['eə‿pəˌluːʃn] Luftverschmutzung
airport ['eəpɔːt] Flughafen; ☞ *Illu S. 982*
air pump ['eə‿pʌmp] Luftpumpe
air raid ['eə‿reɪd] Luftangriff
air-raid shelter ['eəreɪdˌʃeltə] Luftschutzkeller, Luftschutzraum
airsick ['eəsɪk] *im Flugzeug*: luftkrank
airspace ['eəspeɪs] Luftraum
air terminal ['eəˌtɜːmɪnl] Terminal (*Flughafenabfertigungsgebäude*)
air ticket ['eəˌtɪkɪt] Flugticket, Flugschein
airtight ['eətaɪt] *Behälter usw.*: luftdicht
air-traffic control ['eəˌtræfɪk‿kən'trəʊl] Flugsicherung
air-traffic controller ['eəˌtræfɪk‿kən'trəʊlə] Fluglotse, Fluglotsin
airy ['eərɪ] **1.** *Raum*: luftig **2.** *Ansichten usw.*: überspannt **3.** *Art usw.*: lässig
aisle [⚠ aɪl] **1.** *im Flugzeug, Theater*: Gang; ***aisle seat*** Gangplatz **2.** *Architektur*: Seitenschiff (*einer Kirche*)
ajar [⚠ ə'dʒɑː] ***be ajar*** (*Tür*) einen Spaltbreit offen stehen
akimbo [ə'kɪmbəʊ] ***with arms akimbo*** die Arme in die Hüften gestemmt
akin [ə'kɪn] **1.** ähnlich **2.** *geistig*: verwandt
alarm[1] [ə'lɑːm] **1.** Besorgnis, Beunruhigung **2.** Alarm; ***give*** (*oder* ***raise***) ***the alarm*** Alarm geben, *übertragen* Alarm schlagen **3.** Alarmanlage **4.** Wecker
alarm[2] [ə'lɑːm] beunruhigen
alarm call [ə'lɑːm‿kɔːl] Weckruf; ***alarm call service*** Weckdienst
alarm clock [ə'lɑːm‿klɒk] Wecker
alarmist [ə'lɑːmɪst] Panikmacher
alas [ə'læs] *förmlich oder humorvoll* ach!, leider!
Albania [æl'beɪnɪə] Albanien
Albanian[1] [æl'beɪnɪən] albanisch
Albanian[2] [æl'beɪnɪən] *Sprache*: Albanisch
Albanian[3] [æl'beɪnɪən] Albaner(in)
album ['ælbəm] Album (*auch LP*)
alcohol ['ælkəhɒl] Alkohol
alcoholic[1] [ˌælkə'hɒlɪk] alkoholisch
alcoholic[2] [ˌælkə'hɒlɪk] Alkoholiker(in)

alcoholic

In Anlehnung an **alcoholic** sind andere Wörter entstanden, die auch etwas mit Sucht zu tun haben:

chocoholic	„Schokoladensüchtige(r)"
shopaholic	Kaufsüchtige(r)
workaholic	Arbeitssüchtige(r)

alcopop ['ælkəʊˌpɒp] *mst. Pl., BE süßes, alkoholhaltiges Getränk*
ale [eɪl] Ale (*helles, starkes Bier*)
alert[1] [⚠ ə'lɜːt] **1.** wachsam; ***be alert*** (***to something***) (vor etwas) auf der Hut sein **2.** *geistig*: aufgeweckt, (hell)wach
alert[2] [ə'lɜːt] **1.** Alarmbereitschaft; ***be on*** (***the***) ***alert*** in Alarmbereitschaft sein, *übertragen* auf der Hut sein **2.** Alarm(signal)
alert[3] [ə'lɜːt] **1.** alarmieren **2.** *übertragen* warnen (***to*** vor)
A level ['eɪˌlevl] *BE*; *etwa*: Abitur, Ⓐ, Ⓒⓗ Matura; ***take*** *oder* ***do one's A levels*** *etwa*: Abitur machen, Ⓐ, Ⓒⓗ maturieren

A level

A level ist die Kurzform von **advanced level** und bezeichnet eine Schulprüfung, die in England und Wales im Alter von ca. 18 Jahren abgelegt wird. Normalerweise werden **A levels** in drei (manchmal mehr) Fächern gemacht und qualifizieren zum Hochschulstudium.

algae [⚠ 'ældʒiː] *Pl.* Algen
algebra ['ældʒɪbrə] Algebra
Algeria [æl'dʒɪərɪə] Algerien
Algiers [⚠ æl'dʒɪəz] Algier
alias ['eɪlɪəs] Deckname
alibi ['æləbaɪ] **1.** Alibi **2.** *übertragen, umg.* Ausrede, Entschuldigung
alien[1] ['eɪlɪən] **1.** *Sciencefiction*: außerirdisch **2.** *förmlich* ausländisch **3.** *übertragen* fremd; ***that's alien to him*** das ist ihm wesensfremd
alien[2] ['eɪlɪən] **1.** *Sciencefiction*: außerirdisches Wesen **2.** *förmlich* Ausländer(in)
alienate ['eɪlɪəneɪt] vergraulen (*Wähler usw.*)
alienated ['eɪlɪəneɪtɪd] ***feel alienated*** sich ausgeschlossen fühlen
alienation [ˌeɪlɪə'neɪʃn] Entfremdung

alight[1] [ə'laɪt] ***be alight*** in Flammen stehen; ***set alight*** in Brand stecken, anzünden

alight[2] [ə'laɪt], ***alighted, alighted*** *förmlich* **1.** aussteigen (***from*** aus) **2.** (*Vogel*) sich niederlassen (***on*** auf)

align [ə'laɪn] ausrichten (***with*** nach)

alike [ə'laɪk] **1.** ähnlich; ***they look very much alike*** sie sehen sich sehr ähnlich **2.** gleich; ***they are all alike*** sie sind alle gleich **3.** gleich, in gleicher Weise; ***treat all the children alike*** alle Kinder gleich behandeln

alimony [⚠ 'ælɪmənɪ] Unterhaltszahlung

alive [ə'laɪv] **1.** lebendig, am Leben; ***they are still alive*** sie leben noch **2.** ***alive and kicking*** *umg.* gesund und munter **3.** ***be alive with*** wimmeln von

all [ɔːl] **1.** ganz; ***all day*** den ganzen Tag; ***all the time*** die ganze Zeit **2.** *mit Pl.*: alle; ***all the flowers*** alle Blumen; ***all of us*** wir alle **3.** jede(r, -s); ***at all hours*** zu jeder Stunde **4.** ganz, völlig; ***I'm all for it*** ich bin voll und ganz dafür; ***all in white*** ganz in Weiß **5.** ***two all*** *Sport*: zwei beide **6.** *Wendungen*: ***all at once*** auf einmal; ***all along*** die ganze Zeit; ***all the better*** umso besser; ***all over the world*** überall auf der Welt; ***all in all*** alles in allem; ***not at all*** überhaupt nicht; ***that's John all over*** das ist typisch John

allegation [ˌælɪ'geɪʃn] Behauptung

allege [ə'ledʒ] behaupten

alleged [⚠ ə'ledʒd] (≈ *vermutet*) angeblich

allegiance [ə'liːdʒəns] Treue, Loyalität

allergic [ə'lɜːdʒɪk] allergisch (***to*** gegen) (*auch übertragen, umg.*)

allergy ['ælədʒɪ] Allergie

alleviate [ə'liːvɪeɪt] mildern, lindern (*Schmerzen, Leid usw.*)

alley ['ælɪ] **1.** Gasse **2.** *Bowling*: Bahn (⚠ *Allee* = ***avenue***)

alliance [⚠ ə'laɪəns] Bund, Bündnis

allied ['ælaɪd] verbündet, alliiert

Allies ['ælaɪz] *Pl. von* → ***ally***[1]; ***the Allies*** die Alliierten

alligator ['ælɪgeɪtə] Alligator

allocate ['æləkeɪt] zuteilen, zuweisen (*Geld, Wohnung*) (***to someone*** jemandem)

allocation [ˌælə'keɪʃn] Zuteilung

allot [ə'lɒt] ***allotted, allotted*** **1.** zuteilen (*Arbeit, Aufgabe usw.*) (***to someone*** jemandem) **2.** vorsehen (*Zeit*) **3.** bestimmen (*Geld, Mittel*) (***to, for*** für)

allotment [ə'lɒtmənt] **1.** Zuteilung **2.** Parzelle; ***allotment*** (***garden***) *bes. BE* Schrebergarten

all-out [ˌɔːl'aʊt] *umg.*; *Krieg usw.*: total

allow [ə'laʊ] **1.** erlauben, gestatten; ***be allowed to do something*** etwas tun dürfen **2.** geben (*Geldsumme*) **3.** gewähren (*Rabatt*) **4.** einkalkulieren (*Zeit*) **5.** ***allow in*** hereinlassen; ***allow past*** vorbeilassen; ***allow through*** durchlassen

> **allow for** [ə'laʊ‿fɔː] berücksichtigen, einkalkulieren (*Kosten usw.*)

allowance [ə'laʊəns] **1.** Zuschuss, Beihilfe **2.** Zulage **3.** *AE* Taschengeld **4.** ***make allowance(s) for something*** etwas berücksichtigen, etwas einkalkulieren

alloy [⚠ 'ælɔɪ] Legierung

all-purpose ['ɔːlˌpɜːpəs] Allzweck…

all right [ˌɔːl'raɪt] **1.** in Ordnung, okay **2.** unverletzt, heil; ***are you all right?*** ist dir was passiert?, geht es dir gut? **3.** ganz gut, nicht schlecht; ***it's all right*** es geht

all-round [ˌɔːl'raʊnd] vielseitig, Allround…

All Saints' Day [ˌɔːl'seɪnts‿deɪ] Allerheiligen

all-time ['ɔːltaɪm] ***all-time high*** (*bzw.* ***low***) höchster (*bzw.* tiefster) Stand aller Zeiten

allude [ə'luːd] anspielen (***to*** auf)

allure [ə'lʊə] Anziehungskraft, Zauber

alluring [ə'lʊərɪŋ] verlockend

allusion [ə'luːʒn] Anspielung (***to*** auf)

ally[1] [⚠ 'ælaɪ] Verbündete(r); ☞ ***Allies***

ally[2] [⚠ ə'laɪ] sich verbünden (***to, with*** mit)

almighty [ɔːl'maɪtɪ] **1.** allmächtig; ***the Al-***

alley

alley ABER: avenue

mighty der Allmächtige **2.** *umg.* mordsmäßig
almond [⚠ 'ɑːmənd] Mandel
almost ['ɔːlməʊst] fast, beinahe
alms [⚠ ɑːmz] *Pl.* Almosen
alone [ə'ləʊn] **1.** allein; ***leave alone*** allein lassen **2.** ***leave someone alone*** jemanden in Ruhe lassen; ***leave that alone*** lass die Finger davon! **3.** ***let alone*** geschweige denn
along [ə'lɒŋ] **1.** entlang; ***along the river*** am *oder* den Fluss entlang **2.** weiter…, dahin…; ***he came running along*** er kam angelaufen **3.** ***along with*** zusammen mit **4.** ***I'll be along shortly*** ich bin gleich da
alongside [əˌlɒŋ'saɪd] **1.** neben **2.** *Seefahrt*: längsseits
aloof [ə'luːf] **1.** ***remain aloof*** Distanz wahren **2.** unnahbar
aloud [ə'laʊd] laut; ***read aloud*** (laut) vorlesen
alphabet ['ælfəbet] Alphabet
alphabetical [ˌælfə'betɪkl] alphabetisch; ***in alphabetical order*** in alphabetischer Reihenfolge, alphabetisch geordnet
alpine ['ælpaɪn] **1.** *allg.*: Alpen… **2.** *Klima, Pflanzen usw.*: alpin, Hochgebirgs…
Alps [ælps] ***the Alps*** die Alpen
already [ɔːl'redɪ] schon, bereits
alright [ˌɔːl'raɪt] → ***all right***
Alsace [æl'sæs] das Elsass
Alsatian[1] [⚠ æl'seɪʃn] **1.** *BE* Deutscher Schäferhund **2.** Elsässer(in)
Alsatian[2] [⚠ æl'seɪʃn] elsässisch
also ['ɔːlsəʊ] auch, ebenfalls, Ⓐ *auch*: weiters (⚠ *nicht* ***also***)
also-ran ['ɔːlsəʊræn] ***be an also-ran*** unter ‚ferner liefen' kommen (*bei Wettkämpfen und übertragen*)
altar [⚠ 'ɔːltə] Altar
alter [⚠ 'ɔːltə] **1.** *allg.*: ändern **2.** umändern (*Kleidung*) **3.** sich ändern, sich verändern
alteration [⚠ ˌɔːltə'reɪʃn] **1.** Änderung, Veränderung **2.** *von Gebäude*: Umbau
alternate[1] [⚠ ɔːl'tɜːnət] abwechselnd; ***on alternate days*** jeden zweiten Tag
alternate[2] [⚠ 'ɔːltəneɪt] **1.** (sich) abwechseln **2.** ***alternating current*** Wechselstrom
alternation [ˌɔːltə'neɪʃn] Abwechslung, Wechsel
alternative[1] [⚠ ɔːl'tɜːnətɪv] **1.** alternativ, Ersatz… **2.** andere(r, -s) (*von zweien*)
alternative[2] [⚠ ɔːl'tɜːnətɪv] Alternative (***to*** zu); ***have no alternative*** keine andere Möglichkeit *oder* Wahl haben (***but to*** als zu)
although [ɔːl'ðəʊ] obwohl, obgleich
altitude [⚠ 'æltɪtjuːd] *Fliegen usw.*: Höhe (*über dem Meeresspiegel*)
altogether [ˌɔːltə'geðə] **1.** insgesamt **2.** ganz (und gar), völlig **3.** im Ganzen genommen
aluminium [ˌælə'mɪnɪəm], *AE* **aluminum** [⚠ ə'luːmɪnəm] Aluminium
always ['ɔːlweɪz] immer, stets; ***as always*** wie immer
am [æm] ***I am*** ich bin
am, **AM**, *auch* **a.m.**, **A.M.** [ˌeɪ'em] (*Abk. für* **a**nte **m**eridiem) morgens, vormittags; ***9 am*** 9 Uhr (morgens)
amass [ə'mæs] anhäufen, aufhäufen
amateur [⚠ 'æmətə] **1.** *Sportler, Maler usw.*: Amateur(in) **2.** *im negativen Sinn*: Dilettant(in)
amaze [ə'meɪz] in Erstaunen setzen, verblüffen
amazed [ə'meɪzd] erstaunt, verblüfft (***at*** über)
amazement [ə'meɪzmənt] Erstaunen, Verblüffung
amazing [ə'meɪzɪŋ] erstaunlich, verblüffend
Amazon [⚠ 'æməzən] *Fluss in Südamerika*: Amazonas
ambassador [æm'bæsədə] Botschafter (-in) (***to*** in)
amber[1] ['æmbə] **1.** Bernstein **2.** *BE*; *Verkehrsampel*: Gelb
amber[2] ['æmbə] **1.** Bernstein… **2.** bernsteinfarben **3.** *Ampel*: gelb
ambidextrous [ˌæmbɪ'dekstrəs] beidhändig, mit beiden Händen gleichermaßen geschickt
ambience ['æmbɪəns] Ambiente, Atmosphäre
ambiguity [ˌæmbɪ'gjuːətɪ] Zweideutigkeit
ambiguous [æm'bɪgjʊəs] **1.** zweideutig **2.** unklar
ambition [æm'bɪʃn] **1.** Ehrgeiz **2.** Ziel
ambitious [æm'bɪʃəs] ehrgeizig (*auch Plan usw.*)
ambulance ['æmbjələns] Krankenwagen, Ⓐ Rettung (⚠ *Ambulanz im Krankenhaus* = ***outpatients' department***)
ambush[1] ['æmbʊʃ] aus dem Hinterhalt überfallen
ambush[2] ['æmbʊʃ] **1.** Hinterhalt **2.** Überfall (aus dem Hinterhalt)
amend [ə'mend] abändern (*Gesetz*)
amendment [ə'mendmənt] **1.** *Parlament*: Ergänzungsantrag, Zusatzantrag **2.** *AE*; *der Verfassung*: Zusatzartikel
amends [ə'mendz] ***make amends*** es wieder gutmachen; ***make amends to someone for something*** jemanden für etwas entschädigen

amenity [⚠ əˈmiːnətɪ] **1.** *oft* ***amenities*** *Pl. eines Hauses, Hotels usw.*: Annehmlichkeiten **2.** *oft* ***amenities*** *Pl. einer Stadt usw.*: Freizeiteinrichtungen
America [əˈmerɪkə] Amerika
American[1] [əˈmerɪkən] amerikanisch; ***American Indian*** *bes. in Nordamerika*: Indianer(in)
American[2] [əˈmerɪkən] Amerikaner(in); ***native American*** *in Nordamerika*: Indianer(in)
amiability [ˌeɪmɪəˈbɪlətɪ] Liebenswürdigkeit
amiable [ˈeɪmɪəbl] freundlich
amicable [⚠ ˈæmɪkəbl] **1.** *Gespräch usw.*: freundschaftlich **2.** *Regelung, Übereinkunft*: gütlich
amicably [⚠ ˈæmɪkəblɪ] gütlich (*sich einigen usw.*); ***part amicably*** im Guten auseinander gehen
amid [əˈmɪd], **amidst** [əˈmɪdst] mitten in *oder* unter
amiss [əˈmɪs] **1.** ***take something amiss*** etwas übel nehmen **2.** ***there's something amiss*** da stimmt etwas nicht
ammonia [əˈməʊnɪə] *Chemie*: Ammoniak; ***liquid ammonia*** Salmiakgeist
ammunition [ˌæmjʊˈnɪʃn] Munition
amnesia [æmˈniːzɪə] Amnesie, Gedächtnisschwund
amnesty [ˈæmnəstɪ] (≈ *Straferlass*) Amnestie
amok [əˈmɒk] ***run amok*** Amok laufen
among [əˈmʌŋ], **amongst** [əˈmʌŋst] (mitten) unter, zwischen; ***he's among the best swimmers*** er gehört zu den besten Schwimmern; ***among other things*** unter anderem; ***they were talking among(st) themselves*** sie unterhielten sich miteinander
amorous [ˈæmərəs] *Blicke usw.*: verliebt
amount [əˈmaʊnt] **1.** *einer Rechnung*: Betrag, Summe **2.** *von Waren*: Menge **3.** *an Vorsicht, Skepsis usw.*: Maß

> **amount to** [əˈmaʊnt‿tə] **1.** (*Rechnung, Schulden*) sich belaufen auf, betragen **2.** (*Verhalten*) hinauslaufen auf, gleichkommen

ample [ˈæmpl] **1.** *Portion, Mahlzeit*: reichlich **2.** *Figur*: üppig
amplifier [ˈæmplɪfaɪə] *Hi-Fi usw.*: Verstärker
amplify [ˈæmplɪfaɪ] **1.** verstärken (*Lautstärke usw.*) **2.** näher erläutern (*Idee usw.*)
amputate [ˈæmpjʊteɪt] amputieren
amputation [ˌæmpjʊˈteɪʃn] Amputation
amuse [əˈmjuːz] **1.** amüsieren, belustigen; ***be amused by*** *oder* ***at something*** sich über etwas amüsieren; ***she wasn't amused*** sie fand das gar nicht komisch **2.** unterhalten; ***they amused themselves with a guessing game*** sie haben sich die Zeit mit einem Ratespiel vertrieben
amusement [əˈmjuːzmənt] **1.** Belustigung; ***to everyone's amusement*** zur allgemeinen Belustigung **2.** (≈ *Freizeitbeschäftigung*) Unterhaltung, Zeitvertreib
amusement park [əˈmjuːzmənt‿pɑːk] *etwa*: Vergnügungspark
amusing [əˈmjuːzɪŋ] lustig, unterhaltsam, amüsant
an [ən] *unbestimmter Artikel vor Wörtern, die in der Aussprache mit einem Selbstlaut beginnen*: ***an apple*** [⚠ əˈnæpl] ein Apfel; ***an hour*** [⚠ əˈnaʊə] eine Stunde
anaesthetic [⚠ ˌænəsˈθetɪk] *bes. BE* Betäubungsmittel
analyse [ˈænəlaɪz] *BE* analysieren
analysis [⚠ əˈnæləsɪs] *Pl.*: ***analyses*** [əˈnæləsiːz] **1.** *von Substanzen, Situationen usw.*: Analyse **2.** *seelische*: Psychoanalyse
analyze [ˈænəlaɪz] *AE* analysieren
anarchist [⚠ ˈænəkɪst] Anarchist(in)
anarchy [⚠ ˈænəkɪ] Anarchie
anatomy [⚠ əˈnætəmɪ] **1.** *Wissenschaft, Lehrfach*: Anatomie **2.** *eines Menschen usw.*: Körperbau **3.** *eines Landes usw.*: Aufbau, Struktur
ancestor [ˈænsestə] Vorfahr, Ahn
ancestral [⚠ ænˈsestrəl] angestammt, Ahnen…; ***ancestral home*** Stammsitz
ancestry [ˈænsestrɪ] **1.** Abstammung, Herkunft; ***he's of noble ancestry*** er ist von vornehmer Herkunft **2.** Vorfahren *Pl.*; ***the family's Scottish ancestry*** die schottischen Vorfahren der Familie
anchor[1] [ˈæŋkə] Anker
anchor[2] [ˈæŋkə] **1.** ankern **2.** (≈ *befestigen*) verankern **3.** *TV*: moderieren
anchorman [ˈæŋkəmæn] *Pl.*: ***anchormen*** [ˈæŋkəmen] *TV*: Moderator
anchorwoman [ˈæŋkəˌwʊmən] *Pl.*: ***anchorwomen*** [ˈæŋkəˌwɪmɪn] *TV*: Moderatorin
anchovy [⚠ ˈæntʃəvɪ] An(s)chovis, Sardelle
ancient [⚠ ˈeɪnʃənt] **1.** *Rom, Geschichte usw.*: alt, antik **2.** *Brauch, Ruine usw.*: alt, aus alter Zeit **3.** *humorvoll*; *Person, Auto usw.*: uralt
and [ænd] und; ***better and better*** immer besser; ***he ran and ran*** er lief immer weiter; ***both his son and his daughter*** sowohl sein Sohn als auch seine Tochter

St Andrew's Day

Der 30. November ist **St Andrew's Day** [snt'ændruːzdeɪ], der Nationalfeiertag der Schotten. Traditionalisten tragen an diesem Tag eine Distel (**thistle** ['θɪsl]) im Knopfloch, das Symbol Schottlands.

anecdote ['ænɪkdəʊt] Anekdote
anesthetic [⚠ ˌænəs'θetɪk] *AE* Betäubungsmittel
anew [ə'njuː] von neuem, noch einmal
angel ['eɪndʒəl] Engel; ***you're an angel*** du bist ein Schatz
anger[1] ['æŋgə] Zorn, Wut (***at*** über)
anger[2] ['æŋgə] verärgern, wütend machen
angina [⚠ æn'dʒaɪnə], **angina pectoris** [ænˌdʒaɪnə'pektərɪs] *Herzkrankheit*: Angina pectoris (⚠ *Angina* = **tonsillitis**)
angle[1] ['æŋgl] **1.** Winkel; ***at an angle*** schräg; ***at right angles to*** im rechten Winkel zu **2.** *übertragen* Gesichtspunkt
angle[2] ['æŋgl] ***go angling*** *bes. BE* angeln gehen
angler ['æŋglə] Angler(in)
Anglican ['æŋglɪkən] anglikanisch
anglicism ['æŋglɪsɪzm] *Sprache*: Anglizismus (*Übertragung aus dem Englischen*)
Anglo-Saxon[1] [ˌæŋgləʊ'sæksn] angelsächsisch
Anglo-Saxon[2] [ˌæŋgləʊ'sæksn] Angelsachse
angrily ['æŋgrəlɪ] wütend (*schreien usw.*)
angry ['æŋgrɪ] böse, verärgert; ***get angry*** ärgerlich werden; ***be angry with someone*** jemandem *oder* auf jemanden böse sein; ***be angry at*** *oder* ***about something*** böse über etwas sein
anguish ['æŋgwɪʃ] seelische Qual
angular ['æŋgjʊlə] **1.** *allg.*: eckig **2.** *Gesicht*: kantig
animal ['ænɪml] Tier
animal rights activist ['ænɪmlˌraɪts'æktɪvɪst] Tierschützer(in)
animated ['ænɪmeɪtɪd] *Unterhaltung, Diskussion usw.*: lebhaft, angeregt
animated cartoon [ˌænɪmeɪtɪd‿kɑː'tuːn] Zeichentrickfilm
animosity [ˌænɪ'mɒsətɪ] Feindseligkeit
ankle ['æŋkl] (Fuß)Knöchel
annex[1] [⚠ ə'neks] annektieren, sich einverleiben (*Gebiet*)
annex[2], **annexe** [⚠ 'æneks] Anbau, Nebengebäude
annexation [ˌænek'seɪʃn] Annektierung, Einverleibung
annihilate [⚠ ə'naɪəleɪt] vernichten
anniversary [ˌænɪ'vɜːsərɪ] Jahrestag; (***wedding***) ***anniversary*** Hochzeitstag
annotated ['ænəteɪtɪd] *Ausgabe usw.*: kommentiert, mit Anmerkungen versehen
annotation [ˌænə'teɪʃn] Anmerkung, Kommentar
announce [ə'naʊns] **1.** (≈ *öffentlich mitteilen*) bekannt geben **2.** ankündigen (*Zukünftiges*) **3.** *über Lautsprecher*: durchsagen **4.** *Rundfunk, TV*: ansagen **5.** *durch Zeitungsannonce*: anzeigen
announcement [ə'naʊnsmənt] **1.** (≈ *öffentliche Mitteilung*) Bekanntgabe **2.** *von Zukünftigem*: Ankündigung **3.** *über Lautsprecher*: Durchsage **4.** *Rundfunk, TV*: Ansage **5.** *durch Zeitungsannonce*: Anzeige
announcer [ə'naʊnsə] *Rundfunk, TV*: Ansager(in)
annoy [ə'nɔɪ] ärgern; ***be annoyed*** sich ärgern (***at*** *oder* ***about something*** über etwas; ***with*** *oder* ***at someone*** über jemanden)
annoyance [ə'nɔɪəns] **1.** Verärgerung **2.** *Lärm, Verkehr*: Ärgernis
annoying [ə'nɔɪɪŋ] **1.** *Missstand, Störung usw.*: ärgerlich **2.** *Angewohnheit usw.*: lästig, störend
annual ['ænjʊəl] jährlich, Jahres…; ***annual report*** Jahresbericht
annul [⚠ ə'nʌl] annullieren, für ungültig erklären (*Ehe, Vertrag, Gesetz usw.*)
anonymous [⚠ ə'nɒnɪməs] anonym
anorak ['ænəræk] Anorak
anorexia [ˌænə'reksɪə] Magersucht
anorexic[1] [ˌænə'reksɪk] magersüchtig
anorexic[2] [ˌænə'reksɪk] Magersüchtige(r)
another [ə'nʌðə] **1.** noch ein(er, -e, -s), ein weiterer, eine weitere, ein weiteres; ***she had another cup of tea*** sie trank noch eine Tasse Tee **2.** *nur mit Zahl* (*und Substantiv im Pl.*): noch, weitere; ***another ten years*** noch *oder* weitere zehn Jahre **3.** ein anderer, eine andere, ein anderes; ***another time*** ein andermal
answer[1] [⚠ 'ɑːnsə] **1.** *allg.*: Antwort (***to*** auf) **2.** *eines Problems usw.*: Lösung
answer[2] [⚠ 'ɑːnsə] **1.** *allg.*: antworten **2.** beantworten, antworten auf (*Brief, Frage usw.*) **3.** ***answer the door*** die Tür öffnen, aufmachen; ***answer the phone*** ans Telefon gehen **4.** erfüllen (*Wunsch, Bitte usw.*) **5.** erhören (*Gebet*)

answer back [ˌɑːnsə'bæk] *umg.* (*bes. Kinder*) freche Antworten geben
answer for ['ɑːnsə‿fɔː] ***answer for something*** für etwas die Verantwortung übernehmen

answer to ['ɑːnsə‿tə] **1.** *einer Beschreibung usw.*: entsprechen **2.** ***he answers to the name of Bob*** er hört auf den Namen Bob

answerable ['ɑːnsərəbl] verantwortlich (***to someone*** jemandem)
answerer ['ɑːnsərə] *AE* Anrufbeantworter
answering machine ['ɑːnsərɪŋ‿məˌʃiːn] Anrufbeantworter
answerphone ['ɑːnsəˌfəʊn] *BE* Anrufbeantworter

answerphone

Hier ein paar Beispiele für typische Ansagen auf Anrufbeantwortern:

Thank you for ringing. I'm afraid I'm/we're out at the moment, but please leave a message after the tone/beep. Danke für Ihren Anruf. Ich bin / Wir sind leider im Moment nicht zu Hause. Sie können nach dem Tonsignal gern eine Nachricht hinterlassen.

Sorry we're not in. If you leave a message after the beep, we'll get in touch with you as soon as possible. Wir sind leider nicht zu Hause. Wenn Sie eine Nachricht nach dem Tonsignal hinterlassen, rufen wir Sie so bald wie möglich zurück.

Hi. This is 0 93 24 2 37 61. Please leave a message and we'll get back to you as soon as we can. Hallo. Hier ist die Nummer 0 93 24 2 37 61. Bitte hinterlassen Sie eine Nachricht und wir werden Sie sobald wie möglich zurückrufen.

ant [⚠ ænt] Ameise
antagonist [⚠ æn'tægənɪst] Gegner(in), Gegenspieler(in)
Antarctic[1] [ænt'ɑːktɪk] ***the Antarctic*** die Antarktis
Antarctic[2] [ænt'ɑːktɪk] antarktisch
Antarctic Circle [æntˌɑːktɪk'sɜːkl] südlicher Polarkreis
anteater ['æntˌiːtə] Ameisenbär
antelope ['æntɪləʊp] Antilope
antenna[1] [æn'tenə] *Pl.* ***antennas*** *bes. AE* Antenne; ☞ *BE* ***aerial***[1]
antenna[2] [æn'tenə] *Pl.* ***antennae*** [æn'teniː] *bes. bei Insekten*: Fühler
anthem ['ænθəm] Hymne
anthill ['ænt‿hɪl] Ameisenhaufen
anti... ['æntɪ] *in Zusammensetzungen*: Gegen..., Anti...
antiaircraft [ˌæntɪ'eəkrɑːft] Flugabwehr...
antibiotic [ˌæntɪbaɪ'ɒtɪk] *Medizin*: Antibiotikum; ***the doctor gave me antibiotics*** der Arzt hat mir Antibiotika gegeben
antibody ['æntɪˌbɒdɪ] *Medizin*: Antikörper, Abwehrstoff
anticipate [⚠ æn'tɪsɪpeɪt] **1.** erwarten, rechnen mit (*Ärger, Regen usw.*) **2.** vorhersehen, vorausahnen (*was jemand tun wird*) **3.** (≈ *vorzeitig tun*) vorwegnehmen **4.** *jemandem, einem Wunsch usw.*: zuvorkommen
anticipation [⚠ ænˌtɪsɪ'peɪʃn] Erwartung
anticlimax [ˌæntɪ'klaɪmæks] Enttäuschung
anticlockwise [ˌæntɪ'klɒkwaɪz] entgegen dem *oder* gegen den Uhrzeigersinn
antics ['æntɪks] *Pl.* Mätzchen (⚠ *nicht* ***antik, Antike***)
antidote ['æntɪdəʊt] **1.** Gegengift, Gegenmittel (***for, against*** gegen) **2.** *übertragen* Gegenmittel (***to*** gegen)
antifreeze ['æntɪfriːz] Frostschutzmittel
antipathy [⚠ æn'tɪpəθɪ] Antipathie, Abneigung (***to, towards*** gegen)
antiquated ['æntɪkweɪtɪd] veraltet, altmodisch
antique[1] [æn'tiːk] antik, alt
antique[2] [æn'tiːk] Antiquität (⚠ *die Antike* = ***antiquity***)
antique dealer [æn'tiːkˌdiːlə] Antiquitätenhändler(in)
antique shop [æn'tiːk‿ʃɒp] Antiquitätenladen
antiquity [æn'tɪkwətɪ] **1.** das Altertum, die Antike **2.** ***antiquities*** *Pl.* Altertümer (⚠ *Antiquität* = ***antique***[2])
anti-Semitic [ˌæntɪ‿sə'mɪtɪk] antisemitisch
anti-Semitism [⚠ ˌæntɪ'semətɪzm] Antisemitismus
antiseptic [ˌæntɪ'septɪk] *medizinisch*: antiseptisch
antisocial [ˌæntɪ'səʊʃl] **1.** *Verhalten usw.*: asozial **2.** *Mensch*: ungesellig **3.** *Miete usw.*: unsozial
anti-virus program [ˌæntɪ'vaɪrəsˌprəʊgræm] *Computer*: Virenschutzprogramm
antler ['æntlə] (***a pair of***) ***antlers*** (ein) Geweih
antonym ['æntənɪm] Antonym (*Wort mit gegenteiliger Bedeutung*)
anvil ['ænvɪl] Amboss
anxiety [⚠ æŋ'zaɪətɪ] **1.** Angst, Sorge (***about, for*** wegen, um) **2.** *Psychologie*: Beklemmung, Angstzustand
anxious [⚠ 'æŋkʃəs] **1.** besorgt (***about, for*** wegen, um) **2.** ***I'm so anxious to***

meet him ich bin so gespannt *oder* ich freue mich darauf, ihn kennen zu lernen **3.** ***she was anxious to please him*** sie bemühte sich sehr, es ihm recht zu machen

any ['enɪ] **1.** *fragend, verneinend*: ***has he got any money?*** hat er Geld? ***he hasn't got any money*** er hat kein Geld; ***she likes grapes - have we got any?*** sie isst gern Weintrauben - haben wir welche? ***any more questions?*** noch weitere Fragen? **2.** *bejahend*: irgendein(e), jede(r, -s) beliebige; ***at any time*** jederzeit; ***take any book on that subject*** nimm jedes beliebige Buch zu dem Thema **3.** (noch) etwas; ***any more?*** noch (etwas) mehr?

anybody ['enɪbɒdɪ] **1.** (irgend)jemand; ***is anybody at home?*** ist jemand zu Hause? **2.** jeder (beliebige); ***anybody who can drive knows that*** jeder, der Auto fahren kann, weiß das **3.** ***hardly anybody knew him*** es hat ihn kaum jemand gekannt; ***isn't there anybody you can ask?*** gibt es denn niemanden *oder* keinen, den du fragen kannst?

anyhow ['enɪhaʊ] **1.** trotzdem; ***they asked me not to go, but I went anyhow*** sie baten mich nicht hinzugehen, aber ich bin trotzdem hingegangen **2.** jedenfalls, wie dem auch sei; ***anyhow, you're here now*** jedenfalls bist du jetzt hier **3.** irgendwie; ***she stuffed the things in the suitcase just anyhow*** sie stopfte die Sachen völlig wahllos in den Koffer

anyone ['enɪwʌn] → ***anybody***

anything ['enɪθɪŋ] **1.** (irgend)etwas; ***isn't there anything I can do?*** kann ich denn gar nichts tun?; ***not for anything*** um keinen Preis; ***take anything you like*** nimm, was du willst; ***anything else?*** sonst noch etwas? **2.** alles; ***he'll believe anything you say*** der glaubt dir doch alles; ***she was anything but pleased*** sie war alles andere als erfreut

anyway ['enɪweɪ] → ***anyhow***

anywhere ['enɪweə] **1.** irgendwo(hin); ***we didn't go anywhere last night*** wir sind gestern Abend nirgendwo hingegangen; ***hardly anywhere*** fast nirgends **2.** überall; ***you can get these batteries almost anywhere*** man bekommt diese Batterien fast überall

apart [ə'pɑːt] **1.** auseinander; ***they put the tables wide apart*** sie stellten die Tische weit auseinander; ***I can't tell the twins apart*** ich kann die Zwillinge nicht auseinander halten **2.** getrennt; ***live apart*** getrennt leben **3.** ***apart from a few mistakes*** abgesehen von ein paar Fehlern; ***everybody apart from her*** alle außer ihr

apartment [ə'pɑːtmənt] *AE* Wohnung; ☞ *BE* ***flat***[1]

apartment house [ə'pɑːtmənt‿haʊs] *AE* Mietshaus; ☞ *BE* ***block of flats***

apathetic [⚠ ˌæpə'θetɪk] apathisch, teilnahmslos, gleichgültig

apathy [⚠ 'æpəθɪ] Apathie, Teilnahmslosigkeit

ape [eɪp] (Menschen)Affe

apiece [ə'piːs] **1.** *Preis usw.*: pro Stück **2.** *beim Teilen*: pro Kopf, pro Person

apologize [ə'pɒlədʒaɪz] sich entschuldigen (***for*** für; ***to*** bei)

apology [ə'pɒlədʒɪ] Entschuldigung

apostle [⚠ ə'pɒsl] Apostel

apostrophe [⚠ ə'pɒstrəfɪ] Apostroph, Auslassungszeichen

appal, *AE* **appall** [⚠ ə'pɔːl] ***be appalled*** entsetzt sein (***at, by*** über)

appalling [⚠ ə'pɔːlɪŋ] **1.** *Verbrechen usw.*: entsetzlich **2.** *umg.*; *Essen usw.*: furchtbar, schrecklich

apparatus [ˌæpə'reɪtəs] Apparat, Gerät

apparent [ə'pærənt] **1.** offensichtlich; ***for no apparent reason*** ohne ersichtlichen Grund **2.** (≈ *nur dem Schein nach*) scheinbar

apparently [ə'pærəntlɪ] anscheinend

apparition [ˌæpə'rɪʃn] *von Gespenst usw.*: Erscheinung

appeal[1] [ə'piːl] **1.** ***appeal to someone for something*** jemanden (dringend) um etwas bitten **2.** ***the idea doesn't appeal to me*** die Idee gefällt mir nicht **3.** *Recht*: Berufung *oder* Revision einlegen

appeal[2] [ə'piːl] **1.** Anziehungskraft, Reiz **2.** Appell, dringende Bitte **3.** *Recht*: Berufung, Revision

appealing [ə'piːlɪŋ] **1.** *Idee usw.*: reizvoll, verlockend **2.** *Eigenschaften*, *Charakter usw.*: ansprechend **3.** *Blick usw.*: flehend

appear [ə'pɪə] **1.** (≈ *sichtbar werden*) erscheinen **2.** *unvermutet*: auftauchen **3.** *im Fernsehen usw.*: auftreten **4.** (≈ *sich darstellen*) (er)scheinen; ***it appears to be all right*** es scheint in Ordnung zu sein; ***he appeared quite calm*** er war äußerlich ganz ruhig **5.** (*Buch*) erscheinen, herauskommen

appearance [ə'pɪərəns] **1.** Erscheinen; ***put in an appearance*** sich kurz sehen lassen **2.** Auftreten; ***make a public appearance*** in der Öffentlichkeit auftreten **3.** (äußere) Erscheinung, Aussehen, Äußeres **4.** *mst.* ***appearances*** *Pl.* Anschein, (äußerer) Schein; ***to all appearances*** allem Anschein nach; ***appearances are***

deceptive der Schein trügt; ***keep up appearances*** den Schein wahren

appease [ə'piːz] besänftigen, beschwichtigen (*Wut, Unzufriedenheit usw.*)

appendicitis [əˌpendɪ'saɪtɪs] *medizinisch*: Blinddarmentzündung

appendix [ə'pendɪks] *Pl.* ***appendixes*** *oder* ***appendices*** [ə'pendɪsiːz] **1.** *Körper*: Blinddarm **2.** Anhang (*eines Buchs*)

appetite ['æpɪtaɪt] Appetit (***for*** auf); ***she only had a small appetite*** sie hatte nur wenig Appetit

appetizer ['æpɪtaɪzə] **1.** (kleine) Vorspeise, Appetithappen **2.** *Getränk*: Aperitif

appetizing ['æpɪtaɪzɪŋ] *Speise, Geruch*: appetitanregend, lecker

applaud [ə'plɔːd] applaudieren, Beifall spenden

applause [ə'plɔːz] Applaus, Beifall

apple ['æpl] Apfel; ***apple juice*** Apfelsaft

Big Apple

Big Apple ist eine liebevolle Bezeichnung für New York. Sie geht auf die Jazzmusiker der 20er und 30er Jahre zurück, für die New York die besten Karriereaussichten bot.

apple pie [ˌæpl'paɪ] gedeckter Apfelkuchen

apple sauce [ˌæpl'sɔːs] Apfelmus

appliance [ə'plaɪəns] Gerät

applicable [ə'plɪkəbl] **1.** anwendbar (***to*** auf) **2.** *in Formularen*: ***not applicable*** entfällt; ***tick*** (*AE auch* ***check***) ***where applicable*** Zutreffendes bitte ankreuzen

applicant ['æplɪkənt] **1.** Bewerber(in) (***for*** um) **2.** Antragsteller(in)

application [ˌæplɪ'keɪʃn] **1.** Bewerbung; (***letter of***) ***application*** Bewerbungsschreiben **2.** *von Regeln, Techniken usw.*: Anwendung **3.** *von Salbe, Farbe usw.*: Auftragen **4.** Antrag (***for*** auf)

applied [ə'plaɪd] *Wissenschaft*: angewandt

apply [ə'plaɪ], ***applied*** [ə'plaɪd], ***applied*** [ə'plaɪd]; *-ing-Form* ***applying*** **1.** sich bewerben (***for*** um) **2.** ***apply for something*** etwas beantragen (*Zuschuss, Ermäßigung usw.*) **3.** anwenden (*Kraft, Fähigkeiten usw.*) (***to*** auf) **4.** betätigen (*Bremse usw.*) **5.** auftragen (*Salbe, Farbe usw.*) (***to*** auf) **6.** (*Theorie, Beschreibung usw.*) zutreffen, sich anwenden lassen (***to*** auf)

appoint [ə'pɔɪnt] **1.** einstellen (*Lehrer, Sekretärin usw.*) (***as*** als) **2.** ernennen, berufen; ***he was appointed chairman*** er wurde zum Vorsitzenden ernannt **3.** festsetzen, bestimmen (*Termin, Zeitpunkt*)

appointment [ə'pɔɪntmənt] **1.** *geschäftlich, beim Arzt usw.*: Termin; ***make an appointment*** einen Termin vereinbaren **2.** Ernennung, Berufung (***as*** zum, zur)

appreciate [ə'priːʃɪeɪt] **1.** zu schätzen wissen, anerkennen (*jemandes Fähigkeiten usw.*) **2.** dankbar sein für (*jemandes Hilfsbereitschaft usw.*) **3.** Sinn haben für (*Musik usw.*) **4.** sich bewusst sein (*eines Problems usw.*) **5.** verstehen, Verständnis haben für (*jemandes Handlungsweise usw.*)

appreciation [əˌpriːʃɪ'eɪʃn] **1.** Würdigung, Anerkennung **2.** Dankbarkeit (***of*** für); ***in appreciation of your help*** zum Dank für Ihre Hilfe **3.** Sinn (***of*** für) **4.** Verständnis (***of*** für)

apprehension [ˌæprɪ'henʃn] Besorgnis

apprehensive [ˌæprɪ'hensɪv] besorgt (***for*** um; ***that*** dass); ***be apprehensive that*** befürchten, dass

apprentice [ə'prentɪs] **1.** Auszubildende(r), Lehrling, Ⓒⓗ *Frau*: Lehrtochter **2.** ***apprentice plumber*** *usw.* Klempnerlehrling *usw.*

apprenticeship [ə'prentɪsʃɪp] **1.** Lehre, Lehrzeit; ***at the end of your apprenticeship*** am Ende deiner Lehrzeit **2.** Lehrstelle

approach[1] [ə'prəʊtʃ] **1.** sich nähern **2.** ***approach someone*** an jemanden herantreten, sich an jemanden wenden **3.** (*Flugzeug*) anfliegen **4.** ***he's approaching 50*** er geht auf die 50 zu

approach[2] [ə'prəʊtʃ] **1.** (Heran)Nahen, Näherkommen **2.** *Flugzeug*: Anflug **3.** *zu einer Problemlösung*: Ansatz, Methode

approach road [ə'prəʊtʃ‿rəʊd] Zufahrtsstraße

appropriate[1] [ə'prəʊprɪət] passend, geeignet (***for, to*** für)

appropriate[2] [ə'prəʊprɪeɪt] sich aneignen

approval [⚠ ə'pruːvl] **1.** Anerkennung, Beifall; ***meet with approval*** Beifall finden **2.** Genehmigung **3.** ***on approval*** *bei Warenbestellung*: zur Ansicht

approve [⚠ ə'pruːv] **1.** einverstanden sein (***of*** mit), zustimmen; ***I don't approve of ...*** ich halte nichts von ... **2.** genehmigen (*Pläne, Ausgaben usw.*) **3.** billigen (*Verhalten, Ansicht usw.*)

approx. *schriftliche Abk. für* → ***approximately***

approximate [ə'prɒksɪmət] *Zahlen, Mengen usw.*: annähernd, ungefähr

approximately [ə'prɒksɪmətlɪ] *bei Zahlen, Mengen usw.*: ungefähr, etwa, circa

approximation [əˌprɒksɪ'meɪʃn] Annäherung (***to*** an)

apricot ['eɪprɪkɒt] Aprikose, Ⓐ Marille

April ['eɪprəl] April; ***in April*** im April
April Fools' Day [ˌeɪprəl'fuːlz‿deɪ] der 1. April

April Fools' Day

– der 1. April. Auch in den englischsprachigen Ländern ist es üblich, Aprilscherze zu machen, aber normalerweise nur bis 12.00 Uhr mittags. Ist einem der Scherz gelungen, ruft man **April fool!** (= April! April!).

apron ['eɪprən] Schürze
apt [æpt] **1.** *Bemerkung usw.*: treffend **2.** *Geschenk usw.*: passend **3.** ***be apt to do something*** dazu neigen, etwas zu tun
aptitude ['æptɪtjuːd] Begabung (***for*** für)
aptitude test ['æptɪtjuːd‿test] Eignungsprüfung
aquaerobics [ˌækweə'rəʊbɪks] *Sport*: Wasseraerobic
aqualung ['ækwəlʌŋ] Atemgerät, Sauerstoffgerät (*beim Tauchen*)
aquarium [ə'kweərɪəm] *Pl.* ***aquariums*** *oder* ***aquaria*** [ə'kweərɪə] Aquarium
Aquarius [ə'kweərɪəs] *Sternzeichen*: Wassermann
aquatic [ə'kwætɪk] **1.** Wasser…; ***aquatic sports*** *Pl.* Wassersport **2.** *Pflanzen, Tiere usw.*: im Wasser lebend
Arab ['ærəb] Araber(in)
Arabia [ə'reɪbɪə] Arabien
Arabian [ə'reɪbɪən] arabisch; ***The Arabian Nights*** *Märchen*: Tausendundeine Nacht
Arabic[1] [⚠ 'ærəbɪk] arabisch; ***Arabic numeral*** arabische Ziffer
Arabic[2] [⚠ 'ærəbɪk] *Sprache*: Arabisch
arable ['ærəbl] ***arable land*** Ackerland
arbitrary ['ɑːbɪtrərɪ] *oft abwertend* willkürlich (*auch bei Machtmissbrauch usw.*)
arbitrate ['ɑːbɪtreɪt] schlichten (*Streit usw.*)
arbitration [ˌɑːbɪ'treɪʃn] Schlichtung; ***court of arbitration*** Schiedsgericht
arc [ɑːk] **1.** *Linie*: Bogen **2.** Lichtbogen
arcade [ɑː'keɪd] Arkade; ***shopping arcade*** Einkaufspassage
arch[1] [ɑːtʃ] **1.** *Architektur*: Bogen **2.** *des Fußes usw.*: Wölbung
arch[2] [ɑːtʃ] beugen, krümmen; ***the cat arched its back*** die Katze machte einen Buckel
arch… [ɑːtʃ] *in Zusammensetzungen*: Erz…
archaeologist [⚠ ˌɑːkɪ'ɒlədʒɪst] Archäologe, Archäologin
archaeology [⚠ ˌɑːkɪ'ɒlədʒɪ] Archäologie
archaic [⚠ ɑː'keɪɪk] veraltet
archangel [⚠ 'ɑːkˌeɪndʒəl] Erzengel
archbishop [ˌɑːtʃ'bɪʃəp] Erzbischof
archeologist [⚠ ˌɑːkɪ'ɒlədʒɪst] *bes. AE* Archäologe, Archäologin
archer ['ɑːtʃə] Bogenschütze, Bogenschützin
architect [⚠ 'ɑːkɪtekt] **1.** Architekt(in) **2.** *übertragen* Urheber(in), Schöpfer(in)
architecture [⚠ 'ɑːkɪtektʃə] Architektur
archives [⚠ 'ɑːkaɪvz] *Pl.* Archiv
archivist [⚠ 'ɑːkɪvɪst] Archivar(in)
archway ['ɑːtʃweɪ] **1.** *zwischen Zimmern*: Türbogen **2.** *durch ein Gebäude*: Torbogen
arctic ['ɑːktɪk] arktisch, Polar…; ***Arctic Ocean*** Nördliches Eismeer
Arctic ['ɑːktɪk] ***the Arctic*** die Arktis
ardent ['ɑːdnt] *Verehrer, Bewunderer usw.*: leidenschaftlich, glühend
arduous ['ɑːdjʊəs] mühsam, anstrengend
are [ə, *betont* ɑː] ***we are*** wir sind; ***you are*** ihr seid; ***they are*** sie sind
area ['eərɪə] **1.** (Grund)Fläche **2.** Gebiet, Gegend; ***I'm new to the area*** ich bin neu hier **3.** *Sachgebiet usw.*: Bereich
area code ['eərɪə‿kəʊd] *AE* Vorwahl; ☞ *BE* ***dialling code***
arena [ə'riːnə] Arena
aren't [ɑːnt] **1.** *Kurzform von* ***are not*** **2.** *Kurzform von* ***am not***; ***I'm your friend, aren't I?*** ich bin doch dein Freund, oder?
Argentina [ˌɑːdʒən'tiːnə] Argentinien
Argentinian[1] [ˌɑːdʒən'tɪnɪən] argentinisch
Argentinian[2] [ˌɑːdʒən'tɪnɪən] Argentinier(in)
arguable ['ɑːgjʊəbl] **1.** zweifelhaft, fraglich **2.** ***it's arguable that*** man kann durchaus die Meinung vertreten, dass
argue ['ɑːgjuː] **1.** streiten (***with*** mit; ***about*** über); ***stop arguing!*** hört auf euch zu streiten! **2.** argumentieren; ***argue for*** eintreten für; ***argue against*** Einwände machen gegen
argument ['ɑːgjʊmənt] **1.** Streit, Auseinandersetzung; ***have an argument*** sich streiten **2.** Argument **3.** ***I don't want any arguments*** ich will keine Diskussion
aria ['ɑːrɪə] Arie
arid ['ærɪd] *Land*: dürr, trocken
Aries [⚠ 'eəriːz] *Sternzeichen*: Widder
arise [ə'raɪz], ***arose*** [ə'rəʊz], ***arisen*** [ə'rɪzn] **1.** sich ergeben, entstehen; ***arise from*** *oder* ***out of something*** sich aus etwas ergeben **2.** (*Gedanke, Zweifel, Verdacht*) aufkommen
arisen [ə'rɪzn] *3. Form von* → ***arise***
aristocracy [ˌærɪ'stɒkrəsɪ] Aristokratie
aristocrat [⚠ 'ærɪstəkræt] Aristokrat(in)
aristocratic [ˌærɪstə'krætɪk] aristokratisch

arithmetic [⚠ əˈrɪθmətɪk] Rechnen, Arithmetik
ark [ɑːk] ***Noah's Ark*** die Arche Noah
arm[1] [ɑːm] **1.** Arm **2.** ***keep someone at arm's length*** *übertragen* sich jemanden vom Leibe halten **3.** *von Kleidungsstück*: Ärmel **4.** *eines Sessels*: Armlehne
arm[2] [ɑːm] (sich) bewaffnen, rüsten
armament [ˈɑːməmənt] Rüstung, Aufrüstung
armchair [ˈɑːmtʃeə] Sessel
armed [ɑːmd] bewaffnet; ***armed robbery*** bewaffneter Raubüberfall; ***armed to the teeth*** bis an die Zähne bewaffnet
armed forces [ˌɑːmdˈfɔːsɪz] *Pl.* Streitkräfte
armistice [ˈɑːmɪstɪs] Waffenstillstand
armour [ˈɑːmə], *AE* **armor** **1.** *der Ritter*: Rüstung **2.** *von Tieren, Fahrzeugen*: Panzer
armoured [ˈɑːməd], *AE* **armored** *Fahrzeug*: gepanzert (*für Geldtransporte usw.*)
armpit [ˈɑːmpɪt] Achselhöhle
armrest [ˈɑːmrest] Armlehne
arms [ɑːmz] *Pl.* **1.** *für Kampf*: Waffen **2.** ***be up in arms*** *übertragen* empört sein (***about, over*** wegen) **3.** *als Symbol*: Wappen
arms control [ˈɑːmz‿kənˌtrəʊl] Rüstungskontrolle
arms race [ˈɑːmz‿reɪs] Wettrüsten, Rüstungswettlauf
army [ˈɑːmɪ] Armee, Heer; ***be in the army*** Soldat sein; ***join the army*** Soldat werden
A-road [ˈeɪrəʊd] *BE*; *etwa*: Bundesstraße
arose [əˈrəʊz] *2. Form von* → ***arise***
around [əˈraʊnd] **1.** umher, herum; ***look around*** sich umsehen **2.** um, um … herum; ***he had a scarf wrapped around his neck*** er hatte einen Schal um seinen Hals gebunden **3.** in … herum; ***walk around the garden*** im Garten herumgehen; ***he's been around*** *umg.* er ist ganz schön herumgekommen **4.** ***all around*** ringsherum **5.** *umg.* ungefähr; ***it costs around five pounds*** es kostet so um die fünf Pfund; ***around two o'clock*** so gegen zwei Uhr **6.** *umg.* in der Nähe, da, hier; ***is she around?*** ist sie da?
arouse [əˈraʊz] **1.** wecken **2.** *übertragen* erregen (*Misstrauen, Begierde usw.*)
arrange [əˈreɪndʒ] **1.** *alphabetisch usw.*: (an)ordnen **2.** hinstellen, aufstellen (*Bücher, Stühle usw.*) **3.** arrangieren (*Blumen*) **4.** organisieren (*Ausflug, Flucht, Urlaub usw.*) **5.** festsetzen, festlegen (*Termin usw.*); ***I'll arrange an appointment*** ich mache einen Termin aus **6.** verabreden, vereinbaren (*Treffen usw.*); ***I'll arrange for him to meet you*** ich werde dafür sorgen, dass er Sie trifft **7.** in die Wege leiten, arrangieren (*Hilfsaktion usw.*) **8.** arrangieren, bearbeiten (*Musikstück*)
arrangement [əˈreɪndʒmənt] **1.** (*von Stühlen, Blumen usw.*) Anordnung **2.** (*von Urlaub, Flucht usw.*) Organisation **3.** *zeitlich*: Verabredung, Vereinbarung; ***by arrangement*** nach Vereinbarung *oder* Absprache; ***make an arrangement*** eine Verabredung treffen (***with*** mit) **4.** *Musik*: Arrangement, Bearbeitung **5.** ***arrangements*** *Pl.* Vorkehrungen; ***make arrangements*** Vorkehrungen treffen
array[1] [əˈreɪ] **1.** *von Gegenständen*: Ansammlung, (stattliche) Reihe **2.** *literarisch* (≈ *Kleidung*) Staat
array[2] [əˈreɪ] aufstellen
arrears [əˈrɪəz] *Pl.* ***be in arrears*** im Rückstand *oder* Verzug sein (*mit der Miete usw.*)
arrest[1] [əˈrest] verhaften, festnehmen
arrest[2] [əˈrest] Verhaftung, Festnahme; ***be under arrest*** verhaftet sein
arrival [əˈraɪvl] **1.** Ankunft; ***on arrival*** bei Ankunft **2.** ***new arrival*** Neuankömmling, neues Gesicht; ***a new arrival*** (***to the family***) Familienzuwachs
arrive [əˈraɪv] (an)kommen

> **arrive at** [əˈraɪv‿ət] kommen *oder* gelangen zu (*einer Entscheidung usw.*)

arrogance [ˈærəgəns] Arroganz, Überheblichkeit
arrogant [ˈærəgənt] arrogant, überheblich
arrow [ˈærəʊ] Pfeil
arse [ɑːs] *BE, tabu* Arsch; ☞ *AE* ***ass***[2]
arsehole [ˈɑːshəʊl] *BE, tabu* Arschloch; ☞ *AE* ***asshole***
arsenic [⚠ ˈɑːsnɪk] *Chemie*: Arsen
arson [ˈɑːsn] Brandstiftung
arsonist [ˈɑːsnɪst] Brandstifter(in)
art [ɑːt] **1.** Kunst (*auch als Fach*); ***work of art*** Kunstwerk; ***arts and crafts*** *Pl.* Kunstgewerbe **2.** ***arts*** *Pl. Universität*: Geisteswissenschaften
artefact, **artifact** [ˈɑːtɪfækt] *Archäologie*: (Kunst)Gegenstand, Artefakt
artery [ˈɑːtərɪ] Arterie, Schlagader
artful [ˈɑːtfl] *Person, Trick usw.*: schlau, listig, raffiniert
arthritis [ɑːˈθraɪtɪs] Arthritis
artichoke [⚠ ˈɑːtɪtʃəʊk] Artischocke
article [ˈɑːtɪkl] **1.** *in Zeitung usw.*: Artikel **2.** *Kleidung, Möbel usw.*: Gegenstand, Artikel; ***article of clothing*** Kleidungsstück **3.** *Sprache*: Artikel, Geschlechtswort **4.** *eines Gesetzes usw.*: Artikel, Paragraph

articulate[1] [ɑːˈtɪkjʊlət] redegewandt
articulate[2] [ɑːˈtɪkjʊleɪt] **1.** deutlich (aus-)sprechen **2.** in Worte fassen, ausdrücken (*Gedanken usw.*)
articulated lorry [ɑːˌtɪkjʊleɪtɪdˈlɒrɪ] *BE* Sattelschlepper
artifice [ˈɑːtɪfɪs] **1.** List **2.** Kunstgriff, Kniff
artificial [ˌɑːtɪˈfɪʃl] **1.** *Blume, Beatmung, Befruchtung usw.*: künstlich **2.** *Seide, Haar, Dünger usw.*: Kunst… **3.** *Lächeln usw.*: gekünstelt
artisan [⚠ ˌɑːtɪˈzæn] (Kunst)Handwerker (-in)
artist [ˈɑːtɪst] Künstler(in) (⚠ *Artist* = [***circus*** *oder* ***variety***] performer)
artistic [ɑːˈtɪstɪk] **1.** *Gestaltung, Form, Wert usw.*: künstlerisch, Kunst… **2.** künstlerisch veranlagt
artless [ˈɑːtləs] (≈ *naiv*) aufrichtig, arglos
as [əz, *betont* æz] **1.** *bei Vergleichen*: so; ***as … as …*** (genau)so … wie …; ***as fast as I could*** so schnell ich konnte; ***as soon as possible*** so bald wie möglich; ***as far as I know*** soviel ich weiß; **(*as*) *soft as butter*** butterweich; ***just as good*** genauso gut; ***twice as big*** zweimal so groß; ***as if*** als ob **2.** *bei Funktion usw.*: als; ***use something as a tool*** etwas als Werkzeug benutzen; ***work as a teacher*** als Lehrer arbeiten; ***appear as Hamlet*** als Hamlet auftreten **3.** *bei Beispielen*: ***famous pop groups such as …*** berühmte Popgruppen wie … **4.** (so) wie; ***as follows*** wie folgt; ***as requested*** wunschgemäß **5.** *zeitlich*: als, während; ***as he was teaching*** als er unterrichtete **6.** *Begründung*: da, weil; ***as he's late again, we'll start without him*** da er wieder zu spät kommt, fangen wir ohne ihn an **7.** was, wie; ***as he himself admits*** wie er selbst zugibt **8.** ***impossible as it seems, …*** so unmöglich es auch erscheint, … **9.** ***as to …*** was … (an)betrifft; ***as for …*** *oft im negativen Sinn*: und was … angeht; ***as from …*** *vor Zeitangaben*: von … an, ab … **10.** ***as it is*** wie die Dinge liegen; ***it's bad enough as it is*** es ist sowieso schon schlimm genug; ***as it were*** sozusagen
asap [ˌeɪeseɪˈpiː] (*Abk. für* **a**s **s**oon **a**s **p**ossible) möglichst bald
ascend [⚠ əˈsend] *oft förmlich* **1.** (auf-)steigen, ansteigen **2.** besteigen (*den Thron*)
Ascension Day [əˈsenʃn‿deɪ] Himmelfahrt, Himmelfahrtstag
ascent [⚠ əˈsent] **1.** *eines Bergs*: Aufstieg, Besteigung **2.** *steile Stelle*: Steigung
ascertain [⚠ ˌæsəˈteɪn] ermitteln, feststellen
ascetic [⚠ əˈsetɪk] asketisch

> **ascribe to** [əˈskraɪb‿tə] ***ascribe something to someone*** (*oder* ***something***) jemandem (*oder* etwas) etwas zuschreiben

ash[1] [æʃ] *oft* ***ashes*** *Pl.* Asche
ash[2] [æʃ] **1.** Esche **2.** Eschenholz
ashamed [əˈʃeɪmd] beschämt; ***be*** (*oder* ***feel***) ***ashamed*** sich schämen (***of*** für)
ashen [ˈæʃn], **ashen-faced** [ˈæʃnfeɪst] aschfahl, kreidebleich
ashore [əˈʃɔː] ***go ashore*** an Land gehen
ashtray [ˈæʃtreɪ] Aschenbecher
Ash Wednesday [ˌæʃˈwenzdeɪ] Aschermittwoch
Asia [ˈeɪʃə] Asien
Asia Minor [ˌeɪʃəˈmaɪnə] Kleinasien
Asian[1] [ˈeɪʃn] asiatisch
Asian[2] [ˈeɪʃn] Asiat(in)
Asiatic [ˌeɪʃɪˈætɪk] asiatisch
aside [əˈsaɪd] **1.** zur Seite, beiseite **2.** ***aside from*** *bes. AE* abgesehen von
ask [ɑːsk] **1.** *allg.*: fragen; ***ask about someone*** *oder* ***something*** sich nach jemandem *oder* etwas erkundigen; ***don't ask me!*** keine Ahnung!; ***you may well ask!*** das ist eine gute Frage! **2.** fragen nach, sich erkundigen nach (*dem Weg usw.*); ***he asked*** (***me***) ***my name*** er fragte nach meinem Namen **3.** bitten (um); ***ask*** (***someone***) ***for something*** (jemanden) um etwas bitten; ***can I ask you a favour?*** kann ich dich um einen Gefallen bitten?; ***it's yours for the asking*** du kannst es gerne haben **4.** fordern (***of*** von); ***that's asking too much*** das ist zu viel verlangt **5.** einladen; ***ask someone to dinner*** jemanden zum Essen einladen

> **ask after** [ˈɑːskˌɑːftə] ***ask after someone*** sich nach jemandem erkundigen
> **ask around** [ˌɑːsk‿əˈraʊnd] herumfragen, sich umhören
> **ask for** [ˈɑːsk‿fə] **1.** bitten um **2.** ***you asked for it*** du hast es ja nicht anders gewollt; ***that was asking for trouble*** das musste ja schief gehen
> **ask in** [ˌɑːskˈɪn] hereinbitten
> **ask out** [ˌɑːskˈaʊt] einladen, ausführen (*in ein Lokal usw.*)

askance [əˈskæns] ***look askance at someone*** jemanden von der Seite ansehen; *übertragen* jemanden misstrauisch ansehen

askew [ə'skjuː] schief
asleep [ə'sliːp] ***be asleep*** schlafen; ***fall asleep*** einschlafen
asparagus [⚠ ə'spærəgəs] Spargel
aspect ['æspekt] Aspekt, Blickwinkel
aspen ['æspən] *Baum*: Espe
asphalt ['æsfælt] Asphalt
aspic ['æspɪk] Aspik, Gelee
aspirant ['æspərənt] Bewerber(in) (***to, for*** um), Anwärter(in) (***to, for*** auf)
aspiration [ˌæspə'reɪʃn] Ambition, Streben
aspire [ə'spaɪə] streben, trachten (***to, after*** nach)
ass[1] [æs] *Pl.*: ***asses*** Esel (*auch übertragen, umg.*)
ass[2] [æs] *AE, tabu* Arsch; ☞ *BE* ***arse***
assail [ə'seɪl] **1.** angreifen **2.** *übertragen* bestürmen (*mit Fragen usw.*); ***assailed by doubts*** von Zweifeln gepackt
assassin [ə'sæsɪn] Attentäter(in)
assassinate [ə'sæsɪneɪt] ermorden; ***be assassinated*** einem Attentat zum Opfer fallen
assassination [əˌsæsɪ'neɪʃn] (politischer) Mord, Ermordung, Attentat
assault[1] [ə'sɔːlt] **1.** Angriff (*auch übertragen*) **2.** *Recht*: Körperverletzung **3.** *militärisch*: Sturm(angriff)
assault[2] [ə'sɔːlt] **1.** angreifen (*auch übertragen*) **2.** *Recht*: tätlich werden gegen, herfallen über
assemble [ə'sembl] **1.** sich versammeln **2.** *Technik*: montieren, zusammensetzen
assembly [ə'semblɪ] **1.** *mst. politisch*: Versammlung **2.** *mst. morgendliche Zusammenkunft von Schülern und Lehrern einer Schule* **3.** *Technik*: Montage
assembly line [ə'semblɪ‿laɪn] Montageband
assent[1] [ə'sent] zustimmen
assent[2] [ə'sent] Zustimmung
assert [ə'sɜːt] **1.** behaupten **2.** beteuern (*Unschuld*) **3.** geltend machen(*Anspruch usw.*) **4.** ***assert oneself*** sich (im Leben) durchsetzen
assertion [ə'sɜːʃn] **1.** Behauptung **2.** Beteuerung **3.** Geltendmachung
assess [ə'ses] **1.** abschätzen, beurteilen **2.** schätzen, taxieren (*Wert*) **3.** festsetzen (*Strafe, Steuer*) **4.** (steuerlich) veranlagen (*Einkommen usw.*)
assessment [ə'sesmənt] **1.** Abschätzung, Einschätzung, Beurteilung **2.** Schätzung, Taxierung **3.** Festsetzung **4.** *steuerlich*: Veranlagung
asset ['æset] **1.** *in der Bilanz*: Aktivposten; ***assets*** *Pl.* Vermögen **2.** *bei Person, Eigenschaft*: Plus, Vorzug
asshole ['æshəʊl] *AE, tabu* Arschloch; ☞ *BE* ***arsehole***
assiduous [ə'sɪdjʊəs] *Student, Nachforschungen usw.*: fleißig und gewissenhaft
assign [ə'saɪn] **1.** ***assign someone a job*** *oder* ***assign a job to someone*** jemandem eine Aufgabe zuweisen **2.** festsetzen (*Zeitpunkt usw.*)
assignment [ə'saɪnmənt] **1.** Aufgabe, Auftrag **2.** *AE*; *Schule*: Hausaufgabe
assimilate [ə'sɪməleɪt] **1.** aufnehmen (*Wissen*) **2.** sich angleichen (***to, with*** an) **3.** *in eine Gemeinschaft*: aufnehmen
assimilation [əˌsɪmə'leɪʃən] **1.** Aufnahme (*von Wissen*) **2.** Angleichung **3.** Aufnahme (*in eine Gemeinschaft*)
assist [ə'sɪst] **1.** helfen (***in, with*** bei) **2.** *bei Operation usw.*: assistieren (***in*** bei)
assistance [ə'sɪstəns] Hilfe
assistant[1] [ə'sɪstənt] stellvertretend; ***assistant editor*** Redaktionsassistent(in); ***assistant manager*** stellvertretende(r) Geschäftsführer(in)
assistant[2] [ə'sɪstənt] **1.** Assistent(in), Mitarbeiter(in) **2.** (***shop***) ***assistant*** *BE* Verkäufer(in); ☞ *AE* ***salesclerk***
associate[1] [ə'səʊʃɪeɪt] **1.** assoziieren, (gedanklich) verbinden (***with*** mit) **2.** verkehren (***with*** mit)
associate[2] [⚠ ə'səʊʃɪət] Teilhaber(in), Gesellschafter(in)
association [əˌsəʊsɪ'eɪʃn] **1.** *Sport usw.*: Verein, Verband **2.** *zu Geschäftspartnern usw.*: Verbindung, Kontakt **3.** *übertragen* Gedankenverbindung, Assoziation
assorted [ə'sɔːtɪd] *Bonbons, Kekse usw.*: gemischt
assortment [ə'sɔːtmənt] Sortiment, Auswahl (***of*** an)
assume [ə'sjuːm] **1.** annehmen, voraussetzen; ***assuming that*** angenommen *oder* vorausgesetzt dass **2.** übernehmen (*Amt, Verantwortung usw.*) **3.** annehmen (*Eigenschaft, Gestalt usw.*)
assumption [⚠ ə'sʌmpʃn] Annahme, Voraussetzung; ***on the assumption that*** in der Annahme *oder* unter der Voraussetzung, dass
assurance [ə'ʃɔːrəns] **1.** Zusicherung **2.** Selbstsicherheit **3.** ***life assurance*** *BE* Lebensversicherung
assure [ə'ʃɔː] versichern; ***I can assure you*** (***that***) ***it's true*** ich kann dir versichern, dass es wahr ist; ***assure someone of something*** jemandem etwas zusichern
assured [ə'ʃɔːd] **1.** selbstsicher **2.** *Zukunft*: gesichert **3.** (***you can***) ***rest assured that*** Sie können sich darauf verlassen, dass

asterisk ['æstərɪsk] *Hinweis auf Fußnote*: Sternchen (*Zeichen* *)
asthma [⚠ 'æsmə] Asthma
asthma attack [⚠ 'æsmə‿əˌtæk] Asthmaanfall
asthmatic[1] [⚠ æs'mætɪk] Asthmatiker (-in)
asthmatic[2] [⚠ æs'mætɪk] ***be asthmatic*** Asthma haben
astonish [ə'stɒnɪʃ] in Erstaunen setzen; ***be astonished*** erstaunt sein (***at*** über)
astonishing [ə'stɒnɪʒɪŋ] erstaunlich
astonishment [ə'stɒnɪʃmənt] Erstaunen, Verwunderung; ***to our astonishment*** zu unserer Verwunderung
astound [ə'staʊnd] (*etwas Unerwartetes usw.*) verblüffen, in Erstaunen versetzen
astounding [ə'staʊndɪŋ] verblüffend
astray [ə'streɪ] **1.** ***go astray*** *übertragen* auf Abwege geraten **2.** ***lead someone astray*** *übertragen* jemanden vom rechten Weg abbringen
astride [ə'straɪd] rittlings (*sitzen*)
astrology [⚠ ə'strɒlədʒɪ] Astrologie
astronaut ['æstrənɔːt] Astronaut(in)
astronomy [⚠ ə'strɒnəmɪ] Astronomie
astrophysics [ˌæstrəʊ'fɪzɪks] (⚠ *im Sg. verwendet*) Astrophysik
astute [ə'stjuːt] schlau, gerissen
asylum [ə'saɪləm] (politisches) Asyl
asylum seeker [ə'saɪləmˌsiːkə] Asylbewerber(in)
at [ət, *betont*: æt] **1.** *Ort*: in, an, bei, auf; ***at school*** in der Schule; ***at her birthday party*** auf ihrer Geburtstagsparty; ***I met him at the baker's*** ich traf ihn beim Bäcker; ***I was standing at the door*** ich stand an der Tür **2.** *Richtung*: auf, nach, gegen; ***he threw a stone at the door*** er warf einen Stein gegen die Tür **3.** *Uhrzeit*: um; ***at two o'clock*** um zwei Uhr; ***at the moment*** im Moment **4.** *Zeitpunkt*: ***at the age of 10*** im Alter von 10 Jahren; ***at his death*** bei seinem Tod **5.** *Zeitraum*: in, bei, während; ***at night*** nachts; ***at work*** bei der Arbeit **6.** *Maßeinheiten*: ***at full speed*** mit voller Geschwindigkeit; ***at a low price*** zu einem niedrigen Preis **7.** *Ursache*: über; ***they laughed at me*** sie haben über mich gelacht **8.** *Beschäftigung, Begabung*: in, bei; ***she's good at knitting*** sie kann gut stricken
ate [et, *bes. AE* eɪt] *2. Form von* → ***eat***
atheism ['eɪθɪɪzm] Atheismus
atheist ['eɪθɪɪst] Atheist(in)
Athens ['æθɪnz] Athen
athlete ['æθliːt] **1.** Athlet(in) **2.** Leichtathlet(in) **3.** Sportler(in)
athlete's foot [ˌæθliːts'fʊt] Fußpilz
athletic [æθ'letɪk] sportlich, athletisch
athletics [æθ'letɪks] *Pl.* (*auch als Sg. gebraucht*) *BE* Leichtathletik; ☞ *AE* ***track and field***
at-home [ət'həʊm] ***give an at-home*** *bes. AE* einen Empfang geben
Atlantic [ət'læntɪk], **Atlantic Ocean** [ətˌlæntɪk'əʊʃn] Atlantik
atlas ['ætləs] Atlas
ATM [ˌeɪtiː'em] (*Abk. für* **a**utomated **t**eller **m**achine) *AE* Geldautomat
atmosphere ['ætməsfɪə] Atmosphäre
atom ['ætəm] Atom
atom bomb ['ætəm‿bɒm] Atombombe
atomic [ə'tɒmɪk] atomar, Atom…
atomic bomb [əˌtɒmɪk'bɒm] Atombombe
atomic energy [əˌtɒmɪk'enədʒɪ] Atomenergie
atomizer ['ætəmaɪzə] Zerstäuber
atrocious [ə'trəʊʃəs] **1.** *Verbrechen usw.*: grauenhaft **2.** *umg.*; *Essen, Manieren usw.*: scheußlich, grässlich
atrocity [⚠ ə'trɒsətɪ] **1.** *eines Verbrechens*: Grausamkeit **2.** Gräueltat **3.** *umg.*; *geschmackloser Gegenstand*: Scheußlichkeit
at sign ['æt‿saɪn] *E-Mail*: @-Zeichen, *umg.* Klammeraffe
attach [ə'tætʃ] befestigen, anbringen (***to*** an)

> **attach to** [ə'tætʃ‿tə] **1.** beimessen (*Wert, Wichtigkeit*) **2.** ***be attached to someone*** *oder* ***something*** an jemandem *oder* etwas hängen

attaché [⚠ ə'tæʃeɪ] (≈ *Diplomat*) Attaché
attaché case [⚠ ə'tæʃeɪ‿keɪs] Aktentasche
attachment [ə'tætʃmənt] **1.** *Technik*: Zusatzgerät **2.** Anhänglichkeit (***to*** an) **3.** *E-Mail*: angehängtes Dokument
attack[1] [ə'tæk] **1.** *allg.*: angreifen **2.** (*Krankheit*) befallen
attack[2] [ə'tæk] **1.** Angriff **2.** *Krankheit usw.*: Anfall
attain [ə'teɪn] erreichen (*Ziel usw.*)
attainment [ə'teɪnmənt] **1.** Erreichung (*eines Ziels usw.*) **2.** ***attainments*** *Pl.* Fertigkeiten *Pl.*
attempt[1] [ə'tempt] versuchen (*bes. erfolglos*)
attempt[2] [ə'tempt] **1.** Versuch **2.** ***an attempt on someone's life*** ein Mordanschlag *oder* Attentat auf jemanden
attend [ə'tend] **1.** teilnehmen an (*Unterricht usw.*) **2.** besuchen (*Vorlesungen, Kurs usw.*) **3.** pflegen, (ärztlich) behandeln

attend to [əˈtend‿tə] ***attend to someone*** *oder* ***something*** sich um jemanden *oder* etwas kümmern

attendance [əˈtendəns] **1.** Anwesenheit, Erscheinen; ***attendance at school*** der Schulbesuch; ***attendance list*** Anwesenheitsliste **2.** Besucherzahl, Teilnehmerzahl
attendant [əˈtendənt] **1.** Aufseher(in), Wärter(in) **2.** Begleiter(in)
attention [əˈtenʃn] **1.** Aufmerksamkeit; ***pay attention*** aufpassen; ***pay attention to the teacher*** dem Lehrer aufmerksam zuhören; ***attention, please!*** Achtung, eine Durchsage! **2.** (***for the***) ***attention of Mr X*** *auf Briefen*: zu Händen von Herrn X
attentive [əˈtentɪv] *Zuhörer, auch Gastgeber usw.*: aufmerksam
attic [ˈætɪk] **1.** Dachboden, Ⓒⓗ Estrich **2.** Mansarde
attitude [ˈætɪtjuːd] Einstellung (***to, towards*** zu), Haltung
attn, **attn.** (*Abk. für* for the **att**entio**n** of) zu Händen von
attorney [⚠ əˈtɜːnɪ] **1.** *AE* Rechtsanwalt, Rechtsanwältin; ☞ *BE* ***barrister*** **2.** Bevollmächtigte(r)
attract [əˈtrækt] **1.** anziehen, anlocken (*Interessenten, Mitglieder usw.*) **2.** auf sich ziehen (*Blicke, Interesse usw.*); ***attract attention*** Aufmerksamkeit erregen **3.** ***be attracted to someone*** sich zu jemandem hingezogen fühlen **4.** *Physik*: anziehen
attraction [əˈtrækʃn] **1.** Anziehungskraft, Reiz **2.** Attraktion **3.** *Physik*: Anziehung; ***force of attraction*** Anziehungskraft
attractive [əˈtræktɪv] **1.** *Person*: attraktiv, gut aussehend, Ⓐ fesch **2.** *Idee, Angebot*: reizvoll **3.** *Physik*: anziehend **4.** Ⓒⓗ *Kandidat, Schlagwort usw.*: zügig
attribute [ˈætrɪbjuːt] **1.** Eigenschaft, Merkmal **2.** *Sprache*: Attribut

attribute to [⚠ əˈtrɪbjuːt‿tə] **1.** ***they attributed his success to hard work*** sie führten seinen Erfolg auf seinen großen Fleiß zurück **2.** ***this sonata is attributed to Bach*** diese Sonate wird Bach zugeschrieben

aubergine [⚠ ˈəʊbəʒiːn] Aubergine
auburn [⚠ ˈɔːbən] *Haar*: kastanienbraun
auction[1] [ˈɔːkʃn] Auktion, Versteigerung
auction[2] [ˈɔːkʃn] *mst.* ***auction off*** versteigern
auctioneer [ˌɔːkʃəˈnɪə] Auktionator(in)
audacious [ɔːˈdeɪʃəs] **1.** kühn, verwegen **2.** *im negativen Sinn*: dreist, unverfroren
audacity [⚠ ɔːˈdæsətɪ] **1.** Kühnheit, Verwegenheit **2.** *im negativen Sinn*: Dreistigkeit, Unverfrorenheit
audible [ˈɔːdəbl] hörbar
audience [ˈɔːdɪəns] **1.** Publikum, Zuhörer *Pl.*, Zuschauer *Pl.*; ***the audience was*** *oder* ***were thrilled*** das Publikum war begeistert **2.** Audienz (***with*** bei)
audiovisual [ˌɔːdɪəʊˈvɪʒʊəl] audiovisuell; ***audiovisual aids*** *Pl.* audiovisuelle Hilfsmittel
audition[1] [ɔːˈdɪʃn] *Theater usw.*: Vorsprechen, Vorspielen, Vorsingen
audition[2] [ɔːˈdɪʃn] *beim Theater usw.*: vorsprechen, vorspielen, vorsingen
auditor [ˈɔːdɪtə] *Wirtschaft*: Buchprüfer(in)
auditorium [ˌɔːdɪˈtɔːrɪəm] Zuschauerraum
augment [⚠ ɔːgˈment] vermehren, vergrößern (*Wert, Menge, Einkommen uw.*)
August [ˈɔːgəst] August; ***in August*** im August
aunt [ɑːnt] Tante
au pair [ˌəʊˈpeə], **au pair girl** [ˌəʊˈpeə‿gɜːl] Aupairmädchen
aura [ˈɔːrə] Aura
auspices [⚠ ˈɔːspɪsɪz] *Pl.* ***under the auspices of*** unter der Schirmherrschaft von
auspicious [ɔːˈspɪʃəs] **1.** *Zeitpunkt usw.*: günstig **2.** *Start usw.*: viel versprechend
Aussie [⚠ ˈɒzɪ] *umg.* Australier(in)
austere [ɔːˈstɪə] **1.** *Person*: streng **2.** *Lebensweise usw.*: asketisch **3.** *Stil*: nüchtern, streng
austerity [⚠ ɔːˈsterətɪ] Strenge, *von Stil auch*: Nüchternheit
Australia [ɒˈstreɪlɪə] Australien; ☞ *Karte S. 296*
Australian[1] [ɒˈstreɪlɪən] Australier(in)
Australian[2] [ɒˈstreɪlɪən] australisch
Austria [ˈɒstrɪə] Österreich
Austrian[1] [ˈɒstrɪən] Österreicher(in)
Austrian[2] [ˈɒstrɪən] österreichisch
authentic [ɔːˈθentɪk] authentisch
author [ˈɔːθə] **1.** Autor(in), Verfasser(in) **2.** Schriftsteller(in)
authoress [ˈɔːθəres] **1.** Autorin, Verfasserin **2.** Schriftstellerin
authoritarian [ɔːˌθɒrɪˈteərɪən] *Regime, Verhalten*: autoritär
authority [ɔːˈθɒrətɪ] **1.** *allg.*: Autorität **2.** Vollmacht; ***without authority*** unbefugt, unberechtigt **3.** Fachmann, Autorität (***on*** in) **4.** *mst.* ***authorities*** *Pl.* Behörde
authorize [ˈɔːθəraɪz] ermächtigen, bevollmächtigen

autobiography [ˌɔːtəʊbaɪˈɒgrəfɪ] Autobiographie
Autocue® [ˈɔːtəʊkjuː] *TV*: Teleprompter®
autogenic [⚠ ˌɔːtəʊˈdʒenɪk] ***autogenic training*** autogenes Training
autograph [ˈɔːtəgrɑːf] Autogramm; ***sign autographs*** Autogramme geben
autograph hunter [ˈɔːtəgrɑːfˌhʌntə] Autogrammjäger
automat [ˈɔːtəmæt] *AE* Automatenrestaurant
automate [ˈɔːtəmeɪt] automatisieren
automatic [ˌɔːtəˈmætɪk] automatisch; ***automatic gear change*** *Auto*: Automatikschaltung
automation [ˌɔːtəˈmeɪʃn] Automatisierung
automobile [⚠ ˈɔːtəməbiːl] *bes. AE* Auto(mobil)
autopilot [ˈɔːtəʊˌpaɪlət] Autopilot
autopsy [ˈɔːtɒpsɪ] *von Toten*: Autopsie
autumn [ˈɔːtəm] Herbst; ***in (the) autumn*** im Herbst; ☞ *AE* ***fall***
autumnal [ɔːˈtʌmnəl] herbstlich
auxiliary [⚠ ɔːgˈzɪlɪərɪ] Hilfs…
auxiliary verb [⚠ ɔːgˌzɪlɪərɪˈvɜːb] *Sprache*: Hilfsverb, Hilfszeitwort
avail [əˈveɪl] **1.** ***be of no avail*** nichts nützen, vergeblich sein **2.** ***to no avail*** vergeblich
available [əˈveɪləbl] **1.** verfügbar, vorhanden; ***is his new book available yet?*** gibt es sein neues Buch schon? **2.** *Waren*: lieferbar, vorrätig, erhältlich **3.** *Person*: erreichbar, abkömmlich
avalanche [⚠ ˈævəlɑːntʃ] **1.** Lawine **2.** *übertragen* Flut; ***an avalanche of letters*** eine Flut von Briefen
avarice [⚠ ˈævərɪs] Habsucht
avaricious [ˌævəˈrɪʃəs] habsüchtig, habgierig
Ave. *Abk. für* → ***avenue***
avenge [əˈvendʒ] rächen
avenue [ˈævənjuː] **1.** Allee **2.** Hauptstraße
average[1] [ˈævərɪdʒ] Durchschnitt; ***on average*** durchschnittlich, im Durchschnitt
average[2] [ˈævərɪdʒ] durchschnittlich, Durchschnitts…; ***of average height*** mittelgroß
average[3] [ˈævərɪdʒ] ***we averaged 50 miles an hour*** wir fuhren durchschnittlich 50 Stundenmeilen

> **average out** [ˌævərɪdʒˈaʊt] **1.** den Durchschnitt ermitteln von **2.** (*Beträge usw.*) sich ausgleichen **3.** ***average out at*** im Durchschnitt liegen bei

averse [əˈvɜːs] ***I'm not averse to a cognac*** einem Cognac bin ich nicht abgeneigt
aversion [əˈvɜːʃn] Abneigung, Aversion (***to*** gegen)
avert [əˈvɜːt] abwenden (*auch übertragen Unglück usw.*)
aviation [ˌeɪvɪˈeɪʃn] die Luftfahrt
avid [ˈævɪd] (be)gierig (***for*** auf); ***he's an avid reader*** er liest leidenschaftlich gern
avocado [ˌævəˈkɑːdəʊ] Avocado
avoid [əˈvɔɪd] **1.** vermeiden; ***avoid doing something*** es vermeiden etwas zu tun **2.** meiden (*Ort*) **3.** aus dem Weg gehen (*einer Person*) **4.** ausweichen (*einem Hindernis*)
avoidable [əˈvɔɪdəbl] vermeidbar
avoidance [əˈvɔɪdns] Vermeidung, Umgehung
await [əˈweɪt] (≈ *warten auf*) erwarten
awake[1] [əˈweɪk] wach; ***wide awake*** hellwach
awake[2] [əˈweɪk], ***awoke*** [əˈwəʊk], ***awoken*** [əˈwəʊkən] **1.** wecken, aufwecken **2.** aufwachen **3.** *übertragen* wecken (*Gefühle usw.*)
awaken [əˈweɪkən] **1.** wecken, aufwecken **2.** aufwachen **3.** *übertragen* wecken (*Gefühle usw.*)
awakening [əˈweɪkənɪŋ] Erwachen; ***a rude awakening*** *übertragen* ein unsanftes Erwachen
award[1] [əˈwɔːd] verleihen (*Auszeichnung, Preis*)
award[2] [əˈwɔːd] Preis, Auszeichnung
aware [əˈweə] ***be aware of something*** etwas wissen, sich einer Sache bewusst sein; ***become aware of something*** etwas merken; ***as far as I'm aware*** soweit ich weiß
away [əˈweɪ] **1.** weg, fort (***from*** von); ***go away*** weggehen **2.** (weit) entfernt; ***six miles away*** sechs Meilen entfernt **3.** weg, abwesend, verreist; ***be away on business*** geschäftlich unterwegs sein **4.** drauflos, immer weiter; ***she knitted away all afternoon*** sie hat den ganzen Nachmittag pausenlos gestrickt
away match [əˈweɪ‿mætʃ] *Sport*: Auswärtsspiel
awe [ɔː] Ehrfurcht; ***stand in awe of someone*** gewaltigen Respekt vor jemandem haben
awesome [ˈɔːsəm] **1.** Furcht einflößend **2.** Ehrfurcht gebietend **3.** *AE, umg.* super, toll
awful [ˈɔːfl] **1.** furchtbar, schrecklich (*beide auch umg.*) **2.** ***an awful lot of …*** *umg.* ein Haufen …, jede Menge …
awfully [ˈɔːflɪ] *umg.* furchtbar; ***awfully nice*** furchtbar nett

awkward ['ɔːkwəd] **1.** ungeschickt, unbeholfen **2.** *Situation, Frage usw.*: peinlich, unangenehm **3.** *Gegenstand*: unhandlich, sperrig **4.** *Zeitpunkt*: ungünstig **5.** unangenehm, schwierig; ***be awkward*** Schwierigkeiten machen; ***an awkward customer*** *umg.* ein unangenehmer Zeitgenosse; ***be at an awkward age*** in einem schwierigen Alter sein

awning ['ɔːnɪŋ] **1.** Plane **2.** Markise

awoke [ə'wəʊk] *2. Form von* → ***awake***[2]

awoken [ə'wəʊkən] *3. Form von* → ***awake***[2]

awry [⚠ ə'raɪ] **1.** schief **2.** ***go awry*** (*Pläne usw.*) schief gehen

axe [æks], *AE auch* **ax** [æks] Axt, Beil

axis ['æksɪs] *Pl.* ***axes*** ['æksiːz] *gedachte Linie durch etwas*: Achse

axle ['æksl] (Rad)Achse

aye [⚠ aɪ] *im Parlament*: Jastimme

azure[1] ['æʒə] *Farbe*: Azur(blau)

azure[2] ['æʒə] azurblau; ***azure skies*** (ein) azurblauer Himmel

Ayers Rock

Ayers Rock [ˌeəz'rɒk] - fast genau in der Mitte des australischen Kontinents gelegener, 348 m hoher Felsen aus rotem Sandstein mit rund 9 km Umfang. Er ist für die Touristen eine Hauptattraktion, für die australischen Ureinwohner jedoch eine heilige Stätte; ☞ *Karte S. 296*

B

BA [ˌbiː'eɪ] **1.** (*Abk. für* **B**achelor of **A**rts) *akademischer Grad*: Bakkalaureus der philosophischen Fakultät **2.** (*Abk. für* **B**ritish **A**irways) *Britische Fluggesellschaft*

babble ['bæbl] **1.** plappern **2.** (*Bach usw.*) plätschern

babe [beɪb] *AE, umg.* (≈ *Mädchen*) Puppe, Kleine

baboon [bə'buːn] *Affenart*: Pavian

baby ['beɪbɪ] **1.** Baby, Säugling **2.** *bei Tieren*: ...baby, ...junges; ***baby penguin*** Pinguinbaby, Pinguinjunges **3.** ***the baby of the family*** der *oder* die Jüngste in der Familie **4.** *bes. AE, umg.* (≈ *Mädchen*) Puppe, Kleine **5.** ***I was left holding the baby*** *umg.* ich war am Ende der Dumme

baby boom ['beɪbɪ‿buːm] Babyboom

baby food ['beɪbɪ‿fuːd] Babynahrung

baby carriage ['beɪbɪˌkærɪdʒ] *AE* Kinderwagen; ☞ *BE* ***pram***

babyish ['beɪbɪɪʃ] *oft abwertend* kindisch

baby-minder ['beɪbɪˌmaɪndə] *BE* Tagesmutter

babysit ['beɪbɪsɪt], ***babysat*** ['beɪbɪsæt], ***babysat*** ['beɪbɪsæt]; *-ing-Form* ***babysitting*** babysitten

babysitter ['beɪbɪˌsɪtə] Babysitter(in)

bachelor ['bætʃələ] **1.** Junggeselle **2.** *akademischer Grad*: Bakkalaureus; ***Bachelor of Arts*** Bakkalaureus der philosophischen Fakultät

back[1] [bæk] **1.** *Körperteil*: Rücken; ***back to back*** Rücken an Rücken; ***she bought it behind his back*** *übertragen* sie hat es hinter seinem Rücken gekauft; ***he had his back to the wall*** *übertragen* er stand mit dem Rücken zur Wand; ***I was glad to see the back of her*** *umg., übertragen* ich war froh sie nicht mehr sehen zu müssen; ***you really have to put your back into it*** *übertragen* man muss sich voll hineinknien **2.** hinterer *oder* rückwärtiger Teil; ***the back of the head*** der Hinterkopf; ***at the back of the house*** hinter dem Haus, hinten im Haus **3.** Rückseite; ***he slapped my face with the back of his hand*** er schlug mir mit dem Handrücken ins Gesicht; ***she had her jumper on back to front*** sie hatte ihren Pullover verkehrt herum an **4.** *von Stuhl, Sessel*: Rückenlehne **5.** *von Buch*: Rücken **6.** *Sport*: Verteidiger

back to front

Beachte den Unterschied in der Bedeutung:

back to front	verkehrt herum: mit dem hinteren Teil nach vorne, d. h. z. B. der V-Ausschnitt eines Pullovers ist hinten
inside out	verkehrt herum: mit dem inneren Teil nach außen

back[2] [bæk] rückwärtig, Hinter…; ***back entrance*** Hintereingang

back[3] [bæk] **1.** zurück, rückwärts; ***back and forth*** hin und her, vor und zurück; ***move back*** zurückgehen **2.** (wieder) zurück; ***he's back*** (***again***) er ist wieder da **3.** zurückliegend, vorher; ***20 years back*** *umg.* vor 20 Jahren; ***back in 1900*** damals im Jahre 1900

back[4] [bæk] **1.** unterstützen (*Person*, *Projekt*) **2.** wetten auf, setzen auf (*Pferd*, *Sieger usw.*) **3.** zurückfahren, zurücksetzen (*Auto usw.*); ***back the car out of the garage*** rückwärts aus der Garage herausfahren

back away [ˌbæk‿ə'weɪ] **1.** *aus Angst*: zurückweichen **2.** *übertragen* zurückschrecken (***from*** vor)
back down [ˌbæk'daʊn] *übertragen* klein beigeben, nachgeben
back off [ˌbæk'ɒf] *AE* **1.** *aus Angst*: zurückweichen **2.** nachgeben, aufhören
back out [ˌbæk'aʊt] (≈ *nicht mehr mitmachen*) abspringen (***of*** von), aussteigen (***of*** aus)
back up [ˌbæk'ʌp] **1.** unterstützen (*Person*, *Projekt*) **2.** ***back someone up*** jemandem den Rücken stärken **3.** bestätigen (*Bericht*, *Theorie usw.*) **4.** *Computer*: eine Sicherungskopie herstellen

backache ['bæk‿eɪk] Rückenschmerzen *Pl.*; ***I've got*** (***a***) ***backache*** ich habe Rückenschmerzen

backbencher [ˌbæk'bentʃə] *BE*; *im Parlament*: Hinterbänkler

backbiting ['bækˌbaɪtɪŋ] Lästern

backbone ['bækbəʊn] Rückgrat (*auch übertragen*)

backbreaking ['bækˌbreɪkɪŋ] *Arbeit*: zermürbend, mörderisch

backchat ['bæktʃæt] *BE* freche Antwort (-en *Pl.*)

backcomb ['bæk‿kəʊm] toupieren (*Haar*)

back door [ˌbæk'dɔː] Hintertür

backer ['bækə] Geldgeber(in)

backfire [ˌbæk'faɪə] **1.** (*Motor*) fehlzünden **2.** *übertragen* fehlschlagen; ***it backfired on him*** der Schuss ging nach hinten los

background ['bækgraʊnd] **1.** Hintergrund **2.** *übertragen* (geschichtlicher *usw.*) Hintergrund, (damalige *usw.*) Umstände *Pl.* **3.** Herkunft; ***come from a poor background*** aus ärmlichen Verhältnissen stammen **4.** Ausbildung, beruflicher Werdegang

backhand ['bækhænd] *Tennis*: Rückhand(schlag)

backing ['bækɪŋ] Unterstützung

backlash ['bæklæʃ] (heftige) Reaktion (***to*** auf)

backlog ['bæklɒg] ***backlog of work*** Arbeitsrückstand

backpack ['bækpæk] *bes. AE* Rucksack

backpacker ['bækpækə] Rucksacktourist (-in)

back seat [ˌbæk'siːt] Rücksitz

backside ['bæksaɪd] *umg.* Hintern

backslash ['bækslæʃ] *Zeichen*: Backslash, umgekehrter Schrägstrich

backspace key ['bækspeɪs‿kiː] *Computer*: Rücktaste

backstage [ˌbæk'steɪdʒ] **1.** hinter der (*oder* die) Bühne **2.** *übertragen* hinter den Kulissen

back street ['bæk‿striːt] Seitenstraße

backstroke ['bækstrəʊk] Rückenschwimmen; ***do*** *oder* ***swim the backstroke*** rückenschwimmen

back talk ['bæk‿tɔːk] *bes AE*, *umg.* freche Antwort(en *Pl.*)

backtrack ['bæktræk] *von etwas Geplantem*: einen Rückzieher machen

backup ['bækʌp] *Computer*: Sicherungskopie

backward[1] ['bækwəd] **1.** *Bewegung*, *Blick usw.*: rückwärts gerichtet, Rückwärts… **2.** *Kind*: zurück, zurückgeblieben **3.** *Land*, *Region*: rückständig

backward[2] ['bækwəd], **backwards** ['bækwədz] **1.** rückwärts; ***walk backwards*** rückwärts gehen **2.** ***I know the story backwards*** *übertragen* ich kenne die Geschichte in- und auswendig

backyard [ˌbæk'jɑːd] **1.** *BE* Hinterhof **2.** *AE* Garten hinter dem Haus

bacon ['beɪkən] **1.** (Frühstücks)Speck **2.** ***she brings home the bacon*** *übertragen* sie verdient die Brötchen

bacteria [bæk'tɪərɪə] *Pl.* Bakterien

bad [bæd], ***worse*** [wɜːs], ***worst*** [wɜːst] **1.** *allg.*: schlecht; ***not bad*** nicht schlecht, nicht übel; ***smoking is bad for your health*** Rauchen ist ungesund; ***he's bad at maths*** er ist schlecht in Mathe; ***I feel bad about having done that*** ich habe ein schlechtes Gewissen, dass ich das getan habe; ***he's in a bad way*** es geht ihm schlecht **2.** *Verbrechen*, *Erkältung*, *Krise usw.*: schlimm, schwer **3.** *Lebensmittel*: schlecht, verdorben; ***go bad*** schlecht werden, verderben **4.** *Kind*, *Hund*: ungezogen, böse **5.** ***bad language*** Kraftausdrücke *Pl.* **6.** unangenehm, ärgerlich; ***that's too bad*** so ein Pech!

bad: Tipps zur Aussprache

Wer **a** meint, darf nicht **äääh** sagen!

Wörter wie **bad** [bæd], **man** [mæn], **travel** ['trævl] haben einen kurzen **a-Laut**, den deutschsprachige Englischlerner fast immer wie ein gedehntes **ä** aussprechen, was zumindest für britische Ohren „ganz entsetzlich" klingt (die Amerikaner können so etwas viel eher akzeptieren).

Der Vokal in **bad** kommt einem hellen **a**-Laut wie in deutsch „f**a**d" viel näher als etwa einem ä-Laut wie in deutsch „B**e**tt"! (Dagegen haben englisch b**e**d [bed] und deutsch B**e**tt in etwa denselben **ä**-Laut).

Es ist also ratsam, Wörter wie **rat, glad, mattress, cat, stand** *usw.* lieber mit einem a-Laut als mit einem ä-Laut auszusprechen.

bade [⚠ bæd, beɪd] *2. Form von* → **bid**[3]
badge [bædʒ] **1.** *an Uniform, Kleidung usw.*: Abzeichen **2.** *Mode*: Button
badger ['bædʒə] Dachs
badly ['bædlɪ], ***worse*** [wɜːs], ***worst*** [wɜːst] **1.** schlecht, schlimm; ***he's badly off*** es geht ihm sehr schlecht **2.** dringend, sehr; ***they badly need help*** sie haben Hilfe dringend nötig **3.** schwer; ***badly wounded*** schwer verwundet
badminton ['bædmɪntən] **1.** *als Freizeitsport*: Federball **2.** *Sportart*: Badminton
bad-tempered [ˌbæd'tempəd] schlecht gelaunt
baffle ['bæfl] verwirren, verblüffen; ***be baffled*** vor einem Rätsel stehen
bag [bæg] **1.** Tasche, Sack; ***bags of money*** *umg.* jede Menge Geld; ***he left home bag and baggage*** mit Sack und Pack ging er von Zuhause weg **2.** *aus Papier, Plastik*: Tüte **3.** *zum Zuziehen*: Beutel **4.** Handtasche
bagel ['beɪgl] *kleines, rundes Brötchen*
baggage ['bægɪdʒ] *bes. AE* Gepäck
baggage allowance ['bægɪdʒ‿əˌlaʊəns] *bei Flugreisen*: Freigepäck
baggage check ['bægɪdʒ‿tʃek] *AE* Gepäckschein
baggage claim ['bægɪdʒ‿kleɪm], **baggage reclaim** ['bægɪdʒ‿rɪˌkleɪm] Gepäckausgabe
baggy ['bægɪ] *Hose*: ausgebeult
bag lady ['bægˌleɪdɪ] Stadtstreicherin

bag lady

Bag lady ist die Bezeichnung für eine Stadtstreicherin, die ihr gesamtes Hab und Gut in Plastiktüten mit sich herumträgt.

bagpipes ['bægpaɪps] *Pl.* Dudelsack
bail [beɪl] Kaution; ***he's out on bail*** er ist gegen Kaution auf freiem Fuß

bail out [ˌbeɪl'aʊt] ***bail someone out*** jemanden durch Kaution freibekommen

bailiff ['beɪlɪf] **1.** *BE* Gerichtsvollzieher **2.** (Guts)Verwalter
bait [beɪt] Köder; ***take the bait*** anbeißen (*auch auf verlockendes Angebot*)
bake [beɪk] **1.** backen **2.** *übertragen*; *in der Sonne*: braten
baked beans [ˌbeɪkt'biːnz] weiße Bohnen in Tomatensoße
baker ['beɪkə] Bäcker(in); ***at the baker's*** beim Bäcker
bakery ['beɪkərɪ] Bäckerei
baking powder ['beɪkɪŋˌpaʊdə] Backpulver
balance[1] ['bæləns] **1.** Gleichgewicht (*auch übertragen*); ***I tried to keep my balance*** ich versuchte das Gleichgewicht zu halten **2.** *bei gegensätzlichen Eigenschaften usw.*: Gegengewicht (***to*** zu), Ausgleich (***to*** für) **3.** *von Unternehmen*: Bilanz **4.** *von Bankkonto*: Saldo, Guthaben **5.** Rest, Restbetrag (*einer Menge usw.*) **6.** ***on balance we didn't do at all badly*** alles in allem haben wir gar nicht schlecht abgeschnitten **7.** *Messinstrument*: Waage
balance[2] ['bæləns] **1.** balancieren (*Ball, Tablett usw.*) **2.** ausgleichen (*Konten usw.*) **3.** abwägen (*Vor- und Nachteile usw.*) (***against*** gegen) **4.** das Gleichgewicht *oder* die Balance halten
balanced ['bælənst] *Person*: ausgeglichen
balance of power [ˌbæləns‿əv'paʊə] *Politik*: Kräftegleichgewicht
balance sheet ['bæləns‿ʃiːt] *von Unternehmen*: Bilanz
balcony ['bælkənɪ] Balkon
bald [⚠ bɔːld] kahl; ***go bald*** eine Glatze bekommen, kahl werden
bale [beɪl] Ballen (*Heu usw.*)
Balkans ['bɔːlkənz] *Pl.* ***the Balkans*** der Balkan
ball[1] [bɔːl] **1.** Ball; ***set the ball rolling*** *übertragen* den Stein ins Rollen bringen

2. *Billard usw.*: Kugel 3. *aus Wolle usw.*: Knäuel 4. ***ball of the foot*** Fußballen; ***ball of the thumb*** Handballen

ball[2] [bɔːl] 1. (≈ *Tanzveranstaltung*) Ball 2. ***have a ball*** *umg.* sich amüsieren

ballad ['bæləd] *Gedicht, Lied*: Ballade

ball bearing [⚠ ˌbɔːl'beərɪŋ] *von Maschine*: Kugellager

ballet [⚠ 'bæleɪ] Ballett

ball game ['bɔːl‿geɪm] *AE* Baseballspiel

ballistic [bə'lɪstɪk] ***go ballistic*** *umg.* (vor Wut) ausflippen

balloon [bə'luːn] 1. (Luft)Ballon 2. (Heißluft)Ballon 3. *in Comics*: Sprechblase

ballot ['bælət] *Politik usw.* 1. (*bes.* geheime) Wahl 2. Stimmzettel 3. Gesamtzahl der abgegebenen Stimmen

ballot box ['bælət‿bɒks] Wahlurne

ballot paper ['bælətˌpeɪpə] Stimmzettel

ballpoint ['bɔːlpɔɪnt], **ballpoint pen** [ˌbɔːlpɔɪnt'pen] Kugelschreiber

ballroom dancing [ˌbɔːlruːm'dɑːnsɪŋ] Gesellschaftstänze

balm [⚠ bɑːm] Balsam (*auch übertragen für die Nerven usw.*)

balmy [⚠ 'bɑːmɪ] *Wind, Brise*: mild

Baltic [⚠ 'bɔːltɪk] ***the Baltic*** (***Sea***) die Ostsee

Baltic States [⚠ ˌbɔːltɪk'steɪts] ***the Baltic States*** die Baltischen Staaten

bamboo [⚠ ˌbæm'buː] *Pflanze*: Bambus

bamboozle [bæm'buːzl] *umg.* betrügen (***out of*** um), übers Ohr hauen; ***bamboozle someone into doing something*** jemanden so einwickeln, dass er etwas tut

ban[1] ['bæn] 1. verbieten; ***he was banned from driving for a year*** ihm ist für ein Jahr der Führerschein entzogen worden 2. *Sport*: sperren

ban[2] [bæn] 1. (amtliches) Verbot; ***a total ban on smoking*** totales Rauchverbot 2. *Sport*: Sperre

banana [bə'nɑːnə] 1. Banane 2. ***be bananas*** *salopp* bekloppt sein; ***go bananas*** *salopp* überschnappen, durchdrehen

band[1] [bænd] 1. *moderne Musik*: Band 2. *herkömmliche Musik*: Kapelle

band[2] [bænd] 1. *aus Stoff, Gummi usw.*: Band 2. *Licht, Farbton usw.*: Streifen

bandage[1] ['bændɪdʒ] 1. *für Wunde*: Verband, Binde 2. *für Gelenk*: Bandage

bandage[2] ['bændɪdʒ] 1. verbinden (*Wunde*) 2. bandagieren (*Gelenk*)

Band-Aid® ['bændeɪd] *AE* Heftpflaster; ☞ *BE* ***plaster***[1] 1

B&B [ˌbiː‿ən'biː] (*Abk. für* **b**ed **and b**reakfast) Zimmer mit Frühstück

bandit ['bændɪt] Bandit(in)

bandwagon ['bændˌwægən] ***jump on the bandwagon*** *übertragen* auf den fahrenden Zug aufspringen

bandy ['bændɪ] ***bandy legs*** O-Beine

bandy-legged [ˌbændɪ'legd] o-beinig

bang[1] [bæŋ] 1. knallen, schlagen; ***he banged his fist on the table*** er schlug mit der Faust auf den Tisch; ***I banged my head on*** *oder* ***against the door*** ich bin mit dem Kopf gegen die Tür geknallt 2. zuschlagen, zuknallen (*Tür usw.*)

bang[2] [bæŋ] Knall; ***shut the door with a bang*** die Tür zuknallen

banger ['bæŋə] *BE, umg.* 1. Knallkörper 2. ***old banger*** *Auto*: (alter) Klapperkasten 3. (Brat)Wurst, Würstchen; ***bangers and mash*** Würstchen mit Kartoffelbrei

bangle ['bæŋgl] Armreif

bangs [bæŋz] *AE Pl.* Pony(frisur); ☞ *BE* ***fringe***

banish ['bænɪʃ] verbannen (*auch übertragen*: *trübe Gedanken usw.*)

banishment ['bænɪʃmənt] Verbannung

banisters ['bænɪstəz] *Pl.* Treppengeländer

bank[1] [bæŋk] *Geldinstitut*: Bank (⚠ *Sitzbank* = ***bench***)

bank: what kind of bank?

Neben der Bank, auf der man sein Geld aufbewahrt, gibt es inzwischen auch diverse Arten von „Banken" für ganz andere Zwecke:

bottle bank	Altglascontainer
can bank	Altmetallcontainer
paper bank	Altpapiercontainer
gene bank	Genbank
organ bank	Organbank
sperm bank	Samenbank

bank[2] [bæŋk] ***bank with*** ein Bankkonto haben bei

bank on ['bæŋk‿ɒn] sich verlassen auf

bank[3] [bæŋk] *eines Flusses*: Ufer

bank account ['bæŋk‿əˌkaʊnt] Bankkonto

bank balance ['bæŋkˌbæləns] Kontostand

bankbook ['bæŋkbʊk] *etwa*: Sparbuch

bank code ['bæŋk‿kəʊd] *BE* Bankleitzahl

banker ['bæŋkə] 1. Bankier, leitende(r) Bankangestellte(r) 2. *bei Glücksspielen*: Bankhalter(in)

bank holiday [ˌbæŋk'hɒlədeɪ] *BE* gesetzlicher Feiertag; ☞ *Info S. 58*

bank holiday

So heißen in Großbritannien die gesetzlichen Feiertage. Der Grund: Ursprünglich hatten an diesen Tagen in erster Linie die Banken geschlossen. Es gibt bei weitem nicht so viele **bank holidays** [ˌbæŋk'hɒlədeɪz], wie es in den deutschsprachigen Ländern Feiertage gibt. Dafür wird ein **bank holiday**, der auf ein Wochenende fällt (z. B. der 1. oder 2. Weihnachtstag oder Neujahrstag), am darauf folgenden Montag nachgeholt. Die meisten anderen Feiertage fallen ohnehin auf einen Montag; ein solcher Montag wird folglich als **bank holiday Monday** bezeichnet, ein daraus resultierendes langes Wochenende als **bank holiday weekend**, an dessen Anfang und Ende auf den Autobahnen mit langen Staus zu rechnen ist.

banking ['bæŋkɪŋ] das Bankwesen

banking hours ['bæŋkɪŋˌaʊəz] *Pl.* Banköffnungszeiten

bank manager ['bæŋkˌmænɪdʒə] Filialleiter(in) (*einer Bank*), Bankdirektor(in)

bank note ['bæŋk‿nəʊt] Banknote, Geldschein

bank raid ['bæŋk‿reɪd] Banküberfall

bankrupt ['bæŋkrʌpt] bankrott; ***go bankrupt*** Bankrott machen, in Konkurs gehen

bankruptcy ['bæŋkrʌp(t)sɪ] Bankrott, Konkurs

bank sort code [ˌbæŋk'sɔːt‿kəʊd] Bankleitzahl

bank statement ['bæŋkˌsteɪtmənt] Kontoauszug

banner ['bænə] **1.** *bei Demonstration*: Spruchband, Transparent **2.** ***banner headline*** Balkenüberschrift, breite Schlagzeile (*einer Zeitung*) **3.** Banner, Fahne (*auch übertragen*)

banner ad ['bænər‿æd] *Internet*: *Werbeanzeige auf einer Internet-Seite*

banns [bænz] *Pl., für Hochzeit*: Aufgebot; ***publish the banns*** das Aufgebot verkünden

banquet ['bæŋkwɪt] Bankett, Festessen

banter ['bæntə] *spöttischer Dialog*: Geplänkel

baptism ['bæptɪzm] Taufe

baptize [⚠ bæp'taɪz] taufen

bar[1] [bɑː] **1.** Stange, Stab; ***bars*** *Pl.* Gitter; ***behind bars*** *im Gefängnis*: hinter Gittern **2.** ***a bar of soap*** ein Stück Seife; ***a bar of chocolate*** eine Tafel Schokolade; ***a bar of gold*** ein Goldbarren **3.** Kneipe **4.** *im Hotel, Flughafen usw.*: Bar **5.** *in Kneipe usw.*: Theke, Tresen **6.** *etwa*: Anklagebank; ***prisoner at the bar*** Angeklagte(r) **7.** *Musik*: Takt

bar[2] [bɑː], ***barred, barred*** **1.** verriegeln (*Haus, Tür usw.*) **2.** sperren (*Straße, Innenstadt usw.*); ***they barred my way*** sie versperrten mir den Weg **3.** ***bar children from taking part*** Kinder von der Teilnahme ausschließen

barbarian [bɑː'beərɪən] Barbar(in)

barbaric [bɑː'bærɪk], **barbarous** ['bɑːbərəs] barbarisch

barbecue ['bɑːbɪkjuː] **1.** *Ereignis*: Grillfest **2.** *Gerät*: Bratrost, Grill

barbed wire [ˌbɑːbd'waɪə] Stacheldraht

barber ['bɑːbə] (Herren)Friseur; ***at the barber's*** beim Friseur

bar chart ['bɑː‿tʃɑːt] *für Statistik usw.*: Balkendiagramm

bar code ['bɑː‿kəʊd] *Supermarkt*: Strichkode

bare[1] [beə] **1.** nackt, bloß; ***with bare feet*** barfuß; ***with one's bare hands*** mit bloßen Händen **2.** *Wände, Bäume usw.*: kahl **3.** *Tatsache, Wahrheit usw.*: nackt, ungeschminkt **4.** äußerst; ***the bare necessities of life*** das Allernotwendigste zum Leben

bare[2] [beə] **1.** entblößen **2.** ***the dog bared its teeth*** der Hund fletschte die Zähne

bareback ['beəbæk] ohne Sattel

barefaced ['beəfeɪst] *Lüge usw.*: unverschämt, schamlos

barefoot ['beəfʊt], **barefooted** [ˌbeə'fʊtɪd] barfuß, barfüßig

bareheaded [ˌbeə'hedɪd] ohne Kopfbedeckung

barely ['beəlɪ] **1.** kaum; ***he had barely seen me when …*** er hatte mich kaum gesehen, als … **2.** spärlich (*möbliert usw.*)

bargain[1] ['bɑːgɪn] **1.** vorteilhaftes Geschäft, Gelegenheitskauf; ***go bargain hunting*** auf Schnäppchensuche gehen **2.** Handel, Geschäft; ***strike a bargain*** ein Geschäft abschließen; ***it's a bargain!*** abgemacht!; ***into the bargain*** noch dazu, obendrein; ***make the best of a bad bargain*** sich so gut wie möglich aus der Affäre ziehen

bargain[2] ['bɑːgɪn] (≈ *feilschen*) handeln

bargain basement ['bɑːgɪnˌbeɪsmənt] *im Kaufhaus*: Niedrigpreisabteilung im Tiefgeschoss

bargain-basement ['bɑːgɪnˌbeɪsmənt] Billig…; ***bargain-basement price*** Tiefstpreis

bargain counter ['bɑːgɪnˌkaʊntə] *umg.*; *im Kaufhaus*: Wühltisch

bargain price [ˌbɑːgɪn'praɪs] Sonderpreis

barge [bɑːdʒ] Lastkahn, Schleppkahn
baritone ['bærɪtəʊn] *Singstimme*: Bariton
bark[1] [bɑːk] **1.** bellen (*auch übertragen: brüllen*); ***the dog barked at the postman*** der Hund bellte den Briefträger an **2.** ***bark up the wrong tree*** *umg.* auf dem Holzweg sein
bark[2] [bɑːk] Bellen (*eines Hundes usw.*)
bark[3] [bɑːk] (Baum)Rinde, Borke
barley ['bɑːlɪ] Gerste
barmaid ['bɑːmeɪd] Bardame
barman ['bɑːmən] *Pl.*: **barmen** ['bɑːmən] Barkeeper
barmy ['bɑːmɪ] *BE, salopp* bekloppt, verrückt
barn [bɑːn] **1.** Scheune, *bes.* Ⓐ, Ⓒⓗ Stadel **2.** (Vieh)Stall
barometer [⚠ bə'rɒmɪtə] Barometer
baroque[1] [bə'rɒk] *Bauwerk usw.*: barock
baroque[2] [bə'rɒk] *Epoche, Kunst*: Barock
barracks ['bærəks] Kaserne; ***the barracks is*** *oder* ***are outside the town*** die Kaserne liegt außerhalb der Stadt (⚠ *nicht* ***Baracke***)
barrel ['bærəl] **1.** *aus Holz*: Fass **2.** *aus Metall*: Tonne **3.** *Maßeinheit*: Barrel **4.** (Gewehr)Lauf
barrel organ ['bærəlˌɔːgən] Drehorgel, Leierkasten
barren ['bærən] *Land, Lebewesen*: unfruchtbar
barricade[1] [ˌbærɪ'keɪd] Barrikade
barricade[2] [ˌbærɪ'keɪd] verbarrikadieren
barrier ['bærɪə] **1.** *auf Straßen usw.*: Absperrung, Barriere **2.** *an der Grenze*: Schlagbaum, Schranke **3.** *vor Bahngleisen*: Schranke **4.** *im Bahnhof usw.*: Sperre **5.** *übertragen* Hindernis (***to*** für)
barrister ['bærɪstə] *in GB*: Rechtsanwalt, Rechtsanwältin (*der/die vor höheren Gerichten zugelassen ist*)
barrow ['bærəʊ] (Hand)Karre(n)
barter[1] ['bɑːtə] tauschen (*Waren usw.*, ⚠ *aber nicht Geld*) (***for*** gegen)
barter[2] ['bɑːtə] Tausch(handel)
base[1] [beɪs] **1.** *Architektur*: Fundament, Sockel **2.** *einer Substanz*: Hauptbestandteil, Basis **3.** *Chemie*: Base **4.** *Mathematik*: Grundlinie **5.** *Militär*: Stützpunkt
base[2] [beɪs] **1.** ***be based on*** basieren auf **2.** ***be based in*** den Hauptsitz haben in
base[3] [beɪs] *literarisch*: gemein, niederträchtig
baseball ['beɪsbɔːl] **1.** *Ball*: Baseball **2.** Baseball(spiel)
baseline ['beɪslaɪn] *Tennis usw.*: Grundlinie
basement ['beɪsmənt] Souterrain, Kellergeschoss, Ⓐ Kellergeschoß
bases ['beɪsiːz] *Pl. von* → ***basis***
bash[1] [bæʃ] ***he bashed his head (on the door)*** *umg.* er hat sich den Kopf (an der Tür) angeschlagen

> **bash in** [ˌbæʃ'ɪn] **1.** *umg.* einschlagen; ***I'll bash your head in*** ich schlag dir den Schädel ein **2.** ***be bashed in*** *Auto, Kotflügel*: verbeult sein
> **bash up** [ˌbæʃ'ʌp] *umg.* (ver)hauen, verprügeln

bash[2] [bæʃ] **1.** *umg.* Schlag **2.** *Auto*: Beule, Delle **3.** ***I'll have a bash at it*** *umg.* ich probiers mal
bashful ['bæʃfl] schüchtern
basic ['beɪsɪk] grundlegend, Grund…; ***have a basic knowledge of …*** Grundkenntnisse in … haben
basically ['beɪsɪklɪ] im Grunde
basics ['beɪsɪks] *Pl.* ***the basics*** *Mathematik usw.*: die Grundlagen
basil ['bæzl] Basilikum
basin ['beɪsn] **1.** Schüssel, Schale **2.** (Wasch)Becken **3.** *Geographie*: Becken
basis ['beɪsɪs] *Pl.* ***bases*** ['beɪsiːz] Basis, Grundlage
bask [bɑːsk] **1.** ***bask in the sun*** sich in der Sonne aalen **2.** *übertragen* sich sonnen (*in etwas*)
basket ['bɑːskɪt] Korb
basketball ['bɑːskɪtbɔːl] **1.** *Ball*: Basketball **2.** Basketball(spiel)
Basque[1] [⚠ bæsk] baskisch
Basque[2] [⚠ bæsk] *Sprache*: Baskisch
Basque[3] [⚠ bæsk] Baske, Baskin
bass [⚠ beɪs] *Musik*: Bass
bassoon [bə'suːn] Fagott
bastard ['bɑːstəd] **1.** *salopp* Scheißkerl **2.** *abwertend* (≈ *uneheliches Kind*) Bastard **3.** ***poor bastard*** *salopp* armes Schwein
baste [beɪst] (mit Fett) begießen (*Braten*)
bat[1] [bæt] **1.** Fledermaus **2.** ***(as) blind as a bat*** stockblind
bat[2] [bæt] **1.** *Baseball, Kricket*: Schlagholz **2.** *Tischtennis*: Schläger **3.** ***off one's own bat*** *BE, übertragen* auf eigene Faust
bat[3] [bæt], ***batted, batted*** *Baseball, Kricket*: schlagen
bat[4] [bæt], ***batted, batted***; ***without batting an eyelid*** ohne mit der Wimper zu zucken
batch [bætʃ] **1.** *Briefe, Bücher usw.*: Stapel, Stoß **2.** (≈ *Gruppe von Leuten*) Schub **3.** (≈ *größere Menge*) Schwung
bated ['beɪtɪd] ***with bated breath*** mit angehaltenem Atem
bath[1] [bɑːθ] *Pl.* ***baths*** [⚠ bɑːðz] **1.** (Wan-

nen)Bad; ***have*** (*oder* ***take***) ***a bath*** ein Bad nehmen, baden **2.** *BE* Badewanne **3.** Bad, Badezimmer **4.** (***public***) ***baths*** *Pl. bes. BE* Badeanstalt **5.** *zum Färben, Entwickeln usw.*: Bad

bath[2] [bɑːθ] *BE* **1.** baden (*Kind, Hund usw.*) **2.** *in der Wanne*: baden, ein Bad nehmen

bathe [⚠ beɪð] **1.** *BE*; *im Meer usw.*: baden, schwimmen **2.** *AE*; *in der Wanne*: baden, ein Bad nehmen **3.** *BE* baden (*Wunde usw.*) **4.** *AE* baden (*Kind, Hund usw.*)

bather [⚠ 'beɪðə] Badende(r)

bathing [⚠ 'beɪðɪŋ] **1.** (das) Baden **2.** Bade...

bathing cap [⚠ 'beɪðɪŋ‿kæp] Badekappe

bathing suit [⚠ 'beɪðɪŋ‿suːt] Badeanzug

bathing trunks [⚠ 'beɪðɪŋ‿trʌŋks] *Pl.* Badehose

bathrobe ['bɑːθrəʊb] **1.** Bademantel **2.** *AE* Morgenrock

bathroom ['bɑːθruːm] **1.** Badezimmer; ***bathroom scales*** Personenwaage **2.** *AE* Badezimmer, Toilette; ☞ *Illu S. 393*

bathroom

Bathroom bedeutet im amerikanischen Englisch außer Badezimmer auch Toilette. Wenn man also im amerikanischen Englisch hört **"He's/She's gone to the bathroom."**, dann bedeutet das aller Wahrscheinlichkeit nach nicht, dass sich die Person, von der gerade gesprochen wird, duscht oder ein Bad nimmt, sondern lediglich, dass er/sie die Toilette benutzt.

bath towel ['bɑːθ,taʊəl] Badetuch

bathtub ['bɑːθtʌb] *bes. AE* Badewanne

baton ['bætɒn] **1.** Taktstock **2.** *Sport*: (Staffel)Stab **3.** *der Polizei*: Gummiknüppel, Schlagstock

batter[1] ['bætə] **1.** *allg.*: schlagen **2.** misshandeln, verprügeln (*Frau, Kind*) **3.** lädieren, ramponieren (*Fahrzeug usw.*)

batter[2] ['bætə] (Pfannkuchen)Teig (*auch zum Frittieren*)

battered ['bætəd] ***battered baby*** (*bzw.* ***woman***) misshandeltes Baby (*bzw.* misshandelte Frau)

battery ['bætrɪ] Batterie

battery farming ['bætrɪ,fɑːmɪŋ] Massentierhaltung

battery hen ['bætrɪ‿hen] Batteriehenne

battery-operated ['bætrɪ,ɒpəreɪtɪd] batteriebetrieben

battle[1] ['bætl] **1.** Schlacht (***of*** bei) **2.** *übertragen* Kampf (***for*** um)

battle[2] ['bætl] *bes. übertragen* kämpfen (***for*** um)

battleaxe, *AE auch* **battleax** ['bætl‿æks] **1.** *früher*: Streitaxt **2.** *umg.*; *streitsüchtige Frau*: (alter) Drachen

battlefield ['bætlfiːld] Schlachtfeld

battleship ['bætl‿ʃɪp] Schlachtschiff

batty ['bætɪ] *BE, salopp* bekloppt, verrückt

Bavaria [bə'veərɪə] Bayern

Bavarian[1] [bə'veərɪən] bay(e)risch

Bavarian[2] [bə'veərɪən] Bayer(in)

bawdy ['bɔːdɪ] unflätig, obszön

bawl [bɔːl] brüllen

bawl out [,bɔːl'aʊt] ***bawl someone out*** *umg.* jemanden zusammenstauchen

bay[1] [beɪ] Bai, Bucht

bay[2] [beɪ] ***hold*** (*oder* ***keep***) ***someone at bay*** jemanden in Schach halten

bay leaf ['beɪ‿liːf] *Gewürz*: Lorbeerblatt

bayonet ['beɪənɪt] Bajonett

bay window [,beɪ'wɪndəʊ] Erkerfenster

bazaar [bə'zɑː] Basar

BBC

Die **BBC** (**British Broadcasting Corporation**) ist eine staatlich finanzierte Rundfunk- und Fernsehanstalt, die über zahlreiche TV-Kanäle sowie überregionale und regionale Rundfunksender verfügt. Zu ihr gehört auch der **BBC World Service**, der über Rundfunk in mehr als 40 Sprachen sendet und seit 1991 auch über das Fernsehen (**BBC World Service TV**) zu empfangen ist.

BBQ *Abk. für* → ***barbecue***

BC [,biː'siː] (*Abk. für* **B**efore **C**hrist) vor Christus

be [biː], ***was*** [wəz, wɒz] *oder* ***were*** [wə, wɜː], ***been*** [biːn] **1.** sein; ***he's my father*** er ist mein Vater; ***he's a teacher*** er ist Lehrer; ***are you English?*** Sind Sie Engländer? ***we're late*** wir kommen zu spät; ***who is it?*** wer ist da? **2.** sein, sich fühlen; ***how are you?*** wie geht es dir? ***she's ill*** sie ist krank; ***I'm hot*** mir ist heiß **3.** *beruflich*: werden; ***she wants to be a doctor*** sie will Ärztin werden **4.** sein, sich befinden; ***where's the toilet?*** wo ist die Toilette? ***there's a bus stop near here*** in der Nähe ist eine Bushaltestelle **5.** gehören; ***it's mine*** es gehört mir **6.** kosten; ***how much is this record?*** wie viel kostet diese Schallplatte? **7.** sein, da sein;

have you ever been to Berlin? bist du schon einmal in Berlin gewesen? **8.** da sein, existieren; ***there are two of them*** es gibt zwei davon; ***to be or not to be …*** Sein oder Nichtsein … **9.** (*Versammlung usw.*) sein, stattfinden **10.** ***be to*** sollen; ***you're to see the headmaster*** du sollst zum Direktor kommen; ***it was not to be*** es sollte nicht sein **11.** *zur Bildung des Passivs*: werden; ***the house was built in 1953*** das Haus wurde 1953 gebaut **12.** *zur Bildung der Verlaufsform*: ***she's reading*** sie liest gerade

beach [biːtʃ] Strand; ***on the beach*** am Strand

beach ball ['biːtʃ‿bɔːl] Wasserball

beachchair ['biːtʃtʃeə] *AE* Liegestuhl

beachwear ['biːtʃweə] Strandkleidung

beacon ['biːkən] *für Schiffe, Flugzeuge usw.*: Leuchtfeuer

bead [biːd] **1.** *aus Glas usw.*: Perle **2.** *von Schweiß usw.*: Tropfen

beak [biːk] **1.** *eines Vogels*: Schnabel **2.** *umg.*; *Nase*: Zinken

beaker ['biːkə] Becher

beam[1] [biːm] **1.** *aus Holz*: Balken **2.** Strahl; ***beam of light*** Lichtstrahl; ***on full beam*** *Autoscheinwerfer*: aufgeblendet

beam[2] [biːm] strahlen, strahlend lächeln; ***beaming with joy*** freudestrahlend

bean [biːn] **1.** Bohne **2.** ***she's full of beans*** *umg.* sie steckt voller Leben

bear[1] [beə] Bär

bear[2] [beə], ***bore*** [bɔː], ***borne*** [bɔːn] **1.** übernehmen, tragen (*Kosten usw.*) **2.** ertragen, aushalten (*Schmerz usw.*); ***I can't bear him*** ich kann ihn nicht ausstehen **3.** zur Welt bringen, gebären (*Kind*, *Junges*) **4.** ***bear in mind*** daran denken (***that*** dass) **5.** ***bear left*** (*bzw.* ***right***) sich links (*bzw.* rechts) halten

> **bear down** [ˌbeə'daʊn] ***bear down on*** *bedrohlich*: sich (schnell) nähern, zusteuern auf
>
> **bear out** [ˌbeər'aʊt] bestätigen; ***I can bear you out on that*** ich kann Sie darin bestätigen
>
> **bear up** [ˌbeər'ʌp] (tapfer) durchhalten; ***she bore up well under the circumstances*** unter den gegebenen Umständen hielt sie sich tapfer
>
> **bear with** ['beə‿wɪð] **1.** Geduld haben mit **2.** ***if you would bear with me for a moment*** wenn Sie sich bitte einen Augenblick gedulden

bearable ['beərəbl] *Klima*, *Umstände usw.*: erträglich

beard [⚠ bɪəd] Bart

bearded [⚠ 'bɪədɪd] bärtig

bearer ['beərə] Überbringer(in)

bearing ['beərɪŋ] **1.** Haltung, Auftreten **2.** Bedeutung (***on*** für), Auswirkung (***on*** auf) **3.** *Technik*: (Kugel)Lager **4.** ***lose one's bearings*** die Orientierung verlieren

beast [biːst] **1.** (*auch* wildes) Tier; ***beast of burden*** Lasttier **2.** *umg.* Biest, Ekel

beastly ['biːstlɪ] *umg.* gemein, scheußlich

beat[1] [biːt], ***beat, beaten*** ['biːtn] **1.** schlagen, (ver)prügeln **2.** besiegen, schlagen (***at*** in) **3.** schlagen (*Eier usw.*) **4.** (*Herz usw.*) schlagen **5.** ***beat time*** den Takt schlagen **6.** ***that beats me*** das ist mir zu hoch **7.** übertreffen; ***that beats everything!*** das ist doch der Gipfel! **8.** ***beat it!*** *salopp* hau ab!

> **beat back** [ˌbiːt'bæk] zurückschlagen (*Gegner*)
>
> **beat down** [ˌbiːt'daʊn] **1.** drücken (*Preis*), herunterhandeln (***to*** auf) **2.** (*Sonne*) herunterbrennen (***on*** auf), (*Regen*) niederprasseln (***on*** auf)
>
> **beat in** [ˌbiːt'ɪn] einschlagen (*Tür*)
>
> **beat off** [ˌbiːt'ɒf] zurückschlagen (*Angriff, Gegner*)
>
> **beat out** [ˌbiːt'aʊt] **1.** schlagen (*den Rhythmus*) **2.** ausschlagen (*Feuer*)
>
> **beat up** [ˌbiːt'ʌp] zusammenschlagen (*Person*)

beat[2] [biːt] **1.** Schlag (*von Herz*, *Trommel usw.*) **2.** Takt, Rhythmus **3.** Runde, Revier (*eines Polizisten usw.*)

beat[3] [biːt] (***dead***) ***beat*** *umg.* (wie) erschlagen, fix und fertig

beaten[1] ['biːtn] *3. Form von* → ***beat***[1]

beaten[2] ['biːtn] ***off the beaten track*** abgelegen, *übertragen* ungewohnt

beating ['biːtɪŋ] **1.** Prügel; ***give someone a good beating*** jemandem eine tüchtige Tracht Prügel verabreichen **2.** *übertragen* Niederlage

beautician [⚠ bjuː'tɪʃn] Kosmetiker(in)

beautiful ['bjuːtəfl] *allg.*: schön (⚠ *bei einem Mann spricht man von* ***handsome***); ☞ ***handsome***

beautify ['bjuːtɪfaɪ] verschönern

beauty ['bjuːtɪ] **1.** (die) Schönheit **2.** *Frau*: Schönheit **3.** *umg.* Prachtstück

beauty contest ['bjuːtɪˌkɒntest] Schönheitswettbewerb

beauty parlour, *AE* **beauty parlor** ['bjuːtɪˌpɑːlə] Kosmetiksalon

beauty queen ['bjuːtɪ‿kwiːn] Schönheitskönigin
beauty salon ['bjuːtɪˌsælɒn], *AE* **beauty shop** ['bjuːtɪ‿ʃɒp] Schönheitssalon
beaver ['biːvə] Biber
became [bɪ'keɪm] *2. Form von* → ***become***
because [bɪ'kɒz] weil, da; ***because of*** wegen (+ *Genitiv*)
beckon ['bekən] (zu)winken
become [bɪ'kʌm], ***became*** [bɪ'keɪm], ***become*** [bɪ'kʌm] **1.** werden; ***he wants to become a doctor*** er will Arzt werden **2.** ***what has become of him?*** was ist aus ihm geworden? (⚠ *bekommen* = ***get, receive***)
bed [bed] **1.** Bett (*auch von Fluss usw.*); ***go to bed*** ins Bett gehen (***with*** mit); ***make the bed*** das Bett machen; ***put to bed*** ins Bett bringen **2.** (Garten)Beet

beds

single bed	Einzelbett
twin beds	zwei Einzelbetten
double bed	Doppelbett
bunk bed	Etagenbett
folding bed	Klappbett
camp bed	Campingliege
airbed, *AE* **air mattress**	Luftmatratze
cot, *AE* **crib**	Kinderbett

bed down [ˌbed'daʊn], ***bedded down, bedded down*** sein Nachtlager aufschlagen

bed and breakfast [ˌbed‿n'brekfəst] *auch* ***B&B*** Zimmer mit Frühstück
bedbug ['bedbʌg] Wanze
bedclothes ['bedkləʊ(ð)z] *Pl.* Bettwäsche
bedcover ['bedˌkʌvə] Bettdecke
bedding ['bedɪŋ] Bettzeug
bedlam ['bedləm] ***it was sheer bedlam*** es herrschte das totale Chaos
bed linen ['bedˌlɪnɪn] Bettwäsche
bedraggled [bɪ'drægld] **1.** durchnässt **2.** verdreckt **3.** *Person, Erscheinung usw.*: ungepflegt
bed rest ['bed‿rest] *bei Krankheit*: Bettruhe
bedridden ['bedˌrɪdn] bettlägerig
bedroom ['bedruːm] Schlafzimmer
bed settee ['bed‿seˌtiː] Schlafsofa
bedside ['bedsaɪd] ***at the bedside*** am Bett (*eines Kranken*); ***bedside lamp*** Nachttischlampe; ***bedside table*** Nachttisch
bedsit [ˌbed'sɪt] *umg.*, **bedsitter** [ˌbed'sɪtə] *BE* **1.** möbliertes Zimmer **2.** Einzimmerapartment
bedspread ['bedspred] Tagesdecke
bedstead ['bedsted] Bettgestell
bedtime ['bedtaɪm] Schlafenszeit; ***bedtime story*** Gutenachtgeschichte
bee [biː] **1.** Biene **2.** ***have a bee in one's bonnet*** *umg.* einen Tick haben
beech [biːtʃ] *Baum*: Buche
beef[1] [biːf] **1.** Rindfleisch **2.** *umg.* (Muskel)Kraft
beef[2] [biːf] *salopp* meckern (***about*** über)
beefburger ['biːfˌbɜːgə] *bes. BE* Hamburger
Beefeater ['biːfˌiːtə] *BE*; *Wächter im Londoner Tower mit traditioneller Uniform*
beef tea [ˌbiːf'tiː] (Rind)Fleischbrühe
beefy ['biːfɪ] *umg.* bullig
beehive ['biːhaɪv] Bienenkorb, Bienenstock
beeline ['biːlaɪn] ***make a beeline for*** schnurstracks zugehen auf
been [biːn] *3. Form von* → ***be***
beep[1] [biːp] ***beep one's horn*** *Auto*: hupen
beep[2] [biːp] Piepston (*eines Geräts*)
beeper ['biːpə] *AE*; *Gerät*: Piepser
beer [bɪə] Bier
beeswax ['biːz‿wæks] Bienenwachs
beet [biːt] **1.** Rübe **2.** *AE* Rote Bete
beetle ['biːtl] *Insekt*: Käfer
beetroot ['biːtruːt] rote Rübe, Rote Bete
before[1] [bɪ'fɔː] **1.** *zeitlich*: vor; ***the week before last*** vorletzte Woche; ***before long*** in Kürze, bald **2.** *räumlich*: vor; ***before my eyes*** vor meinen Augen **3.** *in einer bestimmten Situation*: vor, in Gegenwart von (*oder Genitiv*)
before[2] [bɪ'fɔː] *zeitlich*: vorher, zuvor; ***the year before*** das vorhergehende Jahr
before[3] [bɪ'fɔː] bevor, ehe; ***not before*** erst als *oder* wenn
beforehand [bɪ'fɔːhænd] zuvor, voraus, im Voraus
beg [beg], ***begged, begged*** **1.** betteln (um); ***go begging*** betteln gehen **2.** (dringend) bitten (***for*** um) **3.** erbitten; ***I beg your pardon*** Verzeihung!, Entschuldigung!
began [bɪ'gæn] *2. Form von* → ***begin***
beggar ['begə] **1.** Bettler(in) **2.** *umg.* Kerl; ***lucky beggar*** Glückspilz
begin [bɪ'gɪn], ***began*** [bɪ'gæn], ***begun*** [bɪ'gʌn] beginnen, anfangen; ***to begin with*** zunächst (einmal), erstens (einmal)
beginner [bɪ'gɪnə] Anfänger(in); ***beginner's luck*** Anfängerglück
beginning [bɪ'gɪnɪŋ] Beginn, Anfang; ***at***

the beginning am Anfang; ***from the beginning*** (ganz) von Anfang an
begrudge [bɪ'grʌdʒ] **1.** ***begrudge someone something*** jemandem etwas missgönnen **2.** ***begrudge doing something*** etwas nur widerwillig tun
beguile [bɪ'gaɪl] **1.** ***beguile someone into doing something*** jemanden dazu verleiten, etwas zu tun **2.** betören
beguiling [bɪ'gaɪlɪŋ] betörend
begun [bɪ'gʌn] *3. Form von* → ***begin***
behalf [⚠ bɪ'hɑːf] ***on*** (*AE auch* ***in***) ***behalf of*** für, im Namen *oder* Auftrag von (*oder Genitiv*)
behave [bɪ'heɪv] **1.** ***behave*** (***oneself***) sich (gut) benehmen; ***behave yourself!*** benimm dich! **2.** ***behave well*** (*bzw.* ***badly***) ***to*** (*oder* ***towards***) ***someone*** sich gut (*bzw.* schlecht) jemandem gegenüber benehmen
behaviour, *AE* **behavior** [bɪ'heɪvjə] Benehmen, Verhalten; ***be on one's best behaviour*** sich von seiner besten Seite zeigen
behind[1] [bɪ'haɪnd] **1.** *räumlich und zeitlich*: hinter; ***get something behind one*** etwas hinter sich bringen **2.** *Reihenfolge, Rang*: hinter
behind[2] [bɪ'haɪnd] **1.** *bei Reihenfolge usw.*: hinten, dahinter **2.** *auf die Frage „wohin"*: nach hinten **3.** (≈ *verspätet*) im Rückstand *oder* Verzug (***in, with*** mit) **4.** ***stay*** *usw.* ***behind*** zurückbleiben *usw.*, dableiben *usw.*
behind[3] [bɪ'haɪnd] *salopp* Hintern
behindhand [bɪ'haɪndhænd] im Rückstand (***with*** mit) (*Zahlungen usw.*)
beige [⚠ beɪʒ] beige
being[1] ['biːɪŋ] **1.** Dasein, Existenz; ***call into being*** ins Leben rufen; ***come into being*** entstehen **2.** (Lebe)Wesen, Geschöpf
being[2] ['biːɪŋ] *-ing-Form von* → ***be***
Belarus [ˌbelə'ruːs] Weißrussland
belated [bɪ'leɪtɪd] verspätet
belch [beltʃ] aufstoßen, rülpsen
belfry ['belfrɪ] Glockenstuhl, Glockenturm
Belgian[1] ['beldʒən] belgisch
Belgian[2] ['beldʒən] Belgier(in)
Belgium ['beldʒəm] Belgien
belief [bɪ'liːf] **1.** Glaube (***in*** an) **2.** Vertrauen (***in*** auf, zu) **3.** Überzeugung
believable [bɪ'liːvəbl] glaubhaft, glaubwürdig
believe [bɪ'liːv] **1.** glauben; ***believe it or not!*** ob Sie es glauben oder nicht!; ***would you believe it!*** ist das denn die Möglichkeit! **2.** ***he's believed to be rich*** *usw.* man hält ihn für reich *usw.*

> **believe in** [bɪ'liːv‿ɪn] **1.** glauben an (*Gott usw.*) **2.** Vertrauen haben zu

believer [bɪ'liːvə] **1.** Gläubige(r) **2.** ***be a great believer in*** viel halten von
Belisha beacon [bɪˌliːʃə'biːkən] *BE*; *gelbes Blinklicht an Zebrastreifen*
bell [bel] **1.** Glocke, Klingel; ***was that the bell?*** hat es geläutet *oder* geklingelt? **2.** ***that rings a bell*** *umg.* das kommt mir bekannt vor
bellow ['beləʊ] (*Rind*) brüllen
belly ['belɪ] **1.** *Körperteil*: Bauch **2.** *Organ*: Magen
bellyache[1] ['belɪ‿eɪk] *umg.* Bauchweh; ***I've got a bellyache*** ich habe Bauchweh
bellyache[2] ['belɪ‿eɪk] *umg.* meckern
belly button ['belɪˌbʌtn] *umg.* Bauchnabel
belly dance ['belɪ‿dɑːns] Bauchtanz
belly flop ['belɪ‿flɒp] *umg.* Bauchklatscher
belong [bɪ'lɒŋ] gehören (***to*** zu; ***in*** in); ***he doesn't belong here*** er ist hier fehl am Platz

> **belong to** [bɪ'lɒŋ‿tə] **1.** ***belong to someone*** *Eigentum*: jemandem gehören **2.** angehören (*einem Klub usw.*)

belongings [bɪ'lɒŋɪŋz] *Pl.* Habseligkeiten
beloved [⚠ bɪ'lʌvɪd] (innig) geliebt
below[1] [bɪ'ləʊ] **1.** unten **2.** hinunter, nach unten
below[2] [bɪ'ləʊ] unter, unterhalb (+ *Genitiv*)
belt [belt] **1.** *von Hose usw.*: Gürtel **2.** *in Auto usw.*: (Sicherheits)Gurt **3.** (≈ *Gebiet*) Gürtel; ***green belt*** Grüngürtel **4.** *Technik*: (Treib)Riemen

> **belt up** [ˌbelt'ʌp] **1.** ***belt up!*** *salopp* halt die Schnauze! **2.** *umg.*; *in Auto usw.*: sich anschnallen

bemoan [bɪ'məʊn] beklagen
bemused [bɪ'mjuːzd] verwirrt
bench [bentʃ] **1.** (Sitz)Bank **2.** *Justiz*: Richter *Pl.*, Gericht; ***be on the bench*** Richter sein **3.** *in Werkstatt*: Werkbank, Werktisch
benchmark ['bentʃmɑːk] *übertragen* Bezugspunkt, Maßstab
bend[1] [bend], ***bent*** [bent], ***bent*** [bent] **1.** biegen, krümmen; ***bend out of shape*** verbiegen **2.** neigen (*Kopf*), beugen (*Knie*) **3.** sich biegen *oder* krümmen
bend[2] [bend] **1.** Biegung, *Straße*: Kurve **2.**

drive someone round the bend *BE, umg.* jemanden verrückt machen
beneath[1] [bɪ'ni:θ] unter, unterhalb (+ *Genitiv*)
beneath[2] [bɪ'ni:θ] **1.** unten **2.** darunter
benefactor ['benɪfæktə] Wohltäter
beneficial [ˌbenɪ'fɪʃl] nützlich, günstig (***to*** für)
beneficent [bə'nefɪsnt] wohltätig
benefit[1] ['benɪfɪt] **1.** *allg.*: Vorteil, Nutzen; ***be of benefit to someone*** jemandem nützen **2.** *Geldleistung*: …unterstützung, …geld; ***unemployment benefit*** Arbeitslosenunterstützung; ***sickness benefit*** Krankengeld
benefit[2] ['benɪfɪt] **1.** nützen, im Interesse (+ *Genitiv*) sein **2.** Vorteil haben (***from*** von, durch), Nutzen ziehen (***from*** aus)
benefit concert ['benɪfɪtˌkɒnsət] Benefizkonzert
benevolent [⚠ bə'nevələnt] **1.** *Verein, Stiftung usw.*: wohltätig **2.** *Lächeln usw.*: wohlwollend
benign [bə'naɪn] **1.** gütig, freundlich **2.** *Klima*: mild **3.** ↔ ***malignant***; *Tumor usw.*: gutartig
bent[1] [bent] *2. und 3. Form von* → ***bend***[1]
bent[2] [bent] ***bent on doing something*** entschlossen, etwas zu tun
bent[3] [bent] **1.** Neigung, Hang (***for*** zu) **2.** Veranlagung; ***musical*** (*bzw.* ***artistic***) ***bent*** musikalische (*bzw.* künstlerische) Veranlagung
bequeath [⚠ bɪ'kwi:ð] vermachen (***something to someone*** jemandem etwas)
bequest [bɪ'kwest] Vermächtnis
bereaved [bɪ'ri:vd] ***the bereaved*** der *oder* die Hinterbliebene, die Hinterbliebenen
berry ['berɪ] Beere
berserk [bə'zɜ:k] ***go berserk*** wild werden, durchdrehen
berth [bɜ:θ] **1.** *von Schiff*: Liegeplatz, Ankerplatz **2.** *in Schiff*: Koje **3.** *Eisenbahn*: Schlafwagenbett **4.** ***give a wide berth to*** einen großen Bogen machen um
beseech [bɪ'si:tʃ] ***beseeched, beseeched*** *oder* ***besought, besought*** anflehen (***for*** um)
beside [bɪ'saɪd] **1.** neben **2.** ***be beside oneself*** außer sich sein (***with*** vor)
besides[1] [bɪ'saɪdz] außerdem
besides[2] [bɪ'saɪdz] außer, neben
besiege [bɪ'si:dʒ] **1.** *militärisch*: belagern (*auch übertragen*) **2.** *übertragen* bestürmen, bedrängen (***with*** mit) (⚠ *besiegen* = ***defeat***)
bespectacled [bɪ'spektəkld] bebrillt
best[1] [best] *Superlativ von* ***good*** **1.** beste(r, -s) **2.** größte(r, -s); ***the best part of*** der größte Teil (+ *Genitiv*)
best[2] [best] *Superlativ von* ***well***[2] **1.** am besten **2.** ***like best*** am liebsten mögen **3.** ***as best they could*** so gut sie konnten **4.** ***best before*** *auf Lebensmitteln*: mindestens haltbar bis
best[3] [best] **1.** *der, die, das* Beste **2.** ***at best*** bestenfalls, höchstens **3.** ***do one's best*** sein Möglichstes tun **4.** ***make the best of*** das Beste machen aus **5.** ***all the best!*** alles Gute!
best man [ˌbest'mæn] Trauzeuge des Bräutigams
bestseller [ˌbest'selə] **1.** *Buch*: Bestseller **2.** Bestsellerautor
bet[1] [bet] **1.** Wette; ***have*** (*oder* ***make***) ***a bet*** eine Wette abschließen (***on*** auf) **2.** Wetteinsatz **3.** *in Wendungen*: ***it's a safe bet that*** es steht so gut wie fest, dass; ***your best bet is to take the car*** *umg.* du nimmst am besten den Wagen
bet[2] [bet], ***bet, bet*** *oder* ***betted, betted***; *-ing-Form* ***betting*** **1.** wetten (*Geld*), setzen (***on*** auf); ***I'll bet you £10 that*** ich wette mit dir (um) 10 Pfund, dass **2.** ***you can bet your bottom dollar that*** *umg.* du kannst Gift darauf nehmen, dass **3.** ***you bet!*** *umg.* das kann man wohl sagen!, und wie!
betray [bɪ'treɪ] verraten (*Land, Freund usw.*) (*auch übertragen*)
betrayal [bɪ'treɪəl] Verrat (*von Land, Freund usw.*)
better[1] ['betə] *Komparativ von* ***good***; besser; ***I'm better*** es geht mir besser (*gesundheitlich*), *BE auch* ich bin wieder gesund; ***get better*** besser werden, *gesundheitlich*: sich erholen
better[2] ['betə] *Komparativ von* ***well***[2] **1.** besser; ***better off*** besser dran, *finanziell*: besser gestellt **2.** ***think better of it*** es sich anders überlegen **3.** ***you'd*** (*oder* ***you had***) ***better go*** es wäre besser, du gingest; ***you'd*** (*oder* ***you had***) ***better not!*** lass das lieber sein!
better[3] ['betə] **1.** *das* Bessere **2.** ***get the better of someone*** jemanden unterkriegen; ***get the better of something*** etwas überwinden
better[4] ['betə] ***better oneself*** *finanziell*: sich verbessern
betting shop ['betɪŋ‿ʃɒp] Wettbüro
between[1] [bɪ'twi:n] **1.** *räumlich und zeitlich*: zwischen **2.** unter; ***between you and me*** unter uns *oder* im Vertrauen (gesagt) **3.** ***we had ten pounds between us*** wir hatten zusammen zehn Pfund

between[2] [bɪ'twiːn] dazwischen; ***in between*** dazwischen
beverage ['bevərɪdʒ] Getränk
bevy ['bevɪ] *von Mädchen usw.*: Schar
beware [bɪ'weə] sich hüten, sich in Acht nehmen (***of*** vor); ***beware of the dog!*** Vorsicht, bissiger Hund!; ***beware of pickpockets!*** vor Taschendieben wird gewarnt!
bewilder [⚠ bɪ'wɪldə] irremachen, verwirren
bewilderment [⚠ bɪ'wɪldəmənt] Verwirrung
bewitch [bɪ'wɪtʃ] *übertragen* bezaubern
beyond [bɪ'jɒnd] **1.** jenseits **2.** über … hinaus **3.** ***that's beyond me*** *umg.* das ist mir zu hoch, das geht über meinen Verstand
bias [⚠ 'baɪəs] Vorurteil, Voreingenommenheit
biased, **biassed** [⚠ 'baɪəst] voreingenommen, *Recht*: befangen
bib [bɪb] Lätzchen
Bible ['baɪbl] Bibel
biblical [⚠ 'bɪblɪkl] biblisch, Bibel…
bicker ['bɪkə] sich zanken (***about, over*** um)
bicycle[1] ['baɪsɪkl] Fahrrad, Ⓒⓗ Velo; ☞ *Illu S. 685*
bicycle[2] ['baɪsɪkl] mit dem Rad fahren
bid[1] [bɪd], ***bid, bid***; *-ing-Form* **bidding**; *bei Versteigerung*: bieten
bid[2] [bɪd] **1.** *Versteigerung*: Gebot, *Ausschreibung*: Angebot **2.** Versuch
bid[3] [bɪd], ***bade*** [⚠ bæd *oder* beɪd] *oder* ***bid, bidden*** ['bɪdn]; *-ing-Form* ***bidding***; ***bid someone farewell*** jemandem Lebewohl sagen
bidden ['bɪdn] *3. Form von* → ***bid***[3]
bidding ['bɪdɪŋ] *bei Versteigerung*: Gebot
bide [baɪd] ***bide one's time*** den rechten Augenblick abwarten
bier [⚠ bɪə] (Toten)Bahre (⚠ *Bier* = ***beer***)
big[1] [bɪg], ***bigger, biggest*** **1.** *allg.*: groß (*auch übertragen*); ***the biggest party*** die stärkste Partei **2.** *Mensch*: groß, kräftig gebaut **3.** *Kleidung usw.*: breit, weit, groß; ***the coat is too big for me*** der Mantel ist mir zu groß **4.** *Baum usw.*: hoch, groß **5.** Mords…; ***big eater*** starker Esser **6.** *bes. zu Kindern*: (≈ *erwachsen*) groß; ***you're big enough now*** du bist jetzt groß genug **7.** *Ereignis*: wichtig, bedeutend **8.** *Mahlzeit*: ausgiebig, reichlich **9.** *Wendungen*: ***have big ideas*** Rosinen im Kopf haben; ***get too big for one's boots*** *umg.* größenwahnsinnig werden; ***earn big money*** *umg.* das große Geld verdienen
big[2] [bɪg] ***act big*** *umg.* sich groß aufspielen; ***talk big*** *umg.* große Töne spucken

Big Ben

Big Ben heißt die 13,5 Tonnen schwere Glocke im Uhrturm des Parlamentsgebäudes in London, die als Zeitzeichen der BBC dient.

big cheese [ˌbɪg'tʃiːz] *umg.*; *Person*: hohes Tier
big dipper [ˌbɪg'dɪpə] Achterbahn
bigmouth ['bɪgmaʊθ] *umg.* **1.** Großmaul, Angeber **2.** Schwätzer
big shot [ˌbɪg'ʃɒt], **bigwig** ['bɪgwɪg] *umg.*; *Person*: hohes Tier
bike[1] [baɪk] *umg.* **1.** (≈ *Fahrrad*) Rad **2.** (≈ *Motorrad*) Maschine
bike[2] [baɪk] *umg.* **1.** radeln **2.** (mit dem) Motorrad fahren
bikepath ['baɪkpɑːθ] *AE* Radweg
biker ['baɪkə] **1.** Motorradfahrer(in) **2.** Radfahrer(in)
bikini [bɪ'kiːnɪ] Bikini
bilberry ['bɪlbərɪ] Blaubeere, Heidelbeere
bilingual [baɪ'lɪŋgwəl] zweisprachig
bill[1] [bɪl] **1.** Rechnung; (***could I have***) ***the bill, please*** bitte zahlen! **2.** *politisch*: (Gesetzes)Vorlage, Gesetzentwurf **3.** *AE* Banknote, (Geld)Schein **4.** Plakat; ***'stick no bills'*** Plakate ankleben verboten
bill[2] [bɪl] ***bill someone for something*** jemandem etwas in Rechnung stellen
bill[3] [bɪl] Schnabel (*eines Vogels*)
billboard ['bɪlbɔːd] *bes. AE* Reklametafel
billfold ['bɪlfəʊld] *AE* Brieftasche; ☞ *BE* ***wallet***
billiards ['bɪljədz] Billard(spiel)
billion ['bɪljən] Milliarde (⚠ *dt. Billion* = ***trillion***)

billion

Billion bedeutet heute auf beiden Seiten des Atlantiks „Milliarde". Früher bedeutete jedoch **billion** im britischen Gebrauch „Billion" (also 1.000.000.000.000). Das Wort wird immer noch von manchen mit dieser Bedeutung verwendet. „Eine Milliarde" hieße nach dem alten System **a thousand million** (ohne "**-s**").

trillion = Billion
zillions = „zig Milliarden"

billow ['bɪləʊ] *auch* ***billow out*** (*Segel usw.*) sich bauschen *oder* blähen
billy goat ['bɪlɪ‿gəʊt] Ziegenbock
bin [bɪn] Behälter

bind [baɪnd], ***bound*** [baʊnd], ***bound*** [baʊnd] **1.** binden (***to*** an) **2.** verbinden (*Wunde*) **3.** binden (*Buch*) **4.** *Kochen usw.*: binden **5.** (*Beton, Zement usw.*) fest werden **6.** *durch Vertrag usw.*: binden, verpflichten

bind together [ˌbaɪnd‿tə'geðə] zusammenbinden
bind up [ˌbaɪnd'ʌp] verbinden (*Wunde*)

binder ['baɪndə] Hefter, Mappe, Ordner
binding[1] ['baɪndɪŋ] **1.** (Buch)Einband **2.** *Nähen*: Einfassung, Borte **3.** *Ski*: Bindung
binding[2] ['baɪndɪŋ] *übertragen* bindend, verbindlich
binoculars [baɪ'nɒkjʊləz] *Pl.* Fernglas; ***a pair of binoculars*** ein Fernglas
biochemistry [ˌbaɪəʊ'kemɪstrɪ] Biochemie
biodegradable [ˌbaɪəʊdɪ'greɪdəbl] biologisch abbaubar
biodiversity [ˌbaɪəʊdaɪ'vɜːsətɪ] Artenreichtum, Artenvielfalt
biography [baɪ'ɒgrəfɪ] Biographie
biological [ˌbaɪə'lɒdʒɪkl] biologisch
biologist [⚠ baɪ'ɒlədʒɪst] Biologe, Biologin
biology [⚠ baɪ'ɒlədʒɪ] Biologie
biosphere ['baɪəsfɪə] Biosphäre
biotope ['baɪətəʊp] Biotop
biplane ['baɪpleɪn] *Flugzeug*: Doppeldecker
birch [bɜːtʃ] *Baum*: Birke
bird [bɜːd] **1.** Vogel; ***bird of prey*** Raubvogel; ***a bird in the hand is worth two in the bush*** *Sprichwort*: besser ein Spatz in der Hand als eine Taube auf dem Dach **2.** *frauenfeindlich* (≈ *Frau*) Biene, Mieze **3.** ***give someone the bird*** *umg.* jemanden auspfeifen
birdcage ['bɜːdkeɪdʒ] Vogelkäfig
birdie ['bɜːdɪ] *Kindersprache*: Vögelchen
bird sanctuary ['bɜːdˌsæŋktʃʊərɪ] Vogelschutzgebiet
birdseed ['bɜːdsiːd] Vogelfutter
bird's-eye view [ˌbɜːdz‿aɪ'vjuː] Vogelperspektive
bird-watcher ['bɜːdˌwɒtʃə] Vogelkenner (-in), Vogelfreund(in)
biro® ['baɪrəʊ] *Pl.*: ***biros*** *BE* Kugelschreiber
birth [bɜːθ] **1.** Geburt; ***birth certificate*** Geburtsurkunde; ***from*** (*oder* ***since***) (***one's***) ***birth*** von Geburt an; ***give birth to*** gebären, zur Welt bringen **2.** Abstammung, Herkunft; ***she's English by birth*** sie ist gebürtige Engländerin **3.** *übertragen* Ursprung, Entstehung
birth control ['bɜːθ‿kənˌtrəʊl] Geburtenkontrolle
birthday[1] ['bɜːθdeɪ] Geburtstag; ***when is your birthday?*** wann hast du Geburtstag?; ***happy birthday!*** alles Gute *oder* herzlichen Glückwunsch zum Geburtstag!
birthday[2] ['bɜːθdeɪ] Geburtstags…; ***birthday present*** Geburtstagsgeschenk
birthmark ['bɜːθmɑːk] Muttermal
birthplace ['bɜːθpleɪs] Geburtsort
birthrate ['bɜːθreɪt] Geburtenziffer
biscuit ['bɪskɪt] **1.** *BE* Keks (⚠ *nicht* ***Biskuit***), Ⓒⓗ Biscuit; ☞ *AE* ***cooky*** **2.** *AE eine Art* Brötchen
bishop ['bɪʃəp] **1.** *kirchlich*: Bischof **2.** *Schach*: Läufer
bit[1] [bɪt] **1.** Stück(chen) (*auch übertragen*) **2.** ***a bit*** *umg.* eine Weile **3.** ***a bit*** ein bisschen, ziemlich; ***not a bit*** überhaupt nicht; ***a bit of a fool*** ein bisschen dumm **4.** ***bit by bit*** Stück für Stück, nach und nach **5.** ***do one's bit*** seinen Beitrag leisten
bit[2] [bɪt] *am Pferdezaum*: Gebiss
bit[3] [bɪt] *Computer*: Bit
bit[4] [bɪt] *2. Form von* → ***bite***[1]
bitch [bɪtʃ] **1.** Hündin **2.** *frauenfeindlich* Miststück, Schlampe
bitchy ['bɪtʃɪ] **1.** *Frau, Mädchen*: gehässig **2.** *Bemerkung*: bissig, gehässig
bite[1] [baɪt], ***bit*** [bɪt], ***bitten*** ['bɪtn] **1.** beißen, zubeißen **2.** (*Insekt*) beißen, stechen **3.** (*Fisch*) anbeißen (*auch übertragen*)
bite[2] [baɪt] **1.** Biss, *eines Insekts auch*: Stich **2.** Bissen, Happen **3.** Biss(wunde)
biting ['baɪtɪŋ] *Kälte, Wind*: schneidend
bitten ['bɪtn] *3. Form von* → ***bite***[1]
bitter[1] ['bɪtə] **1.** bitter (*auch übertragen*) **2.** *Kritik usw.*: scharf **3.** *Feinde usw.*: erbittert **4.** verbittert (***about*** wegen)
bitter[2] ['bɪtə] ***bitter cold*** bitterkalt
bitterly ['bɪtəlɪ] ***weep bitterly*** bitterlich weinen
biz [bɪz] *umg. für* Geschäft (*bes. in der Unterhaltungsbranche*)
blab [blæb], ***blabbed, blabbed***; *oft* ***blab out*** ausplaudern
blabbermouth ['blæbəmaʊθ] Klatschmaul, Plappermaul
black[1] [blæk] *allg.*: schwarz (*auch übertragen*); ***black man*** Schwarzer; ***beat someone black and blue*** jemanden grün und blau schlagen
black[2] [blæk] **1.** Schwarz; ***dressed in black*** schwarz *oder* in Schwarz gekleidet; ***wear black*** Trauer tragen **2.** Schwarze(r)

3. ***be in the black*** *Wirtschaft*: mit Gewinn arbeiten

black out [ˌblæk'aʊt] **1.** bewusstlos werden **2.** abdunkeln, *im Krieg*: verdunkeln

black and white [ˌblæk‿ən'waɪt] **1.** schwarzweiß **2.** ***in black and white*** schwarz auf weiß, schriftlich
black-and-white [ˌblæk‿ən'waɪt] Schwarzweiß…; ***black-and-white television*** Schwarzweißfernsehen
blackberry ['blækbərɪ] Brombeere
blackbird ['blækbɜːd] Amsel
blackboard ['blækbɔːd] (Schul-, Wand)Tafel (⚠ *schwarzes Brett* = ***notice board***)
blackcurrant [ˌblæk'kʌrənt] Schwarze Johannisbeere
blacken ['blækən] **1.** schwarz machen, schwärzen **2.** schwarz werden
black eye [ˌblæk'aɪ] blaues Auge
blackhead ['blækhed] *in der Haut*: Mitesser
black hole [ˌblæk'həʊl] *Astronomie*: schwarzes Loch
black ice [ˌblæk'aɪs] Glatteis
blackjack ['blækdʒæk] *Kartenspiel*: Siebzehnundvier
blackleg ['blækleg] *bes. BE* Streikbrecher
blackmail[1] ['blækmeɪl] Erpressung
blackmail[2] ['blækmeɪl] erpressen
blackmailer ['blækmeɪlə] Erpresser(in)
black market [ˌblæk'mɑːkɪt] schwarzer Markt, Schwarzmarkt
blackout ['blækaʊt] **1.** *medizinisch*: Ohnmacht(sanfall), Black-out **2.** *in Straße, Stadt*: Stromausfall **3.** *Theater usw.*: Black-out **4.** ***news blackout*** Nachrichtensperre
black pudding [ˌblæk'pʊdɪŋ] Blutwurst
blacksmith ['blæksmɪθ] (Huf)Schmied
bladder ['blædə] *im Körper*: Blase
blade [bleɪd] **1.** Klinge (*eines Messers usw.*) **2.** *Technik*: Blatt (*einer Säge, eines Ruders usw.*) **3.** *Technik*: Flügel (*eines Propellers*), Schaufel (*einer Turbine usw.*) **4.** *Pflanze*: Halm; ***blade of grass*** Grashalm
blader ['bleɪdə] *umg.* Inlineskater(in)
blah [blɑː] *umg.* Blabla, Geschwafel
blame[1] [bleɪm] **1.** ***blame someone for something*** *oder* ***blame something on someone*** jemanden für etwas verantwortlich machen, jemandem an etwas die Schuld geben; ***he's to blame for it*** er ist daran schuld; ***he has only himself to blame*** er hat es sich selbst zuzuschreiben **2.** ***I don't blame you for being angry*** *usw.* ich kann es gut verstehen, dass du verärgert *usw.* bist
blame[2] [bleɪm] Schuld; ***lay*** (*oder* ***put***) ***the blame on someone*** jemandem die Schuld geben; ***take the blame*** die Schuld auf sich nehmen
blameless ['bleɪmləs] schuldlos
blanch [blɑːntʃ] **1.** erbleichen, bleich werden (***with*** vor) **2.** *Kochen*: blanchieren (*Obst, Gemüse*)
blancmange [⚠ blə'mɒndʒ] Pudding
bland [blænd] *Geschmack, Verhalten usw.*: neutral, unaufdringlich
blank[1] [blæŋk] **1.** leer, unbeschrieben; ***leave blank*** frei lassen **2.** ***blank cheque*** Blankoscheck **3.** ***blank CD*** (CD-)Rohling **4.** *Gesicht usw.*: ausdruckslos **5.** ***look blank*** verdutzt aussehen
blank[2] [blæŋk] **1.** freier Raum, Lücke **2.** Platzpatrone **3.** *Verlosung*: Niete
blank cartridge [ˌblæŋk'kɑːtrɪdʒ] Platzpatrone
blanket[1] ['blæŋkɪt] Decke, *im engeren Sinn*: Bettdecke; ***blanket of snow*** Schneedecke
blanket[2] ['blæŋkɪt] umfassend, Pauschal…
blare [bleə] (*Radio usw.*) plärren, (*Trompete*) schmettern
blarney ['blɑːnɪ] Schmeichelei, Beschwatzung
blast[1] [blɑːst] **1.** *von Wind*: Windstoß **2.** *von Sprengstoff*: Explosion, Detonation **3.** Druckwelle (*einer Explosion*) **4.** (***at***) ***full blast*** auf Hochtouren (*laufen oder arbeiten*)
blast[2] [blɑːst] **1.** sprengen **2.** ***blasted weather!*** *salopp* verdammtes Wetter!; ***blast it*** (***all***)***!*** *salopp* verdammt (nochmal)!
blast-off ['blɑːstɒf] Start (*einer Rakete*)
blatant ['bleɪtənt] *Ungerechtigkeit, Fehler usw.*: offenkundig, eklatant
blather ['blæðə] *umg.* quatschen
blaze[1] [bleɪz] **1.** (lodernde) Flamme **2.** ***blaze of colour*** Farbenpracht
blaze[2] [bleɪz] **1.** (*Feuer*) lodern **2.** leuchten, glühen (***with*** vor) (*auch übertragen*)

blaze up [ˌbleɪz'ʌp] **1.** aufflammen, auflodern **2.** *vor Wut*: aufbrausen

blazer ['bleɪzə] Blazer
blazing ['bleɪzɪŋ] glühend; ***blazing hot*** glühend heiß; ***in the blazing sun*** in der prallen Sonne
bleach[1] [bliːtʃ] bleichen
bleach[2] [bliːtʃ] Bleichmittel
bleak [bliːk] **1.** *Gegend usw.*: öde **2.** *Wetter usw.*: rau **3.** *Dasein usw.*: trostlos **4.** *Aussichten*: düster

bleary ['blɪərɪ] *Augen*: verschlafen
bleary-eyed [ˌblɪərɪ'aɪd] verschlafen, mit verschlafenen Augen
bleat [bliːt] (*Schaf*) blöken, (*Ziege*) meckern
bled [bled] *2. und 3. Form von* → ***bleed***
bleed [bliːd], ***bled*** [bled], ***bled*** [bled] bluten; ***bleed to death*** verbluten
bleeding ['bliːdɪŋ] *BE, salopp* verdammt, verflucht
bleep[1] [bliːp] Piepton
bleep[2] [bliːp] **1.** (*Gerät*) piepen **2.** anpiepsen (*Arzt usw.*)
bleeper ['bliːpə] Piepser (*Funkrufempfänger*)
blemish [⚠ 'blemɪʃ] *übertragen* Makel
blend[1] [blend] **1.** vermengen, (ver)mischen **2.** *bei Tee usw.*: eine Mischung zusammenstellen aus **3.** sich vermischen (***with*** mit), gut passen (***with*** zu) (⚠ *nicht* ***blenden***)
blend[2] [blend] *Tee usw.*: Mischung
blender ['blendə] *Küchenmaschine*: Mixer
bless [bles], ***blessed, blessed*** **1.** segnen (*auch übertragen*) **2.** ***be blessed with*** gesegnet sein mit **3.** ***bless you!*** Gesundheit!
blessed [⚠ 'blesɪd] **1.** gesegnet, selig; ***the Blessed Virgin*** die Heilige Jungfrau **2.** *umg.* verwünscht, verflixt
blessing ['blesɪŋ] Segen (*auch übertragen*)
blether ['bleðə] *umg.* quatschen
blew [bluː] *2. Form von* → ***blow***[1]
blight[1] [blaɪt] schädlicher Einfluss
blight[2] [blaɪt] zunichte machen, zerstören; ***blight someone's life*** jemandem das Leben vergällen
blimey ['blaɪmɪ] *BE, salopp* verdammt!
blind[1] [blaɪnd] **1.** blind (*auch übertragen* ***to*** gegenüber; ***with*** vor); ***blind in one eye*** auf einem Auge blind **2.** *Kurve usw.*: unübersichtlich **3.** ***turn a blind eye*** ein Auge zudrücken (***to*** bei) **4.** ***the blind*** *Pl.* die Blinden
blind[2] [blaɪnd] **1.** blenden **2.** *übertragen* blind machen (***to*** für, gegen)
blind[3] [blaɪnd] **1.** Rollo, Rouleau **2.** Jalousie
blind alley [ˌblaɪnd'ælɪ] Sackgasse (*auch übertragen*)
blindfold[1] ['blaɪndfəʊld] Augenbinde
blindfold[2] ['blaɪndfəʊld] ***blindfold someone*** jemandem die Augen verbinden
blink [blɪŋk] **1.** blinzeln, (mit den Augen) zwinkern **2.** *AE* (*Licht*) blinken
blinkers ['blɪŋkəz] *Pl.* **1.** Scheuklappen **2.** *AE*; *Auto*: Blinker *Pl.*
blinking ['blɪŋkɪŋ] *BE, umg.* verdammt
bliss [blɪs] (das) Glück, (die) Glückseligkeit
blissful ['blɪsfl] (glück)selig
blister ['blɪstə] *auf der Haut*: Blase
blithering ['blɪðərɪŋ] ***blithering idiot*** *BE, umg.* Vollidiot(in)
blizzard ['blɪzəd] Schneesturm
bloated ['bləʊtɪd] *Gesicht usw.*: aufgedunsen
blob [blɒb] Klecks
block[1] [blɒk] **1.** *aus Holz, Stein usw.*: Block, Klotz **2.** Baustein, (Bau)Klötzchen (*für Kinder*) **3.** ***block*** **(*of flats*)** *BE* Wohnhaus **4.** *bes. AE* (Häuser)Block **5.** *übertragen* Block, Gruppe
block[2] [blɒk] **1.** *auch* ***block up*** blockieren, verstopfen **2.** *Wirtschaft*: sperren (*Konto*)
blockade[1] [blɒ'keɪd] Blockade
blockade[2] [blɒ'keɪd] blockieren
blockage ['blɒkɪdʒ] **1.** *in Rohrleitung usw.*: Verstopfung **2.** *übertragen* Engpass
blockbuster[1] ['blɒkˌbʌstə] Sensationshit, Knüller
blockbuster[2] ['blɒkˌbʌstə] ***blockbuster movie*** Kinoknüller; ***blockbuster novel*** Erfolgsroman
blockhead ['blɒkhed] *umg.* Trottel
block letters [ˌblɒk'letəz] *Pl.* Blockschrift
bloke [bləʊk] *BE, umg.* Kerl
blond [blɒnd] blond
blonde[1] [blɒnd] blond
blonde[2] [blɒnd] Blondine

blonde

Das Adjektiv **blond** wird meist für einen Mann verwendet (**he's blond**), während sich **blonde** als Adjektiv und Substantiv auf eine Frau bezieht (**Her hair is naturally blonde**; **I met a beautiful blonde last night**).

blood [blʌd] **1.** Blut (*auch übertragen*); ***blood relation*** Blutsverwandte(r) **2.** Geblüt, Abstammung
blood-and-thunder [ˌblʌdən'θʌndə] ***blood-and-thunder novel*** *BE* Reißer
blood count ['blʌd‿kaʊnt] *medizinisch*: Blutbild
bloodcurdling ['blʌdˌkɜːdlɪŋ] grauenhaft, Grauen erregend
blood donor ['blʌdˌdəʊnə] Blutspender(-in)
blood group ['blʌd‿gruːp] *BE*; *medizinisch*: Blutgruppe
bloodshed ['blʌdʃed] Blutvergießen
bloodshot ['blʌdʃɒt] *Augen*: rot, blutunterlaufen
blood sugar ['blʌdˌʃʊgə] *medizinisch*: Blutzucker
blood vessel ['blʌdˌvesl] Blutgefäß

bloody ['blʌdɪ] **1.** *Messer, Schlacht usw.*: blutig **2.** *BE, salopp* verdammt, verflucht
bloom[1] [blu:m] Blüte
bloom[2] [blu:m] blühen (*auch übertragen*)
blooming ['blu:mɪŋ] **1.** blühend (*auch übertragen*) **2.** *umg.* verflixt
blossom[1] ['blɒsəm] **1.** Blüte; ***be in full blossom*** in voller Blüte stehen **2.** *übertragen* Blüte, Blütezeit
blossom[2] ['blɒsəm] blühen (*auch übertragen*)
blot[1] [blɒt] **1.** Klecks **2.** *übertragen* Makel, Fleck
blot[2] [blɒt], ***blotted, blotted*** **1.** mit Tinte beklecksen **2.** (ab)löschen (*mit Löschpapier*)
blotch [blɒtʃ] *auf der Haut*: Fleck
blotter ['blɒtə] *AE* Kladde
blotting paper ['blɒtɪŋˌpeɪpə] Löschpapier
blouse [⚠ blaʊz] Bluse
blow[1] [bləʊ], ***blew*** [blu:], ***blown*** [bləʊn] **1.** (*Wind*) blasen, wehen **2.** blasen (*Suppe usw.*) **3.** (*Pfiff usw.*) ertönen **4.** (*Sicherung*) durchbrennen **5.** ***blow one's nose*** sich schnäuzen **6.** *salopp* verpulvern (*Geld*) (***on*** für) **7.** *salopp* vergeben (*Chance*); ***I blew it*** ich hab's vermasselt

blow away [ˌbləʊ‿ə'weɪ] wegblasen
blow down [ˌbləʊ'daʊn] umwehen
blow in [ˌbləʊ'ɪn] *umg.* (*Besucher*) hereinschneien
blow off [ˌbləʊ'ɒf] wegblasen
blow out [ˌbləʊ'aʊt] ausblasen (*Kerze usw.*)
blow up [ˌbləʊ'ʌp] **1.** (in die Luft) sprengen **2.** explodieren (*auch übertragen Person*) **3.** aufblasen, aufpumpen **4.** vergrößern (*Foto*) **5.** *übertragen* aufbauschen (***into*** zu) **6.** (*Sturm usw.*) losbrechen, *übertragen* (*Streit usw.*) ausbrechen

blow[2] [bləʊ] **1.** Schlag, Stoß; ***come to blows*** handgreiflich werden **2.** *übertragen* Schlag, Schicksalsschlag
blow-dry ['bləʊdraɪ] ***blow-dry someone's hair*** jemandem die Haare föhnen
blow dryer ['bləʊˌdraɪə] Haartrockner
blown [bləʊn] *3. Form von* → ***blow***[1]
blowout ['bləʊaʊt] *Auto*: Reifenpanne
blow-up ['bləʊʌp] **1.** *Foto*: Vergrößerung **2.** *umg.* Krach, Streit
blowy ['bləʊɪ] windig
blubber ['blʌbə] flennen, heulen
bludgeon ['blʌdʒən] **1.** niederknüppeln **2.** ***bludgeon someone into doing something*** jemanden zwingen, etwas zu tun

blue[1] [blu:] **1.** blau **2.** *umg.* melancholisch, traurig
blue[2] [blu:] **1.** Blau; ***dressed in blue*** blau *oder* in Blau gekleidet **2.** ***out of the blue*** *übertragen* aus heiterem Himmel
blueberry ['blu:bərɪ] Blaubeere, Heidelbeere
blue cheese [ˌblu:'tʃi:z] Edelpilzkäse
blue-collar [ˌblu:'kɒlə] ***blue-collar worker*** Arbeiter (*im Gegensatz zu Büroangestellten usw.*)

blue-collar worker

Blue-collar worker heißt der Fabrikarbeiter nach dem blauen Arbeitsanzug, den er bei der Arbeit trägt. **White-collar worker** heißt dagegen der/die Büroangestellte nach dem weißen Kragen, der traditionell zur Bürokleidung gehörte.

blue movie [ˌblu:'mu:vɪ] Pornofilm
blueprint ['blu:prɪnt] **1.** *technisch*: Blaupause **2.** *übertragen* Plan, Entwurf
blues [blu:z] *Pl.* **1.** ***have the blues*** *umg.* niedergeschlagen sein, seinen Moralischen haben **2.** (*auch mit Sg. konstruiert*) *Musik*: Blues
bluff[1] [blʌf] bluffen
bluff[2] [blʌf] Bluff
bluish ['blu:ɪʃ] bläulich
blunder[1] ['blʌndə] (grober) Fehler
blunder[2] ['blʌndə] einen (groben) Fehler machen
blunt[1] [blʌnt] **1.** *Messer, Stift usw.*: stumpf **2.** *übertragen* offen, schonungslos; ☞ ***bluntly***
blunt[2] [blʌnt] stumpf machen, abstumpfen (*auch übertragen* ***to*** gegen)
bluntly ['blʌntlɪ] freiheraus; ***to put it bluntly*** um es ganz offen zu sagen; ***refuse bluntly*** glatt ablehnen
blur [blɜ:], ***blurred, blurred*** verwischen (*auch übertragen*), verschmieren (*Schrift usw.*)
blurb [blɜ:b] Informationstext, *auf Buchumschlag*: Klappentext
blurred [blɜ:d] **1.** *Schrift*: verschmiert **2.** *Foto*: verwackelt

blurt out [ˌblɜ:t'aʊt] herausplatzen mit (*einer Neuigkeit usw.*)

blush [blʌʃ] erröten, rot werden
blusher ['blʌʃə] *Schminke*: Rouge
boar [bɔ:] Eber, *Wildschwein*: Keiler
board[1] [bɔ:d] **1.** Brett **2.** …brett; ***notice board*** schwarzes Brett; ***chessboard***

Schachbrett **3.** (Wand)Tafel **4.** Kost, Verpflegung; ***board and lodging*** Unterkunft und Verpflegung **5.** Ausschuss, Kommission; ***board of examiners*** Prüfungskommission **6.** ***on board*** an Bord (*eines Schiffs*, *Flugzeugs*), im Zug *oder* Bus; ***on board*** (***a***) ***ship*** an Bord eines Schiffs **7.** (dicke) Pappe

board[2] [bɔːd] **1.** dielen, täfeln **2.** *Schiff, Flugzeug*: an Bord gehen **3.** einsteigen in (*ein Flugzeug, Schiff, einen Zug*)

boarder ['bɔːdə] **1.** *BE* Internatsschüler (-in) **2.** Pensionsgast

board game ['bɔːd‿geɪm] Brettspiel

boarding house ['bɔːdɪŋ‿haʊs] Pension

boarding pass ['bɔːdɪŋ‿pɑːs] Bordkarte

boarding school ['bɔːdɪŋ‿skuːl] Internat

boast [bəʊst] prahlen (***of, about*** mit)

boaster ['bəʊstə] Prahler(in)

boastful ['bəʊstfl] prahlerisch

boat [bəʊt] Boot, *größer*: Schiff

University Boat Race

Das **University Boat Race** ist ein traditionelles Bootsrennen von zwei Achtern, das jedes Jahr im März oder April auf einer ca. 7 Kilometer langen Strecke der Themse in London zwischen den Universitäten Oxford und Cambridge ausgetragen wird. Der spannende Wettkampf wird international im Fernsehen übertragen.

boat people ['bəʊtˌpiːpl] *Pl.* Bootsflüchtlinge *Pl.*

boat train ['bəʊt‿treɪn] Zug mit Schiffsanschluss

bob [bɒb], ***bobbed, bobbed*** **1.** (*Boot usw.*) sich auf und ab bewegen **2.** *als höfliche Begrüßung*: knicksen

> **bob up** [ˌbɒb'ʌp] (plötzlich) auftauchen (*auch übertragen*)

bobbin ['bɒbɪn] *von Nähmaschine usw.*: Spule

bobby ['bɒbɪ] *BE, umg., veraltet* (≈ *Polizist*) Bobby

bobcat ['bɒbkæt] *in USA*: Luchs

bobsled ['bɒbsled], **bobsleigh** [⚠ 'bɒbsleɪ] *Sport*: Bob

bodily ['bɒdɪlɪ] körperlich; ***bodily harm*** *Recht*: Körperverletzung

body ['bɒdɪ] **1.** Körper, Leib; ☞ *Illu S. 97* **2.** *im engeren Sinn*: Rumpf **3.** (***dead***) ***body*** Leiche **4.** *Auto*: Karosserie **5.** Körperschaft, Gruppe, Gremium **6.** *Physik usw.*: Körper; ***celestial*** *oder* ***heavenly body*** Himmelskörper

body double ['bɒdɪˌdʌbl] *Double, das einen Star in Stunt- oder Sexszenen vertritt*

bodyguard ['bɒdɪgɑːd] **1.** Leibwächter **2.** Leibgarde, Leibwache

body language ['bɒdɪˌlæŋgwɪdʒ] (die) Körpersprache

bodywork ['bɒdɪwɜːk] *Auto*: Karosserie

bog [bɒg] **1.** Sumpf, Moor **2.** *BE, salopp* Klo

> **bog down** [ˌbɒg'daʊn] ***bogged down, bogged down***; ***be*** (*oder* ***get***) ***bogged down*** stecken bleiben (*auch übertragen*)

bogeyman ['bəʊgɪmæn] *Kinderschreck*: schwarzer Mann

boggle ['bɒgl] fassungslos sein; ***the mind boggles at the thought*** es wird einem schwindlig bei dem Gedanken

boggy ['bɒgɪ] sumpfig, morastig

bogus ['bəʊgəs] **1.** falsch, unecht **2.** Schwindel…, Schein…

boil[1] [bɔɪl] **1.** (*Wasser usw.*) kochen, sieden **2.** kochen (lassen) (*Wasser usw.*) **3.** *übertragen* (*Person*) kochen (***with rage*** vor Wut)

> **boil away** [ˌbɔɪl‿ə'weɪ] **1.** vor sich hin kochen **2.** verdampfen
> **boil down** [ˌbɔɪl'daʊn] **1.** einkochen **2.** *übertragen* zusammenfassen (***to a few sentences*** in ein paar Sätzen)
> **boil down to** [ˌbɔɪl'daʊn‿tə] *übertragen* hinauslaufen auf
> **boil over** [ˌbɔɪl'əʊvə] **1.** (*Milch usw.*) überkochen, überlaufen **2.** (*Situation usw.*) sich auswachsen (***into*** zu)

boil[2] [bɔɪl] ***bring to the boil*** zum Kochen bringen

boil[3] [bɔɪl] *medizinisch*: Furunkel

boiler ['bɔɪlə] **1.** *Technik*: Dampfkessel **2.** Boiler, Heißwasserspeicher

boiler suit ['bɔɪlə‿suːt] Overall

boiling hot [ˌbɔɪlɪŋ'hɒt] kochend heiß

boiling point ['bɔɪlɪŋ‿pɔɪnt] Siedepunkt (*auch übertragen*); ***reach boiling point*** den Siedepunkt erreichen

boisterous ['bɔɪstərəs] *Person, Party usw.*: ausgelassen, wild

bold [bəʊld] **1.** *Person, Tat usw.*: kühn, mutig **2.** *abwertend* dreist **3.** *Umrisse usw.*: scharf hervortretend **4.** ***bold type*** Fettdruck

Bolivia [bə'lɪvɪə] Bolivien

bolster[1] ['bəʊlstə] Nackenrolle (⚠ *nicht* ***Polster***)
bolster[2] ['bəʊlstə] *mst.* ***bolster up*** *übertragen* unterstützen
bolt[1] [bəʊlt] **1.** *Technik*: Bolzen, Schraube **2.** *Technik*: Riegel **3.** ***a bolt from the blue*** *übertragen* ein Blitz aus heiterem Himmel
bolt[2] [bəʊlt] **1.** (*Pferd*) durchgehen **2.** verriegeln, zuriegeln (*Tor, Fenster usw.*) **3.** (*Person*) sausen **4.** *oft* ***bolt down*** hinunterschlingen (*Essen*)
bolt[3] [bəʊlt] ***he made a bolt for the door*** er machte einen Satz zur Tür
bolt[4] [bəʊlt] ***bolt upright*** kerzengerade
bomb[1] [⚠ bɒm] Bombe; ***bomb attack*** Bombenanschlag
bomb[2] [⚠ bɒm] bombardieren
bombard [bɒm'bɑːd] beschießen, bombardieren (*auch übertragen* ***with*** mit)
bombastic [bɒm'bæstɪk] *abwertend* aufgeblasen
bombed [⚠ bɒmd] *salopp* **1.** besoffen **2.** (≈ *im Drogenrausch*) high
bombshell [⚠ 'bɒmʃel] ***it came as a bombshell*** es schlug ein wie eine Bombe
bomb threat [⚠ 'bɒm‿θret] Bombendrohung
bonanza [bə'nænzə] *übertragen* Goldgrube
bond [bɒnd] **1.** *zwischen Personen*: Bindung **2.** ***the bonds of love*** die Bande der Liebe **3.** *Wirtschaft*: Schuldverschreibung, Obligation
bone[1] [bəʊn] **1.** Knochen; ***bones*** *Pl.* Gebeine **2.** (Fisch)Gräte **3.** ***feel something in one's bones*** etwas in den Knochen spüren **4.** ***I've still got a bone to pick with him*** mit ihm habe ich noch ein Hühnchen zu rupfen **5.** ***frozen to the bone*** völlig durchgefroren
bone[2] [bəʊn] entbeinen (*Fleisch usw.*), entgräten (*Fisch*)

> **bone up** [ˌbəʊn'ʌp] ***bone up on something*** *umg.* etwas pauken *oder* büffeln

boneshaker ['bəʊnˌʃeɪkə] *BE, humorvoll*; *altes Auto usw.*: Klapperkasten
bonfire ['bɒnˌfaɪə] **1.** Freudenfeuer **2.** Feuer im Freien (*zum Unkrautverbrennen usw.*)
Bonfire Night ['bɒnˌfaɪə‿naɪt] *BE Feierlichkeiten, Feuerwerk usw. zum Gedenken an die Pulververschwörung vom 5. November 1605*; ☞ ***Gunpowder Plot***

> ### Bonfire Night
> Eine andere Bezeichnung für **Guy Fawkes Night** am 5. November. An diesem Abend feiern vor allem Kinder mit Freudenfeuern und Feuerwerk. Geschichtlicher Hintergrund ist die Vereitelung der katholischen Pulververschwörung gegen die britische Regierung im Jahr 1605, an der Guy Fawkes beteiligt war.

bonk[1] [bɒŋk] **1.** *BE, salopp* bumsen (*Sex mit jemandem haben*) **2.** ***bonk one's head*** sich am Kopf schlagen
bonk[2] [bɒŋk] **1.** ***give someone a bonk on the head*** *umg.* jemanden am Kopf schlagen **2.** ***have a bonk*** *BE, salopp* bumsen
bonkers ['bɒŋkəz] *BE, salopp* verrückt
bonnet ['bɒnɪt] **1.** *BE*; *Auto*: Motorhaube **2.** Haube (*für Baby*)
bonus ['bəʊnəs] **1.** *Wirtschaft*: Bonus, Prämie **2.** Gratifikation
bony ['bəʊnɪ] knochendürr
boo[1] [buː] Buh(ruf)
boo[2] [buː] **1.** buhen **2.** ausbuhen (*Redner usw.*)
boob[1] [buːb] *BE, salopp* Schnitzer
boob[2] [buːb] *BE, salopp* einen Schnitzer machen
boobs [buːbz] *salopp* Titten
book[1] [bʊk] **1.** Buch; ***the good Book*** die Bibel; ***a closed book*** *übertragen* ein Buch mit sieben Siegeln (***to*** für) **2.** Heft; ***exercise book*** Schreibheft, Schulheft **3.** Heft(chen); ***book of tickets*** Fahrscheinheft **4.** ***that's cheating in my book*** *übertragen* für mich ist das Betrug
book[2] [bʊk] **1.** bestellen (*Zimmer, Platz usw.*), buchen (*Reise usw.*) **2.** sich vormerken lassen (*für eine Fahrt usw.*) **3.** verpflichten, engagieren (*Künstler usw.*) **4.** aufschreiben (*Verkehrssünder usw.*), *Sport*: verwarnen

> **book in** [ˌbʊk'ɪn] *bes. BE* sich eintragen (*im Hotel*); ***book in at*** absteigen in
> **book up** [ˌbʊk'ʌp] ***booked up*** *Künstler, Hotel*: ausgebucht

bookcase ['bʊk‿keɪs] Bücherschrank
bookend ['bʊkend] Buchstütze
booking ['bʊkɪŋ] Buchung, (Vor)Bestellung; ***make a*** (***firm***) ***booking*** (fest) buchen
booking office ['bʊkɪŋˌɒfɪs] **1.** (Fahrkarten)Schalter **2.** *Theater usw.*: Kasse, Vorverkaufsstelle

bookkeeping ['bʊkˌkiːpɪŋ] *Wirtschaft*: Buchhaltung, Buchführung
booklet ['bʊklət] Broschüre, Bändchen
bookmaker ['bʊkˌmeɪkə] *im Wettbüro*: Buchmacher
bookmark ['bʊkmɑːk] Lesezeichen, Textmarke
bookmobile ['bʊkməʊˌbiːl] *AE* Bücherbus
books [bʊks] *Wirtschaft*: Geschäftsbücher
bookseller ['bʊkˌselə] Buchhändler(in)
bookshelf ['bʊkʃelf] *Pl.*: ***bookshelves*** ['bʊkʃelvz] Bücherbord, Bücherbrett; ***bookshelves*** *auch* Bücherregal
bookshop ['bʊkʃɒp] Buchhandlung
bookstall ['bʊkstɔːl] **1.** *auf dem Flohmarkt usw.*: Bücherstand **2.** *BE* Zeitungskiosk, Zeitungsstand
bookstore ['bʊkstɔː] *AE* Buchhandlung
book token ['bʊkˌtəʊkən] Buchgutschein
bookworm ['bʊkwɜːm] Bücherwurm
boom[1] [buːm] **1.** (*Stimme usw.*) dröhnen **2.** (*Geschütz*) donnern
boom[2] [buːm] *Wirtschaft* **1.** Boom, Aufschwung **2.** Hochkonjunktur
boom[3] [buːm] *Wirtschaft*: einen Boom erleben, boomen
boom[4] [buːm] **1.** Dröhnen **2.** Donnern (*von Geschützen*) **3.** Brausen (*der Wellen*)
boomerang ['buːməræŋ] Bumerang (*auch übertragen*)
boon [buːn] *übertragen* Segen (***to*** für)
boorish ['bʊərɪʃ] ungehobelt
boost[1] [buːst] **1.** *umg.* in die Höhe treiben (*Preise*) **2.** *umg.* Auftrieb geben **3.** ankurbeln (*Produktion usw.*) **4.** *Elektrotechnik*: verstärken (*Spannung*)
boost[2] [buːst] *umg.* Auftrieb; ***give someone a boost*** jemanden aufmöbeln
booster ['buːstə] **1.** *auch* ***booster shot*** Wiederholungsimpfung **2.** *auch* ***booster rocket*** Zusatzrakete **3.** Zündstufe (*einer Rakete*)
boot[1] [buːt] **1.** Stiefel **2.** ***get the boot*** *salopp* gefeuert werden **3.** *BE*; *Auto*: Kofferraum (⚠ *Boot* = ***boat***); ☞ *AE* ***trunk***
boot[2] [buːt] **1.** *umg.* einen (Fuß)Tritt geben **2.** *auch* ***boot up*** *Computer*: booten, laden
booth [buːð] **1.** (Markt)Bude **2.** ***phone booth*** Telefonzelle **3.** ***polling*** *oder* ***voting booth*** Wahlkabine
bootlace ['buːtleɪs] Schnürsenkel
bootleg ['buːtleg] *Musik*: illegaler Mitschnitt von Konzerten
booze[1] [buːz] *umg.* Alkohol (*Getränk*)
booze[2] [buːz] *umg.* (≈ *sich betrinken*) saufen
booze-up ['buːzʌp] *BE*, *salopp* Besäufnis
border[1] ['bɔːdə] **1.** (Gebiets-, Landes-) Grenze **2.** Rand **3.** Einfassung, Umrandung
border[2] ['bɔːdə] **1.** einfassen (*Beet usw.*) **2.** begrenzen, grenzen (an)
borderline ['bɔːdəlaɪn] **1.** *übertragen* Grenze; ***borderline case*** Grenzfall **2.** Grenzlinie
bore[1] [bɔː] *2. Form von* → ***bear***[2]
bore[2] [bɔː] **1.** *Person*: Langweiler **2.** langweilige Sache, *bes. BE* lästige Sache
bore[3] [bɔː] langweilen, *bes. BE* lästig sein; ☞ ***bored***
bore[4] [bɔː] bohren
bored [bɔːd] ***be bored*** sich langweilen; ***be bored stiff*** *umg.* sich zu Tode langweilen
boredom ['bɔːdəm] Langeweile
boring ['bɔːrɪŋ] langweilig, Ⓐ fad
born [bɔːn] geboren (*auch übertragen*)
borne [bɔːn] *3. Form von* → ***bear***[2]
borough [⚠ 'bʌrə] **1.** *BE*; *Verwaltungseinheit*: Stadt, Stadtteil, städtischer Wahlbezirk **2.** *AE*; *Verwaltungseinheit*: Stadtteil
borrow ['bɒrəʊ] (sich) (aus)borgen *oder* leihen (***from*** von) (⚠ *jemandem etwas borgen* = ***lend***)
Bosnia ['bɒznɪə] Bosnien
bosom [⚠ 'bʊzəm] Busen (*auch übertragen*)
boss [bɒs] *umg.* Chef(in), Boss

boss about *oder* **around** [ˌbɒs‿ə'baʊt *oder* ə'raʊnd] *umg.* herumkommandieren

bossy ['bɒsɪ] *umg.* herrisch
botanical [bə'tænɪkl] ***botanical garden*** *oder* ***gardens*** *Pl.* botanischer Garten
botany [⚠ 'bɒtənɪ] (die) Botanik
botch[1] [bɒtʃ] *bes. BE*, *umg.*, *auch* ***botched job*** Pfusch, Pfuscharbeit
botch[2] [bɒtʃ] *umg.* **1.** *auch* ***botch up*** verpfuschen **2.** (≈ *schlecht arbeiten*) pfuschen
both[1] [bəʊθ] beide, beides; ***both (of) my brothers*** meine beiden Brüder; ***both of them*** alle beide
both[2] [bəʊθ] ***both … and …*** sowohl … als auch …
bother[1] ['bɒðə] **1.** belästigen, stören; ***stop bothering me!*** lass mich in Ruhe! **2.** ***I can't be bothered*** ich habe keine Lust (***to do something*** etwas zu tun) **3.** ***he doesn't bother about his family*** er kümmert sich nicht um seine Familie
bother[2] ['bɒðə] Schwierigkeiten, Ärger; ***I'm in a spot of bother*** ich habe Schwierigkeiten
bottle[1] ['bɒtl] Flasche

bottle[2] ['bɒtl] in Flaschen abfüllen
bottle bank ['bɒtl‿bæŋk] *BE* Altglascontainer
bottleneck ['bɒtlnek] Engpass (*einer Straße*) (*auch übertragen*)
bottle opener ['bɒtlˌəʊpənə] Flaschenöffner
bottom[1] ['bɒtəm] **1.** Boden (*eines Gefäßes usw.*), Fuß (*eines Bergs usw.*); ***from the bottom of one's heart*** aus tiefstem Herzen **2.** unteres Ende (*einer Seite usw.*), Ende (*einer Straße usw.*); ***at the bottom of the street*** am Ende der Straße **3.** Unterseite (*eines Gegenstandes*) **4.** *umg.* Hintern, Po **5.** Boden, Grund; ***bottom of the sea*** Meeresboden, Meeresgrund **6.** ***get to the bottom of something*** einer Sache auf den Grund gehen *oder* kommen
bottom[2] ['bɒtəm] unterste(r, -s); ***bottom line*** letzte Zeile
bough [⚠ baʊ] Ast, Zweig
bought [bɔːt] *2. und 3. Form von* → **buy**[1]
boulder ['bəʊldə] Felsblock
bounce[1] [baʊns] **1.** (*Ball usw.*) aufprallen, (auf)springen **2.** aufspringen lassen (*Ball*) **3.** hüpfen, springen (***over*** über) **4.** *umg.* (*Scheck*) platzen

> **bounce off** [ˌbaʊns'ɒf] abprallen (von)

bounce[2] [baʊns] **1.** Sprung, Satz (*eines Balls*) **2.** *von Ball*: Sprungkraft **3.** *umg.*; *von Person*: Schwung
bouncer ['baʊnsə] *umg.*; *in der Bar usw.*: Rausschmeißer
bouncing ['baʊnsɪŋ] ***a bouncing baby*** ein strammer Säugling
bouncy castle ['baʊnsɪˌkɑːsl] *für Kinder*: Hüpfburg
bound[1] [baʊnd] *2. und 3. Form von* → **bind**
bound[2] [baʊnd] ***be bound to do something*** etwas bestimmt tun; ***it's bound to rain*** es wird bestimmt regnen
bound[3] [baʊnd] hüpfen, springen
bound[4] [baʊnd] ***bound for*** unterwegs nach
boundary ['baʊndərɪ] Grenze
boundless ['baʊndləs] grenzenlos (*auch übertragen*)
bounds [baʊndz] *Pl.* **1.** Grenze, *übertragen auch* Schranke; ***keep something within bounds*** etwas in (vernünftigen) Grenzen halten **2.** ***out of bounds*** Zutritt verboten
bountiful ['baʊntɪfl] *literarisch* **1.** *Ernte usw.*: reichlich **2.** *Person*: freigebig
bounty ['baʊntɪ] **1.** Prämie, Belohnung (*bes. Kopfgeld*) **2.** *literarisch*: Freigebigkeit
bouquet [bʊ'keɪ] Bukett, (Blumen)Strauß
bourgeois [⚠ 'bʊəʒwɑː] *mst. abwertend* (spieß)bürgerlich, spießig
bout [⚠ baʊt] **1.** *medizinisch*: Anfall **2.** (Box-, Ring)Kampf
boutique [buː'tiːk] Boutique
bow[1] [⚠ baʊ] **1.** sich verbeugen (***to*** vor) **2.** beugen, neigen (*Kopf*)
bow[2] [⚠ baʊ] Verbeugung
bow[3] [bəʊ] **1.** *Waffe*: Bogen **2.** *Musik*: Bogen (*für Violine usw.*) **3.** Schleife
bow[4] [⚠ baʊ] *Schiff*: Bug
bowel [⚠ 'baʊəl] *Körper*: Darm; ***bowels*** *Pl. auch* Eingeweide
bowl[1] [bəʊl] **1.** Schüssel, *für Obst usw.*: Schale; ***sugar bowl*** Zuckerdose **2.** Napf (*für Tiere usw.*)
bowl[2] [bəʊl] *Bowling*, *Kegeln*: Kugel
bow-legged [ˌbəʊ'legɪd] o-beinig
bowler ['bəʊlə] *auch* **bowler hat** *bes. BE* Bowler, Melone
bowling ['bəʊlɪŋ] Bowling, Kegeln
bowling alley ['bəʊlɪŋˌælɪ] Bowlingbahn, Kegelbahn
bow tie [ˌbəʊ'taɪ] *Schleife*: Fliege
bow-wow **1.** ['baʊwaʊ] (≈ *Hund*) Wauwau **2.** [ˌbaʊ'waʊ] wauwau!
box[1] [bɒks] **1.** *aus Holz*, *Karton*: Kasten, Kiste **2.** *aus Pappe*: Schachtel; ***box of chocolates*** Schachtel Pralinen **3.** *aus Blech usw.*: Büchse, Dose, Kästchen **4.** *Technik*: Gehäuse **5.** ***phone box*** *BE* (Telefon)Zelle **6.** *Theater usw.*: Loge **7.** ***witness box*** *Recht*: Zeugenstand **8.** *für Pferd*, *Auto*: Box **9.** *umg.* Kasten (*Fernseher*), Fernsehen; ***on the box*** im Fernsehen

> **box in** *oder* **up** [ˌbɒks'ɪn *oder* 'ʌp] einschließen, einsperren; ***I feel boxed in*** *übertragen* ich fühle mich eingeengt

box[2] [bɒks] **1.** *Sport*: boxen (mit *oder* gegen) **2.** ***box someone's ears*** jemanden ohrfeigen
box[3] [bɒks] ***box on the ears*** Ohrfeige
boxcar ['bɒkskɑː] *AE* Güterwagen
boxer ['bɒksə] **1.** *Sport*: Boxer(in) **2.** *Hund*: Boxer
boxing ['bɒksɪŋ] Boxen, Boxsport
Boxing Day ['bɒksɪŋ‿deɪ] *BE* der 2. Weihnachts(feier)tag; ☞ *Info S. 74*
boxing gloves ['bɒksɪŋ‿glʌvz] *Pl.* Boxhandschuhe
boxing match ['bɒksɪŋ‿mætʃ] Boxkampf
box number ['bɒksˌnʌmbə] Chiffre(nummer)
box office ['bɒksˌɒfɪs] *Theater usw.*: Kasse

Boxing Day

Boxing Day wird der 2. Weihnachtstag genannt, weil es früher an diesem Tag Tradition war, dem Hauspersonal sowie Lieferanten als kleine Aufmerksamkeit so genannte **Christmas boxes** zu schenken.

box-office ['bɒksˌɒfɪs] ***box-office hit*** *Theater usw.*: Kassenerfolg, Kassenschlager
boy [bɔɪ] Junge (*auch umg. Sohn*), Knabe
boycott[1] ['bɔɪkɒt] boykottieren
boycott[2] ['bɔɪkɒt] Boykott
boyfriend ['bɔɪfrend] Freund (*eines Mädchens*)
boyhood ['bɔɪhʊd] *eines Mannes*: Jugendzeit, Kindheit
boyish ['bɔɪɪʃ] **1.** jungenhaft **2.** *Frau*: knabenhaft
boy scout [ˌbɒɪ'skaʊt] Pfadfinder
bra [brɑː] *umg.* BH (*Büstenhalter*)
brace[1] [breɪs] **1.** *BE*; *für Zähne*: (Zahn-)Spange **2.** *Technik*: Strebe
brace[2] [breɪs] ***brace oneself for*** *übertragen* sich gefasst machen auf
bracelet ['breɪslət] Armband
braces ['breɪsɪz] *Pl.* **1.** *BE* Hosenträger **2.** *bes. AE* Zahnspange
bracket[1] ['brækɪt] **1.** *Mathematik*, *Schreiben*: Klammer; ***in brackets*** in Klammern; ***round*** (*bzw.* ***square***) ***brackets*** runde (*bzw.* eckige) Klammern **2.** ***age bracket*** Altersgruppe; ***tax bracket*** Steuerklasse **3.** *Technik*: Träger, Stütze
bracket[2] ['brækɪt] einklammern
brag [bræg], ***bragged, bragged*** prahlen (***about, of*** mit)
braggart ['brægət] Prahler(in), Angeber (-in)
braid[1] [breɪd] *bes. AE* flechten (*Haar usw.*)
braid[2] [breɪd] *bes. AE* Zopf
brain [breɪn] **1.** *Körper*: Gehirn **2.** *oft* ***brains*** *Pl. übertragen* Verstand; ***rack one's brains*** sich den Kopf zerbrechen **3.** ***he's got brains*** er hat Köpfchen
brainless ['breɪnləs] hirnlos, geistlos
brainteaser ['breɪnˌtiːzə] *umg.* schwieriges Rätsel
brainwash ['breɪnwɒʃ] ***brainwash someone*** jemanden einer Gehirnwäsche unterziehen
brainwave ['breɪnweɪv] *umg.* Geistesblitz
brainworker ['breɪnˌwɜːkə] Geistesarbeiter(in), Kopfarbeiter(in)
brainy ['breɪnɪ] *umg.* schlau, gescheit
braise [breɪz] *Kochen*: schmoren
brake[1] [breɪk] *Technik*: Bremse
brake[2] [breɪk] bremsen
bramble ['bræmbl] **1.** Brombeerstrauch **2.** Brombeere
bran [bræn] *aus Getreide*: Kleie
branch[1] [brɑːntʃ] **1.** Ast, Zweig **2.** *übertragen* Zweig, Linie (*einer Familie*) **3.** *übertragen* Zweig, Sparte (*einer Wissenschaft usw.*) **4.** *Wirtschaft*: Zweigstelle, Filiale, (CH) Ablage
branch[2] [brɑːntʃ] sich verzweigen

branch off [ˌbrɑːntʃ'ɒf] **1.** *Auto*: abbiegen **2.** *Straße*: abzweigen

brand [brænd] **1.** *Waren*: Marke, Sorte **2.** Brandzeichen (⚠ *nicht* ***Brand***)
brand name ['brænd‿neɪm] Markenname
brand-new [ˌbrænd'njuː] (funkel)nagelneu
brandy ['brændɪ] Weinbrand
brash [bræʃ] **1.** frech, unverfroren **2.** *Musik*, *Farben usw.*: aufdringlich
brass [brɑːs] **1.** Messing **2.** ***the brass*** *Musik*: das Blech (*im Orchester*), die Blechbläser **3.** *BE*, *umg.* Knete (*Geld*)
brass band [ˌbrɑːs'bænd] Blaskapelle

brass band

Brass bands (Blaskapellen) sind in ganz Großbritannien, aber besonders in den Industriegegenden Nordenglands beliebt. Hauptsächlich aus Blechbläsern bestehend, stammten die meisten dieser Kapellen aus den Belegschaften von (ehemaligen) Kohlebergwerken und Fabriken.

brassed off [ˌbrɑːst'ɒf] ***be brassed off with someone*** *oder* ***something*** *umg.* von jemandem *oder* etwas die Nase voll haben
brassiere [⚠ 'bræzɪə] Büstenhalter
brassy ['brɑːsɪ] **1.** messingfarben **2.** *Klang*: blechern **3.** *umg.* frech
brat [bræt] *abwertend* Balg, Gör
brave[1] [breɪv] tapfer, mutig (⚠ *nicht* ***brav***)
brave[2] [breɪv] trotzen (*Sturm usw.*)
bravery ['breɪvərɪ] Tapferkeit, Mut
bravo[1] [ˌbrɑː'vəʊ] bravo!
bravo[2] [ˌbrɑː'vəʊ] *Pl.*: ***bravos*** Bravo(ruf)
brawl[1] [brɔːl] Rauferei, Schlägerei
brawl[2] [brɔːl] raufen, sich schlagen
brawn [brɔːn] Muskeln *Pl.*, Muskelkraft
brawny ['brɔːnɪ] muskulös
bray [breɪ] (*Esel*) schreien
brazen ['breɪzn] *übertragen* unverschämt, unverfroren

Brazil [brə'zɪl] Brasilien
Brazilian[1] [brə'zɪlɪən] brasilianisch
Brazilian[2] [brə'zɪlɪən] *Sprache*: Brasilianisch
Brazilian[3] [brə'zɪlɪən] Brasilianer(in)
breach [briːtʃ] *übertragen* Bruch, Verletzung; ***breach of confidence*** Vertrauensbruch
bread [bred] **1.** Brot (*auch Lebensunterhalt*); (***a piece of***) ***bread and butter*** (ein) Butterbrot; ***earn one's*** (***daily***) ***bread*** sein Brot verdienen **2.** *salopp* Knete (*Geld*)
bread bin ['bred‿bɪn] Brotkasten
breadcrumb [⚠ 'bredkrʌm] Brotkrümel; ***breadcrumbs*** *Pl. auch* Paniermehl
breadth [bredθ] Breite; ***measure ten yards in breadth*** 10 Yards breit sein
breadwinner ['bred,wɪnə] Ernährer (*einer Familie*)
break[1] [breɪk], ***broke*** [brəʊk], ***broken*** ['brəʊkən] **1.** (ab-, auf)brechen, (zer)brechen; ***break one's arm*** sich den Arm brechen **2.** zerschlagen, kaputtmachen (*Gegenstand*) **3.** ***break the law*** das Gesetz brechen **4.** (*Gegenstand*) (zer)brechen, (zer)reißen, kaputtgehen **5.** (*Wetter*) umschlagen **6.** (*Tag*) anbrechen **7.** brechen (*Vertrag usw.*) **8.** knacken, entschlüsseln (*Kode usw.*) **9.** ***break the*** (***bad***) ***news gently to someone*** jemandem die schlechte Nachricht schonend beibringen

break away [,breɪk‿ə'weɪ] **1.** sich losreißen **2.** abbrechen (***from*** von) **3.** *übertragen* sich lossagen *oder* trennen (***from*** von)
break down [,breɪk'daʊn] **1.** zusammenbrechen (*auch übertragen*) **2.** (*Auto*) eine Panne haben **3.** (*Verhandlungen usw.*) scheitern
break in [,breɪk'ɪn] **1.** einbrechen **2.** ***break in on*** unterbrechen (*Gespräch*) **3.** zureiten (*Pferd*) **4.** einlaufen (*Schuhe*)
break into ['breɪk‿ɪntə] einbrechen in (*ein Haus usw.*)
break off [,breɪk'ɒf] **1.** (*Ast usw.*) abbrechen **2.** abbrechen (*Verhandlungen usw.*), (auf)lösen (*Verlobung*)
break out [,breɪk'aʊt] (*Gefangener, Krieg usw.*) ausbrechen
break through [,breɪk'θruː] durchbrechen
break up [,breɪk'ʌp] **1.** (*Eis usw.*) aufbrechen **2.** *BE* (*Schule, Schüler*) aufhören (*wegen Ferien*); ***we break up for Christmas in a fortnight*** in zwei Wochen beginnen die Weihnachtsferien **3.** aufheben (*Sitzung usw.*), auflösen (*Versammlung*) **4.** (*Sitzung usw.*) aufgehoben werden, (*Versammlung*) sich auflösen **5.** (*Ehe usw.*) zerbrechen **6.** (*Ehepaar usw.*) sich trennen

break[2] [breɪk] **1.** Pause, Unterbrechung; ***without a break*** ohne Unterbrechung; ***have*** (*oder* ***take***) ***a break*** Pause machen **2.** Bruch(stelle) **3.** *übertragen* Bruch (***from, with*** mit) **4.** ***at the break of day*** bei Tagesanbruch
breakable ['breɪkəbl] zerbrechlich
breakaway group ['breɪkəweɪ‿gruːp] Splittergruppe
breakdown ['breɪkdaʊn] **1.** *Auto*: Panne; ***breakdown service*** *BE* Pannendienst **2.** Zusammenbruch (*auch übertragen*); ***nervous breakdown*** Nervenzusammenbruch
breakfast[1] [⚠ 'brekfəst] Frühstück, (CH) Morgenessen; ***have breakfast*** frühstücken; ***breakfast TV*** Frühstücksfernsehen; ☞ *Illu S. 196*

breakfast

Das traditionelle englische Frühstück ist vom Aussterben bedroht: Welche (meist berufstätige) Mutter hat morgens noch die Zeit, für die Familie Eier, Würstchen, Schinkenspeck, Tomaten, Pilze und anderes mehr in der Pfanne zu brutzeln – es sei denn am Wochenende!? Das zwar schmackhafte, aber fetttriefende **English** bzw. **cooked breakfast** [,kʊkt'brekfəst] wird natürlich noch in Hotels und Pensionen oft gegen Aufpreis angeboten, aber zu Hause gibt es meist **cornflakes** oder **muesli** ['mjuːzlɪ], gefolgt von **toast** mit Marmelade.

Übrigens: Ein **continental breakfast** in einem Hotel oder einer Pension besteht meist aus Brötchen bzw. Croissants mit Butter und Marmelade.

⚠ **marmalade** ['mɑːməleɪd] = Orangen- bzw. Zitronenkonfitüre

⚠ Marmelade = **jam**

☞ **At the Breakfast Table – Am Frühstückstisch** *S. 196*

breakfast[2] [⚠ 'brekfəst] frühstücken, (CH) zu Morgen essen
break-in ['breɪkɪn] Einbruch (*in ein Haus*)
breakneck ['breɪknek] ***at breakneck speed*** mit halsbrecherischer Geschwindigkeit

breakout ['breɪkaʊt] Ausbruch
breakthrough ['breɪkθruː] *übertragen* Durchbruch
breakup ['breɪkʌp] **1.** *von Ehe*: Scheitern **2.** *von Freundschaft*: Bruch **3.** *eines Reichs usw.*: Zerfall
breast [⚠ brest] *allg.*: Brust
breastfeed ['brestfiːd], ***breastfed*** ['brestfed], ***breastfed*** ['brestfed] stillen (*Baby*)
breast pocket [ˌbrest'pɒkɪt] Brusttasche
breaststroke ['brest‿strəʊk] *Sport*: Brustschwimmen
breath [⚠ breθ] **1.** Atem(zug); ***in the same breath*** im gleichen Atemzug; ***be out of breath*** außer Atem sein; ***get one's breath back*** wieder zu Atem kommen **2.** *übertragen* Hauch **3.** *auch* ***breath of air*** Lufthauch
breathe [⚠ briːð] **1.** atmen **2.** flüstern
breather ['briːðə] *umg.* Atempause; ***have*** (*oder* ***take***) ***a breather*** verschnaufen
breathing ['briːðɪŋ] Atmen, Atmung; ***breathing space*** Atempause
breathless [⚠ 'breθləs] atemlos (*auch übertragen*)
breathtaking ['breθˌteɪkɪŋ] atemberaubend
breath test ['breθ‿test] *für Autofahrer*: Alkoholtest
bred [bred] *2. und 3. Form von* → ***breed***[1]
breeches [⚠ 'brɪtʃɪz] *Pl.* (***a pair of*** eine) Kniebundhose, Reithose
breed[1] [briːd], ***bred*** [bred], ***bred*** [bred] **1.** züchten (*Tiere*, *Pflanzen*) **2.** (*Tiere*) sich fortpflanzen **3.** *übertragen* verursachen
breed[2] [briːd] **1.** Rasse, Zucht **2.** Art, (Menschen)Schlag
breeder ['briːdə] **1.** Züchter(in) **2.** *Physik*: Brüter
breeding ['briːdɪŋ] **1.** Fortpflanzung (*von Tieren*) **2.** Züchtung, Zucht (*von Tieren*) **3.** (***good***) ***breeding*** eine (gute) Erziehung
breeze [briːz] Brise

breeze in [ˌbriːz'ɪn] *umg.* (*Person*) hereinschneien

breezy ['briːzɪ] **1.** *Wetter usw.*: windig **2.** *Person*: heiter, unbeschwert
brethren [⚠ 'breðrən] *Pl. von* → ***brother*** 2
brew[1] [bruː] **1.** brauen (*Bier*) **2.** zubereiten (*Tee usw.*) **3.** (*Tee*) ziehen **4.** ***there's trouble brewing*** es gibt bald Ärger **5.** (*Gewitter*, *Unheil*) sich zusammenbrauen
brew[2] [bruː] Gebräu
brewery ['bruːərɪ] Brauerei
bribe[1] [braɪb] bestechen
bribe[2] [braɪb] Bestechungsgeld
bribery ['braɪbərɪ] Bestechung
bric-a-brac ['brɪkəbræk] Krimskrams
brick [brɪk] **1.** Ziegel(stein), Backstein **2.** *BE*; *für Kinder*: Baustein, (Bau)Klötzchen; ***box of bricks*** Baukasten
brickie ['brɪkɪ] *BE*, *umg.* Maurer(in)
bricklayer ['brɪkˌleɪə] Maurer(in)
bridal ['braɪdl] Braut…
bride [braɪd] Braut
bridegroom ['braɪdgruːm] Bräutigam
bridesmaid ['braɪdzmeɪd] Brautjungfer
bridge[1] [brɪdʒ] **1.** Brücke **2.** *Schiff*: (Kommando)Brücke **3.** ***bridge of the nose*** *Körper*: Nasenrücken
bridge[2] [brɪdʒ] **1.** eine Brücke schlagen über **2.** *übertragen* überbrücken
bridge[3] [brɪdʒ] *Kartenspiel*: Bridge
bridle[1] ['braɪdl] Zaum(zeug)
bridle[2] ['braɪdl] **1.** (auf)zäumen (*Pferd*) **2.** im Zaum halten (*Gefühle usw.*)
bridle path ['braɪdl‿pɑːθ] Reitweg
brief[1] [briːf] **1.** kurz; ***be brief!*** fasse dich kurz! **2.** kurz angebunden (***with*** mit) **3.** ***in brief*** kurz(um)
brief[2] [briːf] instruieren
briefcase ['briːfkeɪs] Aktentasche (⚠ *Brieftasche* = ***wallet***, *AE* ***billfold***)
briefing ['briːfɪŋ] Instruktionen, Anweisungen
briefs [briːfs] *Pl.* (***a pair of*** ein) Slip (*kurze Unterhose*)
brigade [brɪ'geɪd] *militärisch*: Brigade
bright [braɪt] **1.** hell, leuchtend, strahlend **2.** *Wetter usw.*: heiter **3.** *Person*: gescheit, hell **4.** *Aussichten*: viel versprechend
brighten ['braɪtn] **1.** *auch* ***brighten up*** aufhellen (*auch übertragen*) **2.** *auch* ***brighten up*** aufheitern **3.** *auch* ***brighten up*** (*Gesicht*, *Wetter usw.*) sich aufhellen, (*Augen*) aufleuchten
brightness ['braɪtnəs] Helligkeit
brill [brɪl] *BE*, *salopp* super, toll
brilliance ['brɪljəns] **1.** Leuchten, Glanz **2.** *übertragen* Brillanz, Großartigkeit
brilliant ['brɪljənt] **1.** leuchtend, glänzend **2.** *übertragen* brillant, hervorragend
brim [brɪm] **1.** Rand (*eines Gefäßes*); ***full to the brim*** randvoll **2.** (Hut)Krempe
bring [brɪŋ], ***brought*** [brɔːt], ***brought*** [brɔːt] **1.** (her)bringen, mitbringen; ***what brings you here?*** was führt dich hierher? **2.** nach sich ziehen, bewirken **3.** (ein)bringen (*Gewinn usw.*) **4.** ***bring someone to do something*** jemanden dazu bringen, etwas zu tun; ***I can't bring myself to do it*** ich kann mich nicht dazu durchringen(, es zu tun)

Britain or the UK

Im Deutschen sagt man oft „England“, wenn man „Großbritannien“ meint. Hier die genauen Definitionen der einschlägigen Begriffe:

englische Bezeichnung	Bedeutung / deutsche Entsprechung	deutsche Erklärung
England	England	größtes Land Großbritanniens
(Great) Britain	Großbritannien; oft im Deutschen etwas ungenau auch einfach als England bezeichnet	steht für das britische „Festland“, also England, Schottland und Wales.
The United Kingdom, the UK	England, Schottland, Wales und Nordirland	*kurz für* **The United Kingdom of Great Britain and Northern Ireland** das Vereinigte Königreich (von Großbritannien und Nordirland)

Die gebräuchlichsten Ausdrücke der Alltagssprache für „Großbritannien“ sind im Englischen **Britain** und **the UK**.
England ist aber nur ein Teil von Großbritannien, und die Schotten, Waliser und Nordiren sind nach ihrem Selbstverständnis keineswegs Engländer!

bring about [ˌbrɪŋ‿ə'baʊt] verursachen (*Veränderungen usw.*)
bring along [ˌbrɪŋ‿ə'lɒŋ] mitbringen
bring back [ˌbrɪŋ'bæk] **1.** zurückbringen (*Buch usw.*) **2.** wachrufen (*Erinnerungen*) (***of*** an)
bring down [ˌbrɪŋ'daʊn] **1.** herunterbringen **2.** stürzen (*Regierung usw.*)
bring forward [ˌbrɪŋ'fɔːwəd] vorverlegen (*Versammlung usw.*) (***to*** auf)
bring in [ˌbrɪŋ'ɪn] **1.** hereinbringen **2.** einbringen (*Gesetzesvorlage usw.*)
bring off [ˌbrɪŋ'ɒf] zustande bringen
bring on [ˌbrɪŋ'ɒn] **1.** verursachen (*bes. Krankheit*) **2.** *Theater*: auftreten lassen (*Person*)
bring out [ˌbrɪŋ'aʊt] **1.** herausbringen (*auch Buch usw.*) **2.** ***it brought her out in spots*** es hat bei ihr einen Ausschlag verursacht
bring round [ˌbrɪŋ'raʊnd] **1.** vorbeibringen **2.** wieder zu sich bringen (*Ohnmächtigen*) **3.** umstimmen (*Person*)
bring through [ˌbrɪŋ'θruː] durchbringen (*einen Kranken*)
bring up [ˌbrɪŋ'ʌp] **1.** heraufbringen **2.** aufziehen, großziehen (*Kind*) **3.** erziehen **4.** zur Sprache bringen (*Thema usw.*) **5.** (≈ *sich übergeben*) (er)brechen

brink [brɪŋk] Rand (*auch übertragen*); ***on the brink of ruin*** am Rand des Ruins

brisk [brɪsk] **1.** *Schritt, Spaziergang*: flott **2.** *Luft usw.*: frisch

bristle [⚠ 'brɪsl] **1.** *von Bürste usw.*: Borste **2.** (Bart)Stoppel

bristly [⚠ 'brɪslɪ] borstig, stoppelig

Britain ['brɪtn] Großbritannien

British[1] ['brɪtɪʃ] britisch; ***the British Isles*** die Britischen Inseln; ☞ *Karte S. 293*

British Isles

The British Isles: Dazu gehören England, Schottland, Wales und Irland.

British[2] ['brɪtɪʃ] ***the British*** *Pl.* die Briten

Briton ['brɪtn] Brite, Britin (⚠ *historisch oder Zeitungssprache*)

Brittany ['brɪtənɪ] die Bretagne

brittle ['brɪtl] spröde, zerbrechlich

broach [brəʊtʃ] anschneiden (*Thema*)

broad[1] [brɔːd] **1.** *allg.*: breit; ***a broad smile*** ein breites Lächeln **2.** *Fläche, Ebene*: weit, ausgedehnt **3.** *übertragen* weit reichend; ***in the broadest sense*** im weitesten Sinne **4.** ***in broad outline*** in groben Umrissen **5.** ***broad hint*** Wink mit dem Zaunpfahl; ***in broad daylight*** am helllichten Tag **6.** *Akzent*: breit, stark

broad[2] [brɔːd] *AE, frauenfeindlich* Puppe, Mieze

broadcast[1] ['brɔːdkɑːst] *Rundfunk, TV*: Sendung, Übertragung

broadcast[2] ['brɔːdkɑːst], ***broadcast, broadcast*** **1.** senden **2.** im Rundfunk *oder* Fernsehen bringen, übertragen **3.** verbreiten (*Nachricht*), *im negativen Sinn*: ausposaunen

broadcaster ['brɔːdkɑːstə] Rundfunksprecher(in), Fernsehsprecher(in)
broadcasting[1] ['brɔːdkɑːstɪŋ] (der) Rundfunk, (das) Fernsehen; ***she works in broadcasting*** sie arbeitet für den Rundfunk *bzw.* für das Fernsehen
broadcasting[2] ['brɔːdkɑːstɪŋ] Rundfunk…, Fernseh…; ***broadcasting station*** Sender
broaden ['brɔːdn] verbreitern; ***broaden one's horizons*** seinen Horizont erweitern
broad jump ['brɔːd‿dʒʌmp] *AE*; *Leichtathletik*: Weitsprung
broadly ['brɔːdlɪ] **1.** *auch* ***broadly speaking*** allgemein (gesprochen) **2.** in groben Zügen
broad-minded [ˌbrɔːd'maɪndɪd] großzügig, tolerant

Broadway

Der **Broadway**, die längste Straße des Stadtteils Manhattan in New York, ist für seine zahlreichen Theater bekannt, an denen hauptsächlich Repertoirestücke sowie Musicals aufgeführt werden. Der Name wird auch als Sammelbegriff für die dortigen Theater und als Adjektiv benutzt: **Broadway show / musical / artist**.

broccoli ['brɒkəlɪ] (⚠ *im Sg. verwendet*) Brokkoli *Pl.*
brochure [⚠ 'brəʊʃə] Prospekt, Broschüre
brogue[1] [brəʊg] irischer Akzent
brogue[2] [brəʊg] *Herrenschuh mit Lochmuster*
broil [brɔɪl] *AE* grillen
broke[1] [brəʊk] *2. Form von* → ***break***[1]
broke[2] [brəʊk] *umg.* pleite, abgebrannt
broken[1] ['brəʊkən] *3. Form von* → ***break***[1]
broken[2] ['brəʊkən] **1.** zerbrochen, kaputt **2.** *Schlaf usw.*: unterbrochen, gestört **3.** *Bein, Versprechen usw.*: gebrochen **4.** *Ehe usw.*: zerrüttet **5.** ***a broken man*** ein gebrochener Mann **6.** ***speak broken English*** gebrochen Englisch sprechen
broker ['brəʊkə] *Wirtschaft*: Makler(in)
brokerage ['brəʊkərɪdʒ] Maklergebühr
brolly ['brɒlɪ] *BE*, *umg.* (Regen)Schirm
bronchitis [brɒŋ'kaɪtɪs] Bronchitis
bronze[1] [brɒnz] *allg.* Bronze
bronze[2] [brɒnz] **1.** bronzefarben **2.** Bronze…; ***Bronze Age*** Bronzezeitalter
bronze medal [ˌbrɒnz'medl] Bronzemedaille
bronze medallist [ˌbrɒnz'medlɪst] Bronzemedaillengewinner(in)

brooch [⚠ brəʊtʃ] Brosche
brood[1] [bruːd] Brut (*auch übertragen*)
brood[2] [bruːd] brüten (*auch übertragen* ***on, over, about*** über)
brook [brʊk] Bach
broom [bruːm] Besen
broomstick ['bruːmstɪk] Besenstiel
broth [brɒθ] (Fleisch)Brühe
brothel [⚠ 'brɒθl] Bordell
brother ['brʌðə] **1.** Bruder; ***brothers*** *Pl.* ***and sisters*** *Pl.* Geschwister; ***Smith Brothers*** *Firma*: Gebrüder Smith **2.** (*Pl.* ***brethren***) *kirchlich*: Bruder
brotherhood ['brʌðəhʊd] **1.** *kirchlich*: Bruderschaft **2.** Brüderlichkeit
brother-in-law ['brʌðərɪnlɔː] *Pl.*: ***brothers-in-law*** Schwager
brotherly ['brʌðəlɪ] brüderlich
brought [brɔːt] *2. und 3. Form von* → ***bring***
brow [⚠ braʊ] **1.** (Augen)Braue **2.** Stirn
browbeat ['braʊbiːt] ***browbeat, browbeaten*** einschüchtern; ***browbeat someone into doing something*** jemanden unter Druck setzen, bis er etwas tut
brown[1] [braʊn] braun; ***brown bread*** *etwa*: Mischbrot; ***brown paper*** Packpapier
brown[2] [braʊn] Braun; ***dressed in brown*** braun *oder* in Braun gekleidet
brown[3] [braʊn] anbräunen (*Fleisch usw.*)
brownie ['braʊnɪ] *AE* Schokoladenkeks
brownie points ['braʊnɪ‿pɔɪnts] ***earn*** *oder* ***gain brownie points*** *umg.* Pluspunkte sammeln
browse [braʊz] ***browse through a book*** in einem Buch schmökern
browser ['braʊzə] *Internet*: Browser
bruise[1] [bruːz] **1.** Quetschung, blauer Fleck **2.** Druckstelle (*auf Früchten*)
bruise[2] [bruːz] ***bruise one's leg*** *usw.* sich das Bein *usw.* quetschen
brunch [brʌntʃ] *umg.* Brunch (*spätes reichliches Frühstück*)

brunch

Brunch kennst du vielleicht schon: Das Wort wird ja inzwischen auch im Deutschen verwendet. Es ist eine Zusammenziehung aus **br**eakfast und l**unch** und wird hauptsächlich sonntags am späten Vormittag in verschiedenen Cafés, Restaurants und Hotels angeboten.

brunette [⚠ bruː'net] Brünette
brush[1] [brʌʃ] **1.** Bürste **2.** *zum Malen*: Pinsel **3.** ***give something a brush*** etwas (ab)bürsten
brush[2] [brʌʃ] **1.** bürsten; ***brush one's***

teeth sich die Zähne putzen **2.** streifen, leicht berühren

> **brush aside** [ˌbrʌʃ‿ə'saɪd] *übertragen* abtun
> **brush down** [ˌbrʌʃ'daʊn] abbürsten (*Kleidung usw.*)
> **brush off** [ˌbrʌʃ'ɒf] **1.** abbürsten (*Staub, Krümel usw.*) **2.** ***brush someone off*** *salopp* jemandem eine Abfuhr erteilen
> **brush up** [ˌbrʌʃ'ʌp] aufpolieren, auffrischen (*Kenntnisse*)

brush[3] [brʌʃ], **brushwood** ['brʌʃwʊd] Gestrüpp, Unterholz
brusque [⚠ brʊsk, bruːsk] barsch, schroff
Brussels sprouts [ˌbrʌsl(z)'spraʊts] *Pl.* Rosenkohl, Ⓐ Kohlsprossen
brutal ['bruːtl] brutal
brutality [bruː'tælətɪ] Brutalität
brute[1] [bruːt] *Person*: Scheusal
brute[2] [bruːt] ***brute force*** rohe Gewalt
BSE [ˌbiːes'iː] (*Abk. für* **B**ovine **S**pongiform **E**ncephalopathy) *Krankheit*: BSE, *umg.* Rinderwahn(sinn); ☞ ***mad cow disease***
bubble[1] ['bʌbl] (Luft)Blase; ***bubble bath*** Schaumbad
bubble[2] ['bʌbl] (*kochendes Wasser usw.*) sprudeln, (*Sekt*) perlen

> **bubble over** [ˌbʌbl'əʊvə] *übertragen* übersprudeln (***with*** vor)

buck[1] [bʌk] **1.** *Reh*: Bock, *Hase*: Rammler **2.** ***pass the buck to someone*** *umg.* jemandem den schwarzen Peter zuschieben **3.** *AE*, *umg.* Dollar

buck

Buck wird der Dollar umgangssprachlich nach dem Bock genannt, dessen Fell früher einen spanischen Dollar kostete (das war während des amerikanischen Unabhängigkeitskrieges im späten 18. Jahrhundert die gültige Währung).

buck[2] [bʌk] (*Pferd usw.*) bocken

> **buck up** [ˌbʌk'ʌp] *umg.* **1.** *BE* sich ranhalten; ***buck up!*** Kopf hoch! **2.** ***buck someone up*** jemanden aufmuntern

bucket ['bʌkɪt] **1.** Eimer, Kübel **2.** ***kick the bucket*** *salopp* (≈ *sterben*) abkratzen, ins Gras beißen, den Löffel reichen

> **bucket down** [ˌbʌkɪt'daʊn] ***it's bucketing down*** *BE*, *umg.* es gießt wie aus Kübeln

bucketful ['bʌkɪtfʊl] *ein* Eimer (voll)
buckle[1] ['bʌkl] *an Gürtel, Tasche usw.*: Schnalle, Spange
buckle[2] ['bʌkl] zuschnallen

> **buckle up** [ˌbʌkl'ʌp] **1.** zuschnallen **2.** *in Auto, Flugzeug*: sich anschnallen

bud[1] [bʌd] Knospe; ***be in bud*** knospen
bud[2] [bʌd] **1.** (*Pflanze*) knospen **2.** ***a budding poet*** ein angehender Dichter
Buddhism ['bʊdɪzm] Buddhismus
Buddhist[1] ['bʊdɪst] Buddhist
Buddhist[2] ['bʊdɪst] buddhistisch
buddy ['bʌdɪ] *bes. AE, umg.* Kumpel
budge [bʌdʒ] **1.** (⚠ *mst. verneint*) sich (von der Stelle) rühren **2.** (vom Fleck) bewegen
budgerigar [⚠ 'bʌdʒərɪgɑː] Wellensittich
budget[1] ['bʌdʒɪt] Budget, Etat
budget[2] ['bʌdʒɪt] verplanen (*Geld*), einplanen (*Kosten*)
budgie ['bʌdʒɪ] *umg.* Wellensittich
buffalo ['bʌfələʊ] *Pl.*: ***buffalos*** *oder* ***buffaloes*** Büffel
buffer ['bʌfə] *Technik*: Puffer (*auch übertragen*)
buffet [⚠ 'bʊfeɪ] **1.** Buffet, Büfett; ***cold buffet*** kaltes Buffet **2.** *AE* Anrichte
buffet car [⚠ 'bʊfeɪ‿kɑː] *im Zug*: Speisewagen
bug [bʌg] **1.** *bes. AE*; *allg.*: Insekt **2.** *umg.* Bazillus, *übertragen auch* Fieber **3.** *Ungeziefer*: Wanze (*auch umg. Minispion*) **4.** ***bugs*** *Pl. umg.* Mucken **5.** *Computer*: Programmfehler
bugbear ['bʌgbeə] Schreckgespenst
bugging operation ['bʌgɪŋ‿ɒpəˌreɪʃn] Lauschangriff
buggy ['bʌgɪ] *Kinderwagen, Auto*: Buggy
bugle [⚠ 'bjuːgl] (Wald-, Jagd)Horn
build[1] [bɪld], ***built*** [bɪlt], ***built*** [bɪlt] bauen, errichten (⚠ *bilden* = ***form, shape***)

> **build on** ['bɪld‿ɒn] **1.** *übertragen* bauen auf **2.** ***build one's hopes on*** seine Hoffnung setzen auf
> **build up** [ˌbɪld'ʌp] **1.** bebauen (*Gelände*) **2.** aufbauen (*Geschäft usw.*) **3.** *in der Presse usw.*: aufbauen (*Person*)

build[2] [bɪld] Körperbau

builder ['bɪldə] **1.** Bauunternehmer **2.** Erbauer
building[1] ['bɪldɪŋ] **1.** Gebäude **2.** (das) Bauwesen
building[2] ['bɪldɪŋ] Bau…; ***building site*** Baustelle; ***building society*** *BE* Bausparkasse
building block ['bɪldɪŋ‿blɒk] *Spielzeug*: Bauklotz
built [bɪlt] *2. und 3. Form von* → ***build***[1]
built-in ['bɪlt‿ɪn] eingebaut, Einbau…
built-up ['bɪlt‿ʌp] ***built-up area*** bebautes Gebiet, *für Autos*: geschlossene Ortschaft
bulb [bʌlb] **1.** Glühbirne **2.** *Pflanze*: Knolle, Zwiebel
Bulgaria [bʌl'geərɪə] Bulgarien
Bulgarian[1] [bʌl'geərɪən] bulgarisch
Bulgarian[2] [bʌl'geərɪən] *Sprache*: Bulgarisch
Bulgarian[3] [bʌl'geərɪən] Bulgare, Bulgarin
bulge[1] [bʌldʒ] Ausbuchtung
bulge[2] [bʌldʒ] **1.** *auch* ***bulge out*** sich (aus)bauchen, hervorquellen **2.** (*Taschen usw.*) voll gestopft sein (***with*** mit) **3.** ***bulging eyes*** Glotzaugen
bulimia [buː'lɪmɪə] Bulimie
bulimic[1] [buː'lɪmɪk] bulimisch
bulimic[2] [buː'lɪmɪk] Bulimiker(in)
bulk [bʌlk] **1.** Größe, Masse **2.** *einer Aufgabe usw.*: Umfang **3.** Großteil (*einer Arbeit usw.*), Hauptteil (*von Schulden usw.*) **4.** ***buy in bulk*** en gros kaufen
bulky ['bʌlkɪ] **1.** massig **2.** unhandlich, sperrig; ***bulky refuse*** (*oder* ***waste***) Sperrmüll
bull [⚠ bʊl] **1.** Bulle, (Zucht)Stier **2.** ***like a bull in a china shop*** wie ein Elefant im Porzellanladen
bulldog [⚠ 'bʊldɒg] Bulldogge
bulldoze ['bʊldəʊz] **1.** *mit der Planierraupe*: planieren, räumen **2.** ***bulldoze someone into doing something*** jemanden zwingen, etwas zu tun
bulldozer [⚠ 'bʊldəʊzə] Bulldozer, Planierraupe
bullet [⚠ 'bʊlɪt] *Gewehr, Pistole*: Kugel
bulletin ['bʊlətɪn] **1.** Bulletin, offizielle Bekanntmachung; ***bulletin board*** schwarzes Brett **2.** *medizinisch*: Krankenbericht **3.** *in Firma usw.*: Mitteilungsblatt
bulletproof [⚠ 'bʊlɪtpruːf] kugelsicher
bullfight ['bʊlfaɪt] Stierkampf
bullfighter ['bʊlˌfaɪtə] Stierkämpfer(in)
bullion [⚠ 'bʊlɪən] (Gold-, Silber)Barren
bullock [⚠ 'bʊlək] Ochse
bull's-eye ['bʊlzaɪ] *von Zielscheibe*: Zentrum, das Schwarze; ***hit the bull's-eye*** ins Schwarze treffen (*auch übertragen*)
bullshit ['bʊlʃɪt] ***you're talking bullshit*** *salopp* du redest Scheiß
bully[1] [⚠ 'bʊlɪ] brutaler Kerl
bully[2] [⚠ 'bʊlɪ] schikanieren, *umg.* mobben
bully[3] [⚠ 'bʊlɪ] ***bully for you!*** *ironisch*: gratuliere!
bullying [⚠ 'bʊlɪɪŋ] *umg.* Mobbing
bum[1] [bʌm] *bes. BE, umg.* Hintern
bum[2] [bʌm] *AE* Penner, Gammler

bum around [ˌbʌm‿ə'raʊnd], ***bummed around, bummed around*** *umg.* (herum)gammeln

bumbag ['bʌmbæg] *BE, umg.* Gürteltasche
bumblebee ['bʌmblbiː] Hummel
bump[1] [bʌmp] **1.** stoßen, prallen (***against, into*** gegen, an) (*gegen Wand usw.*) **2.** zusammenstoßen (***against, into*** mit) (*mit Auto usw.*) **3.** ***bump one's knee*** *usw.* ***against something*** mit dem Knie *usw.* gegen etwas rennen

bump into [ˌbʌmp'ɪntʊ] **1.** ***bump into someone*** *übertragen* jemanden zufällig treffen **2.** rammen, auffahren auf (*ein Auto usw.*)
bump off [ˌbʌmp'ɒf] *salopp* (≈ *umbringen*) umlegen

bump[2] [bʌmp] **1.** heftiger Stoß **2.** *am Körper*: Beule **3.** *Straße usw.*: Unebenheit
bumper ['bʌmpə] **1.** *Auto*: Stoßstange **2.** *AE*; *Zug usw.*: Puffer
bumper car ['bʌmpə‿kɑː] (Auto)Skooter
bumper crop ['bʌmpə‿krɒp] Rekordernte
bumptious ['bʌmpʃəs] *umg.* aufgeblasen, wichtigtuerisch
bumpy ['bʌmpɪ] **1.** holprig **2.** *Flug*: unruhig
bun [bʌn] **1.** süßes Brötchen **2.** (Haar-)Knoten **3.** ***buns*** *Pl. humorvoll* Hintern
bunch [bʌntʃ] **1.** Bündel, Bund; ***bunch of flowers*** Blumenstrauß; ***bunch of grapes*** Weintraube; ***bunch of keys*** Schlüsselbund **2.** *umg.* Verein, Haufen
bundle[1] ['bʌndl] **1.** Bündel, Bund **2.** ***a bundle of nerves*** *umg.* ein Nervenbündel
bundle[2] ['bʌndl] **1.** *oft* ***bundle up*** bündeln **2.** verfrachten (*mst. Kinder*) (***into*** in)

bundle off [ˌbʌndl'ɒf] ***bundle someone off*** jemanden eilig fortschaffen

bung [bʌŋ] *BE*, *umg.* werfen, schmeißen

bung up [ˌbʌŋ'ʌp] ***my nose is bunged up*** *BE*, *umg.* meine Nase ist verstopft

bungalow ['bʌŋgələʊ] Bungalow

bungee jumping

bungee (*oder* **bungy**) **jumping** – **Bungeejumping** [ˌbʌndʒiː'dʒʌmpɪŋ] – aus Neuseeland stammende Extremsportart; ☞ *Karte S. 296*

bungle ['bʌŋgl] verpfuschen (*Arbeit usw.*)
bunk[1] [bʌŋk] *Schiff*: Koje
bunk[2] [bʌŋk] ***do a bunk*** *BE*, *umg.* verduften
bunk bed ['bʌŋk‿bed] Etagenbett
bunker ['bʌŋkə] *militärisch*: Bunker
bunny ['bʌnɪ] Häschen
buoy [bɔɪ, *AE* 'buːɪ] *auf dem Wasser*: Boje
buoyant ['bɔɪənt] **1.** *auf dem Wasser*: schwimmend **2.** *Stimmung*: beschwingt **3.** *Handel*: rege **4.** *Schritt*: federnd
burden[1] ['bɜːdn] Last, *übertragen auch* Bürde; ***be a burden to*** (*oder* ***on***) ***someone*** jemandem zur Last fallen
burden[2] ['bɜːdn] belasten (*auch übertragen*)
burdensome ['bɜːdnsəm] lästig, beschwerlich
bureau [⚠ 'bjʊərəʊ] *Pl.*: ***bureaus*** *oder* ***bureaux*** ['bjʊərəʊz] **1.** *BE* Schreibtisch, Schreibpult **2.** *AE* Kommode (*bes. für Wäsche*) **3.** (≈ *Agentur*) Büro **4.** *von Ministerium*: Amt, Abteilung
bureaucracy [⚠ bjʊ'rɒkrəsɪ] (die) Bürokratie
burger ['bɜːgə] *umg.* Hamburger, Ⓐ Laiberl
burglar ['bɜːglə] Einbrecher
burglarize ['bɜːgləraɪz] *AE* einbrechen in
burglary ['bɜːglərɪ] Einbruch
burgle ['bɜːgl] einbrechen in; ***he was burgled*** bei ihm wurde eingebrochen
burial [⚠ 'berɪəl] Begräbnis, Beerdigung
burial ground [⚠ 'berɪəl‿graʊnd] Friedhof
burn[1] [bɜːn], ***burnt*** [bɜːnt], ***burnt*** [bɜːnt] *oder* ***burned, burned*** **1.** *allg.*: (*Feuer, Licht, Haus, Wunde usw.*) brennen **2.** verbrennen; ***his house was burnt*** sein Haus brannte ab; ***burn a hole in something*** ein Loch in etwas brennen **3.** (*Speise usw.*) verbrennen, anbrennen **4.** verbrennen, anbrennen lassen (*Speise*) **5.** ***burn a CD*** eine CD brennen **6.** *übertragen* brennen (***with*** vor); ***burning with anger*** wutentbrannt; ***be burning to do something*** darauf brennen, etwas zu tun

burn down [ˌbɜːn'daʊn] abbrennen, niederbrennen

burn[2] [bɜːn] **1.** verbrannte Stelle **2.** *medizinisch*: Verbrennung, Brandwunde
burner ['bɜːnə] *von Heizung*: Brenner
burning ['bɜːnɪŋ] brennend (*auch übertragen*); ***burning sensation*** *medizinisch*: Brennen

Burns' Night

Am 25. Januar feiern die Schotten in aller Welt den Geburtstag ihres Nationaldichters **Robert ("Rabbie") Burns** (1759 – 96). Dazu wird **haggis** mit Kartoffelbrei und Pastinaken gegessen, es werden eine Auswahl seiner Gedichte vorgetragen, meist gibt es einen Dudelsackspieler, und nach dem Essen wird getanzt.

burnt [bɜːnt] *2. und 3. Form von* → ***burn***[1]
burp [bɜːp] *umg.* aufstoßen
burr [bɜː] *Pflanze*: Klette
burrow[1] [⚠ 'bʌrəʊ] Bau (*eines Hasen usw.*)
burrow[2] [⚠ 'bʌrəʊ] (*Tier*) graben
burst [bɜːst], ***burst, burst*** **1.** (*Luftballon usw.*) (zer)platzen **2.** (*Wunde usw.*) aufplatzen **3.** (auf)sprengen, zum Platzen bringen; ***the car burst a tyre*** ein Reifen am Wagen platzte **4.** ***be bursting with pride*** *übertragen* vor Stolz platzen

burst into ['bɜːst‿ɪntə] **1.** ***burst into tears*** in Tränen ausbrechen **2.** ***burst into flames*** in Flammen aufgehen
burst open [ˌbɜːst'əʊpən] (*Wunde usw.*) aufplatzen, (*Tür usw.*) aufspringen
burst out [ˌbɜːst'aʊt] *übertragen* herausplatzen; ***burst out laughing*** (*bzw.* ***crying***) in Gelächter (*bzw.* Tränen) ausbrechen

bury ['berɪ] **1.** *allg.*: begraben, beerdigen (*auch übertragen*) **2.** vergraben, eingraben (*Schatz, Knochen usw.*) **3.** (*Lawine usw.*) verschütten
bus [bʌs] *Pl.*: ***buses*** *oder AE* ***busses*** Bus; ***bus driver*** Busfahrer(in); ***bus stop*** Bushaltestelle
bush [⚠ bʊʃ] **1.** Busch, Strauch **2.** *Gebiet in Afrika usw.*: Busch
bushy [⚠ 'bʊʃɪ] *Schwanz usw.*: buschig

business ['bɪznəs] **1.** Beruf, Geschäft; ***on business*** geschäftlich, beruflich **2.** *Wirtschaft*: (das) Geschäft, Geschäftsgang; ***how's business?*** wie gehen die Geschäfte? **3.** *Wirtschaft*: Betrieb, Geschäft **4.** (die) Arbeit; ***business before pleasure*** erst die Arbeit, dann das Vergnügen **5.** Angelegenheit, Sache; ***get down to business*** zur Sache kommen; ***that's none of your business*** das geht dich gar nichts an **6.** Aufgabe; ***make it one's business to do something*** es sich zur Aufgabe machen etwas zu tun **7.** Recht; ***have no business doing something*** kein Recht haben etwas zu tun
business hours ['bɪznəs‿aʊəz] *Pl.* Geschäftsstunden, Geschäftszeit
business letter ['bɪznəsˌletə] Geschäftsbrief
businesslike ['bɪznəslaɪk] sachlich, nüchtern
businessman ['bɪznəsmæn] *Pl.*: ***businessmen*** ['bɪznəsmen] Geschäftsmann, Unternehmer
businesswoman ['bɪznəsˌwʊmən] *Pl.*: ***businesswomen*** ['bɪznəsˌwɪmɪn] Geschäftsfrau, Unternehmerin
busker ['bʌskə] *BE* Straßenmusikant(in)
bus service ['bʌsˌsɜːvɪs] Busverbindung
bus station ['bʌsˌsteɪʃn] Busbahnhof
bus stop ['bʌs‿stɒp] Bushaltestelle
bust[1] [bʌst] **1.** Büste **2.** *Körper*: Büste, Busen; ***bust size*** Oberweite (*eines Kleides*)
bust[2] [bʌst] ***bust, bust*** *oder AE, umg.* ***busted, busted*** **1.** *umg.* kaputtmachen **2.** *AE, umg.* (*Ballon usw.*) platzen
bust[3] [bʌst] *umg.* **1.** kaputt **2.** *Firma usw.*: pleite; ***go bust*** Pleite gehen
bustle[1] [⚠ 'bʌsl] **1.** *auch* ***bustle about*** (*oder* ***around***) geschäftig hin und her eilen **2.** ***the streets were bustling with life*** auf den Straßen herrschte geschäftiges Treiben
bustle[2] [⚠ 'bʌsl] geschäftiges Treiben
bustling [⚠ 'bʌslɪŋ] **1.** *Straße usw.*: belebt **2.** *Person*: geschäftig
busy[1] ['bɪzɪ] **1.** beschäftigt; ***be busy doing something*** damit beschäftigt sein etwas zu tun; ***are you busy?*** hast du gerade Zeit? **2.** *Straße usw.*: belebt **3.** *Tag usw.*: arbeitsreich **4.** *bes. AE*; *Telefon*: besetzt; ***busy signal*** Besetztzeichen
busy[2] ['bɪzɪ] ***busy oneself*** sich beschäftigen (***with*** mit)
busybody ['bɪzɪˌbɒdɪ] *jemand, der sich in alles einmischt*
but[1] [bət, bʌt] **1.** aber, jedoch; ***but then*** (***again***) andererseits **2.** sondern; ***not only ... but also ...*** nicht nur …, sondern auch … **3.** als, außer; ***he had no alternative but to pay*** ihm blieb nichts anderes übrig als zu zahlen **4.** ***but for*** ohne; ***but for my parents*** wenn meine Eltern nicht (gewesen) wären
but[2] [bət, bʌt] **1.** außer; ***nothing but*** nichts als, nur; ***the last but one*** der Vorletzte **2.** ***all but*** fast, beinahe
butch [⚠ bʊtʃ] maskulin
butcher[1] [⚠ 'bʊtʃə] Fleischer(in), Metzger(in), Ⓐ Fleischhauer(in); ***at the butcher's*** beim Fleischer; ***butcher's shop*** Fleischerei, Metzgerei
butcher[2] [⚠ 'bʊtʃə] abschlachten, niedermetzeln
butler ['bʌtlə] Butler
butt[1] [bʌt] *übertragen* Zielscheibe
butt[2] [bʌt] **1.** *Zigarette usw.*: Stummel **2.** *AE*, *umg.* Hintern

> **butt in** [ˌbʌt'ɪn] ***butt in*** (***on***) *umg.* unterbrechen, sich einmischen (in)

butter[1] ['bʌtə] Butter
butter[2] ['bʌtə] mit Butter bestreichen

> **butter up** [ˌbʌtər'ʌp] ***butter someone up*** *umg.* jemandem schmeicheln, jemandem Honig ums Maul schmieren

butter dish ['bʌtə‿dɪʃ] Butterdose
butterfly ['bʌtəflaɪ] **1.** Schmetterling **2.** *auch* ***butterfly stroke*** *Schwimmen*: Schmetterlingsstil **3.** ***have butterflies in one's stomach*** *umg.* ein flaues Gefühl im Magen haben
buttocks ['bʌtəks] *Pl. Körper*: Gesäß
button[1] ['bʌtn] *allg.*: Knopf
button[2] ['bʌtn] *mst.* ***button up*** zuknöpfen
buttonhole ['bʌtnhəʊl] Knopfloch
buxom ['bʌksəm] *Frau*: drall, üppig
buy[1] [baɪ], ***bought*** [bɔːt], ***bought*** [bɔːt] **1.** kaufen (***off, from*** von; ***at*** bei); ***buy something from someone*** jemandem etwas abkaufen **2.** lösen (*Fahrkarte usw.*) **3.** *umg.* glauben; ***I won't buy that!*** das kauf ich dir *usw.* nicht ab!

> **buy in** ['baɪ‿ɪn] ***buy in something*** *BE* sich mit etwas eindecken
> **buy off** [ˌbaɪ'ɒf] ***buy someone off*** jemanden kaufen *oder* bestechen
> **buy out** [ˌbaɪ'aʊt] **1.** aufkaufen (*Firma*) **2.** abfinden, auszahlen (*Teilhaber*)
> **buy up** [ˌbaɪ'ʌp] aufkaufen (*Grund und Boden usw.*)

buy[2] [baɪ] *umg.* Kauf; ***a good buy*** ein guter Kauf
buyer ['baɪə] Käufer(in)
buzz [bʌz] **1.** summen, surren **2.** ***give someone a buzz*** *umg.* jemanden anrufen

buzz off [ˌbʌz'ɒf] ***buzz off!*** *umg.* hau ab!

buzzard ['bʌzəd] **1.** Bussard **2.** *AE* Geier
buzzword ['bʌzwɜːd] Modewort
by[1] [baɪ] **1.** *örtlich*: (nahe) bei *oder* an, neben; ***side by side*** Seite an Seite **2.** vorbei an, an … entlang **3.** *Verkehrsmittel*: per, mit **4.** *zeitlich*: bis (spätestens); ***be here by 4.30*** sei (spätestens) um 4 Uhr 30 hier; ***by now*** mittlerweile **5.** *Tageszeit*: während, bei; ***by day*** bei Tag **6.** *Menge*: …weise; ***by the pound*** pfundweise **7.** nach, gemäß; ***it's half past ten by my watch*** nach *oder* auf meiner Uhr ist es halb elf **8.** von; ***by nature*** von Natur (aus) **9.** mithilfe von, durch; ***by listening*** durch Zuhören **10.** *Größenverhältnisse*: um; (***too***) ***short by an inch*** um einen Zoll zu kurz **11.** *Mathematik*: mal; ***6*** (***multiplied***) ***by 5 is 30*** 6 mal 5 ist 30 **12.** *Mathematik*: durch; ***20 divided by 5 is 4*** 20 (geteilt) durch 5 ist 4 **13.** *Fläche usw.*: ***4 metres by 5*** 4 Meter auf *oder* mal 5 Meter **14.** ***all by myself*** *usw.* ganz allein
by[2] [baɪ] **1.** vorbei, vorüber; ***go by*** vorbeigehen **2.** ***by and large*** im Großen und Ganzen
bye [baɪ], **bye-bye** [ˌbaɪ'baɪ] *umg.* Wiedersehen!, Tschüs!, *bes.* Ⓐ Servus!
bye-byes ['baɪbaɪz] ***go*** (***to***) ***bye-byes*** *Kindersprache*: in die Heia gehen
bygone[1] ['baɪgɒn] ***bygone days*** (längst) vergangene Tage
bygone[2] ['baɪgɒn] ***let bygones be bygones*** lass(t) das Vergangene ruhen
bypass ['baɪpɑːs] **1.** Umgehungsstraße, Ⓐ Umfahrung(sstraße) **2.** *medizinisch*: Bypass
by-product ['baɪˌprɒdʌkt] Nebenprodukt
bystander ['baɪˌstændə] Zuschauer(in)
byte [baɪt] *Computer*: Byte
byword ['baɪwɜːd] ***be a byword for*** stehen für, gleichbedeutend sein mit

C

cab [kæb] **1.** Taxi, Taxe **2.** *Zug*: Führerstand, *Lkw*: Fahrerhaus, Führerhaus
cabaret ['kæbəreɪ] *auch* ***cabaret show*** Varieteedarbietungen (*in einem Restaurant oder Nachtklub*)
cabbage ['kæbɪdʒ] Kohl
cabbie, **cabby** ['kæbɪ] *umg.* Taxifahrer(in)
cabdriver ['kæbˌdraɪvə] *bes. AE* Taxifahrer(in)
cabin ['kæbɪn] **1.** *Schiff*: Kabine, Kajüte **2.** *Flugzeug*: Kabine (*auch einer Seilbahn usw.*) **3.** Häuschen, Hütte
cabinet ['kæbɪnət] **1.** Vitrine **2.** *Büro usw.*: Schrank **3.** *oft* ***Cabinet*** *Politik*: Kabinett
cabinet-maker ['kæbɪnətˌmeɪkə] (Kunst-) Tischler(in), Möbelschreiner(in)
cable[1] ['keɪbl] **1.** Kabel (*auch für Elektrik*), (Draht)Seil **2.** Telegramm
cable[2] ['keɪbl] telegrafieren
cable car ['keɪbl‿kɑː] **1.** Drahtseilbahn **2.** Straßenbahn
cable television [ˌkeɪbl'telɪvɪʒn], **cable TV** [ˌkeɪbl‿tiː'viː] Kabelfernsehen
cab rank ['kæb‿ræŋk], *AE* **cabstand** ['kæbstænd] Taxistand
cache[1] [kæʃ] **1.** Versteck, geheimes Lager **2.** *Computer*: Cache-Speicher
cache[2] [kæʃ] verstecken
cackle ['kækl] **1.** (*Huhn*) gackern, (*Gans*) schnattern **2.** *übertragen* gackernd lachen
cactus ['kæktəs] *Pl.*: ***cactuses*** *oder* ***cacti*** ['kæktaɪ] Kaktus
caddy ['kædɪ] (Tee)Büchse, (Tee)Dose
cadet [kə'det] *militärisch*: Kadett
cadge [kædʒ] *umg.* erbetteln, abstauben, schnorren (***from*** bei, von)
cadger ['kædʒə] Schnorrer(in)
caesarean [⚠ sɪ'zeərɪən], **caesarean section** [sɪˌzeərɪən'sekʃn] *medizinisch*: Kaiserschnitt
café ['kæfeɪ] Café, kleines Restaurant, Ⓐ Kaffeehaus
cafeteria [ˌkæfə'tɪərɪə] Cafeteria, Kantine
caffeine [⚠ 'kæfiːn] *in Kaffee, Tee*: Koffein
cage[1] [keɪdʒ] **1.** Käfig **2.** Kabine (*eines Aufzugs*), *Bergwerk*: Förderkorb

C

cage[2] [keɪdʒ] in einen Käfig sperren, einsperren
cagey ['keɪdʒɪ] *umg.* verschlossen, vorsichtig
cajole [kə'dʒəʊl] **1.** schmeicheln **2.** ***cajole someone into doing something*** jemanden beschwatzen, etwas zu tun **3.** ***cajole something out of someone*** jemandem etwas abbetteln
cake [keɪk] **1.** Kuchen, Torte; ***cake tin*** *BE* Kuchenform; ***go*** (*oder* ***sell***) ***like hot cakes*** weggehen wie die warmen Semmeln; ***you can't 'have your cake and 'eat it*** du kannst nur eines von beiden haben **2.** *Seife*: Stück

cakes

cake	Kuchen
crumpet ['krʌmpɪt]	*kleiner Pfannkuchen, der getoastet und mit Butter (und Marmelade) gegessen wird*
Danish (pastry ['peɪstrɪ])	Plunderstück (*süßes Blätterteiggebäck*)
flan	(Obst)Torte
gateau ['gætəʊ]	Sahnetorte
pie	1. *meist gedeckter* Obstkuchen 2. Pastete
scone [skɒn]	*kleiner, brotähnlicher Kuchen, der mit Butter bzw. extra dicker Sahne und Marmelade gegessen wird*
Swiss roll	Biskuitrolle
tart	1. Obstkuchen 2. Mürbeteigkuchen mit Marmeladen- oder Cremefüllung

⚠ „Keks" heißt auf Englisch **biscuit** bzw. *AE* **cookie/cooky.**

calamity [kə'læmɪtɪ] Katastrophe
calculable ['kælkjʊləbl] *Kosten, Menge usw.*: berechenbar
calculate ['kælkjʊleɪt] **1.** berechnen, ausrechnen (*Kosten usw.*) **2.** kalkulieren (*Preise usw.*), abwägen (*Chancen usw.*) **3.** *AE, umg.* vermuten, glauben (***that*** dass)
calculated ['kælkjʊleɪtɪd] **1.** *Handlung*: gewollt, beabsichtigt **2.** *Risiko*: kalkuliert
calculating ['kælkjʊleɪtɪŋ] berechnend
calculation [ˌkælkjʊ'leɪʃn] *mathematisch*: Berechnung (*auch übertragen*), Kalkulation
calculator ['kælkjʊleɪtə] (Taschen)Rechner
calendar ['kæləndə] **1.** Kalender **2.** *übertragen* Zeitrechnung
calf[1] [kɑːf] *Pl.*: ***calves*** [kɑːvz] **1.** Kalb **2.** Kalbsleder
calf[2] [kɑːf] *Pl.*: ***calves*** [kɑːvz] *Körper*: Wade
calibre, *AE* **caliber** ['kæləbə] **1.** Kaliber **2.** *übertragen* Format (*eines Menschen*)

cake

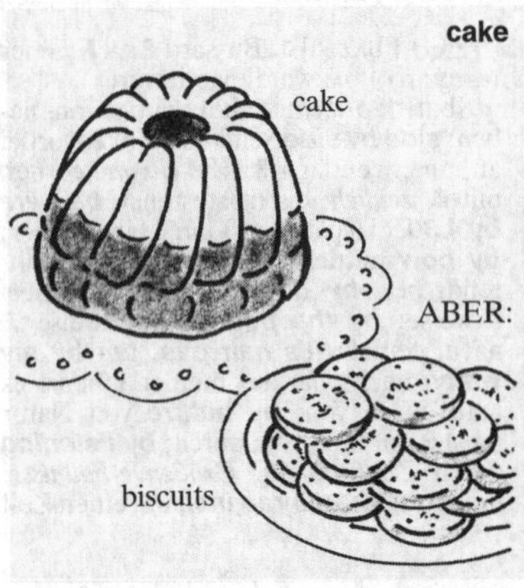

call[1] [kɔːl] **1.** *allg.*: rufen (*auch übertragen*); ***duty calls*** die Pflicht ruft **2.** anrufen, telefonieren **3.** rufen, kommen lassen (*Arzt usw.*) **4.** aufrufen zu (*einem Streik usw.*) **5.** einberufen (*Versammlung usw.*) **6.** wecken; ***please call me at 8 o'clock!*** weck mich bitte um 8 Uhr! **7.** nennen, bezeichnen (als); ***be called*** heißen; ***what do you call this?*** wie nennt man das?, wie heißt das? **8.** finden, halten für; ***I call that stupid*** ich halte das für dumm

call at ['kɔːl‿æt] **1.** (*Schiff*) anlaufen (*Hafen*) **2.** (*Zug*) halten in
call back [ˌkɔːl'bæk] **1.** *Telefon*: zurückrufen **2.** *BE* noch einmal vorbeikommen
call for ['kɔːl‿fɔː] **1.** rufen um (*Hilfe*) **2.** (≈ *kommen lassen*) rufen (*Person*) **3.** ***this calls for a celebration*** das muss gefeiert werden! **4.** *BE* abholen (*Person, Sache*)
call in [ˌkɔːl'ɪn] **1.** hinzuziehen (*Arzt usw.*) **2.** ***call in on someone*** bei jemandem (kurz) vorbeischauen
call off [ˌkɔːl'ɒf] absagen (*Streik usw.*), abbrechen (*Aktion usw.*)
call on ['kɔːl‿ɒn] **1.** ***call on someone*** jemanden besuchen, jemandem einen

Besuch abstatten **2.** ***call on someone*** jemanden bitten (***to do*** zu tun)
call out [ˌkɔːl'aʊt] **1.** rufen (***for help*** um Hilfe) **2.** aufrufen (*Namen usw.*) **3.** aufbieten, alarmieren (*Polizei usw.*)
call up [ˌkɔːl'ʌp] **1.** *bes. AE*; *Telefon*: anrufen **2.** *Militär*: einberufen

call[2] [kɔːl] **1.** Ruf (***for*** nach); ***call for help*** Hilferuf **2.** *Telefon*: Anruf; ***give someone a call*** jemanden anrufen; ***make a call*** telefonieren **3.** *übertragen* Ruf (*der Natur usw.*) **4.** ***be on call*** (*Arzt usw.*) Bereitschaftsdienst haben **5.** *am Flughafen usw.*: Aufruf (*auch übertragen*: *zur Pflicht usw.*) **6.** (kurzer) Besuch (***on someone, at someone's*** [***house***] bei jemandem); ***pay*** (*oder* ***make***) ***a call on someone*** jemanden besuchen, jemandem einen Besuch abstatten
call box ['kɔːl‿bɒks] *BE* Telefonzelle
caller ['kɔːlə] **1.** *Telefon*: Anrufer(in) **2.** Besucher(in)
call-in ['kɔːlɪn] *AE*; *Rundfunk*, *TV*: Sendung mit telefonischer Zuhörer- *oder* Zuschauerbeteiligung
calling ['kɔːlɪŋ] (≈ *Mission*) Berufung
calling card ['kɔːlɪŋ‿kɑːd] *AE* Visitenkarte
callous [⚠ 'kæləs] *übertragen* gefühllos (***to*** gegenüber)
call-up ['kɔːlʌp] *Militär*: Einberufung
callus ['kæləs] Schwiele
calm[1] [⚠ kɑːm] **1.** *allg.*: still, ruhig (*auch die See*) **2.** *Wetter*: windstill
calm[2] [⚠ kɑːm] **1.** Stille, Ruhe **2.** Windstille
calm[3] [⚠ kɑːm] beruhigen (*Baby*, *Ängste usw.*)

calm down [ˌkɑːm'daʊn] **1.** beruhigen (*Person usw.*) **2.** (*Person usw.*) sich beruhigen **3.** (*Sturm*, *Zorn usw.*) sich legen

calorie ['kælərɪ] Kalorie
calves [kɑːvz] *Pl. von* → ***calf***[1] *und* ***calf***[2]
Cambodia [kæm'bəʊdɪə] Kambodscha
came [keɪm] *2. Form von* → ***come***
camel ['kæml] Kamel
camera ['kæmərə] Kamera, Fotoapparat
cameraman ['kæmrəmæn] *Pl.*: ***cameramen*** ['kæmrəmen] Kameramann
camomile [⚠ 'kæməmaɪl] Kamille; ***camomile tea*** Kamillentee
camouflage[1] ['kæməflɑːʒ] Tarnung
camouflage[2] ['kæməflɑːʒ] tarnen
camp[1] [kæmp] **1.** *allg.*: Lager (*auch übertragen Partei*) **2.** *für Kinder*: Ferienlager, Zeltlager
camp[2] [kæmp] **1.** zelten, kampieren **2.** *oft* ***camp out*** zelten, campen
campaign[1] [kæm'peɪn] **1.** Aktion; ***advertising campaign*** Werbekampagne; ***election campaign*** Wahlkampf **2.** *militärisch*: Feldzug
campaign[2] [kæm'peɪn] *übertragen* kämpfen (***for*** für; ***against*** gegen)
camp bed [ˌkæmp'bed] Campingliege, Feldbett
camper ['kæmpə] **1.** *Person*: Camper(in) **2.** *AE* Wohnanhänger, Wohnmobil
campfire ['kæmpfaɪə] Lagerfeuer
campground ['kæmpgraʊnd] *bes. AE* Zeltplatz, Campingplatz
camping ['kæmpɪŋ] Camping, Zelten; ***camping equipment*** (*oder* ***gear***) Campingausrüstung; ***camping ground*** (*oder* ***site***) Zeltplatz, Campingplatz
campsite ['kæmpsaɪt] Zeltplatz, Campingplatz
campus ['kæmpəs] Campus (*Gesamtanlage einer Universität oder eines College*)
can[1] [kæn] *Hilfsverb* **1.** ***I can*** ich kann; ***you can*** du kannst *usw.* **2.** *verneint*: ***I can't*** *oder betont* ***cannot*** ich kann nicht *usw.*
can[2] [kæn] **1.** (Blech)Dose, (Konserven-)Büchse **2.** (Blech)Kanne **3.** Kanister
can[3] [kæn], ***canned, canned*** *Lebensmittel*: einmachen, eindosen
Canada ['kænədə] Kanada
Canadian[1] [kə'neɪdɪən] kanadisch
Canadian[2] [kə'neɪdɪən] Kanadier(in)
canal [kə'næl] Kanal (*auch im Körper*)
canary [kə'neərɪ] Kanarienvogel
Canary Islands [kəˌneərɪ'aɪləndz] *die* Kanarischen Inseln
cancel [⚠ 'kænsl], ***cancelled, cancelled***, *AE* ***canceled, canceled*** **1.** absagen (*Verabredung usw.*), ausfallen lassen (*Veranstaltung usw.*) **2.** (durch)streichen (*Wort, Zeile usw.*) **3.** rückgängig machen (*Beschluss usw.*) **4.** kündigen (*Abonnement usw.*), stornieren (*Auftrag*) **5.** entwerten (*Briefmarke, Fahrschein*)

cancel out [ˌkænsl'aʊt] **1.** ausgleichen **2.** sich (gegenseitig) aufheben

cancellation [⚠ ˌkænsə'leɪʃn] **1.** Absage **2.** Streichung **3.** Kündigung (*eines Abonnements usw.*), Stornierung (*eines Auftrags*)
cancer [⚠ 'kænsə] *Krankheit*: Krebs
Cancer [⚠ 'kænsə] *Sternzeichen*: Krebs

C

candid ['kændɪd] *Person, Äußerung*: offen, aufrichtig
candidacy ['kændɪdəsɪ] Kandidatur
candidate ['kændɪdət] Kandidat(in) (***for*** für), Bewerber(in) (***for*** um)
candied ['kændɪd] *Kochen*: kandiert
candle ['kændl] **1.** Kerze **2.** ***he can't hold a candle to Peter*** er kann Peter nicht das Wasser reichen
candlelight ['kændl‿laɪt] Kerzenlicht; ***by candlelight*** bei Kerzenlicht
candlestick ['kændlstɪk] Kerzenständer
candour, *AE* **candor** ['kændə] Offenheit, Aufrichtigkeit
candy ['kændɪ] *bes. AE* **1.** *allg.*: Süßigkeiten **2.** Bonbon
candyfloss ['kændɪflɒs] *BE* Zuckerwatte
cane[1] [keɪn] **1.** Spazierstock **2.** (Rohr-) Stock **3.** *Pflanze*: ...rohr; ***sugarcane*** Zuckerrohr
cane[2] [keɪn] (mit dem Stock) züchtigen
cane sugar ['keɪn,ʃʊgə] Rohrzucker
canister ['kænɪstə] Blechbüchse, Blechdose
canned [kænd] **1.** Dosen..., Büchsen..; ***canned fruit*** Obstkonserven; ***canned meat*** Büchsenfleisch **2.** ***canned music*** *umg.* Musik aus der Konserve; ***canned laughter*** Lachen vom Band, künstliches Lachen **3.** *salopp* betrunken
cannery ['kænərɪ] Konservenfabrik
cannibal ['kænɪbl] Kannibale
cannon ['kænən] *Pl.*: ***cannons*** *oder* ***cannon*** *militärisch*: Kanone, Geschütz
cannonball ['kænənbɔːl] Kanonenkugel
cannot ['kænɒt] ***I cannot*** ich kann nicht; ***you cannot*** du kannst nicht *usw.*
canny ['kænɪ] schlau, gerissen
canoe[1] [kə'nuː] Kanu, Paddelboot
canoe[2] [kə'nuː] paddeln
canoeing [kə'nuːɪŋ] Kanufahren
canon ['kænən] **1.** Kanon (*auch kirchlich*), Regel **2.** *Musik*: Kanon
can opener ['kæn,əʊpənə] Dosenöffner, Büchsenöffner
canopy ['kænəpɪ] **1.** Baldachin **2.** *Gebäude*: Vordach **3.** *Flugzeug*: Kabinenhaube
cant [kænt] Jargon, Kauderwelsch
can't [kɑːnt] *Kurzform von* → ***cannot***
cantankerous [kæn'tæŋkərəs] zänkisch
canteen [kæn'tiːn] **1.** *bes. BE* Kantine, Mensa **2.** *militärisch*: Feldflasche **3.** Besteckkasten
canvas ['kænvəs] **1.** Segeltuch **2.** Zeltleinwand **3.** *Malerei*: Leinwand
canvass ['kænvəs] **1.** *Politik*: einen Wahlfeldzug veranstalten **2.** *Politik*: um Stimmen werben bei (*Wählern*) **3.** *Wirtschaft*: werben (***for*** um, für), einen Werbefeldzug durchführen
canyon ['kænjən] Cañon, Schlucht

Grand Canyon

Der **Grand Canyon** ist wegen seiner dramatischen Felsformationen und leuchtenden Farben eine der beliebtesten Sehenswürdigkeiten in den USA. Über Jahrmillionen wurde diese riesige Schlucht im Nordwesten Arizonas vom **Colorado River** herausgearbeitet.

cap[1] [kæp] **1.** Mütze, Kappe, Haube **2.** Deckel (*einer Flasche*), Verschlusskappe
cap[2] [kæp], ***capped, capped*** **1.** oben liegen auf, bedecken **2.** *übertragen* übertreffen; ***to cap it all*** als Krönung des Ganzen
capability [,keɪpə'bɪlətɪ] Fähigkeit
capable ['keɪpəbl] **1.** fähig, tüchtig **2.** ***capable of something*** zu etwas fähig; ***capable of doing something*** fähig *oder* imstande etwas zu tun
capacity [kə'pæsətɪ] **1.** Fassungsvermögen, Kapazität; ***filled to capacity*** ganz voll, *Theater usw.*: ausverkauft **2.** Leistungsfähigkeit (*auch Technik*) **3.** *übertragen* Auffassungsgabe; ***that's beyond his capacity*** das ist zu hoch für ihn **4.** ***in his*** *usw.* ***capacity as ...*** in seiner *usw.* Eigenschaft als ...
cape[1] [keɪp] Cape, Umhang
cape[2] [keɪp] *Geographie*: Kap
caper[1] ['keɪpə] *mst.* ***capers*** *Pl.* Kapern *Pl.*
caper[2] ['keɪpə] *auch* ***caper about*** herumtollen, herumhüpfen
capital[1] ['kæpɪtl] **1.** Hauptstadt **2.** (≈ *Geld, Vermögen*) Kapital **3.** Großbuchstabe
capital[2] ['kæpɪtl] **1.** Kapital...; ***capital crime*** Kapitalverbrechen **2.** ***capital punishment*** (die) Todesstrafe **3.** Haupt..., wichtigste(r, -s); ***capital city*** Hauptstadt **4.** ***capital letter*** Großbuchstabe; ***capital B*** großes B
capital[3] ['kæpɪtl] *Architektur*: Kapitell
capital investment [,kæpɪtl‿ɪn'vestmənt] Kapitalanlage
capitalism ['kæpɪtəlɪzm] Kapitalismus
capitalist[1] ['kæpɪtlɪst] Kapitalist(in)
capitalist[2] ['kæpɪtlɪst], **capitalistic** [,kæpɪtə'lɪstɪk] kapitalistisch

capitalize on ['kæpɪtəlaɪz‿ɒn] ***capitalize on something*** aus etwas Kapital schlagen

Capitol ['kæpɪtl] Kapitol (*Kongresshaus in Washington und US-Hauptstädten*)
capitulate [kə'pɪtjʊleɪt, kə'pɪtʃʊleɪt] kapitulieren (***to*** vor)
capricious [kə'prɪʃəs] launenhaft, launisch
Capricorn ['kæprɪkɔːn] *Sternzeichen*: Steinbock
capsize [kæp'saɪz] **1.** (*Boot usw.*) kentern **2.** zum Kentern bringen
capsule ['kæpsjuːl] *allg.*: Kapsel
captain ['kæptɪn] **1.** *militärisch*: Hauptmann **2.** *Schiff*: Kapitän, *Flugzeug*: (Flug)Kapitän **3.** *Sport*: (Mannschafts-) Kapitän, Mannschaftsführer(in)
caption ['kæpʃn] **1.** *in Buch usw.*: Bildüberschrift, Bildunterschrift **2.** *in Film*: Untertitel
captivate ['kæptɪveɪt] (≈ *faszinieren*) fesseln, gefangen nehmen
captive[1] ['kæptɪv] gefangen (*auch übertragen* ***to*** von); ***hold captive*** gefangen halten (*auch übertragen*); ***take captive*** gefangen nehmen
captive[2] ['kæptɪv] Gefangene(r) (*auch übertr.*)
captivity [kæp'tɪvətɪ] Gefangenschaft
capture[1] ['kæptʃə] **1.** gefangen nehmen **2.** *militärisch*: erobern (*auch übertragen*) **3.** kapern (*Schiff*) **4.** einfangen (*Stimmung*)
capture[2] ['kæptʃə] **1.** Gefangennahme **2.** *militärisch*: Eroberung (*auch übertragen*)
car [kɑː] **1.** Auto, Wagen; ***by car*** mit dem Auto; ☞ *Illu S. 686* **2.** *AE*; *Eisenbahn*: Wagen, Waggon **3.** *BE*; *Eisenbahn*: …wagen; ***dining car*** Speisewagen; ***sleeping car*** Schlafwagen **4.** *Straßenbahn usw.*: …wagen

car boot sales

Car boot sales, eine Art Flohmarkt aus dem Kofferraum, werden in Großbritannien an Wochenenden und Feiertagen abgehalten. Gegen eine geringe Gebühr für einen Parkplatz auf einem Schulhof oder dergleichen darf man alles, was man selber nicht mehr braucht, aus dem Kofferraum seines Wagens zum Verkauf anbieten. Die amerikanische Entsprechung heißt **garage sale** (Garagenverkauf), der inzwischen auch in Großbritannien Anklang findet.

carafe [⚠ kə'ræf] Karaffe
caramel ['kærəmel] **1.** Karamell **2.** Karamellbonbon
carat ['kærət] Karat; ***18-carat gold*** 18-karätiges Gold
caravan ['kærəvæn] **1.** *BE* Wohnwagen, Wohnanhänger, Caravan; ***caravan site*** Platz für Wohnwagen **2.** Karawane
caraway ['kærəweɪ] Kümmel
carbine ['kɑːbaɪn] Karabiner
carbohydrate [ˌkɑːbəʊ'haɪdreɪt] Kohle(n)hydrat
carbon ['kɑːbən] **1.** Kohlenstoff; ***carbon dioxide*** Kohlendioxid **2.** *auch* ***carbon paper*** Kohlepapier **3.** *auch* ***carbon copy*** Durchschlag
carbonated ['kɑːbəneɪtɪd] kohlensäurehaltig
carbonic acid [kɑːˌbɒnɪk'æsɪd] Kohlensäure
carburettor, *AE* **carburetor** [ˌkɑːbə'retə] *Auto*: Vergaser
carcass ['kɑːkəs] **1.** Kadaver (*eines Tieres*) **2.** *humorvoll oder abwertend* Leichnam
carcinogenic [ˌkɑːsɪnə'dʒenɪk] *medizinisch*: Krebs erregend
card [kɑːd] **1.** *allg.*: Karte; ***playing card*** Spielkarte **2.** *BE* Pappe **3.** ***get one's cards*** *Arbeit*: entlassen werden
cardboard ['kɑːdbɔːd] Karton, Pappe; ***cardboard box*** Pappschachtel, Karton
card game ['kɑːd‿geɪm] Kartenspiel
cardigan ['kɑːdɪgən] Strickjacke, Ⓐ Janker
cardinal[1] ['kɑːdɪnl] *kirchlich*: Kardinal
cardinal[2] ['kɑːdɪnl] Haupt…
cardinal[3] ['kɑːdɪnl], **cardinal number** [ˌkɑːdɪnl'nʌmbə] Kardinalzahl, Grundzahl
cardphone ['kɑːdfəʊn] Kartentelefon
care[1] [keə] **1.** Pflege (*eines Kranken usw.*) **2.** Fürsorge, Betreuung; ***take care of*** aufpassen auf **3.** Kummer, Sorge; ***be free from care(s)*** keine Sorgen haben **4.** Sorgfalt (*bei einer Arbeit*) **5.** Vorsicht; ***take care*** vorsichtig sein, aufpassen (***to do*** zu tun; ***that*** dass) **6.** ***take care!*** *umg.* machs gut!
care[2] [keə] **1.** sich sorgen (***about*** über, um); ***I couldn't care less*** das ist mir völlig egal **2.** ***I don't care if …*** ich habe nichts dagegen *oder* es macht mir nichts aus, wenn …

care for ['keə‿fɔː] **1.** sorgen für, sich kümmern um **2.** *verneint oder in Fragen*: Interesse haben an, gern mögen; ***I don't care for …*** ich mache mir nichts aus …

career [kə'rɪə] **1.** Karriere, Laufbahn **2.** Beruf; ***careers advisor*** *oder* ***careers officer*** Berufsberater(in)
carefree ['keəfriː] sorgenfrei

C

careful ['keəfl] **1.** vorsichtig, behutsam; ***be careful!*** pass auf!, gib Acht!; ***be careful to do*** darauf achten *oder* nicht vergessen zu tun **2.** (≈ *gewissenhaft*) sorgfältig **3.** ***be careful with*** *BE* sparsam umgehen mit (*Geld usw.*)
carefulness ['keəflnəs] **1.** Vorsicht **2.** Sorgfalt, Gründlichkeit
careless ['keələs] **1.** *Arbeit, Arbeiter usw.*: nachlässig **2.** *Handlung usw.*: unüberlegt **3.** *beim Autofahren usw.*: unvorsichtig, leichtsinnig
carelessness ['keələsnəs] **1.** Nachlässigkeit **2.** Unüberlegtheit **3.** Leichtsinn
caress[1] [⚠ kə'res] Liebkosung
caress[2] [⚠ kə'res] liebkosen, streicheln
caretaker ['keəˌteɪkə] Hausmeister(in), Ⓒⓗ, Ⓐ Hauswart, Ⓐ *auch*: Hausbesorger
cargo ['kɑːɡəʊ] *Pl.*: ***cargoes*** *oder* ***cargos*** Ladung, Fracht
cargoes, cargos ['kɑːɡəʊz] *Pl.*, *auch* ***cargo pants*** *Pl.* Cargohose
caricature ['kærɪkətʃʊə] Karikatur
caries [⚠ 'keəriːz] *medizinisch*: Karies
Carinthia [kə'rɪnθɪə] Kärnten
carnage ['kɑːnɪdʒ] Blutbad
carnation [kɑː'neɪʃn] *Blume*: Nelke
carnival ['kɑːnɪvl] **1.** Karneval, Fasching **2.** Volksfest
carnivore ['kɑːnɪvɔː] *Tier*: Fleischfresser
carol ['kærəl] Weihnachtslied
carousel [ˌkærə'sel] *bes. AE* Karussell
carp[1] [kɑːp] (herum)nörgeln (***at*** an)
carp[2] [kɑːp] Karpfen
car park ['kɑː‿pɑːk] *bes. BE offen*: Parkplatz, *überdacht*: Parkhaus (*für viele Autos*)
carpenter ['kɑːpəntə] Zimmermann, Tischler(in), Schreiner(in)
carpentry ['kɑːpəntrɪ] Schreinerei, Tischlerei, Zimmerhandwerk
carpet[1] ['kɑːpɪt] Teppich; ***fitted carpet*** Teppichboden
carpet[2] ['kɑːpɪt] mit einem Teppich auslegen
carpeting ['kɑːpɪtɪŋ] ***wall-to-wall carpeting*** Teppichboden
car pool ['kɑː‿puːl] **1.** *von Privatpersonen*: Fahrgemeinschaft **2.** *von Firma*: Fuhrpark
carport ['kɑːpɔːt] *für Auto*: überdachter Abstellplatz, Carport
carriage ['kærɪdʒ] **1.** Wagen, Kutsche (*von Pferden gezogen*) **2.** *BE*; *Eisenbahn*: Wagen **3.** Transport (*von Gütern*) **4.** Transportkosten, Fracht(gebühr)
carriageway ['kærɪdʒweɪ] *BE* Fahrbahn
carrier ['kærɪə] **1.** *auch* ***carrier bag*** *BE* (Plastik)Tragetasche **2.** *Unternehmen*: Spediteur, Transportunternehmen **3.** Überträger (*einer Krankheit*) **4.** *militärisch*: Flugzeugträger **5.** Gepäckträger (*am Fahrrad*)
carrier bag ['kærɪə‿bæɡ] *BE* (Plastik-) Tragetasche
carrion ['kærɪən] Aas
carrot ['kærət] Karotte, Mohrrübe
carry ['kærɪ] **1.** *allg.*: tragen **2.** (*Transportmittel*) befördern, tragen **3.** (*Medien*) bringen (*Bericht usw.*) **4.** mitführen, mit *oder* bei sich tragen (*Ausweis usw.*) **5.** *Geschäft*: führen (*Ware*) **6.** erringen, gewinnen (*Preis usw.*) **7.** siegreich hervorgehen aus (*einer Wahl usw.*) **8.** *Parlament*: durchbringen (*Antrag usw.*); ***be carried*** *Antrag usw.*: durchgehen **9.** (*Stimme, Waffe usw.*) tragen (*über bestimmte Entfernung*) **10.** ***carry something too far*** *übertragen* etwas zu weit treiben

carry about *oder* **around** [ˌkærɪ‿ə'baʊt *oder* ə'raʊnd] herumtragen; ***carry about*** (*oder* ***around***) ***with one*** mit sich herumtragen, bei sich haben (*Pass usw.*)
carry away [ˌkærɪ‿ə'weɪ] **1.** wegtragen **2.** (*Sturm, Flut usw.*) wegreißen **3.** ***get carried away*** (*Person*) sich mitreißen lassen (*von Gefühlen usw.*)
carry off [ˌkærɪ'ɒf] **1.** wegtragen **2.** *umg.* hinkriegen (*Aufgabe usw.*) **3.** erringen, gewinnen (*Preis usw.*)
carry on [ˌkærɪ'ɒn] **1.** fortführen, fortsetzen **2.** weitermachen (***with*** mit) **3.** *umg.* eine Szene machen (***about*** wegen) **4.** betreiben (*Geschäft*)
carry out [ˌkærɪ'aʊt] **1.** ausführen, durchführen (*Plan usw.*) **2.** wahr machen (*Drohung*), erfüllen (*Versprechen*)
carry through [ˌkærɪ'θruː] durchführen (*Plan, Vorhaben*)

carryall ['kærɪ‿ɔːl] *bes. AE* Reisetasche
carrycot ['kærɪkɒt] *BE* Babytragetasche
carry-on[1] ['kærɪɒn] **1.** *Gepäckstück*: Bordcase **2.** *BE*, *umg.* Theater; ***what a carry-on!*** so ein Theater!
carry-on[2] ['kærɪɒn] ***carry-on baggage*** (*bes. BE* ***luggage***) Bordgepäck
carry-out ['kærɪaʊt] *AE* **1.** Essen zum Mitnehmen **2.** Restaurant mit Straßenverkauf
carsick ['kɑːsɪk] ***she gets carsick*** ihr wird beim Autofahren übel
cart [kɑːt] **1.** Karren **2.** (Hand)Wagen
carton ['kɑːtn] **1.** (Papp)Karton, Schachtel **2.** Tüte (*Milch*) **3.** Stange (*Zigaretten*)
cartoon [kɑː'tuːn] **1.** Cartoon, (politische)

Karikatur **2.** *auch* ***animated cartoon*** Zeichentrickfilm **3.** ***cartoon character*** Comicfigur

cartridge ['kɑːtrɪdʒ] **1.** *Waffe*, *Füllhalter*: Patrone **2.** *Fotografie usw.*: Kassette **3.** Tonabnehmer *(eines Plattenspielers)*

cartwheel ['kɑːtwiːl] **1.** Wagenrad **2.** *Turnen*: Rad; ***turn cartwheels*** Rad schlagen

carve [kɑːv] **1.** *(in) Holz*: schnitzen, *(in) Stein*: meißeln; ***carve one's name on a tree*** seinen Namen in einen Baum schnitzen **2.** zerlegen, transchieren *(Fleisch usw.)*

carver ['kɑːvə] (Holz)Schnitzer, Bildhauer

carving ['kɑːvɪŋ] **1.** *aus Holz*: Schnitzerei, *aus Stein*: Skulptur **2.** *Tätigkeit*: Schnitzen, Meißeln

car wash ['kɑːwɒʃ] Autowaschanlage

cascade [kæ'skeɪd] Kaskade, Wasserfall

case[1] [keɪs] Fall *(auch Recht)*; ***it's a case of …*** es handelt sich um …; ***in any case*** auf jeden Fall, jedenfalls; ***in case*** falls; ***in case of*** im Falle von *(oder Genitiv)*

case[2] [keɪs] **1.** Kiste, Kasten **2.** *aus Pappe*: Schachtel **3.** *für Brille usw.*: Etui, Futteral **4.** …mappe; ***briefcase*** Aktenmappe **5.** …bezug, …überzug; ***pillowcase*** Kopfkissenbezug

casement ['keɪsmənt] *auch* ***casement window*** Flügelfenster

cash[1] [kæʃ] **1.** Bargeld **2.** Barzahlung; ***for cash*** *oder* ***cash down*** gegen bar, gegen Barzahlung; ***in cash*** bar **3.** *umg.* Geld; ***short of cash*** knapp bei Kasse

cash[2] [kæʃ] *auch* ***cash in*** einlösen *(Scheck usw.)*

> **cash in** [ˌkæʃ'ɪn] ***cash in on*** *umg.* profitieren von, ausnutzen

cash desk ['kæʃ‿desk] *im Warenhaus*: Kasse, Ⓐ Kassa

cash dispenser ['kæʃ‿dɪˌspensə] *bes. BE* Geldautomat

> ## cash dispenser
>
> Neben **cash dispenser** heißt der Geldautomat auch:
>
> **cashpoint**
> **hole-in-the-wall** *(umg.)*
>
> Im amerikanischen Englisch spricht man von **automatic teller (machine).** Die Abkürzung dafür ist **ATM**.

cashier [kæ'ʃɪə] Kassierer(in)

cashless ['kæʃləs] bargeldlos

cash machine ['kæʃ‿məˌʃiːn] Geldautomat

cashmere ['kæʃmɪə] Kaschmir(wolle)

cash payment ['kæʃˌpeɪmənt] Barzahlung

cashpoint ['kæʃpɔɪnt] *BE* Geldautomat

cash price ['kæʃ‿praɪs] *beim Kauf*: Barzahlungspreis

cash register ['kæʃˌredʒɪstə] (Registrier-)Kasse

casing ['keɪsɪŋ] *technisch*: Verkleidung, Mantel

casino [kə'siːnəʊ] *Pl.*: ***casinos*** (Spiel)Kasino

cask [kɑːsk] Fass

casket ['kɑːskɪt] **1.** Schatulle, Kästchen **2.** *bes. AE* Sarg

casserole ['kæsərəʊl] Kasserolle, Ⓐ Rein

cassette [kə'set] Kassette

cassette deck [kə'setdek] Kassettendeck

cassette recorder [kə'set‿rɪˌkɔːdə] Kassettenrekorder

cassock ['kæsək] *kirchlich*: Soutane

cast[1] [kɑːst], ***cast, cast*** **1.** werfen; ***cast light on something*** *übertragen* auf etwas Licht werfen **2.** *Fischen*: auswerfen *(Netz, Angel usw.)* **3.** *(Schlange usw.)* abstreifen *(Haut)* **4.** werfen *(Schatten usw.)* *(**on** auf)*; ***cast a glance at*** einen Blick werfen auf **5.** *Theater, Film*: besetzen *(Stück usw.)*, verteilen *(Rollen)* (***to*** an) **6.** *Wahl*: abgeben *(Stimmzettel, Stimme)* **7.** *Technik*: gießen, formen *(Metall, Statue usw.)*

> **cast about** *oder* **around for** [ˌkɑːst‿ə'baʊt *oder* ə'raʊnd‿fə] suchen (nach), *übertragen* sich umsehen nach
>
> **cast aside** [ˌkɑːst‿ə'saɪd] **1.** ablegen *(Gewohnheit usw.)* **2.** fallen lassen *(Freund usw.)*
>
> **cast away** [ˌkɑːst‿ə'weɪ] ***be cast away*** *Schifffahrt*: gestrandet sein
>
> **cast off** [ˌkɑːst'ɒf] *Schiff, Boot*: losmachen

cast[2] [kɑːst] **1.** *Theater, Film*: Rollenverteilung, Besetzung **2.** *Theater, Film*: (≈ *Mitwirkende)* Besetzung **3.** *medizinisch*: Gips(verband) **4.** *Technik*: Gussform, *Produkt*: Abdruck

castaway ['kɑːstəweɪ] Schiffbrüchige(r)

caster ['kɑːstə] **1.** *Möbel*: Laufrolle **2.** …streuer; ***sugar caster*** *BE* Zuckerstreuer

casting ['kɑːstɪŋ] **1.** *Technik*: Abguss, Gussstück **2.** *Theater, Film*: (Rollen)Besetzung

C

cast iron [ˌkɑːst'aɪən] *Technik*: Gusseisen
cast-iron [ˌkɑːst'aɪən] **1.** gusseisern **2.** *Wille usw.*: eisern, *Alibi*: hieb- und stichfest
castle [⚠ 'kɑːsl] **1.** Burg, Schloss; ***build castles in the air*** *übertragen* Luftschlösser bauen **2.** *Schach*: Turm
cast-off ['kɑːstɒf] *Kleidungsstück*: abgelegt, ausrangiert
castoffs ['kɑːstɒfs] *Pl.* abgelegte Kleidung
castor ['kɑːstə] Laufrolle (*an Möbeln*)
castor oil [ˌkɑːstə(r)'ɔɪl] Rizinusöl
castrate [kæ'streɪt] kastrieren
casual [⚠ 'kæʒʊəl] **1.** *Art usw.*: lässig **2.** *Bemerkung*: beiläufig, *Blick*: flüchtig **3.** *Kleidung*: leger, sportlich; ***casual wear*** Freizeitkleidung **4.** *Arbeit*: gelegentlich; ***casual labourer*** Gelegenheitsarbeiter
casualty ['kæʒʊəltɪ] **1.** Verunglückte(r); ***casualties*** *Pl.* Opfer *Pl.* (*einer Katastrophe usw.*) **2.** *militärisch*: Verwundete(r), Gefallene(r) **3.** *auch* ***casualty ward*** (*oder* ***department***) *Krankenhaus*: Unfallstation, Notaufnahme
cat [kæt] Katze; ***let the cat out of the bag*** *umg.* die Katze aus dem Sack lassen; ***play cat and mouse with someone*** mit jemandem Katz und Maus spielen
catalogue[1], *AE auch* **catalog** ['kætəlɒg] **1.** Katalog **2.** *AE*; *Universität*: Vorlesungsverzeichnis
catalogue[2], *AE auch* **catalog** ['kætəlɒg] katalogisieren
catalytic converter [ˌkætəlɪtɪk‿kən'vɜːtə] *Auto*: Katalysator
cat-and-dog [ˌkæt‿ən'dɒg] ***lead a cat-and-dog life*** wie Hund und Katze leben
catarrh [⚠ kə'tɑː] *medizinisch*: Katarrh
catastrophe [⚠ kə'tæstrəfɪ] Katastrophe
catastrophic [ˌkætə'strɒfɪk] katastrophal
catcall ['kætkɔːl] Buh(ruf), Pfiff
catch[1] [kætʃ], ***caught*** [kɔːt], ***caught*** [kɔːt] **1.** *allg.*: fangen **2.** auffangen (*Blick, Flüssigkeit*), (ein)fangen (*Tier usw.*) **3.** bekommen, erwischen; ***catch the train*** den Zug erreichen **4.** einholen (*Person*) **5.** ***catch someone at something*** jemanden bei etwas ertappen; ***catch someone lying*** jemanden bei einer Lüge ertappen **6.** sich holen (*eine Krankheit*), sich zuziehen (*eine Erkältung usw.*); ***catch (a) cold*** sich erkälten **7.** ***catch fire*** Feuer fangen, in Brand geraten **8.** sich verfangen, hängen bleiben (***on*** an; ***in*** in); ***my fingers got caught in the door*** ich hab mir die Finger in der Tür geklemmt **9.** packen, ergreifen (*auch übertragen*) **10.** ***catch someone's eye*** (*oder* ***attention***) *übertragen* jemandes Aufmerksamkeit auf sich lenken **11.** verstehen, mitkriegen (*was jemand sagt*)

catch on [ˌkætʃ'ɒn] *umg.* **1.** Anklang finden **2.** ***catch on to something*** etwas kapieren, auf etwas kommen
catch out [ˌkætʃ'aʊt] *BE* ertappen (*bes. bei einer Lüge*)
catch up [ˌkætʃ'ʌp] **1.** *BE* einholen (*auch bei der Arbeit*) **2.** aufholen; ***catch up with*** einholen (*auch bei der Arbeit*); ***catch up on*** (*oder* ***with***) aufholen (*Arbeitsrückstand usw.*); ***catch up on one's sleep*** Schlaf nachholen **3.** ***be caught up in*** verwickelt sein in

catch[2] [kætʃ] **1.** ***good catch!*** *bei Ballspiel*: gut gefangen! **2.** Fangen **3.** Fang, Beute (*beide auch übertragen*) **4.** Haken (*auch übertragen*), Verschluss (*von Brosche usw.*)
catcher ['kætʃə] *Sport*: Fänger (⚠ *dt. Catcher* = ***all-in wrestler***)
catching ['kætʃɪŋ] *Krankheit*: ansteckend (*auch Lachen, Enthusiasmus usw.*)
catchment area ['kætʃmənt͵eərɪə] Einzugsgebiet (*einer Schule usw.*)
catchword ['kætʃwɜːd] Schlagwort
catchy ['kætʃɪ] *Melodie*: eingängig
category ['kætəgərɪ] Kategorie, Klasse
cater ['keɪtə] Speisen und Getränke liefern (***for*** für)

cater for ['keɪtə‿fɔː] **1.** sorgen für **2.** eingestellt sein auf

catering ['keɪtərɪŋ] ***do the catering*** *für Fest usw.*: Speisen und Getränke liefern; ***catering service*** Partyservice
caterpillar ['kætəpɪlə] **1.** *Tier*: Raupe **2.** *Fahrzeug*: Raupenfahrzeug (*Warenzeichen*)
cat flap ['kæt‿flæp] *kleiner Durchlass*: Katzentür
cathedral [kə'θiːdrəl] Dom, Kathedrale
Catholic[1] ['kæθlɪk] katholisch
Catholic[2] ['kæθlɪk] Katholik(in)
Catholicism [kə'θɒləsɪzm] Katholizismus
catkin ['kætkɪn] *Pflanze*: (Blüten)Kätzchen
catlick ['kætlɪk] ***have a catlick*** *umg.* Katzenwäsche machen
catnap ['kætnæp] ***have a catnap*** ein Nickerchen machen
cat's eye ['kæts‿aɪ] *auf der Fahrbahn, am Fahrrad*: Katzenauge, Rückstrahler
catsuit ['kætsuːt] *BE* einteiliger Hosenanzug

cattle ['kætl] *Pl.* (Rind)Vieh; ***the cattle are in the meadow*** das Vieh ist auf der Weide
catty ['kætɪ] boshaft
catwalk ['kætwɔːk] **1.** Steg **2.** *bei Modeschauen*: Laufsteg
caught [kɔːt] *2. und 3. Form von* → ***catch***[1]
cauldron ['kɔːldrən] großer Kessel
cauliflower ['kɒlɪˌflaʊə] Blumenkohl, Ⓐ Karfiol
cause[1] [kɔːz] **1.** Ursache (***of*** für) **2.** Grund, Anlass (***for*** für) **3.** (≈ *Ziel, Ideal*) Sache
cause[2] [kɔːz] **1.** verursachen **2.** veranlassen **3.** bereiten, zufügen (*Kummer usw.*)
causeway ['kɔːzweɪ] Damm
caustic ['kɔːstɪk] **1.** *Chemikalie*: ätzend **2.** *Bemerkung usw.*: bissig
caution[1] ['kɔːʃn] **1.** Vorsicht **2.** Warnung **3.** *BE* Verwarnung
caution[2] ['kɔːʃn] **1.** warnen (***against*** vor) **2.** *BE* verwarnen
cautious ['kɔːʃəs] vorsichtig
cavalry ['kævlrɪ] *militärisch* **1.** *historisch*: Kavallerie **2.** Panzertruppe(n)
cave [keɪv] Höhle
cavern ['kævən] (große) Höhle
cavity ['kævətɪ] **1.** Hohlraum **2.** *Zahn*: Loch
cavort [kə'vɔːt] *umg.* herumtoben
cayenne [keɪ'en], **cayenne pepper** [ˌkeɪen'pepə] Cayennepfeffer
CD [ˌsiː'diː] (*Abk. für* **c**ompact **d**isc) CD
CD burner [siː'diːˌbɜːnə] CD-Brenner
CD player [ˌsiː'diːˌpleɪə] *Gerät*: CD-Spieler
CD-ROM [ˌsiːdiː'rɒm] (*Abk. für* **c**ompact **d**isc **r**ead-**o**nly **m**emory) CD-ROM
CD-ROM drive [ˌsiːdiː'rɒm‿draɪv] *Computer*: CD-ROM-Laufwerk
CD writer [ˌsiː'diːˌraɪtə] CD-Brenner
cease [⚠ siːs] aufhören (***to do, doing*** zu tun)
ceasefire [⚠ 'siːsˌfaɪə] *militärisch*: Feuerpause, Waffenstillstand
ceaseless [⚠ 'siːsləs] unaufhörlich
cede [siːd] ***cede something*** (***to someone***) (jemandem *oder* an jemanden) etwas abtreten, (jemandem) etwas überlassen
ceiling ['siːlɪŋ] **1.** Decke (*eines Raums*), Ⓒⓗ Plafond **2.** *übertragen* Höchstgrenze
celebrate ['seləbreɪt] **1.** feiern, preisen **2.** *kirchlich*: zelebrieren (*Messe*)
celebrated ['seləbreɪtɪd] berühmt (***for*** für, wegen), gefeiert
celebration [ˌselə'breɪʃn] **1.** Feier **2.** *kirchlich*: Zelebrieren (*einer Messe*)
celebrity [sə'lebrətɪ] Berühmtheit (*auch Person*)
celery ['selərɪ] Sellerie
celestial [sə'lestɪəl] himmlisch, Himmels…; ***celestial body*** Himmelskörper
celibate[1] ['selɪbət] zölibatär, keusch
celibate[2] ['selɪbət] Zölibatär
cell [sel] *allg.*: Zelle
cellar ['selə] Keller
cellist ['tʃelɪst] *Musik*: Cellist(in)
cello ['tʃeləʊ] *Pl.*: ***cellos*** *Musik*: Cello
cellophane ['seləfeɪn] Zellophan
cellphone ['selfəʊn] *bes. AE* Mobiltelefon, Handy
cellular phone [ˌseljʊlə'fəʊn] *bes. AE* Mobiltelefon, Handy
Celt [⚠ kelt] Kelte, Keltin
Celtic[1] [⚠ 'keltɪk] keltisch
Celtic[2] [⚠ 'keltɪk] *Sprache*: Keltisch

Celtic

Die Kelten haben vor Ankunft der Römer die britischen Inseln bewohnt. Keltische Sprachen werden noch in Teilen Schottlands, Irlands und Wales' gesprochen.

cement[1] [sə'ment] **1.** Zement **2.** Kitt
cement[2] [sə'ment] **1.** zementieren **2.** kitten
cemetery ['semətrɪ] Friedhof
censor ['sensə] zensieren
censorship ['sensəʃɪp] Zensur; ***censorship of the press*** Pressezensur
censure[1] ['senʃə] Tadel (⚠ *nicht* ***Zensur***)
censure[2] ['senʃə] tadeln (***for*** wegen)
census ['sensəs] *Pl.*: ***censuses*** ['sensəsɪz] (*bes.* Volks)Zählung
cent [sent] Cent (*auch Eurocent*)
centenary [sen'tiːnərɪ] Hundertjahrfeier, hundertjähriges Jubiläum
centennial [sen'tenɪəl] *bes. AE* Hundertjahrfeier, hundertjähriges Jubiläum
center ['sentə] *AE* → *BE* ***centre***[1], ***centre***[2]
centigrade ['sentɪgreɪd] ***20 degrees centigrade*** 20 Grad Celsius
centimetre, *AE* **centimeter** ['sentɪˌmiːtə] Zentimeter
central ['sentrəl] **1.** zentral (gelegen) **2.** Haupt…, Zentral…
Central America [ˌsentrəl‿ə'merɪkə] Mittelamerika
Central American [ˌsentrəl‿ə'merɪkən] mittelamerikanisch
Central Europe [ˌsentrəl'jʊərəp] Mitteleuropa
central heating [ˌsentrəl'hiːtɪŋ] Zentralheizung
centralize ['sentrəlaɪz] zentralisieren
central locking [ˌsentrəl'lɒkɪŋ] *Auto*: Zentralverriegelung

C

central reservation [ˌsentrəlˌrezəˈveɪʃn] *BE* Mittelstreifen (*einer Autobahn*)
central station [ˌsentrəlˈsteɪʃn] Hauptbahnhof
centre[1] [ˈsentə] *BE* **1.** Mitte (*von Kreis, Zimmer usw.*) **2.** *von Stadt usw.*: Zentrum, Mittelpunkt (*auch übertragen*); ***in*** (*oder* ***at***) ***the centre*** in der Mitte; ***be the centre of interest*** im Mittelpunkt des Interesses stehen **3.** ***centre forward*** *Fußball*: Mittelstürmer(in)
centre[2] [ˈsentə] *BE*; *Technik*: zentrieren

> **centre on** *oder* **round** [ˌsentəˈɒn *oder* ˈraʊnd] *BE* (*Gedanken usw.*) sich konzentrieren auf, sich drehen um

centre forward [ˌsentəˈfɔːwəd] *Sport*: Mittelstürmer(in)
century [ˈsentʃərɪ] Jahrhundert
ceramics [səˈræmɪks] **1.** (⚠ *mit Sg. verwendet*) *Kunstform*: Keramik **2.** (⚠ *mit Pl. verwendet*) *Gegenstände*: Keramikwaren
cereal [ˈsɪərɪəl] **1.** Getreide **2.** Getreideflocken, Frühstückskost (*aus Getreide*)
ceremonial[1] [ˌserəˈməʊnɪəl] zeremoniell
ceremonial[2] [ˌserəˈməʊnɪəl] Zeremoniell
ceremonious [ˌserəˈməʊnɪəs] **1.** *Anlass usw.*: feierlich **2.** *Verhalten usw.*: förmlich
ceremony [ˈserəmənɪ] **1.** Zeremonie **2.** Förmlichkeit(en)
cert [sɜːt] *BE*, *umg.* sichere Sache; ***it's a dead cert*** (***that …***) es ist todsicher (, dass …)
certain [ˈsɜːtn] **1.** *Sache usw.*: sicher, bestimmt; ***it's certain to happen*** es wird mit Sicherheit geschehen; ***for certain*** mit Sicherheit **2.** *Person*: überzeugt, sicher; ***make certain of something*** sich einer Sache vergewissern, *auch*: sich etwas sichern; ***make certain*** (***that***) dafür sorgen, dass **3.** *Wissen, Gewissheit usw.*: zuverlässig, sicher **4.** (ganz) bestimmt; ***a certain day*** ein bestimmter Tag **5.** gewisse(r, -s); ***a certain Mr Brown*** ein gewisser Herr Brown; ***for certain reasons*** aus bestimmten Gründen
certainly [ˈsɜːtnlɪ] **1.** sicher, bestimmt **2.** *als Antwort*: aber sicher!, natürlich!
certainty [ˈsɜːtntɪ] Sicherheit, Bestimmtheit
certificate [səˈtɪfɪkət] **1.** *vom Arzt usw.*: Bescheinigung, Attest **2.** *Schule*: Zeugnis **3.** *wissenschaftlich*: Gutachten
certify [ˈsɜːtɪfaɪ] **1.** bescheinigen, attestieren; ***this is to certify that*** hiermit wird bescheinigt, dass **2.** beglaubigen
certitude [ˈsɜːtɪtjuːd] Sicherheit, Bestimmtheit
CFC [ˌsiːefˈsiː] (*Abk. für* **c**hloro**f**luoro**c**arbon) FCKW; ***CFC-free*** FCKW-frei
chafe [tʃeɪf] **1.** wund reiben, scheuern **2.** *gegen Kälte*: warm reiben, frottieren **3.** ***my skin chafes easily*** meine Haut wird leicht wund **4.** ***chafe at*** sich ärgern über
chain[1] [tʃeɪn] *allg.*: Kette (*auch übertragen*)
chain[2] [tʃeɪn] (an)ketten (***to*** an)
chain reaction [ˌtʃeɪn‿rɪˈækʃn] Kettenreaktion
chain store [ˈtʃeɪn‿stɔː] Kettenladen
chair[1] [tʃeə] **1.** Stuhl, Sessel; ***on a chair*** auf einem Stuhl; ***in a chair*** in einem Sessel **2.** *übertragen* Vorsitz; ***be in the chair*** den Vorsitz führen **3.** *von Gremium usw.*: Vorsitzende(r) **4.** *Universität*: Lehrstuhl (***of*** für) **5.** *AE*, *umg.* elektrischer Stuhl
chair[2] [tʃeə] den Vorsitz führen bei; ***chaired by*** unter dem Vorsitz von
chairlift [ˈtʃeəlɪft] Sessellift
chairman [ˈtʃeəmən] *Pl.*: ***chairmen*** [ˈtʃeəmən] Vorsitzende(r)
chairmanship [ˈtʃeəmənʃɪp] ***under the chairmanship of*** unter dem Vorsitz von
chairperson [ˈtʃeəˌpɜːsn] Vorsitzende(r)

chairman/chairperson

Aus Gründen der Gleichberechtigung haben etliche Begriffe, für die es früher nur die Form gab, die auf **-man** endete, eine neutrale, nicht geschlechtsspezifische Bezeichnung erhalten.

traditionelle Form	neutrale Form
chairman	**chairperson**
spokesman	**spokesperson**
salesman	**salesperson**
layman	**layperson**
fireman	**firefighter**
policeman	**police officer**
businessmen	**businesspeople***
sportsmen	**sportspeople***

* Hier unterscheidet man im Singular aber noch zwischen **businessman/businesswoman** bzw. **sportsman/sportswoman.**

chairwoman [ˈtʃeəˌwʊmən] *Pl.*: ***chairwomen*** [ˈtʃeəˌwɪmɪn] Vorsitzende
chalet [⚠ ˈʃæleɪ] **1.** Berghütte **2.** *BE* Ferienbungalow
chalice [ˈtʃælɪs] Kelch
chalk [tʃɔːk] Kreide
challenge[1] [ˈtʃælɪndʒ] **1.** herausfordern **2.** infrage stellen **3.** (*Aufgabe*) fordern

challenge[2] ['tʃælɪndʒ] **1.** Herausforderung (***to*** an) **2.** (schwierige) Aufgabe
challenger ['tʃælɪndʒə] *bes. Sport*: Herausforderer
challenging ['tʃælɪndʒɪŋ] **1.** herausfordernd **2.** *Aufgabe*: schwierig, reizvoll
chamber ['tʃeɪmbə] **1.** *Technik, Biologie, Politik*: Kammer **2.** Sitzungssaal **3.** ***Chamber of Commerce*** Industrie- und Handelskammer
chambermaid ['tʃeɪmbəmeɪd] Zimmermädchen
chameleon [kə'miːlɪən] Chamäleon
chamois [⚠ 'ʃæmwɑː] **1.** *Tier*: Gämse **2.** Fensterleder
champ [tʃæmp] *umg.*, *Sport*: Meister(in)
champagne [ˌʃæm'peɪn] Champagner, Sekt
champion[1] ['tʃæmpɪən] **1.** *Sport*: Meister(-in) **2.** *einer Idee usw.*: Verfechter(in) (***of*** von *oder Genitiv*)
champion[2] ['tʃæmpɪən] eintreten für
championship ['tʃæmpjənʃɪp] *Sport*: Meisterschaft
chance[1] [tʃɑːns] **1.** Zufall; ***by chance*** zufällig; ***game of chance*** Glücksspiel **2.** *von Zukünftigem*: Möglichkeit, Wahrscheinlichkeit **3.** Chance, Gelegenheit, Aussicht (***of*** auf); ***stand a chance*** Aussichten *oder* eine Chance haben **4.** Risiko; ***take a chance*** es darauf ankommen lassen, etwas riskieren (***on*** mit); ***take no chances*** nichts riskieren (wollen)
chance[2] [tʃɑːns] riskieren; ***chance it*** *umg.* es darauf ankommen lassen

> **chance on** ['tʃɑːns‿ɒn] zufällig begegnen *oder* treffen, zufällig stoßen auf

chance[3] [tʃɑːns] zufällig, Zufalls…
chancellor ['tʃɑːnsələ] *Politik*: Kanzler(-in); ***Chancellor of the Exchequer*** *BE* Schatzkanzler(in), Finanzminister(in)
chancy ['tʃɑːnsɪ] *umg.* riskant
chandelier [⚠ ˌʃændə'lɪə] Kronleuchter
change[1] [tʃeɪndʒ] **1.** *allg.*: (ver)ändern **2.** (*Person*) sich (ver)ändern **3.** wechseln, (ver)tauschen; ***change one's shirt*** ein anderes Hemd anziehen; ***change places with someone*** mit jemandem den Platz tauschen; ***change trains*** (*bzw.* ***planes***) umsteigen **4.** *bei Bus, Bahn, Flugzeug*: umsteigen **5.** sich umziehen (***for dinner*** zum Abendessen) **6.** wechseln (*Bettzeug usw.*); ***change the sheets*** das Bett (*bzw.* die Betten) frisch beziehen **7.** wickeln (*Baby*) **8.** wechseln (*Geld*) (***into*** in) **9.** *Technik*: (aus)wechseln (*Teile*) **10.** übergehen (***to*** zu) (*neuen Methoden usw.*) **11.** (*Verkehrsampel*) wechseln, umspringen (***from … to*** von … auf) **12.** *Auto*: schalten; ***change into fifth*** (***gear***) in den fünften Gang schalten

> **change into** ['tʃeɪndʒˌɪntə] **1.** verwandeln in **2.** sich verwandeln in **3.** ***I'll change into something more comfortable*** ich werde mir etwas Bequemeres anziehen
> **change over** [ˌtʃeɪndʒ'əʊvə] ***change over to*** (sich) umstellen auf (*neues System*)

change[2] [tʃeɪndʒ] **1.** Veränderung; ***change of air*** Luftveränderung **2.** Abwechslung, etwas Neues; ***for a change*** zur Abwechslung **3.** Wechselgeld; ***can you give me change for a £20 note?*** können Sie mir auf zwanzig Pfund herausgeben? **4.** Kleingeld; ***can you give me change for a pound?*** können Sie mir ein Pfund wechseln?; ***small change*** Kleingeld
changeable ['tʃeɪndʒəbl] *allg.*: unbeständig, *Wetter auch*: veränderlich
changing room ['tʃeɪndʒɪŋ‿ruːm] *bes. Sport*: Umkleideraum
channel ['tʃænl] **1.** *Rundfunk, TV*: Programm, Kanal; ***switch channels*** umschalten; ***channel hopping*** (*oder AE* ***surfing***) *TV*: Zappen, dauerndes Umschalten **2.** ***the Channel*** der Ärmelkanal; ***the Channel Tunnel*** der Kanaltunnel

Channel Tunnel

Channel Tunnel heißt der 1994 eröffnete Tunnel unter dem Ärmelkanal, der England per Bahn mit Frankreich und somit dem europäischen Festland verbindet; ☞ *Karte S. 293*

chant[1] [tʃɑːnt] **1.** Gesang **2.** *von Demonstranten usw.*: Sprechchor
chant[2] [tʃɑːnt] **1.** singen **2.** (*Demonstranten usw.*) in Sprechchören rufen
chaos ['keɪɒs] Chaos
chaotic [keɪ'ɒtɪk] chaotisch
chap[1] [tʃæp] *umg.* Typ, Kerl
chap[2] [tʃæp], ***chapped, chapped*** **1.** rissig machen (*Haut*) **2.** (*Haut*) rissig werden
chapel ['tʃæpl] **1.** Kapelle **2.** Gottesdienst
chaplain ['tʃæplɪn] Kaplan
chapped [tʃæpt] ***chapped lips*** aufgesprungen

chapter ['tʃæptə] Kapitel (*auch übertragen*)
character ['kærəktə] **1.** *allg.*: Charakter **2.** Ruf, Leumund **3.** *Roman usw.*: Figur, Gestalt; ***characters*** *Pl. auch* Charaktere **4.** Schriftzeichen, Buchstabe
characteristic[1] [ˌkærəktə'rɪstɪk] typisch, charakteristisch (***of*** für)
characteristic[2] [ˌkærəktə'rɪstɪk] charakteristisches Merkmal
characterize ['kærəktəraɪz] charakterisieren
charcoal ['tʃɑːkəʊl] Holzkohle
charge[1] [tʃɑːdʒ] **1.** berechnen (***for*** für) **2.** *Wirtschaft*: in Rechnung stellen **3.** *AE* mit der Kreditkarte bezahlen **4.** *militärisch*: angreifen, stürmen **5.** ***charge someone with something*** *auch Recht*: jemanden einer Sache beschuldigen **6.** beauftragen (***with*** mit) **7.** laden (*Gewehr*), (auf)laden (*Batterie usw.*)
charge[2] [tʃɑːdʒ] **1.** Gebühr; ***free of charge*** kostenlos, gratis **2.** ***the person in charge*** der *oder* die Verantwortliche; ***be in charge of*** verantwortlich sein für, leiten; ***be in*** (*oder* ***under***) ***someone's charge*** von jemandem betreut werden **3.** *Person*: Schützling, Mündel **4.** Beschuldigung, *auch Recht*: Anklage; ***be on a charge of murder*** unter Mordanklage stehen **5.** *militärisch*: Angriff
charger ['tʃɑːdʒə] Ladegerät (*für Batterie*)
charitable ['tʃærɪtəbl] **1.** *Verein usw.*: wohltätig **2.** gütig, nachsichtig (***to*** gegenüber)
charity ['tʃærətɪ] **1.** Wohltätigkeitsverein **2.** ***for charity*** für die Wohlfahrt **3.** Nächstenliebe

charity shops

Zu den zahlreichen **charity shops** in Großbritannien kann man gebrauchte Kleider, Bücher, Spielwaren, Haushaltswaren usw. bringen, die dort von freiwilligen Helfern billig weiterverkauft werden. Die Erlöse gehen an die jeweilige Wohltätigkeitsgesellschaft, z. B. **Oxfam, Imperial Cancer Research Fund, Age Concern.**

charlatan ['ʃɑːlətən] Scharlatan
charm[1] [tʃɑːm] **1.** *von Person, Stadt usw.*: Charme, Zauber **2.** *Spruch usw.*: Zauber, Zauberformel **3.** *Gegenstand*: Talisman, Amulett
charm[2] [tʃɑːm] **1.** bezaubern, entzücken **2.** beschwören (*Schlangen*), verzaubern
charming ['tʃɑːmɪŋ] **1.** charmant, bezaubernd **2.** ***charming!*** *ironisch*: wie nett!
charred [tʃɑːd] verkohlt
chart [tʃɑːt] **1.** Diagramm, Schaubild **2.** ...karte; ***sea chart*** Seekarte **3.** ***charts*** *Pl.* Charts, Hitliste(n)
charter[1] ['tʃɑːtə] **1.** Urkunde **2.** *politisch*: Charta **3.** *Flugwesen usw.*: Chartern
charter[2] ['tʃɑːtə] chartern (*Flugzeug usw.*); ***chartered*** Charter...
charter flight ['tʃɑːtə‿flaɪt] Charterflug
chase[1] [tʃeɪs] **1.** jagen, nachjagen (*auch einem Traum usw.*) **2.** *umg.* nachlaufen (*einem Mädchen usw.*) **3.** *umg.* rasen, rennen

> **chase after** ['tʃeɪsˌɑːftə] nachjagen
> **chase away** [ˌtʃeɪs‿ə'weɪ] verjagen

chase[2] [tʃeɪs] (Hetz)Jagd, *übertragen auch*: Verfolgungsjagd
chasm [⚠ 'kæzəm] Kluft (*auch übertragen*)
chassis ['ʃæsɪ] *Pl.*: ***chassis*** ['ʃæsɪz] *Flugzeug, Auto*: Chassis, Fahrgestell
chaste [tʃeɪst] keusch
chasten ['tʃeɪsn] *übertragen* ernüchtern
chat[1] [tʃæt], ***chatted, chatted*** **1.** plaudern **2.** *Internet*: chatten

> **chat up** [ˌtʃæt'ʌp] *BE, umg.* anquatschen (*ein Mädchen usw.*)

chat[2] [tʃæt] **1.** Plauderei; ***have a chat*** plaudern **2.** *Internet*: Chat
chat room ['tʃæt‿ruːm] *Internet*: Chatroom
chat show ['tʃæt‿ʃəʊ] *BE* Talkshow
chatter[1] ['tʃætə] (*Person*) schnattern, plappern
chatter[2] ['tʃætə] Geschnatter, Geplapper
chatterbox ['tʃætəbɒks] *umg.* Plappermaul
chatty ['tʃætɪ] **1.** geschwätzig, gesprächig **2.** *Text*: im Plauderton (geschrieben)
chauffeur[1] [⚠ 'ʃəʊfə] Chauffeur, Fahrer
chauffeur[2] [⚠ 'ʃəʊfə] chauffieren, fahren
cheap[1] [tʃiːp] **1.** billig, Billig..., minderwertig **2.** *Verhalten*: schäbig, gemein; ***feel cheap*** sich schäbig vorkommen
cheap[2] [tʃiːp] ***on the cheap*** billig
cheapen ['tʃiːpn] **1.** (sich) verbilligen **2.** *übertragen* herabsetzen **3.** ***cheapen oneself*** *übertragen* sich herabsetzen
cheapskate ['tʃiːpskeɪt] *umg.* Geizkragen, Knicker(in)
cheat[1] ['tʃiːt] **1.** schwindeln, betrügen (***out of*** um) (*auch bei Prüfung*) **2.** (≈ *fremdgehen*) betrügen (*Ehepartner*); ***cheat on someone*** *umg.* jemanden betrügen (*seine Frau usw.*)

cheat[2] ['tʃiːt] Betrüger(in), Schwindler(in)

check[1] [tʃek] **1.** Kontrolle, Überprüfung; ***keep a check on*** unter Kontrolle halten **2.** Hemmnis, Hindernis (***on*** für) **3.** Schach; ***hold*** (*oder* ***keep***) ***in check*** *übertragen* in Schach halten **4.** *AE* Scheck (***for*** über) **5.** *AE* Häkchen (*auf Liste usw.*) **6.** *bes. AE*; *im Restaurant*: Rechnung **7.** *bes. AE* Garderobenmarke **8.** *bes. AE* Gepäckschein **9.** Schachbrettmuster, Karomuster

check[2] [tʃek] **1.** checken, kontrollieren, überprüfen (***for something*** auf etwas hin) **2.** zurückhalten (*Gefühle*); ***check oneself*** sich beherrschen **3.** *AE* abhaken (*auf Liste usw.*) **4.** *bes. AE* (in der Garderobe) abgeben (*Mantel*) **5.** *bes. AE* (als Reisegepäck) aufgeben

check in [ˌtʃek'ɪn] **1.** *im Hotel*: sich anmelden **2.** *am Flughafen*: einchecken
check off [ˌtʃek'ɒf] *AE* abhaken
check out [ˌtʃek'aʊt] **1.** *aus einem Hotel*: abreisen **2.** sich erkundigen nach, sich informieren über
check up on [ˌtʃek'ʌp‿ɒn] nachprüfen, überprüfen, Nachforschungen anstellen über (*Person*)

checkbook ['tʃekbʊk] *AE* Scheckbuch

checked [tʃekt] kariert; ***checked pattern*** Karomuster

checker ['tʃekə] *AE* Kassierer(in) (*bes. im Supermarkt*)

checkerboard ['tʃekəbɔːd] *AE* Schachbrett, Damebrett

checkered ['tʃekəd] *AE* kariert

checkers ['tʃekəz] *AE* Dame(spiel); ***checkers is my favourite game*** Dame ist mein Lieblingsspiel

check-in ['tʃekɪn] **1.** *im Hotel*: Anmeldung **2.** *Flughafen*: Einchecken; ***check-in desk*** Abfertigungsschalter; ☞ *Info S. 96*

checking account ['tʃekɪŋ‿əˌkaʊnt] *AE* Girokonto

checkmate[1] ['tʃekmeɪt] (Schach)Matt

checkmate[2] ['tʃekmeɪt] (schach)matt setzen (*auch übertragen*)

checkout ['tʃekaʊt] **1.** *auch* ***checkout counter*** Kasse, Ⓐ Kassa (*bes. im Supermarkt*) **2.** *aus dem Hotel*: Abreise; ***checkout*** (***time***) *Zeit, zu der ein Hotelzimmer geräumt sein muss*

checkpoint ['tʃekpɔɪnt] Kontrollpunkt (*an der Grenze*)

checkroom ['tʃekruːm] *bes. AE* **1.** Gepäckaufbewahrung **2.** *Theater*: Garderobe

chatting on the Internet

Beim Chatten im Internet wird man oft mit seltsamen Abkürzungen konfrontiert, deren originelle Auflösungen folgendermaßen aussehen:

AFAIK	**as far as I know**	soweit ich weiß
B4	**before**	vor
BFN	**bye for now**	tschüs (erst mal)!
BION	**believe it or not**	ob du es glaubst oder nicht
BOT	**back on topic**	zurück zum Thema
BRB	**be right back**	bin gleich wieder da
BTW	**by the way**	übrigens
CU	**see you**	wir sehn uns
CUL	**see you later**	bis später
FOAF	**friend of a friend**	der Freund eines Freundes / einer Freundin *oder* die Freundin einer Freundin / eines Freundes
FOC	**free of charge**	kostenlos
4U	**for you**	für dich
FYE	**for your entertainment**	zu deiner Unterhaltung
FYI	**for your information**	zu deiner Information
GTG	**got to go**	ich muss jetzt Schluss machen
IMO	**in my opinion**	meiner Meinung nach
IOW	**in other words**	mit anderen Worten
NW	**no way**	kommt nicht in Frage
OIC	**oh I see**	aha, ich verstehe!
OTOH	**on the other hand**	andererseits
THX	**thanks**	danke
TIA	**thanks in advance**	danke im Voraus

C

check-in — am Flughafen beim Einchecken

Your ticket, please.	Deinen Flugschein, bitte.
How many pieces of luggage/baggage have you got?	Wie viele Gepäckstücke hast du?
Can I take this as hand luggage/baggage?	Kann ich das als Handgepäck nehmen?
Where would you like to sit?	Wo möchtest du gern sitzen?
I'd like to have a window seat / an aisle [aɪl] **seat.**	Ich hätte gern einen Fensterplatz / Gangplatz.

checkup ['tʃekʌp] *medizinisch*: Untersuchung

cheek [tʃiːk] **1.** *Gesicht*: Backe, Wange **2.** *von Gesäß*: Backe **3.** *umg.* Frechheit; ***have the cheek to do something*** die Frechheit besitzen, etwas zu tun

cheekbone ['tʃiːkbəʊn] Backenknochen

cheeky ['tʃiːkɪ] *umg.* frech (***to*** zu)

cheep[1] [tʃiːp] piepsen

cheep[2] [tʃiːp] Pieps, Piepser (*auch übertragen*)

cheer[1] [tʃɪə] ***give three cheers for someone*** jemanden hochleben lassen; ☞ ***cheers***

cheer[2] [tʃɪə] **1.** Beifall spenden, jubeln **2.** anspornen, anfeuern **3.** aufmuntern

> **cheer on** [ˌtʃɪər'ɒn] anspornen, anfeuern
> **cheer up** [ˌtʃɪər'ʌp] **1.** aufmuntern **2.** bessere Laune bekommen; ***cheer up!*** Kopf hoch!

cheerful ['tʃɪəfl] **1.** fröhlich (*auch Lied usw.*), vergnügt **2.** *Raum usw.*: freundlich

cheerio [ˌtʃɪərɪ'əʊ] *bes. BE, umg.* tschüs!

cheerleader ['tʃɪəˌliːdə] *bes. USA, Sport*: Cheerleader

cheerleader

Ein **cheerleader** ist eine Teenagerin oder junge Frau, die bei Basketball-, Football- und Baseballspielen in den USA in einer Gruppe mit anderen **cheerleaders** die Anhänger des heimischen Teams anfeuert. Zur Aktion der **cheerleaders** gehören Synchronschritte, tänzerische Elemente, Jubelschreie und Sprechchöre.

cheerless ['tʃɪələs] freudlos, trüb

cheers [tʃɪəz] **1.** ***cheers!*** *beim Anstoßen*: prost! **2.** ***cheers!*** *BE, umg.*; *zum Abschied*: tschüs! **3.** ***cheers!*** *bes. BE, umg.*; *als Erwiderung*: danke!

cheery ['tʃɪərɪ] fröhlich, vergnügt

cheese [tʃiːz] **1.** Käse **2.** ***say cheese!*** *Fotografie*: bitte recht freundlich!; ☞ *Info S. 99*

	The Body	Der Körper			
1	head	Kopf	17	hand	Hand
2	forehead	Stirn	18	eye	Auge
3	cheek	Wange	19	face	Gesicht
4	nose	Nase	20	hair	Haare
5	mouth	Mund	21	neck	Hals
6	chin	Kinn	22	shoulder	Schulter
7	ear	Ohr	23	breasts (*Pl.*)	Busen
8	neck	Nacken	24	waist	Taille
9	back	Rücken	25	arm	Arm
10	chest	Brust	26	finger(s)	Finger
11	elbow	Ellbogen	27	hip	Hüfte
12	stomach	Bauch	28	thigh	Oberschenkel
13	bottom	Po	29	knee	Knie
14	leg	Bein	30	foot	Fuß
15	heel	Ferse	31	toe	Zehe
16	ankle	(Fuß)Knöchel			

The Body

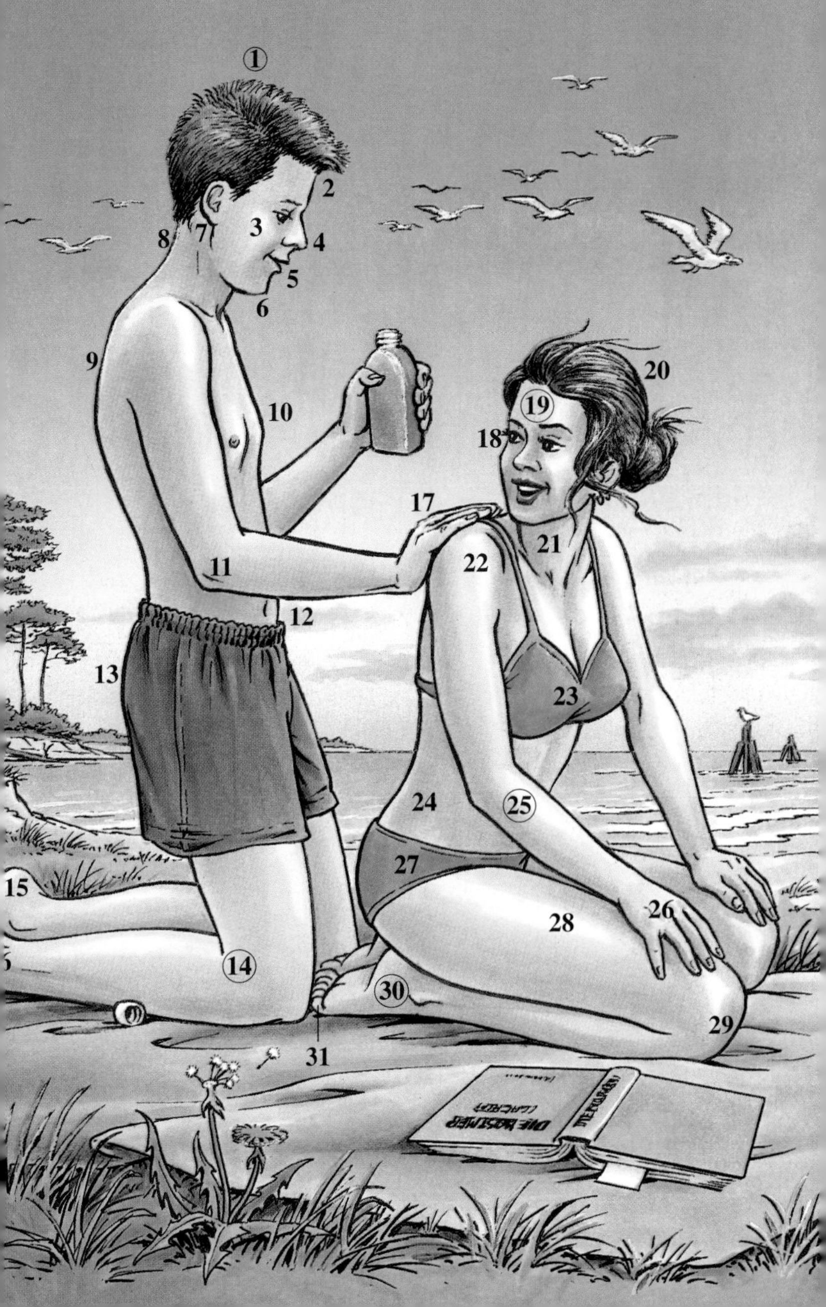

1
2
3
4
5
6
7
8
9
10
11
12
13
14
15
17
18
19
20
21
22
23
24
25
26
27
28
29
30
31

Clothes
1
2
3
4
5
6
7
8
9
10
11
12
13
14
15
16
17
18
19
20

C

cheese!

Wenn man **cheese** sagt, erinnert der Gesichtsausdruck an ein Lächeln. Auf diese Weise macht man auf dem Foto auch dann einen freundlichen Eindruck, wenn ein spontanes Lächeln nicht gelingt.

cheesecake ['tʃiːzkeɪk] Käsekuchen

cheesecake

Cheesecake entspricht allerdings nicht ganz dem Käsekuchen, so wie wir ihn kennen. Er sieht eher aus wie eine Torte, mit einem Boden aus zerbröselten Keksen und einer Obstschicht obendrauf.

cheetah ['tʃiːtə] Gepard
chef [ʃef] Küchenchef(in), Koch, Köchin (⚠ *Chef* = ***boss***)
chemical[1] ['kemɪkl] chemisch
chemical[2] ['kemɪkl] Chemikalie
chemist ['kemɪst] **1.** Chemiker(in) **2.** *BE* Apotheker(in), Drogist(in); ***chemist's shop*** Apotheke, Drogerie
chemistry ['kemɪstrɪ] Chemie
cheque [tʃek] *BE* Scheck
cheque account ['tʃek‿əˌkaʊnt] *BE* Girokonto
chequebook ['tʃekbʊk] *BE* Scheckbuch
cheque card ['tʃek‿kɑːd] Scheckkarte
cherish ['tʃerɪʃ] **1.** hegen (*Gefühl*, *Hoffnung*) **2.** in Ehren halten (*jemandes Andenken*) **3.** festhalten an (*Hoffnung usw.*) **4.** liebevoll sorgen für
cherry[1] ['tʃerɪ] Kirsche
cherry[2] ['tʃerɪ] kirschrot
chess [tʃes] Schach(spiel)
chessboard ['tʃesbɔːd] Schachbrett
chessman ['tʃesmæn] *Pl.*: ***chessmen*** ['tʃesmen] Schachfigur
chess piece ['tʃes‿piːs] Schachfigur
chest [tʃest] **1.** *Körper*: Brust(kasten); ***get something off one's chest*** *umg.* sich etwas von der Seele reden **2.** Kiste, Kasten **3.** *Möbelstück*: Truhe
chest of drawers [⚠ ˌtʃest‿əv'drɔːz] Kommode
chestnut[1] [⚠ 'tʃesnʌt] Kastanie
chestnut[2] [⚠ 'tʃesnʌt] kastanienbraun
chesty ['tʃestɪ] *umg.*; *Husten*: tief sitzend
chew [tʃuː] kauen, zerkauen; ***chew one's nails*** an den Nägeln kauen
chewing gum ['tʃuːɪŋ‿gʌm] Kaugummi
chic [⚠ ʃiːk] schick, elegant
chick [tʃɪk] **1.** Küken, junger Vogel **2.** *umg.*, *abwertend*: Mieze
chicken[1] ['tʃɪkɪn] **1.** Hühnchen, Hähnchen **2.** Huhn **3.** *umg.* Feigling
chicken[2] ['tʃɪkɪn] *umg.* feig

chicken out [ˌtʃɪkɪn'aʊt] *umg.* kneifen (***of*** vor)

chicken-livered [ˌtʃɪkɪn'lɪvəd] furchtsam, feig
chickenpox ['tʃɪkɪnpɒks] *Krankheit*: Windpocken
chief[1] [tʃiːf] **1.** *eines Stammes*: Häuptling **2.** *umg.* Chef, Boss
chief[2] [tʃiːf] **1.** erste(r, -s), Ober…, Haupt… **2.** wichtigste(r, -s)
chiefly ['tʃiːflɪ] hauptsächlich, vor allem
child [tʃaɪld] ⚠ *Pl.*: ***children*** ['tʃɪldrən] Kind; ***be a good child!*** sei artig *oder* brav!; ***that's child's play*** *übertragen* das ist ein Kinderspiel

	Clothes	**Kleidung**
1	socks	Socken
2	bra	BH
3	panties (*Pl.*)	Slip
4	nylon stockings, nylons	Nylonstrümpfe
5	tights, *AE* pantyhose	Strumpfhose
6	jacket	Jacke
7	shoes	Schuhe
8	sweatshirt	Sweatshirt
9	jeans	Jeans
10	trainers, *AE* tennis shoes	Turnschuhe
11	waistcoat, *AE* vest	Weste
12	trousers (*Pl.*), *AE* pants (*Pl.*) *oder* slacks (*Pl.*)	Hose
13	T-shirt	T-Shirt
14	skirt	Rock
15	shirt	Hemd
16	dress	Kleid
17	pullover	Pullover
18	shorts	Shorts
19	coat	Mantel
20	umbrella	Regenschirm

child abuse ['tʃaɪld‿əˌbjuːs] Kindesmisshandlung, *sexuell*: Kindesmissbrauch
child benefit [ˌtʃaɪld'benɪfɪt] *BE* Kindergeld
childbirth ['tʃaɪldbɜːθ] Geburt, Entbindung
childhood ['tʃaɪldhʊd] Kindheit; ***from childhood*** von Kindheit an
childish ['tʃaɪldɪʃ] **1.** kindlich **2.** *Erwachsener*: kindisch
childlike ['tʃaɪldlaɪk] kindlich
childminder ['tʃaɪldˌmaɪndə] *BE* Tagesmutter
childproof ['tʃaɪldpruːf] kindersicher; ***childproof lock*** *Auto*: Kindersicherung
children ['tʃɪldrən] *Pl. von* → ***child***; ***children's home*** Kinderheim
child seat ['tʃaɪld‿siːt] *Auto*: Kindersitz
chill[1] [tʃɪl] **1.** kühlen (*Getränk usw.*) **2.** ***chilled to the bone*** *Person*: (völlig) durchgefroren
chill[2] [tʃɪl] **1.** Erkältung; ***catch a chill*** sich erkälten **2.** Kälte (*auch übertragen*); ***take the chill off something*** etwas leicht anwärmen
chill[3] [tʃɪl] *auch* ***chill out*** relaxen
chilly ['tʃɪlɪ] kalt, frostig (*auch übertragen*)
chime[1] [tʃaɪm] **1.** (Glocken)Schlag **2.** *oft* ***chimes*** *Pl.* Glockenspiel
chime[2] [tʃaɪm] **1.** (*Glocken*) läuten, (*Uhr*) schlagen
chimney ['tʃɪmnɪ] Schornstein, Kamin
chimney-piece ['tʃɪmnɪpiːs] Kaminsims
chimney-sweep ['tʃɪmnɪswiːp] Schornsteinfeger(in), Kaminkehrer(in)

chips

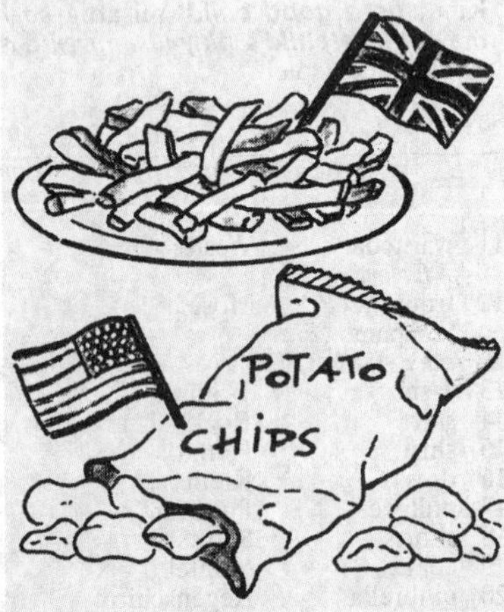

chimpanzee [⚠ ˌtʃɪmpæn'ziː] *umg. auch* ***chimp*** Schimpanse
chin [tʃɪn] **1.** Kinn **2.** (***keep your***) ***chin up!*** *umg.* Kopf hoch!, halt die Ohren steif!
China ['tʃaɪnə] China
china ['tʃaɪnə] **1.** Porzellan **2.** *auch* ***chinaware*** Porzellan(geschirr)
Chinatown ['tʃaɪnətaʊn] Chinatown, Chinesenviertel
Chinese[1] [ˌtʃaɪ'niːz] chinesisch
Chinese[2] [ˌtʃaɪ'niːz] *Sprache*: Chinesisch
Chinese[3] [ˌtʃaɪ'niːz] Chinese, Chinesin; ***the Chinese*** *Pl.* die Chinesen
chink[1] [tʃɪŋk] Riss, Ritze, Spalt
chink[2] [tʃɪŋk] **1.** klirren, klimpern **2.** klirren *oder* klimpern mit
chinwag[1] ['tʃɪnwæg] *bes. BE, umg.* Plauderei, Plausch
chinwag[2] ['tʃɪnwæg] *bes. BE, umg.* plaudern, plauschen
chip[1] [tʃɪp] **1.** *an Tasse, Teller usw.*: angeschlagene Stelle **2.** *von Holz usw.*: Splitter, Span **3.** ***chips*** *Pl. BE* ⚠ Pommes frites **4.** ***chips*** *Pl. AE* ⚠ (Kartoffel)Chips **5.** *beim Roulette usw.*: Chip, Spielmarke **6.** *Elektrotechnik*: Chip

chips

Achte auf den Unterschied

Englisch	Deutsch
BE **chips**	Pommes frites
AE (**potato**) **chips**	Kartoffelchips

Deutsch	Englisch
Kartoffelchips	*BE* **crisps**, *AE* (**potato**) **chips**
Pommes frites	*BE* **chips**, *AE* (**French**) **fries**

Übrigens: Auch in britischen Restaurants werden Pommes frites oft als **French fries** bzw. **French fried potatoes** bezeichnet.

chip[2] [tʃɪp], ***chipped, chipped*** anschlagen (*Geschirr usw.*)

chip in [ˌtʃɪp'ɪn] *umg.* **1.** *im Gespräch*: einwerfen (*Bemerkung usw.*) **2.** sich einmischen (*in ein Gespräch*) **3.** beisteuern (*Geld usw.*)
chip off [ˌtʃɪp'ɒf] abbrechen, abbröckeln

chipmunk ['tʃɪpmʌŋk] (amerikanisches) Streifenhörnchen
chip pan ['tʃɪp‿pæn] *BE* Fritteuse
chippy ['tʃɪpɪ] *BE*, *umg*. **1.** Frittenbude **2.** *umg*. Tischler, Schreiner
chip shop ['tʃɪp‿ʃɒp] *BE* Imbissbude, Frittenbude
chirp [tʃɜːp] (*Grille*) zirpen, (*Vogel*) zwitschern
chirpy ['tʃɜːpɪ] *umg*. quietschvergnügt
chisel[1] ['tʃɪzl] Meißel
chisel[2] ['tʃɪzl] ***chiselled, chiselled***, *AE* ***chiseled, chiseled*** (aus)meißeln
chit [tʃɪt] **1.** *bes. in Ferienclubs*: vom Gast abgezeichnete Rechnung **2.** (≈ *kurze schriftliche Nachricht*) Notiz, Zettel
chit-chat ['tʃɪt‿tʃæt] Plauderei, Plausch
chivalrous [⚠ 'ʃɪvlrəs] ritterlich, galant
chivalry ['ʃɪvəlrɪ] **1.** Ritterlichkeit **2.** *historisch*: Rittertum
chives [tʃaɪvz] *Pl.* Schnittlauch
chlorinate ['klɔːrɪneɪt] chloren (*Wasser*)
chlorine ['klɔːriːn] *Chemie*: Chlor
choc-ice ['tʃɒk‿aɪs] *BE* Eis mit Schokoladeüberzug
chock-a-block [ˌtʃɒkə'blɒk] *umg*. voll gestopft (***with*** mit)
chock-full [ˌtʃɒk'fʊl] *umg*. zum Bersten voll (***of*** mit)
chocolate[1] [⚠ 'tʃɒklət] **1.** Schokolade (*auch als Getränk*) **2.** Praline; ***chocolates*** *Pl.* Pralinen, Konfekt **3.** ***chocolate bar*** Schokoriegel
chocolate[2] [⚠ 'tʃɒklət] schokoladenbraun
choice[1] [tʃɔɪs] **1.** (*auch* freie) Wahl; ***make a choice*** wählen, eine Wahl treffen; ***take one's choice*** sich etwas aussuchen; ***have no choice*** keine andere Wahl haben **2.** Auswahl (***of*** an)
choice[2] [tʃɔɪs] *Ware*: auserlesen, ausgesucht (gut)
choir [⚠ 'kwaɪə] *Musik*, *Architektur*: Chor
choke[1] [tʃəʊk] **1.** ersticken (***on*** an) **2.** würgen, erwürgen **3.** *im weiteren Sinn*: ersticken (*Feuer*) **4.** verstopfen, voll stopfen

> **choke back** *oder* **down** [ˌtʃəʊk'bæk *oder* 'daʊn] unterdrücken (*Ärger usw.*), zurückhalten (*Tränen*)
> **choke off** [ˌtʃəʊk'ɒf] *umg*. abwürgen
> **choke up** [ˌtʃəʊk'ʌp] verstopfen, voll stopfen

choke[2] [tʃəʊk] *Auto*: Choke
choose [tʃuːz], ***chose*** [tʃəʊz], ***chosen*** ['tʃəʊzn] **1.** (aus)wählen, (sich) aussuchen; ***there are three versions to choose from*** es stehen drei Ausführungen zur Auswahl **2.** ***choose to do something*** es vorziehen *oder* beschließen etwas zu tun
choosy, **choosey** ['tʃuːzɪ] *umg*. wählerisch
chop[1] [tʃɒp], ***chopped, chopped*** **1.** (zer-)hacken; ***chop wood*** Holz hacken **2.** ***chop and change*** *BE*, *umg*. dauernd seine Meinung ändern

> **chop down** [ˌtʃɒp'daʊn] fällen (*Baum*)

chop[2] [tʃɒp] **1.** *Essen*: Kotelett **2.** Hieb, Schlag
chopper ['tʃɒpə] **1.** Hackmesser **2.** *umg*. Hubschrauber
chopstick ['tʃɒpstɪk] Essstäbchen
chord [⚠ kɔːd] *Musik*: Akkord
chore [⚠ tʃɔː] **1.** ***chores*** *Pl.* Hausarbeit; ***do the chores*** den Haushalt machen **2.** schwierige *oder* unangenehme Aufgabe
chorus ['kɔːrəs] **1.** Refrain (*eines Liedes*) **2.** Chor (*auch übertragen*); ***in chorus*** im Chor **3.** Tanzgruppe (*bes. einer Revue*)
chose [tʃəʊz] *2. Form von* → ***choose***
chosen ['tʃəʊzn] *3. Form von* → ***choose***
chowder ['tʃaʊdə] *bes. AE*; *dicke Suppe aus Meeresfrüchten*
Christ [kraɪst] Christus (⚠ *Christ* = ***Christian***); ***before Christ*** vor Christi Geburt
christen [⚠ 'krɪsn] (auf den Namen …) taufen
christening [⚠ 'krɪsnɪŋ] Taufe
Christian[1] ['krɪstʃən] Christ(in)
Christian[2] ['krɪstʃən] christlich
Christianity [ˌkrɪstɪ'ænətɪ] **1.** Christenheit **2.** Christentum
Christian name ['krɪstʃən‿neɪm] Vorname
Christmas [⚠ 'krɪsməs] Weihnachten; ***at Christmas*** zu *oder* an Weihnachten; ***merry Christmas!*** frohe Weihnachten!

Christmas

Weihnachten wird in den englischsprachigen Ländern am 1. Weihnachtstag (**Christmas Day**) und nicht an Heiligabend (**Christmas Eve**) gefeiert. Die Geschenke werden nachts vom Weihnachtsmann (**Father Christmas / Santa Claus / Santa**) mithilfe seiner Rentiere (**reindeer**) vom Gebiet um den Nordpol aus in alle Welt geliefert. **Santa Claus** kommt durch den Schornstein ins Haus und füllt die Geschenke in die zu diesem Zweck aufgehängten Strümpfe.

C

Christmas carol [ˌkrɪsməs'kærəl] Weihnachtslied
Christmas Day [ˌkrɪsməs'deɪ] erster Weihnachtsfeiertag
Christmas Eve [ˌkrɪsməs'iːv] Heiliger Abend
Christmas pudding [ˌkrɪsməs'pʊdɪŋ] Plumpudding
Christmas tree ['krɪsməs‿triː] Christbaum, Weihnachtsbaum
chrome [krəʊm] Chrom
chromium-plated ['krəʊmɪəmˌpleɪtɪd] verchromt
chronic ['krɒnɪk] **1.** *Krankheit*: chronisch **2.** ständig, dauernd; ***chronic unemployment*** Dauerarbeitslosigkeit **3.** *Lügner usw.*: unverbesserlich **4.** *BE*, *umg.* miserabel
chubby ['tʃʌbɪ] pummelig, rundlich; ***chubby cheeks*** *Pl.* Pausbacken
chuck [tʃʌk] *umg.* **1.** schmeißen, werfen (*Ball usw.*) **2.** Schluss machen mit (*einer Freundin usw.*) **3.** hinschmeißen (*Job usw.*)

> **chuck away** [ˌtʃʌk‿ə'weɪ] wegwerfen (*alte Sachen usw.*)
> **chuck in** [ˌtʃʌk'ɪn] hinschmeißen (*Job usw.*)
> **chuck out** [ˌtʃʌk'aʊt] *umg.* **1.** rausschmeißen (*aus Lokal*, *Firma usw.*) **2.** wegschmeißen (*alte Sachen*)
> **chuck up** [ˌtʃʌk'ʌp] **1.** *salopp* sich übergeben **2.** *umg.* hinschmeißen (*den Job*)

chuckle ['tʃʌkl] glucksen; ***chuckle*** (***to oneself***) in sich hineinlachen
chuffed [tʃʌft] *BE*, *umg.* hocherfreut, froh
chug [tʃʌg], ***chugged, chugged*** tuckern, tuckernd fahren
chum [tʃʌm] *umg.* Kumpel
chunk [tʃʌŋk] *umg.* Brocken, (dickes) Stück
chunky ['tʃʌŋkɪ] *umg.* klobig, klotzig
church [tʃɜːtʃ] Kirche; ***at*** (*oder* ***in***) ***church*** in der Kirche; ***go to church*** in die Kirche gehen
churchgoer ['tʃɜːtʃˌgəʊə] Kirchgänger(in)
church wedding [ˌtʃɜːtʃ'wedɪŋ] kirchliche Trauung
churchyard ['tʃɜːtʃjɑːd] Kirchhof, Friedhof
churn[1] [tʃɜːn] **1.** Butterfass **2.** *BE* Milchkanne
churn[2] [tʃɜːn] *auch* ***churn up*** aufwühlen (*Meer usw.*)
chute [⚠ ʃuːt] **1.** Rutsche, Rutschbahn **2.** *umg.* Fallschirm
cider ['saɪdə] **1.** Apfelwein **2.** *AE* Apfelmost; ***hard cider*** Apfelwein
cigar [sɪ'gɑː] Zigarre
cigarette, *AE auch* **cigaret** [ˌsɪgə'ret] Zigarette
cigarette case [ˌsɪgə'ret‿keɪs] Zigarettenetui
cigarette end [ˌsɪgə'ret‿end] Zigarettenstummel
cinch [sɪntʃ] *umg.* **1.** (≈ *leichte Sache*) Kinderspiel **2.** todsichere Sache
cinder ['sɪndə] ***burnt to a cinder*** verkohlt, verbrannt
cinders ['sɪndəz] *Pl.* Asche
Cinderella [ˌsɪndə'relə] Aschenputtel
cinder track ['sɪndə‿træk] *Sport*: Aschenbahn
cinecamera ['sɪnɪˌkæmərə] (Schmal-) Filmkamera
cinema ['sɪnəmə] *bes. BE* Kino
cinnamon ['sɪnəmən] Zimt
cipher ['saɪfə] **1.** Chiffre **2.** *Mathematik*: Null **3.** (arabische) Ziffer **4.** (≈ *unwichtige Person*) Null
circle[1] ['sɜːkl] **1.** Kreis (*auch Freundeskreis usw.*); ***go round in circles*** *übertragen* sich im Kreis bewegen **2.** *BE*; *Theater*: Rang; ***upper circle*** zweiter Rang
circle[2] ['sɜːkl] **1.** einen Kringel machen um **2.** umringen, umkreisen **3.** kreisen (*auch Flugzeug*), die Runde machen
circuit [⚠ 'sɜːkɪt] **1.** Runde, Rundgang, Rundfahrt **2.** *Elektrotechnik*: Stromkreis, Schaltkreis **3.** *Elektrotechnik*: Schaltung
circular[1] ['sɜːkjʊlə] **1.** rund, kreisförmig **2.** Kreis…, Rund…; ***circular letter*** Rundschreiben; ***circular saw*** Kreissäge
circular[2] ['sɜːkjʊlə] **1.** Rundschreiben, Umlauf **2.** (Post)Wurfsendung
circulate ['sɜːkjʊleɪt] **1.** zirkulieren, kreisen **2.** (*Geld*, *Nachricht usw.*) im Umlauf sein, kursieren **3.** in Umlauf setzen (*auch übertragen*), zirkulieren lassen
circulation [ˌsɜːkjʊ'leɪʃn] **1.** Kreislauf (*auch Blutkreislauf*), Zirkulation **2.** *Wirtschaft*: Umlauf; ***put into circulation*** in Umlauf setzen (*auch übertragen*); ***withdraw from circulation*** aus dem Verkehr ziehen **3.** Auflage (*einer Zeitung usw.*)
circulatory [ˌsɜːkjʊ'leɪtərɪ] *medizinisch*: Kreislauf…
circumference [⚠ sə'kʌmfrəns] *Mathematik*: Umfang
circumscribe ['sɜːkəmskraɪb] **1.** einschränken (*Macht*, *Befugnisse usw.*) **2.** umschreiben (*auch Mathematik*)
circumspect ['sɜːkəmspekt] umsichtig
circumspection [ˌsɜːkəm'spekʃn] Umsicht
circumstance ['sɜːkəmstəns] **1.** *mst.* ***circumstances*** *Pl.* (Sach)Lage, Umstände;

in (*oder* ***under***) ***no circumstances*** unter keinen Umständen, auf keinen Fall; ***in*** (*oder* ***under***) ***the circumstances*** unter diesen Umständen **2.** ***circumstances*** *Pl.* (finanzielle) Verhältnisse
circumstantial [ˌsɜːkəm'stænʃl] **1.** ***circumstantial evidence*** *Recht*: Indizien, Indizienbeweis(e) **2.** *Bericht usw.*: ausführlich **3.** nebensächlich
circus ['sɜːkəs] **1.** Zirkus **2.** *BE runder, von Häusern umschlossener Platz*
CIS [ˌsiːaɪ'es] (*Abk. für* **C**ommonwealth of **I**ndependent **S**tates) GUS (*Staaten der ehemaligen Sowjetunion*)
cistern ['sɪstən] **1.** *WC*: Spülkasten **2.** Zisterne
cite [saɪt] **1.** zitieren **2.** *Recht*: vorladen
citizen ['sɪtɪzn] **1.** Bürger(in) **2.** Staatsangehörige(r) (*eines Staates*)
citizenship ['sɪtɪznʃɪp] Staatsangehörigkeit
citrus fruit [⚠ 'sɪtrəs‿fruːt] Zitrusfrucht
city ['sɪtɪ] Stadt, Großstadt; ***the City*** die (Londoner) City (⚠ *sonst*: *City* = ***city centre***, *AE* ***downtown***)

The City

The City bzw. **City of London** ist ein von der Londoner Stadtverwaltung unabhängiges Gebiet im Osten der Hauptstadt. Sie bildet den historischen Kern Londons und das Hauptfinanzzentrum Großbritanniens.

city centre [ˌsɪtɪ'sentə] *BE* Innenstadt, City
city hall [ˌsɪtɪ'hɔːl] Rathaus
civic ['sɪvɪk] **1.** bürgerlich, Bürger… **2.** städtisch, Stadt…
civics ['sɪvɪks] (*nur mit Sg.*) Staatsbürgerkunde
civil ['sɪvl] **1.** (staats)bürgerlich, Bürger… **2.** zivil, Zivil… (*Gegensatz zu militärisch, kirchlich*); ***civil marriage*** standesamtliche Trauung **3.** *Recht*: zivilrechtlich; ***civil case*** Zivilprozess **4.** höflich
civilian[1] [sɪ'vɪlɪən] Zivilist(in)
civilian[2] [sɪ'vɪlɪən] zivil, Zivil…
civilization [ˌsɪvlaɪ'zeɪʃn] Zivilisation, Kultur
civilize ['sɪvəlaɪz] zivilisieren
civil law [ˌsɪvl'lɔː] Zivilrecht, bürgerliches Recht
civil rights [ˌsɪvl'raɪts] *Pl.* **1.** (Staats)Bürgerrechte **2.** ***civil rights movement*** Bürgerrechtsbewegung
civil servant [ˌsɪvl'sɜːvənt] Beamter, Beamtin
civil service [ˌsɪvl'sɜːvɪs] Staatsdienst
civil war [ˌsɪvl'wɔː] Bürgerkrieg
CJD [ˌsiːdʒeɪ'diː] (*Abk. für* **C**reutzfeldt-**J**akob **D**isease) *Krankheit*: Creutzfeldt-Jakob-Krankheit; ☞ ***BSE***
claim[1] [kleɪm] **1.** verlangen, fordern **2.** (*Unglück*) fordern (*Todesopfer*) **3.** behaupten **4.** Anspruch erheben auf **5.** in Anspruch nehmen (*Aufmerksamkeit usw.*)
claim[2] [kleɪm] **1.** Forderung (***on, against*** gegen); ***make a claim*** eine Forderung erheben **2.** Anrecht (***to*** auf) **3.** Behauptung
clam [klæm] essbare Muschel
clamber ['klæmbə] (mühsam) klettern

clam chowder

Clam chowder [ˌklæm'tʃaʊdə] ist eine dicke Suppe aus Muscheln sowie gehacktem Sellerie und Zwiebeln (und anderem Gemüse), die in den USA sehr beliebt ist. Sie kann entweder weißlich oder rötlich aussehen.

clammy ['klæmɪ] *Wetter usw.*: feuchtkalt, *Hände, Kleider usw.*: klamm
clamour, *AE* **clamor** ['klæmə] **1.** Lärm, Geschrei **2.** lautstarker Protest (***against*** gegen), Schrei (***for*** nach)
clamorous ['klæmərəs] **1.** lärmend **2.** *Forderungen usw.*: lautstark
clamp[1] [klæmp] **1.** Klemme, Klammer **2.** *auch* ***wheel clamp*** *für Auto*: Radkralle (*gegen Diebstahl*)
clamp[2] [klæmp] festklemmen

clamp down [ˌklæmp'daʊn] ***clamp down on*** *umg.* scharf vorgehen gegen

clan [klæn] **1.** *Schottland*: Clan, Stamm **2.** *humorvoll* (≈ *Familie*) Sippe
clandestine [⚠ klæn'destɪn] heimlich
clang [klæŋ] Klingen, Klirren (*von Metall*)
clank [klæŋk] Klirren, Rasseln (*von Ketten usw.*)
clap[1] [klæp], ***clapped, clapped*** **1.** klatschen **2.** (Beifall) klatschen, applaudieren **3.** ***clap one's hands*** in die Hände klatschen **4.** ***clap someone on the back*** *usw.* jemandem auf die Schulter *usw.* klopfen
clap[2] [klæp] **1.** ***clap of thunder*** Donnerschlag **2.** (Beifall)Klatschen **3.** Klaps
clapper ['klæpə] Klöppel (*einer Glocke*)
clarification [ˌklærəfɪ'keɪʃn] (Auf)Klärung, Klarstellung
clarify ['klærəfaɪ] (auf)klären, klarstellen
clarinet [ˌklærə'net] *Instrument*: Klarinette
clarity ['klærətɪ] Klarheit

C

clash[1] [klæʃ] **1.** zusammenstoßen (***with*** mit) (*auch feindlich*) **2.** *übertragen* im Widerspruch stehen (***with*** zu), unvereinbar sein (***with*** mit) **3.** *übertragen* (zeitlich) zusammenfallen (***with*** mit) **4.** nicht zusammenpassen (***with*** mit), (*Farben*) sich beißen
clash[2] [klæʃ] **1.** Zusammenstoß (*auch feindlich*), Kollision (*auch übertragen*) **2.** *übertragen* Widerspruch
clasp[1] [klɑːsp] **1.** *an Handtasche usw.*: Verschluss, Schloss, Schnalle **2.** *mit der Hand*: Griff, Umklammerung
clasp[2] [klɑːsp] **1.** ergreifen, umklammern; ***clasp someone's hand*** jemandem die Hand drücken, jemandes Hand umklammern **2.** zuschnallen, festschnallen (*mit einer Schnalle usw.*)
clasp knife ['klɑːsp‿naɪf] *Pl.*: ***clasp knives*** Klappmesser, Taschenmesser
class[1] [klɑːs] **1.** Klasse (*auch Eisenbahn, Biologie usw.*) **2.** (Gesellschafts)Klasse **3.** soziale Stellung **4.** (Güte)Klasse; ***she's in a class of her own*** sie ist eine Klasse für sich **5.** *umg.* (≈ *Erstklassigkeit*) Klasse **6.** *Schule*: (Schul)Klasse; ***the class of '97*** *AE* die Abschlussklasse von 1997, der Jahrgang 1997 **7.** *Schule*: (Unterrichts-)Stunde; ***attend classes*** am Unterricht teilnehmen **8.** *AE* Kurs, Kursus
class[2] [klɑːs] klassifizieren; ***class someone as …*** jemanden als … einstufen
classic[1] ['klæsɪk] **1.** klassisch (*auch Literatur*) **2.** *Kleidung usw.*: zeitlos, klassisch
classic[2] ['klæsɪk] Klassiker (*Person und Werk*); ☞ ***classics***
classical ['klæsɪkl] **1.** *Musik*: klassisch **2.** klassisch (*auch Kunst, Literatur*); ***the classical languages*** die alten Sprachen **3.** humanistisch (gebildet); ***classical education*** humanistische Bildung
classics ['klæsɪks] *Pl. Universität*: Altphilologie, alte Sprachen
classified ad [ˌklæsɪfaɪd'æd] *auch* ***classified*** *in Zeitung*: Kleinanzeige
classmate ['klɑːsmeɪt] Klassenkamerad(-in), Mitschüler(in)
classroom ['klɑːsruːm] Klassenzimmer; ☞ *Illu S. 540*
classy ['klɑːsɪ] *umg.* klasse, Klasse…
clatter[1] ['klætə] **1.** klappern (mit) **2.** poltern
clatter[2] ['klætə] Geklapper, Gerassel
clause [klɔːz] **1.** *Sprache*: Satz(teil) **2.** *Recht*: Klausel
claw[1] [klɔː] **1.** Klaue, Kralle (*beide auch übertragen*) **2.** Schere (*von Krebs usw.*)
claw[2] [klɔː] kratzen, zerkratzen
clay [kleɪ] Ton, Lehm
clay court [ˌkleɪ'kɔːt] *Tennis*: Sandplatz
clean[1] [kliːn] **1.** rein, sauber **2.** *Wäsche usw.*: sauber, frisch (gewaschen) **3.** *Substanz*: unvermischt, rein **4.** makellos (*auch übertragen*) **5.** *moralisch*: anständig, sauber **6.** *Schnitt, Bruch*: glatt **7.** *salopp* (≈ *nicht mehr drogenabhängig*) clean
clean[2] [kliːn] reinigen, putzen

> **clean out** [ˌkliːn'aʊt] (gründlich) sauber machen
> **clean up** [ˌkliːn'ʌp] sauber machen, aufräumen

clean[3] [kliːn] völlig, total; ***I clean forgot that …*** ich hab völlig vergessen, dass …
clean-cut [ˌkliːn'kʌt] *bes. junger Mann*: gepflegt
cleaner ['kliːnə] **1.** *Person*: Putzfrau, …putzer; ***window cleaner*** Fensterputzer **2.** Reinigungsmittel, Reiniger
cleaners *Pl.*, **cleaner's** ['kliːnəz] **1.** *Geschäft*: Reinigung **2.** ***take someone to the cleaner's*** *umg.* jemanden ausnehmen
cleaning ['kliːnɪŋ] ***do the cleaning*** sauber machen, putzen
cleaning lady ['kliːnɪŋˌleɪdɪ] Putzfrau
cleanliness [⚠ 'klenlɪnəs] Reinlichkeit
cleanly [⚠ 'klenlɪ] sauber (*aus Gewohnheit*), *Person*: reinlich
cleanse [⚠ klenz] reinigen (***from, of*** von) (*auch übertragen*)
cleanser [⚠ 'klenzə] Reinigungsmittel
clear[1] [klɪə] **1.** *allg.*: klar **2.** *Wetter*: heiter, klar **3.** *Stimme usw.*: klar, rein **4.** klar, verständlich; ***make something clear*** (***to someone***) (jemandem) etwas klarmachen; ***make oneself clear*** sich klar ausdrücken **5.** *Substanz*: klar; ***clear soup*** *Kochen*: klare Suppe **6.** *Foto usw.*: deutlich, scharf **7.** klar, offensichtlich; ***a clear win*** ein klarer Sieg **8.** in Ordnung, klar **9.** frei (***of*** von) (*auch übertragen*); ***a clear conscience*** ein reines Gewissen **10.** ***clear profit*** *Wirtschaft*: Reingewinn
clear[2] [klɪə] **1.** ***loud and clear*** laut und deutlich **2.** los, weg (***of*** von) **3.** ***keep*** (*oder* ***steer***) ***clear of*** sich fern halten von
clear[3] [klɪə] **1.** (*Wetter*) aufklaren **2.** (*Nebel usw.*) sich verziehen **3.** wegräumen (***from*** von), abräumen (*Geschirr*); ***clear the table*** den Tisch abräumen **4.** frei machen (*Straße usw.*), räumen (*Saal*) **5.** ***clear one's throat*** sich räuspern **6.** freisprechen (***of*** von), entlasten (*Gewissen*)

> **clear away** [ˌklɪər‿ə'weɪ] **1.** (*Nebel usw.*) sich verziehen **2.** wegräumen (***from*** von), abräumen (*Geschirr*)

clear off [ˌklɪər'ɒf] ***clear off!*** *umg.* verschwinde!
clear out [ˌklɪər'aʊt] **1.** ausräumen (*Schrank usw.*) **2.** ausmisten (*Kleidung usw.*) **3.** ***clear out!*** *umg.* verschwinde!
clear up [ˌklɪər'ʌp] **1.** aufklären (*Verbrechen usw.*) **2.** aufräumen (*Zimmer usw.*) **3.** (*Wetter*) aufklaren

clearance sale ['klɪərəns‿seɪl] *Geschäft*: Räumungsverkauf
clear-cut [ˌklɪə'kʌt] **1.** *Umrisse usw.*: scharf geschnitten **2.** (≈ *verständlich*) klar, deutlich
clearly ['klɪəlɪ] **1.** (≈ *verständlich*) klar, deutlich; ***speak clearly*** deutlich sprechen **2.** offensichtlich, eindeutig; ***that's clearly his mistake!*** das ist eindeutig sein Fehler!
cleavage ['kliːvɪdʒ] **1.** *von Frau*: Dekolleté **2.** *übertragen* Spaltung, Kluft
clef [klef] *Musik*: (Noten)Schlüssel
cleft[1] [kleft] Spalte (*bes. im Felsen*)
cleft[2] [kleft] gespalten; ***cleft palate*** Gaumenspalte
cleft stick [ˌkleft'stɪk] ***be in a cleft stick*** in der Klemme sitzen
clemency ['klemənsɪ] Milde, Nachsicht
clement ['klemənt] mild (*auch Wetter*), nachsichtig
clench [klentʃ] **1.** ballen (*Faust*), zusammenbeißen (*Zähne*) **2.** fest packen
clergy ['klɜːdʒɪ] *kirchlich*: Klerus
clergyman ['klɜːdʒɪmən] *Pl.*: ***clergymen*** ['klɜːdʒɪmən] Geistlicher
clerical ['klerɪkl] **1.** Schreib…, Büro…; ***clerical work*** Büroarbeit **2.** geistlich
clerk [⚠ klɑːk] **1.** (Büro)Angestellte(r) **2.** Schriftführer(in), Sekretär(in)
clever ['klevə] **1.** gescheit, klug **2.** *Bemerkung usw.*: geistreich **3.** geschickt (***at*** in) **4.** *Gerät usw.*: raffiniert **5.** ***clever dick*** *bes. BE, salopp* Schlaumeier
click[1] [klɪk] Klicken
click[2] [klɪk] **1.** klicken **2.** ***click one's tongue*** mit der Zunge schnalzen **3.** ***click one's heels*** die Hacken zusammenschlagen **4.** zuschnappen, einschnappen; ***click shut*** ins Schloss fallen **5.** einschnappen lassen (*Schloss usw.*) **6.** ***it finally clicked*** es hat endlich gefunkt **7.** ***they just clicked*** *umg.* sie haben sich auf Anhieb verstanden
clickable ['klɪkəbl] *Computer*: zum Anklicken geeignet, anklickbar
client ['klaɪənt] **1.** *Recht*: Klient(in), Mandant(in) **2.** Kunde, Kundin
cliff [klɪf] Klippe, Felsen
cliffhanger ['klɪfˌhæŋə] Superthriller
climate ['klaɪmɪt] Klima
climax ['klaɪmæks] *allg.*: Höhepunkt, *sexuell auch*: Orgasmus
climb[1] [⚠ klaɪm] **1.** klettern **2.** besteigen, klettern auf **3.** (*Flugzeug usw.*) (auf)steigen **4.** (*Straße usw.*) (an)steigen

climb down [ˌklaɪm'daʊn] **1.** ***climb down a tree*** von einem Baum herunterklettern **2.** nachgeben, zurückstecken
climb up [ˌklaɪm'ʌp] ***climb up a tree*** auf einen Baum klettern

climb[2] [⚠ klaɪm] Aufstieg
climb-down [⚠ 'klaɪmdaʊn] ***it was a climb-down for him*** er hat arg zurückstecken müssen
climber [⚠ 'klaɪmə] Kletterer(in), Bergsteiger(in)
clinch[1] [klɪntʃ] **1.** entscheiden (*Spiel usw.*); ***that clinched it*** damit war die Sache entschieden **2.** *Boxen*: clinchen
clinch[2] [klɪntʃ] *Boxen*: Clinch
cling [klɪŋ], ***clung*** [klʌŋ], ***clung*** [klʌŋ] **1.** kleben, haften (***to*** an) **2.** hängen (***to*** an) (*auch übertragen*) **3.** sich klammern (***to*** an), festhalten (***to*** an) (*auch übertragen*) **4.** (*Kleid usw.*) sich (an)schmiegen (***to*** an)
clingfilm ['klɪŋfɪlm] *BE* Frischhaltefolie
clinic ['klɪnɪk] Klinik
clinical ['klɪnɪkl] klinisch
clink[1] [klɪŋk] **1.** klingen, klirren **2.** klingen lassen; ***clink glasses*** *beim Trinken*: anstoßen
clink[2] [klɪŋk] *salopp* Kittchen
clip[1] [klɪp] …klammer; ***paper clip*** Büroklammer; ***hair clip*** Haarklammer
clip[2] [klɪp], ***clipped, clipped*** *auch* ***clip on*** anklammern
clip[3] [klɪp], ***clipped, clipped*** **1.** schneiden (*Hecke usw.*) **2.** scheren (*Schaf usw.*) **3.** lochen (*Fahrschein*) **4.** *auch* ***clip off*** abschneiden
clip[4] [klɪp] **1.** *aus Film usw.*: Ausschnitt **2.** ***clip round the ear*** Ohrfeige
clipboard ['klɪpbɔːd] **1.** Klemmbrett **2.** *Computer*: Zwischenablage
clip joint ['klɪp‿dʒɔɪnt] *salopp* Nepplokal
clippers ['klɪpəz] *Pl.*, *auch* ***pair of clippers*** Nagelzwicker
clipping ['klɪpɪŋ] Zeitungsausschnitt
cloak [kləʊk] (loser) Mantel, Umhang
cloakroom ['kləʊkruːm] **1.** Garderobe; ***cloakroom attendant*** Garderobenfrau **2.** *BE*, *förmlich* Toilette
clobber ['klɒbə] *umg.* **1.** zusammenschlagen **2.** *Sport*: (haushoch) besiegen

clock[1] [klɒk] **1.** Uhr (*an der Wand usw.*) (⚠ *Armbanduhr* = ***watch***); (***a***)***round the clock*** rund um die Uhr, 24 Stunden (lang); ***five o'clock*** 5 Uhr **2.** *umg.* Kontrolluhr, Stoppuhr **3.** *Taxi*: Fahrpreisanzeiger, Taxameter
clock[2] [klɒk] *bes. Sport* **1.** stoppen **2.** erreichen (*Zeit, Kilometerzahl usw.*)

clock in [ˌklɒk'ɪn] *am Arbeitsplatz*: einstempeln
clock out [ˌklɒk'aʊt] *am Arbeitsplatz*: ausstempeln
clock up [ˌklɒk'ʌp] *bes. Sport*: erreichen (*Zeit, Kilometerzahl usw.*)

clock-radio [ˌklɒk'reɪdɪəʊ] Radiowecker
clockwise ['klɒkwaɪz] im Uhrzeigersinn
clockwork ['klɒkwɜːk] Uhrwerk; ***like clockwork*** wie am Schnürchen, wie geschmiert
clod [klɒd] **1.** Erdklumpen **2.** *übertragen* Trottel
clog[1] [klɒg] Holzschuh
clog[2] [klɒg], ***clogged, clogged***, *auch* ***clog up*** verstopfen
cloister ['klɔɪstə] **1.** *mst.* ***cloisters*** *Pl. Architektur*: Kreuzgang **2.** Kloster
clone[1] [kləʊn] *Tiere, Pflanzen*: Klon
clone[2] [kləʊn] klonen (*Tiere, Pflanzen*)
close[1] [kləʊz] **1.** *allg.*: (ab-, ver)schließen, zumachen **2.** sperren (*Straße usw.*) (***to*** für) **3.** sich schließen (*auch Wunde usw.*) **4.** *übertragen*; *bei Rede usw.*: schließen (***with the words*** mit den Worten)

close down [ˌkləʊz'daʊn] **1.** schließen, stilllegen (*Betrieb*) **2.** (*Betrieb*) schließen, stillgelegt werden
close in [ˌkləʊz'ɪn] **1.** sich heranarbeiten (***on*** an) **2.** (*Tage*) kürzer werden **3.** (*Dunkelheit, Nacht*) hereinbrechen
close up [ˌkləʊz'ʌp] **1.** *in Reihe usw.*: aufschließen, aufrücken **2.** (ab-, ver)schließen, zumachen **3.** schließen (*Geschäft usw.*) **4.** (*Wunde*) sich schließen

close[2] [⚠ kləʊs] **1.** nah; ***close to tears*** den Tränen nahe **2.** *Freund*: eng, *Verwandter*: nah **3.** *Schrift*: eng, *Gewebe*: dicht **4.** *Untersuchung usw.*: gründlich **5.** *Sieg*: knapp
close[3] [⚠ kləʊs] **1.** nahe, dicht; ***close by*** ganz in der Nähe, nahe *oder* dicht bei; ***close at hand*** nahe bevorstehend **2.** ***I came close to losing my temper*** ich hätte beinahe die Beherrschung verloren
close[4] [kləʊz] Abschluss; ***come*** (*oder* ***draw***) ***to a close*** sich dem Ende nähern
closed [kləʊzd] **1.** geschlossen **2.** gesperrt (***to*** für)
closedown ['kləʊzdaʊn] Schließung (*eines Geschäfts*), Stilllegung (*einer Fabrik usw.*)
close-fisted [ˌkləʊs'fɪstɪd] geizig
close-fitting [ˌkləʊs'fɪtɪŋ] *Kleid*: eng anliegend
closet[1] ['klɒzɪt] *bes. AE* Wandschrank
closet[2] ['klɒzɪt] ***closet homosexual*** *usw.* heimlicher Homosexueller *usw.*
close-up ['kləʊsʌp] *Fotografie, Film*: Nahaufnahme, Großaufnahme
closing date ['kləʊzɪŋ‿deɪt] Frist, letzter Termin (***for*** für)
closing time ['kləʊzɪŋ‿taɪm] **1.** Geschäftsschluss **2.** *BE*; *Kneipe*: Polizeistunde
closure ['kləʊʒə] Schließung (*von Betrieb*)
clot[1] [klɒt] **1.** Klümpchen; ***clot of blood*** *medizinisch*: Blutgerinnsel **2.** *BE, umg.* Trottel
clot[2] [klɒt] ***clotted, clotted*** **1.** (*Blut*) gerinnen **2.** Klumpen bilden **3.** ***clotted cream*** dicker Rahm
cloth [klɒθ] **1.** Tuch, Stoff **2.** …tuch; ***dishcloth*** Geschirrtuch; ***tablecloth*** Tischtuch **3.** *zum Putzen*: Lappen
clothe [kləʊð] **1.** (be)kleiden **2.** einkleiden
clothes [⚠ kləʊ(ð)z] *Pl.* Kleider, Kleidung, Ⓐ Gewand; ***change one's clothes*** sich umziehen; ☞ *Illu S. 98*
clothes hanger ['kləʊ(ð)zˌhæŋə] Kleiderbügel
clotheshorse ['kləʊ(ð)zhɔːs] **1.** Wäscheständer **2.** *bes. AE*; *Person*: Modefreak
clothesline ['kləʊ(ð)zlaɪn] Wäscheleine
clothes peg ['kləʊ(ð)z‿peg] *BE*, **clothes-pin** ['kləʊ(ð)zpɪn] *AE* Wäscheklammer
clothing ['kləʊðɪŋ] Kleidung
cloud[1] [klaʊd] **1.** Wolke; ***cloud of dust*** Staubwolke; ***be on cloud nine*** *umg.* im siebten Himmel schweben **2.** ***cast a cloud over*** *übertragen* einen Schatten werfen auf
cloud[2] [klaʊd] **1.** *auch* ***cloud over*** (*Himmel*) sich bewölken **2.** *übertragen* verdunkeln, trüben **3.** *auch* ***cloud over*** *übertragen* sich trüben
cloudburst ['klaʊdbɜːst] Wolkenbruch
cloudless ['klaʊdləs] *Himmel*: wolkenlos
cloudy ['klaʊdɪ] *Himmel*: wolkig, bewölkt
clout[1] [klaʊt] *umg.* **1.** Schlag; ***give someone a clout*** jemandem eine runterhauen **2.** *politisch usw.*: Einfluss
clout[2] [klaʊt] *umg.* schlagen; ***clout someone one*** jemandem eine runterhauen;

clout someone round the ears jemandem eine Ohrfeige geben
clove[1] [kləʊv] (Gewürz)Nelke
clove[2] [kləʊv] ***clove of garlic*** Knoblauchzehe
clover ['kləʊvə] **1.** Klee **2.** ***be*** (*oder* ***live***) ***in clover*** wie Gott in Frankreich leben
cloverleaf ['kləʊvəliːf] *Pl.*: ***cloverleaves*** ['kləʊvəliːvz] Kleeblatt
clown[1] [klaʊn] Clown (*auch übertragen*)
clown[2] [klaʊn] *auch* ***clown about*** (*oder* ***around***) herumkaspern
club[1] [klʌb] **1.** Klub, Verein **2.** *Waffe*: Keule, Knüppel **3.** ***golf club*** *Sport*: Golfschläger **4.** ***clubs*** *Pl. Kartenspiel*: Kreuz, Eichel; ***eight of clubs*** Kreuzacht; ***Jack of clubs*** Kreuzbube **5.** ***join the club!*** *bes. BE, umg.* du auch?
club[2] [klʌb], ***clubbed, clubbed*** einknüppeln auf, (nieder)knüppeln

> **club together** [ˌklʌb‿tə'geðə] ***they clubbed together to buy her some flowers*** sie legten zusammen, um ihr Blumen zu kaufen

clubbing ['klʌbɪŋ] ***go clubbing*** *BE, umg.* in die Disko gehen
clue [kluː] **1.** Hinweis (***to*** auf), Anhaltspunkt (***to*** für) **2.** ***I haven't got a clue*** *umg.* ich hab keinen Schimmer
clump [klʌmp] Gruppe (*von Bäumen usw.*)
clumsy ['klʌmzɪ] **1.** *Gegenstand*: plump, unförmig **2.** *Person*: ungeschickt, tollpatschig
clung [klʌŋ] *2. und 3. Form von* → ***cling***
cluster[1] ['klʌstə] Traube, Schwarm (*von Menschen, Bienen usw.*)
cluster[2] ['klʌstə] sich drängen (***round*** um)
clutch[1] [klʌtʃ] **1.** packen, (er)greifen **2.** umklammern **3.** (gierig) greifen (***at*** nach)
clutch[2] [klʌtʃ] *Auto*: Kupplung
clutter[1] ['klʌtə] ***her room is cluttered*** (***up***) ***with clothes*** in ihrem Zimmer liegen überall Kleidungsstücke herum
clutter[2] ['klʌtə] (unordentlicher) Kram
c/o [ˌsiː'əʊ] (*Abk. von* **c**are **o**f) *in Adressen*: bei
coach[1] [kəʊtʃ] **1.** *BE* Reisebus **2.** *BE; Eisenbahn*: (Personen)Wagen **3.** *Sport*: Trainer(in) **4.** Nachhilfelehrer(in) **5.** Kutsche
coach[2] [kəʊtʃ] ***coach someone*** jemandem Nachhilfeunterricht geben, *Sport*: jemanden trainieren
coachwork ['kəʊtʃwɜːk] *BE; Auto*: Karosserie
coal [kəʊl] **1.** Kohle **2.** ***carry coals to Newcastle*** *übertragen* Eulen nach Athen tragen
coalition [ˌkəʊə'lɪʃn] *politisch*: Koalition; ***form a coalition*** eine Koalition eingehen
coal mine ['kəʊl‿maɪn] Kohlenbergwerk
coalpit ['kəʊlpɪt] Kohlenbergwerk
coarse [kɔːs] **1.** *Sand, Zucker*: grob(körnig), *Wolle usw.*: rau **2.** *Person*: ungehobelt, *Witz*: derb
coast [kəʊst] **1.** Küste **2.** ***the coast is clear*** *übertragen* die Luft ist rein
coaster ['kəʊstə] **1.** *für Gläser usw.*: Untersatz **2.** *AE* Berg-und-Tal-Bahn (*im Vergnügungspark*)
coastline ['kəʊstlaɪn] Küste
coat[1] [kəʊt] **1.** Mantel **2.** Jacke, Jackett **3.** *Tier*: Pelz, Fell **4.** Schicht, Anstrich (*von Farbe usw.*)
coat[2] [kəʊt] (an)streichen, überziehen
coated ['kəʊtɪd] **1.** überzogen (***with*** mit); ***sugar-coated*** mit Zuckerüberzug **2.** *Zunge*: belegt
coat hanger ['kəʊtˌhæŋə] Kleiderbügel
coating ['kəʊtɪŋ] Schicht, Anstrich (*von Farbe usw.*)
coat of arms [ˌkəʊt‿əv'ɑːmz] Wappen
coatrack ['kəʊt‿ræk] (Wand)Garderobe
coatstand ['kəʊtstænd] Garderobenständer
coax [kəʊks] beschwatzen (***into doing*** zu tun); ***coax something out of*** (*oder* ***from***) ***someone*** jemandem etwas abschwatzen
cob [kɒb] Maiskolben

> **cobble together** [ˌkɒbl‿tə'geðə] zusammenschustern

cobbled ['kɒbld] ***cobbled street*** Straße mit Kopfsteinpflaster
cobbler ['kɒblə] Schuhmacher, Schuster
cobblestones ['kɒblstəʊnz] *Pl.* Kopfsteinpflaster
cobweb ['kɒbweb] Spinnennetz
cocaine [⚠ kəʊ'keɪn] Kokain
cock [kɒk] **1.** *Tier*: Hahn **2.** Männchen, Hahn (*von Vögeln*) **3.** *Technik*: Absperrhahn **4.** *vulgär* (≈ *Penis*) Schwanz
cockney ['kɒknɪ] **1.** (≈ *Ostlondoner*) Cockney **2.** *Sprache*: Cockney(dialekt); ☞ *Info S. 108*
cockpit ['kɒkpɪt] *Flugzeug usw.*: Cockpit
cockroach ['kɒk‿rəʊtʃ] *Ungeziefer*: (Küchen)Schabe, Kakerlak
cocksure [ˌkɒk'ʃɔː] übertrieben selbstsicher
cocktail ['kɒkteɪl] **1.** Cocktail (*Getränk oder Speise*) **2.** *übertragen* Mischung
cocky ['kɒkɪ] *umg.* großspurig, anmaßend

C

Cockney

Traditionell ist ein **Cockney** ein Londoner, der in Hörweite von **Bow Bells** – den Glocken der Kirche St Mary-le--Bow im **East End** – geboren ist. **Cockneys** stammen hauptsächlich aus der Arbeiterklasse und zeichnen sich vor allem durch ihren starken Londoner Akzent aus.

cocoa [⚠ 'kəʊkəʊ] Kakao(pulver)
coconut ['kəʊkənʌt] Kokosnuss
cocoon [kə'kuːn] Kokon, Puppe (*der Seidenraupe*)
cod [kɒd] Kabeljau, Dorsch
COD [ˌsiːəʊ'diː] (*Abk. für* **c**ash **o**n **d**elivery) *Sendung*: per Nachnahme
coddle ['kɒdl] verhätscheln, verzärteln
code[1] [kəʊd] **1.** Kode, Chiffre; ***in code*** verschlüsselt; ***code number*** Kennziffer **2.** *Recht*: Kodex (*auch moralisch*) **3.** *auch* ***dialling*** (*oder AE* ***area***) ***code*** *Telefon*: Vorwahl(nummer)
code[2] [kəʊd] verschlüsseln, chiffrieren
coed ['kəʊed] *umg.*; *Schule*: gemischt
coeducational [ˌkəʊedjuː'keɪʃnəl] ***coeducational school*** gemischte Schule
coerce [kəʊ'ɜːs] (er)zwingen
coercion [kəʊ'ɜːʃn] Zwang
coercive [kəʊ'ɜːsɪv] Zwangs…, zwingend; ***coercive measure*** Zwangsmaßnahme
coexist [ˌkəʊɪg'zɪst] nebeneinander bestehen *oder* leben
coexistence [ˌkəʊɪg'zɪstəns] Koexistenz
coexistent [ˌkəʊɪg'zɪstənt] nebeneinander bestehend
coffee ['kɒfɪ] Kaffee
coffee bar ['kɒfɪ‿bɑː] *BE* Café, Imbissstube
coffee break ['kɒfɪ‿breɪk] Kaffeepause
coffee cup ['kɒfɪ‿kʌp] Kaffeetasse
coffee grinder ['kɒfɪˌgraɪndə] Kaffeemühle
coffeehouse ['kɒfɪhaʊs] Kaffeehaus, Café
coffee machine ['kɒfɪ‿məˌʃiːn] *in Kantine usw.*: Kaffeeautomat
coffeemaker ['kɒfɪˌmeɪkə] *bes. im Haushalt*: Kaffeemaschine
coffee pot ['kɒfɪpɒt] Kaffeekanne
coffee shop ['kɒfɪ‿ʃɒp] *AE* Café, Imbissstube
coffee table ['kɒfɪˌteɪbl] Couchtisch; ***coffee-table book*** *oft abwertend* (großer) Bildband
coffin ['kɒfɪn] Sarg
cog [kɒg] *Technik* **1.** Zahn (*eines Zahnrades*) **2.** Zahnrad
cogwheel ['kɒgwiːl] *Technik*: Zahnrad
cohere [kəʊ'hɪə] zusammenhängen
coherence [kəʊ'hɪərəns] Zusammenhang
coherent [kəʊ'hɪərənt] zusammenhängend (*auch übertragen*)
cohesion [kəʊ'hiːʒn] Zusammenhalt
coil[1] [kɔɪl] **1.** aufrollen, aufwickeln **2.** *auch* ***coil up*** sich zusammenrollen
coil[2] [kɔɪl] **1.** Spirale (*auch medizinisch*) **2.** Rolle, Spule
coin [kɔɪn] **1.** Münze **2.** ***the other side of the coin*** *übertragen* die Kehrseite der Medaille
coincide [ˌkəʊɪn'saɪd] **1.** *örtlich oder zeitlich*: zusammentreffen, zusammenfallen (***with*** mit) **2.** (*Meinungen, Ideen*) übereinstimmen (***with*** mit)
coincidence [kəʊ'ɪnsɪdəns] Zufall; ***by sheer coincidence*** rein zufällig
coincidental [kəʊˌɪnsɪ'dentl] *Begegnung, Ähnlichkeit usw.*: zufällig
coin-operated ['kɔɪnˌɒpəreɪtɪd] *Automat usw.*: Münz…
coke[1] [kəʊk] (≈ *Kohle*) Koks
coke[2] [kəʊk] **1.** *umg.* Cola **2.** *salopp* (≈ *Kokain*) Koks
colander [⚠ 'kʌləndə] Sieb, Durchschlag
cold[1] [kəʊld] **1.** kalt; (***as***) ***cold as ice*** eiskalt; ***I feel*** (*oder* ***I'm***) ***cold*** mir ist kalt, ich friere; ***get cold feet*** *umg.* (≈ *Angst bekommen*) kalte Füße bekommen **2.** *Person usw.*: kalt, kühl; ***it left me cold*** es ließ mich kalt **3.** *Empfang usw.*: frostig, kalt
cold[2] [kəʊld] **1.** Kälte **2.** Erkältung; (***common***) ***cold, cold*** (***in the head***) Schnupfen; ***catch*** (***a***) ***cold*** sich erkälten **3.** ***be left out in the cold*** *übertragen* ignoriert werden
cold-blooded [ˌkəʊld'blʌdɪd] kaltblütig
cold cuts ['kəʊld‿kʌts] *Pl. bes. AE*; *Essen*: Aufschnitt
cold-hearted [ˌkəʊld'hɑːtɪd] kaltherzig
collaborate [kə'læbəreɪt] zusammenarbeiten (***with*** mit; ***in, on*** bei)
collaboration [kəˌlæbə'reɪʃn] Zusammenarbeit
collapse[1] [kə'læps] **1.** (*Gebäude usw.*) zusammenbrechen, einstürzen **2.** *medizinisch*: einen Kollaps erleiden **3.** *übertragen* zusammenbrechen, scheitern **4.** (*Tisch usw.*) sich zusammenklappen lassen
collapse[2] [kə'læps] **1.** *von Haus usw.*: Einsturz **2.** *übertragen* Zusammenbruch **3.** *medizinisch*: Kollaps
collapsible [kə'læpsəbl] *Tisch usw.*: zusammenklappbar
collar[1] ['kɒlə] **1.** Kragen **2.** *für Hund*: Halsband

collar[2] ['kɒlə] **1.** beim Kragen packen **2.** *umg.* festnehmen, schnappen
collarbone ['kɒləbəʊn] *Knochen*: Schlüsselbein
colleague [⚠ 'kɒliːg] Kollege, Kollegin
collect[1] [kə'lekt] **1.** (ein)sammeln (*Hefte, Bücher usw.*) **2.** auflesen, aufsammeln (*Papierfetzen usw.*) **3.** (*Leute usw.*) sich (ver)sammeln **4.** *als Hobby*: sammeln (*Briefmarken usw.*) **5.** sich ansammeln **6.** abholen (*Person, Gegenstand*) **7.** (ein)kassieren (*Geld usw.*), sammeln (*für Spenden usw.*) **8.** zusammentragen (*Fakten usw.*) **9.** (≈ *ordnen*) sammeln (*Gedanken usw.*); ***collect oneself*** sich sammeln *oder* fassen
collect[2] [kə'lekt] *AE* Nachnahme…; ***collect call*** *Telefon*: R-Gespräch
collect[3] [kə'lekt] *auch* ***collect on delivery*** *AE* per Nachnahme; ***call collect*** *AE*; *Telefon*: ein R-Gespräch führen
collected [kə'lektɪd] **1.** ***the collected works of Charles Dickens*** Charles Dickens' gesammelte Werke **2.** *Person*: gefasst, ruhig
collection [kə'lekʃn] **1.** Sammlung (*von Briefmarken usw.*) **2.** (Ein)Sammeln, *von Postkasten*: Leerung **3.** Abholung **4.** Kollekte, (Geld)Sammlung **5.** *Mode*: Kollektion **6.** Ansammlung (*von Leuten, Dingen*)
collective [kə'lektɪv] **1.** kollektiv, gemeinsam **2.** gesamte(r, -s) **3.** ***collective bargaining*** Tarifverhandlungen
collector [kə'lektə] Sammler(in)
college ['kɒlɪdʒ] **1.** College; ***college of education*** *BE* pädagogische Hochschule; ***she goes to college*** sie studiert **2.** Fachhochschule, *für Kunst*: Akademie **3.** *bes. in Namen von Privatschulen*: ***Eton College*** *die Privatschule Eton*
collide [kə'laɪd] zusammenstoßen (***with*** mit), kollidieren (***with*** mit) (*auch übertragen*)
collision [kə'lɪʒn] Kollision, Zusammenstoß (*beide auch übertragen*)
colloquial [kə'ləʊkwɪəl] umgangssprachlich
collywobbles ['kɒlɪˌwɒblz] *Pl.*, ***have the collywobbles*** *umg.* ein flaues Gefühl in der Magengegend haben
Cologne [kə'ləʊn] Köln
colon [⚠ 'kəʊlən] **1.** *Satzzeichen*: Doppelpunkt **2.** *im Körper*: Dickdarm
colonel ['kɜːnl] *militärisch*: Oberst
colonization [ˌkɒlənaɪ'zeɪʃn] Kolonisation, Besiedlung
colonize ['kɒlənaɪz] kolonisieren, besiedeln
colony ['kɒlənɪ] Kolonie
colossal [kə'lɒsl] riesig, Riesen… (*auch übertragen*)
colossus [kə'lɒsəs] *Pl.*: ***colossi*** [kə'lɒsaɪ] *oder* ***colossuses*** Koloss
colour[1], *AE* **color** ['kʌlə] **1.** *allg.*: Farbe; ***what colour is …?*** welche Farbe hat …?; ☞ *Illu S. 786* **2.** Gesichtsfarbe; ***lose (all) one's colour*** (ganz) blass werden **3.** Hautfarbe; ☞ ***colours***
colour[2], *AE* **color** ['kʌlə] **1.** färben **2.** sich (ver)färben **3.** *auch* ***colour in*** anmalen (*Schwarzweißbild*) **4.** *auch* ***colour up*** erröten, rot werden (***with*** vor)
colour-blind ['kʌləblaɪnd] farbenblind
coloured, *AE* **colored** ['kʌləd] **1.** farbig, bunt (*beide auch übertragen*); ***coloured pencil*** Buntstift, Farbstift **2.** *Mensch*: farbig; ***a coloured man*** ein Farbiger (⚠ *wird als abwertend empfunden*)
colourfast, *AE* **colorfast** ['kʌləfɑːst] *Wäsche*: farbecht
colourful, *AE* **colorful** ['kʌləfl] **1.** farbenprächtig **2.** *übertragen* farbig, bunt
colouring, *AE* **coloring** ['kʌlərɪŋ] **1.** Farbstoff (*in Lebensmitteln*) **2.** Gesichtsfarbe, Teint
colouring book ['kʌlərɪŋ‿bʊk] Malbuch
colourless, *AE* **colorless** ['kʌləlɪs] farblos (*auch übertragen*)
colours, *AE* **colors** ['kʌləz] *Pl.* **1.** Farben (*als Symbol einer Mitgliedschaft*) **2.** Flagge (*eines Schiffs usw.*) **3.** ***show one's true colours*** *übertragen* sein wahres Gesicht zeigen
colour set ['kʌlə‿set] Farbfernseher
colour television ['kʌləˌtelɪvɪʒn], **colour TV** ['kʌlətiːˌviː] **1.** Farbfernsehen **2.** *Gerät*: Farbfernseher

Columbus Day

Öffentlicher Feiertag in den USA am 12. Oktober, der an die Entdeckung Amerikas im Jahr 1492 durch Christoph Columbus erinnern soll. Berühmt ist der große Umzug, der in New York City an diesem Tag stattfindet.

column [⚠ 'kɒləm] **1.** *Architektur*: Säule **2.** *auf Buchseite usw.*: Spalte; ***in double columns*** zweispaltig **3.** *in Zeitung*: Kolumne **4.** *von Zahlen usw.*: Kolonne
columnist [⚠ 'kɒləmnɪst] Kolumnist(in)
coma ['kəʊmə] *medizinisch*: Koma
comb[1] [⚠ kəʊm] Kamm (*auch des Hahns*)
comb[2] [⚠ kəʊm] **1.** kämmen; ***comb one's hair*** sich kämmen **2.** *übertragen* durchkämmen (*Gegend*)
combat[1] ['kɒmbæt] Kampf

combat[2] ['kɒmbæt] bekämpfen, kämpfen gegen (*beide auch übertragen*)
combats ['kɒmbæts], **combat trousers** ['kɒmbæt,traʊzəz] *Pl.* Armeehose
combination [,kɒmbɪ'neɪʃn] **1.** Verbindung, Kombination (*von Faktoren usw.*) **2.** Zusammenschluss (*von Organisationen usw.*)
combine [kəm'baɪn] **1.** verbinden, kombinieren **2.** sich verbinden **3.** in sich vereinigen (*Eigenschaften usw.*)
combustible[1] [kəm'bʌstəbl] brennbar
combustible[2] [kəm'bʌstəbl] Brennstoff
combustion [kəm'bʌstʃən] Verbrennung; ***internal combustion engine*** Verbrennungsmotor
come [kʌm], ***came*** [keɪm], ***come*** [kʌm] **1.** kommen; ***someone's coming*** es kommt jemand; ***he came to see us*** er besuchte uns; ***come and go*** kommen und gehen **2.** (dran)kommen, an die Reihe kommen **3.** kommen, gelangen (***to*** zu) **4.** abstammen, kommen (***of, from*** von) **5.** herrühren, kommen (***of*** von) **6.** geschehen, sich ereignen, kommen; ***come what may*** komme, was da wolle; ***how come ...?*** *umg.* wie kommt es, dass ...? **7.** *salopp* (≈ *einen Orgasmus haben*) kommen **8.** *vor Infinitiv*: ***come to know someone*** jemanden kennen lernen; ***come to know something*** etwas erfahren; ***I've come to believe that ...*** ich bin zu der Überzeugung gekommen, dass ... **9.** *bes. vor Adjektiv*: werden; ***come true*** sich bewahrheiten **10.** ***in the years*** *usw.* ***to come*** in den kommenden Jahren *usw.* **11.** ***don't come the innocent with me*** *BE*, *umg.* spiel mir nicht den Unschuldigen *bzw.* die Unschuldige

come about [,kʌm‿ə'baʊt] geschehen, passieren
come across [,kʌm‿ə'krɒs] **1.** zufällig treffen *oder* finden, stoßen auf **2.** (*Idee usw.*) *umg.* (≈ *verstanden werden*) rüberkommen **3.** (*Rede usw.*) ankommen
come across with [,kʌm‿ə'krɒs‿wɪð] *umg.* **1.** herausrücken mit (*Informationen*) **2.** herausrücken (*Geld*)
come along [,kʌm‿ə'lɒŋ] **1.** ***be coming along*** (≈ *Fortschritte machen*) sich machen **2.** (*Chance usw.*) kommen, sich ergeben **3.** mitkommen, mitgehen; ***come along!*** *umg.* dalli!
come apart [,kʌm‿ə'pɑːt] auseinander fallen
come away [,kʌm‿ə'weɪ] sich lösen, abgehen
come back [,kʌm'bæk] **1.** zurückkommen; ***come back to something*** auf eine Sache zurückkommen **2.** ***it came back to him*** es fiel ihm wieder ein **3.** (*Kleidung usw.*) wieder in Mode kommen **4.** (*Sänger usw.*) ein Come-back feiern
come by [,kʌm'baɪ] **1.** kriegen (*Job usw.*) **2.** sich holen (*Verletzung usw.*) **3.** (*Besucher*) vorbeikommen/trans〉
come down [,kʌm'daʊn] **1.** herunterkommen, (*Regen, Schnee*) fallen **2.** (ein)stürzen, (ein)fallen **3.** *umg.* (*Preise*) sinken **4.** *übertragen* (*Person*) herunterkommen; ***she has come down in the world*** sie ist ganz schön tief gesunken **5.** (*Tradition usw.*) überliefert werden
come down on [,kʌm'daʊn‿ɒn] (hart) rannehmen (*als Strafe*)
come down with [,kʌm'daʊn‿wɪð] erkranken an; ***I'm coming down with a cold*** ich krieg eine Erkältung
come for ['kʌm‿fɔː] ***come for something*** etwas abholen kommen
come forward [,kʌm'fɔːwəd] sich (freiwillig) melden, sich anbieten
come home [,kʌm'həʊm] **1.** nach Hause (Ⓐ, ⒸⒽ nachhause) kommen **2.** ***come home to someone*** jemandem schmerzlich bewusst werden
come in [,kʌm'ɪn] **1.** hereinkommen; ***come in!*** herein! **2.** (*Nachricht usw.*) eingehen, eintreffen **3.** (*Zug*) einlaufen **4.** ***come in second*** *usw.* *Sport*: den zweiten *usw.* Platz belegen **5.** ***where do I come in?*** welche Rolle spiele ich?
come in for [,kʌm'ɪn‿fɔː] stoßen auf (*Kritik usw.*)
come in on [,kʌm'ɪn‿ɒn] mitmachen bei, sich beteiligen an
come into [,kʌm'ɪntʊ] **1.** kommen in (*Raum uw.*) **2.** ***come into a fortune*** ein Vermögen erben **3.** *in Wendungen*: ***come into fashion*** in Mode kommen; ***come into being*** entstehen
come off [,kʌm'ɒf] **1.** herunterfallen (von) **2.** sich lösen, (*Knopf usw.*) abgehen **3.** *umg.* (*Plan usw.*) glücken **4.** ***come off it!*** *umg.* hör schon auf damit!
come on [,kʌm'ɒn] **1.** ***be coming on*** (≈ *Fortschritte machen*) sich machen **2.** *Theater*: auftreten **3.** ***come on!*** komm!, los!, *umg.* na, na!
come out [,kʌm'aʊt] **1.** herauskommen **2.** (*Buch usw.*) erscheinen, herauskommen **3.** (*Wahrheit usw.*) herauskommen **4.** zugeben, dass man homosexuell *bzw.* lesbisch ist **5.** (*Farbe*) ausgehen, (*Fleck*

C

usw.) herausgehen **6.** ***come out against*** (*bzw.* ***for***) sich aussprechen gegen (*bzw.* für) **7.** (*Foto usw.*) gut *usw.* werden; ***my photos didn't come out*** (***very well***) meine Fotos sind nicht gut geworden **8.** ***come out on strike*** *bes. BE* streiken

come out in [ˌkʌm'aʊt‿ɪn] ***come out in a rash*** einen Ausschlag bekommen

come out with [ˌkʌm'aʊt‿wɪð] *umg.* herausrücken mit (*der Wahrheit usw.*), loslassen (*Bemerkung usw.*)

come over [ˌkʌm'əʊvə] **1.** *räumlich*: herüberkommen (*nach England usw.*) **2.** (*Rede usw.*) ankommen **3.** überkommen, befallen; ***what has come over you?*** was ist mit dir los?

come round [ˌkʌm'raʊnd] **1.** (*Bewusstloser*) wieder zu sich kommen **2.** (≈ *besuchen*) vorbeikommen

come through [ˌkʌm'θruː] **1.** (*Anruf, Patient usw.*) durchkommen **2.** überstehen (*Operation usw.*)

come to ['kʌm‿tə] **1.** ***when it comes to paying*** *usw.* wenn es ans Bezahlen *usw.* geht; ***when it comes to politics*** *usw.* wenn es um Politik *usw.* geht **2.** (*Rechnung usw.*) sich belaufen auf **3.** [ˌkʌm'tuː] (*Bewusstloser*) wieder zu sich kommen

come under ['kʌmˌʌndə] **1.** fallen unter (*ein Gesetz usw.*) **2.** geraten unter

come up [ˌkʌm'ʌp] **1.** heraufkommen **2.** *auch* ***come up for discussion*** zur Sprache kommen **3.** herankommen; ***come up to someone*** auf jemanden zukommen **4.** *Recht*: zur Verhandlung kommen

come up to [ˌkʌm'ʌp‿tʊ] **1.** reichen bis an *oder* zu **2.** *übertragen* heranreichen an

come up with [ˌkʌm'ʌp‿wɪð] *umg.* daherkommen mit, auftischen

come upon **1.** [ˌkʌm‿ə'pɒn] überkommen, befallen **2.** ['kʌm‿əˌpɒn] zufällig treffen, stoßen auf

comeback [⚠ 'kʌmbæk] Come-back; ***stage*** (*oder* ***make***) ***a comeback*** ein Come-back feiern

comedian [kə'miːdɪən] **1.** Komiker(in) **2.** Witzbold (*auch abwertend*)

comedown ['kʌmdaʊn] **1.** *beruflich, sozial usw.*: Abstieg **2.** *umg.* Enttäuschung

comedy ['kɒmədɪ] **1.** Komödie (*auch übertragen*), Lustspiel **2.** Komik

comely ['kʌmlɪ] *literarisch* attraktiv, schön

comfort[1] [⚠ 'kʌmfət] **1.** *auch* ***comforts*** *Pl.* Komfort; ***with every modern comfort*** (*oder* ***all modern comforts***) mit allem Komfort; ***live in comfort*** sorgenfrei leben **2.** *gefühlsmäßig*: Trost, Beruhigung **3.** ***comfort station*** *AE* öffentliche Bedürfnisanstalt

comfort[2] [⚠ 'kʌmfət] trösten

comfortable [⚠ 'kʌmftəbl] **1.** bequem; ***make oneself comfortable*** es sich bequem machen; ***are you comfortable?*** haben Sie es bequem?, sitzen *oder* liegen Sie bequem?; ***feel comfortable*** sich wohl fühlen **2.** *Leben usw.*: sorgenfrei **3.** *Einkommen usw.*: ausreichend, recht gut; ***be comfortable*** (*oder* ***comfortably off***) einigermaßen wohlhabend sein

comforter [⚠ 'kʌmfətə] **1.** *Person*: Tröster(in) **2.** *AE* Steppdecke **3.** *für Babys*: Schnuller

comfy [⚠ 'kʌmfɪ] *umg.* komfortabel, bequem

comic[1] ['kɒmɪk] komisch

comic[2] ['kɒmɪk] **1.** *auch* ***comic book*** Comicheft **2.** *Person*: Komiker(in) **3.** ***comics*** *Pl. AE* Comics

comical ['kɒmɪkl] komisch, lustig

comic strip ['kɒmɪk‿strɪp] *in Zeitung usw.*: Comicstrip

coming[1] ['kʌmɪŋ] Kommen; ***the comings and goings*** das Kommen und Gehen

coming[2] ['kʌmɪŋ] **1.** zukünftig, kommend **2.** nächst, kommend; ***the coming week*** (die ganze) nächste Woche; ***coming week*** nächste Woche

coming-out [ˌkʌmɪŋ'aʊt] Coming-out, Outing (*Bekenntnis zur Homosexualität*)

comma ['kɒmə] *Satzzeichen*: Komma, Ⓐ Beistrich

command[1] [kə'mɑːnd] **1.** befehlen **2.** *militärisch*: befehligen, das Kommando führen über **3.** ***command respect*** Achtung gebieten

command[2] [kə'mɑːnd] **1.** Befehl (*auch in der EDV*); ***at someone's command*** auf jemandes Befehl **2.** *militärisch*: Kommando, (Ober)Befehl **3.** *Militäreinheit*: Kommando **4.** ***his command of English*** seine Englischkenntnisse

commander [kə'mɑːndə] *militärisch*: Kommandant(in)

commanding [kə'mɑːndɪŋ] **1.** *militärisch*: befehlshabend **2.** *Person, Tonfall usw.*: herrisch, gebieterisch

commandment [kə'mɑːndmənt] Gebot, Vorschrift; ***the Ten Commandments*** *Bibel*: die Zehn Gebote

commemorate [kə'meməreɪt] gedenken (+ *Genitiv*)

C

commemoration [kəˌmeməˈreɪʃn] ***in commemoration of*** zum Gedenken an
commence [kəˈmens] *förmlich* anfangen, beginnen
commencement [kəˈmensmənt] *förmlich* Beginn
commend [kəˈmend] *förmlich* empfehlen, loben (*Person, Leistung usw.*)
commendable [kəˈmendəbl] lobenswert
commendation [ˌkɒmenˈdeɪʃn] **1.** *offiziell*: Auszeichnung **2.** *förmlich* Lob
comment[1] [ˈkɒment] **1.** Kommentar, Bemerkung (***on*** zu); ***no comment!*** kein Kommentar! **2.** Anmerkung (***on*** zu)
comment[2] [ˈkɒment] bemerken (***that*** dass)

> **comment on** [ˈkɒment‿ɒn] einen Kommentar abgeben zu, kommentieren

commentary [ˈkɒməntrɪ] Kommentar (***on*** zu)
commentator [ˈkɒmənteɪtə] Kommentator
commerce [⚠ ˈkɒmɜːs] Handel
commercial[1] [kəˈmɜːʃl] **1.** Geschäfts…, Handels…; ***commercial correspondence*** Geschäftskorrespondenz; ***commercial letter*** Geschäftsbrief **2.** *Rundfunk, TV*: Werbe…, Reklame…; ***commercial broadcasting*** kommerzieller Rundfunk; ***commercial television*** kommerzielles Fernsehen, *auch*: Privatfernsehen **3.** kommerziell
commercial[2] [kəˈmɜːʃl] *Rundfunk, TV*: Werbespot
commercialize [kəˈmɜːʃəlaɪz] kommerzialisieren, vermarkten
commission[1] [kəˈmɪʃn] **1.** *Wirtschaft*: Provision; ***on commission*** gegen Provision **2.** Auftrag (*für Arbeit*) **3.** Kommission, Ausschuss
commission[2] [kəˈmɪʃn] **1.** beauftragen (*Person usw.*) **2.** in Auftrag geben (*Arbeit*)
commit [kəˈmɪt], ***committed, committed*** **1.** begehen, verüben (*Verbrechen usw.*) **2.** verpflichten (***to*** zu), festlegen (***to*** auf) **3.** *Recht*: einweisen (***to*** in) (*Anstalt usw.*)
committed [kəˈmɪtɪd] *Schriftsteller usw.*: engagiert
commitment [kəˈmɪtmənt] **1.** Verpflichtung (*gegenüber der Familie usw.*) **2.** Engagement, Einsatz (*für eine Sache*)
committee [kəˈmɪtɪ] Komitee, Ausschuss
commodity [kəˈmɒdətɪ] *Wirtschaft*: Ware, (Handels)Artikel
common[1] [ˈkɒmən] **1.** allgemein (bekannt), alltäglich; ***it's common knowledge*** (*bzw.* ***usage***) es ist allgemein bekannt (*bzw.* üblich); ***common name*** häufiger Name; ***common sight*** alltäglicher *oder* vertrauter Anblick **2.** (≈ *einfach*) gewöhnlich; ***the common people*** *Pl.* das einfache Volk **3.** gemeinsam, gemeinschaftlich; ***common to all*** allen gemeinsam; ***common room*** *BE* Gemeinschaftsraum **4.** ***common cold*** Erkältung
common[2] [ˈkɒmən] ***have something in common*** etwas gemein haben; ***in common with …*** ebenso wie …
commoner [ˈkɒmənə] Bürgerliche(r)
common law [ˌkɒmənˈlɔː] *BE* Gewohnheitsrecht (*das gewachsene englische Rechtssystem*)
commonly [ˈkɒmənlɪ] gewöhnlich, im Allgemeinen
commonplace[1] [ˈkɒmənpleɪs] *Ereignis usw.*: alltäglich
commonplace[2] [ˈkɒmənpleɪs] **1.** *abwertend* nichts sagende Redensart **2.** alltägliche Sache
Commons [ˈkɒmənz] *Pl.* ***the Commons*** *BE*; *Parlament*: das Unterhaus
common sense [ˌkɒmənˈsens] gesunder Menschenverstand
commonwealth [ˈkɒmənwelθ] ***the Commonwealth*** (***of Nations***) das Commonwealth; ☞ ***CIS***

British Commonwealth

Das **British Commonwealth** ist ein loser Verbund von ca. 50 Ländern, die früher zum **British Empire** (britischen Weltreich) gehörten und heute auf wirtschaftlicher und politischer Ebene kooperieren. Zum **Commonwealth** gehören z. B. Kanada, Australien, Neuseeland, Südafrika, Kenia, Malaysia, Zypern und Indien. Oberhaupt des **Commonwealth** ist die britische Königin bzw. der britische König.

commotion [kəˈməʊʃn] **1.** *geräuschvoll*: Aufregung **2.** Lärm (*von Menschen*)
communal [ˈkɒmjʊnl] **1.** Gemeinde… **2.** *Einrichtung usw.*: gemeinschaftlich, Gemeinschafts…
commune [ˈkɒmjuːn] Kommune
communicate [kəˈmjuːnɪkeɪt] **1.** mitteilen (***to***; *dt. Dativ*) **2.** kommunizieren, sich verständigen (***with*** mit) **3.** übertragen (*Krankheit usw.*) (***to*** auf) (*auch übertragen*)
communication [kəˌmjuːnɪˈkeɪʃn] **1.** Verständigung, Kommunikation **2.** Mitteilung (***to*** an) **3.** Übertragung (*einer Krankheit usw.*)

C

communication cord [kəˌmjuːnɪˈkeɪʃn‿kɔːd] *BE*; *Zug*: Notbremse
communicative [kəˈmjuːnɪkətɪv] mitteilsam, gesprächig
communion [kəˈmjuːnɪən] **1.** (Religions-)Gemeinschaft **2.** ***Communion*** *kirchlich*: Abendmahl, Kommunion
communism [ˈkɒmjʊnɪzm] Kommunismus
communist[1] [ˈkɒmjʊnɪst] Kommunist(in)
communist[2] [ˈkɒmjʊnɪst] kommunistisch
community [kəˈmjuːnətɪ] **1.** *soziale Gruppe*: Gemeinschaft, Gemeinde **2.** *die* Allgemeinheit
commutation ticket [ˌkɒmjuːˈteɪʃnˌtɪkɪt] *AE*; *Bus*, *Bahn*: Dauerkarte, Zeitkarte
commute [kəˈmjuːt] **1.** *per Bahn usw.*: pendeln **2.** *Recht*: umwandeln (*Strafe*) (***to, into*** in)
commuter [kəˈmjuːtə] Pendler(in); ***commuter train*** Pendlerzug, Nahverkehrszug
compact[1] [kəmˈpækt] **1.** kompakt **2.** *Wohnung usw.*: klein
compact[2] [ˈkɒmpækt] Puderdose
compact disc [ˌkɒmpæktˈdɪsk] *auch* ***CD*** Compactdisc, CD
compact disc player [ˌkɒmpæktˈdɪskˌpleɪə] *auch* ***CD player*** CD-Spieler
companion [kəmˈpænjən] **1.** Gefährte, Gefährtin, *auf Reisen*: Begleiter(in) (*auch übertragen*) **2.** (≈ *Freund*[*in*]) Kamerad(in) **3.** Gegenstück, Pendant (*von zusammengehörenden Dingen*) **4.** ***the Angler's*** *usw.* ***Companion*** *als Buchtitel*: „der Ratgeber für den Angler *usw.*"
companionship [kəmˈpænjənʃɪp] Begleitung, Gesellschaft
company [⚠ ˈkʌmpənɪ] **1.** *Wirtschaft*: Gesellschaft, Firma **2.** *Theater*: Truppe **3.** Gesellschaft; ***keep someone company*** jemandem Gesellschaft leisten; ***present company excepted*** Anwesende ausgenommen! **4.** Besuch, Gäste **5.** (≈ *Freunde usw.*) Umgang; ***the company he keeps*** sein Umgang **6.** *Militär*: Kompanie
comparable [⚠ ˈkɒmpərəbl] vergleichbar (***with, to*** mit)
comparative[1] [kəmˈpærətɪv] **1.** relativ **2.** *Studie usw.*: vergleichend
comparative[2] [kəmˈpærətɪv] *Sprache*: Komparativ, 1. Steigerungsstufe
comparatively [kəmˈpærətɪvlɪ] verhältnismäßig, vergleichsweise
compare[1] [kəmˈpeə] **1.** vergleichen (***with, to*** mit); ***compared with*** (*oder* ***to***) im Vergleich zu **2.** gleichsetzen, vergleichen; ***not to be compared with*** (*oder* ***to***) nicht zu vergleichen mit **3.** sich vergleichen lassen
compare[2] [kəmˈpeə] ***beyond compare*** unvergleichlich
comparison [kəmˈpærɪsn] Vergleich; ***in comparison with*** im Vergleich mit *oder* zu
compartment [kəmˈpɑːtmənt] **1.** *Zug*: Abteil **2.** *in Kühlschrank usw.*: Fach
compass [⚠ ˈkʌmpəs] **1.** Kompass **2.** ***compasses*** *Pl.*, *auch* ***pair of compasses*** Zirkel
compassion [kəmˈpæʃn] Mitgefühl
compassionate [kəmˈpæʃnət] mitfühlend
compatible [kəmˈpætəbl] **1.** vereinbar (***with*** mit), miteinander vereinbar **2.** ***be compatible*** (***with***) sich vertragen (mit), zusammenpassen **3.** *Computer*: kompatibel
compatriot [kəmˈpætrɪət] Landsmann, Landsmännin
compel [kəmˈpel], ***compelled, compelled*** **1.** zwingen; ***be compelled to do something*** gezwungen sein etwas zu tun **2.** erzwingen (*Gehorsam usw.*) **3.** abnötigen (*Bewunderung usw.*)
compendium [kəmˈpendɪəm] *Pl.*: ***compendiums*** *oder* ***compendia*** [kəmˈpendɪə] **1.** *Buch*: Kompendium, Handbuch **2.** *von Brettspielen*: Sammlung; ***compendium of games*** Spielesammlung
compensate [ˈkɒmpənseɪt] **1.** entschädigen (*Person*) (***for*** für) **2.** ersetzen, vergüten (*Verlust*, *Schaden usw.*) **3.** kompensieren, ausgleichen (*Mangel usw.*)

> **compensate for** [ˈkɒmpənseɪt‿fɔː] kompensieren, ausgleichen

compensation [ˌkɒmpənˈseɪʃn] **1.** (Schaden)Ersatz, Entschädigung; ***as*** (*oder* ***by way of***) ***compensation*** als Ersatz **2.** ***in compensation for*** als Ausgleich für
compere [⚠ ˈkɒmpeə] *BE*; *TV usw.*: Moderator(in)
compete [kəmˈpiːt] **1.** *geschäftlich*: konkurrieren (***with*** mit) **2.** *übertragen* wetteifern (***with*** mit) **3.** *Sport*: (am Wettkampf) teilnehmen, *auch im weiteren Sinn*: kämpfen (***for*** um; ***against*** gegen)
competence [ˈkɒmpɪtəns] **1.** Fähigkeit, Tüchtigkeit **2.** *Recht*: Zuständigkeit
competent [ˈkɒmpɪtənt] **1.** fähig, tüchtig **2.** *Recht*: zuständig
competition [ˌkɒmpəˈtɪʃn] **1.** *allg.*: Wettbewerb (***for*** um), *Sport*: Wettkampf **2.** Preisausschreiben **3.** *Wirtschaft*: Wettbewerb, Konkurrenz **4.** *die anderen Firmen*, *Sportler usw.*: Konkurrenz

C

competitive [kəm'petətɪv] **1.** Wettbewerbs…, Konkurrenz… **2.** *Betrieb, Preise usw.*: konkurrenzfähig
competitor [kəm'petɪtə] **1.** *allg.*: Konkurrent(in) **2.** *bes. Sport*: Teilnehmer(in)
compile [kəm'paɪl] zusammenstellen, zusammentragen (*Material usw.*)
complacency [kəm'pleɪsnsɪ] Selbstzufriedenheit
complacent [kəm'pleɪsnt] selbstzufrieden
complain [kəm'pleɪn] **1.** sich beklagen *oder* beschweren (***of, about*** über; ***to*** bei) **2.** *Wirtschaft*: reklamieren

> **complain of** [kəm'pleɪn‿əv] klagen über (*Schmerzen usw.*)

complaint [kəm'pleɪnt] **1.** Klage, Beschwerde; ***make a complaint*** sich (offiziell) beschweren **2.** *Wirtschaft*: Reklamation, Beanstandung **3.** *medizinisch*: Leiden
complement[1] ['kɒmplɪmənt] Ergänzung (***to***; *dt. Genitiv*) (*auch Sprache*)
complement[2] ['kɒmplɪment] ergänzen
complementary [ˌkɒmplɪ'mentərɪ] (einander) ergänzend
complete[1] [kəm'pliːt] **1.** komplett, vollständig, vollzählig **2.** *Arbeit*: fertig, beendet
complete[2] [kəm'pliːt] **1.** vervollständigen **2.** *übertragen* vollkommen machen (*Glück usw.*) **3.** fertig stellen, abschließen **4.** ausfüllen (*Formular*)
completely [kəm'pliːtlɪ] völlig, vollkommen
completion [kəm'pliːʃn] **1.** Vervollständigung **2.** Fertigstellung; ***bring to completion*** zum Abschluss bringen
complex[1] ['kɒmpleks] komplex, vielschichtig
complex[2] ['kɒmpleks] **1.** (Gebäude)Komplex **2.** *psychologisch*: Komplex
complexion [kəm'plekʃn] **1.** Gesichtsfarbe, Teint **2.** *übertragen* Aussehen, Anstrich **3.** *übertragen* (politische) Richtung
compliance [kəm'plaɪəns] **1.** Einwilligung (***with*** in), Befolgung (***with***; *dt. Genitiv*) **2.** Fügsamkeit
compliant [kəm'plaɪənt] entgegenkommend, *stärker*: fügsam
complicate ['kɒmplɪkeɪt] komplizieren
complicated ['kɒmplɪkeɪtɪd] kompliziert
complication [ˌkɒmplɪ'keɪʃn] Komplikation (*auch medizinisch*)
complicity [kəm'plɪsətɪ] Mittäterschaft
compliment[1] ['kɒmplɪmənt] Kompliment; ***pay someone a compliment*** jemandem ein Kompliment machen; ☞ ***compliments***
compliment[2] ['kɒmplɪment] ***compliment someone*** jemandem ein Kompliment *oder* Komplimente machen (***on*** wegen)
complimentary [ˌkɒmplɪ'mentərɪ] **1.** lobend, schmeichelhaft **2.** Gratis…, Frei…; ***complimentary ticket*** Freikarte
compliments ['kɒmplɪmənts] *Pl.* Grüße; ***with the compliments of the management*** *usw. in Begleitschreiben zu Geschenk*: mit den besten Wünschen der Geschäftsleitung *usw.*
comply [kəm'plaɪ] einwilligen (***with*** in); ***comply with something*** etwas erfüllen (*einen Wunsch usw.*), etwas einhalten (*eine Abmachung*)
component [kəm'pəʊnənt] (Bestand)Teil, Komponente
compose [kəm'pəʊz] **1.** *Musik*: komponieren **2.** verfassen (*Gedicht usw.*) **3.** ***compose oneself*** *gefühlsmäßig*: sich zusammennehmen *oder* fassen **4.** ***be composed of*** bestehen *oder* sich zusammensetzen aus
composed [kəm'pəʊzd] ruhig, gelassen
composer [kəm'pəʊzə] Komponist(in)
composite ['kɒmpəzɪt] zusammengesetzt
composition [ˌkɒmpə'zɪʃn] **1.** *Musik, Kunst*: Komposition **2.** Zusammensetzung, Beschaffenheit **3.** *Schule*: Aufsatz
compost ['kɒmpɒst] Kompost
composure [kəm'pəʊʒə] Fassung
compote ['kɒmpəʊt, 'kɒmpɒt] Kompott
compound[1] ['kɒmpaʊnd] **1.** *Chemie*: Verbindung **2.** *Sprache*: Kompositum, zusammengesetztes Wort
compound[2] ['kɒmpaʊnd] **1.** zusammengesetzt; ***compound word*** *Sprache*: zusammengesetztes Wort **2.** ***compound fracture*** *medizinisch*: komplizierter Bruch
compound[3] [kəm'paʊnd] verschlimmern (*Problem usw.*)
comprehend [ˌkɒmprɪ'hend] *förmlich* begreifen, verstehen
comprehensible [ˌkɒmprɪ'hensəbl] begreiflich, verständlich
comprehension [ˌkɒmprɪ'henʃn] **1.** Verstand **2.** Verständnis (***of*** für) **3.** ***listening comprehension*** Hörverstehen
comprehensive[1] [ˌkɒmprɪ'hensɪv] *Buch, Studie usw.*: umfassend; ***comprehensive insurance*** *für Auto*: Vollkasko(versicherung)
comprehensive[2] [ˌkɒmprɪ'hensɪv] *BE, auch* ***comprehensive school*** Gesamtschule
compress[1] [kəm'pres] *Technik*: kompri-

mieren (*auch übertragen*); ***compressed air*** Pressluft, Druckluft
compress[2] ['kɒmpres] *bei Verletzung usw.*: Kompresse
comprise [kəm'praɪz] umfassen, bestehen aus
compromise[1] ['kɒmprəmaɪz] Kompromiss
compromise[2] ['kɒmprəmaɪz] **1.** einen Kompromiss schließen **2.** bloßstellen, kompromittieren **3.** gefährden (*Ruf usw.*)
compulsion [kəm'pʌlʃn] Zwang
compulsive [kəm'pʌlsɪv] zwanghaft
compulsory [kəm'pʌlsrɪ] **1.** Zwangs… **2.** obligatorisch, Pflicht…; ***compulsory subject*** *Schule, Universität*: Pflichtfach
computation [ˌkɒmpjuː'teɪʃn] Berechnung
compute [kəm'pjuːt] berechnen
computer [kəm'pjuːtə] Computer, Rechner; ***computer centre*** (*AE* ***center***) Rechenzentrum; ***computer-controlled*** computergesteuert; ***computer science*** Informatik; ☞ *Illu S. 539*
computer game [kəm'pjuːtə‿geɪm] Computerspiel
computerize [kəm'pjuːtəraɪz] computerisieren, auf Computer umstellen
computer programmer [kəmˌpjuːtə'prəʊgræmə] Programmierer(in)
comrade ['kɒmreɪd] **1.** Kamerad(in) **2.** *politisch*: Genosse, Genossin
comradeship ['kɒmreɪdʃɪp] Kameradschaft
con[1] [kɒn], ***conned, conned*** *salopp* betrügen (***out of*** um), reinlegen
con[2] [kɒn] *salopp* Betrug, Schwindel
con[3] [kɒn] → ***pros and cons***
conceal [kən'siːl] **1.** verbergen, verstecken (*Dinge, Gefühle usw.*) (***from*** vor) **2.** verheimlichen (***from*** vor)
concede [kən'siːd] **1.** zugeben, einräumen (*dass jemand Recht hat usw.*); ***concede defeat*** *bei Spiel usw.*: sich geschlagen geben **2.** abtreten (*Land, Rechte usw.*)
conceit [kən'siːt] Einbildung, Dünkel
conceited [kən'siːtɪd] eingebildet
conceivable [kən'siːvəbl] denkbar, vorstellbar
conceive [kən'siːv] **1.** *auch* ***conceive of*** sich vorstellen, haben (*Idee*) **2.** (*Frau*) schwanger werden
concentrate[1] ['kɒnsəntreɪt] **1.** sich konzentrieren **2.** *allg.*: konzentrieren (*auch Gedanken usw.*) (***on*** auf)
concentrate[2] ['kɒnsntreɪt] Konzentrat
concentration [ˌkɒnsn'treɪʃn] *allg.*: Konzentration; ***powers*** *Pl.* ***of concentration*** Konzentrationsfähigkeit
concept ['kɒnsept] **1.** Begriff **2.** (≈ *Idee, Prinzip*) Gedanke, Vorstellung
conception [kən'sepʃn] **1.** Begriff, Vorstellung (***of*** von) **2.** *biologisch*: Empfängnis
concern[1] [kən'sɜːn] **1.** handeln von; ***this article concerns …*** in diesem Bericht geht es um … **2.** angehen, betreffen **3.** ***concern oneself with*** sich befassen mit
concern[2] [kən'sɜːn] **1.** Angelegenheit, Sache; ***that's no concern of mine*** das geht mich nichts an; ***a matter of national concern*** ein nationales Anliegen **2.** Unruhe, Sorge (***at, about, for*** wegen, um) **3.** *Wirtschaft*: Geschäft, Unternehmen (⚠ *nicht* ***Konzern***)
concerned [kən'sɜːnd] **1.** besorgt (***about, at, for*** um), beunruhigt (***about, at, for*** wegen) **2.** ***the people concerned*** die betroffenen (*bzw.* betreffenden) Leute **3.** ***as far as I'm concerned*** was mich betrifft **4.** ***be concerned with*** (*Bericht usw.*) handeln von
concerning [kən'sɜːnɪŋ] betreffend, hinsichtlich, was … (an)betrifft
concert ['kɒnsət] *Musik*: Konzert; ***concert hall*** Konzertsaal
concerted [kən'sɜːtɪd] gemeinsam
concerto [⚠ kən'tʃeətəʊ] *Pl.*: ***concertos*** *Musik*: (Solo)Konzert
concession [kən'seʃn] **1.** Konzession, Zugeständnis **2.** (amtliche) Konzession **3.** *BE* Ermäßigung
conciliate [kən'sɪlɪeɪt] **1.** aussöhnen, versöhnen **2.** in Einklang bringen (*verschiedene Meinungen usw.*)
conciliation [kənˌsɪlɪ'eɪʃn] Versöhnung
conciliator [kən'sɪlɪeɪtə] Vermittler
concise [⚠ kən'saɪs] *Erklärung usw.*: kurz, knapp, prägnant
conclude [kən'kluːd] **1.** folgern, schließen (***from*** aus); ***conclude that*** zu dem Schluss kommen, dass **2.** beenden, beschließen (*Rede usw.*) **3.** (*Veranstaltung, Geschichte usw.*) enden, schließen (***with*** mit) **4.** abschließen (*Vertrag usw.*)
concluding [kən'kluːdɪŋ] abschließend, Schluss…
conclusion [kən'kluːʒn] **1.** (Schluss)Folgerung; ***come to the conclusion that*** zu dem Schluss kommen, dass; ***draw a conclusion*** einen Schluss ziehen; ***jump to conclusions*** voreilige Schlüsse ziehen **2.** Abschluss, Ende; ***in conclusion*** zum Schluss **3.** Abschluss (*eines Vertrags usw.*)
conclusive [kən'kluːsɪv] *Beweis usw.*: schlüssig, eindeutig
concoct [kən'kɒkt] zusammenstellen, zurechtzaubern (*Essen usw.*)
concoction [kən'kɒkʃn] **1.** (≈ *Getränk*)

Gebräu (*auch abwertend*) **2.** *übertragen* Erfindung
concourse ['kɒŋkɔːs] **1.** freier Platz (*für Versammlungen usw.*) **2.** *am Bahnhof*: Bahnhofshalle, *am Flughafen*: Flughafenhalle
concrete[1] ['kɒŋkriːt] konkret
concrete[2] ['kɒŋkriːt] Beton
concrete[3] ['kɒŋkriːt] betoniert, Beton…; ***concrete mixer*** Betonmischmaschine
concur [kən'kɜː] **1.** (*Ereignisse*) zusammentreffen **2.** zusammenwirken **3.** übereinstimmen (***with*** mit; ***in*** in); ***concur with someone*** *auch*: jemandem beipflichten
concurrent [kən'kʌrənt] *zeitlich*: zusammentreffend
concuss [kən'kʌs] ***he's concussed*** *medizinisch*: er hat eine Gehirnerschütterung
concussion [kən'kʌʃn] ***concussion*** (***of the brain***) *medizinisch*: Gehirnerschütterung
condemn [kən'dem] **1.** verdammen, verurteilen **2.** *Recht*: verurteilen (***to death*** zum Tode)
condemnation [ˌkɒndem'neɪʃn] Verdammung, Verurteilung
condensation [ˌkɒnden'seɪʃn] **1.** *physikalisch*: Kondensation **2.** Kondenswasser
condense [kən'dens] **1.** *physikalisch*: kondensieren **2.** ***condensed milk*** süße Dosenmilch **3.** zusammenfassen (*Bericht usw.*)
condescend [⚠ ˌkɒndɪ'send] **1.** ***condescend to do something*** *oft ironisch*: sich herablassen, etwas zu tun **2.** herablassend *oder* gönnerhaft sein (***to*** gegen, zu)
condescending [⚠ ˌkɒndɪ'sendɪŋ] herablassend, gönnerhaft
condiment ['kɒndɪmənt] Gewürz, Würze
condition[1] [kən'dɪʃn] **1.** ***conditions*** *Pl.* Bedingungen, Verhältnisse; ***living conditions*** Lebensbedingungen; ***weather conditions*** Wetterverhältnisse **2.** Verfassung, Zustand (*auch gesundheitlich*); ***out of condition*** in schlechter Verfassung, untrainiert **3.** Bedingung; ***on condition that*** unter der Bedingung, dass; ***she makes it a condition that*** sie macht es zur Bedingung, dass **4.** ***on no condition*** unter keinen Umständen, keinesfalls **5.** Krankheit; ***a heart condition*** ein Herzleiden
condition[2] [kən'dɪʃn] programmieren (*Person, Tier*) (***to, for*** auf)
conditional [kən'dɪʃnəl] **1.** bedingt (***on*** durch), abhängig (***on*** von); ***make it conditional on*** es abhängig machen von **2.** *Sprache*: Konditional…; ***conditional clause*** Konditionalsatz, Bedingungssatz
conditioner [kən'dɪʃnə] **1.** *für Haare*: Spülung **2.** *für Wäsche*: Weichspüler
condo ['kɒndəʊ] *umg. Kurzform von* → ***condominium***
condolence [kən'dəʊləns] Beileid; ***please accept my condolences*** mein herzliches Beileid
condom ['kɒndəm] Kondom, Präservativ
condominium [ˌkɒndə'mɪnɪəm] *AE* **1.** Eigentumswohnung **2.** Eigentumswohnanlage
conducive [kən'djuːsɪv] *förmlich* dienlich, förderlich (***to***; *dt. Dativ*)
conduct[1] [kən'dʌkt] **1.** führen; ***conducted tour*** Führung (***of*** durch) **2.** führen (*Verhandlungen usw.*), leiten (*Geschäft usw.*) **3.** *Musik*: leiten, dirigieren **4.** *Physik*: leiten (*Strom usw.*) **5.** ***conduct oneself*** *förmlich* sich betragen *oder* verhalten
conduct[2] ['kɒndʌkt] **1.** *von Person*: Betragen, Verhalten **2.** Führung, Leitung (*eines Unternehmens usw.*)
conductor [kən'dʌktə] **1.** *Musik*: Dirigent (-in) **2.** *Physik*: Leiter; ***lightning conductor*** Blitzableiter **3.** *Bus, Straßenbahn*: Schaffner(in) **4.** *AE* Zugbegleiter(in), Ⓒⓗ Kondukteur(in)
cone [kəʊn] **1.** *Geometrie und allg.*: Kegel; *auch* ***traffic cone*** *auf der Straße*: Leitkegel **2.** Zapfen (*einer Tanne usw.*) **3.** Waffeltüte (*für Speiseeis*)
confectioner [kən'fekʃnə] Konditor(in)
confectionery [kən'fekʃnərɪ] **1.** Süßwaren **2.** Süßwarengeschäft, Konditorei
confederacy [kən'fedərəsɪ] (Staaten-) Bund
confederate [kən'fedərət] Verbündete(r), Bundesgenosse
confederation [kənˌfedə'reɪʃn] **1.** Bund, Bündnis **2.** (Staaten)Bund
confer [kən'fɜː], ***conferred, conferred*** **1.** sich beraten (***with*** mit) **2.** verleihen (*Titel usw.*) (***on***; *dt. Dativ*)
conference ['kɒnfrəns] **1.** Kongress, Tagung, Konferenz **2.** *im kleineren Kreis*: Besprechung
confess [kən'fes] **1.** bekennen, (ein)gestehen **2.** zugeben (*auch* ***that*** dass) **3.** ***confess to something*** etwas (ein)gestehen, sich zu etwas bekennen; ***confess to doing something*** (ein)gestehen etwas getan zu haben **4.** *kirchlich*: beichten (***to***; *dt. Dativ*)
confession [kən'feʃn] **1.** Geständnis **2.** *kirchlich*: Beichte **3.** *kirchlich*: Glaubensbekenntnis
confessional [kən'feʃnəl] Beichtstuhl

confetti [kən'fetɪ] Konfetti
confidant ['kɒnfɪdænt] Vertrauter
confidante ['kɒnfɪdænt] Vertraute
confide [kən'faɪd] ***confide something to someone*** jemandem etwas anvertrauen

confide in [kən'faɪd‿ɪn] ***confide in someone*** sich jemandem anvertrauen

confidence ['kɒnfɪdəns] **1.** Vertrauen (***in*** auf, zu); ***have confidence in*** Vertrauen haben zu; ***take someone into one's confidence*** jemanden ins Vertrauen ziehen **2.** *auch* ***confidence in oneself*** Selbstvertrauen **3.** vertrauliche Mitteilung
confident ['kɒnfɪdənt] **1.** selbstsicher **2.** zuversichtlich, überzeugt (***of*** von; ***that*** dass), sicher (***of***; *dt. Genitiv*; ***that*** dass)
confidential [ˌkɒnfɪ'denʃl] vertraulich
confidentially [ˌkɒnfɪ'denʃəlɪ] vertraulich, im Vertrauen
confine [kən'faɪn] **1.** begrenzen, einschränken (***to*** auf); ***confine oneself to something*** sich auf etwas beschränken (*ein Thema usw.*) **2.** einschließen, einsperren (*Tier usw.*); ***be confined to bed*** *übertragen* ans Bett gefesselt sein (*wegen Krankheit*)
confinement [kən'faɪnmənt] **1.** *Gefängnisstrafe*: Haft; ***solitary confinement*** Einzelhaft **2.** *Geburtsvorgang*: Entbindung
confines ['kɒnfaɪnz] *Pl.* Grenzen
confirm [kən'fɜːm] **1.** bestätigen (*Aussage, Verdacht usw.*) **2.** bekräftigen (*Entschluss*) **3.** bestärken (***in*** in) **4.** *kirchlich*: konfirmieren, firmen
confirmation [ˌkɒnfə'meɪʃn] **1.** Bestätigung (*einer Aussage usw.*) **2.** *kirchlich*: Konfirmation, Firmung
confirmed [kən'fɜːmd] erklärt, überzeugt; ***confirmed bachelor*** eingefleischter Junggeselle
confiscate ['kɒnfɪskeɪt] beschlagnahmen
confiscation [ˌkɒnfɪ'skeɪʃn] Beschlagnahme, Konfiszierung
conflict[1] ['kɒnflɪkt] Konflikt; ***come into conflict with*** in Konflikt geraten mit; ***conflict of interests*** Interessenkonflikt
conflict[2] [kən'flɪkt] kollidieren (***with*** mit), im Widerspruch stehen (***with*** zu)
conform [kən'fɔːm] **1.** sich anpassen (***to***; *dt. Dativ*) (*Zwängen usw.*) **2.** übereinstimmen (***to*** mit) (*Erwartungen usw.*)
confound [kən'faʊnd] **1.** verblüffen **2.** verwirren, durcheinander bringen (*Person*)
confront [kən'frʌnt] **1.** gegenübertreten, gegenüberstehen (*oft feindlich*); ***be confronted with difficulties*** *usw.* Schwierigkeiten *usw.* gegenüberstehen **2.** sich stellen (*einer Gefahr usw.*) **3.** konfrontieren (***with*** mit)
confrontation [ˌkɒnfrʌn'teɪʃn] Konfrontation
confuse [kən'fjuːz] **1.** verwirren, aus der Fassung bringen (*Person*) **2.** verwechseln, durcheinander bringen (***with*** mit)
confused [kən'fjuːzd] **1.** *Person*: verwirrt, verlegen **2.** verworren, wirr
confusion [kən'fjuːʒn] **1.** *Gefühlszustand*: Verwirrung, Unklarheit **2.** Verwechslung (*zweier Dinge usw.*) **3.** *Situation*: Durcheinander
congeal [kən'dʒiːl] gerinnen, erstarren
congenial [kən'dʒiːnɪəl] **1.** (geistes)verwandt **2.** sympathisch, angenehm (***to***; *dt. Dativ*)
congenital [kən'dʒenɪtl] angeboren
congested [kən'dʒestɪd] *Straßen usw.*: verstopft
congestion [kən'dʒestʃən] *Verkehr*: Stau, *Leute*: Gedränge
conglomeration [kənˌglɒmə'reɪʃn] Ansammlung, Häufung
congrats [kən'græts] *umg.* gratuliere!
congratulate [kən'grætʃʊleɪt] gratulieren, beglückwünschen (***on*** zu)
congratulations [kənˌgrætʃʊ'leɪʃnz] *Pl.* Glückwunsch; ***congratulations!*** ich gratuliere!, herzlichen Glückwunsch!
congregate ['kɒŋgrɪgeɪt] sich versammeln
congregation [ˌkɒŋgrɪ'geɪʃn] *bes. beim Gottesdienst*: (Kirchen)Gemeinde
congress ['kɒŋgres] **1.** Kongress, Tagung **2.** ***Congress*** *AE* (≈ *Parlament*) der Kongress
Congressman ['kɒŋgresmən], *Pl.*: ***Congressmen*** ['kɒŋgresmən] *AE* (≈ *Abgeordneter*) Mitglied des Repräsentantenhauses
Congresswoman ['kɒŋgresˌwʊmən], *Pl.*: ***Congresswomen*** ['kɒŋgresˌwɪmɪn] *AE* (≈ *Abgeordnete*) Mitglied des Repräsentantenhauses
conical ['kɒnɪkl] kegelförmig
conifer ['kɒnɪfə] Nadelbaum
conjecture[1] [kən'dʒektʃə] Mutmaßung
conjecture[2] [kən'dʒektʃə] mutmaßen
conjugal ['kɒndʒʊgl] ehelich, Ehe…
conjugate ['kɒndʒʊgeɪt] *Sprache* **1.** (*Verb*) konjugiert werden **2.** konjugieren
conjugation [ˌkɒndʒʊ'geɪʃn] *Sprache*: Konjugation, Beugung
conjunction [kən'dʒʌŋkʃn] **1.** *Sprache*: Konjunktion, Bindewort **2.** Verbindung **3.** Zusammentreffen (*von Ereignissen*)

conjunctivitis [kənˌdʒʌŋktɪ'vaɪtɪs] *medizinisch*: Bindehautentzündung

conjunctivitis

Viele Krankheiten und Leiden werden im Englischen von der lateinischen, manchmal auch der griechischen Bezeichnung abgeleitet, z. B.:

appendicitis [əˌpendə'saɪtɪs]	Blinddarmentzündung
tonsillitis [ˌtɒnsə'laɪtɪs]	Mandelentzündung
cystitis [sɪ'staɪtɪs]	Blasenentzündung *usw.*

conjure [⚠ 'kʌndʒə] zaubern

conjure up [ˌkʌndʒər'ʌp] **1.** heraufbeschwören (*Erinnerungen*) **2.** hervorzaubern, zusammenzaubern (*Essen usw.*)

conjurer, **conjuror** ['kʌndʒərə] Zauberer, Zauberin, Zauberkünstler(in)
conjuring trick ['kʌndʒərɪŋ‿trɪk] Zauberkunststück, Zaubertrick
conk [kɒŋk] *salopp* (≈ *Nase*) Riecher

conk out [ˌkɒŋk'aʊt] *salopp* **1.** (*Fernseher usw.*) streiken, (*Motor*) absterben **2.** einschlafen, zusammenklappen (*vor Erschöpfung*)

conman ['kɒnmæn] *Pl.*: ***conmen*** ['kɒnmen] *umg.* Betrüger, Hochstapler
connect [kə'nekt] **1.** verbinden (***with*** mit) (*auch übertragen*) **2.** *übertragen* in Zusammenhang *oder* Verbindung bringen (***with*** mit) **3.** *Telefon*: verbinden (***to, with*** mit) **4.** *Elektrotechnik*: anschließen (***to*** an), zuschalten **5.** *Technik*: verbinden (***to*** mit) **6.** *Eisenbahn usw.*: Anschluss haben (***with*** an)
connected [kə'nektɪd] **1.** *Dinge*: verbunden **2.** *Probleme usw.*: zusammenhängend **3.** *Personen*: verwandt; ***connected by marriage*** verschwägert
connecting [kə'nektɪŋ] **1.** Verbindungs…; ***connecting door*** Verbindungstür **2.** ***connecting flight*** Anschlussflug; ***connecting train*** Anschlusszug
connection, *BE auch* **connexion** [kə'nekʃn] **1.** Verbindung **2.** Zusammenhang; ***in connection with*** in Zusammenhang mit **3.** *Eisenbahn, Telefon usw.*: Verbindung, Anschluss **4.** ***connections*** *Pl.* Beziehungen
conquer ['kɒŋkə] **1.** erobern (*auch übertragen*) **2.** besiegen, bezwingen
conqueror ['kɒŋkərə] Eroberer
conquest ['kɒŋkwest] **1.** Eroberung (*auch übertragen Person*) **2.** Bezwingung
conscience ['kɒnʃns] Gewissen; ***a clear*** (*bzw.* ***guilty***) ***conscience*** ein reines (*bzw.* schlechtes) Gewissen
conscientious [⚠ ˌkɒnʃɪ'enʃəs] **1.** *Arbeiter(in)*, *Schüler(in) usw.*: gewissenhaft **2.** ***conscientious objector*** Wehrdienstverweigerer (*aus Gewissensgründen*)
conscious ['kɒnʃəs] **1.** (≈ *nicht bewusstlos*) bei Bewusstsein **2.** ***be conscious of something*** sich einer Sache bewusst sein **3.** *Handlung usw.*: bewusst
consciousness ['kɒnʃəsnəs] Bewusstsein; ***lose consciousness*** das Bewusstsein verlieren; ***regain consciousness*** wieder zu sich kommen
conscript ['kɒnskrɪpt] Wehrpflichtiger
conscription [kən'skrɪpʃn] **1.** Einziehung, Einberufung (*zum Militär*) **2.** Wehrpflicht
consecrate ['kɒnsɪkreɪt] **1.** *kirchlich*: weihen **2.** *förmlich* weihen, widmen (*sein Leben usw.*) (***to***; *dt. Dativ*)
consecutive [kən'sekjʊtɪv] **1.** aufeinander folgend; ***for two consecutive days*** zwei Tage hintereinander **2.** *Zahlen usw.*: (fort)laufend
consecutively [kən'sekjʊtɪvlɪ] **1.** nacheinander, hintereinander **2.** (fort)laufend
consensus [kən'sensəs] *auch* ***consensus of opinion*** (allgemeine) Übereinstimmung
consent[1] [kən'sent] **1.** zustimmen (***to***; *dt. Dativ*), einwilligen (***to*** in) **2.** sich bereit erklären (***to do*** zu tun)
consent[2] [kən'sent] Zustimmung (***to*** zu), Einwilligung (***to*** in)
consequence ['kɒnsɪkwəns] **1.** Folge, Konsequenz; ***in consequence*** folglich, daher; ***as a consequence of*** infolge von (*oder Genitiv*); ***take the consequences*** die Konsequenzen tragen **2.** ***of no*** (*bzw.* ***little***) ***consequence*** *förmlich* ohne (*bzw.* von geringer) Bedeutung
consequent ['kɒnsɪkwənt] *förmlich* sich daraus ergebend, darauf folgend (⚠ *konsequent* = ***consistent***)
consequently ['kɒnsɪkwəntlɪ] folglich
conservation [ˌkɒnsə'veɪʃn] **1.** Erhaltung **2.** Naturschutz, Umweltschutz; ***conservation area*** Naturschutzgebiet
conservationist [ˌkɒnsə'veɪʃnɪst] Naturschützer(in), Umweltschützer(in)
conservative[1] [kən'sɜːvətɪv] **1.** *allg.*: konservativ **2.** *Schätzung*: vorsichtig

conservative[2] [kən'sɜːvətɪv] *mst.* ***Conservative*** *politisch*: Konservative(r)
conservatoire [kən'sɜːvətwɑː] Konservatorium, Musik(hoch)schule
conservatory [kən'sɜːvətrɪ] **1.** Wintergarten **2.** *bes. AE* Konservatorium
conserve [kən'sɜːv] **1.** erhalten, bewahren (*Natur, Bauwerk usw.*) **2.** sparen (*Kraft, Energie*)
consider [kən'sɪdə] **1.** nachdenken über (*Problem usw.*), überlegen **2.** sich überlegen, erwägen (*Jobwechsel, Umzug usw.*) (***doing*** zu tun) **3.** berücksichtigen (*Kosten, Fakten usw.*) **4.** in Betracht ziehen (*Idee usw.*) **5.** Rücksicht nehmen auf, denken an (*Gefühle usw.*) **6.** betrachten als, halten für; ***be considered rich*** als reich gelten
considerable [kən'sɪdərəbl] beachtlich, beträchtlich
considerate [kən'sɪdərət] aufmerksam, rücksichtsvoll (***to, towards*** gegen)
consideration [kənˌsɪdə'reɪʃn] **1.** Rücksicht (***for, of*** auf); ***show consideration for*** Rücksicht nehmen auf (*Gefühle usw.*) **2.** Erwägung, Überlegung; ***take into consideration*** in Erwägung ziehen **3.** ***in consideration of*** in Anbetracht (+ *Genitiv*)
considering[1] [kən'sɪdərɪŋ] **1.** in Anbetracht (+ *Genitiv*) **2.** ***considering that*** in Anbetracht der Tatsache, dass
considering[2] [kən'sɪdərɪŋ] *umg.* alles in allem, eigentlich
consignment [kən'saɪnmənt] *Wirtschaft* **1.** (Waren)Sendung **2.** Übersendung, Zusendung

consist of [kən'sɪst‿əv] bestehen aus, sich zusammensetzen aus

consistency [kən'sɪstənsɪ] **1.** Konsequenz (*von Handlung*) **2.** Übereinstimmung (*von Meinungen usw.*) **3.** Konsistenz, Festigkeit (*einer Substanz*)
consistent [kən'sɪstənt] **1.** *Handeln*: konsequent **2.** *Leistung usw.*: beständig **3.** *Meinungen usw.*: übereinstimmend, vereinbar (***with*** mit)
consolation [ˌkɒnsə'leɪʃn] Trost; ***consolation prize*** Trostpreis
console[1] [kən'səʊl] trösten
console[2] ['kɒnsəʊl] **1.** *Elektrotechnik*: Steuerpult, Schaltpult **2.** (Fernseh-, Musik)Truhe, (Radio)Schrank
consolidate [kən'sɒlɪdeɪt] **1.** festigen (*auch übertragen*) **2.** *Wirtschaft*: zusammenschließen (*Gesellschaften*)
consolidation [kənˌsɒlɪ'deɪʃn] **1.** Festigung **2.** *Wirtschaft*: Zusammenschluss
consommé [kən'sɒmeɪ] (klare) Kraftbrühe
consonant ['kɒnsənənt] *Sprache*: Konsonant, Mitlaut
consort ['kɒnsɔːt] Gemahl(in); ***prince consort*** Prinzgemahl
conspicuous [kən'spɪkjʊəs] **1.** deutlich sichtbar **2.** *Kleidung usw.*: auffällig **3.** ***be conspicuous by one's absence*** durch Abwesenheit glänzen
conspiracy [kən'spɪrəsɪ] Verschwörung
conspirator [kən'spɪrətə] Verschwörer
conspire [kən'spaɪə] sich verschwören (***against*** gegen) (*auch übertragen*)
constable [⚠ 'kʌnstəbl] *bes. BE* Polizist, Wachtmeister
constabulary [kən'stæbjʊlərɪ] *bes. BE* Polizei (*eines Bezirks*)
Constance ['kɒnstəns] *Stadt*: Konstanz; ***Lake Constance*** der Bodensee
constant ['kɒnstənt] **1.** *Temperatur, Geschwindigkeit usw.*: konstant, gleich bleibend **2.** *Lärm usw.*: ständig, (an)dauernd
constellation [ˌkɒnstə'leɪʃn] *Astronomie*: Konstellation (*auch übertragen*), Sternbild
consternation [ˌkɒnstə'neɪʃn] Bestürzung
constipated ['kɒnstɪpeɪtɪd] ***be constipated*** *medizinisch*: an Verstopfung leiden
constipation [ˌkɒnstɪ'peɪʃn] *medizinisch*: Verstopfung
constituency [kən'stɪtjʊənsɪ] **1.** Wahlbezirk, Wahlkreis **2.** Wählerschaft
constituent[1] [kən'stɪtjʊənt] **1.** *Politik*: Wähler(in) **2.** Bestandteil (*einer Substanz usw.*)
constituent[2] [kən'stɪtjʊənt] ***constituent part*** Bestandteil
constitute ['kɒnstɪtjuːt] **1.** ausmachen, bilden (*ein Ganzes usw.*) **2.** einrichten, konstituieren (*Ausschuss, Komitee usw.*)
constitution [ˌkɒnstɪ'tjuːʃn] **1.** *politisch*: Verfassung, *eines Klubs usw.*: Satzung **2.** *gesundheitlich*: Konstitution **3.** Zusammensetzung, (Auf)Bau **4.** Einrichtung (*eines Komitees usw.*)
constitutional [ˌkɒnstɪ'tjuːʃnəl] **1.** *politisch*: verfassungsgemäß, Verfassungs… **2.** *politisch*: rechtsstaatlich; ***constitutional state*** Rechtsstaat **3.** *medizinisch*: konstitutionell, anlagebedingt
constrain [kən'streɪn] **1.** einschränken (*Möglichkeiten, Entwicklung usw.*) **2.** ***feel constrained to do something*** sich gezwungen fühlen etwas zu tun
constraint [kən'streɪnt] **1.** Zwang **2.** Einschränkung

C

construct [kən'strʌkt] **1.** errichten, bauen **2.** *Technik usw.*: konstruieren, bauen
construction [kən'strʌkʃn] **1.** Errichtung, Konstruktion; ***under construction*** im Bau (befindlich) **2.** Bauweise; ***steel construction*** Stahlkonstruktion **3.** Bau (-werk) **4.** *Sprache*: Konstruktion
constructive [kən'strʌktɪv] konstruktiv
consul ['kɒnsl] Konsul
consulate ['kɒnsjʊlət] Konsulat
consult [kən'sʌlt] **1.** konsultieren (***about*** wegen) **2.** nachschlagen in (*einem Buch usw.*) **3.** (sich) beraten (***about*** über)
consultant [kən'sʌltənt] **1.** (fachmännischer) Berater **2.** *BE* Facharzt, Fachärztin (*an einem Krankenhaus*)
consultation [ˌkɒnsl'teɪʃn] Beratung, Konsultation
consulting [kən'sʌltɪŋ] beratend; ***consulting room*** *BE* Sprechzimmer
consume [kən'sjuːm] **1.** verbrauchen, konsumieren **2.** in Anspruch nehmen (*Zeit usw.*) **3.** aufzehren (*Energie*) **4.** aufessen, vertilgen **5.** (*Feuer*) zerstören, vernichten **6.** ***be consumed with hatred*** *usw.* von Hass *usw.* verzehrt werden
consumer [kən'sjuːmə] Verbraucher(in); ***consumer goods*** *Pl.* Konsumgüter; ***consumer protection*** Verbraucherschutz
consummate [⚠ kən'sʌmət] vollendet, vollkommen
consumption [kən'sʌmpʃn] **1.** Verbrauch (***of*** an), Konsum **2.** ***unfit for human consumption*** nicht für den menschlichen Verzehr geeignet
contact[1] ['kɒntækt] **1.** Kontakt (*auch übertragen*), Berührung; ***make contacts*** Verbindungen anknüpfen; ***business contacts*** *Pl.* Geschäftsverbindungen **2.** Kontaktperson
contact[2] ['kɒntækt] Kontakt aufnehmen mit, sich in Verbindung setzen mit
contact lens ['kɒntækt‿lenz] Kontaktlinse
contagious [kən'teɪdʒəs] *Krankheit usw.*: ansteckend (*auch übertragen*)
contain [kən'teɪn] **1.** enthalten **2.** (*Raum usw.*) fassen **3.** *übertragen* zügeln, zurückhalten; ***contain oneself*** sich beherrschen
container [kən'teɪnə] **1.** Behälter; ☞ *Illu S. 195* **2.** *Transport*: Container; ***container ship*** Containerschiff
contaminate [kən'tæmɪneɪt] verunreinigen, (*auch* radioaktiv) verseuchen
contamination [kənˌtæmɪ'neɪʃn] Verunreinigung, (*auch* radioaktive) Verseuchung
contemplate ['kɒntəmpleɪt] **1.** (≈ *tun wollen*) erwägen, beabsichtigen (***doing*** zu tun) **2.** nachdenken über (*den Sinn des Lebens usw.*), denken an **3.** betrachten
contemplation [ˌkɒntəm'pleɪʃn] **1.** Nachdenken **2.** Betrachtung
contemporaneous [kənˌtempə'reɪnɪəs] gleichzeitig; ***be contemporaneous with*** zeitlich zusammenfallen mit
contemporary[1] [kən'temprərɪ] **1.** *Autor, Kunst usw.*: zeitgenössisch, (≈ *von heute*) modern **2.** *Ereignisse*: gleichzeitig
contemporary[2] [kən'temprərɪ] **1.** *geschichtlich*: Zeitgenosse, Zeitgenossin **2.** Altersgenosse, Altersgenossin
contempt [kən'tempt] Verachtung
contemptuous [kən'temptjʊəs] verächtlich
contend [kən'tend] **1.** *bei Wettbewerb usw.*: kämpfen (***for*** um) **2.** behaupten (***that*** dass)

> **contend with** [kən'tend‿wɪð] ***have to contend with something*** mit etwas fertig werden müssen (*mit Problem usw.*)

content[1] [kən'tent] zufrieden (***with*** mit); ***be content with*** sich begnügen mit
content[2] [kən'tent] zufrieden stellen; ***content oneself with*** sich zufrieden geben mit
content[3] ['kɒntent] **1.** Gehalt, Aussage (*eines Buchs usw.*) **2.** *Chemie*: Gehalt (***of*** an); ☞ ***contents***
contented [kən'tentɪd] zufrieden (***with*** mit)
contention [kən'tenʃn] **1.** *förmlich* Behauptung **2.** Streit, Zank; ***bone of contention*** *übertragen* Zankapfel
contentment [kən'tentmənt] Zufriedenheit
contents ['kɒntents] *Pl.* Inhalt (*auch einer Tasche usw.*); (***table of***) ***contents*** Inhaltsverzeichnis
contest[1] ['kɒntest] **1.** (Wett)Kampf (***for*** um) **2.** Wettbewerb
contest[2] [kən'test] **1.** kämpfen um **2.** bestreiten (*Behauptung*), *auch Recht*: anfechten
contestant [kən'testənt] **1.** (Wettkampf-) Teilnehmer(in) **2.** (Mit)Bewerber(in)
context ['kɒntekst] Zusammenhang, Kontext; ***in this context*** in diesem Zusammenhang; ***out of context*** aus dem Zusammenhang gerissen
continent ['kɒntɪnənt] **1.** Kontinent, Erdteil **2.** ***the Continent*** das (europäische) Festland

continental [ˌkɒntɪ'nentl] **1.** kontinental **2.** *mst.* ***Continental*** kontinental(europäisch); ***continental breakfast*** kleines Frühstück; ***continental quilt*** *BE* Federbett

continental breakfast

Ein **continental breakfast** besteht aus Cornflakes oder dergleichen und Toast mit Butter und Marmelade. Es ist wesentlich bescheidener als das traditionelle **English breakfast**.

continual [kən'tɪnjʊəl] dauernd, ständig
continuation [kənˌtɪnjʊ'eɪʃn] **1.** *von Vorherigem*: Fortsetzung **2.** *von Tradition usw.*: Fortbestand, Fortdauer
continue [kən'tɪnjuː] **1.** fortfahren, weitermachen **2.** fortsetzen, fortfahren mit; ***to be continued*** Fortsetzung folgt **3.** andauern, anhalten **4.** (fort)bestehen **5.** ***continue in office*** im Amt bleiben **6.** ***continue to do*** *oder* ***continue doing*** (auch) weiterhin tun **7.** ***continue to be*** *oder* ***continue being*** weiterhin *oder* noch immer … sein
continuity [ˌkɒntɪ'njuːətɪ] Kontinuität
continuous [kən'tɪnjʊəs] **1.** ununterbrochen **2.** kontinuierlich **3.** ***continuous form*** *Sprache*: Verlaufsform
contorted [kən'tɔːtɪd] *Gesicht*: verzerrt (***with*** vor)
contortion [kən'tɔːʃn] **1.** *bei Akrobatik usw.*: Verrenkung **2.** *von Gesicht*: Verzerrung
contour ['kɒntʊə] Kontur, Umriss
contraband ['kɒntrəbænd] **1.** Schmuggelware **2.** Schmuggel
contraception [ˌkɒntrə'sepʃn] *medizinisch*: Empfängnisverhütung
contraceptive[1] [ˌkɒntrə'septɪv] empfängnisverhütendes Mittel
contraceptive[2] [ˌkɒntrə'septɪv] *Mittel*: empfängnisverhütend
contract[1] ['kɒntrækt] Vertrag; ***enter into*** *oder* ***make a contract*** einen Vertrag abschließen
contract[2] [kən'trækt] **1.** (*Muskel usw.*) sich zusammenziehen, (*Pupillen*) sich verengen **2.** zusammenziehen (*Muskel usw.*) **3.** *geschäftlich*: sich vertraglich verpflichten (***to do*** zu tun; ***for*** zu) **4.** sich zuziehen (*eine Krankheit*)
contraction [kən'trækʃn] **1.** Zusammenziehen **2.** *Wirtschaft*: Schrumpfung
contractor [kən'træktə] (Bau)Unternehmer
contradict [ˌkɒntrə'dɪkt] **1.** ***contradict someone*** *oder* ***something*** jemandem *oder* etwas widersprechen **2.** im Widerspruch stehen zu
contradiction [ˌkɒntrə'dɪkʃn] Widerspruch
contradictory [ˌkɒntrə'dɪktərɪ] *Aussagen usw.*: widersprüchlich, sich widersprechend
contraindication [ˌkɒntrəˌɪndɪ'keɪʃn] *bei Medikamenten*: Gegenanzeige
contraption [kən'træpʃn] *umg., oft abwertend* Apparat
contrary[1] ['kɒntrərɪ] Gegenteil; ***on the contrary*** im Gegenteil; ***evidence*** *usw.* ***to the contrary*** gegenteilige Beweise *usw.*
contrary[2] ['kɒntrərɪ] **1.** entgegengesetzt (***to***; *dt. Dativ*) **2.** gegensätzlich **3.** ***it's contrary to …*** das verstößt gegen …, das steht im Widerspruch zu …
contrast[1] ['kɒntrɑːst] Kontrast (*auch TV usw.*), Gegensatz (***between*** zwischen); ***in contrast to*** (*oder* ***with***) im Gegensatz zu
contrast[2] [kən'trɑːst] **1.** (≈ *vergleichen*) gegenüberstellen (***with***; *dt. Dativ*) **2.** (*Farben usw.*) sich abheben, abstechen (***with*** von, gegen) **3.** (*Taten usw.*) im Gegensatz stehen (***with*** zu)
contravene [ˌkɒntrə'viːn] **1.** übertreten (*Gesetz*), verstoßen gegen **2.** im Widerspruch stehen zu
contribute [⚠ kən'trɪbjuːt] **1.** beitragen, beisteuern (***to*** zu); ***contribute to*** (*oder* ***towards***) ***the expenses*** sich an den Unkosten beteiligen **2.** spenden (***to*** für) **3.** beitragen (*Artikel*) (***to*** zu) (*einer Zeitung*)
contribution [ˌkɒntrɪ'bjuːʃn] **1.** Beitrag (*auch für Zeitung*) **2.** Spende
contributor [⚠ kən'trɪbjʊtə] **1.** Beitragende(r) **2.** Mitarbeiter(in) (***to a newspaper*** bei *oder* an einer Zeitung)
contrive [kən'traɪv] **1.** zustande bringen, es fertig bringen (***to do*** zu tun) **2.** erfinden, sich ausdenken
control[1] [kən'trəʊl], ***controlled, controlled*** **1.** beherrschen, die Herrschaft *oder* Kontrolle haben über **2.** kontrollieren, überwachen (*Verkehr, Maschine*) **3.** in Schranken halten; ***control oneself*** sich beherrschen **4.** *Technik usw.*: steuern, regeln **5.** leiten, führen (*Geschäft usw.*)
control[2] [kən'trəʊl] **1.** Kontrolle, Herrschaft (***of, over*** über); ***bring*** (*oder* ***get***) ***under control*** unter Kontrolle bringen; ***get out of control*** außer Kontrolle geraten; ***lose control of*** (*oder* ***over***) die Herrschaft *oder* Kontrolle verlieren über **2.** *gefühlsmäßig*: Beherrschung (***of, over***; *dt.*

Genitiv); ***lose control of oneself*** die (Selbst)Beherrschung verlieren **3.** *politisch*: Macht, Gewalt (***of, over*** über) **4.** *in Firma, Organisation*: Aufsicht, Kontrolle (***of, over*** über); ***be in control of something*** etwas leiten *oder* unter sich haben **5.** *mst.* ***controls*** *Pl. Technik*: Steuerung, Steuervorrichtung **6.** *Technik*: Regler
control key [kən'trəʊl‿kiː] *Computer*: Steuerungstaste
controller [kən'trəʊlə] **1.** Kontrolleur(in), Aufseher(in) **2.** *Wirtschaft*: Controller(in)
control stick [kən'trəʊl‿stɪk] *Flugzeug*: Steuerknüppel
control tower [kən'trəʊlˌtaʊə] *Flughafen*: Kontrollturm, Tower
controversial [ˌkɒntrə'vɜːʃl] strittig, umstritten
controversy ['kɒntrəvɜːsɪ] Kontroverse
contusion [kən'tjuːʒn] *medizinisch*: Quetschung
conundrum [kə'nʌndrəm] (Scherz)Rätsel
conurbation [ˌkɒnɜː'beɪʃn] Ballungsraum
convalesce [ˌkɒnvə'les] gesund werden
convalescence [ˌkɒnvə'lesns] Genesung, Genesungszeit
convalescent [ˌkɒnvə'lesnt] ***he's convalescent*** er ist auf dem Wege der Besserung
convene [kən'viːn] **1.** zusammenkommen, sich versammeln **2.** zusammenrufen (*Leute usw.*), einberufen (*Versammlung*)
convenience [kən'viːnɪəns] **1.** Annehmlichkeit; ***all (modern) conveniences*** aller Komfort; ***at your convenience*** wenn es Ihnen passt; ***at your earliest convenience*** *formell, bes. in Geschäftsbriefen*: so bald wie möglich **2.** *auch*: ***public convenience*** *bes. BE* (öffentliche) Toilette
convenience food [kən'viːnɪəns‿fuːd] Schnellgerichte *Pl.*
convenient [kən'viːnɪənt] **1.** bequem, praktisch **2.** günstig, passend; ***be convenient for someone*** jemandem passen
convent ['kɒnvənt] (Nonnen)Kloster
convention [kən'venʃn] **1.** Konvention, Sitte **2.** Tagung, Versammlung **3.** Kongress, *AE* Parteiversammlung **4.** Abkommen (*zwischen Staaten*)
conventional [kən'venʃənl] **1.** konventionell (*auch Waffen usw.*) **2.** *oft abwertend* herkömmlich, unoriginell
converge [kən'vɜːdʒ] **1.** (*Straßen, Flüsse*) zusammenlaufen **2.** *Geometrie*: konvergieren (*auch übertragen*) **3.** *übertragen* sich annähern
conversation [ˌkɒnvə'seɪʃn] Konversation, Unterhaltung, Gespräch; ***in conversation with*** im Gespräch mit; ***get into conversation with someone*** mit jemandem ins Gespräch kommen; ***make conversation*** Konversation machen
conversational [ˌkɒnvə'seɪʃənl] Unterhaltungs…, Gesprächs…; ***conversational English*** Umgangsenglisch; ***conversational tone*** Plauderton
converse [kən'vɜːs] sich unterhalten (***with*** mit; ***on, about*** über)
conversion [kən'vɜːʃn] **1.** Umwandlung, Verwandlung (***into, to*** in) **2.** Bekehrung, *kirchlich*: Konversion (***to*** zu) **3.** Umbau (*eines Gebäudes*) (***into*** zu) **4.** *Technik, Wirtschaft*: Umstellung (***to*** auf) **5.** Umrechnung (***into, to*** in)
convert [kən'vɜːt] **1.** *allg., auch chemisch*: umwandeln, verwandeln (***into, to*** in) **2.** sich umwandeln *oder* verwandeln (***into, to*** in) **3.** umbauen (*Gebäude*) (***into*** zu) **4.** *Technik, Wirtschaft*: umstellen (***to*** auf) **5.** umrechnen (*Maßeinheiten usw.*) (***into, to*** in) **6.** *kirchlich usw.*: bekehren (***to*** zu) **7.** sich bekehren, *kirchlich*: konvertieren, übertreten (***to*** zu)
convertible[1] [kən'vɜːtəbl] **1.** verwandelbar **2.** *Währung usw.*: umrechenbar
convertible[2] [kən'vɜːtəbl] *Auto*: Kabrio (-lett), Cabrio(let)

convertible

Convertible heißt diese Art von Auto, weil man es zu einem Fahrzeug mit offenem Verdeck umwandeln (= **convert**) kann.

convey [kən'veɪ] **1.** befördern, transportieren (*Waren usw.*) **2.** überbringen (*Grüße usw.*) **3.** mitteilen, vermitteln (*Ideen usw.*)
conveyor belt [kən'veɪə‿belt] *auch* ***conveyor*** *Technik*: Förderband
convict[1] [kən'vɪkt] *Recht* **1.** überführen (***of***; *dt. Genitiv*) **2.** verurteilen (***of*** wegen)
convict[2] ['kɒnvɪkt] Strafgefangene(r)
conviction [kən'vɪkʃn] **1.** *Recht*: Verurteilung **2.** Überzeugung
convince [kən'vɪns] überzeugen (***of*** von; ***that*** dass)
convincing [kən'vɪnsɪŋ] überzeugend
convoy ['kɒnvɔɪ] **1.** Konvoi **2.** Geleit
convulse [kən'vʌls] ***be convulsed with*** sich krümmen vor (*Lachen, Schmerzen usw.*)
convulsion [kən'vʌlʃn] **1.** *bes. medizinisch*: Zuckung **2.** ***they were in convulsions*** sie krümmten sich vor Lachen
coo [kuː] gurren (*auch übertragen*)
cook[1] [kʊk] **1.** kochen, zubereiten **2.** (*Es-*

sen) gekocht werden, kochen **3.** *umg.* (≈ *fälschen*) frisieren (*Abrechnung usw.*) **4.** ***what's cooking?*** *umg.* was ist los?

cook up [ˌkʊk'ʌp] *umg.* erfinden, sich ausdenken (*Geschichte usw.*)

cook[2] [kʊk] **1.** Koch, Köchin **2.** ***too many cooks spoil the broth*** *Sprichwort*: viele Köche verderben den Brei
cookbook ['kʊkbʊk] *bes. AE* Kochbuch
cooker ['kʊkə] Kocher, *BE* Herd; ***cooker hood*** *BE* Abzugshaube
cookery ['kʊkərɪ] Kochen, Kochkunst; ***cookery book*** *bes. BE* Kochbuch
cookie ['kʊkɪ] **1.** *AE* Keks, Plätzchen **2.** *Internet*: Cookie
cooking ['kʊkɪŋ] **1.** Kochen **2.** ***Italian*** *usw.* ***cooking*** die italienische *usw.* Küche
cool[1] [kuːl] **1.** kühl, frisch; ***get cool*** sich abkühlen **2.** *übertragen* kühl, gelassen; ***keep cool*** einen kühlen Kopf behalten, sich nicht aufregen; ***play it cool*** ganz ruhig bleiben **3.** *abwertend* unverfroren, seelenruhig **4.** *umg.* glatt; ***a cool thousand pounds*** glatte tausend Pfund **5.** *umg.* klasse, prima
cool[2] [kuːl] **1.** (ab)kühlen, abkühlen lassen **2.** kühl werden, sich abkühlen **3.** ***cool it!*** *umg.* immer mit der Ruhe!, reg dich ab!

cool down [ˌkuːl'daʊn] *umg.* sich abregen
cool off [ˌkuːl'ɒf] **1.** sich abkühlen **2.** *übertragen* sich beruhigen

cool[3] [kuːl] **1.** Kühle, Frische **2.** *umg.* (Selbst)Beherrschung; ***lose one's cool*** hochgehen; ***keep one's cool*** ruhig bleiben
coolbox ['kuːlbɒks] Kühlbox
cooler ['kuːlə] **1.** *AE* Kühlbox **2.** *salopp* Kittchen
coolheaded [ˌkuːl'hedɪd] besonnen
coolness ['kuːlnəs] **1.** Kühle (*auch übertragen*) **2.** Kaltblütigkeit
co-op ['kəʊɒp] *umg.* Co-op (*Genossenschaft und Laden*)
cooperate [kəʊ'ɒpəreɪt] **1.** zusammenarbeiten (***with*** mit; ***in*** bei) **2.** mitwirken (***in*** an)
cooperation [kəʊˌɒpə'reɪʃn] **1.** Zusammenarbeit **2.** Mitarbeit, Hilfe
cooperative [kəʊ'ɒpərətɪv] kooperativ, hilfsbereit
coordinate[1] [kəʊ'ɔːdɪneɪt] koordinieren, aufeinander abstimmen
coordinate[2] [kəʊ'ɔːdɪnət] *Geometrie*: Koordinate
coordination [kəʊˌɔːdɪ'neɪʃn] Koordinierung, Koordination
cop[1] [kɒp] *salopp* (≈ *Polizist*) Bulle
cop[2] [kɒp], ***copped, copped*** *salopp* erwischen (***at*** bei)
cop[3] [kɒp] *salopp* ***be not much cop*** *BE* (*Buch, Film usw.*) nicht so toll sein
copartner [ˌkəʊ'pɑːtnə] Teilhaber(in), Mitinhaber(in)
cope [kəʊp] zurechtkommen, fertig werden (***with*** mit)
Copenhagen [ˌkəʊpən'heɪgən] Kopenhagen
copier ['kɒpɪə] Kopiergerät, Kopierer
copilot ['kəʊˌpaɪlət] *im Flugzeug*: Kopilot(in)
copper[1] ['kɒpə] **1.** *Metall*: Kupfer **2.** *mst.* ***coppers*** *Pl., BE* Kupfermünzen
copper[2] ['kɒpə] *salopp* (≈ *Polizist*) Bulle
copulate ['kɒpjʊleɪt] sich paaren
copulation [ˌkɒpjʊ'leɪʃn] Paarung
copy[1] ['kɒpɪ] **1.** Kopie, Abschrift; ***fair*** (*oder* ***clean***) ***copy*** Reinschrift **2.** Durchschlag, Durchschrift **3.** Nachbildung, Kopie (*eines Kunstwerks*) **4.** Exemplar (*eines Buchs usw.*) **5.** *Druck*: (Satz)Vorlage **6.** (Werbe)Text
copy[2] ['kɒpɪ] **1.** kopieren (*Brief usw.*) **2.** nachmachen, kopieren **3.** *bei Prüfung*: abschreiben (***off, from*** von) **4.** eine Kopie anfertigen von, überspielen (*Kassette usw.*)
copycat ['kɒpɪkæt] *umg.* Nachahmer(in)
copy editor ['kɒpɪˌedɪtə] **1.** (Zeitungs)Redakteur(in) **2.** *im Verlag*: Lektor(in)
copyright[1] ['kɒpɪraɪt] *Recht*: Urheberrecht, Copyright
copyright[2] ['kɒpɪraɪt] *Recht*: urheberrechtlich schützen (lassen)
copywriter ['kɒpɪˌraɪtə] Werbetexter(in)
coral ['kɒrəl] Koralle
cord [kɔːd] **1.** Schnur (*auch Elektrokabel*), Kordel **2.** gerippter Stoff, *bes.* Kordsamt; ***cords*** *Pl.* Kordhosen
cordial[1] ['kɔːdɪəl] *BE* Fruchtsaftgetränk
cordial[2] ['kɔːdɪəl] *Empfang usw.*: herzlich
cordiality [ˌkɔːdɪ'ælətɪ] Herzlichkeit
cordless phone [ˌkɔːdləs'fəʊn] schnurloses Telefon
cordon ['kɔːdn] Postenkette (*als Absperrung*)

cordon off [ˌkɔːdn'ɒf] (*Polizei usw.*) absperren, abriegeln

corduroy [⚠ 'kɔːdərɔɪ] **1.** Kord(samt), Ⓐ

Schnürlsamt **2.** ***corduroys*** *Pl.* Kordhose

core[1] [kɔː] **1.** *Apfel usw.*: Kerngehäuse **2.** *übertragen* Kern, *das* Innerste; ***to the core*** bis ins Innerste, durch und durch

core[2] [kɔː] entkernen (*Obst*)

core[3] [kɔː] Kern…; ***core business*** Kerngeschäft

core time ['kɔː‿taɪm] *Arbeit*: Kernzeit

cork[1] [kɔːk] **1.** *Material*: Kork **2.** *für Flasche*: Korken, Pfropfen

cork[2] [kɔːk] *oft* ***cork up*** zukorken

corkscrew ['kɔːk‿skruː] Korkenzieher

corn[1] [kɔːn] **1.** *BE* Korn, Getreide **2.** *AE* Mais

corn[2] [kɔːn] *medizinisch*: Hühnerauge

corn bread ['kɔːn‿bred] *AE* Maisbrot

corncob ['kɔːnkɒb] Maiskolben

corned beef [ˌkɔːnd'biːf] Cornedbeef, gepökeltes Rindfleisch

corner[1] ['kɔːnə] **1.** Ecke; ***turn the corner*** um die Ecke biegen **2.** *bes. Straße*: Kurve; ***take a corner*** *Auto*: eine Kurve nehmen **3.** Winkel, Ecke; ***corner of the mouth*** Mundwinkel; ***look at someone from the corner of one's eye*** jemanden aus den Augenwinkeln (heraus) ansehen **4.** ***drive*** (*oder* ***force***) ***into a corner*** in die Enge treiben; ***be in a tight corner*** in der Klemme sein **5.** *Fußball*: Eckball, Ecke, Ⓐ, Ⓒⓗ Corner

corner[2] ['kɔːnə] **1.** in die Enge treiben **2.** *Auto*: eine Kurve nehmen; ***corner well*** (*Auto*) gut in der Kurve liegen

corner[3] ['kɔːnə] Eck…; ***corner seat*** Eckplatz

corner kick ['kɔːnə‿kɪk] *Fußball*: Eckstoß

corner shop [ˌkɔːnə'ʃɒp] *BE* Laden an der Ecke, Tante-Emma-Laden

cornerstone ['kɔːnəstəʊn] Grundstein (*auch übertragen*)

cornfield ['kɔːnfiːld] **1.** *BE* Kornfeld, Getreidefeld **2.** *AE* Maisfeld

cornflakes ['kɔːnfleɪks] *Pl.* Cornflakes

cornflower ['kɔːnflaʊə] Kornblume

Cornish ['kɔːnɪʃ] kornisch, aus Cornwall

corny ['kɔːnɪ] *umg.* kitschig, *Witz*: abgedroschen

coronary ['kɒrənərɪ] *medizinisch*: Herz…; ***coronary disease*** Herzkrankheit, *auch*: Herzinfarkt

coronation [ˌkɒrə'neɪʃn] Krönung(sfeier)

coroner ['kɒrənə] Coroner (*Beamter, der die Todesursache in Fällen gewaltsamen oder unnatürlichen Todes untersucht*)

corporal[1] ['kɔːprəl] *militärisch*: Unteroffizier

corporal[2] ['kɔːprəl] körperlich, leiblich; ***corporal punishment*** Prügelstrafe

corporate ['kɔːpərət] **1.** gemeinsam, kollektiv **2.** *Wirtschaft*: Gesellschafts…, Firmen…

corporation [ˌkɔːpə'reɪʃn] **1.** *Recht*: Körperschaft, juristische Person **2.** *auch* ***stock corporation*** *AE*; *Wirtschaft*: Kapitalgesellschaft, Aktiengesellschaft

corps [⚠ kɔː] *Pl.*: ***corps*** [kɔːz] *militärisch*: Korps

corpse [kɔːps] Leichnam, Leiche

corpulent ['kɔːpjʊlənt] beleibt, korpulent

Corpus Christi [ˌkɔːpəs'krɪstɪ] *kirchlich*: Fronleichnam

correct[1] [kə'rekt] **1.** korrekt, richtig; ***be correct*** *Sachverhalt*: stimmen, *Person*: Recht haben **2.** *Benehmen*: einwandfrei, korrekt

correct[2] [kə'rekt] korrigieren, verbessern, berichtigen

correction [kə'rekʃn] Korrektur, Verbesserung, Berichtigung

correctness [kə'rektnəs] Korrektheit, Richtigkeit

correlate ['kɒrəleɪt] **1.** übereinstimmen (***with*** mit) **2.** in Übereinstimmung bringen (***with*** mit)

correlation [ˌkɒrə'leɪʃn] Übereinstimmung

correspond [ˌkɒrə'spɒnd] **1.** entsprechen (***to, with***; *dt. Dativ*), übereinstimmen (***to, with*** mit) **2.** korrespondieren, in Briefwechsel stehen (***with*** mit)

correspondence [ˌkɒrə'spɒndəns] **1.** Briefwechsel, Korrespondenz; ***be in correspondence*** (***with***) korrespondieren (mit); ***correspondence course*** Fernkurs **2.** Briefe, Korrespondenz **3.** Übereinstimmung

correspondent [ˌkɒrə'spɒndənt] **1.** Korrespondent(in) (*einer Zeitung usw.*); ***foreign correspondent*** Auslandskorrespondent(in) **2.** Briefpartner(in); ***I'm a bad correspondent*** ich bin schreibfaul

corresponding [ˌkɒrə'spɒndɪŋ] entsprechend, gemäß (***to***; *dt. Dativ*)

corridor ['kɒrɪdɔː] Korridor, Gang

corrode [kə'rəʊd] (*Metall*) korrodieren

corrosion [kə'rəʊʒn] *Metall*: Korrosion

corrugated ['kɒrəgeɪtɪd] gewellt; ***corrugated iron*** Wellblech

corrupt[1] [kə'rʌpt] **1.** korrupt, bestechlich **2.** (moralisch) verdorben

corrupt[2] [kə'rʌpt] (moralisch) verderben

corruptible [kə'rʌptəbl] bestechlich

corruption [kə'rʌpʃn] Korruption

corset ['kɔːsɪt] Korsett

cos [kəz] *umg. Kurzform von* → ***because***

cosiness ['kəʊzɪnəs] Behaglichkeit, Gemütlichkeit

cosmetic [kɒz'metɪk] kosmetisch (*auch übertragen*); ***cosmetic surgery*** Schönheitschirurgie
cosmetician [ˌkɒzmə'tɪʃn] Kosmetiker(in)
cosmetics [kɒz'metɪks] *Pl.* Kosmetika
cosmic ['kɒzmɪk] kosmisch
cosmopolitan [ˌkɒzmə'pɒlɪtən] kosmopolitisch, *im weiteren Sinn*: weltoffen
cosmos ['kɒzmɒs] Kosmos, Weltall
cost[1] [kɒst] **1.** Kosten; ***cost of living*** Lebenshaltungskosten; ***cost increase*** Kostensteigerung; ***at cost*** zum Selbstkostenpreis; ***cost price*** Selbstkostenpreis, Einkaufspreis **2.** *übertragen* Kosten; ***at someone's cost*** auf jemandes Kosten; ***at the cost of his health*** auf Kosten seiner Gesundheit **3.** *übertragen* Preis; ***at all costs*** *oder* ***at any cost*** um jeden Preis
cost[2] [kɒst], ***cost, cost*** **1.** kosten; ***it cost me one pound*** es kostete mich ein Pfund **2.** *übertragen* kosten; ***it cost him his life*** es kostete ihn das Leben; ***it cost him dearly*** es kam ihn teuer zu stehen **3.** ***it cost me a lot of trouble*** es kostete mich große Mühe
co-star ['kəʊstɑː], ***co-starred, co-starred*** **1.** ***the film co-starred X*** X spielte in dem Film eine der Hauptrollen **2.** ***co-star with*** die Hauptrolle spielen neben
costly ['kɒstlɪ] **1.** kostspielig, teuer **2.** *Sieg usw.*: teuer erkauft
costume ['kɒstjuːm] **1.** *Theater usw.*: Kostüm; ***costume ball*** Kostümball **2.** Tracht (*eines Landes*) **3.** ***costume jewellery*** Modeschmuck (⚠ (*Damen*)*Kostüm* = ***suit***)
cosy ['kəʊzɪ] *bes. BE* behaglich, gemütlich
cot [kɒt] **1.** *BE* Kinderbett **2.** *AE* Feldbett
cottage ['kɒtɪdʒ] **1.** (kleines) Landhaus **2.** *AE* Ferienhaus
cottage cheese [ˌkɒtɪdʒ'tʃiːz] Hüttenkäse
cotton[1] ['kɒtn] **1.** Baumwolle **2.** *AE* Watte; ***cotton candy*** Zuckerwatte
cotton[2] ['kɒtn] baumwollen, Baumwoll…

> **cotton on** [ˌkɒtn'ɒn] ***cotton on to something*** *umg.* etwas kapieren
> **cotton to** ['kɒtn‿tʊ] *AE, umg.* sich anfreunden mit (*einer Idee usw.*)

cotton bud [ˌkɒtn'bʌd] *BE* Wattestäbchen
cotton candy [ˌkɒtn'kændɪ] *AE* Zuckerwatte
cotton wool [ˌkɒtn'wʊl] *BE* (Verband-) Watte
couch [kaʊtʃ] Couch, Liege(sofa)
couchette [kuː'ʃet] *Bahn*: Liegewagenplatz
couch potato ['kaʊtʃ‿pəˌteɪtəʊ] ***he's a real couch potato*** *umg.* er sitzt ständig vor dem Fernseher
cougar ['kuːgə] Puma
cough[1] [⚠ kɒf] **1.** husten **2.** (*Motor*) stottern

> **cough up** [⚠ ˌkɒf'ʌp] **1.** aushusten **2.** *salopp* herausrücken mit (*der Wahrheit usw.*) **3.** *salopp* herausrücken (*Geld*)

cough[2] [⚠ kɒf] Husten; ***have a cough*** Husten haben
cough drop ['kɒf‿drɒp], **cough sweet** ['kɒfswiːt] Hustenbonbon
cough mixture ['kɒfˌmɪkstʃə], **cough syrup** ['kɒfˌsɪrəp] Hustensaft
could [kʊd] **1.** *2. Form von* → ***can***[1] **2.** *konditional, vermutend oder fragend*: könnte *usw.*; ***you could be right*** du könntest Recht haben
couldn't ['kʊdnt] *Kurzform von* ***could not***
could've ['kʊdəv] *Kurzform von* ***could have***
council ['kaʊnsl] **1.** Rat(sversammlung) **2.** Stadtrat, Gemeinderat; ***council flat*** *BE* Sozialwohnung; ***council estate*** *BE* soziale Wohnsiedlung **3.** *Körperschaft*: Rat; ***Council of Europe*** Europarat

> ### British Council
> 1934 gegründet, fördert das von der Regierung unterstützte **British Council** kulturelle Beziehungen zum Ausland und bietet weltweit Englischkurse an. Es entspricht etwa dem deutschen Goethe-Institut.

councillor, *AE* **councilor** ['kaʊnslə] Ratsmitglied, Stadtrat, Stadträtin
counsel[1] ['kaʊnsl] **1.** Rat(schlag); ***take counsel with*** sich beraten mit **2.** *Recht*: (Rechts)Anwalt
counsel[2] ['kaʊnsl], ***counselled, counselled***, *AE* ***counseled, counseled*** **1.** beraten **2.** raten, einen Rat geben; ***counsel someone to do something*** jemandem raten etwas zu tun
counsellor, *AE* **counselor** ['kaʊnslə] Berater(in)
count[1] ['kaʊnt] **1.** (ab-, aus)zählen **2.** nachzählen (*Wechselgeld*) **3.** ausrechnen, berechnen (*Rechnungsbetrag usw.*) **4.** ***she can count (up) to ten*** sie kann bis 10 zählen; ***counting from today*** von heute an (gerechnet) **5.** mitzählen, mit einrechnen; ***not counting those present*** die Anwe-

senden nicht mitgerechnet; ***without*** (*oder* ***not***) ***counting*** abgesehen von **6.** halten für; ***count oneself lucky*** sich glücklich schätzen **7.** wichtig sein, zählen **8.** ***that doesn't count*** *im Spiel*: das zählt nicht

count against [ˌkaʊnt‿ə'genst] **1.** sprechen gegen **2.** sich nachteilig auswirken auf
count among ['kaʊnt‿əˌmʌŋ] zählen zu
count down [ˌkaʊnt'daʊn] den Count-down durchführen (für)
count for ['kaʊnt‿fɔː] ***it doesn't count for much*** es bedeutet nicht sehr viel
count in [ˌkaʊnt'ɪn] mitzählen, mit einrechnen; ***count me in!*** ich bin dabei!
count on ['kaʊnt‿ɒn] zählen auf, sich verlassen auf, rechnen mit
count out [ˌkaʊnt'aʊt] **1.** abzählen (*Münzen usw.*) **2.** *Boxen*: auszählen **3.** ausschließen; ***count me out!*** ohne mich!
count up [ˌkaʊnt'ʌp] zusammenzählen

count[2] ['kaʊnt] **1.** Zählen, (Aus)Zählung; ***keep count of*** genau zählen, *übertragen* die Übersicht behalten über; ***lose count*** sich verzählen, *übertragen* die Übersicht verlieren (***of*** über) **2.** *Recht*: Anklagepunkt; ***on all counts*** in allen Anklagepunkten, *übertragen* in jeder Hinsicht
count[3] [kaʊnt] Graf
countable ['kaʊntəbl] zählbar
countdown ['kaʊntdaʊn] Count-down
countenance ['kaʊntənəns] *förmlich* Gesichtsausdruck, Miene
counter[1] ['kaʊntə] **1.** Ladentisch; ***sell*** (*bzw.* ***buy***) ***under the counter*** unter dem Ladentisch verkaufen (*bzw.* kaufen) **2.** Theke **3.** *Bank*, *Post*: Schalter
counter[2] ['kaʊntə] **1.** *Technik*: Zähler **2.** Spielmarke, Jeton
counter[3] ['kaʊntə] *auch Sport*: kontern
counter... ['kaʊntə] *in Zusammensetzungen*: Gegen..., Konter...
counteract [ˌkaʊntər'ækt] **1.** entgegenwirken **2.** neutralisieren (*Wirkung*)
counterbalance[1] ['kaʊntəˌbæləns] *übertragen* Gegengewicht (***to*** zu)
counterbalance[2] [ˌkaʊntə'bæləns] *übertragen* ein Gegengewicht bilden zu, ausgleichen
counterclockwise [ˌkaʊntə'klɒkwaɪz] *AE* entgegen dem *oder* gegen den Uhrzeigersinn
counterfeit[1] [⚠ 'kaʊntəfɪt] fälschen (*Geld usw.*)
counterfeit[2] [⚠ 'kaʊntəfɪt] **1.** falsch, gefälscht; ***counterfeit money*** Falschgeld **2.** vorgetäuscht, falsch
counterfoil ['kaʊntəfɔɪl] *bes. BE* (Kontroll)Abschnitt
countermeasure ['kaʊntəˌmeʒə] Gegenmaßnahme
counterpart ['kaʊntəpɑːt] Gegenstück (***to*** zu)
counterproductive [ˌkaʊntəprə'dʌktiv] ***be counterproductive*** nicht zum gewünschten Ziel führen, das Gegenteil bewirken
countersign ['kaʊntəsaɪn] gegenzeichnen (*Urkunde, Formular usw.*)
countess ['kaʊntɪs] Gräfin
countless ['kaʊntləs] zahllos, unzählig
country[1] ['kʌntrɪ] **1.** Land, Staat; ***in this country*** hierzulande; ***country of birth*** Geburtsland **2.** Land (*als Gegensatz zur Stadt*); ***in the country*** auf dem Land **3.** Gegend, Landschaft; ***flat country*** Flachland
country[2] ['kʌntrɪ] ländlich, Land...
country house [ˌkʌntrɪ'haʊs] Landhaus
country music ['kʌntrɪˌmjuːzɪk] Countrymusic
country road [ˌkʌntrɪ'rəʊd] Landstraße
countryside ['kʌntrɪsaɪd] **1.** ländliche Gegend; ***in the countryside*** auf dem Land **2.** Landschaft
county ['kaʊntɪ] **1.** *BE* Grafschaft **2.** *AE* Verwaltungsbezirk
coup [⚠ kuː] **1.** Coup; ***stage*** (*oder* ***pull off***) ***a coup*** einen Coup landen **2.** Staatsstreich
coupé ['kuːpeɪ] *BE*; *Auto*: Coupé
couple[1] ['kʌpl] **1.** ***a couple of*** zwei, *umg.* ein paar **2.** (Ehe-, Liebes)Paar, Tanzpaar
couple[2] ['kʌpl] (zusammen)koppeln, verbinden (*auch übertragen* ***with*** mit)
coupon ['kuːpɒn] **1.** Gutschein, Bon **2.** Kupon, Bestellzettel (*in Zeitungsinseraten*)
courage [⚠ 'kʌrɪdʒ] Mut, Tapferkeit; ***lose courage*** den Mut verlieren; ***pluck up courage*** Mut fassen
courageous [⚠ kə'reɪdʒəs] mutig
courgette [⚠ ˌkɔː'ʒet] *BE* Zucchini
courier [⚠ 'kʊrɪə] **1.** Eilbote, Kurier **2.** *BE*; *für Touristen*: Reiseleiter
course [kɔːs] **1.** ***of course*** natürlich, selbstverständlich; ***'Can I borrow your bike?' - '(Of) course you can.'*** „Kann ich dein Rad ausleihen?" - „Natürlich.", „Klar doch." **2.** *Schule usw.*: Kurs, Lehrgang; ***go to an English course*** einen Englischkurs besuchen; ***a course of lectures*** eine Vorlesungsreihe **3.** *Rennsport*: Bahn, Strecke **4.** *Golf*: Platz **5.** *zeitlich*:

Verlauf; ***in the course of time*** im Laufe der Zeit; ***the course of events*** der Lauf der Dinge **6.** *im Menü*: Gang; ***a four--course meal*** ein Essen mit 4 Gängen **7.** *von Flugzeug, Schiff*: Kurs (*auch übertragen*); ***change course*** seinen Kurs ändern

court[1] [kɔːt] **1.** *Recht*: Gericht, Gerichtshof; ***in court*** vor Gericht; ***appear in court*** vor Gericht erscheinen; ***go to court*** vor Gericht gehen **2.** *Sport*: Spielfeld, *bei Squash, Tennis usw.*: Platz **3.** *von Monarch usw.*: Hof; ***at court*** bei Hofe **4.** *auch* **courtyard** (Innen)Hof

court[2] [kɔːt] **1.** *veraltet*: den Hof machen **2.** ***court death*** mit seinem Leben spielen; ***court disaster*** das Schicksal herausfordern

courteous [⚠ 'kɜːtɪəs] *Person, Auftreten usw.*: höflich

courtesy [⚠ 'kɜːtəsɪ] **1.** *von Person, Auftreten usw.*: Höflichkeit; ***courtesy call*** Höflichkeitsbesuch, Anstandsbesuch **2.** ***all quotations (by) courtesy of the author*** alle Zitate mit freundlicher Genehmigung des Verfassers

cousin ['kʌzn] **1.** *Verwandter*: Cousin, Vetter **2.** *Verwandte*: Cousine

courtyard ['kɔːtjɑːd] *von Schloss, Gebäudekomplex usw.*: (Innen)Hof

cover[1] ['kʌvə] **1.** *über Bett, Sofa usw.*: Decke **2.** *auf Topf usw.*: Deckel **3.** *von Buch*: Einband; ***from cover to cover*** von der ersten bis zur letzten Seite **4.** *von Kissen, Polster*: Überzug, Bezug **5.** *förmlich* Umschlag; ***we will send the receipt under separate cover*** wir schicken die Quittung mit getrennter Post; ***under plain cover*** in neutralem Umschlag **6.** *militärisch und allg.*: Deckung (***from*** vor); ***take cover*** in Deckung gehen **7.** *vor Witterung usw.*: Schutz (***from*** vor); ***take cover*** sich unterstellen; ***under cover of darkness*** im Schutz der Dunkelheit **8.** *gegen Schäden*: Versicherungsschutz; ***take out*** *oder* ***get cover against theft*** eine Diebstahlversicherung abschließen

cover[2] ['kʌvə] **1.** *mit Decke, Deckel usw.*: bedecken, zudecken (***with*** mit) **2.** decken (*Dach*) **3.** bedecken (*Oberfläche*); ***the floor was covered with fag-ends*** der Fußboden war mit Kippen übersät; ***we were covered with mud*** wir waren von oben bis unten voller Dreck **4.** (*Fläche, Großstadt usw.*) bedecken, sich erstrecken über **5.** *in Presse, TV usw.*: berichten über, behandeln (*Thema*) **6.** *Sport*: decken (*Gegenspieler*) **7.** (*Versicherung*) abdecken (*Schäden, Krankheitskosten usw.*)

cover up [ˌkʌvər'ʌp] **1.** verheimlichen, vertuschen (*Fehler, Panne usw.*) **2.** ***cover up for someone*** jemanden decken

coverage ['kʌvərɪdʒ] **1.** *in Presse, TV usw.*: Berichterstattung **2.** *durch Versicherung*: Versicherungsschutz, Schadensdeckung

cover charge ['kʌvə‿tʃɑːdʒ] *im Restaurant*: (Kosten für das) Gedeck

covering ['kʌvərɪŋ] **1.** ***covering of snow*** Schneeschicht **2.** *Boden*: Belag

cover story ['kʌvəˌstɔːrɪ] *von Magazin*: Titelgeschichte

covert ['kʌvət] heimlich, verborgen

cow [kaʊ] **1.** *allg.*: Kuh (*auch übertragen als Schimpfwort*) **2.** ***till the cows come home*** *umg.* bis in alle Ewigkeit

coward ['kaʊəd] Feigling

cowardice ['kaʊədɪs] Feigheit

cowardly ['kaʊədlɪ] *Person usw.*: feig

cowboy ['kaʊbɔɪ] Cowboy

cower ['kaʊə] kauern, (zusammengekauert) hocken

cowpat ['kaʊpæt] Kuhfladen

cowshed ['kaʊʃed] Kuhstall

cowslip ['kaʊslɪp] **1.** *BE* Schlüsselblume **2.** *AE* Sumpfdotterblume

cox [kɒks], **coxswain** ['kɒksn] *Rudern*: Steuermann, Steuerfrau

cozy ['kəʊzɪ] *AE* behaglich, gemütlich

crab [kræb] *Meerestier*: Krabbe

crack[1] [kræk] **1.** *Geräusch*: Krach, Knall; ***a crack of the whip*** ein Peitschenknall; ***give someone a fair crack of the whip*** *umg.* jemandem eine faire Chance geben **2.** *in Glas, Porzellan*: Sprung **3.** *in Mauer usw.*: Riss, Spalt **4.** *in Boden usw.*: Spalt, Ritze; ***be open a crack*** (*Tür*) einen Spaltbreit offen stehen **5.** *umg.* Versuch; ***have a crack at something*** *oder* ***give something a crack*** es einmal mit etwas versuchen **6.** *umg.* Witz; ***make cracks about*** Witze machen über **7.** (≈ *Rauschgift*) Crack

crack[2] [kræk] **1.** (*Zweig, Gelenk usw.*) krachen, knacken; ***stop cracking your knuckles*** hör auf mit den Fingern zu knacken **2.** anbrechen (*Knochen*); ***I've cracked a rib*** ich habe mir eine Rippe angebrochen **3.** (*Schuss, Peitsche usw.*) knallen **4.** (*Glas, Porzellan*) springen, einen Sprung *oder* Sprünge bekommen **5.** (*Eisfläche*) Risse bekommen **6.** (*Stimme*) versagen, überschnappen (*vor Rührung usw.*) **7.** ***get cracking*** *umg.* loslegen; ***let's get cracking!*** auf gehts! **8.** ***crack a joke*** *umg.* einen Witz reißen **9.** knacken (*Nuss, Kode, Safe usw.*)

crack[3] [kræk] *umg.* erstklassig; ***crack tennis player*** Tennisass

crack up [ˌkræk'ʌp] **1.** *vor Lachen*: zusammenbrechen **2.** *vor Stress usw.*: durchdrehen

crackdown ['krækdaʊn] *umg.* scharfes Vorgehen (***on*** gegen), Durchgreifen (***on*** bei)
cracked [krækt] **1.** *Glas, Teller usw.*: gesprungen; ***be cracked*** einen Sprung haben **2.** *Wand, Eisfläche usw.*: rissig **3.** *umg.* (≈ *verrückt*) übergeschnappt
cracker ['krækə] **1.** *Gebäck*: Kräcker **2.** *Feuerwerkskörper*: Kracher; ***Christmas cracker*** Knallbonbon **3.** *Internet*: Cracker
crackers ['krækəz] *BE, umg.* übergeschnappt
crackle[1] ['krækl] **1.** (*Feuer usw.*) knistern, prasseln **2.** (*Telefonleitung, Radio usw.*) knacken
crackle[2] ['krækl] **1.** *von Feuer usw.*: Knistern, Prasseln **2.** *von Radio usw.*: Knacken
crackling ['kræklɪŋ] *von Schweinebraten*: Kruste
crackpot[1] ['krækpɒt] *humorvoll* Verrückte(r)
crackpot[2] ['krækpɒt] ***crackpot ideas*** *usw. humorvoll* verrückte Ideen *usw.*
cradle[1] ['kreɪdl] *für Babys*: Wiege (*auch übertragen*); ***from the cradle to the grave*** von der Wiege bis zur Bahre; ***from the cradle*** von Kindheit *oder* von Kindesbeinen an
cradle[2] ['kreɪdl] wiegen, schaukeln (*Baby*); ***cradle to sleep*** in den Schlaf wiegen
craft[1] [krɑːft] *Pl.*: ***crafts*** [krɑːfts] **1.** *künstlerisch*: Handwerk, Kunsthandwerk **2.** *Wirtschaft*: Gewerbe, Handwerk
craft[2] [krɑːft] ⚠ *Pl.*: ***craft*** *allg. für kleineres Wasserfahrzeug*: Boot
craftsman ['krɑːftsmən] *Pl.*: ***craftsmen*** ['krɑːftsmən] Handwerker
craftsmanship ['krɑːftsmənʃɪp] **1.** *allg.*: Handwerkskunst **2.** *von Person*: handwerkliches Können
craftswoman ['krɑːftsˌwʊmən] *Pl.*: ***craftswomen*** ['krɑːftsˌwɪmɪn] Handwerkerin
crafty ['krɑːftɪ] *Person, Plan usw.*: schlau, *umg.* clever (*mst. im negativen Sinn*)
craggy ['krægɪ] **1.** felsig, schroff **2.** *Gesicht*: zerfurcht
cram [kræm], ***crammed, crammed*** **1.** voll stopfen, voll packen (*Koffer usw.*) (***with*** mit) **2.** hineinstopfen, hineinzwängen (*Personen*) (***into*** in); ***the train was crammed*** der Zug war gerammelt voll **3.** *umg.*; *für eine Prüfung*: pauken, büffeln
cram-full [ˌkræm'fʊl] voll gestopft (***of*** mit), zum Bersten voll
crammer ['kræmə] *umg.* Paukstudio
cramp [kræmp] *Medizin*: Krampf
crampon ['kræmpɒn] *zum Bergsteigen*: Steigeisen
cranberry ['krænbərɪ] *Frucht*: Preiselbeere
crane [kreɪn] **1.** *Vogel*: Kranich **2.** *Baumaschine*: Kran
crank [kræŋk] **1.** *an Maschine*: Kurbel **2.** *umg.* (≈ *seltsame Person*) Spinner(in)
cranky ['kræŋkɪ] **1.** (≈ *verrückt*) verschroben **2.** *AE* schlecht gelaunt **3.** *Maschine usw.*: wackelig, baufällig
cranny ['krænɪ] Riss, Spalt
crash[1] [kræʃ] **1.** *mit Auto usw.*: einen Unfall haben, zusammenstoßen; ***he crashed the car into the wall*** er knallte mit dem Auto gegen die Wand **2.** (*Flugzeug*) abstürzen **3.** (≈ *laut fallen, zerbersten usw.*) krachen, knallen (***against, into*** gegen); ***she crashed her head against the post*** sie knallte mit dem Kopf gegen den Pfosten **4.** ***crash a party*** *umg.* uneingeladen zu einer Party gehen **5.** (*Computer, Programm*) abstürzen **6.** (*Firma, Aktienkurse*) zusammenbrechen
crash[2] [kræʃ] **1.** *von Autos*: Unfall, Zusammenstoß **2.** *von Flugzeug*: Absturz (*auch von Computer*) **3.** *lautes Geräusch*: Krachen **4.** *von Firma*: Zusammenbruch **5.** *am Aktienmarkt*: Börsenkrach
crash barrier ['kræʃˌbærɪə] *BE*; *am Straßenrand*: Leitplanke
crash course ['kræʃ‿kɔːs] Intensivkurs
crash diet [ˌkræʃ'daɪət] radikale Schlankheitskur
crash helmet ['kræʃˌhelmɪt] *für Motorradfahrer usw.*: Sturzhelm
crashing ['kræʃɪŋ] ***crashing bore*** *umg.* todlangweilige Person
crash-land ['kræʃlænd] eine Bruchlandung machen, bruchlanden
crash landing ['kræʃˌlændɪŋ] Bruchlandung
crater ['kreɪtə] *von Vulkan, auf dem Mond usw.*: Krater
crave [kreɪv] **1.** sich sehnen nach (*Liebe, Aufmerksamkeit usw.*) **2.** einen Heißhunger haben auf
craving ['kreɪvɪŋ] **1.** Sehnsucht (***for*** nach) **2.** Heißhunger, starkes Verlangen (***for*** nach)
crawl[1] [krɔːl] **1.** (≈ *robben*) kriechen **2.** (*Kleinkind, Insekt*) krabbeln **3.** *im Stra-*

ßenverkehr: im Schneckentempo fahren **4.** *Schwimmen*: kraulen

crawl[2] [krɔːl] **1.** (≈ *Robben*) Kriechen **2.** ***go at a crawl*** *im Straßenverkehr*: im Schneckentempo vorankommen **3.** *Schwimmen*: Kraul, Kraulen, Kraulstil

crayfish ['kreɪfɪʃ] **1.** Flusskrebs **2.** Languste

crayon ['kreɪən] *zum Zeichnen*: Buntstift

craze [kreɪz] ***be the craze*** große Mode sein, in sein; ***the latest craze*** der letzte Schrei

crazy ['kreɪzɪ] **1.** *allg.*: verrückt, wahnsinnig (***with*** vor); ***drive someone crazy*** jemanden wahnsinnig machen **2.** *umg.* (≈ *begeistert*) scharf (***about*** auf), wild, verrückt (***about*** nach); ***I'm crazy for*** *oder* ***about you*** ich bin verrückt nach dir

crazy golf ['kreɪzɪ‿gɒlf] Minigolf

creak [kriːk] **1.** (*Holzboden usw.*) knarren **2.** (*Tür usw.*) quietschen

creaky ['kriːkɪ] *Bett usw.*: knarrend, quietschend

cream[1] [kriːm] **1.** Rahm, Sahne, Ⓐ Schlag(obers), Obers, ⒸⒽ Nidel; ***cream cake*** Sahnetorte **2.** *Kosmetik*: Hautcreme **3.** *übertragen* Creme, Elite

cream tea

Viele Teestuben und Hotels in Großbritannien bieten **cream tea** an, der aus **scones** [skɒnz] (kleinen runden Kuchen) mit Butter oder **clotted cream** (extra dicker Sahne) und Marmelade besteht. Dazu wird natürlich Tee getrunken.

cream[2] [kriːm] **1.** entrahmen (*Milch*) **2.** *Kochen*: zu Schaum schlagen, schaumig rühren (*Eier usw.*) **3.** pürieren (*Gemüse, Kartoffeln*) **4.** eincremen (*Gesicht usw.*)

cream[3] [kriːm] *Farbton*: creme(farben)

crease[1] [kriːs] **1.** *in Stoff*: Falte **2.** *in Papier usw.*: Knick **3.** *in Hose*: Bügelfalte

crease[2] [kriːs] **1.** zerknittern (*Stoff*) **2.** (*Stoff*) knittern **3.** falten, knicken (*Papier usw.*)

creased [kriːst] zerknittert

create [kriː'eɪt] **1.** *allg.*: schaffen (*Probleme, Arbeitsplätze usw.*) **2.** kreieren (*Mode, Stil usw.*) **3.** verursachen (*Lärm, Unruhe*)

creation [kriː'eɪʃn] **1.** *von Arbeitsplätzen usw.*: Schaffung **2.** *von Mode usw.*: Kreation **3.** *von Unruhe usw.*: Verursachung **4.** ***the Creation*** *Religion*: die Schöpfung **5.** *Kunst*: Werk, Kreation

creative [kriː'eɪtɪv] **1.** *Künstler usw.*: kreativ **2.** *Talent usw. auch*: schöpferisch; ***creative streak*** kreative Ader

creator [kriː'eɪtə] **1.** Schöpfer(in), Urheber(in) **2.** ***the Creator*** (≈ *Gott*) der Schöpfer

creature ['kriːtʃə] *Mensch und Tier*: Geschöpf, Lebewesen, Kreatur; ***he's a creature of habit*** er ist ein Gewohnheitsmensch

crèche [kreʃ, 'kreɪʃ] **1.** *BE* (Kinder)Krippe, Kinderhort **2.** *AE* (Weihnachts)Krippe

credence ['kriːdns] ***give*** (*oder* ***attach***) ***credence to something*** einer Sache Glauben schenken

credentials [krə'denʃlz] *Pl., für Bewerbung usw.*: Referenzen, Empfehlungsschreiben

credibility [ˌkredə'bɪlətɪ] *von Geschichte, Person, Politik usw.*: Glaubwürdigkeit

credible ['kredəbl] *Geschichte, Person usw.*: glaubwürdig

credit[1] ['kredɪt] **1.** *Wirtschaft*: Kredit; ***buy on credit*** auf Kredit kaufen **2.** *auf Bankkonto*: Guthaben; ***be in credit*** im Haben sein (= *Geld auf dem Konto haben*) **3.** Ehre; ***be a credit to someone*** *oder* ***do someone credit*** jemandem Ehre machen; ***to his credit it must be said …*** zu seiner Ehre muss man sagen …; ***credit where credit is due*** Ehre, wem Ehre gebührt **4.** *für eine Leistung*: Anerkennung, Lob; ***get credit for*** Anerkennung finden für; ***that's very much to his credit*** das ist sehr anerkennenswert von ihm; ***give someone credit for something*** jemandem etwas hoch anrechnen, jemandem für etwas Anerkennung zollen

credit[2] ['kredɪt] **1.** Glauben schenken, glauben; ***'She's got a new boyfriend.' - 'Would you credit it?'*** „Sie hat einen neuen Freund." - „Ist denn das zu glauben!" **2.** *auf Bankkonto*: gutschreiben (*Betrag, Scheck*) (***to***; *dt. Dativ*)

credit with ['kredɪt‿wɪð] ***credit someone with something*** jemandem etwas zutrauen; ***I credited you with more tact*** ich habe dir mehr Taktgefühl zugetraut

creditable ['kredɪtəbl] *Leistung usw.*: anerkennenswert

credit card ['kredɪt‿kɑːd] Kreditkarte

creditor ['kredɪtə] *Wirtschaft*: Gläubiger (-in)

credulous ['kredjʊləs] leichtgläubig

creek [kriːk] **1.** *AE* Bach **2.** *bes. BE* kleine

Bucht **3.** ***be up the creek*** *umg.* in der Klemme sitzen

creep[1] [kriːp], ***crept*** [krept], ***crept*** [krept] **1.** (≈ *leise gehen*) schleichen **2.** (*Insekt usw.*) kriechen, krabbeln **3.** (*Auto, Zug usw.*) im Schneckentempo fahren **4.** ***the sight made her flesh creep*** bei dem Anblick bekam sie eine Gänsehaut

> **creep in** [ˌkriːp'ɪn] **1.** *in Zimmer usw.*: sich hineinschleichen **2.** *übertragen* (*Fehler usw.*) sich einschleichen

creep[2] [kriːp] **1.** ***the sight gave her the creeps*** *umg.* bei dem Anblick bekam sie eine Gänsehaut **2.** *umg.*; *als Schimpfwort*: Fiesling

creepy ['kriːpɪ] gruselig

creepy-crawly [ˌkriːpɪ'krɔːlɪ] *umg.*; *Insekt usw.*: Krabbeltier

cremate [krə'meɪt] einäschern (*Leiche*)

crept [krept] *2. und 3. Form von* → ***creep***[1]

crescent ['kreznt] Halbmond, Mondsichel

crest [krest] **1.** *von Berg, Welle*: Kamm **2.** *von Erfolg*: Gipfel **3.** (Familien)Wappen **4.** *von Vogel*: Haube, *von Hahn*: Kamm

crestfallen ['krestˌfɔːlən] niedergeschlagen, geknickt

crew [kruː] **1.** *von Schiff, Flugzeug usw.*: Besatzung, Mannschaft, Crew **2.** *in Firma usw. auch*: Arbeitsgruppe **3.** *Sport*: Mannschaft, Crew

crew neck ['kruː‿nek] *von Pulli usw.*: runder Ausschnitt

crib[1] [krɪb] **1.** Kinderbettchen **2.** *für Tiere*: Futterkrippe **3.** *bes. BE* Weihnachtskrippe **4.** *umg.* (≈ *geistiger Diebstahl*) Anleihe, Plagiat **5.** *umg.*; *in der Schule*: Spickzettel

crib[2] [krɪb], ***cribbed, cribbed*** *umg.*; *in der Schule*: abschreiben, spicken (***off, from*** von)

cricket[1] ['krɪkɪt] *Insekt*: Grille

cricket[2] ['krɪkɪt] *Sport*: Kricket

crime [kraɪm] **1.** *allg.*: Verbrechen; ***crime prevention*** Verbrechensverhütung **2.** *Mord, Diebstahl usw.*: Straftat, Verbrechen **3.** *umg.*, *übertragen* Verbrechen, Schande

criminal[1] ['krɪmɪnl] **1.** kriminell, verbrecherisch (*beide auch übertragen*); ***criminal act*** Straftat, strafbare Handlung; ***have a criminal record*** vorbestraft sein **2.** *Recht*: strafrechtlich, Straf…; ***criminal law*** Strafrecht

criminal[2] ['krɪmɪnl] Verbrecher(in), Kriminelle(r)

crimson ['krɪmzn] purpurrot

cringe [krɪndʒ] **1.** zurückschrecken (***at*** vor) **2.** schaudern (*bei einem Gedanken*) **3.** *übertragen* kriechen (***to*** vor)

crinkle[1] ['krɪŋkl] **1.** (*Papier, Stoff usw.*) knittern **2.** zerknittern

crinkle[2] ['krɪŋkl] **1.** Falte **2.** *im Gesicht*: Fältchen

crinkly ['krɪŋklɪ] **1.** *Papier, Stoff usw.*: zerknittert **2.** *Haar*: gekräuselt

cripple[1] ['krɪpl] *abwertend* Krüppel

cripple[2] ['krɪpl] **1.** *durch Unfall usw.*: zum Krüppel machen, verkrüppeln **2.** *übertragen* lahm legen (*Maschine, Organisation usw.*)

crisis ['kraɪsɪs] *Pl.*: ***crises*** ['kraɪsiːz] Krise; ***economic crisis*** Wirtschaftskrise; ***crisis staff*** Krisenstab

crisp[1] [krɪsp] **1.** *Gebäck usw.*: knusprig, Ⓐ resch **2.** *Gemüse, Obst*: frisch, knackig, fest **3.** *Auftreten*: forsch, schneidig, Ⓐ resch **4.** *Luft, Wetter*: frisch

crisp[2] [krɪsp] *bes. BE* Kartoffelchip

crispbread ['krɪspbred] Knäckebrot

crisscross[1] ['krɪskrɒs] ***crisscross pattern*** Kreuzmuster

crisscross[2] ['krɪskrɒs] Gewirr (*aus Linien*)

crisscross[3] ['krɪskrɒs] **1.** kreuz und quer ziehen durch **2.** kreuz und quer (ver)laufen

criterion [kraɪ'tɪərɪən] *Pl.*: ***criteria*** [kraɪ'tɪərɪə] Kriterium

critic ['krɪtɪk] **1.** *allg.*: Kritiker(in) (⚠ *Kritik* = ***criticism***) **2.** *in Zeitung auch*: Rezensent(in)

critical ['krɪtɪkl] **1.** *allg.*: kritisch; ***be critical of someone*** jemanden kritisieren, jemandem kritisch gegenüberstehen **2.** *Moment*: kritisch, entscheidend **3.** *Situation*: gefährlich, bedenklich; ***he's in a critical condition*** *medizinisch*: sein Zustand ist kritisch; ***she's critically injured*** sie ist schwer verletzt

criticism ['krɪtɪsɪzm] *allg.*: Kritik; ***constructive criticism*** konstruktive Kritik

criticize ['krɪtɪsaɪz] **1.** *allg.*: kritisieren **2.** kritisch beurteilen (*Arbeit, Leistung usw.*)

critique [krɪ'tiːk] *von Buch usw.*: Kritik, kritische Analyse

croak [krəʊk] **1.** (*Frosch*) quaken **2.** (*Vogel, auch Person*) krächzen

Croat[1] ['krəʊæt] *Sprache*: Kroatisch

Croat[2] ['krəʊæt] *Person*: Kroate, Kroatin

Croatia [krəʊ'eɪʃə] Kroatien

Croatian[1] [krəʊ'eɪʃn] kroatisch

Croatian[2] [krəʊ'eɪʃn] *Sprache*: Kroatisch

Croatian[3] [krəʊ'eɪʃn] *Person*: Kroate, Kroatin

crochet[1] ['krəʊʃeɪ] *auch* ***crochet work*** Häkelarbeit, Häkelei

crochet[2] ['krəʊʃeɪ] häkeln
crockery ['krɒkərɪ] *bes. BE* Geschirr
crocodile ['krɒkədaɪl] Krokodil
crocus ['krəʊkəs] *Blume*: Krokus
crook [krʊk] *umg.* Gauner
crooked [⚠ 'krʊkɪd] **1.** *Linie, Gebäude usw.*: krumm **2.** *umg.* betrügerisch, korrupt
crop [krɒp] **1.** *von Getreide, Gemüse, Obst*: Ernte; ***crop failure*** Missernte **2.** *oft* ***crops*** Feldfrüchte, Getreide

> **crop up** [ˌkrɒp'ʌp], ***cropped up, cropped up*** (*Frage, Problem*) auftauchen

cropper ['krɒpə] *BE, umg.* **1.** ***come a cropper*** schwer stürzen **2.** ***come a cropper*** versagen, *bei Prüfung*: durchfallen
croquet ['krəʊkɪ, 'krəʊkeɪ] Krocket(spiel)
cross[1] [krɒs] **1.** *Religion*: Kreuz; ***the Cross*** das Kreuz Christi, das Kruzifix; ***make the sign of the cross*** sich bekreuzigen **2.** *Zeichen*: Kreuz; ***mark with a cross*** ankreuzen **3.** *übertragen* Kreuz, Leiden; ***bear*** *oder* ***carry one's cross*** sein Kreuz tragen
cross[2] [krɒs] **1.** überqueren (*Straße, Fluss, Grenze usw.*) **2.** (*Straßen, Bahnlinien usw.*) sich kreuzen **3.** (miteinander) kreuzen (*Pflanzen, Tiere*) **4.** ***cross oneself*** *Religion*: sich bekreuzigen **5.** ***cross one's arms*** die Arme kreuzen *oder* verschränken; ***cross one's legs*** die Beine kreuzen *oder* übereinander schlagen; ***I'll keep my fingers crossed (for you)*** *übertragen* ich drück dir den Daumen **6.** *in Formular usw.*: ankreuzen **7.** ***it just crossed my mind that …*** mir fiel gerade ein, dass …

> **cross off** [ˌkrɒs'ɒf] **1.** *auf Liste usw.*: ausstreichen, durchstreichen **2.** *übertragen* abhaken, abschreiben (*Vorhaben, Plan usw.*)
> **cross out** [ˌkrɒs'aʊt] durchstreichen (*Wörter, Zahlen usw. in einem Text*)

cross[3] [krɒs] *bes. BE, umg.* böse, sauer (***with*** auf)
crossbar ['krɒsbɑː] **1.** *Sport*: Querlatte **2.** *von Herrenfahrrad*: Stange
crosscheck[1] [ˌkrɒs'tʃek] die Gegenprobe machen
crosscheck[2] ['krɒstʃek] Gegenprobe
cross-country [ˌkrɒs'kʌntrɪ] Querfeldein…; ***cross-country skiing*** Skilanglauf; ***cross-country run*** Crosslauf, Geländelauf
crossed cheque [ˌkrɒst'tʃek] *BE* Verrechnungsscheck
cross-examination [ˌkrɒsɪgˌzæmə'neɪʃn] Kreuzverhör
cross-examine [ˌkrɒsɪg'zæmɪn] ins Kreuzverhör nehmen
crossing ['krɒsɪŋ] **1.** *von Fluss, Gebirge usw.*: Überquerung **2.** *mit Schiff auch*: Überfahrt; ***rough crossing*** stürmische Überfahrt **3.** *von Straßen, Bahnlinien usw.*: Kreuzung **4.** *für Fußgänger*: Straßenübergang, Überweg
cross-legged [ˌkrɒs'legd] **1.** mit übereinander geschlagenen Beinen **2.** *am Boden*: im Schneidersitz
cross reference [ˌkrɒs'refrəns] *in Wörterbuch usw.*: Querverweis
crossroads ['krɒsrəʊdz] *Pl.*: ***crossroads*** **1.** *von Straßen*: Kreuzung **2.** *übertragen* Scheideweg
crosswalk ['krɒswɔːk] *AE* Fußgängerüberweg
crossword ['krɒswɜːd], **crossword puzzle** ['krɒswɜːdˌpʌzl] Kreuzworträtsel
crouch [kraʊtʃ] *auch* ***crouch down*** (≈ *in die Hocke gehen*) kauern, sich niederkauern
crow[1] [⚠ krəʊ] **1.** *Vogel*: Krähe **2.** ***as the crow flies, it's about 10 kilometres*** Luftlinie sind es etwa 10 km
crow[2] [⚠ krəʊ] **1.** (*Hahn, auch Baby*) krähen **2.** *vor Freude*: juchzen **3.** *mit einer Leistung usw.*: angeben; ***he keeps crowing about his exam results*** er gibt ständig mit seinen Examensnoten an
crowd[1] [kraʊd] **1.** (≈ *viele Menschen*) Menge, Masse **2.** *bei Sportveranstaltung usw.*: Zuschauer *Pl.* **3.** ***the crowd*** die Masse, das gemeine Volk; ***go with*** *oder* ***follow the crowd*** mit der Masse gehen
crowd[2] [kraʊd] **1.** (*viele Menschen*) zusammenströmen, sich drängen (***into*** in; ***round*** um) **2.** bevölkern (*Platz, Straße usw.*); ***thousands of sun-seekers crowded the beach*** tausende von Sonnenhungrigen bevölkerten den Strand
crowded ['kraʊdɪd] *mit Menschen*: überfüllt (***with*** mit), voll (***with*** von); ***the beach was crowded*** *auch*: der Strand war proppenvoll
crown[1] [kraʊn] **1.** *von Monarchen*: Krone **2.** ***the Crown*** *Politik*: die Krone, der König, die Königin **3.** *Währung*: Krone **4.** *Zahnmedizin*: Krone
crown[2] [kraʊn] **1.** krönen (*Monarch[in]*); ***she was crowned Empress in 1712*** sie wurde 1712 zur Kaiserin gekrönt;

C

crowned heads *Pl.* gekrönte Häupter **2.** *übertragen* krönen, den Höhepunkt bilden von; ***crowned with success*** von Erfolg gekrönt; ***to crown it all*** *umg.* zu allem Überfluss *oder* Unglück **3.** *Zahnmedizin*: überkronen

crown jewels [ˌkraʊn'dʒuːəlz] *Pl.* Kronjuwelen

crucial ['kruːʃl] **1.** *Entscheidung, Faktor usw*: entscheidend (***to, for*** für); ***the crucial point*** der springende Punkt **2.** *Moment, Zeitpunkt auch*: kritisch

crucifix ['kruːsəfɪks] Kruzifix

crucifixion [ˌkruːsə'fɪkʃn] Kreuzigung

crucify ['kruːsɪfaɪ] kreuzigen

crude [kruːd] **1.** *Witz, Geste usw.*: ordinär, derb **2.** *Person, Benehmen*: ungehobelt, primitiv **3.** (≈ *unverarbeitet*) roh; ***crude oil*** Rohöl

cruel ['kruːəl] **1.** *Person, Schicksal usw.*: grausam (***to*** zu, gegen) **2.** *Entscheidung usw. auch*: unmenschlich, unbarmherzig

cruelty ['kruːəltɪ] Grausamkeit; ***cruelty to animals*** Tierquälerei

cruise[1] [kruːz] **1.** *mit dem Schiff*: kreuzen, eine Kreuzfahrt machen **2.** *mit dem Flugzeug* (*bzw. Auto*): mit Reisegeschwindigkeit fliegen (*bzw.* fahren); ***cruising speed*** Reisegeschwindigkeit

cruise[2] [kruːz] Kreuzfahrt, Seereise

cruise missile [ˌkruːz'mɪsaɪl] *Militär*: Marschflugkörper

cruiser ['kruːzə] **1.** *Schlachtschiff*: Kreuzer **2.** Kreuzfahrtschiff **3.** *AE*; *von Polizei*: Streifenwagen

crumb [⚠ krʌm] *von Brot, Kuchen*: Krume, Krümel, Brösel; ***a few crumbs of information*** *übertragen* ein paar Informationsbrocken

crumble[1] ['krʌmbl] **1.** zerkrümeln, zerbröckeln (*Brot, Gebäck usw.*) **2.** *auch* ***crumble away*** zerbröckeln, zerfallen (*Haus usw.*)

crumble[2] ['krʌmbl] *mit Streuseln bestreutes, überbackenes Kompott*

crumbly ['krʌmblɪ] krümelig, bröckelig

crummy ['krʌmɪ] *salopp* lausig, miserabel

crumple ['krʌmpl] **1.** *auch* ***crumple up*** zerknittern, zerknüllen (*Stoff, Papier usw.*) **2.** (*Person*) zusammenbrechen (*vor Erschöpfung usw.*)

crumple zone ['krʌmpl‿zəʊn] *von Auto*: Knautschzone

crunch [krʌntʃ] **1.** knirschend zerkauen, mampfen (*Kekse, Nüsse usw.*) **2.** (*Schnee*) knirschen

crunchy ['krʌntʃɪ] *Gebäck usw.*: knusprig, knackig

crusade [kruː'seɪd] *Geschichte*: Kreuzzug (*auch übertragen*)

crusader [kruː'seɪdə] *Geschichte*: Kreuzfahrer, Kreuzritter

crush[1] [krʌʃ] **1.** *in Menschenansammlung*: Gedränge, Gewühl **2.** ***have a crush on someone*** *umg.* in jemanden verknallt sein

crush[2] [krʌʃ] **1.** zerquetschen, zerdrücken (*Obst, Gemüse usw., bei Unfall auch Körperteil*) **2.** zerkleinern, zerstoßen (*Gestein, Gewürze usw.*) **3.** *übertragen* zunichte machen (*Hoffnungen usw.*) **4.** niederwerfen, unterdrücken (*Aufstand, Rebellion usw.*)

crushing ['krʌʃɪŋ] *Schicksalsschlag, Nachricht usw.*: niederschmetternd; ***a crushing defeat*** *bes. im Sport*: eine vernichtende Niederlage

crust [krʌst] *von Brot usw.*: Kruste, Rinde; ***the earth's crust*** die Erdkruste

crusty ['krʌstɪ] **1.** *Brot*: knusprig **2.** *übertragen*; *Person*: barsch

crutch [krʌtʃ] **1.** (≈ *Gehhilfe*) Krücke; ***walk on crutches*** auf *oder* an Krücken gehen **2.** *übertragen* Stütze, Hilfe

cry[1] [kraɪ] **1.** *allg.*: Schrei, Ruf (***for*** nach); ***a cry for help*** ein Hilferuf **2.** *von Baby usw.*: Geschrei **3.** Weinen; ***have a good cry*** sich (mal richtig) ausweinen

cry[2] [kraɪ], ***cried*** [kraɪd], ***cried*** [kraɪd]; *-ing-Form* ***crying*** **1.** *allg.*: schreien, rufen (***for*** nach); ***cry for help*** um Hilfe rufen **2.** *vor Schmerz, Verzweiflung usw.*: weinen, *umg.* heulen; ***he cried for joy*** er weinte vor Freude; ***cry one's eyes out*** sich die Augen ausweinen

> **cry out** [ˌkraɪ'aʊt] **1.** *vor Schmerz usw.*: aufschreien **2.** ***your car's crying out for the car-wash*** dein Auto schreit ja geradezu nach der Waschanlage

crying ['kraɪɪŋ] **1.** *Unrecht usw.*: himmelschreiend; ***it's a crying shame*** es ist jammerschade *oder* ein Jammer **2.** *Bedarf, Bedürfnis usw.*: dringend

crystal ['krɪstl] **1.** *Mineral*: *der* Kristall **2.** *Material*: *das* Kristall, Kristallglas **3.** *AE* Uhrglas

CS gas [ˌsiːes'gæs] *BE* Tränengas

cub [kʌb] *von Bär, Löwe usw.*: Junge(s)

Cuba ['kjuːbə] Kuba

cube[1] [kjuːb] **1.** *geometrische Form*: Würfel; ***cube sugar*** Würfelzucker; ***ice cubes*** *Pl.* Eiswürfel **2.** *Mathematik*: Kubikzahl, dritte Potenz; ***the cube of 2 is 8*** zwei hoch drei ist acht; ***cube root*** Kubikwurzel

cube[2] [kjuːb] **1.** *Mathematik*: in die dritte Potenz erheben; ***2 cubed is 8*** zwei hoch drei ist acht **2.** würfeln, in Würfel schneiden (*Fleisch, Gemüse usw.*)
cubic ['kjuːbɪk] Kubik…; ***cubic metre*** Kubikmeter
cubicle ['kjuːbɪkl] Kabine
cuckoo[1] ['kʊkuː] *Vogel*: Kuckuck
cuckoo[2] ['kʊkuː] *umg.* bekloppt, plemplem
cuckoo clock ['kʊkuː‿klɒk] Kuckucksuhr
cucumber ['kjuːkʌmbə] Gurke, Salatgurke (⚠ *Gewürzgurke* = ***gherkin***, *AE* ***pickle***)
cuddle[1] ['kʌdl] **1.** *Zuneigung zeigend*: in den Arm nehmen, *umg.* drücken **2.** (*Liebespaar*) schmusen
cuddle[2] ['kʌdl] enge Umarmung; ***let me give you a cuddle*** lass dich umarmen
cue [kjuː] **1.** *Theater, Film usw.*: Stichwort, Einsatz **2.** *übertragen* Wink, Fingerzeig **3.** ***take one's cue from someone*** sich nach jemandem richten **4.** *beim Billard*: Queue
cuff [kʌf] **1.** *von Hemdsärmel*: Manschette; ***cuff link*** Manschettenknopf **2.** *AE*; *von Hose*: Aufschlag **3.** ***off the cuff*** *umg.* aus dem Stegreif
cuisine [kwɪ'ziːn] ***French*** *usw.* ***cuisine*** die französische *usw.* Küche
cul-de-sac ['kʌldəsæk], *Pl.*: ***cul-de-sacs*** Sackgasse (*auch übertragen*)
cult [kʌlt] Kult (*auch übertragen*)
cultivate ['kʌltɪveɪt] **1.** bebauen, bestellen (*Boden, Feld*) **2.** züchten, anbauen (*Pflanzen*) **3.** *übertragen* entwickeln, ausbilden (*Fähigkeit, Talent usw.*) **4.** *übertragen* kultivieren, pflegen (*Freundschaft, gute Beziehungen usw.*)
cultivated ['kʌltɪveɪtɪd] **1.** *Person*: kultiviert, gebildet **2.** *Ackerland*: bebaut
cultivation [ˌkʌltɪ'veɪʃn] **1.** *von Ackerland*: Bebauung, Bestellung **2.** *von Pflanzen*: Züchtung, Anbau **3.** *übertragen* Kultivierung, Pflege (*von Beziehungen, Fähigkeit, Talent*)
cultural ['kʌltʃrəl] *allg.*: kulturell; ***the cultural life of Munich*** das Kulturleben Münchens; ***the country's cultural heritage*** das Kulturerbe des Landes
culture ['kʌltʃə] **1.** *allg.*: Kultur; ***western culture*** die westliche Kultur, der westliche Kulturkreis; ***ancient cultures*** antike Kulturen; ***culture shock*** Kulturschock **2.** *Biologie*: Kultur (*von Pilzen, Bakterien usw.*)
cultured ['kʌltʃəd] *Person*: kultiviert, gebildet
cunning ['kʌnɪŋ] schlau, listig
cup [kʌp] **1.** *Gefäß*: Tasse (*auch deren Inhalt*); ***can I have another cup, please*** kann ich bitte noch eine Tasse haben? **2.** ***that's not my cup of tea*** *BE, umg.* das ist nicht mein Fall **3.** *Sport*: Cup, Pokal; ***cup final*** Pokalendspiel

FA Cup

FA ist die Abkürzung von **Football Association**, dem englischen Fußballverband. Das **FA Cup** ist ein Wettbewerb, an dem alle Profi-, aber auch Amateurmannschaften (wie beim DFB-Pokal) teilnehmen können. Das Endspiel – **the FA Cup Final** – bildet den Höhepunkt der englischen Fußballsaison.

cupboard [⚠ 'kʌbəd] *allg.*: Schrank, Ⓐ Kasten
cuppa ['kʌpə] *BE, umg.* Tasse Tee
curable ['kjʊərəbl] *Krankheit*: heilbar
curd [kɜːd] *oft* ***curds*** *Pl.* Quark
curdle ['kɜːdl] **1.** gerinnen lassen (*Milch*) **2.** (*Milch*) gerinnen, dick werden **3.** ***the sight made my blood curdle*** bei dem Anblick erstarrte mir das Blut in den Adern
cure[1] [kjʊə] **1.** *Medizin*: Heilung, Heilverfahren (***for*** gegen) **2.** (≈ *Arznei*) Mittel, Heilmittel (***for*** gegen) (*auch übertragen*) **3.** *zur Genesung usw.*: Kur; ***take a cure*** zur Kur gehen
cure[2] [kjʊə] **1.** *Medizin*: heilen, kurieren (*Person, Krankheit*) **2.** *übertragen auch*: kurieren, abbringen (***of*** von); ***I'm cured of smoking*** was das Rauchen angeht, bin ich kuriert **3.** *von Lebensmitteln*: haltbar machen, *mit Rauch*: räuchern, *mit Salz*: einpökeln
cure-all ['kjʊərɔːl] Allheilmittel
curfew ['kɜːfjuː] *in Krisengebiet*: Ausgangssperre
curiosity [ˌkjʊərɪ'ɒsətɪ] **1.** *von Person*: Neugier **2.** *auffällige Sache oder Person*: Kuriosität, Kuriosum
curious ['kjʊərɪəs] **1.** neugierig; ***I'm curious to know if …*** ich möchte gern wissen, ob …; ***I'm curious to meet*** *oder* ***see your new girlfriend*** ich bin auf deine neue Freundin neugierig **2.** (≈ *merkwürdig*) kurios, seltsam; ***curiously enough*** merkwürdigerweise
curl[1] [kɜːl] **1.** in Locken legen (*Haare*) **2.** (*Haare*) sich locken, sich kräuseln
curl[2] [kɜːl] *im Haar*: Locke
curler ['kɜːlə] Lockenwickler
curly ['kɜːlɪ] *Haare*: gelockt, lockig
currency ['kʌrənsɪ] (≈ *Geld eines Landes*) Währung; ***foreign currency*** Devisen *Pl.*

C

current[1] ['kʌrənt] **1.** *Monat, Woche, Ausgaben usw.*: laufend **2.** *Krise, Preise, Entwicklung usw.*: gegenwärtig, augenblicklich, aktuell; ***current events*** *Pl.* Tagesereignisse

current[2] ['kʌrənt] **1.** *von Fluss usw.*: Strömung **2.** *von Luft*: Luftstrom, Luftzug **3.** *Elektrizität*: Strom

current account [ˌkʌrənt‿ə'kaʊnt] *BE; auf Bank*: Girokonto

curriculum [kə'rɪkjʊləm], *Pl.*: ***curricula*** [kə'rɪkjʊlə] *oder* ***curriculums*** *an Schule usw.*: Lehrplan, Studienplan

curriculum vitae [kəˌrɪkjʊləm'viːtaɪ], *Pl.* ***curricula vitae*** (*Abk.*: ***CV***) Lebenslauf

curry[1] ['kʌrɪ] *Mahlzeit*: Currygericht (⚠ *Curry als Gewürz* = ***curry powder***)

curry[2] ['kʌrɪ] mit Curry zubereiten; ***curried chicken*** Curryhuhn

curse[1] [kɜːs] **1.** (≈ *magischer Bann*) Fluch; ***there's a curse on the house*** *oder* ***the house is under a curse*** auf dem Haus lastet *oder* liegt ein Fluch **2.** (≈ *Schimpfwort*) Fluch, Verwünschung **3.** *Krankheit, Seuche*: Fluch, Plage, Unglück (***to*** für)

curse[2] [kɜːs] **1.** (≈ *verwünschen*) verfluchen, mit einem Fluch belegen **2.** (≈ *schimpfen*) fluchen (***at*** auf, über)

cursor ['kɜːsə] *Computer*: Cursor

cursory ['kɜːsərɪ] flüchtig, oberflächlich

curtain ['kɜːtn] **1.** *am Fenster*: Vorhang, Gardine; ***draw the curtains*** *je nach Situation*: die Vorhänge zuziehen *oder* aufziehen **2.** *im Theater*: Vorhang; ***the curtain rises*** (*bzw.* ***falls***) der Vorhang geht auf (*bzw.* fällt)

curtsey[1], **curtsy** ['kɜːtsɪ] Knicks

curtsey[2], **curtsy** ['kɜːtsɪ] einen Knicks machen (***to*** vor)

curve[1] [kɜːv] **1.** *von Straße*: Kurve (*auch mathematisch*) **2.** *von Fluss*: Biegung

curve[2] [kɜːv] (*Fluss, Straße*) eine Biegung machen, sich winden

cushion[1] [⚠ 'kʊʃn] **1.** *auf Stuhl usw.*: Kissen (⚠ *Kopfkissen im Bett* = ***pillow***) **2.** *beim Billard*: Bande

cushion[2] [⚠ 'kʊʃn] **1.** dämpfen (*Stoß, Fall usw.*) **2.** *übertragen auch*: abmildern (*Enttäuschung, Negatives*)

cushy [⚠ 'kʊʃɪ] *umg.; Job usw.*: gemütlich, ruhig; ***he's got a cushy number*** er schiebt eine ruhige Kugel

> ## custard
>
> **Custard** ist dicker und etwas dunkler als Vanillesoße und wird traditionell (warm oder kalt) zu vielen englischen Nachspeisen serviert.

custard ['kʌstəd] *etwa*: Vanillesoße

custody ['kʌstədɪ] **1.** *für Kind*: Sorgerecht; ***the baby was put in the custody of his aunt*** das Baby wurde in die Obhut seiner Tante gegeben **2.** *vor Strafprozess*: Untersuchungshaft **3.** *für Wertsachen, Person usw.*: Obhut, Schutz

custom ['kʌstəm] **1.** (≈ *Konvention*) Sitte, Brauch **2.** *von Person*: Angewohnheit; ***I got up early, as was my custom*** ich stand früh auf, wie ich es gewohnt war

customary ['kʌstəmərɪ] üblich, gebräuchlich

customer ['kʌstəmə] **1.** *in Geschäft usw.*: Kunde, Kundin; ***regular customer*** Stammkunde **2.** *umg.*; *Person*: Kerl, Kunde; ***strange customer*** komischer Kauz

customs ['kʌstəmz] *Pl.* Zoll; ***customs clearance*** Zollabfertigung; ***customs inspection*** Zollkontrolle

cut[1] [kʌt] **1.** *in Papier, Stoff usw.*: Schnitt **2.** *Verletzung*: Schnittwunde **3.** *Frisur*: Haarschnitt; ***cut and blow-dry*** Waschen und Schneiden **4.** *von Gehalt, staatlichen Leistungen usw.*: Kürzung, Senkung; ***tax cut*** Steuersenkung **5.** *Fleisch*: Stück; ***cold cuts*** *Pl., bes. AE* Aufschnitt **6.** *umg.* Anteil (***of, in*** an)

cut[2] [kʌt], ***cut*** [kʌt], ***cut*** [kʌt]; *-ing-Form* ***cutting*** **1.** *mit Messer, Schere usw.*: schneiden, anschneiden (*Kuchen*), abschneiden (*Stück Kuchen usw.*), durchschneiden (*Kabel, Schnur*); ***cut one's finger*** sich in den Finger schneiden; ***cut something in half*** etwas halbieren; ***cut to pieces*** zerstückeln **2.** mähen (*Gras*), fällen (*Baum*) **3.** schneiden, stutzen (*Hecke, Haar usw.*); ***cut someone's hair*** jemandem die Haare schneiden; ***cut one's nails*** sich die Nägel schneiden **4.** kürzen (*Ausgaben, Löhne usw.*) **5.** herabsetzen, senken (*Preise, Steuern usw.*) **6.** *Film, TV*: schneiden **7.** zusammenschneiden, kürzen (*Rede, Text usw.*) **8.** abheben (*Karten*) **9.** *beim Tennis, Fußball usw.*: anschneiden (*Ball*) **10.** ***cut one's teeth*** (*Baby*) Zähne bekommen, zahnen; ***cut one's teeth on something*** *übertragen* seine ersten Erfahrungen mit etwas sammeln

> **cut back** [ˌkʌt'bæk] **1.** zurückschneiden, stutzen (*Hecke usw.*) **2.** kürzen (*Ausgaben, Lohn usw.*)
>
> **cut down** [ˌkʌt'daʊn] **1.** fällen (*Bäume*), abholzen (*Wald*); ***I'll cut him down to size*** *übertragen* ich werde ihn zurechtstutzen, ich werde ihn in seine Schranken verweisen **2.** verringern, einschrän-

ken (*Ausgaben*); ***you really should cut down on smoking*** du solltest wirklich weniger rauchen **3.** kürzen (*Aufsatz, Buch usw.*)
cut in [ˌkʌt'ɪn] **1.** *in Gespräch*: sich einmischen **2.** *im Straßenverkehr*: schneiden; ***he cut in right in front of us*** er ist genau vor uns eingeschert
cut into ['kʌtˌɪntʊ] **1.** anschneiden (*Braten, Kuchen usw.*) **2.** ***the repair cut into our savings*** die Reparatur hat ein Loch in unsere Ersparnisse gerissen; ***cut into a conversation*** sich in ein Gespräch einmischen
cut off [ˌkʌt'ɒf] **1.** *allg.*: abschneiden **2.** absperren, abdrehen (*Gas, Strom usw.*) **3.** abschneiden (*Verbindung, Versorgung, Weg usw.*); ***he had his electricity cut off*** ihm wurde der Strom gesperrt **4.** *im Gespräch, am Telefon*: unterbrechen **5.** ***be cut off*** (*Haus, Ortschaft*) abgelegen *oder* abgeschieden sein
cut out [ˌkʌt'aʊt] **1.** *allg.*: ausschneiden **2.** herausschneiden (*Geschwür usw.*) **3.** ***be cut out for something*** für etwas wie geschaffen sein **4.** weglassen, verzichten auf (*Zigaretten, Alkohol usw.*) **5.** ***cut it out!*** *umg.* hör auf damit!
cut up [ˌkʌt'ʌp] **1.** zerschneiden, in Stücke schneiden (*Fleisch usw.*) **2.** ***he was pretty cut up about it*** es hat ihn ziemlich mitgenommen

cutback ['kʌtbæk] *von Budget, Ausgaben usw.*: Kürzung
cute [kjuːt] *umg.* **1.** *bes. Baby usw.*: niedlich, süß **2.** *bes. AE* (≈ *gerissen*) schlau, clever
cutlery ['kʌtlərɪ] Besteck
cutlet ['kʌtlət] **1.** *vom Lamm, Kalb usw.*: Kotelett (*mit Knochen*), Schnitzel (*ohne Knochen*) **2.** *aus Hackfleisch*: Hacksteak
cut-price [ˌkʌt'praɪs], **cut-rate** [ˌkʌt'reɪt] ermäßigt, herabgesetzt; ***cut-price offer*** Billigangebot
cutter ['kʌtə] **1.** *Werkzeug*: Schneidemaschine **2.** *Film*: Cutter(in) **3.** *Boot*: Kutter
cutthroat ['kʌtθrəʊt] *Wettbewerb, Konkurrenz*: mörderisch, unbarmherzig
cutting[1] ['kʌtɪŋ] **1.** *von Pflanze*: Ableger **2.** *bes. BE* Zeitungsausschnitt
cutting[2] ['kʌtɪŋ] **1.** *Bemerkung usw.*: scharf, beißend **2.** *Wind, Kälte*: schneidend
CV [ˌsiː'viː] (*Abk. für* curriculum vitae) *BE*; *für Bewerbung usw.*: Lebenslauf
cybercafé ['saɪbəˌkæfeɪ] Internet-Café
cyberspace ['saɪbəspeɪs] *Computer*: Cyberspace (*virtuelle Scheinwelt*)
cycle[1] ['saɪkl] **1.** *von wiederkehrenden Ereignissen usw.*: Zyklus, Kreislauf **2.** *von Gedichten, Liedern usw.*: Zyklus **3.** Fahrrad; ***cycle lane*** *oder* ***path*** Radweg
cycle[2] ['saɪkl] Rad fahren, radeln
cycling ['saɪklɪŋ] Radfahren; ***cycling tour*** Radtour
cyclist ['saɪklɪst] Radfahrer(in)
cyclone ['saɪkləʊn] Zyklon, Wirbelsturm
cylinder ['sɪlɪndə] *Geometrie, von Motor*: Zylinder (⚠ *Zylinder* [*Hut*] = ***top hat***)
cynic ['sɪnɪk] Zyniker(in)
cynical ['sɪnɪkl] zynisch
cynicism ['sɪnɪsɪzm] Zynismus
cypress ['saɪprəs] *Baum*: Zypresse
Cypriot ['sɪprɪət], **Cypriote** ['sɪprɪəʊt] Zypriote, Zypriotin
Cyprus ['saɪprəs] Zypern
cyst [sɪst] *Medizin*: Zyste
cystitis [sɪ'staɪtɪs] Blasenentzündung
czar [⚠ zɑː] *Geschichte*: Zar
Czech[1] [tʃek] tschechisch; ***the Czech Republic*** die Tschechische Republik
Czech[2] [tʃek] *Sprache*: Tschechisch
Czech[3] [tʃek] Tscheche, Tschechin
Czechia ['tʃekɪə] Tschechien

D

dab[1] [dæb], ***dabbed, dabbed*** **1.** *mit Puder usw.*: betupfen **2.** *mit Watte, Tuch usw.*: abtupfen **3.** leicht auftragen (*Farbe usw.*)
dab[2] [dæb] (≈ *winzige Menge*) Klecks, *Parfüm usw.*: Spritzer
dabble ['dæbl] **1.** ***dabble in*** sich aus Liebhaberei beschäftigen mit **2.** *im Wasser*: plan(t)schen
dabbler ['dæblə] Dilettant(in)
dab hand [ˌdæb'hænd] ***be a dab hand at something*** *BE, umg.* etwas aus dem Effeff können

dachshund ['dæksnd] *Hund*: Dackel
dad [dæd], **daddy** ['dædɪ] *umg.* Vati, Papa

dad

Dad und **daddy** werden als Anrede großgeschrieben: **What's the time, Dad / Daddy?** Aber: **My dad / daddy works in Liverpool.**

daffodil ['dæfədɪl] *Blume*: gelbe Narzisse, Osterglocke
daft [dɑːft] *umg.* doof, dämlich; ***he's not as daft as he looks*** er ist nicht so doof, wie er aussieht
dagger ['dægə] **1.** *Waffe*: Dolch **2.** ***be at daggers drawn*** auf Kriegsfuß stehen (***with*** mit); ***look daggers at someone*** jemanden mit (finsteren) Blicken durchbohren
daily[1] ['deɪlɪ] **1.** täglich, Tages…; ***daily newspaper*** Tageszeitung; ***there are two daily flights from Rome to Munich*** pro Tag gibt es zwei Flüge von Rom nach München; ***the pub is open daily*** das Lokal ist täglich *oder* jeden Tag geöffnet **2.** alltäglich; ***the daily grind*** der Alltagstrott
daily[2] ['deɪlɪ] Tageszeitung
dainty ['deɪntɪ] zierlich
dairy ['deərɪ] **1.** *Milch verarbeitender Betrieb*: Molkerei **2.** *Laden*: Milchgeschäft
daisy ['deɪzɪ] **1.** *Blume*: Gänseblümchen **2.** ***be pushing up the daisies*** (≈ *tot sein*) sich die Radieschen von unten ansehen
daisy wheel ['deɪzɪ‿wiːl] *von Drucker, Schreibmaschine*: Typenrad
dam[1] [dæm] Staudamm, Talsperre
dam[2] [dæm], ***dammed, dammed***; *auch* ***dam up*** stauen (*Fluss*)
damage[1] ['dæmɪdʒ] **1.** Schaden (***to*** an); ***the storm did a lot of damage*** der Sturm hat großen Schaden angerichtet **2.** ***damages*** *Pl. Recht*: Schadenersatz; ***sue someone for damages*** jemanden auf Schadenersatz verklagen
damage[2] ['dæmɪdʒ] **1.** beschädigen (*Sache*) **2.** schaden (*Ruf, Gesundheit*)
damn[1] [dæm] **1.** (≈ *verfluchen*) verdammen **2.** (*Kritik*) verreißen (*Film, Buch usw.*) **3.** (≈ *ablehnen*) verurteilen (*Verhalten*) **4.** ***damn it!*** *umg.* verflucht!, verdammt!; ***damn you!*** *umg.* der Teufel soll dich holen!; ***I'll be damned if I do that*** *umg.* ich denk ja gar nicht daran das zu tun
damn[2] [dæm] **1.** ***I don't give a damn*** *umg.* das ist mir scheißegal; ***not worth a damn*** *umg.* keinen Pfifferling wert **2.** ***damn!*** *umg.* verflucht!, verdammt!
damn[3] [dæm] → ***damned***
damnation [ˌdæm'neɪʃn] *Religion*: Verdammnis
damned [dæmd] **1.** *allg.*: verdammt; ***the damned*** *Pl. Religion*: die Verdammten **2.** *auch* ***damn*** *umg.*; *Fluch*: verflucht, verdammt; ***damned fool*** Vollidiot **3.** *auch* ***damn*** *umg., verstärkend*: ***damned cold*** verdammt *oder* lausig kalt
damp[1] [dæmp] **1.** *Raum, Wand usw.*: feucht **2.** *Stoff, Kleider usw. auch*: klamm **3.** ***damp squib*** *BE, umg.* Pleite, Reinfall
damp[2] [dæmp] *an Wand usw.*: Feuchtigkeit
damp[3] [dæmp], **dampen** ['dæmpən] **1.** anfeuchten (*Stoff beim Bügeln usw.*) **2.** dämpfen (*Geräusch usw.*)
dampen ['dæmpən] dämpfen (*Begeisterung usw.*)
damper ['dæmpə] **1.** *Klavier*: Dämpfer **2.** ***the weather put a damper on our holiday*** das Wetter dämpfte unsere Urlaubsfreude
dampness ['dæmpnəs] Feuchtigkeit
dance[1] [dɑːns] **1.** tanzen; ***dance a waltz*** einen Walzer tanzen; ***dance to someone's tune*** *übertragen* nach jemandes Pfeife tanzen **2.** *freudig, aufgeregt usw.*: tanzen, hüpfen (***with, for*** vor)
dance[2] [dɑːns] **1.** *allg.*: Tanz; ***let's have a dance!*** lass uns tanzen! **2.** (≈ *Ball*) Tanzveranstaltung
dancing ['dɑːnsɪŋ] Tanzen; ***dancing lesson*** Tanzstunde; ***dancing lessons*** *Pl.* Tanzunterricht; ***dancing partner*** Tanzpartner(in); ***dancing school*** Tanzschule
dandelion ['dændɪlaɪən] *Blume*: Löwenzahn
dandruff ['dændrʌf] (⚠ *nur im Sg. verwendet*) (Kopf)Schuppen *Pl.*
Dane [deɪn] Däne, Dänin
danger ['deɪndʒə] Gefahr (***to*** für); ***danger of infection*** *medizinisch*: Infektionsgefahr; ***we were in danger of our lives*** wir waren *oder* schwebten in Lebensgefahr; ***danger money*** Gefahrenzulage
dangerous ['deɪndʒərəs] gefährlich (***to, for*** für)
dangle ['dæŋgl] **1.** baumeln **2.** baumeln lassen (*Beine usw.*) **3.** ***dangle something before someone*** jemandem etwas in Aussicht stellen
Danish[1] ['deɪnɪʃ] dänisch; ***Danish pastry*** Plundergebäck
Danish[2] ['deɪnɪʃ] *Sprache*: Dänisch
Danish[3] ['deɪnɪʃ] ***the Danish*** *Pl.* die Dänen
dank [dæŋk] (unangenehm) feucht, nasskalt
Danube ['dænjuːb] *die* Donau

dare [deə] es wagen, sich trauen; ***how dare you!*** untersteh dich!, was fällt dir ein!; ***how dare you say that?*** wie können Sie das sagen?; ***don't you dare (to) touch it!*** rühr es ja nicht an!; ***I didn't dare tell her the truth*** ich traute mich nicht ihr die Wahrheit zu sagen; ***I dare say he'll be there*** ich nehme an, dass er da sein wird

daring ['deərɪŋ] *Tat, Person*: kühn, gewagt, verwegen (*auch übertragen*: *Mode, Outfit*)

dark[1] [dɑːk] **1.** *ohne Licht*: dunkel, finster; ***it suddenly went dark*** plötzlich wurde es dunkel; ***it's getting dark*** es wird dunkel **2.** *Farbton*: dunkel; ***dark green*** dunkelgrün **3.** *übertragen* düster, trüb (*Aussichten usw.*); ***my darkest hour*** meine schwärzeste Stunde **4.** *übertragen* geheim, verborgen; ***keep something dark*** etwas geheim halten

dark[2] [dɑːk] **1.** Dunkelheit, Finsternis; ***in the dark*** im Dunkeln; ***after*** (*bzw.* ***before***) ***dark*** nach (*bzw.* vor) Einbruch der Dunkelheit **2.** ***be in the dark*** *übertragen* im Dunkeln tappen; ***keep someone in the dark*** jemanden im Ungewissen lassen (***about*** über)

darken ['dɑːkən] **1.** (*Himmel usw.*) sich verdunkeln **2.** (*Miene, Gesichtsausdruck*) sich verfinstern **3.** verdunkeln (*Raum*)

darkness ['dɑːknəs] Dunkelheit, Finsternis; ***the room was in complete darkness*** im Zimmer war es stockdunkel

darkroom ['dɑːkruːm] *Fotografie*: Dunkelkammer

darling ['dɑːlɪŋ] Liebling, Schatz (*auch als Anrede*); ***she's Daddy's darling*** sie ist Papas Liebling

dart[1] [dɑːt] **1.** *als Waffe*: Pfeil **2.** *Sportgerät*: Wurfpfeil; ***darts*** (⚠ *im Sg. verwendet*) Darts (*Spiel*) **3.** *Bewegung*: Satz, Sprung; ***make a dart for*** losstürzen auf

dart[2] [dɑːt] **1.** (≈ *sich schnell bewegen*) sausen, flitzen; ***dart to the door*** zur Tür stürzen *oder* flitzen **2.** ***dart a look at someone*** jemandem einen Blick zuwerfen

dartboard ['dɑːtbɔːd] Dartsscheibe

dash[1] [dæʃ] **1.** (≈ *sich schnell bewegen*) sausen, flitzen; ***he dashed into the room*** er stürzte ins Zimmer **2.** ***I must dash*** ich muss mich sputen **3.** *gegen die Wand usw.*: schleudern (*Vase, Teller usw.*); ***dash to pieces*** zerschmettern **4.** zerstören, zunichte machen (*Hoffnungen usw.*)

dash[2] [dæʃ] **1.** *Zeichen*: Gedankenstrich **2.** *winzige Menge*: Schuss (*Essig, Rum usw.*), Prise (*Salz, Pfeffer usw.*) **3.** ***make a dash for*** losstürzen auf

dashboard ['dæʃbɔːd] *im Auto*: Armaturenbrett

data ['deɪtə] ⚠ *Sg. und Pl.*; *Computer usw.*: Daten *Pl.*; ***data bank*** Datenbank; ***data carrier*** Datenträger; ***data file*** Datei; ***data highway*** Datenautobahn; ***data processing*** Datenverarbeitung; ***data protection*** Datenschutz; ***data transmission*** Datenübertragung

database ['deɪtəbeɪs] *Computer*: Datenbank

date[1] [deɪt] **1.** Datum, Tag; ***what's the date today?*** der Wievielte ist heute?, welches Datum haben wir heute? **2.** Datum, Zeitpunkt; ***at a later date*** zu einem späteren Zeitpunkt; ***to date*** bis heute; ***date of delivery*** Liefertermin **3.** ***out of date*** veraltet, unmodern; ***go out of date*** veralten; ***up to date*** zeitgemäß, modern, auf dem Laufenden; ***bring up to date*** auf den neuesten Stand bringen, modernisieren **4.** Verabredung, Rendezvous; ***I've got a date with him*** ich bin mit ihm verabredet; ***make a date*** sich verabreden; ***who's your date?*** mit wem bist du verabredet?

date[2] [deɪt] **1.** datieren (*Brief usw.*) **2.** ***he's dating Gill*** *bes. AE* er geht mit Gill

> **date back to** [ˌdeɪt'bæk‿tə], **date from** ['deɪt‿frəm] (*Kunstwerk, historisches Gebäude usw.*) stammen aus; ***that goblet dates back to the 9th century*** dieser Pokal stammt aus dem 9. Jahrhundert

date[3] [deɪt] *Frucht*: Dattel

dated ['deɪtɪd] **1.** *Kleidung, Ansichten*: altmodisch **2.** *Wort usw.*: veraltet

date rape ['deɪt‿reɪp] Vergewaltigung nach einem Rendezvous

dative ['deɪtɪv] *auch* ***dative case*** *Sprache*: Dativ, 3. Fall

daughter ['dɔːtə] Tochter

daughter-in-law ['dɔːtərɪnlɔː] *Pl.*: ***daughters-in-law*** Schwiegertochter

daunting ['dɔːntɪŋ] *Aufgabe usw.*: beängstigend

St David's Day

Der 1. März ist der Nationalfeiertag der Waliser: Am **St David's Day** [snt'deɪvɪdzdeɪ] trägt man traditionell Lauch (**leek**) oder eine Osterglocke (**daffodil** ['dæfədɪl]) im Knopfloch.

dawdle ['dɔːdl] (herum)trödeln, (herum-)bummeln

D

dawdle away [ˌdɔːdl‿ə'weɪ] vertrödeln (*Zeit*)

dawn[1] [dɔːn] **1.** (*Morgen, Tag*) dämmern **2.** (*Epoche usw.*) heraufdämmern, erwachen

dawn on ['dɔːn‿ɒn] (*Gedanke, Ahnung, usw.*) dämmern, zu Bewusstsein kommen (+ *Dativ*); ***it gradually dawned on me that he'd been lying*** mir dämmerte langsam, dass er gelogen hatte

dawn[2] [dɔːn] **1.** Morgendämmerung; ***at dawn*** bei Tagesanbruch **2.** *von Ära, Epoche usw.*: Beginn

day [deɪ] **1.** *allg.*: Tag; ***by day*** bei Tage, untertags; ***night and day*** *oder* ***day and night*** Tag und Nacht; ***day after day*** Tag für Tag; ***the day after tomorrow*** übermorgen; ***the day before yesterday*** vorgestern; ***one*** (*oder* ***some***) ***day I will …*** eines Tages werde ich …; ***the other day*** neulich, letzthin; ***let's call it a day*** *umg.* Feierabend!, Schluss für heute! **2.** (≈ *bestimmter Tag*) Termin; ***day of delivery*** Liefertermin **3.** *oft* ***days*** *Pl.* Zeit, Zeiten, Tage; ***in my student days …*** als ich Student war …; ***in my day*** zu meiner Zeit; ***in those days*** damals; ***he's had his day*** seine beste Zeit ist vorüber; ***those were the days!*** das waren noch Zeiten!; ***these days*** heutzutage; ***how are things these days?*** *umg.* wie gehts denn so?

daybreak ['deɪbreɪk] Tagesanbruch; ***at daybreak*** bei Tagesanbruch

daydream[1] ['deɪdriːm] (≈ *geistig abwesend sein*) träumen

daydream[2] ['deɪdriːm] Tagtraum

daylight ['deɪlaɪt] Tageslicht; ***by*** *oder* ***in daylight*** bei Tag, bei Tageslicht; ***in broad daylight*** am helllichten Tag; ***daylight saving time*** *bes. AE* Sommerzeit

day nursery ['deɪˌnɜːsrɪ] *für Kleinkinder*: Tagesheim, Tagesstätte

day return [ˌdeɪ‿rɪ'tɜːn] *BE Zug, Bus usw.*: Tagesrückfahrkarte

day ticket ['deɪˌtɪkət] *zum Busfahren, für Skilift usw.*: Tageskarte

daytime ['deɪtaɪm] ***in the daytime*** bei Tag

day trip ['deɪ‿trɪp] Tagesausflug

daze [deɪz] ***in a daze*** benommen

dazed [deɪzd] benommen

dazzle ['dæzl] *durch Licht*: blenden (*auch übertragen*)

D-day ['diːdeɪ] *umg.* der Tag X

dead[1] [ded] **1.** *allg.*: tot; ***shoot dead*** erschießen; ***over my dead body*** *umg.* nur über meine Leiche **2.** *Pflanze*: abgestorben, eingegangen **3.** *Brauch usw.*: ausgestorben; ***dead language*** tote Sprache **4.** *Finger, Füße*: gefühllos, abgestorben **5.** *verstärkend*: ***dead certainty*** absolute Gewissheit; ***dead silence*** Totenstille; ***he's a dead loss*** *umg.* er ist ein hoffnungsloser Fall; ***dead drunk*** *umg.* sinnlos betrunken; ***dead slow!*** *Straßenschild*: Schritt fahren!; ***dead tired*** *umg.* todmüde; ***dead opposite*** *umg.* genau gegenüber von (*oder Dativ*); ***it was dead easy*** *umg.* es war kinderleicht

dead[2] [ded] **1.** ***the dead*** *Pl.* die Toten **2.** ***in the dead of night*** mitten in der Nacht; ***in the dead of winter*** im tiefsten Winter

dead end [ˌded'end] Sackgasse (*auch übertragen*); ***come to a dead end*** in eine Sackgasse geraten

dead-end ['dedend] **1.** ***dead-end street*** Sackgasse **2.** ***dead-end job*** Stellung ohne Aufstiegschancen

deadline ['dedlaɪn] (letzter) Termin; ***set a deadline*** eine Frist setzen; ***meet the deadline*** den Termin einhalten

deadlock[1] ['dedlɒk] ***reach a deadlock*** (*Verhandlungen usw.*) sich festfahren

deadlock[2] ['dedlɒk] (*Verhandlungen usw.*) sich festfahren

deadlocked ['dedlɒkt] *Gespräche usw.*: festgefahren

deadly ['dedlɪ] **1.** tödlich, Tod…; ***deadly enemy*** Todfeind; ***deadly sin*** Todsünde **2.** *umg.* schrecklich, äußerst; ***deadly boring*** sterbenslangweilig; ***he was deadly serious*** er meinte es todernst

deaf[1] [def] (≈ *gehörlos*) taub (*auch übertragen*: ***to*** gegen); ***deaf and dumb*** taubstumm; ***deaf in one ear*** auf einem Ohr taub; ***turn a deaf ear*** sich taub stellen (***to*** gegenüber); ***fall on deaf ears*** *Warnung usw.*: auf taube Ohren stoßen

deaf[2] [def] ***the deaf*** *Pl.* die Tauben *Pl.*

deaf-and-dumb [⚠ ˌdef‿ən'dʌm] **1.** taubstumm **2.** ***deaf-and-dumb language*** Taubstummensprache

deafening ['defnɪŋ] *Lärm*: ohrenbetäubend

deaf-mute [ˌdef'mjuːt] Taubstumme(r)

deafness ['defnəs] Taubheit (*auch übertragen*: ***to*** gegen)

deal[1] [diːl], ***dealt*** [delt], ***dealt*** [delt] **1.** *bei Kartenspiel*: geben **2.** *mit Drogen*: dealen

deal in ['diːl‿ɪn] handeln mit; ***she deals in antiques*** sie ist Antiquitätenhändlerin

D

deal with ['di:l‿wɪð] **1.** *mit Angelegenheit, Problem usw.*: sich befassen *oder* beschäftigen mit; ***I know how do deal with someone like him*** ich weiß, wie man mit so einem Typen fertig wird; ***your problem will be dealt with*** man wird sich um Ihr Problem kümmern **2.** (*Buch, Film usw.*) handeln von, behandeln, zum Thema haben **3.** ***deal with someone*** mit jemandem Geschäfte machen

deal[2] [di:l] **1.** *geschäftlich, politisch usw.*: Abkommen; ***make a deal*** ein Abkommen treffen; ***we've got a deal - I do the cooking, she does the dishes*** wir haben eine Abmachung - ich koche, sie spült ab **2.** *umg., auch* ***business deal*** Geschäft, Handel; ***it's a deal!*** abgemacht! **3.** ***I expect a fair deal*** ich erwarte eine gerechte Behandlung **4.** *Kartenspiel*: Geben; ***it's your deal*** du musst geben

deal[3] [di:l] Menge; ***a great deal*** sehr viel; ***a good deal*** eine ganze Menge, ziemlich viel

dealer ['di:lə] **1.** *allg.*: Händler(in); ***antique dealer*** Antiquitätenhändler(in) **2.** *Drogen*: Dealer **3.** *Kartenspiel*: Geber(in)

dealing ['di:lɪŋ] *mst* ***dealings*** *Pl.* Beziehungen *Pl.*; ***have dealings with*** zu tun haben mit

dealt [delt] *2. und 3. Form von* → **deal**[1]

dear[1] [dɪə] **1.** lieb, teuer; ***my dear wife*** meine liebe Frau; ***my dearest wish*** mein innigster Wunsch **2.** *in Briefen*: ***Dear Sir***, Sehr geehrter Herr (+ *Name*), (⚠ *nächste Zeile beginnt im Englischen mit einem Großbuchstaben*) **3.** *BE*; *preislich*: teuer, kostspielig **4.** ***it cost him dear*** *übertragen* es kam ihm *oder* ihn teuer zu stehen

dear[2] [dɪə] **1.** Liebste(r), Schatz; ***you are a dear!*** du bist ein Schatz! **2.** ***oh dear!*** *oder* ***dear me!*** du liebe Zeit!, ach je!

dear/love

In Großbritannien ist es nicht ungewöhnlich, besonders von älteren Leuten mit **dear** angesprochen zu werden. Es ist so gut wie immer nett gemeint.
Auch Frauen sollten es nicht missverstehen, wenn jemand **love** zu ihnen sagt. Das ist besonders bei Busschaffnern, Ladenbesitzern usw. üblich und drückt ebenfalls auf harmlose Art aus, dass man zu jemand Unbekanntem einfach nur nett sein will.

dearly ['dɪəlɪ] **1.** von ganzem Herzen (*jemanden lieben*) **2.** liebend gern; ***I would dearly love to do it*** ich würde es liebend gern tun **3.** teuer; ***I paid dearly for my mistake*** ich habe für meinen Fehler teuer bezahlt

death [deθ] **1.** Tod; ***you'll catch your death*** *durch Erkältung usw.*: du wirst dir den Tod holen; ***don't work yourself to death*** arbeite dich (ja) nicht zu Tode **2.** Todesfall; ***how many deaths were there?*** *bei Unfall usw.*: wie viele Tote hat es gegeben?

deathly ['deθlɪ] ***deathly pale*** totenbleich

death penalty ['deθˌpenltɪ] Todesstrafe

death toll ['deθ‿təʊl] *bei Unfall usw.*: Zahl der Todesopfer

debatable [dɪ'beɪtəbl] *Frage, Sachverhalt usw.*: strittig, umstritten

debate[1] [dɪ'beɪt] debattieren, diskutieren (***on, about*** über) (*Thema, Streitfrage usw.*)

debate[2] [dɪ'beɪt] Debatte, Diskussion; ***be under debate*** zur Debatte stehen

debit ['debɪt] belasten (*Konto*)

debris [⚠ 'debri:, 'deɪbri:] Trümmer *Pl.*, Schutt

debt [⚠ det] Schuld; ***be in debt*** Schulden haben, verschuldet sein; ***be out of debt*** schuldenfrei sein; ***it will take another year to pay off all our debts*** es wird noch ein Jahr dauern, bis wir alle unsere Schulden bezahlt haben; ***be in someone's debt*** *übertragen* in jemandes Schuld stehen

debtor [⚠ 'detə] Schuldner

debut [⚠ 'deɪbju:] Debüt; ***make one's debut*** sein Debüt geben

decade ['dekeɪd] Jahrzehnt

decaf ['di:kæf] *umg.* koffeinfreier Kaffee

decaffeinated [ˌdi:'kæfɪneɪtɪd] *Kaffee*: koffeinfrei

decal ['di:kæl] *AE* Abziehbild

decamp [dɪ'kæmp] *umg.* sich aus dem Staub machen

decathlete [dɪ'kæθli:t] *Sport*: Zehnkämpfer(in)

decathlon [dɪ'kæθlɒn] *Sport*: Zehnkampf

decay[1] [dɪ'keɪ] **1.** (*Aas, Leiche*) verwesen **2.** (*Fleisch, Pflanzen usw.*) verfaulen **3.** (*Holz*) vermodern, morsch werden **4.** (*Zähne*) schlecht werden

decay[2] [dɪ'keɪ] *allg.*: Verwesung

deceased [dɪ'si:st] ***the deceased*** der *oder* die Verstorbene, die Verstorbenen *Pl.*

deceit [dɪ'si:t] Betrug, Täuschung

deceitful [dɪ'si:tfl] *Person*: falsch, hinterlistig

deceive [dɪ'si:v] **1.** täuschen, betrügen

(*Person*); **deceive oneself** sich etwas vormachen **2.** (*Eindruck usw.*) trügen, täuschen

December [dɪ'sembə] Dezember; **in December** im Dezember

D

decency ['diːsnsɪ] (≈ *Befolgen moralischer Standards*) Anstand; **for decency's sake** anstandshalber

decent ['diːsnt] **1.** *allg.*: anständig **2.** *Leistung, Kenntnisse usw.*: passabel, annehmbar

deception [dɪ'sepʃn] Betrug, Täuschung

deceptive [dɪ'septɪv] täuschend, trügerisch; **it's deceptive** es täuscht

decide [dɪ'saɪd] **1.** beschließen, sich entscheiden, sich entschließen (**to do, on doing** zu tun; **against doing** nicht zu tun); **decide in favour of something** sich für etwas entscheiden; **we decided not to go to the party** wir entschieden uns nicht zur Party zu gehen **2.** entscheiden (*Frage, Konflikt usw.*); **you decide what we do!** entscheide du, was wir machen!

decided [dɪ'saɪdɪd] (≈ *eindeutig*) entschieden (*Verbesserung usw.*)

deciding [dɪ'saɪdɪŋ] *Faktor usw.*: entscheidend, ausschlaggebend

decimal[1] ['desəml] dezimal, Dezimal…; **go decimal** das Dezimalsystem einführen; **decimal fraction** Dezimalbruch; **decimal point** Komma vor der ersten Dezimalstelle (⚠ *in GB und USA ist das ein Punkt*)

decimal[2] ['desəml] Dezimalzahl (*2,1 usw.*)

decipher [dɪ'saɪfə] entziffern (*Handschrift usw.*)

decision [dɪ'sɪʒn] **1.** Entscheidung, Entschluss; **make** *oder* **take a decision** eine Entscheidung treffen, einen Entschluss fassen; **come to** *oder* **reach a decision** zu einer Entscheidung *oder* einem Entschluss kommen **2.** *von Jury, Gericht usw. auch*: Beschluss **3.** *Eigenschaft*: Entschlusskraft, Entschlossenheit

decisive [dɪ'saɪsɪv] **1.** *Faktor, Rolle, Sieg usw.*: entscheidend, ausschlaggebend **2.** *Haltung usw.*: entschlossen, bestimmt

deck [dek] **1.** *auf Schiff*: Deck; **on deck** an Deck **2.** *von doppelstöckigem Bus, Zug usw.*: Deck **3. a deck of cards** *bes. AE* ein Spiel Karten *oder* ein Pack Spielkarten

deckchair ['dektʃeə] Liegestuhl

declaration [ˌdeklə'reɪʃn] **1.** *allg.*: Erklärung; **make a declaration** eine Erklärung abgeben; **declaration of independence** Unabhängigkeitserklärung **2.** *am Zoll*: Zollerklärung

declare [dɪ'kleə] **1.** erklären, verkünden; **I declare the buffet open** ich erkläre das Büfett für eröffnet; **declare someone the winner** jemanden zum Sieger erklären; **declare war** den Krieg erklären; **police have declared war on organized crime** die Polizei hat dem organisierten Verbrechen den Krieg erklärt **2.** *am Zoll*: deklarieren, verzollen; **have you anything to declare?** haben Sie etwas zu verzollen?

declension [dɪ'klenʃn] *Sprache*: Deklination

decline[1] [dɪ'klaɪn] **1.** (*Preise, Umsätze usw.*) zurückgehen, fallen **2.** (*Qualität, Gesundheit usw.*) schlechter werden **3.** (*Bevölkerungszahl*) abnehmen, zurückgehen **4.** (höflich) ablehnen (*Einladung usw.*); **she declined** (**to accept**) **the offer** sie lehnte das Angebot ab **5.** *Sprache*: deklinieren

decline[2] [dɪ'klaɪn] **1.** *von Preisen, Umsatz usw.*: Rückgang **2.** *von Firma, Staat usw.*: Niedergang; **be on the decline** im Niedergang begriffen sein, sinken

decode [ˌdiː'kəʊd] entschlüsseln (*Nachricht, Text usw.*)

decoder [ˌdiː'kəʊdə] *TV*: Decoder

decompose [ˌdiːkəm'pəʊz] zerfallen (**into** in), sich zersetzen

decomposition [ˌdiːkɒmpə'zɪʃn] Zersetzung, Zerfall

decontaminate [ˌdiːkən'tæmɪneɪt] entgiften, dekontaminieren (*Haus, Gebiet*)

decontamination [ˌdiːkəntæmɪ'neɪʃn] Entgiftung, Dekontamination

decorate ['dekəreɪt] **1.** verzieren (*Kuchen usw.*) **2.** ausschmücken, dekorieren (*Zimmer, Haus*) **3.** tapezieren, streichen (*Zimmer, Wände*)

decoration [ˌdekə'reɪʃn] **1.** *von Kuchen*: Verzierung **2.** *von Zimmer, Haus*: Schmuck, Dekoration **3.** *von Zimmer, Wänden*: Tapezieren, Streichen

decorator ['dekəreɪtə] **1.** Maler(in) und Tapezierer(in) **2.** *auch* **interior decorator** Raumausstatter(in), Innenarchitekt(in)

decrease[1] [ˌdiː'kriːs] **1.** (*Menge, Anzahl, Interesse usw.*) abnehmen, sich verringern **2.** vermindern, verringern (*Menge, Anzahl, Ausgaben usw.*)

decrease[2] ['diːkriːs] *von Menge, Anzahl usw.*: Abnahme, Verringerung; **the decrease in inflation** der Rückgang der Inflation

decrepit [dɪ'krepɪt] *Person, Auto usw.*: altersschwach

dedicate ['dedɪkeɪt] **1.** widmen (*Buch, Leben, Zeit usw.*) (**to**; *dt. Dativ*) **2.** *AE* feierlich eröffnen *oder* einweihen (*Gebäude*)

dedicated ['dedɪkeɪtɪd] *Arbeiter usw.*: engagiert, einsatzfreudig; ***she's a dedicated teacher*** sie ist Lehrerin mit Leib und Seele
dedication [ˌdedɪ'keɪʃn] **1.** *von Buch usw.*: Widmung **2.** (≈ *Engagement*) Hingabe
deduce [dɪ'djuːs] folgern, schließen (***from*** aus)
deduct [dɪ'dʌkt] **1.** abziehen (*Betrag*) (***from*** von); ***after deducting costs*** nach Abzug der Kosten **2.** *vom Einkommen*: einbehalten (*Steuern*)
deduction [dɪ'dʌkʃn] **1.** *von Geldbetrag*: Abzug, Einbehaltung **2.** *Logik*: Folgerung, Schluss
deed [diːd] **1.** ***a good deed*** eine gute Tat **2.** *rechtlich*: Besitzurkunde (*für Haus usw.*)
deep [diːp] **1.** *allg.*: tief (*auch übertragen*); ***deep breath*** tiefer Atemzug; ***deep disappointment*** schwere *oder* bittere Enttäuschung; ***I'm deeply disappointed*** ich bin schwer enttäuscht; ***deepest poverty*** tiefste Armut; ***he read deep into the night*** er las bis tief in die Nacht hinein; ***deep blue sky*** tiefblauer Himmel; ***she was deep in thought*** sie war tief in Gedanken versunken; ***deep in winter*** im tiefen Winter **2.** *übertragen* schwer verständlich, schwierig; ***that's too deep for me*** das ist mir zu hoch
deepen ['diːpən] **1.** (*Liebe, Kummer usw.*) stärker werden **2.** vertiefen (*Wissen*) **3.** (*Wasserstand*) tiefer werden
deep freeze[1] [ˌdiːp'friːz] Tiefkühltruhe, Gefrierschrank
deep-freeze[2] [ˌdiːp'friːz], ***deep-froze*** [ˌdiːp'frəʊz], ***deep-frozen*** [ˌdiːp'frəʊzn] tiefkühlen, einfrieren; ***deep-frozen food*** Tiefkühlkost
deep-fry [ˌdiːp'fraɪ] frittieren (*Fisch, Pommes usw.*)
deep fryer [ˌdiːp'fraɪə], **deep-frying pan** ['diːpˌfraɪɪŋ‿pæn] Fritteuse
deer [dɪə] *Pl.*: ***deer*** *oder seltener* ***deers*** *Tier*: Hirsch; ***roe deer*** Reh
deface [dɪ'feɪs] verschandeln (*Mauer usw.*)
default[1] [dɪ'fɔːlt] **1.** *allg.* (Pflicht)Versäumnis **2.** ***be in default*** *Wirtschaft*: in Verzug sein (***on*** mit) **3.** ***win by default*** *Sport*: kampflos gewinnen **4.** ***in default of*** mangels (+ *Genitiv*) **5.** *Computer*: Default, Grundeinstellung
default[2] [dɪ'fɔːlt] seinen Verpflichtungen nicht nachkommen; ***default on something*** mit etwas im Rückstand sein (*bes. mit Zahlungen*)
defeat[1] [dɪ'fiːt] **1.** besiegen, schlagen (*Gegner*) **2.** vereiteln, zunichte machen (*Hoffnung, Plan usw.*)
defeat[2] [dɪ'fiːt] **1.** *für Sieger*: Sieg; ***the defeat of poverty*** der Sieg über die Armut **2.** *für Verlierer*: Niederlage; ***admit defeat*** sich geschlagen geben; ***the Tories' election defeat*** die Wahlniederlage der Tories
defect[1] ['diːfekt] *an Maschine usw.*: Defekt, Fehler
defect[2] [dɪ'fekt] abtrünnig werden (*seinem Land, einem Ideal usw.*); ***defect to the enemy*** zum Feind überlaufen
defence, *AE* **defense** [dɪ'fens] *Sport, militärisch usw.*: Verteidigung; ***in defence of*** zur Verteidigung *oder* zum Schutz von (*oder Genitiv*); ***come to someone's defence*** jemandem zu Hilfe kommen
defend [dɪ'fend] **1.** *allg.*: verteidigen (***from, against*** gegen) **2.** verteidigen, rechtfertigen (*Meinung, These usw.*) **3.** *Sport*: verteidigen (*auch*: *Titel, Meisterschaft*)
defendant [dɪ'fendənt] *vor Gericht*: Beklagte(r), Angeklagte(r)
defender [dɪ'fendə] **1.** *Sport*: Abwehrspieler(in), Verteidiger(in) **2.** *von Idee, These usw.*: Verteidiger(in)
defense [dɪ'fens] *AE* → ***defence***
defensive[1] [dɪ'fensɪv] *Sport, militärisch usw.*: defensiv, Abwehr…, Verteidigungs…
defensive[2] [dɪ'fensɪv] Defensive; ***on the defensive*** in der Defensive (*auch in Diskussion usw.*)
defiant [dɪ'faɪənt] *Kind, Antwort usw.*: trotzig
deficiency [dɪ'fɪʃnsɪ] Mangel (*auch medizinisch*)
deficient [dɪ'fɪʃnt] mangelhaft, unzureichend; ***deficient in vitamins*** vitaminarm
deficit ['defəsɪt] *an Geld*: Defizit, Fehlbetrag
define [dɪ'faɪn] **1.** definieren (*Wort, Begriff usw.*) **2.** bestimmen, festlegen (*Kompetenz, Pflichten usw.*)
definite ['defənət] **1.** *Entscheidung, Bescheid usw.*: endgültig, definitiv **2.** ***the definite article*** *Sprache*: der bestimmte Artikel
definitely ['defənətlɪ] **1.** *entscheiden usw.*: endgültig, definitiv **2.** ***definitely!*** *als Antwort*: bestimmt!, aber klar!; ***definitely not!*** mit Sicherheit nicht!
definition [ˌdefə'nɪʃn] **1.** *von Wort*: Definition **2.** *von Kompetenzen usw.*: Festlegung **3.** *von Bildschirm usw.*: Bildschärfe
definitive [dɪ'fɪnətɪv] **1.** *Aussage usw.*: entschieden **2.** *Buch zu einem Thema*: maßgeblich
deflate [ˌdiː'fleɪt] **1.** (*Reifen, Ballon*) Luft

verlieren **2.** *aus Reifen, Ballon*: die Luft ablassen aus
deforestation [ˌdiːfɒrɪ'steɪʃn] Abholzung
deformed [dɪ'fɔːmd] deformiert, *Person auch*: missgestaltet
defraud [dɪ'frɔːd] betrügen (***of*** um)
defrost [ˌdiː'frɒst] **1.** entfrosten (*Windschutzscheibe usw.*) **2.** abtauen (lassen) (*Kühlschrank usw.*) **3.** auftauen (lassen) (*Tiefkühlkost usw.*)
deft [deft] gewandt, geschickt
defuse [ˌdiː'fjuːz] entschärfen (*Bombe, Lage usw.*)
degradable [dɪ'greɪdəbl] *Müll usw.*: abbaubar
degree [dɪ'griː] **1.** (≈ *Intensität*) Grad, Stufe; ***by degrees*** allmählich, nach und nach; ***to some*** *oder* ***a certain degree*** ziemlich, bis zu einem gewissen Grad; ***to a high degree*** in hohem Maße **2.** *Maßeinheit*: Grad; ***degree of latitude*** (*bzw.* ***longitude***) Breitengrad (*bzw.* Längengrad) **3.** *Universität*: Grad, Abschluss; ***when did you take*** *oder* ***do your degree?*** wann hast du Examen gemacht?; ***I've got a degree in history*** ich habe ein abgeschlossenes Geschichtsstudium, *auch*: ich habe Geschichte studiert
dehydrate [ˌdiː'haɪdreɪt] Wasser entziehen, dehydrieren; ***dehydrated vegetables*** *Pl.* Trockengemüse
deice [ˌdiː'aɪs] enteisen (*Windschutzscheibe usw.*)
deign [⚠ deɪn] ***deign to do something*** sich herablassen, etwas zu tun (*auch humorvoll*)
dejected [dɪ'dʒektɪd] niedergeschlagen
delay[1] [dɪ'leɪ] **1.** verschieben, hinausschieben (*Entscheidung, Reise, Vorhaben usw.*); ***be delayed*** *Beginn einer Veranstaltung usw.*: sich verzögern **2.** aufhalten; ***my train was delayed by fog*** mein Zug hatte wegen Nebels Verspätung
delay[2] [dɪ'leɪ] **1.** Verschiebung, Verzögerung; ***without delay*** unverzüglich **2.** *von Zug, Flug usw.*: Verspätung; ***all train services are subject to delay*** bei allen Zügen ist mit Verspätungen zu rechnen
delaying tactics [dɪ'leɪɪŋˌtæktɪks] *Pl.* Hinhaltetaktik, Verzögerungstaktik
delegate[1] ['delɪgət] *für Versammlung, Parteitag usw.*: Delegierte(r)
delegate[2] ['delɪgeɪt] **1.** abordnen, delegieren (*Person*) **2.** übertragen (*Verantwortung, Vollmachten usw.*) (***to***; *dt. Dativ*)
delegation [ˌdelɪ'geɪʃn] **1.** *Gruppe von Personen*: Abordnung, Delegation **2.** *von Vollmacht usw.*: Übertragung
delete [dɪ'liːt] **1.** *in einem Text*: streichen, ausstreichen; ***delete where inapplicable*** Nichtzutreffendes bitte streichen **2.** *am Computer*: löschen
delete key [dɪ'liːt‿kiː] *Computer*: Löschtaste
deli ['delɪ] *umg. Abk. für* → ***delicatessen***
deliberate[1] [dɪ'lɪbərət] **1.** *Tat, Beleidigung usw.*: bewusst, absichtlich **2.** (≈ *langsam und vorsichtig*) bedächtig, besonnen
deliberate[2] [dɪ'lɪbəreɪt] nachdenken (***on*** über) (*ein Problem usw.*), überlegen
delicacy ['delɪkəsɪ] **1.** *Speise*: Delikatesse, Leckerbissen **2.** (≈ *Feinfühligkeit*) Takt **3.** ***a matter of great delicacy*** eine sehr heikle Angelegenheit
delicate ['delɪkət] **1.** *Material usw.*: zart, fein, zerbrechlich **2.** *Problem, Frage usw.*: delikat, heikel **3.** *Person, bes. Kind*: zart, empfindlich (*gesundheitlich*) **4.** *Figur usw.*: zierlich **5.** *Speisen*: delikat, schmackhaft
delicatessen [ˌdelɪkə'tesn] *Pl.* Feinkostgeschäft (⚠ *Delikatesse* = ***delicacy***)
delicious [dɪ'lɪʃəs] *Speise, Getränk*: köstlich
delight[1] [dɪ'laɪt] Vergnügen, Entzücken; ***to my delight*** zu meiner Freude; ***take delight in something*** an etwas Freude haben
delight[2] [dɪ'laɪt] (*Buch, Film, Musik usw.*) erfreuen, entzücken (*Leser, Publikum usw.*); ***I'm delighted*** ich bin entzückt, das freut mich sehr
delightful [dɪ'laɪtfl] *Person, Landschaft usw.*: entzückend, reizend
delinquent[1] [dɪ'lɪŋkwənt] straffällig
delinquent[2] [dɪ'lɪŋkwənt] Delinquent(in), Straffällige(r)
deliver [dɪ'lɪvə] **1.** liefern (*Waren usw.*) **2.** zustellen (*Brief, Paket usw.*) **3.** halten (*Rede, Vortrag usw.*) (***to*** vor) **4.** zur Welt bringen (*Baby*)
delivery [dɪ'lɪvərɪ] **1.** *von Waren*: Lieferung; ***on delivery*** bei Lieferung, bei Empfang; ***cash on delivery*** per Nachnahme **2.** *von Brief, Paket usw.*: Zustellung; ***delivery charge*** Zustellgebühr **3.** *von Rede usw.*: Vortragsweise **4.** (≈ *Geburt*) Entbindung; ***delivery room*** Kreißsaal
delta ['deltə] Delta, Flussdelta
delude [dɪ'luːd] *über einen Sachverhalt*: täuschen, irreführen; ***stop deluding yourself*** mach dir doch nichts vor!
deluge [⚠ 'deljuːdʒ] **1.** Überschwemmung; ***the Deluge*** *in der Bibel*: die Sintflut **2.** *übertragen* Flut, Unmenge
delusion [dɪ'luːʒn] Illusion, Wahn; ***delusions of grandeur*** Größenwahn

deluxe [də'lʌks] Luxus…, De-Luxe-…; ***we stayed in a deluxe hotel*** wir wohnten in einem Luxushotel

delve [delv] **1.** ***delve into*** sich vertiefen in (*ein Thema usw.*); ***delve into someone's past*** in jemandes Vergangenheit nachforschen **2.** ***delve in(to) one's pockets*** in seinen Taschen wühlen (***for*** nach)

demand[1] [dɪ'mɑːnd] **1.** (*Person*) fordern, verlangen (***of, from*** von) **2.** (*Problem, Situation usw.*) erfordern, verlangen

demand[2] [dɪ'mɑːnd] **1.** *von Person*: Forderung (***for*** nach); ***on demand*** auf Verlangen; ***make demands on someone*** Forderungen an jemanden stellen **2.** *von Problem, Situation usw.*: Anforderung (***on*** an), Beanspruchung; ***make great demands on*** stark in Anspruch nehmen, große Anforderungen stellen an **3.** *wirtschaftlich*: Nachfrage (***for*** nach), Bedarf (***for*** an); ***be in great demand*** sehr gefragt sein; ***supply and demand*** Angebot und Nachfrage

demanding [dɪ'mɑːndɪŋ] *Aufgabe, Arbeit usw.*: anspruchsvoll

demi… ['demɪ] *in Zusammensetzungen*: Halb…, halb…

demo ['deməʊ] *Pl.*: ***demos*** ['deməʊz] *umg.* Demo (*Demonstration*)

democracy [dɪ'mɒkrəsɪ] Demokratie

democrat ['deməkræt] Demokrat(in)

democratic [ˌdemə'krætɪk] demokratisch

demolish [dɪ'mɒlɪʃ] **1.** abreißen, abbrechen (*Gebäude*) **2.** *übertragen* vernichten, zunichte machen (*Plan, Theorie usw.*) **3.** *umg.* verdrücken (*Essen*)

demolition [ˌdemə'lɪʃn] **1.** *von Gebäude*: Abriss, Abbruch **2.** *übertragen* Zerstörung

demonstrate ['demənstreɪt] **1.** demonstrieren, beweisen (*Tatsache, Sachverhalt*) **2.** *durch ein Beispiel, Experiment usw.*: darlegen, veranschaulichen **3.** *Politik*: demonstrieren

demonstration [ˌdemən'streɪʃn] **1.** (≈ *Kundgebung*) Demonstration **2.** *von Gerät usw.*: Vorführung

demonstrator ['demənstreɪtə] *Politik*: Demonstrant(in)

demoralize [dɪ'mɒrəlaɪz] demoralisieren

demotivate [ˌdiː'məʊtɪveɪt] demotivieren

den [den] **1.** *von Tier*: Höhle (*auch übertragen*); ***den of vice*** Lasterhöhle **2.** *umg.* (≈ *kleines, gemütliches Zimmer*) Bude

denial [dɪ'naɪəl] **1.** *von Bitte usw.*: Ablehnung **2.** *von Schuld usw.*: Leugnung; ***official denial*** Dementi

Denmark ['denmɑːk] Dänemark

denominator [dɪ'nɒmɪneɪtə] *Mathematik*: Nenner; (***lowest***) ***common denominator*** (kleinster) gemeinsamer Nenner (*auch übertragen*)

denounce [dɪ'naʊns] **1.** (≈ *öffentlich kritisieren*) anprangern **2.** *bei den Behörden*: anzeigen, denunzieren (***to*** bei)

dense [dens] **1.** *allg.*: dicht; ***densely populated*** dicht bevölkert **2.** *umg.*, *übertragen* beschränkt, begriffsstutzig

density ['densətɪ] Dichte; ***traffic density*** Verkehrsdichte

dent[1] [dent] **1.** *in Oberfläche*: Beule, Delle, Einbeulung **2.** ***the holiday has made a big dent in our finances*** der Urlaub hat ein großes Loch in unsere Finanzen gerissen

dent[2] [dent] **1.** eindellen, verbeulen (*Oberfläche, bes. Karosserie*) **2.** *übertragen* anknacksen (*Stolz, Selbstvertrauen usw.*)

dental ['dentl] Zahn…, Mund…; ***dental floss*** Zahnseide; ***dental water jet*** Munddusche

dentist ['dentɪst] Zahnarzt, Zahnärztin

dentistry ['dentɪstrɪ] Zahnmedizin

denunciation [dɪˌnʌnsɪ'eɪʃn] **1.** (≈ *öffentliche Kritik*) Anprangerung **2.** *bei Behörde*: Anzeige, Denunziation

deny [dɪ'naɪ] **1.** abstreiten, bestreiten (*Behauptung, Vermutung usw.*) **2.** *öffentlich auch*: dementieren **3.** *vor Gericht auch*: leugnen **4.** ablehnen (*Bitte usw.*); ***I simply can't deny my daughter anything*** ich kann meiner Tochter einfach nichts abschlagen

deodorant [diː'əʊdərənt] Deo, Deodorant

depart [dɪ'pɑːt] **1.** *allg.*: abreisen, abfahren (***for*** nach) **2.** (*Flugzeug*) abfliegen **3.** ***depart this life*** *förmlich* dahinscheiden; ***the departed*** der (die) Verstorbene, die Verstorbenen *Pl.*

department [dɪ'pɑːtmənt] **1.** *in Firma, Kaufhaus, Behörde usw.*: Abteilung; ***head of department*** Abteilungsleiter(in) **2.** *Politik*: Ministerium; ***Department of the Environment*** Umweltministerium; ***State Department*** *AE* Außenministerium **3.** *an Universität*: Institut, Seminar; ***German Department*** deutsches Seminar; ***History Department*** Institut für Geschichte

department store [dɪ'pɑːtmənt‿stɔː] Kaufhaus, Warenhaus

departure [dɪ'pɑːtʃə] **1.** *allg.*: Abreise, Abfahrt **2.** *mit Flugzeug*: Abflug **3.** ***departures*** *Pl., auf Fahrplan*: Abfahrt, *im Flughafen*: Abflug; ***departure gate*** Flugsteig; ***departure lounge*** Abflughalle

depend [dɪ'pend] ***it*** *oder* ***that depends*** *auf eine Frage*: das kommt darauf an

D

depend on *oder* **upon** [dɪ'pend‿ɒn *oder* əˌpɒn] **1.** sich verlassen auf; ***you can depend on her*** man kann sich auf sie verlassen **2.** abhängen von, abhängig sein von; ***the region completely depends on tourism*** die Region ist völlig auf den Tourismus angewiesen **3.** ***it all depends on whether*** (*oder* ***how***) ***...*** es kommt ganz darauf an, ob (*oder* wie) ...

dependable [dɪ'pendəbl] zuverlässig, verlässlich
dependant [dɪ'pendənt] Angehörige(r) (*bes. Kinder*)
dependence [dɪ'pendəns] **1.** Abhängigkeit (***on*** von) **2.** Vertrauen (***on*** auf)
dependent [dɪ'pendənt] *allg.*: abhängig (***on*** von), angewiesen (***on*** auf); ***be dependent on heroin*** heroinabhängig sein
depict [dɪ'pɪkt] **1.** *auf einem Bild*: darstellen **2.** *übertragen* schildern, beschreiben
deplorable [dɪ'plɔːrəbl] bedauerlich, bedauernswert
deplore [dɪ'plɔː] bedauern, beklagen
deport [dɪ'pɔːt] ausweisen, abschieben (*Ausländer*)
deportation [ˌdiːpɔː'teɪʃn] Ausweisung, Abschiebung
deposit[1] [dɪ'pɒzɪt] **1.** absetzen, abstellen (*Last*) **2.** *auf Konto, in Schließfach*: deponieren, hinterlegen (*Wertsachen, Geld*) (***with*** bei) **3.** *in Flussbett usw.*: ablagern (*Sand, Geröll usw.*)
deposit[2] [dɪ'pɒzɪt] **1.** *bei Ratenkauf usw.*: Anzahlung; ***put down a deposit*** eine Anzahlung leisten (***on*** für) **2.** *für Mietwohnung usw.*: Kaution **3.** *auf Bankkonto*: Guthaben; ***deposit account*** Sparkonto **4.** *für Mehrwegverpackungen*: Pfand, (CH) Depot **5.** *in Flussbett, Leitung usw.*: Ablagerung
depreciate [dɪ'priːʃɪeɪt] **1.** im Wert mindern **2.** abwerten (*Währung*) **3.** (*Auto usw.*) an Wert verlieren
depreciation [dɪˌpriːʃɪ'eɪʃn] **1.** Wertminderung **2.** *von Währung*: Abwertung
depress [dɪ'pres] (*Missgeschick, Wetter usw.*) deprimieren, bedrücken
depressant [dɪ'presnt] *medizinisch*: Beruhigungsmittel
depressed [dɪ'prest] **1.** *Person*: deprimiert, niedergeschlagen; ***I'm*** (***feeling***) ***depressed*** ich bin deprimiert **2.** *Geschäfte, Wirtschaft*: schleppend, flau **3.** *Industrie, Wirtschaftszweig*: Not leidend
depression [dɪ'preʃn] **1.** *psychisch*: Depression, Niedergeschlagenheit **2.** *im Boden*: Senkung, Vertiefung **3.** *wirtschaftlich*: Depression, Flaute **4.** *Wetter*: Tief, Tiefdruckgebiet
deprivation [ˌdeprɪ'veɪʃn] **1.** Beraubung (*von Rechten*), Entzug (*von Schlaf, Freiheit*) **2.** (≈ *Not*) Entbehrung

deprive of [dɪ'praɪv‿əv] ***deprive someone of something*** jemandem etwas entziehen; ***be deprived of something*** etwas entbehren (müssen)

deprived [dɪ'praɪvd] benachteiligt
depth [depθ] **1.** Tiefe (*auch übertragen*); ***at a depth of*** in einer Tiefe von; ***five feet in depth*** fünf Fuß tief; ***in the depths of winter*** im tiefsten Winter **2.** ***discuss something in depth*** etwas bis in alle Einzelheiten *oder* eingehend diskutieren
deputy ['depjʊtɪ] **1.** *von Führungskraft*: Stellvertreter(in); ***deputy head of department*** stellvertretende(r) Abteilungsleiter(in) **2.** *in manchen Ländern*: Abgeordnete(r) **3.** *AE* Hilfssheriff
deranged [dɪ'reɪndʒd] *auch* ***mentally deranged*** geistesgestört
derby [⚠ 'dɑːbɪ] *Sport*: Derby; ***local derby*** Lokalderby
derelict [⚠ 'derəlɪkt] *Gebäude*: heruntergekommen, baufällig
derision [dɪ'rɪʒn] Hohn, Spott
derisive [dɪ'raɪsɪv] höhnisch, spöttisch; ***derisive laughter*** Hohngelächter
derisory [dɪ'raɪsərɪ] **1.** *Summe, Angebot*: lächerlich **2.** spöttisch
derivation [ˌderɪ'veɪʃn] *von Wort*: Herkunft, Abstammung
derivative [dɪ'rɪvətɪv] **1.** *Wort*: Ableitung, Derivat **2.** *Chemie*: Derivat
derive [dɪ'raɪv] **1.** (*Wort, Bedeutung usw.*) sich herleiten, sich ableiten (***from*** von); ***the word 'father' derives from the Latin 'pater'*** das Wort ‚Vater' leitet sich vom lateinischen ‚pater' her **2.** ***derive pleasure from something*** an etwas Freude finden *oder* haben **3.** ableiten (*Wort, Bedeutung usw.*)
dermatologist [ˌdɜːmə'tɒlədʒɪst] Hautarzt, Hautärztin
derogatory [dɪ'rɒgətərɪ] *Bemerkung usw.*: abfällig, geringschätzig
descend [dɪ'send] *mst. förmlich* (≈ *sich von oben nach unten bewegen*) hinabsteigen, hinuntergehen

descend from [dɪ'send‿frɒm] **1.** (*Person*) abstammen von **2.** (*Brauch, Tradition, usw.*) stammen von

descendant [dɪ'sendənt] *von Vorfahren*: Nachkomme, Abkömmling
descent [dɪ'sent] *von den Vorfahren*: Abstammung, Herkunft; ***Michael's of French descent*** Michael ist französischer Herkunft
describe [dɪ'skraɪb] **1.** beschreiben (*Person, Gegenstand usw.*) **2.** beschreiben, schildern (*Situation, Sachverhalt*); ***he described her as rather bitchy*** er schilderte sie als ziemlich gehässig
description [dɪ'skrɪpʃn] *allg.*: Beschreibung, Schilderung; ***beyond description*** unbeschreiblich
desert[1] [dɪ'zɜːt] **1.** verlassen (*Partner*) **2.** *auch*: im Stich lassen (*Familie, Kinder usw.*) **3.** *vom Militär*: desertieren
desert[2] [⚠ 'dezət] Wüste
deserted [dɪ'zɜːtɪd] *Insel, Geisterstadt usw.*: verlassen, unbewohnt; ***the streets were deserted*** die Straßen waren menschenleer *oder* wie ausgestorben
deserter [dɪ'zɜːtə] *vom Militär*: Deserteur
desertion [dɪ'zɜːʃn] **1.** *von Partner*: Verlassen **2.** *vom Militär*: Desertion, Fahnenflucht
deserts [dɪ'zɜːts] *Pl.*, ***get one's just deserts*** *mst.*: seine verdiente Strafe bekommen
deserve [dɪ'zɜːv] verdienen, verdient haben (*Lob, Anerkennung, Erfolg usw.*) (⚠ *Geld verdienen* = ***earn money***)
design[1] [dɪ'zaɪn] **1.** entwerfen (*Plan für Gebäude usw.*) **2.** *auch*: konstruieren (*Maschine*) **3.** ausdenken, ersinnen (*Plan, Konzept für ein Vorhaben usw.*) **4. *this dictionary is designed for intermediate users*** dieses Wörterbuch ist für Benutzer mit Vorkenntnissen bestimmt *oder* konzipiert
design[2] [dɪ'zaɪn] **1.** *von Bauplan usw.*: Entwurf **2.** *für Maschine*: Konstruktionszeichnung **3.** *in der Mode usw.*: Design, Muster
designer [dɪ'zaɪnə] **1.** *allg.*: Designer(in) **2.** *von Maschinen*: Konstrukteur(in) **3.** *von Kleidern auch*: Modeschöpfer(in)
designer drug [dɪˌzaɪnə'drʌg] Designerdroge
designer stubble [dɪˌzaɪnə'stʌbl] Dreitagebart
desirable [dɪ'zaɪərəbl] **1.** *Kenntnisse, Fertigkeiten usw.*: wünschenswert, erwünscht **2.** *Person*: begehrenswert
desire[1] [dɪ'zaɪə] wünschen; ***if desired*** auf Wunsch; ***leave much*** (*bzw.* ***nothing***) ***to be desired*** viel (*bzw.* nichts) zu wünschen übrig lassen
desire[2] [dɪ'zaɪə] **1.** Wunsch (***for*** nach); ***I have no desire to see her*** ich habe kein Verlangen sie zu sehen (= *ich will sie nicht sehen*) **2.** Begierde (*auch sexuell*) (***for*** nach); ***desire for knowledge*** Wissensdurst

D

desk [desk] **1.** *im Büro usw.*: Schreibtisch, *in Schule*: Schulbank; ☞ *Illu S. 539* **2.** *im Hotel*: Empfang, Rezeption
desktop ['desktɒp] *mst.*: Desktop…; ***desktop computer*** *auch*: Tischrechner; ***desktop publishing*** Desktop-Publishing
desolate ['desələt] **1.** *Gegend usw.*: trostlos **2.** *Person*: einsam, verlassen **3.** *Reaktion usw.*: verzweifelt
despair [dɪ'speə] Verzweiflung (***about, at*** über); ***be in despair*** verzweifelt sein; ***drive someone to despair*** jemanden zur Verzweiflung bringen
despatch [dɪ'spætʃ] → ***dispatch***[1], ***dispatch***[2]
desperate ['despərət] **1.** *Anstrengung, Lage, Person*: verzweifelt; ***we're desperate for a holiday*** wir haben dringend einen Urlaub nötig; ***we're in desperate need of a larger flat*** wir brauchen äußerst dringend eine größere Wohnung; ***she's desperate to get this job*** sie will diesen Job unbedingt haben **2.** *Notlage, Situation usw.*: hoffnungslos, schrecklich
desperation [ˌdespə'reɪʃn] Verzweiflung; ***in desperation*** verzweifelt; ***drive someone to desperation*** jemanden zur Verzweiflung bringen
despicable [dɪ'spɪkəbl] verachtenswert, verabscheuungswürdig
despise [dɪ'spaɪz] verachten (*Person*)
despite [dɪ'spaɪt] trotz (+ *Genitiv oder Dativ*); ***despite my warning …*** trotz meiner Warnung …; ***despite what I said …*** trotz allem, was ich sagte, …
despondent [dɪ'spɒndənt] mutlos, verzagt
dessert [⚠ dɪ'zɜːt] Dessert, Nachtisch, Ⓐ Mehlspeise
destination [ˌdestɪ'neɪʃn] **1.** *von Waren usw.*: Bestimmungsort **2.** *von Personen*: Reiseziel
destined ['destɪnd] **1. *be destined to do something*** dazu bestimmt sein, etwas zu tun **2. *destined for*** *Schiff usw.*: unterwegs nach
destiny ['destənɪ] Schicksal; ***he met his destiny*** sein Schicksal ereilte ihn
destitute ['destɪtjuːt] (völlig) verarmt
destitution [ˌdestɪ'tjuːʃn] (völlige) Armut
destroy [dɪ'strɔɪ] **1.** *allg.*: zerstören, *auch*: kaputtmachen (*Spielsachen usw.*) **2.** vernichten (*Feind, Ungeziefer usw.*) **3.** töten, einschläfern (*Tier*) **4.** ruinieren (*Gesund-*

heit, Leben, Ruf usw.) **5.** zunichte machen, zerstören (*Hoffnungen, Erwartungen usw.*)

destruction [dɪ'strʌkʃn] *allg.*: Zerstörung

destructive [dɪ'strʌktɪv] **1.** zerstörend, vernichtend **2.** *Kritik usw.*: destruktiv

D

detach [dɪ'tætʃ] **1.** abtrennen (*Formular usw.*), loslösen (***from*** von) **2.** abnehmen (*Teil eines Geräts usw.*) (***from*** von)

detachable [dɪ'tætʃəbl] abnehmbar

detached [dɪ'tætʃt] **1.** *Verhalten, Person*: kühl, distanziert **2.** *Urteil, Meinung*: distanziert, unvoreingenommen **3.** ***detached house*** freistehendes Haus, Einzelhaus

detachment [dɪ'tætʃmənt] *gefühlsmäßig*: Abstand, Distanz

detail ['diːteɪl] Detail, Einzelheit; ***details*** *Pl.* Näheres; ***for further details contact our personnel manager*** Näheres erfahren Sie bei unserem Personalchef; ***in detail*** ausführlich, in allen Einzelheiten; ***go into detail*** ins Einzelne gehen, auf Einzelheiten eingehen

detailed ['diːteɪld] *Bericht, Darstellung usw.*: detailliert, ausführlich, eingehend

detain [dɪ'teɪn] **1.** (≈ *am Gehen hindern*) aufhalten; ***I won't detain you long*** ich halte dich nicht lang auf **2.** (*Polizei*) in Haft nehmen, festhalten

detect [dɪ'tekt] **1.** bemerken, wahrnehmen (*Gefühlsregung, Geruch usw.*) **2.** entdecken, erkennen (*Krankheit, bislang Unbekanntes*)

detection [dɪ'tekʃn] *von Krankheit usw.*: Entdeckung, Erkennung

detective [dɪ'tektɪv] Detektiv(in), Kriminalbeamte(r); ***detective story*** Kriminalroman

détente ['deɪtɒnt] *Politik*: Entspannung

detention [dɪ'tenʃn] **1.** *polizeiliche Maßnahme*: Inhaftierung **2.** *Freiheitsstrafe*: Haft **3.** *in der Schule*: Nachsitzen

deter [dɪ'tɜː] ***deterred, deterred*** abschrecken (***from*** von)

detergent [dɪ'tɜːdʒənt] Reinigungsmittel, Waschmittel, *für Geschirr*: Spülmittel

deteriorate [dɪ'tɪərɪəreɪt] **1.** sich verschlechtern, schlechter werden **2.** (*Material*) verderben

deterioration [dɪˌtɪərɪə'reɪʃn] Verschlechterung

determination [dɪˌtɜːmɪ'neɪʃn] **1.** *Charaktermerkmal*: Entschlossenheit, Bestimmtheit **2.** *von Persönlichkeitsentwicklung, Zukunft usw.*: Determinierung, Bestimmung

determine [dɪ'tɜːmɪn] **1.** (≈ *entscheidend sein für*) bestimmen, determinieren (*Persönlichkeit, Zukunft*) **2.** (≈ *beschließen*) bestimmen, festsetzen (*Zeitpunkt usw.*) **3.** festlegen, festsetzen (*Preis, Bedingungen usw.*)

determined [dɪ'tɜːmɪnd] *Person, Auftreten usw.*: entschlossen

deterrence [dɪ'terəns] Abschreckung

deterrent[1] [dɪ'terənt] Abschreckungsmittel (***to*** für)

deterrent[2] [dɪ'terənt] abschreckend, Abschreckungs…

detest [dɪ'test] verabscheuen, hassen; ***I detest having to work under pressure*** ich hasse es unter Zeitdruck arbeiten zu müssen

detestable [dɪ'testəbl] abscheulich

detonate [⚠ 'detəneɪt] **1.** zünden (*Sprengsatz*) **2.** (*Bombe usw.*) detonieren, explodieren

detonation [⚠ ˌdetə'neɪʃn] Detonation, Explosion

detour[1] ['diːtʊə] **1.** Umweg; ***make a detour*** einen Umweg machen **2.** *im Straßenverkehr*: Umleitung

detour[2] ['diːtʊə] **1.** *bes. AE* einen Umweg machen **2.** umleiten (*Verkehr*)

detox [ˌdiː'tɒks] *umg.* eine Entziehungskur machen

detoxify [ˌdiː'tɒksɪfaɪ] entgiften

detoxification [diːˌtɒksɪfɪ'keɪʃn] Entgiftung

detrimental [ˌdetrɪ'mentl] nachteilig (***to*** für); ***detrimental to one's health*** gesundheitsschädlich

deuce [djuːs] *Tennis*: Einstand

devaluation [ˌdiːvæljʊ'eɪʃn] *von Währung*: Abwertung

devalue [ˌdiː'væljuː] abwerten (*Währung*) (***against*** gegenüber)

devastate ['devəsteɪt] **1.** verwüsten (*Region, Land*) **2.** *umg.* (≈ *schockieren*) umhauen

devastating ['devəsteɪtɪŋ] **1.** *Flut, Sturm usw.*: verheerend, vernichtend (*auch Kritik usw.*) **2.** *Nachricht usw.*: niederschmetternd

devastation [ˌdevə'steɪʃn] Verwüstung

develop [dɪ'veləp] **1.** *allg.*: entwickeln (*Plan, Produkt; auch: Film*) **2.** (*Kinder; auch: Angelegenheit, Vorhaben usw.*) sich entwickeln **3.** bekommen (*Krankheit, Fieber usw.*) **4.** erschließen (*Bauland*) **5.** sanieren (*Altstadt usw.*)

developer [dɪ'veləpə] **1.** Häusermakler **2.** *Fotografie*: Entwickler **3.** ***late developer*** *Kind*: Spätentwickler

developing [dɪ'veləpɪŋ] ***developing country*** Entwicklungsland

development [dɪ'veləpmənt] **1.** *allg.*: Entwicklung; ***development aid*** Entwicklungshilfe **2.** *von Bauland*: Erschließung **3.** *von Altstadt usw.*: Sanierung

deviate ['diːvɪeɪt] *von Norm, Route, Plan usw.*: abweichen (***from*** von)

deviation [ˌdiːvɪ'eɪʃən] *von Norm, Route, Plan usw.*: Abweichung

device [dɪ'vaɪs] (≈ *Apparatur*) Vorrichtung, Gerät

devil ['devl] **1.** *allg.*: Teufel **2.** *in Wendungen*: ***he's a poor devil*** er ist ein armer Teufel; ***like the devil*** *umg.* wie der Teufel, wie verrückt; ***go to the devil!*** scher dich zum Teufel!; ***speak*** *oder* ***talk of the devil!*** wenn man vom Teufel spricht!

devious ['diːvɪəs] verschlagen, unaufrichtig; ***by devious means*** auf krummen Wegen

devise [dɪ'vaɪz] (sich) ausdenken, ersinnen

devoid [dɪ'vɔɪd] ***devoid of*** ohne; ***devoid of feeling*** gefühllos

devolution [ˌdiːvə'luːʃn] *Politik*: Dezentralisierung

devote [dɪ'vəʊt] widmen (*Energie, Leben, Zeit usw.*) (***to***; *dt. Dativ*); ***she devoted herself to literature*** sie widmete sich der Literatur

devoted [dɪ'vəʊtɪd] **1.** *Mutter, Vater usw.*: hingebungsvoll, aufopfernd **2.** *Freund*: treu **3.** *Anhänger, Verfechter*: eifrig, begeistert

devotion [dɪ'vəʊʃn] **1.** *bezüglich Arbeit, Aufgabe usw.*: Hingabe, Aufopferung **2.** *an Person*: Treue

devour [dɪ'vaʊə] verschlingen (*Essen, Buch usw.*)

dew [djuː] (≈ *Wassertröpfchen an Pflanzen usw.*) *der* Tau

dexterity [dek'sterətɪ] Gewandtheit, Geschicklichkeit

dexterous ['dekstərəs], **dextrous** ['dekstrəs] gewandt, geschickt

diabetes [ˌdaɪə'biːtiːz] *Medizin*: Diabetes, Zuckerkrankheit; ***he suffers from diabetes*** er hat Zucker

diabetic[1] [ˌdaɪə'betɪk] zuckerkrank; ***she's diabetic*** sie ist zuckerkrank, sie ist Diabetikerin

diabetic[2] [ˌdaɪə'betɪk] Diabetiker(in), Zuckerkranke(r)

diabolic [ˌdaɪə'bɒlɪk], **diabolical** [ˌdaɪə'bɒlɪkl] **1.** *Tat, Absicht, Schmerzen usw.*: diabolisch, teuflisch **2.** *umg.*; *Wetter usw.*: scheußlich, widerlich

diagnose ['daɪəgnəʊz] *Medizin*: diagnostizieren (*auch übertragen*)

diagnosis [ˌdaɪəg'nəʊsɪs] *Pl.*: ***diagnoses*** [ˌdaɪəg'nəʊsiːz] *Medizin*: Diagnose (*auch übertragen*); ***give*** *oder* ***make a diagnosis*** eine Diagnose stellen

diagonal[1] [daɪ'ægənl] diagonal

diagonal[2] [daɪ'ægənl] *Mathematik*: Diagonale

diagram ['daɪəgræm] Diagramm, grafische Darstellung

dial[1] ['daɪəl] **1.** *von Uhr*: Zifferblatt **2.** *von Messinstrument*: Skala **3.** *von älteren Telefonen*: Wählscheibe

dial[2] ['daɪəl], ***dialled, dialled***, *AE* ***dialed, dialed*** *Telefon*: wählen; ***dial direct*** durchwählen (***to*** nach); ***dial the wrong number*** sich verwählen

dialect ['daɪəlekt] Dialekt, Mundart

dialling code ['daɪəlɪŋ‿kəʊd] *BE*; *Telefon*: Vorwahl, Vorwahlnummer

dialling tone ['daɪəlɪŋ‿təʊn] *BE*; *Telefon*: Wählton

dialogue, *AE* **dialog** ['daɪəlɒg] Dialog

diameter [daɪ'æmɪtə] Durchmesser; ***be two metres in diameter*** einen Durchmesser von zwei Metern haben

diamond ['daɪəmənd] **1.** *Edelstein*: Diamant **2.** *Geometrie*: Raute, Rhombus **3.** ***diamonds*** *Pl.* *Kartenspiel*: Karo; ***eight of diamonds*** Karoacht; ***Jack of diamonds*** Karobube

diaper ['daɪəpə] *AE*; *für Babys*: Windel

diaphragm [⚠ 'daɪəfræm] **1.** Zwerchfell **2.** *zur Verhütung*: Diaphragma, Pessar

diarrhoea, *AE* **diarrhea** [ˌdaɪə'rɪə] *Medizin*: Durchfall

diary ['daɪərɪ] **1.** *für persönliche Notizen*: Tagebuch **2.** *zum Notieren von Terminen usw.*: Taschenkalender, Terminkalender

dice[1] [daɪs] *Pl.*: ***dice*** *für Spiele*: Würfel; ***play dice*** würfeln

dice[2] [daɪs] **1.** in Würfel schneiden (*Fleisch*) **2.** (≈ *spielen*) würfeln, knobeln (***for*** um); ***dice with death*** *übertragen* mit dem Leben spielen

dicey ['daɪsɪ] *umg.*; *Situation usw.*: heikel

dickens ['dɪkɪnz] ***who*** (*bzw.* ***what***) ***the dickens ...?*** *umg.* wer (*bzw.* was) zum Teufel ...?

dictate [dɪk'teɪt] **1.** diktieren (*Brief usw.*) (***to***; *dt. Dativ*) **2.** *übertragen* diktieren, vorschreiben; ***dictate to someone*** jemandem Vorschriften machen

dictation [dɪk'teɪʃn] *in Schule, Büro*: Diktat

dictator [dɪk'teɪtə] *Politik*: Diktator

dictatorship [dɪk'teɪtəʃɪp] *Politik*: Diktatur

dictionary ['dɪkʃənrɪ] Wörterbuch

did [dɪd] *2. Form von* → ***do***[1]

diddle ['dɪdl] *umg.* übers Ohr hauen; ***did-***

die someone out of something jemanden um etwas betrügen
didn't ['dɪdnt] *Kurzform von* ***did not***
die [daɪ], ***died*** [daɪd], ***died*** [daɪd]; *-ing-Form* ***dying*** **1.** sterben (***of*** an); ***die of hunger*** (*bzw.* ***thirst***) verhungern (*bzw.* verdursten); ***he died a broken man*** er starb als gebrochener Mann **2.** (*Pflanze*, *Tier*) eingehen, (*Tier auch*) verenden **3.** ***I'm dying for a cup of tea*** ich brauche jetzt unbedingt eine Tasse Tee; ***she's dying to meet you*** sie brennt darauf dich kennen zu lernen

> **die away** [ˌdaɪ‿ə'weɪ] **1.** (*Lärm, Wind usw.*) sich legen **2.** (*Ton*) verhallen, leiser werden **3.** (*Ärger, Verstimmung*) sich legen
> **die out** [ˌdaɪ'aʊt] aussterben (*auch übertragen*)

diesel ['diːzl] Diesel (*Motor, Fahrzeug, Kraftstoff*)
diet[1] ['daɪət] **1.** *allg.*: Nahrung, Ernährung **2.** *medizinisch*: Diät; ***be on a diet*** auf Diät gesetzt sein, Diät leben, *zum Abnehmen*: eine Diät machen
diet[2] ['daɪət] Diät halten, Diät leben
differ ['dɪfə] **1.** *in Aussehen, Wesen usw.*: sich unterscheiden, verschieden sein (***from*** von) **2.** (*Meinungen*) auseinander gehen **3.** *über Streitpunkt usw.*: sich nicht einig sein (***on, about, over*** über)
difference ['dɪfrəns] **1.** *allg.*: Unterschied; ***difference in age*** *oder* ***age difference*** Altersunterschied; ***difference in price*** *oder* ***price difference*** Preisunterschied; ***it makes no difference to me*** das ist mir gleich **2.** *auch* ***difference of opinion*** Meinungsverschiedenheit; ***we settled our differences*** wir haben unsere Meinungsverschiedenheiten beigelegt
different ['dɪfrənt] (≈ *unterschiedlich*) verschieden, verschiedenartig, anders; ***be different from*** *oder* ***to*** anders sein als; ***he's different*** er ist anders; ***that's different!*** das ist etwas anderes!
differentiate [ˌdɪfə'renʃɪeɪt] **1.** differenzieren, unterscheiden (***between*** zwischen) **2.** (≈ *auseinander kennen*) unterscheiden (***from*** von)
difficult ['dɪfɪklt] **1.** ↔ ***easy***; schwierig, schwer; ***it was quite difficult for me to …*** es fiel mir schwer zu … **2.** *Person*: schwierig
difficulty ['dɪfɪkltɪ] **1.** Schwierigkeit, Mühe; ***with difficulty*** mühsam, nur schwer; ***have difficulty (in) doing something*** Mühe haben etwas zu tun **2.** *oft* ***difficulties*** *Pl.* Probleme, Schwierigkeiten (*auch finanziell*)
diffident ['dɪfɪdənt] schüchtern, zurückhaltend
diffuse[1] [dɪ'fjuːz] **1.** verbreiten (*Ideen usw.*) **2.** (*Ideen usw.*) sich verbreiten
diffuse[2] [dɪ'fjuːs] **1.** *Stil, Autor*: weitschweifig, langatmig **2.** *Gedanken usw.*: unklar **3.** ***diffuse light*** diffuses Licht
dig[1] [dɪg], ***dug*** [dʌg], ***dug*** [dʌg]; *-ing-Form* ***digging*** **1.** graben (*Loch usw.*); ***dig for something*** nach etwas graben; ***dig one's own grave*** sich sein eigenes Grab schaufeln **2.** *mit Ellbogen usw.*: einen Stoß geben; ***dig someone in the ribs*** jemandem einen Rippenstoß geben

> **dig in** [ˌdɪg'ɪn] **1.** *in Gartenerde*: eingraben, untergraben (*Kompost usw.*) **2.** *umg.*; *beim Essen*: reinhauen
> **dig up** [ˌdɪg'ʌp] ausgraben (*Pflanze usw.*; *auch übertragen*: *fast Vergessenes*)

dig[2] [dɪg] **1.** Rempler, Stoß; ***a dig in the ribs*** ein Rippenstoß **2.** *übertragen* Seitenhieb (***at*** auf)
digest[1] [daɪ'dʒest] verdauen (*auch übertragen*)
digest[2] ['daɪdʒest] **1.** *Zeitschrift*: Digest, Auswahl (*aus verschiedenen Texten*) **2.** *kurzer Bericht*: Abriss
digestible [daɪ'dʒestəbl] *Nahrung*: verdaulich
digestion [daɪ'dʒestʃən] Verdauung
digit ['dɪdʒɪt] *1, 2, 3, 4, 5 usw.*: Ziffer; ***a five-digit number*** eine fünfstellige Zahl
digital ['dɪdʒɪtl] Digital…; ***digital watch*** Digitaluhr; ***digital computer*** Digitalrechner
dignified ['dɪgnɪfaɪd] *Person, Benehmen*: würdevoll
dignity ['dɪgnətɪ] *Haltung*: Würde; ***it's beneath our dignity*** das ist unter unserer Würde
dilapidated [dɪ'læpɪdeɪtɪd] *Haus usw.*: verfallen, baufällig
dilate [daɪ'leɪt] sich weiten, (*Pupillen*) sich erweitern
dilemma [dɪ'lemə] Dilemma
diligence ['dɪlɪdʒəns] **1.** Fleiß **2.** Sorgfalt
diligent ['dɪlɪdʒənt] fleißig
dillydally ['dɪlɪˌdælɪ] *umg.* trödeln, herumtrödeln
dilute [daɪ'luːt] verdünnen (*Flüssigkeit*)
dim[1] [dɪm] **1.** *Licht, Lampe usw.*: schwach (*auch Erinnerung usw.*); ***dimly lit*** schwach erleuchtet **2.** *Gestalt, Umrisse usw.*: un-

deutlich, verschwommen **3.** *Farben*: matt **4.** *umg.* schwer von Begriff

dim[2] [dɪm], ***dimmed, dimmed*** **1.** dämpfen (*Licht*) **2.** (*Licht*) verlöschen, dunkler werden **3.** ***dim the headlights*** *AE*; *Auto*: abblenden

dime [daɪm] *AE* Zehncentstück; ***dime novel*** Groschenroman

dimension [daɪ'menʃn] **1.** *allg.*: Dimension (*auch übertragen*) **2.** *räumlich*: Maß, Ausmaß; ***what are the house's dimensions?*** wie sind die Abmessungen des Hauses?

diminish [dɪ'mɪnɪʃ] **1.** vermindern, verringern (*Enthusiasmus, Engagement usw.*) **2.** (*Anzahl, Kräfte, Vorräte usw.*) sich verringern, weniger werden; ***diminish in numbers*** weniger werden; ***diminish in value*** an Wert verlieren **3.** schmälern (*Ansehen, Leistung usw.*)

dimmer ['dɪmə] **1.** (≈ *Helligkeitsregler*) Dimmer **2.** ***dimmers*** *Pl.*, *AE* Abblendlicht, Standlicht (*am Auto*)

dimple ['dɪmpl] *in der Wange*: Grübchen

dimwit ['dɪmwɪt] *umg.* Schwachkopf

dim-witted [ˌdɪm'wɪtɪd] *umg.* beschränkt, schwachsinnig

din [dɪn] Lärm, Getöse

dine [daɪn] speisen, essen; ***dine out*** auswärts essen

diner ['daɪnə] **1.** *in Restaurant*: Gast **2.** *AE*; *Eisenbahn*: Speisewagen **3.** *AE* kleines Restaurant

dinette [daɪ'net] *in Küche*: Essecke

dinghy ['dɪŋɪ] **1.** *Segelboot*: Dingi **2.** Schlauchboot

dingy ['dɪndʒɪ] *Zimmer, Straße, Stadtviertel usw.*: schmuddelig

dining car ['daɪnɪŋ‿kɑː] *Eisenbahn*: Speisewagen

dining room ['daɪnɪŋ‿ruːm] Esszimmer

dining table ['daɪnɪŋˌteɪbl] Esstisch

dinkies ['dɪŋkɪz] *Pl.*, **dinks** [dɪŋks] *Pl.* (*Abk. für* **d**ouble **i**ncome **n**o **k**ids) *etwa*: kinderlose Doppelverdiener

dinky ['dɪŋkɪ] *umg.* **1.** *BE* niedlich **2.** *AE*, *abwertend*: klein, unbedeutend

Dinky® car ['dɪŋkɪ‿kɑː], **Dinky® toy** ['dɪŋkɪ‿tɔɪ] *BE*; *kleines Modellauto aus Metall*

dinner ['dɪnə] **1.** *Hauptmahlzeit des Tages*: Mittag- *oder* Abendessen; ***after dinner*** nach dem Essen, nach Tisch; ***at dinner*** bei Tisch **2.** (≈ *Festessen*) Diner; ***at a dinner*** auf *oder* bei einem Diner

dinner jacket ['dɪnəˌdʒækɪt] Smoking

dinner table ['dɪnəˌteɪbl] Esstisch

dinnertime ['dɪnətaɪm] Essenszeit

dinosaur ['daɪnəsɔː] Saurier, Dinosaurier

dip[1] [dɪp], ***dipped, dipped*** **1.** *in Flüssigkeit, Soße usw.*: eintauchen (*Hand, Brotstück usw.*) (***in, into*** in) **2.** ***dip the headlights*** *bes. BE*; *am Auto*: abblenden

dip into ['dɪpˌɪntʊ] **1.** *mit Buch, Zeitschrift usw.*: sich flüchtig befassen mit, einen Blick werfen in **2.** ***dip into one's pocket*** *oder* ***purse*** *übertragen* tief in die Tasche greifen; ***dip into one's savings*** an seine Ersparnisse gehen

dip[2] [dɪp] **1.** *Soße*: Dip **2.** ***have a dip*** mal schnell ins Wasser springen

diploma [dɪ'pləʊmə] Diplom

diplomacy [dɪ'pləʊməsɪ] *Politik*: Diplomatie (*auch übertragen*)

diplomat ['dɪpləmæt] Diplomat(in)

diplomatic [ˌdɪplə'mætɪk] diplomatisch; ***diplomatic corps*** diplomatisches Korps; ***diplomatic relations*** diplomatische Beziehungen

dire ['daɪə] **1.** grässlich, schrecklich **2.** ***in dire poverty*** in äußerster Armut **3.** ***be in dire need of something*** etwas ganz dringend brauchen

direct[1] [də'rekt] **1.** richten, lenken (*Aufmerksamkeit, Lichtstrahl, Schritte usw.*) (***to, towards*** auf) **2.** richten (*Worte*), adressieren (*Brief*) (***to*** an) **3.** führen, leiten (*Betrieb usw.*) **4.** *bei einem Film usw.*: Regie führen bei; ***directed by*** unter der Regie von

direct[2] [də'rekt] **1.** *allg.*: direkt **2.** (≈ *ohne Unterbrechung*) direkt, unmittelbar; ***direct flight*** Direktflug; ***direct train*** durchgehender Zug **3.** *Person, Bemerkung, Wesen*: direkt, offen; ***she asked directly if …*** sie fragte direkt, ob … **4.** ***the direct contrary*** das genaue Gegenteil **5.** *Sprache*: ***direct speech*** direkte Rede; ***direct object*** direktes Objekt, Akkusativobjekt **6.** ***dial direct*** *Telefon*: durchwählen (***to*** nach)

direction [də'rekʃn] **1.** *räumlich*: Richtung; ***in the direction of*** in Richtung auf *oder* nach; ***from*** (*bzw.* ***in***) ***all directions*** aus (*bzw.* nach) allen Richtungen *oder* Seiten; ***sense of direction*** Ortssinn, Orientierungssinn **2.** *von Firma usw.*: Führung, Leitung **3.** *bei Film, Theater*: Regie **4.** (≈ *Instruktion*) Anweisung, Anleitung; ***directions for use*** Gebrauchsanweisung

director [də'rektə, daɪ'rektə] **1.** *von Firma*: Direktor(in), Leiter(in); ***board of directors*** *Gremium*: Vorstand **2.** *bei Film, Theater usw.*: Regisseur(in)

directory [də'rektərɪ] **1.** Adressbuch; ***directory inquiries*** *Pl.*, *AE* ***directory as-***

sistance (Telefon)Auskunft; ***telephone directory*** Telefonbuch **2.** *Computer*: Directory, Inhaltsverzeichnis

dirt [dɜːt] Schmutz, Dreck (*auch übertragen*); ***treat someone like dirt*** jemanden wie (den letzten) Dreck behandeln

dirt-cheap [ˌdɜːt'tʃiːp] *umg.* spottbillig

dirty[1] ['dɜːtɪ] **1.** schmutzig, dreckig (*auch übertragen*); ***get dirty*** schmutzig werden; ***don't get your trousers dirty!*** mach deine Hose nicht schmutzig!; ***she gave me a dirty look*** sie sah mich böse an; ***he's got a dirty mind*** er hat eine schmutzige Fantasie; ***dirty old man*** *umg.* geiler alter Bock **2.** *Handlung, Trick*: gemein, niederträchtig

dirty[2] ['dɜːtɪ] beschmutzen (*auch übertragen*); ***dirty one's hands*** sich die Hände schmutzig machen (*auch übertragen*)

disability [ˌdɪsə'bɪlətɪ] *körperlich, geistig*: Behinderung

disable [dɪs'eɪbl] **1.** ***he was disabled in an accident*** er wurde durch einen Unfall zum Invaliden **2.** unbrauchbar machen (*Waffen, Maschinen usw.*)

disabled [dɪs'eɪbəld] *körperlich, geistig*: behindert; ***the disabled*** die Behinderten

disadvantage [ˌdɪsəd'vɑːntɪdʒ] Nachteil (***to*** für); ***this would be to our disadvantage*** das wäre zu unserem Nachteil *oder* Schaden; ***be at a disadvantage*** im Nachteil sein, benachteiligt sein

disadvantaged [ˌdɪsəd'vɑːntɪdʒd] benachteiligt

disadvantageous [ˌdɪsædvən'teɪdʒəs] nachteilig, ungünstig (***to*** für)

disagree [ˌdɪsə'griː] *mit Meinung, Person*: nicht übereinstimmen (***with*** mit), anderer Meinung sein

> **disagree with** [ˌdɪsə'griː‿wɪð] (*Klima, Essen usw.*) nicht bekommen (*dt. Dativ*)

disagreeable [ˌdɪsə'griːəbl] **1.** *Wetter, Umstände usw.*: unangenehm **2.** *Person*: unsympathisch

disagreement [ˌdɪsə'griːmənt] **1.** *zwischen Meinungen*: Unstimmigkeit; ***be in disagreement with someone*** mit jemandem nicht übereinstimmen **2.** *zwischen Berichten, Zahlenangaben usw.*: Diskrepanz, Widerspruch **3.** (≈ *Streit*) Meinungsverschiedenheit (***over, on*** über)

disappear [ˌdɪsə'pɪə] *allg.*: verschwinden; ***the moon disappeared behind the clouds*** der Mond verschwand hinter den Wolken

disappearance [ˌdɪsə'pɪərəns] Verschwinden

disappoint [ˌdɪsə'pɔɪnt] **1.** enttäuschen (*Person*) **2.** enttäuschen, zunichte machen (*Hoffnungen usw.*) **3.** ***be disappointed in*** *oder* ***with someone*** von *oder* über jemanden enttäuscht sein

disappointing [ˌdɪsə'pɔɪntɪŋ] enttäuschend

disappointment [ˌdɪsə'pɔɪntmənt] Enttäuschung

disapproval [ˌdɪsə'pruːvl] (≈ *Ablehnung*) Missbilligung (***of***; *dt. Genitiv*), Missfallen (***of*** über); ***in*** *oder* ***with disapproval*** missbilligend

disapprove [ˌdɪsə'pruːv] missbilligen, dagegen sein; ***I strongly disapprove of you*** (*bzw.* ***your***) ***smoking*** ich bin strikt dagegen, dass du rauchst

disarm [dɪs'ɑːm] **1.** entwaffnen (*auch übertragen*) **2.** *militärisch*: abrüsten

disarmament [dɪs'ɑːməmənt] *militärisch*: Abrüstung; ***nuclear disarmament*** atomare Abrüstung

disaster [dɪ'zɑːstə] **1.** *Sturm, Flut, Erdbeben, schwerer Unfall usw.*: Katastrophe, Unglück; ***disaster area*** Katastrophengebiet **2.** *übertragen* Desaster, Fiasko

disastrous [dɪ'zɑːstrəs] *allg.*: katastrophal, verheerend

disc, *AE auch* **disk** [dɪsk] **1.** *allg.*: Scheibe **2.** *mit Musik*: CD, *früher*: Schallplatte **3.** *Computer*: ***floppy disc*** Floppydisk, Diskette; ☞ ***disk*** **4.** *am Rückgrat*: Bandscheibe

discharge [dɪs'tʃɑːdʒ] **1.** *aus Klinik, Armee usw.*: entlassen **2.** ausstoßen (*Rauch, Schadstoffe*)

discipline[1] ['dɪsəplɪn] **1.** Disziplin; ***keep discipline*** Disziplin halten **2.** (≈ *Wissensgebiet*) Disziplin

discipline[2] ['dɪsəplɪn] disziplinieren; ***badly disciplined*** undiszipliniert; ***you must discipline yourself to work less*** du musst dich zwingen weniger zu arbeiten

disc jockey ['dɪskˌdʒɒkɪ] Diskjockey

disclose [dɪs'kləʊz] **1.** bekannt geben, bekannt machen (*Neuigkeiten, Plan usw.*) **2.** enthüllen, aufdecken (*Geheimnis usw.*)

disclosure [dɪs'kləʊʒə] **1.** *von Neuigkeit, Plan usw.*: Bekanntgabe **2.** *von Geheimnis usw.*: Enthüllung

disco ['dɪskəʊ] *umg.* Disko

discolour, *AE* **discolor** [dɪs'kʌlə] **1.** verfärben **2.** sich verfärben

discomfort [⚠ dɪs'kʌmfət] **1.** Unbehagen **2.** *gesundheitlich*: Beschwerden *Pl.*, (leichte) Schmerzen *Pl.*

disconnect [ˌdɪskə'nekt] **1.** trennen (*Verbindung, Leitung usw.*) **2.** *von elektrischen Geräten*: ausstecken, den Stecker herausziehen **3.** *bei Zahlungsrückstand*: abstellen (*Gas, Strom, Telefon*); ***we've been disconnected*** uns ist das Gas (*bzw.* der Strom, das Telefon) abgestellt worden **4. *we've been disconnected*** *bei Telefongespräch*: wir wurden (*bzw.* das Gespräch wurde) unterbrochen
discord ['dɪskɔːd] **1.** Uneinigkeit **2.** (≈ *Streit*) Zwietracht **3.** *Musik*: Missklang (*auch übertragen*)
discotheque ['dɪskətek] Diskothek
discount ['dɪskaʊnt] *Wirtschaft*: Preisnachlass, Rabatt, Skonto (***on*** auf)
discourage [dɪs'kʌrɪdʒ] **1.** *von einem Vorhaben*: abraten (***from*** von) **2.** (≈ *mutlos machen*) entmutigen **3.** (≈ *hindern*) abschrecken, abhalten (***from*** von)
discover [dɪ'skʌvə] **1.** entdecken (*Geheimnis, etwas Neues*) **2.** *durch Suche*: ausfindig machen, herausfinden
discoverer [dɪ'skʌvərə] Entdecker(in)
discovery [dɪ'skʌvərɪ] Entdeckung
discreet [dɪ'skriːt] *Verhalten*: diskret, taktvoll
discretion [⚠ dɪ'skreʃn] **1.** Ermessen; ***at someone's discretion*** in jemandes Ermessen **2.** (≈ *Taktgefühl*) Diskretion
discriminate [dɪ'skrɪmɪneɪt] unterscheiden, einen Unterschied machen (***between*** zwischen)

discriminate against [dɪ'skrɪmɪneɪt‿əˌgenst] *wegen Rasse, Geschlecht usw.*: benachteiligen, diskriminieren

discrimination [dɪˌskrɪmɪ'neɪʃn] Diskriminierung; ***discrimination against women*** Diskriminierung *oder* Benachteiligung von Frauen
discus ['dɪskəs] *Pl.*: ***discuses*** **1.** *Sportgerät*: Diskus; ***discus thrower*** Diskuswerfer(in) **2.** *Disziplin*: Diskuswerfen
discuss [dɪ'skʌs] **1.** besprechen (*Thema, Problem usw.*) **2.** *kontrovers*: diskutieren (über) **3.** *in Aufsatz usw.*: erörtern
discussion [dɪ'skʌʃn] **1.** *von Thema, Problem usw.*: Besprechung **2.** *kontrovers*: Diskussion; ***be under discussion*** zur Diskussion stehen **3.** *in Aufsatz usw.*: Erörterung
disdain[1] [dɪs'deɪn] Verachtung; ***a look of disdain*** ein verächtlicher Blick
disdain[2] [dɪs'deɪn] verachten
disdainful [dɪs'deɪnfl] *Blick usw.*: verächtlich
disease [dɪ'ziːz] *vom Mensch, Tier, Pflanze*: Krankheit; ***a contagious*** *oder* ***infectious disease*** eine ansteckende Krankheit
diseased [dɪ'ziːzd] krank
disfigure [dɪs'fɪgə] entstellen, verunstalten (***with*** durch)
disfigurement [dɪs'fɪgəmənt] Entstellung
disgrace[1] [dɪs'greɪs] *allg.*: Schande (***to*** für)
disgrace[2] [dɪs'greɪs] Schande bringen über; ***don't disgrace us!*** mach uns keine Schande!
disgraceful [dɪs'greɪsfl] schändlich
disgruntled [dɪs'grʌntld] verärgert, verstimmt (***at*** über)
disguise[1] [dɪs'gaɪz] **1.** verkleiden, maskieren; ***he disguised himself as a woman*** er verkleidete sich als Frau **2.** verstellen (*Handschrift, Stimme*) **3.** verbergen (*Absichten, Gefühle usw.*)
disguise[2] [dɪs'gaɪz] Verkleidung; ***in disguise*** verkleidet, maskiert; ***in the disguise of*** verkleidet als, *übertragen* unter dem Deckmantel von
disgust[1] [dɪs'gʌst] **1.** (*Person, Anblick, Geruch usw.*) anekeln, anwidern; ***be disgusted with*** Ekel empfinden über **2.** (*Tat, Skandal usw.*) empören, entrüsten; ***be disgusted with*** empört *oder* entrüstet sein über
disgust[2] [dɪs'gʌst] Ekel (***at, for*** vor)
disgusting [dɪs'gʌstɪŋ] ekelhaft, widerlich
dish [dɪʃ] **1.** Schüssel, *zum Servieren*: Platte **2. *dishes*** *Pl.* Geschirr; ***wash*** *oder* ***do the dishes*** abspülen **3.** *Essen*: Gericht, Speise; ***a restaurant with vegetarian dishes*** ein Restaurant mit vegetarischen Gerichten **4.** *Radio, TV*: Satellitenschüssel
dishcloth ['dɪʃklɒθ] Geschirrtuch
dishearten [dɪs'hɑːtn] entmutigen
dishevelled, *AE* **disheveled** [⚠ dɪ'ʃevld] **1.** *Haar*: zerzaust **2.** unordentlich, ungepflegt
dishonest [dɪs'ɒnɪst] *Person, Geschäftspraktiken usw.*: unehrlich
dishonesty [dɪs'ɒnəstɪ] Unehrlichkeit
dish towel ['dɪʃˌtaʊəl] *AE* Geschirrtuch
dishwasher ['dɪʃˌwɒʃə] **1.** Geschirrspülmaschine, Geschirrspüler **2.** *Person*: Tellerwäscher(in), Spüler(in)
dishy ['dɪʃɪ] *umg.* (≈ *attraktiv*) dufte
disinfect [ˌdɪsɪn'fekt] *Medizin*: desinfizieren (*Wunde, Hautpartie usw.*)
disinfectant [ˌdɪsɪn'fektənt] *Medizin*: Desinfektionsmittel
disinformation [ˌdɪsɪnfə'meɪʃn] *absichtliches Verbreiten falscher Informationen*
disinherit [ˌdɪsɪn'herɪt] enterben (*bes. Sohn, Tochter*)

disintegrate [dɪs'ɪntɪgreɪt] sich auflösen, zerfallen (*auch übertragen*)
disinterested [dɪs'ɪntrəstɪd] **1.** *Beobachter, Ratschlag usw.*: unvoreingenommen, objektiv, unparteiisch **2.** *umg.* desinteressiert (***in*** an)

D

disk [dɪsk] **1.** *AE* → ***disc*** **2.** *Computer*: Diskette; ***floppy disk*** Floppydisk, Diskette; ***hard disk*** Festplatte
disk drive ['dɪsk‿draɪv] *Computer*: Diskettenlaufwerk
diskette [dɪ'sket] *Computer*: Diskette
disk operating system [ˌdɪsk'ɒpəreɪtɪŋˌsɪstəm] (*Abk.* ***DOS***) *Computer*: Betriebssystem
dislike[1] [dɪs'laɪk] nicht leiden können, nicht mögen: ***dislike doing something*** etwas nicht gern *oder* nur ungern tun
dislike[2] [dɪs'laɪk] Abneigung, Widerwille (***of, for*** gegen); ***take a dislike to someone*** eine Abneigung gegen jemanden entwickeln
dislocate ['dɪsləkeɪt] verrenken, ausrenken (*Arm, Schulter usw.*)
dislocation [ˌdɪslə'keɪʃn] *Verletzung*: Verrenkung
dismal ['dɪzməl] düster, trostlos
dismantle [dɪs'mæntl] zerlegen, auseinander nehmen (*Maschine, Motor usw.*)
dismay[1] [dɪs'meɪ] Schrecken, Bestürzung; ***in*** (*oder* ***with***) ***dismay*** bestürzt
dismay[2] [dɪs'meɪ] erschrecken, bestürzen
dismiss [dɪs'mɪs] **1.** (≈ *wegschicken*) entlassen, gehen lassen **2.** (≈ *kündigen*) entlassen (***from*** aus) (*einem Amt usw.*) **3.** abtun (*Frage usw.*) (***as*** als) **4.** (*Gericht*) abweisen (*Klage usw.*)
dismissal [dɪs'mɪsl] **1.** (≈ *Kündigung*) Entlassung **2.** *einer Klage usw.*: Abweisung
dismount [dɪs'maʊnt] **1.** *von Pferd, Fahrrad usw.*: absteigen, absitzen (***from*** von) **2.** (*Pferd*) abwerfen (*Reiter*)

Disney World

Disney World – offizielle Bezeichnung **Walt Disney World** – riesengroßer Vergnügungspark bei Orlando im US-Bundesstaat Florida. Disney World wurde (nach Disneyland in Anaheim in Kalifornien) als zweiter Park nach Walt Disneys Plänen errichtet und 1971 eröffnet; ☞ *Karte S. 295*

disobedience [ˌdɪsə'biːdɪəns] *von Kind usw.*: Ungehorsam
disobedient [ˌdɪsə'biːdɪənt] *Kind usw.*: ungehorsam (***to*** gegenüber)
disobey [ˌdɪsə'beɪ] **1.** nicht gehorchen (*Eltern, Lehrer*) **2.** nicht befolgen, missachten (*Gesetz usw.*)
disorder [dɪs'ɔːdə] **1.** *in Haus, Zimmer usw.*: Unordnung, Durcheinander **2.** *politisch*: Aufruhr, Unruhen
disorderly [dɪs'ɔːdəlɪ] **1.** *Haus, Zimmer usw.*: unordentlich **2.** *Person*: schlampig, liederlich (*auch Leben usw.*)
dispatch[1] [dɪ'spætʃ] *förmlich* **1.** senden, schicken (*Nachricht, Schreiben usw.*) **2.** entsenden (*Beobachter, Truppen usw.*)
dispatch[2] [dɪ'spætʃ] **1.** *von Nachricht usw.*: Absendung **2.** *offiziell*: Bericht (*auch von Korrespondent einer Zeitung usw.*)
dispensable [dɪ'spensəbl] entbehrlich (*mst. auf Personen bezogen*)
dispense [dɪ'spens] **1.** *förmlich* austeilen, verteilen (*Geld, Sachen, Ratschläge usw.*) **2.** ***dispense justice*** Recht sprechen
dispenser [dɪ'spensə] **1.** *für Papiertücher usw.*: Spender **2.** *für Briefmarken, Getränke usw.*: Automat; ***cash dispenser*** Geldautomat
dispensing chemist [dɪˌspensɪŋ'kemɪst] *BE* Apotheker(in)
dispirited [dɪ'spɪrɪtɪd] (≈ *deprimiert*) mutlos, niedergeschlagen
displace [dɪs'pleɪs] **1.** (≈ *ersetzen*) verdrängen, *im Sport auch*: ablösen (*als Spitzenreiter, Rekordhalter usw.*) **2.** *aus angestammtem Lebensraum*: vertreiben; ***displaced persons*** *Pl.* Vertriebene, Zwangsumsiedler
display[1] [dɪ'spleɪ] **1.** zeigen, an den Tag legen (*Aktivität, Geschick usw.*) **2.** auslegen, ausstellen (*Waren*) **3.** *auf Monitor usw.*: zeigen (*Informationen, Daten*)
display[2] [dɪ'spleɪ] **1.** *von Fertigkeit, Kunststücken usw.*: Vorführung, Demonstration **2.** *von Waren usw.*: Ausstellung; ***be on display*** ausgestellt sein **3.** *am Computer*: Display
displease [dɪs'pliːz] ***be displeased at*** (*oder* ***with***) unzufrieden sein mit
disposable [dɪ'spəʊzəbl] **1.** *Geldmittel usw.*: verfügbar **2.** *von Verpackungen usw.*: Einweg…, Wegwerf…
disposal [dɪ'spəʊzl] **1.** *von Müll usw.*: Entsorgung **2.** ***be at someone's disposal*** jemandem zur Verfügung stehen

dispose of [dɪ'spəʊz‿əv] **1.** beseitigen (*Müll usw.*) **2.** aus dem Weg schaffen (*Problem, Widersacher*) **3.** (≈ *ermorden*) beseitigen

disposed [dɪ'spəʊzd] **1.** ***be well disposed***

to someone jemandem wohlgesinnt sein **2. feel disposed to do something** etwas tun wollen
disposition [ˌdɪspə'zɪʃn] (≈ *Charaktereigenschaft*) Veranlagung; **her cheerful disposition** ihre heitere Art
disproportionate [ˌdɪsprə'pɔːʃnət] *Aufwand an Zeit, Geld usw.*: unverhältnismäßig (*groß oder klein*); **the party's influence is disproportionate to its size** der Einfluss der Partei steht in keinem Verhältnis zu ihrer Größe
disprove [dɪs'pruːv] widerlegen (*Argument usw.*)
disputable [dɪ'spjuːtəbl] *Ansicht, These usw.*: strittig
dispute[1] [dɪ'spjuːt] **1.** bestreiten, bezweifeln (*Ansicht, These usw.*) **2.** streiten (**on, about** über)
dispute[2] [dɪ'spjuːt] **1.** *allg.*: Disput; **be in** *oder* **under dispute** umstritten sein; **this is beyond dispute** das ist unbestritten **2.** *unter Wissenschaftlern, Fachleuten auch*: Streit, Kontroverse
disqualification [dɪsˌkwɒlɪfɪ'keɪʃn] *im Sport*: Disqualifikation, Disqualifizierung
disqualify [dɪs'kwɒlɪfaɪ] *im Sport*: disqualifizieren (*Mannschaft, Sportler*)
disregard[1] [ˌdɪsrɪ'gɑːd] **1.** nicht beachten, ignorieren (*Warnung, Tatsachen usw.*) **2.** *auch*: missachten (*Gefahr, Ratschlag usw.*)
disregard[2] [ˌdɪsrɪ'gɑːd] Nichtbeachtung, Ignorierung (**of, for**; *dt. Genitiv*); **he shows complete disregard for her feelings** ihre Gefühle sind ihm völlig gleichgültig
disrepair [ˌdɪsrɪ'peə] **be in (a state of) disrepair** (*Gebäude usw.*) baufällig sein
disreputable [⚠ dɪs'repjʊtəbl] **1.** *Person, Firma usw.*: zwielichtig **2.** *Gegend, Stadtviertel usw.*: verrufen
disrepute [ˌdɪsrɪ'pjuːt] *von Person, Firma usw.*: schlechter Ruf; **bring into disrepute** in Verruf bringen
disrespect [ˌdɪsrɪ'spekt] Respektlosigkeit
disrespectful [ˌdɪsrɪ'spektfl] respektlos (**to** gegenüber)
disrupt [dɪs'rʌpt] unterbrechen, stören (*Gespräch, Sitzung, Verkehr usw.*)
disruption [dɪs'rʌpʃn] *von Ablauf, Fahrplan, Sitzung usw.*: Störung, Unterbrechung
disruptive [dɪs'rʌptɪv] störend; **disruptive pupil** *in Klasse*: Störenfried
dissatisfaction [ˌdɪssætɪs'fækʃn] *allg.*: Unzufriedenheit
dissatisfied [ˌdɪs'sætɪsfaɪd] *allg.*: unzufrieden (**at, with** mit)
dissect [dɪ'sekt] **1.** sezieren (*Leichnam, Kadaver*) **2.** *übertragen* zerlegen (*Argument, Bericht, These usw.*)
dissension [dɪ'senʃn] Meinungsverschiedenheit
dissent[1] [dɪ'sent] *bes. ideologisch und religiös*: anderer Meinung sein (**from** als), nicht übereinstimmen (**from** mit)
dissent[2] [dɪ'sent] *bes. ideologisch und religiös*: Dissens, Meinungsverschiedenheit
dissenter [dɪ'sentə] *bes. ideologisch und religiös*: Andersdenkende(r), Abweichler (-in)
dissertation [ˌdɪsə'teɪʃn] **1.** *allg.*: wissenschaftliche Abhandlung **2.** *für Doktortitel*: Dissertation **3.** *für Magister*: Magisterarbeit **4.** *für Diplom*: Diplomarbeit
disservice [dɪ'sɜːvɪs, ˌdɪs'sɜːvɪs] **do someone a disservice** jemandem einen schlechten Dienst erweisen
dissident ['dɪsɪdənt] *mst. politisch*: Andersdenkende(r), Dissident(in), Regimekritiker(in)
dissolution [ˌdɪsə'luːʃn] **1.** *von Parlament usw.*: Auflösung **2.** (≈ *Auseinanderfallen*) Auflösung (*eines Reiches, Staates usw.*) **3.** *von Vertrag, Ehe usw.*: Annullierung, Aufhebung
dissolve [⚠ dɪ'zɒlv] **1.** (*Salz, Zucker, Tablette usw.*) sich auflösen (*auch Parlament*); **dissolve into tears** in Tränen zerfließen **2.** auflösen (*Tabletten in Wasser usw., auch*: *Parlament*) **3.** annullieren, aufheben (*Vertrag, Ehe usw.*)
distance[1] ['dɪstəns] **1.** *räumlich*: Entfernung; **at a distance** in einiger Entfernung; **at a distance of 100 metres** in einer Entfernung von 100 Metern; **from a distance** aus der Ferne, von weitem; **the pub is within walking distance** zu der Kneipe kann man laufen **2. keep one's distance** *übertragen* Abstand wahren, Distanz halten; **he tries to keep his classmates at a distance** er versucht zu seinen Klassenkameraden Distanz zu halten **3.** *Boxen usw.*: Distanz; **go the distance** über die volle Distanz gehen, *übertragen* durchhalten
distance[2] ['dɪstəns] **distance oneself** sich distanzieren (**from** von)
distant ['dɪstənt] **1.** *räumlich*: weit entfernt, fern **2.** *zeitlich*: weit zurückliegend, fern (*auch in der Zukunft*); **in the not too distant future** in nicht allzu ferner Zukunft **3.** *Verwandtschaft*: entfernt **4.** *Person, Verhalten usw.*: distanziert, kühl
distaste [dɪs'teɪst] Widerwille, Abneigung (**for** gegen)
distasteful [dɪs'teɪstfl] unangenehm; **be**

distasteful to someone jemandem zuwider sein
distil [dɪ'stɪl], ***distilled, distilled*** **1.** *Chemie*: destillieren (*auch übertragen*) **2.** brennen (*Branntwein usw.*) (***from*** aus)
distillation [ˌdɪstɪ'leɪʃn] **1.** *Chemie*: Destillation **2.** *von Branntwein usw.*: Brennen
distinct [dɪ'stɪŋkt] **1.** (≈ *anders*) verschieden (***from*** von); ***techno rhythms are quite distinct from heavy metal*** Technorhythmen unterscheiden sich deutlich von Heavymetal **2.** *Merkmal, Eigenschaft usw.*: ausgeprägt, klar, deutlich; ***she's got a distinct Franconian accent*** sie hat einen ausgeprägten fränkischen Akzent
distinction [dɪ'stɪŋkʃn] **1.** (≈ *das Unterscheiden*) Unterscheidung **2.** Unterschied; ***draw*** *oder* ***make a distinction between …*** einen Unterschied machen zwischen …
distinguish [dɪ'stɪŋgwɪʃ] **1.** unterscheiden (***between*** zwischen; ***from*** von); ***I can't distinguish Joan from Kate*** ich kann Joan und Kate nicht auseinander halten **2.** (≈ *hören oder sehen*) wahrnehmen, erkennen
distinguished [dɪ'stɪŋgwɪʃt] **1.** *Leistung, Persönlichkeit usw.*: herausragend, namhaft **2.** *äußere Erscheinung, Auftreten usw.*: vornehm
distract [dɪ'strækt] ablenken (*Aufmerksamkeit, Person usw.*) (***from*** von)
distracted [dɪ'stræktɪd] **1.** *wegen Problem, Sorgen usw.*: beunruhigt **2.** *vor Verzweiflung, Sorge usw.*: außer sich (***with, by*** vor)
distraction [dɪ'strækʃn] **1.** *vom Arbeiten, Lernen usw.*: Ablenkung **2.** *oft* ***distractions*** *Pl.* (≈ *Zeitvertreib*) Zerstreuung, Ablenkung **3.** ***drive someone to distraction*** *übertragen* jemanden zum Wahnsinn treiben
distress [dɪ'stres] **1.** Verzweiflung, (starke) Betroffenheit **2.** (≈ *Armut*) Not, Elend **3.** ***in distress*** *Schiff*: in Seenot
distressed [dɪ'strest] **1.** *Person*: betroffen, erschüttert **2.** ***distressed area*** Notstandsgebiet
distressing [dɪ'stresɪŋ] bedrückend, *stärker*: erschreckend
distribute [dɪ'strɪbjuːt] **1.** *an Bedürftige usw.*: verteilen, austeilen (*Hilfsgüter, Lebensmittel usw.*) (***among*** unter; ***to*** an); ***demonstrators distributed leaflets among the crowd*** Demonstranten verteilten Flugblätter unter der Menge **2.** vertreiben (*Waren*)
distribution [ˌdɪstrɪ'bjuːʃn] **1.** *von Hilfsgütern usw.*: Verteilung, Austeilung **2.** *von Waren*: Vertrieb
district ['dɪstrɪkt] **1.** *verwaltungstechnisch*: Distrikt, Bezirk, Kreis **2.** *von Stadt*: Bezirk, Viertel **3.** *von Land*: Gegend, Gebiet
district attorney [ˌdɪstrɪkt‿ə'tɜːnɪ] *AE* Staatsanwalt, Staatsanwältin
distrust[1] [dɪs'trʌst] Misstrauen (***of*** gegenüber)
distrust[2] [dɪs'trʌst] misstrauen; ***why do you distrust her?*** warum traust du ihr nicht?
disturb [dɪ'stɜːb] **1.** *allg.*: stören; ***sorry to disturb you, but …*** entschuldige die Störung, aber …; ***please do not disturb*** *Aufschrift*: bitte nicht stören **2.** (*Vorfall, Nachricht usw.*) beunruhigen, Sorgen machen
disturbance [dɪ'stɜːbəns] **1.** *von Arbeit, Ruhe usw.*: Störung **2.** *durch Lärm, Nachbarn auch*: Ruhestörung **3.** *oft* ***disturbances*** *Pl., politisch, sozial usw.*: Unruhen
disuse [ˌdɪs'juːs] ***fall into disuse*** ungebräuchlich werden
disused [ˌdɪs'juːzd] **1.** *Maschine usw.*: nicht mehr benutzt **2.** *Bergwerk, Fabrik*: stillgelegt
ditch[1] [dɪtʃ] **1.** *zur Ent- oder Bewässerung usw.*: Graben **2.** *an Straße*: Straßengraben
ditch[2] [dɪtʃ] **1.** den Laufpass geben (*Freund, Freundin*) **2.** wegschmeißen (*Gerümpel usw.*) **3.** stehen lassen (*Auto*)
dither[1] ['dɪðə] zaudern, sich nicht entscheiden können
dither[2] ['dɪðə] ***be in a dither*** aufgeregt sein
dive[1] [daɪv], ***dived*** *oder AE* ***dove*** [dəʊv], ***dived*** **1.** *in Schwimmbecken usw.*: einen Hecht- *oder* Kopfsprung machen **2.** (≈ *unter Wasser schwimmen*) tauchen (***for*** nach) **3.** (*U-Boot usw.*) tauchen, untertauchen **4.** (*bes. Torwart*) sich werfen, hechten (***for*** nach)
dive[2] [daɪv] **1.** *in Schwimmbecken usw.*: Kopfsprung **2.** ***make a dive for*** hechten nach **3.** *umg.* Spelunke **4.** ***take a dive*** *umg.*; *Fußball*: eine Schwalbe bauen
diver ['daɪvə] **1.** Taucher(in) **2.** *Sport*: Wasserspringer(in)
diverse [daɪ'vɜːs] *Stile, Interessen usw.*: verschiedenartig, unterschiedlich
diversion [daɪ'vɜːʃn] **1.** *von Arbeit, Lernen usw.*: Ablenkung **2.** *bes. BE*; *im Straßenverkehr*: Umleitung
diversity [daɪ'vɜːsətɪ] *von Meinungen usw.*: Vielfalt; ***London's cultural diversity*** Londons kulturelle Vielfalt
divert [daɪ'vɜːt] **1.** ablenken (*Aufmerksamkeit*) **2.** lenken (*Aufmerksamkeit, Kritik usw.*) (***to*** auf) **3.** *BE* umleiten (*Verkehr*)
divide [dɪ'vaɪd] **1.** *allg.*: teilen, aufteilen;

Berlin was divided for almost 30 years Berlin war fast dreißig Jahre lang geteilt **2.** *mst. zu gleichen Teilen*: teilen; ***divide an apple in half*** einen Apfel halbieren **3.** *Mathematik*: dividieren, teilen (***by*** durch); ***20 divided by 5 is 4*** 20 (geteilt) durch 5 ist 4 **4.** (*Fluss, Gang, Straße usw.*) sich teilen **5.** ***be divided into*** (*Bericht, Buch, Film usw.*) sich unterteilen in, sich gliedern in **6.** ***be divided over something*** über etwas verschiedener Meinung sein; ***scientists are divided over the issue*** die Meinungen der Wissenschaftler über diese Sache gehen auseinander

divine [dɪ'vaɪn] göttlich (*auch übertragen*)

diving ['daɪvɪŋ] **1.** Tauchen; ***diving suit*** Taucheranzug **2.** *Sport*: Kunstspringen, Turmspringen; ***diving board*** *in Schwimmbad*: Sprungbrett; ***diving tower*** Sprungturm

division [dɪ'vɪʒn] **1.** *allg.*: Teilung, Aufteilung; ***division of labour*** Arbeitsteilung **2.** *Mathematik*: Division **3.** *militärisch*: Division **4.** *Sport*: Liga

divorce[1] [dɪ'vɔːs] *von Ehe*: Scheidung; ***get a divorce*** geschieden werden, sich scheiden lassen (***from*** von)

divorce[2] [dɪ'vɔːs] scheiden (*Personen, Ehe*); ***she has divorced her husband*** sie hat sich (von ihrem Mann) scheiden lassen; ***The Wilsons are getting divorced*** Wilsons lassen sich scheiden

DIY [ˌdiː‿aɪ'waɪ] *Abk. für* → ***do-it-yourself***; ***DIY store*** Heimwerkermarkt, Baumarkt

dizziness ['dɪzɪnəs] Schwindelgefühl

dizzy ['dɪzɪ] schwindlig; ***I feel a bit dizzy*** mir ist ein bisschen schwindlig

DNA [ˌdiːen'eɪ] (*Abk. für* **d**eoxyribo**n**ucleic **a**cid) DNS; ***DNA file*** Gendatei; ***DNA fingerprint*** genetischer Fingerabdruck

do[1] [duː], ***did*** [dɪd], ***done*** [dʌn] **1.** *allg.*: tun, machen; ***have you done your homework?*** hast du deine Hausaufgaben gemacht?; ***I've got nothing to do*** ich habe nichts zu tun; ***what can I do for you?*** was kann ich für dich tun?, *in Geschäft*: was darfs denn sein? **2.** (≈ *tätig sein*) ausführen, verrichten (*Arbeiten usw.*); ***who's doing the dishes?*** wer spült ab?; ***what does he do?*** *beruflich*: was macht er denn so?; ***I'll do my best*** ich tue mein Bestes, ich werde mir die größte Mühe geben **3.** *Körperpflege*: ***do one's face*** sich schminken; ***do one's hair*** sich frisieren; ***do one's teeth*** sich die Zähne putzen **4.** zurücklegen (*Strecke*); ***on the first day of our cycling tour we did 55 km*** am ersten Tag unserer Radtour haben wir 55 km geschafft **5.** (*Auto, Motorrad usw.*) fahren, schaffen; ***the car does 100 mph*** der Wagen fährt 160 km/h **6.** *umg.*; *auf einer Reise*: besichtigen (*Sehenswürdigkeiten*); ***tomorrow we'll do the museum*** morgen gehen wir ins Museum **7.** (≈ *etwas schaffen, erreichen*) vorankommen; ***the essay's done*** der Aufsatz ist fertig; ***well done*** gut gemacht; ***how are you doing at your new school?*** wie kommst du denn an deiner neuen Schule klar? **8.** genügen, reichen (***for*** für); ***two fried chickens should do for the three of us*** zwei Brathähnchen sollten für uns drei reichen; ***that'll do*** das reicht, *ärgerlich*: jetzt reichts aber! **9.** *in Wendungen*: ***how do you do?*** *bei Vorstellung*: guten Tag!; ***how're you doing?*** wie gehts denn so?; ***nothing doing!*** *auf Vorschlag, Bitte*: nichts da!, ausgeschlossen! **10.** *als Ersatzverb*; *mst. unübersetzt*: ***"I love pizza." - "So do I."*** „Ich liebe Pizza." - „Ich auch."; ***he works hard, doesn't he?*** er arbeitet viel, nicht wahr? **11.** *in Fragesätzen*: ***do you know him?*** kennst du ihn? **12.** *in Verneinungen*: ***I don't believe it*** ich glaube es nicht **13.** *verstärkend*: ***I 'did like it*** mir gefiel es wirklich; ***I 'did like it but …*** mir gefiel es zwar, aber …; ***do have a seat*** setzen Sie sich doch; ☞ *Info unter dt.* ***machen***

do away with [ˌduː‿ə'weɪ‿wɪð] **1.** abschaffen (*Brauch, Gesetz, Regelung*) **2.** *umg.* (≈ *töten*) wegschaffen, beseitigen

do down [ˌduː'daʊn] *BE, umg.* (≈ *kritisieren*) runtermachen

do in [ˌduː'ɪn] **1.** ***I'm done in*** *umg.* ich bin geschafft **2.** *umg.* (≈ *töten*) um die Ecke bringen

do up [ˌduː'ʌp] **1.** verschnüren, zusammenschnüren (*Paket*) **2.** zumachen (*Kleid, Mantel, Reißverschluss usw.*) **3.** ***do oneself up*** *zum Ausgehen usw.*: sich zurechtmachen **4.** wieder herrichten (*altes Auto, Haus usw.*)

do with ['duː‿wɪð] **1.** ***I can't do anything with him*** (*bzw.* ***it***) ich kann nichts mit ihm (*bzw.* damit) anfangen; ***I won't have anything to do with it*** ich will nichts damit zu tun *oder* schaffen haben; ***it has nothing to do with you*** es hat nichts mit dir zu tun **2.** ***we could do with the money*** *umg.* wir können das Geld sehr gut brauchen; ***I could do with a cup of tea*** ich könnte eine Tasse Tee vertragen

do without [ˌduː‿wɪð'aʊt] auskommen ohne; ***I simply can't do without my computer*** ohne meinen Computer komme ich einfach nicht mehr aus; ***I can do without your silly comments*** auf deine blöden Kommentare kann ich verzichten

do[2] [duː] *Pl.*: ***dos*** *oder* ***do's*** [duːz]; ***dos*** (*bzw.* ***do's***) ***and don'ts*** *umg.* Gebote und Verbote, Spielregeln

do

Beim Plural wird manchmal ein Apostroph eingesetzt (**do's**), da man **dos** ohne Apostroph sonst als [dɒs] lesen könnte.

doc [dɒk] *umg.* → ***doctor**[1] **1***
dock[1] [dɒk] *zum Be- und Entladen von Schiffen*: Dock, Kai; ***docks*** *Pl.* Docks *Pl.*, Hafenanlagen
dock[2] [dɒk] **1.** (*Schiff*) anlegen **2.** (*Raumschiffe*) andocken, ankoppeln
dock[3] [dɒk] kürzen (*Lohn, Gehalt usw.*)
dock[4] [dɒk] ***be in the dock*** auf der Anklagebank sitzen
docker ['dɒkə] Hafenarbeiter
dockyard ['dɒkjɑːd] *für den Schiffbau*: Werft
doctor[1] ['dɒktə] **1.** *Medizin*: Doktor, Arzt, Ärztin; ***go to*** *oder* ***see the doctor*** den Arzt aufsuchen; ***doctor's certificate*** ärztliches Attest **2.** *akademischer Grad*: Doktor; ***doctor's degree*** Doktortitel; ***take one's doctor's degree*** promovieren, *umg.* seinen Doktor machen
doctor[2] ['dɒktə] **1.** *umg.* panschen (*Wein usw.*) **2.** *umg.* frisieren (*Abrechnung usw.*)
doctorate ['dɒktərət] Doktortitel; ***Susan is working on her doctorate*** Susan sitzt an ihrer Doktorarbeit
document[1] ['dɒkjʊmənt] Dokument, Urkunde
document[2] ['dɒkjʊment] dokumentieren, urkundlich belegen (*Rechtsanspruch, Sachverhalt usw.*)
documentary[1] [ˌdɒkjʊ'mentərɪ] **1.** *Beweis usw.*: dokumentarisch, urkundlich **2.** *Bericht usw.*: Dokumentar…; ***documentary film*** Dokumentarfilm
documentary[2] [ˌdɒkjʊ'mentərɪ] Dokumentarfilm
dodge[1] [dɒdʒ] **1.** (≈ *rasch zur Seite springen*) ausweichen **2.** *übertragen* sich drücken vor (*Arbeit, Militär usw.*) **3.** *übertragen* ausweichen (*Frage, Problem usw.*)
dodge[2] [dɒdʒ] **1.** Sprung zur Seite; ***make a dodge*** zur Seite springen **2.** *umg.* Kniff, Trick
dodger ['dɒdʒə] *mst. in Zusammensetzungen*: ***fare dodger*** *in Bus usw.*: Schwarzfahrer; ***tax dodger*** Steuerhinterzieher
dodgy ['dɒdʒɪ] **1.** *umg.*; *Person*: verschlagen, gerissen **2.** *umg.*; *Situation*: unsicher, verzwickt
doe [dəʊ] **1.** Geiß, Rehgeiß **2.** Häsin
doer ['duːə] Tatmensch, Macher(in)
does [dʌz] *3. Person, Präsens, Singular von* → ***do**[1]*
doesn't ['dʌznt] *Kurzform von* ***does not***
dog [dɒg] **1.** *allg.*: Hund **2.** *männlicher Hund*: Rüde **3.** *umg. für Personen*: ***dirty dog*** Mistkerl; ***lazy dog*** fauler Hund; ***lucky dog*** Glückspilz **4.** ***the dogs*** *Pl., BE* das Hunderennen **5.** *in Wendungen*: ***go to the dogs*** vor die Hunde gehen; ***lead a dog's life*** ein Hundeleben führen; ***let sleeping dogs lie*** schlafende Hunde soll man nicht wecken
dog-eared ['dɒgɪəd] *Buch*: voll Eselsohren
doggy, **doggie** ['dɒgɪ] *Kindersprache*: Wauwau; ***doggy bag*** *Beutel für Essenreste, die aus einem Restaurant mit nach Hause* (Ⓐ, ⒸⒽ *nachhause*) *genommen werden*
dogma ['dɒgmə] *religiös, politisch usw.*: Dogma
dogmatic [dɒg'mætɪk] *Person, Ansicht, Aussage usw.*: dogmatisch
dogsbody ['dɒgzˌbɒdɪ] *umg.* Mädchen für alles
dog-tired [ˌdɒg'taɪəd] *umg.* hundemüde
doing ['duːɪŋ] **1.** Tun; ***it was your doing*** das war dein Werk; ***that takes some doing*** dazu gehört schon etwas **2.** ***doings*** *Pl., umg.* Taten
do-it-yourself [ˌduːɪtjə'self] (*Abk.* ***DIY***) Heimwerken; ***do-it-yourself kit*** Heimwerkerausrüstung, *für Gerät usw.*: Bausatz
doldrums ['dɒldrəmz] *Pl.*, ***be in the doldrums*** *umg.* deprimiert sein, Trübsal blasen
dole [dəʊl] *BE, umg.* Arbeitslosenunterstützung, *umg.* Stempelgeld; ***be on the dole*** stempeln gehen
doll [dɒl] *Spielzeug*: Puppe; ***doll's house*** *BE* Puppenhaus
dollar ['dɒlə] *Währung*: Dollar
dolly ['dɒlɪ] *Kindersprache*: Püppchen
dolphin ['dɒlfɪn] *Meerestier*: Delphin
domain [də'meɪn] *übertragen* Domäne, Wissensgebiet, Arbeitsbereich
dome [dəʊm] *von Bauwerk*: Kuppel (⚠ *Dom* = ***cathedral***)

domestic [də'mestɪk] **1.** (≈ *zum Haushalt gehörend*) häuslich, Haushalts…; ***domestic servant*** *oder* ***help*** Hausangestellte(r); ***domestic waste*** Hausmüll; ***domestic science*** *früher*: Hauswirtschaftslehre **2.** *Politik, Wirtschaft*: inländisch, Inlands…; ***domestic flight*** Inlandsflug; ***domestic products*** inländische Erzeugnisse; ***domestic trade*** Binnenhandel; ***domestic policy*** Innenpolitik

dominance ['dɒmɪnəns] *allg.*: Vorherrschaft, Dominanz

dominant ['dɒmɪnənt] **1.** *Person*: dominierend, tonangebend **2.** *Erbanlage*: dominant **3.** *Gebäude, Farbton usw.*: dominierend, beherrschend

dominate ['dɒmɪneɪt] *allg.*: dominieren, beherrschen

Dominican Republic [dəˌmɪnɪkən‿rɪ'pʌblɪk] *die* Dominikanische Republik

dominion [də'mɪnjən] **1.** *politisch*: Herrschaft **2.** *Land*: Herrschaftsgebiet **3.** *historisch*: Dominion (*im Commonwealth*)

domino ['dɒmɪnəʊ] *Pl.*: ***dominoes*** ['dɒmɪnəʊz] **1.** Dominostein **2.** ***dominoes*** (⚠ *im Sg. verwendet*) *Spiel*: Domino

donate [dəʊ'neɪt] **1.** *an Person, Organisation*: spenden, schenken, stiften **2.** ***donate blood*** Blut spenden

donation [dəʊ'neɪʃn] *an Person, Organisation*: Schenkung, Spende, Stiftung

done[1] [dʌn] *3. Form von* → ***do***[1]

done[2] [dʌn] **1.** getan, erledigt; ***get something done*** etwas erledigen, mit etwas fertig werden **2.** *Speisen*: gar; ***well done*** *Steak*: durchgebraten **3.** ***done!*** *umg.* abgemacht! **4.** ***I'm done in*** *umg.* (≈ *erschöpft*) ich bin total erledigt

donkey ['dɒŋkɪ] *Tier*: Esel (*auch übertragen*); ***it's donkey's years since …*** *BE, umg.* es ist eine Ewigkeit her, seit …

donkeywork ['dɒŋkɪwɜːk] *umg.* Drecksarbeit

donor ['dəʊnə] **1.** *von Spende usw.*: Spender(in), Stifter(in) **2.** *von Blut*: Spender(-in); ***donor card*** Organspenderausweis

don't [dəʊnt] *Kurzform von* ***do not***

doodah ['duːdɑː] *BE, umg.; kleiner Gegenstand*: Dingsbums

doodle[1] ['duːdl] Männchen malen, kritzeln

doodle[2] ['duːdl] Gekritzel

doom[1] [duːm] Schicksal, Verhängnis; ***he met his doom*** sein Schicksal ereilte ihn

doom[2] [duːm] ***we're doomed*** wir sind verloren; ***be doomed to failure*** *oder* ***to fail*** zum Scheitern verurteilt sein

doomsday ['duːmzdeɪ] *Religion*: das Jüngste Gericht, der Jüngste Tag

door [dɔː] **1.** *allg.*: Tür; ***please close the door*** mach bitte die Tür zu; ***there's someone at the door*** da ist jemand an der Tür (= *es hat geklopft usw.*); ***answer the door*** aufmachen; ***I'll drop you at the door*** ich fahre dich bis nach Hause (Ⓐ, Ⓒⓗ nachhause); ***she lives two doors down*** sie wohnt zwei Häuser weiter; ***the girl next door*** das Mädchen von nebenan; ***out of doors*** im Freien **2.** *in Wendungen*: ***close*** *oder* ***shut the door on someone*** jemanden abweisen; ***that shuts the door on his plans*** damit sind seine Pläne hinfällig ; ***show someone the door*** jemandem die Tür weisen

doorbell ['dɔːbel] Türklingel; ***ring the doorbell*** (an der Tür) klingeln

doorknob ['dɔːnɒb] Türgriff

doorman ['dɔːmən] *Pl.*: ***doormen*** Portier

doormat ['dɔːmæt] Fußabtreter (*auch übertragen für Person*)

doorstep ['dɔːstep] Türstufe; ***we've got a supermarket right on our doorstep*** wir haben einen Supermarkt direkt vor unserer Haustür

door-to-door [ˌdɔː‿tə'dɔː] ***door-to-door salesman*** Vertreter

doorway ['dɔːweɪ] (offene) Tür, Eingang

dope[1] [dəʊp] **1.** *umg.* (≈ *Rauschgift*) Stoff; ***dope addict*** *umg.* Rauschgiftsüchtige(r) **2.** *Medizin*: Betäubungsmittel **3.** *umg.* Trottel

dope[2] [dəʊp] **1.** *Sport*: dopen **2.** *einem Getränk usw.*: ein Betäubungsmittel untermischen

dope test ['dəʊp‿test] *Sport*: Dopingkontrolle

dopey, **dopy** ['dəʊpɪ] *umg.* **1.** benommen, benebelt **2.** dämlich, doof

dormitory ['dɔːmətrɪ] **1.** *in Internat usw.*: Schlafsaal **2.** *AE* Studentenwohnheim

dormitory town ['dɔːmətrɪ‿taʊn] Schlafstadt

dorsal ['dɔːsl] *von Tier*: Rücken…; ***dorsal fin*** Rückenflosse

DOS® [dɒs] (*Abk. für* **d**isk **o**perating **s**ystem) *Computer*: Betriebssystem

dosage ['dəʊsɪdʒ] *von Arznei*: Dosierung

dose [dəʊs] *von Arznei*: Dosis (*auch von Strahlung usw.*)

doss [dɒs] *BE, salopp* **1.** Schlafplatz **2.** Schlaf **3.** (≈ *leichte Sache*) Kinderspiel

doss down [ˌdɒs'daʊn] *BE, salopp* sich hinhauen (*zum Schlafen*)

dosser ['dɒsə] *BE, salopp* (≈ *Obdachloser*) Penner(in)

dosshouse ['dɒshaʊs] *BE, salopp* (≈ *Obdachlosenheim*) Penne
dot[1] [dɒt] **1.** *über i, ö usw.*: Punkt, Pünktchen **2.** *in Internetadressen*: Punkt **3.** ***on the dot*** *umg.* auf die Sekunde pünktlich; ***at 8 o'clock on the dot*** *umg.* Punkt 8 Uhr
dot[2] [dɒt], ***dotted, dotted*** **1.** *mit einem Stift usw.*: punktieren; ***dotted line*** punktierte Linie; ***sign on the dotted line*** unterschreiben, *übertragen* formell zustimmen **2.** sprenkeln, übersäen (*Fläche*) (***with*** mit); ***the lake was dotted with sails*** der See war mit Segeln übersät
dot-com[1] ['dɒtkɒm] Internet…; ***dot-com company*** Internetfirma
dot-com[2] ['dɒtkɒm] Internetfirma

dote on ['dəʊt‿ɒn] ***dote on someone*** in jemanden vernarrt sein

double[1] ['dʌbl] **1.** (≈ *zweifach*) doppelt, Doppel…, zweifach; ***double murder*** Doppelmord; ***double the amount*** die zweifache Menge; ***it costs double what it did last time*** es kostet doppelt so viel wie letztes Mal; ***see double*** doppelt sehen; ***his remark has a double meaning*** seine Bemerkung ist doppeldeutig **2.** *für 2 bestimmt*: Doppel…; ***double bed*** Doppelbett; ***double room*** Doppelzimmer, Zweibettzimmer **3.** *bei Telefonnummern usw.*: ***the number is eight double five seven*** die Nummer ist 8557
double[2] ['dʌbl] **1.** *von Anzahl, Größe usw.*: das Doppelte, das Zweifache **2.** *Person*: Doppelgänger(in) **3.** *in Film, TV*: Double **4.** *mst.* ***doubles*** *Pl., Tennis usw.*: Doppel; ***a doubles match*** ein Doppel; ***men's doubles*** Herrendoppel
double[3] ['dʌbl] **1.** verdoppeln (*Preis, Anstrengungen usw.*) **2.** (*Preise, Menge, Anzahl usw.*) sich verdoppeln **3.** *oft* ***double over*** falten (*Papier usw.*)

double up [ˌdʌbl'ʌp] **1.** *vor Lachen, Schmerzen usw.*: sich krümmen **2.** teilen (*je nach Kontext: Zimmer, Bett, Buch usw.*); ***you'll have to double up with Jenny*** du wirst dir mit Jenny ein Zimmer teilen müssen

double-check [ˌdʌbl'tʃek] zweimal *oder* genau nachprüfen
double chin [ˌdʌbl'tʃɪn] Doppelkinn
double click ['dʌbl‿klɪk] *Computer*: Doppelklick
double-click ['dʌblklɪk] *Computer*: doppelklicken
double-cross [ˌdʌbl'krɒs] ***double-cross someone*** ein doppeltes *oder* falsches Spiel mit jemandem treiben
double-dealing[1] [ˌdʌbl'diːlɪŋ] Betrug
double-dealing[2] [ˌdʌbl'diːlɪŋ] betrügerisch
double-decker [ˌdʌbl'dekə] *Bus, Flugzeug*: Doppeldecker
double fault [ˌdʌbl'fɔːlt] *Tennis*: Doppelfehler
double feature [ˌdʌbl'fiːtʃə] *im Kino*: Doppelprogramm (*2 Spielfilme pro Vorstellung*)
double glazing [ˌdʌbl'gleɪzɪŋ] Doppelfenster *Pl.*
double-park [ˌdʌbl'pɑːk] in zweiter Reihe parken
double-quick [ˌdʌbl'kwɪk] *umg.* **1.** im Eiltempo, fix **2.** ***in double-quick time*** im Eiltempo, fix
double-take ['dʌblteɪk] ***do a double-take*** zweimal hinsehen müssen (*vor Verblüffung*)
doubt[1] [⚠ daʊt] **1.** bezweifeln (***that*** dass), zweifeln; ***I doubt it*** das bezweifle ich, da habe ich meine Zweifel **2.** anzweifeln (*Behauptung, Aussage usw.*)
doubt[2] [⚠ daʊt] Zweifel (***about*** hinsichtlich); ***no doubt*** zweifellos, fraglos; ***I have no doubt about that*** ich bezweifle das nicht; ***her reliability is beyond doubt*** ihre Verlässlichkeit steht außer Zweifel; ***the school's future is in doubt*** die Zukunft der Schule ist ungewiss; ***leave no doubts about something*** an etwas keinen Zweifel lassen
doubtful [⚠ 'daʊtfl] **1.** *allg.*: zweifelhaft (*auch Ruf, Charakter usw.*) **2.** *Person*: zweifelnd, skeptisch; ***be doubtful about something*** an etwas zweifeln, über etwas im Zweifel sein
doubtless [⚠ 'daʊtləs] zweifellos, sicherlich
dough [⚠ dəʊ] **1.** *für Brot usw.*: Teig **2.** *umg.* (≈ *Geld*) Kohle, Knete
dove [⚠ dʌv] **1.** *Vogel*: Taube; ***dove of peace*** *übertragen* Friedenstaube **2.** *Politik*: Taube (*gemäßigter Politiker*)
down[1] [daʊn] **1.** *räumlich allg.*: nach unten, herunter, hinunter **2.** *im Aufzug usw.*: abwärts **3.** *in Kreuzworträtsel*: senkrecht **4.** *auf die Frage „wo?"*: unten, drunten; ***down there*** dort unten **5.** *geographisch*: ***down the river*** flussabwärts; ***down under*** *umg.* in *oder* nach Australien *oder* Neuseeland **6.** *eine Strecke*: entlang; ***go down the street till you reach the bank***

gehen Sie die Straße entlang, bis Sie die Bank erreichen **7.** *Preise, Aktienkurse usw.*: gefallen; ***the temperature is down by 10 degrees*** die Temperatur ist um 10 Grad gefallen **8.** *psychisch*: niedergeschlagen, down **9.** *Sport*: im Rückstand; ***we were 2 goals down*** wir lagen mit 2 Toren zurück **10.** ***down with …!*** nieder mit …!

down[2] [daʊn] **1.** *mit Gewalt*: zu Fall bringen (*auch übertragen*) **2.** ***down tools*** die Arbeit niederlegen **3.** abschießen (*Flugzeug*) **4.** *umg.* runterkippen (*Getränk*)

down[3] [daʊn] **1.** *von Vögeln*: Daunen *Pl.*; ***down quilt*** Daunendecke **2.** (≈ *Härchen*) Flaum

downcast ['daʊnkɑːst] **1.** deprimiert, niedergeschlagen **2.** *Blick*: gesenkt

downer ['daʊnə] **1.** Beruhigungsmittel **2.** ***be on a downer*** *umg.* down sein

downfall ['daʊnfɔːl] **1.** *sozial, finanziell*: Sturz, Ruin **2.** starker Regenguss, Platzregen

downhearted [ˌdaʊn'hɑːtɪd] niedergeschlagen, entmutigt

downhill [ˌdaʊn'hɪl] **1.** abwärts, bergab (*beide auch übertragen*), den Berg hinunter; ***he's going downhill*** *übertragen* es geht bergab mit ihm **2.** *Skisport*: Abfahrts…: ***downhill race*** Abfahrtslauf

Downing Street

Falls du in den englischen Nachrichten den Ausdruck **Number Ten** hören oder lesen solltest: Er steht für den offiziellen Sitz des **Prime Minister** (Premierminister, Premierministerin) in der **Downing Street**, wo er bzw. sie traditionell das Haus Nummer 10 bewohnt. Schriftlich wird es oft zu **No 10** abgekürzt (**no** ist die Abkürzung des französischen „numéro“).

Aus Platzgründen ist der jetzige Premierminister Tony Blair in **Downing Street No 11** umgezogen. Er hat mit dem **Chancellor of the Exchequer** (Finanzminister), der normalerweise in **No 11** wohnen würde, getauscht.

download ['daʊnləʊd] *Computer, Multimedia*: herunterladen (*Daten usw.*)

downmarket [ˌdaʊn'mɑːkɪt] *Waren, Restaurant usw.*: billig, Billig…

down payment [ˌdaʊn'peɪmənt] *beim Kauf*: Anzahlung

downplay [ˌdaʊn'pleɪ] herunterspielen, bagatellisieren

downpour ['daʊnpɔː] Platzregen

downright ['daʊnraɪt] *Frechheit, Rücksichtslosigkeit usw.*: absolut, ausgesprochen; ***a downright lie*** eine glatte Lüge

downriver [ˌdaʊn'rɪvə] flussabwärts

downside ['daʊnsaɪd] (≈ *Nachteil*) Kehrseite

downsize ['daʊnsaɪz] **1.** (*Firma*) abbauen (*Arbeitskräfte, Stellen*) **2.** *beim Umziehen*: in eine kleinere Wohnung ziehen, sich verkleinern

downsizing ['daʊnˌsaɪzɪŋ] **1.** *in Firma*: Stellenabbau **2.** *Umzug in eine kleinere Wohnung*

downstairs [ˌdaʊn'steəz] ↔ ***upstairs*** **1.** *auf die Frage „wohin?“*: nach unten, die Treppe herunter *oder* hinunter; ***let's go downstairs*** gehen wir nach unten **2.** *auf die Frage „wo?“*: unten, im unteren Stockwerk; ***the downstairs flats*** die unteren Wohnungen

down-to-earth [ˌdaʊntʊ'ɜːθ] realistisch

downtown [ˌdaʊn'taʊn] *bes. AE* im *oder* ins Stadtzentrum; ***in downtown Los Angeles*** in der Innenstadt von Los Angeles; ***live downtown*** im Stadtzentrum *oder* in der Innenstadt wohnen

down under [ˌdaʊn'ʌndə] *umg. für* Australien *oder* Neuseeland; ☞ ***down*[1]*5***

downward ['daʊnwəd] **1.** *auch* ***downwards*** *fallen, gehen, sehen usw.*: nach unten **2.** *übertragen* abwärts, bergab; ***the team is on the downward path*** mit der Mannschaft geht es bergab

dowry ['daʊrɪ] *von Braut*: Mitgift, Aussteuer

doze[1] [dəʊz] dösen, ein Nickerchen machen

doze off [ˌdəʊz'ɒf] einnicken, eindösen

doze[2] [dəʊz] Nickerchen; ***have a doze*** dösen, ein Nickerchen machen

dozen [⚠ 'dʌzn] *12 Stück*: Dutzend; ***I've told you dozens of times …*** *umg.* ich hab dir x-mal gesagt, …

dozy ['dəʊzɪ] **1.** schläfrig, verschlafen **2.** *BE, umg.* schwer von Begriff

drab [dræb] **1.** *Stadt usw.*: grau, trist **2.** *Farben*: düster **3.** *Dasein usw.*: freudlos

draft[1] [drɑːft] **1.** *für einen Brief, Plan usw.*: Entwurf **2.** *AE*; *von Wehrpflichtigen*: Einberufung, Einziehung **3.** *AE* Zugluft; ☞ *BE* ***draught***

draft[2] [drɑːft] **1.** entwerfen (*Schriftstück, Plan usw.*) **2.** *AE* einziehen, einberufen (*Wehrpflichtige*)

drafty ['drʌːftɪ] *AE*; *in Zimmer usw.*: zugig; ☞ *BE* ***draughty***

drag[1] [dræg] **1. *be a drag*** *umg.* stinklangweilig sein; ***what a drag!*** so ein Mist!, *auf Person bezogen*: so ein Langweiler! **2. *it was quite a drag getting there*** es war ein ziemlicher Schlauch, dorthin zu kommen **3.** *umg.*; *an Zigarette*: Zug; ***give me a drag*** lass mich mal ziehen

drag[2] [dræg], ***dragged, dragged*** **1.** (≈ *mit Mühe ziehen*) schleppen, zerren; ***we dragged the desk into the study*** wir schleppten den Schreibtisch ins Arbeitszimmer **2. *drag through the mud*** *übertragen* in den Schmutz ziehen (*Person, Namen usw.*) **3. *drag one's feet*** *oder* ***heels*** *übertragen* sich Zeit lassen **4.** *in unangenehme Situation usw.*: hineinziehen (***into*** in)

> **drag down** [ˌdræg'daʊn] **1.** in den Schmutz ziehen (*Namen, Ruf, Person*) **2.** (*Rückschläge, Krankheit usw.*) zermürben, entmutigen; ***don't let his criticisms drag you down*** lass dich durch seine Kritik nicht entmutigen
>
> **drag on** [ˌdræg'ɒn] (*Sitzung, Abend usw.*) sich dahinschleppen, sich in die Länge ziehen; ***his speech dragged on for two hours*** seine Rede zog sich über zwei Stunden hin

dragon ['drægən] *Fabelwesen*: Drache

dragonfly ['drægənflaɪ] *Insekt*: Libelle

drag queen ['dræg‿kwiːn] *umg.* Travestiekünstler, Transvestit

drain[1] [dreɪn] **1.** *auch* ***drain off*** *oder* ***away*** abfließen lassen (*Flüssigkeit*) **2.** austrinken, leeren (*Glas usw.*) **3.** entwässern (*Grundstück, Acker usw.*) **4.** abtropfen lassen (*Gemüse, Nudeln usw.*)

> **drain away** [ˌdreɪn‿ə'weɪ] **1.** (*Flüssigkeit*) abfließen, ablaufen **2.** (*Kräfte usw.*) schwinden
>
> **drain off** [ˌdreɪn'ɒf] abgießen, abtropfen lassen (*Gemüse, Nudeln usw.*)

drain[2] [dreɪn] **1.** *unter Spüle usw.*: Abfluss, Abflussrohr, *auf Straße*: Gully, (CH) Dole **2.** *übertragen* Belastung; ***the arms race was a constant drain on the national budgets*** das Wettrüsten war eine ständige Belastung der Staatshaushalte **3.** *umg.*, *in Wendungen*: ***she throws her money down the drain*** sie wirft ihr Geld zum Fenster hinaus; ***this club's going down the drain*** dieser Verein geht vor die Hunde

drainpipe ['dreɪnpaɪp] Abflussrohr

drainpipes ['dreɪnpaɪps] *Pl.*, *auch* ***drainpipe trousers*** Röhrenhosen *Pl.*

drake [dreɪk] Enterich, Erpel

dram [dræm] *umg.*; *von Alkohol*: Schluck

drama ['drɑːmə] Drama (*auch übertragen*)

dramatic [drə'mætɪk] *allg.*: dramatisch (*auch übertragen*)

dramatize ['dræmətaɪz] **1.** für die Bühne *usw.* bearbeiten (*ein Stück*) **2.** (≈ *übertreiben*) dramatisieren, aufbauschen

drank [dræŋk] *2. Form von* → ***drink***[2]

drastic ['dræstɪk] drastisch

draught [drɑːft] *BE* **1.** *in Zimmer*: Zug, Luftzug; ***there's a draught in here*** hier ziehts **2. *draughts*** (⚠ *im Sg. verwendet*) *Brettspiel*: Dame **3. *on draught*** *Bier*: vom Fass; ***draught beer*** Bier vom Fass **4.** *formell*; *beim Trinken*: Schluck

draughty ['drɑːftɪ] *BE*; *Haus, Raum*: zugig

draw[1] [drɔː], ***drew*** [druː], ***drawn*** [drɔːn] **1.** ziehen (*Waffe, Wagen usw.*, *auch*: *Schlussfolgerung, Vergleich*); ***draw someone into something*** *übertragen* jemanden in etwas hineinziehen *oder* verwickeln **2.** *mit Bleistift usw.*: zeichnen **3.** ziehen (*Linie, Strich*); ***draw a line under something*** *übertragen* unter etwas einen Schlussstrich ziehen **4.** *für Sportwettbewerb*: auslosen **5.** *beim Fußball usw.*: unentschieden spielen **6.** *übertragen* anziehen; ***feel drawn to someone*** sich zu jemandem hingezogen fühlen **7.** ausstellen (*Scheck*)

> **draw aside** [ˌdrɔː‿ə'saɪd] beiseite nehmen (*Person*)
>
> **draw in** [ˌdrɒː'ɪn] **1.** einziehen (*Atem, Luft*) **2.** (*Tage*) abnehmen, kürzer werden
>
> **draw out** [ˌdrɔː'aʊt] **1.** *allg.*: herausziehen **2.** *übertragen* hinausziehen, in die Länge ziehen (*Sitzung usw.*) **3. *they drew him out of his shell*** *übertragen* sie haben ihn aus der Reserve gelockt **4.** (*Tage*) länger werden
>
> **draw up** [ˌdrɔː'ʌp] **1.** abfassen, aufsetzen (*Rede, Schriftstück*) **2.** aufstellen, erstellen (*Liste*) **3.** (*Wagen*) anhalten

draw[2] [drɔː] **1.** *bei Lotterie usw.*: Ziehung, Auslosung **2.** *Künstler, Ereignis*: Attraktion **3.** *Sport*: *das* Unentschieden; ***end in a draw*** unentschieden ausgehen

drawback ['drɔːbæk] Nachteil

drawer [⚠ drɔː] *in Schrank, Kommode usw.*: Schublade, Schubfach

drawing ['drɔːɪŋ] **1.** Zeichnen; ***be good a***

drawing gut zeichnen können **2.** *Bild*: Zeichnung
drawing board ['drɔːɪŋ‿bɔːd] *für Architekten, Planer usw.*: Reißbrett
drawing pin ['drɔːɪŋ‿pɪn] *BE* Reißzwecke, Reißnagel
drawl[1] [drɔːl] gedehnt sprechen (*bes. beim Amerikanischen*)
drawl[2] [drɔːl] gedehnte Aussprache (*bes. des Amerikanischen*)
drawn [drɔːn] *3. Form von →* ***draw***[1]
dread[1] [dred] ***dread something*** vor etwas (große) Angst haben, sich vor etwas fürchten
dread[2] [dred] (große) Angst, Furcht (***of*** vor)
dreadful ['dredfl] *Anblick, Problem, Wetter usw.*: furchtbar, schrecklich; ***the team played dreadfully*** die Mannschaft spielte schrecklich
dream[1] [driːm] **1.** *im Schlaf*: Traum; ***have a dream about something*** von etwas träumen; ***sweet dreams!*** träum was Schönes!; ***have a bad dream*** schlecht träumen **2.** *übertragen* Traum, Wunschtraum; ***that's beyond my wildest dreams*** das übertrifft meine kühnsten Träume; ***may all your dreams come true*** mögen alle deine Träume in Erfüllung gehen
dream[2] [driːm], ***dreamt*** [dremt], ***dreamt*** [dremt] *oder* ***dreamed, dreamed*** **1.** *im Schlaf*: träumen (***of, about*** von); ***I dreamt about you*** ich habe von dir geträumt **2.** *übertragen* träumen; ***I dream of living on Lanzarote*** ich träume davon, auf Lanzarote zu leben; ***I wouldn't dream of it*** mir würde das nicht im Traum einfallen; ***who would have dreamt it!*** wer hätte sich das träumen lassen!
dreamer ['driːmə] Träumer(in)
dreamt [dremt] *2. und 3. Form von →* ***dream***[2]
dreary ['drɪərɪ] **1.** *Tag usw.*: trüb **2.** *Arbeit usw.*: langweilig
drenched [drentʃt] durchnässt; ***be drenched to the skin*** bis auf die Haut durchnässt sein
dress[1] [dres] **1.** *für Frauen*: Kleid; ***evening dress*** Abendkleid **2.** (≈ *Kleidung*) ***in evening dress*** in Abendkleidung; ***national dress*** Landestracht
dress[2] [dres] **1.** anziehen (*Kind*) **2.** ***get dressed*** sich anziehen; ***dress well*** (*bzw.* ***badly***) sich geschmackvoll (*bzw.* geschmacklos) kleiden; ***dress for dinner*** sich zum Abendessen umziehen **3.** anmachen (*Salat*) **4.** verbinden, behandeln (*Wunde*)

dress down [ˌdres'daʊn] **1.** sich leger kleiden (*legerer als sonst*) **2.** ***dress someone down*** *umg.* jemandem eine Standpauke halten
dress up [ˌdres'ʌp] **1.** *für festlichen Anlass*: sich fein machen, sich herausputzen **2.** *im Karneval usw.*: sich kostümieren, sich verkleiden

dresser ['dresə] **1.** *BE* Geschirrschrank **2.** *AE* Frisierkommode **3.** ***be a stylish dresser*** immer modisch gekleidet sein **4.** *beim Theater*: Garderobier, Garderobiere
dressing ['dresɪŋ] **1.** (≈ *Salatsoße*) Dressing **2.** *auf Wunde*: Verband
dressing-down [ˌdresɪŋ'daʊn] ***give someone a dressing-down*** *umg.* jemandem eine Standpauke halten
dressing gown ['dresɪŋ‿gaʊn] Morgenmantel
dressing room ['dresɪŋ‿ruːm] **1.** *im Theater*: Künstlergarderobe **2.** *Sport*: Umkleidekabine
dressmaker ['dresˌmeɪkə] (Damen-) Schneider(in)
dress rehearsal [ˌdres‿rɪ'hɜːsl] *Theater*: Generalprobe
drew [druː] *2. Form von →* ***draw***[1]
dribble[1] ['drɪbl] **1.** (*Baby usw.*) sabbern **2.** (*Flüssigkeit*) tröpfeln **3.** *in Ballsportarten*: dribbeln; ***dribble past someone*** jemanden umdribbeln
dribble[2] ['drɪbl] *Sport*: Dribbling
dribs and drabs [ˌdrɪbz‿ən'dræbz] *Pl.*, ***in dribs and drabs*** *umg.* kleckerweise
dried [draɪd] getrocknet; ***dried fruit*** Dörrobst; ***dried milk*** Trockenmilch
drier ['draɪə] *für Wäsche usw.*: Trockner
drift[1] [drɪft] **1.** *von Schnee*: Verwehung, Wehe **2.** *von Entwicklung, Meinung usw.*: Tendenz, Richtung
drift[2] [drɪft] **1.** (*Schiff, Floß usw.*) treiben **2.** (*Person*) sich treiben lassen; ***let things drift*** den Dingen ihren Lauf lassen
drill[1] [drɪl] **1.** *Werkzeug*: Bohrer **2.** *militärisch*: Drill (*auch übertragen*)
drill[2] [drɪl] **1.** bohren (*Loch*); ***drill for oil*** nach Öl bohren **2.** *militärisch*: drillen (*auch übertragen*) **3.** *Schule*: pauken, drillen; ***a tutor drilled me in grammar*** ein Nachhilfelehrer paukte mit mir Grammatik
drink[1] [drɪŋk] **1.** *allg.*: Getränk; ***would you like a drink?*** möchtest du etwas zu trinken?; ***food and drink*** Essen und Getränke **2.** *mst. Alkohol*: Glas, Drink; ***shall we go for a drink?*** gehen wir einen

trinken?; ***she has a drink problem*** sie trinkt

drink[2] [drɪŋk], ***drank*** [dræŋk], ***drunk*** [drʌŋk] **1.** *allg.*: trinken; ***what would you like to drink?*** was möchten Sie trinken? **2.** trinken (*Alkohol*), *auch*: ein Trinker *bzw.* eine Trinkerin sein; ***thank you, I don't drink*** danke, ich trinke keinen Alkohol; ***don't drink and drive!*** kein Alkohol am Steuer!

drink to ['drɪŋk‿tʊ] (≈ *zuprosten*) trinken *oder* anstoßen auf; ***drink to someone*** auf jemanden trinken
drink up [ˌdrɪŋk'ʌp] austrinken (*Getränk*)

drink-driving [ˌdrɪŋk'draɪvɪŋ] *BE* Trunkenheit am Steuer

drinking[1] ['drɪŋkɪŋ] das Trinken (*von Alkohol*)

drinking[2] ['drɪŋkɪŋ] Trink…; ***drinking straw*** Trinkhalm; ***drinking water*** Trinkwasser

drip[1] [drɪp], ***dripped, dripped*** **1.** (*Wasserhahn usw.*) tropfen, tröpfeln **2.** triefen (***with*** von, vor); ***be dripping with sweat*** schweißüberströmt sein

drip[2] [drɪp] **1.** *Geräusch*: Tropfen, Tröpfeln **2.** *Medizin*: Infusion, *umg.* Tropf; ***be on the drip*** am Tropf hängen

drip-dry[1] [ˌdrɪp'draɪ] *Wäsche*: bügelfrei

drip-dry[2] ['drɪpdraɪ] ***those shirts will drip-dry*** diese Hemden sind bügelfrei

dripping[1] ['drɪpɪŋ] (abtropfendes) Bratenfett

dripping[2] ['drɪpɪŋ] **1.** *Wasserhahn usw.*: tropfend **2.** triefend (nass), tropfnass **3.** ***dripping wet*** tropfnass

drive[1] [draɪv], ***drove*** [drəʊv], ***driven*** ['drɪvn] **1.** fahren (*Auto, Bus, Lkw usw.*); ***drive into a wall*** gegen eine Mauer fahren **2.** *im Auto*: fahren, befördern (*Person*); ***he'll drive you home*** er fährt dich nach Hause (Ⓐ, Ⓒⓗ nachhause) **3.** treiben (*Menge, Viehherde usw.*) (*auch übertragen*); ***the refugees had been driven out of their home town*** die Flüchtlinge waren aus ihrer Heimatstadt vertrieben worden **4.** antreiben (*Maschine*) **5.** *gefühlsmäßig*: treiben; ***drive someone to despair*** jemanden zur Verzweiflung treiben; ***you're driving me mad!*** du machst mich wahnsinnig!

drive at ['draɪv‿æt] abzielen auf; ***what are you driving at?*** worauf willst du hinaus?

drive away [ˌdraɪv‿ə'weɪ] **1.** *im Auto usw.*: wegfahren **2.** vertreiben (*Personen, auch: Sorgen usw.*) **3.** zerstreuen (*Bedenken usw.*)
drive up [draɪv'ʌp] in die Höhe treiben (*Preise, Mieten usw.*)

drive[2] [draɪv] **1.** *im Auto*: Fahrt; ***a two-hour drive*** zwei Stunden mit dem Auto, zwei Autostunden **2.** *vor dem Haus*: Zufahrt, Auffahrt **3.** *übertragen* Schwung, Elan **4.** *psychisch*: Trieb **5.** *von Maschine*: Antrieb; ***disk drive*** *Computer*: Diskettenlaufwerk **6.** ***right-hand drive*** *im Auto*: Rechtssteuerung

drive-by ['draɪv‿baɪ] *Schießerei, Mordanschlag usw.*: aus dem fahrenden Auto heraus (begangen)

drive-in ['draɪv‿ɪn] **1.** Drive-in-Restaurant **2.** Autokino

drivel[1] ['drɪvl] Gefasel, Unsinn

drivel[2] ['drɪvl] *BE* ***drivelled, drivelled***, *AE* ***driveled, driveled*** faseln, Unsinn reden

driven ['drɪvn] *3. Form von* → ***drive***[1]

driver ['draɪvə] **1.** *von Auto, Bus usw.*: Fahrer(in) **2.** *Computer*: Treiber

driver's license ['draɪvəzˌlaɪsns] *AE* Führerschein; ☞ *BE* ***driving licence***

driveway ['draɪvweɪ] *vor Haus*: Auffahrt, *länger*: Zufahrtsstraße

driving ['draɪvɪŋ] **1.** *allg.*: Autofahren; ***I enjoy driving*** ich fahre gern Auto **2.** *Art des Fahrens*: Fahrweise, Fahrstil

driving instructor ['draɪvɪŋ‿ɪnˌstrʌktə] Fahrlehrer(in)

driving lesson ['draɪvɪŋˌlesn] Fahrstunde; ***take driving lessons*** Fahrunterricht nehmen, den Führerschein machen

driving licence ['draɪvɪŋˌlaɪsns] *BE* Führerschein

driving school ['draɪvɪŋ‿skuːl] Fahrschule

driving test ['draɪvɪŋ‿test] Fahrprüfung; ***take one's driving test*** die Fahrprüfung *oder* den Führerschein machen

drizzle[1] ['drɪzl] (≈ *leicht regnen*) nieseln

drizzle[2] ['drɪzl] Sprühregen, Nieselregen

drone[1] [drəʊn] **1.** *männliche Biene*: Drohne **2.** *Person*: Schmarotzer(in)

drone[2] [drəʊn] **1.** brummen, summen **2.** herunterleiern (*seinen Text usw.*)

drone[3] [drəʊn] Brummen, Summen

droop [druːp] **1.** (schlaff) herabhängen **2.** (*Mut*) sinken, (*Interesse*) erlahmen **3.** den Kopf hängen lassen (*auch Blume*) **4.** ***droop one's head*** den Kopf hängen lassen

drop[1] [drɒp] **1.** *kleine Flüssigkeitsmenge*: Tropfen; ***only a drop of milk for me*** *in Tee usw.*: für mich nur einen Tropfen Milch; ***a drop in the bucket*** *oder* ***ocean*** *übertragen* ein Tropfen auf den heißen Stein; ***he emptied the bottle to the last drop*** er hat die Flasche bis auf den letzten Tropfen geleert; ***I haven't touched a drop*** ich habe keinen Tropfen getrunken **2.** Fall; ***a drop of ten metres*** ein Fall aus 10 Metern Höhe **3.** (≈ *Abnahme*) Fall, Sturz; ***a drop in prices*** ein Preissturz; ***a drop in temperature*** ein Temperatursturz

drop[2] [drɒp], ***dropped, dropped*** **1.** *von Tisch, Schrank usw.*: fallen, herunterfallen **2.** *aus der Hand*: fallen lassen; ***let something drop*** etwas fallen lassen; ***sorry, I dropped the cup*** tut mir Leid, ich habe die Tasse fallen lassen; ***drop everything*** *übertragen* alles liegen und stehen lassen **3.** (*Preise*, *Kurse usw.*) sinken, fallen **4.** ***I dropped onto the sofa*** ich ließ mich aufs Sofa fallen **5.** *vor Müdigkeit usw.*: umfallen; ***drop dead*** tot umfallen **6.** (*Flüssigkeit*) tropfen, tröpfeln **7.** fallen lassen (*Bemerkung*); ***drop someone a line*** *oder* ***note*** jemandem ein paar Zeilen schreiben **8.** (≈ *aufgeben*) fallen lassen (*Absicht*, *Plan usw.*); ***next year I'll drop maths*** nächstes Jahr wähl ich Mathe ab; ***drop it!*** hör auf damit! **9.** absetzen (*Last*, *auch Passagiere*); ***you can drop me at the station*** du kannst mich am Bahnhof rauslassen

drop by [ˌdrɒp'baɪ], **drop in** [ˌdrɒp'ɪn] *umg.* (≈ *besuchen*) kurz hereinschau, vorbeikommen (**on** bei); ***I'll just drop in at the newsagent's*** ich schau nur schnell zum Zeitungshändler
drop off [ˌdrɒp'ɒf] **1.** (*Umsatz usw.*) zurückgehen **2.** (*Interesse*) nachlassen **3.** *vor Müdigkeit*: einschlafen, einnicken **4.** absetzen (*Fahrgast*); ***just drop me off at the supermarket*** setz mich einfach am Supermarkt ab
drop out [ˌdrɒp'aʊt] **1.** *aus Gesellschaft*, *Projekt*, *Wettbewerb usw.*: aussteigen (**of** aus) **2.** die Schule *oder* das Studium abbrechen

droplet ['drɒplət] Tröpfchen
dropout ['drɒpaʊt] **1.** *gesellschaftlich*: Aussteiger(in) **2.** Schulabbrecher(in), Studienabbrecher(in)
droppings ['drɒpɪŋz] *Pl.*, *von Tieren*: Kot
drought [⚠ draʊt] *klimatisch*: Trockenheit, Dürreperiode, Dürre
drove [drəʊv] *2. Form von* → ***drive***[1]
drown [draʊn] **1.** *sterben*: ertrinken **2.** *töten*: ertränken; ***drown one's sorrows*** *übertragen* seine Sorgen im Alkohol ertränken
drowsiness ['draʊzɪnəs] Schläfrigkeit
drowse [draʊz] dösen
drowsy ['draʊzɪ] **1.** *Person*: schläfrig, verschlafen **2.** *Atmosphäre*, *Stimmung*: einschläfernd
drudge[1] [drʌdʒ] *übertragen*; *Person*: Arbeitstier
drudge[2] [drʌdʒ] sich placken, sich schinden
drudgery ['drʌdʒərɪ] (stumpfsinnige) Schinderei
drug[1] [drʌg] **1.** *illegales Rauschmittel*: Droge, Rauschgift; ***be on drugs*** rauschgiftsüchtig sein, drogensüchtig sein; ***take*** *oder* ***use drugs*** Drogen nehmen **2.** *Medizin*: Arzneimittel, Medikament **3.** *Sport*: Dopingmittel; ***drug test*** Dopingtest
drug[2] [drʌg], ***drugged, drugged*** *zur Ruhigstellung*: unter Drogen setzen, mit Medikamenten betäuben
drug abuse ['drʌg‿əˌbjuːs] Drogenmissbrauch
drug addict ['drʌgˌædɪkt] Drogensüchtige(r), Rauschgiftsüchtige(r)
drug addiction ['drʌg‿əˌdɪkʃn] Drogensucht, Rauschgiftsucht
drug dealer ['drʌgˌdiːlə] Drogenhändler, Rauschgifthändler
drug squad ['drʌg‿skwɒd] Rauschgiftdezernat
drugstore ['drʌgstɔː] *AE* Drugstore (*Kombination aus Drogerie*, *Apotheke*, *Supermarkt und oft Imbiss*)

drugstore

Der amerikanische **drugstore** hat weniger mit Drogen als mit „Drogerie" zu tun: Es ist ein Laden, in dem man Körperpflegeartikel, rezeptfreie Medikamente, Lebensmittel, Kleider, Schreibwaren, Zeitschriften usw. kaufen kann. Oft befindet sich innerhalb eines **drugstore** eine Apotheke (**pharmacy**). Daher auch der Name, denn **drug** heißt neben „Droge" auch „Medikament".

drug trafficking ['drʌgˌtræfɪkɪŋ] Drogenhandel
drum[1] [drʌm] **1.** *Musikinstrument*: Trommel; ***drums*** *Pl.* Schlagzeug **2.** *Geräusch*: Trommeln (*von Regen*, *Hagel usw.*) **3.** *für Öl usw.*: Fass, Tonne

drum[2] [drʌm], ***drummed, drummed*** trommeln (*Rhythmus*)

> **drum up** [ˌdrʌm'ʌp] auftreiben (*Unterstützung usw.*), hereinholen (*Aufträge usw.*)

drummer ['drʌmə] *in Band*: Schlagzeuger (-in)
drumstick ['drʌmstɪk] **1.** Trommelstock **2.** *von Geflügel*: Keule
drunk[1] [drʌŋk] *3. Form von* → ***drink***[2]
drunk[2] [drʌŋk] **1.** betrunken; ***get drunk*** sich betrinken; ***she gets drunk on one glass of wine*** sie ist schon nach einem Glas Wein betrunken **2.** *übertragen* berauscht (***with*** von); ***drunk with joy*** freudetrunken
drunk[3] [drʌŋk] **1.** Betrunkene(r) **2.** *aus Gewohnheit, Sucht*: Trinker(in), Säufer(in)
drunkard ['drʌŋkəd] *aus Gewohnheit, Sucht*: Trinker(in), Säufer(in)
drunken ['drʌŋkən] betrunken; ***drunken driving*** Trunkenheit am Steuer
dry[1] [draɪ] **1.** *allg.*: trocken (*Boden, Wetter, Wein, auch übertragen*: *Humor usw.*) **2.** *umg.* durstig; ***feel dry*** Durst haben **3.** *umg.*; *Alkoholiker*: trocken, weg vom Alkohol
dry[2] [draɪ], ***dried*** [draɪd], ***dried*** [draɪd] **1.** *allg.*: trocknen; ***dry oneself*** (*bzw.* ***one's hands***) sich (*bzw.* sich die Hände) abtrocknen (***on*** an) **2.** (*Wäsche usw.*) trocknen, trocken werden **3.** dörren (*Obst usw.*)

> **dry up** [ˌdraɪ'ʌp] **1.** (*See, Fluss*) austrocknen **2.** (*Geldquelle, Nachschub usw.*) versiegen **3.** abtrocknen (*Geschirr*)

dry-clean [ˌdraɪ'kliːn] chemisch reinigen
dry cleaner's [ˌdraɪ'kliːnəz] chemische Reinigung
dual ['djuːəl] doppelt, zweifach; ***dual carriageway*** *BE* (zweispurige) Schnellstraße
dub [dʌb], ***dubbed, dubbed*** synchronisieren (*Film*)
dubious ['djuːbɪəs] **1.** *Angelegenheit*: zweifelhaft, ungewiss; ***I had the dubious pleasure …*** ich hatte das zweifelhafte Vergnügen … **2.** *Firma, Person, Ruf*: zweifelhaft, fragwürdig, dubios **3.** ***be dubious*** (*Person*) unschlüssig *oder* im Zweifel sein (***about*** über)
duchess ['dʌtʃɪs] *Adelstitel*: Herzogin
duchy ['dʌtʃɪ] *Land*: Herzogtum
duck[1] [dʌk] **1.** *Schwimmvogel*: Ente **2.** *Essen*: Ente; ***roast duck*** Entenbraten
duck[2] [dʌk] **1.** (≈ *den Kopf einziehen*) sich ducken; ***duck your head!*** *oder* ***duck down!*** duck dich! **2.** (≈ *unter Wasser drücken*) tauchen **3.** *umg.* sich drücken vor, ausweichen (*Streitpunkt, Konflikt, Thema usw.*)
dud [dʌd] *umg.* **1.** *Rakete usw.*: Blindgänger **2.** *Person*: Niete **3.** ungedeckter Scheck
due [djuː] **1.** *zeitlich*: fällig; ***the ferry is due at …*** die Fähre soll laut Plan um … ankommen; ***when's your baby due?*** wann kommt denn dein Baby?, wann hast du Termin? **2.** ***be due*** (*Betrag, Zahlung*) fällig sein **3.** ***due to*** *ursächlich*: wegen (+ *Genitiv*), infolge *oder* aufgrund (von *oder Genitiv*); ***be due to*** zuzuschreiben sein, zurückzuführen sein auf; ***it's due to him that …*** es ist ihm zu verdanken, dass … **4.** (≈ *angemessen*) gebührend, zustehend (*Achtung, Anerkennung, Berücksichtigung usw.*); ***with all due respect*** *Floskel bei Kritik*: bei allem Respekt; ***after due consideration*** nach reiflicher Überlegung; ***in due course*** zur rechten *oder* gegebenen Zeit
dug [dʌg] *2. und 3. Form von* → ***dig***[1]
duke [djuːk] *Adelstitel*: Herzog
dull [dʌl] **1.** (≈ *etwas dumm*) langsam, beschränkt **2.** *Buch, Film, Abend usw.*: langweilig; ***never a dull moment*** *humorvoll* immer was los **3.** *Farbe, Licht*: matt, trüb **4.** *Wetter, Tag*: trüb, grau **5.** *Schmerz, Klang*: dumpf
duly ['djuːlɪ] **1.** ordnungsgemäß **2.** (≈ *pünktlich*) wie erwartet
dumb [⚠ dʌm] **1.** *Person*: stumm (*auch übertragen*); ***deaf and dumb*** taubstumm; ***be struck dumb*** sprachlos sein (***with*** vor) **2.** *bes. AE, umg.* doof, dumm; ***what a dumb thing to do!*** wie kann man nur so blöd sein!
dumbbell [⚠ 'dʌmbel] **1.** *Sportgerät*: Hantel **2.** *bes. AE, salopp* Trottel
dumbfound [⚠ dʌm'faʊnd] verblüffen
dumbfounded [⚠ dʌm'faʊndɪd] verblüfft, sprachlos
dummy ['dʌmɪ] **1.** *von Buch, Gerät usw.*: Attrappe **2.** *für Kleider*: Schaufensterpuppe **3.** *BE*; *für Babys*: Schnuller **4.** *bes. AE* Idiot
dump[1] [dʌmp] **1.** *unordentlich*: hinwerfen, hinschmeißen; ***she came in and dumped her sports gear on the floor*** sie kam herein und schmiss ihre Sportsachen auf den Boden **2.** auskippen, abladen (*Schutt, Müll usw.*)
dump[2] [dʌmp] **1.** *für Abfälle*: Schuttabla-

deplatz, Müllkippe, Müllhalde **2.** *Militär*: Depot **3.** *abwertend*; *Ortschaft*: Kaff **4.** *umg.*; *unordentliches Zimmer usw.*: Dreckloch

dumping ['dʌmpɪŋ] **1.** ***dumping ground*** Schuttabladeplatz, Müllkippe, Müllhalde **2.** *Wirtschaft*: Dumping

dumpling ['dʌmplɪŋ] *Essen*: Knödel, Kloß

dumps [dʌmps] *Pl.*, ***down in the dumps*** *umg.* down, niedergeschlagen

dune [djuːn] *aus Sand*: Düne

dungarees [ˌdʌŋgə'riːz] *Pl.* Latzhose, *AE auch allg.*: Arbeitshose; ***a pair of dungarees*** eine Arbeitshose

dungeon ['dʌndʒən] (≈ *Gefängnis*) Verlies

dunk [dʌŋk] **1.** eintunken, stippen (*Brot usw.*) **2.** *Basketball*: ein Dunking machen, *umg.* stopfen (*Ball*)

dupe[1] [djuːp] Betrogene(r)

dupe[2] [djuːp] betrügen; ***he was duped*** er wurde hereingelegt

duplex[1] ['djuːpleks] doppelt, Doppel…; ***duplex apartment*** Maisonette; ***duplex house*** Doppelhaus

duplex[2] ['djuːpleks] *bes. AE* **1.** *Wohnung*: Maisonette **2.** *Haus*: Doppelhaus

duplicate[1] ['djuːplɪkət] doppelt, zweifach; ***duplicate key*** Zweitschlüssel

duplicate[2] ['djuːplɪkət] **1.** Duplikat, Abschrift, Kopie; ***in duplicate*** in zweifacher Ausfertigung **2.** *Schlüssel*: Zweitschlüssel

duplicate[3] ['djuːplɪkeɪt] **1.** ein Duplikat anfertigen von (*Schriftstück*) **2.** *maschinell*: kopieren, vervielfältigen

durable ['djʊərəbl] **1.** *Material usw.*: haltbar, langlebig **2.** *Frieden, Freundschaft usw.*: dauerhaft

during ['djʊərɪŋ] während (+ *Genitiv*); ***during the holiday we met some interesting people*** während der Ferien lernten wir einige interessante Leute kennen

dusk [dʌsk] Abenddämmerung; ***at dusk*** bei Einbruch der Dunkelheit

dust[1] [dʌst] **1.** *allg.*: Staub **2.** ***the dust has settled*** *übertragen* die Aufregung hat sich gelegt, die Wogen haben sich geglättet; ***bite the dust*** *umg.* ins Gras beißen

dust[2] [dʌst] **1.** abstauben (*Schrank, Zimmer*) **2.** *mit Puderzucker usw.*: bestreuen, bestäuben

dustbin ['dʌstbɪn] *BE* Abfalleimer, Mülleimer, Mülltonne; ***dustbin man*** *umg.* Müllmann

dust cart ['dʌst‿kɑːt] *BE* Müllwagen

dustman ['dʌstmən] *Pl.*: ***dustmen*** ['dʌstmən] *BE* Müllwerker, Arbeiter der Müllabfuhr

dustpan ['dʌstpæn] Kehrschaufel, Müllschaufel

dusty ['dʌstɪ] *Bücher, Schrank, Straße usw.*: staubig

Dutch[1] [dʌtʃ] **1.** holländisch, niederländisch **2.** ***go Dutch*** *in Lokal*: getrennt zahlen

Dutch[2] [dʌtʃ] *Sprache*: Holländisch, Niederländisch

Dutch[3] [dʌtʃ] ***the Dutch*** *Pl.* die Holländer *Pl.*, die Niederländer

Dutchman ['dʌtʃmən] *Pl.*: ***Dutchmen*** ['dʌtʃmən] Holländer, Niederländer

Dutchwoman ['dʌtʃˌwʊmən] *Pl.*: ***Dutchwomen*** ['dʌtʃˌwɪmɪn] Holländerin, Niederländerin

dutiful ['djuːtɪfl] pflichtbewusst

duty ['djuːtɪ] **1.** (≈ *Verpflichtung*) Pflicht, Schuldigkeit (***to, towards*** gegenüber) **2.** *beruflich*: Pflicht, Aufgabe; ***do one's duty*** seine Pflicht tun **3.** *Arbeitszeit*: Dienst; ***be on duty*** Dienst haben, im Dienst sein; ***be off duty*** nicht im Dienst sein, dienstfrei haben; ***duty doctor*** *in Klinik*: Bereitschaftsarzt **4.** *für Importe*: Zoll

duty-free[1] [ˌdjuːtɪ'friː] *Waren*: zollfrei; ***duty-free shop*** Dutyfreeshop

duty-free[2] [ˌdjuːtɪ'friː] *mst.* ***duty-frees*** *Pl.*, *umg.* zollfreie Waren

duvet ['duːveɪ] Federbett

DVD [ˌdiːviː'diː] (*Abk. für* **d**igital **v**ideo**d**isc); ***DVD player*** DVD-Spieler; ***DVD drive*** DVD-Laufwerk

dwarf [dwɔːf] *Pl.*: ***dwarves*** [dwɔːvz] *oder* ***dwarfs*** *im Märchen usw.*: Zwerg

dwell [dwel], ***dwelt*** [dwelt], ***dwelt*** [dwelt] *oder* ***dwelled, dwelled*** *förmlich* wohnen, leben

dweller ['dwelə] ***cave dweller*** Höhlenbewohner; ***city dweller*** Stadtbewohner

dwelling ['dwelɪŋ] Wohnung

dwelt [dwelt] *2. und 3. Form von* → ***dwell***

dwindle ['dwɪndl] (*Anzahl, Gewinn, Hoffnungen usw.*) abnehmen, schwinden

dye[1] [daɪ] *zum Färben von Haaren usw.*: Farbstoff

dye[2] [daɪ] färben (*Haare, Stoffe usw.*)

dying ['daɪɪŋ] sterbend; ***be dying*** im Sterben liegen

dynamic [daɪ'næmɪk] *Person, Entwicklung usw.*: dynamisch

dynamite ['daɪnəmaɪt] *Sprengstoff*: Dynamit (*auch übertragen*)

dynasty ['dɪnəstɪ, *AE* 'daɪnəstɪ] Dynastie

dyslexia [dɪs'leksɪə] (≈ *Lese-Recht-schreib-Schwäche*) Legasthenie

E

each [iːtʃ] **1.** jede(r, -s); ***each one*** jede(r) Einzelne; ***each entry in this dictionary starts with a new line*** jeder Artikel in diesem Wörterbuch beginnt mit einer neuen Zeile **2.** ***each of us*** jede(r) von uns; ***each of the kids got a little present*** jedes der Kinder bekam ein kleines Geschenk **3.** ***they hugged each other*** sie umarmten einander *oder* sich **4.** je, pro Person *oder* Stück; ***admission is £10 each*** der Eintritt kostet 10 Pfund pro Person

eager [ˈiːgə] **1.** *Arbeiter, Schüler usw.*: eifrig; ***eager beaver*** *umg.* Arbeitstier, *Schüler*: Streber(in) **2.** begierig (***for*** nach), gespannt (***for*** auf); ***be eager to do something*** darauf brennen, etwas zu tun; ***eager to learn*** wissbegierig **3.** *Aufmerksamkeit, Blick usw.*: gespannt **4.** ***she's eager to please*** sie möchte es jedem recht machen

eagerness [ˈiːgənəs] *von Schüler usw.*: Eifer

eagle [ˈiːgl] *Greifvogel*: Adler

ear[1] [ɪə] **1.** Ohr; ***I'm all ears*** *umg.* ich bin ganz Ohr; ***he's up to his ears in debt*** er steckt bis über die Ohren in Schulden; ***fall on deaf ears*** auf taube Ohren stoßen; ***turn a deaf ear to*** die Ohren verschließen vor **2.** *übertragen* Gehör, Ohr; ***play by ear*** nach dem Gehör spielen (*Melodie*); ⚠ *aber*: ***play it by ear*** *übertragen* improvisieren

ear[2] [ɪə] *von Getreide*: Ähre

earache [ˈɪəreɪk] (⚠ *nur im Sg.*) Ohrenschmerzen

eardrum [ˈɪədrʌm] *im Ohr*: Trommelfell

earl [ɜːl] *in GB*: Graf

earlobe [ˈɪələʊb] Ohrläppchen

early [ˈɜːlɪ] **1.** früh, frühzeitig; ***early in the morning*** früh am Morgen; ***in the early morning*** am frühen Morgen; ***early riser*** *oder* ***early bird*** Frühaufsteher(in); ***the early bird catches the worm*** *Sprichwort*: Morgenstund hat Gold im Mund; ***in his early days*** in seiner Jugend; ***at the (very) earliest*** (aller)frühestens **2.** ***as early as possible*** so bald wie möglich **3.** zu früh; ***sorry - I know I'm early*** tut mir Leid - ich weiß, ich bin zu früh dran **4.** vorzeitig; ***his early death*** sein früher Tod **5.** (≈ *in ferner Vergangenheit*) anfänglich, Früh…; ***in early Christian times*** in frühchristlicher Zeit

earmark [ˈɪəmɑːk] bestimmen, vorsehen (*bes. Geld*) (***for*** für)

earmuffs [ˈɪəmʌfs] *Pl.* Ohrenschützer *Pl.*

earn [ɜːn] **1.** verdienen (*Geld usw.*): ***I earn my living by writing dictionaries*** ich verdiene meinen Lebensunterhalt mit dem Schreiben von Wörterbüchern (⚠ *Lob usw. verdienen* = ***deserve***) **2.** einbringen (*Zinsen, Profit usw.*)

earnest[1] [ˈɜːnɪst] **1.** (≈ *nicht fröhlich*) ernst **2.** (≈ *seriös*) ernsthaft, gewissenhaft

earnest[2] [ˈɜnɪst] ***in earnest*** im Ernst; ***in dead earnest*** in vollem Ernst

earnings [ˈɜːnɪŋz] *Pl.* Verdienst, Einkommen

earphones [ˈɪəfəʊnz] *Pl.* Kopfhörer

earring [ˈɪərɪŋ] Ohrring

earshot [ˈɪəʃɒt] ***within earshot*** in Hörweite; ***out of earshot*** außer Hörweite

earsplitting [ˈɪəˌsplɪtɪŋ] *Lärm*: ohrenbetäubend

earth[1] [ɜːθ] **1.** Erde; ***the earth*** *oder* ***Earth*** die Erde, die Welt; ***on earth*** auf Erden; ***what on earth …?*** was in aller Welt …? **2.** Erde, Erdboden; ***come back*** *oder* ***down to earth*** *übertragen* auf den Boden der Wirklichkeit zurückkehren **3.** *bes. BE*; *Elektrotechnik*: Erde, Erdung

earth[2] [ɜːθ] *bes. BE*; *Elektrotechnik*: erden

earthenware [ˈɜːθənweə] *auch* ***earthenware pottery*** Tonwaren

earthly [ˈɜːθlɪ] **1.** irdisch, weltlich **2.** ***there's no earthly reason*** *umg.* es gibt nicht den geringsten Grund **3.** ***of no earthly use*** *umg.* völlig unnütz

earthquake [ˈɜːθkweɪk] Erdbeben

earthworm [ˈɜːθwɜːm] Regenwurm

ease[1] [iːz] **1.** ***at ease*** ruhig, entspannt; ***be*** *oder* ***feel at ease*** sich wohl fühlen; ***be*** *oder* ***feel ill at ease*** sich in seiner Haut nicht wohl fühlen **2.** ***with ease*** leicht, mühelos

ease[2] [iːz] **1.** erleichtern (*Arbeit, Aufgabe, Mühe usw.*) **2.** ***it would ease my mind if***

you rang him up es würde mich beruhigen, wenn Sie ihn anrufen würden **3.** lindern (*Schmerzen, Kummer*) **4.** ***they eased the injured child onto the stretcher*** sie legten das verletzte Kind behutsam auf die Trage

easel ['i:zl] *Malerei*: Staffelei

easily ['i:zılı] leicht, mühelos; ***he learnt Spanish easily*** er hat mühelos Spanisch gelernt; ***I easily get tired*** ich werde leicht müde; ***it might easily be that ...*** es kann leicht sein, dass ...

east[1] [i:st] **1.** Osten; ***in the east of*** im Osten von (*oder Genitiv*); ***to the east of*** östlich von (*oder Genitiv*) **2.** *auch* **East** Osten, östlicher Landesteil; ***the East*** *AE* die Oststaaten **3.** ***the East*** *auch*: der Osten (*die Staaten Osteuropas bzw. Asiens*)

east[2] [i:st] Ost..., östlich; ***the east side of the church*** die Ostseite der Kirche

east[3] [i:st] **1.** *Richtung*: ostwärts, nach Osten **2.** ***east of*** östlich von (*oder Genitiv*)

eastbound ['i:stbaʊnd] nach Osten gehend *oder* fahrend

East End

Das **East End** von London mit seinen **docklands** (dem Hafenareal Londons) war früher als armes, aber ausgesprochen freundliches Arbeiterviertel bekannt. Aus dieser Gegend stammen die Londoner **cockneys**. Inzwischen hat sich das **East End** in eine hochmoderne Stadtgegend mit anspruchsvollen Wohnungs- und Bürohochhäusern sowie einem Flughafen (**London City Airport**) verwandelt. Hier haben sich inzwischen auch die Redaktionen bekannter Zeitungen, die früher in der **Fleet Street** zu Hause waren, angesiedelt.

Easter ['i:stə] Ostern, Osterfest; ***at Easter*** zu Ostern; ***happy Easter*** frohe Ostern!; ***Easter egg*** Osterei

easterly ['i:stəlı] *Richtung, Wind*: östlich, Ost...

eastern ['i:stən] östlich, Ost...; ***the former Eastern bloc*** der frühere Ostblock

eastward ['i:stwəd], **eastwards** ['i:stwədz] östlich, ostwärts, nach Osten; ***in an eastward direction*** in östlicher Richtung, Richtung Osten

easy ['i:zı] **1.** ↔ ***difficult*** leicht, mühelos; ***as easy as anything*** kinderleicht; ***that's easy for you to say*** du hast leicht reden; ***that's easier said than done*** das ist leichter gesagt als getan; ***easy money*** leicht verdientes Geld **2.** (≈ *sorgenfrei*) bequem, angenehm; ***be on easy street*** *umg.* in guten Verhältnissen leben **3.** ***take it easy*** *oder* ***take things easy*** *nach Krankheit usw.*: sich nicht übernehmen, sich schonen; ***take it easy!*** *beruhigend*: immer mit der Ruhe!, *warnend*: langsam! **4.** ***easy come, easy go*** wie gewonnen, so zerronnen

easy chair [ˌi:zı'tʃeə] Sessel

easygoing [ˌi:zı'gəʊıŋ] *charakterlich*: gelassen

eat [i:t], ***ate*** [et], ***eaten*** ['i:tn] **1.** (*Mensch*) essen; ***shall we eat at six o'clock?*** wollen wir um sechs Uhr essen?; ***eat out*** auswärts essen, essen gehen; ***you're eating us out of house and home*** *scherzhaft*: du frisst uns noch die Haare vom Kopf **2.** (*Tier*) fressen **3.** *in Wendungen*: ***eat one's words*** alles, was man gesagt hat, zurücknehmen; ***what's eating him?*** *umg.* was hat er denn?; ***I'll eat my hat if ...*** *umg.* ich fresse einen Besen, wenn ...

eat up [ˌi:t'ʌp] **1.** *bei Mahlzeit*: aufessen **2.** völlig aufbrauchen, auffressen (*Reserven usw.*); ***be eaten up with*** *übertragen* sich verzehren vor, zerfressen werden von (*Neid, Eifersucht, Neugier usw.*)

eatable ['i:təbl] *die Qualität einer Mahlzeit betreffend*: essbar, genießbar (⚠ *„essbar" im Sinne von „nicht giftig" heißt* ***edible***)

eat-by date ['i:tbaı‿deıt] *von Lebensmitteln*: Haltbarkeitsdatum

eaten ['i:tn] *3. Form von* → ***eat***

eavesdrop ['i:vzdrɒp] ***eavesdropped, eavesdropped*** (heimlich) horchen; ***eavesdrop on*** belauschen

ebb [eb] **1.** *auch* ***ebb tide*** Ebbe **2.** *übertragen* Tiefstand; ***be at a low ebb*** auf einem Tiefpunkt angelangt sein

e-cash ['i:kæʃ] *Internet*: E-Cash, elektronisches Geld

echo ['ekəʊ] *Pl.*: ***echoes*** ['ekəʊz] Echo, Widerhall (*beide auch übertragen*)

eclipse [ı'klıps] **1.** *von Sonne, Mond*: Finsternis; ***eclipse of the sun*** Sonnenfinsternis **2.** *von Person, Institution usw.*: Niedergang; ***be in eclipse*** in der Versenkung verschwunden sein

ecocide ['i:kəʊsaıd] Umweltzerstörung

ecofriendly ['i:kəʊˌfrendlı] umweltfreundlich

ecological [ˌi:kə'lɒdʒıkl] ökologisch, Umwelt...; ***ecological balance*** ökologisches Gleichgewicht; ***ecologically beneficial***

(*bzw.* **harmful**) umweltfreundlich (*bzw.* umweltschädigend)
ecologist [ɪ'kɒlədʒɪst] Ökologe, Ökologin
ecology [ɪ'kɒlədʒɪ] Ökologie
e-commerce ['iː,kɒmɜːs] E-Commerce, Internethandel
economic [,iːkə'nɒmɪk] **1.** ökonomisch, wirtschaftlich, Wirtschafts…; ***economic aid*** Wirtschaftshilfe **2.** (≈ *Gewinn bringend*) rentabel, wirtschaftlich
economical [,iːkə'nɒmɪkəl] *Person, Auto, Heizung usw.*: wirtschaftlich, sparsam; ***be economical with*** sparsam umgehen *oder* wirtschaften mit

economic/economical

Economic und **economical** sind sich äußerlich sehr ähnlich, jedoch besteht zwischen ihnen ein Unterschied in der Bedeutung.

economic	ökonomisch, die Wirtschaft betreffend, z. B.: **economic growth** (= Wirtschaftswachstum)
economical	wirtschaftlich, sparsam, z. B.: **an economical heating system** (= eine sparsame Heizungsanlage)

economics [,iːkə'nɒmɪks] *Pl.* (⚠ *im Sg. verwendet*) Wirtschaftswissenschaft (*je nach Schwerpunkt Volkswirtschafts- oder Betriebswirtschaftslehre*)
economist [ɪ'kɒnəmɪst] Wirtschaftswissenschaftler(in) (*je nach Schwerpunkt Volks- oder Betriebswirt, -in*)
economize [ɪ'kɒnəmaɪz] sparsam umgehen, wirtschaften (***on*** mit)
economy [ɪ'kɒnəmɪ] **1.** *eines Staates*: Wirtschaft, Wirtschaftssystem **2.** *bezüglich Geldausgaben, Zeitaufwand usw.*: Sparsamkeit; ***make economies*** zu Sparmaßnahmen greifen, sparen; ***economy pack*** Sparpackung
ecosystem ['iːkəʊ,sɪstəm] Ökosystem
ecotourism ['iːkəʊ,tʊərɪzm] Ökotourismus
ecstasy ['ekstəsɪ] Ekstase (*auch religiös usw.*)
eczema ['eksɪmə] *Hautausschlag*: Ekzem
eddy ['edɪ] *von Wind*: Wirbel, *von Wasser*: Strudel
edge[1] [edʒ] **1.** *von Tisch, Felsen usw.*: Kante **2.** *von Vorhang, Tuch, Kleidungsstück usw.*: Rand, Saum **3.** *von Messer usw.*: Schneide; ***have no edge*** stumpf sein, nicht schneiden **4.** *in Wendungen*: ***be on the edge of despair*** am Rande der Verzweiflung sein; ***on edge*** nervös, gereizt; ***set someone's teeth on edge*** jemanden nervös machen
edge[2] [edʒ] **1.** umsäumen, einfassen (*Tuch, Kleidungsstück usw.*) **2.** (≈ *sich langsam bewegen*) schieben, drängen; ***we slowly edged our way towards the exit*** wir schoben uns langsam in Richtung Ausgang; ***he tried to edge out of the room*** er versuchte sich aus dem Zimmer zu stehlen
edgeways ['edʒweɪz], **edgewise** ['edʒwaɪz] ***I could hardly get a word in edgeways*** ich bin kaum zu Wort gekommen
edgy ['edʒɪ] nervös
edible ['edəbl] (≈ *ungiftig*) essbar, genießbar; ☞ ***eatable***
edifice ['edɪfɪs] Gebäude
edifying ['edɪfaɪɪŋ] *Buch, Film usw.*: erbaulich (*auch humorvoll*)
edit ['edɪt] **1.** herausgeben, als Herausgeber leiten (*Zeitung, Zeitschrift usw.*) **2.** bearbeiten, redigieren (*Text eines Buches, einer Zeitung usw.*) **3.** schneiden (*Film*)
edition [ɪ'dɪʃn] **1.** *von Zeitung usw.*: Ausgabe; ***morning edition*** Morgenausgabe **2.** *von Buch*: Auflage; ***first edition*** Erstausgabe, erste Auflage
editor ['edɪtə] **1.** *auch* ***editor in chief*** *von Buch, Reihe*: Herausgeber(in) **2.** *von Zeitung*: Redakteur(in); ***editor in chief*** Chefredakteur(in); ***letter to the editor*** Leserbrief; ***the editors*** *Pl.* die Redaktion **3.** *bei Buchverlag*: Lektor(in) **4.** *Film, TV*: Cutter(in)
editorial[1] [,edɪ'tɔːrɪəl] *in Zeitung*: Leitartikel
editorial[2] [,edɪ'tɔːrɪəl] ***editorial office*** Redaktion, *in Buchverlag*: Lektorat; ***editorial work*** Redaktionsarbeit, *in Buchverlag*: Lektorentätigkeit
EDP [,iːdiː'piː] (*Abk. für* **e**lectronic **d**ata **p**rocessing) elektronische Datenverarbeitung, EDV
educate ['edjʊkeɪt] *bes. schulisch*: ausbilden; ***she was educated at Summerhill*** sie ging in Summerhill zur Schule
educated ['edjʊkeɪtɪd] *Person*: gebildet
education [,edjʊ'keɪʃn] **1.** *an Schule usw.*: Ausbildung; ***compulsory education*** allgemeine Schulpflicht **2.** (≈ *kulturelles Wissen*) Bildung, Bildungsstand; ***general education*** Allgemeinbildung **3.** *System*: Bildungswesen, Schulwesen **4.** *Studienfach*: Erziehungswissenschaft, Pädagogik
educational [,edjʊ'keɪʃnəl] **1.** pädago-

gisch; ***educational film*** Lehrfilm **2.** *Erfahrung usw.*: lehrreich **3.** Bildungs…; ***educational level*** (*oder* ***standard***) Bildungsniveau

edutainment [ˌedjʊ'teɪnmənt] Edutainment (*Zusammensetzung aus* **edu**cation *und* enter**tainment**, *Oberbegriff für elektronische Medien, die auf unterhaltsame Weise Wissen vermitteln*)

eel [iːl] *Fisch*: Aal

eerie, **eery** ['ɪərɪ] unheimlich, *Schrei usw.*: schaurig

effect [ɪ'fekt] *allg.*: Wirkung, Effekt (***on*** auf); ***the effects of acid rain on the forests*** die Auswirkungen des sauren Regens auf die Wälder

effective [ɪ'fektɪv] **1.** *Medikament, Werbung usw.*: wirksam, wirkungsvoll, effektiv **2.** (≈ *real*) tatsächlich, effektiv

effervescent [ˌefə'vesnt] **1.** *vor Begeisterung*: überschäumend **2.** ***effervescent powder*** Brausepulver; ***effervescent tablets*** Brausetabletten

efficacious [ˌefɪ'keɪʃəs] *Methode usw.*: wirksam

efficiency [ɪ'fɪʃnsɪ] *von Person, Organisation, Produktion usw.*: Effizienz, Leistungsfähigkeit, rationelle Arbeitsweise

efficient [ɪ'fɪʃnt] *Person, Organisation, Produktion usw.*: effizient, leistungsfähig, rationell

effort ['efət] **1.** *körperlich oder geistig*: Anstrengung, Mühe; ***make an effort*** sich bemühen, sich anstrengen; ***make every effort*** sich alle Mühe geben; ***without effort*** mühelos **2.** (≈ *Bemühen etwas zu tun*) Versuch; ***let's make one last effort*** versuchen wir es ein letztes Mal

effortless ['efətləs] mühelos

effusive [ɪ'fjuːsɪv] *Begrüßung usw.*: überschwänglich

eg, **e.g.** [ˌiː'dʒiː] (*Abk. für* **e**xempli **g**ratia = ***for example***) z.B.

egg [eg] *allg.*: Ei; ***fried eggs*** Spiegeleier; ***scrambled egg(s)*** Rühreier; ***put all one's eggs in one basket*** *übertragen* alles auf eine Karte setzen

eggcup ['egkʌp] Eierbecher

eggplant ['egplɑːnt] *AE* Aubergine

eggshell ['egʃel] Eierschale

egg timer ['egˌtaɪmə] Eieruhr

ego ['iːgəʊ] **1.** *Psychologie*: Ich, Ego **2.** *umg.* Selbstwertgefühl, Selbstbewusstsein; ***the new job will boost her ego*** der neue Job wird ihr Selbstbewusstsein stärken; ***what he needs is a boost for his ego*** *auch*: was er braucht, ist ein Erfolgserlebnis

egoism ['iːgəʊɪzm], **egotism** ['egətɪzm] Egoismus

egoist ['iːgəʊɪst], **egotist** ['egətɪst] Egoist (-in)

egoistic [ˌiːgəʊ'ɪstɪk], **egotistic** [ˌegə'tɪstɪk] egoistisch

Egypt ['iːdʒɪpt] Ägypten

Egyptian[1] [ɪ'dʒɪpʃn] ägyptisch

Egyptian[2] [ɪ'dʒɪpʃn] *Person*: Ägypter(in)

eight[1] [eɪt] acht

eight[2] [eɪt] **1.** *Buslinie, Spielkarte usw.*: Acht **2.** *Rudern*: Achter

eighteen[1] [ˌeɪ'tiːn] achtzehn

eighteen[2] [ˌeɪ'tiːn] *Buslinie usw.*: Achtzehn

eighth[1] [eɪtθ] achte(r, -s)

eighth[2] [eɪtθ] **1.** Achte(r, -s); ***the eighth of May*** der 8. Mai **2.** *Bruchteil*: Achtel

eighty[1] ['eɪtɪ] achtzig

eighty[2] ['eɪtɪ] Achtzig; ***be in one's eighties*** in den Achtzigern sein; ***in the eighties*** in den Achtzigerjahren (*eines Jahrhunderts*)

either ['aɪðə] **1.** *von zweien*: jede(r, -s), beide; ***on either side*** auf beiden Seiten; ***I haven't seen either*** ich habe beide nicht gesehen, ich habe keinen (von beiden) gesehen **2.** *als Alternative*: eine(r, -s), irgendeine(r, -s); ***there are two keys on the table, take either*** es liegen zwei Schlüssel auf dem Tisch, nimm einen davon **3.** ***either … or*** entweder … oder, *verneinend*: weder … noch **4.** ***'I don't know her.' - 'I don't either.'*** „Ich kenne sie nicht." - „Ich auch nicht."

eject [ɪ'dʒekt] **1.** *in Flugzeug*: den Schleudersitz betätigen **2.** (*Maschine*) ausstoßen, auswerfen **3.** *formell* hinauswerfen (*Randalierer usw.*)

ejector seat [ɪ'dʒektə‿siːt] Schleudersitz

eke out [ˌiːk'aʊt] **1.** strecken (*Vorräte usw.*) **2.** ***eke out a living*** sich (mühsam) durchschlagen

elaborate[1] [ɪ'læbərət] **1.** sorgfältig gearbeitet *oder* ausgeführt **2.** *Plan usw.*: ausgeklügelt **3.** *Muster usw.*: kompliziert **4.** *Festessen usw.*: üppig

elaborate[2] [ɪ'læbəreɪt] nähere Angaben machen, ins Detail gehen; ***elaborate on*** näher eingehen auf

elapse [ɪ'læps] (*Zeit*) vergehen, verstreichen

elastic[1] [ɪ'læstɪk] **1.** *allg.*: elastisch, dehnbar (*auch übertragen*); ***elastic concept*** dehnbarer Begriff **2.** Gummi…; ***elastic band*** Gummiring, Gummiband

elastic[2] [ɪ'læstɪk] **1.** Gummiband **2.** *Material*: Gummi
elated [ɪ'leɪtɪd] begeistert (**at, by** von), in Hochstimmung
elbow[1] ['elbəʊ] *Körperteil*: Ellbogen
elbow[2] ['elbəʊ] *mit den Ellbogen*: stoßen, drängen (*auch übertragen*); ***elbow someone out*** jemanden hinausdrängen; ***we elbowed our way through the crowd*** wir bahnten uns unseren Weg durch die Menge, wir kämpften uns durch die Menge
elbow grease ['elbəʊ‿griːs] *humorvoll* **1.** (≈ *Kraft*) Armschmalz **2.** Schufterei
elbow-room ['elbəʊruːm] **1.** Ellbogenfreiheit **2.** *übertragen* Spielraum
elder[1] ['eldə] *Bruder, Schwester usw.*: ältere(r, -s)

elder

Elder und **eldest** werden bei Geschwistern und Kindern gebraucht. Universell einsetzbar sind **older** und **oldest**. **Older** und **oldest** können also ebenso bei Geschwistern und Kindern verwendet werden.

elder[2] ['eldə] *Pflanze*: Holunder
elderly[1] ['eldəlɪ] *höflich* (≈ *alt*) ***an elderly lady*** eine ältere Dame
elderly[2] ['eldəlɪ] (⚠ *nur im Pl. verwendet*) ***the elderly*** ältere Menschen
eldest ['eldɪst] *Bruder, Schwester usw.*: älteste(r, -s)
elect[1] [ɪ'lekt] *Politik usw.*: wählen; ***she was elected chairperson*** sie wurde zur Vorsitzenden gewählt
elect[2] [ɪ'lekt] *Politik usw.*: ***the president elect*** der gewählte *oder* zukünftige Präsident
election [ɪ'lekʃn] *Politik usw.*: Wahl; ***election campaign*** Wahlkampf
elector [ɪ'lektə] *Politik usw.*: Wähler(in)
electorate [ɪ'lektərət] *Politik*: Wähler *Pl.*, Wählerschaft
electric [ɪ'lektrɪk] **1.** *allg.*: elektrisch; ***electric chair*** elektrischer Stuhl; ***electric current*** elektrischer Strom; ***electric shock*** Stromschlag, *Medizin*: Elektroschock; ***electric blanket*** Heizdecke **2.** *übertragen*; *Wirkung einer Nachricht usw.*: elektrisierend **3.** *übertragen* spannungsgeladen (*Atmosphäre, Stimmung usw.*)
electrical [ɪ'ləktrɪkl] elektrisch, Elektro…; ***electrical engineer*** Elektroingenieur (-in), *ohne Studium*: Elektrotechniker(in); ***electrical engineering*** Elektrotechnik
electrician [ɪˌlek'trɪʃn] Elektrotechniker (-in), Elektriker(in)
electricity [ɪˌlek'trɪsətɪ] Elektrizität, Strom
electrify [ɪ'lektrɪfaɪ] **1.** *übertragen* elektrisieren (*Menschenmenge usw.*) **2.** elektrifizieren (*Bahnstrecke usw.*)
electron [ɪ'lektrɒn] *Physik*: Elektron; ***electron microscope*** Elektronenmikroskop
electronic [ɪˌlek'trɒnɪk] elektronisch; ***electronic data processing*** elektronische Datenverarbeitung
electronics [ɪˌlek'trɒnɪks] (⚠ *nur im Sg. verwendet*) Elektronik
elegance ['elɪgəns] Eleganz
elegant ['elɪgənt] *Person, Kleidung, Lösung eines Problems usw.*: elegant
element ['elɪmənt] **1.** *allg.*: Element **2.** ***the elements*** *Pl.* die Anfangsgründe (*einer Wissenschaft usw.*) **3.** (≈ *Umstand*) Faktor; ***there's always an element of uncertainty*** es gibt immer einen Unsicherheitsfaktor; ***element of surprise*** Überraschungselement; ***an element of truth*** ein Körnchen *oder* Fünkchen Wahrheit **4.** ***be in one's element*** in seinem Element sein; ***be out of one's element*** sich fehl am Platz fühlen **5.** ***the elements*** *Pl.* (≈ *Wetter*) die Elemente, die Naturkräfte
elementary [ˌelɪ'mentərɪ] **1.** *Tatsachen, Wissen*: grundlegend, elementar; ***an elementary mistake*** ein grober Fehler, ein Elementarfehler **2.** *Lehrbuch usw.*: elementar, Einführungs…; ***elementary school*** *AE* Grundschule **3.** *Chemie, Physik*: Elementar…; ***elementary particle*** Elementarteilchen
elephant ['elɪfənt] Elefant
elevated ['elɪveɪtɪd] **1.** erhöht; ***elevated railway*** (*oder AE* ***railroad***) Hochbahn **2.** *Position, Stil usw.*: gehoben, *Gedanken*: erhaben
elevation [ˌelɪ'veɪʃn] **1.** Höhe (*über dem Meeresspiegel*) **2.** (Boden)Erhebung **3.** Beförderung, Erhebung (*in einen höheren Rang*)
elevator ['elɪveɪtə] *AE* Aufzug, Fahrstuhl
eleven[1] [ɪ'levn] elf
eleven[2] [ɪ'levn] *Buslinie usw.*: Elf (*auch Sport*: *Mannschaft aus elf Spielern*)
elevenses [ɪ'levnzɪz] *Pl. BE, umg.* zweites Frühstück
eleventh [ɪ'levnθ] elfte(r, -s); ***at the eleventh hour*** *übertragen* in letzter Minute
elf [elf] *Pl.*: ***elves*** [elvz] **1.** Elf, Elfe **2.** Kobold
eligible ['elɪdʒəbl] **1.** *für ein Amt, einen Posten usw.*: geeignet, infrage kommend (***for*** für) **2.** *für staatliche Leistungen usw.*: berechtigt; ***be eligible for social security***

Anspruch auf Sozialhilfe haben; **be eligible to vote** wahlberechtigt sein **3. eligible bachelor** begehrter Junggeselle
eliminate [ɪ'lɪmɪneɪt] **1.** beseitigen, eliminieren (*Problem, Fehlerquelle usw.*) (**from** aus) **2.** (≈ *töten*) eliminieren **3.** *Sport*: ausschalten (*Gegner*); **be eliminated** ausscheiden
elimination [ɪlˌɪmɪ'neɪʃn] **1.** *von Problem, Fehlerquelle usw.*: Beseitigung, Eliminierung **2.** (≈ *Tötung*) Eliminierung **3.** *Sport*: Ausscheiden
elite [ɪ'liːt, eɪ'liːt] Elite; **the country's intellectual elite** die geistige Elite des Landes
elk [elk] *Hirschart*: Elch
elm [elm] *Baum*: Ulme
elongate ['iːlɒŋgeɪt] **1.** verlängern **2.** länger werden
elope [ɪ'ləʊp] (*junges Paar*) durchbrennen (*um zu heiraten*)
eloquence ['eləkwəns] Redegewandtheit
eloquent ['eləkwənt] redegewandt
else [els] **1.** *mst. in Fragen und Verneinungen*: sonst, weiter, außerdem; **who else was there?** wer war sonst noch da?; **no one else** sonst *oder* weiter niemand; **anything else?** sonst noch etwas?, *in Geschäft usw.*: darf es sonst noch etwas sein?; **what else can we do?** was können wir sonst noch tun?; **what else could I do?** was hätte ich sonst tun sollen? **2.** andere(r, -s); **that's something else** das ist etwas anderes; **everybody else** alle anderen; **someone else should do it** jemand anders sollte es machen **3. or else** *drohend*: sonst, andernfalls; **you'd better go now, or else!** du gehst jetzt besser, andernfalls …!
elsewhere [ˌels'weə] sonstwo, anderswo; **go and play elsewhere** geh und spiel woanders; **the restaurant was full, so we went elsewhere** das Restaurant war voll, deshalb gingen wir woandershin
elusive [ɪ'luːsɪv] **1.** *Dieb usw.*: schwer fassbar **2.** *Antwort*: ausweichend **3.** *Idee usw.*: schwer erfassbar
e-mail[1] ['iːmeɪl] (*Abk. für* electronic **mail**) *Computer*: E-Mail
e-mail[2] ['iːmeɪl] *Computer*: mit E-Mail schicken
emancipated [ɪ'mænsɪpeɪtɪd] *Person*: emanzipiert
emancipation [ɪˌmænsɪ'peɪʃn] *allg.*: Emanzipation
embargo [ɪm'bɑːgəʊ] *Pl.*: **embargoes** [ɪm'bɑːgəʊz] Embargo; **place** *oder* **put** *oder* **impose an embargo on a country** über ein Land ein Embargo verhängen
embark [ɪm'bɑːk] **1.** (*Passagiere von Schiff oder Flugzeug*) an Bord gehen **2.** *für Seereise*: an Bord gehen, sich einschiffen (**for** nach)
embarrass [ɪm'bærəs] in Verlegenheit bringen, verlegen machen
embarrassed [ɪm'bærəst] verlegen; **an embarrassed smile** ein verlegenes Lächeln; **I was embarrassed by the situation** die Situation war mir peinlich; **I'm so embarrassed!** das ist mir so peinlich!
embarrassing [ɪm'bærəsɪŋ] *Fragen, Situation usw.*: unangenehm, peinlich
embarrassment [ɪm'bærəsmənt] Verlegenheit; **be an embarrassment to someone** jemanden in Verlegenheit bringen, jemandem peinlich sein
embassy ['embəsɪ] *Politik*: Botschaft
embellish [ɪm'belɪʃ] **1.** verschönern, schmücken **2.** ausschmücken (*Erzählung usw.*)
embezzle [ɪm'bezl] veruntreuen, unterschlagen (*Geld*)
embezzlement [ɪm'bezlmənt] *von Geld*: Veruntreuung, Unterschlagung
embitter [ɪm'bɪtə] verbittern
emblem ['embləm] Emblem, Symbol; **national emblem** Hoheitszeichen
embody [ɪm'bɒdɪ] (*Person, Symbol usw.*) verkörpern (*Ideal, Idee usw.*)
embrace[1] [ɪm'breɪs] **1.** umarmen; **they embraced (each other)** sie umarmten sich **2.** (*Seminar, Kurs, Sachgebiet usw.*) einschließen, umfassen (*Aspekte, Details usw.*)
embrace[2] [ɪm'breɪs] Umarmung
embroidery [ɪm'brɔɪdərɪ] **1.** Stickerei(arbeit) **2.** *bei Erzählung usw.*: Ausschmückung
embryo ['embrɪəʊ] **1.** (≈ *Fötus*) Embryo **2. in embryo** *Plan, Projekt usw.*: im Entstehen *oder* Werden
emerald[1] ['emrəld] *Edelstein*: Smaragd
emerald[2] ['emrəld] *Farbe*: smaragdgrün
emerge [ɪ'mɜːdʒ] **1.** auftauchen; **the moon emerged from behind the clouds** der Mond kam hinter den Wolken hervor **2.** (*Tatsachen, Wahrheit*) sich herausstellen, herauskommen; **it emerged that …** es stellte sich heraus, dass …
emergency [ɪ'mɜːdʒənsɪ] Notlage; **in an emergency** *oder* **in case of emergency** im Notfall; **state of emergency** *nach Katastrophe*: Notstand, *politisch auch*: Ausnahmezustand; **emergency brake** *AE*; *Auto*: Handbremse; **emergency call** *Telefon*: Notruf; **emergency doctor** Notarzt, Notärztin; **emergency door** *oder* **emergency exit** Notausgang; **emer-**

E

emoticons

Will man bestimmte Emotionen in einer E-Mail vermitteln, kann man sich der so genannten „Emoticons“ bedienen, auch „Smileys“ genannt, die durch eine Tastenkombination erzeugt werden. Man muss den Kopf allerdings um 90 Grad nach links neigen, um sie richtig zu sehen. Hier eine kleine Auswahl:

:-)	glücklich	:-(	unglücklich, traurig; enttäuscht
:-))	sehr glücklich (*aber auch* Doppelkinn)	:-<	traurig, enttäuscht
		:-((	sehr unglücklich, sehr enttäuscht
:'-)	Weinen vor Freude	:'-(	Weinen
:-D	lautes Lachen	:-/	skeptisch; „nicht so gut“
;-)	Augenzwinkern	:-I	ernst; „finde ich nicht so komisch“
:-*	Küsschen	:-X	Lippen versiegelt (*auch* dicker Kuss)
:-x	Küsschen		
:-@	Schrei	:->	boshafte, ironische Bemerkung
:-o	überrascht; schockiert	+O:-)	der Papst

gency landing *mit dem Flugzeug*: Notlandung; ***make an emergency landing*** notlanden; ***emergency room*** *bes. AE*; *Krankenhaus*: Notaufnahme; ***emergency telephone*** Notrufsäule

emigrant ['emɪgrənt] **1.** Auswanderer **2.** *bes. aus politischen Gründen*: Emigrant (-in) (⚠ *Menschen, die ihr Land verlassen, weil sie dort verfolgt werden, werden häufiger* ***refugees*** *genannt*)

emigrate ['emɪgreɪt] **1.** auswandern **2.** *bes. aus politischen Gründen*: emigrieren

emigration [ˌemɪ'greɪʃn] **1.** Auswanderung **2.** *bes. aus politischen Gründen*: Emigration

eminence ['emɪnəns] **1.** (≈ *Ansehen*) Berühmtheit; ***achieve eminence*** hohes Ansehen erlangen (***as*** als) **2.** ***His Eminence*** (≈ *Kardinal*) Seine Eminenz

eminent ['emɪnənt] *Persönlichkeit*: hoch angesehen, bedeutend

emission [ɪ'mɪʃn] **1.** *von Abgasen, Schadstoffen usw.*: Emission, Ausstoß **2.** *von Licht*: Ausstrahlung **3.** *von Flüssigkeit, Lava usw.*: Ausströmen

emission-free [ɪˌmɪʃn'friː] *Auto usw.*: schadstofffrei

emit [ɪ'mɪt], ***emitted, emitted*** **1.** ausstoßen (*Lava, Rauch usw.*) **2.** ausstrahlen (*Licht, Wärme usw.*) **3.** ausstoßen (*Schrei usw.*)

emoticon [ɪ'məʊtɪkɒn] *Computer*: Emoticon

emotion [ɪ'məʊʃn] Emotion, Gefühl

emotional [ɪ'məʊʃnəl] **1.** *allg.*: emotional, gefühlsmäßig **2.** *Charakter*: gefühlsbetont, empfindsam **3.** ***emotional balance*** inneres *oder* seelisches Gleichgewicht **4.** *Film, Buch usw.*: gefühlvoll, rührselig

emperor ['empərə] Kaiser

emphasis ['emfəsɪs] *Pl.*: ***emphases*** [⚠ 'emfəsiːz] **1.** *in der Aussprache*: Betonung **2.** *übertragen auch*: Schwerpunkt, Nachdruck; ***place*** *oder* ***put emphasis on*** hervorheben, unterstreichen; ***with emphasis*** nachdrücklich, mit Nachdruck

emphasize ['emfəsaɪz] nachdrücklich betonen, hervorheben, unterstreichen

emphatic [ɪm'fætɪk] nachdrücklich, eindringlich

empire ['empaɪə] Reich, Imperium (*beide auch übertragen*); ***the former British Empire*** das ehemalige britische Weltreich

Empire State Building

Das 1931 eröffnete **Empire State Building** in New York war mit seinen 102 Stockwerken lange Zeit das höchste Gebäude der Welt. Von der 86. Etage aus kann man den Stadtteil Manhattan überblicken. Der Staat New York wird auch **Empire State** genannt, daher der Name für den Wolkenkratzer.

employ [ɪm'plɔɪ] **1.** (*Arbeitgeber*) beschäftigen (***as*** als); ***our company employs nearly 1000 people*** unsere Firma beschäftigt fast 1000 Leute **2.** anwenden, gebrauchen (*Gewalt, bestimmte Methode usw.*)

employee [ɪm'plɔɪiː] Arbeitnehmer(in), Angestellte(r), Arbeiter(in); ***the employees*** *Pl.* die Belegschaft

employer [ɪm'plɔɪə] Arbeitgeber(in)

employment [ɪm'plɔɪmənt] Beschäftigung, Arbeit; ***full employment*** Vollbeschäftigung; ***employment agency*** *in GB*: Stellenvermittlung, private Arbeitsvermittlung

empower [ɪm'paʊə] bevollmächtigen, ermächtigen

empress ['emprəs] Kaiserin

empties ['emptɪz] *Pl. Flaschen usw.*: Leergut

emptiness ['emptɪnəs] Leere (*auch übertragen*)

empty[1] ['emptɪ] **1.** *allg.*: leer (*auch übertragen: Versprechungen, Worte usw.*); ***feel empty*** sich innerlich leer fühlen, *umg.* (≈ *Hunger haben*) Kohldampf schieben; ***on an empty stomach*** auf nüchternen Magen, mit nüchternem Magen **2.** *Haus usw.*: leer, leer stehend

empty[2] ['emptɪ] **1.** *allg.*: leeren (***into*** in) **2.** ausräumen (*Fach, Schublade usw.*) **3.** austrinken (*Tasse, Glas usw.*)

empty-handed [ˌemptɪ'hændɪd] mit leeren Händen, unverrichteter Dinge

enable [ɪ'neɪbl] **1.** möglich machen, ermöglichen; ***enable something to be done*** es ermöglichen, dass etwas getan wird; ***the inheritance enabled us to buy a house*** die Erbschaft ermöglichte es uns, ein Haus zu kaufen **2.** *Recht*: berechtigen, ermächtigen (***to do*** zu tun)

enact [ɪ'nækt] **1.** *juristisch*: erlassen (*Gesetz*) **2.** *Theater*: aufführen (*Stück*) **3.** *Theater*: spielen (*Rolle*)

enamel[1] [⚠ ɪ'næml] **1.** *auf Ton, Metall usw.*: Email, Emaille **2.** *auf Holz, Fliesen*: Glasur **3.** Zahnschmelz

enamel[2] [⚠ ɪ'næml], ***enamelled, enamelled***, *AE* ***enameled, enameled*** emaillieren

enchant [ɪn'tʃɑːnt] (*Anblick, reizende Person usw.*) bezaubern, entzücken; ***be enchanted*** entzückt sein (***by, with*** von)

enchanting [ɪn'tʃɑːntɪŋ] bezaubernd, entzückend

encircle [ɪn'sɜːkl] umgeben; ***encircled by*** *oder* ***with*** umgeben von; ***the inner city is encircled by a broad ring road*** die Innenstadt ist von einer breiten Ringstraße umschlossen

enclose [ɪn'kləʊz] **1.** (≈ *einsperren*) einschließen (***in*** in) **2.** (≈ *einfassen*) umgeben (***in*** mit) **3.** *in Brief, Paket*: beilegen, beifügen (***in, with***; *dt. Dativ*); ***enclosed please find …*** in der Anlage erhalten Sie …

enclosure [ɪn'kləʊʒə] Anlage (*zu einem Brief usw.*)

encore [⚠ 'ɒŋkɔː] *nach Konzert*: Zugabe

encounter[1] [ɪn'kaʊntə] **1.** stoßen auf (*Probleme, Widerstand usw.*) **2.** treffen auf, stoßen auf (*Gegner, Feind*)

encounter[2] [ɪn'kaʊntə] **1.** Begegnung (***of, with*** mit) **2.** *feindlich*: Zusammenstoß

encourage [ɪn'kʌrɪdʒ] **1.** ermutigen, ermuntern (***to*** zu); ***she encouraged me not to give up*** sie ermutigte mich, nicht aufzugeben **2.** *bei einem Vorhaben*: unterstützen, bestärken

encouragement [ɪn'kʌrɪdʒmənt] **1.** Ermutigung, Ermunterung **2.** *von Vorhaben*: Unterstützung, Bestärkung

encyclopaedia, encyclopedia [ɪnˌsaɪklə'piːdɪə] Enzyklopädie

Encyclopaedia Britannica

Die berühmteste und umfangreichste englischsprachige Enzyklopädie ist die **Encyclopaedia Britannica**. In Buchform besteht sie aus etwa 40 Bänden.

end[1] [end] **1.** (≈ *zu Ende gehen*) enden, aufhören; ***World War I ended in 1918*** der Erste Weltkrieg ging 1918 zu Ende **2.** (≈ *zu Ende bringen*) beenden; ***after six months she ended the affair*** nach sechs Monaten beendete sie die Affäre

> **end in** ['end‿ɪn] ***end in disaster*** *Ehe, Vorhaben usw.*: mit einem Fiasko enden; ***it'll all end in tears*** am Ende wird es Tränen geben! (*Warnung an Kinder*)
>
> **end up** [ˌend'ʌp] *umg.* enden, landen; ***if he goes on like this he'll end up in hospital*** wenn er so weitermacht, landet er im Krankenhaus; ***we wanted to see a film, but we ended up going to the pub*** eigentlich wollten wir einen Film anschauen, aber schließlich gingen wir doch in die Kneipe

end[2] [end] **1.** *räumlich*: Ende; ***we joined the end of the queue*** wir stellten uns am Ende der Schlange an **2.** *zeitlich*: Ende; ***in the end*** am Ende, schließlich; ***at the end of May*** Ende Mai **3.** *übertragen* Ende, Schluss; ***at the end of the film*** am Schluss des Films; ***read a book to the end*** ein Buch bis zum Ende lesen; ***come*** *oder* ***draw to an end*** zu Ende gehen; ***the news put an end to all his hopes*** die Nachricht setzte allen seinen Hoffnungen ein Ende; ***come to a bad end*** ein schlimmes Ende nehmen **4.** (≈ *Tod*) Ende **5.** *auch* ***ends*** *Pl.* Absicht, Zweck, Ziel; ***the end justifies the means*** der Zweck heiligt die Mittel; ***to this end*** zu diesem Zweck; ***as an end in itself*** als Selbstzweck; ***he tried everything to achieve his own ends*** er versuchte alles, um sein Ziel zu erreichen **6.** *in Wendungen*: ***go off at the deep end*** *umg.* hochgehen, wütend werden; ***make*** (***both***) ***ends meet*** durchkommen, finanziell über die Runden kommen; ***at the end of the day*** schließlich und endlich; ***you are the*** (***absolute***) ***end!*** *negativ*: du bist (wirklich) der *oder* die *oder* das Letzte!

endanger [ɪn'deɪndʒə] gefährden; ***whales are an endangered species*** Wale gehören zu den bedrohten Arten

endearing [ɪn'dɪərɪŋ] **1.** *Lächeln usw.*: gewinnend **2.** *Eigenschaft usw.*: liebenswert

endearment [ɪn'dɪəmənt] ***term of endearment*** Kosewort

endeavour[1], *AE* **endeavor** [⚠ ɪn'devə] bemüht *oder* bestrebt sein

endeavour[2], *AE* **endeavor** [⚠ ɪn'devə] Bemühung, Bestrebung

ending ['endɪŋ] **1.** *von Geschichte, Film*: Ende, Schluss; ***happy ending*** Happyend **2.** *eines Wortes*: Endung

endless ['endləs] *allg.*: endlos

endurance [ɪn'djʊərəns] Ausdauer, Durchhaltevermögen

endure [ɪn'djʊə] **1.** (*Freundschaft, Brauch usw.*) andauern, Bestand haben **2.** aushalten, ertragen, erdulden (*Schmerz, Leid usw.*)

end user ['end,juːzə] *Wirtschaft*: Endverbraucher(in)

enemy ['enəmɪ] Feind, Gegner (*auch militärisch*); ***make an enemy of someone*** sich jemanden zum Feind machen

energetic [,enə'dʒetɪk] **1.** *Person*: energiegeladen, aktiv **2.** *Manager, Politiker usw.*: tatkräftig **3.** *Einsatz für oder gegen etwas*: energisch

energy ['enədʒɪ] *allg.*: Energie; ***energy-saving*** Energie sparend; ***energy crisis*** Energiekrise

engage [ɪn'geɪdʒ] engagieren (*Künstler usw.*); ***we engaged a band for our party*** wir haben für unsere Party eine Band engagiert

engaged [ɪn'geɪdʒd] **1.** ***get engaged*** sich verloben (***to*** mit); ***engaged to be married*** verlobt **2.** beschäftigt (***in, on*** mit); ***be engaged in doing something*** damit beschäftigt sein, etwas zu tun **3.** ***sorry, but I'm otherwise engaged*** tut mir Leid, aber ich habe schon etwas anderes vor **4.** *Toilette, Telefon*: besetzt; ***engaged tone*** *Telefon*: Besetztzeichen

engagement [ɪn'geɪdʒmənt] **1.** Verlobung (***to*** mit); ***engagement ring*** Verlobungsring **2.** Termin, Verabredung; ***have an engagement*** verabredet sein **3.** *von Künstler*: Engagement, Auftritt

engaging [ɪn'geɪdʒɪŋ] *Wesen usw.*: einnehmend, *Lächeln usw.*: gewinnend

engine ['endʒɪn] **1.** *von Auto, Flugzeug usw.*: Motor; ***petrol engine*** Benzinmotor; ***engine oil*** Motoröl **2.** *von Schiff*: Maschine **3.** *von Zug*: Lokomotive

engineer [,endʒɪ'nɪə] **1.** *mit Studium*: Ingenieur(in); ***mechanical engineer*** Maschinenbauingenieur **2.** *ohne Studium*: Techniker(in), Mechaniker(in) **3.** *AE* Lokomotivführer

engineering [,endʒɪ'nɪərɪŋ] Ingenieurwesen; ***mechanical engineering*** Maschinenbau

England ['ɪŋglənd] England; ☞ *Karte S. 293*

English[1] ['ɪŋglɪʃ] englisch

English[2] ['ɪŋglɪʃ] *Sprache*: Englisch; ***in English*** auf Englisch; ***in plain English*** *etwa*: auf gut Deutsch; ***the Queen's*** *oder* ***King's English*** hochsprachliches Englisch

English[3] ['ɪŋglɪʃ] ***the English*** *Pl.* die Engländer

Englishman ['ɪŋglɪʃmən] *Pl.*: ***Englishmen*** ['ɪŋglɪʃmən] Engländer

Englishwoman ['ɪŋglɪʃ,wʊmən] *Pl.*: ***Englishwomen*** ['ɪŋglɪʃ,wɪmɪn] Engländerin

engrave [ɪn'greɪv] **1.** *in Metall, Stein*: eingravieren, *in Holz*: einschnitzen (***on*** in) **2.** ***it's engraved on*** (*oder* ***in***) ***his memory*** es hat sich ihm tief eingeprägt

enigma [ɪ'nɪgmə] (≈ *Geheimnis*) Rätsel

enigmatic [,enɪg'mætɪk] rätselhaft

enjoy [ɪn'dʒɔɪ] **1.** Freude haben an; ***enjoy doing something*** daran Vergnügen finden, etwas zu tun; ***I enjoy dancing*** ich tanze gern, Tanzen macht mir Spaß; ***did you enjoy the book?*** hat dir das Buch gefallen? **2.** ***enjoy oneself*** sich amüsieren, Spaß haben; ***enjoy yourself!*** viel Spaß! **3.** genießen (*Urlaub, Freizeit usw.*) **4.** sich schmecken lassen (*Mahlzeit, Getränk usw.*); ***enjoy your meal*** guten Appetit! (*wird oft von Kellnerinnen und Kellnern gesagt*)

enjoyable [ɪn'dʒɔɪəbl] **1.** *Arbeit, Abend usw.*: angenehm, schön **2.** *Film, Buch usw.*: unterhaltsam

enjoyment [ɪn'dʒɔɪmənt] Vergnügen, Freude (***of*** an)

enlarge [ɪn'lɑːdʒ] vergrößern (*auch Foto*)

enlargement [ɪn'lɑːdʒmənt] Vergrößerung (*auch Foto*)

enlightenment [ɪn'laɪtnmənt] Aufklärung; ***the Age of Enlightenment*** das Zeitalter der Aufklärung

enmity ['enmətɪ] Feindschaft

enormous [ɪ'nɔːməs] *Größe, Menge*: enorm, ungeheuer, gewaltig

enough [ɪ'nʌf] **1.** genug, genügend; ***be enough*** (aus)reichen, genügen; ***is there enough sugar?*** ist genügend Zucker da?; ***I've had enough, thank you*** *beim Essen*: danke, ich bin satt!; ***enough of that!*** *oder* ***that's enough!*** *verärgert*: genug davon!, Schluss damit! **2.** ***he was kind*** (*bzw.* ***good***) ***enough to do it for me*** er hat es freundlicherweise für mich erledigt; ***strangely enough*** merkwürdigerweise

enquire [ɪn'kwaɪə] → ***inquire***

enquiry [ɪn'kwaɪərɪ] → ***inquiry***

enraged [ɪn'reɪdʒd] wütend, aufgebracht (***at, by*** über)

enraptured [ɪn'ræptʃəd] hingerissen, entzückt (***by*** von)

enrich [ɪn'rɪtʃ] **1.** bereichern (*auch übertragen*) **2.** *chemisch*: anreichern (*mit Nährstoffen usw.*)

enrol, *bes. AE* **enroll** [ɪn'rəʊl], ***enrolled, enrolled*** **1.** *in Teilnehmerliste usw.*: einschreiben, eintragen (*Namen, Teilnehmer usw.*) **2.** *für einen Kurs usw.*: sich einschreiben; ***enrol for a course*** einen Kurs belegen

ensemble [ɒn'sɒmbl] **1.** *von Gebäudekomplex usw.*: Gesamteindruck **2.** *Musik*: Ensemble

ensue [ɪn'sjuː] folgen, sich ergeben (***from*** aus)

ensuing [ɪn'sjuːɪŋ] ***the ensuing years*** die (darauf) folgenden Jahre

ensure [ɪn'ʃʊə] sicherstellen, gewährleisten; ***could you ensure that …*** könntest du dafür sorgen, dass …?

entail [ɪn'teɪl] mit sich bringen, zur Folge haben

enter ['entə] **1.** *in einen Raum usw.*: hineingehen, *von innen gesehen*: hereinkommen **2.** betreten (*Raum, Gebäude*) **3.** einreisen in (*Land*) **4.** (*Schiff*) einlaufen in (*Hafen*) **5.** (*Zug*) einfahren in (*Bahnhof*) **6.** *übertragen* eintreten in (*Militär usw.*); ***after university he wants to enter politics*** nach dem Studium will er in die Politik (gehen) **7.** *in Liste*: eintragen, einschreiben (*Namen usw.*) **8.** *Theater*: auftreten; ***enter Hamlet*** Hamlet tritt auf **9.** *in Computer*: eingeben (*Daten, Befehle usw.*); ***enter key*** Enter-Taste

enter into ['entər‿ɪntʊ] **1.** anfangen, beginnen (*Debatte, Diskussion usw.*); ***enter into correspondence with*** in Briefwechsel treten mit **2.** eingehen (*Verpflichtung, Partnerschaft, Ehe usw.*)

enter key ['entə‿kiː] *Computer*: Eingabetaste, Enter-Taste

enterprise ['entəpraɪz] **1.** (≈ *Projekt*) Unternehmen **2.** *Firma*: Unternehmen, Betrieb **3.** *von Person*: Unternehmungsgeist

enterprising ['entəpraɪzɪŋ] *Person*: unternehmungslustig

entertain [ˌentə'teɪn] **1.** (≈ *amüsieren*) unterhalten **2.** bewirten (*Gäste*) **3.** in Betracht *oder* Erwägung ziehen (*Vorschlag usw.*); ***entertain an idea*** sich mit einem Gedanken tragen

entertainer [ˌentə'teɪnə] Entertainer(in), Unterhaltungskünstler(in)

entertaining [ˌentə'teɪnɪŋ] unterhaltend, unterhaltsam

entertainment [ˌentə'teɪnmənt] **1.** Unterhaltung; ***the world of entertainment*** die Unterhaltungsbranche, die Welt des Showbusiness; ***entertainment industry*** Unterhaltungsindustrie; ***entertainment tax*** Vergnügungssteuer **2.** *öffentliche Darbietung*: Unterhaltungsshow **3.** ***I paint for my own entertainment*** ich male nur so zu meinem Vergnügen

enthusiasm [ɪn'θjuːzɪæzm] Enthusiasmus, Begeisterung (***for*** für; ***about*** über)

enthusiast [ɪn'θjuːzɪæst] Enthusiast(in); ***she's a basketball enthusiast*** sie ist eine begeisterte Basketballerin

enthusiastic [ɪnˌθjuːzɪ'æstɪk] begeistert (***about, over*** von), enthusiastisch

entice [ɪn'taɪs] **1.** locken (***into*** in); ***entice away*** weglocken (***from*** von) **2.** verleiten, verführen

enticing [ɪn'taɪsɪŋ] verlockend, verführerisch

entire [ɪn'taɪə] *allg.*: ganz, komplett; ***he took the entire week off*** er nahm die ganze Woche frei; ***there are only three hospitals in the entire country*** im gesamten Land gibt es nur drei Krankenhäuser

entirely [ɪn'taɪəlɪ] völlig, gänzlich; ***that's an entirely different matter*** das ist etwas ganz anderes; ***it's entirely up to you*** es liegt ganz bei dir; ***I'm not entirely happy with their plans*** ich bin über ihre Pläne nicht unbedingt glücklich

entitle [ɪn'taɪtl] **1.** betiteln (*Buch usw.*); ***a film entitled …*** ein Film mit dem Titel … **2.** berechtigen (***to*** zu); ***be entitled to …*** ein Anrecht *oder* (einen) Anspruch haben auf …; ***be entitled to do something*** (dazu) berechtigt sein *oder* das Recht haben, etwas zu tun; ***entitled to vote*** wahlberechtigt

entrance ['entrəns] **1.** *Tür, Tor usw.*: Eingang; ***entrance hall*** *Hotel usw.*: Eingangshalle, *Haus*: Hausflur **2.** *von Person*: Eintreten **3.** *an Schule, Universität usw.*: Aufnahme; ***entrance exam*** Aufnahme-

E

prüfung **4.** *zu Veranstaltung usw.*: Einlass, Eintritt; ***entrance fee*** Eintrittsgeld, *in Verein usw.*: Aufnahmegebühr **5.** *am Theater*: Auftritt; ***make one's entrance*** auftreten

entrant ['entrənt] **1.** Berufsanfänger(in) (***to*** in) **2.** *bei Wettbewerb*: Teilnehmer(in)

E

entrepreneur [ˌɒntrəprə'nɜː] *Wirtschaft*: Unternehmer(in)

entrust [ɪn'trʌst] **1.** anvertrauen (*Wertgegenstände, Kind usw.*) (***to someone*** jemandem) **2.** ***entrust someone with a task*** jemanden mit einer Aufgabe betrauen

entry ['entrɪ] **1.** *Tür, Tor usw.*: Eingang, Einfahrt **2.** *von Person*: Eintreten **3.** *in ein Land*: Einreise; ***entry visa*** Einreisevisum **4.** *Theater*: Auftritt **5.** *zu Verein usw.*: Beitritt (***into*** zu) **6.** Einlass, Zutritt; ***gain*** *oder* ***obtain entry*** Einlass finden; ***no entry!*** Zutritt verboten **7.** *in Telefonbuch usw.*: Eintrag **8.** *in Wörterbuch*: Stichwort

entryphone ['entrɪfəʊn] Türsprechanlage

enumerate [ɪ'njuːməreɪt] aufzählen

envelop [⚠ ɪn'veləp] **1.** einwickeln, (ein-) hüllen; ***he was enveloped in a woollen blanket*** er war in eine Wolldecke gehüllt **2.** *übertragen* verhüllen, einhüllen; ***enveloped in fog*** vom Nebel eingehüllt

envelope ['envələʊp] **1.** *für Briefe usw.*: Briefumschlag, Kuvert **2.** *allg.*: Hülle

enviable ['envɪəbl] beneidenswert

envious ['envɪəs] neidisch (***of*** auf); ***an envious look*** ein neidischer Blick

environment [ɪn'vaɪrənmənt] **1.** (≈ *Ökosystem*) Umwelt **2.** (≈ *Lebensumstände*) Umfeld, Umgebung, Milieu

environmental [ɪnˌvaɪrən'mentl] Umwelt…; ***environmental compatibility*** Umweltverträglichkeit; ***environmental pollution*** Umweltverschmutzung; ***environmental protection*** Umweltschutz

environmentalist [ɪnˌvaɪrən'mentlɪst] Umweltschützer(in)

environs [ɪn'vaɪrənz] *Pl.* Umgebung (*eines Ortes usw.*)

envy[1] ['envɪ] Neid (***of*** auf); ***his car is the envy of all his friends*** alle seine Freunde beneiden ihn um seinen Wagen

envy[2] ['envɪ] beneiden; ***I don't envy you this job*** ich beneide dich nicht um diese Aufgabe

ephemeral [ɪ'femrəl] *Mode, Trend usw.*: flüchtig, kurzlebig

epicentre, *AE* **epicenter** ['epɪˌsentə] *von Erdbeben*: Epizentrum

epidemic [ˌepɪ'demɪk] *Medizin*: Epidemie, Seuche (*beide auch übertragen*)

Epiphany [ɪ'pɪfənɪ] Dreikönigsfest

episode ['epɪsəʊd] **1.** *allg.*: Episode **2.** *Rundfunk, TV usw.*: Folge

epitaph ['epɪtɑːf] Grabinschrift

epoch ['iːpɒk] Epoche

equal[1] ['iːkwəl] **1.** *allg.*: gleich; ***be equal to*** gleichen, gleich sein; ***a pint is roughly equal to half a litre*** ein Pint entspricht in etwa einem halben Liter; ***equal opportunities*** *Pl.* Chancengleichheit; ***equal rights for women*** die Gleichberechtigung der Frau; ***equal in size*** *oder* ***of equal size*** (von) gleicher Größe, gleich groß **2.** ***be equal to a task*** einer Aufgabe gewachsen sein **3.** *in Qualität, Leistung usw.*: ebenbürtig (***to***; *dt. Dativ*), gleichwertig **4.** ***be on equal terms with someone*** mit jemandem auf gleicher Stufe stehen

equal[2] ['iːkwəl] Gleichgestellte(r); ***your equals*** *Pl.* deinesgleichen

equal[3] ['iːkwəl], ***equalled, equalled***, *AE* ***equaled, equaled***; *-ing-Form* ***equalling***, *AE* ***equaling*** **1.** gleichen, gleichkommen (***in*** an) **2.** *Sport*: einstellen (*Rekord*)

equality [ɪ'kwɒlətɪ] *allg.*: Gleichheit

equalize ['iːkwəlaɪz] **1.** *in Wert, Größe, Menge usw.*: gleichmachen, angleichen **2.** *BE*; *Fußball usw.*: ausgleichen

equalizer ['iːkwəlaɪzə] *BE*; *beim Fußball usw.*: Ausgleich, Ausgleichstor

equally ['iːkwəlɪ] **1.** gleich; ***equally expensive*** gleich teuer **2.** ebenso; ***he's equally stupid*** er ist genauso dumm **3.** *aufteilen, verteilen*: gleichmäßig

equals sign ['iːkwəlz‿saɪn] *Mathematik*: Gleichheitszeichen

equation [ɪ'kweɪʒn] *Mathematik*: Gleichung

equator [ɪ'kweɪtə] *Geographie*: Äquator

equatorial [⚠ ˌekwə'tɔːrɪəl] äquatorial, Äquatorial…

equestrian [ɪ'kwestrɪən] Reit…, Reiter…; ***equestrian sports*** *Pl.* Reitsport, Pferdesport

equinox ['iːkwɪnɒks] Tagundnachtgleiche

equip [ɪ'kwɪp], ***equipped, equipped*** **1.** ausrüsten (*Expedition, Schiff usw.*) **2.** ausstatten (*Werkstatt, Küche, Labor usw.*) **3.** *übertragen*; *mit Wissen usw.*: das (nötige) Rüstzeug geben (***for*** für); ***be well equipped for*** das nötige Rüstzeug haben für

equipment [ɪ'kwɪpmənt] **1.** *von Schiff usw.*: Ausrüstung **2.** *von Labor usw.*: Ausstattung; ***office equipment*** Büroeinrichtung **3.** *übertragen*; *Wissen usw.*: (geistiges *oder* nötiges) Rüstzeug

equivalent[1] [ɪ'kwɪvələnt] **1.** gleichbedeutend (***to*** mit) **2.** gleichwertig

equivalent[2] [ɪ'kwɪvələnt] (genaue) Entsprechung (***of*** zu)
era [⚠ 'ɪərə] Ära, Zeitalter
eradicate [ɪ'rædɪkeɪt] ausrotten
erase [ɪ'reɪz] **1.** ausstreichen, ausradieren (*Schrift usw.*) **2.** *Computer*: löschen (*Daten*) **3.** ***erase something from one's memory*** etwas aus dem Gedächtnis streichen
eraser [ɪ'reɪzə] Radiergummi
erect[1] [ɪ'rekt] **1.** aufrichten (*Mast, Gerüst usw.*) **2.** errichten (*Gebäude usw.*) **3.** aufstellen (*Zelt usw.*)
erect[2] [ɪ'rekt] **1.** aufgerichtet, aufrecht; ***with head erect*** erhobenen Hauptes **2.** *Penis*: erigiert
erection [ɪ'rekʃn] **1.** *von Gebäude*: Errichtung **2.** *von Penis*: Erektion
ergonomic [ˌɜːgə'nɒmɪk] ergonomisch
ergonomics [ˌɜːgə'nɒmɪks] (⚠ *im Sg. verwendet*) Ergonomie
erosion [ɪ'rəʊʒn] **1.** *durch Wasser und Wind*: Erosion **2.** *von Selbstbewusstsein, Freiheitsrechten usw.*: Aushöhlung
erotic [ɪ'rɒtɪk] erotisch
eroticism [ɪ'rɒtɪsɪzm] Erotik
errand ['erənd] Botengang, Besorgung; ***go on*** *oder* ***run an errand*** einen Botengang *oder* eine Besorgung machen
erratic [ɪ'rætɪk] sprunghaft, unberechenbar
erroneous [ɪ'rəʊnɪəs] irrig, falsch; ***erroneous belief*** Irrglaube
error ['erə] **1.** Fehler; ***grave error*** schwerer Fehler; ***human error*** menschliches Versagen **2.** Irrtum, Versehen; ***be in error*** im Irrtum sein, sich im Irrtum befinden; ***error of judgement*** Fehleinschätzung, falsche Beurteilung; ☞ *Info unter dt.* ***Fehler***
erupt [ɪ'rʌpt] **1.** (*Vulkan, Krieg usw.*) ausbrechen; ***erupt in anger*** einen Wutanfall bekommen **2.** (*Pickel, Hautausschlag*) sich plötzlich ausbreiten; ***my skin erupted in pimples*** ich bekam (plötzlich) überall Pickel
eruption [ɪ'rʌpʃn] **1.** *von Vulkan usw.*: Ausbruch **2.** *auf Haut*: Ausschlag
escalate ['eskəleɪt] **1.** (*Krieg, Konflikt usw.*) eskalieren **2.** eskalieren lassen (*Krieg, Konflikt usw.*) **3.** (*Preise, Kosten usw.*) steigen, in die Höhe gehen
escalation [ˌeskə'leɪʃn] Eskalation
escalator ['eskəleɪtə] Rolltreppe
escalope ['eskəlɒp] *zum Essen*: Schnitzel
escape[1] [ɪ'skeɪp] **1.** fliehen, entfliehen, entkommen (***from*** aus *oder Dativ*) **2.** *einer Strafe, einem Schicksal*: entgehen; ***you can't escape the fact that ...*** es lässt sich nicht leugnen, dass ... **3.** *dem Gedächtnis*: entfallen; ***his name escapes me*** sein Name ist mir entfallen **4.** sich retten (***from*** vor); ***she escaped with her life*** sie kam mit dem Leben davon **5.** (*Flüssigkeit*) ausfließen **6.** (*Gas*) entweichen, ausströmen (***from*** aus)
escape[2] [ɪ'skeɪp] **1.** Entkommen, Flucht; ***have a narrow*** *oder* ***near escape*** mit knapper Not davonkommen *oder* entkommen; ***that was a narrow escape!*** das war knapp! **2.** ***an escape from reality*** *Drogen, Alkohol usw.*: eine Flucht vor der Realität **3.** *von Gas, Flüssigkeiten*: Entweichen, Ausströmen
escape chute [ɪ'skeɪp‿ʃuːt] *im Flugzeug*: Notrutsche
escape key [ɪ'skeɪp‿kiː] *Computer*: Escape-Taste
escort[1] ['eskɔːt] **1.** *mst. militärisch*: Eskorte, Geleitschutz **2.** *zu offiziellem Anlass*: Begleiter(in)
escort[2] [ɪ'skɔːt] **1.** *militärisch*: eskortieren, Geleitschutz geben **2.** *mst. zu offiziellem Anlass*: begleiten
especially [ɪ'speʃlɪ] besonders, hauptsächlich; ***this holiday resort is very expensive, especially in summer*** dieser Ferienort ist sehr teuer, vor allem im Sommer
espionage [⚠ 'espɪənɑːʒ] Spionage
essay ['eseɪ] Essay, *bes. in der Schule*: Aufsatz
essence ['esns] **1.** *von Buch, Theorie usw.*: Wesentliche(s), Kern; ***in essence*** im Wesentlichen **2.** *aus Pflanzen, Fleisch gewonnen*: Essenz, Extrakt
essential[1] [ɪ'senʃl] **1.** (≈ *unverzichtbar*) wesentlich, unentbehrlich (***to*** für) **2.** *Bestandteil von etwas*: wesentlich, grundlegend
essential[2] [ɪ'senʃl] **1.** *mst.* ***essentials*** *Pl.* Wesentliche(s), Notwendigste(s); ***be an essential*** lebensnotwendig sein **2.** ***the essentials of French grammar*** die Grundlagen der französischen Grammatik
essentially [ɪ'senʃlɪ] im Wesentlichen
establish [ɪ'stæblɪʃ] **1.** gründen (*Firma*) **2.** beweisen, nachweisen (*Tatsache, Unschuld usw.*) **3.** einführen, erlassen (*Gesetz usw.*) **4.** aufstellen (*Rekord, Theorie*) **5.** bilden, einsetzen (*Ausschuss usw.*) **6.** (wieder)herstellen (*Frieden, Ordnung*) **7.** ***establish oneself*** *beruflich usw.*: sich etablieren; ***establish one's reputation as ...*** sich einen Namen machen als ...
establishment [ɪ'stæblɪʃmənt] **1.** *von Firma, Institution usw.*: Gründung, Bildung,

Einführung **2.** ***the Establishment*** das Establishment

estate [ɪ'steɪt] **1.** (≈ *Grundbesitz auf dem Land*) Landgut, Gut **2.** *BE* (≈ *bebautes Gebiet in der Stadt*) Siedlung; ***housing estate*** Wohnsiedlung; ***industrial estate*** Industriegebiet **3.** *Recht*: Besitz, Besitztümer

E

estate agent [ɪ'steɪtˌeɪdʒənt] *BE* Grundstücksmakler(in), Immobilienmakler(in)

estate car [ɪ'steɪt‿kɑː] *BE*; *Auto*: Kombi

esteem[1] [ɪ'stiːm] Achtung (***for*** vor)

esteem[2] [ɪ'stiːm] achten, (hoch) schätzen

estimate[1] ['estɪmeɪt] schätzen, veranschlagen (*Preis*, *Kosten usw.*) (***at*** auf); ***estimated value*** Schätzwert; ***an estimated 200 people*** schätzungsweise 200 Leute

estimate[2] ['estɪmət] Schätzung, Kostenvoranschlag; ***rough estimate*** grober Überschlag; ***at a rough estimate*** grob geschätzt

estimation [ˌestɪ'meɪʃn] **1.** Einschätzung, Meinung; ***in my estimation*** nach meiner Ansicht **2.** *von Person*: Achtung, Wertschätzung

Estonia [e'stəʊnɪə] Estland

Estonian[1] [e'stəʊnɪən] estnisch

Estonian[2] [e'stəʊnɪən] **1.** *Sprache*: Estnisch **2.** *Person*: Este, Estin

estuary ['estjʊrɪ] *von Fluss*: Mündung

eternal [ɪ'tɜːnl] **1.** (≈ *ohne Ende*) ewig **2.** *umg.* ewig, unaufhörlich (*Klagen*, *Gejammer usw.*)

eternity [ɪ'tɜːnətɪ] Ewigkeit (*auch übertragen*)

ethical ['eθɪkl] ethisch

ethics ['eθɪks] **1.** (⚠ *im Sg. verwendet*) Ethik (*auch Schulfach*) **2.** *auch* ***professional ethics*** *Pl.* Berufsethos

ethnic ['eθnɪk] **1.** ethnisch; ***ethnic group*** Volksgruppe **2.** *Kleidung usw.*: folkloristisch **3.** ***ethnic cleansing*** (≈ *Völkermord*) ethnische Säuberung

etiquette ['etɪket] Etikette, Verhaltensregeln *Pl.*

EU [ˌiː'juː] (*Abk. für* **E**uropean **U**nion) EU

euphoria [juː'fɔːrɪə] Euphorie

euphoric [juː'fɒrɪk] euphorisch

euro ['jʊərəʊ] *Pl.*: ***euros*** *Währung*: Euro

euro banknote ['jʊərəʊˌbæŋknəʊt] Euroschein

euro cent ['jʊərəʊ‿sent] Eurocent

Eurocheque ['jʊərəʊtʃek] Eurocheque; ***Eurocheque card*** Eurochequekarte

euro coin ['jʊərəʊ‿kɔɪn] Euromünze

Eurocurrency ['jʊərəʊˌkʌrənsɪ] Eurowährung

euro note ['jʊərəʊ‿nəʊt] Euroschein

Europe ['jʊərəp] Europa

European[1] [ˌjʊərə'piːən] europäisch; ***European Union*** Europäische Union; ***European champion*** *Sport*: Europameister (-in); ***European championship*** *Sport*: Europameisterschaft

European[2] [ˌjʊərə'piːən] Europäer(in)

euthanasia [ˌjuːθə'neɪzɪə] Sterbehilfe, Euthanasie

evacuate [ɪ'vækjʊeɪt] **1.** evakuieren (*Gebiet*, *Personen usw.*) **2.** *auch*: räumen (*Haus*)

evacuation [ɪˌvækjʊ'eɪʃn] **1.** *von Personen*, *Gebiet usw.*: Evakuierung **2.** *von Haus auch*: Räumung

evade [ɪ'veɪd] **1.** ***evade a duty*** *usw.* sich einer Pflicht *usw.* entziehen **2.** ***evade taxes*** Steuern hinterziehen **3.** ***evade a question*** einer Frage ausweichen

evaporate [ɪ'væpəreɪt] **1.** verdampfen, verdunsten **2.** ***evaporated milk*** Kondensmilch **3.** (*Gefühl*, *Hoffnung usw.*) sich zerschlagen, sich in Luft auflösen

evasive [ɪ'veɪsɪv] *Antwort*: ausweichend; ***be evasive*** (≈ *nicht auf Fragen eingehen*) ausweichen

eve [iːv] **1.** *mst. in Zusammensetzungen*: ***Christmas Eve*** Heiligabend; ***New Year's Eve*** Silvester **2.** *übertragen* Vorabend; ***on the eve of the final*** am Vorabend des Endspiels

even[1] ['iːvn] **1.** *verstärkend*: sogar, selbst; ***she works a lot, even at weekends*** sie arbeitet viel, sogar am Wochenende; ***not even he managed it*** nicht einmal er schaffte es; ***even as a child he was …*** schon als Kind war er … **2.** ***even if*** *einschränkend*: sogar wenn, selbst wenn; ***even if he were rich, …*** selbst wenn er reich wäre, … **3.** ***even though he's on holiday, he's still working*** obwohl (*oder stärker*: trotzdem) er im Urlaub ist, arbeitet er weiter **4.** *mit Steigerungsformen*: sogar, noch; ***that's even better*** das ist (sogar) noch besser

even[2] ['iːvn] **1.** *Fläche*: eben, flach **2.** *Geschwindigkeit*, *Atmung usw.*: gleichmäßig **3.** *im Sport*: ausgeglichen (*Wettbewerb*, *Spielverlauf usw.*) **4.** ***now we're even*** jetzt sind wir quitt; ***get even with someone*** es jemandem heimzahlen **5.** *Zahl*: gerade

even out [ˌiːvn'aʊt] **1.** (ein)ebnen, glätten (*Oberfläche*) **2.** ausgleichen (*Unterschiede*) **3.** gleichmäßig verteilen (*Reichtum usw.*)

even up [ˌiːvn'ʌp] begleichen (*Rechnung usw.*)

evening ['iːvnɪŋ] Abend; ***in the evening*** abends, am Abend; ***this evening*** heute Abend; ***all evening*** den ganzen Abend lang; ***evenings*** *AE* abends

evening classes ['iːvnɪŋˌklɑːsɪz] *Pl.* Abendunterricht

evening dress ['iːvnɪŋ‿dres] **1.** *einer Frau*: Abendkleid **2.** (≈ *Kleidung für festliche Anlässe*) Abendkleidung

event [ɪ'vent] **1.** (≈ *etwas Besonderes*) Ereignis; ***the biggest musical event of the year*** das größte musikalische Ereignis des Jahres; ***a happy event*** ein freudiges Ereignis (*Geburt*) **2.** (≈ *Geschehen*) Fall; ***in the event of my death*** im Falle meines Todes; ***at all events*** auf alle Fälle; ***before the event*** vorher, im Voraus; ***after the event*** hinterher, im Nachhinein **3.** *Sport*: Disziplin, Wettbewerb; ***the first event of the decathlon*** die erste Disziplin des Zehnkampfs

eventful [ɪ'ventfl] *Tag, Reise usw.*: ereignisreich

eventual [ɪ'ventʃʊəl] ***it caused his illness and eventual death*** es führte zu seiner Erkrankung und schließlich zu seinem Tode (⚠ *eventuell* =***possible***)

eventually [ɪ'ventʃʊəlɪ] schließlich, am Ende, letztendlich (⚠ *eventuell* = ***possibly***)

ever ['evə] **1.** je, jemals; ***have you ever been to London?*** bist du schon einmal in London gewesen?; ***rarely if ever*** fast nie, so gut wie nie; ***it's worse than ever*** es ist schlimmer als je zuvor; ***I've never ever seen such a thing*** *umg.* ich habe so was wirklich noch nie gesehen **2.** immer; ***she said she would love me for ever*** sie sagte, sie würde mich immer lieben; ***the ever-increasing unemployment figures*** die ständig ansteigende Arbeitslosenzahl **3.** ***ever so*** *bes. BE*, *umg.*; *verstärkend*: ***you're ever so kind*** das ist wirklich sehr nett von dir (*auch ironisch*); ***ever so many*** unendlich viele; ***thank's ever so much*** tausend Dank! **4.** ***ever since I was a child*** schon seit ich ein Kind war; ***he wrote his first big hit last summer and he's been in the charts ever since*** er schrieb seinen ersten großen Hit im letzten Sommer und ist seitdem ständig in den Hitparaden **5.** ***Yours ever, …*** *Briefschluss*: Viele Grüße, dein(e) *oder* Ihr(e) …

everlasting [ˌevə'lɑːstɪŋ] **1.** *bes. religiös*: ewig **2.** *übertragen* unaufhörlich **3.** unverwüstlich, unbegrenzt haltbar

evermore [ˌevə'mɔː] ***for evermore*** *literarisch* für immer

every ['evrɪ] **1.** jede(r, -s); ***every day*** jeden Tag, alle Tage; ***every five minutes*** alle fünf Minuten; ***every fourth day*** jeden vierten Tag; ***every other day*** jeden zweiten Tag **2.** *verstärkend*: ***her every wish*** jeder ihrer Wünsche, alle ihre Wünsche; ***every bit as much*** *umg.* ganz genauso viel; ***you've got every reason to be happy*** du hast allen Grund, dich zu freuen

everybody ['evrɪˌbɒdɪ] → ***everyone***

everyday ['evrɪdeɪ] alltäglich, Alltags…; ***everyday language*** Alltagssprache, Umgangssprache; ***in everyday life*** im Alltag

everyone ['evrɪwʌn] jeder, alle; ***be on everyone's lips*** in aller Munde sein; ***to everyone's amazement*** zum allgemeinen Erstaunen; ***listen everyone!*** alles mal herhören!

everything ['evrɪθɪŋ] alles; ***everything else*** alles andere; ***in spite of everything*** trotz allem; ***everything all right?*** alles klar?; ***my son means everything to me*** *umg.* mein Sohn ist mein Ein und Alles; ***I don't like gardening and everything*** *umg.* ich arbeite nicht gern im Garten und so

everywhere ['evrɪweə] **1.** überall; ***I've looked everywhere for the book*** ich habe überall nach dem Buch gesucht **2.** überallhin; ***everywhere he goes*** wo er auch hingeht

evidence ['evɪdəns] **1.** *vor Gericht*: Beweis, Beweismaterial, Beweise *Pl.*; ***for lack of evidence*** aus Mangel an Beweisen **2.** *von Zeugen*: Aussage; ***give evidence*** aussagen (***for*** für; ***against*** gegen) **3.** *allg.*: Anzeichen, Spur (***of*** von *oder Genitiv*); ***there's no firm evidence of life on Mars*** es gibt keine festen Anzeichen für Leben auf dem Mars

evident ['evɪdənt] augenscheinlich, offensichtlich

evil[1] ['iːvl] **1.** *Person*: übel, böse, schlimm **2.** ***evil day*** Unglückstag; ***the evil eye*** der böse Blick

evil[2] ['iːvl] Übel, das Böse; ***do evil*** Böses tun; ***the lesser of two evils*** das kleinere von zwei Übeln

evoke [ɪ'vəʊk] **1.** hervorrufen (*Gefühle usw.*) **2.** wachrufen (*Erinnerungen*)

evolution [ˌiːvə'luːʃn] **1.** *allg.*: Entwicklung ***the evolution of events*** die Entwicklung der Dinge **2.** *Biologie*: Evolution; ***the theory of evolution*** die Evolutionstheorie

ex [eks] *umg.* (≈ *Ex-Partner, -in*) Verflossene(r), Ex

ex- [eks] *in Zusammensetzungen*: Ex…, ehemalig; ***her ex-husband*** ihr Exmann

E

exacerbate [ɪɡ'zæsəbeɪt] verschlimmern (*Schmerzen usw.*), verschärfen (*Situation*)
exact [ɪɡ'zækt] *allg.*: exakt, genau; ***the exact opposite*** das genaue Gegenteil
exacting [ɪɡ'zæktɪŋ] *Person, Arbeit*: anspruchsvoll; ***be exacting*** hohe Anforderungen stellen
exactly [ɪɡ'zæktlɪ] **1.** exakt, genau **2.** ***'So you think I misunderstood her.' - 'Exactly!'*** „Du glaubst also, ich hätte sie missverstanden." - „Genau!" **3.** ***he's not exactly an Adonis*** *ironisch*: er ist nicht gerade eine Schönheit **4.** ***where exactly did you study in Scotland?*** wo genau *oder* eigentlich hast du in Schottland studiert?
exaggerate [ɪɡ'zædʒəreɪt] übertreiben
exaggeration [ɪɡˌzædʒə'reɪʃn] Übertreibung
exaltation [ˌeɡzɔːl'teɪʃn] Begeisterung
exalted [ɪɡ'zɔːltɪd] **1.** *Rang, Ideal usw.*: hoch **2.** begeistert
exam [ɪɡ'zæm] Examen, Prüfung; ***take*** *oder* ***sit an exam*** eine Prüfung machen; ***pass*** (*bzw.* ***fail***) ***an exam*** eine Prüfung bestehen (*bzw.* nicht bestehen)
examination [ɪɡˌzæmɪ'neɪʃn] **1.** Untersuchung (*auch medizinisch*), Überprüfung; ***on closer examination*** bei näherer Prüfung **2.** *an der Schule*: Prüfung **3.** *an der Universität*: Examen
examine [ɪɡ'zæmɪn] **1.** *allg.*: untersuchen (*auch medizinisch*), prüfen (***for*** auf) **2.** *an der Schule*: prüfen (***on*** über, in)
examinee [ɪɡˌzæmɪ'niː] Prüfling, (Examens)Kandidat(in)
examiner [ɪɡ'zæmɪnə] Prüfer(in)
example [ɪɡ'zɑːmpl] **1.** Beispiel (***of*** für); ***for example*** zum Beispiel **2.** (≈ *Ideal*) Vorbild, Beispiel; ***set a good example*** ein gutes Beispiel geben, mit gutem Beispiel vorangehen **3.** warnendes Beispiel; ***make an example of someone*** an jemandem ein Exempel statuieren; ***let this be an example to you*** lass dir das eine Warnung sein
exasperate [ɪɡ'zæspəreɪt] wütend machen
exasperated [ɪɡ'zæspəreɪtɪd] wütend, aufgebracht (***at, by*** über)
excavate ['ekskəveɪt] **1.** aushöhlen **2.** ausgraben, ausbaggern
excavation [ˌekskə'veɪʃn] Ausgrabung; ***excavation site*** Ausgrabungsstätte
excavator ['ekskəveɪtə] *Maschine*: Bagger
exceed [ɪk'siːd] **1.** überschreiten (*Tempolimit usw.*) **2.** übersteigen, überschreiten (*Höchstbetrag, Zeitlimit usw.*)
excel [ɪk'sel] ***excelled, excelled*** **1.** übertreffen (***oneself*** sich selbst) **2.** sich auszeichnen (***in, at*** in; ***as*** als)
excellent ['eksələnt] ausgezeichnet, hervorragend, vorzüglich
except[1] [ɪk'sept] ausnehmen, ausschließen (***from*** von); ***..., present company excepted*** ..., Anwesende ausgenommen
except[2] [ɪk'sept] ausgenommen, außer, mit Ausnahme von (*oder Genitiv*); ***the bank is open every day except Sunday*** außer Sonntag ist die Bank täglich geöffnet; ***except for the driver, the tram was empty*** bis auf den Fahrer war die Straßenbahn leer
exception [ɪk'sepʃn] Ausnahme; ***the exception to the rule*** die Ausnahme von der Regel; ***without exception*** ohne Ausnahme, ausnahmslos; ***make an exception*** eine Ausnahme machen; ***the exception proves the rule*** Ausnahmen bestätigen die Regel
exceptional [ɪk'sepʃnəl] **1.** (≈ *ungewöhnlich gut*) ***she's an exceptional athlete*** sie ist eine Ausnahmeathletin **2.** ***exceptional case*** Ausnahmefall
excerpt ['eksɜːpt] *aus Buch, Aufsatz*: Exzerpt, Auszug (***from*** aus)
excess [ɪk'ses] **1.** Übermaß; ***excess luggage*** Übergepäck; ***he drinks to excess*** er trinkt übermäßig **2.** ***excesses*** *Pl. negativ*: Exzesse, Ausschweifungen
excessive [ɪk'sesɪv] *Trinken, Rauchen usw.*: übermäßig
exchange[1] [ɪks'tʃeɪndʒ] **1.** austauschen, umtauschen (***for*** gegen) **2.** *von fremder Währung*: eintauschen, wechseln (***for*** gegen) **3.** tauschen (*die Plätze usw.*), wechseln (*Blicke*); ***exchange words*** einen Wortwechsel haben
exchange[2] [ɪks'tʃeɪndʒ] **1.** *von Waren usw.*: Tausch **2.** *von Gekauftem*: Umtausch; ***in exchange for*** als Ersatz für; ***exchange of letters*** Briefwechsel; ***exchange of views*** Gedankenaustausch, Meinungsaustausch **3.** *von Devisen*: Wechseln; ***exchange rate*** Wechselkurs
Exchequer [ɪks'tʃekə] ***the Exchequer*** *BE* das Finanzministerium
excitable [ɪk'saɪtəbl] reizbar, (leicht) erregbar
excite [ɪk'saɪt] **1.** (*Nachricht, Neuigkeit usw.*) aufregen, aufgeregt machen **2.** (≈ *faszinieren*) begeistern **3.** erregen, erwecken (*Interesse, Bewunderung usw.*) **4.** anregen (*Appetit, Fantasie*)
excited [ɪk'saɪtɪd] **1.** *allg.*: aufgeregt; ***don't get excited - I'm only kidding*** reg dich nicht (gleich) auf - ich mache bloß Spaß **2.** (≈ *fasziniert*) begeistert

excitement [ɪk'saɪtmənt] **1.** *allg.*: Aufregung **2.** (≈ *Faszination*) Begeisterung
exciting [ɪk'saɪtɪŋ] *Buch, Film, Spiel usw.*: aufregend, spannend
exclaim [ɪk'skleɪm] **1.** aufschreien **2.** ausrufen, rufen
exclamation [ˌekskləˈmeɪʃn] Ausruf, (Auf)Schrei
exclamation mark [ˌekskləˈmeɪʃn‿mɑːk] *Satzzeichen*: Ausrufezeichen, Ⓐ Rufzeichen
exclude [ɪk'skluːd] *allg.*: ausschließen (*Person, Möglichkeit usw.*) (***from*** von, aus)
excluding [ɪk'skluːdɪŋ] ausgenommen, außer
exclusion [ɪk'skluːʒn] Ausschluss (***from*** von, aus)
exclusive [ɪk'skluːsɪv] **1.** *Kleidung, Verein usw.*: exklusiv, vornehm **2.** *Macht, Kontrolle*: alleinig, ausschließlich; ***exclusive interview*** Exklusivinterview
excruciating [ɪk'skruːʃɪeɪtɪŋ] qualvoll
excursion [ɪk'skɜːʃn] **1.** Ausflug; ***a day's excursion*** ein Tagesausflug; ***go on an excursion*** einen Ausflug machen **2.** Ausflug, Exkurs (*zu einem anderen Thema*)
excusable [ɪk'skjuːzəbl] entschuldbar, verzeihlich
excuse[1] [ɪk'skjuːz] **1.** entschuldigen (*Tat, Fehler, Person*); ***I must excuse myself for being late*** ich muss mich für mein Zuspätkommen entschuldigen; ***I cannot excuse your conduct*** ich kann dein Verhalten nicht entschuldigen; ***excuse me for asking*** entschuldige, dass ich gefragt habe **2.** ***excuse someone*** jemandem verzeihen **3.** ***excuse me*** *AE*; *Höflichkeitsfloskel*: entschuldigen Sie!, entschuldige!, Verzeihung! **4.** ***excuse me, what time is it?*** entschuldigen Sie, wie spät ist es? **5.** ***excuse someone*** *wegen Krankheit usw.*: jemanden entschuldigen; ***excuse someone from something*** jemanden von etwas befreien, jemandem etwas erlassen
excuse[2] [ɪk'skjuːs] **1.** *allg.*: Entschuldigung; ***there's no excuse for ...*** es gibt keine Entschuldigung für … (*schlechtes Benehmen usw.*); ***offer one's excuses*** *förmlich* sich entschuldigen **2.** Ausrede; ***the weather is a good excuse for not going to the party*** das Wetter ist eine gute Ausrede, nicht zur Party zu gehen
execute ['eksɪkjuːt] **1.** hinrichten (*Mörder usw.*) **2.** *förmlich* ausführen, durchführen (*Beschluss, Plan usw.*)
execution [ˌeksɪ'kjuːʃn] **1.** *von Mörder usw.*: Hinrichtung **2.** *förmlich* Ausführung, Durchführung (*von Beschluss, Plan usw.*)
executive [ɪg'zekjʊtɪv] **1.** *Politik*: Exekutive **2.** *Wirtschaft*: Manager(in), leitende(r) Angestellte(r)
exemplary [ɪg'zemplərɪ] **1.** *Verhalten, Schüler usw.*: beispielhaft, musterhaft **2.** *Strafe*: abschreckend
exempt[1] [ɪg'zempt] **1.** befreien (***from*** von) (*Verpflichtungen usw.*) **2.** ***exempt from military service*** vom Wehrdienst freistellen
exempt[2] [ɪg'zempt] befreit (***from*** von)
exemption [ɪg'zempʃn] Befreiung, Freistellung; ***exemption from taxes*** Steuerfreiheit
exercise[1] ['eksəsaɪz] **1.** (≈ *Sport*) (körperliche) Bewegung; ***I could do with some exercise - shall we go jogging?*** ich brauche etwas Bewegung - gehen wir joggen? **2.** (≈ *das Üben*) Übung; ***do exercise B on page 57*** machen Sie Übung B auf Seite 57 **3.** *militärisch*: Übung, Manöver
exercise[2] ['eksəsaɪz] **1.** (≈ *Sport treiben*) trainieren, *an Geräten auch*: üben **2.** ausüben (*Amt, Recht, Macht usw.*)
exercise book ['eksəsaɪz‿bʊk] *Schule*: Heft
exert [ɪg'zɜːt] **1.** ***exert pressure*** (***on***) Druck ausüben (auf) **2.** ***exert oneself*** sich bemühen (***for*** um), sich anstrengen
exhaust[1] [ɪg'zɔːst] **1.** (≈ *aufbrauchen*) erschöpfen (*Ressourcen, Rohstoffe usw.*); ***exhaust all possibilities*** alle Möglichkeiten ausschöpfen **2.** *körperlich*: ermüden, entkräften
exhaust[2] [ɪg'zɔːst] **1.** *auch* ***exhaust pipe*** *von Motor*: Auspuff **2.** *auch* ***exhaust fumes*** *Pl.* Abgase
exhausted [ɪg'zɔːstɪd] **1.** *Person*: erschöpft, entkräftet **2.** *Vorräte usw.*: verbraucht, erschöpft
exhausting [ɪg'zɔːstɪŋ] *Tätigkeit, Reise usw.*: anstrengend, strapaziös
exhaustion [ɪg'zɔːstʃn] *allg.*: Erschöpfung
exhaustive [ɪg'zɔːstɪv] erschöpfend
exhibit[1] [ɪg'zɪbɪt] ausstellen (*Bilder usw.*)
exhibit[2] [ɪg'zɪbɪt] **1.** *in Museum, Galerie usw.*: Ausstellungsstück **2.** *vor Gericht*: Beweisstück **3.** *AE* Ausstellung
exhibition [ˌeksɪ'bɪʃn] Ausstellung; ***be on exhibition*** *Bilder usw.*: ausgestellt *oder* zu sehen sein; ***make an exhibition of oneself*** sich lächerlich *oder* zum Gespött machen
exhilarating [ɪg'zɪləreɪtɪŋ] berauschend
exhumation [ˌekshjuː'meɪʃn] *einer Leiche*: Exhumierung
exhume [eks'hjuːm] exhumieren (*Leiche*)
exile[1] ['eksaɪl] **1.** Exil, *erzwungen*: Verbannung; ***go into exile*** ins Exil gehen; ***live in***

exile im Exil leben; ***send into exile*** ins Exil schicken, verbannen; ***government in exile*** Exilregierung **2.** *Person*: Exilierte(r), Verbannte(r)

exile[2] ['eksaɪl] ins Exil schicken, verbannen (***from*** aus)

exist [ɪg'zɪst] **1.** *allg.*: existieren, vorkommen; ***do such things exist?*** gibt es so etwas?; ***UFOs do exist*** Ufos gibt es wirklich **2.** (≈ *überleben*) existieren, leben (***on*** von); ***man can't exist without water*** der Mensch kann ohne Wasser nicht leben **3.** (*Brauch*, *Tradition*, *Gewohnheit usw.*) bestehen

existence [ɪg'zɪstəns] **1.** *allg.*: Existenz, Vorkommen; ***come into existence*** entstehen; ***be in existence*** existieren; ***remain in existence*** weiter bestehen **2.** *eines Individuums*: Existenz, Leben, Dasein; ***an unhappy existence*** ein unglückliches Dasein **3.** *von Brauch*, *Tradition usw.*: Existenz, Bestehen

existent [ɪg'zɪstənt] *Gesetz usw.*: gegenwärtig, bestehend

exit[1] ['eksɪt] **1.** *von Gebäude*, *Raum*: Ausgang **2.** *auf Autobahn*: Ausfahrt **3.** *Theater*: Abgang **4.** Ausreise; ***exit visa*** Ausreisevisum

exit[2] ['eksɪt] *Bühnenanweisung in einem Drama*: (er *oder* sie geht) ab; ***exit Macbeth*** Macbeth ab

exodus ['eksədəs] Abwanderung; ***exodus from the cities*** Stadtflucht

exorbitant [ɪg'zɔːbɪtənt] *Preis*, *Miete*, *Forderung usw.*: unverschämt, maßlos übertrieben; ***exorbitant price*** *auch*: Wucherpreis

exotic [ɪg'zɒtɪk] exotisch (*auch übertragen*)

expand [ɪk'spænd] **1.** (*Gas*, *Wasser usw.*) sich ausdehnen **2.** *Wirtschaft*: ausweiten, erweitern (*Geschäftskontakte*, *Aktivitäten*) **3.** (*Branche*, *Firma usw.*) sich ausdehnen, expandieren

expansion [ɪk'spænʃn] **1.** *von Gas*, *Wasser usw.*: Ausdehnung **2.** *Wirtschaft*: Ausweitung, Erweiterung, Expansion

expect [ɪk'spekt] **1.** erwarten (*Ereignis*, *Person*); ***that was to be expected*** *von etwas Negativem*: das war zu erwarten, damit war zu rechnen; ***I expect you to do something*** ich erwarte von dir, dass du etwas tust; ***what else can you expect?*** *resignierend usw.*: was kann man schon erwarten? **2.** *umg.* vermuten, glauben; ***I expect so*** ich nehme es an **3.** ***be expecting*** *umg.* (≈ *schwanger sein*) in anderen Umständen sein

expectant [ɪk'spektənt] **1.** erwartungsvoll **2.** ***expectant mother*** werdende Mutter

expectation [ˌekspek'teɪʃn] Erwartung; ***my expectation is that ...*** ich erwarte, dass ...; ***in expectation of*** in Erwartung (+ *Genitiv*); ***beyond expectations*** über Erwarten; ***against all*** *oder* ***contrary to all expectations*** wider Erwarten; ***the film didn't come up to our expectations*** der Film hat nicht unseren Erwartungen entsprochen; ***the pay rise fell short of our expectations*** die Lohnerhöhung ist hinter unseren Erwartungen zurückgeblieben; ***expectation of life*** Lebenserwartung

expedient[1] [ɪk'spiːdɪənt] (Hilfs)Mittel, Notbehelf

expedient[2] [ɪk'spiːdɪənt] **1.** ratsam, angebracht **2.** zweckdienlich, nützlich

expedition [ˌekspə'dɪʃn] (≈ *Forschungsreise*) Expedition (*auch die Teilnehmer*); ***on an expedition*** auf einer Expedition

expel [ɪk'spel], ***expelled, expelled*** **1.** ***she was expelled from school when she was 17*** mit 17 wurde sie von der Schule verwiesen **2.** *gewaltsam*: vertreiben (*Volk*, *Minderheit usw.*) (***from*** aus) **3.** *durch Behörde*: ausweisen, Ⓒⓗ ausschaffen (***from*** aus), verweisen (*des Landes usw.*) **4.** *aus Partei usw.*: ausschließen (***from*** aus)

expenditure [ɪk'spendɪtʃə] **1.** *an Zeit*, *Energie*: Aufwand (***of*** an) **2.** *Geld*: Ausgaben *Pl.*, Kostenaufwand

expense [ɪk'spens] **1.** *Geld usw.*: Kosten *Pl.*; ***at my expense*** auf meine Kosten (*auch übertragen*); ***spare no expense*** keine Kosten scheuen **2.** ***expenses*** *Pl.* Unkosten, Spesen; ***travelling expenses*** Reisespesen

expensive [ɪk'spensɪv] teuer, kostspielig

experience[1] [ɪk'spɪərɪəns] **1.** *allg.*: Erfahrung; ***I know from experience that ...*** ich weiß aus Erfahrung, dass ...; ***in my experience*** nach meiner Erfahrung **2.** (≈ *Fachkenntnis*) Erfahrung, Routine; ***computing experience*** Erfahrungen im Umgang mit Computern **3.** (≈ *beeindruckendes Geschehen*) Erlebnis; ***an unforgettable experience*** ein unvergessliches Erlebnis

experience[2] [ɪk'spɪərɪəns] **1.** *allg.*: erleben **2.** (≈ *erleiden*) erfahren (*Schmerz*, *Enttäuschung usw.*) **3.** durchmachen (*Krise usw.*)

experienced [ɪk'spɪərɪənst] erfahren; ***she's an experienced teacher*** sie ist eine erfahrene Lehrerin; ***be experienced in something*** in etwas erfahren sein, in etwas Erfahrung haben

experiment[1] [ɪk'sperɪmənt] *allg.*: Experiment, Versuch (***on*** an; ***with*** mit); ***do an experiment*** ein Experiment machen;

conduct *oder* ***perform experiments*** Experimente durchführen
experiment[2] [ɪk'sperɪment] experimentieren, Versuche anstellen (***on*** an; ***with*** mit)
expert[1] ['ekspɜːt] (≈ *professionell*) fachmännisch, fachkundig, sachkundig; ***expert knowledge*** Fachkenntnis, Sachkenntnis; ***expert opinion*** Gutachten
expert[2] ['ekspɜːt] **1.** Fachmann, Expertin, Experte (***at, in, on*** in); ***she's an expert in heavy metal*** sie kennt sich gut in Heavymetal aus **2.** *in Rechtsstreit usw.*: Sachverständige(r), Gutachter(in)
expertise [ˌekspɜː'tiːz] **1.** Fachkenntnis **2.** Geschicklichkeit, Können
expire [ɪk'spaɪə] **1.** (*Zeitvertrag, Pass usw.*) ablaufen, ungültig werden **2.** (*Konzession, Patent usw.*) erlöschen **3.** (*Amtszeit*) enden, auslaufen
expiry [ɪk'spaɪərɪ] *von Frist, Vertrag usw.*: Ablauf; ***expiry date*** *von Pass, Kreditkarte usw.*: Verfallsdatum
explain [ɪk'spleɪn] **1.** *allg.*: erklären; ***explain something to someone*** jemandem etwas erklären; ***I can explain everything*** ich kann alles erklären **2.** erläutern (*Gedanken, Pläne usw.*) **3.** ***explain oneself*** sich rechtfertigen; ***please let me explain myself*** bitte lassen Sie mich das erklären
explanation [ˌeksplə'neɪʃn] **1.** *allg.*: Erklärung **2.** *von Gedanken, Plänen usw.*: Erläuterung **3.** *für Tat*: Rechtfertigung
explicit [ɪk'splɪsɪt] *Aussage, Warnung, Anweisung usw.*: ausdrücklich, deutlich, explizit
explode [ɪk'spləʊd] **1.** (*Bombe usw.*) explodieren, in die Luft fliegen; ***the bomb was exploded by firemen*** Feuerwehrleute brachten die Bombe zur Explosion **2.** (≈ *wütend werden*) explodieren, platzen, in die Luft gehen; ***explode with fury*** vor Wut platzen **3.** *übertragen* sprunghaft ansteigen, sich explosionsartig vermehren (*bes. Bevölkerung*) **4.** widerlegen, zerstören (*Theorie, Mythos usw.*)
exploit [ɪk'splɔɪt] *allg.*: ausbeuten (*Arbeiter, Bodenschätze usw.*)
exploitation [ˌeksplɔɪ'teɪʃn] *allg.*: Ausbeutung
exploration [ˌeksplə'reɪʃn] *von unbekanntem Land*: Erforschung
explore [ɪk'splɔː] erforschen (*Land*)
explorer [ɪk'splɔːrə] Forscher(in)
explosion [ɪk'spləʊʒn] **1.** Explosion, *kontrolliert*: Sprengung **2.** *übertragen* sprunghafter Anstieg; ***population explosion*** Bevölkerungsexplosion **3.** *von Gefühlen*: Ausbruch
explosive[1] [ɪk'spləʊsɪv] **1.** explosiv (*auch übertragen*); ***an explosive problem*** ein brisantes Problem **2.** *Temperament*: aufbrausend
explosive[2] [ɪk'spləʊsɪv] Sprengstoff
export[1] [ɪk'spɔːt] **1.** exportieren, ausführen (*Waren*); ***exporting country*** Ausfuhrland **2.** *Computer*: exportieren (*Daten*)
export[2] ['ekspɔːt] **1.** *von Waren*: Export, Ausfuhr **2.** ***exports*** *Pl., eines Landes usw.*: Gesamtexport, Gesamtausfuhr **3.** ***exports*** *Pl.* Exportgüter, Ausfuhrwaren **4.** ***export trade*** Exportgeschäft, Ausfuhrhandel
exporter [ɪk'spɔːtə] Exporteur
expose [ɪk'spəʊz] **1.** freilegen (*Ruinen, Mosaik, Fachwerk usw.*) **2.** *einer Gefahr, dem Wetter usw.*: aussetzen (***to***; *dt. Dativ*); ***expose oneself to ridicule*** sich zum Gespött (der Leute) machen **3.** *übertragen* bloßstellen, entlarven (*als Lügner usw.*) **4.** ***expose oneself*** (*Exhibitionist*) sich entblößen **5.** *beim Fotografieren*: belichten
exposed [ɪk'spəʊzd] **1.** *gegen Witterungseinflüsse*: ungeschützt **2.** *übertragen* exponiert (*öffentliche Stellung usw.*)
exposure [ɪk'spəʊʒə] **1.** *einer Gefahr usw.*: Aussetzen, Ausgesetztsein; ***die of exposure*** an Unterkühlung sterben **2.** *von Person*: Bloßstellung, Entlarvung **3.** *des Körpers*: Entblößung; ***indecent exposure*** Erregung öffentlichen Ärgernisses **4.** *beim Fotografieren*: Belichtung; ***exposure meter*** Belichtungsmesser
express[1] [ɪk'spres] *mit Worten*: ausdrücken, äußern; ***express the hope that ...*** der Hoffnung Ausdruck geben, dass ...; ***express oneself*** sich äußern, sich ausdrücken
express[2] [ɪk'spres] **1.** *Anweisung, Verbot usw.*: ausdrücklich **2.** *Post usw.*: Express..., Schnell...; ***express delivery*** *BE* Eilzustellung; ***send a parcel express*** ein Paket per Express schicken; ***express train*** Schnellzug
express[3] [ɪk'spres] **1.** *BE*; *Post*: Eilbote; ***send a parcel by express*** ein Paket per Express schicken **2.** Schnellzug
expression [ɪk'spreʃn] **1.** *mit Worten*: Ausdruck, Äußerung; ***find expression in*** *übertragen* sich ausdrücken *oder* äußern in **2.** (≈ *Wendung*) Ausdruck, Redensart **3.** (≈ *Mimik*) Gesichtsausdruck
expressway [ɪk'spresweɪ] *AE* (Stadt)Autobahn
expulsion [ɪk'spʌlʃn] **1.** *von Volk, Minderheit*: Vertreibung (***from*** aus) **2.** *aus einem Land*: Ausweisung (***from*** aus) **3.** *aus*

E

Schule usw.: Ausschluss (***from*** aus, von)

exquisite [ɪk'skwɪzɪt] **1.** exquisit, erlesen **2.** *Geschmack usw.*: äußerst fein

extend [ɪk'stend] **1.** (*Grundstück, Fläche usw.*) sich erstrecken, sich ausdehnen **2.** vergrößern, erweitern (*Betrieb, Haus usw., auch: Wissen, Wortschatz usw.*) **3.** ausdehnen (*Besuch, Macht, Vorsprung usw.*) **4.** verlängern (*Frist, Pass usw.*)

extension [ɪk'stenʃn] **1.** *von Haus*: Erweiterung, Anbau **2.** *Telefon*: Nebenanschluss, Apparat **3.** *auch* ***extension lead*** Verlängerungskabel **4.** *von Einfluss, Macht, Grenze*: Ausdehnung **5.** *von Firma*: Vergrößerung, Erweiterung **6.** *von Frist*: Verlängerung

extent [ɪk'stent] **1.** *von Fläche, Gebäude usw.*: Ausdehnung **2.** *übertragen* Umfang, Ausmaß, Grad; ***to a large extent*** in hohem Maße, weitgehend; ***to what extent is he to blame for this mistake?*** inwieweit ist er an diesem Fehler schuld?; ***to some*** *oder* ***a certain extent*** in gewissem Maße; ***he bullied her to such an extent that …*** er tyrannisierte sie so sehr, dass …

exterior[1] [ɪk'stɪərɪə] äußere(r, -s), Außen…

exterior[2] [ɪk'stɪərɪə] **1.** *von Gebäude usw.*: Äußere(s), Außenseite **2.** *von Person*: äußere Erscheinung

exterminate [ɪk'stɜːmɪneɪt] **1.** ausrotten (*Tiere, auch übertragen*) **2.** vertilgen (*Ungeziefer, Unkraut usw.*)

extermination [ɪkˌstɜːmɪ'neɪʃn] **1.** *von Tieren*: Ausrottung (*auch übertragen*) **2.** *von Ungeziefer, Unkraut*: Vertilgung

external [ɪk'stɜːnl] äußere(r, -s), äußerlich, Außen…; ***for external use*** *Medizin*: zum äußerlichen Gebrauch

extinct [ɪk'stɪŋkt] **1.** *Pflanzen, Tiere usw.*: ausgestorben; ***become extinct*** aussterben **2.** *Vulkan*: erloschen

extinction [ɪk'stɪŋkʃn] *von Tieren, Pflanzen usw.*: Aussterben, Ausrottung

extinguish [ɪk'stɪŋgwɪʃ] **1.** auslöschen (*Feuer, Licht*) **2.** ausmachen (*Zigarette*) **3.** zunichte machen (*Hoffnungen, Pläne usw.*)

extinguisher [ɪk'stɪŋgwɪʃə] *umg.* Feuerlöscher

extort [ɪk'stɔːt] erpressen (*Geld, Geständnis usw.*) (***from*** von)

extortion [ɪk'stɔːʃn] Erpressung

extra[1] ['ekstrə] **1.** zusätzlich, Extra…, Sonder…; ***drinks are extra*** Getränke werden gesondert berechnet *oder* kosten extra; ***extra charge*** Zuschlag; ***extra charges*** *Pl.* Nebenkosten; ***extra pay*** Zulage; ***if you pay an extra ten pounds*** wenn Sie noch zehn Pfund dazulegen; ***we need an extra table*** wir brauchen noch einen Tisch **2.** extra, besonders; ***charge extra for*** gesondert berechnen; ***please be extra careful*** sei bitte besonders vorsichtig

extra[2] ['ekstrə] **1.** *allg.*: Sonderleistung **2.** *mst.* ***extras*** *bes. bei Autos*: Extras, Sonderausstattung **3.** *auf Rechnung usw.*: Zuschlag; ***be an extra*** gesondert berechnet werden **4.** *Zeitung*: Extrablatt, Extraausgabe **5.** *Film, Theater*: Statist(in), Komparse, Komparsin

extract[1] [ɪk'strækt] **1.** herausziehen (*Korken usw.*) (***from*** aus) **2.** ziehen (*Zahn*) **3.** *übertragen* herausholen, entlocken (*Informationen, Geständnis*)

extract[2] ['ekstrækt] **1.** *aus Buch, Film*: Ausschnitt **2.** *Substanz*: Extrakt

extraordinary [ɪk'strɔːdnərɪ] **1.** außerordentlich, außergewöhnlich; ***a girl of extraordinary beauty*** ein Mädchen von außergewöhnlicher Schönheit **2.** (≈ *eigenartig*) ungewöhnlich, seltsam; ***his behaviour was a bit extraordinary*** sein Benehmen war etwas seltsam

extra time [ˌekstrə'taɪm] *Sport*: Verlängerung; ***after extra time*** nach Verlängerung; ***the game went into extra time*** das Spiel ging in die Verlängerung

extreme[1] [ɪk'striːm] **1.** äußerste(r, -s), extrem; ***extreme poverty*** extreme Armut; ***he's the extreme opposite of his brother*** er ist das genaue Gegenteil von seinem Bruder **2.** *politische Meinung*: extrem, radikal

extreme[2] [ɪk'striːm] Extrem; ***go to extremes*** vor nichts zurückschrecken; ***go from one extreme to the other*** von einem Extrem ins andere fallen

extremely [ɪk'striːmlɪ] äußerst, höchst; ***a cordless phone is extremely useful*** ein schnurloses Telefon ist äußerst nützlich; ***an extremely tempting offer*** ein höchst verlockendes Angebot

extremism [ɪk'striːmɪzm] *bes. politisch*: Extremismus

extricate ['ekstrɪkeɪt] befreien (***from*** aus, von)

exuberant [ɪg'zjuːbrənt] *Person, Fantasie*: übersprudelnd

eye[1] [aɪ] **1.** *Organ*: Auge; ***with the naked eye*** mit bloßem Auge; ***before*** *oder* ***under someone's eyes*** vor jemandes Augen; ***they were all eyes as …*** sie sahen gespannt zu, wie …; ***be up to one's eyes in work*** bis über die Ohren in Arbeit stecken; ***cry one's eyes out*** sich die Augen ausweinen; ***keep one's eyes open*** *oder*

peeled die Augen offen halten; ***his eyes are bad*** er sieht schlecht **2.** *übertragen* Blick, Augenmerk; ***her eye fell on a little boy*** ihr Blick fiel auf einen kleinen Jungen; ***have an eye for*** ein Auge *oder* einen Blick haben für; ***can you keep an eye on the dog?*** kannst du auf den Hund aufpassen? **3.** *von Nadel*: Öhr, Öse **4.** *von Kartoffel, Knospe*: Auge

eye[2] [aɪ] anstarren, mustern

eyeball[1] ['aɪbɔːl] **1.** Augapfel **2.** ***I'm up to my eyeballs in work*** *umg.* ich stecke bis über die Ohren in Arbeit **3.** ***drugged up to the eyeballs*** mit Beruhigungsmitteln *usw.* vollgepumpt

eyeball[2] ['aɪbɔːl] ***eyeball someone*** *umg.* jemanden mit durchdringendem Blick ansehen

eyebrow ['aɪbraʊ] Augenbraue

eyeful ['aɪfʊl] ***get an eyeful*** *umg.* was zu sehen bekommen

eyeglasses ['aɪˌglɑːsɪz] *Pl., auch* ***pair of eyeglasses*** *AE* Brille

eyelash ['aɪlæʃ] Wimper

eyelet ['aɪlət] Öse

eyelid ['aɪlɪd] Augenlid

eye liner ['aɪˌlaɪnə] Eyeliner, Lidstrich

eye-opener ['aɪˌəʊpənə] ***be an eye-opener for someone*** *umg.* (*Erfahrung usw.*) jemandem die Augen öffnen

eye shadow ['aɪˌʃædəʊ] *Schminke*: Lidschatten

eyesight ['aɪsaɪt] Sehkraft; ***have good*** (*bzw.* ***poor*** *oder* ***bad***) ***eyesight*** gute (*bzw.* schlechte) Augen haben

eyesore ['aɪsɔː] *hässliches Gebäude usw.*: Schandfleck

eyestrain ['aɪstreɪn] Überanstrengung der Augen

eyewitness ['aɪˌwɪtnəs] Augenzeuge; ***eyewitness account*** Augenzeugenbericht

F

fable ['feɪbl] **1.** *literarisch*: Fabel **2.** *übertragen* Märchen

fabled ['feɪbld] **1.** *mythische Gestalt*: sagenhaft **2.** *Held, Künstler usw.*: gefeiert

fabric ['fæbrɪk] **1.** (≈ *Tuch*) Gewebe, Stoff **2.** *von Gesellschaft usw.*: Gefüge, Struktur

fabricate ['fæbrɪkeɪt] **1.** (≈ *sich ausdenken*) erfinden (*Geschichte, Ausrede usw.*) **2.** *in Fabrik usw.*: fabrizieren, herstellen

fabrication [ˌfæbrɪ'keɪʃn] **1.** *Geschichte, Ausrede*: Erfindung, Märchen **2.** *in Fabrik*: Fabrikation, Herstellung

fabulous ['fæbjʊləs] **1.** *umg.* (≈ *großartig*) fabelhaft **2.** (≈ *mythisch*) sagenhaft; ***fabulous creature*** Fabelwesen, Fabeltier

façade, **facade** [fə'sɑːd] *von Gebäude*: Fassade (*auch übertragen*)

face[1] [feɪs] **1.** *allg.*: Gesicht; ***face to face with …*** Auge in Auge mit …; ***say something to someone's face*** jemandem etwas ins Gesicht sagen; ***I'll tell her to her face what I think of it*** ich werde es ihr ins Gesicht sagen, was ich davon halte; ***he's vanished off the face of the earth*** er ist wie vom Erdboden verschwunden **2.** Gesichtsausdruck, Miene; ***make*** *oder* ***pull a face*** ein Gesicht machen **3.** ***he had the face to ask for a pay rise*** er hatte die Stirn, eine Gehaltserhöhung zu verlangen **4.** (≈ *Prestige*) Ansehen; ***save face*** das Gesicht wahren; ***lose face*** das Gesicht verlieren **5.** ***in the face of the new situation …*** angesichts der neuen Lage …; ***in the face of tremendous problems …*** trotz erheblicher Probleme …

face[2] [feɪs] **1.** *jemandem*: gegenüberstehen **2.** (*Gebäude, Raum usw.*) gegenüberstehen, gegenüberliegen; ***my office faces west*** mein Büro geht nach Westen **3.** (≈ *konfrontiert sein mit*) entgegentreten, begegnen, sich stellen (*Konflikt, Problem usw.*); ***be faced with*** konfrontiert sein mit; ***many school leavers are faced with unemployment*** viele Schulabgänger stehen vor der Arbeitslosigkeit; ***be faced with ruin*** vor dem Ruin stehen; ***let's face it!*** machen wir uns doch nichts vor!

facecloth ['feɪsklɒθ] *BE* Waschlappen

face cream ['feɪs‿kriːm] Gesichtscreme

facelift ['feɪslɪft] **1.** Facelifting, Gesichtsstraffung; ***have a facelift*** sich das Gesicht liften lassen **2.** *übertragen* Renovierung (*einer Wohnung usw.*)

facetious [fə'siːʃəs] spöttisch

facilitate [fə'sɪlɪteɪt] erleichtern

F

facility [fəˈsɪlətɪ] **1.** *mst.* ***facilities*** *Pl. in Hotel, Wohnanlage, Urlaubsgebiet usw.*: Einrichtungen, Möglichkeiten; ***cooking facilities*** Kochgelegenheit; ***sports facilities*** Sportanlagen; ***shopping facilities*** Einkaufsmöglichkeiten; ***facilities for the disabled*** Einrichtungen für Behinderte **2.** *von Gerät*: Funktion; ***my telephone has a memory facility*** mein Telefon hat einen Anrufspeicher **3.** *von Person*: Fähigkeit; ***he's got a facility for languages*** er tut sich mit Sprachen leicht

F

fact [fækt] **1.** Tatsache, Faktum; ***be based on fact*** (*Roman, Film*) auf Tatsachen beruhen; ***know something for a fact*** etwas (ganz) sicher wissen; ***tell someone the facts of life*** *sexuell*: jemanden aufklären **2.** ***as a matter of fact*** eigentlich, *verstärkend* sogar; ***I'm not feeling particularly well, as a matter of fact I'm feeling really ill*** ich fühle mich nicht so besonders, eigentlich fühle ich mich richtig krank; ***'Do you know her?' - 'Oh yes, as a matter of fact she's a former student of mine.'*** „Kennst du sie?" - „Oh ja, sie ist sogar eine ehemalige Schülerin von mir." **3.** ***in fact*** tatsächlich, in Wirklichkeit; ***you said the hotel would be expensive, but in fact it was relatively cheap*** du hattest gesagt, das Hotel sei teuer, tatsächlich aber war es relativ billig

factor [ˈfæktə] Faktor

factory [ˈfæktrɪ] Fabrik

faculty [ˈfækltɪ] **1.** (≈ *natürliche Anlage*) Fähigkeit, Vermögen; ***faculty of hearing*** Hörvermögen; ***mental faculties*** *Pl.* Geisteskräfte; ***be in possession of one's faculties*** im Vollbesitz seiner Kräfte sein **2.** *Universität*: Fakultät

fad [fæd] Modeerscheinung, *umg.* Masche

fade [feɪd] **1.** (*Blumen usw.*) verwelken **2.** (*Farben*) verbleichen, verblassen **3.** *auch* ***fade away*** *körperlich*: immer schwächer werden **4.** *auch* ***fade away*** (*Hoffnungen*) zerrinnen

> **fade in** [ˌfeɪdˈɪn] *Radio, TV*: einblenden (*Musik, Bild*)
> **fade out** [ˌfeɪdˈaʊt] *Radio, TV*: ausblenden (*Musik, Bild*)

faeces [ˈfiːsiːz] *Pl.* Fäkalien, Kot

fag [fæg] **1.** *umg.* (≈ *Zigarette*) Kippe **2.** *AE, abwertend* Schwuler

fag end [ˈfæg‿end] *umg.* **1.** *BE* (≈ *Zigarettenstummel*) Kippe **2.** *mst.* ***fag ends*** *Pl.* letzter *oder* schäbiger Rest

fail[1] [feɪl] **1.** (*Stimme, Organ, Motor usw.*) versagen **2.** *in der Schule usw.*: durchfallen; ***I failed my driving test twice*** ich bin zweimal durch die Führerscheinprüfung gefallen **3.** (*Verhandlungen, Pläne usw.*) fehlschlagen, scheitern; ***if all else fails*** wenn alle Stricke reißen **4.** (≈ *erfolglos sein*) (*Kandidat bei einer Wahl, Theaterstück usw.*) durchfallen **5.** (*Gesundheit, Kräfte*) nachlassen, schwinden **6.** (*Sehkraft*) abnehmen, schwächer werden **7.** ***fail to do something*** etwas nicht tun *oder* es versäumen, etwas zu tun; ***he failed to hand in his essay in time*** er hat seinen Aufsatz nicht rechtzeitig abgegeben; ***I fail to see why*** ich sehe nicht ein, warum **8.** ***words fail me*** mir fehlen die Worte

fail[2] [feɪl] **1.** ***without fail*** mit Sicherheit, ganz bestimmt, garantiert **2.** ***he got a fail in geography*** er ist in Erdkunde durchgefallen *oder* durchgerasselt

failing [ˈfeɪlɪŋ] mangels (+ *Genitiv*); ***failing that*** andernfalls

fail-safe [ˈfeɪlseɪf] pannensicher (*auch übertragen Plan usw.*)

failure [ˈfeɪljə] **1.** Misserfolg **2.** *von Verhandlungen, Plan usw. auch*: Fehlschlag, Fehlschlagen, Scheitern **3.** *von Maschine, Organ usw.*: Versagen; ***crop failure*** Missernte **4.** *Person*: Versager(in)

faint[1] [feɪnt] **1.** *Stimme usw.*: schwach, matt **2.** ***I feel a bit faint*** mir ist ganz komisch, ich fühle mich ziemlich matt **3.** *Geräusch, Hoffnung, Verdacht*: leise; ***I haven't the faintest idea*** ich habe nicht die leiseste Ahnung

faint[2] [feɪnt] ohnmächtig werden, in Ohnmacht fallen (***with, from*** vor)

faint[3] [feɪnt] Ohnmacht; ***fall in a faint*** ohnmächtig werden

faint-hearted [ˌfeɪntˈhɑːtɪd] **1.** *Versuch usw.*: zaghaft **2.** ***it's not for the faint-hearted*** *Horrorfilm usw.*: das ist nichts für Zartbesaitete

fair[1] [feə] **1.** *Behandlung, Bezahlung usw.*: gerecht, fair; ***that's not fair!*** das ist ungerecht! **2.** *Haar*: blond **3.** *Haut*: hell **4.** *Himmel*: klar, heiter **5.** *Wetter*: schön, trocken **6.** *Chance*: reell **7.** *im Sport*: anständig, fair; ***play fair*** fair spielen, *auch übertragen*: sich an die Spielregeln halten **8.** *Qualität, Leistung usw.*: nicht schlecht, ganz gut **9.** ***'Let's talk about it tomorrow.' - 'Fair enough.'*** „Reden wir morgen darüber." - „Einverstanden." *oder* „Na schön."

fair[2] [feə] **1.** (≈ *Rummel*) Volksfest, Jahrmarkt **2.** (≈ *Ausstellung*) Messe

fairground [ˈfeəgraʊnd] Rummelplatz

at the fairground
auf dem Rummelplatz

roller coaster ['rəʊlə,kəʊstə], **big dipper**, **switchback**	Achterbahn
bumper cars, **dodgems** ['dɒdʒəmz]	Autoskooter
ghost train	Geisterbahn
big wheel, **Ferris wheel**	Riesenrad
hall of mirrors	Lachkabinett
merry-go-round ['merɪgəʊ,raʊnd], **carousel** [,kærə'sel]	Karussel
shooting gallery	Schießbude

fairly ['feəlɪ] **1.** *verstärkend*: ziemlich; ***my bike's fairly old*** mein Fahrrad ist schon ziemlich alt **2.** *behandeln, beurteilen, bezahlen usw.*: gerecht

fairness ['feənəs] Gerechtigkeit, Fairness; ***in all fairness*** fairerweise

fairy ['feərɪ] **1.** *Märchengestalt*: Fee **2.** *abwertend* Schwuler

fairy tale ['feərɪ‿teɪl] Märchen (*auch übertragen*)

faith [feɪθ] **1.** *religiös usw.*: Glaube(n) (***in*** an) **2.** Vertrauen; ***have faith in someone*** zu jemandem Vertrauen haben; ***many voters have lost faith in the government*** viele Wähler haben das Vertrauen zur Regierung verloren **3.** ***in good faith*** in gutem Glauben, gutgläubig (*beide auch Recht*)

faithful ['feɪθfl] **1.** treu (***to***; *dt. Dativ*); ***remain faithful to someone*** jemandem treu bleiben **2.** ***Yours faithfully***, *Briefschluss*: Mit freundlichen Grüßen, Hochachtungsvoll,

faithful

Der Briefschluss **Yours faithfully** bzw. im amerikanischen Englisch **Sincerely yours** *oder* **Yours truly** wird verwendet, wenn der Name des Adressaten nicht bekannt ist und der Brief demzufolge „anonym" mit **Dear Sir**, **Dear Madam** *oder* **Dear Sir or Madam** beginnt. Bei einer Anrede wie **Dear Mr Smith** *oder* **Dear Mrs Martin** würde man den Brief mit **Yours sincerely**, im amerikanischen Englisch unverändert mit **Sincerely yours** *oder* **Yours truly** schließen. Allerdings wird diese starre Regel heute nicht immer eingehalten. Man findet im britischen Englisch trotz anonymer Anrede im Briefschluss oft auch **Yours sincerely** usw.

faithless ['feɪθləs] treulos (***to*** gegenüber)

fake[1] [feɪk] **1.** fälschen (*Pass, Unterschrift usw.*) **2.** vortäuschen (*Interesse usw.*) **3.** simulieren (*Krankheit usw.*)

fake[2] [feɪk] **1.** *von Pass, Unterschrift usw.*: Fälschung **2.** *Person*: Schwindler, Simulant

falcon ['fɔːlkən] *Greifvogel*: Falke

fall[1] [fɔːl] **1.** *von Person*: Fall, Sturz; ***have a*** (***bad*** *oder* ***heavy***) ***fall*** (schwer) stürzen **2.** *übertragen* Fallen, Sinken; ***a sudden fall in temperature*** ein plötzlicher Temperatursturz; ***the fall of the Roman Empire*** der Untergang des Römisches Reiches **3.** *bes. AE*; *Jahreszeit*: Herbst; ***in*** (***the***) ***fall*** im Herbst **4.** ***falls*** *Pl.* Wasserfall

fall[2] [fɔːl], ***fell*** [fel], ***fallen*** ['fɔːlən] **1.** *allg.*: fallen; ***he fell to his death*** er stürzte tödlich ab **2.** *durch Stolpern usw.*: hinfallen; ***she fell and cut her elbow*** sie fiel hin und schlug sich den Ellbogen auf **3.** (*Blätter von den Bäumen*) fallen, abfallen **4.** (*Preise, Temperatur usw.*) fallen, sinken **5.** (*Soldaten*) fallen, umkommen **6.** (*Regierung usw.*) gestürzt werden **7.** (*Nacht, Dämmerung*) hereinbrechen **8.** *in Wendungen*: ***fall asleep*** einschlafen; ***fall ill*** krank werden; ***fall in love*** sich verlieben (***with*** in); ***fall on deaf ears*** (*Plan, Vorschlag usw.*) auf taube Ohren stoßen

fall down [,fɔːl'daʊn] **1.** hinunterfallen (*Treppe, Leiter usw.*) **2.** (*Gebäude*) umfallen, einstürzen **2.** *umg.* (*Plan, Theorie usw.*) versagen

fall for ['fɔːl‿fɔː] **1.** hereinfallen auf; ***it was a trick, but she didn't fall for it*** es war ein Trick, doch sie ist nicht darauf hereingefallen **2.** *umg.* sich verknallen in

fall in [,fɔːl'ɪn] (*Gebäude, Dach usw.*) einfallen, einstürzen

fall on ['fɔːl‿ɒn] **1.** *räumlich, zeitlich*: fallen auf; ***his glance fell on Joan*** sein Blick fiel auf Joan **2.** (≈ *angreifen*) herfallen über **3.** (*Aufgabe, Verpflichtung usw.*) zufallen (+ *Dativ*) (***to do*** zu tun)

fall out [,fɔːl'aʊt] **1.** (*Haar usw.*) ausfallen **2.** ***fall out with someone*** sich mit jemandem zerstreiten

fall over [ˌfɔːl'əʊvə] **1.** (*Person*) hinfallen **2.** (*Vase usw.*) umfallen
fall through [ˌfɔːl'θruː] (*Plan, Vorhaben usw.*) missglücken, ins Wasser fallen

fallen ['fɔːlən] *3. Form von* → ***fall***[2]
fallible ['fæləbl] fehlbar, nicht unfehlbar
fallout ['fɔːlaʊt] Fall-out, radioaktiver Niederschlag
false [fɔːls] **1.** *allg.*: falsch (*auch Person, Bescheidenheit usw.*); ***under false pretences*** unter Vorspiegelung falscher Tatsachen **2.** ***false alarm*** falscher *oder* blinder Alarm (*auch übertragen*); ***false bottom*** *in Koffer usw.*: doppelter Boden; ***false start*** *Sport*: Fehlstart; ***false teeth*** *Pl.* (künstliches) Gebiss
falsification [ˌfɔːlsɪfɪ'keɪʃn] *von Wahrheit, Dokument, Unterlagen*: Verfälschung
falsify ['fɔːlsɪfaɪ] fälschen, verfälschen (*Dokumente, Unterlagen usw.*)
falter ['fɔːltə] **1.** schwanken, taumeln **2.** zögern, zaudern **3.** (*Stimme*) stocken
fame [feɪm] Ruhm
familiar [fə'mɪlɪə] **1.** *Umgebung, Melodie, Anblick usw.*: vertraut, bekannt (***to***; *dt. Dativ*; ***with*** mit); ***are you familiar with this machine?*** kennst du dich mit dieser Maschine aus?; ***make oneself familiar with*** sich vertraut machen mit (⚠ *familiäre Probleme* = ***family problems***) **2.** *lockerer Umgangston*: vertraulich, ungezwungen; ***be on familiar terms with someone*** mit jemandem auf vertrautem Fuß stehen **3.** *Umgangston*: plumpvertraulich, aufdringlich
familiarize [fə'mɪlɪəraɪz] vertraut *oder* bekannt machen (***with*** mit)
family ['fæmlɪ] **1.** Familie; ***a family of four*** eine vierköpfige Familie **2.** *übertragen* Familie, Herkunft **3.** ***family allowance*** Kindergeld; ***family doctor*** Hausarzt; ***family name*** Nachname, Familienname; ***family planning*** Familienplanung; ***family tree*** Stammbaum
famine ['fæmɪn] Hungersnot
famous ['feɪməs] berühmt (***for*** wegen, für); ***a world-famous pop star*** ein weltberühmter Popstar
fan[1] [fæn] **1.** *zum Fächeln*: Fächer **2.** *Gerät*: Ventilator; ***fan belt*** *Motor*: Keilriemen
fan[2] [fæn] (≈ *Anhänger*) Fan; ***fan club*** Fan-klub; ***fan mail*** Verehrerpost
fanatic [fə'nætɪk] Fanatiker(in)
fanatical [fə'nætɪkl] fanatisch
fanaticism [fə'nætɪsɪzm] Fanatismus
fancier ['fænsɪə] Liebhaber(in), Züchter(-in) (*einer Tierart, Blumenart usw.*); ***pigeon-fancier*** Taubenzüchter(in)
fanciful ['fænsɪfl] **1.** fantasiereich **2.** *Idee usw.*: fantastisch, wirklichkeitsfremd
fancy[1] ['fænsɪ] **1.** *Hotel, Essen, Geschmack usw.*: fein, ausgefallen, schick; ***fancy prices*** gepfefferte Preise **2.** *Design, Gerät usw.*: raffiniert
fancy[2] ['fænsɪ] **1.** ***fancy that!*** stell dir vor!, denk nur!, sieh mal einer an! **2.** Lust haben auf, scharf sei auf; ***I don't really fancy that job*** ich bin auf diesen Job wirklich nicht scharf; ***fancy a cup of tea?*** *umg.* Lust auf ne Tasse Tee? **3.** ***she fancies him*** er hats ihr angetan **4.** ***he really fancies himself*** er hält sich für den Größten
fancy[3] ['fænsɪ] ***I've taken a fancy to Chinese food*** ich habe an chinesischem Essen Gefallen gefunden, das chinesische Essen hat es mir angetan
fancy dress [ˌfænsɪ'dres] *BE* (Masken-) Kostüm
fancy-free [ˌfænsɪ'friː] frei und ungebunden
fancy goods ['fænsɪ‿gʊdz] *Pl.* **1.** Modeartikel *Pl.* **2.** kleine Geschenkartikel *Pl.*
fang [fæŋ] **1.** *von Raubtier*: Reißzahn, Fangzahn **2.** *von Eber*: Hauer (*umg. auch von Person*) **3.** *von Schlange*: Giftzahn
fanny pack ['fænɪ‿pæk] *AE, umg.* Gürteltasche
fantastic [fæn'tæstɪk] **1.** *umg.* fantastisch, toll **2.** (≈ *unwirklich*) fantastisch
fantasy ['fæntəsɪ] (≈ *Illusion*) Fantasie, Hirngespinst; ***pure fantasy*** reine Einbildung (⚠ *Fantasie als Fähigkeit* = ***imagination***)
fanzine ['fænziːn] Fan-Magazin
FAQ [ˌefeɪ'kjuː] *Pl. auch* ***FAQs*** (*Abk. für* **f**requently **a**sked **q**uestion[s]) *Internet*: häufig gestellte Frage(n)
far [fɑː], ***farther*** ['fɑːðə] *oder* ***further*** ['fɜːðə], ***farthest*** ['fɑːðɪst] *oder* ***furthest*** ['fɜːðɪst] **1.** *räumlich*: fern, weit entfernt, weit; ***far away*** *oder* ***off*** weit weg, weit entfernt; ***do you live far away?*** wohnst du weit weg?; ***at the far end of town*** am anderen Ende der Stadt **2.** *zeitlich*: weit; ***far into the night*** bis spät *oder* tief in die Nacht hinein **3.** *übertragen* weit; ***how far has he got with the project?*** wie weit ist er mit dem Projekt?; ***it's far from finished*** es ist noch längst nicht fertig **4.** *in Wendungen*: ***as far as*** soweit, soviel wie; ***as far as I know, …*** soweit ich weiß, …; ***as far as I'm concerned …*** was mich betrifft *oder* angeht, …; ***this train goes as far as Munich*** dieser Zug fährt bis

nach München; ***so far so good*** so weit, so gut; ***she's by far the best*** sie ist bei weitem die Beste
fare [feə] *allg.*: Fahrpreis, *bei Flug*: Flugpreis; ***what's the fare?*** was kostet die Fahrt *oder* der Flug?; ***travel half-fare*** zum halben Preis fahren; ***any more fares, please?*** noch jemand zugestiegen?; ***fare dodger*** Schwarzfahrer(in)
farewell [ˌfeəˈwel] Abschieds…; ***farewell party*** Abschiedsparty
far-fetched [ˌfɑːˈfetʃt] *Argument usw.*: weit hergeholt, an den Haaren herbeigezogen
farm[1] [fɑːm] Farm, Bauernhof
farm[2] [fɑːm] **1.** *allg.*: Landwirtschaft betreiben **2.** bebauen, bewirtschaften (*Land*)

farm out [ˌfɑːmˈaʊt] *Wirtschaft*: vergeben (*Arbeit*)

farmer [ˈfɑːmə] Bauer, Landwirt, Farmer
farmhouse [ˈfɑːmhaʊs] Bauernhaus
farming [ˈfɑːmɪŋ] **1.** Landwirtschaft, Ackerbau **2.** *von Tieren*: Viehzucht
far-reaching [ˈfɑːˌriːtʃɪŋ] *Folgen usw.*: weitreichend
fart[1] [fɑːt] *vulgär* **1.** Furz **2.** *Schimpfwort*: ***old fart*** alter Scheißer
fart[2] [fɑːt] *vulgär* furzen
farther[1] [ˈfɑːðə] *Komparativ von* → ***far***
farther[2] [ˈfɑːðə] **1.** *nur räumlich*: weiter weg liegend, entfernter; ***at the farther end*** am anderen Ende **2.** ***so far and no farther*** bis hierher und nicht weiter
farthest[1] [ˈfɑːðɪst] *Superlativ von* → ***far***
farthest[2] [ˈfɑːðɪst] *nur räumlich*: weitest, entferntest; ***his balloon flew the farthest*** sein Ballon flog am weitesten
fascinate [ˈfæsɪneɪt] faszinieren
fascination [ˌfæsɪˈneɪʃn] Faszination
fashion [ˈfæʃn] **1.** (≈ *Zeitgeschmack*) Mode; ***come into fashion*** in Mode kommen, modern werden; ***go out of fashion*** aus der Mode kommen, unmodern werden; ***fashion parade*** *oder* ***show*** Modenschau **2.** Art und Weise; ***in an orderly fashion*** ordnungsgemäß, diszipliniert
fashionable [ˈfæʃnəbl] **1.** *Kleidung, Stil, Design usw.*: modisch, in Mode; ***be very fashionable*** große Mode sein **2.** *Person, deren Äußeres usw.*: modisch, elegant
fast[1] [fɑːst] **1.** *allg.*: schnell; ***a fast car*** ein schneller Wagen; ***I'm a fast reader*** ich lese schnell; ***we ran as fast as we could*** wir rannten, so schnell wir konnten **2.** ***my watch is (ten minutes) fast*** meine Uhr geht (10 Minuten) vor **3.** ***he's trying to pull a fast one on us*** *umg.* er versucht, uns übers Ohr zu hauen
fast[2] [fɑːst] **1.** ***hold on fast*** sich gut festhalten **2.** ***be fast asleep*** fest *oder* tief schlafen
fast[3] [fɑːst] (≈ *nicht essen*) fasten
fast[4] [fɑːst] Fasten, Fastenzeit
fasten [⚠ ˈfɑːsn] **1.** befestigen, festmachen (***to, on*** an); ***she fastened the badge on his coat*** sie befestigte die Plakette an seinem Mantel **2.** *auch* ***fasten up*** schließen (*Fenster usw.*), zuknöpfen (*Jacke, Mantel usw.*); ***fasten your seatbelt, please!*** bitte anschnallen! **3.** (*Hemd, Jacke, Tür*) sich schließen lassen; ***the button won't fasten*** der Knopf lässt sich nicht zumachen
fastener [⚠ ˈfɑːsnə] Verschluss
fastidious [fæˈstɪdɪəs] anspruchsvoll, wählerisch (*beide* ***about*** in)
fast lane [ˈfɑːst‿leɪn] **1.** Überholspur **2.** ***live one's life in the fast lane*** *umg.* sein Leben auf vollen Touren genießen
fat[1] [fæt], ***fatter, fattest*** **1.** *Körperstatur*: dick, fett; ***get fat*** dick werden **2.** *Speise*: fett, fetthaltig **3.** *umg.*; *Gehalt, Profit usw.*: fett, satt
fat[2] [fæt] **1.** Fett **2.** ***now the fat is in the fire*** jetzt ist der Teufel los **3.** ***live off the fat of the land*** in Saus und Braus *oder* wie Gott in Frankreich leben
fatal [ˈfeɪtl] **1.** *Krankheit, Unfall*: tödlich; ***he was fatally injured*** er wurde tödlich verletzt **2.** *Fehler, Irrtum*: fatal, verhängnisvoll (***to*** für)
fatality [fəˈtælətɪ] **1.** tödlicher Unfall **2.** *bei Unfall usw.*: (Todes)Opfer
fate [feɪt] Schicksal; ***he met his fate*** das Schicksal ereilte ihn
father[1] [ˈfɑːðə] **1.** Vater; ***I'm going to be a father*** ich werde Vater; ***like father like son*** *Sprichwort*: der Apfel fällt nicht weit vom Stamm **2.** *übertragen* Begründer **3.** ***Father Christmas*** *BE* der Weihnachtsmann

Father Christmas

Der Weihnachtsmann hat im englischsprachigen Raum verschiedene Namen:

Father Christmas (GB)
Santa Claus (USA und GB)
Santa (USA und GB)

Santa Claus stammt von **Saint Nicholas** und entspricht somit dem deutschen Nikolaus. Er soll in der Nordpolgegend leben, von wo aus er mithilfe seiner Rentiere jedes Jahr Weihnachtsgeschenke in alle Welt liefert. Dazu muss er – trotz seines beachtlichen Umfangs – meistens durch den Kamin ins Wohnzimmer vordringen, wo ihn als Erfrischung meist ein Glas Whisky und einige Kekse erwarten.

father[2] ['fɑːðə] **1.** zeugen (*Kind*) **2.** ins Leben rufen (*Idee, Plan, Projekt usw.*)
fatherhood ['fɑːðəhʊd] Vaterschaft
father-in-law ['fɑːðərɪnlɔː] *Pl.* ***fathers-in--law*** Schwiegervater
fathom ['fæðəm] *auch* ***fathom out*** ergründen, verstehen
fatigue[1] [fə'tiːg] Ermüdung (*auch von Material*)
fatigue[2] [fə'tiːg] ermüden (*auch Material*)
fatso ['fætsəʊ] *umg.* Dicke(r), Dickerchen
fattening ['fætnɪŋ] ***it's fattening*** es macht dick
fattie ['fætɪ] *umg.* Dicke(r), Dickerchen
faucet ['fɔːsɪt] *AE* Wasserhahn
fault [fɔːlt] **1.** Schuld, Verschulden; ***it's my fault*** es ist meine Schuld, ich bin schuld **2.** ***she finds fault with everything I do*** sie hat an allem, was ich tue, etwas auszusetzen **3.** *von Maschine*: Defekt **4.** *Tennis, beim Aufschlag*: Fehler; ☞ *Info unter dt.* ***Fehler***
faultfinder ['fɔːltˌfaɪndə] Nörgler(in), Krittler(in)
faultfinding[1] ['fɔːltˌfaɪndɪŋ] Nörgelei, Krittelei
faultfinding[2] ['fɔːltˌfaɪndɪŋ] nörglerisch, krittelig
faultless ['fɔːltləs] fehlerfrei, fehlerlos
faulty ['fɔːltɪ] **1.** *Maschine usw.*: fehlerhaft, defekt **2.** *Argumentation usw. auch*: falsch
fave [feɪv] *umg. für* ***favourite*** Lieblings…
favour[1], *AE* **favor** ['feɪvə] **1.** (≈ *vorziehen*) favorisieren, bevorzugen **2.** (≈ *von Vorteil sein*) günstig sein für, begünstigen; ***the new law favours the rich*** das neue Gesetz begünstigt die Reichen **3.** (≈ *fördern*) unterstützen, dafür sein (*Plan, Vorschlag*)
favour[2], *AE* **favor** ['feɪvə] **1.** (≈ *Hilfeleistung*) Gefallen, Gefälligkeit; ***ask someone a favour*** *oder* ***ask a favour of someone*** jemanden um einen Gefallen bitten; ***do someone a favour*** jemandem einen Gefallen tun; ***do me a favour and go!*** *umg.* tu mir einen Gefallen und geh! **2.** Gunst, Wohlwollen; ***be in*** (*bzw.* ***out of***) ***someone's favour*** *oder* ***be in*** (*bzw.* ***out of***) ***favour with someone*** bei jemandem gut (*bzw.* schlecht) angeschrieben sein **3.** ***be in favour of*** dafür sein (*Vorschlag usw.*); ***all those in favour - raise your hands*** alle, die dafür sind, Hand hoch! **4.** ***she resigned in favour of her son*** sie trat zugunsten ihres Sohnes zurück; ***an error in my favour*** ein Irrtum zu meinen Gunsten
favourable, *AE* **favorable** ['feɪvərəbl] **1.** *Bedingungen usw.*: günstig **2.** *Kritik, Eindruck usw.*: positiv
favourite[1], *AE* **favorite** ['feɪvrət] Lieblings…; ***my favourite author*** mein Lieblingsautor; ***favourite food*** Lieblingsgericht, Leibspeise
favourite[2], *AE* **favorite** ['feɪvrət] **1.** *Person*: Liebling **2.** *bes. Sport*: Favorit(in)
fax[1] [fæks] **1.** *Nachricht*: Fax; ***fax number*** Faxnummer **2.** *auch* ***fax machine*** *Gerät*: Fax
fax[2] [fæks] faxen
faze [feɪz] *umg.* aus der Fassung bringen
fear[1] [fɪə] **1.** Furcht, Angst; ***for fear that …*** aus Furcht, dass …; ***be in fear of someone*** sich vor jemandem fürchten, vor jemandem Angst haben **2.** Befürchtung, Sorge; ***I didn't reply for fear of hurting her feelings*** ich antwortete nicht, um sie nicht zu verletzen
fear[2] [fɪə] **1.** fürchten, sich fürchten, Angst haben; ***but what I fear most is …*** wovor ich am meisten Angst habe, ist … **2.** (≈ *sich sorgen*) befürchten; ***I fear the worst*** ich befürchte das Schlimmste
fearful ['fɪəfl] **1.** ***be fearful*** in Sorge sein (***of, for*** um) **2.** ***be fearful of*** sich fürchten vor
fearless ['fɪələs] furchtlos
feasible ['fiːzəbl] machbar, *Plan usw.*: durchführbar
feast[1] [fiːst] **1.** *bei Hochzeit usw.*: Festessen, Festmahl **2.** ***a feast for the eyes*** eine Augenweide **3.** *religiös*: Fest, Feiertag
feast[2] [fiːst] **1.** sich gütlich tun (***on*** an) **2.** sich weiden (***on*** an)
feat [fiːt] **1.** Kunststück, Meisterstück **2.** *in der Technik usw.*: große Leistung
feather ['feðə] *von Vögeln*: Feder; ***feathers*** *Pl.* Gefieder; ***feather bed*** Federbett
feature[1] ['fiːtʃə] **1.** Merkmal, Charakteristikum; ***this dictionary has some new features*** dieses Wörterbuch weist einige neue Besonderheiten auf **2.** *Radio, TV*: Beitrag, Feature **3.** *auch* ***feature film*** Spielfilm, *im Kino*: Hauptfilm
feature[2] ['fiːtʃə] *in Ausstellung, Show, Konzert usw.*: zeigen, bringen; ***an exhibition featuring the early works of Picasso*** eine Ausstellung mit dem Frühwerk Picassos; ***a film featuring X*** ein Film mit X in der Hauptrolle
February ['februərɪ] Februar, Ⓐ Feber; ***in February*** im Februar
fed [fed] *2. und 3.Form von* → ***feed***

federal ['fedərəl] *Politik*: föderal, Bundes…; ***Federal Republic of Germany*** Bundesrepublik Deutschland
federalism ['fedərəlɪzm] *Politik*: Föderalismus
federation [ˌfedə'reɪʃn] **1.** *Politik*: Bundesstaat, Föderation, Staatenbund **2.** *Sport*: Verband
fed up [ˌfed'ʌp] ***be fed up*** *umg.* es satt haben, die Nase voll haben (***with*** von)
fee [fiː] **1.** *Anwalt, Arzt, Übersetzer usw.*: Honorar **2.** *Künstler usw.*: Gage **3.** *in Verein usw.*: Beitrag **4.** *für Dienstleistung*: Gebühr
feeble ['fiːbl] schwach (*auch übertragen*)
feed [fiːd], ***fed*** [fed], ***fed*** [fed] **1.** füttern (*Tier, Kind usw.*) **2.** ernähren, unterhalten (*Familie usw.*) **3.** *übertragen* versorgen (***with*** mit); ***feed someone with information*** jemanden mit Informationen versorgen; ***feed something into a computer*** etwas in einen Computer eingeben *oder* einspeisen
feedback ['fiːdbæk] **1.** (≈ *Reaktion*) Feedback, Rückmeldung; ***how's the feedback to your suggestions?*** wie ist das Feed-back auf deine Vorschläge? **2.** *in Lautsprecheranlage*: Rückkoppelung
feeder road ['fiːdə‿rəʊd] Zubringerstraße
feel [fiːl], ***felt*** [felt], ***felt*** [felt] **1.** *allg.*: fühlen, befühlen; ***feel one's way*** sich tasten (***through*** durch) **2.** (≈ *empfinden*) fühlen, verspüren (*Schmerz usw.*); ***I feel cold*** mir ist kalt **3.** sich anfühlen; ***it feels like leather*** es fühlt sich an wie Leder **4.** (≈ *meinen*) finden, glauben (***that*** dass); ***I feel it (to be) my duty*** ich halte es für meine Pflicht; ***how do you feel about it?*** was meinst du dazu? **5.** sich fühlen; ***feel ill*** sich krank fühlen **6.** ***do you feel like going for a walk?*** hast du Lust spazieren zu gehen?; ***'Can I use your phone?' – 'Feel free.'*** „Kann ich mal telefonieren?" – „Natürlich!"

> **feel for** ['fiːl‿fɔː] **1.** tasten nach **2.** ***feel for someone*** mit jemandem Mitleid haben

feeler ['fiːlə] *von Insekten*: Fühler (*auch übertragen*); ***put out feelers*** (*oder* ***a feeler***) seine Fühler ausstrecken
feeling ['fiːlɪŋ] Gefühl; ***have a feeling (that)*** das Gefühl haben, dass
feet [fiːt] *Pl. von* → ***foot***
feign [feɪn] vortäuschen (*Interesse, Krankheit usw.*); ***feign death*** sich tot stellen
feint [feɪnt] *Sport*: Finte (*auch übertragen*)
fell[1] [fel] *2. Form von* → ***fall***[2]
fell[2] [fel] **1.** fällen (*Baum*) **2.** fällen, niederstrecken (*Gegner usw.*)
fellow[1] ['feləʊ] *umg.* Kerl, Typ; ***old fellow*** alter Knabe; ***he's a funny fellow*** er ist ein komischer Kauz
fellow[2] ['feləʊ] Mit…; ***fellow citizen*** Mitbürger(in); ***fellow countryman*** Landsmann; ***fellow student*** Kommilitone, Kommilitonin
felt [felt] *2. und 3. Form von* → ***feel***
felt-tip pen [ˌfelt‿tɪp'pen] Filzstift, Filzschreiber
female[1] ['fiːmeɪl] **1.** weiblich; ***female bear*** Bärin **2.** Frauen…
female[2] ['fiːmeɪl] **1.** *bei Tieren*: Weibchen **2.** *frauenfeindlich*: Weib, Weibsbild
feminine ['femənɪn] **1.** weiblich (*auch grammatikalisch*) **2.** *äußere Erscheinung*: feminin (*auch abwertend*), weiblich
feminism ['femənɪzm] Feminismus, Frauenbewegung
feminist[1] ['femənɪst] Feminist(in), Frauenrechtler(in)
feminist[2] ['femənɪst] feministisch
fence[1] [fens] **1.** Zaun; ***sit on the fence*** *übertragen* sich neutral verhalten, unentschlossen sein **2.** *salopp* Hehler
fence[2] [fens] *Sport*: fechten
fencer ['fensə] *Sport*: Fechter(in)
fencing ['fensɪŋ] **1.** *Sport*: Fechten **2.** Zaun, Einzäunung **3.** *salopp* Hehlerei
fend [fend] ***fend for oneself*** für sich selbst sorgen

> **fend off** [fend'ɒf] abwehren (*Angreifer, Fragen usw.*)

ferment[1] [fə'ment] **1.** *Chemie*: gären, gären lassen, vergären **2.** *übertragen* in Wallung bringen (*Gefühle, Zorn usw.*) **3.** *übertragen* (*Gefühle, Zorn usw.*) gären
ferment[2] ['fɜːment] **1.** *Chemie*: Gärstoff, Ferment **2.** *Prozess*: Gärung (*auch übertragen*) **3.** *übertragen* innere Unruhe, Aufruhr
fermentation [ˌfɜːmen'teɪʃn] *Chemie*: Gärung, Gärungsprozess (*auch übertragen*)
ferocious [fə'rəʊʃəs] **1.** *Tier usw.*: wild **2.** *Blick usw.*: wild, grimmig
ferret[1] ['ferɪt] Frettchen
ferret[2] ['ferɪt] *mst.* ***ferret about*** (*oder* ***around***) herumstöbern (***among*** in, ***for*** nach)

> **ferret out** [ˌferɪt'aʊt] aufspüren, herausfinden (*Wahrheit usw.*)

F

ferry[1] ['ferɪ] Fähre, Fährschiff, Fährboot
ferry[2] ['ferɪ] (mit einer Fähre) übersetzen

ferry

Fährverbindungen bestehen seit langer Zeit auch zwischen den britischen Inseln und dem europäischen Kontinent. Die wichtigste von ihnen ist nach wie vor die zwischen Dover an der englischen Südküste und Calais in Frankreich; ☞ *Karte S. 293*

F

ferryboat ['ferɪbəʊt] Fähre, Fährboot
ferryman ['ferɪmən] *Pl.*: ***ferrymen*** ['ferɪmən] Fährmann
fertile ['fɜːtaɪl] **1.** *allg.*: fruchtbar **2.** *übertragen* produktiv, schöpferisch; ***a fertile imagination*** eine rege Fantasie
fertility [fɜː'tɪlətɪ] Fruchtbarkeit
fertilize ['fɜːtəlaɪz] **1.** befruchten (*Tier, Pflanze*) **2.** düngen (*Acker*)
fertilizer ['fɜːtəlaɪzə] Dünger, Kunstdünger
fervent ['fɜːvənt] **1.** *Verehrer usw.*: glühend, leidenschaftlich **2.** *Gebet, Verlangen usw.*: inbrünstig
festival ['festɪvl] **1.** Fest **2.** *Kulturveranstaltung*: Festival, Festspiele
festive ['festɪv] **1.** festlich, Fest… **2.** ***the festive season*** die Festzeit, *bes.*: die Weihnachtszeit
festivity [fe'stɪvətɪ] **1.** Feier; ***festivities*** *Pl.* Festlichkeiten *Pl.* **2.** festliche Stimmung
festoon[1] [fe'stuːn] Girlande
festoon[2] [fe'stuːn] mit Girlanden schmücken
fetch [fetʃ] **1.** (herbei)holen, (her)bringen; (***go and***) ***fetch a doctor*** einen Arzt holen; ***I'll fetch another glass*** ich hole noch ein Glas **2.** erzielen, einbringen (*Preis usw.*)
fetching ['fetʃɪŋ] **1.** *Person*: bezaubernd, reizend **2.** *Kleid usw.*: entzückend **3.** *Lächeln usw.*: gewinnend
fetus ['fiːtəs] *AE* Fötus
fever ['fiːvə] *bei Krankheit*: Fieber (*auch übertragen*); ***have a fever*** Fieber haben; ***be in a fever*** (***of excitement***) in fieberhafter Aufregung sein, vor Aufregung fiebern; ***reach fever pitch*** *übertragen* den Siedepunkt erreichen
feverish ['fiːvərɪʃ] **1.** *bei Krankheit*: fieberkrank, fiebrig; ***be feverish*** Fieber haben; ***have a feverish cold*** eine fiebrige Erkältung haben **2.** *übertragen* fieberhaft; ***be feverish with excitement*** vor Aufregung fiebern

few [fjuː] **1.** wenige; ***I have few real friends*** ich habe wenige echte Freunde **2.** ***a few*** einige, ein paar; ***a good few*** *oder* ***quite a few*** ziemlich viele, eine ganze Menge; ***every few days*** alle paar Tage
fiancé [fɪ'ɒnseɪ] *der* Verlobte
fiancée [fɪ'ɒnseɪ] *die* Verlobte
fiasco [fɪ'æskəʊ] Fiasko
fib[1] [fɪb] *umg.* Flunkerei, Schwindelei; ***tell a fib*** *oder* ***tell fibs*** flunkern
fib[2] [fɪb], ***fibbed, fibbed*** *umg.* flunkern, schwindeln
fibber ['fɪbə] *umg.* Flunkerer, Schwindler
fibre, *bes. AE* **fiber** ['faɪbə] **1.** *bei Pflanzen, Kunststoff usw.*: Faser **2.** *übertragen* Charakter; ***moral fibre*** Charakterstärke **3.** ***high-fibre diet*** ballaststoffreiche Ernährung
fickle ['fɪkl] **1.** *Person*: launisch, launenhaft **2.** *Wetter*: unbeständig
fiction ['fɪkʃn] **1.** (freie) Erfindung, Fiktion; ***it's pure fiction*** es ist reine Erfindung **2.** *Literaturgattung*: erzählende Literatur, Romane und Erzählungen
fictional ['fɪkʃnəl] erdichtet, erfunden
fictitious [fɪk'tɪʃəs] (frei) erfunden
fiddle[1] ['fɪdl] **1.** *umg.*; *Musikinstrument*: Fiedel, Geige; ***play first*** (***second***) ***fiddle*** *übertragen* die erste (zweite) Geige spielen **2.** ***be*** (***as***) ***fit as a fiddle*** kerngesund sein **3.** ***it was a fiddle*** es war Schiebung
fiddle[2] ['fɪdl] **1.** fiedeln, geigen **2.** *BE, umg.* frisieren (*Bilanzen*)

fiddle about *oder* **around** [ˌfɪdl‿ə'baʊt *oder* ə'raʊnd] **1.** herumfummeln (***with*** an), spielen (***with*** mit) **2.** (≈ *Zeit vergeuden*) herumtrödeln

fiddler ['fɪdlə] *umg.* **1.** Fiedler, Geiger **2.** *BE, umg.* Schwindler, Betrüger
fidget[1] ['fɪdʒɪt] (herum)zappeln, unruhig sein; ***fidget with something*** mit etwas herumspielen
fidget[2] ['fɪdʒɪt] *umg.* Zappelphilipp
fidgety ['fɪdʒətɪ] zappelig, nervös
field [fiːld] **1.** Acker, Feld; ***in the field*** auf dem Feld **2.** *übertragen* Bereich, Fachgebiet; ***in his field*** auf seinem Gebiet, in seinem Fach **3.** *Sport*: Spielfeld **4.** *Sport*: Feld (*alle Läufer, Fahrer usw.*)
field day ['fiːld‿deɪ] ***have a field day*** *umg.* seinen großen Tag haben
field hockey ['fiːldˌhɒkɪ] *bes. AE*; *Sport*: (Feld)Hockey
field trip ['fiːld‿trɪp] *Schule usw.*: Exkursion
fierce [fɪəs] **1.** *Tier usw.*: wild **2.** *Gesichts-*

ausdruck: böse **3.** *Wettbewerb*: scharf **4.** *Angriff*: heftig
fiery ['faɪərɪ] **1.** brennend, glühend **2.** *Temperament*: feurig, hitzig **3.** *Essen*: scharf, *alkoholisches Getränk*: hochprozentig
fifteen[1] [ˌfɪf'tiːn] fünfzehn
fifteen[2] [ˌfɪf'tiːn] *Buslinie usw.*: Fünfzehn
fifth[1] [fɪfθ] fünfte(r, -s)

Fifth Avenue

Fifth Avenue heißt New Yorks berühmteste Straße. Für ihre schicken Geschäfte und Luxushotels bekannt, teilt diese breite Allee den New Yorker Bezirk **Manhattan** in zwei Teile: den Westen (**West Side**) und den Osten (**East Side**).

fifth[2] [fɪfθ] **1.** Fünfte(r, -s); ***the fifth of May*** der 5. Mai **2.** *Bruchteil*: Fünftel
fifthly ['fɪfθlɪ] fünftens
fiftieth ['fɪftɪəθ] fünfzigste(r, -s)
fifty[1] ['fɪftɪ] fünfzig
fifty[2] ['fɪftɪ] Fünfzig; ***he's in his fifties*** er ist in den Fünfzigern; ***in the fifties*** in den Fünfzigerjahren (*eines Jahrhunderts*)
fifty-fifty [ˌfɪftɪ'fɪftɪ] *umg.* fifty-fifty; ***go fifty-fifty*** (***with***) halbe-halbe machen (mit)
fig [fɪg] *Frucht*: Feige
fight[1] [faɪt] **1.** Kampf (***for*** um, für; ***against*** gegen) (*auch übertragen*); ***put up a good fight*** sich tapfer schlagen **2.** Rauferei, Schlägerei; ***have a fight*** sich raufen *oder* prügeln (***with*** mit)
fight[2] [faɪt], ***fought*** [fɔːt], ***fought*** [fɔːt] **1.** kämpfen (***for*** um, für) **2.** bekämpfen, kämpfen gegen *oder* mit (*Gegner, Krankheit usw.*) **3.** *mit Fäusten*: sich raufen *oder* schlagen *oder* prügeln (***with*** mit) **4.** *mit Worten*: (sich) streiten (***over*** *oder* ***about*** über); ***stop fighting!*** hört auf, euch zu streiten!

fight back [ˌfaɪt'bæk] unterdrücken (*Enttäuschung, Tränen usw.*)
fight off [ˌfaɪt'ɒf] abwehren (*Angriff*)

fighter ['faɪtə] **1.** Kämpfer **2.** *Sport*: Boxer
fighting[1] ['faɪtɪŋ] Kampf, Kämpfe
fighting[2] ['faɪtɪŋ] Kampf…; ***have a fighting chance*** eine reelle Chance haben (*wenn man sich anstrengt*); ***fighting spirit*** Kampfgeist
figurative ['fɪgərətɪv] bildlich, übertragen
figure[1] ['fɪgə] **1.** *von Person*: Figur, Gestalt; ***have a good figure*** eine gute Figur haben **2.** *übertragen* Figur, Persönlichkeit; ***an important political figure*** eine wichtige Persönlichkeit des politischen Lebens **3.** *1, 2, 3 usw.*: Zahl, Ziffer; ***run into three figures*** in die Hunderte gehen; ***six-figure income*** sechsstelliges Einkommen
figure[2] ['fɪgə] **1.** *bes. AE, umg.* meinen, glauben **2.** *Person, Name*: erscheinen, vorkommen

figure out [ˌfɪgər'aʊt] *umg.* **1.** begreifen, kapieren; ***I can't figure him out*** ich werde aus ihm nicht schlau **2.** ausknobeln, rauskriegen (*Plan, Lösung eines Problems usw.*)

figure skating ['fɪgəˌskeɪtɪŋ] *Sport*: Eiskunstlauf
filch [fɪltʃ] *umg.* klauen, stibitzen
file[1] [faɪl] **1.** *für Akten usw.*: Ordner **2.** *Schriftstück*: Akte; ***keep*** (*oder* ***have***) ***a file on*** eine Akte führen über; ***on file*** bei den Akten **3.** *in Computer*: Datei
file[2] [faɪl] **1.** *auch* ***file away*** ablegen, zu den Akten nehmen (*Briefe usw.*) **2.** ***file a complaint*** Beschwerde einlegen
file[3] [faɪl] *Werkzeug*: Feile
file[4] [faɪl] feilen
filing cabinet ['faɪlɪŋˌkæbɪnət] Aktenschrank
fill [fɪl] **1.** *allg.*: füllen **2.** plombieren (*Zahn*) **3.** besetzen, bekleiden (*Posten, Amt*)

fill in [ˌfɪl'ɪn] **1.** *BE* ausfüllen (*Formular usw.*) **2.** ***fill in for someone*** für jemanden einspringen
fill out [ˌfɪl'aʊt] *bes. AE* ausfüllen
fill up [ˌfɪl'ʌp] voll füllen; ***fill it up, please*** *umg.* bitte voll tanken!

fillet ['fɪlɪt] Filet; ***fillet steak*** Filetsteak
filling[1] ['fɪlɪŋ] **1.** Füllung, Füllmasse **2.** *für Zahn*: Füllung, Plombe
filling[2] ['fɪlɪŋ] *Speise*: sättigend
filling station ['fɪlɪŋˌsteɪʃn] Tankstelle
film[1] [fɪlm] **1.** *allg., im Kino usw.*: Film **2.** *hauchdünner Belag*: Schicht, Film
film[2] [fɪlm] **1.** verfilmen (*Roman usw.*) **2.** filmen (*Szene usw.*)
filter[1] ['fɪltə] Filter
filter[2] ['fɪltə] filtern
filter tip ['fɪltə‿tɪp] **1.** *von Zigarette*: Filter **2.** Filterzigarette
filth [fɪlθ] Schmutz, Dreck
filthy ['fɪlθɪ] **1.** schmutzig, dreckig (*auch übertragen*) **2.** *bes. BE, umg.* ekelhaft,

F

scheußlich; ***filthy weather*** Sauwetter

fin [fɪn] **1.** *von Fisch*: Flosse **2.** *Sport*: Schwimmflosse; ☞ ***flipper*** 2

final[1] ['faɪnl] **1.** letzte(r, -s) **2.** End…, Schluss…; ***final examination*** Abschlussprüfung; ***final whistle*** *Sport*: Schlusspfiff **3.** *Entscheidung*: endgültig

final[2] ['faɪnl] **1.** *Sport*: Finale, Endrunde, Endspiel *usw.* **2.** ***finals*** *Pl. an Universität usw.*: Abschlussprüfung

finalist ['faɪnəlɪst] *Sport*: Finalist(in)

finally ['faɪnəlɪ] **1.** *nach langem Warten*: endlich, schließlich **2.** *zeitlich usw.*: zuletzt, zum Schluss

finance[1] ['faɪnæns] **1.** Finanz(wesen) **2.** ***finances*** *Pl.* Finanzen, Geld(mittel)

finance[2] [faɪ'næns] finanzieren

financial [faɪ'nænʃl] finanziell, Finanz…

finch [fɪntʃ] *Vogel*: Fink

find[1] [faɪnd], ***found*** [faʊnd], ***found*** [faʊnd] **1.** *allg.*: finden: ***she was found dead*** sie wurde tot aufgefunden **2.** bemerken, herausfinden (*Sachverhalt*, *Grund usw.*); ***you'll find that …*** du wirst feststellen, dass … **3.** ***I find it easy*** (*bzw.* ***difficult***) ***to …*** mir fällt es leicht (*bzw.* schwer) zu … **4.** *vor Gericht*: ***find someone guilty*** jemanden für schuldig befinden

> **find out** [ˌfaɪnd'aʊt] **1.** herausfinden (*Geheimnis*, *Wahrheit*) **2.** ***be found out*** (*als Täter*) erwischt werden

find[2] [faɪnd] Fund

finding ['faɪndɪŋ] **1.** *mst.* ***findings*** *Pl.* Befund **2.** *juristisch*: Feststellung (*des Gerichts*), Spruch (*der Geschworenen*)

fine[1] [faɪn] **1.** *allg.*: gut, fein; ***'How are you?' - 'Fine.'*** „Wie gehts?" - „Gut." **2.** *Wetter*: schön **3.** *Sportler*, *Künstler*: großartig, ausgezeichnet **4.** *Haar*, *Linie usw.*: fein, dünn **5.** *umg.*, *im negativen Sinn* fein, schön; ***a fine friend you are!*** du bist mir ein schöner Freund!

fine[2] [faɪn] Geldstrafe, Bußgeld

fine[3] [faɪn] zu einer Geldstrafe verurteilen; ***he was fined £50*** er musste 50 Pfund Strafe bezahlen

finger ['fɪŋgə] **1.** Finger; ***little finger*** kleiner Finger **2.** *in Wendungen*: ***have a*** (*oder* ***one's***) ***finger in the pie*** die Hand im Spiel haben; ***keep one's fingers crossed*** (***for someone***) (jemandem) die Daumen drücken *oder* halten; ***she didn't lift a finger*** sie hat keinen Finger gerührt; ***he's all fingers and thumbs*** *umg.* er hat zwei linke Hände; ***give someone the finger*** *umg.*, *bes. AE* jemandem den Stinkefinger zeigen

fingernail ['fɪŋgəneɪl] Fingernagel

fingerprint ['fɪŋgəprɪnt] Fingerabdruck; ***take someone's fingerprints*** von jemandem Fingerabdrücke machen

fingertip ['fɪŋgətɪp] **1.** Fingerspitze **2.** ***have something at one's fingertips*** etwas aus dem Effeff beherrschen, etwas parat haben

finicky ['fɪnɪkɪ] **1.** *Person*: pingelig, wählerisch (***about*** in) **2.** *eine Arbeit*: knifflig

finish[1] ['fɪnɪʃ] **1.** beenden, aufhören mit; ***finish working*** *usw.* mit der Arbeit *usw.* aufhören **2.** *auch* ***finish off*** vollenden, zu Ende führen **3.** erledigen (*Arbeit*) **4.** auslesen (*Buch usw.*) **5.** *auch* ***finish off*** (*oder* ***up***) aufbrauchen (*Vorräte*) **6.** *bei Mahlzeit usw.*: aufessen, austrinken **7.** enden, aufhören (***with*** mit); ***have you finished?*** bist du fertig?

finish[2] ['fɪnɪʃ] **1.** Ende, Schluss **2.** *Sport*,

	Containers	**Behälter und Gefäße**
1	vase	Vase
2	bag	Tasche
3	frying pan, *AE* skillet	(Brat)Pfanne
4	kettle	(Wasser)Kessel
5	colander	Durchschlag
6	jug, *AE* pitcher	Krug
7	bottle	Flasche
8	jar	(Vorrats)Glas
9	glass	Glas
10	biscuit barrel	Keksdose
11	carton	Karton, Tüte
12	cup	Tasse
13	can (of cola)	(Cola)Dose
14	saucepan	(Stiel)Topf
15	bowl	Schüssel
16	tube	Tube
17	mug	Becher
18	basket	Korb
19	pot	Topf
20	packet, *AE* pack (of sugar)	Paket (Zucker)
21	tin	Dose
22	box (of matches)	(Streichholz-)Schachtel
23	teapot	Teekanne
24	waste bin	Abfalleimer

Containers
1
2
3
3
3
3
4
5
6
6
7
8
9
10
11
12
13
14
15
16
17
18
20
21
22
23
24
Cornflakes
Cola
BISCUITS
MILK
Milk
BUTTER
TOMATO PUREE
Sugar
Sugar
SAFETY MATCHES
MATCHES

At the Breakfast Table
COFFEE
Would you like some more bacon, dear?
20
1
13
14
16
11 12
17
19
Corn flakes
MILK
18
2
3
4
5
6
7
8
9

Endphase eines Rennens: Endspurt, Finish **3.** *Sport, Endpunkt eines Rennens*: Ziel
Finland ['fɪnlənd] Finnland
Finn [fɪn] Finne, Finnin
Finnish[1] ['fɪnɪʃ] finnisch
Finnish[2] ['fɪnɪʃ] *Sprache*: Finnisch
fir [fɜː] Tanne
fire[1] ['faɪə] **1.** Feuer (*auch übertragen*), Brand; ***be on fire*** in Flammen stehen, brennen; ***catch fire*** Feuer fangen, in Brand geraten; ***set on fire*** *oder* ***set fire to*** anzünden, in Brand setzen; ***play with fire*** *übertragen* mit dem Feuer spielen **2.** *militärisch*: Feuer; ***come under fire*** unter Beschuss geraten (*auch übertragen*)

The Great Fire of London

1666 brach in einer Londoner Bäckerei ein Feuer aus, das mehr als die Hälfte der Stadt, unter anderem auch die **St Paul's Cathedral**, zerstörte. Trotz des verheerenden Sachschadens kamen bei dieser Katastrophe nur vier Menschen ums Leben.

fire[2] ['faɪə] **1.** (ab)feuern, abgeben (*Schuss*) (***at, on*** auf) **2.** *mit Schusswaffe*: feuern, schießen **3.** *umg.* feuern, rausschmeißen (*Arbeitnehmer*)
fire alarm ['faɪər‿əˌlɑːm] **1.** Feueralarm **2.** *Gerät*: Feuermelder
firebrigade ['faɪə‿brɪˌgeɪd] *BE* Feuerwehr
fire department ['faɪə‿dɪˌpɑːtmənt] *AE* Feuerwehr
fire engine ['faɪərˌendʒɪn] Löschfahrzeug
fire escape ['faɪər‿ɪˌskeɪp] Feuerleiter, Feuertreppe
fire extinguisher ['faɪər‿ɪkˌstɪŋgwɪʃə] Feuerlöscher
fire fighter ['faɪəˌfaɪtə] Feuerwehrmann
fireman ['faɪəmən] *Pl.*: ***firemen*** ['faɪəmən] Feuerwehrmann
fireplace ['faɪəpleɪs] (offener) Kamin
fireproof ['faɪəpruːf] feuerfest, feuersicher
fireside ['faɪəsaɪd] **1.** (offener) Kamin; ***by the fireside*** am Kamin **2.** *übertragen* häuslicher Herd, Daheim
fire station ['faɪəˌsteɪʃn] Feuerwache
firework ['faɪəwɜːk] **1.** Feuerwerkskörper **2.** ***fireworks*** *Pl.* Feuerwerk (*auch übertragen*)
firm[1] [fɜːm] **1.** *allg.*: fest, stabil **2.** *von Gesinnung, Haltung*: standhaft; ***stand firm*** festbleiben, hart bleiben **3.** *Beweise*: sicher **4.** *Angebot*: bindend
firm[2] [fɜːm] Firma
firmness ['fɜːmnəs] Festigkeit
first[1] [fɜːst] **1.** erste(r, -s); ***for the first time*** zum ersten Mal; ***first thing tomorrow*** gleich morgen früh **2.** zuerst; ***go first*** vorangehen **3.** als erste(r, -s), an erster Stelle; ***first come, first served*** wer zuerst kommt, mahlt zuerst; ***first of all*** vor allen Dingen, zuallererst **4.** ***know something at first hand*** etwas aus erster Hand wissen
first[2] [fɜːst] **1.** Erste(r, -s); ***the first of May*** der 1. Mai; ***at first*** (zu)erst, anfangs; ***from the first*** von Anfang an **2.** *von Kraftfahrzeug*: erster Gang; ***in first*** im ersten Gang **3.** *übertragen* Beste(r, -s)
first aid [ˌfɜːst'eɪd] erste Hilfe; ***give someone first aid*** jemandem erste Hilfe leisten
first-aid box [ˌfɜːst'eɪd‿bɒks], **first-aid kit** [ˌfɜːst'eɪd‿kɪt] Verband(s)kasten

---

At the Breakfast Table Am Frühstückstisch

1	(loaf of) bread	(Laib) Brot
2	toast	Toast
3	jam	Marmelade
4	honey	Honig
5	butter	Butter
6	(jug of, *AE* pitcher of) milk	(Krug) Milch
7	(glass of) orange juice	(Glas) Orangensaft
8	cornflakes	Cornflakes
9	bowl	Schüssel
10	plate	Teller
11	fried eggs	Spiegeleier
12	bacon	Frühstücksspeck
13	sausage	Bratwürstchen
14	fork	Gabel
15	spoon	Löffel
16	knife	Messer
17	sugar	Zucker
18	cup and saucer	Tasse und Untertasse
19	tea	Tee
20	toaster	Toaster

Would you like some more bacon, dear? Möchtest du noch etwas Speck, Schatz?

first-class [ˌfɜːstˈklɑːs] **1.** erstklassig, erstrangig **2.** *Fahrkarte usw.*: erster Klasse
first floor [ˌfɜːstˈflɔː] **1.** *BE* erster Stock **2.** *AE* Erdgeschoss
first-hand [ˌfɜːstˈhænd] ***first-hand information*** Informationen aus erster Hand
firstly [ˈfɜːstlɪ] erstens
first name [ˈfɜːst‿neɪm] Vorname; ***what's his first name?*** wie heißt er mit Vornamen?
first night [ˌfɜːstˈnaɪt] Premiere, Uraufführung
fish[1] [fɪʃ] *Pl.*: ***fish***, (*bes. Fischarten*) ***fishes*** **1.** Fisch **2.** *in Wendungen*: ***drink like a fish*** *umg.* saufen wie ein Loch; ***have other fish to fry*** *umg.* Wichtigeres zu tun haben; ***that's a different kettle of fish*** das ist etwas ganz anderes

fish

Der Plural von **fish** lautet meist **fish**. Nur wenn von verschiedenen Fischarten die Rede ist, gebraucht man die Pluralform **fishes**.

fish[2] [fɪʃ] fischen, angeln
fish and chips [ˌfɪʃ‿ənˈtʃɪps] *BE* frittiertes Fischfilet mit Pommes frites

fish and chips

… – auch **fish 'n' chips** geschrieben – gehört nach wie vor zu den beliebtesten britischen Gerichten. Zu einem frittierten Fischfilet – meist Kabeljau (**cod**), Scholle (**plaice**) oder Schellfisch (**haddock**) – isst man dicke Pommes frites, die mit Salz und Malzessig gewürzt werden. Richtig deftig sind die **fish and chips** meist im **fish and chip shop**, wo man sie in Papier eingewickelt bekommt, um sie gleich auf der Straße oder im Auto essen bzw. mit nach Hause nehmen zu können.

fishbone [ˈfɪʃbəʊn] Gräte
fisherman [ˈfɪʃəmən] *Pl.*: ***fishermen*** [ˈfɪʃəmən] Fischer, Angler
fish finger [ˌfɪʃˈfɪŋgə] *BE* Fischstäbchen
fishhook [ˈfɪʃhʊk] Angelhaken
fishing [ˈfɪʃɪŋ] Fischen, Angeln
fishing boat [ˈfɪʃɪŋ‿bəʊt] Fischerboot
fishing line [ˈfɪʃɪŋ‿laɪn] Angelschnur
fishing rod [ˈfɪʃɪŋ‿rɒd] Angelrute
fishmonger [ˈfɪʃˌmʌŋgə] *bes. BE* Fischhändler(in)
fish stick [ˈfɪʃ‿stɪk] *AE* Fischstäbchen
fist [fɪst] Faust

fit[1] [fɪt], ***fitter, fittest*** **1.** *für eine Aufgabe usw.*: geeignet, tauglich; ***fit to drink*** trinkbar; ***that food's not fit to eat*** das Essen ist ungenießbar; ***fit to drive*** fahrtüchtig **2.** *körperlich*: fit, (gut) in Form; ***keep fit*** sich fit halten
fit[2] [fɪt], ***fitted, fitted***, *AE auch* ***fit, fit*** **1.** (*Kleid, Hose usw.*) passen, sitzen **2.** (*Beschreibung usw.*) zutreffen auf, entsprechen **3.** einbauen (*Schloss usw.*) (***into*** in)

fit in [ˌfɪtˈɪn] **1.** ***he just doesn't fit in at school*** er passt sich der Klassengemeinschaft einfach nicht an **2.** ***fit someone in*** *terminlich*: jemanden einschieben; ***I can fit you in on Friday*** am Freitag hätte ich Zeit für Sie

fit[3] [fɪt] *von Kleidung*: Passform, Sitz; ***be a perfect fit*** genau passen, tadellos sitzen; ***be a tight fit*** sehr eng sein
fit[4] [fɪt] **1.** *bei Krankheit*: Anfall; ***coughing fit*** Hustenanfall **2.** ***fit of anger*** *übertragen* Wutanfall; ***they collapsed into fits of laughter*** sie bogen sich vor Lachen
fitness [ˈfɪtnəs] (≈ *Kondition*) Fitness, (gute) Form; ***fitness test*** Fitnesstest
fitted [ˈfɪtɪd] **1.** zugeschnitten; ***fitted carpet*** Teppichboden **2.** ***fitted kitchen*** Einbauküche
fitter [ˈfɪtə] Monteur, Installateur(in)
fitting[1] [ˈfɪtɪŋ] **1.** Zubehörteil **2.** ***fittings*** *Pl., von Haus usw.*: Ausstattung, Einrichtung
fitting[2] [ˈfɪtɪŋ] passend, geeignet
fitting room [ˈfɪtɪŋ‿ruːm] Umkleidekabine
five[1] [faɪv] fünf; ***five-day week*** Fünftagewoche
five[2] [faɪv] **1.** *Buslinie, Spielkarte usw.*: Fünf **2.** *AE, umg.* Fünfdollarschein
fiver [ˈfaɪvə] *umg.* **1.** *BE* Fünfpfundschein **2.** *AE* Fünfdollarschein
fix[1] [fɪks] **1.** *mit Schrauben, Nägeln usw.*: befestigen, festmachen, anbringen (***to*** an) **2.** festsetzen (*Preis, Zinssatz usw.*) (***at*** auf) **3.** festlegen, ausmachen (*Termin usw.*) **4.** reparieren (*Radio usw.*) **5.** *bes. AE* zubereiten, machen (*Mahlzeit usw.*); ***can I fix you a drink?*** kann ich dir was zu trinken bringen? **6.** ***fix one's hair*** sich frisieren **7.** ***I'll fix him!*** *umg.* dem werd ich's zeigen!
fix[2] [fɪks] *umg.* **1.** Klemme; ***be in a fix*** in der Klemme *oder* Patsche stecken **2.** ***the match was a fix*** das Spiel war eine abgekartete Sache
fixed [fɪkst] **1.** fest, unveränderlich; ***fixed***

costs fixe Kosten; ***fixed star*** Fixstern **2.** *Blick*: starr **3.** ***fixed menu*** (Tages)Menü
fixings ['fɪksɪŋz] *Pl.*, *AE*; *von Speise*: Beilagen *Pl.*
fixture ['fɪkstʃə] **1.** *mst.* ***fixtures*** *Pl.* Ausstattung, Inventar; ***lighting fixtures*** Beleuchtungskörper **2.** *BE*; *Sport*: Spiel, Veranstaltung
fizz [fɪz] **1.** *Getränk*: sprudeln **2.** *Geräusch*: zischen

fizzle out [ˌfɪzl'aʊt] *umg.* verpuffen, im Sand verlaufen

flabbergast ['flæbəgɑːst] *umg.* verblüffen; ***be flabbergasted*** platt sein
flabby ['flæbɪ] *Muskeln usw.*: schlaff, *umg.* wabbelig
flag [flæg] **1.** Fahne **2.** *eines Staates*: Flagge
flagpole ['flægpəʊl], **flagstaff** ['flægstɑːf] Fahnenstange, Flaggenmast
flair [fleə] **1.** Veranlagung; ***have a flair for art*** künstlerisch veranlagt sein **2.** (≈ *besondere Ausstrahlung*) *das* Flair
flake[1] [fleɪk] *von Schnee, Seife*: Flocke
flake[2] [fleɪk] **1.** *auch* ***flake off*** (*Farbe, Verputz*) abblättern **2.** (*Haut*) sich schuppen
flaky ['fleɪkɪ] **1.** flockig; ***flaky pastry*** Blätterteig **2.** *Farbe, Putz*: bröcklig
flame[1] [fleɪm] **1.** Flamme; ***be in flames*** in Flammen stehen **2.** *Leidenschaft*: Feuer, Glut **3.** ***an old flame of mine*** *umg.* eine alte Liebe von mir
flame[2] [fleɪm] **1.** (*Feuer*) lodern, flammen **2.** *übertragen* aufbrausen
flammable ['flæməbl] *Material*: brennbar, leicht entzündlich

flammable

Inflammable bedeutet wie **flammable** auch „leicht entzündlich". Das Gegenteil, nämlich „nicht entzündbar", heißt **non-flammable**.

flan [flæn] **1.** Kuchen; ***strawberry flan*** Erdbeertorte **2.** ***cheese flan*** Käsepastete, Quiche
flannel ['flænl] **1.** Flanell **2.** ***flannels*** *Pl.* (*auch* ***pair of flannels***) Flanellhose **3.** *BE* Waschlappen
flap[1] [flæp] **1.** *an Tasche usw.*: Klappe **2.** ***be in a flap*** ganz aufgeregt *oder* in heller Aufregung sein; ***get into a flap*** sich aufregen
flap[2] [flæp], ***flapped, flapped*** mit den Flügeln schlagen, flattern
flapjack ['flæpdʒæk] *AE* Pfannkuchen
flare[1] [fleə] Flackern, Lichtschein
flare[2] [fleə] (*Feuer usw.*) lodern

flare up [ˌfleər'ʌp] **1.** aufflammen, auflodern (*auch übertragen*) **2.** (*Person*) aufbrausen

flare-up ['fleərʌp] Aufflammen, Auflodern (*auch übertragen, von Konflikt usw.*)
flash[1] [flæʃ] **1.** Aufblitzen, Aufleuchten **2.** Blitzlicht **3.** *bei Gewitter usw.*: ***a flash of lightning*** ein Blitz; ***a flash of genius*** *oder* ***inspiration*** *übertragen* ein Geistesblitz **4.** *im Auto*: Lichthupe; ***flash someone*** *oder* ***give someone a flash*** jemanden anblinken **5.** ***news flash*** Kurzmeldung
flash[2] [flæʃ] **1.** aufleuchten *oder* aufblitzen lassen; ***flash one's headlights at someone*** jemanden anblinken **2.** (*Lichtquelle*) aufflammen, (auf)blitzen
flashback ['flæʃbæk] *in einem Film usw.*: Rückblende
flashbulb ['flæʃbʌlb] *von Fotoapparat*: Blitzbirne
flashcube ['flæʃkjuːb] Blitzwürfel
flasher ['flæʃə] **1.** *im Auto*: Blinker **2.** *umg.* Exhibitionist
flashlight ['flæʃlaɪt] **1.** *BE* Blitzlicht **2.** *AE* Taschenlampe
flask [flɑːsk] **1.** Thermosflasche **2.** *auch* ***hip flask*** Taschenflasche
flat[1] [flæt] **1.** *BE* Wohnung **2.** *bes. AE* Reifenpanne; ***we've got a flat*** wir haben einen Platten
flat[2] [flæt], ***flatter, flattest*** **1.** flach, eben, platt; ***flat feet*** Plattfüße **2.** *Reifen*: platt **3.** *Batterie*: leer **4.** *Getränk*: schal, abgestanden **5.** *Absage usw.*: klar, glatt
flatlet ['flætlət] *BE* Apartment
flatmate ['flætmeɪt] *BE* Mitbewohner(in)
flatten ['flætn] flach *oder* platt drücken
flatter ['flætə] schmeicheln; ***be flattered*** sich geschmeichelt fühlen
flatterer ['flætərə] Schmeichler(in)
flattering ['flætərɪŋ] **1.** *Foto usw.*: schmeichelhaft **2.** *Kleidung, Frisur usw.*: vorteilhaft
flattery ['flætərɪ] Schmeichelei(en); ***flattery will get you nowhere*** mit Schmeicheleien kommst du bei mir nicht an!
flatware ['flætweə] *AE* Besteck
flaunt [flɔːnt] protzen mit
flavour[1], *AE* **flavor** ['fleɪvə] Geschmack, Aroma; ***six different flavours*** sechs Geschmacksrichtungen
flavour[2], *AE* **flavor** ['fleɪvə] würzen (*auch übertragen*)

flavouring, *AE* **flavoring** ['fleɪvərɪŋ] Aroma, Aromastoff
flaw [flɔː] **1.** *bei Material*, *Ware*: Fehler, Mangel **2.** *von Person*: Schwäche
flawless ['flɔːləs] **1.** *Verhalten usw.*: einwandfrei, tadellos **2.** *Edelstein*: lupenrein
flea [fliː] Floh; ***she sent him away with a flea in his ear*** *umg.* sie ließ ihn abblitzen
flea market ['fliːˌmɑːkɪt] Flohmarkt
fled [fled] *2. und 3. Form von*→ ***flee***
flee [fliː], ***fled*** [fled], ***fled*** [fled] fliehen, flüchten (***from*** vor *oder* aus)
fleece[1] [fliːs] **1.** Vlies, Schaffell **2.** *auch* ***fleece jacket*** Fleecejacke
fleece[2] [fliːs] ***fleece someone*** *umg.* jemanden ausnehmen
fleet [fliːt] **1.** *Schiffe*: Flotte **2.** ***fleet of cars*** Fuhrpark, Wagenpark
Fleet Street ['fliːt‿striːt] *nach der Straße, in der früher die meisten Londoner Zeitungen residierten*: die britische Presse

Fleet Street

Fleet Street war lange das Zentrum der englischen Zeitungsindustrie. In und um diese Straße in der Londoner **City** waren viele der führenden Zeitungen angesiedelt. Nach der Einführung neuer Computertechnologien und Arbeitsregelungen siedelten die Zeitungen in den Achtzigerjahren allmählich nach **Wapping** ['wɒpɪŋ] im Londoner Osten um. Der Begriff **Fleet Street** wird jedoch immer noch im übertragenen Sinn für die britische Presse verwendet.

flesh [fleʃ] **1.** Fleisch (*auch übertragen*, *im Gegensatz zur Seele*); ***my own flesh and blood*** mein eigen Fleisch und Blut; ***it made my flesh creep*** es jagte mir eine Gänsehaut über den Rücken **2.** *von Obst*: Fruchtfleisch **3.** ***in the flesh*** in natura
flesh-eating ['fleʃˌiːtɪŋ] Fleisch fressend
flesh wound ['fleʃ‿wuːnd] Fleischwunde
flew [fluː] *2. Form von* → ***fly***[2]
flexible ['fleksəbl] **1.** *Material*: biegsam, elastisch **2.** *übertragen* flexibel; ***flexible working hours*** gleitende Arbeitszeit
flexitime ['fleksɪtaɪm] *BE*, **flextime** ['flekstaɪm] *AE* gleitende Arbeitszeit, Gleitzeit; ***be on flexitime*** gleitende Arbeitszeit haben
flicker[1] ['flɪkə] **1.** (*Feuer*) flackern **2.** (*Fernsehbild*) flimmern
flicker[2] ['flɪkə] **1.** *von Feuer*: Flackern **2.** *von Fernsehbild*: Flimmern
flicker-free [ˌflɪkə'friː] *Bildschirm*: flimmerfrei
flick knife ['flɪk‿naɪf] *Pl.*: ***flick knives*** ['flɪk‿naɪvz] *BE* Schnappmesser
flight[1] [flaɪt] **1.** Flug; ***in flight*** im Flug; ***a direct flight to London*** ein Direktflug nach London **2.** ***flight of stairs*** Treppe
flight[2] [flaɪt] Flucht; ***put to flight*** in die Flucht schlagen; ***take flight*** die Flucht ergreifen
flight attendant ['flaɪt‿əˌtendənt] Flugbegleiter(in)
flight recorder ['flaɪt‿rɪˌkɔːdə] Flugschreiber
flighty ['flaɪtɪ] *Person*: flatterhaft, launisch
flimsy ['flɪmzɪ] **1.** *Material*, *Stoff*: dünn, zart **2.** *Ausrede*: fadenscheinig
flinch [flɪntʃ] **1.** zurückschrecken (***from, at*** vor) **2.** ***without flinching*** ohne mit der Wimper zu zucken
fling[1] [flɪŋ], ***flung*** [flʌŋ], ***flung*** [flʌŋ] werfen, schleudern (***at*** nach)

fling open [ˌflɪŋ'əʊpən] aufreißen (*Tür usw.*)

fling[2] [flɪŋ] **1.** Wurf **2.** *umg.* Versuch; ***have a fling at something*** etwas versuchen *oder* probieren
flip [flɪp], ***flipped, flipped*** *auch*: ***flip out*** *salopp* ausflippen, durchdrehen
flip-flop ['flɪpflɒp] Zehensandale, Badelatsche
flippant ['flɪpənt] leichtfertig
flipper ['flɪpə] **1.** *von Seehund*, *Pinguin*: Flosse **2.** *von Taucher*: Schwimmflosse
flirt[1] [flɜːt] **1.** flirten **2.** *übertragen auch*: spielen, liebäugeln (***with*** mit)
flirt[2] [flɜːt] ***be a flirt*** gern flirten
flirtatious [flɜː'teɪʃəs] *Mädchen*, *Frau*: kokett
flit [flɪt] ***flitted, flitted*** flitzen, huschen
float [fləʊt] **1.** (*Holz usw.*) auf dem Wasser schwimmen, im Wasser treiben **2.** zu Wasser bringen (*Boot*)
floating voter [ˌfləʊtɪŋ'vəʊtə] *Politik*: Wechselwähler(in)
flock[1] [flɒk] **1.** *Schafe*, *Ziegen usw.*: Herde **2.** *Vögel*: Schwarm **3.** ***come in flocks*** *umg.* in (hellen) Scharen herbeiströmen
flock[2] [flɒk] *übertragen* in Scharen kommen
flog [flɒg], ***flogged, flogged*** **1.** *als Strafe*: auspeitschen, schlagen; ***you're flogging a dead horse*** *übertragen* Sie verschwenden Kraft und Zeit (*da es unmöglich zu machen ist*) **2.** *BE*, *umg.* (≈ *verkaufen*) verscheuern
flood[1] [flʌd] **1.** Überschwemmung, Hochwasser; ***the Flood*** die Sintflut **2.** *auch*

flood tide (↔ *Ebbe*) Flut **3.** *übertragen* Flut, Strom, Schwall; ***flood of tears*** Tränenstrom

flood[2] [flʌd] **1.** überschwemmen, überfluten (*Land, Stadt usw.*); ***the cellars were flooded*** die Keller standen unter Wasser **2.** (*Fluss*) anschwellen (*oder* über die Ufer treten)

> **flood into** ['flʌdˌɪntʊ] ***thousands flooded into the stadium*** Tausende strömten ins Stadion

floodlight ['flʌdlaɪt] Flutlicht; ***by floodlight*** unter Flutlicht

floor[1] [flɔː] **1.** (Fuß)Boden **2.** *im Gebäude*: Stock(werk), Geschoss; ***first floor*** *BE* erster Stock, *AE* Erdgeschoss **3.** *Politik*: Sitzungssaal, Plenarsaal; ***take the floor*** das Wort ergreifen

floor[2] [flɔː] **1.** ***he floored his opponent in the first round*** *umg.* er schickte seinen Gegner in der ersten Runde zu Boden **2.** ***the news really floored me*** *umg.* die Nachricht hat mich voll umgehauen

floor leader ['flɔːˌliːdə] *AE Politik*: Fraktionsführer

flop[1] [flɒp] **1.** *umg.*; *von Theaterstück, Party usw.*: Flop, Reinfall **2.** *Person*: Versager

flop[2] [flɒp], ***flopped, flopped*** **1.** plumpsen, fallen **2.** (*Person*) sich plumpsen lassen **3.** *umg.* (*Film, Theaterstück usw.*) durchfallen, *umg.* floppen **4.** *allg.*: eine Pleite (*oder* ein Reinfall) sein

floppy ['flɒpɪ] **1.** ***floppy (disk)*** *Computer*: Diskette **2.** ***floppy hat*** Schlapphut

Florence ['flɒrəns] Florenz

florist ['flɒrɪst] Blumenhändler(in)

flour ['flaʊə] Mehl

flourish [⚠ 'flʌrɪʃ] **1.** (*Pflanzen*) gedeihen **2.** (*Wirtschaft usw.*) blühen, florieren

flow[1] [fləʊ] **1.** fließen, strömen (*auch übertragen*) **2.** ***flow freely*** (*Sekt usw.*) in Strömen fließen

flow[2] [fləʊ] Fluss, Strom (*mst. übertragen*); ***flow of information*** Informationsfluss; ***flow of traffic*** Verkehrsfluss, Verkehrsstrom

flower[1] ['flaʊə] **1.** *Pflanze*: Blume **2.** *Teil der Pflanze*: Blüte; ***be in flower*** in Blüte stehen

flower[2] ['flaʊə] **1.** blühen **2.** *übertragen* blühen, in voller Blüte stehen

flowerbed ['flaʊəbed] Blumenbeet

flowerpot ['flaʊəpɒt] Blumentopf

flowery ['flaʊərɪ] **1.** *Wiese*: voller Blumen **2.** *Muster*: geblümt, Blumen… **3.** *Ausdrucksstil*: blumig

flown [fləʊn] *3. Form von* → ***fly***[2]

flu [fluː] (*kurz für* ***influenza***) Grippe; ***he's got (the) flu*** er hat (die) Grippe

fluctuate ['flʌktʃʊeɪt] (*Preis, Menge usw.*) schwanken (***between*** zwischen)

fluctuation [ˌflʌktʃʊ'eɪʃn] Schwankung, Fluktuation: ***fluctuation in prices*** *Wirtschaft*: Preisschwankung

fluent ['fluːənt] **1.** fließend; ***speak fluent German*** *oder* ***be fluent in German*** fließend Deutsch sprechen **2.** *Stil usw.*: flüssig

fluff[1] [flʌf] **1.** Staubflocke, Fussel, Fusseln *Pl.* **2.** Flaum (*auch erster Bartwuchs*)

fluff[2] [flʌf] *umg.* verpatzen; ***fluff one's lines*** sich versprechen, sich verhaspeln

> **fluff up** *oder* **out** [ˌflʌf'ʌp *oder* 'aʊt] **1.** (*Vogel*) aufplustern (*die Federn*) **2.** aufschütteln (*Kopfkissen*)

on which floor?

Achte auf die unterschiedliche Bezeichnung von Stockwerken in den USA und Großbritannien. In Klammern werden die üblichen Abkürzungen im Lift angegeben.

	britisch	*amerikanisch*
Untergeschoss	**basement (B)** bzw. **lower ground floor (LG)**	**basement (B)**
Erdgeschoss	**ground floor (G** bzw. **O)**	**first floor (1)**
1. Etage	**first floor (1)**	**second floor (2)**
2. Etage	**second floor (2)**	**third floor (3)**
3. Etage	**third floor (3)**	**fourth floor (4)** *usw.*

In Großbritannien zählt man also wie im Deutschen, in Amerika zählt man immer eins dazu.

Die Abkürzung **M** im Lift bedeutet **mezzanine floor**, das ist eine Art Zwischengeschoss zwischen Erdgeschoss und erster Etage.

fluffy ['flʌfɪ] flaumig, kuschelig
fluid ['fluːɪd] Flüssigkeit
flung [flʌŋ] *2. und 3. Form von* → **fling**[1]
flunk [flʌŋk] *bes. AE*; *in Fach, Prüfung*: durchfallen
flurry ['flʌrɪ] **1.** ***snow flurry*** Schneegestöber **2.** *übertragen* Aufregung, Unruhe
flush[1] [flʌʃ] ***flush (the toilet)*** spülen
flush[2] [flʌʃ] erröten, rot werden
fluster ['flʌstə] nervös machen, durcheinander bringen
flustered ['flʌstəd] aufgeregt, nervös, durcheinander
flute [fluːt] Querflöte
flutter ['flʌtə] **1.** (*Vogel, Fahne usw.*) flattern **2.** (*Herz*) schneller schlagen
fly[1] [flaɪ] *Pl.*: ***flies*** [flaɪz] **1.** *Insekt*: Fliege; ***he wouldn't hurt a fly*** der kann keiner Fliege etwas zuleide tun **2.** *auch* ***flies*** *BE* Hosenschlitz
fly[2] [flaɪ], ***flew*** [fluː], ***flown*** [fləʊn] **1.** fliegen; ***fly into Gatwick*** in Gatwick landen; ***fly Lufthansa*** mit Lufthansa fliegen **2.** (*Zeit*) fliegen, verfliegen; ***time flies*** wie die Zeit vergeht!
flying[1] ['flaɪɪŋ] **1.** fliegend, Flug…; ***flying saucer*** fliegende Untertasse **2.** *übertragen* kurz, flüchtig; ***flying visit*** Stippvisite, Blitzbesuch **3.** ***get off to a flying start*** *übertragen* einen glänzenden Einstand haben
flying[2] ['flaɪɪŋ] Fliegen
flyover ['flaɪˌəʊvə] *BE* Überführung
flyweight ['flaɪweɪt] *Sport* **1.** *Gewichtsklasse*: Fliegengewicht **2.** *Sportler*: Fliegengewichtler
FM [ˌef'em] (*Abk. für* **f**requency **m**odulation) *beim Radio*: UKW
foal [fəʊl] (≈ *junges Pferd*) Fohlen
foam[1] [fəʊm] Schaum
foam[2] [fəʊm] schäumen (*auch übertragen* ***with rage*** vor Wut)

> **fob off** [ˌfɒb'ɒf] ***fobbed off, fobbed off*** **1.** ***fob something off on someone*** jemandem etwas andrehen **2.** ***fob someone off*** jemanden abwimmeln (***with*** mit)

focus[1] ['fəʊkəs] *Pl.*: ***focuses*** ['fəʊkəsɪz] *oder* ***foci*** ['fəʊsaɪ] **1.** Brennpunkt **2.** *beim Fotografieren usw.*: Brennweite, Scharfeinstellung; ***in focus*** scharf; ***out of focus*** unscharf, verschwommen **3.** *übertragen* Mittelpunkt; ***be the focus of attention*** im Mittelpunkt des Interesses stehen
focus[2] ['fəʊkəs] ***focused, focused*** *oder* ***focussed, focussed*** **1.** einstellen (*Kamera*) **2.** *übertragen* sich konzentrieren (***on*** auf)
fog [fɒg] (dichter) Nebel
foggy ['fɒgɪ] **1.** neblig; ***foggy day*** Nebeltag **2.** *übertragen* nebelhaft; ***I haven't the foggiest (idea)*** *umg.* ich hab keinen blassen Schimmer
foghorn ['fɒghɔːn] Nebelhorn; ***he's got a voice like a foghorn*** der hat vielleicht ein Organ!
fog lamp ['fɒg‿læmp], **fog light** ['fɒg‿laɪt] *am Auto*: Nebelscheinwerfer; ***rear fog lamp*** Nebelschlusslicht
foil[1] [fɔɪl] vereiteln (*Versuch*), durchkreuzen (*Plan usw.*); ***foiled again!*** schon wieder nichts!
foil[2] [fɔɪl] (Alu)Folie (⚠ *Folie für Tageslichtprojektor* = ***transparency, overhead***)
foist [fɔɪst] **1.** ***foist something (off) on someone*** jemandem etwas andrehen **2.** ***foist oneself*** (*oder* ***one's company***) ***on someone*** sich jemandem aufdrängen
fold[1] [fəʊld] **1.** falten (*Papier usw.*) **2.** *auch* ***fold up*** zusammenlegen (*Wäsche, Tischdecke usw.*) **3.** *auch* ***fold up*** zusammenklappen (*Klappbett usw.*) **4.** *auch* ***fold up*** *umg.* (*Firma*) eingehen
fold[2] [fəʊld] Falte
folder ['fəʊldə] *für Akten*: Mappe, Aktendeckel
folding ['fəʊldɪŋ] zusammenklappbar; ***folding bicycle*** Klapprad; ***folding chair*** Klappstuhl
foliage ['fəʊlɪɪdʒ] Laub, Blätter
folk [⚠ fəʊk] **1.** ***folks*** *Pl., bes. AE* Leute; ***OK folks, let's go*** O.K. Leute, gehn wir **2.** ***my folks*** *umg.* (≈ *meine Verwandten*) meine Leute **3.** Folk-Musik
folk music [⚠ 'fəʊkˌmjuːzɪk] Folk-Musik
follow ['fɒləʊ] **1.** *allg.*: folgen (*auch räumlich, zeitlich usw.*); ***as follows*** wie folgt; ***we're being followed*** wir werden verfolgt **2.** verfolgen (*Politik usw.*) **3.** befolgen (*Rat*) **4.** verstehen; ***I don't quite follow (you)*** ich verstehe Sie nicht ganz
follower ['fɒləʊə] Anhänger(in)
following[1] ['fɒləʊɪŋ] **1.** folgend; ***the following day*** am darauf folgenden Tag **2.** ***the following*** *Sache*: Folgendes, *Personen*: Folgende
following[2] ['fɒləʊɪŋ] nach, im Anschluss an
following[3] ['fɒləʊɪŋ] Anhängerschaft, Gefolgschaft
follow-up ['fɒləʊʌp] **1.** *Film, Buch usw.*: Fortsetzung **2.** *medizinisch*: Nachbehandlung
folly ['fɒlɪ] Torheit
fond [fɒnd] ***be fond of*** mögen, gern ha-

ben; ***be fond of doing something*** etwas gern tun

food [fuːd] **1.** Essen, Nahrung (*auch übertragen*); ***how was the food in the hotel?*** wie war das Essen im Hotel? **2.** Lebensmittel; ***I need some food for the weekend*** ich muss was zu essen fürs Wochenende einkaufen; ***canned*** (*oder* ***tinned***) ***foods*** Konserven

food poisoning [ˈfuːdˌpɔɪznɪŋ] *Medizin*: Lebensmittelvergiftung

food processor [ˈfuːdˌprəʊsesə] Küchenmaschine

foodstuff [ˈfuːdstʌf] Lebensmittel

foodie [ˈfuːdɪ] *umg.* Feinschmecker(in)

fool[1] [fuːl] Dummkopf, Idiot; ***make a fool of someone*** jemanden veräppeln, jemanden zum Narren halten; ***make a fool of oneself*** sich lächerlich machen

fool[2] [fuːl] *umg.* hereinlegen; ***you almost had me fooled*** ich hab dir fast geglaubt!

> **fool about** *oder* **around** [ˌfuːl‿əˈbaʊt *oder* əˈraʊnd] **1.** Unsinn machen, herumalbern **2.** herumspielen, *umg.* rummachen (***with*** mit, an)

foolish [ˈfuːlɪʃ] dumm, töricht

foolproof [ˈfuːlpruːf] **1.** *Plan usw.*: todsicher **2.** *Gerät usw.*: idiotensicher

foot [fʊt] *Pl.*: ***feet*** [fiːt] **1.** Fuß; ***on foot***, *AE auch* ***by foot*** zu Fuß **2.** *in Wendungen*: ***stand on one's own two feet*** *übertragen* auf eigenen Füßen stehen; ***be back on one's feet*** wieder auf den Beinen sein; ***put one's foot in it*** ins Fettnäpfchen treten **3.** ⚠ *Pl. auch* ***foot***; *Längenmaß*: Fuß (*= 0,3048 m*)

foot als Längenmaß

1 foot = 30,48 cm
Vergleiche folgende Pluralbildungen:

It's three feet long.	Es ist drei Fuß lang.
A two-foot plank.	Ein zwei Fuß langes Brett.
He's six foot six tall.	Er ist sechseinhalb* Fuß groß.

Wenn **foot** vor dem Substantiv steht (**two-foot plank**) oder zusammen mit Inch (**six foot six**) verwendet wird, bleibt die Singularform **foot** erhalten.

* Ein Fuß hat 12 Inches, also bedeutet die Maßangabe **six foot six** sechseinhalb Fuß (etwa 1,98 m).

foot-and-mouth disease [ˌfʊtənˈmaʊθ‿dɪˌziːz] *Tierkrankheit*: Maul- und Klauenseuche

football [ˈfʊtbɔːl] **1.** *BE* Fußball(spiel), *AE* Football(spiel) **2.** *der Ball*: *BE* Fußball, *AE* Football

football pools [ˈfʊtbɔːl‿puːlz] *Pl. BE*; *etwa*: Fußballtoto

footbridge [ˈfʊtbrɪdʒ] Fußgängerbrücke

footing [ˈfʊtɪŋ] **1.** Stand; ***lose one's footing*** den Halt verlieren **2.** *übertragen* Basis, Grundlage; ***be on a friendly footing with someone*** ein freundschaftliches Verhältnis zu jemandem haben

footloose [ˈfʊtluːs] ***footloose and fancy-free*** frei und ungebunden

footnote [ˈfʊtnəʊt] Fußnote

footpath [ˈfʊtpɑːθ] *bes. BE*; *über Wiese, durch Wald usw.*: (Fuß)Pfad, (Fuß)Weg

footprint [ˈfʊtprɪnt] *sichtbar*: Fußabdruck

footsie [ˈfʊtsɪ] ***play footsie*** *umg.* füßeln (***with*** mit)

footsore [ˈfʊtsɔː] ***be footsore*** wunde Füße haben

footstep [ˈfʊtstep] **1.** *hörbar*: Tritt, Schritt **2.** ***follow in someone's footsteps*** *übertragen* in jemandes Fußstapfen treten

footwear [ˈfʊtweə] Schuhwerk

for [fə, *betont*: fɔː] **1.** *allg.*: für; ***this is for you*** das ist für dich **2.** *Zweck usw.*: ***what's this for?*** wofür ist denn das?; ***the doctor gave me some pills <u>for</u> my flu*** der Arzt hat mir Tabletten gegen meine Grippe gegeben **3.** *Begründung*: ***for a number of reasons*** aus verschiedenen Gründen **4.** *zeitlich*: ***how long have you been here for?*** wie lange bist du schon da?; ***we've been waiting for hours*** wir warten schon seit Stunden **5.** *räumlich*: ***we drove for about 10 miles before reaching the motel*** wir fuhren etwa 10 Meilen, bis wir das Motel erreichten **6.** *formell, verbindet Satzteile*: denn **7.** ***that's for you to decide*** das musst du entscheiden **8.** *feste Wendungen*: ***he might be dead <u>for all I know</u>*** er könnte schon tot sein, was weiß denn ich!; ***he's a bit lazy, but I like him <u>for all that</u>*** er ist ein bisschen faul, aber ich mag ihn trotzdem; ***<u>as for</u> you, you should be ashamed of yourself*** was dich angeht, du solltest dich schämen!; ***<u>but for her</u> we'd never have made it*** wenn sie nicht gewesen wäre, hätten wir es nie geschafft; ***what's for lunch?*** (*bzw.* ***dinner*** *usw.*) was gibts zum Mittagessen? (*bzw.* Abendessen *usw.*)

forbad(e) [fəˈbæd] *2. Form von* → ***forbid***

forbid [fəˈbɪd], ***forbade*** [⚠ fəˈbæd], ***for-***

bidden [fə'bɪdn] verbieten, untersagen; ***I forbid you to go to the disco!*** ich verbiete dir, in die Disko zu gehen!
forbidden [fə'bɪdn] *3. Form von* → ***forbid***
force[1] [fɔːs] **1.** *allg.*: Stärke **2.** *von Explosion*: Wucht **3.** *übertragen* Kraft; ***forces of nature*** Naturgewalten; ***join forces*** sich zusammentun **4.** Gewalt; ***by force*** gewaltsam, mit Gewalt **5.** ***armed forces*** Streitkräfte
force[2] [fɔːs] **1.** *allg.*: zwingen; ***you don't have to eat it – nobody's forcing you*** du brauchst es nicht zu essen – niemand zwingt dich; ***he was forced to resign*** er musste zurücktreten, er wurde zum Rücktritt gezwungen **2.** ***force one's way*** (***into***) drängen (in), sich einen Weg bahnen (in)

force down [ˌfɔːs'daʊn] ***force wages down*** Löhne drücken
force up [ˌfɔːs'ʌp] hoch treiben (*Preise*)

forced [fɔːst] **1.** erzwungen, Zwangs…; ***forced landing*** Notlandung **2.** *Lächeln usw.*: gezwungen, gequält
forceful ['fɔːsfl] **1.** *Person*: energisch, kraftvoll **2.** *Rede usw.*: eindringlich **3.** *Argumentation*: überzeugend
fore [fɔː] **1.** ***to the fore*** im Vordergrund **2.** ***come to the fore*** sich hervortun
forearm ['fɔːrɑːm] Unterarm
forecast[1] ['fɔːkɑːst], ***forecast, forecast*** *oder* ***forecasted, forecasted*** **1.** voraussagen (*Ergebnis*), vorhersehen **2.** vorhersagen (*Wetter usw.*)
forecast[2] ['fɔːkɑːst] **1.** Voraussage **2.** (***weather***) ***forecast*** (Wetter)Vorhersage
forefather ['fɔːˌfɑːðə] Ahn, Vorfahr
forefinger ['fɔːˌfɪŋgə] Zeigefinger
foreground ['fɔːgraʊnd] Vordergrund (*auch übertragen*)
forehand ['fɔːhænd] *Tennis usw.*: Vorhand, Vorhandschlag
forehead [⚠ 'fɒrɪd, 'fɔːhed] Stirn
foreign [⚠ 'fɒrən] fremd, ausländisch, Auslands…; ***foreign affairs*** Außenpolitik; ***foreign aid*** Entwicklungshilfe; ***foreign correspondent*** *TV*: Auslandskorrespondent(in); ***foreign currency*** *oder* ***exchange*** Devisen; ***foreign language*** Fremdsprache; ***Foreign Office*** *BE* Außenministerium; ***foreign policy*** Außenpolitik; ***Foreign Secretary*** *BE* Außenminister; ***foreign trade*** Außenhandel; ***foreign worker*** Migrant(in), Gastarbeiter(in)
foreigner [⚠ 'fɒrənə] Ausländer(in)
foreman ['fɔːmən] *Pl.*: ***foremen*** ['fɔːmən] **1.** Vorarbeiter **2.** *am Bau*: Polier
foresee [fɔː'siː], ***foresaw*** [fɔː'sɔː], ***foreseen*** [fɔː'siːn] vorhersehen, voraussehen (*Ereignis usw.*)
foreseeable [fɔː'siːəbl] ***in the foreseeable future*** in absehbarer Zeit
foresight ['fɔːsaɪt] Weitblick; ***with foresight*** in weiser Voraussicht
forest ['fɒrɪst] Wald, Forst
forester ['fɒrɪstə] Förster
forever, *BE auch* **for ever** [fər'evə] **1.** für *oder* auf immer, (auf) ewig **2.** *negativ empfunden*: ständig, (an)dauernd; ***he's forever moaning*** er ist ein ewiger Nörgler!
foreword ['fɔːwɜːd] Vorwort (***to*** zu)
forfeit[1] ['fɔːfɪt] (≈ *verlieren*) einbüßen
forfeit[2] ['fɔːfɪt] **1.** *juristisch*: Strafe, Buße **2.** *beim Spiel*: Pfand; ***play forfeits*** ein Pfänderspiel machen
forge [fɔːdʒ] fälschen

forge ahead [ˌfɔːdʒ‿ə'hed] sich vorankämpfen

forgery ['fɔːdʒərɪ] **1.** *Bild usw.*: Fälschung **2.** *das* Fälschen; ***forgery-proof*** *Ausweis, Banknoten usw.*: fälschungssicher
forget [fə'get], ***forgot*** [fə'gɒt], ***forgotten*** [fə'gɒtn] **1.** *allg.*: vergessen; ***I forget his name*** sein Name fällt mir im Moment nicht ein **2.** es vergessen; ***'Why didn't you call?' – 'I forgot.'*** „Warum hast du nicht angerufen?" – „Ich habs vergessen." **3.** ***forget about something*** etwas vergessen **4.** ***forget oneself*** (≈ *die Fassung verlieren*) sich vergessen
forgetful [fə'getfl] vergesslich
forgive [fə'gɪv], ***forgave*** [fə'geɪv], ***forgiven*** [fə'gɪvn] verzeihen, vergeben; ***I forgive you*** ich verzeihe dir
forgot [fə'gɒt] *2. Form von* → ***forget***
forgotten [fə'gɒtn] *3. Form von* → ***forget***
fork [fɔːk] **1.** Gabel **2.** *von Straße*: Gabelung, Abzweigung
form[1] [fɔːm] **1.** *allg.*: Form, Gestalt; ***in the form of a cross*** in Form eines Kreuzes **2.** (≈ *System*) Form, Art; ***form of government*** Regierungsform **3.** Formular, Vordruck **4.** (≈ *Kondition*) Verfassung; ***in form*** in Form; ***he's out of form, he's off form*** er ist außer Form, er ist nicht in Form **5.** *bes. BE* (Schul)Klasse
form[2] [fɔːm] **1.** *allg.*: bilden (*auch Satz, Regierung usw.*); ***the children formed a circle*** die Kinder stellten sich im Kreis auf *oder* bildeten einen Kreis **2.** sich bilden; ***storm clouds formed on the horizon***

am Horizont bildeten sich dicke Wolken

formal ['fɔːml] **1.** (≈ *steif*) förmlich, formell (*auch Kleidung*) **2.** (≈ *offiziell*) formell (*Entscheidung, Ankündigung usw.*) **3.** (≈ *Vorschriften entsprechend*) formal (*Ausbildung, Qualifikation*)

formality [fɔː'mælətɪ] Formalität, Formsache; ***it's a mere formality*** es ist (eine) reine Formsache

format[1] ['fɔːmæt] *von Buch usw.*: Aufmachung, Format

format[2] ['fɔːmæt], ***formatted, formatted*** *EDV*: formatieren (*Diskette*)

former ['fɔːmə] **1.** früher, ehemalig; ***the former GDR*** die ehemalige DDR; ***in former times*** früher, in der Vergangenheit **2.** erstere(r, -s); ***the former ..., the latter ...*** der erstere ..., der letztere ...

formerly ['fɔːməlɪ] früher, ehemals

forth [fɔːθ] (***and so on***) ***and so forth*** und so weiter (und so fort)

forthcoming [ˌfɔːθ'kʌmɪŋ] *Ereignis*: bevorstehend, kommend

fortieth ['fɔːtɪəθ] vierzigste(r, -s)

fortitude ['fɔːtɪtjuːd] (innere) Kraft *oder* Stärke

fortnight ['fɔːtnaɪt] *bes. BE* vierzehn Tage; ***in a fortnight*** in 14 Tagen

fortnightly ['fɔːtnaɪtlɪ] *bes. BE* alle zwei Wochen, alle 14 Tage

fortress ['fɔːtrəs] Festung

fortunate ['fɔːtʃənət] **1.** ***be fortunate*** Glück haben; ***we're fortunate in having a large garden*** wir haben das Glück, einen großen Garten zu besitzen **2.** *Wahl, Zufall usw.*: glücklich

fortunately ['fɔːtʃənətlɪ] glücklicherweise, zum Glück; ***fortunately for me*** zu meinem Glück

fortune ['fɔːtʃən] **1.** Vermögen; ***make a fortune*** ein Vermögen verdienen **2.** ***we had the good fortune to find a hotel room*** wir hatten das Glück, ein Hotelzimmer zu finden **3.** ***tell someone's fortune*** jemandem wahrsagen

fortune teller ['fɔːtʃənˌtelə] Wahrsager(in)

forty[1] ['fɔːtɪ] vierzig

forty[2] ['fɔːtɪ] Vierzig; ***be in one's forties*** in den Vierzigern sein; ***in the forties*** in den Vierzigerjahren (*eines Jahrhunderts*)

forward[1] ['fɔːwəd] nach vorn, vorwärts

forward[2] ['fɔːwəd] Vorwärts...; ***forward planning*** Vorausplanung

forward[3] ['fɔːwəd] *Sport*: Stürmer

forward[4] ['fɔːwəd] **1.** nachsenden (*Brief usw.*); ***please forward*** bitte nachsenden! **2.** befördern (*Waren*)

forwards ['fɔːwədz] nach vorn, vorwärts

foster[1] ['fɒstə] **1.** in Pflege haben *oder* nehmen (*Kind*) **2.** hegen (*Plan, Gefühle usw.*)

foster[2] ['fɒstə] Pflege...; ***foster child*** Pflegekind; ***foster mother*** Pflegemutter

fought [fɔːt] *2. und 3. Form von* → ***fight***[2]

foul[1] [faʊl] **1.** *Geruch usw.*: abscheulich, übel **2.** *Wetter usw.*: miserabel **3.** ***do the police suspect foul play?*** geht die Polizei von einem Gewaltverbrechen aus?

foul[2] [faʊl] *Sport*: Foul; ***commit a foul*** ein Foul begehen, (jemanden) foulen

foul[3] [faʊl] **1.** *Sport*: foulen (*Gegner*) **2.** ***foul one's*** (***own***) ***nest*** das eigene Nest beschmutzen

foul-mouthed [ˌfaʊl'maʊðd] unflätig

found[1] [faʊnd] **1.** gründen (*Unternehmen*) **2.** (≈ *stiften*) begründen, errichten (*Schule, karitative Einrichtung usw.*)

found[2] [faʊnd] *2. und 3. Form von* → ***find***[1]

foundation [faʊn'deɪʃn] **1.** *Bauwesen*: Fundament; ***lay the foundation***(***s***) ***of*** *übertragen* den Grund(stock) legen zu **2.** *von Schule, Glaubenslehre usw.*: Gründung **3.** *Institution*: Stiftung **4.** *übertragen* Grundlage, Basis

founder ['faʊndə] Gründer(in), Stifter(in)

fountain ['faʊntɪn] **1.** Springbrunnen **2.** *aufsteigender Wasserstrahl*: Fontäne

fountain pen ['faʊntɪn‿pen] Füller, Füllhalter

four[1] [fɔː] vier

four[2] [fɔː] **1.** *Buslinie, Spielkarte usw.*: Vier **2.** *Rudern*: Vierer

four-handed [ˌfɔː'hændɪd] *am Klavier usw.*: vierhändig

four-leaf clover [ˌfɔːliːf'kləʊvə] vierblättriges Kleeblatt

four-legged [ˌfɔː'legɪd] vierbeinig; ***four-legged friend*** *umg.* Hund

four-letter word ['fɔːˌletə'wɜːd] unanständiges Wort

four-letter word

Der Begriff stammt von den vielen „unanständigen Wörtern" im Englischen, die aus vier Buchstaben bestehen. Es kann aber auch ein Wort mit weniger oder mehr als vier Buchstaben als **four-letter word** bezeichnet werden – nur muss es unanständig sein.

four star ['fɔː‿stɑː] *BE, umg.*; *Benzin*: Super; ☞ *Info S. 206*

four-star ['fɔːstɑː] ***four-star petrol*** *BE* Superbenzin; ☞ *Info S. 206*

fourteen[1] [ˌfɔː'tiːn] vierzehn

fourteen[2] [ˌfɔː'tiːn] *Buslinie usw.*: Vierzehn

four star

In Großbritannien gibt es folgende Kraftstoffbezeichnungen:

four star *oder* **premium**	Super
unleaded	bleifreies Normalbenzin
super unleaded	Super bleifrei
diesel *oder* **derv®**	Diesel

In den USA wird **gas** (Benzin) in folgenden Kategorien angeboten:

regular	Normal
premium	Super
unleaded *oder* **lead-free**	Bleifrei
diesel	Diesel

fourth[1] [fɔːθ] vierte(r, -s)
fourth[2] [fɔːθ] **1.** Vierte(r, -s) **2.** *Bruchteil*: Viertel
fourthly ['fɔːθlɪ] viertens
four-wheel drive [ˌfɔːwiːl'draɪv] Allradantrieb
fowl [faʊl] Geflügel
fox [fɒks] **1.** Fuchs **2.** *übertragen, oft* ***sly old fox*** gerissener *oder* verschlagener Kerl
foxglove ['fɒksglʌv] *Blume*: Fingerhut
fox hunting ['fɒksˌhʌntɪŋ] Fuchsjagd
foxy ['fɒksɪ] gerissen, verschlagen
fraction ['frækʃn] **1.** *Mathematik*: Bruch **2.** Bruchteil (⚠ *parlamentarische Fraktion* = ***parliamentary party***)
fracture[1] ['fræktʃə] *Medizin*: Bruch, *Fachbegriff*: Fraktur
fracture[2] ['fræktʃə] ***he fractured his skull*** er erlitt einen Schädelbruch; ***she fractured a rib*** sie brach sich eine Rippe
fragile ['frædʒaɪl] **1.** zerbrechlich (*auch übertragen*) **2.** *Gesundheit*: schwach, zart **3.** *Person*: gebrechlich
fragment ['frægmənt] **1.** *allg.*: Bruchstück **2.** *unvollendetes Kunstwerk*: Fragment
fragmentary ['frægməntərɪ] fragmentarisch, bruchstückhaft
fragrance ['freɪgrəns] Wohlgeruch, Duft
fragrant ['freɪgrənt] wohlriechend, duftend
frail [freɪl] schwach, gebrechlich
frame[1] [freɪm] **1.** *Bild usw. und übertragen*: Rahmen **2.** *Brille usw.*: Gestell **3.** ***frame of mind*** (Gemüts)Verfassung
frame[2] [freɪm] **1.** (ein)rahmen (*Bild usw.*) **2.** ***frame someone*** jemandem etwas anhängen; ***I've been framed!*** ich bin reingelegt worden!
frame-up ['freɪmʌp] *umg.* abgekartetes Spiel
franc [fræŋk] **1.** (französischer *usw.*) Franc **2.** (Schweizer) Franken
France [frɑːns] Frankreich
franchise ['fræntʃaɪz] **1.** *Politik*: Wahlrecht **2.** *Wirtschaft*: Konzession
Franco- [ˌfræŋkəʊ-] *in Zusammensetzungen* französisch, franko…
frank [fræŋk] offen, aufrichtig
frankly ['fræŋklɪ] offen; ***frankly, I think he's a bore*** ehrlich gesagt halte ich ihn für einen Langweiler
frankfurter ['fræŋkfɜːtə] Frankfurter (Würstchen), Wiener (Würstchen)
frankness ['fræŋknəs] Offenheit
frantic ['fræntɪk] **1.** außer sich, rasend (***with*** vor) **2.** *Aktivität usw.*: hektisch
fraud [frɔːd] **1.** *kriminelle Handlung*: Betrug **2.** *umg.* Betrüger(in)
fraudulent ['frɔːdjʊlənt] betrügerisch
fray [freɪ] (*Stoff usw.*) ausfransen; ***frayed nerves*** *Pl.* strapazierte Nerven
freak [friːk] **1.** Missgeburt **2.** *salopp*; *Musik, Tennis usw.*: …freak, …fanatiker

freak out [ˌfriːk'aʊt] *salopp, allg.*: ausflippen

freckle ['frekl] *mst.* ***freckles*** *Pl.* Sommersprosse
free[1] [friː] ***freer, freest*** **1.** *allg.*: frei **2.** umsonst, kostenlos, unentgeltlich; ***free copy*** Freiexemplar; ***for free*** *umg.* umsonst **3.** frei, ohne Verpflichtungen; ***I'll be free all morning*** ich bin den ganzen Vormittag verfügbar **4.** *Stuhl usw.*: unbesetzt; ***is this seat free?*** ist dieser Platz frei? **5.** (≈ *nicht wörtlich*) frei; ***free translation*** freie Übersetzung **6.** ***free skating*** *Sport*: Kür(laufen) **7.** ***he's free to go*** es steht ihm frei zu gehen; ***feel free to ask*** fragen Sie ruhig!; ***'Can I use your phone?' – 'Feel free.'*** - „Kann ich mal telefonieren?“ – „Natürlich!“
free[2] [friː], ***freed, freed*** **1.** freilassen (*Tier, Gefangenen*) **2.** *übertragen* befreien (***of, from*** von, aus); ***she can't free herself from the idea that she's too fat*** sie kann sich nicht von dem Gedanken befreien, dass sie zu dick ist
freedom ['friːdəm] **1.** Freiheit; ***freedom of speech*** Redefreiheit; ***freedom of the press*** Pressefreiheit **2.** Freisein (***from something*** von etwas)
freefone, **freephone** ['friːfəʊn] *BE* gebührenfreie Telefonnummer; ***call freefone***

-free

Im Englischen werden viele Adjektive mit **-free** gebildet. Diese werden fast immer mit „…frei" im Deutschen wiedergegeben. Einige wichtige Beispiele:

duty-free	zollfrei
tax-free	steuerfrei
rent-free	mietfrei
lead-free*	bleifrei
aber:	
sugar-free	ohne Zucker
trouble-free	*Reise*: problemlos, *Gegend*: ruhig, *in der Technik*: störungsfrei

* üblicher ist jedoch die Form **unleaded**.

0800 1234 rufen Sie gebührenfrei die Nummer 0800 1234 an

free kick [ˌfriːˈkɪk] *beim Fußball*: Freistoß

freelance[1] [ˈfriːlɑːns] freiberuflich tätig, freischaffend; ***he's a freelance writer*** er ist freier Schriftsteller; ***work freelance*** freiberuflich tätig sein

freelance[2] [ˈfriːlɑːns] freiberuflich arbeiten (***for*** für)

freelance[3] [ˈfriːlɑːns], **freelancer** [ˈfriːlɑːnsə] Freiberufler(in), Freischaffende(r), freie(r) Mitarbeiter(in)

free-range [ˈfriːreɪndʒ] *Hühner*: frei laufend; ***free-range eggs*** Freilandeier

freeway [ˈfriːweɪ] *AE* Autobahn, Schnellstraße

freeze[1] [friːz], ***froze*** [frəʊz], ***frozen*** [ˈfrəʊzn] **1.** frieren; ***it'll freeze tonight*** heute Nacht friert es *oder* gibt es Frost **2.** ***it's freezing*** es ist eiskalt; ***I'm freezing*** mir ist eiskalt, ich friere; ***a freezing cold morning*** ein eiskalter Morgen **3.** ***freeze to death*** erfrieren **4.** (*Wasser*) (ge)frieren, zu Eis werden **5.** *auch* ***freeze up*** (*Türschloss usw.*) einfrieren **6.** einfrieren, tiefkühlen (*Fleisch usw.*) **7.** *Wirtschaft*: einfrieren (*Preise usw.*)

freeze over [ˌfriːzˈəʊvə] (*See usw.*) zufrieren
freeze up [ˌfriːzˈʌp] (*Windschutzscheibe usw.*) vereisen

freeze[2] [friːz] **1.** Frost(periode) **2.** ***freeze on wages*** *Wirtschaft*: Lohnstopp

freezer [ˈfriːzə] **1.** Gefriertruhe, Gefrierschrank **2.** *im Kühlschrank*: Gefrierfach

freezer bag [ˈfriːzə‿bæg] Gefrierbeutel

freezing compartment [ˈfriːzɪŋ‿kəmˌpɑːtmənt] Gefrierfach

freezing point [ˈfriːzɪŋ‿pɔɪnt] Gefrierpunkt

freight [⚠ freɪt] (⚠ *nur im Sg. verwendet*) **1.** Fracht(gebühr) **2.** *Seefahrt, Luftfahrt, Bahn*: Fracht, Ladung

freighter [⚠ ˈfreɪtə] **1.** Frachter, Frachtschiff **2.** Transportflugzeug

freight train [ˈfreɪt‿treɪn] *AE* Güterzug

French[1] [frentʃ] **1.** französisch **2.** ***take French leave*** sich (auf) Französisch empfehlen **3.** ***French kiss*** Zungenkuss

French[2] [frentʃ] *Sprache*: Französisch; ***in French*** auf Französisch

French[3] [frentʃ] ***the French*** *Pl.* die Franzosen

French fries [ˌfrentʃˈfraɪz] *Pl., bes. AE* Pommes frites; ☞ ***chips**[1] **3***

Frenchman [ˈfrentʃmən] *Pl.*: ***Frenchmen*** [ˈfrentʃmən] Franzose

French windows [ˌfrentʃˈwɪndəʊz] *Pl.* Terrassentür, Balkontür

Frenchwoman [ˈfrentʃˌwʊmən] *Pl.*: ***Frenchwomen*** [ˈfrentʃˌwɪmɪn] Französin

frenzy [ˈfrenzɪ] **1.** Raserei **2.** ***in a frenzy*** in heller Aufregung

frequency [ˈfriːkwənsɪ] **1.** Häufigkeit **2.** *Elektronik, Physik*: Frequenz

frequent [ˈfriːkwənt] häufig

frequently [ˈfriːkwəntlɪ] häufig, oft

fresh [freʃ] **1.** *allg.*: frisch **2.** ***fresh off the press*** druckfrisch **3.** ***don't you get fresh with me*** *umg.* werd bloß nicht frech!

freshen up [ˌfreʃnˈʌp] sich frisch machen

freshman [ˈfreʃmən] *Pl.*: ***freshmen*** [ˈfreʃmən] **1.** (≈ *Student*[*in*] im ersten Jahr) *etwa*: Erstsemester **2.** *AE*; *an Highschool*: Schüler(in) der 9. Klasse

freshness [ˈfreʃnəs] Frische

freshwater [ˈfreʃwɔːtə] Süßwasser

fret [fret] ***fretted, fretted*** sich Sorgen machen (***about, at, for, over*** wegen)

friction [ˈfrɪkʃn] (⚠ *nur im Sg. verwendet*) **1.** *Technik, Physik*: Reibung **2.** *übertragen* (≈ *Streit*) Reibereien

Friday [ˈfraɪdeɪ] Freitag; ☞ *Info S. 208*

fridge [frɪdʒ] *bes. BE* Kühlschrank

friend [frend] **1.** Freund(in); ***be friends with someone*** mit jemandem befreundet sein; ***make friends with someone*** sich mit jemandem anfreunden **2.** Bekannte(r); ☞ *Info S. 208*

F

F

Friday: Präposition bei Wochentagen

Im britischen Englisch wird in der Regel die Präposition **on** vor Wochentagen verwendet:

I'll see you on Friday.	Wir sehen uns (am) Freitag.
I don't work on Saturdays.	Ich arbeite samstags nicht.

Im amerikanischen Englisch wird die Präposition **on** häufig weggelassen:

We arrive Monday evening.	Wir kommen am Montagabend an.
We're paid Fridays.	Wir werden freitags bezahlt.

Auch im britischen Englisch kann man immer häufiger beobachten, dass auf den Gebrauch der Präposition **on** verzichtet wird.

friends

Für die unterschiedlichen Phasen einer Beziehung gibt es auch die entsprechenden Ausdrücke. Gleich am Anfang wird man gefragt: **Do you fancy him/her?** (Magst du ihn/sie?) Wenn die Antwort ja lautet, kann ein **hug** (Umarmung) oder ein einfacher **kiss** (Kuss) sich schnell zu einem **French kiss** (Zungenkuss) entwickeln – und schon wird dies ein **snog**. **Snog** ist in England ein geläufiger Ausdruck für langes, intensives Küssen. Ist man mit jemandem das erste Mal so zusammen, sagt man ganz locker **to get off** (*AE* **make out**) **with someone** – *jemanden aufreißen*, also z. B. **I got off** (*AE* **made out**) **with him** – *Ich hab ihn aufgerissen.* Wenn man mit der/dem anderen ausgehen möchte, fragt man **Do you want to / Will you go out with me?**

Bitte merken: **boyfriends** und **girlfriends** sind die, mit denen man ausgeht (**I'm going out with him/her.**) **Ein** Freund oder **eine** Freundin im Sinne von „gute(r) Bekannte(r)" ist immer nur **a friend**.

friendliness ['frendlɪnəs] Freundlichkeit
friendly[1] ['frendlɪ] **1.** freundlich (*auch übertragen Zimmer usw.*) **2.** freundschaftlich; ***friendly game*** *oder* ***match*** *Sport*: Freundschaftsspiel **3.** ***be friendly with someone*** mit jemandem befreundet sein
friendly[2] ['frendlɪ] *BE*; *Sport*: Freundschaftsspiel
friendship ['frendʃɪp] Freundschaft
fries [fraɪz] *Pl. bes. AE* Fritten, Pommes
fright [fraɪt] Schreck(en); ***I got a fright*** ich habe einen Schreck bekommen; ***give someone a fright*** jemandem einen Schrecken einjagen
frighten ['fraɪtn] erschrecken; ***frighten someone to death*** jemanden zu Tode erschrecken
frightened ['fraɪtnd] **1.** verängstigt **2.** ***be frightened*** (***of something***) Angst haben (vor etwas)
frightful ['fraɪtfl] schrecklich, fürchterlich
frigid ['frɪdʒɪd] **1.** kalt, frostig, eisig (*alle auch übertragen*) **2.** *sexuell*: frigid
frigidity [frɪ'dʒɪdətɪ] **1.** Kälte, Frostigkeit (*beide auch übertragen*) **2.** *sexuell*: Frigidität
frill [frɪl] **1.** Krause, Rüsche **2.** ***a car with no*** (*oder* ***without the***) ***frills*** ein Auto ohne Extras (*oder* ohne Sonderausstattung *oder* ohne Schnickschnack)
fringe [frɪndʒ] **1.** *an Tuch usw.*: Fransen *Pl.* **2.** *BE*; *Frisur*: Pony **3.** *übertragen* Rand
fringe benefits ['frɪndʒˌbenɪfɪts] *Pl.* Gehaltsnebenleistungen, Lohnnebenleistungen (*z. B. verbilligtes Mittagessen*)
frisk [frɪsk] ***frisk someone*** jemanden filzen *oder* durchsuchen
frisky ['frɪskɪ] lebhaft, munter

fritter away [ˌfrɪtər‿ə'weɪ] vertun, vergeuden (*Geld, Zeit usw.*)

frivolous ['frɪvələs] **1.** *Benehmen, Bemerkung*: albern, leichtfertig **2.** *Charakter*: leichtfertig, leichtsinnig
frizzy ['frɪzɪ] *Haar*: gekräuselt, kraus
fro [frəʊ] ***to and fro*** hin und her
frog [frɒg] **1.** Frosch **2.** ***have a frog in one's throat*** einen Frosch im Hals haben
frolic ['frɒlɪk] ***frolicked, frolicked***, *auch* ***frolic about*** (*oder* ***around***) herumtoben herumtollen
from [frəm, *betont*: frɒm] **1.** *allg.*: von; ***from now on*** von jetzt an **2.** aus; ***I come from Scotland*** ich komme aus Schottland; ***the train from Bristol*** der Zug aus Bristol; ***he took a knife from his pocket*** er zog ein

Messer aus der Tasche **3.** ab; ***T-shirts from £4.99*** T-Shirts ab 4,99 Pfund **4.** ***she suffers from headaches*** sie leidet unter Kopfschmerzen **5.** ***protect someone from something*** jemanden vor etwas schützen **6.** ***different from*** anders als **7.** ***from what he said*** nach dem, was er sagte

front [⚠ frʌnt] **1.** *allg.*: Vorderseite, Front **2.** *Gebäude*: Front, Fassade **3.** *im Krieg*: Front; ***on all fronts*** an allen Fronten (*auch übertragen*) **4.** ***in front of*** vor; ***in front of the church*** vor der Kirche **5.** ***at the front*** vorne; ***I hate sitting at the front*** *im Klassenzimmer, Kino usw.*: ich hasse es, vorne zu sitzen **6.** ***sit in front*** *im Auto*: vorne sitzen

front door [ˌfrʌnt'dɔː] Haustür, Vordertür

front entrance [ˌfrʌnt'entrəns] Vordereingang

frontier ['frʌntɪə] Grenze (*auch übertragen*)

front page [ˌfrʌnt'peɪdʒ] erste Seite, Titelseite (*einer Zeitung usw.*)

front-page ['frʌntpeɪdʒ] *Nachrichten*: wichtig, aktuell

front-wheel drive [ˌfrʌntwiːl'draɪv] Vorderradantrieb, Frontantrieb

frost [frɒst] **1.** *Temperatur unter dem Gefrierpunkt*: Frost **2.** *gefrorener Tau*: Reif

frost over *oder* **up** [ˌfrɒst'əʊvə *oder* 'ʌp] (*Fenster usw.*) zufrieren

frostbite ['frɒstbaɪt] (⚠ *nur im Sg. verwendet*) *von Händen und Füßen*: Erfrierungen *Pl.*, Frostbeulen *Pl.*

frosting ['frɒstɪŋ] *bes. AE* Zuckerguss, Glasur

frosty ['frɒstɪ] eisig, frostig (*auch Empfang usw.*)

froth [frɒθ] *von Bier usw.*: Schaum

frown[1] [fraʊn] die Stirn runzeln (***at*** über) (*auch übertragen*)

frown[2] [fraʊn] ***with a frown*** stirnrunzelnd

froze [frəʊz] *2. Form von* → ***freeze***[1]

frozen ['frəʊzn] *3. Form von* → ***freeze***[1]

frozen food [ˌfrəʊzn'fuːd] Tiefkühlkost

frugal ['fruːgl] *Mahlzeit*: einfach, bescheiden

fruit [fruːt] **1.** Obst **2.** Frucht; ***tropical fruits*** tropische Früchte **3.** ***his efforts bore fruit*** *übertragen* seine Bemühungen haben Früchte getragen; ☞ *Illu S. 883*

fruitcake ['fruːtkeɪk] englischer Kuchen

fruitful ['fruːtfl] *Diskussion usw.*: fruchtbar, erfolgreich

fruition [fruː'ɪʃn] ***come to fruition*** (*Plan, Idee usw.*) sich verwirklichen

fruitless ['fruːtləs] *Verhandlungen, Versuch usw.*: fruchtlos, erfolglos

fruit machine ['fruːt‿məˌʃiːn] *BE* (Geld-)Spielautomat

fruit salad [ˌfruːt'sæləd] Obstsalat

fruit tree ['fruːt‿triː] Obstbaum

fruity ['fruːtɪ] *Geschmack*: fruchtig

frustrate [frʌ'streɪt] **1.** frustrieren, entmutigen, enttäuschen (*Person*) **2.** zunichte machen (*Hoffnungen, Pläne*)

frustration [frʌ'streɪʃn] **1.** Frustration **2.** *von Hoffnungen, Plänen*: Zerschlagung, Scheitern

fry [fraɪ], ***fried*** [fraɪd], ***fried*** [fraɪd] braten; ***fried eggs*** Spiegeleier; ***fried potatoes*** Bratkartoffeln

frying pan ['fraɪɪŋ‿pæn] Bratpfanne

frypan ['fraɪpæn] *AE* Bratpfanne

ft *Abk. für* → ***foot 3, feet***

fuck [fʌk] *vulgär* ficken, vögeln; ***fuck off!*** verpiss dich!

fucking ['fʌkɪŋ] *vulgär* Scheiß…, verflucht

fuel ['fjuːəl] **1.** *allg.*: Brennstoff, Brennmaterial **2.** *für Kraftfahrzeuge*: Treibstoff, Kraftstoff; ***fuel gauge*** [geɪdʒ] Benzinuhr **3.** ***add fuel to the fire*** (*oder* ***flames***) *übertragen* Öl ins Feuer gießen

fug [fʌg] *BE, umg.* Mief

fugitive[1] ['fjuːdʒətɪv] Flüchtling

fugitive[2] ['fjuːdʒətɪv] flüchtig, auf der Flucht

fulfil, *AE auch* **fulfill** [fʊl'fɪl], ***fulfilled, fulfilled*** **1.** erfüllen (*Bedingung, Versprechen usw.*) **2.** ausführen (*Befehl usw.*)

full[1] [fʊl] **1.** (≈ *ganz gefüllt*) voll; ***full of*** voll von, voller; ***he's so full of himself*** er ist total von sich eingenommen **2.** (≈ *vollständig*) voll, ganz; ***a full hour*** eine volle (*oder* geschlagene) Stunde. **3.** *Figur*: füllig, vollschlank **4.** *Gesicht*: voll **5.** *übertragen* erfüllt (***of*** von) **6.** ***I'm full*** *umg.* ich bin satt **7.** *Kompetenzen usw.*: voll, unbeschränkt; ***have full authority to do something*** bevollmächtigt sein, etwas zu tun

full[2] [fʊl] ***in full*** vollständig, ganz; ***spell*** (*oder* ***write***) ***in full*** ausschreiben; ***to the full*** vollständig, bis ins Letzte (*oder* Kleinste); ***live life to the full*** das Leben in vollen Zügen genießen

fullback ['fʊlbæk] *Fußball*: (Außen)Verteidiger

full-grown [ˌfʊl'grəʊn] ausgewachsen

full-length [ˌfʊl'leŋθ] **1.** *Porträt*: lebensgroß **2.** *Film*: abendfüllend

full moon [ˌfʊl'muːn] Vollmond; ***at full moon*** bei Vollmond

full-page ['fʊlpeɪdʒ] *Artikel, Inserat usw.*: ganzseitig
full stop [ˌfʊl'stɒp] *am Satzende*: Punkt
full-time [ˌfʊl'taɪm] **1.** *Arbeitsplatz*: ganztägig, Ganztags… **2.** ***work full-time*** ganztags arbeiten
fully ['fʊlɪ] voll, völlig, ganz; ***fully automatic*** vollautomatisch
fumble ['fʌmbl] **1.** *auch* ***fumble about*** (*oder* ***around***) herumtasten **2.** (herum-)fummeln (***at*** an) **3.** ***fumble in one's pockets*** in seinen Taschen (herum)wühlen **4.** ***fumble for words*** nach Worten suchen
fume [fjuːm] *übertragen* (vor Wut) kochen
fumes [fjuːmz] *unangenehm riechend bzw. gefährlich*: Dämpfe, Abgase
fun [fʌn] **1.** Spaß; ***for fun*** aus (*oder* zum) Spaß; ***reading is fun*** Lesen macht Spaß; ***have fun!*** viel Spaß! **2.** ***in fun*** im Scherz; ***make fun of*** sich lustig machen über

fun

Achte auf den Unterschied:

it was fun	es hat Spaß gemacht
it was funny	es war lustig/komisch

function[1] ['fʌŋkʃn] *allg.*: Funktion
function[2] ['fʌŋkʃn] **1.** *allg.*: funktionieren **2.** ***function as*** tätig sein (*oder* fungieren) als
fund [fʌnd] **1.** *Wirtschaft*: Fonds **2.** ***funds*** *Pl.* (Geld)Mittel *Pl.*; ***be short of funds*** knapp bei Kasse sein **3.** *übertragen* Vorrat (***of*** an)
fundamental [ˌfʌndə'mentl] grundlegend, fundamental (***to*** für); ***fundamental research*** Grundlagenforschung
funeral ['fjuːnrəl] Begräbnis, Beerdigung; ***that's your funeral*** *umg.* das ist dein Problem
funfair ['fʌnfeə] *bes. BE* Rummelplatz
funicular [fjuː'nɪkjʊlə] *auch* ***funicular railway*** (Draht)Seilbahn
funnies ['fʌnɪz] *Pl. AE, umg.*; *in der Zeitung*: Comics *Pl.*
funny ['fʌnɪ] **1.** komisch, lustig **2.** (≈ *schwer erklärbar*) seltsam, komisch **3.** *gesundheitlich*: unwohl; ***I feel a bit funny*** mir ist irgendwie komisch
fur [fɜː] Pelz, Fell; ***fur coat*** Pelzmantel
furious ['fjʊərɪəs] **1.** wütend, zornig (***with someone*** auf *oder* über jemanden; ***at something*** über etwas) **2.** *Kampf usw.*: wild, heftig
furnish ['fɜːnɪʃ] **1.** einrichten, möblieren (*Wohnung usw.*); ***furnished room*** möbliertes Zimmer **2.** liefern (*Informationen usw.*)
furnishings ['fɜːnɪʃɪŋz] *Pl.* Einrichtung, Mobiliar
furniture ['fɜːnɪtʃə] Möbel *Pl.*; ***piece of furniture*** Möbelstück
further ['fɜːðə] **1.** *zeitlich und räumlich*: weiter, weiter entfernt **2.** *übertragen* ferner, weiterhin; ***further education*** *BE* Fortbildung, Weiterbildung
furthermore [ˌfɜːðə'mɔː] ferner, weiterhin, Ⓐ weiters
furthermost ['fɜːðəməʊst] äußerste(r, -s)
furthest ['fɜːðɪst] **1.** *zeitlich und räumlich*: weiteste(r, -s), entfernteste(r, -s) **2.** am weitesten (*oder* entferntesten)
furtive ['fɜːtɪv] **1.** heimlich, *Blick auch*: verstohlen **2.** *Person*: heimlichtuerisch
fury ['fjʊərɪ] Wut, Zorn; ***fly into a fury*** einen Wutanfall bekommen
fuse[1] [fjuːz] **1.** *von Sprengkörper*: Zünder **2.** *in Stromkreislauf*: Sicherung; ***fuse box*** Sicherungskasten
fuse[2] [fjuːz] (*Sicherung usw.*) durchbrennen
fusion ['fjuːʒn] **1.** *von Metallen*: Schmelzen **2.** *Atomphysik*: Fusion; ***nuclear fusion*** Kernverschmelzung
fuss [fʌs] **1.** (unnötige) Aufregung; ***get into a fuss*** sich (unnötig) aufregen **2.** Wirbel, Theater; ***make a fuss*** viel Wirbel machen (***about, over*** um); ***kick up a fuss*** Krach schlagen
fusspot ['fʌspɒt], *AE* **fussbudget** ['fʌsˌbʌdʒɪt] *umg.* Kleinlichkeitskrämer(in)
fussy ['fʌsɪ] **1.** eigen, wählerisch **2.** (≈ *übergenau*) kleinlich, pedantisch
fusty ['fʌstɪ] **1.** moderig, muffig **2.** *Ideen usw.*: verstaubt **3.** *Person*: rückständig
futile ['fjuːtaɪl] *Bemühungen usw.*: nutzlos, vergeblich
futility [fjuː'tɪlətɪ] Nutzlosigkeit
future[1] ['fjuːtʃə] **1.** Zukunft; ***in future*** in Zukunft **2.** *Sprache*: Futur, Zukunft
future[2] ['fjuːtʃə] **1.** (zu)künftig, Zukunfts… **2.** ***future tense*** *Sprache*: Futur, Zukunft
fuzz [fʌz] **1.** Flaum **2.** *AE* Fusseln *Pl.* **3.** ***the fuzz*** *salopp* (≈ *die Polizei*) die Bullen
fuzzy ['fʌzɪ] **1.** *Haar*: kraus, wuschelig **2.** *Foto usw.*: unscharf, verschwommen **3.** *Beschreibung usw.*: undeutlich

G

gab [gæb] *umg.* Gequassel, Gequatsche; ***she's got the gift of the gab*** sie ist nicht auf den Mund gefallen, *abwertend* sie redet wie ein Wasserfall

gabble ['gæbl] **1.** (≈ *schnell reden*) brabbeln, schnattern **2.** *auch* ***gabble out*** herunterleiern (*Gebet usw.*)

gable ['geɪbl] Giebel; ***gable window*** Giebelfenster

gadget ['gædʒɪt] *umg.* **1.** Apparat, Gerät **2.** *oft im negativen Sinn* technische Spielerei

Gaelic

Gaelic ist eine keltische Sprache, die noch von etwa einer halben Million Iren und ca. 75.000 Schotten im Hochland und im Westen gesprochen wird. Irisches Gälisch unterscheidet sich aber sehr stark vom schottischen. Auch auf der Isle of Man gibt es noch Gaelic-Sprecher.

gaff [gæf] ***blow the gaff on something*** *BE, salopp* etwas ausplaudern

gaffe [gæf] Fauxpas, taktlose Bemerkung; ***commit a gaffe*** einen Fauxpas begehen, *umg.* ins Fettnäpfchen treten

gag[1] [gæg], ***gagged, gagged*** **1.** knebeln (*auch übertragen*) **2.** *übertragen* mundtot machen

gag[2] [gæg] **1.** Knebel (*auch übertragen*) **2.** *umg.* (≈ *Scherz*) Gag

gaga ['gɑːgɑː] *umg.* **1.** plemplem, übergeschnappt **2.** *älterer Mensch*: verblödet, verkalkt **3.** ***she's really gaga about him*** *umg.* sie fährt voll auf ihn ab

gage [geɪdʒ] *AE* → ***gauge***[1], ***gauge***[2]

gain[1] [geɪn] **1.** gewinnen (*Zeit, Vertrauen usw.*); ***gain ground*** *übertragen* an Boden gewinnen **2.** erwerben (*Vermögen*) **3.** sammeln (*Erfahrungen*) **4.** ***gain speed*** schneller werden; ***gain weight*** zunehmen; ***he gained 10 pounds*** er nahm 10 Pfund zu **5.** (*Uhr*) vorgehen

gain[2] [geɪn] **1.** Gewinn; ***be to someone's gain*** für jemanden von Vorteil sein **2.** Zunahme (***in*** an); ***gain in weight*** Gewichtszunahme

gainful ['geɪnfl] ***gainful employment*** Erwerbstätigkeit

gal [gæl] *bes. AE, umg.* Mädchen

gala ['gɑːlə] **1.** großes Fest, Festlichkeit **2.** *in Theater, Oper usw.*: Galaveranstaltung **3.** *BE* Sportfest; ***swimming gala*** Schwimmfest

galaxy ['gæləksɪ] Galaxis; ***the Galaxy*** die Milchstraße

gale [geɪl] **1.** Sturm; ***gale force 7*** Sturmstärke 7 **2.** ***gales of laughter*** stürmisches Gelächter

gall bladder ['gɔːl,blædə] Gallenblase

gallery ['gælərɪ] **1.** *für Kunstwerke*: Galerie **2.** *Architektur*: Galerie **3.** *in Kirche*: Empore **4.** *in Theater*: Galerie (*auch Publikum*); ***play to the gallery*** *übertragen* für die Galerie spielen

galley ['gælɪ] **1.** *Schiff*: Galeere **2.** (≈ *Schiffsküche*) Kombüse

gallon ['gælən] *Maßeinheit*: *die* Gallone (*GB*: *4,55l*, *USA*: *3,79l*)

gallop[1] ['gæləp] galoppieren, (im) Galopp reiten; ***galloping inflation*** galoppierende Inflation

gallop[2] ['gæləp] Galopp; ***at a gallop*** im Galopp, *übertragen, umg.* hastig

gallows ['gæləʊz] Galgen

gallstone ['gɔːlstəʊn] Gallenstein

gamble[1] ['gæmbl] (um Geld) spielen; ***gamble with something*** *übertragen* etwas aufs Spiel setzen

gamble[2] ['gæmbl] **1.** Glücksspiel **2.** *übertragen* Hasardspiel, Risiko

gambler ['gæmblə] **1.** (Glücks)Spieler(in) **2.** *übertragen* Hasardeur

gambol ['gæmbl] ***gambolled, gambolled***, *AE mst.* ***gamboled, gamboled*** (herum)hüpfen, Luftsprünge machen

game[1] [geɪm] **1.** *allg.*: Spiel; ***play the game*** *übertragen* sich an die Spielregeln halten **2.** ***a game of chess*** eine Partie Schach **3.** *übertragen* Spiel, Plan; ***the game's up*** das Spiel ist aus; ***beat someone at his own game*** jemanden mit seinen eigenen Waffen schlagen **4.** *umg.* Branche; ***be in the advertising game*** in Werbung machen **5.** ***games*** *Pl. an der Schule*: Sport; ***games teacher*** Sportlehrer(in) **6.** (⚠ *nur im Sg.*) Wild(bret); ***big game*** Großwild

game[2] [geɪm] ***be game to do something*** bereit *oder* entschlossen sein, etwas zu tun; ***are you game?*** machst du mit?

game show ['geɪm‿ʃəʊ] *im Fernsehen*: Spielshow, Gameshow

gammon ['gæmən] Räucherschinken

gander ['gændə] Gänserich

gang [gæŋ] **1.** *von Kriminellen*: Gang, Bande **2.** *Freundeskreis*: Clique

gang up [ˌgæŋ'ʌp] **1.** sich zusammentun **2.** *im negativen Sinn* sich zusammenrotten; ***gang up against*** *oder* ***on*** sich verbünden (*oder* verschwören) gegen

gangster ['gæŋstə] Gangster, Verbrecher

gangway ['gæŋweɪ] **1.** *Schifffahrt*: Landungsbrücke, *die* Gangway **2.** *BE*; *zwischen zwei Sitzreihen*: Gang

gaol [⚠ dʒeɪl] *BE* Gefängnis; ☞ ***jail***[1], ***jail***[2]

gap [gæp] Lücke (*auch übertragen*)

gape [geɪp] **1.** *vor Erstaunen usw.*: den Mund aufreißen **2.** gaffen, glotzen; ***gape at someone*** jemanden angaffen (*oder* anglotzen) **3.** (*Wunde*) klaffen

gaping ['geɪpɪŋ] **1.** *Personen*: gaffend, glotzend **2.** *Wunde*: klaffend **3.** *Abgrund*: gähnend

gap year ['gæp‿jɪə] *BE*; *Jahr zwischen Schulabschluss und Universität, das mst. zu Auslandsaufenthalten genutzt wird*

garage ['gærɑːʒ] **1.** *zum Parken*: Garage **2.** *für Reparaturen*: Werkstatt **3.** *zum Tanken*: Tankstelle

garbage ['gɑːbɪdʒ] **1.** *bes. AE* Abfall, Müll **2.** *umg., übertragen* Blödsinn, Unfug

garbage can ['gɑːbɪdʒ‿kæn] *bes. AE* **1.** *im Haus*: Abfalleimer, Mülleimer **2.** *vor dem Haus*: Abfalltonne, Mülltonne

garbage collection ['gɑːbɪdʒ‿kəˌlekʃn] *bes. AE* Müllabfuhr

garbage dump ['gɑːbɪdʒ‿dʌmp] *AE* Mülldeponie

garbage truck ['gɑːbɪdʒ‿trʌk] *bes. AE* Müllwagen

garden[1] ['gɑːdn] **1.** Garten **2.** *oft* ***gardens*** *Pl.* Park, Gartenanlagen; ***botanical gardens*** botanischer Garten; ***zoological gardens*** Tierpark

garden[2] ['gɑːdn] im Garten arbeiten

garden city [ˌgɑːdn'sɪtɪ] *BE* Gartenstadt

gardener ['gɑːdnə] Gärtner(in)

gardening ['gɑːdnɪŋ] Gartenarbeit

garden party ['gɑːdnˌpɑːtɪ] *mst. förmlich* Gartenfest, Gartenparty

gargle[1] ['gɑːgl] gurgeln (***with*** mit)

gargle[2] ['gɑːgl] Gurgelmittel

garish ['geərɪʃ] *Licht, Farben*: grell

garlic ['gɑːlɪk] Knoblauch

garment ['gɑːmənt] Kleidungsstück

garnish[1] ['gɑːnɪʃ] garnieren (*Braten usw.*)

garnish[2] ['gɑːnɪʃ] *von Braten usw.*: Garnierung, Garnitur

garrulous ['gærələs] geschwätzig

gas[1] [gæs] *Pl.*: ***gases*** *oder* ***gasses*** **1.** Gas **2.** *AE* Benzin

gas[2] [gæs], ***gassed, gassed*** vergasen; ***be gassed*** vergast werden, eine Gasvergiftung erleiden

gasbag ['gæsbæg] *umg.* Quatscher(in)

gas cooker ['gæsˌkʊkə] Gasherd

gash[1] [gæʃ] **1.** klaffende Wunde **2.** tiefer Riss *oder* Schnitt

gash[2] [gæʃ] ***gash one's knee*** *usw.* sich das Knie *usw.* aufschlagen

gas heating ['gæsˌhiːtɪŋ] Gasheizung

gas meter ['gæsˌmiːtə] Gasuhr, Gaszähler

gasoline ['gæsəliːn] *AE* Benzin

gasp[1] [gɑːsp] **1.** keuchen, schwer atmen; ***gasp for breath*** nach Luft schnappen **2.** (keuchend) hervorstoßen (*Worte*)

gasp[2] [gɑːsp] Keuchen; ***she gave a gasp of surprise*** es verschlug ihr den Atem; ***be at one's last gasp*** in den letzten Zügen liegen

gas station ['gæsˌsteɪʃn] *AE* Tankstelle

gate [geɪt] **1.** Tor, *von Gartenzaun auch*: Pforte **2.** *in Bahnhöfen*: Sperre **3.** *in Flughäfen*: Flugsteig **4.** *Sport*: Zuschauerzahl **5.** *auch*: ***gate money*** Einnahmen

gatecrash ['geɪtkræʃ] *umg.* uneingeladen kommen (zu) (*jemandes Party usw.*)

gatecrasher ['geɪtˌkræʃə] uneingeladener Gast

gather ['gæðə] **1.** sammeln (*Erfahrungen, Informationen*) **2.** (*Menschenmenge*) sich versammeln *oder* scharen (***round someone*** um jemanden) **3.** einbringen (*Ernte*) **4.** pflücken (*Blumen*) **5.** *übertragen* folgern, schließen; ***as far as I can gather*** soweit ich weiß **6.** ***gather dust*** verstauben; ***gather speed*** schneller werden

gathering ['gæðərɪŋ] Versammlung, Zusammenkunft

gaudy ['gɔːdɪ] **1.** auffällig bunt **2.** *Farben*: grell

gauge[1] [⚠ geɪdʒ] **1.** Messgerät **2.** Eichmaß **3.** *übertragen* Maßstab, Norm

gauge[2] [⚠ geɪdʒ] **1.** *mit einem Messgerät*: messen **2.** eichen (*Messgerät*) **3.** einschätzen, beurteilen (*Fähigkeiten usw.*)

gaunt [gɔːnt] **1.** hager **2.** ausgemergelt (*durch Krankheit usw.*)

gauze [gɔːz] **1.** *Material*: Gaze **2.** *für Wun-*

den: Verbandsmull; ***gauze bandage*** Mullbinde

gave [geɪv] *2. Form von* → ***give***

gawk [gɔːk] glotzen

gay[1] [geɪ] **1.** (≈ *homosexuell*) schwul **2.** *heute selten*: lustig, fröhlich **3.** *selten*; *Farben usw.*: leuchtend, bunt

gay[2] [geɪ] Schwuler

gaze[1] [geɪz] starren; ***gaze at*** anstarren

gaze[2] [geɪz] starrer Blick

gazette [gə'zet] *BE* Amtsblatt, Staatsanzeiger

GB [ˌdʒiː'biː] *Abk. für* → ***Great Britain***

gear [gɪə] **1.** *bei Kraftfahrzeugen*: Gang; ***change gear*** *oder* ***gears*** schalten; ***change into second gear*** den zweiten Gang einlegen, in den zweiten Gang schalten **2.** ***gears*** *auch* Getriebe **3.** *für bestimmte Tätigkeiten*: Ausrüstung **4.** *umg.* Klamotten

gearbox ['gɪəbɒks] Getriebe

gear lever ['gɪəˌliːvə] *BE* Gangschaltung, Schalthebel

gear shift ['gɪəʃɪft] *AE* Gangschaltung, Schalthebel

gee [dʒiː] *bes. AE, umg.*; *Ausruf des Erstaunens*: na so was!, Mann!

geese [giːs] *Pl. von* → ***goose***

gem [dʒem] **1.** Edelstein **2.** *übertragen* Perle, Juwel (*beide auch Person*)

Gemini ['dʒemɪnaɪ] *Pl.* (*mst. im Sg. verwendet*); *Sternbild*: Zwillinge *Pl.*; ***I'm*** (***a***) ***Gemini*** ich bin Zwilling

gender ['dʒendə] *Sprache*: Genus, Geschlecht

gene [dʒiːn] Gen, Erbfaktor

general[1] ['dʒenrəl] **1.** allgemein, üblich; ***as a general rule*** im Allgemeinen, üblicherweise; ***in general*** im Allgemeinen, meistens **2.** (≈ *allumfassend*) allgemein, generell; ***general education*** Allgemeinbildung; ***the general public*** die breite Öffentlichkeit **3.** (≈ *nicht spezialisiert*) allgemein; ***the general reader*** der Durchschnittsleser **4.** (≈ *nicht präzise*) allgemein gehalten, ungefähr; ***a general idea*** eine ungefähre Vorstellung **5.** *bei Titeln auch*: Haupt…, General…; ***general manager*** Generaldirektor

general[2] ['dʒenrəl] *Offizier*: General

general election [ˌdʒenrəl‿ɪ'lekʃn] Parlamentswahl (*im gesamten Land*)

generalize ['dʒenrəlaɪz] verallgemeinern

generally ['dʒenrəlɪ] *auch* ***generally speaking*** im Allgemeinen, allgemein

general practitioner [ˌdʒenrəl‿præk'tɪʃnə] (*Abk.*: ***GP***) Arzt *oder* Ärztin für Allgemeinmedizin, Hausarzt *oder* Hausärztin

general strike [ˌdʒenrəl'straɪk] Generalstreik

generate ['dʒenəreɪt] **1.** erzeugen (*Energie*) **2.** *übertragen* bewirken, verursachen

generation [ˌdʒenə'reɪʃn] **1.** *allg.*: Generation; ***generation gap*** Generationskonflikt **2.** *von Energie usw.*: Erzeugung

generator ['dʒenəreɪtə] Generator

generosity [ˌdʒenə'rɒsətɪ] Großzügigkeit, Freigebigkeit

generous ['dʒenrəs] **1.** *Person*: großzügig, freigebig **2.** *Mahlzeit*, *Geldmittel usw.*: reichlich, üppig

genesis ['dʒenəsɪs] **1.** *förmlich* Entstehung, Ursprung **2.** ***Genesis*** (≈ *1. Buch Mose*) die Schöpfungsgeschichte

genetic [dʒə'netɪk] genetisch; ***genetic code*** genetischer Code; ***genetic engineering*** Gentechnologie; ***genetic fingerprint*** genetischer Fingerabdruck

genetics [dʒə'netɪks] *Pl.* (⚠ *im Sg. verwendet*) Genetik, Vererbungslehre

Geneva [dʒə'niːvə] Genf

genial ['dʒiːnɪəl] *Person*, *Lächeln usw.*: freundlich (⚠ *genial* = ***ingenious***)

geniality [ˌdʒiːnɪ'ælətɪ] Freundlichkeit (⚠ *Genialität* = ***genius, ingenuity***)

genitals ['dʒenɪtlz] *Pl.* Genitalien

genitive ['dʒenətɪv] *auch* ***genitive case*** *Sprache*: Genitiv, zweiter Fall

genius ['dʒiːnɪəs] **1.** *Person*, *Begabung*: Genie **2.** *Begabung*: Genialität

genocide ['dʒenəsaɪd] Völkermord

genome ['dʒiːnəʊm] *Biologie*: Genom

genre ['ʒɒnrə] *in der Kunst*, *Literatur usw.*: Genre, Gattung

gent [dʒent] **1.** *umg. oder humorvoll für* → ***gentleman***; ***gents' hairdresser*** Herrenfriseur **2.** ***gents*** *Pl.* (*im Sg. verwendet*) *BE*, *umg.* Herrenklo

gentle ['dʒentl] **1.** *Berührung usw.*: sanft, zart, behutsam **2.** *Person*, *Verhalten*: freundlich, liebenswürdig **3.** *Brise*, *Klaps usw.*: leicht

gentleman ['dʒentlmən] *Pl.*: ***gentlemen*** ['dʒentlmən] **1.** Gentleman, Ehrenmann **2.** Herr; ***Gentlemen!*** *Anrede*: meine Herren!, Sehr geehrte Herren (*in Briefen*)

genuine ['dʒenjʊɪn] **1.** *Kunstwerk*: echt, authentisch **2.** *Person*, *Mitgefühl*, *Freude*: aufrichtig

geography [dʒɪ'ɒgrəfɪ] Geographie, Erdkunde

geology [dʒɪ'ɒlədʒɪ] Geologie

geometry [dʒɪ'ɒmətrɪ] Geometrie

germ [dʒɜːm] *Medizin*: Bazillus, (Krankheits)Erreger, Keim (*auch übertragen*); ***don't spread your germs around*** behalte deine Bazillen für dich

St George's Day

Der 23. April ist **St George's Day** [snt'dʒɔːdʒɪzdeɪ], der Nationalfeiertag der Engländer. Traditionalisten tragen eine Rose (**rose**) im Knopfloch.

German[1] ['dʒɜːmən] deutsch; ***I'm German*** ich bin Deutsche(r); ***German studies*** *Pl.* Germanistik; ***German measles*** (⚠ *nur im Sg. verwendet*) Röteln; ***German shepherd*** (Deutscher) Schäferhund

G

German[2] ['dʒɜːmən] *Sprache*: Deutsch; ***in German*** auf Deutsch

German[3] ['dʒɜːmən] *Person*: Deutsche(r)

German-speaking ['dʒɜːmən,spiːkɪŋ] *Person, Land*: deutschsprachig

Germany ['dʒɜːmənɪ] Deutschland

gesture ['dʒestʃə] Geste (*auch übertragen*)

get [get], **got** [gɒt], **got** [gɒt] *oder AE* ***gotten*** ['gɒtn]; *-ing-Form* **getting** **1.** *allg.*: bekommen (*auch Krankheit*), kriegen, erhalten **2.** holen, besorgen; ***I'll get you a taxi*** ich rufe dir ein Taxi; ***can I get you a drink?*** möchtest du etwas zu trinken? **3.** *zu einem Ort*: kommen, gelangen; ***we got home very late*** wir kamen sehr spät nach Hause (Ⓐ, ⒸⒽ nachhause) **4.** erwerben, sich aneignen (*Geld, Reichtum, Wissen*) **5.** werden; ***I'm getting old*** ich werde alt; ***they got caught*** sie wurden geschnappt **6.** ***get married*** heiraten; ***get married to someone*** jemanden heiraten **7.** ***get ready*** sich fertig machen; ***get something ready*** etwas fertig machen **8.** ***get one's hair cut*** sich die Haare schneiden lassen **9.** ***get something going*** in Gang bringen (*Maschine, Verhandlungen usw.*) **10.** ***have got*** haben; ***have you got a light?*** hast du mal Feuer? **11.** ***have got to*** müssen; ***I've got to go*** ich muss gehen **12.** *umg.* kapieren, (*auch akustisch*) verstehen; ***got it?*** *umg.* kapiert?; ***don't get me wrong*** versteh mich nicht falsch **13.** ***get to know*** kennen lernen **14.** ***get lost*** sich verirren *oder* verlaufen **15.** ***get lost!*** verschwinde(t)!

get across [,get‿ə'krɒs] **1.** *umg.* (*Idee, Gedanke*) rüberkommen **2.** *umg.* rüberbringen (*Idee, Gedanken*)

get along [,get‿ə'lɒŋ] **1.** *mit Arbeit usw.*: vorankommen; ***get along well*** Fortschritte machen **2.** *mit Person*: auskommen, sich vertragen (***with*** mit); ***I just don't get along with the new teacher*** ich komme mit dem neuen Lehrer einfach nicht klar

get away with [,get‿ə'weɪ‿wɪð] (ungestraft) davonkommen mit; ***you won't get away with that*** damit kommst du nicht durch

get back [,get'bæk] **1.** zurückbekommen (*Besitz usw.*) **2.** zurückkommen; ***when did you get back?*** seit wann bist du wieder zurück?

get down [,get'daʊn] **1.** runterkriegen (*Essen, Tabletten usw.*) **2.** notieren (*Bemerkung, Äußerung*); ***get down every word he says*** schreib alles auf, was er sagt **3.** *umg.* (≈ *deprimieren*) fertig machen; ***this continual noise is getting me down*** dieser ständige Lärm macht mich fertig

get in [,get'ɪn] **1.** heimkommen; ***we didn't get in until 11 o'clock*** wir kamen nicht vor 11 Uhr nach Hause (Ⓐ, ⒸⒽ nachhause) **2.** einreichen (*Antrag, Bewerbung usw.*); ***can you get the essay in by Friday?*** kannst du den Aufsatz bis Freitag abgeben?

get into ['get,ɪntʊ] **1.** *in Auto usw.*: einsteigen in **2.** hineinbekommen, reinkriegen; ***I can't get all my stuff into that case*** ich krieg mein ganzes Zeug nicht in den Koffer **3.** geraten in (*Zorn, Wut, Panik usw.*) **4.** ***he always gets himself into trouble*** er bringt sich ständig in Schwierigkeiten; ***you got us into that!*** du hast uns das eingebrockt!

get off [,get'ɒf] **1.** aussteigen aus (*Bus, Zug*) **2.** absteigen von (*Pferd, Fahrrad*) **3.** *zu einer Reise usw.*: aufbrechen; ***we should get off before six*** wir sollten vor sechs aufbrechen **4.** ***get a week off*** eine Woche freibekommen

get off with [,get'ɒf‿wɪð] ***get off with someone*** *umg.*; *sexuell*: jemanden aufreißen

get on [,get'ɒn] **1.** einsteigen (in) (*Bus, Zug*) **2.** aufsteigen (auf) (*Pferd, Fahrrad*) **3.** vorwärts kommen, vorankommen; ***how's the project getting on?*** wie gehts mit dem Projekt voran? **4.** *mit Person*: auskommen, sich vertragen (***with*** mit)

get out [,get'aʊt] **1.** herauskommen, aussteigen; ***the door's locked and I can't get out*** die Tür ist verriegelt, und ich komm nicht raus! **2.** hinausgehen; ***get out!*** raus! **3.** herausbringen (*Bericht, Buch*)

get out of [,get'aʊt‿əv] **1.** verlassen (*Zimmer, Haus*) **2.** ***you'd better get that out of your head*** schlag dir das

lieber aus dem Kopf! **3.** ***what do you get out of smoking?*** was hast du vom Rauchen?
get round to [ˌget'raʊnd‿tʊ] ***as soon as I get round to it I'll phone him*** sobald ich dazu komme, rufe ich ihn an; ***I simply don't get round to writing letters these days*** ich komme zur Zeit einfach nicht zum Briefeschreiben
get together [ˌget‿tə'geðə] *mit anderen Menschen*: zusammenkommen, sich treffen (***with*** mit)
get up [ˌget'ʌp] *aus dem Bett, von einem Stuhl*: aufstehen; ***I get up at 6 o'clock*** ich stehe um 6 Uhr auf

getaway ['getəweɪ] Flucht; ***getaway car*** Fluchtauto
get-together ['get‿təˌgeðə] *umg.* Zusammenkunft, gemütliches Beisammensein; ***have a get-together*** sich treffen, zusammenkommen
ghastly ['gɑːstlɪ] *allg.*: scheußlich, schauderhaft (*auch übertragen, Wetter usw.*)
gherkin ['gɜːkɪn] Gewürzgurke, Essiggurke (⚠ *Salatgurke* = ***cucumber***)
ghetto ['getəʊ] *Pl.*: ***ghettos*** *oder* ***ghettoes*** ['getəʊz] Getto
ghost [gəʊst] **1.** Geist, Gespenst **2.** ***give up the ghost*** (≈ *sterben*) den Geist aufgeben (*auch umg. von Auto, Maschine usw.*)
ghost train ['gəʊst‿treɪn] *BE* Geisterbahn; ***go on the ghost train*** Geisterbahn fahren
giant[1] ['dʒaɪənt] Riese
giant[2] ['dʒaɪənt] riesig, *umg.* Riesen…
giant slalom [ˌdʒaɪənt'slɑːləm] *Skisport*: Riesenslalom
giddiness [⚠ 'gɪdɪnəs] **1.** *körperlich*: Schwindel, Schwindelgefühl **2.** (≈ *Übermut*) Leichtsinn
giddy [⚠ 'gɪdɪ] ***I feel giddy*** mir ist schwindlig
gift[1] [gɪft] **1.** *allg.*: Geschenk; ***the exam was a gift*** *umg.* die Prüfung war geschenkt; ***I wouldn't have this as a gift*** das würde ich nicht mal geschenkt nehmen **2.** *übertragen* Begabung, Talent (***for, of*** für); ***gift for languages*** Sprachtalent
gift[2] [gɪft] **1.** geschenkt, Geschenk…; ***gift voucher*** Geschenkgutschein **2.** ***don't look a gift horse in the mouth*** *Sprichwort*: einem geschenkten Gaul schaut man nicht ins Maul
gifted ['gɪftɪd] begabt, talentiert
gift voucher ['gɪftˌvaʊtʃə] Geschenkgutschein

gigantic [dʒaɪ'gæntɪk] gigantisch, riesig
giggle[1] ['gɪgl] kichern
giggle[2] ['gɪgl] Gekicher
gimmick ['gɪmɪk] *umg.* (≈ *origineller Einfall*) Gag; ***that's just a public relations gimmick*** das ist nur ein PR-Gag
ginger ['dʒɪndʒə] Ingwer
gipsy ['dʒɪpsɪ] Zigeuner(in)
giraffe [dʒə'rɑːf] Giraffe
girl [gɜːl] **1.** Mädchen **2.** ***my little girl*** meine kleine Tochter
girlfriend ['gɜːlfrend] Freundin
girlhood ['gɜːlhʊd] Mädchenjahre; ***in her girlhood*** in ihrer Jugend
girlish ['gɜːlɪʃ] mädchenhaft
giro ['dʒaɪrəʊ] *BE* Postgirodienst; ***giro account*** Postgirokonto; ***giro cheque*** Postscheck
gist [dʒɪst] ***the gist*** das Wesentliche, der Kern (*einer Aussage usw.*)
give [gɪv], ***gave*** [geɪv], ***given*** ['gɪvn] **1.** *allg.*: geben **2.** *zum Geburtstag usw.*: schenken **3.** spenden (*Blut*) **4.** von sich geben; ***give a cry*** einen Schrei ausstoßen; ***give a deep sigh*** tief seufzen **5.** gewähren, leisten (*Hilfe*) **6.** bieten (*Schutz*) **7.** ***he's given us a lot of homework*** (*Lehrer*) er hat uns eine Menge Hausaufgaben aufgegeben **8.** übermitteln (*Grüße usw.*); ***give him my best regards*** bestelle ihm herzliche Grüße von mir **9.** (*Material usw.*) nachgeben **10.** ***give a paper*** ein Referat halten **11.** ***give it to someone*** *umg.* jemandem die Meinung sagen **12.** ***don't give me that!*** *umg.* erzähl mir doch

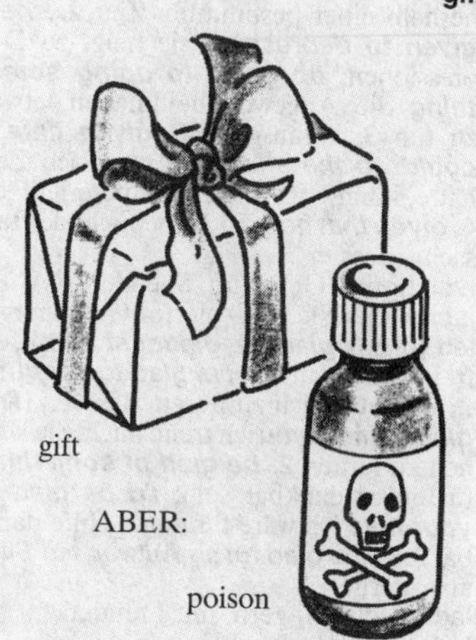

nichts! **13. *I don't give a damn!*** *umg.* das ist mir scheißegal!

give away [ˌgɪv‿əˈweɪ] **1.** *allg.*: verschenken, weggeben **2.** vergeben, verteilen (*Preise, Zeugnisse usw.*) **3.** verraten (*Geheimnis, Täter*)
give back [ˌgɪvˈbæk] zurückgeben
give in [ˌgɪvˈɪn] **1.** einreichen, abgeben (*Prüfungsarbeit usw.*) **2.** *in einem Kampf usw.*: aufgeben, sich geschlagen geben
give off [ˌgɪvˈɒf] **1.** verbreiten, ausströmen (*Geruch*) **2.** ausstoßen (*Rauch usw.*) **3.** abgeben (*Wärme usw.*)
give out [ˌgɪvˈaʊt] austeilen, verteilen (*Geld, Prüfungstexte*)
give up [ˌgɪvˈʌp] **1.** aufgeben, aufhören mit (*Rauchen, Trinken usw.*) **2. *give oneself up*** (*Täter*) sich stellen **3.** abgeben (*Amt, Posten*); ***give up one's seat*** *usw.* ***to someone*** jemandem seinen Sitz *usw.* überlassen **4.** *in einem Kampf usw.*: aufgeben, sich geschlagen geben

give-and-take [ˌgɪv‿ənˈteɪk] beiderseitiges Entgegenkommen, Kompromiss
giveaway [ˈgɪvəweɪ] **1. *it was a giveaway*** *Gesichtsausdruck, Äußerung usw.*: es verriet alles **2.** Werbegeschenk
giveaway price [ˈgɪvəweɪˌpraɪs] Schleuderpreis
given[1] [ˈgɪvn] *3. Form von* → ***give***
given[2] [ˈgɪvn] **1.** gegeben; ***given name*** *bes. AE* Vorname; ***at the given time*** zur festgesetzten Zeit; ***within a given time*** innerhalb einer bestimmten Zeit **2. *she's given to depression*** sie neigt zu Depressionen; ***be given to doing something*** die Angewohnheit haben, etwas zu tun **3.** vorausgesetzt; ***given time, I could do the shopping*** wenn ich Zeit hätte, könnte ich die Einkäufe erledigen **4. *given that he …*** in Anbetracht der Tatsache, dass er …
giver [ˈgɪvə] Geber(in), Spender(in)
glacier [ˈglæsɪə, *AE* ˈgleɪʃə] Gletscher
glad [glæd], ***gladder, gladdest*** **1.** froh, erfreut (***about*** über); ***I'm glad to hear that …*** es freut mich zu hören, dass …; ***(I'm) glad to meet you*** ich freue mich, Sie kennen zu lernen **2. *be glad of something*** für etwas dankbar sein; ***I'd be glad of your help*** ich wäre für deine Hilfe dankbar **3. *I'll be glad to!*** *als Antwort auf Bitte*: aber gerne!
gladly [ˈglædlɪ] gern, mit Freuden
gladness [ˈglædnəs] Freude
glamorize [ˈglæməraɪz] (≈ *idealisieren*) verherrlichen
glamour [ˈglæmə] *von Erfolg usw.*: Zauber, (falscher) Glanz
glance[1] [glɑːns] (kurz) blicken, schauen (***at*** auf); ***glance at something*** einen kurzen Blick auf etwas werfen; ***glance over*** (*oder* ***through***) ***a report*** einen Bericht überfliegen, einen Bericht kurz durchsehen
glance[2] [glɑːns] (schneller *oder* flüchtiger) Blick (***at*** auf); ***at a glance*** auf einen Blick; ***at first glance*** auf den ersten Blick
gland [glænd] Drüse
glare[1] [gleə] **1.** (*Sonne usw.*) grell scheinen *oder* leuchten **2. *glare at someone*** jemanden wütend anstarren, jemanden anfunkeln
glare[2] [gleə] **1.** greller Schein, grelles Leuchten **2.** wütender Blick
glaring [ˈgleərɪŋ] **1.** *Licht*: grell **2.** *Fehler, Ungerechtigkeit usw.*: eklatant, krass
glass [glɑːs] **1.** *Material, Gefäß*: Glas **2. *glasses*** *Pl.* (*auch* ***pair of glasses***) Brille
glasshouse [ˈglɑːshaʊs] *bes. BE* Gewächshaus, Glashaus
glassy [ˈglɑːsɪ] **1.** gläsern **2.** *Augen*: glasig
glaze [gleɪz] **1.** verglasen (*Fenster, Tür*) **2.** glasieren (*Kacheln, Speisen*)
glazing [ˈgleɪzɪŋ] **1.** *von Gebäuden*: Verglasung **2.** *von Kacheln, Speisen*: Glasur
gleam[1] [gliːm] Schein, Schimmer; ***a gleam of hope*** ein Hoffnungsschimmer
gleam[2] [gliːm] scheinen, schimmern
glee [gliː] **1.** Freude **2.** Schadenfreude
gleeful [ˈgliːfl] **1.** fröhlich **2.** schadenfroh
glide [glaɪd] **1.** gleiten **2.** *in der Luft*: schweben **3.** (*Segelflugzeug*) gleiten, schweben **4.** (*Person*) segelfliegen
glider [ˈglaɪdə] **1.** Segelflugzeug **2.** *Person*: *auch* ***glider pilot*** Segelflieger(in)
gliding [ˈglaɪdɪŋ] Segelfliegen
glimmer[1] [ˈglɪmə] **1.** (*Glut*) glimmen **2.** (*Licht*) schimmern
glimmer[2] [ˈglɪmə] **1.** *von Glut*: Glimmen **2.** *von Licht*: Schimmer; ***glimmer of hope*** Hoffnungsschimmer
glimpse[1] [glɪmps] flüchtiger Blick; ***catch*** *oder* ***get a glimpse of*** nur flüchtig zu sehen bekommen
glimpse[2] [glɪmps] **1.** flüchtig blicken (***at*** auf) **2.** (nur) flüchtig zu sehen bekommen
glint[1] [glɪnt] glänzen, glitzern
glint[2] [glɪnt] **1.** Glanz, Glitzern **2.** *von Augen*: Funkeln (*schelmisch usw.*)
glisten [⚠ ˈglɪsn] glänzen, scheinen
glitch [glɪtʃ] *umg., von Gerät usw.*: Störung, Macke
glitter[1] [ˈglɪtə] (*Schmuck usw.*) glitzern

funkeln, glänzen; ***all that glitters is not gold*** es ist nicht alles Gold, was glänzt
glitter[2] ['glɪtə] **1.** *von Schmuck usw.*: Glitzern, Funkeln, Glanz **2.** *übertragen* Glanz, Pracht
glitterati [ˌglɪtə'rɑːtɪ] *Pl. umg.* Schickeria
glittering ['glɪtərɪŋ] **1.** *Schmuck usw.*: glitzernd, funkelnd, glänzend **2.** *übertragen* glänzend, prächtig
gloat [gləʊt] sich diebisch freuen (***over, at*** über)
global ['gləʊbl] **1.** global, weltumspannend; ***global warming*** die Erwärmung der Erdatmosphäre **2.** ***take a global view of a problem*** *übertragen* ein Problem global betrachten
globalization [ˌgləʊblaɪ'zeɪʃn] Globalisierung
globe [gləʊb] **1.** *allg.*: Kugel **2.** (≈ *die Welt*) Erde, Erdball, Erdkugel **3.** *Abbild der Erde*: Globus
globetrotter ['gləʊbˌtrɒtə] Globetrotter (-in), Weltenbummler(in)
globule ['glɒbjuːl] **1.** Kügelchen **2.** *bes. von Dickflüssigem*: Tröpfchen
gloomy ['gluːmɪ] düster; ***feel gloomy about the future*** schwarz sehen
glorification [ˌglɔːrɪfɪ'keɪʃn] **1.** *einer Person, Leistung*: Verherrlichung, Glorifizierung **2.** *religiös*: Lobpreisung
glorify ['glɔːrɪfaɪ] **1.** verherrlichen, glorifizieren (*Person, Leistung*) **2.** lobpreisen (*Gott*)
glorious ['glɔːrɪəs] **1.** *Held, Ruhm, Sieg usw.*: ruhmreich, glorreich **2.** *Tag, Morgen, Sommer, Wetter*: herrlich, prächtig
glory ['glɔːrɪ] **1.** (≈ *Berühmtheit*) Ruhm **2.** *von Kunstwerk*: Pracht, Herrlichkeit
gloss [glɒs] **1.** *auf Lack, Haar*: Glanz **2.** *im Buch*: Glosse, Erläuterung
glossary ['glɒsərɪ] Glossar
glossy[1] ['glɒsɪ] glänzend; ***be glossy*** glänzen; ***glossy magazine*** Hochglanzmagazin
glossy[2] ['glɒsɪ] *umg.* Hochglanzmagazin
glove [⚠ glʌv] Handschuh; ***fit someone like a glove*** jemandem wie angegossen passen
glove compartment [⚠ 'glʌv‿kəmˌpɑːtmənt] *im Auto*: Handschuhfach
glow[1] [gləʊ] **1.** (*Holz, Kohle, Glut*) glühen **2.** (*Gesicht*) glühen (***with*** vor), *vor Freude*: strahlen; ***give a glowing account of*** in leuchtenden Farben schildern
glow[2] [gləʊ] **1.** *von Feuer usw.*: Leuchten, Schein(en) **2.** Glühen, Glut
glower [⚠ 'glaʊə] ***glower at someone*** jemanden finster anblicken
glowworm [⚠ 'gləʊwɜːm] Glühwürmchen
glucose ['gluːkəʊz] Traubenzucker
glue[1] [gluː] Leim, Klebstoff, Ⓐ Pick; ***glue stick*** Klebestift
glue[2] [gluː] *-ing-Form* ***gluing*** *oder* ***glueing*** **1.** leimen, kleben (***on*** auf; ***to*** an) **2.** ***be glued to*** *übertragen* kleben an
glue-sniffing ['gluːˌsnɪfɪŋ] Schnüffeln (*von Klebstoff*)
gluey ['gluːɪ] klebrig
glum [glʌm] ***glummer, glummest*** bedrückt
glutton ['glʌtn] *im negativen Sinn* Vielfraß
gluttonous ['glʌtnəs] gefräßig, unersättlich (*auch übertragen*)
gluttony ['glʌtnɪ] Gefräßigkeit, Unersättlichkeit
GM [ˌdʒiː'em] (*Abk. für* **g**enetically **m**odified) gentechnisch verändert; ***GM food(s)*** [ˌdʒiːem'fuːd(z)] gentechnisch veränderte Lebensmittel, Genfood
GMT [ˌdʒiːem'tiː] (*Abk. für* **G**reenwich **M**ean **T**ime) westeuropäische Zeit (*Abk.* WEZ)
gnarled [⚠ nɑːld] **1.** *Baum*: knorrig **2.** *Hände*: schwielig, knotig
gnash [⚠ næʃ] ***gnash one's teeth*** mit den Zähnen knirschen
gnat [⚠ næt] *BE* Stechmücke
gnaw [⚠ nɔː] nagen (***into*** in; ***at*** an) (*auch übertragen*)
gnome [⚠ nəʊm] Gnom, Zwerg
GNP [ˌdʒiːen'piː] (*Abk. für* **G**ross **N**ational **P**roduct) BSP (*Abk. für Bruttosozialprodukt*)
go[1] [gəʊ], ***went*** [went], ***gone*** [gɒn] **1.** *als Fortbewegung*: gehen; ***go on foot*** zu Fuß gehen **2.** *mit Verkehrsmittel*: fahren, reisen (***to*** nach); ***go by plane*** fliegen; ***you're going too fast*** du fährst zu schnell! **3.** (≈ *aufbrechen*) (fort)gehen; ***I must be going*** ich muss jetzt gehen, ich muss weg; ***where are you going?*** wo gehst du hin? **4.** (*Straße, Weg*) gehen, führen (***to*** nach) **5.** (*Bus, Straßenbahn usw.*) verkehren, fahren **6.** (*Maschine, Auto usw.*) gehen, laufen, funktionieren; ***keep something going*** etwas in Gang halten **7.** werden; ***go grey*** *usw.* grau *usw.* werden; ☞ *siehe Info S. 218* **8.** (*Gerücht usw.*) kursieren, im Umlauf sein; ***the story*** *oder* ***rumour goes that ...*** es geht das Gerücht, dass ... **9.** (*Zeit*) vergehen, verstreichen; ***one minute to go*** noch eine Minute **10.** (*Regel, Vorschrift usw.*) gelten (***for*** für) **11.** (*Gedicht, Melodie usw.*) lauten **12.** *mit der -ing-Form*: gehen; ***go swimming*** schwimmen gehen; ***she's***

G

gone shopping sie ist einkaufen gegangen **13.** ***be going to*** *als Ausdruck der Zukunft*: werden; ***I'm going to tell him*** ich werde es ihm sagen; ☞ *siehe Info S. 218* **14.** *in Wendungen*: ***how's it going?*** wie gehts?; ***how's the project going?*** was macht das Projekt?; ***that's the way it goes*** so ist es nun einmal, da kann man nichts machen

go after ['gəʊˌɑːftə] **1.** (≈ *folgen*) nachlaufen **2.** (≈ *haben wollen*) sich bemühen um, aus sein auf (*Job usw.*)
go ahead [ˌgəʊ‿ə'hed] **1.** vorangehen, vorausgehen (***of someone*** jemandem) **2.** ***go ahead!*** *übertragen* nur zu! **3.** (*Arbeit usw.*) vorankommen, fortschreiten
go back [ˌgəʊ'bæk] **1.** zurückgehen; ***I have to go back to Munich tomorrow*** ich muss morgen nach München zurück **2.** *zu einem früheren Plan, Thema usw.*: zurückkommen (***to*** auf)
go by [ˌgəʊ'baɪ] **1.** (*Zeit*) vergehen **2.** (*Gelegenheit*) vorbeigehen **3.** sich richten nach, sich halten an (*Regeln usw.*)
go down [ˌgəʊ'daʊn] **1.** hinuntergehen (*Treppe usw.*) **2.** (*Schiff, Sonne usw.*) untergehen **3.** (*Fieber, Preise usw.*) sinken, fallen **4.** (*Rede, Benehmen usw.*) ankommen (***with someone*** bei jemandem)
go for ['gəʊ‿fɔː] **1.** holen, holen gehen (*Person, Sache*) **2.** ***go for a walk*** einen Spaziergang machen **3.** ***that goes for you too*** das gilt auch für dich
go in [ˌgəʊ'ɪn] **1.** *in ein Zimmer usw.*: hineingehen **2.** (≈ *Platz haben*) hineingehen, hineinpassen **3.** ***go in for*** teilnehmen an (*Wettbewerb usw.*); ***I don't go in for sports*** ich treibe keinen Sport
go into ['gəʊˌɪntʊ] **1.** *in ein Zimmer usw.*: hineingehen **2.** ***go into teaching*** Lehrer werden; ***go into politics*** in die Politik gehen **3.** (genau) untersuchen *oder* prüfen (*Angelegenheit, Fragestellung usw.*)
go off [ˌgəʊ'ɒf] **1.** (*Bombe usw.*) explodieren **2.** (*Gewehr usw.*) losgehen **3.** (*Nahrungsmittel*) verderben **4.** (*Licht usw.*) ausgehen
go on [ˌgəʊ'ɒn] **1.** *zu Fuß*: weitergehen **2.** *mit Fahrzeug*: weiterfahren **3.** (*Licht usw.*) angehen **4.** *zeitlich*: weitergehen; ***as the day went on*** im Laufe des Tages **5.** *mit einer Tätigkeit usw.*: weitermachen, fortfahren; ***go on talking*** weiterreden **6.** vor sich gehen, vorgehen; ***what's going on here?*** was ist hier los?, was geht hier vor? **7.** ***go on strike*** in den Streik treten
go out [ˌgəʊ'aʊt] **1.** hinausgehen **2.** (*Licht, Feuer*) ausgehen **3.** ***go out for a meal*** zum Essen ausgehen, essen gehen **4.** ***she's been going out with him for two months*** sie geht schon seit zwei Monaten mit ihm
go through [ˌgəʊ'θruː] **1.** durchnehmen, durchsprechen (*Unterrichtsstoff*) **2.** (*Antrag usw.*) durchgehen, angenommen werden **3.** durchsehen (*Text, Post usw.*) **4.** (≈ *erleiden*) durchmachen
go together [ˌgəʊ‿tə'geðə] **1.** (*Farben usw.*) zusammenpassen **2.** *umg.* (*Paar*) miteinander gehen
go up [ˌgəʊ'ʌp] **1.** hinaufgehen (*Treppe usw.*) **2.** (*Fieber usw.*) steigen **3.** (*Preise usw.*) steigen, anziehen
go with ['gəʊ‿wɪð] **1.** gehen mit (*Freund bzw. Freundin*) **2.** *farblich, geschmacklich usw.*: passen zu
go without ['gəʊ‿wɪðˌaʊt] **1.** auskommen ohne (*Schlaf, Essen usw.*) **2.** verzichten auf (*Luxus, Urlaub usw.*) **3.** ***it goes without saying*** es versteht sich von selbst

go[2] [gəʊ] *Pl.*: ***goes*** [gəʊz] *umg.* **1.** Versuch; ***have a go at something*** etwas probieren; ***at*** *oder* ***in one go*** auf Anhieb **2.** ***it's my go*** ich bin dran; ***let me have a go*** lass mich mal

go + Adjektiv

something / someone goes + *Adjektiv* oder *Farbadjektiv* bezeichnet in den meisten Fällen etwas Negatives oder Schlechtes.

something goes bad	etwas wird schlecht
something goes wrong	etwas geht schief
someone goes mad (*oder* **crazy** *oder* **nuts**)	jemand wird verrückt
someone goes deaf [def]	jemand wird schwerhörig/taub
someone goes blind	jemand wird blind
someone goes grey	jemand bekommt graue Haare
someone goes red	jemand wird rot (im Gesicht)
someone goes green with envy	jemand wird blass vor Neid

be going to als Zukunftsform

Be going to wird als „Zukunftsform" vor allem in folgenden Situationen verwendet:
1. Wenn eine **hohe Wahrscheinlichkeit** oder **etwas Unvermeidbares** ausgedrückt werden soll:

She's going to have a baby.	Sie bekommt ein Kind.
The glass is going to fall.	Das Glas fällt gleich um.
It's going to rain. (*Look at those dark clouds.*)	Es fängt (bestimmt) gleich an zu regnen. (Schau dir die dunklen Wolken da an.)

2. Wenn sich derjenige, der etwas sagt, ziemlich sicher ist, dass ein Geschehen eintritt oder verwirklicht wird, also **feste Absicht** oder **Gewissheit** des Sprechers im Vordergrund steht:

I'm going to tell him the truth.	Jetzt sag ich ihm aber die Wahrheit.
I'm going to see this film (this evening).	Ich werd mir den Film (heute Abend) ansehen.

Vielleicht hast du auch schon mal in einem Song oder anderswo die Form **"I'm gonna ..."**, **"you're gonna ..."** usw. gehört, wie z. B. in **"I'm gonna win this time"**. Sie steht für **"I'm going to win this time"** („Diesmal werd ich gewinnen") und gilt als sehr „locker". Schriftlich solltest du sie nicht verwenden.

go-ahead ['gəʊ‿əˌhed] ***get the go-ahead*** grünes Licht bekommen (***on*** für)
goal [gəʊl] **1.** *im Fußball, Hockey usw.*: Tor; ***score a goal*** ein Tor *oder* einen Treffer erzielen **2.** (≈ *Bestreben*) Ziel
goalie ['gəʊlɪ] *umg.*, **goalkeeper** ['gəʊlˌkiːpə] **1.** *männlich*: Torwart, Torhüter **2.** *weiblich*: Torfrau, Torhüter(in)
goal kick ['gəʊl‿kɪk] *Fußball*: Abstoß
goalpost ['gəʊlpəʊst] Torpfosten
goat [gəʊt] *Tier*: Ziege
gobble ['gɒbl] *umg.* hinunterschlingen (*Essen*)
gobbledygook ['gɒbldɪguːk] Kauderwelsch
go-between ['gəʊ‿bɪˌtwiːn] Vermittler (-in)
goblin ['gɒblɪn] Kobold
god [gɒd] **1.** Gott, Gottheit **2.** *des Christentums*: ***God*** Gott; ***thank God*** Gott sei Dank
godchild ['gɒdtʃaɪld] *Pl.*: ***godchildren*** ['gɒdˌtʃɪldrən] Patenkind
goddess ['gɒdes] Göttin (*auch übertragen*)
godfather ['gɒdˌfɑːðə] Pate
godmother ['gɒdˌmʌðə] Patin
godparent ['gɒdˌpeərənt] Pate *oder* Patin
godsend ['gɒdsend] Geschenk des Himmels
go-getter ['gəʊˌgetə] *umg.* Draufgänger (-in)
goggle ['gɒgl] *umg.* glotzen; ***goggle at someone*** jemanden anglotzen
goggle box ['gɒgl‿bɒks] *BE*, *umg.* (≈ *Fernseher*) Glotze
goggles ['gɒglz] *Pl.* Schutzbrille; ***ski goggles*** Skibrille; ***motorcycle goggles*** Motorradbrille
goings-on [ˌgəʊɪŋz'ɒn] *Pl. im negativen Sinn*: Ereignisse, Vorgänge
gold[1] [gəʊld] *Edelmetall*: Gold; ***all that glitters is not gold*** es ist nicht alles Gold, was glänzt
gold[2] [gəʊld] golden, Gold…
golden ['gəʊldən] **1.** *mst. übertragen* golden; ***golden days*** glückliche Tage; ***golden wedding*** goldene Hochzeit; ***golden handshake*** *mst. für (leitende) Angestellte bei unfreiwilliger Aufgabe des Arbeitsplatzes*: Abfindung **2.** *Farbton*: golden, goldgelb
goldfish ['gəʊldfɪʃ] Goldfisch
gold medal [ˌgəʊld'medl] Goldmedaille
gold medallist [ˌgəʊld'medlɪst] Goldmedaillengewinner(in)
goldmine ['gəʊldmaɪn] Goldbergwerk, Goldgrube (*auch übertragen*)
golf [gɒlf] *Sportart*: Golf
golf club ['gɒlf‿klʌb] **1.** Golfklub **2.** Golfschläger
golf course ['gɒlf‿kɔːs] Golfplatz
golfer ['gɒlfə] Golfer(in), Golfspieler(in)
gone[1] [gɒn] *3. Form von* → ***go***[1]
gone[2] [gɒn] **1.** fort, weg **2.** ***she's six months gone*** *umg.* sie ist im 6. Monat (*schwanger*) **3.** ***it's gone five*** *umg.* es ist fünf durch
gong [gɒŋ] Gong
gonna ['gɒnə] *umg. für* ***going to*** → ***go***[1] ***13.***
goo [guː] *umg.* **1.** klebriges Zeug **2.** *Lied usw.*: Schmalz, sentimentales Zeug

G

good[1] [gʊd], ***better*** ['betə], ***best*** [best], *Adverb* **well** [wel] **1.** *allg.*: gut, Ⓒⓗ *auch*: gefreut; ***as good as*** so gut wie, praktisch; ***have a good time*** sich amüsieren, *auch*: es sich gut gehen lassen; ***it's no good*** *oder* ***not any good*** es taugt nichts **2.** (≈ *fähig*, *begabt*) gut, tüchtig (***at*** in); ***are you good at sports?*** bist du in Sport gut? **3.** (*Kind*, *Tier*) artig, brav; ***be good!*** sei(d) brav! **4.** freundlich, nett, gut; ***would you be good enough to hold this?*** wären Sie so freundlich, dies zu halten? **5.** gut geeignet; ***good for colds*** gut gegen *oder* für Erkältungen; ***good for one's health*** gesund **6.** *Grund*: gut, triftig **7.** (≈ *reichlich*, *gründlich*) gut; ***a good three hours*** gut drei Stunden; ***she had a good cry*** sie hat sich ordentlich ausgeweint **8.** *verstärkend*: ***a good many times*** ganz schön oft; ***I had a good deal of trouble*** ich hatte ne Menge Ärger **9.** ***all in good time*** alles zu seiner Zeit

good[2] [gʊd] **1.** Nutzen, Wert; ***for your own good*** zu deinem eigenen Vorteil; ***what good is it?*** wozu soll das gut sein?; ***it's no good trying*** es hat keinen Sinn *oder* Zweck, es zu versuchen **2.** Gute(s); ***it'll do you good*** es wird dir gut tun; ***be up to no good*** nichts Gutes im Schilde führen **3.** ***for good*** für immer; ☞ ***goods***

goodbye[1] [ˌgʊd'baɪ] Abschiedsgruß; ***wish someone goodbye*** *oder* ***say goodbye to someone*** jemandem Auf Wiedersehen sagen, sich von jemandem verabschieden

goodbye[2] [ˌgʊd'baɪ] *Gruß*: auf Wiedersehen!, *am Telefon*: auf Wiederhören!

good-for-nothing[1] [ˌgʊdfə'nʌθɪŋ] nichtsnutzig

good-for-nothing[2] [ˌgʊdfə'nʌθɪŋ] Taugenichts, Nichtsnutz

Good Friday [ˌgʊd'fraɪdeɪ] Karfreitag

good-humoured, *AE* **good-humored** [ˌgʊd'hju:məd] **1.** gut gelaunt **2.** *Wesen*: gutmütig

good-looking [ˌgʊd'lʊkɪŋ] *Frau*, *Mann*: gut aussehend

good-natured [ˌgʊd'neɪtʃəd] gutmütig

goodness ['gʊdnəs] **1.** Güte **2.** ***thank goodness*** Gott sei Dank; ***my goodness!*** *oder* ***goodness gracious!*** du meine Güte!, du lieber Himmel!

goods [gʊdz] *Pl.* Güter, Waren; ***goods train*** *BE* Güterzug

good-tempered [ˌgʊd'tempəd] gutmütig

goodwill [ˌgʊd'wɪl] gute Absicht, guter Wille; ***goodwill tour*** Goodwillreise

goody[1] ['gʊdɪ] *umg.* **1.** Bonbon; ***goodies*** Süßigkeiten **2.** *in Film usw.*: Gute(r), Held (-in)

goody[2] ['gʊdɪ] *Ausruf*, *bes. Kindersprache*: prima!

gooey ['gu:ɪ] *umg.* **1.** *bes. Süßes*: pappig, klebrig **2.** *Person*, *Lied usw.*: schmalzig, sentimental

goof[1] [gu:f] *bes. AE*, *umg.* **1.** *oft* ***goof up*** vermasseln **2.** Mist bauen

goof[2] [gu:f] *bes. AE*, *umg.* **1.** *Person*: Trottel **2.** (≈ *Fehler*) Schnitzer

goofy ['gu:fɪ] *umg.* vertrottelt, doof

goose [gu:s] *Pl.*: ***geese*** [gi:s] Gans

gooseberry [⚠ 'gʊzbərɪ] Stachelbeere

gorge [gɔ:dʒ] enge Schlucht

gorgeous ['gɔ:dʒəs] **1.** (≈ *großartig*) prächtig **2.** *Frau*, *Schönheit*: hinreißend **3.** *umg.* großartig, sagenhaft

gorilla [gə'rɪlə] **1.** Gorilla **2.** *umg.* Leibwächter

gosh [gɒʃ] *Ausruf*, *umg.* Mensch!, Mann!

go-slow [ˌgəʊ'sləʊ] *BE* Bummelstreik

gossip[1] ['gɒsɪp] **1.** Klatsch, Tratsch; ***gossip column*** *in Zeitung*: Klatschspalte **2.** Klatschbase, Klatschmaul

gossip[2] ['gɒsɪp] klatschen, tratschen

got [gɒt] *2. und 3. Form von* → ***get***

gotta

Kurzformen, die man häufig hört und mitunter auch liest

ain't	[eɪnt]	**am not; isn't; aren't; hasn't; haven't**
'cause, 'cos, 'coz	[kɒz, kəz]	**because**
'em	[əm]	**them**
dunno	['dʌnəʊ]	**(I) don't know; (he** *usw.***) doesn't know**
gimme	['gɪmɪ]	**give me**
gonna	['gɒnə]	**going to**
gotta	['gɒtə]	**got to**
kinda	['kaɪndə]	**kind of**
mo'	[məʊ]	**moment**
pinta	['paɪntə]	**pint of**
see ya	['si:jʌ]	**see you**
sorta	['sɔ:tə]	**sort of**
wanna	['wɒnə]	**want to**

gotten ['gɒtn] *AE 3. Form von* → ***get***

govern ['gʌvn] **1.** regieren (*Staat*, *Volk*) **2.** leiten, verwalten (*Bezirk*, *Provinz*) **3.** (*Vorschriften*) bestimmen, regeln; ***be governed by*** sich leiten lassen von

government ['gʌvnmənt] **1.** *eines Staates*: Regierung (⚠ ***Government***, *wenn eine bestimmte Regierung gemeint ist*); ***govern-***

ment spokesman Regierungssprecher; ***the Government is*** *oder* ***are planning new taxes*** die Regierung plant neue Steuern **2.** Regierungssystem; ***Chile's return to democratic government*** Chiles Rückkehr zur Demokratie

governor ['gʌvnə] **1.** *einer Provinz usw.*: Gouverneur **2.** *einer Organisation*: Direktor, Leiter

gown [gaʊn] **1.** *mst. in Zusammensetzungen*: Kleid; ***evening gown*** Abendkleid **2.** Talar, Robe

GP [ˌdʒiːˈpiː] (*Abk. für* **g**eneral **p**ractitioner) Arzt *oder* Ärztin für Allgemeinmedizin, Hausarzt *oder* Hausärztin

grab[1] [græb], ***grabbed, grabbed*** **1.** *plötzlich und schnell*: zugreifen, greifen (***at*** nach) **2.** (≈ *ergreifen*) packen, sich schnappen; ***she grabbed me by the arm*** sie packte mich am Arm **3.** beim Schopf ergreifen (*Gelegenheit*)

grab[2] [græb] *plötzlich und schnell*: Griff; ***make a grab at something*** nach etwas schnappen

grace [greɪs] **1.** *von Bewegung, Tanz usw.*: Anmut, Grazie **2.** (≈ *Haltung*) Anstand; ***she took the criticism with good grace*** sie trug die Kritik mit Fassung **3.** *Zeitraum*: Frist; ***a week's grace*** eine Woche Aufschub **4.** Tischgebet; ***say grace*** das Tischgebet sprechen **5.** *von Gott usw.*: Gnade

graceful ['greɪsfl] *von Bewegung, Tanz*: anmutig, graziös

grade[1] [greɪd] **1.** Niveau, Stufe **2.** *von Waren*: Qualität, Handelsklasse **3.** *bes. AE*; *Schule*: Klasse, Klassenstufe **4.** *bes. AE*; *Schule*: Note, Zensur

grade[2] [greɪd] **1.** *nach Fähigkeit, Leistung usw.*: einteilen **2.** *nach Größe usw.*: sortieren (*Eier, Kartoffeln usw.*)

grade school ['greɪd‿skuːl] *AE* Grundschule

gradual ['grædʒʊəl] allmählich; ***gradually*** *auch*: nach und nach

graduate[1] ['grædʒʊət] **1.** Hochschulabsolvent(in), Akademiker(in); ***I'm a Cambridge graduate*** ich habe in Cambridge studiert **2.** *AE* Schulabgänger(in)

graduate[2] ['grædʒʊeɪt] **1.** einen Hochschulabschluss machen; ***she graduated from Oxford*** sie hat ihren Abschluss an der Universität Oxford gemacht; ***she graduated in 1996*** sie hat 1996 Examen gemacht **2.** *AE*; *Schule*: die Abschlussprüfung bestehen

grain [greɪn] **1.** *von Getreide, Sand usw.*: Korn **2.** *Oberbegriff*: Getreide, Korn **3.** *im Holz usw.*: Maserung **4.** ***a grain of truth*** *übertragen* ein Körnchen Wahrheit

gram [græm] Gramm

grammar ['græmə] **1.** *Sprachregeln*: Grammatik **2.** *auch* ***grammar book*** *Buch*: Grammatik

grammar school ['græməˌskuːl] *in GB*: Gymnasium

gramme [græm] *bes. BE* Gramm

grand[1] [grænd] **1.** *Anblick usw.*: großartig, prächtig **2.** *Person*: groß, bedeutend

grand[2] [grænd] *umg.* (≈ *Piano*) Flügel

grand[3] [grænd] *Pl.*: ***grand*** [grænd] *umg.* Riese (*1000 Dollar oder Pfund*); ***two grand*** zwei Riesen

grandchild ['græntʃaɪld] *Pl.*: ***grandchildren*** ['grænˌtʃɪldrən] Enkelkind

granddad ['grændæd] *umg.* Opa, Großpapa

granddaughter ['grænˌdɔːtə] Enkelin

grandfather ['grændˌfɑːðə] Großvater

grandma ['grænmɑː] *umg.* Oma, Großmama

grandmother ['grænˌmʌðə] Großmutter

grandpa ['grænpɑː] *umg.* Opa, Großpapa

grandparents ['grænˌpeərənts] *Pl.* Großeltern

grand piano [ˌgrænd‿pɪˈænəʊ] *Musikinstrument*: Flügel

grandson ['grænsʌn] Enkel

grandstand ['grændstænd] *Sport*: Haupttribüne

granny ['grænɪ] *umg.* Omi, Oma

grant[1] [grɑːnt] **1.** erfüllen, gewähren (*Wunsch, Bitte usw.*) **2.** geben, erteilen (*Erlaubnis usw.*) **3.** (≈ *bekennen*) zugeben, zugestehen; ***I grant you that …*** ich gebe zu, dass …; **4.** ***take something for granted*** etwas als selbstverständlich betrachten

grant[2] [grɑːnt] Stipendium

grape [greɪp] *einzelne* Weintraube, Weinbeere; ***a bunch of grapes*** eine Traube

grapefruit ['greɪpfruːt] Grapefruit, Pampelmuse

graph [grɑːf] **1.** Diagramm, grafische Darstellung **2.** *Mathematik*: Kurve

graphic ['græfɪk] **1.** *Darstellung*: anschaulich, plastisch **2.** *Kunst*: grafisch; ***graphic designer*** Grafiker(in)

graphics card ['græfɪks‿kɑːd] *Computer*: Grafikkarte

> **grapple with** ['græpl‿wɪð] sich herumschlagen mit (*einem Problem usw.*)

grasp[1] [grɑːsp] **1.** *mit den Händen*: packen, (er)greifen (*auch Gelegenheit*) **2.** *übertragen* verstehen, begreifen

grasp[2] [grɑːsp] **1.** Griff **2.** *übertragen* Verständnis; ***it's beyond my grasp*** das geht über meinen Verstand

grass [grɑːs] **1.** Gras **2.** (≈ *Grasfläche*) Rasen; ***keep off the grass!*** Betreten des Rasens verboten! **3.** *salopp* (≈ *Marihuana*) Grass

grasshopper ['grɑːsˌhɒpə] Heuschrecke, Grashüpfer

grass roots [ˌgrɑːs'ruːts] *Pl. Politik*: Basis (*einer Partei*)

grate [greɪt] **1.** reiben (*Käse usw.*) **2.** raspeln (*Gemüse usw.*) **3.** (*Tür, Scharnier usw.*) knirschen, quietschen

grateful ['greɪtfl] dankbar; ***I'm most grateful to you for helping me*** ich bin dir für die Hilfe sehr dankbar

grater ['greɪtə] *für Käse usw.*: Reibe, Raspel

gratifying ['grætɪfaɪŋ] erfreulich (***to*** für)

gratitude ['grætɪtjuːd] Dankbarkeit; ***in gratitude for*** aus Dankbarkeit für

gratuitous [grə'tjuːɪtəs] **1.** unentgeltlich **2.** *Gewalt usw.*: grundlos

grave[1] [greɪv] Grab; ***dig one's own grave*** sich sein eigenes Grab schaufeln; ***turn in one's grave*** sich im Grab umdrehen

grave[2] [greɪv] *Angelegenheit, Situation, Miene usw.*: ernst

gravel ['grævl] *auf Weg usw.*: Kies

gravestone ['greɪvstəʊn] Grabstein

graveyard ['greɪvjɑːd] Friedhof

gravitation [ˌgrævɪ'teɪʃn], **gravity** ['grævətɪ] Gravitation, Schwerkraft

gravy ['greɪvɪ] Bratensoße

gravy boat ['greɪvɪ‿bəʊt] Soßenschüssel

gray [greɪ] *AE* grau

graze[1] [greɪz] (*Kühe usw.*) weiden, grasen

graze[2] [greɪz] **1.** (≈ *leicht berühren*) streifen **2.** abschürfen, aufschrammen (*Knie, Ellbogen usw.*)

graze[3] [greɪz] *an Knie, Ellbogen usw.*: Abschürfung, Schramme

grease[1] [griːs] **1.** Fett (*zerlassenes Fett*) **2.** *für Maschinen*: Schmierfett

grease[2] [griːs] **1.** einfetten **2.** ***like greased lightning*** *umg.* wie ein geölter Blitz

greasy ['griːsɪ] **1.** *Haar, Haut*: fettig **2.** *Maschinenteil, Kleidung usw.*: ölig, schmierig **3.** *Straße*: glitschig **4.** *übertragen* schmierig (*Person*)

great [greɪt] **1.** groß, beträchtlich; ***a great many*** sehr viele; ***a great deal of money*** eine Menge Geld **2.** *Person, Leistung, Ereignis*: groß, bedeutend, wichtig **3.** *umg.* ***be great at*** gut sein in **4.** *umg.*; *oft als Ausruf*: großartig, herrlich

Great Barrier Reef

Great Barrier Reef [ˌgreɪtbærɪə'riːf] – Großes Barriereriff – fast 2000 km langes, größtes Korallenriff der Erde vor der nordöstlichen Küste Australiens. Es ist wegen seines vielfältigen Unterwasserlebens ein interessantes und beliebtes Gebiet für Forscher und Taucher; ☞ *Karte S. 296*

Great Britain [ˌgreɪt'brɪtn] Großbritannien

great-grand... [ˌgreɪt'græn(d)ʒ] *in Verwandtschaftsbezeichnungen*: Ur...; ***great-grandson*** Urenkel; ***great-grandparents*** Urgroßeltern

greatly ['greɪtlɪ] sehr, überaus; ***greatly disappointed*** zutiefst enttäuscht

greatness ['greɪtnəs] Größe, Bedeutung

Greece [griːs] Griechenland

greed [griːd] **1.** Gier (***for*** nach); ***greed for power*** Machtgier **2.** Gefräßigkeit

greedy ['griːdɪ] **1.** gefräßig **2.** gierig (***for*** auf, nach); ***greedy for power*** machtgierig

Greek[1] [griːk] griechisch

Greek[2] [griːk] *Sprache*: Griechisch; ***it's all Greek to me*** *übertragen* das sind für mich böhmische Dörfer

Greek[3] [griːk] Grieche, Griechin

green[1] [griːn] **1.** grün; ***the lights are green*** die Ampel steht auf Grün; ***give someone the green light*** *übertragen* jemandem grünes Licht geben; ***green with envy*** grün *oder* gelb vor Neid **2.** *übertragen* grün, unerfahren **3.** *Umwelt*: grün, ökologisch

green[2] [griːn] **1.** Grün; ***dressed in green*** grün *oder* in Grün gekleidet; ***at green*** bei Grün **2.** ***greens*** *Pl.* grünes Gemüse

Green [griːn] **1.** *Parteimitglied*: Grüne(r); ***the Greens*** die Grünen **2.** ***I'm voting Green*** ich wähle Grün *oder* die Grünen

greenback ['griːnbæk] *AE, umg.* Dollar (-schein)

greenback

Greenback heißt der Dollar umgangssprachlich, da die Rückseite der Banknoten seit dem amerikanischen Bürgerkrieg grün bedruckt ist.

green belt ['griːn‿belt] *um Stadt*: Grüngürtel

green card ['griːn‿kɑːd] **1.** *in den USA*: Aufenthaltsgenehmigung **2.** *in Großbri-*

tannien, *für Auto*: grüne Versicherungskarte

green card

Um als „Nicht-US-Bürger" in den USA längerfristig arbeiten zu können, muss man sich von der Einwanderungsbehörde eine **green card** ausstellen lassen (so genannt, weil sie ursprünglich grün war).

greengrocer ['griːnˌgrəʊsə] *bes. BE* Obst- und Gemüsehändler
greenhorn ['griːnhɔːn] *umg.* Grünschnabel, Neuling
greenhouse ['griːnhaʊs] Gewächshaus, Treibhaus
greenhouse effect ['griːnhaʊs‿ɪˌfekt] Treibhauseffekt
greenish ['griːnɪʃ] grünlich
Greenland ['griːnlənd] Grönland

Greenwich

Greenwich, ein Londoner Bezirk an der Themse, der vor allem wegen seiner 1675 erbauten Sternwarte bekannt ist, durch die der Nullmeridian verläuft. Von hier aus werden die Zeitzonen in aller Welt berechnet.

greet [griːt] **1.** *allg.*: grüßen **2.** begrüßen, empfangen (*Gäste usw.*)
greeting ['griːtɪŋ] **1.** Gruß, Begrüßung **2.** ***greetings*** Grüße, *zum Geburtstag usw.*: Glückwünsche; ***greetings card*** Glückwunschkarte
grew [gruː] *2. Form von* → ***grow***
grey[1] [greɪ] **1.** grau; ***grey area*** Grauzone **2.** *Person*: grauhaarig, ergraut
grey[2] [greɪ] Grau; ***dressed in grey*** grau *oder* in Grau gekleidet
grey[3] [greɪ] grau werden, ergrauen; ***greying*** *Haare*: angegraut, grau meliert
greyhound ['greɪhaʊnd] Windhund
grid [grɪd] **1.** Gitter **2.** *für Elektrizität*: Versorgungsnetz **3.** *auf Landkarte*: Gitternetz
gridiron ['grɪdˌaɪən] Bratrost
gridlock ['grɪdlɒk] Verkehrsinfarkt

gridlock

Das Wort **gridlock** bezeichnet den völligen Stillstand des Straßenverkehrs, besonders in amerikanischen Städten, deren Straßen eine Art „Gitter" (**grid**) bilden, indem sie parallel von Nord nach Süd und von Ost nach West verlaufen. **Grid-lock** entspricht etwa dem deutschen „Verkehrsinfarkt" und kann sich inzwischen auch auf den Autobahnverkehr beziehen.

grief [griːf] **1.** *um Toten*: Trauer, Leid **2.** ***come to grief*** (*Plan, Vorhaben*) fehlschlagen, scheitern, (*Person*) zu Schaden kommen (*bei Unfall*)
grieve [griːv] **1.** trauern (***for*** um) **2.** traurig *oder* unglücklich machen; ***it grieves me to hear that*** es schmerzt mich, das zu hören
grievous ['griːvəs] *Fehler, Verlust usw.*: schwer, schlimm
grill[1] [grɪl] **1.** *Gerät, Restaurant*: Grill **2.** *Gericht*: Gegrillte(s); ***mixed grill*** gemischte Grillplatte
grill[2] [grɪl] **1.** grillen (*Fleisch*) **2.** *umg.* (*Polizei*) in die Mangel nehmen, ausquetschen **3.** ***be grilling in the sun*** sich von der Sonne braten lassen
grim [grɪm], ***grimmer, grimmest*** **1.** *Gesicht, Blick, Humor*: grimmig **2.** *Auseinandersetzung*: erbittert, verbissen **3.** *Anblick, Nachricht*: grausig
grimace[1] [grɪ'meɪs] eine Grimasse *oder* Grimassen schneiden
grimace[2] [grɪ'meɪs] Grimasse
grin[1] [grɪn], ***grinned, grinned*** grinsen; ***grin at someone*** jemanden angrinsen; ***grin and bear it*** gute Miene zum bösen Spiel machen
grin[2] [grɪn] Grinsen
grind[1] [graɪnd], ***ground*** [graʊnd], ***ground*** [graʊnd] **1.** schleifen (*Messer usw.*) **2.** *auch* ***grind up*** mahlen (*Getreide, Kaffee usw.*) **3.** ***grind one's teeth*** mit den Zähnen knirschen
grind[2] [graɪnd] *umg.* Schufterei; ***the daily grind*** der alltägliche Trott
grinder ['graɪndə] **1.** *für Messer usw.*: Schleifer **2.** *für Kaffee usw.*: Mühle
grindstone ['graɪndstəʊn] Schleifstein; ***keep one's nose to the grindstone*** *übertragen* hart arbeiten, schuften
grip[1] [grɪp] **1.** Griff; ***come*** (*oder* ***get***) ***to grips with*** in den Griff bekommen, klarkommen mit (*Thema, Problem*) **2.** *übertragen* Herrschaft, Gewalt; ***have*** *oder* ***keep a grip on*** in der Gewalt haben (*Land*), fesseln (*Zuhörer*) **3.** *von Koffer*: (Hand)Griff
grip[2] [grɪp], ***gripped, gripped*** **1.** ergreifen, packen (*auch übertragen*) **2.** fesseln (*Zuhörer usw.*)
gripe [graɪp] *umg.* **1.** (≈ *nörgeln*) meckern (***about*** über) **2.** *AE* ärgern

G

gripping ['grɪpɪŋ] *Buch, Film usw.*: packend, fesselnd
grisly ['grɪzlɪ] grausig
grit[1] [grɪt] **1.** Streusand **2.** *umg.* Mut, Schneid
grit[2] [grɪt], ***gritted, gritted* 1.** streuen (*Straße*) **2. *grit one's teeth*** die Zähne zusammenbeißen
grizzle ['grɪzl] *BE, umg.* **1.** (*Kind*) quengeln **2.** sich beklagen (***about*** über)
grizzly ['grɪzlɪ] *auch **grizzly bear*** Grislybär
groan[1] [grəʊn] *vor Schmerz, Sorge usw.*: stöhnen
groan[2] [grəʊn] (Auf)Stöhnen, Ächzen
grocer ['grəʊsə] Lebensmittelhändler(in)
groceries ['grəʊsərɪz] *Pl.* Lebensmittel
grocery ['grəʊsərɪ] Lebensmittelgeschäft
groggy ['grɒgɪ] *umg.* groggy, wacklig auf den Beinen
groin [grɔɪn] **1.** *Körperteil*: Leiste, Leistengegend **2. *a kick in the groin*** ein Tritt in den Unterleib
groom[1] [gru:m] **1.** Pferdepfleger, Stallbursche **2.** *bei Hochzeit*: Bräutigam
groom[2] [gru:m] **1.** versorgen (*Pferde*) **2. *groom oneself*** sich pflegen; ***well-groomed*** gepflegt
grope [grəʊp] **1.** tasten (***for*** nach); ***grope about*** (*oder* ***around***) herumtappen, herumtasten **2. *grope one's way*** sich vorwärts tasten **3.** *salopp* befummeln
gross[1] [grəʊs] **1.** brutto; ***gross national product*** Bruttosozialprodukt **2.** *Fehler usw.*: schwer, grob, krass; ***gross negligence*** *Recht*: grobe Fahrlässigkeit **3.** *Benehmen*: ordinär, unfein **4.** *Figur*: fett, feist
gross[2] [grəʊs] *Mengeneinheit*: Gros (*12 Dutzend*)
grouch[1] [graʊtʃ] *umg.* Nörgler(in)
grouch[2] [graʊtʃ] *umg.* meckern (***about*** über)
grouchy ['graʊtʃɪ] *umg.* nörglerisch
ground[1] [graʊnd] **1.** Boden, Erde; ***above ground*** oberirdisch, *Bergbau*: über Tage; ***fall to the ground*** zu Boden fallen **2.** Boden, Gebiet (*auch übertragen*); ***grounds*** Gelände, Anlage; ***on German ground*** auf deutschem Boden; ***gain ground*** (an) Boden gewinnen (*auch Idee usw.*) **3.** *Sport*: Feld, Platz **4.** *übertragen* Standpunkt; ***hold*** *oder* ***stand one's ground*** sich *oder* seinen Standpunkt behaupten **5.** *übertragen* (≈ *Motiv*) Grund; ***on (the) grounds of*** aufgrund von; ***on grounds of age*** aus Altersgründen
ground[2] [graʊnd] **1.** (*Schiff*) auf Grund laufen **2.** auf Grund setzen (*Schiff*) **3.** *übertragen* gründen, stützen (***on, in*** auf); ***well grounded*** wohl begründet
ground[3] [graʊnd] *2. und 3. Form von* → ***grind***[1]
ground[4] [graʊnd] *Kaffee usw.*: gemahlen; ***ground meat*** *AE* Hackfleisch
ground crew ['graʊnd‿kru:] *am Flughafen*: Bodenpersonal
ground floor [ˌgraʊnd'flɔ:] Erdgeschoss, Ⓐ Erdgeschoß
ground fog ['graʊnd‿fɒg] Bodennebel
ground frost ['graʊnd‿frɒst] Bodenfrost
ground staff ['graʊnd‿stɑ:f] *BE* Bodenpersonal (*von Flughafen*)
group[1] [gru:p] *allg.*: Gruppe; ***a group of trees*** eine Baumgruppe
group[2] [gru:p] **1.** *in ein Schema usw.*: eingruppieren (***into*** in) **2.** (*Personen*) sich gruppieren
groupie ['gru:pɪ] Groupie
grove [grəʊv] **1.** *literarisch* Wäldchen **2. *olive grove*** (≈ *Plantage*) Olivenhain
grow [grəʊ], ***grew*** [gru:], ***grown*** [grəʊn] **1.** wachsen; ***let one's hair grow*** sich die Haare wachsen lassen **2.** *übertragen* zunehmen (***in*** an), anwachsen; ***the noise grew louder*** der Lärm nahm zu *oder* schwoll an; ***a growing number of people are giving up smoking*** immer mehr Leute geben das Rauchen auf **3.** werden; ***he's growing fat*** er wird dick **4.** anbauen, anpflanzen (*Gemüse usw.*) **5. *grow a beard*** sich einen Bart wachsen lassen

> **grow up** [ˌgrəʊ'ʌp] **1.** aufwachsen; ***he grew up in Wales*** er ist in Wales aufgewachsen **2.** erwachsen werden; ***grow up!*** werd endlich erwachsen!

grower ['grəʊə] Pflanzer, Züchter
growl [graʊl] (*Hund*) knurren (*auch übertragen*); ***growl at someone*** jemanden anknurren
grown [grəʊn] *3. Form von* → ***grow***
grown-up[1] [ˌgrəʊn'ʌp] erwachsen
grown-up[2] ['grəʊnʌp] Erwachsene(r)
growth [grəʊθ] **1.** *von Mensch, Bevölkerung, Wirtschaft usw.*: Wachstum **2.** *von Gefühl, Interesse usw.*: Zunahme, Anwachsen **3.** *Medizin*: Geschwulst, Wucherung
grub[1] [grʌb] **1.** *von Insekt*: Made, Larve **2.** *salopp* (≈ *Essen*) Futter
grub[2] [grʌb] ***grubbed, grubbed*** **1.** stöbern, wühlen (***for*** nach) **2.** *oft **grub up*** (*oder* ***out***) ausgraben, *übertragen auch* aufstöbern
grubby ['grʌbɪ] schmuddelig, schmutzig

grudge[1] [grʌdʒ] **1.** missgönnen, nicht gönnen; ***I don't grudge you your success*** ich gönne dir deinen Erfolg **2. *grudge doing something*** etwas nur widerwillig *oder* ungern tun

grudge[2] [grʌdʒ] Groll; ***bear a grudge*** nachtragend sein; ***have a grudge against someone*** jemandem etwas nachtragen

gruelling, *AE* **grueling** ['gruːəlɪŋ] aufreibend, zermürbend

gruesome ['gruːsəm] grausig, schauerlich

gruff [grʌf] schroff, barsch

grumble ['grʌmbl] murren (***about, over*** über)

grumpy ['grʌmpɪ] *Mensch*: mürrisch

grungy ['grʌndʒɪ] *AE, umg.* eklig, mies

grunt [grʌnt] **1.** (*Schwein*) grunzen **2.** *Person*: murren, brummen

guarantee[1] [ˌgærən'tiː] Garantie (***on*** auf, für); ***the watch is still under guarantee*** auf der Uhr ist noch Garantie; ***there's no guarantee of a white Christmas*** es gibt keine Garantie für weiße Weihnachten

guarantee[2] [ˌgærən'tiː] garantieren

guard[1] [gɑːd] **1.** bewachen (*Gefangene usw.*) **2.** behüten, schützen (***against, from*** vor) (*Person*); ***a closely guarded secret*** ein streng gehütetes Geheimnis

guard[2] [gɑːd] **1.** Wache, Wachposten; ***be on guard*** Wache stehen **2.** *übertragen* Wachsamkeit; ***be on one's guard*** auf der Hut sein (***against*** vor); ***the question caught me off*** (***my***) ***guard*** die Frage kam für mich überraschend, die Frage traf mich unvorbereitet **3.** *BE* Schaffner (-in), Ⓒⓗ Kondukteur(in) **4.** Garde; ***guard of honour*** Ehrengarde

guardian ['gɑːdɪən] **1.** Hüter, Wächter; ***guardian angel*** Schutzengel **2.** *Recht*: Vormund

guardianship ['gɑːdɪənʃɪp] *juristisch*: Vormundschaft (***of*** über, für)

guess[1] [ges] **1.** raten; ***how did you guess?*** wie hast du das erraten?; ***you've guessed it!*** du hasts erraten!; ***guess who!*** rat mal, wer (da ist)! **2.** *bes. AE, umg.* glauben, schätzen; ***'Is she coming?' - 'I guess so.'*** „Kommt sie?" - „Ich schätze ja."

guess[2] [ges] Schätzung; ***at a guess*** schätzungsweise; ***I'll give you three guesses*** dreimal darfst du raten; ***have a guess!*** rate mal!

guesswork ['geswɜːk] (reine) Vermutung

guest [gest] Gast; ***be my guest!*** *umg.* nur zu!, tu dir keinen Zwang an!

guesthouse ['gesthaʊs] Pension

guest room ['gest‿ruːm] Gästezimmer

guffaw[1] [gʌ'fɔː] laut auflachen

guffaw[2] [gʌ'fɔː] lautes (Auf)Lachen

guidance ['gaɪdns] **1.** Leitung, Führung **2.** Anleitung; ***for your guidance*** zu Ihrer Orientierung **3.** Beratung; ***careers guidance*** Berufsberatung

guide[1] [gaɪd] **1.** führen, den Weg zeigen; ***guided tour*** Führung (***of*** durch) **2.** *übertragen* leiten (*Diskussion usw.*); ***be guided by an idea*** sich von einer Idee leiten lassen

guide[2] [gaɪd] **1.** *Person*: Führer(in), Reiseführer(in) **2.** *Buch*: Führer, Reiseführer; ***a guide to London*** ein London-Führer **3.** Einführung, Handbuch (***to*** über)

guidebook ['gaɪdbʊk] Reiseführer

guide dog ['gaɪd‿dɒg] Blindenhund

guidelines ['gaɪdlaɪnz] *Pl.* Richtlinien (***on*** für)

guillotine ['gɪlətiːn] **1.** Guillotine **2.** *im Büro usw.*: Papierschneidemaschine

guilt [gɪlt] *moralisch und rechtlich*: Schuld; ***feelings of guilt*** Schuldgefühle

guiltless ['gɪltləs] schuldlos, unschuldig (***of*** an)

guilty ['gɪltɪ] **1.** schuldig; ***plead guilty*** sich schuldig bekennen; ***plead not guilty*** seine Unschuld erklären **2.** *Gesichtsausdruck usw.*: schuldbewusst; ***a guilty conscience*** ein schlechtes Gewissen (***about*** wegen)

guinea pig [⚠ 'gɪnɪ‿pɪg] **1.** Meerschweinchen **2.** *übertragen* Versuchskaninchen

Guinness®

Guinness® ['gɪnɪs] – ein starkes, sehr dunkles Bier mit einer weißen Schaumkrone, das aus Irland stammt und als Nationalgetränk der Iren gilt, heute aber auch in anderen Ländern getrunken wird; ☞ *Karte S. 293*

guise [gaɪz] **1. *in the guise of*** als … (verkleidet) **2. *under*** (*oder* ***in***) ***the guise of*** *übertragen* unter dem Deckmantel (+ *Genitiv*)

guitar [gɪ'tɑː] Gitarre

gulf [gʌlf] **1.** Golf, Meerbusen **2.** *zwischen Menschen, Familien usw.*: Kluft

gullible ['gʌləbl] leichtgläubig

gulp[1] [gʌlp] **1.** *oft* ***gulp down*** hinunterstürzen (*Getränk*), hinunterschlingen (*Speise*) **2.** *emotional*: schlucken **3.** *oft* ***gulp back*** hinunterschlucken, unterdrücken (*Tränen, Schluchzen*)

gulp[2] [gʌlp] (kräftiger) Schluck; ***at one gulp*** auf einen Zug

gum[1] [gʌm] *oft* ***gums*** *Pl.* Zahnfleisch

gum[2] [gʌm] **1.** *Substanz*: Gummi, Kautschuk **2.** *auf Briefmarken usw.*: Klebstoff

gum[3] [gʌm], ***gummed, gummed*** kleben, ankleben (***to*** an)

gumption [ˈgʌmpʃn] *umg.* **1.** (≈ *Verstand*) Grips **2.** (≈ *Initiative*) Unternehmungsgeist

gun [gʌn] **1.** *allg.*: Schusswaffe **2.** Geschütz, Kanone; ***stand*** *oder* ***stick to one's guns*** *umg.* festbleiben, nicht nachgeben **3.** *von Jägern usw.*: Gewehr **4.** *Handfeuerwaffe*: Pistole, Revolver **5.** *Sport*: Startpistole; ***jump the gun*** einen Fehlstart verursachen, *übertragen* vorpreschen

gunfight [ˈgʌnfaɪt] Schießerei

gunfire [ˈgʌnˌfaɪə] Schießerei, Schüsse *Pl.*

gun licence [ˈgʌnˌlaɪsns] Waffenschein

gunpowder [ˈgʌnˌpaʊdə] Schießpulver; ***Gunpowder Plot*** *historisch*: Pulververschwörung

The Gunpowder Plot

The Gunpowder Plot (1605) war eine Verschwörung englischer Katholiken unter der Führung von Guy Fawkes [ˌgaɪˈfɔːks] gegen König James I., der samt dem Parlament (mit Schießpulver) in die Luft gesprengt werden sollte. Die Vereitelung dieser Verschwörung wird am 5. November (**Guy Fawkes' Night**) mit Freudenfeuern und Feuerwerk gefeiert.

gurgle [ˈgɜːgl] **1.** (*Wasser*) gluckern **2.** (*Person, bes. Kleinkind*) glucksen (***with*** vor)

gush [gʌʃ] **1.** (*Blut, Öl, Wasser*) strömen, schießen (***from*** aus) **2.** *umg.* schwärmen (***over*** von)

gust [gʌst] Windstoß, Bö

gusty [ˈgʌstɪ] *Wind, Tag*: böig, stürmisch

gut [gʌt] **1.** Darm **2.** ***guts*** *Pl.* Eingeweide, Gedärme; ***hate someone's guts*** *umg.* jemanden hassen wie die Pest **3.** ***guts*** *Pl. umg.* Mumm, Schneid; ***no one had the guts to tell him the truth*** keiner hatte den Mumm, ihm die Wahrheit zu sagen

gutless [ˈgʌtləs] *umg.* ohne Mumm *oder* Schneid

gutsy [ˈgʌtsɪ] *umg.*, *Kämpfer usw.*: mutig

gutter [ˈgʌtə] **1.** Gosse (*auch übertragen*), Rinnstein **2.** (≈ *Regenrinne*) Dachrinne

gutter press [ˈgʌtə‿pres] Skandalpresse, Sensationspresse

guy [gaɪ] *umg.* Kerl, Typ; ***he's quite a nice guy*** er ist ein ganz netter Typ

Guy Fawkes' Night [ˌgaɪˈfɔːks‿naɪt] *BE Feierlichkeiten, Feuerwerk usw. zum Gedenken an die Pulververschwörung vom 5. November 1605*; ☞ ***Gunpowder Plot***

gym [dʒɪm] *umgs.* **1.** Turnhalle **2.** *Schulfach*: Turnen; ***gym shoes*** *Pl.* Turnschuhe

gymnasium [dʒɪmˈneɪzɪəm], *Pl.*: ***gymnasiums*** *oder* ***gymnasia*** [dʒɪmˈneɪzɪə] Turnhalle, Sporthalle (⚠ *dt. Gymnasium* = ***grammar school***, *AE* ***high school***)

gymnast [ˈdʒɪmnæst] Turner(in)

gymnastics [dʒɪmˈnæstɪks] *Pl.* (⚠ *nur im Sg. verwendet*) Turnen, Gymnastik

gynaecological [ˌgaɪnɪkəˈlɒdʒɪkl] gynäkologisch

gynaecologist [ˌgaɪnɪˈkɒlədʒɪst] Gynäkologe, Gynäkologin, Frauenarzt, Frauenärztin

gynaecology [ˌgaɪnɪˈkɒlədʒɪ] Gynäkologie

gypsy [ˈdʒɪpsɪ] *bes. AE* Zigeuner(in)

H

ha [hɑː] *Ausruf*: ha!, ah!

habit [ˈhæbɪt] **1.** Gewohnheit, Angewohnheit; ***out of*** *oder* ***from habit*** aus Gewohnheit; ***get into*** (*bzw.* ***out of***) ***the habit of smoking*** sich das Rauchen angewöhnen (*bzw.* abgewöhnen); ***be in the habit of doing something*** die Angewohnheit haben, etwas zu tun **2.** *oft* ***habit of mind*** Geistesverfassung **3.** *bes. von Orden*: Tracht

habitable [ˈhæbɪtəbl] *Haus, Wohnung*: bewohnbar

habitat [ˈhæbɪtæt] *von Tieren, Pflanzen*: Standort, Lebensraum

habitual [həˈbɪtʃʊəl] **1.** gewohnheitsmäßig, Gewohnheits…; ***habitual criminal*** Gewohnheitsverbrecher **2.** ständig; ***be habitually late*** ständig zu spät kommen

hack[1] [hæk] **1.** hacken, zerhacken; ***hack to***

pieces *oder* ***bits*** in Stücke hacken **2.** *Computer*: hacken

hack off [ˌhæk'ɒf] **1.** abhacken **2.** ***he*** *usw.* ***hacks me off*** *BE*, *umg.* er *usw.* ekelt mich an

hack[2] [hæk] **1.** (≈ *Schlag*) Hieb **2.** *im negativen Sinn*: Schreiberling, *Journalist*: Schmierfink

hacker ['hækə] *Computer*: Hacker

hackneyed ['hæknɪd] *Argument, Satz usw.*: abgedroschen

had [hæd] *2. und 3. Form von* → ***have***[1], ***have***[2]

haddock ['hædək] *Pl.*: ***haddock*** Schellfisch

Hadrian's Wall

Hadrian's Wall [ˌheɪdrɪənz'wɔːl] – **Hadrianswall** – rund 200 km langer, 5 – 6 m hoher steinerner Grenzwall, der früher nahe der Grenze zu Schottland quer durch England verlief und den der römische Kaiser Hadrian zwischen 122 und 128 n. Chr. hatte erbauen lassen, um die damalige Nordgrenze der römischen Provinz Britannien zu sichern. Noch heute kann man dort kilometerlange Reste der Steinmauer sehen; ☞ *Karte S. 293*

haemophilia [ˌhiːmə'fɪlɪə] *bes. BE* Bluterkrankheit

haemophiliac [ˌhiːmə'fɪlɪæk] Bluter(in)

haemorrhage ['hemərɪdʒ] *bes. BE* Blutung

haemorrhoids ['hemərɔɪdz] *Pl. bes. BE* Hämorrhoiden *Pl.*

hag [hæg] *frauenfeindlich* hässliches altes Weib, Hexe

haggard ['hægəd] *Person, Gesichtszüge*: abgehärmt, abgezehrt

haggis

Dieses schottische Nationalgericht besteht aus gehackten Schafsinnereien, die mit Hafergrütze, Nierentalg und Zwiebeln gemischt und in einem Schafsmagen oder (häufiger) Kunststoffbeutel gekocht werden.

haggle ['hægl] feilschen, handeln (***about, over*** um)

Hague [heɪg] ***The Hague*** *Stadt*: Den Haag

hail[1] [heɪl] Hagel (*auch übertragen: von Flüchen, Fragen, Schlägen usw.*)

hail[2] [heɪl] hageln

hail down [ˌheɪl'daʊn] (*Steine, Schläge usw.*) niederhageln, niederprasseln (***on*** auf)

hail[3] [heɪl] **1.** herbeirufen, herbeiwinken (*Taxi*) **2.** *aus der Ferne*: zurufen, anrufen; ***within hailing distance*** in Rufweite **3.** *einem Herrscher usw.*: zujubeln

hailstone ['heɪlstəʊn] Hagelkorn

hailstorm ['heɪlstɔːm] Hagelschauer

hair [heə] **1.** *einzelnes*: Haar; ***to a hair*** aufs Haar, haargenau **2.** (≈ *Frisur*) Haar, Haare *Pl.*; ***do one's hair*** sich die Haare richten, sich frisieren **3.** *in Wendungen*: ***keep your hair on!*** *umg.* reg dich ab!; ***let one's hair down*** aus sich herausgehen, *stärker*: auf den Putz hauen; ***split hairs*** Haarspalterei treiben; ***tear one's hair out*** sich die Haare raufen; ***without turning a hair*** ohne mit der Wimper zu zucken; ***by a hair's breadth*** um Haaresbreite

hairbrush ['heəbrʌʃ] Haarbürste

haircut ['heəkʌt] Haarschnitt, Frisur; ***have a haircut*** sich die Haare schneiden lassen

hairdo ['heəduː] *Pl.*: ***hairdos*** Frisur

hairdresser ['heəˌdresə] Friseur, Friseuse

hairdrier, **hairdryer** ['heəˌdraɪə] Haartrockner, Fön®, Föhn

hairless ['heələs] **1.** *Körperteil, Tier*: unbehaart **2.** *Kopf*: kahl

hairpin ['heəpɪn] **1.** Haarnadel **2.** *auch* ***hairpin bend*** Haarnadelkurve

hair-raising ['heəˌreɪzɪŋ] *Erlebnis, Geschichte usw.*: haarsträubend

hairsplitting ['heəˌsplɪtɪŋ] Haarspalterei

hair spray ['heə‿spreɪ] Haarspray

hairstyle ['heəstaɪl] Frisur

hairstyles

Afro	Afrolook
bob	Bubikopf
bun	(Haar)Knoten
crew cut	Bürstenschnitt
curls	Locken
dreadlocks ['dredlɒks]	Dreadlocks, zusammengedrehte Haarsträhnen
flattop	Bürstenschnitt (*oben waagerecht geschnitten*)
fringe, *AE* **bangs**	Pony
frizz	Krauskopf, gekräuseltes Haar

highlights	(blondierte) Strähnchen
mohican [məʊ'hiːkən, 'məʊɪkən]	Irokesenschnitt
pageboy	Pagenschnitt, Pagenkopf
parting	Scheitel
perm	Dauerwelle
pigtail	Zopf
plaits [plæts], *AE* **braids** [breɪdz]	Zöpfe
ponytail	Pferdeschwanz
short back and sides	Kurzhaarschnitt
straight hair	glattes Haar
wavy hair	welliges Haar

hairy ['heərɪ] **1.** *Person*: haarig, behaart **2.** *umg.*; *Situation*: haarig, schwierig

hale [heɪl] ***hale and hearty*** gesund und munter

half[1] [hɑːf] **1.** halb; ***half a mile*** eine halbe Meile; ***two and a half pounds*** zweieinhalb Pfund **2.** halb, zur Hälfte; ***half as long*** halb so lang; ***half past two*** *Uhrzeit*: halb drei **3.** halbwegs, fast, nahezu; ***half dead*** halb tot; ***not half bad*** *umg.* gar nicht übel; ***I half suspect*** ich vermute fast

half six = half past six

Oft lässt man im Englischen bei der Zeitangabe das Wort **past** nach **half** einfach weg. Also Vorsicht! Wenn dein englischsprachiger Freund sich mit dir für **half six** in der Stadt verabredet, dann ist das *halb sieben* und nicht halb sechs.

half[2] [hɑːf] *Pl.*: ***halves*** [hɑːvz] **1.** Hälfte; ***cut in half*** *oder* ***in(to) halves*** halbieren; ***go halves with someone (on something)*** (etwas) mit jemandem teilen, (bei etwas) mit jemandem halbe-halbe machen **2.** *Sport*: Halbzeit **3.** *auch* ***half of the field*** *Sport*: Spielfeldhälfte, Hälfte

halfback ['hɑːfbæk] *Fußball*: Mittelfeldspieler

half-baked [ˌhɑːf'beɪkt] *umg.*, *Plan usw.*: nicht durchdacht, unausgegoren

half board [ˌhɑːf'bɔːd] *bes. BE* Halbpension

half-hearted [ˌhɑːf'hɑːtɪd] halbherzig

half moon [ˌhɑːf'muːn] Halbmond

half-pint ['hɑːfpaɪnt] ***a half-pint of beer*** *etwa*: ein kleines Bier

halfpipe ['hɑːfpaɪp] Halfpipe (*Halbröhre zum Trickfahren*)

half-price [ˌhɑːf'praɪs] zum halben Preis

half time [ˌhɑːf'taɪm] *Sport*: (≈ *Pause*) Halbzeit; ***at half time*** bei *oder* zur Halbzeit

halfway [ˌhɑːf'weɪ] *örtlich*: auf halbem Weg, in der Mitte (*auch übertragen*); ***meet someone halfway*** *bes. übertragen* jemandem auf halbem Weg entgegenkommen

half-wit ['hɑːfwɪt] Schwachkopf, Trottel

hall [hɔːl] **1.** *großer Raum*: Halle, Saal **2.** *Vorraum*: Diele, Flur **3.** *auch* ***hall of residence*** Studentenheim; ***live in hall*** im Wohnheim wohnen **4.** *bes. BE*; *von College*: Speisesaal

hallo [hə'ləʊ] *bes. BE* → ***hello***

Halloween

Halloween (31. Oktober) ist der Vorabend von Allerheiligen und wird auf beiden Seiten des Atlantiks auf lustig-makabre Weise gefeiert: Man verkleidet sich auf Kostümfesten als Hexe, Teufel, Skelett, Geist, Monster und dergleichen. Kinder schnitzen aus Kürbissen Laternen und ziehen von Tür zu Tür, um sich Leckerbissen zu erbetteln. Dabei heißt es **"Trick or treat"** („Streich oder Leckerbissen!"). Mit anderen Worten: Wenn keine Leckerbissen gespendet werden, wird dem „Opfer" ein Streich gespielt.
Halloween geht vermutlich auf ein altes keltisches Neujahrsfest, den „Samheim" (Ende des Sommers), zurück. Einer irischen Legende nach zogen in der Nacht vor dem 1. November die Geister der Verstorbenen umher, um die Körper der Lebenden in Besitz zu nehmen. Zur Abschreckung der Gespenster zogen die Menschen Furcht einflößende Kleidung an.

hallstand ['hɔːlstænd] **1.** (Flur)Garderobe **2.** Garderobenständer

halt [hɔːlt] Halt; ***bring to a halt*** anhalten, zum Stehen bringen; ***come to a halt*** anhalten, zum Stehen kommen

halve [hɑːv] halbieren

halves [hɑːvz] *Pl. von* → ***half***[2]

ham [hæm] Schinken; ***ham and eggs*** Schinken mit Spiegelei; ***ham sandwich*** Schinkenbrot

ham-fisted [ˌhæm'fɪstɪd] *umg.* tollpatschig, ungeschickt

hamlet ['hæmlət] *kleines Dorf*: Weiler

hammer[1] ['hæmə] **1.** *Werkzeug*: Hammer; ***come*** (*oder* ***go***) ***under the hammer***

übertragen unter den Hammer kommen **2.** *Sportgerät*: Hammer; ***throwing the hammer*** Hammerwerfen

hammer[2] ['hæmə] **1.** hämmern; ***he hammered at the door*** er hämmerte gegen die Tür **2.** *umg.*; *Sport*: vernichtend schlagen; ***we hammered them 5-0*** (*gesprochen* ***five nil***) wir fertigten sie mit 5:0 ab

hammock ['hæmək] Hängematte

hamper[1] ['hæmpə] Geschenkkorb (*mst. mit Feinkost*)

hamper[2] ['hæmpə] hindern, behindern

hand[1] [hænd] **1.** Hand; ***at hand*** bei der *oder* zur Hand; ***by hand*** mit der Hand, manuell; ***hands off!*** Finger weg!; ***hands up!*** Hände hoch!, *in der Schule*: meldet euch!; ***hold hands*** Händchen halten; ***shake hands with someone*** jemandem die Hand schütteln *oder* geben **2.** *von Uhr, Instrument usw.*: Zeiger **3.** ***she writes a neat hand*** sie hat eine schöne Handschrift **4.** *bei Kartenspiel*: Blatt; ***show one's hand*** seine Karten aufdecken (*auch übertragen*) **5.** (≈ *Händeklatschen*) Applaus, Beifall; ***give a big hand to …*** Applaus für … **6.** ***on the right*** (*bzw.* ***left***) ***hand*** rechts (*bzw.* links); ***we drive on the right hand side of the road*** wir fahren auf der rechten Straßenseite **7.** *oft in Zusammensetzungen*: Arbeiter; ***farm hand*** Landarbeiter **8.** *übertragen* Hand, Quelle; ***at first*** (*bzw.* ***second***) ***hand*** aus erster (*bzw.* zweiter) Hand **9.** *in Wendungen*: ***give*** (*oder* ***lend***) ***someone a hand*** jemandem helfen (***with*** bei); ***have a hand in something*** seine Hand bei etwas im Spiel haben, an etwas beteiligt sein; ***get out of hand*** außer Kontrolle geraten; ***live from hand to mouth*** von der Hand in den Mund leben; ***on the one hand …, on the other hand*** einerseits …, andererseits …

hand[2] [hænd] **1.** geben, reichen **2.** ***you've got to hand it to him*** man muss es ihm lassen

hand around [ˌhænd‿ə'raʊnd] herumreichen, herumgehen lassen

hand back [ˌhænd'bæk] zurückgeben

hand down [ˌhænd'daʊn] **1.** *von Schrank, Regal usw.*: hinunterreichen, herunterreichen **2.** *übertragen* weitergeben, überliefern (*Tradition, Brauch usw.*)

hand in [ˌhænd'ɪn] **1.** abgeben (*Prüfungsarbeit, Aufsatz usw.*) **2.** einreichen (*Gesuch usw.*) (***to*** bei)

hand on [ˌhænd'ɒn] **1.** weitergeben (***to*** an); ***read the memo and hand it on*** lesen Sie die Mitteilung und geben Sie sie weiter **2.** weitergeben, überliefern (*Tradition, Brauch usw.*)

hand out [ˌhænd'aʊt] verteilen, austeilen (*Blätter usw.*)

hand over [ˌhænd'əʊvə] **1.** geben, aushändigen (*Sache*) **2.** *übertragen* übergeben (*Macht, Amt usw.*)

handbag ['hændbæg] Handtasche

hand baggage ['hændˌbægɪdʒ] Handgepäck

handball ['hændbɔːl] *BE*; *Ballspiel*: Handball

handbook ['hændbʊk] Handbuch (*über ein bestimmtes Thema*); ☞ ***manual***[2]

handbrake ['hændbreɪk] Handbremse

handcuff ['hændkʌf] Handschellen anlegen; ***handcuffed*** in Handschellen

handcuffs ['hændkʌfs] *Pl.* Handschellen

handful ['hændfʊl] **1.** (≈ *kleine Menge*) Hand voll (*auch übertragen*: *wenige Personen*) **2.** ***our daughter is quite a handful*** *umg.* unsere Tochter hält uns ganz schön in Trab

handicap[1] ['hændɪkæp] **1.** Behinderung (*auch körperlich oder geistig*) **2.** (≈ *Nachteil*) Handikap (*auch im Sport*)

handicap[2] ['hændɪkæp], ***handicapped, handicapped*** behindern, benachteiligen

handicapped[1] ['hændɪkæpt] ***mentally*** (*bzw.* ***physically***) ***handicapped*** geistig (*bzw.* körperlich) behindert

handicapped[2] ['hændɪkæpt] ***the handicapped*** (⚠ *nur im Pl. verwendet*) die Behinderten

handicraft ['hændɪkrɑːft] (Kunst)Handwerk, Handarbeit

handiwork ['hændɪwɜːk] **1.** Handarbeit **2.** ***the handiwork of …*** *mst. bei Verbrechen*: das Werk von …

handkerchief ['hæŋkətʃɪf] Taschentuch, Ⓒⓗ Nastuch

handle[1] ['hændl] **1.** Griff, Handgriff **2.** *von Axt, Besen usw.*: Stiel **3.** *von Topf, Eimer usw.*: Henkel **4.** *von Tür*: Klinke **5.** ***fly off the handle*** *umg.* hochgehen, wütend werden

handle[2] ['hændl] **1.** anfassen, berühren (*Waren usw.*); ***glass – handle with care!*** Vorsicht, Glas! **2.** umgehen mit, fertig werden mit (*Menschen, Maschine, Situation*); ***she handled the matter very tactfully*** sie hat sich in der Sache sehr taktvoll verhalten **3.** (≈ *sich bedienen lassen*) ***the car handles well*** der Wagen fährt sich gut

handlebars ['hændlbɑːz] *Pl. von Fahrrad, Motorrad*: Lenker

hand luggage ['hænd,lʌgɪdʒ] Handgepäck
handmade [,hænd'meɪd] ***these shoes are handmade*** diese Schuhe sind Handarbeit
handout ['hændaʊt] *in der Schule usw.*: Hand-out, Blatt, Kopie
handshake ['hændʃeɪk] Händedruck
handsome [⚠ 'hænsəm] **1.** *bes. Mann*: gut aussehend **2.** *Summe, Preis usw.*: beträchtlich, ansehnlich
handstand ['hændstænd] Handstand; ***do a handstand*** einen Handstand machen
handwriting ['hænd,raɪtɪŋ] Handschrift
handy ['hændɪ] **1.** griffbereit, bei der Hand; ***keep something handy*** etwas griffbereit halten **2.** *Person*: geschickt **3.** (≈ *hilfreich*) praktisch, handlich; ***come in handy*** sich als nützlich erweisen, (sehr) gelegen kommen
hang[1] [hæŋ], ***hung*** [hʌŋ], ***hung*** [hʌŋ] **1.** hängen, aufhängen (*Bild, Gardinen usw.*); ***hang on a hook*** an einen Haken hängen **2.** einhängen (*Tür usw.*) **3.** ankleben (*Tapeten*)

> **hang about** *oder* **around** [,hæŋ‿ə'baʊt *oder* ə'raʊnd] herumlungern, sich herumtreiben
> **hang back** [,hæŋ'bæk] zögern
> **hang on** [,hæŋ'ɒn] **1.** festhalten, sich klammern (***to*** an) **2.** *umg.* warten; ***hang on, please*** *am Telefon*: bitte bleiben Sie dran **3.** ***hang on!*** *umg.* Moment!, Augenblick!
> **hang up** [,hæŋ'ʌp] *Telefon*: einhängen, auflegen (*Hörer*); ***she hung up on me*** sie hat einfach aufgelegt

hang[2] [hæŋ], ***hanged, hanged*** (≈ *töten*) hängen, aufhängen (*Person*); ***hang oneself*** sich erhängen
hanger ['hæŋə] Kleiderbügel
hangout ['hæŋaʊt] *umg.* Treff, Treffpunkt
hangover ['hæŋ,əʊvə] *nach Rausch*: Kater
hangup ['hæŋʌp] *umg., psychisches Problem*: Komplex
hanker ['hæŋkə] sich sehnen, Verlangen haben (***after, for*** nach)
hankering ['hæŋkərɪŋ] Sehnsucht, Verlangen (***for*** nach)
hankie, hanky ['hæŋkɪ] *umg.* Taschentuch
hanky-panky [,hæŋkɪ'pæŋkɪ] *umg.* (≈ *Flirt*) Techtelmechtel
haphazard [hæp'hæzəd] planlos, wahllos; ***haphazardly*** *auch*: aufs Geratewohl
happen ['hæpən] **1.** geschehen, sich ereignen, passieren; ***it won't happen again*** es wird nicht wieder vorkommen; ***these things do happen*** das kommt vor **2.** zufällig geschehen, sich zufällig ergeben; ***if you happen to see her*** wenn du sie zufällig siehst *oder* sehen solltest; ***do you happen to know him?*** kennst du ihn zufällig?
happening ['hæpənɪŋ] Ereignis
happily ['hæpɪlɪ] **1.** ***he smiled happily*** er lächelte glücklich **2.** glücklicherweise, zum Glück; ***happily, no one was injured*** glücklicherweise wurde niemand verletzt
happiness ['hæpɪnəs] *Gefühl*: Glück; ☞ ***luck***
happy ['hæpɪ] **1.** *allg.*: glücklich (***at, about*** über); ***I'm so happy to see you*** es freut mich riesig, dich zu sehen; ***are you happy with your new car?*** bist du mit deinem neuen Auto zufrieden?; ☞ ***lucky*** **2.** *in Glückwünschen*: ***happy birthday!*** herzlichen Glückwunsch zum Geburtstag; ***happy New Year*** ein glückliches neues Jahr **3.** ***be happy to do something*** etwas gerne tun; ***I'd be happy to help you, but …*** ich würde dir ja gerne helfen, aber …
happy-go-lucky [,hæpɪgəʊ'lʌkɪ] unbekümmert, sorglos

> **happy hour**
>
> In manchen Pubs, Bars oder Restaurants gibt es die so genannte **happy hour**: Das ist die Zeit nach Büroschluss, während der Getränke zu verbilligten Preisen – manchmal zur Hälfte des üblichen Preises – angeboten werden.

harass ['hærəs] **1.** ständig belästigen (***with*** mit) **2.** schikanieren
harassment ['hærəsmənt] ***harassment in the workplace*** Mobbing (*in der Arbeit*)
harbour ['hɑːbə] *für Schiffe*: Hafen
hard [hɑːd] **1.** ↔ ***soft***; *Eis, Stein, Metall usw.*: hart; ***frozen hard*** hart gefroren **2.** ↔ ***easy***; *Problem, Frage usw.*: schwer, schwierig: ***hard work*** harte Arbeit; ***work hard*** hart arbeiten; ***hard to believe*** kaum zu glauben; ***hard to imagine*** schwer vorstellbar **3.** *Ruck, Stoß usw.*: heftig, stark; ***a hard blow*** ein harter Schlag, *übertragen auch* ein schwerer Schlag **4.** ↔ ***mild***; *Winter*: hart **5.** ↔ ***mild***; *Klima*: rau **6.** *Person*: hart, streng; ***be hard on someone*** mit jemandem streng sein **7.** *Situation, Umstände*: hart, drückend; ***hard times*** schwere Zeiten **8.** (≈ *objektiv*) hart nüchtern; ***the hard facts*** die nackten Tatsachen **9.** ↔ ***soft***; *Drogen*: hart **10.** ↔

soft; *Getränk*: stark; ***hard drinks*** *oder* ***hard liquor*** scharfe Sachen, Schnaps **11.** ***try hard*** sich große Mühe geben **12.** ***think hard*** scharf *oder* gründlich nachdenken

hardback ['hɑːdbæk] *Buch*: gebundene Ausgabe

hard-boiled [ˌhɑːd'bɔɪld] **1.** *Ei*: hart, hart gekocht **2.** *übertragen* hartgesotten, realistisch

hard cash [ˌhɑːd'kæʃ] Bargeld, Bares

hardcover ['hɑːdˌkʌvə] *Buch*: gebundene Ausgabe

hard disk [ˌhɑːd'dɪsk] *Computer*: Festplatte

harden ['hɑːdn] **1.** härten (*auch Metall*), hart machen **2.** *übertragen* abstumpfen (***to*** gegen); ***hardened*** *Verbrecher*: verstockt, abgebrüht **3.** (≈ *widerstandsfähig machen*) abhärten (***to*** gegen) **4.** (*Geschmolzenes*) hart werden (*auch übertragen Person*)

hard feelings [ˌhɑːd'fiːlɪŋs] *Pl.* ***no hard feelings!*** nichts für ungut

hard-headed [ˌhɑːd'hedɪd] nüchtern, realistisch

hard-hearted [ˌhɑːd'hɑːtɪd] hartherzig

hardly ['hɑːdlɪ] kaum, fast nicht; ***hardly ever*** fast nie, so gut wie nie; ***hardly anyone*** kaum jemand, fast niemand; ***I can hardly wait to see you again*** ich kann es kaum erwarten, dich wieder zu sehen

hard-nosed [ˌhɑːd'nəʊzd] *umg.* knallhart

hard sell [ˌhɑːd'sel] *Wirtschaft*: aggressive Verkaufsstrategie

hardship ['hɑːdʃɪp] Not, Elend

hard shoulder [ˌhɑːd'ʃəʊldə] *BE*; *auf Autobahn*: Standspur

hardware ['hɑːdweə] (⚠ *nur im Sg. verwendet*) **1.** Haushaltswaren *Pl.* **2.** *Computer*: Hardware

hard-wearing [ˌhɑːd'weərɪŋ] *BE*; *Material usw.*: strapazierfähig

hard-working [ˌhɑːd'wɜːkɪŋ] fleißig, arbeitsam

hardy ['hɑːdɪ] **1.** zäh, robust **2.** *Pflanze*: winterfest

hare [heə] *Tier*: Hase

harebrained ['heəbreɪnd] verrückt

harm[1] [hɑːm] (⚠ *nur im Sg. verwendet*) Schaden; ***there's no harm in trying*** ein Versuch kann nicht schaden; ***come to harm*** zu Schaden kommen; ***do someone harm*** jemandem schaden *oder* etwas antun

harm[2] [hɑːm] **1.** verletzen (*Person*) (*auch übertragen*) **2.** schaden (*Person*, *Ruf*)

harmful [hɑːmfl] schädlich (***to*** für); ***harmful to one's health*** gesundheitsschädlich

harmless ['hɑːmləs] harmlos

harmony ['hɑːmənɪ] **1.** *Musik*: Harmonie **2.** *übertragen auch* Einklang, Eintracht

harness[1] ['hɑːnɪs] (≈ *Pferdegeschirr usw.*) Geschirr

harness[2] ['hɑːnɪs] **1.** aufzäumen (*Pferd*) **2.** *übertragen* nutzbar machen (*Kräfte*, *Talente usw.*)

harp [hɑːp] *Musikinstrument*: Harfe

harpoon [hɑː'puːn] Harpune

harsh [hɑːʃ] **1.** *Stoff*, *Land*, *Klima*: rau **2.** *Farbe*, *Licht*, *Ton*: grell **3.** *Tonfall*, *Stimme*, *Art*: barsch, schroff **4.** *Strafe*: hart; ***don't be too harsh with her*** sei nicht so streng mit ihr

harvest[1] ['hɑːvɪst] Ernte (*Zeitraum*, *Arbeit*, *Ertrag*)

harvest[2] ['hɑːvɪst] ernten

has [həz, *betont*: hæz] *er*, *sie*, *es* hat

hash[1] [hæʃ] **1.** *Hackfleischgericht*: Haschee **2.** ***make a hash of something*** *übertragen*, *umg.* etwas vermasseln (*Prüfung usw.*)

hash[2] [hæʃ] *umg.* Hasch

hashish ['hæʃɪʃ] Haschisch

hassle ['hæsl] *umg.* Mühe, Theater; ***it was quite a hassle getting*** (*oder* ***to get***) ***this book*** es war ganz schön mühsam, dieses Buch zu besorgen

haste [heɪst] Hast, Eile; ***more haste, less speed*** eile mit Weile

hasten [⚠ 'heɪsn] **1.** beschleunigen (*ein Ereignis usw.*) **2.** eilen, sich beeilen

hasty ['heɪstɪ] **1.** eilig, hastig; ***a hasty meal*** eine schnelle Mahlzeit **2.** *Abreise*: überstürzt **3.** *Entscheidung usw.*: vorschnell

hat [hæt] Hut; ***I'll eat my hat if …*** *umg.* ich fresse einen Besen, wenn …; ***that's old hat*** *umg.* das ist ein alter Hut

hatch[1] [hætʃ] **1.** *auf Schiff usw.*: Luke **2.** (***serving***) ***hatch*** Durchreiche

hatch[2] [hætʃ] **1.** *auch* ***hatch out*** ausbrüten (*Eier*, *Küken*) **2.** *auch* ***hatch out*** ausbrüten, aushecken (*Plan*) **3.** (*Küken*) schlüpfen

hatchback ['hætʃbæk] Auto mit schräger Hecktür

hatchet ['hætʃɪt] Beil; ***bury the hatchet*** *übertragen* das Kriegsbeil begraben

hate[1] [heɪt] **1.** *allg.*: hassen **2.** sehr ungern tun, nicht mögen; ***I hate being late*** ich komme (äußerst) ungern zu spät; ***I hate to say this but …*** ich sage das ungern, aber …; ***I hate to tell you that*** es tut mir Leid, dir das sagen zu müssen

hate[2] [heɪt] Hass (***of, for*** auf, gegen); ***full of hate*** hasserfüllt

hatred ['heɪtrɪd] Hass (***of, for*** auf, gegen)

hat trick ['hætrɪk] *Sport*: Hattrick

haughty ['hɔːtɪ] hochmütig, überheblich
haul[1] [hɔːl] **1.** ziehen, schleppen (*schwere Last*) **2.** *mit LKW usw.*: befördern, transportieren
haul[2] [hɔːl] **1.** *Fische*: Fang **2.** *von gestohlenen oder illegalen Gütern*: Beute, Fang **3.** (≈ *Entfernung*) Strecke; ***it's a long haul from … to …*** es ist ein weiter Weg von … nach …
haunt[1] [hɔːnt] **1.** ***this room is haunted*** in diesem Zimmer spukt es; ***haunted castle*** Spukschloss **2.** ***be haunted by*** *von Angst, Erinnerungen usw.*: verfolgt werden von, gequält werden von; ***haunted look*** gehetzter Blick **3.** *umg.* häufig besuchen (*Bar, Café usw.*)
haunt[2] [hɔːnt] Treffpunkt, häufig besuchter Ort; ***he's probably at one of his favourite haunts*** er ist wahrscheinlich in einer seiner Stammkneipen
haunting ['hɔːntɪŋ] *Erinnerungen*: quälend
have[1] [hæv], ***had*** [hæd], ***had*** [hæd] **1.** *auch* ***have got*** *allg.*: haben; ***have you got a light?*** hast du mal Feuer?; ***you have ten minutes*** du hast zehn Minuten (Zeit) **2.** haben, erleben; ***have a good time!*** viel Spaß! ***did you have a nice holiday?*** hattest du einen schönen Urlaub? **3.** bekommen (*Baby*) **4.** behalten; ***may I have it?*** darf ich es behalten? **5.** erhalten, bekommen; ***I just had a letter from …*** ich habe eben einen Brief von … erhalten **6.** essen, trinken; ***have breakfast*** frühstücken; ***have lunch*** zu Mittag essen; ***have a biscuit!*** nimm einen Keks! **7.** *mit Substantiven*: ***have a look at something*** etwas anschauen; ***have a walk*** spazieren gehen; ***have a shower*** duschen; ***have a chat*** plaudern, ein Schwätzchen halten **8.** ***have (got) to*** müssen; ***I've to go now*** ich muss jetzt gehen; ***you don't have to go*** du musst nicht gehen, du brauchst nicht zu gehen; ☞ ***must***[1] **9.** ***have something done*** etwas tun lassen; ***I had my car washed*** ich habe meinen Wagen waschen lassen; ***I'm having a dress made*** ich lasse mir gerade ein Kleid machen **10.** *in Wendungen*: ***let him have it!*** *umg.* gibs ihm!, mach ihn fertig!; ***if I fail the exam, I've had it*** wenn ich die Prüfung nicht bestehe, bin ich geliefert; ***my car has had it*** *umg.* mein Auto ist am Ende

have on [ˌhæv'ɒn] **1.** anhaben (*Kleider*); ***what did she have on?*** was hatte sie an? **2.** ***he's having you on*** *umg.* er legt dich rein; ***your're having me on!*** du willst mich wohl auf den Arm nehmen! **3.** ***I've got nothing*** (*oder* ***I haven't got anything***) ***on tomorrow*** ich habe morgen noch nichts vor

have + Substantiv

have a bath	ein Bad nehmen / baden
have a shower	(sich) duschen
have a wash	sich waschen
have breakfast	frühstücken
have lunch	zu Mittag essen
have dinner	zu Abend / zu Mittag essen
have tea	Tee trinken
have supper	zu Abend essen
have a try	es versuchen / es probieren
have a go	es versuchen / es probieren
have a look	mal sehen / mal schauen
have a cold	erkältet sein
have a headache	Kopfschmerzen haben
have measles	Masern haben

have[2] [hæv], ***had*** [hæd], ***had*** [hæd] **1.** *Hilfsverb zur Bildung von Vergangenheitsformen*: haben, (*bei vielen Verben ohne Objekt*) sein; ***have you finished?*** bist du fertig?; ***she has agreed*** sie hat zugestimmt; ***he had said*** er hatte gesagt **2.** *in Frageanhängseln*: ***you've met her, haven't you?*** du kennst sie, nicht wahr? **3.** ***had better*** sollte besser; ***we had*** (*oder* ***we'd***) ***better go*** wir sollten jetzt besser gehen
have-nots ['hævnɒts] ***the have-nots*** *Pl.* die Habenichtse, die armen Leute
havoc ['hævək] ***cause*** (*oder* ***wreak*** [⚠ riːk]) ***havoc*** schwere Zerstörungen verursachen
hawk [hɔːk] **1.** *Vogel*: Habicht, Falke **2.** *übertragen*; *Politiker*: Falke
hay [heɪ] **1.** (≈ *getrocknetes Gras*) Heu **2.** ***make hay while the sun shines*** *übertragen* das Eisen schmieden, solange es heiß ist **3.** ***hit the hay*** *salopp* sich in die Falle hauen
hay fever ['heɪˌfiːvə] Heuschnupfen
haywire ['heɪˌwaɪə] *umg.* **1.** *Gerät*: kaputt; ***go haywire*** verrückt spielen **2.** *Pläne usw.*: (völlig) durcheinander; ***go haywire***

durcheinander geraten **3.** *Person*: übergeschnappt; ***go haywire*** durchdrehen
hazard ['hæzəd] **1.** Gefahr, Risiko; ***health hazard*** Gesundheitsrisiko; ***hazard warning lights*** *Pl. im Auto*: Warnblinkanlage
hazardous ['hæzədəs] gefährlich, riskant; ***hazardous waste*** Sondermüll
haze [heɪz] *leichter Rauch oder Nebel*: Dunst, Dunstschleier
hazelnut ['heɪzlnʌt] Haselnuss
hazy ['heɪzɪ] **1.** *Luft*: dunstig, diesig **2.** *Vorstellung*: verschwommen, nebelhaft; ***I'm a bit hazy about the accident*** ich kann mich nur vage an den Unfall erinnern
H-bomb ['eɪtʃbɒm] H-Bombe, Wasserstoffbombe
he[1] [hiː, *unbetont*: hɪ] er; ***he did it*** er wars
he[2] [hiː] *Baby*: Er, *Tier*: Männchen; ***it's a he*** es ist ein Er
he[3] [hiː] *in Verbindung mit Tieren*: männlich, ...männchen; ***he-goat*** Ziegenbock
head[1] [hed] **1.** *allg.*: Kopf **2.** *übertragen* Oberhaupt; ***head of the family*** Familienvorstand, Familienoberhaupt; ***head of state*** Staatsoberhaupt **3.** (≈ *Führungskraft*) Anführer(in), Leiter(in); ***head of government*** Regierungschef(in); ***head of department*** Abteilungsleiter(in) **4.** *umg.* Schulleiter(in) **5.** *von Rangfolge*: Spitze, führende Stellung; ***at the head of*** an der Spitze von (*oder Genitiv*) **6.** *von Nagel, Brief usw.*: Kopf **7.** ***heads*** *Pl. von Münze*: Vorderseite; ***heads or tails?*** Wappen oder Zahl? **8.** *von Schriftstücken*: Überschrift, Titelkopf **9.** *in Wendungen*: ***above*** (*oder* ***over***) ***someone's head*** zu hoch für jemanden; ***head over heels*** *stürzen*: kopfüber; ***be head over heels in love*** bis über beide Ohren verliebt sein; ***bury one's head in the sand*** den Kopf in den Sand stecken; ***go to someone's head*** (*Alkohol, Erfolg usw.*) jemandem in den *oder* zu Kopf steigen; ***lose one's head*** den Kopf *oder* die Nerven verlieren
head[2] [hed] *in Zusammensetzungen* **1.** Kopf... **2.** Chef..., Haupt..., Ober...; ***head waiter*** Chefkellner; ***head nurse*** *AE* Oberschwester
head[3] [hed] **1.** anführen, an der Spitze stehen von (*Liga, Tabelle, Rangliste*) **2.** führen, leiten (*Firma, Abteilung usw.*); ***headed by*** unter der Leitung von **3.** *Fußball*: köpfen **4.** (≈ *in eine bestimmte Richtung fahren*) ***head north*** in Richtung Norden fahren; ***we're heading home*** wir sind auf dem Weg nach Hause (Ⓐ, Ⓒⓗ nachhause)

head for ['hed‿fɔː] **1.** gehen nach, fahren nach; ***where are you heading for?*** wo fahren Sie hin? **2.** ***you're heading for trouble*** du bist dabei (*oder* auf dem besten Wege), Ärger zu kriegen

headache ['hedeɪk] Kopfschmerz(en), Kopfweh
headband ['hedbænd] Stirnband
head boy [ˌhed'bɔɪ] *BE* Schulsprecher
header ['hedə] **1.** *ins Wasser*: Kopfsprung, Ⓐ Köpfler **2.** *Fußball*: Kopfball, Ⓐ Köpfler
headfirst [ˌhed'fɜːst] **1.** kopfüber, mit dem Kopf voran **2.** (≈ *überstürzt*) Hals über Kopf
head girl ˌ[hed'gɜːl] *BE* Schulsprecherin
headhunter ['hedˌhʌntə] **1.** Kopfjäger **2.** (≈ *Abwerber in der Wirtschaft*) Headhunter
heading ['hedɪŋ] *auf Schriftstück*: Überschrift, Titel, Titelzeile
headlight ['hedlaɪt] *an Auto usw.*: Scheinwerfer
headline ['hedlaɪn] **1.** *in der Zeitung usw.*: Schlagzeile; ***hit the headlines*** Schlagzeilen machen; ***the news headlines*** *in Radio, TV*: die Kurznachrichten
headlong ['hedlɒŋ] **1.** kopfüber, mit dem Kopf voran **2.** (≈ *überstürzt*) Hals über Kopf
headmaster [ˌhed'mɑːstə] Schulleiter
headmistress [ˌhed'mɪstrəs] Schulleiterin
head office [ˌhed'ɒfɪs] Hauptbüro, Zentrale
head-on [ˌhed'ɒn, *vorangestellt*: 'hedɒn] **1.** *Unfall usw.*: frontal, Frontal... **2.** *übertragen* direkt
headphones ['hedfəʊnz] *Pl.* Kopfhörer
headquarters [ˌhed'kwɔːtəz] *Pl.* (⚠ *oft im Sg. verwendet*) **1.** *von Militär*: Hauptquartier **2.** *von Polizei*: Präsidium **3.** *von Unternehmen*: Zentrale
headrest ['hedrest] Kopfstütze
headset ['hedset] Kopfhörer *Pl.*
head start [ˌhed'stɑːt] *Sport*: Vorsprung (*auch übertragen*); ***have a head start on someone*** jemandem gegenüber im Vorteil sein
headstrong ['hedstrɒŋ] eigensinnig, halsstarrig
headway ['hedweɪ] ***make headway*** (***with***) gut vorankommen (mit), Fortschritte machen (bei)
heal [hiːl] *auch* ***heal up*** (*oder* ***over***) (*Verletzung, Wunde usw.*) (ver)heilen
health [helθ] **1.** Gesundheit; ***health centre*** *BE*; *etwa*: Poliklinik; ***health club*** Fitness-

center; ***health food*** Reformkost, Naturkost; ***health hazard*** Gesundheitsrisiko; ***health insurance*** Krankenversicherung; *auch* ***state of health*** Gesundheitszustand **2.** *in Trinksprüchen*: Gesundheit, Wohl; ***drink to someone's health*** auf jemandes Wohl trinken; ***your health!*** auf Ihr Wohl!

healthy ['helθɪ] **1.** *allg.*: gesund (*auch übertragen*) **2.** *Appetit*: gesund, kräftig

heap[1] [hiːp] **1.** *ungeordnete Menge*: Haufen; ***in heaps*** haufenweise **2.** *umg.* (≈ *viel*) Haufen, Menge; ***we've got heaps of time*** wir haben jede Menge Zeit

heap[2] [hiːp] **1.** häufen, anhäufen (*Sachen*) **2.** *auch* ***heap up*** voll laden, beladen (*Teller usw.*) **3.** ***heap praises on someone*** jemanden mit Lob überhäufen

H

hear [hɪə], ***heard*** [hɜːd], ***heard*** [hɜːd] **1.** hören; ***make oneself heard*** sich Gehör verschaffen **2.** (≈ *informiert werden*) hören, erfahren **3.** (*Richter*) verhandeln (*Fall*) **4.** ***hear, hear!*** bravo!, sehr richtig!

> **hear about** ['hɪər‿əˌbaʊt] (≈ *informiert werden*) hören, erfahren; ***I heard about your accident*** ich habe von deinem Unfall gehört
>
> **hear from** ['hɪə‿frɒm] (≈ *in Kontakt sein*) hören; ***I heard from him last week*** er hat sich letzte Woche gemeldet (*mit Brief usw.*)
>
> **hear of** ['hɪər‿əv] **1.** (≈ *jemandem oder etwas kennen*) ***have you ever heard of a man called X?*** hast du schon mal von einem Herrn X gehört? **2.** (≈ *Nachricht über jemanden haben*) ***he hasn't been heard of for quite a while*** man hat lange nichts mehr von ihm gehört **3.** ***he wouldn't hear of it*** er wollte davon nichts hören *oder* wissen

heard [hɜːd] *2. und 3. Form von* → ***hear***

hearing ['hɪərɪŋ] **1.** Hören; ***within*** (*bzw.* ***out of***) ***hearing*** in (*bzw.* außer) Hörweite **2.** *einer der Sinne*: Gehör; ***hard of hearing*** schwerhörig **3.** *vor Gericht*: Vernehmung, Verhandlung **4.** *Politik*: Hearing, Anhörung

hearsay ['hɪəseɪ] ***by hearsay*** vom Hörensagen

heart [hɑːt] **1.** *Organ*: Herz (*auch übertragen Mitgefühl usw.*); ***with all one's heart*** von ganzem Herzen; ***break someone's heart*** jemandem das Herz brechen; ***have no heart*** *übertragen* kein Herz haben, herzlos sein; ***I didn't have the heart to tell her*** ich brachte es nicht übers Herz, es ihr zu sagen **2.** (≈ *Mut*, *Hoffnung*) ***take heart*** Mut schöpfen; ***lose heart*** den Mut verlieren **3.** *übertragen* Kern (*eines Problems usw.*) **4.** ***hearts*** *Pl. Kartenspiel*: Herz; ***eight of hearts*** Herzacht; ***Jack of hearts*** Herzbube **5.** ***by heart*** *kennen*, *lernen*: auswendig

heartache ['hɑːteɪk] Kummer

heart attack ['hɑːt‿əˌtæk] Herzanfall

heartbreaking ['hɑːtˌbreɪkɪŋ] herzzerreißend

heartening ['hɑːtnɪŋ] ermutigend

heartfelt ['hɑːtfelt] tief empfunden, aufrichtig

hearth [⚠ hɑːθ] **1.** Kamin **2.** ***hearth and home*** (≈ *Zuhause*) häuslicher Herd, Heim

heartless ['hɑːtləs] *Person*: herzlos

heart-to-heart[1] [ˌhɑːt‿tə'hɑːt] offene Aussprache

heart-to-heart[2] [ˌhɑːt‿tə'hɑːt] *Gespräch*: aufrichtig, offen

hearty ['hɑːtɪ] **1.** *Abschied*, *Willkommen usw.*: herzlich **2.** *Appetit*, *Mahlzeit usw.*: herzhaft, kräftig, (CH) währschaft

heat[1] [hiːt] **1.** *allg.*: Hitze, Wärme **2.** *übertragen* Hitze, Erregung; ***in the heat of the moment*** im Eifer *oder* in der Hitze des Gefechts **3.** *Sport*: (***qualifying***) ***heat*** Vorlauf; ***dead heat*** totes Rennen

heat[2] [hiːt] **1.** heizen (*Haus*, *Raum*) **2.** *auch* ***heat up*** erhitzen, *von Speisen auch*: aufwärmen

heated ['hiːtɪd] **1.** *Raum*, *Pool*: beheizt **2.** *Diskussion usw.*: erhitzt, erregt, hitzig

heater ['hiːtə] **1.** *zum Heizen*: Ofen; ***turn the heater on*** *im Auto usw.*: die Heizung anstellen **2.** *für Wasser*: Boiler

heating ['hiːtɪŋ] *in Haus*: Heizung

heatproof ['hiːtpruːf], **heat-resistant** ['hiːtrɪˌzɪstənt] hitzebeständig, hitzefest

heave [hiːv] **1.** (hoch)hieven **2.** hochziehen **3.** *umg.* werfen **4.** ***heave a sigh*** einen Seufzer ausstoßen

heaven [⚠ 'hevn] *im religiösen Sinn*: Himmel; ***move heaven and earth*** *übertragen* Himmel und Hölle in Bewegung setzen; ***thank heaven***(***s***)***!*** Gott sei Dank! ***for heaven's sake*** um Himmels Willen

heavenly body [ˌhevnlɪ'bɒdɪ] *Stern*, *Planet*: Himmelskörper

heavily ['hevɪlɪ] schwer (*auch übertragen*); ***heavily guarded*** schwer bewacht; ***she smokes heavily*** sie ist eine starke Raucherin; ***it rained heavily*** es regnete stark

heavy ['hevɪ] **1.** *Gewicht betreffend*: schwer; ☞ ***difficult*** **2.** *Schaden*, *Verlust*, *Wein usw.*: schwer **3.** *Regen*, *Verkehr usw.*: stark **4.** *Geldstrafe*, *Steuern usw.*:

hoch **5.** *Nahrung*: schwer verdaulich **6.** ***with a heavy heart*** schweren Herzens

heavyweight ['hevɪweɪt] **1.** *Gewichtsklasse*: Schwergewicht **2.** *Sportler*: Schwergewichtler

hectic ['hektɪk] *Tag, Atmosphäre*: hektisch

he'd [hiːd] *Kurzform von* ***he would*** *oder* ***he had***

hedge [hedʒ] Hecke

hedgehog ['hedʒhɒg] Igel

heed[1] [hiːd] beachten (*Rat, Warnung usw.*)

heed[2] [hiːd] ***pay heed to something*** *oder* ***take heed of something*** etwas beachten

heel [hiːl] **1.** *Teil des Fußes*: Ferse (*auch von Strumpf*) **2.** *von Schuh*: Absatz; ***on*** *oder* ***at someone's heels*** jemandem auf den Fersen; ***take to one's heels*** Fersengeld geben, abhauen

hefty ['heftɪ] **1.** *Person*: kräftig, stämmig **2.** *Schlag, Stoß*: mächtig, gewaltig **3.** *Preise*: saftig

height [⚠ haɪt] **1.** Höhe; ***10 feet in height*** 10 Fuß hoch **2.** Körpergröße; ***what's your height?*** wie groß sind Sie? **3.** *übertragen* Höhepunkt, Gipfel; ***at the height of her fame*** auf der Höhe ihres Ruhms; ***at the height of summer*** im Hochsommer

heighten [⚠ 'haɪtn] **1.** vergrößern, steigern (*Aufregung, Spannung*) **2.** (*Aufregung, Spannung*) sich erhöhen, (an)steigen

heir [⚠ eə] Erbe; ***heir to the throne*** Thronfolger(in)

heiress [⚠ 'eəres] Erbin

heirloom [⚠ 'eəluːm] Erbstück

held [held] *2. und 3. Form von* → ***hold***[2]

helicopter ['helɪkɒptə] Hubschrauber

he'll [hiːl] *Kurzform von* ***he will***

hell [hel] Hölle (*auch übertragen*); ***like hell*** *umg.; arbeiten, rasen usw.*: wie verrückt; ***a hell of a noise*** *umg.* ein Höllenlärm; ***what the hell do you want?*** *umg.* was zum Teufel willst du?; ***give someone hell*** *umg.* jemandem die Hölle heiß machen; ***go to hell!*** *umg.* scher dich zum Teufel!; ***suffer hell on earth*** die Hölle auf Erden haben

hellbent [ˌhel'bent] ***be hellbent on doing something*** *umg.* ganz versessen darauf sein, etwas zu tun

hellish ['helɪʃ] *umg.* höllisch; ***I've had a hellish week in the office*** *umg.* die Woche im Büro war höllisch

hello [hə'ləʊ] **1.** *Gruß*: hallo!, guten Tag!, Ⓐ servus!, Ⓒⓗ grüezi!; ***say hello (to someone)*** (jemandem) Guten Tag sagen **2.** *überrascht*: nanu!

helmet ['helmɪt] Helm

help[1] [help] **1.** helfen, behilflich sein (***with*** bei); ***can I help you?*** kann ich Ihnen helfen?, *in Geschäft auch*: was darf es sein? **2.** ***help oneself*** *bei Tisch usw.*: sich bedienen, zugreifen; ***help yourself!*** nimm dir doch! **3.** ***I can't help it*** ich kann es nicht ändern, ich kann nichts dafür; ***it can't be helped*** da kann man nichts machen, es ist nicht zu ändern; ***I couldn't help laughing*** ich musste einfach lachen

> **help out** [ˌhelp'aʊt] aushelfen (***with*** mit); ***can you help me out with a tenner?*** *umg.* kannst du mir mit einem Zehner aushelfen?

help[2] [help] **1.** Hilfe; ***come to someone's help*** jemandem zu Hilfe kommen; ***I gave her some help with her homework*** ich half ihr bei den Hausaufgaben **2.** *Person*: Hilfe; ***thanks, you've been a real help*** danke, du warst mir wirklich eine Hilfe; ***a great help you've been!*** *ironisch*: du warst wirklich eine große Hilfe!

helper ['helpə] Helfer(in)

helpful ['helpfl] **1.** *Person*: hilfsbereit **2.** *Ratschlag*: hilfreich, nützlich; ***he's been very helpful*** er war eine große Hilfe

helping[1] ['helpɪŋ] ***give*** *oder* ***lend someone a helping hand*** jemandem hilfreich zur Seite stehen

helping[2] ['helpɪŋ] *Essen*: Portion; ***take a second helping*** sich nachnehmen

helpless ['helpləs] hilflos

helter-skelter[1] [ˌheltə'skeltə] Hals über Kopf (*losrennen usw.*)

helter-skelter[2] [ˌheltə'skeltə] *BE; auf dem Rummelplatz*: Rutschbahn

hem[1] [hem] *von Kleid usw.*: Saum

hem[2] [hem] säumen, einsäumen (*Kleid usw.*)

> **hem in** [ˌhem'ɪn] **1.** (≈ *umzingeln*) einschließen **2.** *übertragen* einengen

hem[3] [hem] ***hem and haw*** herumdrucksen, nicht recht mit der Sprache herauswollen

hemisphere ['hemɪsfɪə] **1.** Halbkugel **2.** *Geographie*: Hemisphäre

hemline ['hemlaɪn] Saum; ***hemlines are going up again*** die Kleider werden wieder kürzer

hemorrhoids ['hemərɔɪdz] *Pl. AE* Hämorrhoiden *Pl.*

hen [hen] *weiblicher Vogel*: Henne, Huhn

hence [hens] **1.** *bei Begründung*: daher,

deshalb **2.** ***a week hence*** in einer Woche

henpecked ['henpekt] ***be henpecked*** unter dem Pantoffel stehen; ***henpecked husband*** Pantoffelheld

hepatitis [ˌhepə'taɪtɪs] Leberentzündung, Hepatitis

her[1] [hɜː] **1.** sie; ***I know her*** ich kenne sie **2.** ihr; ***I gave her the book*** ich gab ihr das Buch **3.** *umg.* sie; ***he's younger than her*** er ist jünger als sie; ***it's her*** sie ist es

her[2] [hɜː] ihr(e); ***it's her fault*** es ist ihre Schuld

her[3] [hɜː] sich; ***she looked behind her*** sie sah sich um

herb [hɜːb] **1.** *in der Medizin*: Heilkraut **2.** *zum Kochen*: Gewürzkraut, Küchenkraut

herd[1] [hɜːd] **1.** *von Tieren*: Herde, Rudel **2.** ***the herd*** die große *oder* breite Masse

herd[2] [hɜːd] *auch* **herd together** treiben, (zusammen)pferchen (*Tiere*, *Gefangene usw.*)

here [hɪə] **1.** (≈ *an diesem Ort*) hier; ***down*** (*bzw.* ***up***) ***here*** hier unten (*bzw.* oben); ***it's here to stay*** *übertragen* es ist von Dauer, es wird bleiben *oder* sich halten **2.** (≈ *zu diesem Ort*) her, hierher; ***come here*** komm her **3.** ***here and there*** hier und da, da und dort **4.** *in Wendungen*: ***look here!*** *ärgerlich*: jetzt hör mal zu!; ***here's to you!*** auf dein Wohl!; ***here you are*** *etwas übergebend*: hier (bitte)!; ***here we are!*** *bei Ankunft*: da wären wir; ***here goes!*** *bevor man etwas tut*: dann mal los!

hereby [ˌhɪə'baɪ] *förmlich* hiermit

hereditary [hə'redətrɪ] erblich, Erb...; ***hereditary disease*** Erbkrankheit

heritage ['herɪtɪdʒ] *das* Erbe (*einer Kultur, eines Landes usw.*)

hermetic [hɜː'metɪk] hermetisch, luftdicht; ***hermetically sealed*** luftdicht verschlossen

hermit ['hɜːmɪt] Einsiedler (*auch übertragen*), Eremit

hero ['hɪərəʊ] *Pl.*: **heroes** ['hɪərəʊz] *allg.*: Held (*auch übertragen*, *Film usw.*)

heroic [hə'rəʊɪk] heroisch, heldenhaft

heroin ['herəʊɪn] Heroin

heroine ['herəʊɪn] Heldin

herring ['herɪŋ] *Fisch*: Hering

herringbone ['herɪŋbəʊn] *auch* ***herringbone pattern*** Fischgrätenmuster

hers [hɜːz] ***it's hers*** es gehört ihr; ***a friend of hers*** ein Freund von ihr; ***my mother and hers*** meine und ihre Mutter

herself [hɜː'self] **1.** sich; ***she hurt herself*** sie hat sich verletzt **2.** *verstärkend*: sie selbst, ihr selbst; ***she did it herself*** sie hat es selbst getan **3.** sich; ***she bought herself a car*** sie hat sich ein Auto gekauft **4.** sich (selbst); ***she wants it for herself*** sie will es für sich selbst **5.** ***she wrote the essay all by herself*** sie hat den Aufsatz ganz allein geschrieben

he's [hiːz] *Kurzform von* ***he has*** *oder* ***he is***

hesitate ['hezɪteɪt] **1.** zögern, zaudern; ***hesitate to do something*** Bedenken haben, etwas zu tun **2.** *beim Sprechen*: stocken

hesitation [ˌhezɪ'teɪʃn] Zögern, Zaudern; ***without*** (***any***) ***hesitation*** ohne zu zögern

Hesse [hes] Hessen

het up [ˌhet'ʌp] *umg.* aufgeregt, nervös (***about*** wegen)

hexagon ['heksəgən] Sechseck

hexagonal [hek'sægənl] sechseckig

heyday ['heɪdeɪ] *von Künstler usw.*: Glanzzeit, Blütezeit

hi [haɪ] *umg.* hallo!, grüß dich!, Tag!, Ⓐ servus!

hibernate ['haɪbəneɪt] Winterschlaf halten

hibernation [ˌhaɪbə'neɪʃn] Winterschlaf

hiccup ['hɪkʌp] **1.** ***have*** (***the***) ***hiccups*** (den) Schluckauf haben **2.** *umg.*, *übertragen* Panne, Störung

hid [hɪd] *2. und 3. Form von* → **hide**[1]

hidden[1] ['hɪdn] *3. Form von* → **hide**[1]

hidden[2] ['hɪdn] geheim, verborgen

hide[1] [haɪd], **hid** [hɪd], **hidden** ['hɪdn] **1.** verstecken, verbergen (***from*** vor); ***what are you hiding behind your back?*** was versteckst du da hinter deinem Rücken? **2.** verheimlichen (*Gefühle*, *Wahrheit*)

hide[2] [haɪd] *von Tieren*: Haut, Fell (*auch übertragen*); ***save one's own hide*** die eigene Haut retten

hide-and-seek [ˌhaɪdən'siːk] Versteckspiel; ***play hide-and-seek*** Versteck spielen

hideaway ['haɪdəweɪ] **1.** *umg.* Versteck (*einer Person*) **2.** *umg.* Zufluchtsort

hideous [⚠ 'hɪdɪəs] *Verbrechen*, *Lärm*, *Anblick*: abscheulich, scheußlich

hideout ['haɪdaʊt] *von Kriminellen usw.*: Versteck

hiding[1] ['haɪdɪŋ] **1.** *umg.* Tracht Prügel; ***get a good hiding*** eine gehörige Tracht Prügel beziehen **2.** *Sport*: Schlappe; ***our team got a real hiding*** unser Team musste eine schwere Schlappe einstecken

hiding[2] ['haɪdɪŋ] ***be in hiding*** sich versteckt halten; ***go into hiding*** untertauchen

hiding place ['haɪdɪŋ‿pleɪs] *für Personen oder Dinge*: Versteck

hierarchy ['haɪrɑːkɪ] Hierarchie

higgledy-piggledy [ˌhɪgldɪˈpɪgldɪ] *umg.* drunter und drüber, durcheinander

high[1] [haɪ] **1.** *allg.*: hoch (*auch Geschwindigkeit, Preise usw.*) **2.** *Hoffnungen, Lob usw.*: groß **3.** *in Rang, Stellung*: hoch; ***high society*** Highsociety, die oberen zehntausend **4.** *Zeit*: fortgeschritten; ***it's high time*** (***he went***) es ist höchste Zeit (, dass er geht) **5.** *umg.* (≈ *berauscht*) *von Alkohol*: blau, *von Drogen*: high **6.** ***aim high*** sich hohe Ziele setzen *oder* stecken; ***search high and low*** überall suchen

high[2] [haɪ] **1.** *Wetterlage*: Hoch **2.** *übertragen* Höchststand (*von Aktienkursen, Preisen usw.*)

high and dry [ˌhaɪ‿ənˈdraɪ] ***leave someone high and dry*** jemanden im Stich lassen

high beam [ˌhaɪˈbiːm] *AE*; *Auto*: Fernlicht

highchair [ˈhaɪtʃeə] *für Kinder*: Hochstuhl

higher education [ˌhaɪər‿edjʊˈkeɪʃn] Hochschulbildung, Hochschulausbildung

higher

higher education	Hochschulausbildung
further education	a) Erwachsenenbildung b) nicht universitäre Ausbildung nach Verlassen der Schule

high-heels [ˌhaɪˈhiːlz] *Pl.* Stöckelschuhe

high jump [ˈhaɪ‿dʒʌmp] *Sport*: Hochsprung

high jumper [ˈhaɪˌdʒʌmpə] *Sport*: Hochspringer(in)

highlands [ˈhaɪləndz] *Pl.* Hochland; ***the Highlands*** das schottische Hochland

high-level [ˌhaɪˈlevl] hoch (*auch übertragen*); ***high-level talks*** [ˌhaɪlevlˈtɔːks] *Pl.* Gespräche auf höherer Ebene

highlight[1] [ˈhaɪlaɪt] Höhepunkt; ***we saw the highlights of the match on TV*** wir sahen Höhepunkte des Spiels im Fernsehen

highlight[2] [ˈhaɪlaɪt] ***the report highlighted the problems of working women*** der Bericht warf ein Schlaglicht auf die Probleme berufstätiger Frauen

highlighter [ˈhaɪlaɪtə] Leuchtstift, Textmarker

highly [ˈhaɪlɪ] **1.** *übertragen* hoch; ***highly gifted*** hoch begabt; ***highly interesting*** hochinteressant **2.** ***think highly of someone*** viel von jemandem halten

Highness [ˈhaɪnəs] *Titel*: Hoheit; ***His Royal Highness*** Seine Königliche Hoheit

high-pressure [ˌhaɪˈpreʃə] ***high-pressure area*** *Wetterlage*: Hochdruckgebiet

high rise [ˈhaɪraɪz] Hochhaus

high school [ˈhaɪ‿skuːl] *bes. AE* Highschool, Gymnasium (⚠ *Hochschule* = ***college, university***)

high street [ˈhaɪ‿striːt] Hauptstraße

High Street

Viele Städte in Großbritannien haben eine **High Street**, die oft heute noch die wichtigste Geschäftsstraße bildet (z. B. **Abingdon High Street**). Man spricht in diesem Sinn auch von **high street banks/shops** usw., d. h. den führenden Banken, Geschäften usw., auch wenn sie nicht unbedingt in der **High Street** angesiedelt sind.

high tea [ˌhaɪˈtiː] *BE* frühes Abendessen

high-tension [ˌhaɪˈtenʃn] Hochspannungs…

high tide [ˌhaɪˈtaɪd] **1.** *vom Meer*: Flut **2.** *von Erfolg usw.*: Höhepunkt

highway [ˈhaɪweɪ] **1.** *AE* Highway, Hauptverkehrsstraße **2.** *BE* öffentliche Straße; ***Highway Code*** Straßenverkehrsordnung

hijack[1] [ˈhaɪdʒæk] entführen (*Flugzeug*)

hijack[2] [ˈhaɪdʒæk] Flugzeugentführung

hijacker [ˈhaɪdʒækə] Flugzeugentführer

hike[1] [haɪk] wandern

hike[2] [haɪk] Wanderung; ***go on a hike*** eine Wanderung machen

hiker [ˈhaɪkə] Wanderer

hilarious [hɪˈleərɪəs] **1.** *Stimmung*: ausgelassen, übermütig **2.** *Witz, Geschichte*: urkomisch

hilarity [hɪˈlærətɪ] Ausgelassenheit

hill [hɪl] **1.** Hügel, Anhöhe **2.** ***I'm not over the hill yet*** *umg.* ich gehöre noch nicht zum alten Eisen

hillock [ˈhɪlək] kleiner Hügel

him [hɪm] **1.** ihn; ***I know him*** ich kenne ihn **2.** ihm; ***I gave him the book*** ich gab ihm das Buch **3.** *umg.* er; ***she's younger than him*** sie ist jünger als er; ***it's him*** er ist es

Himalaya [ˌhɪməˈleɪə] ***the Himalayas*** der Himalaja

himself [hɪmˈself] **1.** sich; ***he hurt himself*** er hat sich verletzt **2.** *verstärkend*: er *oder* ihm *oder* ihn selbst; ***he did it himself*** er hat es selbst getan **3.** sich (selbst); ***he wants it for himself*** er will es für sich (selbst); ***if he hadn't heard it himself …*** wenn er es nicht selbst gehört hätte, … **4.** ***by himself*** allein, ohne Hilfe; ***he did it all by himself*** er hat es ganz allein gemacht

H

hinder ['hɪndə] **1.** behindern **2.** hindern (***from*** an), abhalten (***from*** von)
hindsight ['haɪndsaɪt] ***with hindsight*** im Nachhinein (betrachtet)
hinge [hɪndʒ] *von Tür, Tor*: Scharnier, Angel
hint[1] [hɪnt] **1.** (≈ *Fingerzeig*) Wink, Andeutung; ***drop a hint*** eine Andeutung machen; ***a broad hint*** ein Wink mit dem Zaunpfahl; ***I can take a hint*** ich hab schon kapiert, das war deutlich genug **2.** (≈ *Rat*) Tipp; ***useful hints for tourists*** nützliche Tipps für Touristen **3.** Anflug, Spur; ***there was a hint of irony in his voice*** in seiner Stimme klang ein Hauch von Ironie
hint[2] [hɪnt] andeuten (*Sachverhalt*); ***I hinted that I was disappointed*** ich ließ durchblicken, dass ich enttäuscht war

hint at ['hɪnt‿ət] andeuten, anspielen auf; ***he hinted at changes in the management*** er deutete Wechsel im Management an

hip[1] [hɪp] *Körperteil*: Hüfte
hip[2] [hɪp] → ***hooray***
hip[3] [hɪp] *Kleidung, Musik usw.*: hip, angesagt
hippo ['hɪpəʊ] *umg.*, **hippopotamus** [ˌhɪpə'pɒtəməs] *Pl.*: ***hippopotamuses*** [ˌhɪpə'pɒtəməsəz] *oder* ***hippopotami*** [ˌhɪpə'pɒtəmaɪ] Nilpferd, Flusspferd
hire[1] ['haɪə] **1.** *für kurze Zeit*: mieten (*Auto usw.*); ***hire(d) car*** Leihwagen, Mietwagen **2.** einstellen (*Arbeitskräfte*) **3.** engagieren (*Anwalt, Agentur usw.*); ***a hired killer*** ein gekaufter Mörder
hire[2] ['haɪə] ***for hire*** *Boot, Fahrzeug, Maschine*: zu vermieten, *Taxi*: frei
hire purchase [ˌhaɪə'pɜːtʃəs] ***buy something on hire purchase*** *bes. BE* etwas auf Abzahlung *oder* auf Raten kaufen
his [hɪz] sein(e, -es); ***is this his desk?*** ist das sein Schreibtisch?; ***a friend of his*** ein Freund von ihm
hiss [hɪs] **1.** (*Gas, Schlange usw.*) zischen **2.** (*Katze*) fauchen
historian [hɪ'stɔːrɪən] Historiker(in)
historic [hɪ'stɒrɪk] **1.** (≈ *bedeutend*) historisch (*Schlacht, Ereignis usw.*) **2.** → ***historical***
historical [hɪ'stɒrɪkl] *Forschung, Quellen, Funde*: historisch, geschichtlich; ***historical novel*** historischer Roman
history ['hɪstrɪ] **1.** *der Welt, eines Landes usw.*: Geschichte; ***history of art*** Kunstgeschichte; ***go down in history*** in die Geschichte eingehen **2.** *allg.*: Vorgeschichte (*auch einer Krankheit*)
hit[1] [hɪt] **1.** Hieb, Schlag **2.** *Buch, Film, CD usw.*: Verkaufsschlager, Hit; ***it was a big hit*** es hat groß eingeschlagen **3.** *übertragen* Seitenhieb, Spitze (***at*** gegen)
hit[2] [hɪt], ***hit*** [hɪt], ***hit*** [hɪt]; *-ing-Form* ***hitting*** **1.** *mit der Hand, Faust*: schlagen; ***she hit him in the stomach*** sie schlug ihn in den Magen **2.** (*Ball, Geschoss usw.*) treffen; ***the ball hit me right in the face*** der Ball traf mich genau ins Gesicht; ***inflation hits us all*** die Inflation trifft uns alle **3.** *mit einem Fahrzeug*: anfahren, rammen: ***the car hit the phonebox*** das Auto fuhr gegen die Telefonzelle **4.** *in Wendungen*: ***hit the nail on the head*** *übertragen* den Nagel auf den Kopf treffen; ***hit the jackpot*** *umg.* einen Volltreffer landen; ***hit the road*** *umg.* aufbrechen, sich auf den Weg machen; ***hit the sack*** *umg.* (≈ *schlafen gehen*) sich aufs Ohr *oder* in die Falle hauen

hit back [ˌhɪt'bæk] *bes. verbal*: zurückschlagen; ***in the interview she hit back at her critics*** in dem Interview gab sie ihren Kritikern Kontra
hit off [ˌhɪt'ɒf] ***hit it off*** *umg.* sich auf Anhieb gut verstehen
hit out [ˌhɪt'aʊt] **1.** ***hit out at someone*** auf jemanden einschlagen **2.** *mit Worten*: herziehen (***at*** über)
hit up [ˌhɪt'ʌp] ***hit someone up*** *AE, umg.* jemanden anpumpen (***for*** um)

hit-and-run [ˌhɪtn'rʌn] ***hit-and-run accident*** Unfall mit Fahrerflucht; ***hit-and-run driver*** (unfall)flüchtiger Fahrer
hitch[1] [hɪtʃ] **1.** *umg.* per Anhalter fahren; ***hitch a ride*** *umg.* im Auto mitgenommen werden **2.** ***get hitched*** *umg.* heiraten **3.** befestigen (***to*** an)

hitch up [ˌhɪtʃ'ʌp] hochziehen (*Rock, Hose*)

hitch[2] [hɪtʃ] Schwierigkeit, Problem; ***without a hitch*** reibungslos
hitchhike ['hɪtʃhaɪk] per Anhalter fahren, trampen
hitchhiker ['hɪtʃhaɪkə] Anhalter(in), Tramper(in)
hitherto [ˌhɪðə'tuː] bisher, bis jetzt
hit list ['hɪt‿lɪst] ***be on the hit list*** *umg.* auf der Abschussliste stehen (⚠ *Hitliste in der Popmusik* = ***charts***)

HIV [ˌeɪtʃaɪ'viː] *Krankheit*: HIV; ***HIV positive*** HIV-positiv

hive [haɪv] Bienenkorb, Bienenstock; ***the classroom was a hive of activity*** das Klassenzimmer glich einem Bienenhaus

hoard[1] [hɔːd] Vorrat (***of*** an)

hoard[2] [hɔːd] *auch* ***hoard up*** horten, hamstern

hoarfrost ['hɔːfrɒst] (Rau)Reif

hoarse [hɔːs] *Stimme*: heiser, rau

hoarseness ['hɔːsnəs] Heiserkeit

hoax [həʊks] **1.** (≈ *Falschmeldung*) Schwindel, Ente **2.** (≈ *Schabernack*) Streich, (übler) Scherz; ***play a hoax on someone*** jemandem einen Streich spielen

hobble ['hɒbl] hinken, humpeln

hobby ['hɒbɪ] Hobby, Steckenpferd

hobby-horse ['hɒbɪhɔːs] Steckenpferd, Lieblingsthema; ***she's on her hobby-horse again*** sie ist wieder mal bei ihrem Lieblingsthema

hobgoblin [hɒb'gɒblɪn] *Fabelwesen*: Kobold

hockey ['hɒkɪ] **1.** *Sport*: *bes. BE* Hockey **2.** *Sport*: *bes. AE* Eishockey

hoe[1] [həʊ] *Gartengerät*: Hacke

hoe[2] [həʊ] hacken (*Beet*, *Boden*)

hog [hɒg] **1.** *Tier*: Mastschwein **2.** *umg.* Vielfraß **3.** ***go the whole hog*** *umg.* aufs Ganze gehen

Hogmanay ['hɒgməneɪ] *in Schottland*: Silvester(abend)

hogwash ['hɒgwɒʃ] Gewäsch, Geschwätz

hoist [hɔɪst] hissen (*Flagge*, *Segel*)

hold[1] [həʊld] **1.** *mit der Hand*: Griff (*auch beim Ringen*); ***catch*** (*oder* ***get, grab, take***) ***hold of something*** etwas ergreifen, etwas zu fassen bekommen **2.** ***get hold of something*** *übertragen* etwas finden, *umg.* etwas auftreiben; ***as soon as I get hold of him, I'll tell him you rang*** sobald ich ihn erwische, sage ich ihm, dass du angerufen hast **3.** (≈ *Kontrolle*) Gewalt, Macht (***on, over, of*** über); ***have a firm hold on someone*** jemanden in seiner Gewalt haben, jemanden beherrschen **4.** *Bergsteigen usw.*: Halt

hold[2] [həʊld], ***held*** [held], ***held*** [held] **1.** *allg.*: halten, festhalten; ***hold one's head*** sich den Kopf halten; ***hold hands*** sich an der Hand halten, *Liebespaar*: Händchen halten **2.** ***hold one's nose*** (*bzw.* ***ears***) sich die Nase (*bzw.* die Ohren) zuhalten **3.** ***hold the door open for someone*** jemandem die Tür aufhalten **4.** (*Seil*, *Nagel*, *geklebte Stelle usw.*) halten, nicht reißen *oder* (zer)brechen **5.** (*Wetter*, *Glück usw.*) anhalten, andauern **6.** (≈ *veranstalten*) abhalten (*Wahlen*, *Pressekonferenz usw.*) **7.** bekleiden (*Amt*, *Posten usw.*) **8.** (*Gefäß*) fassen, enthalten **9.** (*Fahrzeug*, *Raum usw.*) Platz bieten für; ***the theatre only holds 150 people*** in das Theater passen nur 150 Zuschauer **10.** vertreten (*Meinung*); ***he holds strong green views*** er vertritt eine stark ökologische Position **11.** (≈ *einschätzen*) halten für; ***he holds it to be true*** *usw.* er hält es für wahr *usw.* **12.** ***hold someone responsible*** jemanden verantwortlich machen **13.** *auch* ***hold good*** (*Angebot*, *Preis usw.*) (weiterhin) gelten, gültig sein *oder* bleiben **14.** *in Wendungen*: ***hold it!*** *umg.* Moment mal!, Warte!; ***hold your horses!*** *umg.* immer mit der Ruhe!

hold back [ˌhəʊld'bæk] **1.** *allg.*: zurückhalten **2.** *übertragen* zurückhalten, verschweigen (*Wahrheit*, *Nachricht usw.*)

hold down [ˌhəʊld'daʊn] **1.** niedrig halten (*Preise*, *Kosten*, *Zinsen usw.*) **2.** *übertragen* unterdrücken (*Volk*)

hold on [həʊld'ɒn] **1.** festhalten (***to*** an) (*auch übertragen*: *an Überzeugung usw.*) **2.** (≈ *nicht aufgeben*) durchhalten **3.** *beim Telefonieren*: am Apparat bleiben; ***hold on!*** bleiben Sie dran!

hold together [ˌhəʊld‿tə'geðə] zusammenhalten (*auch übertragen*)

hold up [ˌhəʊld'ʌp] **1.** hochhalten (*Gegenstand*, *Hand usw.*) **2.** ***hold something*** *oder* ***someone up as an example*** *übertragen* etwas *oder* jemanden als Beispiel hinstellen (***of*** für) **3.** (≈ *behindern*) aufhalten, verzögern (*Plan*, *Projekt usw.*); ***be held up*** sich verzögern **4.** überfallen (*Bank*, *Person*)

holdall ['həʊldɔːl] *bes. BE* Reisetasche

holder ['həʊldə] **1.** *oft in Zusammensetzungen*: …halter; ***candle holder*** Kerzenhalter **2.** *von Amt*, *Titel*, *Pass*: Inhaber(in)

hold-up ['həʊldʌp] **1.** *von Planung*, *Produktion usw.*: Verzögerung **2.** *im Straßenverkehr usw.*: Behinderung, Stockung **3.** (bewaffneter) Raubüberfall

hole [həʊl] **1.** Loch; ***the new computer made a big hole in my savings*** *übertragen* der neue Computer hat ein großes Loch in mein Erspartes gerissen; ***she'll try to pick holes in your arguments*** *übertragen* sie wird versuchen, deine Argumente zu zerpflücken **2.** *umg.*; *schäbige Unterkunft*: Loch, Bruchbude **3.** *umg.*; *schäbiger Ort*: Kaff, Nest

holiday ['hɒlədeɪ] **1.** Feiertag; ***public holi-***

day gesetzlicher Feiertag **2.** *mst.* ***holidays*** *Pl., bes. BE* Ferien, Urlaub; ***be on holiday*** im Urlaub sein, Urlaub machen; ***holiday camp*** Ferienlager; ***holiday trip*** Urlaubsreise

holidaymaker ['hɒlədeɪˌmeɪkə] *bes. BE* Urlauber(in)

Holland ['hɒlənd] Holland

holler ['hɒlə] *AE, umg.* schreien, brüllen

hollow ['hɒləʊ] **1.** *Baum, Mauer, Zahn usw.*: hohl **2.** *Klang, Stimme*: hohl, dumpf **3.** *Worte, Versprechungen*: hohl, leer, falsch **4.** *Wangen*: eingefallen

Hollywood

Hollywood – berühmte amerikanische Filmmetropole; Stadtteil von Los Angeles im US-Bundesstaat Kalifornien, wo viele Kinofilme gemacht werden und große Stars leben; ☞ *Karte S. 294*

holocaust ['hɒləkɔːst] **1.** Massenvernichtung; ***nuclear holocaust*** atomarer Holocaust **2.** ***the Holocaust*** der Holocaust (*die Judenverfolgung im Dritten Reich*)

holy ['həʊlɪ] heilig; ***the Holy Bible*** die Bibel, die heilige Schrift; ***the Holy Ghost*** der heilige Geist

home[1] [həʊm] **1.** (≈ *Wohnsitz*) Heim; ***at home*** zu Hause, daheim, Ⓐ, Ⓒⓗ zuhause; ***away from home*** abwesend, verreist; ***his home is in London*** er ist in London zu Hause (Ⓐ, Ⓒⓗ zuhause); ***make oneself at home*** es sich bequem machen **2.** *Eigenheim*: Haus, (eigene) Wohnung **3.** *Herkunftsort, -land*: Heimat; ***Birmingham became my second home*** Birmingham wurde zu meiner zweiten Heimat; ***at home and abroad*** im In- und Ausland **4.** *Institution*: Heim; ***old people's home*** Altersheim, Altenheim

home[2] [həʊm] **1.** *in Zusammensetzungen*: ***home address*** Privatanschrift; ***I enjoy my home life*** ich genieße das Zuhausesein; ***home cooking*** Hausmannskost; ***home economics*** *Sg.* Hauswirtschaftslehre (*auch Schulfach*) **2.** *politisch, wirtschaftlich*: inländisch, Inlands…; ***home affairs*** innere Angelegenheiten, Innenpolitik; ***home market*** Inlandsmarkt, Binnenmarkt **3.** *Sport*: Heim…; ***home match*** Heimspiel **4.** heim, nach Hause, Ⓐ, Ⓒⓗ nachhause; ***I'm going home*** ich gehe nach Hause; ***on one's way home*** auf dem Heimweg; ***our canteen food is nothing to write home about*** *umg.* unser Kantinenessen reißt einen nicht gerade vom Hocker **5.** zu Hause, daheim, Ⓐ, Ⓒⓗ zuhause; ***is Daddy home yet*** ist Vati schon zu Hause (Ⓐ, Ⓒⓗ zuhause)

home banking [ˌhəʊm'bæŋkɪŋ] Homebanking

homegrown ['həʊmgrəʊn] *Obst*: selbst angebaut, *Gemüse auch*: selbst gezogen

homeless ['həʊmləs] obdachlos; ***the homeless*** *Pl.* die Obdachlosen

homemade ['həʊmmeɪd] hausgemacht, selbst gemacht

Home Office ['həʊmˌɒfɪs] *BE* Innenministerium

homeopath ['həʊmɪəpæθ] Homöopath

homeopathy [ˌhəʊmɪ'ɒpəθɪ] Homöopathie

home page ['həʊm‿peɪdʒ] *Internet*: Homepage, Startseite

Home Secretary [ˌhəʊm'sekrətərɪ] *BE* Innenminister(in)

homesick ['həʊmsɪk] ***be homesick*** Heimweh haben

homesickness ['həʊmsɪknəs] Heimweh

homework ['həʊmwɜːk] (⚠ *nur im Sg verwendet*) *Schule*: Hausaufgabe, Hausaufgaben; ***have you done your homework?*** hast du deine Hausaufgaben gemacht?

homosexual[1] [ˌhəʊmə'sekʃʊəl] homosexuell

homosexual[2] [ˌhəʊmə'sekʃʊəl] Homosexuelle(r)

homosexuality [ˌhəʊməˌsekʃʊ'ælətɪ] Homosexualität

honest [⚠ 'ɒnɪst] ehrlich; ***to be honest with you …*** um ehrlich zu sein, …; ***let's be honest …*** seien wir doch ehrlich, …

honestly [⚠ 'ɒnɪstlɪ] **1.** ehrlich **2.** *umg. Ausruf*: ehrlich!, *verärgert*: also wirklich!

honesty [⚠ 'ɒnəstɪ] Ehrlichkeit; ***in all honesty*** ganz ehrlich, ehrlicherweise

honey ['hʌnɪ] **1.** Honig; **(*as*) *sweet as honey*** honigsüß (*auch übertragen*) **2.** *bes. AE, umg.* Liebling, Schatz

honeybee ['hʌnɪbiː] Honigbiene

honeycomb [⚠ 'hʌnɪkəʊm] Bienenwabe

honeydew melon [ˌhʌnɪdjuː'melən] Honigmelone

honeymoon ['hʌnɪmuːn] **1.** Flitterwochen *Pl.* **2.** *Reise*: Hochzeitsreise

Hong Kong [ˌhɒŋ'kɒŋ] Hongkong

honorary ['ɒnrərɪ] **1.** *in Zusammensetzungen*: Ehren…; ***honorary member*** Ehrenmitglied **2.** *Amt, Aufgabe, Tätigkeit*: ehrenamtlich

honour[1], *AE* **honor** ['ɒnə] *bes. BE* ehren, auszeichnen (*für besondere Verdienste*)

honour[2], *AE* **honor** ['ɒnə] **1.** *allg.*: Ehre; ***guest of honour*** Ehrengast; ***in honour of*** zu Ehren von **2.** ***honours*** *oder* ***hon***

ours degree *BE*; *etwa*: Studienabschluss im Hauptfach **3. *Your Honour*** *Anrede für Richter*: hohes Gericht, Euer Ehren

honourable, *AE* **honorable** ['ɒnərəbl] *bes. BE* **1.** *Handlung*: achtbar, ehrenwert (*auch Person*) **2. *the Honourable ...*** *Titel*: der *bzw.* die Ehrenwerte …

hood [hʊd] **1.** Kapuze **2.** *BE*; *von Auto*: Verdeck **3.** *AE*; *von Auto*: Motorhaube

hooded ['hʊdɪd] *Kleidungsstück*: mit Kapuze

hoodlum ['huːdləm] *umg.* **1.** Rowdy, Schläger **2.** Ganove

hoodwink ['hʊdwɪŋk] hinters Licht führen

hooey ['huːɪ] *AE*, *salopp* Krampf, Quatsch

hoof [huːf] *Pl.*: ***hoofs*** *oder* ***hooves*** [huːvz] *von Pferd usw.*: Huf

hook[1] [hʊk] **1.** *zum Aufhängen*: Haken **2.** *zum Fischen*: Angelhaken **3.** *Boxen*: Haken **4.** *in Wendungen*: ***by hook or by crook*** unter allen Umständen, auf Biegen und Brechen; ***get oneself off the hook*** *umg.* den Kopf aus der Schlinge ziehen

hook[2] [hʊk] **1.** einhaken, mit einem Haken befestigen **2.** an die Angel bekommen (*Fisch*) **3.** *übertragen*, *umg.* sich angeln (*Mann*)

hooked [hʊkt] **1.** hakenförmig, Haken… **2.** *umg.* süchtig (***on*** nach); ***hooked on TV*** fernsehsüchtig

hooker ['hʊkə] *AE*, *salopp* Nutte

hooky ['hʊkɪ] ***play hooky*** *AE*, *umg.* (die Schule) schwänzen

hooligan ['huːlɪgən] Rowdy

hooliganism ['huːlɪgənɪzm] Rowdytum

hooray [hʊ'reɪ] hurra!; ***hip hip hooray!*** hipp, hipp, hurra!

hoot[1] [huːt] **1.** *von Auto*: Hupen **2.** *johlend*: Schrei **3. *I don't give a hoot*** (*oder* ***two hoots***) *umg.* das ist mir völlig egal

hoot[2] [huːt] **1.** (*Auto*) hupen **2.** johlen

hoover[1]® ['huːvə] Staubsauger

hoover[2] ['huːvə] staubsaugen, absaugen (*Teppich usw.*)

hooves [huːvz] *Pl. von* → ***hoof***

hop[1] [hɒp] *Pflanze*: Hopfen

hop[2] [hɒp], ***hopped, hopped*** **1.** hüpfen **2.** ***hop it!*** *umg.* schwirr ab!, verschwinde!

hop[3] [hɒp] Sprung; ***keep someone on the hop*** *umg.* jemanden in Trab halten

hope[1] [həʊp] Hoffnung (***of*** auf); ***don't give up hope!*** gib die Hoffnung nicht auf!; ***past*** *oder* ***beyond hope*** hoffnungslos, aussichtslos; ***no hope of success*** keine Aussicht auf Erfolg; ***I'm pinning all my hopes on you*** ich setze all meine Hoffnungen auf dich

hope[2] [həʊp] hoffen (***for*** auf); ***let's hope for the best*** hoffen wir das Beste; ***I hope so*** hoffentlich; ***I hope not*** hoffentlich nicht

hopeful ['həʊpfl] **1.** (≈ *optimistisch*) hoffnungsvoll, zuversichtlich; ***be hopeful that ...*** hoffen, dass … **2.** *Entwicklung*, *Person*: viel versprechend

hopefully ['həʊpflɪ] **1.** hoffentlich; ***hopefully we'll arrive in time*** hoffentlich kommen wir pünktlich an, ich hoffe, wir kommen pünktlich an **2.** (≈ *optimistisch*) hoffnungsvoll, voller Hoffnung

hopeless ['həʊpləs] hoffnungslos; ***you're hopeless*** du bist ein hoffnungsloser Fall

hopping mad [ˌhɒpɪŋ'mæd] ***be hopping mad*** *umg.* eine Stinkwut haben

horizon [hə'raɪzn] Horizont; ***appear on the horizon*** am Horizont auftauchen, *übertragen* sich abzeichnen

horizontal [ˌhɒrɪ'zɒntl] horizontal, waagerecht

hormone ['hɔːməʊn] Hormon

horn [hɔːn] **1.** *von Kuh usw.*: Horn; ***take the bull by the horns*** *übertragen* den Stier bei den Hörnern packen **2.** *von Schnecke*: Fühler **3.** *von Auto*: Hupe **4.** *Blasinstrument*: Horn

hornet ['hɔːnɪt] *Insekt*: Hornisse; ***stir up a hornet's nest*** *übertragen* in ein Wespennest stechen

horny ['hɔːnɪ] **1.** *Hände*: schwielig **2.** *vulgär* geil, spitz

horoscope ['hɒrəskəʊp] Horoskop; ***cast a horoscope*** ein Horoskop stellen

horrendous [hɒ'rendəs] **1.** *Verbrechen*: abscheulich **2.** *Wetter*: grässlich **3.** *Preise*: horrend

horrible ['hɒrəbl] *Verbrechen usw.*: schrecklich, furchtbar, scheußlich (*umg. auch Wetter*, *Mensch usw.*)

horrid ['hɒrɪd] *umg.* **1.** *Geruch*, *Geschmack*, *Wetter usw.*: scheußlich, ekelhaft **2. *don't be so horrid to me!*** sei nicht so gemein zu mir!

horrific [hɒ'rɪfɪk] **1.** *Verbrechen*, *Anblick*: schrecklich, entsetzlich **2.** *Preise*: horrend

horrify ['hɒrɪfaɪ] entsetzen; ***be horrified at*** *oder* ***by*** entsetzt sein über

horror ['hɒrə] **1.** Entsetzen; ***in horror*** entsetzt **2.** Abscheu, Horror (***of*** vor); ***I have a horror of rats*** ich habe einen Horror vor Ratten

horror-stricken ['hɒrəˌstrɪkən], **horror--struck** ['hɒrəstrʌk] von Entsetzen gepackt

horse [hɔːs] **1.** *Tier*: Pferd (*auch Turngerät*) **2.** *in Wendungen*: ***eat like a horse*** wie ein Scheunendrescher essen; ***I could eat a horse*** ich hab einen Bärenhunger; ***you can believe me, I've got it straight from***

the horse's mouth du kannst mir glauben, ich habe es aus erster Hand; ***hold your horses!*** immer mit der Ruhe!

horseback ['hɔːsbæk] ***on horseback*** zu Pferd

horseman ['hɔːsmən] *Pl.*: ***horsemen*** ['hɔːsmən] (geübter) Reiter

horsepower ['hɔːsˌpaʊə] *von Motor*: Pferdestärke, PS

horseradish ['hɔːsˌrædɪʃ] Meerrettich, Ⓐ Kren

horseshoe ['hɔːsʃuː] *für Pferd*: Hufeisen

horsewoman ['hɔːsˌwʊmən] *Pl.*: ***horsewomen*** ['hɔːsˌwɪmɪn] (geübte) Reiterin

horticulture ['hɔːtɪˌkʌltʃə] Gartenbau

hose [həʊz] *aus Gummi, Plastik*: Schlauch; ***garden hose*** Gartenschlauch

hospitable [hɒ'spɪtəbl] *Person*: gastfreundlich

hospital ['hɒspɪtl] Krankenhaus, Klinik, Ⓐ, ⒸⒽ Spital; ***in hospital***, *AE* ***in the hospital*** im Krankenhaus

hospitality [ˌhɒspɪ'tælətɪ] *von Person*: Gastfreundschaft

host[1] [həʊst] **1.** *einer Party usw.*: Gastgeber (-in); ***host family*** Gastfamilie **2.** *Rundfunk, TV*: Talkmaster(in), Showmaster (-in), Moderator(in)

host[2] [həʊst] Menge, Masse; ***a host of questions*** eine Unmenge Fragen

hostage ['hɒstɪdʒ] Geisel; ***take someone hostage*** jemanden als Geisel nehmen

hostel ['hɒstl] **1.** *mst.* ***youth hostel*** Jugendherberge **2.** *für Studenten, Arbeiter usw.*: Wohnheim

hostess ['həʊstɪs] **1.** *einer Party usw.*: Gastgeberin **2.** *auf Messen usw.*: Hostess **3.** *im Flugzeug*: Hostess, Stewardess **4.** *Rundfunk, TV*: Talkmasterin, Showmasterin, Moderatorin

hostile ['hɒstaɪl] **1.** feindlich **2.** *Haltung*: feindselig (***to*** gegen); ***hostile to foreigners*** ausländerfeindlich

hostility [hɒ'stɪlətɪ] Feindschaft, Feindseligkeit; ***hostility to foreigners*** Ausländerfeindlichkeit

hot [hɒt], ***hotter, hottest*** **1.** *allg.*: heiß; ***I'm hot*** mir ist heiß; ***this room is much too hot*** in diesem Raum ist es viel zu heiß *oder* warm; ***hot spring*** Thermalquelle **2.** *Speisen*: warm, heiß; ***a hot meal*** eine warme Mahlzeit **3.** *Speisen*: scharf (gewürzt) **4.** *Neuigkeit usw.*: brandaktuell; ***hot off the press*** *Nachrichten usw.*: frisch aus der Presse, *Buch usw.*: soeben erschienen **5.** *umg.*; *gestohlene Ware*: heiß

hotchpotch ['hɒtʃpɒtʃ] (≈ *Durcheinander*) Mischmasch

hot cross bun

Hot cross bun heißt das süße Hefeteiggebäck, das traditionell am Karfreitag (**Good Friday**) gegessen, aber bereits in der Vorosterzeit schon gern genossen wird. Das Gebäck ist mit einem weißen Kreuz verziert, daher der Name **hot cross bun** (**bun** = süßes Brötchen).

hotel [ˌhəʊ'tel] Hotel

hotfoot [ˌhɒt'fʊt] ***hotfoot it*** *umg.* sich davonmachen

hothead ['hɒthed] Hitzkopf

hot-headed [ˌhɒt'hedɪd] hitzköpfig

hothouse ['hɒthaʊs] Gewächshaus, Treibhaus

hot line ['hɒt‿laɪn] *bes. in der Politik*: heißer Draht

hotplate ['hɒtpleɪt] **1.** *auf Herd*: Kochplatte **2.** *für Speisen*: Warmhalteplatte

hot spot ['hɒt‿spɒt] *politisch*: Krisenherd

hot-water bottle [ˌhɒt'wɔːtəˌbɒtl] Wärmflasche

hound [haʊnd] Jagdhund

hour ['aʊə] **1.** Stunde; ***I'll be back in an hour*** ich bin in einer Stunde zurück; ***for hours (and hours)*** stundenlang; ***24 hours a day*** Tag und Nacht; ***I've been waiting for hours*** ich warte schon stundenlang, *umg.* ich warte schon ewig **2.** Tageszeit, Stunde; ***at an early*** (*bzw.* ***a late***) ***hour*** zu früher (*bzw.* vorgerückter) Stunde; ***at all hours*** zu jeder Zeit **3.** ***hours*** *Pl.* Arbeitszeit; ***after hours*** *allg.*: nach Geschäftsschluss, *in Lokal*: nach der Sperrstunde

hour hand ['aʊə‿hænd] *von Uhr*: Stundenzeiger

hourly ['aʊəlɪ] **1.** stündlich; ***at hourly intervals*** stündlich, jede Stunde; ***there's an hourly bus to the airport*** jede *oder* alle Stunde fährt ein Bus zum Flughafen **2.** ***be paid on an hourly basis*** stundenweise bezahlt werden

house[1] [haʊs] *Pl.*: ***houses*** [⚠ 'haʊzɪz] **1.** Haus; ***move house*** umziehen **2.** *was zum Haus gehört*: Haushalt; ***keep house for someone*** jemandem den Haushalt führen; ***put*** *oder* ***set one's house in order*** *übertragen* seine Angelegenheiten in Ordnung bringen **3.** *adlige Familie*: Haus, Geschlecht; ***the House of Hanover*** das Haus Hannover **4.** ***the House*** *in GB*: das Parlament **5.** ***this round is on the house*** *in Lokal*: diese Runde geht auf Kosten des Hauses

house[2] [haʊz] unterbringen, beherbergen (*Personen*)

housebound ['haʊsbaʊnd] *übertragen* ans Haus gefesselt
housebreaking ['haʊsˌbreɪkɪŋ] Einbruch
household ['haʊshəʊld] (≈ *Personen*) Haushalt
house-hunt ['haʊshʌnt] auf Haussuche gehen (*oder* sein); ***go*** (*bzw.* ***be***) ***house--hunting*** auf Haussuche gehen (*bzw.* sein)
house husband ['haʊsˌhʌzbənd] Hausmann
housekeeper ['haʊsˌkiːpə] Haushälterin
housekeeping ['haʊsˌkiːpɪŋ] **1.** Haushaltsführung **2.** *auch* ***housekeeping money*** Haushaltsgeld
House of Commons [ˌhaʊs‿əv'kɒmənz] *in GB*: Unterhaus
House of Lords [ˌhaʊs‿əv'lɔːdz] *in GB*: Oberhaus
House of Representatives [ˌhaʊs‿əvˌreprɪ'zentətɪvz] *in USA*: Repräsentantenhaus
Houses of Parliament [ˌhaʊzɪz‿əv'pɑːləmənt] *in GB*: *das* Parlament
house-trained ['haʊstreɪnd] *BE*; *Haustier*: stubenrein
housewarming ['haʊsˌwɔːmɪŋ] *auch* ***housewarming party*** Einzugsparty (*im neuen Haus*)
housewife ['haʊswaɪf] *Pl.*: ***housewives*** ['haʊswaɪvz] Hausfrau
housework ['haʊswɜːk] (≈ *Arbeit im Haushalt*) Hausarbeit
housing ['haʊzɪŋ] (⚠ *nur im Sg.*) **1.** (≈ *Schaffen von Wohnraum*) Wohnungsbau **2.** *oft in Zusammensetzungen*: ***housing estate*** *BE* Wohnsiedlung; ***housing market*** Wohnungsmarkt; ***housing shortage*** Wohnungsnot; ***housing conditions*** Wohnverhältnisse
hover [⚠ 'hɒvə] (*Hubschrauber, Vogel usw.*) schweben
hovercraft [⚠ 'hɒvəkrɑːft] *Pl.*: ***hovercraft*** *oder* ***hovercrafts*** Luftkissenfahrzeug
how [haʊ] **1.** *fragend*: wie; ***how are you?*** wie geht es dir?; ***how do you do?*** *bei Vorstellung*: guten Tag; ***how are things?*** *umg.* wie gehts?; ***how's your toothache?*** was machen deine Zahnschmerzen?; ***how about …?*** wie steht *oder* wäre es mit …?; ***how do you know?*** woher wissen Sie das?; ***how much?*** wie viel?; ***how many?*** wie viel?, wie viele? **2.** *in Ausrufen*: ***how nice!*** wie schön!; ***and how!*** *umg.* und ob! **3.** ***I'd like to learn how to play the guitar*** ich würde gerne Gitarre spielen lernen
how'd [haʊd] *Kurzform von* ***how had, how would*** *oder* ***how did***
however [haʊ'evə] **1.** wie auch immer; ***however you do it*** wie du es auch machst; ***however expensive it is*** wie teuer es auch sein mag **2.** (≈ *nichtsdestoweniger*) jedoch; ***there is, however, another aspect*** da gibt es jedoch noch einen weiteren Aspekt
howl [haʊl] **1.** (*Wölfe, Wind*) heulen **2.** *vor Schmerz, Zorn*: brüllen, schreien (***with*** vor); ***howling with pain*** vor Schmerz brüllend; ***howl with laughter*** in brüllendes Gelächter ausbrechen
howler ['haʊlə] *umg.* (≈ *schwerer Fehler*) grober Schnitzer, Hammer
how'll [haʊl] *Kurzform von* ***how will*** *oder* ***how shall***
how's [haʊz] *Kurzform von* ***how is*** *oder* ***how has***
how've [haʊv] *Kurzform von* ***how have***
hp [ˌeɪtʃ'piː] (*Abk. für* **h**orse **p**ower) PS
HP [ˌeɪtʃ'piː] (*Abk. für* **h**ire **p**urchase) *BE* Ratenkauf; ***buy something on HP*** etwas auf Raten kaufen
hub [hʌb] **1.** *von Rad*: Nabe **2.** *übertragen* Mittelpunkt, Angelpunkt
hubcap ['hʌbkæp] *von Auto*: Radkappe
huddle[1] ['hʌdl] **1.** (sich) kauern **2.** ***huddle*** (***up***) ***against*** (*oder* ***to***) sich kauern an

> **huddle together** [ˌhʌdl‿tə'geðə] sich zusammendrängen

huddle up [ˌhʌdl'ʌp] sich zusammenkauern
huddle[2] ['hʌdl] **1.** (wirrer) Haufen **2.** *Personen*: dicht zusammengedrängte Gruppe **3.** ***go into a huddle*** *umg.* die Köpfe zusammenstecken
hue[1] [hjuː] Farbe, Farbschattierung
hue[2] [hjuː] ***raise a hue and cry against*** lautstark protestieren gegen
huff[1] [hʌf] ***be in a huff*** eingeschnappt sein; ***go into a huff*** einschnappen
huff[2] [hʌf] ***huff and puff*** keuchen, schnaufen
huffy ['hʌfɪ] **1.** verärgert, eingeschnappt **2.** (≈ *leicht zu kränken*) empfindlich
hug[1] [hʌg], ***hugged, hugged*** (≈ *in die Arme nehmen*) umarmen, *umg.* drücken
hug[2] [hʌg] Umarmung; ***give someone a hug*** jemanden umarmen (*oder* drücken)
huge [hjuːdʒ] riesig, riesengroß (*beide auch übertragen*)
hulk [hʌlk] *Person, Ding*: Koloss
hullo [hə'ləʊ] *bes. BE* → ***hello***
hum[1] [hʌm] ***hummed, hummed*** **1.** *allg.* summen **2.** ***hum*** (***with activity***) *umg.* (*Haus, Straße usw.*) voller Leben sein **3.**

H

hum and haw herumdrucksen, nicht recht mit der Sprache herauswollen
hum[2] [hʌm] Summen, Brummen
human[1] ['hjuːmən] menschlich; ***human being*** Mensch; ***the human race*** die menschliche Rasse, die Menschheit; ***human chain*** Menschenkette; ***human rights*** Menschenrechte
human[2] ['hjuːmən] Mensch
humane [hjuː'meɪn] (≈ *nicht grausam*) human, menschlich
humanity [hjuː'mænətɪ] **1.** *alle Menschen*: die Menschheit **2.** *Mitgefühl*: Humanität, Menschlichkeit
humble ['hʌmbl] **1.** *Beitrag, Meinung, Vorschlag*: bescheiden; ***in my humble opinion*** meiner unmaßgeblichen Meinung nach **2.** *Status, Rang*: niedrig; ***of humble birth*** von niederer Geburt
humbug ['hʌmbʌg] **1.** Humbug, Unsinn **2.** *BE* Pfefferminzbonbon
humdrum ['hʌmdrʌm] eintönig, langweilig
humid ['hjuːmɪd] *Tag, Klima, Luft*: feucht
humidity [ˌhjuː'mɪdətɪ] (Luft)Feuchtigkeit
humiliate [hjuː'mɪlɪeɪt] demütigen, erniedrigen; ***a humiliating defeat*** *Sport usw.*: eine demütigende Niederlage
humiliation [hjuːˌmɪlɪ'eɪʃn] Demütigung, Erniedrigung
hummock ['hʌmək] kleiner Hügel
humor ['hjuːmə] *AE* → ***humour***
humorous ['hjuːmərəs] **1.** *Geschichte, Buch*: lustig, komisch **2.** *Bemerkung, Idee*: witzig **3.** (≈ *mit Sinn für Humor*) humorvoll
humour ['hjuːmə] *bes. BE* **1.** Humor; ***sense of humour*** Sinn für Humor **2.** *von Situation usw.*: Komik, *das* Komische
humourless ['hjuːmələs] *bes. BE* humorlos
hump [hʌmp] **1.** *von Mensch*: Buckel **2.** *von Kamel*: Höcker **3.** *Anhöhe*: (kleiner) Hügel; ***be over the hump*** *übertragen* über den Berg sein
humpback ['hʌmpbæk] → ***hunchback***
humus ['hjuːməs] (≈ *Gartenerde*) Humus
hunch [hʌntʃ] **1.** *von Mensch*: Buckel **2.** *Intuition*: Vorahnung; ***have a hunch that*** das (leise) Gefühl haben, dass
hunchback ['hʌntʃbæk] **1.** *am Rücken*: Buckel **2.** *Person*: Buckelige(r)
hundred[1] ['hʌndrəd] hundert; ***a*** *oder* ***one hundred*** hundert, einhundert; ***I've told you a hundred times …*** *umg.* ich hab dir schon hundertmal gesagt …
hundred[2] ['hʌndrəd] **1.** *Ziffer*: Hundert **2.** ***hundreds of …*** Hunderte von …; ***I've told you hundreds of times …*** *umg.* ich habe dir hundertmal gesagt, …

hundredth[1] ['hʌndrədθ] hundertste(r, -s)
hundredth[2] ['hʌndrədθ] **1.** *in Rangfolge usw.*: *der, die, das* Hundertste **2.** *Bruchteil*: Hundertstel; ***a hundredth of a second*** eine Hundertstelsekunde
hung [hʌŋ] *2. und 3. Form von* → ***hang***[1]
Hungarian[1] [hʌŋ'geərɪən] ungarisch
Hungarian[2] [hʌŋ'geərɪən] *Sprache*: Ungarisch
Hungarian[3] [hʌŋ'geərɪən] Ungar(in)
Hungary ['hʌŋgərɪ] Ungarn
hunger ['hʌŋgə] **1.** (≈ *Hungergefühl*) Hunger; ***die of hunger*** verhungern **2.** *übertragen* Hunger (***for, after*** nach); ***hunger for knowledge*** Wissensdurst
hunger strike ['hʌŋgə‿straɪk] Hungerstreik; ***go on*** (***a***) ***hunger strike*** in den Hungerstreik treten
hungry ['hʌŋgrɪ] **1.** hungrig; ***be*** *oder* ***feel hungry*** hungrig sein, Hunger haben **2.** (*übertragen*) hungrig (***for*** nach); ***hungry for knowledge*** wissensdurstig
hunk [hʌŋk] **1.** (großes) Stück (*Brot usw.*) **2.** *umg.* attraktiver Mann
hunt[1] [hʌnt] **1.** *auf Tiere*: Jagd, Jagen **2.** *übertragen* Jagd, Verfolgung, Suche (***for*** nach)
hunt[2] [hʌnt] **1.** jagen, Jagd machen auf (*Tiere, auch übertragen*); ***go hunting*** auf die Jagd gehen; ***hunted look*** gehetzter Blick **2.** *übertragen* jagen, verfolgen (*Verbrecher usw.*)
hunter ['hʌntə] Jäger(in) (*auch übertragen*)
hunting ['hʌntɪŋ] Jagen, Jagd; ***hunting season*** Jagdzeit
hurdle ['hɜːdl] **1.** Hürde (*Sport und übertragen*) **2.** ***hurdles*** (⚠ *nur im Sg.*) Hürdenlauf; ***the 400m hurdles*** der 400-m-Hürdenlauf, die 400 m Hürden
hurl [hɜːl] **1.** schleudern **2.** ***hurl oneself*** sich stürzen (***on, at*** auf) **3.** ***hurl abuse at someone*** jemandem Beleidigungen ins Gesicht schleudern
hurly-burly ['hɜːlɪˌbɜːlɪ] Tumult, Rummel
hurrah [hə'rɑː] *Ausruf*: hurra!; ☞ ***hooray***
hurricane ['hʌrɪkən] Hurrikan, Orkan
hurried ['hʌrɪd] **1.** eilig, hastig; ***a hurried letter*** ein hastig geschriebener Brief **2.** *Abreise, Heirat*: überstürzt
hurry[1] ['hʌrɪ] Hast, Eile; ***be in a hurry*** es eilig haben, in Eile sein; ***be in no hurry*** es nicht eilig haben; ***do something in a hurry*** etwas eilig *oder* hastig tun; ***there's no hurry*** es eilt nicht
hurry[2] ['hʌrɪ] **1.** eilen, hasten; ***don't hurry*** lass dir Zeit!; ***there's no need to hurry*** kein Grund zur Eile **2.** antreiben (*Person*); ***don't hurry me!*** *umg.* hetz mich nicht!

hurry up [ˌhʌrɪ'ʌp] sich beeilen; ***hurry up!*** schick dich!, Beeilung!, mach schnell!

hurt [hɜːt], ***hurt*** [hɜːt], ***hurt*** [hɜːt] **1.** verletzen (*Person, Gefühle usw.*); ***hurt one's knee*** sich das *oder* am Knie verletzen **2.** (*Wunde, Erinnerung usw.*) schmerzen, wehtun; ***where does it hurt?*** wo tuts denn weh? **3.** schaden (*Geschäft, Ruf usw.*); ***it won't hurt*** (***you***) ***to be a bit more friendly*** es wird dir nichts schaden, ein bisschen freundlicher zu sein

hurtful ['hɜːtfl] *Bemerkung usw.*: verletzend

husband ['hʌzbənd] Mann, Ehemann, Gatte

hush[1] [hʌʃ] ***hush!*** *umg.* still!, pst!

hush[2] [hʌʃ] **1.** zum Schweigen bringen **2.** still werden

hush up [ˌhʌʃ'ʌp] vertuschen

hush[3] [hʌʃ] Stille, Schweigen; ***hush money*** Schweigegeld

husk[1] [hʌsk] *von Getreide usw.*: Hülse, Schale

husk[2] [hʌsk] enthülsen, schälen

husky[1] ['hʌskɪ] **1.** *Stimme*: heiser, rau **2.** *umg.*; *Mann*: stämmig, kräftig

husky[2] ['hʌskɪ] *Schlittenhund*: Husky

hustle[1] [⚠ 'hʌsl] **1.** stoßen, drängen **2.** sich drängen (*durch die Menge*) **3.** hasten, hetzen

hustle[2] [⚠ 'hʌsl] *mst.* ***hustle and bustle*** geschäftiges Treiben

hut [hʌt] Hütte

hydroelectric [ˌhaɪdrəʊɪ'ləktrɪk] ***hydroelectric power*** durch Wasserkraft erzeugte Energie

hydrogen ['haɪdrədʒən] *Element*: Wasserstoff; ***hydrogen bomb*** Wasserstoffbombe

hygiene [⚠ 'haɪdʒiːn] Hygiene, Gesundheitspflege

hygienic [⚠ haɪ'dʒiːnɪk] hygienisch

hype[1] [haɪp] Werberummel

hype[2] [haɪp] *auch* ***hype up*** einen Werberummel veranstalten um

hyperactive [ˌhaɪpər'æktɪv] *Kind*: hyperaktiv

hyperlink ['haɪpəlɪŋk] *Computer*: Hyperlink

hypermarket ['haɪpəˌmɑːkɪt] *BE* Großmarkt, Verbrauchermarkt

hypertension [ˌhaɪpə'tenʃən] *medizinisch*: erhöhter Blutdruck

hyphen ['haɪfn] **1.** *zwischen Wortteilen*: Bindestrich **2.** *am Zeilenende*: Trennungszeichen

hyphenate ['haɪfəneɪt] mit Bindestrich schreiben (*Wortteile*)

hypnotize ['hɪpnətaɪz] hypnotisieren

hypocrisy [⚠ hɪ'pɒkrəsɪ] Heuchelei

hypocrite [⚠ 'hɪpəkrɪt] Heuchler(in)

hypotenuse [haɪ'pɒtənjuːz] *im rechtwinkligen Dreieck*: Hypotenuse

hysteria [hɪ'stɪərɪə] *übersteigertes Gefühl*: Hysterie

hysterical [hɪ'sterɪkl] *Person, Reaktion usw.*: hysterisch

hysterics [hɪ'sterɪks] *Pl.* (*mst. im Sg. verwendet*) hysterischer Anfall; ***go into hysterics*** hysterisch werden, *umg.* sich kugelig lachen

I

I [aɪ] ich; ***I'm not late, am I?*** ich komm doch nicht zu spät, oder?

ice[1] [aɪs] **1.** Eis (*auch zum Kühlen von Speisen und Getränken*); ***as cold as ice*** eiskalt; ***put on ice*** kalt stellen (*Getränke*) **2.** ***break the ice*** *übertragen* das Eis brechen; ***put on ice*** *umg.* auf Eis legen (*Pläne usw.*)

ice[2] [aɪs] *mit Zuckerguss*: glasieren (*Kuchen*)

ice over *oder* **up** [ˌaɪs'əʊvə *oder* 'ʌp] **1.** (*See usw.*) zufrieren **2.** (*Straße*) vereisen

Ice Age ['aɪs‿eɪdʒ] *Erdzeitalter*: Eiszeit

iceberg ['aɪsbɜːg] Eisberg; ***the tip of the iceberg*** die Spitze des Eisbergs (*mst. übertragen*)

ice-cold [ˌaɪs'kəʊld] eiskalt

ice cream [ˌaɪs'kriːm] Eis, Speiseeis, Eis-

creme; ***chocolate ice cream*** Schokoladeneis; ***ice-cream parlour*** Eisdiele
ice cube ['aɪs‿kjuːb] Eiswürfel
iced [aɪst] **1.** eisgekühlt; ***iced coffee*** Eiskaffee; ***iced tea*** Eistee **2.** *Kuchen*: glasiert
ice hockey ['aɪsˌhɒkɪ] *Sport*: Eishockey
Iceland ['aɪslənd] Island
Icelander ['aɪsləndə] Isländer(in)
Icelandic[1] [aɪs'lændɪk] isländisch
Icelandic[2] [aɪs'lændɪk] *Sprache*: Isländisch
Icelandic[3] [aɪs'lændɪk] Isländer(in)
ice lolly ['aɪsˌlɒlɪ] *BE* Eis am Stiel
ice pack ['aɪs‿pæk] *zur Kühlung von Verletzungen*: Eisbeutel
ice rink ['aɪs‿rɪŋk] Kunsteisbahn
ice-skating ['aɪsˌskeɪtɪŋ] Schlittschuhlaufen
icicle ['aɪsɪkl] Eiszapfen
icing ['aɪsɪŋ] *auf Kuchen*: Glasur, Zuckerguss
icon ['aɪkɒn] **1.** *Kunst*: Ikone **2.** *Computer*: Ikon, Symbol
icy ['aɪsɪ] eisig (*auch übertragen*: *Blick*)
ID [ˌaɪ'diː] *Abk. für* → ***identification 2***
I'd [aɪd] *Kurzform von* ***I had*** *oder* ***I would***
idea [aɪ'dɪə] **1.** (≈ *spontaner Gedanke*) Idee; (***what a***) ***good idea!*** (das ist eine) gute Idee!; ***that's not a bad idea*** das ist keine schlechte Idee; ***that gives me an idea*** das bringt mich auf eine Idee **2.** *von Zusammenhang*: Vorstellung, Begriff; ***I've got no idea*** ich habe keine Ahnung; ***d'you get the idea?*** verstehst du (was ich meine) ? **3.** (≈ *Intention*) Absicht, Gedanke, Idee; ***the idea is …*** der Zweck der Sache ist, … *oder* es geht darum, …; ***what's the big idea?*** was soll das Ganze? **4.** *zu Politik*, *Religion usw.*: Meinung, Ansicht; ***she's got some weird political ideas*** politisch hat sie mitunter seltsame Ansichten
ideal[1] [aɪ'dɪəl] (≈ *perfekt*) ideal
ideal[2] [aɪ'dɪəl] **1.** (≈ *Inbegriff*) Ideal **2.** *moralisch, sittlich*: Ideal, Idealvorstellung
idealism [aɪ'dɪəlɪzm] Idealismus
idealist [aɪ'dɪəlɪst] Idealist(in)
idealistic [aɪˌdɪə'lɪstɪk] idealistisch
ideally [aɪ'dɪəlɪ] im Idealfall; ***ideally, the school should get two more teachers*** idealerweise sollte die Schule zwei zusätzliche Lehrer bekommen
identical [aɪ'dentɪkl] identisch (***to, with*** mit); ***identical twins*** eineiige Zwillinge
identification [aɪˌdentɪfɪ'keɪʃn] **1.** *von Person*, *Leiche usw.*: Identifizierung **2.** *Dokument*: Ausweis, Legitimation; ***he didn't have any identification*** er konnte sich nicht ausweisen
identify [aɪ'dentɪfaɪ] **1.** identifizieren (*Verbrecher*, *Leiche usw.*); ***identify oneself*** sich ausweisen **2.** ermitteln, erkennen (*Problem*, *Grund für etwas*)

> **identify with** [aɪ'dentɪfaɪ‿wɪð] **1.** *in gedankliche Beziehung setzen*: identifizieren mit, gleichsetzen mit **2.** ***identify*** (***oneself***) ***with someone*** sich mit jemandem identifizieren

identikit [aɪ'dentɪkɪt] *auch* ***identikit picture*** *BE* Phantombild
identity [aɪ'dentətɪ] *einer Person*: Identität; ***identity check*** Ausweiskontrolle; ***prove one's identity*** sich ausweisen
identity card [aɪ'dentətɪ‿kɑːd] Personalausweis
ideology [ˌaɪdɪ'ɒlədʒɪ] Ideologie
idiocy ['ɪdɪəsɪ] Blödheit
idiom ['ɪdɪəm] *Sprache*: idiomatischer Ausdruck, Redewendung
idiot ['ɪdɪət] *umg.* Idiot, Trottel
idiotic [ˌɪdɪ'ɒtɪk] *umg.* idiotisch
idle ['aɪdl] **1.** *Person*: faul, träge; ***the idle rich*** die reichen Müßiggänger **2.** *in Fabrik usw.*: beschäftigungslos (*Arbeiter*), stillstehend (*Maschinen*) **3.** ***an idle promise*** ein leeres Versprechen; ***this isn't an idle threat*** das ist keine leere Drohung
idol ['aɪdl] **1.** *Sportler*, *Popsänger usw.*: Idol **2.** *von Gottheit*: Götzenbild
idolize ['aɪdlaɪz] abgöttisch verehren, vergöttern
if[1] [ɪf] **1.** (≈ *unter der Voraussetzung*, *dass*) wenn, falls; ***if I were you*** wenn ich du wäre, ich an deiner Stelle; ***if he phones, tell him …*** falls er anruft, sage ihm …; ***do you mind if I smoke?*** macht es Ihnen etwas aus, wenn ich rauche?, darf ich rauchen?; ***if so*** *nach Aussage*, *Feststellung usw.*: wenn ja, wenn das zutrifft; ***if necessary*** nötigenfalls **2.** *indirekt fragend*: ob; ***I wonder if it'll rain*** ich bin gespannt, ob es regnet; ***see if you can do it*** versuche, ob du es kannst **3.** ***he acts as if he were something special*** er tut so, als ob er etwas Besonderes wäre
if[2] [ɪf] ***no ifs and buts!*** ohne Wenn und Aber!
ignition [ɪg'nɪʃn] **1.** Anzünden **2.** *Motor*: Zündung; ***ignition key*** Zündschlüssel
ignoramus [ˌɪgnə'reɪməs] Ignorant
ignorance ['ɪgnərəns] **1.** *neutral*: Unwissenheit **2.** *im negativen Sinn*: Ignoranz
ignorant ['ɪgnərənt] **1.** unwissend; ***be ignorant of something*** etwas nicht wissen *oder* kennen **2.** *im negativen Sinn*: ignorant

ignore [ɪg'nɔː] ignorieren, nicht beachten (*Person*, *Tatsache usw.*)

I'll [aɪl] *Kurzform von* ***I shall*** *oder* ***I will***

ill [ɪl] **1.** krank; ***be taken ill*** *oder* ***fall ill*** krank werden, erkranken (***with*** an) **2.** *förmlich* schlecht, schlimm; ***ill fortune*** *oder* ***luck*** Pech; ***speak*** (*bzw.* ***think***) ***ill of*** schlecht sprechen (*bzw.* denken) von **3.** ***feel ill at ease*** sich unbehaglich fühlen

ill-advised [ˌɪləd'vaɪzd] unbesonnen, unklug

ill-bred [ˌɪl'bred] schlecht erzogen

illegal [ɪ'liːgl] **1.** (≈ *gegen das Gesetz*) illegal, gesetzwidrig, ungesetzlich; ***illegal parking*** Falschparken; ***illegal immigrants*** illegale Einwanderer **2.** *Sport*: regelwidrig

illegible [ɪ'ledʒəbl] *Handschrift usw.*: unleserlich

illegitimate [ˌɪlə'dʒɪtəmət] **1.** *Kind*: nicht ehelich, unehelich **2.** *Geschäft*, *Handeln*: unzulässig, unerlaubt **3.** *Regierung*: unrechtmäßig

ill-humoured, *AE* **ill-humored** [ˌɪl'hjuːməd] schlecht *oder* übel gelaunt

illicit [ɪ'lɪsɪt] unerlaubt, verboten; ***illicit trade*** Schwarzhandel

illiteracy [ɪ'lɪtərəsɪ] Analphabetismus

illiterate [ɪ'lɪtərət] **1.** des Lesens und Schreibens unkundig; ***she's illiterate*** sie ist Analphabetin **2.** *umg.* ungebildet

illness ['ɪlnəs] Krankheit

illogical [ɪ'lɒdʒɪkl] unlogisch

ill-tempered [ˌɪl'təmpəd] missmutig

ill-timed [ˌɪl'taɪmd] ungelegen, unpassend

illuminate [ɪ'luːmɪneɪt] **1.** beleuchten **2.** *für ein Fest*: festlich beleuchten **3.** erläutern (*Sachverhalt usw.*)

illusion [ɪ'luːʒn] *allg.*: Illusion; ***optical illusion*** optische Täuschung; ***be under the illusion that*** sich einbilden, dass; ***have no illusions*** sich keine Illusionen machen (***about*** über)

illustrate ['ɪləstreɪt] **1.** illustrieren, bebildern (*Buch usw.*) **2.** erläutern, veranschaulichen (*Bericht*, *Argument*, *These usw.*)

illustration [ˌɪlə'streɪʃn] **1.** *in Buch usw.*: Illustration, Bild, Abbildung **2.** *von Argument*, *These usw.*: Erläuterung

illustrious [ɪ'lʌstrɪəs] berühmt

ill-will [ˌɪl'wɪl] ***I don't bear him any ill-will*** ich trage es ihm nicht nach

I'm [aɪm] *Kurzform von* ***I am***

image ['ɪmɪdʒ] **1.** (≈ *öffentliches Ansehen*) Image; ***the government's public image*** das Ansehen der Regierung in der Öffentlichkeit **2.** *geistig*: Bild, Vorstellung; ***she's got a clear image of her future*** sie hat ein klares Bild von ihrer Zukunft **3.** *Person*: Abbild, Ebenbild; ***he's the very*** (*oder* ***spitting***) ***image of his father*** er ist seinem Vater wie aus dem Gesicht geschnitten, er ist ganz der Vater **4.** *in der Literatur*: Bild, *auch*: Metapher

imaginable [ɪ'mædʒɪnəbl] vorstellbar; ***the greatest difficulty imaginable*** die denkbar größte Schwierigkeit

imaginary [ɪ'mædʒɪnrɪ] imaginär, eingebildet

imagination [ɪˌmædʒɪ'neɪʃn] **1.** Fantasie, Einbildungskraft; ***a vivid imagination*** eine lebhafte Fantasie **2.** *nur Fiktion*: Einbildung; ***pure imagination*** reine Einbildung

imaginative [ɪ'mædʒɪnətɪv] fantasievoll, *Person auch*: einfallsreich

imagine [ɪ'mædʒɪn] **1.** *gedanklich*: sich vorstellen; ***can you imagine?*** stell dir vor!; ***just imagine!*** *ironisch* stell dir vor!, denk dir nur! **2.** *fälschlich*: sich einbilden; ***don't imagine that …*** bilde dir nur nicht ein, dass …; ***you're imagining things*** *umg.* du leidest an Einbildungen

imbecile ['ɪmbəsiːl] Idiot(in), Trottel

imitate ['ɪmɪteɪt] nachahmen, nachmachen, imitieren (*Person*, *deren Aussprache*, *Mimik usw.*)

imitation [ˌɪmɪ'teɪʃn] **1.** Nachahmung, Imitation **2.** *von Schmuck usw.*: Imitation, Fälschung

immaculate [ɪ'mækjʊlət] **1.** *Verhalten*: tadellos **2.** *Kleidung*, *Erscheinung*: makellos

immature [ˌɪmə'tjʊə] **1.** *Person*: unreif **2.** *Pläne*: unausgereift, unausgegoren

immaturity [ɪmə'tjʊərətɪ] Unreife

immediate [ɪ'miːdɪət] **1.** *räumlich*, *zeitlich*: unmittelbar; ***an immediate reply*** eine prompte Antwort; ***in the immediate vicinity*** in unmittelbarer Nähe, in der nächsten Umgebung; ***in the immediate future*** in nächster Zukunft **2.** *Verwandtschaft*: nächste(r, -s); ***my immediate family*** meine nächsten Angehörigen

immediately [ɪ'miːdɪətlɪ] **1.** (≈ *unverzüglich*) sofort, umgehend; ***stop that immediately!*** hör sofort damit auf! **2.** (≈ *gleich anschließend*) unmittelbar, direkt; ***immediately after the war*** gleich nach dem Krieg

immense [ɪ'mens] *Glück*, *Pech*, *Vermögen usw.*: riesig, ungeheuer

immerse [ɪ'mɜːs] ***immerse oneself in*** sich vertiefen in; ***immersed in*** vertieft in

immersion heater [ɪ'mɜːʃnˌhiːtə] Tauchsieder

immigrant ['ɪmɪgrənt] Einwanderer, Einwanderin, Immigrant(in)

immigrate ['ɪmɪgreɪt] einwandern, immigrieren (***into*** nach, ***from*** aus)
immigration [ˌɪmɪ'greɪʃn] Einwanderung, Immigration; ***immigration office*** Einwanderungsbehörde
immobile [ɪ'məʊbaɪl] unbeweglich, bewegungslos
immoral [ɪ'mɒrəl] *gegen die Moral verstoßend*: unmoralisch, unsittlich
immortal [ɪ'mɔːtl] **1.** *Person*: unsterblich **2.** *übertragen* unvergänglich
immortality [ˌɪmɔː'tæləti] Unsterblichkeit, *übertragen auch*: Unvergänglichkeit
immune [ɪ'mjuːn] **1.** *Medizin und übertragen*: immun (***against, from, to*** gegen); ***immune deficiency syndrome*** Immunschwächekrankheit
immunity [ɪ'mjuːnəti] *Medizin und übertragen*: Immunität; ***diplomatic immunity*** diplomatische Immunität
immunize ['ɪmjʊnaɪz] immunisieren, immun machen (***against*** gegen)
imp [ɪmp] **1.** *Fabelwesen*: Kobold **2.** *umg.*, *Kind*: Racker
impact ['ɪmpækt] **1.** *nach Fall usw.*: Aufprall (***on, against*** auf) **2.** *von zwei Fahrzeugen*: Zusammenprall **3.** *übertragen* Wirkung, Einfluss (***on*** auf); ***the impact of computers on everyday life*** der Einfluss der Computer auf den Alltag
impair [ɪm'peə] beeinträchtigen
impartial [ɪm'pɑːʃl] *Person*: unparteiisch, unvoreingenommen
impartiality [ˌɪmpɑːʃɪ'æləti] Unparteilichkeit, Unvoreingenommenheit
impassable [ɪm'pɑːsəbl] *Straße*: unpassierbar
impassioned [ɪm'pæʃnd] *Rede, Plädoyer*: leidenschaftlich
impatience [ɪm'peɪʃns] Ungeduld
impatient [ɪm'peɪʃnt] **1.** ungeduldig; ***be impatient*** keine Geduld haben (***with*** mit) **2.** ***the teams were impatient for the match to begin*** die Mannschaften konnten den Beginn des Spiels kaum erwarten
impeccable [ɪm'pekəbl] *Verhalten, Manieren usw.*: untadelig, einwandfrei
impede [ɪm'piːd] behindern (*Vorhaben, Projekt usw.*)
impediment [⚠ ɪm'pedɪmənt] Hindernis (***to*** für); ***the main impediment to economic recovery*** das Haupthindernis für den wirtschaftlichen Aufschwung
imperative[1] [ɪm'perətɪv] **1.** *Auftreten*: gebieterisch **2.** (≈ *äußerst dringend*) unumgänglich, unbedingt erforderlich
imperative[2] [ɪm'perətɪv] *Sprache*: Imperativ, Befehlsform; ***in the imperative*** im Imperativ
imperfect[1] [ɪm'pɜːfɪkt] *Kenntnisse usw.*: unvollkommen
imperfect[2] [ɪm'pɜːfɪkt] *Sprache*: Imperfekt
imperial [ɪm'pɪərɪəl] **1.** kaiserlich, Kaiser… (*Insignien, Hof usw.*) **2.** *BE*; *nicht metrische Maße und Gewichte*: englisch
imperialism [ɪm'pɪərɪəlɪzm] *Politik*: Imperialismus
impersonal [ɪm'pɜːsnəl] *Brief, Einrichtung usw.*: unpersönlich
impersonate [ɪm'pɜːsəneɪt] imitieren, nachahmen (*prominente Persönlichkeit*)
impertinence [ɪm'pɜːtɪnəns] Unverschämtheit, *förmlich* Impertinenz
impertinent [ɪm'pɜːtɪnənt] unverschämt
impetus ['ɪmpɪtəs] *mst. übertragen* Antrieb, Motivation; ***give fresh impetus to a project*** einem Projekt neue Impulse verleihen
implant[1] [ɪm'plɑːnt] *Medizin*: implantieren, einpflanzen (*Herzklappe, Schrittmacher usw.*)
implant[2] ['ɪmplɑːnt] *Medizin*: Implantat
implication [ˌɪmplɪ'keɪʃn] *von Gesetz, Entscheidung, Handlung*: Folge, Auswirkung, *förmlich* Implikation
implicit [ɪm'plɪsɪt] (≈ *unausgesprochen, aber gemeint*) impliziert, implizit; ***the author tells us implicitly that …*** der Autor sagt uns implizit (*oder* indirekt), dass …
implore [ɪm'plɔː] anflehen
imply [ɪm'plaɪ] (≈ *unausgesprochen meinen*) implizieren, andeuten
impolite [ˌɪmpə'laɪt] *Person, Verhalten*: unhöflich
import[1] [ɪm'pɔːt] **1.** importieren, einführen (*Güter*) (***from*** aus); ***importing country*** Einfuhrland **2.** *Computer*: importieren (*Daten*)
import[2] ['ɪmpɔːt] Import, Einfuhr; ***last year's imports*** *Pl.* der Gesamtimport des letzten Jahres
importance [ɪm'pɔːtns] **1.** Wichtigkeit, Bedeutung; ***this is a matter of utmost importance*** diese Angelegenheit ist von höchster Bedeutung; ***do you attach any importance to that incident?*** messen Sie diesem Vorfall irgendeine Bedeutung bei?; ***be of no importance*** unwichtig *oder* belanglos sein (***to*** für) **2.** (≈ *Einfluss*) Ansehen, Gewicht; ***a person of importance*** eine einflussreiche Person
important [ɪm'pɔːtnt] **1.** wichtig, bedeutend; ***this is very important to me*** das ist für mich sehr wichtig; ***the most im-***

portant thing is that … die Hauptsache ist, dass … **2.** *Person auch*: bedeutend, einflussreich

impose [ɪm'pəʊz] **1.** erheben (*Steuern, Abgaben usw.*) **2.** verhängen (*Sanktionen, Embargo*) **3.** ***impose oneself*** (*oder* ***one's presence***) ***on someone*** sich jemandem aufdrängen; ***I don't want to impose on you*** ich will nicht aufdringlich sein

imposing [ɪm'pəʊzɪŋ] *Anblick, Gebäude usw.*: imposant

impossibility [ɪmˌpɒsə'bɪlətɪ] Unmöglichkeit; ***that's an*** (***absolute***) ***impossibility*** das ist ein Ding der Unmöglichkeit

impossible [ɪm'pɒsəbl] unmöglich; ***it's impossible for me to come*** ich kann unmöglich kommen

impostor [ɪm'pɒstə] Betrüger(in), *bes.* Hochstapler(in)

impotence ['ɪmpətəns] **1.** *gegenüber einer Situation*: Machtlosigkeit, Ohnmacht **2.** *sexuell*: Impotenz

impotent ['ɪmpətənt] **1.** *gegenüber einer Situation*: machtlos, ohnmächtig **2.** *sexuell*: impotent

impracticable [ɪm'præktɪkəbl] *Plan, Vorhaben*: undurchführbar

impractical [ɪm'præktɪkl] **1.** *Person*: unpraktisch **2.** *Plan*: undurchführbar

impress [ɪm'pres] *durch Leistung usw.*: beeindrucken, Eindruck machen auf, imponieren; ***be impressed by something*** von etwas beeindruckt sein

impression [ɪm'preʃn] **1.** *allg.*: Eindruck (***of*** von); ***give someone a wrong impression*** bei jemandem einen falschen Eindruck erwecken; ***make a good*** (*bzw.* ***bad***) ***impression*** einen guten (*bzw.* schlechten) Eindruck machen; ***I get*** *oder* ***have the impression that …*** ich habe den Eindruck, dass …; ***under the impression that*** in der Annahme, dass **2.** *von Buch usw.*: Nachdruck **3.** (≈ *Spur*) Abdruck (*von Fuß, Schuh usw.*)

Impressionism [ɪm'preʃnɪzm] *Kunstrichtung*: Impressionismus

impressive [ɪm'presɪv] *Leistung, Bauwerk usw.*: eindrucksvoll

imprint[1] ['ɪmprɪnt] **1.** *von Fuß in Sand usw.*: Abdruck **2.** *in Buch usw.*: Impressum

imprint[2] [ɪm'prɪnt] **1.** (auf)drücken (***on*** auf) (*Muster, Stempel*) **2.** ***it's imprinted on my memory*** es ist in meinem Gedächtnis eingeprägt

imprison [ɪm'prɪzn] inhaftieren; ***be imprisoned*** inhaftiert sein, sich in Haft befinden

imprisonment [ɪm'prɪznmənt] Freiheitsstrafe, Haft; ***he was given 10 years' imprisonment*** er wurde zu einer zehnjährigen Freiheitsstrafe verurteilt

improbable [ɪm'prɒbəbl] unwahrscheinlich

improve [ɪm'pruːv] **1.** verbessern (*Sprachkenntnisse, Produkte, Qualität usw.*) **2.** (*Schüler, Sportler*) sich verbessern, besser werden **3.** (*Patient*) Fortschritte machen; ***he's improving*** es geht ihm allmählich besser

improvement [ɪm'pruːvmənt] Besserung, Verbesserung; ***a slight improvement in the weather*** eine leichte Wetterbesserung

improvisation [ˌɪmprəvaɪ'zeɪʃn] *von Rede, Musikstück usw.*: Improvisation

improvise ['ɪmprəvaɪz] improvisieren (*Rede, Musikstück usw.*)

impudence ['ɪmpjʊdəns] Unverschämtheit

impudent ['ɪmpjʊdənt] unverschämt

impulse ['ɪmpʌls] **1.** *Anregung*: Impuls, Anstoß; ***give an impulse to the economy*** der Wirtschaft neue Impulse geben **2.** *plötzlicher Gedanke*: Regung, Eingebung; ***do something on impulse*** etwas impulsiv tun

impulsive [ɪm'pʌlsɪv] *Person, Charakter, Handlung*: impulsiv

in[1] [ɪn] **1.** *räumlich, auf die Frage „wo?"*: in; ***the children are playing in the street*** die Kinder spielen auf der Straße; ***in*** the ***country*** auf dem Land; ***in*** the sky am Himmel; ***in front of*** vor; ***in here*** hier drinnen **2.** *räumlich, auf die Frage „wohin?"*: in, hinein; ***put it in your pocket*** steck es in die Tasche; ***let's go in*** gehen wir hinein; ***come in!*** herein!, komm rein! **3.** *zeitlich*: ***in two hours*** in zwei Stunden; ***in ten years' time*** in zehn Jahren; ***in April*** im April; ***in the beginning*** am Anfang; ***in the end*** am Ende; ***in the evening*** am Abend; ***in 1996*** (im Jahre) 1996 **4.** *Verkehrsmittel*: da, angekommen; ***the train isn't in yet*** der Zug ist noch nicht da **5.** *Person*: da, zu Hause, Ⓐ, Ⓒⓗ zuhause; ***is John in?*** ist John zu Hause (Ⓐ, Ⓒⓗ zuhause) *oder* da? **6.** *auf Art und Weise deutend*: ***pay in cash*** bar (*oder* mit Bargeld) bezahlen; ***say it in English!*** sag es auf Englisch!; ***in writing*** schriftlich; ***in this way*** so, auf diese Weise; ***in time*** rechtzeitig, zur rechten Zeit; ***in a friendly way*** auf freundliche Weise, freundlich; ***be in love*** verliebt sein; ***in bad weather*** bei schlechtem Wetter; ***be in good health*** bei guter Gesundheit sein **7.** *eine Tätigkeit bezeichnend*: ***in***

I

search of auf der Suche nach; ***I'm in publishing*** ich arbeite bei einem Verlag **8.** *eine Richtung bezeichnend*: ***drive in that direction*** fahren Sie in dieser Richtung **9.** *einen Zweck bezeichnend*: ***in answer to*** als Antwort auf; ***in someone's honour*** jemandem zu Ehren **10.** *eine Teilmenge bezeichnend*: ***one in ten Germans*** einer von zehn Deutschen **11.** *in Wendungen*: ***in my opinion*** meiner Meinung nach, meines Erachtens; ***in all probability*** aller Wahrscheinlichkeit nach, höchstwahrscheinlich; ***all in all*** alles in allem; ***be in for something*** etwas zu erwarten haben; ***we're in for some trouble*** wir werden Ärger kriegen; ***be in on the discussion*** an der Diskussion beteiligt sein

I

in

in January	im Januar
in February	im Februar
in March	im März
in 1997	(im Jahre) 1997
in (the year) 2001	(im Jahre) 2001
in the morning	am Morgen
in the afternoon	am Nachmittag
in the evening	am Abend
in the beginning	am Anfang
in the end	am Ende
in the town	in der Stadt
in the country	auf dem Lande
in the street	auf der Straße
in English	auf Englisch
in German	auf Deutsch

in[2] [ɪn] *umg.* (≈ *modisch, aktuell*) in; ***this disco is 'the in place to go now*** diese Disko ist zur Zeit 'der Hit

inability [ˌɪnəˈbɪlətɪ] Unfähigkeit, Unvermögen

inaccessible [ˌɪnəkˈsesəbl] **1.** *Ort*: unzugänglich (***to*** für) **2.** *Person*: unnahbar

inaccuracy [ɪnˈækjərəsɪ] Ungenauigkeit

inaccurate [ɪnˈækjərət] *Berechnung, Schätzung, Übersetzung usw.*: ungenau

inactive [ɪnˈæktɪv] **1.** *Person*: untätig, *stärker*: träge **2.** *Vulkan*: erloschen

inactivity [ˌɪnækˈtɪvətɪ] Untätigkeit, *stärker*: Trägheit

inadequate [ɪnˈædɪkwət] *von Qualität, Leistung usw.*: unzulänglich, unzureichend; ***be inadequate for*** (*Menge*) nicht reichen für

inadvisable [ˌɪnədˈvaɪzəbl] nicht ratsam; ***it's inadvisable to walk down this street at night*** es ist nicht ratsam, nachts diese Straße entlangzugehen

inane [ɪˈneɪn] geistlos, albern

inappropriate [ˌɪnəˈprəʊprɪət] *Kleidung, Verhalten*: unpassend, ungeeignet

inattention [ˌɪnəˈtenʃn] Unaufmerksamkeit

inattentive [ˌɪnəˈtentɪv] *Schüler*: unaufmerksam (***to*** gegenüber)

inaudible [ɪnˈɔːdəbl] *Tonfrequenzen*: unhörbar

inaugurate [ɪˈnɔːgjəreɪt] **1.** einleiten (*Ära usw.*) **2.** ins Amt einführen (*Präsidenten usw.*) **3.** *BE* einweihen (*Gebäude*)

inauguration [ɪˌnɔːgjəˈreɪʃn] **1.** *eines Präsidenten usw.*: Amtseinführung **2.** *eines Gebäudes usw.*: Einweihung

inborn [ˌɪnˈbɔːn] *Fähigkeiten*: angeboren

incalculable [ɪnˈkælkjʊləbl] **1.** *Risiko, Folgen, Schaden usw.*: unabsehbar **2.** *Person, Launen*: unberechenbar **3.** *Vermögen usw.*: unermesslich

incantation [ˌɪnkænˈteɪʃn] Zauberformel, Zauberspruch

incapability [ɪnˌkeɪpəˈbɪlətɪ] Unfähigkeit, Unvermögen

incapable [ɪnˈkeɪpəbl] unfähig (***of*** zu); ***she's incapable of lying*** sie ist nicht imstande zu lügen; ***he's incapable of murder*** er ist zu einem Mord nicht fähig

incapacity [ˌɪnkəˈpæsətɪ] Unfähigkeit, Untauglichkeit; ***incapacity for work*** Arbeits- *oder* Erwerbsunfähigkeit

incarnation [ˌɪnkɑːˈneɪʃn] Verkörperung, Inbegriff; ***he's the very incarnation of honesty*** er ist geradezu der Inbegriff von Ehrlichkeit

incense[1] [ˈɪnsens] Weihrauch

incense[2] [ɪnˈsens] erzürnen, erbosen; ***most employees were incensed at the pay freeze*** die meisten Angestellten waren über den Lohnstopp erbost

incentive [ɪnˈsentɪv] Ansporn, Anreiz (***to*** zu); ***incentive to buy*** Kaufanreiz

incessant [ɪnˈsesnt] *Gerede, Lärm, Regen usw.*: unaufhörlich

incest [ˈɪnsest] Blutschande, Inzest

inch [ɪntʃ] *Längenmaß*: Inch, Zoll (= 2,54 *cm*); ***by inches*** *oder* ***inch by inch*** *etwa*: Zentimeter um Zentimeter, *übertragen* allmählich, ganz langsam

inch

Bundweite und Beinlänge von Jeans werden häufig in **Inch** angegeben. 32/34 ist z. B. eine gängige Größe: Bundweite in cm: 32 × 2,54 cm = 81,28 cm.

Beinlänge in cm: 34 × 2,54 cm = 85,36 cm.

Wenn man also nicht genau weiß, welche Größe in **Inch** man hat, misst man einfach Taille und Beinlänge in cm und dividiert das durch 2,54. Und schon hat man die richtigen Maße.

incident ['ɪnsɪdənt] **1.** Vorfall, Ereignis; ***without further incident*** (⚠ *Sg.*) ohne weitere Vorkommnisse **2.** *Politik*: (militärischer) Zwischenfall

incidental [ˌɪnsɪ'dentl] **1.** nebensächlich, Neben…; ***incidental earnings*** *Pl.* Nebenverdienst **2.** (≈ *nicht geplant*) zufällig

incidentally [ˌɪnsɪ'dentlɪ] nebenbei bemerkt, übrigens

incinerate [ɪn'sɪnəreɪt] verbrennen (*Müll usw.*)

incisive [ɪn'saɪsɪv] **1.** *Ton*: schneidend **2.** *Verstand*: scharf **3.** *Person*: scharfsinnig **4.** *Frage*, *Argument*: prägnant, treffend

incite [ɪn'saɪt] **1.** aufwiegeln, aufhetzen (*Person*, *Menge*) **2.** *zu einem Verbrechen*: anstiften (***to*** zu)

incitement [ɪn'saɪtmənt] **1.** *von Menge*: Aufwiegelung, Aufhetzung **2.** *zu einer Straftat*: Anstiftung

inclination [ˌɪnklɪ'neɪʃn] **1.** *übertragen* Neigung, Hang; ***he's got an inclination to cause trouble*** er hat einen Hang, Ärger zu verursachen; ***my inclination is to accept the offer*** ich neige dazu, das Angebot anzunehmen **2.** *von Abhang*: Neigung, Gefälle

inclined [ɪn'klaɪnd] ***be inclined to do something*** dazu neigen, etwas zu tun; ***he's inclined to be late*** er kommt gerne zu spät; ***I'm inclined to believe him*** ich neige dazu, ihm zu glauben; ***we can go for a drink if you feel inclined*** wir können etwas trinken gehen, wenn du Lust hast

include [ɪn'kluːd] **1.** einschließen (***in*** in); ***tax included*** einschließlich *oder* inklusive Steuer; ***postage included*** einschließlich Porto; ***all included*** alles inklusive **2.** *in Gruppe*, *Liste usw.*: aufnehmen; ***is my name included on the list?*** steht mein Name auf der Liste?

including [ɪn'kluːdɪŋ] einschließlich, inklusive; ***including VAT*** einschließlich Mehrwertsteuer; ***not including service*** Bedienung nicht im Preis inbegriffen

inclusive [ɪn'kluːsɪv] **1.** einschließlich, inklusive; ***pages 11 to 38 inclusive*** Seite 11 bis einschließlich 38 **2.** Inklusiv…, Pauschal…; *auch*: ***all-inclusive price*** Pauschalpreis

income ['ɪnkʌm] Einkommen (***from*** aus); ***live beyond one's income*** über seine Verhältnisse leben

income support ['ɪnkʌm‿səˌpɔːt] *BE*; *etwa*: Sozialhilfe

income tax ['ɪnkʌm‿tæks] Einkommensteuer; ***income tax return*** Steuererklärung

incoming ['ɪnkʌmɪŋ] **1.** *Telefongespräche*, *Aufträge usw.*: eingehend; ***incoming mail*** Posteingang **2.** *Regierung*, *Amtsträger usw.*: neu

incomparable [⚠ ɪn'kɒmpərəbl] *Schönheit*, *Reichtum*, *Talent usw.*: unvergleichlich

incompatible [ˌɪnkəm'pætəbl] **1.** *Charaktere*, *Interessen*, *Meinungen*: unvereinbar **2.** *Computer*: nicht kompatibel

incompetence [ɪn'kɒmpɪtəns] Unfähigkeit, Inkompetenz

incompetent [ɪn'kɒmpɪtənt] unfähig, inkompetent

incomplete [ˌɪnkəm'pliːt] **1.** *Sammlung usw.*: unvollständig **2.** *Anzahl*: nicht vollzählig **3.** *Kunstwerk*: unvollendet

incomprehensible [ɪnˌkɒmprɪ'hensəbl] **1.** *Handlung*, *Verhalten usw.*: unbegreiflich, unfassbar **2.** *Theorie*, *Rede*, *Fremdwörter usw.*: unverständlich

inconceivable [ˌɪnkən'siːvəbl] unfassbar, unvorstellbar (***to*** für); ***it's inconceivable to me that …*** ich kann mir einfach nicht vorstellen, dass …

inconsiderate [ˌɪnkən'sɪdərət] *Person*: rücksichtslos (***to, towards*** gegen)

inconsistent [ˌɪnkən'sɪstənt] **1.** *Person und ihre Handlungen*: inkonsequent **2.** *Argumente*, *Verhalten*: widersprüchlich

inconsolable [ˌɪnkən'səʊləbl] untröstlich

inconspicuous [ˌɪnkən'spɪkjʊəs] *Person*, *Kleidung usw.*: unauffällig

inconvenience[1] [ˌɪnkən'viːnɪəns] Unannehmlichkeit; ***I don't want to put you to any inconvenience*** ich möchte Ihnen keine Umstände machen

inconvenience[2] [ˌɪnkən'viːnɪəns] Unannehmlichkeiten bereiten, Umstände machen; ***I don't want to inconvenience you in any way*** ich möchte Ihnen keineswegs Umstände machen

inconvenient [ˌɪnkən'viːnɪənt] **1.** *Termin*: ungelegen, ungünstig (***to*** für) **2.** *Örtlichkeit*: ungünstig gelegen

incorporate [ɪn'kɔːpəreɪt] **1.** *in etwas Größeres*: aufnehmen, integrieren (*Vorschlag*, *Idee usw.*); ***her idea was incorporated in the project*** ihre Idee floss mit in das Projekt ein **2.** eingliedern (*Staatsgebiet*)

incorporation [ɪnˌkɔːpəˈreɪʃn] **1.** *von Idee, Vorschlag usw.*: Aufnahme, Integration **2.** *von Staatsgebiet*: Eingliederung
incorrect [ˌɪnkəˈrekt] **1.** *Behauptung usw.*: inkorrekt, unrichtig **2.** *Verhalten*: inkorrekt, ungehörig
incorrigible [ɪnˈkɒrɪdʒəbl] *Lügner, Spieler, Angeber usw.*: unverbesserlich
incorruptible [ˌɪnkəˈrʌptəbl] **1.** *Person*: unbestechlich **2.** *Material usw.*: unverderblich
increase[1] [ɪnˈkriːs] **1.** (*Bevölkerungszahl usw.*) zunehmen, anwachsen **2.** (*Preise*) steigen, anziehen; ***increase in price*** teurer werden; ***increase threefold*** sich verdreifachen **3.** vergrößern, vermehren (*Vermögen, Profite usw.*) **4.** verstärken (*Anstrengungen*) **5.** erhöhen (*Steuern, Abgaben*)
increase[2] [ˈɪnkriːs] **1.** Zunahme; ***increase in population*** Bevölkerungszunahme; ***be on the increase*** zunehmen **2.** *von Preisen usw.*: Steigerung **3.** *von Steuern usw.*: Erhöhung
increasingly [ɪnˈkriːsɪŋlɪ] in zunehmendem Maße; ***increasingly difficult*** immer schwieriger
incredible [ɪnˈkredəbl] **1.** *Geschichte, Vorfall usw.*: unglaublich **2.** *umg.* (≈ *fantastisch*) unwahrscheinlich, toll
incredulous [ɪnˈkredjʊləs] ungläubig
incubator [ˈɪŋkjʊbeɪtə] *medizinisch*: Brutkasten
incur [ɪnˈkɜː], ***incurred, incurred*** sich zuziehen (*Unwillen, Ärger*); ***incur debts*** Schulden machen; ***incur losses*** *geschäftlich*: Verluste erleiden
incurable [ɪnˈkjʊərəbl] **1.** *Krankheit*: unheilbar **2.** *Optimist usw.*: unverbesserlich
indebted [⚠ ɪnˈdetɪd] **1.** verschuldet (***to*** bei); ***be indebted to*** Schulden haben bei **2.** *übertragen* (zu Dank) verpflichtet; ***I'm greatly indebted to you for …*** ich bin Ihnen zu großem Dank verpflichtet für …
indecency [ɪnˈdiːsnsɪ] Unanständigkeit, Anstößigkeit
indecent [ɪnˈdiːsnt] *Benehmen, Bemerkung usw.*: unanständig, anstößig
indecision [ˌɪndɪˈsɪʒn] Unentschlossenheit, Unschlüssigkeit
indecisive [ˌɪndɪˈsaɪsɪv] **1.** *Person*: unentschlossen, unschlüssig **2.** *Diskussion, Streit*: ergebnislos
indeed [ɪnˈdiːd] **1.** in der Tat, tatsächlich, wirklich; ***thank you very much indeed*** vielen herzlichen Dank; ***that was very generous of you indeed*** das war wirklich sehr großzügig von dir **2.** *fragend, förmlich*: wirklich?, tatsächlich?; ***'I saw him yesterday.' - 'Did you indeed?'*** „Ich sah ihn gestern." - „Tatsächlich?" **3.** *bestätigend*: allerdings, freilich; ***'Isn't that great?' - 'Indeed!'*** „Ist das nicht großartig?" - „Allerdings!" **4.** *erstaunter Ausruf*: ach wirklich?, was Sie nicht sagen!
indefinite [ɪnˈdefənət] **1.** (≈ *vage*) unbestimmt **2.** *Zeitraum usw.*: unbegrenzt; ***indefinitely*** auf unbestimmte Zeit **3.** *Sprache*: ***indefinite article*** unbestimmter Artikel; ***indefinite pronoun*** Indefinitpronomen, unbestimmtes Fürwort
independence [ˌɪndɪˈpendəns] *allg. und politisch*: Unabhängigkeit (***from, of*** von); ***Independence Day*** *USA* Unabhängigkeitstag (= *4. Juli*)
independent [ˌɪndɪˈpendənt] *allg. und politisch*: unabhängig (***of*** von)
indescribable [ˌɪndɪˈskraɪbəbl] *Freude, Glück, Angst usw.*: unbeschreiblich
index[1] [ˈɪndeks] *Pl.*: ***indexes*** [ˈɪndeksɪz] *am Ende eines Buchs*: Index, Stichwortverzeichnis, Register
index[2] [ˈɪndeks] *Pl.*: ***indices*** [ˈɪndɪsiːz] **1.** *Mathematik*: Exponent, Index **2.** *übertragen* (An)Zeichen (***of*** von, für), Hinweis (***of*** auf)
index finger [ˈɪndeksˌfɪŋgə] Zeigefinger
India [ˈɪndɪə] Indien
Indian[1] [ˈɪndɪən] **1.** indisch **2.** *auch* ***American Indian*** indianisch, Indianer… **3.** ***Indian summer*** Nachsommer, Spätsommer
Indian[2] [ˈɪndɪən] **1.** Inder(in) **2.** *auch* ***American Indian*** Indianer(in)
Indian file [ˈɪndɪən‿faɪl] ***in Indian file*** im Gänsemarsch
indicate [ˈɪndɪkeɪt] **1.** (≈ *hinzeigen*) deuten auf, zeigen auf **2.** (*Bemerkung, Geste usw.*) hinweisen auf, hindeuten auf; ***everything indicates that*** alles deutet darauf hin, dass **3.** (*Person*) zu erkennen *oder* verstehen geben **4.** *im Straßenverkehr*: blinken
indication [ˌɪndɪˈkeɪʃn] Anzeichen (***of*** für), Hinweis (***of*** auf); ***there's every indication that …*** alles deutet darauf hin, dass …
indicative [ɪnˈdɪkətɪv] *Sprache*: Indikativ
indicator [ˈɪndɪkeɪtə] **1.** *Statistik usw.*: Indikator **2.** *am Messgerät*: Anzeiger **3.** *am Kraftfahrzeug*: Blinker
indices [ˈɪndɪsiːz] *Pl. von* → ***index***[2]
indifference [ɪnˈdɪfrəns] *gegenüber Person, Problem usw.*: Gleichgültigkeit
indifferent [ɪnˈdɪfrənt] **1.** gleichgültig (***to*** gegenüber); ***he's indifferent to it*** es ist

ihm gleichgültig **2.** *Künstler usw.*: mittelmäßig

indigestible [ˌɪndɪ'dʒestəbl] unverdaulich, schwer verdaulich (*auch übertragen*)

indigestion [ˌɪndɪ'dʒestʃən] Magenverstimmung, verdorbener Magen

indignant [ɪn'dɪgnənt] entrüstet, empört (***about, at, over*** über)

indignation [ˌɪndɪg'neɪʃn] Entrüstung, Empörung; ***to my indignation*** zu meiner Entrüstung

indirect [ˌɪndɪ'rekt] *allg.*: indirekt; ***by indirect means*** auf Umwegen; ***indirect speech*** indirekte Rede; ***indirect object*** *Sprache*: indirektes Objekt, Dativobjekt; ***indirect free kick*** *Fußball*: indirekter Freistoß

indiscreet [ˌɪndɪ'skriːt] (≈ *nicht verschwiegen*) indiskret

indiscretion [⚠ ˌɪndɪ'skreʃn] Indiskretion; ***a deliberate indiscretion*** eine gezielte Indiskretion

indispensable [ˌɪndɪ'spensəbl] unentbehrlich, unerlässlich (***to*** für)

individual[1] [ˌɪndɪ'vɪdʒʊəl] **1.** (≈ *gesondert*) einzeln, Einzel…; ***individual case*** Einzelfall **2.** *Stil, Eigenschaft usw.*: individuell, persönlich

individual[2] [ˌɪndɪ'vɪdʒʊəl] Individuum, Einzelne(r); ***the rights of the individual*** die Rechte des Einzelnen

individualism [ˌɪndɪ'vɪdʒʊəlɪzm] Individualismus

individualist [ˌɪndɪ'vɪdʒʊəlɪst] Individualist(in)

Indonesia [ˌɪndəʊ'niːzɪə] Indonesien

Indonesian[1] [ˌɪndəʊ'niːzɪən] indonesisch

Indonesian[2] [ˌɪndəʊ'niːzɪən] *Sprache*: Indonesisch

Indonesian[3] [ˌɪndəʊ'niːzɪən] Indonesier(in)

indoor ['ɪndɔː] **1.** Haus…, Zimmer…; ***indoor aerial*** Zimmerantenne; ***indoor plant*** Zimmerpflanze **2.** *Sport*: Hallen…; ***indoor swimming pool*** Hallenbad; ***indoor tournament*** Hallenturnier

indoors [ˌɪn'dɔːz] **1.** im Haus, drinnen **2.** ***go indoors*** ins Haus gehen, hineingehen **3.** *Sport*: in der Halle

induce [ɪn'djuːs] **1.** ***induce someone to do something*** *durch Überredung*: jemanden veranlassen (*oder* bewegen), etwas zu tun **2.** herbeiführen, auslösen; ***induce labour*** *medizinisch*: die Geburt einleiten

inducement [ɪn'djuːsmənt] Anreiz; ***inducement to buy*** Kaufanreiz

indulge [ɪn'dʌldʒ] **1.** *einer Neigung, einem Wunsch*: nachgeben **2.** verwöhnen (*Kinder*) **3.** ***now and then he indulges in a glass of Scotch*** ab und zu gönnt *oder* leistet er sich ein Glas Scotch

indulgence [ɪn'dʌldʒəns] **1.** Nachsicht **2.** *was man sich leistet*: Luxus, Genuss

indulgent [ɪn'dʌldʒənt] *bes. einem Kind gegenüber*: nachsichtig (***to*** gegen)

industrial [ɪn'dʌstrɪəl] **1.** industriell, Industrie…; ***industrial action*** *BE* Arbeitskampfmaßnahmen; ***industrial estate*** *BE* Industriegebiet **2.** *Region, Land*: industrialisiert; ***industrial nation*** Industriestaat **3.** *Produkte*: industriell erzeugt; ***industrial products*** gewerbliche Erzeugnisse

industrialist [ɪn'dʌstrɪəlɪst] Industrielle(r)

industrialize [ɪn'dʌstrɪəlaɪz] industrialisieren (*Region, Land*); ***industrialized nation*** Industrienation

industrious [ɪn'dʌstrɪəs] *Schüler usw.*: fleißig

industry ['ɪndəstrɪ] **1.** *allg.*: Industrie **2.** *Teilbereich*: Industriezweig, Branche; ***steel industry*** Stahlindustrie, Stahlbranche; ***clothing industry*** Bekleidungsbranche

inedible [ɪn'edəbl] *Pilze, Fisch usw.*: ungenießbar

ineffective [ˌɪnɪ'fektɪv] *Versuch, Anstrengung usw.*: unwirksam, wirkungslos

inefficient [ˌɪnɪ'fɪʃnt] **1.** *Maschine, Produktion usw.*: ineffizient, unrationell, unproduktiv **2.** *Person*: unfähig

inequality [ˌɪnɪ'kwɒlətɪ] Ungleichheit; ***social inequality*** soziale Ungleichheit

inescapable [ˌɪnɪ'skeɪpəbl] *Schlussfolgerung, Konsequenz usw.*: unausweichlich

inestimable [ɪn'estɪməbl] *Hilfe, Rat usw.*: unschätzbar

inevitable [ɪn'evɪtəbl] **1.** *Konsequenz usw.*: unvermeidlich **2.** *Schicksal usw.*: unabwendbar **3.** *Ergebnis*: zwangsläufig

inexact [ˌɪnɪg'zækt] ungenau

inexcusable [ˌɪnɪk'skjuːzəbl] *Benehmen, Fehler*: unverzeihlich, unentschuldbar

inexpensive [ˌɪnɪk'spensɪv] *Waren*: billig, preisgünstig

inexperience [ˌɪnɪk'spɪərɪəns] Unerfahrenheit, Mangel an Erfahrung

inexperienced [ˌɪnɪk'spɪərɪənst] unerfahren

inexplicable [ˌɪnɪk'splɪkəbəl] *Vorfall*: unerklärlich

infallibility [⚠ ɪnˌfælə'bɪlətɪ] Unfehlbarkeit

infallible [⚠ ɪn'fæləbl] *Person, Gedächtnis*: unfehlbar

infamous [⚠ 'ɪnfəməs] *Person, bes. Verbrecher*: berüchtigt (***for*** wegen)

infancy ['ɪnfənsɪ] **1.** früheste Kindheit, *bes.* Säuglingsalter **2.** ***it's still in its infancy*** *übertragen* es steckt noch in den Anfängen *oder* Kinderschuhen

infant ['ɪnfənt] Kleinkind, *bes.* Säugling; ***infant mortality*** Säuglingssterblichkeit

infantile ['ɪnfəntaɪl] **1.** Kinder…, kindlich **2.** *Benehmen*: infantil, kindisch

infantry ['ɪnfəntrɪ] *Militär*: Infanterie

infatuated [ɪn'fætjʊeɪtɪd] vernarrt (***with*** in)

infect [ɪn'fekt] **1.** *Medizin*: infizieren, anstecken (***with*** mit; ***by*** durch); ***the wound became infected*** die Wunde entzündete sich **2.** ***his optimism infected the whole team*** sein Optimismus steckte die ganze Mannschaft an

infected [ɪn'fektɪd] **1.** infiziert **2.** *Wasser usw.*: verseucht **3.** *Computer, Diskette*: virenverseucht

infection [ɪn'fekʃn] *Medizin*: Infektion, Ansteckung

infectious [ɪn'fekʃəs] **1.** *Krankheit*: infektiös, ansteckend; ***infectious disease*** Infektionskrankheit **2.** *Fröhlichkeit, Lachen usw.*: ansteckend

inferior [ɪn'fɪərɪə] *Waren, Qualität*: minderwertig, mittelmäßig

inferiority [ɪn,fɪərɪ'ɒrətɪ] Minderwertigkeit; ***inferiority complex*** *psychisch*: Minderwertigkeitskomplex

infertile [ɪn'fɜːtaɪl] *Person, Tier, Boden*: unfruchtbar

infertility [,ɪnfə'tɪlətɪ] Unfruchtbarkeit

infest [ɪn'fest] (*Ungeziefer usw.*) verseuchen, befallen; ***infested with lice*** verlaust

infidelity [,ɪnfɪ'delətɪ] *bes. in Partnerschaft*: Untreue

infiltrate ['ɪnfɪltreɪt] **1.** *in Organisation, Partei usw.*: einschleusen (*Agent, Spion*) **2.** unterwandern (*Organisation, Partei*)

infiltration [,ɪnfɪl'treɪʃn] **1.** Einschleusung **2.** Unterwanderung

infinite ['ɪnfɪnət] *Weltall usw.*: unendlich, grenzenlos (*beide auch übertragen*)

infinitive [ɪn'fɪnətɪv] *von Verb*: Infinitiv

infinity [ɪn'fɪnətɪ] *des Weltalls usw.*: Unendlichkeit, Grenzenlosigkeit (*beide auch übertragen*)

infirm [ɪn'fɜːm] *bes. ältere Person*: schwach, gebrechlich

infirmary [ɪn'fɜːmərɪ] **1.** Krankenhaus **2.** *in Schule usw.*: Krankenzimmer

inflamed [ɪn'fleɪmd] *Auge usw.*: entzündet

inflammable [ɪn'flæməbl] **1.** *Material*: brennbar, leicht entzündlich, feuergefährlich (⚠ *nicht entzündbar* = ***non-flammable***) **2.** *Person*: reizbar, leicht erregbar

inflammation [,ɪnflə'meɪʃn] *Medizin*: Entzündung

inflatable [ɪn'fleɪtəbl] aufblasbar; ***inflatable mattress*** Luftmatratze

inflate [ɪn'fleɪt] **1.** aufblasen (*Ballon*) **2.** aufpumpen (*Reifen usw.*) **3.** hochtreiben, steigern (*Preise*)

inflation [ɪn'fleɪʃn] (≈ *Geldentwertung*) Inflation; ***creeping inflation*** schleichende Inflation; ***galloping inflation*** galoppierende Inflation

inflect [ɪn'flekt] *Sprache*: flektieren, beugen

inflection, **inflexion** [ɪn'flekʃn] *Sprache*: Flexion, Beugung

inflict [ɪn'flɪkt] **1.** zufügen (*Leid, Schaden usw.*) **2.** beibringen (*Niederlage, Wunde usw.*) **3.** auferlegen, verhängen (*Strafe*)

influence[1] ['ɪnflʊəns] Einfluss (***on, over*** auf; ***with*** bei); ***be under someone's influence*** unter jemandes Einfluss stehen; ***under the influence*** *umg.* alkoholisiert; ***she's a woman of influence*** sie ist eine einflussreiche Frau

influence[2] ['ɪnflʊəns] beeinflussen; ***be easily influenced*** leicht beeinflussbar sein

influential [,ɪnflʊ'enʃl] *Person, Zeitung usw.*: einflussreich

influenza [,ɪnflʊ'enzə] Grippe

info ['ɪnfəʊ] *umg.* → ***information***

inform [ɪn'fɔːm] informieren (***about, of*** über); ***keep someone informed*** jemanden auf dem Laufenden halten; ***inform someone that*** jemanden davon in Kenntnis setzen, dass

informal [ɪn'fɔːml] **1.** *Kleidung, Stimmung usw.*: zwanglos, ungezwungen **2.** *Gespräche, Treffen usw.*: inoffiziell

informatics [,ɪnfə'mætɪks] *Sg.* Informatik

information [,ɪnfə'meɪʃn] (⚠ *nur im Sg. verwendet*) Informationen *Pl.*, Auskunft ***a piece of information*** eine Information ***have you got any information on …?*** haben Sie irgendwelche Informationen über …?; ***gather information*** Erkundigungen einziehen; ***for your information*** zu Ihrer Information *oder* Kenntnisnahme

information centre [,ɪnfə'meɪʃn,sentə] Auskunftsbüro, Informationszentrum

information desk [,ɪnfə'meɪʃn‿desk] Informationsschalter

information science [,ɪnfə'meɪʃn,saɪəns] Informatik

information scientist [,ɪnfə'meɪʃn,saɪəntɪst] Informatiker(in)

information superhighway [,ɪnfəmeɪʃn

ˌsuːpəˈhaɪweɪ] *Computer*: Datenautobahn

informative [ɪnˈfɔːmətɪv] *Buch, Film, Vortrag usw.*: informativ, aufschlussreich

informer [ɪnˈfɔːmə] *bes. der Polizei*: Denunziant(in), Spitzel

infotainment [ˌɪnfəʊˈteɪnmənt] Infotainment (*gebildet aus* **info**rmation *und* enter**tainment**; *Fernsehprogramme, die auf unterhaltsame Weise Informationen vermitteln*)

infuriate [ɪnˈfjʊərɪeɪt] wütend machen; ***be infuriated*** wütend sein

infusion [ɪnˈfjuːʒn] **1.** *aus Kräutern usw.*: Aufguss, *auch*: Tee **2.** *medizinisch*: Infusion

ingenious [ɪnˈdʒiːnɪəs] **1.** *Person*: genial, erfinderisch **2.** *Idee*: genial, glänzend **3.** *Gerät, Maschine*: genial, raffiniert

ingenuity [ˌɪndʒəˈnjuːətɪ] *von Person*: Genialität, Einfallsreichtum

ingot [ˈɪŋgət] Barren; ***gold ingot*** Goldbarren

ingratitude [ɪnˈgrætɪtjuːd] Undankbarkeit

ingredient [ɪnˈgriːdɪənt] *beim Kochen*: Zutat

inhabit [ɪnˈhæbɪt] bewohnen (*bes. Region, Insel*)

inhabitable [ɪnˈhæbɪtəbl] *Land, Haus usw.*: bewohnbar

inhabitant [ɪnˈhæbɪtənt] **1.** *von Ort, Land, Insel*: Einwohner(in) **2.** *von Haus*: Bewohner(in)

inhale [ɪnˈheɪl] **1.** *allg.*: einatmen **2.** *Medizin*: inhalieren **3.** *beim Rauchen*: inhalieren, Lungenzüge machen

inherit [ɪnˈherɪt] erben (***from*** von) (*auch übertragen*)

inheritance [ɪnˈherɪtəns] *das* Erbe (*auch übertragen*)

inhibit [ɪnˈhɪbɪt] *allg.*: hemmen (*auch psychisch*)

inhibited [ɪnˈhɪbɪtɪd] *psychisch*: gehemmt

inhibition [ˌɪnhɪˈbɪʃn] *psychisch*: Hemmung

inhospitable [ˌɪnhɒˈspɪtəbl] **1.** *Person*: ungastlich **2.** *Wetter, Gegend*: unwirtlich

inhuman [ɪnˈhjuːmən] *Brutalität, Grausamkeit*: unmenschlich

inhumane [ˌɪnhjuːˈmeɪn] *Behandlung von Gefangenen usw.*: menschenunwürdig

inhumanity [ˌɪnhjuːˈmænətɪ] Unmenschlichkeit

initial[1] [ɪˈnɪʃl] anfänglich, Anfangs…

initial[2] [ɪˈnɪʃl] (≈ *Anfangsbuchstabe des Namens*) Initiale

initially [ɪˈnɪʃlɪ] anfänglich, am Anfang

initiate [ɪˈnɪʃɪeɪt] in die Wege leiten, initiieren (*Neuerungen, Reformen usw.*)

initiative [ɪˈnɪʃətɪv] Initiative; ***take the initiative*** die Initiative ergreifen; ***on one's own initiative*** aus eigenem Antrieb

initiator [ɪˈnɪʃɪeɪtə] Initiator(in), Urheber (-in)

inject [ɪnˈdʒekt] *Medizin*: injizieren, spritzen

injection [ɪnˈdʒekʃn] *Medizin*: Injektion, Spritze

injure [ˈɪndʒə] **1.** *körperlich*: verletzen; ***injure one's leg*** sich am Bein verletzen **2.** *seelisch*: kränken, verletzen **3.** *übertragen* schaden, schädigen (*Ruf*)

injury [ˈɪndʒərɪ] **1.** *körperlich*: Verletzung (***to*** an); ***head injury*** Kopfverletzung; ***injury time*** *Fußball*: Nachspielzeit **2.** *seelisch*: Kränkung

injustice [ɪnˈdʒʌstɪs] Unrecht, Ungerechtigkeit; ***do someone an injustice*** jemandem unrecht tun

ink [ɪŋk] **1.** Tinte **2.** *zum Zeichnen*: Tusche

inkjet printer [ˈɪŋkdʒetˌprɪntə] *Computer*: Tintenstrahldrucker

inkling [ˈɪŋklɪŋ] **1.** dunkle Ahnung **2.** ***give someone an inkling of …*** jemandem eine ungefähre Vorstellung geben von …

inland[1] [ˈɪnlənd] **1.** *Region, Schifffahrt, Wasserwege*: binnenländisch, Binnen… **2.** *Handel, Produktion usw.*: inländisch, einheimisch; ***Inland Revenue*** *BE*; *etwa*: Steuerbehörde

inland[2] [ɪnˈlænd] *reisen usw.*: landeinwärts

in-laws [ˈɪnlɔːz] *Pl. umg.* angeheiratete Verwandte, *bes.* Schwiegereltern

inmate [ˈɪnmeɪt] *von Anstalt, Gefängnis usw.*: Insasse, Insassin

inn [ɪn] *BE*; *bes. in Verbindung mit Namen*: ***The Duck Inn*** Gasthaus zur Ente

inner [ˈɪnə] **1.** inner…, Innen…; ***inner city*** Innenstadt (*mst. heruntergekommene Viertel mit sozialen Problemen usw.*) **2.** *Sinn, Bedeutung*: tiefer, verborgen

innocence [ˈɪnəsəns] Unschuld

innocent [ˈɪnəsənt] **1.** *an Verbrechen usw.*: unschuldig, schuldlos (***of*** an) **2.** *Bemerkung, Vergnügungen usw.*: harmlos

innovate [ˈɪnəveɪt] Neuerungen einführen (***on, in*** bei, in)

innovation [ˌɪnəˈveɪʃn] Neuerung, Innovation

inoculate [ɪˈnɒkjʊleɪt] *Medizin*: impfen (***against*** gegen)

inoculation [ɪˌnɒkjʊˈleɪʃn] *Medizin*: Impfung

inoffensive [ˌɪnəˈfensɪv] harmlos

inoperable [ɪnˈɒpərəbl] **1.** *Tumor usw.*: inoperabel **2.** *Plan usw.*: undurchführbar

inorganic [ˌɪnɔːˈgænɪk] *Chemie*: anorganisch

I

inpatient ['ɪnˌpeɪʃnt] *in Krankenhaus*: stationärer Patient; ***inpatient treatment*** stationäre Behandlung

input ['ɪnpʊt] **1.** *Computer*: Input, Eingabe **2.** *zur Produktion*: Arbeitsaufwand **3.** (≈ *Kapital*) Investition **4.** *für gemeinsame Unternehmung*: Beitrag

inquest ['ɪŋkwest] gerichtliche Untersuchung (*bes. einer Todesursache*)

inquire [ɪn'kwaɪə] *auch* ***enquire*** **1.** sich erkundigen; ***inquire about*** fragen nach, sich erkundigen nach (*Name*, *Richtung*, *Zeit usw.*) **2.** ***inquire into a case*** einen Fall untersuchen *oder* prüfen

inquiry [ɪn'kwaɪrɪ] *auch* ***enquiry*** **1.** Erkundigung, Anfrage; ***on inquiry*** auf Anfrage; ***make inquiries*** Erkundigungen einziehen (***about, after*** über, wegen) **2.** *behördlich*: Untersuchung, Ermittlung; ***a man is helping the police with their inquiries*** die Polizei verhört zur Stunde einen Tatverdächtigen **3.** ***inquiries*** *Pl.* Auskunft (*Büro*, *Schalter*)

inquisitive [ɪn'kwɪzətɪv] **1.** wissbegierig **2.** *im negativen Sinn*: neugierig

inroads ['ɪnrəʊdz] ***the new job made inroads on his free time*** der neue Job hat seine Freizeit stark eingeschränkt; ***make inroads into someone's savings*** ein großes Loch in jemandes Ersparnisse reißen

insane [ɪn'seɪn] **1.** *Medizin*: geisteskrank **2.** *umg.*, *übertragen* wahnsinnig

insanitary [ɪn'sænətərɪ] *Lebensbedingungen*: unhygienisch, gesundheitsschädlich

insanity [ɪn'sænətɪ] **1.** *Medizin*: Geisteskrankheit **2.** *umg.*, *übertragen* Wahnsinn

insatiable [ɪn'seɪʃəbl] **1.** *Person*: unersättlich **2.** *Durst*, *Neugier*, *Verlangen*: unstillbar

inscription [ɪn'skrɪpʃn] **1.** *auf Gedenkstein usw.*: Inschrift, Aufschrift **2.** *in Buch*: (persönliche) Widmung

insect ['ɪnsekt] Insekt; ***insect spray*** Insektenspray

insecticide [ɪn'sektɪsaɪd] Insektizid, Insektenvernichtungsmittel

insecure [ˌɪnsɪ'kjʊə] **1.** (≈ *instabil*) *Gerüst*, *Leiter*, *Regal*: nicht fest, ungesichert **2.** *übertragen*, *psychisch*: unsicher; ***feel insecure*** sich nicht sicher fühlen **3.** ***an insecure job*** ein unsicherer Arbeitsplatz

insecurity [ˌɪnsɪ'kjʊərətɪ] Unsicherheit

insensitive [ɪn'sensətɪv] **1.** *Verhalten*, *Person*: gefühllos **2.** *Material*, *Person*: unempfindlich (***to*** gegen); ***insensitive to light*** lichtunempfindlich

inseparable [ɪn'sepərəbl] **1.** untrennbar (*auch Wort*) **2.** *Freunde*: unzertrennlich

insert[1] [ɪn'sɜːt] **1.** einwerfen (***in, into*** in) (*Münze usw.*) **2.** hineinstecken (*Schlüssel usw.*) **3.** *in einen Text*: einfügen (*Wort*, *Passage*) **4.** *Computer*: einlegen (*CD-ROM*, *Disk*)

insert[2] ['ɪnsɜːt] **1.** *in Zeitung*: Beilage **2.** *in Buch*: Einlage **3.** *Werbung usw.*: Anzeige, Inserat

insertion [ɪn'sɜːʃn] Einfügen, Einsetzen

insert key [ɪn'sɜːt‿kiː] *Computer*: Einfügetaste

insert mode [ɪn'sɜːt‿məʊd] *Computer*: Einfügemodus

inside[1] [ˌɪn'saɪd] **1.** ↔ ***outside***; *von Haus*, *Behälter usw.*: Innenseite, *das* Innere; ***on the inside*** innen; ***from the inside*** von innen **2.** ***you've got your socks on inside out*** du hast deine Socken verkehrt herum an; ***we turned the house inside out, but didn't find anything*** wir haben das ganze Haus auf den Kopf gestellt, aber nichts gefunden; ***know something inside out*** etwas in- und auswendig kennen

inside[2] ['ɪnsaɪd] **1.** ↔ ***outside*** inner, Innen…; ***inside lane*** *Sport*: Innenbahn; ***overtake on the inside lane*** *in GB*: links überholen, *in Deutschland usw.*: rechts überholen **2.** ***inside information*** *Sg.* Insiderinformationen *Pl.*

inside[3] [ˌɪn'saɪd] **1.** ↔ ***outside*** im Innern, innen, innerhalb; ***inside the house*** im Hause **2.** ↔ ***outside***; *Richtung*: hinein, herein; ***let's go inside*** gehen wir hinein

insider [ˌɪn'saɪdə] Insider(in), Eingeweihte(r)

insidious [ɪn'sɪdɪəs] heimtückisch

insight ['ɪnsaɪt] **1.** *in Sachverhalt usw.*: Einblick (***into*** in); ***gain an insight into something*** (einen) Einblick in etwas gewinnen **2.** *für Probleme*, *Mitmenschen*: Verständnis (***into*** für)

insignificant [ˌɪnsɪg'nɪfɪkənt] **1.** *Unterschied*, *Aspekt usw.*: bedeutungslos **2.** *Geldbetrag*: geringfügig, unerheblich **3.** *Person*: unbedeutend

insincere [ˌɪnsɪn'sɪə] *Person*: unaufrichtig falsch

insinuate [ɪn'sɪnjʊeɪt] andeuten, anspielen auf; ***are you insinuating that …?*** wollen Sie damit sagen, dass …?

insinuation [ɪnˌsɪnjʊ'eɪʃn] Anspielung

insipid [ɪn'sɪpɪd] *Essen*, *Person usw.*: fad

insist [ɪn'sɪst] (≈ *beharren*) bestehen, insistieren; ***insist on doing something*** darauf bestehen, etwas zu tun; ***insist that*** darauf bestehen, dass; ***I insist!*** ich bestehe darauf!; ***if you insist*** wenn du darauf bestehst, *umg.* wenns denn unbedingt sein muss

insistence [ɪn'sɪstəns] Bestehen, Beharren (**on** auf)
insistent [ɪn'sɪstənt] beharrlich, hartnäckig; ***be insistent on*** bestehen auf
insolence ['ɪnsələns] Unverschämtheit, Frechheit
insolent ['ɪnsələnt] unverschämt, frech
insoluble [ɪn'sɒljʊbl] **1.** *Substanz*: unlöslich **2.** *Problem*: unlösbar
insomnia [ɪn'sɒmnɪə] Schlaflosigkeit
inspect [ɪn'spekt] **1.** (≈ *kontrollieren*) untersuchen, prüfen (**for** auf) **2.** *als Amtshandlung*: besichtigen, inspizieren (*Gebäude*, *Truppen*)
inspection [ɪn'spekʃn] **1.** (≈ *Kontrolle*) Untersuchung, Prüfung; ***on closer inspection*** bei näherer Prüfung **2.** *Amtshandlung*: Besichtigung, Inspektion
inspector [ɪn'spektə] **1.** *in U-Bahn*, *Zug usw.*: Kontrolleur **2.** ***police inspector*** *etwa*: Polizeiinspektor
inspiration [ˌɪnspə'reɪʃn] **1.** *geistige Anregung*: Inspiration; ***be someone's inspiration*** *oder* ***be an inspiration to*** (*oder* **for**) ***someone*** jemanden inspirieren **2.** (≈ *Idee*) Eingebung, Einfall
inspire [ɪn'spaɪə] **1.** *zu künstlerischer Leistung usw.*: inspirieren, anregen **2.** erwecken, auslösen (*Gefühl usw.*)
instability [ˌɪnstə'bɪlətɪ] **1.** *allg.*: Instabilität **2.** *von Persönlichkeit*: Labilität
install [ɪn'stɔːl] **1.** *allg.*: installieren **2.** einbauen (*Bad usw.*) **3.** legen (*Leitung usw.*) **4.** anschließen (*Telefon*, *Fax usw.*) **5.** *in Amt*: einsetzen, einführen
installation [ˌɪnstə'leɪʃn] **1.** *allg.*: Installation **2.** *von Bad usw.*: Einbau **3.** *von Telefon*, *Fax usw.*: Anschluss **4.** *Heiz-*, *Kühlsystem usw.*: Anlage **5.** Amtseinführung
instalment, *AE auch* **installment** [ɪn'stɔːlmənt] **1.** (≈ *Teilbetrag*) Rate; ***by*** *oder* ***in instalments*** in Raten, ratenweise; ***first instalment*** Anzahlung **2.** *von Roman*, *Film usw.*: Fortsetzung, *TV auch*: Folge
instance ['ɪnstəns] **1.** *einzelner*: Fall; ***in this instance*** in diesem Fall **2.** Beispiel; ***for instance*** zum Beispiel; ***as an instance of*** als Beispiel für **3.** ***in the first instance*** in erster Linie, zuerst, zunächst
instant[1] ['ɪnstənt] Moment, Augenblick; ***in an instant*** sofort, augenblicklich; ***at this instant*** in diesem Augenblick; ***I'll be back in an instant*** ich bin sofort wieder zurück
instant[2] ['ɪnstənt] sofortig, augenblicklich; ***instant camera*** Sofortbildkamera; ***instant coffee*** Pulverkaffee; ***instant meal*** Fertiggericht, Schnellgericht; ***instant replay*** *AE*; *TV*: Wiederholung (*einer Sportszene*)
instantaneous [ˌɪnstən'teɪnɪəs] sofortig, augenblicklich
instantaneously [ˌɪnstən'teɪnɪəslɪ] sofort
instantly ['ɪnstəntlɪ] sofort, augenblicklich
instead [ɪn'sted] **1.** ***instead of*** anstelle von, anstatt, statt; ***instead of me*** an meiner Stelle; ***instead of going to the cinema ...*** anstatt ins Kino zu gehen, ... **2.** stattdessen, dafür; ***if you don't want to keep it, I'll take it instead*** wenn du es nicht behalten willst, nehme ich es stattdessen; ***we didn't go to Italy, we went to Spain instead*** wir sind nicht nach Italien gefahren, stattdessen fuhren wir nach Spanien
instinct ['ɪnstɪŋkt] Instinkt; ***by*** *oder* ***from instinct*** instinktiv; ***survival instinct*** Selbsterhaltungstrieb
instinctive [ɪn'stɪŋktɪv] instinktiv
institute ['ɪnstɪtjuːt] *zur Forschung*, *Lehre usw.*: Institut
institution [ˌɪnstɪ'tjuːʃn] **1.** (≈ *Organisation*) Institution, Einrichtung **2.** *Heim für Waisen*, *Senioren*, *Kranke usw.*: Anstalt
instruct [ɪn'strʌkt] **1.** unterrichten, ausbilden, schulen (**in** in) **2.** (≈ *in Kenntnis setzen*) informieren, unterrichten **3.** instruieren, anweisen; ***I've been instructed to wait here*** man sagte mir, ich solle hier warten
instruction [ɪn'strʌkʃn] **1.** Unterricht **2.** Instruktion, Anweisung, *Computer*: Befehl; ***instructions for use*** Gebrauchsanweisung, Gebrauchsanleitung
instructive [ɪn'strʌktɪv] *Buch*, *Film usw.*: lehrreich
instructor [ɪn'strʌktə] **1.** Lehrer, Ausbilder; ***driving instructor*** Fahrlehrer; ***skiing instructor*** Skilehrer **2.** *in USA*: Dozent(in)
instrument ['ɪnstrəmənt] **1.** *in Musik*, *Medizin*, *Technik usw.*: Instrument **2.** *in Technik auch*: Messgerät **3.** *übertragen* Werkzeug, Instrument
insufferable [ɪn'sʌfərəbl] *Person*, *Verhalten*: unerträglich, unausstehlich
insufficient [ˌɪnsə'fɪʃnt] *Versorgung*, *Mittel usw.*: unzulänglich, ungenügend
insulate ['ɪnsjʊleɪt] *Leitung*, *Dach usw.*: isolieren
insulation [ˌɪnsjʊ'leɪʃn] *von Leitung*, *Dach usw.*: Isolation
insult[1] [ɪn'sʌlt] beleidigen; ***she feels deeply insulted*** *umg.* sie ist schwer beleidigt
insult[2] ['ɪnsʌlt] Beleidigung (**to** für)

I

insupportable [ˌɪnsəˈpɔːtəbl] unerträglich, unausstehlich

insurance [ɪnˈʃʊərəns] **1.** Versicherung; ***take out insurance against something*** eine Versicherung gegen etwas abschließen; ***insurance agent*** Versicherungsvertreter(in); ***insurance company*** Versicherungsgesellschaft **2.** *was man erhält*: Versicherungssumme **3.** *was man zahlt*: Versicherungsprämie

insure [ɪnˈʃʊə] versichern (*Auto, Haus usw.*) (***against*** gegen); ***I've insured myself for £75,000*** ich habe eine Lebensversicherung über 75 000 Pfund

insurer [ɪnˈʃʊərə] Versicherer, Versicherungsträger(in)

intact [ɪnˈtækt] *Paket, Waren usw.*: intakt, unbeschädigt (*auch übertragen*)

intake [ˈɪnteɪk] **1.** *von Gas, Flüssigkeit usw.*: Aufnahme **2.** (***food***) ***intake*** Nahrungsaufnahme **3.** *an Schule, Universität usw.*: (Neu)Aufnahmen *Pl.*, (Neu)Zugänge *Pl.*

integrate [ˈɪntɪgreɪt] *in Gruppe, Gesellschaft*: integrieren, eingliedern (***into*** in)

integration [ˌɪntɪˈgreɪʃn] Integration

intellect [ˈɪntəlekt] Intellekt, Verstand

intellectual[1] [ˌɪntəˈlektʃʊəl] **1.** *Lektüre, Person usw.*: intellektuell **2.** *Interessen, Leistung auch*: geistig, Geistes…; ***intellectual property*** geistiges Eigentum

intellectual[2] [ˌɪntəˈlektʃʊəl] Intellektuelle(r)

intelligence [ɪnˈtelɪdʒəns] **1.** Intelligenz; ***intelligence quotient*** Intelligenzquotient; ***intelligence test*** Intelligenztest **2.** *auch* ***intelligence service*** Nachrichtendienst, Geheimdienst

intelligent [ɪnˈtelɪdʒənt] **1.** *allg.*: intelligent **2.** *Bemerkung, Buch, Film usw.*: geistreich, intelligent

intelligible [ɪnˈtelɪdʒəbl] verständlich (***to*** für)

intend [ɪnˈtend] **1.** (≈ *etwas wollen*) beabsichtigen, vorhaben; ***did you intend that?*** hattest du das beabsichtigt?; ***that wasn't intended*** das war nicht beabsichtigt; ***I don't think he intended any harm*** ich glaube nicht, dass er das böse gemeint hat **2.** (≈ *etwas tun wollen*) beabsichtigen, vorhaben; ***I intend to get up at six*** ich habe vor, um sechs aufzustehen

intense [ɪnˈtens] **1.** *allg.*: intensiv **2.** *Schmerzen usw.*: heftig, stark **3.** *Ärger, Freude, Interesse usw.*: intensiv, heftig **4.** *Person*: ernsthaft **5.** *Studien*: intensiv

intensify [ɪnˈtensɪfaɪ] **1.** (*Ärger, Schmerz, Freude usw.*) zunehmen, sich verstärken **2.** verstärken, intensivieren (*Anstrengungen*)

intensive [ɪnˈtensɪv] **1.** *allg.*: intensiv; ***be in intensive care*** *im Krankenhaus*: auf der Intensivstation liegen **2.** *Studien, Ausbildung auch*: gründlich, erschöpfend; ***intensive course*** Intensivkurs

intent[1] [ɪnˈtent] Absicht; ***do something with intent*** etwas absichtlich *oder* mit Absicht tun

intent[2] [ɪnˈtent] **1.** ***be intent on doing something*** fest entschlossen sein, etwas zu tun **2.** *Blick usw.*: durchdringend, gespannt

intention [ɪnˈtenʃn] Absicht, Vorsatz (***of doing, to do*** zu tun); ***with the best of intentions*** in bester Absicht; ***it wasn't my intention to hurt you*** es war nicht meine Absicht, Sie zu verletzen

intentional [ɪnˈtenʃnəl] absichtlich, vorsätzlich; ***intentionally*** *auch*: mit Absicht

interact [ˌɪntə(r)ˈækt] **1.** (*Chemikalien, Ideen usw.*) aufeinander einwirken **2.** (*Personen*) interagieren

interaction [ˌɪntə(r)ˈækʃn] **1.** *von Substanzen, Ideen usw.*: Wechselwirkung **2.** *von Personen*: Interaktion

interactive [ˌɪntə(r)ˈæktɪv] *allg.*: interaktiv (*auch CD-ROM usw.*)

interchange[1] [ˌɪntəˈtʃeɪndʒ] *zwei Dinge gegeneinander*: vertauschen, austauschen

interchange[2] [ˈɪntətʃeɪndʒ] **1.** Austausch; ***interchange of ideas*** Gedankenaustausch **2.** *von Straßen*: Kreuzung **3.** *von Autobahnen*: Autobahnkreuz

intercity [ˌɪntəˈsɪtɪ] *BE* Intercity…; ***intercity*** (***train***) Intercity(zug)

intercom [ˈɪntəkɒm] Sprechanlage, Gegensprechanlage

intercontinental [ˌɪntəkɒntɪˈnentl] interkontinental, Interkontinental…; ***intercontinental ballistic missile*** Interkontinentalrakete

intercourse [ˈɪntəkɔːs] **1.** (***sexual***) ***intercourse*** Geschlechtsverkehr **2.** *soziale Kontakte*: Umgang, Verkehr

interest[1] [ˈɪntrəst] **1.** Interesse (***in*** an, für); ***take*** *oder* ***have an interest in*** sich interessieren für **2.** (≈ *Bedeutung*) Interesse; ***be of interest*** (***to***) von Interesse sein (für), interessieren; ***of great*** (*bzw.* ***little***) ***interest*** von großer Wichtigkeit (*bzw.* von geringer Bedeutung) **3.** (≈ *Nutzen*) Interesse, Vorteil; ***be in someone's interest*** in jemandes Interesse liegen; ***in your own interest***(***s***) zu Ihrem eigenen Vorteil **4.** *Finanzwesen*: Zins, Zinsen *Pl.*; ***interest rate*** *oder* ***rate of interest*** Zinssatz

interest[2] [ˈɪntrəst] interessieren (***in*** für); ***interest someone in something*** *auch*:

bei jemandem Interesse für etwas wecken

interested ['ɪntrəstɪd] interessiert (***in*** an); ***be interested in*** sich interessieren für; ***I'd be interested to hear your opinion*** ich würde gerne Ihre Meinung hören; ***we're interested in buying a boat*** *in Geschäft*: wir interessieren uns für ein Boot

interest group ['ɪntrəst‿gruːp] *Politik*: Interessengruppe

interesting ['ɪntrəstɪŋ] interessant

interface[1] ['ɪntəfeɪs] *Computer*: Interface, Schnittstelle

interface[2] ['ɪntəfeɪs, ˌɪntə'feɪs] zusammenarbeiten (***with*** mit)

interfere [ˌɪntə'fɪə] sich einmischen

interference [ˌɪntə'fɪərəns] **1.** Einmischung **2.** *Radio*, *TV*: Störung

interior[1] [ɪn'tɪərɪə] **1.** *von Haus*: inner…, Innen…; ***interior decorator*** *oder* ***designer*** Innenarchitekt(in) **2.** *von Land*: Binnen…, inländisch, Inlands…

interior[2] [ɪn'tɪərɪə] **1.** *von Haus*: *das* Innere, Innenausstattung **2.** *von Land*: Landesinnere **3.** ***Department of the Interior*** *USA* Innenministerium

intermediate [ˌɪntə'miːdɪət] ***intermediate stage*** Zwischenstufe; ***intermediate course*** *in Fremdsprache usw.*: Kurs für fortgeschrittene Anfänger

intermission [ˌɪntə'mɪʃn] *allg.*: Pause (*auch in Theater, Film usw.*)

internal [ɪn'tɜːnl] **1.** innere(r, -s), Innen…; ***internal injury*** innere Verletzung; ***internal medicine*** innere Medizin; ***he was bleeding internally*** er hatte innere Blutungen **2.** *von Land*: einheimisch, Inlands…; ***internal trade*** Binnenhandel; ***internal affairs*** *Politik*: innere Angelegenheiten **3.** *von Firma*: betriebsintern

international[1] [ˌɪntə'næʃnəl] **1.** international; ***international law*** Völkerrecht; ***International Monetary Fund*** Internationaler Währungsfonds **2.** ***international call*** *telefonisch*: Auslandsgespräch; ***international flight*** Auslandsflug

international[2] [ˌɪntə'næʃnəl] **1.** *Sport*: Nationalspieler(in) **2.** *Sportveranstaltung*: Länderkampf, Länderspiel

Internet

Internet, *umg.* **Net**	Internet
bookmark	Textmarke, Lesezeichen
browser	Browser
FAQ [fæk] (**frequently asked question**)	FAQ (häufig gestellte Frage)
home page	Homepage, Startseite (*die jeweils erste Seite einer Web-Adresse*)
ISP [ˌaɪes'piː] (**Internet service provider**)	Internet-Provider
netiquette ['netɪket]	Netiquette (*Verhaltensregeln im Internet*)
newsgroup	Newsgruppe
search engine	Suchmaschine
surf	surfen
URL [juːɑː(r)'el] (**uniform resource locator**)	„einheitlicher Quellenlokalisierer“
web page	(*einzelne*) Webseite
web site	Website (*Homepage plus alle dazugehörigen Seiten*)
World Wide Web	*das* weltweite Netz

internist [ɪn'tɜːnɪst] *Medizin*: Internist(in)

interpret [ɪn'tɜːprɪt] **1.** auslegen, interpretieren (*Aussage, Text usw.*) **2.** dolmetschen (*Sprache*)

interpretation [ɪnˌtɜːprɪ'teɪʃn] *von Text usw.*: Auslegung, Interpretation

interpreter [ɪn'tɜːprɪtə] Dolmetscher(in)

interrogate [ɪn'terəgeɪt] (*Polizei*) verhören, vernehmen (*Verdächtigen*)

interrogation [ɪnˌterə'geɪʃn] Verhör, Vernehmung

interrupt [ˌɪntə'rʌpt] **1.** *allg.*: unterbrechen **2.** *auch*: ins Wort fallen (*Redner usw.*); ***don't interrupt!*** unterbrich mich nicht!

interruption [ˌɪntə'rʌpʃn] Unterbrechung; ***without interruption*** ununterbrochen

intersection [ˌɪntə'sekʃn] **1.** (***point of***) ***intersection*** *Geometrie*: Schnittpunkt **2.** *von Straßen*: Straßenkreuzung

interstate [ˌɪntə'steɪt] *bes. AE* zwischenstaatlich; ***interstate highway*** *zwischen den Bundesstaaten*: Autobahn

interval ['ɪntəvl] **1.** *zeitlich oder räumlich*: Abstand **2.** *nur zeitlich auch*: Intervall; ***at regular intervals*** in regelmäßigen Abständen **2.** *BE* Pause (*bes. im Theater usw.*), Unterbrechung **3.** *Musik*: Intervall

intervene [ˌɪntə'viːn] **1.** *bei Streit usw.*: eingreifen, einschreiten **2.** *bes. politisch*: intervenieren **3.** ***in the intervening months*** *usw.* in den Monaten *usw.* dazwischen **4.** (*Unvorhergesehenes*) dazwischenkommen; ***if nothing intervenes*** wenn nichts dazwischenkommt

intervention [ˌɪntə'venʃn] **1.** *bei Streit usw.*:

Eingreifen, Einschreiten **2.** *politisch*: Intervention

interview[1] ['ɪntəvjuː] **1.** Interview; ***give someone an interview*** jemandem ein Interview geben **2.** *für neuen Job*: Vorstellungsgespräch

interview[2] ['ɪntəvjuː] **1.** interviewen **2.** ein Einstellungsgespräch führen mit (*Bewerber*)

interviewee [ˌɪntəvjuː'iː] **1.** *in Zeitung, TV*: Interviewpartner(in) **2.** *in Vorstellungsgespräch*: Bewerber(in) **3.** *bei Meinungsumfrage*: Befragte(r)

interviewer ['ɪntəvjuːə] Interviewer(in)

intestine [ɪn'testɪn] *mst.* ***intestines*** *Pl.* Darm *Sg.*, Gedärme *Pl.*; ***large intestine*** Dickdarm; ***small intestine*** Dünndarm

intimacy ['ɪntɪməsɪ] **1.** Intimität, Vertrautheit **2.** ***intimacies*** *Pl.* Vertraulichkeiten *Pl.* (*auch abwertend*) **3.** intime Beziehungen *Pl.*

intimate ['ɪntɪmət] **1.** *Freund, Freundschaft usw.*: vertraut, eng, intim **2.** *sexuell*: intim **3.** *Atmosphäre eines Raums usw.*: intim, gemütlich **4.** *Kenntnisse*: gründlich, genau

intimidate [ɪn'tɪmɪdeɪt] *durch Drohungen usw.*: einschüchtern; ***they intimidated me into telling them*** sie schüchterten mich so ein, dass ich es ihnen sagte

intimidation [ɪnˌtɪmɪ'deɪʃn] Einschüchterung

into ['ɪntə, *vor Vokalen*: 'ɪntʊ] **1.** *auf die Frage „wohin"*: in, in … hinein; ***we went into the house*** wir gingen ins Haus (hinein); ***the car crashed into the wall*** das Auto krachte gegen die Wand **2.** ***translate into German*** ins Deutsche übersetzen **3.** ***divide 7 into 21*** *Mathematik*: 21 durch 7 teilen **4.** ***be into*** *umg.* stehen auf (*Techno, Computer, Sport usw.*); ***I never really got into lyric poetry*** mit Lyrik konnte ich noch nie so richtig etwas anfangen

intolerable [ɪn'tɒlərəbl] *Hitze, Schmerz, Verhalten usw.*: unerträglich

intolerance [ɪn'tɒlərəns] **1.** Intoleranz **2.** *medizinisch*: Überempfindlichkeit; ***food intolerance*** Lebensmittelunverträglichkeit

intolerant [ɪn'tɒlərənt] intolerant (***of*** gegenüber); ***be intolerant of something*** etwas nicht dulden *oder* tolerieren

intoxicant [ɪn'tɒksɪkənt] Rauschmittel

intoxicate [ɪn'tɒksɪkeɪt] berauschen

intoxicated [ɪn'tɒksɪkeɪtɪd] **1.** betrunken **2.** *von Erfolg usw.*: berauscht (***by*** von)

intransitive [ɪn'trænsətɪv] *Verb*: intransitiv

intravenous [ˌɪntrə'viːnəs] *Injektion*: intravenös

in-tray ['ɪntreɪ] Ablagekorb für eingehende Post

intrigue[1] [ɪn'triːg] **1.** ***be intrigued by*** fasziniert sein von (*Vorschlag, Gedanke usw.*) **2.** *um jemandem zu schaden*: intrigieren (***against*** gegen)

intrigue[2] ['ɪntriːg] Intrige

intriguing [ɪn'triːgɪŋ] *Idee, Gedanke, Frau*: faszinierend, interessant

introduce [ˌɪntrə'djuːs] **1.** vorstellen, bekannt machen (***to*** mit); ***have you been introduced?*** wurden Sie einander schon vorgestellt?; ***may I introduce myself, …*** darf ich mich vorstellen, … **2.** einführen (*neue Methode, Mode usw.*); ***introduce a new dictionary onto the market*** ein neues Wörterbuch auf den Markt bringen **3.** ankündigen (*Redner, Programm usw.*)

introduction [ˌɪntrə'dʌkʃn] **1.** *von Personen*: Vorstellung **2.** *von neuem Produkt*: Einführung **3.** *in Buch*: Einleitung, Vorwort

intrude [ɪn'truːd] **1.** stören (***on someone*** jemanden); ***are we intruding?*** stören wir? **2.** sich einmischen (***in, into*** in); ***intrude into a conversation*** sich in eine Unterhaltung einmischen **3.** ***intrude on someone's privacy*** in jemandes Privatsphäre eindringen

intruder [ɪn'truːdə] Eindringling

intrusion [ɪn'truːʒn] Störung

intrusive [ɪn'truːsɪv] aufdringlich

intuition [ˌɪntjuː'ɪʃn] Intuition; ***know something by intuition*** etwas intuitiv wissen

intuitive [ɪn'tjuːətɪv] *Person, Handlung, Wissen usw.*: intuitiv

inundate ['ɪnʌndeɪt] ***be inundated*** überschwemmt werden (*auch übertragen mit Arbeit usw.*)

invade [ɪn'veɪd] **1.** *in Land*: einfallen in, eindringen in **2.** (*Bakterien, Viren*) sich ausbreiten in (*Körper usw.*) **3.** (*Touristen usw.*) überschwemmen, heimsuchen (*Ferienort usw.*)

invader [ɪn'veɪdə] **1.** Eindringling **2.** ***invaders*** *Pl.* Invasoren

invalid[1] [ɪn'vælɪd] *Vertrag, Fahrkarte usw.*: ungültig

invalid[2] ['ɪnvəliːd] *Medizin*: Invalide, Körperbehinderte(r)

invaluable [ɪn'væljʊəbl] *Schmuck, Hilfe, Rat usw.*: unschätzbar, von unschätzbarem Wert; ***be invaluable to someone*** für jemanden von unschätzbarem Wert sein

invariable [ɪn'veərɪəbl] **1.** (≈ *festgelegt*) *Wert, Wechselkurs usw.*: unveränderlich **2.** (≈ *immer gleich*) *gute Laune, Optimismus usw.*: gleich bleibend

nvasion [ɪn'veɪʒn] Einfall (***of*** in), Einmarsch (***of*** in), Invasion; ***invasion of tourists*** Touristeninvasion

nvent [ɪn'vent] **1.** (≈ *schaffen*) erfinden (*technisches Gerät usw.*) **2.** erfinden, erdichten (*etwas Unwahres*)

nvention [ɪn'venʃn] Erfindung

nventive [ɪn'ventɪv] **1.** *Person*: erfinderisch **2.** *Produkt*: einfallsreich

nventor [ɪn'ventə] Erfinder(in)

nverse [ˌɪn'vɜːs] umgekehrt; ***in inverse order*** in umgekehrter Reihenfolge

nverted commas [ɪnˌvɜːtɪd'kɒməz] *Pl.* Anführungszeichen, Schlusszeichen

nvest [ɪn'vest] *Wirtschaft*: investieren, anlegen (*Kapital*)

nvestigate [ɪn'vestɪgeɪt] untersuchen (*Verbrechen usw.*), Ermittlungen anstellen; ***investigate a case*** einen Fall untersuchen; ***investigating committee*** Untersuchungsausschuss

nvestigation [ɪnˌvestɪ'geɪʃn] Untersuchung, Ermittlung; ***be under investigation*** *Fall*: untersucht werden; ***she's under investigation*** gegen sie wird ermittelt

nvestment [ɪn'vestmənt] **1.** Investition, Kapitalanlage; ***investment adviser*** *oder* ***consultant*** Anlageberater(in) **2.** *angelegtes Geld*: Anlagekapital

nvestor [ɪn'vestə] Investor, Kapitalanleger

nvigorating [ɪn'vɪgəreɪtɪŋ] *Luft*, *Spaziergang*: erfrischend, belebend

nvincible [ɪn'vɪnsəbl] **1.** *Sport usw.*: unbesiegbar **2.** *übertragen* unüberwindlich

nvisible [ɪn'vɪzəbl] unsichtbar (***to*** für)

nvitation [ˌɪnvɪ'teɪʃn] **1.** Einladung; ***at the invitation of*** auf Einladung von; ***admission by written invitation only*** Zutritt nur mit schriftlicher Einladung **2.** *übertragen*; *mst. zu einer Straftat*: Herausforderung, Einladung

nvite [ɪn'vaɪt] **1.** einladen; ***invite someone to a party*** jemanden zu einer Party einladen; ***I haven't been invited*** man hat mich nicht eingeladen **2.** (≈ *höflich bitten*) auffordern, ersuchen (***to do*** zu tun) **3.** *übertragen* herausfordern, einladen; ***you're inviting trouble*** du wirst Ärger kriegen

n-vitro fertilization [ɪnˌviːtrəʊ‿fɜːtəlaɪ'zeɪʃn] künstliche Befruchtung

nvoice[1] ['ɪnvɔɪs] *für gelieferte Waren oder Dienstleistungen*: Rechnung

nvoice[2] ['ɪnvɔɪs] in Rechnung stellen (*gelieferte Waren*, *Dienstleistungen*); ***invoice someone for something*** jemandem etwas in Rechnung stellen

involuntary [ɪn'vɒləntərɪ] *Ausruf*, *Bewegung*, *Lächeln usw.*: unwillkürlich

involve [ɪn'vɒlv] **1.** *in Probleme*, *Geschehen usw.*: verwickeln, hineinziehen (***in*** in); ***get involved in an accident*** in einen Unfall verwickelt werden **2.** *Geschehen*: angehen, betreffen (*Beteiligte*); ***the persons involved*** die Betroffenen; ***this problem involves us all*** dieses Problem geht uns alle an **3.** (≈ *zur Folge haben*) mit sich bringen, nach sich ziehen, verbunden sein mit; ***my new job involves a lot of overtime*** mein neuer Job ist mit einer Menge Überstunden verbunden

inward ['ɪnwəd] **1.** *Richtung*: einwärts, nach innen **2.** *räumlich in etwas*: innere(r,-s), innerlich (*beide auch übertragen*)

inwardly ['ɪnwədlɪ] *übertragen* im Stillen, insgeheim

inwards ['ɪnwədz] *Richtung*: einwärts, nach innen

iodine [⚠ 'aɪədiːn] *Element*: Jod

IOU [ˌaɪəʊ'juː] (*Abk. für* ***I owe you***) Schuldschein

Iran [ɪ'rɑːn] der Iran

Iraq [ɪ'rɑːk] der Irak

irascible [ɪ'ræsəbl] jähzornig

irate [aɪ'reɪt] *Person*, *Protest*, *Brief usw.*: zornig, wütend

Ireland ['aɪələnd] *Insel*: Irland; ☞ *Karte S. 293*

Irish[1] ['aɪrɪʃ] irisch; ***Irish coffee*** Irishcoffee (*Kaffee mit Sahne und Whisky*)

Irish[2] ['aɪrɪʃ] *Sprache*: Irisch (*Form des Gälischen*)

Irish[3] ['aɪrɪʃ] ***the Irish*** *Pl.* die Iren

Irishman ['aɪrɪʃmən] *Pl.*: ***Irishmen*** ['aɪrɪʃmən] Ire

Irish stew

In irischen Pubs wird oft ein **Irish stew** als Gericht angeboten. Das ist eine Art Gulasch aus Lammfleisch, Kartoffeln und Zwiebeln.

Irishwoman ['aɪrɪʃˌwʊmən] *Pl.*: ***Irishwomen*** ['aɪrɪʃˌwɪmɪn] Irin

irksome ['ɜːksəm] *Aufgabe usw.*: lästig

iron[1] [⚠ 'aɪən] **1.** *Metall*: Eisen; ***have several irons in the fire*** *übertragen* mehrere Eisen im Feuer haben; ***strike while the iron is hot*** *übertragen* das Eisen schmieden, solange es heiß ist **2.** Bügeleisen

iron[2] [⚠ 'aɪən] eisern (*auch übertragen*), Eisen…; ***Iron Curtain*** *historisch*: Eiserner Vorhang; ***iron lung*** *Medizin*: eiserne Lunge

iron[3] [⚠ 'aɪən] bügeln, ⒸⒽ glätten (*Wäsche*)
ironic [aɪ'rɒnɪk], **ironical** [aɪ'rɒnɪkl] *Bemerkung usw.*: ironisch; ***he smiled ironically*** er lächelte ironisch
irony ['aɪrənɪ] Ironie; ***irony of fate*** Ironie des Schicksals
irrational [ɪ'ræʃnəl] irrational, unvernünftig
irregular [ɪ'regjʊlə] **1.** *Zeitabstände usw.*: unregelmäßig (*auch Verb-, Steigerungs- und Pluralformen*) **2.** (≈ *unkorrekt*) regelwidrig, unvorschriftsmäßig
irregularity [ɪˌregjʊ'lærətɪ] *allg.*: Unregelmäßigkeit
irrelevant [ɪ'reləvənt] *Bemerkung, Detail, Einwand usw.*: irrelevant, belanglos (***to*** für)
irreparable [ɪ'repərəbl] *Schaden*: irreparabel, nicht wieder gutzumachen(d)
irreplaceable [ˌɪrɪ'pleɪsəbəl] *Verlust usw.*: unersetzlich
irresistible [ˌɪrɪ'zɪstəbl] *Wunsch, Verlangen, Charme usw.*: unwiderstehlich
irresponsible [ˌɪrɪ'spɒnsəbl] *Handlung, Verhalten*: verantwortungslos, unverantwortlich
irritable ['ɪrɪtəbl] *Person*: reizbar
irritate ['ɪrɪteɪt] (≈ *erbosen*) reizen, (ver)ärgern; ***irritated at*** (*oder* **by, with**) verärgert *oder* ärgerlich über (⚠ *irritieren im Sinne von verwirren* = ***confuse***)
irritating ['ɪrɪteɪtɪŋ] *Person, Verhalten*: ärgerlich, störend, lästig
irritation [ˌɪrɪ'teɪʃn] **1.** Ärger (***at*** über) **2.** *der Haut usw.*: Reizung
is [ɪz] ist (*3. Form Sg. Präsens von* → ***be***)
Islam ['ɪzlɑːm] Islam
Islamic [ɪz'læmɪk] islamisch
island ['aɪlənd] **1.** Insel **2.** *auch* ***traffic island*** Verkehrsinsel
islander ['aɪləndə] Inselbewohner(in)
isle [aɪl] *mst. in Namen*: Insel; ***the British Isles*** die Britischen Inseln
isn't ['ɪznt] *Kurzform von* ***is not***
isolate ['aɪsəleɪt] **1.** (≈ *trennen*) isolieren, absondern (***from*** von) **2.** *Medizin, Chemie*: isolieren (*Patient, Substanz*) **3.** ***the country isolated itself from the world*** das Land hat sich von der Welt isoliert *oder* abgeschottet
isolated ['aɪsəleɪtɪd] **1.** (≈ *einzeln*) isoliert, abgesondert; ***isolated case*** Einzelfall **2.** *Einöde usw.*: abgelegen, abgeschieden
isolation [ˌaɪsə'leɪʃn] **1.** *allg.*: Isolierung, Absonderung; ***isolation ward*** *im Krankenhaus*: Isolierstation **2.** Abgeschiedenheit; ***live in isolation*** zurückgezogen leben

Israel [⚠ 'ɪzreɪl] Israel
Israeli[1] [⚠ ɪz'reɪlɪ] israelisch
Israeli[2] [⚠ ɪz'reɪlɪ] Israeli
issue[1] ['ɪʃuː] **1.** Frage, Thema, Problem; ***be at issue*** zur Debatte stehen; ***the point at issue is ...*** worum es (eigentlich) geht, ist ...; ***make an issue of something*** etwas aufbauschen **2.** *von Banknoten, Briefmarken usw.*: Ausgabe **3.** *von Zeitung*: Ausgabe **4.** (≈ *Resultat*) Ergebnis; ***force the issue*** eine Entscheidung erzwingen
issue[2] ['ɪʃuː] **1.** ausgeben (*Banknoten, Briefmarken usw.*) **2.** herausgeben (*Zeitung usw.*)
it [ɪt] **1.** *allg.*: es **2.** *auf schon Genanntes bezogen und je nach Geschlecht*: es, er, ihn, ihm, sie, ihr **3.** *bei unklarem Geschlecht*: es; ***is it a boy or a girl?*** ist es ein Junge oder ein Mädchen? **4.** ***it's raining*** es regnet; ***oh, it was you*** oh, du warst es *oder* das; ***who is it?*** wer ist da?; ***it's me*** ich bins **5.** *verstärkend*: ***it's him you should speak to*** du solltest dich an ihn wenden **6.** ***that's it*** (***then***)***!*** *umg.*; *erleichtert*: da hätten wir!; ***that's it!*** *umg.*; *verärgert*: jetzt reichts!, *zustimmend*: genau!
Italian[1] [ɪ'tæljən] italienisch
Italian[2] [ɪ'tæljən] *Sprache*: Italienisch
Italian[3] [ɪ'tæljən] *Person*: Italiener(in)
italics [ɪ'tælɪks] ***in italics*** kursiv (gedruckt)
Italy ['ɪtəlɪ] Italien
itch[1] [ɪtʃ] **1.** *Hautreizung*: Jucken, Juckreiz **2.** *übertragen* Drang, Verlangen (***for*** nach)
itch[2] [ɪtʃ] **1.** *auf der Haut*: jucken, (*Pullover usw. auch*) kratzen **2.** ***he's itching to try it*** *umg.* es reizt *oder* juckt ihn, es zu versuchen
itchy ['ɪtʃɪ] **1.** juckend **2.** *Pullover usw.*: kratzig **3.** ***itchy feet*** *übertragen* Fernweh
item ['aɪtəm] **1.** *allg.*: Gegenstand, Ding **2.** *auf Tagesordnung usw.*: Punkt **3.** *in Katalog*: Artikel **4.** *in Zeitung*: Notiz **5.** *in Rundfunk, TV*: Nachricht, Meldung
itinerary [aɪ'tɪnrərɪ] Reiseroute
it'll ['ɪtl] *Kurzform von* ***it will***
its [ɪts] *je nach Geschlecht*: sein, seine, ihr, ihre
it's [ɪts] *Kurzform von* ***it is*** *oder* ***it has***
itself [ɪt'self] **1.** sich; ***the bird's scratching itself*** der Vogel kratzt sich **2.** *verstärkend*: selbst; ***and now to the problem itself*** und nun zum Problem selbst; ***by itself*** allein, von allein *oder* selbst
I've [aɪv] *Kurzform von* ***I have***
ivory ['aɪvərɪ] Elfenbein
ivy ['aɪvɪ] *Pflanze*: Efeu

J

jab[1] [dʒæb], ***jabbed, jabbed*** **1.** *mit Ellbogen usw.*: stoßen (***into*** in) **2.** *mit Nadel*: stechen (***into*** in) **3.** ***jab at someone*** auf jemanden einschlagen *oder mit Messer*: einstechen

jab[2] [dʒæb] **1.** *mit Messer*, *Nadel*: Stich **2.** *mit Ellbogen usw.*: Stoß **3.** *Boxen*: kurzer Haken **4.** *BE, umg.* (≈ *Injektion*) Spritze

jabber ['dʒæbə] (daher)plappern

jabbering ['dʒæbərɪŋ] Geplapper

jack [dʒæk] **1.** *Kartenspiel*: Bube; ***jack of hearts*** Herzbube **2.** *Technik*: Hebevorrichtung **3.** *für Auto*: Wagenheber

> **jack up** [ˌdʒæk'ʌp] **1.** aufbocken (*Auto*) **2.** drastisch erhöhen (*Preise*)

jackdaw ['dʒækdɔː] *Vogel*: Dohle

jacket ['dʒækɪt] **1.** Jacke **2.** *von Anzug*: Jackett **3.** *von Buch*: Schutzumschlag **4.** *von Kartoffel*: Schale; ***potatoes boiled in their jackets*** Pellkartoffeln; ***jacket potato*** (in der Schale) gebackene Kartoffel

jackknife ['dʒæknaɪf] *Pl.*: ***jackknives*** ['dʒæknaɪvz] Klappmesser

jackpot ['dʒækpɒt] *Poker*, *Lotto usw.*: Jackpot; ***hit the jackpot*** *umg.* den Jackpot knacken, *übertragen* das große Los ziehen

Jacuzzi® [dʒə'kuːzɪ] Whirlpool

jaded ['dʒeɪdɪd] **1.** *körperlich*: erschöpft, ermattet **2.** *geistig*: abgestumpft, übersättigt

jagged ['dʒægɪd] **1.** *Felsen*: gezackt, zackig **2.** *Steilküste*: zerklüftet

jaguar ['dʒægjʊə] *Raubtier*: Jaguar

jail[1] [dʒeɪl] Gefängnis; ***in jail*** im Gefängnis; ***be sent to jail*** eingesperrt werden

jail[2] [dʒeɪl] einsperren

jailbird ['dʒeɪlbɜːd] *umg.* Knastbruder, Knacki

jam[1] [dʒæm] Marmelade, Konfitüre

jam[2] [dʒæm], ***jammed, jammed*** **1.** *in Koffer*, *Schrank usw.*: hineinstopfen, hineinzwängen (***into*** in) **2.** *in Tür usw.*: einklemmen, quetschen (*Finger usw.*) (***between*** zwischen) **3.** blockieren, verstopfen; ***thousands of football fans jammed the streets*** Tausende von Fußballfans drängten sich auf den Straßen **4.** (*Bremse*, *Rad*) blockieren **5.** (*Tür*, *Verschluss usw.*) klemmen

jam[3] [dʒæm] **1.** *auf Straßen*, *Gängen usw.*: Verstopfung, Stau; ***traffic jam*** Verkehrsstau **2.** *von Menschen*: Gedränge **3.** *umg.* Klemme; ***be in a jam*** in der Klemme stecken

jam-packed [ˌdʒæm'pækt] *umg.* **1.** voll gestopft (***with*** mit) **2.** *Stadion usw.*: bis auf den letzten Platz besetzt

jangle ['dʒæŋgl] **1.** (*Münzen usw.*) klimpern **2.** klimpern mit (*Münzen usw.*)

January ['dʒænjʊərɪ] Januar, Ⓐ Jänner; ***in January*** im Januar

Japan [⚠ dʒə'pæn] Japan

Japanese[1] [ˌdʒæpə'niːz] japanisch

Japanese[2] [ˌdʒæpə'niːz] *Sprache*: Japanisch

Japanese[3] [ˌdʒæpə'niːz] Japaner(in)

jar [dʒɑː] **1.** *aus Glas*, *Ton*, *Stein*: Gefäß, Krug **2.** *für Marmelade*: Glas

jargon ['dʒɑːgən] Jargon, *umg.* Fachchinesisch

jaundice ['dʒɔːndɪs] *Medizin*: Gelbsucht

jaunt[1] [dʒɔːnt] Ausflug, *mit Auto*: Spritztour

jaunt[2] [dʒɔːnt] einen Ausflug *oder* eine Spritztour machen

javelin ['dʒævlɪn] *Leichtathletik*: Speer; ***javelin thrower*** Speerwerfer(in)

jaw [dʒɔː] *Knochen*: Kiefer; ***lower*** (*bzw.* ***upper***) ***jaw*** Unterkiefer (*bzw.* Oberkiefer)

jaws [dʒɔːz] *Pl.*, *von Krokodil*, *Hai usw.*: Maul, Rachen

jay [dʒeɪ] *Vogel*: Eichelhäher

jaywalking ['dʒeɪˌwɔːkɪŋ] *von Fußgänger*: unachtsames Überqueren einer Straße

jazz [dʒæz] **1.** *Musikrichtung*: Jazz **2.** ***… and all that jazz*** *umg.* … und all das Zeug(s)

> **jazz up** [ˌdʒæz'ʌp] **1.** *Musik*: verjazzen **2.** *umg.* Schwung bringen in, aufpeppen (*Party*, *Zimmer usw.*)

jazzy ['dʒæzɪ] **1.** jazzartig **2.** *umg.*; *Farben*: knallig, *auch Kleidung usw.*: poppig
jealous [⚠ 'dʒeləs] **1.** *Partner, Kind*: eifersüchtig (***of*** auf) **2.** *wegen jemandes Erfolg, Besitz usw.*: neidisch (***of*** auf); ***be jealous of someone's success*** jemandem seinen Erfolg missgönnen
jealousy [⚠ 'dʒeləsɪ] **1.** Eifersucht **2.** (≈ *Missgunst*) Neid
jeans [dʒiːnz] *Pl.* Jeans *Pl.*
jeer[1] [dʒɪə] **1.** höhnische Bemerkungen machen (***at*** über) **2.** johlen **3.** höhnisch lachen (***at*** über)
jeer[2] [dʒɪə] **1.** höhnische Bemerkung **2.** ***jeers*** *Pl.* Johlen **3.** ***jeers*** *Pl.* Hohngelächter
jeering[1] ['dʒɪərɪŋ] höhnisch
jeering[2] ['dʒɪərɪŋ] **1.** Johlen **2.** Hohngelächter
jellied ['dʒelɪd] ***jellied eel*** Aal in Aspik
jelly ['dʒelɪ] **1.** *Süßspeise*: Wackelpudding **2.** *oft mit Fleisch, Wurst usw.*: Aspik, Sülze **3.** *aus Saft gekocht*: Gelee **4.** *AE* Marmelade
jelly baby ['dʒelɪˌbeɪbɪ] *BE* Gummibärchen
jellyfish ['dʒelɪfɪʃ] *Meerestier*: Qualle
jeopardize [⚠ 'dʒepədaɪz] gefährden, in Gefahr bringen (*Arbeitsplatz, Beziehung, Erfolg usw.*)
jeopardy [⚠ 'dʒepədɪ] Gefahr; ***put in jeopardy*** gefährden, in Gefahr bringen (*Arbeitsplatz, Beziehung, Erfolg usw.*)
jerk[1] [dʒɜːk] **1.** *plötzliche Bewegung*: Ruck; ***by jerks*** ruckweise; ***give a jerk*** (*Auto usw.*) rucken, einen Satz machen **2.** *krampfartige Bewegung*: Zuckung **3.** *umg.* Blödmann, Trottel
jerk[2] [dʒɜːk] **1.** *an Seil usw.*: ruckartig ziehen; ***jerk oneself free*** sich losreißen **2.** (*Auto, Zug usw.*) rucken, sich ruckartig bewegen; ***jerk to a stop*** ruckweise *oder* mit einem Ruck stehen bleiben **3.** (*Körper, Muskeln*) zucken, zusammenzucken
jerky ['dʒɜːkɪ] **1.** *Bewegung*: ruckartig **2.** *Sprechweise*: abgehackt **3.** *Fahrweise*: ruckweise, holprig
jersey ['dʒɜːzɪ] **1.** Pullover **2.** *Sport*: Trikot, Ⓐ, ⒸⒽ Leibchen, Ⓐ *auch*: Leiberl **3.** *Stoff*: Jersey
jest [dʒest] ***in jest*** im *oder* zum Scherz
jet[1] [dʒet] **1.** *Flugzeug*: Jet, Düsenflugzeug **2.** *aus Wasser, Gas usw.*: Strahl **3.** *Ausströmöffnung*: Düse
jet[2] [dʒet], ***jetted, jetted*** **1.** *umg.* jetten **2.** (*Wasser*) herausschießen, hervorschießen (***from*** aus) **3.** (*Gas*) ausströmen (***from*** aus)
jet fighter ['dʒetˌfaɪtə] Düsenjäger
jet lag ['dʒet‿læg] Jetlag (*Störung des gewohnten Alltagsrhythmus durch die Zeitverschiebung bei Langstreckenflügen*)
jet plane ['dʒet‿pleɪn] Düsenflugzeug
jet set ['dʒet‿set] *umg.* Jetset
jetsetter ['dʒetsetə] *umg.* Angehörige(r) des Jetset
jetty ['dʒetɪ] **1.** *zum Schutz vor Wellen*: Hafendamm, Mole **2.** *für Schiffe*: Landungsbrücke, *kleiner*: Landungssteg
Jew [dʒuː] Jude, Jüdin (⚠ ***Jew*** *wirkt heute oft beleidigend; man sagt eher* ***Jewish person***, *bzw.* ***he's Jewish, she's Jewish*** *usw.*)
jewel ['dʒuːəl] **1.** *Schmuckstück*: Edelstein, Juwel (*auch übertragen*) **2.** *von Uhrwerk*: Stein
jeweller ['dʒuːələ] Juwelier(in)
jewellery, *AE* **jewelry** ['dʒuːəlrɪ] Schmuck, Juwelen *Pl.*; ***piece of jewellery*** Schmuckstück
Jewish ['dʒuːɪʃ] jüdisch, Juden…
jiffy ['dʒɪfɪ] *umg.* Augenblick; ***in a jiffy*** im Nu, im Handumdrehen
jigsaw ['dʒɪgsɔː], **jigsaw puzzle** ['dʒɪgsɔːˌpʌzl] Puzzle(spiel)
jingle[1] ['dʒɪŋgl] **1.** (*Münzen usw.*) klimpern **2.** (*Glocke usw.*) bimmeln **3.** klimpern mit (*Münzen, Schlüssel*) **4.** bimmeln lassen (*Glocke*)
jingle[2] ['dʒɪŋgl] **1.** *von Schlüsseln, Münzen usw.*: Klimpern **2.** *von Glocken*: Bimmeln **3.** *in Radio- und TV-Werbung usw.*: Jingle
jinks [dʒɪŋks] *Pl.* ***they were having high jinks*** bei ihnen ging es hoch her
jinx [dʒɪŋks] ***put a jinx on something*** *umg.* etwas verhexen
jinxed [dʒɪŋkst] verhext
jitters ['dʒɪtəz] *Pl. umg.*; *vor Prüfung usw.*: Bammel, Heidenangst (***about*** vor); ***have the jitters*** Schiss *oder* Bammel haben
jittery ['dʒɪtərɪ] *umg.* furchtbar nervös
job [dʒɒb] **1.** (≈ *berufliche Tätigkeit*) Stelle, Arbeit, Arbeitsplatz, *umg.* Job; ***I'm out of a job*** ich bin arbeitslos; ***know one's job*** *übertragen* seine Sache verstehen **2.** (≈ *Einzelprojekt usw.*) (einzelne) Arbeit; ***I have four different jobs to do*** *umg.* ich hab vier verschiedene Sachen am Hals; ***make a good*** (*bzw.* ***bad***) ***job of something*** gute (*bzw.* schlechte) Arbeit leisten, seine Sache gut (*bzw.* schlecht) machen; ***odd jobs*** Gelegenheitsarbeiten **3.** Aufgabe, Pflicht; ***that's not your job*** das ist nicht deine Aufgabe *oder* Sache **4.** *Computer*: Job **5.** *umg.* Sache, Angelegenheit; ***make the best of a bad job*** das Beste daraus machen **6.** *umg.* (≈ *Straftat*) Ding, krumme Sache **7.** ***do a big*** (*bzw.*

little) job *Kindersprache*: ein großes (*bzw.* kleines) Geschäft machen
jobber ['dʒɒbə] *umg.* Gelegenheitsarbeiter(in), Jobber(in)
job centre ['dʒɒbˌsentə] *BE* Arbeitsvermittlung
job creation ['dʒɒb‿kriːˌeɪʃn] Schaffung von Arbeitsplätzen
jobhunt ['dʒɒbhʌnt] ***be*** (*bzw.* ***go***) ***jobhunting*** auf Arbeitssuche sein (*bzw.* gehen)
jobhunter ['dʒɒbˌhʌntə] Arbeitssuchende(r)
job interview ['dʒɒbˌɪntəvjuː] Vorstellungsgespräch
jobless ['dʒɒbləs] arbeitslos
job-seeker ['dʒɒbˌsiːkə] *BE* Arbeitssuchende(r)
job-sharing ['dʒɒbˌʃeərɪŋ] Jobsharing, Arbeitsplatzteilung
jockey ['dʒɒkɪ] *Pferderennsport*: Jockey
jog[1] [dʒɒg], ***jogged, jogged*** **1.** (≈ *dauerlaufen*) joggen **2.** anstoßen, stupsen (*Person*); ***jog someone's memory*** *übertragen* jemandes Gedächtnis nachhelfen **3.** stoßen an *oder* gegen (*Gegenstand*)
jog[2] [dʒɒg] **1.** *Sport*: Trimmtrab; ***go for a jog*** joggen gehen **2.** Stoß, Stups
jogger ['dʒɒgə] *Sport*: Jogger(in)
jogging ['dʒɒgɪŋ] *Sport*: Joggen, Jogging
john [dʒɒn] *bes. AE, salopp* Klo
join [dʒɔɪn] **1.** verbinden, zusammenfügen (*Einzelteile*) **2.** (*Personen*) sich anschließen, hinzustoßen; ***I'll join you later*** ich komme später nach; ***may I join you?*** darf ich mich dazusetzen?, *bei Spiel usw.*: darf ich mitmachen?; ***come and join us!*** komm und setz dich zu uns! **3.** (≈ *Mitglied werden*) eintreten in (*Firma, Verein usw.*); ***join the army*** zur Armee gehen; ***join a party*** in eine Partei eintreten **4.** (*Straße, Fluss*) einmünden in

> **join in** [ˌdʒɔɪn'ɪn] *an Spiel usw.*: sich beteiligen, mitmachen
> **join up** [ˌdʒɔɪn'ʌp] zum Militär gehen, Soldat werden

joiner ['dʒɔɪnə] Tischler, Schreiner
joint[1] [dʒɔɪnt] **1.** *von Knochen*: Gelenk **2.** *zum Essen*: Braten; ***chicken joints*** Hähnchenteile **3.** *von Teilen*: Verbindungsstelle, *bes. geschweißt*: Lötnaht, Nahtstelle **4.** *von Rohrleitung*: Verbindungsstück **5.** *umg.*; *Lokal, Geschäft usw.*: Laden, Bude **6.** *umg.* (≈ *Haschischzigarette*) Joint
joint[2] [dʒɔɪnt] *Aktion, Anstrengung usw.*: gemeinsam, gemeinschaftlich; ***take joint action*** gemeinsam vorgehen; ***joint venture*** *Wirtschaft*: Gemeinschaftsunternehmen, Jointventure
joke[1] [dʒəʊk] **1.** *erzählt*: Witz; ***crack jokes*** Witze reißen **2.** (≈ *Jux*) Scherz, Spaß; ***that's going beyond a joke*** das ist kein Spaß mehr, das ist nicht mehr lustig; ***he can't take a joke*** er versteht keinen Spaß **3.** *mst.* ***practical joke*** Streich; ***play a joke on someone*** jemandem einen Streich spielen
joke[2] [dʒəʊk] scherzen, Witze machen (***about*** über); ***I'm only joking*** ich mache nur Spaß; ***I'm not joking*** ich meine das ernst; ***you must be joking*** *oder* ***are you joking?*** das ist doch nicht dein Ernst!
joker ['dʒəʊkə] **1.** *Person*: Spaßvogel, Witzbold **2.** *Spielkarte*: Joker
jolly ['dʒɒlɪ] **1.** *Person, Charakter, Lachen usw.*: lustig, fröhlich, vergnügt **2.** *BE, umg.* ganz schön, ziemlich; ***jolly good!*** prima!
jolt[1] [dʒəʊlt] **1.** (*Fahrzeug*) einen Ruck machen, holpern **2.** (*Fahrzeug*) durchrütteln (*Passagiere*) **3.** *übertragen* einen Schock versetzen
jolt[2] [dʒəʊlt] **1.** Ruck, Stoß **2.** Schock; ***give someone a jolt*** jemandem einen Schock versetzen
Jordan ['dʒɔːdn] **1.** Jordanien **2.** *Fluss*: Jordan
joss stick ['dʒɒs‿stɪk] Räucherstäbchen
jostle [⚠ 'dʒɒsl] **1.** anrempeln **2.** (sich) drängeln (*durch die Menge usw.*)
jot [dʒɒt] ***not a jot of truth*** kein Funke *oder* Körnchen Wahrheit
jotter ['dʒɒtə] *BE* Notizbuch, Notizblock
joule [dʒuːl] *physikalische Einheit*: Joule
journal ['dʒɜːnl] Journal, Zeitschrift
journalism ['dʒɜːnəlɪzm] Journalismus
journalist ['dʒɜːnəlɪst] Journalist(in)
journey ['dʒɜːnɪ] **1.** *bes. über Land*: Reise, *im Auto, Zug*: Fahrt; ***a bus journey*** eine Busfahrt; ***the journey home*** die Heimreise **2.** (≈ *Distanz*) Reise, Entfernung; ***it's a two-day journey*** die Reise dauert zwei Tage
joy [dʒɔɪ] **1.** Freude (***at*** über, ***in*** an); ***cry for joy*** vor Freude weinen; ***tears of joy*** Freudentränen; ***to my great joy*** zu meiner großen Freude **2.** *BE, umg.* Erfolg; ***I didn't have any joy*** ich hatte keinen Erfolg
joyride ['dʒɔɪraɪd] *umg.* Spritztour (*bes. in einem gestohlenen Wagen*), Ⓒⓗ Strolchenfahrt; ***go joyriding*** ein Auto stehlen und damit eine Spritztour machen

J

joystick ['dʒɔɪstɪk] *umg.* **1.** *im Flugzeug*: Steuerknüppel **2.** *Computer*: Joystick

jubilee ['dʒuːbɪliː] Jubiläum

judge[1] [dʒʌdʒ] **1.** *in der Rechtsprechung*: Richter(in) **2.** *in bestimmten Sportarten*: Punktrichter(in), Kampfrichter(in) **3.** *bei Wettbewerb*: Preisrichter(in) **4.** Kenner (-in); ***a (good) judge of wine*** ein(e) Weinkenner(in)

judge[2] [dʒʌdʒ] **1.** beurteilen, einschätzen (***by*** nach); ***judge by appearances*** nach dem Äußeren urteilen; ***as far as I can judge*** soweit ich es beurteilen kann **2.** *bei Wettbewerb usw.*: als Preisrichter fungieren **3.** *vor Gericht*: verhandeln (*Fall*)

judgement, **judgment** ['dʒʌdʒmənt] **1.** *vor Gericht*: Urteil; ***pass judgement*** das Urteil fällen **2.** *kritischer Verstand*: Urteilsvermögen; ***against one's better judgement*** wider bessere Einsicht **3.** (≈ *Auffassung*) Meinung, Ansicht, Urteil; ***in my judgement*** meines Erachtens; ***make a (final) judgement on*** sich ein (abschließendes *oder* endgültiges) Urteil bilden über **4.** *Religion*: göttliches Gericht; ***the Last Judgement*** das Jüngste Gericht; ***the Day of Judgement*** *oder* ***Judgement Day*** der Jüngste Tag

jug [dʒʌg] **1.** *ohne Deckel*: Krug **2.** *mit Deckel*: Kanne **3.** *kleiner*: Kännchen

juggle ['dʒʌgl] **1.** (*Artist*) jonglieren (mit) **2.** *übertragen* jonglieren (***with*** mit) (*Fakten, Worten, Zahlen usw.*)

juggler ['dʒʌglə] *Artist*: Jongleur(in)

juice [dʒuːs] **1.** *aus Früchten usw.*: Saft; ***let someone stew in his*** *oder* ***her own juice*** *umg.* jemanden im eigenen Saft schmoren lassen **2.** *umg.* (≈ *Energie*) Saft **3.** *umg.* (≈ *Benzin*) Sprit

juicy ['dʒuːsɪ] **1.** *Obst, Fleisch usw.*: saftig **2.** *umg.*; *Gewinn, Profit*: saftig **3.** *Geschichte, Affäre usw.*: schlüpfrig, pikant

juke-box ['dʒuːkbɒks] Musikbox, Jukebox, Musikautomat

July [dʒuː'laɪ] Juli; ***in July*** im Juli

Fourth of July

Der **Fourth of July** ist in den USA ein wichtiger Feiertag: Am 4. Juli 1776 wurde die Unabhängigkeitserklärung der 13 amerikanischen Kolonien von der britischen Herrschaft unterzeichnet. Zu den Feierlichkeiten an diesem Gedenktag gehören Umzüge, Grillpartys und ein Feuerwerk. Offiziell heißt der 4. Juli **Independence Day** (Unabhängigkeitstag).

jumble[1] ['dʒʌmbl] **1.** *auch* ***jumble together*** *oder* ***up*** durcheinander werfen (*Sachen*) **2.** durcheinander bringen (*Fakten usw.*)

jumble[2] ['dʒʌmbl] Durcheinander

jumble sale ['dʒʌmbl‿seɪl] *BE* Wohltätigkeitsbasar

jumbo (jet) ['dʒʌmbəʊ(‿dʒet)] Jumbo (-jet)

jump[1] [dʒʌmp] **1.** Sprung; ***be one jump ahead of someone*** *übertragen* jemandem einen Schritt voraus sein **2.** *Sport*: Sprung, Hindernis **3.** *von Preisen*: sprunghafter Anstieg

jump[2] [dʒʌmp] **1.** *allg.*: springen; ***jump to one's feet*** aufspringen; ***jump for joy*** Freudensprünge machen **2.** springen über (*Hindernis*) **3.** *vor Schreck usw.*: zusammenzucken (***at*** bei) **4.** *übertragen* abrupt übergehen (***to*** zu) (*zu neuem Thema usw.*) **5.** *übertragen* überspringen, auslassen (*Textstelle*) *usw.* **6.** ***jump the gun*** *Sport*: einen Fehlstart verursachen, *übertragen* voreilig sein *oder* handeln **7.** ***jump the queue*** sich vordrängen

jump about [ˌdʒʌmp‿ə'baʊt] herumspringen, herumhüpfen

jump at ['dʒʌmp‿ət] sich stürzen auf, beim Schopf ergreifen (*Angebot, Chance, Gelegenheit usw.*)

jump off [ˌdʒʌmp'ɒf] **1.** *aus stehendem Bus usw.*: aussteigen **2.** *von fahrendem Bus usw.*: abspringen

jump on [ˌdʒʌmp'ɒn] **1.** *in stehenden Bus usw.*: einsteigen **2.** *auf fahrenden Bus usw.*: aufspringen **3.** (≈ *anbrüllen*) anfahren (*Person*)

jump out [ˌdʒʌmp'aʊt] hinausspringen, herausspringen; ***jump out of one's skin*** *übertragen* erschreckt zusammenfahren

jump up [ˌdʒʌmp'ʌp] **1.** *von Boden, Stuhl usw.*: hochspringen, aufspringen **2.** hinaufspringen (*Treppe usw.*)

jump ball ['dʒʌmp‿bɔːl] *Basketball*: Sprungball, Jump

jumper ['dʒʌmpə] *bes. BE* Pullover

jump leads ['dʒʌmp‿liːdz] *Pl., BE* Starthilfekabel

jumpsuit ['dʒʌmpsuːt] Overall

jumpy ['dʒʌmpɪ] *Person*: nervös, schreckhaft

junction ['dʒʌŋkʃn] **1.** *von Straßen*: Kreuzung, Einmündung **2.** *von Autobahn*: Anschlussstelle

juncture ['dʒʌŋktʃə] ***at this juncture*** zu diesem Zeitpunkt

June [dʒuːn] Juni; ***in June*** im Juni
jungle ['dʒʌŋgl] Dschungel (*auch übertragen*)
junior[1] ['dʒuːnɪə] **1.** *als Namenszusatz*: junior **2.** *in Rang*: untergeordnet; ***junior partner*** *Wirtschaft*: Juniorpartner **3.** ***junior school*** *in GB*: Grundschule (*für Kinder von 7-11*) **4.** *Sport*: Junioren…
junior[2] ['dʒuːnɪə] **1.** Jüngere(r); ***he's my junior by two years*** *oder* ***he is two years my junior*** er ist 2 Jahre jünger als ich **2.** *Sport*: Junior(in)
junk [dʒʌŋk] **1.** (≈ *wertloses Zeug*) Trödel, Ramsch **2.** (≈ *Müll*) Gerümpel, Abfall **3.** *abwertend*; *Film*, *Buch usw.*: Schund, Mist **4.** *umg.* Stoff, *bes.* Heroin
junk food ['dʒʌŋk‿fuːd] ungesundes Essen (*Fastfood usw.*)
junkie ['dʒʌŋkɪ] *umg.* **1.** Fixer(in), Junkie **2.** *in Zusammensetzungen*: Freak; ***TV junkie*** Fernsehfreak
junk mail ['dʒʌŋk‿meɪl] *im Briefkasten*: Reklame, Reklamesendungen
junkyard ['dʒʌŋkjɑːd] *bes. AE* **1.** Schuttabladeplatz **2.** *für Metall*: Schrottplatz
jury ['dʒʊərɪ] **1.** ***the jury*** *vor Gericht*: die Geschworenen **2.** *in Wettbewerb*: Jury **3.** *Sport*: Schiedsgericht, Kampfgericht
just[1] [dʒʌst] **1.** *Person*, *Entscheidung*: gerecht (***to*** gegen) **2.** *Strafe*, *Belohnung usw.*: gerecht, angemessen; ***it was only just*** es war nur recht und billig **3.** *Anspruch usw.*: rechtmäßig
just[2] [dʒʌst] **1.** *jetzt oder unmittelbar vorher*: gerade, gerade eben, (so)eben; ***he's just left*** er ist gerade gegangen; ***just now*** gerade eben, gerade jetzt; ***just as*** gerade als **2.** (≈ *exakt*) gerade, genau, eben; ***it's just 5 o'clock*** es ist genau fünf Uhr; ***that's just like you*** das sieht dir ähnlich **3.** gerade noch; ***I arrived just in time*** ich kam gerade noch pünktlich **4.** nur, lediglich, bloß; ***just the three of us*** nur wir drei; ***just in case*** für alle Fälle **5.** ***just about*** ungefähr, in etwa; ***dinner's just about ready*** das Essen ist so gut wie fertig
justice ['dʒʌstɪs] **1.** *moralisch*: Gerechtigkeit, Rechtmäßigkeit **2.** *Recht*: Gerechtigkeit, Recht; ***bring to justice*** vor den Richter bringen; ***administer justice*** Recht sprechen **3.** *Titel*: Richter; ***Mr Justice Miller*** Richter Miller
justifiable ['dʒʌstɪfaɪəbl] *Freude*, *Stolz*, *Ärger usw.*: berechtigt, gerechtfertigt
justification [ˌdʒʌstɪfɪ'keɪʃn] Rechtfertigung; ***in justification of*** zur Rechtfertigung von
justify ['dʒʌstɪfaɪ] rechtfertigen (*Entscheidung*, *Handlung usw.*)
justly ['dʒʌstlɪ] mit Recht, zu Recht
juvenile ['dʒuːvənaɪl] jugendlich, Jugend…; ***juvenile delinquency*** Jugendkriminalität

K

K

> **K**
>
> In Geschäftsberichten sowie Stellenanzeigen und dergleichen erscheint oft die Abkürzung **K** hinter einer Geldangabe, etwa **£30K**, **£206K**. **K** ist hier die Abkürzung von **kilo** in der Bedeutung „tausend". Bei einer Stellenannonce, die z. B. ein Gehalt von **£44K** nennt, handelt es sich also um 44.000 Pfund.

kangaroo [ˌkæŋgə'ruː] Känguru
kaput [kə'pʊt] *umg.* kaputt
karate [kə'rɑːtɪ] Karate; ***karate chop*** Karateschlag
kayak ['kaɪæk] *Boot*: Kajak
Kazakhstan [ˌkæzæk'stɑːn] Kasachstan
keel [kiːl] *von Boot*, *Schiff*: Kiel

> **keel over** [ˌkiːl'əʊvə] **1.** (*Boot usw.*) umschlagen, kentern **2.** (*Person*) umkippen, umfallen

keen [kiːn] **1.** *Gefühl*: heftig, stark; ***keen interest*** starkes *oder* lebhaftes Interesse **2.** *Sportler*, *Kartenspieler*, *Fan usw.*: begeistert, leidenschaftlich **3.** ***be keen on something*** von etwas begeistert sein, etwas sehr gern mögen; ***be keen to do something*** etwas unbedingt tun wollen; ***I'm keen on (playing) tennis*** ich spiele leidenschaftlich gern Tennis **4.** *Verstand*, *Sinne*, *Intellekt usw.*: scharf

keep[1] [kiːp], ***kept*** [kept], ***kept*** [kept] **1.** behalten (*Geschenk usw.*); ***may I keep this?*** darf ich das behalten?; ***keep the change*** *von Wechselgeld*: der Rest ist für Sie **2.** *in einem bestimmten Zustand belassen*: lassen, halten; ***keep the door shut*** die Tür geschlossen halten; ***keep something a secret*** etwas geheim halten (***from*** vor); ***keep in sight*** in Sichtweite bleiben; ***keep still*** still halten; ***keep quiet*** still sein **3.** (≈ *behelligen*) aufhalten; ***don't let me keep you*** lass dich nicht aufhalten; ***what kept you?*** wo warst du so lang?, wo bleibst du denn? **4.** (≈ *verwahren*) aufheben, aufbewahren; ***where do you keep your cups?*** wo sind die Tassen?; ***can you keep a secret?*** kannst du schweigen? **5.** haben, betreiben (*Laden*, *Lokal*, *Hotel usw.*) **6.** halten (*Wort*, *Versprechen*) **7.** ernähren; ***have a family to keep*** eine Familie ernähren müssen **8.** *mit -ing-Form*: ***keep smiling!*** immer nur lächeln!; ***keep going!*** mach weiter!; ***keep someone waiting*** jemanden warten lassen

keep at [ˌkiːp'æt] weitermachen mit (*Arbeit usw.*); ***keep 'at it!*** mach weiter so!
keep away [ˌkiːp‿ə'weɪ] **1.** (*Person*) wegbleiben, sich fern halten (***from*** von) **2.** fern halten (***from*** von); ***keep the cat away from me!*** *umg.* halt mir die Katze vom Leib!
keep back [ˌkiːp'bæk] **1.** zurückhalten (*Person*) **2.** einbehalten (*Lohn usw.*) **3.** unterdrücken (*Tränen usw.*) **4.** verschweigen (*Fakten*, *Informationen usw.*)
keep down [ˌkiːp'daʊn] **1.** niedrig halten (*Kosten usw.*) **2.** unter Kontrolle halten, unterdrücken (*Volk*, *Gefühle usw.*) **3.** bei sich behalten (*Arznei*, *Nahrung usw.*)
keep from ['kiːp‿frəm] **1.** abhalten von (*Person*); ***keep someone from doing something*** jemanden davon abhalten, etwas zu tun **2.** vorenthalten, verschweigen (*Nachricht*, *Tatsache usw.*) **3.** ***I could hardly keep (myself) from laughing*** ich konnte mir kaum das Lachen verkneifen
keep in [ˌkiːp'ɪn] **1.** *aus Haus*, *Wohnung*: nicht heraus- *oder* hinauslassen **2.** *Schule*: nachsitzen lassen
keep off [ˌkiːp'ɒf] **1.** ***keep off (the grass)!*** Betreten (des Rasens) verboten! **2.** fern halten; ***keep your hands off!*** Hände weg!
keep on [ˌkiːp'ɒn] **1.** anbehalten, anlassen (*Kleidungsstück*) **2.** ***keep on doing something*** mit etwas weitermachen, *wiederholt*: etwas immer wieder machen; ***keep on trying!*** versuche es weiter! **3.** ***if she keeps on like this …*** wenn sie so weitermacht, …
keep out [ˌkiːp'aʊt] **1.** nicht hinein- *oder* hereinlassen (*Person*, *Tier usw.*) **2.** (*Person*) draußen bleiben; ***keep out!*** Zutritt verboten!
keep out of [ˌkiːp'aʊt‿əv] sich heraushalten aus (*Gefahren*, *Ärger*, *Streit usw.*); ***keep out of sight*** sich nicht blicken lassen
keep to ['kiːp‿tʊ] **1.** *räumlich*: bleiben; ***keep to the left*** (*bzw.* ***right***) sich links (*bzw.* rechts) halten **2.** *übertragen* festhalten an, bleiben bei (*Meinung usw.*) **3.** ***keep something to a*** *oder* ***the minimum*** etwas auf ein Minimum beschränken **4.** ***keep something to oneself*** etwas für sich behalten
keep up [ˌkiːp'ʌp] **1.** aufrechterhalten (*Brauch*, *Gewohnheit usw.*) **2.** halten (*Tempo*) **3.** auf hohem Niveau halten (*Preise usw.*)
keep up with [ˌkiːp'ʌp‿wɪð] *in Rennen usw.*: mithalten, Schritt halten mit (*auch übertragen*); ***keep up with the Joneses*** den Nachbarn nicht nachstehen, mit den Nachbarn mithalten

keep[2] [kiːp] Lebensunterhalt; ***earn one's keep*** seinen Lebensunterhalt verdienen
keeper ['kiːpə] **1.** *im Zoo*, *Museum usw.*: Wächter, Aufseher **2.** *im Zoo auch*: Tierpfleger(in) **3.** *umg.*; *Sport*: Torwart **4.** *mst. in Zusammensetzungen*: Inhaber(in), Besitzer(in); ***shopkeeper*** Geschäftsinhaber(in)
keep-fit [ˌkiːp'fɪt] *auch* ***keep-fit exercises*** *Pl.*, *BE* Gymnastik
keeps [kiːps] *Pl.* ***for keeps*** *umg.* für *oder* auf immer, endgültig; ***it's yours for keeps*** du kannst *oder* darfst es behalten
keepsake ['kiːpseɪk] *kleiner Gegenstand*: Andenken
keg [keg] Fässchen
kennel ['kenl] **1.** Hundehütte **2.** ***kennels*** *Sg.* Hundezwinger **3.** ***kennels*** *Sg.* (≈ *Hundepension*) Hundeheim
Kenya ['kenjə] Kenia
kept [kept] *2. und 3. Form von* → ***keep***[1]
kerb [kɜːb], **kerbstone** ['kɜːbstəʊn] *BE* Bordstein, Randstein
kettle ['ketl] **1.** Wasserkessel, Teekessel; ***I'll put the kettle on*** ich setze das Wasser auf **2.** ***a pretty*** *oder* ***fine kettle of fish*** *ironisch* eine schöne Bescherung **3.** ***that's***

a different kettle of fish das ist etwas ganz anderes

key[1] [kiː] **1.** *für ein Schloss*: Schlüssel **2.** (≈ *Lösung*) Schlüssel; ***the key to success*** der Schlüssel zum Erfolg **3.** *von Klavier, Computer*: Taste **4.** *Musik*: Tonart; ***sing off*** *oder* ***out of key*** falsch singen

key[2] [kiː] wichtigste(r); ***key position*** Schlüsselposition; ***the key question*** die zentrale Frage

key[3] [kiː] *auch* ***key in*** *Computer*: eingeben (*Daten*)

keyboard ['kiːbɔːd] **1.** *von Klavier, Orgel, Computer usw.*: Tastatur **2.** *auch* ***keyboards*** *Musik*: Keyboards (*elektronisch verstärkte Tasteninstrumente*)

keyhole ['kiːhəʊl] Schlüsselloch

keypal ['kiːpæl] *jemand, mit dem man regelmäßig E-Mails austauscht*

kick[1] [kɪk] **1.** *mit dem Fuß*: Tritt, Stoß; ***give someone a kick*** jemandem einen Tritt geben, jemanden treten **2.** *Fußball*: Schuss; ***free kick*** Freistoß **3.** *umg.* Schwung; ***give something a kick*** etwas in Schwung bringen **4.** ***for kicks*** *umg.* zum Spaß; ***he gets a kick out of it*** es macht ihm einen Riesenspaß

kick[2] [kɪk] **1.** treten, einen Tritt geben *oder* versetzen; ***I could have kicked myself*** *umg.* ich hätte mich ohrfeigen können, ich hätte mich in den Hintern beißen können **2.** treten, kicken (*Ball*); ***he kicked the ball into the net*** er schoss den Ball ins Netz **3.** (*Pferd*) ausschlagen **4.** (*Baby*) strampeln **5.** ***kick the bucket*** *salopp* (≈ *sterben*) abkratzen, ins Gras beißen, den Löffel reichen

kick about *oder* **around** [ˌkɪk əˈbaʊt *oder* əˈraʊnd] **1.** herumkicken (*Ball*) **2.** *umg., übertragen* herumschubsen, herumkommandieren (*Person*) **3.** *umg.* (*Person*) sich herumtreiben, rumhängen

kick in [ˌkɪkˈɪn] **1.** eintreten (*Tür*) **2.** *AE, umg.* beisteuern (**for** zu)

kick off [ˌkɪkˈɒf] **1.** *Fußball*: anstoßen **2.** *umg.* anfangen

kick out [ˌkɪkˈaʊt] *umg.*; *aus Schule, Lokal usw.*: rausschmeißen (**of** aus)

kick up [ˌkɪkˈʌp] **1.** aufwirbeln (*Staub*) **2.** ***kick up a stink*** *oder* ***fuss*** *umg.* Stunk machen

kickback ['kɪkbæk] *salopp* Schmiergeld

kickoff ['kɪkɒf] *Fußball*: Anstoß

kid[1] [kɪd] **1.** *umg.* Kind; ***how are the kids?*** wie gehts den Kindern? **2.** *umg.* Jugendliche(r) **3.** (≈ *junge Ziege*) Kitz

kid[2] [kɪd], ***kidded, kidded*** **1.** *umg., übertragen* aufziehen, auf den Arm nehmen **2.** herumalbern, Spaß machen; ***I was only kidding*** ich habe nur Spaß gemacht; ***no kidding?*** im Ernst?, ehrlich?

kidnap ['kɪdnæp], ***kidnapped, kidnapped***, *AE* ***kidnaped, kidnaped*** entführen

kidney ['kɪdnɪ] *Organ*: Niere

kill [kɪl] **1.** töten, *absichtlich*: umbringen; ***be killed*** *auch* ums Leben kommen, umkommen; ***kill two birds with one stone*** *übertragen* zwei Fliegen mit einer Klappe schlagen **2.** ***kill time*** *übertragen* die Zeit totschlagen **3.** ***my feet are killing me*** *übertragen* meine Füße bringen mich (noch) um **4.** *übertragen* lindern (*Schmerz*)

killer ['kɪlə] *Person, Tier*: Mörder, Killer

killing[1] ['kɪlɪŋ] **1.** *von Tieren*: Töten, Schlachten **2.** *von Menschen*: Töten, Mord **3.** ***make a killing*** *umg.* einen Reibach machen

killing[2] ['kɪlɪŋ] *übertragen* tödlich (*Anstrengung, langweiliger Unterricht usw.*)

killjoy ['kɪldʒɔɪ] Spielverderber(in), Miesmacher(in)

kilo ['kiːləʊ] *Pl.*: **kilos** ['kiːləʊz] Kilo

kilogram, **kilogramme** ['kɪləgræm] Kilogramm

kilometre ['kɪləˌmiːtə] Kilometer

kilt [kɪlt] Kilt, Schottenrock (⚠ *karierter Damenrock* = ***tartan skirt***)

kind[1] [kaɪnd] **1.** Art, Sorte, *von Mensch*: Wesen; ***all kinds of*** alle möglichen; ***nothing of the kind*** nichts dergleichen; ***I'm not that kind of person*** so eine(r) bin ich nicht **2.** ***kind of*** *umg.* irgendwie; ***I've kind of promised it*** ich habe es halb und halb versprochen; ***'Are you tired?' - 'Kind of.'*** - „Bist du müde?" - „Irgendwie schon."

kind[2] [kaɪnd] **1.** *Person*: freundlich, liebenswürdig, nett (**to** zu); ***would you be so kind as to do that for me?*** sei so gut *oder* freundlich und erledige das für mich; ***that's very kind of you*** das ist sehr nett von dir **2.** *Grüße*: herzlich; (***with***) ***kind regards*** mit freundlichen Grüßen

kindergarten ['kɪndəˌgɑːtn] **1.** Kindergarten; ***kindergarten teacher*** Kindergärtnerin **2.** *AE* (≈ *1. Jahrgang der Grundschule*) erste Klasse

kindle ['kɪndl] **1.** anzünden **2.** sich entzünden, Feuer fangen **3.** entfachen (*Hass usw.*), wecken (*Interesse usw.*) **4.** (*Leidenschaft usw.*) entflammen

kindly ['kaɪndlɪ] **1.** *lächeln, etwas sagen*: freundlich, liebenswürdig **2.** freundlicher-

K

weise, liebenswürdigerweise; ***kindly tell me if …*** sagen Sie mir bitte, ob …; ***would you kindly stop it!*** *verärgert*: würdet ihr jetzt endlich aufhören

kindness [ˈkaɪndnəs] **1.** Freundlichkeit, Liebenswürdigkeit **2.** (≈ *Gefallen*) Gefälligkeit; ***do someone a kindness*** jemandem eine Gefälligkeit erweisen

king [kɪŋ] **1.** König (*auch beim Schach und Kartenspiel*); ***king of hearts*** Herzkönig **2.** *beim Damespiel*: Dame

kingdom [ˈkɪŋdəm] **1.** *allg.*: Königreich **2.** ***animal kingdom*** Tierreich; ***vegetable kingdom*** Pflanzenreich

kink [kɪŋk] **1.** *in Leitung, Rohr usw.*: Knick **2.** *übertragen* Spleen, Tick

kinky [ˈkɪŋkɪ] **1.** *Haar*: kraus **2.** *umg., übertragen* spleenig, verdreht **3.** *umg.; sexuell*: abartig, pervers

kiosk [ˈkiːɒsk] Kiosk, Verkaufsstand

kip[1] [kɪp] *BE, salopp* Schläfchen; ***have a kip*** pennen

kip[2] [kɪp] ***kipped, kipped*** *BE, salopp* **1.** pennen **2.** *mst.* ***kip down*** sich hinhauen

kiss[1] [kɪs] Kuss; ***kiss of life*** *bes. BE* Mund-zu-Mund-Beatmung

kiss[2] [kɪs] **1.** küssen; ***she kissed his cheek*** sie küsste ihn auf die Wange; ***kiss someone good night*** jemandem einen Gutenachtkuss geben **2.** sich küssen; ***they kissed goodbye*** sie gaben sich einen Abschiedskuss

kissproof [ˈkɪspruːf] *Lippenstift*: kussecht

kit [kɪt] **1.** *für bestimmte Aktivitäten*: Ausrüstung, Sachen *Pl.* **2.** *für bestimmte Arbeiten*: Werkzeug, Werkzeugkasten **3.** *zum Basteln*: Baukasten, Bastelsatz

kitchen [ˈkɪtʃən] Küche

kitchenette [ˌkɪtʃəˈnet] Kochnische

kitchen garden [ˌkɪtʃənˈgɑːdn] Obst- und Gemüsegarten

kite [kaɪt] Drachen; ***fly a kite*** einen Drachen steigen lassen, *übertragen* einen Versuchsballon steigen lassen

kitten [ˈkɪtn] **1.** Kätzchen **2.** ***have kittens*** *BE, umg.* ausrasten, Zustände kriegen

kitty [ˈkɪtɪ] **1.** *Kindersprache*: Kätzchen **2.** *von Kegelklub, Mannschaft usw.*: gemeinsame Kasse

kiwi [ˈkiːwiː] **1.** *Vogel*: *der* Kiwi **2.** *auch* ***kiwi fruit*** *die* Kiwi **3.** *mst.* ***Kiwi*** *umg., abwertend* Neuseeländer(in)

Kleenex® [ˈkliːneks] Kleenex®, *umg.* Papiertaschentuch

knack [næk] **1.** Kniff, Trick; ***get the knack of it*** den Dreh herausbekommen **2.** Geschick; ***have the*** (*oder* ***a***) ***knack of doing something*** das Talent haben, etwas zu tun (*bes. Negatives*)

knackered [ˈnækəd] *BE, umg.* geschlaucht, kaputt

knave [neɪv] *Spielkarte*: Bube; ***knave of hearts*** Herzbube

knead [niːd] **1.** kneten (*Teig usw.*) **2.** kneten, massieren (*Muskeln*)

knee [niː] Knie; ***be on one's knees*** auf den Knien liegen; ***he brought his opponent to his knees*** er zwang seinen Gegner in die Knie

kneecap [ˈniːkæp] Kniescheibe

knee-deep [ˌniːˈdiːp] *Wasser*: knietief

knee-high [ˌniːˈhaɪ] *Gras*: kniehoch

kneel [niːl], ***knelt*** [nelt], ***knelt*** [nelt], *bes. AE* ***kneeled, kneeled*** **1.** *auch* ***kneel down*** sich hinknien, niederknien (***to*** vor) **2.** knien (***before*** vor)

knelt [nelt] *2. und 3. Form von* → ***kneel***

knew [njuː] *2. Form von* → ***know***

knickers [ˈnɪkəz] *Pl., bes. BE* Schlüpfer; ***get one's knickers in a twist*** *umg.* sich künstlich aufregen, sich ins Hemd machen

knick-knack [ˈnɪknæk] *kleiner Gegenstand*: Nippsache

knife[1] [naɪf] *Pl.*: ***knives*** [naɪvz] Messer; ***go under the knife*** *umg.* (≈ *operiert werden*) unters Messer kommen; ***she's go her knife into me*** sie hat mich au dem Kieker

knife[2] [naɪf] einstechen auf, *tödlich*: erstechen

knight[1] [naɪt] **1.** *historisch*: Ritter (*in GB auch Adelstitel*) **2.** *Schach*: Springer, Pferd

knight[2] [naɪt] adeln, zum Ritter schlagen

knit [nɪt], ***knitted, knitted***, *auch* ***knit, kni*** stricken

knitting [ˈnɪtɪŋ] **1.** *Tätigkeit*: Stricken **2** Strickarbeit, Strickzeug

knitwear [ˈnɪtweə] Strickwaren *Pl.*

knives [naɪvz] *Pl. von* → ***knife***[1]

knob [nɒb] **1.** *an Tür usw.*: Knauf, Griff **2** *an Radio usw.*: Knopf

knock[1] [nɒk] **1.** *an Tür*: Klopfen; ***there's knock at the door*** es klopft; ***give someone a knock*** bei jemandem anklopfen **2.** *übertragen* Schicksalsschlag; ***take bad knock*** einen schweren Schlag erleiden

knock[2] [nɒk] **1.** pochen, klopfen; ***knock a the door*** an die Tür klopfen **2.** *mit Körperteil*: anschlagen, anstoßen; ***knoc one's head*** (*bzw.* ***elbow***) sich den Kop (*bzw.* Ellbogen) anschlagen **3.** *mit Hand Werkzeug usw.*: schlagen; ***knock a na into the wall*** einen Nagel in die Wan schlagen **4.** (*Motor*) klopfen **5.** ***knoc someone flat*** *oder* ***knock someone t the ground*** jemanden niederschlagen

knock about *oder* **around** [ˌnɒk‿əˈbaʊt *oder* əˈraʊnd] **1.** schlagen, verprügeln **2.** *umg.* sich herumtreiben, herumhängen; ***knock about with someone*** *umg.* sich mit jemandem herumtreiben
knock down [ˌnɒkˈdaʊn] **1.** umstoßen, umwerfen (*Vase, Tasse usw.*) **2.** niederschlagen (*Person*) **3.** *mit dem Auto usw.*: anfahren, überfahren **4.** abreißen, abbrechen (*Gebäude usw.*) **5.** herunterhandeln (*Preis*) (***to*** auf) **6.** (*Händler*) mit dem Preis heruntergehen
knock off [ˌnɒkˈɒf] **1.** *mit Hammer, Meißel usw.*: abschlagen **2.** *umg.* aufhören mit; ***knock off work*** Feierabend machen; ***knock it off!*** hör auf damit! **3.** *umg.*; *bei Preis*: nachlassen, runtergehen; ***they knocked £1 off the price*** sie gaben mir ein Pfund Preisnachlass **4.** *umg.* (≈ *ermorden*) umlegen
knock out [ˌnɒkˈaʊt] **1.** ausschlagen (*Zahn usw.*) **2.** *bei Schlägerei*: bewusstlos schlagen **3.** *beim Boxen*: k.o. schlagen, ausknocken **4.** (*Droge, Alkohol*) betäuben **5.** *umg.* umhauen (*vor Begeisterung usw.*)
knock over [ˌnɒkˈəʊvə] **1.** umwerfen, umstoßen **2.** *mit dem Auto*: anfahren, überfahren
knock together [ˌnɒk‿təˈgeðə] **1.** aneinander stoßen **2.** *umg.* schnell zusammenzimmern, zaubern (*Essen usw.*)
knock up [ˌnɒkˈʌp] **1.** *umg.* (≈ *improvisieren*) herzaubern (*etwas zum Essen usw.*) **2.** ***I'll knock you up at 6*** *BE, umg.* (≈ *wecken*) ich klopfe dich um 6 heraus, ich weck dich um 6 **3.** *AE, salopp* bumsen (mit) **4.** *Tennis usw.*: sich einschlagen *oder* einspielen

knockdown [ˈnɒkdaʊn] ***knockdown price*** Schleuderpreis
knockout [ˈnɒkaʊt] **1.** *Boxen*: K. o.; ***win by a knockout*** durch K. o. gewinnen; ***knockout system*** *Sport*: K.o.-System **2.** *umg.* tolle Sache, Wucht
knot [nɒt] **1.** Knoten; ***tie a knot*** einen Knoten machen; ***tie someone up in knots*** *umg.* jemanden in Widersprüche verwickeln, jemanden völlig durcheinander bringen **2.** *in Holz*: Astknoten **3.** *Schiffsgeschwindigkeit*: Knoten
know [nəʊ], ***knew*** [njuː], ***known*** [nəʊn] **1.** *allg.*: wissen; ***as far as I know*** soweit ich weiß; ***how am I to know?*** wie soll ich das wissen? **2.** können (*Fremdsprachen usw.*); ***know how to do something*** etwas tun können **3.** kennen (*Antwort, Fakten, Person usw.*); ***I've known him for years*** ich kenne ihn seit Jahren **4.** *nach längerer Zeit*: erkennen, wieder erkennen; ***I hardly knew him*** ich hab ihn fast nicht erkannt **5.** erfahren, erleben; ***he has known better days*** er hat schon bessere Tage gesehen **6.** *in Wendungen*: ***you never know*** man kann nie wissen; ***not that I know of*** nicht, dass ich wüsste; ***who knows?*** wer weiß?; ***let me know when …*** sag mir Bescheid, wann …

know about [ˈnəʊ‿əˌbaʊt] Bescheid wissen über, sich auskennen in; ***do you know about that?*** kennst du dich damit aus?; ***I know a thing or two about literature*** *umg.* ich kenne mich in der Literatur ganz gut aus

know-all [ˈnəʊɔːl] *bes. BE, umg.* Besserwisser(in)
know-how [ˈnəʊhaʊ] (⚠ *Betonung auf der ersten Silbe*) Know-how, Sachkenntnis
knowing [ˈnəʊɪŋ] *Blick, Lächeln*: wissend
knowingly [ˈnəʊɪŋlɪ] **1.** *lächeln*: wissend **2.** *jemanden belügen, verletzen usw.*: wissentlich, bewusst, absichtlich
know-it-all [ˈnəʊɪtɔːl] *bes. AE, umg.* Besserwisser(in)
knowledge [ˈnɒlɪdʒ] **1.** Kenntnis; ***bring something to someone's knowledge*** jemanden von etwas in Kenntnis setzen; ***it has come to my knowledge that …*** ich habe erfahren, dass …; ***to my knowledge*** meines Wissens; ***without my knowledge*** ohne mein Wissen; ***not to my knowledge*** nicht, dass ich wüsste **2.** (≈ *Gelerntes*) Wissen, Kenntnisse; ***his knowledge of German*** seine Deutschkenntnisse
known[1] [nəʊn] *3. Form von* → ***know***
known[2] [nəʊn] bekannt (***as*** als; ***for*** für); ***known to the police*** polizeibekannt
knuckle [ˈnʌkl] **1.** *an Hand*: Knöchel **2.** *Gericht vom Kalb oder Schwein*: Haxe, Hachse **3.** ***near the knuckle*** *umg.* reichlich gewagt (*Witz usw.*)
kohl [kəʊl] *Kosmetik*: Kajal
kook [kuːk] *AE, umg.* Spinner
kooky [ˈkuːkɪ] *AE, umg.* verrückt
Korea [kəˈrɪə] Korea
Korean[1] [kəˈrɪən] koreanisch
Korean[2] [kəˈrɪən] *Sprache*: Koreanisch
Korean[3] [kəˈrɪən] Koreaner(in)
Kremlin [ˈkremlɪn] ***the Kremlin*** der Kreml

L

lab [læb] *umg.* Labor
label[1] ['leɪbl] **1.** *auf Waren*: Etikett **2.** *selbstklebend*: Aufkleber **3.** *Musik*: Plattenfirma **4.** *übertragen* (≈ *Image*) Etikett
label[2] ['leɪbl], ***labelled, labelled***, *AE* ***labeled, labeled*** **1.** etikettieren, beschriften **2.** *übertragen* abstempeln; ***be labelled (as) a criminal*** zum Verbrecher gestempelt werden
laboratory [lə'bɒrətrɪ] Labor
laborious [lə'bɔːrɪəs] **1.** *Arbeit, Aufgabe*: mühsam **2.** *Schreibstil*: schwerfällig, umständlich
labour[1], *AE* **labor** ['leɪbə] **1.** *allg.*: Arbeit, *bes.* körperliche Arbeit **2.** *Personen*: Arbeiterschaft, Arbeiter *Pl.*, Arbeitskräfte *Pl.* **3.** ***Labour*** *in GB*: die Labour Party **4.** ***labor union*** *AE* Gewerkschaft **5.** *bei Geburt*: Wehen *Pl.*; ***be in labour*** in den Wehen liegen
labour[2], *AE* **labor** ['leɪbə] **1.** *allg.*: hart arbeiten (***at*** an) **2.** leiden (***under*** unter), sich quälen; ***labour up the stairs*** sich die Treppe hinaufquälen **3.** ***labour the point*** etwas breitwalzen (*Thema usw.*)
labourer ['leɪbərə] Arbeiter(in) (*mst. ohne Ausbildung*)
lace[1] [leɪs] **1.** *kunstvoll Gewebtes*: Spitze **2.** *für Schuhe*: Schnürband, Schnürsenkel
lace[2] [leɪs] **1.** *auch* ***lace up*** zuschnüren, zubinden **2.** ***tea laced with rum*** Tee mit einem Schuss Rum
lack[1] [læk] Mangel (***of*** an); ***lack of sleep*** fehlender Schlaf; ***for*** *oder* ***through lack of time*** aus Zeitmangel
lack[2] [læk] **1.** nicht haben; ***we lack the money to …*** es fehlt uns am Geld, um … **2.** ***be lacking*** fehlen; ***he's lacking in courage*** ihm fehlt der Mut **3.** ***he lacks for nothing*** es fehlt ihm an nichts
lacklustre, *AE* **lackluster** ['læk,lʌstə] **1.** *Vorstellung usw.*: langweilig **2.** *Haar, Oberfläche usw.*: glanzlos, stumpf
lacquer[1] ['lækə] (Farb)Lack
lacquer[2] ['lækə] lackieren
lad [læd] **1.** Junge, junger Kerl; ***young lad*** junger Mann **2.** ***the lads*** *umg.* die Jungs *oder* Kumpels
ladder ['lædə] **1.** Leiter (*auch übertragen*); ***climb the ladder of success*** die Erfolgsleiter emporsteigen **2.** *bes. BE* Laufmasche
laddish ['lædɪʃ] *BE; junger Mann*: machohaft
laddism ['lædɪzm] *BE; von jungen Männern*: machohaftes Verhalten
laden ['leɪdn] beladen (***with*** mit) (*auch übertragen*)
ladette [læ'det] *BE; junge Frau, die männliches Verhalten imitiert*
ladies' room ['leɪdɪz‿ruːm] *förmlich* Damentoilette
ladle ['leɪdl] Schöpflöffel, Schöpfkelle
lad mag ['læd‿mæg] *BE; Zeitschrift für junge Machos*
lady ['leɪdɪ] **1.** Dame; ***Ladies and Gentlemen*** meine Damen und Herren **2.** ***Lady*** *in GB als Adelstitel*: Lady **3.** ***Ladies*** (⚠ *im Sg. verwendet*) Damentoilette
ladybird ['leɪdɪbɜːd], *AE* **ladybug** ['leɪdɪbʌg] Marienkäfer
lag[1] [læg], ***lagged, lagged***; *mst.* ***lag behind*** zurückbleiben, nicht mitkommen (*beide auch übertragen*); ***lag behind someone*** hinter jemandem zurückbleiben
lag[2] [læg], ***lagged, lagged*** *BE* isolieren (*Wasserleitung usw.*)
lager ['lɑːgə] helles Bier
lagoon [lə'guːn] Lagune
laid [leɪd] *2. und 3. Form von* → ***lay***[1]
laid-back [,leɪd'bæk] *umg.* lässig, cool
lain [leɪn] *3. Form von* → ***lie***[4]
lake [leɪk] See; ***Lake Constance*** der Bodensee
lakeside[1] ['leɪksaɪd] ***at the lakeside*** am See
lakeside[2] ['leɪksaɪd] ***lakeside cottage*** *usw.* Häuschen *usw.* am See
lamb [⚠ læm] **1.** (≈ *junges Schaf*) Lamm **2.** *Fleisch*: Lamm, Lammfleisch; ***lamb chop*** Lammkotelett
lambast [læm'bæst], **lambaste** [læm'beɪst] (≈ *kritisieren*) herunterputzen, fertig machen
lambskin ['læmskɪn] **1.** Lammfell **2.** *gegerbt*: Schafleder

lame [leɪm] **1.** lahm (*auch übertragen*) **2.** *Ausrede*: faul **3.** *Argument*: schwach
lament[1] [lə'ment] **1.** *über Missgeschick usw.*: jammern, klagen (**over** um) **2.** *bei Todesfall*: trauern (**over** um)
lament[2] [lə'ment] **1.** Jammer, Klage **2.** *Musik*: Klagelied
lamp [læmp] **1.** Lampe **2.** *auf Straße*: Laterne **3.** *an Auto, Fahrrad*: Licht
lamp-post ['læmppəʊst] Laternenpfahl
lance [lɑːns] *Waffe*: Lanze
land[1] [lænd] **1.** (≈ *Boden*) Land; ***by land*** auf dem Landweg; ***by land and sea*** zu Wasser und zu Lande; ***see how the land lies*** *übertragen* die Lage sondieren, sich einen Überblick verschaffen **2.** (≈ *Ackerland*) Land, Boden **3.** *Grundeigentum*: Grund und Boden; ***own land*** Land besitzen, Grundbesitz haben **4.** *mst. poetisch*: Land
land[2] [lænd] **1.** *allg.*: landen **2.** (*Schiff*) anlegen, landen **3.** (*Schiffspassagiere*) an Land gehen **4.** ***land oneself in trouble*** in Schwierigkeiten geraten *oder* kommen **5.** *umg.* landen, anbringen (*Schlag, Treffer*); ***she landed him one*** sie knallte ihm eine
landing ['lændɪŋ] **1.** *von Flugzeug usw.*: Landung, Landen **2.** *von Schiff*: Anlegen **3.** *in Haus*: Treppenabsatz
landing gear ['lændɪŋ‿gɪə] *von Flugzeug*: Fahrwerk, Fahrgestell
landing permit ['lændɪŋ,pɜːmɪt] *für Flugzeug*: Landeerlaubnis
landlady ['lænd,leɪdɪ] **1.** *von Wohnung, Zimmer*: Vermieterin **2.** *von Lokal*: Wirtin
landlord ['lændlɔːd] **1.** *von Wohnung, Zimmer*: Vermieter **2.** *von Lokal*: Wirt
landowner ['lænd,əʊnə] Grundbesitzer (-in)
landscape ['lændskeɪp] Landschaft
landslide ['lændslaɪd] **1.** Erdrutsch (*auch übertragen*) **2.** *auch* ***landslide victory*** *Politik*: überwältigender Wahlsieg
lane [leɪn] **1.** *auf dem Land*: Weg, Feldweg **2.** *in Ortschaft*: Gasse, Sträßchen **3.** *auf Straße*: Fahrspur; ***change lanes*** die Spur wechseln; ***get in lane*** sich einordnen, *auf Schild*: bitte einordnen **4.** *bei Rennen usw.*: Bahn
language ['læŋgwɪdʒ] *allg.*: Sprache; ***native language*** Muttersprache; ***foreign language*** Fremdsprache; ***bad language*** Kraftausdrücke
language course ['læŋgwɪdʒ‿kɔːs] Sprachkurs
lank [læŋk] **1.** *Person*: hager, mager **2.** *Haar*: dünn, strähnig
lanky ['læŋkɪ] schlaksig
lantern ['læntən] Laterne
lap[1] [læp] *Teil des Körpers*: Schoß (*auch übertragen*); ***drop*** *oder* ***fall into someone's lap*** *übertragen* jemandem in den Schoß fallen
lap[2] [læp], ***lapped, lapped*** **1.** *Sport*: überrunden **2.** (*Termine usw.*) sich überlappen
lap[3] [læp] *Sport*: Runde; ***lap of honour*** Ehrenrunde; ***on*** the third lap in der dritten Runde
lap[4] [læp], ***lapped, lapped*** **1.** (*Tiere*) schlecken, lecken (*Milch usw.*) **2.** (*Wasser, Wellen*) plätschern (***against*** gegen, an)
lap belt ['læp‿belt] *in Flugzeug, Auto usw.*: Beckengurt
lapse[1] [læps] **1.** Versehen, kleiner Fehler, Lapsus; ***a lapse of memory*** eine Gedächtnislücke **2.** Zeitspanne, Zeitraum; ***after a lapse*** **of …** nach einem Zeitraum von …
lapse[2] [læps] **1.** (*Zeit*) vergehen, verstreichen **2.** (*Frist*) ablaufen **3.** *in Schlaf, Schweigen usw.*: verfallen (***into*** in) **4.** (*Anspruch, Vertrag usw.*) verfallen, erlöschen
laptop ['læptɒp] *Computer*: Laptop
larch [lɑːtʃ] *Baum*: Lärche
lard[1] [lɑːd] *zum Kochen*: Schweinefett, Schmalz
lard[2] [lɑːd] **1.** spicken (*Braten*) **2.** *übertragen* spicken, ausschmücken (***with*** mit)
larder ['lɑːdə] Speiseschrank, *größer*: Speisekammer
large[1] [lɑːdʒ] **1.** *allg.*: groß (*auch Anzahl, Familie, Haus, Summe usw.*); (***as***) ***large as life*** in voller Lebensgröße **2.** *Einkommen usw.*: groß, beträchtlich **3.** *Mahlzeit*: ausgiebig, reichlich **4.** *Vollmachten, Interessen usw.*: umfassend, weit reichend
large[2] [lɑːdʒ] **1.** ***by and large*** im Großen und Ganzen; ***the nation at large*** die ganze Nation **2.** ***at large*** in Freiheit, auf freiem Fuß
largely ['lɑːdʒlɪ] großenteils, größtenteils
largeness ['lɑːdʒnəs] Größe
lark [lɑːk] *Vogel*: Lerche
laser printer ['leɪzə,prɪntə] Laserdrucker
lash[1] [læʃ] **1.** *von Augenlid*: Wimper **2.** *Strafe*: Peitschenhieb **3.** Peitschenschnur
lash[2] [læʃ] **1.** *als Strafe*: auspeitschen **2.** *übertragen* aufpeitschen (***into*** zu); ***lash oneself into a fury*** sich in Wut hineinsteigern **3.** *übertragen* (≈ *scharf kritisieren*) runtermachen **4.** festbinden, festzurren (***to, on*** an)

lash about *oder* **around** [,læʃ‿ə'baʊt *oder* ə'raʊnd] wild um sich schlagen

L

lash out [ˌlæʃˈaʊt] **1.** wild um sich schlagen **2.** (*Pferd*) ausschlagen **3.** *übertragen, verbal*: scharf attackieren, herziehen (***at*** über)

lass [læs], **lassie** [ˈlæsɪ] *bes. in Schottland*: Mädchen

last[1] [lɑːst] **1.** *in Reihenfolge*: zuletzt; ***Jean arrived last*** Jean kam als Letzte; ***last but one*** vorletzte(r, -s); ***last but two*** drittletzte(r, -s); ***he came last*** er kam als Letzter; ***last but not least*** *übertragen* nicht zuletzt, nicht zu vergessen **2.** *mit Zeitangabe*: letzte(r, -s), vorige(r, -s); ***last Monday*** (am) letzten *oder* vorigen Montag; ***last night*** gestern Abend, letzte Nacht **3.** (≈ *allein übrig bleibend*) letzte(r, -s); ***my last hope*** meine letzte Hoffnung; ***this is the last time I'm going to ask you*** das ist das letzte Mal, dass ich dich frage

last[2] [lɑːst] **1.** Letzte(r, -s); ***the last to arrive*** der Letzte, der ankam; ***to the last*** bis zum Ende *oder* Schluss **2.** ***at last*** endlich, schließlich, zuletzt **3.** ***at long last*** schließlich und endlich

last[3] [lɑːst] **1.** *allg.*: dauern **2.** *über längeren Zeitraum auch*: andauern, fortdauern **3.** (*Obst, Gemüse, Ehe usw.*) halten **4.** *auch* ***last out*** (*Geld, Vorräte usw.*) reichen, ausreichen; ***a bottle of whisky lasts him a year*** eine Flasche Whisky reicht ihm ein Jahr

last-ditch [ˌlɑːstˈdɪtʃ] *Versuch usw.*: allerletzte(r, -s); ***a last-ditch attempt*** *auch*: ein letzter verzweifelter Versuch

lasting [ˈlɑːstɪŋ] **1.** *Beziehung usw.*: dauerhaft, beständig; ***lasting peace*** dauerhafter Friede; ***lasting memories*** bleibende Erinnerungen **2.** *Material*: haltbar **3.** *Eindruck usw.*: nachhaltig

lastly [ˈlɑːstlɪ] zuletzt, schließlich; ***firstly …, secondly …, and lastly*** erstens …, zweitens … und schließlich …

latch [lætʃ] **1.** (Schnapp)Riegel **2.** Schnappschloss

latch on [ˌlætʃˈɒn] *BE, umg.* kapieren
latch onto [ˌlætʃˈɒntʊ] *umg.* **1.** ***latch onto someone*** sich an jemanden hängen **2.** ***latch onto an idea*** *usw.* eine Idee *usw.* aufgreifen **3.** ***latch onto something*** *umg.* etwas kapieren

latchkey [ˈlætʃkiː] Hausschlüssel, Wohnungsschlüssel

late [leɪt] **1.** spät; ***it's getting late*** es ist schon spät; ***late shift*** *in Fabrik usw.*: Spätschicht **2.** *Abend, Jahreszeit usw.*: Spät… vorgerückt; ***at a late hour*** spät, zu später *oder* vorgerückter Stunde; ***late summer*** Spätsommer **3.** (≈ *unpünktlich*) verspätet; ***be late*** zu spät kommen, sich verspäten; ***be late for work*** zu spät zur Arbeit kommen; **4.** ***be late*** (*Zug, U-Bahn usw.*) Verspätung haben; ***the train was*** (*oder* ***came***) ***late*** der Zug hatte Verspätung **5.** ***the late Mr Smith*** der verstorbene Herr Smith **6.** ***as late as last year*** erst *oder* noch letztes Jahr

latecomer [ˈleɪtˌkʌmə] Zuspätkommende(r), Nachzügler(in)

lately [ˈleɪtlɪ] in letzter Zeit, neuerdings

later [ˈleɪtə] **1.** später; ☞ ***late*** **2.** ***see you later*** auf bald, bis später; ***later on*** später

latest[1] [ˈleɪtɪst] **1.** späteste(r, -s); ☞ ***late*** **2.** neueste(r, -s); ***the latest fashion*** die neueste Mode; ***the latest news*** das Neueste, die letzten Neuigkeiten

latest[2] [ˈleɪtɪst] ***at the latest*** spätestens

Latin[1] [ˈlætɪn] lateinisch

Latin[2] [ˈlætɪn] *Sprache*: Latein, Lateinisch

latitude [ˈlætɪtjuːd] *Geographie*: Breite, Breitengrad

latte [ˈlæteɪ] Milchkaffee

Latvia [ˈlætvɪə] Lettland

Latvian[1] [ˈlætvɪən] lettisch

Latvian[2] [ˈlætvɪən] *Sprache*: Lettisch

Latvian[3] [ˈlætvɪən] Lette, Lettin

laudable [ˈlɔːdəbl] löblich, lobenswert

laugh[1] [lɑːf] Lachen, Gelächter; ***with a laugh*** lachend; ***have a good laugh about something*** über etwas herzlich lachen, sich köstlich über etwas amüsieren; ***have the last laugh*** am Ende Recht haben

laugh[2] [lɑːf] lachen (***at*** über); ***laugh to oneself*** in sich hineinlachen

laugh at [ˈlɑːf‿ət] **1.** lachen über (*Gesetze, Regeln usw.*) **2.** auslachen (*Person*)
laugh away *oder* **off** [ˌlɑːf‿əˈweɪ *oder* ˈɒf] mit einem Lachen abtun

laughable [ˈlɑːfəbl] lächerlich, lachhaft

laughing[1] [ˈlɑːfɪŋ] Lachen, Gelächter

laughing[2] [ˈlɑːfɪŋ] **1.** *Person*: lachend **2.** *Sache*: lustig; ***it's no laughing matter*** es ist nicht zum Lachen

laughing stock [ˈlɑːfɪŋ‿stɒk] Zielscheibe des Spotts; ***your behaviour makes you the laughing stock of the whole school*** mit deinem Verhalten machst du dich zum Gespött der ganzen Schule

laughter [ˈlɑːftə] Lachen, Gelächter

launch[1] [lɔːntʃ] **1.** zu Wasser lassen (*Boot*)

2. vom Stapel lassen (*Schiff*); ***be launched*** vom Stapel laufen **3.** abschießen (*Geschoss, Torpedo*) **4.** starten (*Rakete, Raumfahrzeug*) **5.** vom Stapel lassen (*Rede, Kritik usw.*) **6.** in Gang setzen, starten (*Projekt usw.*)

launch[2] [lɔːntʃ] **1.** *von Schiff*: Stapellauf **2.** *von Rakete*: Abschuss, Start

launder ['lɔːndə] **1.** waschen (und bügeln) (*Wäsche*) **2.** *übertragen, umg.* waschen (*Geld*)

launderette [ˌlɔːndə'ret], *AE* **laundromat** ['lɔːndrəmæt] Waschsalon

laundry ['lɔːndrɪ] **1.** *Geschäft*: Wäscherei **2.** *Hemden, Hosen usw.*: Wäsche

laundry basket ['lɔːndrɪˌbɑːskɪt] *BE* Wäschekorb

laurel ['lɒrəl] **1.** Lorbeer(baum) **2.** ***rest on one's laurels*** (sich) auf seinen Lorbeeren ausruhen

lava ['lɑːvə] Lava

lavatory ['lævətərɪ] *BE, formell* Toilette

lavender ['lævəndə] Lavendel

lavish[1] ['lævɪʃ] **1.** *Spender*: sehr freigebig, verschwenderisch; ***be lavish of something*** mit etwas verschwenderisch umgehen **2.** *Lob usw.*: überschwänglich **3.** *Geschenk usw.*: großzügig **4.** *Einrichtung usw.*: luxuriös, aufwendig

lavish[2] ['lævɪʃ] ***lavish presents*** *usw.* ***on someone*** jemanden mit Geschenken *usw.* überschütten

law [lɔː] **1.** *allg.*: Gesetz; ***pass a law*** *Parlament*: ein Gesetz verabschieden; ***become law*** rechtskräftig werden **2.** (≈ *Rechtssystem*) Recht, Gesetz; ***against the law*** gesetzwidrig, rechtswidrig; ***under German law*** nach deutschem Recht; ***law and order*** Recht und Ordnung **3.** *Studienfach*: Rechtswissenschaft, Jura; ***study*** (*BE auch* ***read***) ***law*** Jura studieren **4.** *Institution*: Gericht, Rechtsweg; ***go to law*** vor Gericht gehen, prozessieren **5.** *in Sport, Wirtschaft usw.*: Regel, Vorschrift **6.** ***law of nature*** Naturgesetz

law-abiding ['lɔː‿əˌbaɪdɪŋ] *Bürger*: gesetzestreu

law-breaker ['lɔːˌbreɪkə] Gesetzesbrecher

law court ['lɔː‿kɔːt] Gerichtshof

lawful ['lɔːfl] legal, rechtmäßig

lawless ['lɔːləs] *Person, Ort*: gesetzlos

lawn [lɔːn] (≈ *Grasfläche*) Rasen

lawn chair ['lɔːn‿tʃeə] *AE* Liegestuhl

lawnmower ['lɔːnməʊə] Rasenmäher

lawsuit ['lɔːsuːt] Zivilprozess, Verfahren

lawyer ['lɔːjə] **1.** Rechtsanwalt, Rechtsanwältin **2.** *allg. auch*: Jurist(in)

lax [læks] **1.** *Einstellung usw.*: lax, lasch **2.** *Moral usw.*: locker

lay[1] [leɪ], ***laid*** [leɪd], ***laid*** [leɪd] **1.** *allg.*: legen (*auch Eier*) **2.** verlegen (*Teppich usw.*) **3.** ***lay the table*** *BE* den Tisch decken; ***lay two places for breakfast*** zwei Gedecke zum Frühstück auflegen **4.** *übertragen* stellen (*Falle usw.*) **5.** *umg.* vernaschen, bumsen

lay aside [ˌleɪ‿ə'saɪd] **1.** beiseite legen, weglegen (*Buch usw.*) **2.** ablegen, aufgeben (*Angewohnheit usw.*) **3.** (≈ *sparen*) beiseite *oder* auf die Seite legen, zurücklegen

lay down [ˌleɪ'daʊn] **1.** *allg.*: hinlegen (***on*** auf) **2.** *übertragen* niederlegen (*Amt, Waffen usw.*) **3.** *übertragen* niederlegen, verankern (*Statuten in Vertrag usw.*) **4.** ***lay down the law*** *übertragen* bestimmen, den Ton angeben

lay off [ˌleɪ'ɒf] **1.** (vorübergehend) entlassen (*Arbeiter*) **2.** *auf Zeit*: Feierschichten machen lassen; ***we've been laid off*** wir müssen Feierschichten fahren *oder* einlegen **3.** *umg.* aufhören mit; ***lay off smoking*** das Rauchen aufgeben **4.** ***lay off it!*** *umg.* hör auf (damit)!

lay out [ˌleɪ'aʊt] **1.** *auf Fläche*: ausbreiten, auslegen **2.** anlegen (*Garten, Park usw.*) **3.** aufbahren (*Leiche*) **4.** aufmachen, layouten (*Buch usw.*)

lay up [ˌleɪ'ʌp] **1.** ***be laid up*** das Bett hüten müssen; ***be laid up with flu*** mit Grippe im Bett liegen **2.** ***lay up trouble for oneself*** sich Schwierigkeiten einhandeln

lay[2] [leɪ] *2. Form von* → ***lie***[4]

lay[3] [leɪ] **1.** (≈ *unprofessionell*) laienhaft **2.** *kirchlich*: Laien…, weltlich

layabout ['leɪəˌbaʊt] *BE, umg.* Faulenzer, Tagedieb

layer ['leɪə] *von Erde, Farbe usw.*: Schicht, Lage; ***in layers*** schichtweise, lagenweise

lay-off ['leɪɒf] (vorübergehende) Entlassung

layout ['leɪaʊt] **1.** *von Stadt, Park, Haus usw.*: Grundriss, Lageplan **2.** *von Buch usw.*: Lay-out

laze [leɪz] faulenzen

laziness ['leɪzɪnəs] Faulheit, Trägheit

lazy ['leɪzɪ] **1.** *Person*: faul, träg **2.** *Tag, Wochenende usw.*: faul, gemütlich

lazybones ['leɪzɪbəʊnz] *Sg., umg.* Faulpelz

lb *Abk. für* → ***pound 1*** (*Gewicht*); ☞ *Info S. 276*

lead[1] [liːd], ***led*** [led], ***led*** [led] **1.** (≈ *den Weg zeigen*) führen; ***lead the way*** vorangehen (*auch übertragen*) **2.** führen, brin-

L

lb

Die Abkürzung **lb** stammt vom lateinischen *libra* (= Pfund).

gen; ***this street leads to the station*** diese Straße führt zum Bahnhof; ***this whole discussion is leading us nowhere*** diese ganze Diskussion bringt uns nicht weiter; ***this leads me to believe that …*** daraus schließe ich, dass … **3.** anführen, leiten (*Arbeitsgruppe, Mannschaft usw.*) **4.** *Sport*: an der Spitze liegen, in Führung liegen **5.** ***lead a life of luxury*** (*bzw.* ***misery***) im Luxus (*bzw.* Elend) leben

lead away [ˌliːd‿əˈweɪ] **1.** wegführen (*Person, Tier*) **2.** abführen (*Verhafteten usw.*)
lead off [ˌliːdˈɒf] **1.** abführen (*Verhafteten usw.*) **2.** (*Straße usw.*) abzweigen

lead[2] [liːd] **1.** *Sport*: Führung, Spitze; ***be in the lead*** *in Rangfolge*: an der Spitze stehen, *in Spiel*: in Führung liegen, führen; ***take the lead*** die Führung übernehmen, sich an die Spitze setzen (***from*** vor) **2.** Vorsprung (***over*** vor) (*auch Sport*) **3.** Vorbild, Beispiel; ***follow someone's lead*** jemandes Beispiel folgen; ***give someone a lead*** jemandem ein gutes Beispiel geben **4.** *Theater, Film*: Hauptrolle, *Person*: Hauptdarsteller(in) **5.** *für Hund usw.*: Leine; ***keep on a lead*** an der Leine führen

lead[3] [⚠ led] **1.** *Metall*: Blei **2.** *Schifffahrt*: Lot **3.** *von Bleistift*: Mine

leaded [⚠ ˈledɪd] *Benzin*: bleihaltig, verbleit

leader [ˈliːdə] **1.** *allg.*: Führer(in) **2.** *von Partei usw.*: Vorsitzende(r) **3.** *Sport*: Spitzenreiter(in), Erstplatzierte(r) **4.** *bes. BE*; *in Zeitung*: Leitartikel

leadership [ˈliːdəʃɪp] **1.** Führung, Leitung **2.** *auch* ***leadership qualities*** Führungsqualitäten

lead-free [⚠ ˌledˈfriː] *Benzin*: bleifrei

leading [ˈliːdɪŋ] *in Rennen, Wettbewerb usw.*: führend, an der Spitze (*auch übertragen*)

leading-edge [ˈliːdɪŋedʒ] *Firma, Technik usw.*: Spitzen…; ***leading-edge technology*** Spitzentechnologie, High-Tech

leaf [liːf] *Pl.*: ***leaves*** [liːvz] **1.** *von Pflanzen*: Blatt; ***come into leaf*** (*Bäume*) ausschlagen **2.** *im Buch*: Blatt; ***take a leaf out of someone's book*** *übertragen* sich an jemandem ein Beispiel nehmen; ***turn over a new leaf*** *übertragen* ein neues Leben beginnen **3.** *von Fenster, Tür*: Flügel **4.** *von verstellbarem Tisch*: Platte

leaflet [ˈliːflət] **1.** *politisch*: Flugblatt **2.** *kommerziell*: Reklamezettel

league [liːg] **1.** *Sport*: Liga; ***league match*** Punktspiel **2.** *zwischen Staaten*: Bündnis, Bund

leak[1] [liːk] **1.** *in Schiff, Tank usw.*: Leck **2.** *in Dach, Zelt usw.*: undichte Stelle (*auch übertragen*)

leak[2] [liːk] **1.** (*Schiff, Tank usw.*) lecken, leck sein **2.** (*Wasserhahn*) tropfen **3.** (*Leitung*) undicht sein **4.** *übertragen* durchsickern lassen (*Informationen*)

leak out [ˌliːkˈaʊt] **1.** (*Gas, Öl usw.*) auslaufen, austreten **2.** (*Informationen*) durchsickern

leaky [ˈliːkɪ] leck, undicht (*auch übertragen*)

lean[1] [liːn] **1.** *Fleisch*: mager (*auch übertragen*) **2.** *Person*: schmal, hager **3.** ***lean production*** *Wirtschaft*: schlanke Produktion, Lean Production

lean[2] [liːn], ***leant*** [lent], ***leant*** [lent] *oder* ***leaned, leaned*** **1.** (*Baum, Turm usw.*) sich neigen, schief sein *oder* stehen **2.** (*Person*) sich beugen (***over*** über) **3.** (*Person*) sich lehnen (***against*** an, gegen) **4.** lehnen (*Leiter usw.*) (***against*** an, gegen)

lean back [ˌliːnˈbæk] sich zurücklehnen
lean forward [ˌliːnˈfɔːwəd] sich vorbeugen
lean on [ˈliːn‿ɒn] **1.** sich stützen auf **2.** ***lean on someone*** *übertragen* sich auf jemanden stützen
lean towards [ˈliːn‿təˌwɔːdz] *übertragen* neigen *oder* tendieren zu

leaning[1] [ˈliːnɪŋ] *übertragen* Neigung, Tendenz (***to, towards*** zu)

leaning[2] [ˈliːnɪŋ] schief; ***the Leaning Tower of Pisa*** der Schiefe Turm von Pisa

leant [lent] *2. und 3. Form von* → **lean**[2]

leap[1] [liːp], ***leapt*** [lept], ***leapt*** [lept], *oder* ***leaped, leaped*** **1.** springen; ***leap for joy*** Freudensprünge machen **2.** überspringen, springen über (*Hindernis*)

leap at [ˈliːp‿ət] *übertragen* sich stürzen auf (*Angebot, Chance usw.*)
leap out [ˌliːpˈaʊt] **1.** *aus Auto usw.*: he-

rausspringen **2.** *übertragen* ins Auge springen
leap up [ˌliːpˈʌp] **1.** (*Person*, *Tier*) aufspringen **2.** (*Preise usw.*) sprunghaft anwachsen

eap² [liːp] Sprung (*auch übertragen*); ***take a leap at something*** einen Sprung über etwas machen; ***by leaps and bounds*** *übertragen* sprunghaft
eapfrog [ˈliːpfrɒg] *Spiel*: Bockspringen
eapt [lept] *2. und 3. Form von* → ***leap¹***
eap year [ˈliːp‿jɪə] Schaltjahr
earn [lɜːn], ***learnt*** [lɜːnt], ***learnt*** [lɜːnt], *oder* ***learned, learned*** **1.** lernen, erlernen; ***learn*** (***how***) ***to swim*** schwimmen lernen; ***you'll never learn!*** du lernst es nie! **2.** erfahren, hören (***from*** von)
earned [ˈlɜːnɪd] **1.** *Person*: gelehrt **2.** *Abhandlung usw.*: wissenschaftlich
earner [ˈlɜːnə] **1.** *beim Autofahren usw.*: Anfänger(in) **2.** *von Sprache usw.*: Lerner(in), Lernende(r)
earnt [lɜːnt] *2. und 3. Form von* → ***learn***
ease¹ [liːs] **1.** Pachtvertrag, Mietvertrag **2.** Pacht, Miete
ease² [liːs] **1.** pachten, mieten, leasen **2.** *auch* ***lease out*** verpachten, vermieten (***to*** an)
easehold¹ [ˈliːshəʊld] *bes. BE* gepachtet; ***leasehold property*** Pachtbesitz
easehold² [ˈliːshəʊld] *bes. BE* **1.** Pachtbesitz **2.** ***we've got the leasehold on the property*** wir haben das Haus (*bzw.* Land *usw.*) gepachtet
eash [liːʃ] (Hunde)Leine; ***keep on the leash*** an der Leine führen
east [liːst] **1.** kleinste(r, -s), geringste(r, -s), wenigste(r, -s); ***at the least thing*** bei der geringsten Kleinigkeit **2.** am wenigsten; ***least of all*** am allerwenigsten **3.** ***the least*** das Mindeste, das Wenigste; ***at least*** wenigstens, zumindest; ***not in the least*** nicht im Geringsten *oder* Mindesten; ***to say the least*** gelinde gesagt
eather [ˈleðə] Leder; ***leather jacket*** Lederjacke
eave¹ [liːv], ***left*** [left], ***left*** [left] **1.** verlassen (*Person*, *Ort*), fortgehen, weggehen **2.** *mit Zug*, *Auto usw.*: abreisen, abfahren **3.** ***leave school*** von der Schule abgehen **4.** ***she left her family for another man*** sie verließ ihre Familie wegen eines anderen Mannes **5.** lassen; ***leave alone*** allein lassen; ***leave him alone!*** lass ihn in Ruhe!; ***let's leave it at that*** lassen wir es dabei bewenden **6.** übrig lassen; ***be left*** übrig bleiben, übrig sein **7.** zurücklassen (*Narbe usw.*) **8.** hinterlassen (*Nachricht*, *Spur usw.*) **9.** überlassen (*Angelegenheit usw.*) (***to someone*** jemandem); ***I'll leave that to you*** ich überlasse das dir

leave behind [ˌliːv‿bɪˈhaɪnd] **1.** zurücklassen (*auch Narbe usw.*) **2.** hinter sich lassen (*Gegner usw.*) (*auch übertragen*)
leave on [ˌliːvˈɒn] **1.** anlassen (*Radio usw.*) **2.** anbehalten (*Kleidungsstück*)
leave out [ˌliːvˈaʊt] (≈ *nicht einbeziehen*) auslassen, weglassen (***of*** von, bei)

leave² [liːv] **1.** Urlaub; ***on leave*** auf Urlaub **2.** Abschied; ***take one's leave*** *formell* Abschied nehmen (***of*** von)
leaves [liːvz] *Pl. von* → ***leaf***
Lebanon [ˈlebənən] der Libanon
lecture¹ [ˈlektʃə] Vortrag, Vorlesung (***on*** über); ***lecture hall*** Hörsaal
lecture² [ˈlektʃə] einen Vortrag *oder* eine Vorlesung halten (***on*** über)
lecturer [ˈlektʃərə] Dozent(in)
led [led] *2. und 3. Form von* → ***lead³***
leek [liːk] *Gemüse*: Lauch, Porree
leer [lɪə] anzüglich grinsen, lüstern schielen (***at*** nach)
left¹ [left] *2. und 3. Form von* → ***leave¹***
left² [left] **1.** linke(r, -s), Links… **2.** links (***of*** von); ***turn left*** *auf Straße*: links abbiegen; ***keep left*** sich links halten
left³ [left] **1.** *die* Linke, linke Seite; ***on*** *oder* ***to the left*** (***of***) links (von), auf der linken Seite; ***on our left*** zu unserer Linken; ***the second turning on the left*** die zweite Querstraße links; ***keep to the left*** sich links halten, *auf Straße*: links fahren **2.** ***the left*** *politisch*: die Linke
left-hand [ˈlefthænd] ***left-hand bend*** Linkskurve; ***left-hand drive*** Linkssteuerung; ***she took a left-hand turn*** sie bog nach links ab
left-handed [ˌleftˈhændɪd] linkshändig; ***be left-handed*** Linkshänder(in) sein
left-hander [ˌleftˈhændə] Linkshänder(in)
leftist [ˈleftɪst] *politisch*: linksgerichtet, links stehend
leftovers [ˈleftˌəʊvəz] *Pl.*; *von Essen*: Reste
left-wing [ˌleftˈwɪŋ] *politisch*: dem linken Flügel angehörend, links
leg [leg] **1.** *allg.*: Bein; ***give someone a leg up*** jemandem aufhelfen, *übertragen* jemandem unter die Arme greifen; ***pull someone's leg*** *umg.* jemanden auf den Arm nehmen; ***stretch one's legs*** sich die Beine vertreten **2.** ***leg of mutton*** Hammelkeule **3.** *von Rennen*, *Reise*:

Etappe **4.** ***first*** (*bzw.* ***second***) ***leg*** *Sport, in Pokalwettbewerben*: Hinspiel (*bzw.* Rückspiel)

legal ['liːgl] **1.** *durch Gesetz geregelt*: gesetzlich, rechtlich; ***legal holiday*** *AE* gesetzlicher Feiertag; ***legal tender*** gesetzliches Zahlungsmittel **2.** *den Gesetzen entsprechend*: legal, gesetzmäßig, rechtsgültig **3.** gerichtlich; ***take legal action against someone*** gerichtlich gegen jemanden vorgehen

legality [lɪ'gælətɪ] Legalität

legalize ['liːgəlaɪz] legalisieren

legend [⚠ 'ledʒənd] Legende, Sage

legible [⚠ 'ledʒəbl] leserlich, lesbar

legislation [⚠ ˌledʒɪs'leɪʃn] Gesetzgebung

legitimate [⚠ lɪ'dʒɪtəmət] **1.** legitim, gesetzmäßig, rechtmäßig **2.** *Kind*: ehelich

leg room ['leg‿ruːm] *in Auto*: Beinfreiheit

leisure ['leʒə] Freizeit; ***do something at leisure*** etwas mit Muße *oder* in aller Ruhe tun; ***at your leisure*** wenn es Ihnen passt, bei Gelegenheit; ***leisure centre*** Freizeitzentrum; ***leisure facilities*** Freizeiteinrichtungen; ***leisure hours*** Mußestunden; ***leisure park*** Freizeitpark; ***leisure time*** Freizeit; ***leisure wear*** Freizeitkleidung

leisurely ['leʒəlɪ] *Tempo usw.*: gemächlich; ***at a leisurely pace*** gemächlich

leisure suit ['leʒə‿suːt] *AE* Jogginganzug

lemon ['lemən] **1.** Zitrone; **2.** *umg.*; *Person oder Sache*: Niete **3.** *Farbe*: Zitronengelb

lend [lend], ***lent*** [lent], ***lent*** [lent] **1.** verleihen, ausleihen **2.** *übertragen* verleihen (*Nachdruck*, *Würde usw.*) **3.** ***lend oneself to something*** *übertragen* sich zu etwas hergeben

length [leŋθ] **1.** *allg.*: Länge; ***two metres in length*** zwei Meter lang; ***what length is it?*** wie lang ist es? **2.** *zeitlich*: Dauer; ***at length*** ausführlich **3.** *von Buch usw.*: Umfang **4.** *Sport*: Länge (*Vorsprung*) **5.** ***go to great lengths to …*** sich sehr bemühen *oder* alles Mögliche tun, um … (*etwas zu erreichen*)

lengthen ['leŋθən] **1.** verlängern, länger machen (*Hose*, *Rock usw.*) **2.** (*Tage usw.*) länger werden, sich verlängern

lengthy ['leŋθɪ] **1.** *zeitlich*: ziemlich lang **2.** *Rede, Film usw.*: ermüdend lang, langatmig

lens [lenz] **1.** *von Kamera, Auge usw.*: Linse **2.** *von Kamera auch*: Objektiv **3.** *von Brille*: Glas

lent [lent] *2. und 3. Form von* → ***lend***

Lent [lent] *vor Ostern*: Fastenzeit

lentil ['lentɪl] *Gemüse*: Linse

Leo ['liːəʊ] *Sternbild*: Löwe

leopard [⚠ 'lepəd] *Raubkatze*: Leopard

lesbian¹ ['lezbɪən] lesbisch

lesbian² ['lezbɪən] Lesbierin, *umg.* Lesb

lesion ['liːʒn] Verletzung, Wunde

less [les] **1.** *allg.*: weniger; ***less than*** weniger als; ***less and less*** immer weniger geringer, kleiner; ***in less time*** in kürzer Zeit **3.** weniger, eine kleinere Menge *od* Zahl; ***no less than*** nicht weniger als **4.** (*abzüglich*) weniger, minus; ***10 less 6 is*** 10 minus 6 ist 4

lessen ['lesn] **1.** (*Lärm*, *Probleme*, *Ärg usw.*) sich vermindern *oder* verringern, a nehmen **2.** vermindern, verringern (*Ri ko*, *Kosten usw.*) **3.** *übertragen* herabse zen, schmälern (*Verdienste*, *Leistung usv*

lesser ['lesə] kleiner, geringer; ***the less of two evils*** das kleinere Übel

lesson ['lesn] **1.** Lektion (*auch übertrager* ***teach someone a lesson*** jemande eine Lektion erteilen **2.** Unterrichtsstu de; ***lessons*** *Pl.* Unterricht, Stunden *F* ***give lessons*** Unterricht erteilen, unte richten; ***take lessons from*** Stunden *od* Unterricht nehmen bei **3.** *übertragen* Le re; ***it was a lesson to me*** das war m eine Lehre

let¹ [let], ***let, let***; *-ing-Form* ***letting*** **1.** *all* lassen; ***let go!*** lass los!; ***let me go!*** la mich los!; ***let oneself go*** sich gehen la sen, aus sich herausgehen; ***he let it go that*** er ließ es dabei bewenden; ***let's g*** gehen wir!; ***let someone know*** jema den wissen lassen, jemandem Besche geben **2.** *bes. BE* vermieten, verpachte (***to*** an); ***'to let'*** „zu vermieten" **3.** ***l alone*** geschweige denn, ganz zu schwe gen von

---

let down [ˌlet'daʊn] **1.** hinunterlassen herunterlassen (*Seil*, *Strickleiter usw.* **2.** (≈ *enttäuschen*) im Stich lassen **3** ***let one's hair down*** *umg.* aus sich he rausgehen, *stärker*: auf den Putz haue

let in [ˌlet'ɪn] hereinlassen, hineinlassen ***my boots are letting in water*** mein Stiefel sind undicht

let off [ˌlet'ɒf] **1.** abbrennen (*Feuerwerk* **2.** abfeuern (*Gewehr usw.*) **3.** ablasse (*Gas usw.*); ***let off steam*** *übertrage* Dampf ablassen, sich abreagieren **4** *umg.* einen fahren lassen

let out [ˌlet'aʊt] **1.** herauslassen, hinaus lassen (***of*** aus); ***let the air out of th tyres*** die Luft aus den Reifen lasse **2.** auslassen (*Kleidungsstück*) **3.** aussto ßen (*Schrei usw.*) **4.** ausplaudern, verra

ten (*Geheimnis*) **5.** *BE* vermieten (*Zimmer, Wohnung*)
let up [ˌlet'ʌp] *umg.* (*Regen, Ärgernis usw.*) nachlassen, aufhören

let² [let] *Tennis*: Netzaufschlag; ***let!*** Netz!
letdown ['letdaʊn] Enttäuschung
lethal ['liːθl] *Dosis, Waffe usw.*: tödlich
let's [lets] *Kurzform von* ***let us***
letter ['letə] **1.** Buchstabe; ***to the letter*** wortwörtlich, buchstäblich **2.** Brief, Schreiben (***to*** an); ***by letter*** schriftlich, brieflich; ***letter of application*** Bewerbungsschreiben; ***letter of complaint*** Beschwerdebrief; ***letter to the editor*** Leserbrief
letterbox ['letəbɒks] *BE* Briefkasten (*auch öffentlicher*)
lettuce [⚠ 'letɪs] Kopfsalat, Ⓐ Häuptelsalat
level¹ ['levl] **1.** Höhe; ***1000 m above sea level*** 1000 m über Meereshöhe; ***at eye level*** in Augenhöhe **2.** *von Fluss usw.*: Wasserstand, Pegel **3.** *in Gebäude*: Ebene, Etage **4.** *übertragen* Niveau, Stand, Stufe; ***be on a level with*** *übertragen* auf dem gleichen Niveau *oder* auf der gleichen Stufe stehen wie; ***talks at government level*** Gespräche auf Regierungsebene
level² ['levl] **1.** *Straße usw.*: eben; ***a level teaspoon*** ein gestrichener Teelöffel (voll) **2.** gleich (*auch übertragen*); ***level crossing*** *BE* schienengleicher Bahnübergang; ***be level on points*** *Sport*: punktgleich sein; ***be level with*** auf gleicher Höhe sein mit, *übertragen* auf dem gleichen Niveau *oder* auf der gleichen Stufe stehen wie; ***draw level*** *Sport*: ausgleichen **3.** *Rennen usw.*: ausgeglichen **4.** ***do one's level best*** sein Möglichstes tun
level³ ['levl], ***levelled, levelled***, *AE* ***leveled, leveled*** **1.** (ein)ebnen, planieren (*Fläche, Grundstück usw.*); ***level to*** *oder* ***with the ground*** dem Erdboden gleichmachen **2.** *übertragen* gleichmachen, nivellieren **3.** beseitigen, ausgleichen (*Unterschiede usw.*)
lever ['liːvə] **1.** *physikalisch*: Hebel **2.** *Werkzeug*: Brechstange **3.** *übertragen* Druckmittel
levy¹ ['levɪ] ***levy a tax on something*** etwas besteuern
levy² ['levɪ] Steuer, Abgabe
liability [ˌlaɪə'bɪlətɪ] **1.** *gesetzlich*: Haftung, Haftpflicht; ***limited liability*** *BE* beschränkte Haftung **2.** ***liabilities*** *Pl.* (≈ *Schulden*) Verbindlichkeiten **3.** ***liability for tax*** Steuerpflicht; ***have a tax liability of £540*** 540 Pfund Steuern zahlen müssen **4.** *für Krankheit usw.*: Anfälligkeit (***to*** für)
liable ['laɪəbl] **1.** ***be liable to do something*** *im negativen Sinn*: dazu neigen, etwas zu tun **2.** *gesetzlich*: haftbar, haftpflichtig (***for*** für); ***be liable for something*** für etwas haften **3.** ***be liable to taxation*** *oder* ***to pay tax*** steuerpflichtig sein **4.** ***she's liable to bronchitis*** sie ist anfällig für Bronchitis **5.** ***we're liable to get wet here*** hier werden wir unter Umständen nass
liar ['laɪə] Lügner(in)
liberal¹ ['lɪbrəl] **1.** *allg.*: liberal, aufgeschlossen **2.** *politisch mst.* ***Liberal*** liberal **3.** *Person*: großzügig, freigebig (***of*** mit) **4.** *Geschenk, Spende*: reichlich, großzügig **5.** ***liberal arts*** *Pl.* Geisteswissenschaften *Pl.*
liberal² ['lɪbrəl] *politisch mst.* ***Liberal*** Liberale(r)
liberate ['lɪbəreɪt] befreien (***from*** von, aus) (*auch übertragen*)
liberation [ˌlɪbə'reɪʃn] Befreiung (*auch übertragen*)
liberty ['lɪbətɪ] **1.** *allg.*: Freiheit; ***Statue of Liberty*** *in New York*: Freiheitsstatue **2.** ***at liberty*** *Person*: frei, in Freiheit, auf freiem Fuß **3.** ***be at liberty to do something*** etwas tun dürfen **4.** ***take liberties with someone*** sich Freiheiten gegenüber jemandem herausnehmen
Libra [⚠ 'liːbrə] *Sternbild*: Waage
librarian [laɪ'breərɪən] Bibliothekar(in)
library ['laɪbrərɪ] **1.** Bibliothek, Bücherei (⚠ *Buchhandlung* = ***bookshop, bookstore***); ***library ticket*** Leserausweis; ***reference library*** Präsenzbibliothek **2.** *von Büchern, Schallplatten*: Sammlung
Libya ['lɪbɪə] Libyen
Libyan¹ ['lɪbɪən] libysch
Libyan² ['lɪbɪən] Libyer(in)
lice [laɪs] *Pl. von* → ***louse¹***
licence, *AE* **license** ['laɪsns] *von Behörde erteilt*: Lizenz, Konzession, Genehmigung; ***driving licence*** Führerschein; ***licence number*** *von Auto*: Kennzeichen
license¹ ['laɪsns] *AE* → ***licence***
license² ['laɪsns] lizenzieren, eine Lizenz *oder* Konzession erteilen, behördlich genehmigen; ***fully licensed*** *BE*; *Lokal*: mit voller Schankkonzession
lick [lɪk] **1.** lecken, ablecken; ***lick one's lips*** sich die Lippen lecken (*auch übertragen*); ***lick someone's boots*** *übertragen* vor jemandem kriechen **2.** *umg.* (≈ *besiegen*) eine Abfuhr erteilen **3.** ***I think we've***

got it licked ich denke, wir haben die Sache im Griff

lid [lɪd] **1.** *von Topf usw.*: Deckel; ***that puts the lid on it!*** *BE*, *umg.* das schlägt dem Fass den Boden aus! **2.** *von Auge*: Lid

lido ['liːdəʊ] *Pl.*: ***lidos*** *BE* Freibad, Strandbad

lie[1] [laɪ] Lüge; ***tell lies*** *oder* ***a lie*** lügen; ***white lie*** Notlüge

lie[2] [laɪ], ***lied*** [laɪd], ***lied*** [laɪd]; *-ing-Form* ***lying*** lügen; ***lie to someone*** jemanden belügen *oder* anlügen

lie[3] [laɪ] ***the lie of the land*** *BE*, *übertragen* die Lage der Dinge, die Sachlage

lie[4] [laɪ], ***lay*** [leɪ], ***lain*** [leɪn]; *-ing-Form* ***lying*** **1.** *allg.*: liegen (*im Bett usw.*) **2.** *auf dem Boden usw. auch*: daliegen **3.** (≈ *begraben sein*) ruhen **4.** (*Stadt usw.*) gelegen sein, sich befinden; ***the town lies on a river*** die Stadt liegt an einem Fluss **5.** ***lie second*** *Sport usw.*: an zweiter Stelle liegen **6.** ***what lies ahead*** (***of us***) was (uns) bevorsteht **7.** ***lie low*** sich versteckt halten, sich ruhig verhalten

> **lie about** *oder* **around** [ˌlaɪ‿ə'baʊt *oder* ə'raʊnd] herumliegen
> **lie back** [ˌlaɪ'bæk] **1.** sich zurücklegen, sich zurücklehnen **2.** *übertragen* (≈ *nichts tun*) sich ausruhen
> **lie down** [ˌlaɪ'daʊn] sich hinlegen (***on*** auf)
> **lie in** [ˌlaɪ'ɪn] *bes. BE* (morgens) lang im Bett bleiben

lie detector ['laɪ‿dɪˌtektə] Lügendetektor

lie-down ['laɪdaʊn] *BE*, *umg.* Nickerchen; ***have a lie-down*** ein Nickerchen machen, sich kurz hinlegen

lieu [ljuː, luː] ***in lieu*** stattdessen; ***in lieu of*** statt, anstatt (*beide + Genitiv*)

lieutenant [⚠ lef'tenənt, *AE* luː'tenənt] *Offizier*: Leutnant, *BE* Oberleutnant

life [laɪf] *Pl.*: ***lives*** [⚠ laɪvz] **1.** *allg.*: Leben; ***thousands lost their lives*** Tausende kamen ums Leben; ***this is a matter of life and death*** es geht um Leben und Tod; ***early in life*** in jungen Jahren; ***late in life*** in vorgerücktem Alter; ***show no signs of life*** kein Lebenszeichen (mehr) von sich geben **2.** Lebenszeit, Lebensdauer; ***all his life*** sein ganzes Leben lang; ***for life*** *Ehe, Beruf usw.*: für den Rest des Lebens, auf Lebenszeit, *Urteil*: lebenslänglich **3.** *übertragen* Schwung; ***full of life*** voller Leben **4.** *umg.* lebenslängliche Freiheitsstrafe; ***he's doing life*** er sitzt lebenslänglich; ***he got life*** er bekam lebenslänglich

life assurance ['laɪf‿əˌʃʊərəns] *BE* Lebensversicherung

lifebelt ['laɪfbelt] Rettungsgürtel

lifeboat ['laɪfbəʊt] Rettungsboot

life buoy ['laɪf‿bɔɪ] Rettungsring

lifeguard ['laɪfgɑːd] Rettungsschwimmer, Bademeister

life insurance ['laɪf‿ɪnˌʃʊərəns] Lebensversicherung

life jacket ['laɪfˌdʒækɪt] Schwimmweste

lifeless ['laɪfləs] **1.** leblos, tot **2.** *übertragen* matt, schwunglos (*Film, Buch, Spiel usw.*)

lifelong ['laɪflɒŋ] *Freundschaft*: lebenslang

life sentence [ˌlaɪf'sentəns] lebenslängliche Freiheitsstrafe

lifestyle ['laɪfstaɪl] Lebensstil

lifetime ['laɪftaɪm] Lebenszeit; ***once in a lifetime*** einmal im Leben; ***during someone's lifetime*** zu jemandes Lebzeiten

lift[1] [lɪft] **1.** *bes. BE* Lift, Aufzug, Fahrstuhl **2.** ***give someone a lift*** jemanden (im Auto) mitnehmen; ***get a lift from someone*** von jemandem mitgenommen werden **3.** *übertragen* Aufschwung; ***give someone a lift*** jemanden aufmuntern, jemandem Auftrieb geben

lift[2] [lɪft] **1.** *auch* ***lift up*** hochheben; ***he didn't lift a finger to help us*** er rührte keinen Finger um uns zu helfen **2.** erheben (*Stimme usw.*); ***lift one's eyes*** aufschauen, aufblicken **3.** *umg.* klauen **4.** liften, straffen (*Haut, Gesicht usw.*) **5.** aufheben (*Embargo, Verbot usw.*) **6.** (*Nebel usw.*) sich heben, steigen

> **lift off** [ˌlɪft'ɒf] (*Rakete, Flugzeug*) starten, abheben

lift-off ['lɪftɒf] *von Rakete*: Start, Abheben

light[1] [laɪt] **1.** *allg.*: Licht, Helligkeit **2.** *Lichtquelle*: Licht, Beleuchtung; ***in subdued light*** bei gedämpftem Licht **3.** Sonnenlicht, Tageslicht; ***bring*** (*bzw.* ***come***) ***to light*** *übertragen* ans Licht bringen (*bzw.* kommen); ***see the light of day*** das Licht der Welt erblicken **4.** *übertragen* Aspekt; ***in the light of*** angesichts, unter dem Aspekt **5.** *übertragen* Erleuchtung; ***I see the light*** mir geht ein Licht auf **6.** *am Auto usw.*: Scheinwerfer **7.** *mst.* ***lights*** *Pl.*, *BE* Verkehrsampel; ***jump the lights*** bei Rot über die Kreuzung fahren **8.** *für Zigarette*: Feuer; ***have you got a light?*** haben Sie Feuer?

light[2] [laɪt], ***lit*** [lɪt], ***lit*** [lɪt], *auch* ***lighted, lighted*** **1.** anzünden; ***light a cigarette*** sich eine Zigarette anzünden **2.** beleuchten (*Raum usw.*)

light up [ˌlaɪtˈʌp] **1.** (*Licht*, *Lampe usw.*) aufleuchten **2.** (hell) beleuchten (*Raum*) **3.** *übertragen* (*Augen*) aufleuchten **4.** *umg.* (≈ *anzünden*) sich eine anstecken

light[3] [laɪt] **1.** *allg.*: leicht (*Last*, *Kleidung*, *Mahlzeit*, *Wein*, *Schlaf*, *Fehler usw.*); ***as light as a feather*** federleicht; ***no light matter*** keine Kleinigkeit; ***light metal*** Leichtmetall; ***light reading*** Unterhaltungslektüre **2.** ***make light of*** auf die leichte Schulter nehmen, verharmlosen **3.** *Essen*, *Getränke*: leicht, light **4.** *von Farbton*: hell; ***light red*** hellrot
light bulb [ˈlaɪt‿bʌlb] Glühbirne
lighten [ˈlaɪtn] **1.** leichter machen, erleichtern (*Arbeit usw.*) **2.** (*Himmel usw.*) sich aufhellen
lighter [ˈlaɪtə] Feuerzeug
light-headed [ˌlaɪtˈhedɪd] benommen (*auch nach Alkoholgenuss usw.*)
light-hearted [ˌlaɪtˈhɑːtɪd] unbeschwert
lighthouse [ˈlaɪthaʊs] Leuchtturm
lighting [ˈlaɪtɪŋ] Beleuchtung
lightning [ˈlaɪtnɪŋ] Blitz; ***be struck by lightning*** vom Blitz getroffen werden
lightning conductor [ˈlaɪtnɪŋ‿kənˌdʌktə], *AE* **lightning rod** [ˈlaɪtnɪŋ‿rɒd] Blitzableiter
lightweight [ˈlaɪtweɪt] *Sport*: Leichtgewicht
light year [ˈlaɪt‿jɪə] Lichtjahr
likable [ˈlaɪkəbl] *Person*: liebenswert, sympathisch, Ⓒⓗ gefreut
like[1] [laɪk] **1.** *vergleichend*: wie; ***a woman like you*** eine Frau wie du; ***what's he like?*** wie ist er?; ***he's a bit like you*** er ist dir ein bisschen ähnlich; ***that's just like him!*** das sieht ihm ähnlich; ***that's more like it!*** das ist schon besser!; ***there's nothing like …*** es geht doch nichts über … **2.** ***it cost something like £100*** es kostete so um die 100 Pfund **3.** *in Aussehen*, *Wesen usw.*: ähnlich; ***they're as like as two peas*** *übertragen* sie gleichen sich wie ein Ei dem anderen
like[2] [laɪk] ***his like*** seinesgleichen; ***smoking, boozing and the like*** Rauchen, Saufen und dergleichen; ***the likes of me*** *umg.* meinesgleichen, Leute wie ich
like[3] [laɪk] **1.** gern haben, mögen; ***I like it*** es gefällt mir; ***I like him*** ich kann ihn gut leiden; ***how do you like her?*** wie gefällt sie dir?, wie findest du sie?; ***what do you like better?*** was hast du lieber?, was gefällt dir besser? **2.** *mit -ing-Form*: ***I like swimming*** ich schwimme gerne; ***do you like dancing?*** tanzen Sie gerne? **3.** *mit should oder would*: wollen, mögen; ***I would like to know if …*** ich möchte gern wissen, ob …; ***would you like*** (***to have***) ***a drink?*** möchten Sie etwas trinken? **4.** wollen; (***just***) ***as you like*** (ganz) wie du willst; ***do as you like*** mach, was du willst; ***if you like*** wenn du willst
like[4] [laɪk] Neigung, Vorliebe; ***likes and dislikes*** Vorlieben und Abneigungen
likeable [ˈlaɪkəbl] → ***likable***
likelihood [ˈlaɪklɪhʊd] Wahrscheinlichkeit; ***in all likelihood*** aller Wahrscheinlichkeit nach, höchstwahrscheinlich
likely [ˈlaɪklɪ] **1.** wahrscheinlich, voraussichtlich; ***he's likely to come*** es ist gut möglich, dass er kommt; ***he isn't likely to come*** es ist unwahrscheinlich, dass er kommt; ***most likely*** höchstwahrscheinlich; ***as likely as not*** sehr wahrscheinlich; ***not likely!*** *umg.* wohl kaum!, denkste! **2.** *Geschichte usw.*: glaubhaft; ***a likely story!*** *ironisch* das soll glauben, wer mag! **3.** *Person*, *Ort usw.*: infrage kommend, geeignet
likewise [ˈlaɪkwaɪz] desgleichen, ebenso; ***'Have a nice holiday.' - 'Likewise.'*** „Schönen Urlaub." - „Gleichfalls."
liking [ˈlaɪkɪŋ] Vorliebe (***for*** für); ***this is not to my liking*** *formell* das ist nicht nach meinem Geschmack
lilac [ˈlaɪlək] lila, fliederfarben
lilo, **Lilo**® [ˈlaɪləʊ] *Pl.*: ***lilos*** *BE*, *umg.* Luftmatratze
lily [ˈlɪlɪ] Lilie; ***lily of the valley*** Maiglöckchen
limb [⚠ lɪm] (≈ *Arm*, *Bein*) Glied
limber [ˈlɪmbə] beweglich, gelenkig

limber up [ˌlɪmbərˈʌp] sich auflockern, Lockerungsübungen machen

limelight [ˈlaɪmlaɪt] ***be in the limelight*** im Rampenlicht stehen
limit[1] [ˈlɪmɪt] **1.** *von Gebiet*: Begrenzung; ***the 12-mile limit*** *vor Küste*: die 12-Meilenzone **2.** *übertragen* Beschränkung, Limit; ***a 20 mph speed limit*** *etwa*: eine Geschwindigkeitsbegrenzung von 30 Kilometern; ***to the limit*** bis zum Äußersten *oder* Letzten; ***within limits*** in (gewissen) Grenzen; ***there's a limit to everything*** alles hat seine Grenzen; ***off limits*** Zutritt verboten (***to*** für); ***that's the limit!*** *umg.* das ist (doch) die Höhe!; ***I know my limits*** ich kenne meine Grenzen **3.** ***time limit*** (zeitliche) Frist **4.** *finanziell*: Limit, Preisgrenze

limit[2] ['lɪmɪt] **1.** beschränken, begrenzen (*Ausgaben, Unkosten usw.*) (***to*** auf) **2.** limitieren (*Auflage, Preise usw.*) **3. *limited (liability) company*** *BE*; *Wirtschaft*: Gesellschaft mit beschränkter Haftung

limitation [ˌlɪmɪ'teɪʃn] *von Fähigkeiten usw.*: Grenze; ***I know my limitations*** ich kenne meine Grenzen

limp [lɪmp] hinken (*auch übertragen*)

line[1] [laɪn] **1.** *gezeichnet oder gedruckt*: Linie, Strich **2.** *in Buch usw.*: Zeile; ***read between the lines*** *übertragen* zwischen den Zeilen lesen; ***drop someone a line*** jemandem ein paar Zeilen schreiben **3. *lines*** *Pl. im Theater usw.*: Rolle, Text; ***learn one's lines*** seinen Text lernen **4.** *Telefon*: Leitung; ***the line is busy*** *oder* ***engaged*** die Leitung ist besetzt; ***hold the line*** bleiben Sie am Apparat **5.** *politisch, weltanschaulich usw.*: Linie, Grundsätze *Pl.*, Richtlinien *Pl.*; ***along these lines*** nach diesen Grundsätzen; ***be in line with*** übereinstimmen mit; ***bring into line*** in Einklang bringen (***with*** mit), *stärker*: auf Vordermann bringen; ***keep someone in line*** jemanden bei der Stange halten; ***step out of line*** aus der Reihe tanzen **6.** *übertragen* Grenzlinie, Grenze; ***we've got to draw the line somewhere*** irgendwo muss (damit) Schluss sein **7.** *von Personen, Bäumen, Sachen*: Reihe, Kette; ***stand in line*** anstehen, Schlange stehen (***for*** um, nach) **8.** *von Familie*: Abstammung, Linie; ***in the direct line*** in direkter Linie; ***descend from a long line of miners*** von einer langen Linie von Bergarbeitern abstammen **9.** (≈ *Beruf*) Fach, Gebiet; ***what's your line?*** in welcher Branche sind Sie tätig?; ***that's not in my line*** *übertragen* das liegt mir nicht **10.** *Luftfahrt*: Fluggesellschaft **11.** *militärisch*: Linie; ***behind the enemy lines*** hinter den feindlichen Linien **12.** *für Wäsche usw.*: Leine, Schnur, Seil

line[2] [laɪn] **1.** linieren (*Papier*) **2.** (*Bäume, Menschen*) säumen (*Straße usw.*)

line up [ˌlaɪn'ʌp] **1.** (*Personen*) sich in einer Reihe aufstellen **2.** *bes. AE* sich anstellen (***for*** um, nach) **3.** in einer Reihe *oder* nebeneinander aufstellen (*Kartons, Flaschen usw.*) **4.** *umg.* auf die Beine stellen, organisieren

line[3] [laɪn] **1.** füttern (*Kleid usw.*) **2. *line one's pocket(s)*** *oder* ***purse*** *übertragen* sich bereichern, in die eigene Tasche wirtschaften

linen [⚠ 'lɪnɪn] **1.** *Material*: Leinen **2. *bed linen*** Bettwäsche; ***table linen*** Tischdecken; ***wash one's dirty linen in public*** *übertragen* seine schmutzige Wäsche in der Öffentlichkeit waschen

linesman ['laɪnzmən] *Pl.*: ***linesmen*** ['laɪnzmən] *Sport*: Linienrichter

line-up ['laɪnʌp] **1.** *Mannschaftssport*: Aufstellung **2.** *bes. AE* Menschenschlange

linger ['lɪŋgə] **1.** *an Ort usw.*: bleiben, verweilen **2.** (*Geruch*) in der Luft hängen **3. *linger over a glass of wine*** *usw.* sich über einem Glas Wein *usw.* aufhalten **4.** (*Tradition usw.*) fortleben, fortbestehen **5.** (*Verdacht usw.*) zurückbleiben

linguist ['lɪŋgwɪst] **1.** *allg.*: Sprachkundige(r); ***she's a good linguist*** sie ist sehr sprachbegabt **2.** *Wissenschaftler(in)*: Linguist(in), Sprachwissenschaftler(in)

linguistic [lɪŋ'gwɪstɪk] **1.** *allg.*: sprachlich, Sprach… **2.** *wissenschaftlich*: linguistisch, sprachwissenschaftlich

linguistics [lɪŋ'gwɪstɪks] (⚠ *im Sg. verwendet*) Linguistik, Sprachwissenschaft

lining ['laɪnɪŋ] **1.** Futter(stoff) **2.** *technisch*: Auskleidung **3.** *von Bremse usw*: Belag

link[1] [lɪŋk] **1.** *von Kette*: Glied (*auch übertragen*) **2.** *Person*: Bindeglied, Verbindungsmann **3.** *zwischen Ereignissen usw.*: Zusammenhang (***between, with*** zwischen)

link[2] [lɪŋk] **1.** verbinden (***to, with*** mit); ***link arms*** sich unterhaken, sich einhaken (***with*** bei) **2.** *übertragen* in Verbindung bringen (***with*** mit); ***I'm sure that the incidents are linked*** ich bin sicher, dass die Vorfälle miteinander zusammenhängen

link up [ˌlɪŋk'ʌp] **1.** (*Personen*) sich zusammentun **2.** (*Sachverhalte*) zusammenpassen **3.** *Raumfahrt*: ankoppeln

linkup ['lɪŋkʌp] **1.** *über Antenne, Satellit usw.*: Verbindung **2.** *von Raumschiffen*: Ankoppeln

lion ['laɪən] **1.** *Raubtier*: Löwe **2.** *übertragen* ***go into the lion's den*** sich in die Höhle des Löwen wagen; ***the lion's share*** der Löwenanteil

lioness ['laɪənes] Löwin

lip [lɪp] **1.** *Teil des Mundes*: Lippe; ***lower lip*** Unterlippe; ***upper lip*** Oberlippe; ***keep a stiff upper lip*** *übertragen* Haltung bewahren, sich nichts anmerken lassen **2. *none of your lip!*** *umg.* sei nicht so unverschämt *oder* frech! **3.** *von Tasse usw.*: Rand

lip gloss ['lɪp‿glɒs] Lipgloss

lip salve ['lɪp‿sælv] Lippenbalsam, Lippenpflegestift
lipstick ['lɪpstɪk] Lippenstift; ***put on lipstick*** sich die Lippen schminken
liqueur [⚠ lɪ'kjʊə] Likör
liquid[1] ['lɪkwɪd] **1.** flüssig **2.** *finanziell*: liquid, flüssig
liquid[2] ['lɪkwɪd] Flüssigkeit
liquidize ['lɪkwɪdaɪz] (im Mixer) zerkleinern *oder* pürieren
liquidizer ['lɪkwɪdaɪzə] *BE*; *Küchengerät*: Mixer
liquor [⚠ 'lɪkə] Alkohol, Spirituosen *Pl.*

liquor

Achte auf den Unterschied:

liqueur [lɪ'kjʊə]	Likör
liquor ['lɪkə]	Spirituosen

Lisbon ['lɪzbən] Lissabon
lisp[1] [lɪsp] lispeln
lisp[2] [lɪsp] ***speak with a lisp*** lispeln
list[1] [lɪst] Liste, Verzeichnis; ***be on the list*** auf der Liste stehen; ***shopping list*** Einkaufszettel (⚠ *List* = ***trick***)
list[2] [lɪst] auflisten, in eine Liste eintragen
listed ['lɪstɪd] ***listed building*** *in Großbritannien*: denkmalgeschütztes Gebäude
listen [⚠ 'lɪsn] **1.** hören, horchen (***to*** auf) **2.** zuhören; ***listen to me!*** hör mir zu!; ***listen!*** hör mal! **3.** *übertragen* hören (***to*** auf) (*Person, Rat, Warnung usw.*); ***I warned her, but she wouldn't listen*** ich warnte sie, aber sie wollte nicht hören

listen in [⚠ ˌlɪsn'ɪn] **1.** Radio hören; ***listen in to a concert*** sich ein Konzert im Radio anhören **2.** *heimlich*: lauschen, mithören; ***listen in on a conversation*** *oder* ***phone call*** ein Gespräch *oder* Telefonat mithören

listener [⚠ 'lɪsnə] **1.** Zuhörer(in); ***be a good listener*** gut zuhören können **2.** *Radio*: Hörer(in)
listing ['lɪstɪŋ] **1.** Auflistung, Verzeichnis **2.** ***listings*** *Pl., Fernsehen usw.*: Programm
listless ['lɪstləs] *Person*: lustlos, apathisch
lit [lɪt] *2. und 3. Form von* → ***light***[2]
liter ['liːtə] *AE* Liter; ☞ *BE* ***litre***
literal ['lɪtrəl] **1.** *Bedeutung, Übersetzung usw.*: wörtlich; ***take something literally*** etwas wörtlich nehmen **2.** genau, buchstäblich; ***he did literally nothing*** er hat buchstäblich gar nichts gemacht
literary ['lɪtrərɪ] **1.** literarisch, Literatur…; ***literary critic*** Literaturkritiker(in) **2.** *Ausdruck usw.*: gewählt, hochgestochen
literate ['lɪtrət] **1.** ***be literate*** lesen und schreiben können **2.** (literarisch) gebildet, belesen
literature ['lɪtrətʃə] **1.** *allg.*: Literatur **2.** *umg.* Informationsmaterial
Lithuania [ˌlɪθjuː'eɪnɪə] Litauen
Lithuanian[1] [ˌlɪθjuː'eɪnɪən] litauisch
Lithuanian[2] [ˌlɪθjuː'eɪnɪən] *Sprache*: Litauisch
Lithuanian[3] [ˌlɪθjuː'eɪnɪən] Litauer(in)
litre ['liːtə] *bes. BE* Liter
litter[1] ['lɪtə] **1.** *herumliegendes Papier usw.*: Abfall, Abfälle *Pl.* **2.** *für Katzen usw.*: Streu, Stroh **3.** *neugeborene Tiere*: Wurf
litter[2] ['lɪtə] ***be littered with*** übersät sein mit (*Schmutz, Abfall usw.*)
litter bin ['lɪtə‿bɪn] (öffentlicher) Abfalleimer, Abfallkorb
litterbug ['lɪtəbʌg] *jemand, der Abfall auf den Boden wirft*
little[1] ['lɪtl], ***smaller*** ['smɔːlə], ***smallest*** ['smɔːləst] **1.** *Kind, Häuschen, Garten usw.*: klein; ***the little ones*** *Pl.* die Kleinen **2.** *Zeitraum*: kurz; ***a little while ago*** vor kurzem **3.** (≈ *nicht viel*) wenig **4.** *Problem, Vorfall usw.*: klein, geringfügig
little[2] ['lɪtl], ***less*** [les], ***least*** [liːst] **1.** ***think little of someone*** wenig von jemandem halten; ***for as little as £10*** für nur 10 Pfund **2.** wenig, selten; ***I see him very little*** *oder* ***I see very little of him*** ich sehe ihn kaum **3.** ***a little*** ein wenig, ein bisschen; ***I speak a little English*** ich spreche etwas *oder* ein wenig Englisch; ***a little advice*** ein kleiner Tipp; ***'Would you like some more coffee?' - 'Just a little.'*** „Möchtest du noch etwas Kaffee?" - „Nur ein bisschen." **4.** ***little by little*** ganz allmählich, nach und nach
live[1] [lɪv] **1.** *allg.*: leben; ***you live and learn*** man lernt nie aus **2.** (*Patient usw.*) am Leben bleiben, überleben **3.** führen (*Leben*); ***live a life of luxury*** ein Leben im Luxus führen **4.** wohnen (***with*** bei) **5.** das Leben genießen; ***live and let live*** leben und leben lassen

live off [lɪv'ɒv] ***he lives off his parents*** er lebt auf Kosten seiner Eltern
live on [lɪv'ɒn] **1.** (*Erinnerung usw.*) weiterleben, fortleben **2.** sich ernähren (***on*** von); ***live on vegetables*** sich von Gemüse ernähren
live together [lɪv‿tə'geðə] (*Paar*) zusammenleben
live up to [lɪv'ʌptʊ] **1.** *einem Ruf usw.*:

gerecht werden **2.** *den Erwartungen usw.*: entsprechen
live with ['lɪv‿wɪð] zusammenleben mit

live² [⚠ laɪv] **1.** *Person, Tier*: lebend, lebendig **2.** *Rundfunk, TV*: live, direkt; ***live broadcast*** *Radio, TV*: Direktübertragung; ***a live programme*** eine Livesendung; ***live from Munich*** live *oder* direkt aus München
livelihood ['laɪvlɪhʊd] Lebensunterhalt; ***earn a*** (*oder* ***one's***) ***livelihood*** seinen Lebensunterhalt verdienen
liveliness [⚠ 'laɪvlɪnɪs] Lebhaftigkeit, Lebendigkeit
lively [⚠ 'laɪvlɪ] **1.** *Interesse, Person usw.*: lebhaft **2.** *Schilderung usw.*: lebendig **3.** *Zeit, Atmosphäre*: aufregend; ***give someone a lively time*** *oder* ***make things lively for someone*** jemandem kräftig einheizen, jemandem zu schaffen machen **4.** *Tempo usw.*: schnell, flott

liven up [ˌlaɪvn'ʌp] **1.** (≈ *in Schwung bringen*) Leben bringen in **2.** (*Party usw.*) in Schwung kommen

liver ['lɪvə] *Organ*: Leber
liver sausage ['lɪvəˌsɒsɪdʒ], *AE* **liverwurst** ['lɪvəwɜːst] Leberwurst
lives [⚠ laɪvz] *Pl. von* → ***life***
livid ['lɪvɪd] **1.** *umg.* fuchsteufelswild **2.** *Bluterguss*: blau, bläulich (verfärbt)
living¹ ['lɪvɪŋ] **1.** lebend (*auch Sprache*); ***within living memory*** seit Menschengedenken **2.** Lebens…; ***living conditions*** Lebensbedingungen
living² ['lɪvɪŋ] **1.** ***the living*** *Pl.* die Lebenden *Pl.* **2.** Lebensunterhalt; ***earn*** *oder* ***make a living*** seinen Lebensunterhalt verdienen (***as*** als; ***out of*** durch, mit); ***cost of living*** Lebenshaltungskosten
living room ['lɪvɪŋ‿ruːm] Wohnzimmer
lizard [⚠ 'lɪzəd] Eidechse
llama ['lɑːmə] *Tier*: Lama
load¹ [ləʊd] **1.** Last, *übertragen auch* Bürde; ***his decision took a load off my mind*** bei seiner Entscheidung fiel mir ein Stein vom Herzen **2.** *von Lkw*: Ladung **3.** *in Wendungen*: ***get a load of this!*** *umg.* hör *oder* schau dir das mal an!; ***he talks a load of rubbish*** *umg.* er redet ne Menge Blödsinn; ***loads of …*** *umg.* massenhaft …, jede Menge …; ***there was loads to eat*** *umg.* es gab massenhaft zu essen
load² [ləʊd] **1.** *auch* ***load up*** beladen (*Fahrzeug usw.*) **2.** laden (*Gegenstand usw.*) (***into*** in; ***onto*** auf) **3.** laden (*Schusswaffe*); ***load the camera*** einen Film (in die Kamera) einlegen **4.** *übertragen* überhäufen (***with*** mit) **5.** *Computer*: laden (*Programm usw.*)
loaded ['ləʊdɪd] **1.** ***loaded question*** Fangfrage, Suggestivfrage; ***loaded word*** Reizwort **2.** *umg.* stinkreich; ***be loaded*** *auch*: Geld wie Heu haben **3.** *bes. AE, umg.* voll, besoffen
loaf [ləʊf] *Pl.*: ***loaves*** [ləʊvz] **1.** *Brot usw.*: Laib **2.** *allg.*: Brot; ***a loaf of bread*** ein Brot; ***a white loaf*** ein Weißbrot **3.** ***meat loaf*** Hackbraten
loan¹ [ləʊn] **1.** *finanziell*: Darlehen, Kredit; ***take out a loan*** einen Kredit *oder* ein Darlehen aufnehmen **2.** ***on loan*** leihweise, geliehen; ***you can have it on loan*** du darfst es dir leihen
loan² [ləʊn] *bes. AE* ausleihen, verleihen (***to*** an)
loan shark ['ləʊn‿ʃɑːk] *umg.* Kredithai
loanword ['ləʊnwɜːd] *Sprache*: Lehnwort
loath [ləʊθ] ***be loath to do something*** etwas nur (sehr) ungern tun
loathe [ləʊð] verabscheuen, hassen
loathing ['ləʊðɪŋ] Abscheu
loathsome ['ləʊðsəm] widerlich, abscheulich
loaves [ləʊvz] *Pl. von* → ***loaf***
lobby¹ ['lɒbɪ] **1.** *im Hotel usw.*: Eingangshalle **2.** *im Theater*: Foyer **3.** *Politik*: Lobby, Interessenverband
lobby² ['lɒbɪ] beeinflussen (*Abgeordnete*)
lobster ['lɒbstə] Hummer; ***red as a lobster*** krebsrot
local¹ ['ləʊkl] **1.** lokal, örtlich; ***local call*** *Telefon*: Ortsgespräch; ***local elections*** *Pl.* Kommunalwahlen *Pl.*; ***local news*** (⚠ *nur im Sg. verwendet*) Lokalnachrichten *Pl.*; ***local time*** Ortszeit; ***local TV*** Lokalfernsehen **2.** hiesig; ***the local residents*** die Ortsansässigen **3.** ***local anaesthetic*** *Medizin*: örtliche Betäubung
local² ['ləʊkl] **1.** Ortsansässige(r), Einheimische(r) **2.** *BE, umg.* Stammkneipe
locate [ləʊ'keɪt] **1.** ausfindig machen, aufspüren (*Position, gesuchte Person usw.*) **2.** ***be located*** *Haus, Ort usw.*: gelegen sein, liegen, sich befinden
location [ləʊ'keɪʃn] **1.** *von Haus usw.*: Lage, Standort **2.** *Film, TV*: Drehort; ***shooting on location*** Außenaufnahmen **3.** *von Gesuchtem*: Lokalisierung, *von Schiff auch*: Ortung
loch [lɒx] *in Schottland*: See
lock¹ [lɒk] **1.** *von Tür, Schrank usw.*: Schloss; ***under lock and key*** hinter

Schloss und Riegel, unter Verschluss **2.** *allg.*: Verschluss, Sperrmechanismus **3.** *in Kanal*: Schleuse, Schleusenkammer

lock[2] [lɒk] **1.** abschließen, zuschließen (*Tür usw.*) **2.** *in Zimmer usw.*: einschließen, einsperren (***in, into*** in) **3.** (*Räder*) blockieren

> **lock away** [ˌlɒk‿ə'weɪ] **1.** wegschließen (*Wertsachen*) **2.** einsperren (*Person*)
> **lock in** [ˌlɒk'ɪn] einschließen, einsperren (*Person, Tier*)
> **lock out** [ˌlɒk'aʊt] *aus Wohnung, Haus*: aussperren (*auch Arbeiter*)
> **lock up** [ˌlɒk'ʌp] **1.** abschließen, zusperren (*Haus usw.*) **2.** wegschließen (*Wertsachen*) **3.** einsperren (*Person*)

ock[3] [lɒk] Haarlocke, Haarsträhne

ocker ['lɒkə] **1.** *für Gepäck usw.*: Schließfach **2.** *für Kleidung usw.*: Spind; ***locker room*** *in Sporthalle usw.*: Umkleidekabine

ockout ['lɒkaʊt] *bei Arbeitskampf*: Aussperrung

oco ['ləʊkəʊ] *AE, salopp* verrückt

ocust ['ləʊkəst] *Insekt*: Heuschrecke

odge[1] [lɒdʒ] **1.** *in größerem Gebäude*: Portierloge **2.** *von Freimaurern*: Loge **3.** *für Wanderer, Skiläufer usw.*: Hütte

odge[2] [lɒdʒ] **1.** *als Untermieter*: logieren, vorübergehend wohnen **2.** ***lodge a complaint*** eine Beschwerde einlegen **3.** erstatten (*Anzeige*)

odger ['lɒdʒə] Untermieter(in); ***take lodgers*** Zimmer vermieten

odgings ['lɒdʒɪŋz] *Pl.* möbliertes Zimmer, möblierte Wohnung; ***live in lodgings*** möbliert wohnen

oft [lɒft] Dachboden, Speicher, (CH) Estrich; ***loft conversion*** Dachausbau

ofty ['lɒftɪ] **1.** *Pläne, Ideale usw.*: hochfliegend, hoch gesteckt **2.** *Gehabe*: stolz, hochmütig

og [lɒg] **1.** Holzklotz **2.** gefällter Baumstamm **3.** *Seefahrt*: Logbuch

> **og in** [ˌlɒg'ɪn], ***logged in, logged in*** *Computer*: einloggen
> **og on** [ˌlɒg'ɒn], ***logged on, logged on*** *Computer*: einloggen
> **og out** [ˌlɒg'aʊt], ***logged out, logged out*** *Computer*: ausloggen

g book ['lɒgbʊk] **1.** *Seefahrt*: Logbuch **2.** *BE*; *von Auto*: Kraftfahrzeugbrief

log cabin [ˌlɒg'kæbɪn] Blockhütte

logic ['lɒdʒɪk] *allg.*: Logik

logical ['lɒdʒɪkl] logisch

loin [lɔɪn] *von Tier*: Lende, Lendenstück

loins [lɔɪnz] *Pl. von Mensch*: Lende

loiter ['lɔɪtə] **1.** trödeln, bummeln **2.** herumlungern

> **loll about** *oder* **around** [ˌlɒl‿ə'baʊt *oder* ə'raʊnd] herumlümmeln, herumhängen

lollipop ['lɒlɪpɒp] **1.** Lutscher **2.** *BE* Eis am Stiel

lollipop man ['lɒlɪpɒp‿mæn] *Pl.*: ***lollipop men*** ['lɒlɪpɒp‿men] *BE, umg.*; *etwa*: Schülerlotse

lollipop woman ['lɒlɪpɒpˌwʊmən] *Pl.*: ***lollipop women*** ['lɒlɪpɒpˌwɪmɪn] *BE, umg.*; *etwa*: Schülerlotsin

lollipop man / woman

Lollipop woman oder **lollipop lady** bzw. **lollipop man** werden in Großbritannien die erwachsenen „Schülerlotsen“ genannt, die mit einem runden Schild, das einem Lutscher (**lollipop**) ähnelt, den Verkehr vor der Schule anhalten, um Schülern ein ungefährdetes Überqueren der Straße zu ermöglichen.

lolly ['lɒlɪ] **1.** *umg.* Lutscher **2.** *BE* Eis am Stiel **3.** *BE, umg.* Kies (*Geld*)

London ['lʌndən] London

loneliness ['ləʊnlɪnəs] Einsamkeit

lonely ['ləʊnlɪ] einsam

loner ['ləʊnə] Einzelgänger(in)

lonesome ['ləʊnsəm] *bes. AE* einsam

long[1] [lɒŋ] **1.** *allg.*: lang **2.** *zeitlich*: lang, lange; ***I've been waiting for a long time*** ich warte schon lange; ***hi, it's been a long time*** hallo, lange nicht gesehen; ***as long as*** solange wie; ***a long time ago*** *oder* ***long ago*** vor langer Zeit; ***as long ago as 1983*** schon 1983; ***at the longest*** längstens; ***I won't stay for long*** ich bleibe nicht lange; ***take long*** (***to do something***) lange brauchen(, um etwas zu tun); ***before long*** in Kürze, bald **3.** *räumlich*: weit (*Entfernung*), lang (*Weg*); ***it's a long way to …*** nach … ist es weit **4.** ***as long as*** (≈ *falls*) vorausgesetzt, dass **5.** ***so long!*** *umg.* bis dann!

long[2] [lɒŋ] ***long to do something*** sich danach sehnen, etwas zu tun; ***I'm longing to see her again*** ich sehne mich danach, sie wieder zu sehen

long for ['lɒŋ‿fə] sich sehnen nach; ***we're longing for the holidays*** wir sehnen die Ferien herbei

long-distance [ˌlɒŋ'dɪstəns] **1.** ***long-distance call*** *Telefon*: Ferngespräch **2.** *Flug, Wettrennen usw.*: Langstrecken…

longhaired [ˌlɒŋ'heəd] langhaarig

longing ['lɒŋɪŋ] Sehnsucht (***for*** nach)

longitude [⚠ 'lɒndʒɪtjuːd] *Geographie*: Länge, Längengrad

long jump ['lɒŋ‿dʒʌmp] *Sport*: Weitsprung

long-life milk [ˌlɒŋlaɪf'mɪlk] H-Milch

long-term ['lɒŋtɜːm] langfristig; ***long-term memory*** Langzeitgedächtnis; ***long-term unemployment*** Dauerarbeitslosigkeit; ***the long-term unemployed*** die Dauer- *oder* Langzeitarbeitslosen

loo [luː] *bes. BE, umg.* Klo; ***in the loo*** auf dem *oder* im Klo

look[1] [lʊk] **1.** Blick (***at*** auf); ***give someone an angry look*** jemanden wütend ansehen; ***have a look at something*** (sich) etwas ansehen; ***have a look round*** sich umschauen in; ***can I have a look?*** kann ich mal sehen? **2.** Miene, (Gesichts)Ausdruck; ***the look on his face*** sein Gesichtsausdruck **3.** ***looks*** *Pl.* Aussehen; ***have the looks of*** aussehen wie; ***good looks*** gutes Aussehen

look[2] [lʊk] **1.** *allg.*: sehen, schauen, gucken; ***just look!*** schau mal!; ***don't look!*** nicht hersehen!; ***look who's coming!*** schau (mal), wer da kommt; ***look someone in the eyes*** jemandem in die Augen sehen *oder* schauen **2.** (≈ *suchen*) nachschauen, nachsehen **3.** *Erscheinungsbild*: ausschauen, aussehen (*beide auch übertragen*); ***look good*** gut aussehen; ***he's good-looking*** er sieht gut aus, er ist attraktiv; ***he doesn't look his age*** man sieht ihm sein Alter nicht an; ***look an idiot*** *übertragen* wie ein Idiot dastehen; ***it looks like snow*** es sieht nach Schnee aus; ***it looks as if it's going to snow*** es sieht so aus, als würde *oder* wolle es schneien **4.** aufpassen, Acht geben; ***look where you're putting your feet*** pass auf, wo du hintrittst **5.** (*Zimmer usw.*) liegen, gehen nach; ***my room looks north*** mein Zimmer geht nach Norden **6.** ***look here!*** *ärgerlich*: hör mal!

look after [ˌlʊk'ɑːftə] aufpassen auf, sich kümmern um (*Kinder usw.*)

look ahead [ˌlʊk‿ə'hed] **1.** nach vorne blicken *oder* schauen **2.** *übertragen* vorausschauen (***two years*** um zwei Jahre)

look around [ˌlʊk‿ə'raʊnd] sich umschauen *oder* umsehen in (*auch in Geschäft*)

look at ['lʊk‿ət] **1.** ansehen, anschauen, betrachten; ***look at one's watch*** auf die Uhr schauen; ***to look at him …*** wenn man ihn so ansieht … **2.** *kritisch*: sich anschauen, prüfen (*Idee, Plan, Text, Vorschlag usw.*)

look back [ˌlʊk'bæk] **1.** sich umsehen, zurückschauen **2.** *übertragen* zurückblicken (***on, to*** auf); ***he got the job in 1985 and he hasn't looked back since*** er bekam die Stelle 1985 und seitdem ist es mit ihm ständig bergauf gegangen

look for ['lʊk‿fɔː] suchen (nach); ***are you looking for trouble?*** suchst du Streit?

look forward to [ˌlʊk'fɔːwəd‿tʊ] sich freuen auf; ***look forward to doing something*** sich darauf freuen, etwas zu tun; ***I'm looking forward to seeing you again*** ich freue mich darauf, dich wieder zu sehen

look into [ˌlʊk'ɪntʊ] **1.** hineinsehen, hineinschauen; ***look into the mirror*** in den Spiegel schauen; ***look into someone's eyes*** jemandem in die Augen schauen **2.** *übertragen* untersuchen, prüfen (*Vorfall, Beschwerde usw.*)

look out [ˌlʊk'aʊt] **1.** *von innen gesehen*: hinausblicken, hinausschauen **2.** *von außen gesehen*: herausblicken, herausschauen; ***look out of the window*** aus dem Fenster blicken **3.** aufpassen (***for*** auf), auf der Hut sein (***for*** vor); ***look out!*** pass auf!, Vorsicht! **4.** (≈ *suchen*) Ausschau halten (***for*** nach)

look round [ˌlʊk'raʊnd] → ***look around***

look through [ˌlʊk'θruː] **1.** blicken durch (*Fenster, Fernglas usw.*) **2.** (flüchtig) durchsehen, durchschauen (*Artikel, Brief, Text usw.*)

look up [ˌlʊk'ʌp] **1.** *von unten gesehen*: hinaufblicken, hinaufschauen **2.** *von oben gesehen*: heraufblicken, heraufschauen **3.** *übertragen* aufblicken (***to*** zu) **4.** *in Wörterbuch usw.*: nachschlagen (*Wort, Begriff*)

lookalike ['lʊkəˌlaɪk] *Person*: Doppelgänger(in)

looker-on [ˌlʊkər'ɒn] *Pl.*: ***lookers-on*** Zuschauer(in)

ook-in ['lʊkɪn] *umg.* Chance; ***I didn't get a look-in*** ich hatte keine Chance

ookout ['lʊkaʊt] **1.** ***be on the lookout*** Ausschau halten (***for*** nach) **2.** *mst. beim Militär*: Wache, Beobachtungsposten; ***act as lookout*** Schmiere stehen

oony[1] ['luːnɪ] *umg.* bekloppt, verrückt

oony[2] ['luːnɪ] *umg.* Verrückte(r)

oony bin ['luːnɪ‿bɪn] *umg.* Klapsmühle

oop [luːp] **1.** *von Straße usw.*: Schleife **2.** *von Flugzeug*: Looping, Überschlag **3.** *zur Empfängnisverhütung*: Spirale

oophole ['luːphəʊl] *übertragen* Schlupfloch, Hintertürchen; ***a loophole in the law*** eine Gesetzeslücke

oose[1] [luːs] **1.** *Zahn, Knopf usw.*: lose, locker; ***come loose*** (*Knopf usw.*) abgehen, (*Schraube usw.*) sich lockern; ***loose connection*** *Elektrotechnik*: Wackelkontakt **2.** ***break loose*** (*Hund usw.*) sich losreißen (***from*** von); ***let loose*** von der Leine lassen (*Hund*) **3.** *Ware*: offen, lose, unverpackt **4.** *Kleidungsstück*: lose sitzend, weit **5.** *Abmachung, Zusammenhang usw.*: lose **6.** *Übersetzung*: frei, ungenau

oose[2] [luːs] ***be on the loose*** (*Häftling usw.*) auf freiem Fuß sein

oose-leaf binder [ˌluːsliːf'baɪndə] Schnellhefter

oosen ['luːsn] **1.** lösen (*Knoten, Fesseln usw., auch Husten*); ***loosen someone's tongue*** *übertragen* jemandem die Zunge lösen **2.** lockern (*Schraube, Griff usw., auch Disziplin usw.*)

oot[1] [luːt] *bes. im Krieg*: Beute

oot[2] [luːt] plündern

ord [lɔːd] **1.** Herr, Gebieter (***of*** über) **2.** ***the Lord*** Gott, der liebe Gott; ***the Lord's Prayer*** das Vaterunser; ***the Lord's Supper*** das (heilige) Abendmahl **3.** *in GB*: Lord; ***the*** (***House of***) ***Lords*** das Oberhaus

Lord Mayor [ˌlɔːd'meə] *etwa*: Oberbürgermeister

orry ['lɒrɪ] *BE* Lastwagen, Lkw, Laster

ose [luːz], ***lost*** [lɒst], ***lost*** [lɒst] **1.** *allg.*: verlieren (*Geld, Interesse, Prozess, Sachen, Spiel usw.*); ***thousands lost their lives*** Tausende kamen ums Leben **2.** ***lose weight*** abnehmen; ***lose 10 pounds*** 10 Pfund abnehmen **3.** vergessen, verlernen (*Gelerntes*); ***I've lost my French*** ich habe mein Französisch verlernt **4.** (*Uhr*) nachgehen **5.** *in Wendungen*: ***lose heart*** den Mut verlieren; ***lose one's heart to someone*** sein Herz an jemanden verlieren; ***lose one's nerve*** die Nerven verlieren; ***lose one's temper*** die Beherrschung verlieren; ***lose one's way*** sich verlaufen; ***you can't lose*** du kannst (bei der Sache) nur gewinnen

loser ['luːzə] Verlierer(in); ***be a bad loser*** ein schlechter Verlierer sein, nicht verlieren können; ***be a born loser*** der geborene Verlierer sein

loss [lɒs] **1.** *allg.*: Verlust; ***loss of blood*** Blutverlust; ***loss of memory*** Gedächtnisschwund; ***loss of time*** Zeitverlust; ***dead loss*** *übertragen* hoffnungsloser Fall (*Person*); ***sell something at a loss*** etwas mit Verlust verkaufen; ***work at a loss*** mit Verlust arbeiten **2.** ***be at a loss*** in Verlegenheit sein, nicht mehr weiterwissen; ***be at a loss for words*** keine Worte finden

lost[1] [lɒst] *2. und 3. Form von* → ***lose***

lost[2] [lɒst] **1.** verloren; ***lost property office*** Fundbüro; ***be a lost cause*** *übertragen* aussichtslos sein **2.** ***be lost*** *Person*: sich verirrt haben, sich nicht mehr zurechtfinden (*auch übertragen*); ***get lost*** sich verirren **3.** ***get lost!*** *umg.* hau ab! **4.** ***be lost in*** vertieft sein in (*einem Buch usw.*); ***be lost in thought*** in Gedanken versunken *oder* gedankenversunken sein

lost-and-found [ˌlɒst‿ən'faʊnd] Fundbüro

lot[1] [lɒt] **1.** ***a lot*** viel(e), eine Menge; ***a lot of people*** *oder* ***lots of people*** viele Leute; ***a lot of money*** eine Menge Geld, viel Geld **2.** *verstärkend*: viel; ***that's a lot better*** das ist viel besser; ***a lot more slowly*** viel langsamer **3.** ***the whole lot*** *Sachen*: alles, das Ganze; ***I'll take the lot*** *in Geschäft usw.*: ich nehme alles **4.** ***the whole lot*** *Personen*: die ganze Gesellschaft, der ganze Haufen **5.** ***a bad lot*** *umg.*; *Person*: ein mieser Typ, *Personen*: ein mieses Pack

lot[2] [lɒt] **1.** *in Verlosung usw.*: Los; ***cast*** *oder* ***draw lots*** losen (***for*** um); ***the lot fell on*** *oder* ***to me*** das Los fiel auf mich **2.** (≈ *Fügung*) Los, Schicksal

lottery ['lɒtərɪ] **1.** Lotterie; ***lottery ticket*** Lotterielos, *im Lotto*: Tippschein; ***national lottery*** *in GB*: Lotto **2.** *übertragen* Glückssache, Lotteriespiel

loud [laʊd] **1.** *Musik, Geschrei usw.*: laut **2.** *Farben*: grell, schreiend

loudspeaker [ˌlaʊd'spiːkə] Lautsprecher

lounge [laʊndʒ] **1.** *in Haus, Wohnung*: Wohnzimmer **2.** *im Hotel usw.*: Salon **3.** ***departure lounge*** *Flughafen*: Abflughalle

louse[1] [laʊs] *Pl.*: ***lice*** [laɪs] *Insekt*: Laus

louse[2] [laʊs] *Pl.*: ***louses*** ['laʊsɪz] *umg.* Scheißkerl

lousy ['laʊzɪ] **1.** *umg.*; *Leistung, Wetter usw.*: lausig, mies **2.** *umg.*; *Summe*: lausig, poplig

lout [laʊt] Flegel, Rüpel
loutish ['laʊtɪʃ] flegelhaft, rüpelhaft
lovable ['lʌvəbl] *Person*: liebenswert, reizend
love[1] [lʌv] **1.** Liebe (***for*** zu); ***be in love*** verliebt sein (***with*** in); ***fall in love*** sich verlieben (***with*** in); ***make love to someone*** *sexuell*: jemanden lieben, mit jemandem schlafen **2.** ***love*** *Briefschluss*: herzliche Grüße, liebe Grüße; ***give my love to Peter*** grüße Peter von mir; ***Jenny sends her love*** Jenny lässt grüßen **3.** (≈ *Hingebung, Neigung*) Liebe (***of, for*** zu); ***love of adventure*** Abenteuerlust **4.** *Anrede für Partner*: Schatz, Liebling **5.** ***can I help you, love?*** *BE, umg.*; *in Geschäften usw.*: was darfs denn sein? **6.** *bes. Tennis*: null

love in Briefen

In Briefen ist die Schlussformel **Love, Sue** *usw.* unter guten Freunden und Familienangehörigen üblich, seltener jedoch unter Männern.

L

love als Anrede

Wundere dich nicht, wenn du – vor allem als junge Frau – mit **Love** angesprochen wirst. Das ist besonders bei Busschaffnern, Ladeninhabern usw. üblich und von ihnen immer nett gemeint.

love[2] [lʌv] **1.** *allg.*: lieben **2.** *übertragen* lieben, gerne mögen; ***love doing*** *oder* ***to do something*** etwas sehr gern tun; ***I love basketball*** *als Zuschauer*: ich find Basketball toll, *aktiv*: ich spiele gern Basketball; ***I'd love to come, but …*** ich würde sehr gerne kommen, aber …
loveable ['lʌvəbl] → ***lovable***
love bite ['lʌv‿baɪt] *BE, umg.* Knutschfleck
love letter ['lʌvˌletə] Liebesbrief
lovely ['lʌvlɪ] **1.** *Anblick, Frau, Haar, Kind, Stimme, Wetter usw.*: (wunder)schön **2.** *umg.* (≈ *toll*) prima, großartig
lover ['lʌvə] **1.** Liebhaber(in), Geliebte(r) **2.** ***lovers*** *Pl.* Liebespaar; ***they're lovers*** sie sind ein Liebespaar, *auch*: sie haben ein Verhältnis **3.** ***art lover*** Kunstliebhaber(in); ***a lover of sweets*** ein(e) Freund(-in) von Süßigkeiten
lovesick ['lʌvsɪk] ***be lovesick*** Liebeskummer haben
low[1] [ləʊ] **1.** *allg.*: niedrig (*Gebäude, Mauer, Zaun*; *auch Löhne, Temperatur usw.*); ***low-calorie*** *Diät, Essen*: kalorienarm; ***low-emission*** *Auto, Motor*: schadstoffarm **2.** tief (*auch übertragen*); ***a low bow*** [⚠ baʊ] eine tiefe Verbeugung; ***low clouds*** tief hängende Wolken; ***the sun is low*** die Sonne steht tief **3.** *Land usw.*: tief gelegen **4.** *Vorräte usw.*: knapp; ***get*** *oder* ***run low*** knapp werden, zur Neige gehen; ***we're getting*** *oder* ***running low on money*** uns geht allmählich das Geld aus; ***low on funds*** knapp bei Kasse **5.** *Stimmung*: niedergeschlagen, deprimiert; ***feel low*** in gedrückter Stimmung sein, sich elend fühlen; ***be in low spirits*** niedergeschlagen sein **6.** *Trick usw.*: gemein, niederträchtig; ***feel low*** sich gemein vorkommen **7.** *Ton*: tief **8.** *Ton, Stimme*: leise; ***in a low voice*** leise
low[2] [ləʊ] **1.** *Wetterlage*: Tief **2.** *übertragen* Tiefpunkt, Tiefstand; ***be at a new low*** einen neuen Tiefpunkt erreicht haben; ***all-time low*** absoluter Tiefststand
low-cost ['ləʊkɒst] *Produktion*: kostengünstig
lowdown ['ləʊdaʊn] ***give someone the lowdown*** *umg.* jemanden aufklären (***on*** über)
low-emission [ˌləʊ‿ɪ'mɪʃn] *Auto usw.*: schadstoffarm
lower[1] ['ləʊə] **1.** *allg.*: niedriger machen **2.** senken (*Augen, Preis, Stimme usw.*) **3.** *übertragen* erniedrigen; ***lower oneself*** sich herablassen (*zu etwas*) **4.** *mit Seil usw.*: herunterlassen, herablassen (*auch Rollos usw.*)
lower[2] ['ləʊə] **1.** niedriger (*auch übertragen*); ☞ ***low***[1] **2.** ***the lower classes*** *Pl.* die Unterschicht; ***lower deck*** *auf Schiff*: Unterdeck
Lower Austria [ˌləʊə(r)'ɒstrɪə] Niederösterreich
Lower Saxony [ˌləʊə'sæksənɪ] Niedersachsen
lowest ['ləʊɪst] **1.** niedrigste(r, -s) (*auch übertragen*); ☞ ***low***[1]; ***lowest bid*** *bei Auktion*: Mindestgebot **2.** unterste(r, -s)
low-fat [ˌləʊ'fæt] *Diät, Kost*: fettarm
low-income [ˌləʊ'ɪnkʌm] *Schichten*: einkommensschwach
lowlands ['ləʊləndz] *Pl.* Tiefland, Flachland
low-pressure [ˌləʊ'preʃə] ***low-pressure area*** Tiefdruckgebiet
low season ['ləʊˌsiːzn] *Tourismus*: Vorsaison *bzw.* Nachsaison, Nebensaison
low tide [ˌləʊ'taɪd], **low water** [ˌləʊ'wɔːtə] *am Meer*: Niedrigwasser, Ebbe
loyal ['lɔɪəl] treu, loyal (***to*** gegenüber)
loyalty ['lɔɪəltɪ] Treue, Loyalität (***to*** zu)

L-plate ['elpleɪt] (*Abk. für* **l**earner) *am Auto*: *Schild mit einem roten L, als Zeichen dafür, dass ein Fahrschüler fährt*

luck [lʌk] **1.** Schicksal, Zufall; ***as luck would have it*** wie es der Zufall wollte; ***bad*** *oder* ***hard luck*** Pech (***on*** für); ***good luck*** Glück; ***good luck!*** viel Glück! **2.** Glück; ***for luck*** als Glücksbringer; ***be in luck*** Glück haben; ***be out of luck*** kein Glück haben; ***try one's luck*** sein Glück versuchen; ☞ ***happiness***

good and bad luck
Glück und Pech

Wenn du in England dein Glück suchst, musst du dich ein bisschen umschauen – die Glücksbringer unterscheiden sich manchmal von den deutschen.
Ein Hufeisen steht aber auch auf der Insel für **good luck** (Glück), genauso ein **four-leaf clover** (vierblättriges Kleeblatt), solltest du eins finden. Aber pass auf, wenn du Salz auf den Tisch schüttest. Das bedeutet Pech – **bad luck**. Da hilft nur eins: Etwas Salz über die linke Schulter werfen und spucken, um den Teufel fortzujagen!
Auf Holz klopft man nur in Amerika (**knock on wood**) – in England heißt es dagegen **touch wood**. Und um sich das Glück zu holen, drückt man nicht die Daumen! Man sagt: **I'll keep my fingers crossed**. Das bedeutet zwar *Ich drücke dir die Daumen*, heißt aber wörtlich übersetzt ‚Ich halte meine Finger übereinander geschlagen'.

luckily ['lʌkɪlɪ] zum Glück, glücklicherweise; ***luckily for me*** zu meinem Glück

lucky ['lʌkɪ] ***be*** (***very***) ***lucky*** (großes) Glück haben (⚠ *glücklich sein* = ***be happy***); ***lucky day*** Glückstag; ***lucky fellow*** Glückspilz; ***lucky charm*** Glücksbringer; ***you lucky thing!*** hast du ein Glück!; ☞ ***happy***

lucrative ['luːkrətɪv] *Geschäft usw.*: einträglich, lukrativ

lucre ['luːkə] ***filthy lucre*** *oft humorvoll* schnöder Mammon

ludicrous ['luːdɪkrəs] **1.** *allg.*: lächerlich **2.** *Lohn, Preis usw.*: lachhaft, lächerlich

ludo ['luːdəʊ] *BE*; *Würfelspiel*: Mensch, ärgere dich nicht

lug [lʌg] ***lugged, lugged*** **1.** schleppen **2.** zerren, schleifen

luggage ['lʌgɪdʒ] Gepäck; ***luggage locker*** Gepäckschließfach; ***luggage reclaim*** Gepäckausgabe

luggage allowance ['lʌgɪdʒ‿əˌlaʊəns] *bei Flugreisen*: Freigepäck

luggage locker ['lʌgɪdʒˌlɒkə] Gepäckschließfach

lughole ['lʌghəʊl] *BE*, *humorvoll* Ohr

lukewarm [ˌluːk'wɔːm] **1.** *Wasser*: lauwarm (*auch übertragen*) **2.** *Unterstützung usw.*: halbherzig **3.** *Applaus usw.*: lau, mäßig

lullaby [⚠ 'lʌləbaɪ] Wiegenlied

lumber[1] ['lʌmbə] **1.** schwerfällig gehen **2.** ***get lumbered with something*** *BE*, *umg.* etwas aufgehalst bekommen

lumber[2] ['lʌmbə] **1.** *BE*, *umg.* Gerümpel **2.** Bauholz, Nutzholz

lumberjack ['lʌmbədʒæk] Holzfäller

lumber room ['lʌmbə‿ruːm] Rumpelkammer

lump [lʌmp] **1.** *aus Erde, Lehm usw.*: Klumpen; ***have a lump in one's throat*** *übertragen* einen Kloß im Hals haben **2.** *Zukker*: Stück **3.** *auf der Haut*: Schwellung, Beule **4.** *im Körper*: Geschwulst, *in der Brust*: Knoten **5.** *übertragen* Gesamtheit, Masse

lunacy ['luːnəsɪ] Wahnsinn (*auch übertragen*); ***it's sheer lunacy*** das ist reiner Wahnsinn

lunar ['luːnə] Mond…: ***lunar eclipse*** Mondfinsternis; ***lunar module*** Mondlandefähre

lunatic[1] [⚠ 'luːnətɪk] *abwertend* verrückt (*Idee, Benehmen usw.*); ***lunatic fringe*** *in Partei usw.*: extremistische Randgruppe

lunatic[2] [⚠ 'luːnətɪk] **1.** *tabu* Wahnsinnige(r), Geistesgestörte(r) **2.** *übertragen* Verrückte(r)

lunch [lʌntʃ] Mittagessen; ***have lunch*** zu Mittag essen; ***lunch break*** Mittagspause

luncheon voucher ['lʌntʃənˌvaʊtʃə] Essensbon, Essensmarke

lunchtime ['lʌntʃtaɪm] Mittagszeit; ***at lunchtime*** zur Mittagszeit

lung [lʌŋ] *Organ*: Lungenflügel; ***lungs*** *Pl.* Lunge

lure[1] [lʊə] anlocken, ködern (*auch übertragen*)

lure[2] [lʊə] **1.** *beim Angeln*: Köder (***to*** für) (*auch übertragen*) **2.** *übertragen* Lockung, Reiz

lurk [lɜːk] lauern (*auch übertragen*)

lush [lʌʃ] *Gras usw.*: saftig, *Vegetation*: üppig

lust [lʌst] **1.** *sexuell*: Lust, Begierde **2.** Gier (***of, for*** nach); ***lust for power*** Machtgier

Luxembourg, **Luxemburg** ['lʌksəmbɜːg] Luxemburg

luxuriant [⚠ lʌg'zjʊərɪənt, lʌg'ʒʊərɪənt] *Vegetation*: üppig

luxurious [⚠ lʌg'zjʊərɪəs, lʌg'ʒʊərɪəs] **1.**

L

Hotel, Auto usw.: luxuriös, Luxus…, komfortabel **2.** *Lebensstil*: verschwenderisch, genusssüchtig
luxury ['lʌkʃərɪ] **1.** *allg.*: Luxus **2.** *Gegenstand*: Luxusartikel; ***a luxury car*** ein Wagen der Luxusklasse
lying ['laɪɪŋ] *-ing-Form von →* ***lie***[2] *und* ***lie***[4]
lynch [lɪntʃ] lynchen
lynch law ['lɪntʃ‿lɔː] Lynchjustiz
lynx [lɪŋks] *Wildkatze*: Luchs
lyric ['lɪrɪk] *Autor*: lyrisch (*auch Stimmung, Gefühl*)
lyrical ['lɪrɪkl] **1.** *Text, Beschreibung, Lied*: lyrisch **2.** *übertragen* schwärmerisch; ***get lyrical*** ins Schwärmen geraten
lyricist ['lɪrɪsɪst] **1.** Lyriker(in) **2.** *von Lied*: Texter(in)
lyrics ['lɪrɪks] *Pl. von Lied*: Text

M

ma [mɑː] *umg.* Mama, Mutti
MA [ˌem'eɪ] (*Abk. für* **M**aster of **A**rts) *Universitätsabschluss*: Magister Artium
ma'am [mæm] **1.** *förmliche Anrede*: gnädige Frau **2.** *Anrede für Queen*: Majestät
mac [mæk] *umg.* Regenmantel

> ## mac
> **Mac** ist die Kurzform für das Wort **mackintosh**, das nach dem schottischen Erfinder des Regenmantels geprägt wurde.

macabre [mə'kɑːbrə] makaber
macaroni [ˌmækə'rəʊnɪ] (⚠ *nur im Sg. verwendet*) Makkaroni *Pl.*
Macedonia [ˌmæsɪ'dəʊnɪə] Makedonien, Mazedonien
machine [mə'ʃiːn] **1.** *allg.*: Maschine (*umg. auch Flugzeug, Motorrad usw.*) **2.** *zu bestimmtem Zweck*: Apparat, Automat **3.** *Politik usw.*: Apparat; ***the propaganda machine*** der Propagandaapparat
machine gun [mə'ʃiːn‿gʌn] Maschinengewehr
machine-made [məˌʃiːn'meɪd] maschinell hergestellt
machine-readable [məˌʃiːn'riːdəbl] *Ausweis, Text*: maschinenlesbar
machinery [mə'ʃiːnərɪ] **1.** *in Fabrik*: Maschinen *Pl.* **2.** *übertragen* Maschinerie, Räderwerk **3.** *Politik usw.*: Apparat
mackerel ['mækrəl] *Pl.*: ***mackerel*** *Fisch*: Makrele
mackintosh ['mækɪntɒʃ] *bes. BE* Regenmantel
mad [mæd], ***madder, maddest*** **1.** (≈ *geisteskrank*) wahnsinnig, verrückt (***with*** vor) (*beide auch übertragen*); ***go mad*** verrückt werden; ***drive someone mad*** jemanden verrückt machen; ***like mad*** wie verrückt; ***you must be stark raving mad!*** *umg.* du musst komplett verrückt sein! **2.** ***be mad about*** *oder* ***on*** *übertragen* wild *oder* versessen sein auf, verrückt sein nach; ***be mad about soccer*** fußballverrückt sein; ***be mad keen on*** *umg.* ganz scharf sein auf (*Person, Sache*) **3.** *umg.*; *vor Aufregung usw.*: außer sich, verrückt (***with*** vor) **4.** *bes. AE, umg.* wütend (***at, about*** über, auf) **5.** *Stier usw.*: wild (geworden) **6.** *Hund usw.*: tollwütig
madam ['mædəm] *Anrede*: gnädige Frau; ***Dear Sir or Madam***, *als Anrede in Brief*: Sehr geehrte Damen und Herren,
madcap[1] ['mædkæp] *umg.* Spinner
madcap[2] ['mædkæp] *Vorhaben usw.*: verrückt
mad cow disease [ˌmæd'kaʊ‿dɪˌziːz] *Krankheit*: Rinderwahn(sinn); ☞ ***BSE***
madden ['mædn] verrückt machen (*auch übertragen*)
maddening ['mædnɪŋ] unerträglich; ***it's maddening*** es ist zum Verrücktwerden
made[1] [meɪd] *2. und 3. Form von →* ***make***
made[2] [meɪd] ***a made man*** ein gemachter Mann
made-to-measure [ˌmeɪdtə'meʒə] *Anzug, Kleid usw.*: nach Maß angefertigt, Maß…
made-up [ˌmeɪd'ʌp] **1.** *Geschichte*: frei erfunden **2.** *Gesicht*: geschminkt
madhouse ['mædhaʊs] *umg.* Tollhaus
madly ['mædlɪ] **1.** wie verrückt **2.** *umg.* wahnsinnig, schrecklich; ***I love her madly*** ich liebe sie wahnsinnig
madman ['mædmən] *Pl.*: ***madmen*** ['mædmən] Verrückter, Irrer
madness ['mædnəs] Wahnsinn (*auch*

übertragen); ***sheer madness*** heller *oder* blanker Wahnsinn

mag [mæg] *umg.* Magazin, Zeitschrift

magazine [ˌmægəˈziːn] **1.** (≈ *Illustrierte*) Magazin, Zeitschrift; ***a women's magazine*** eine Frauenzeitschrift **2.** *von Pistole, Kamera usw.*: Magazin

magic[1] [ˈmædʒɪk] **1.** Magie, Zauberei; ***as if by magic*** *oder* ***like magic*** wie durch Zauberei **2.** (≈ *Faszination*) Zauber

magic[2] [ˈmædʒɪk] **1.** magisch, Zauber…; ***magic carpet*** fliegender Teppich; ***magic trick*** Zaubertrick, Zauberkunststück; ***magic wand*** Zauberstab **2.** *umg.* klasse, toll

magician [məˈdʒɪʃn] **1.** Magier, Zauberer **2.** *Künstler*: Zauberer, Zauberkünstler

magnet [ˈmægnɪt] Magnet (*auch übertragen*)

magnetic [mægˈnetɪk] **1.** magnetisch, Magnet…; ***magnetic field*** *Physik*: Magnetfeld; ***magnetic pole*** *Physik*: Magnetpol **2.** *übertragen* magnetisch, faszinierend

magnetism [ˈmægnətɪzm] **1.** *Physik*: Magnetismus **2.** *übertragen* Anziehungskraft

magnetize [ˈmægnətaɪz] **1.** magnetisieren (*Metall*) **2.** *übertragen* anziehen, fesseln

magnificent [mægˈnɪfɪsənt] großartig, prächtig, herrlich

magnify [ˈmægnɪfaɪ] **1.** vergrößern; ***magnifying glass*** Vergrößerungsglas, Lupe **2.** *übertragen* aufbauschen (*Vorfall usw.*)

magpie [ˈmægpaɪ] *Vogel*: Elster

maid [meɪd] Dienstmädchen, Hausangestellte

maiden [ˈmeɪdn] **1.** ***maiden name*** Mädchenname (*einer verheirateten Frau*) **2.** Jungfern…; ***maiden voyage*** *von Schiff*: Jungfernfahrt

mail[1] [meɪl] **1.** *allg.*: Post, Postsendung; ***incoming mail*** Posteingang; ***outgoing mail*** Postausgang **2.** ***send something by mail*** etwas mit der Post versenden

mail[2] [meɪl] aufgeben, einwerfen (*Brief, Postkarte usw.*)

mailbox [ˈmeɪlbɒks] *bes. AE* Briefkasten

mailman [ˈmeɪlmæn] *Pl.*: ***mailmen*** [ˈmeɪlmen] *bes. AE* Postbote, Briefträger

mail-order [ˌmeɪlˈɔːdə] ***mail-order catalogue*** Versandhauskatalog; ***mail-order firm*** *oder* ***house*** Versandhaus

main[1] [meɪn] Haupt…, wichtigste(r, -s); ***main subject*** *Schule, Universität*: Hauptfach; ***main reason*** Hauptgrund; ***main thing*** Hauptsache; ***main clause*** *Sprache*: Hauptsatz

main[2] [meɪn] **1.** *oft* ***mains*** *Pl. für Gas, Wasser, Strom*: Hauptleitung **2.** ***in the main*** hauptsächlich, in der Hauptsache

mainframe [ˈmeɪnfreɪm] *Computer*: Großrechner

mainland [ˈmeɪnlənd] Festland

mainly [ˈmeɪnlɪ] hauptsächlich, vorwiegend

mains [meɪnz] *Pl.* (⚠ *mit Sg. oder Pl. verwendet*) Stromnetz; ***mains cable*** Netzkabel

maintain [meɪnˈteɪn] **1.** aufrechterhalten, beibehalten (*Zustand*) **2.** halten (*Preis, Standard usw.*) **3.** instand halten, pflegen (*Haus usw.*) **4.** warten (*Auto, Maschine*) **5.** unterhalten, versorgen (*Familie usw.*) **6.** behaupten, beteuern (*Unschuld usw.*)

maintenance [ˈmeɪntənəns] **1.** *von Haus usw.*: Instandhaltung **2.** *von Maschine, Auto usw.*: Wartung; ***maintenance-free*** wartungsfrei **3.** *für Familie*: Unterhalt

maize [meɪz] *bes. BE* Mais

majesty [ˈmædʒəstɪ] Majestät (*auch übertragen*); ***Your Majesty*** *Anrede*: Eure Majestät

major[1] [ˈmeɪdʒə] **1.** *Offizier*: Major **2.** *AE; Universität*: Hauptfach **3.** Volljährige(r); ***become a major*** volljährig werden **4.** *Musik*: Dur; ***E major*** E-Dur

major[2] [ˈmeɪdʒə] **1.** *Reparatur, Änderung usw.*: größer; ***major changes*** größere Veränderungen **2.** *Autor, Künstler usw.*: bedeutend, wichtig

Majorca [məˈjɔːkə] Mallorca

majority [məˈdʒɒrətɪ] **1.** *bei Wahlen usw.*: Mehrheit; ***by a large majority*** mit großer Mehrheit; ***in the majority of cases*** in der Mehrzahl der Fälle; ***majority of votes*** Stimmenmehrheit; ***be in the majority*** in der Mehrzahl sein; ***majority decision*** Mehrheitsbeschluss **2.** Volljährigkeit; ***reach one's majority*** volljährig werden

make[1] [meɪk], ***made*** [meɪd], ***made*** [meɪd] **1.** *allg.*: machen (*Bemerkung, Fehler, Reise, Vorschlag usw.*); ***make a speech*** eine Rede halten; ***make a decision*** eine Entscheidung treffen **2.** anfertigen (*Kleidung*) **3.** herstellen, erzeugen (*Industrieprodukte, wie Fernseher, Autos usw.*) **4.** zubereiten (*Speisen, Tee usw.*) **5.** backen (*Brot, Kuchen*) **6.** machen, erzielen (*Gewinn, Profit*) **7.** machen, erwerben (*Vermögen*) **8.** (er)schaffen; ***he's made for this job*** er ist für diese Arbeit wie geschaffen **9.** machen, ergeben, sein (*Summe usw.*); ***3 plus 4 makes 7*** 3 plus 4 macht *oder* ist 7 **10.** machen, verursachen (*Geräusch, Schwierigkeiten, Ärger usw.*) **11.** machen zu, ernennen zu; ***make some-***

M

one head of department jemanden zum Abteilungsleiter ernennen **12.** ***make someone angry*** jemanden zornig machen *oder* erzürnen; ***make someone happy*** jemanden glücklich machen **13.** (*Person*) sich erweisen als; ***I wouldn't make a good teacher*** ich würde keinen guten Lehrer abgeben; ***make a fool of oneself*** sich lächerlich machen **14.** *mit Infinitiv*: ***make someone do something*** jemanden etwas tun lassen, jemanden dazu bringen, etwas zu tun; ***make someone wait*** jemanden warten lassen; ***make someone talk*** jemanden zum Sprechen bringen; ***don't make me laugh!*** *mst. ironisch*: bring mich nicht zum Lachen! **15.** ***what do you make of it?*** was halten Sie davon?; ***I don't know what to make of her*** ich weiß nicht, was ich von ihr halten soll **16.** *umg.* erwischen, erreichen (*Zug, Bus usw.*); ***make it*** es schaffen; ☞ *Info unter dt.* **machen**

make for ['meɪk‿fə] **1.** *auf Person oder Ziel*: zugehen *oder* lossteuern auf **2.** *bei Reise usw.*: sich aufmachen nach **3.** *zu einem Zweck*: förderlich sein, dienen, beitragen zu; ***it doesn't make for friendly relations*** es fördert nicht gerade freundschaftliche Beziehungen
make off with [ˌmeɪk'ɒf‿wɪð] (≈ *stehlen*) sich davonmachen mit
make out [ˌmeɪk'aʊt] **1.** ausstellen (*Scheck usw.*) **2.** ausfertigen (*Urkunde usw.*) **3.** aufstellen (*Liste*, *Rechnung usw.*) **4.** (≈ *erblicken*) ausmachen, erkennen **5.** (≈ *verstehen*) klug *oder* schlau werden aus **6.** ***make someone out to be a liar*** jemanden als Lügner hinstellen
make over [ˌmeɪk'əʊvə] übertragen, vermachen (*Eigentum*)
make up [ˌmeɪk'ʌp] **1.** erfinden, sich ausdenken (*Geschichte usw.*) **2.** schminken (*Person*, *Gesicht*) **3.** zurechtmachen, zubereiten (*Arznei usw.*); ***be made up of*** bestehen aus, sich zusammensetzen aus **4.** anfertigen, aufstellen (*Liste*, *Tabelle usw.*) **5.** ***make up one's mind*** sich entscheiden **6.** nachholen, wettmachen (*Versäumtes*) **7.** *umg.*; *nach Streit*: sich wieder vertragen (***with*** mit)
make up for [ˌmeɪk'ʌp‿fə] wieder gutmachen, wettmachen (*Enttäuschung*, *Unrecht usw.*)

make[2] [meɪk] *von Auto, Uhr usw.*: Marke, Fabrikat

maker ['meɪkə] **1.** *von Ware*: Hersteller **2.** ***the Maker*** (≈ *Gott*) der Schöpfer
makeshift ['meɪkʃɪft] provisorisch, Behelfs…
make-up ['meɪkʌp] **1.** (≈ *Schminke*) Make-up; ***without make-up*** *auch*: ungeschminkt **2.** *Film usw.*: Maske **3.** *von Gruppe*, *Team usw.*: Zusammensetzung
making ['meɪkɪŋ] **1.** *von Waren usw.*: Erzeugung, Herstellung, Fabrikation; ***be in the making*** noch in Arbeit sein **2.** ***an actress in the making*** eine angehende Schauspielerin **3.** ***he has the making of a politician*** er hat das Zeug zum Politiker
male[1] [meɪl] männlich; ***male choir*** Männerchor; ***male nurse*** Krankenpfleger
male[2] [meɪl] **1.** *Person*: Mann **2.** *Tier*: Männchen
malfunction[1] [ˌmæl'fʌŋkʃn] **1.** *medizinisch*: Funktionsstörung **2.** *von Maschine usw.*: schlechtes Funktionieren, Versagen
malfunction[2] [ˌmæl'fʌŋkʃn] (*Maschine usw.*) schlecht funktionieren, versagen
malice ['mælɪs] **1.** Böswilligkeit **2.** ***bear someone malice*** einen Groll auf jemanden haben
malicious [mə'lɪʃəs] **1.** *Person*, *Worte*: boshaft, gehässig **2.** *Tat usw.*: böswillig, *juristisch auch*: vorsätzlich
malignant [mə'lɪgnənt] ↔ ***benign***; *Tumor usw.*: bösartig
malinger [mə'lɪŋgə] sich krank stellen, simulieren
mall [mɔːl] *bes. AE* Einkaufszentrum

mall

Mall oder **shopping mall** nennt man ein großes, meist überdachtes Einkaufszentrum, in dem eine große Auswahl an diversen Geschäften untergebracht ist. Die größte **mall** der Welt, **The Mall of America**, erstreckt sich über 32 Hektar und befindet sich nahe der Städte St Paul und Minneapolis im Staat Minnesota.

malnutrition [ˌmælnjuː'trɪʃn] Unterernährung
malpractice [ˌmæl'præktɪs] **1.** *allg.*: Vernachlässigung der beruflichen Sorgfalt **2.** *Medizin*: (ärztlicher) Kunstfehler
malt [mɔːlt] Malz
Malta ['mɔːltə] Malta
Maltese[1] [ˌmɔːl'tiːz] maltesisch
Maltese[2] [ˌmɔːl'tiːz] *Sprache*: Maltesisch
Maltese[3] [ˌmɔːl'tiːz] Malteser(in)

The British Isles
Loch Ness
Aberdeen
Scotland
Glasgow
Edinburgh
2
Northern Ireland
Londonderry
Lough
Neagh
Belfast
Isle of Man
Newcastle
River Tyne
Republic of Ireland
1
River
Shannon
Dublin
Liverpool
Manchester
River Mersey
Irish Sea
3
England
Cork
Wales
Cardiff
London
River Thames
Dover
4
6
English Channel
5
1 Guinness®
2 Hadrian's Wall
3 Shakespeare, William
4 Stonehenge
5 ferry
6 Channel Tunnel

The United States of America

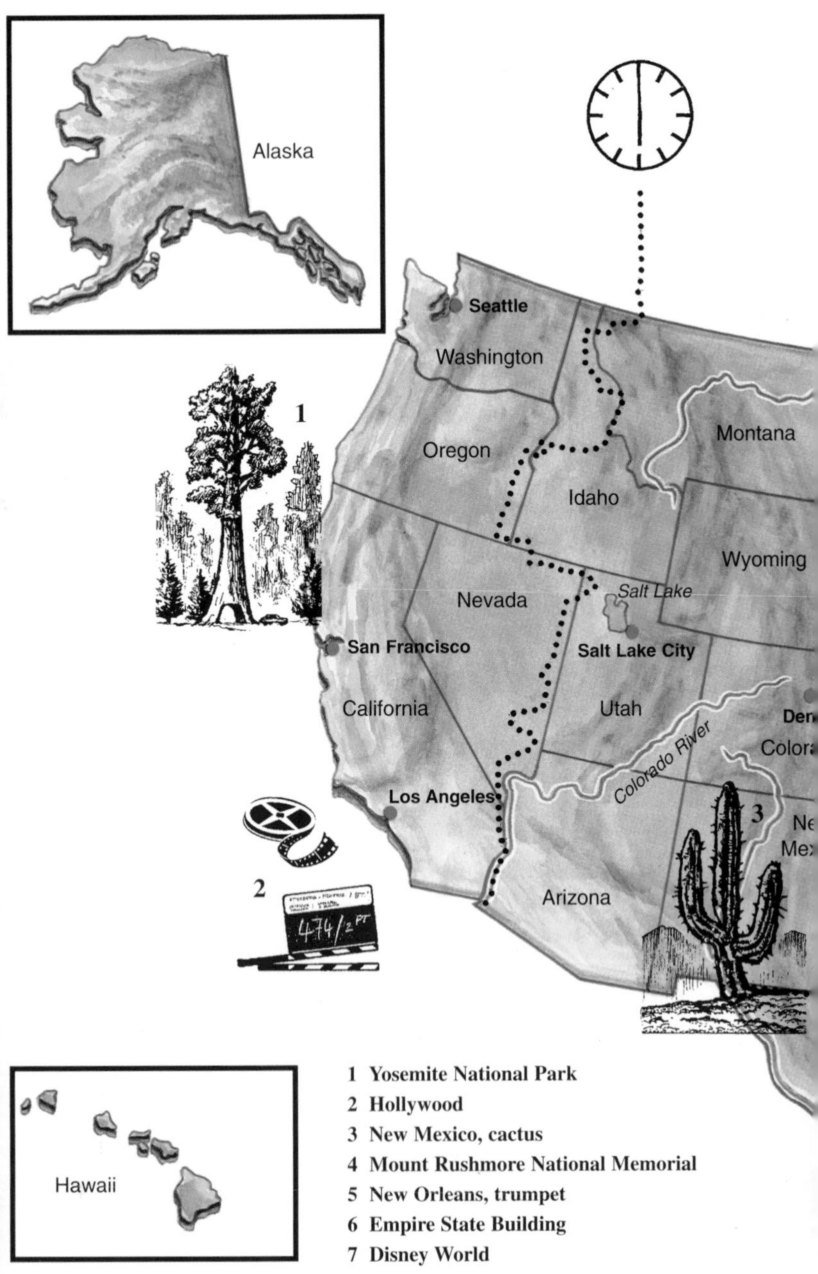

1 Yosemite National Park
2 Hollywood
3 New Mexico, cactus
4 Mount Rushmore National Memorial
5 New Orleans, trumpet
6 Empire State Building
7 Disney World

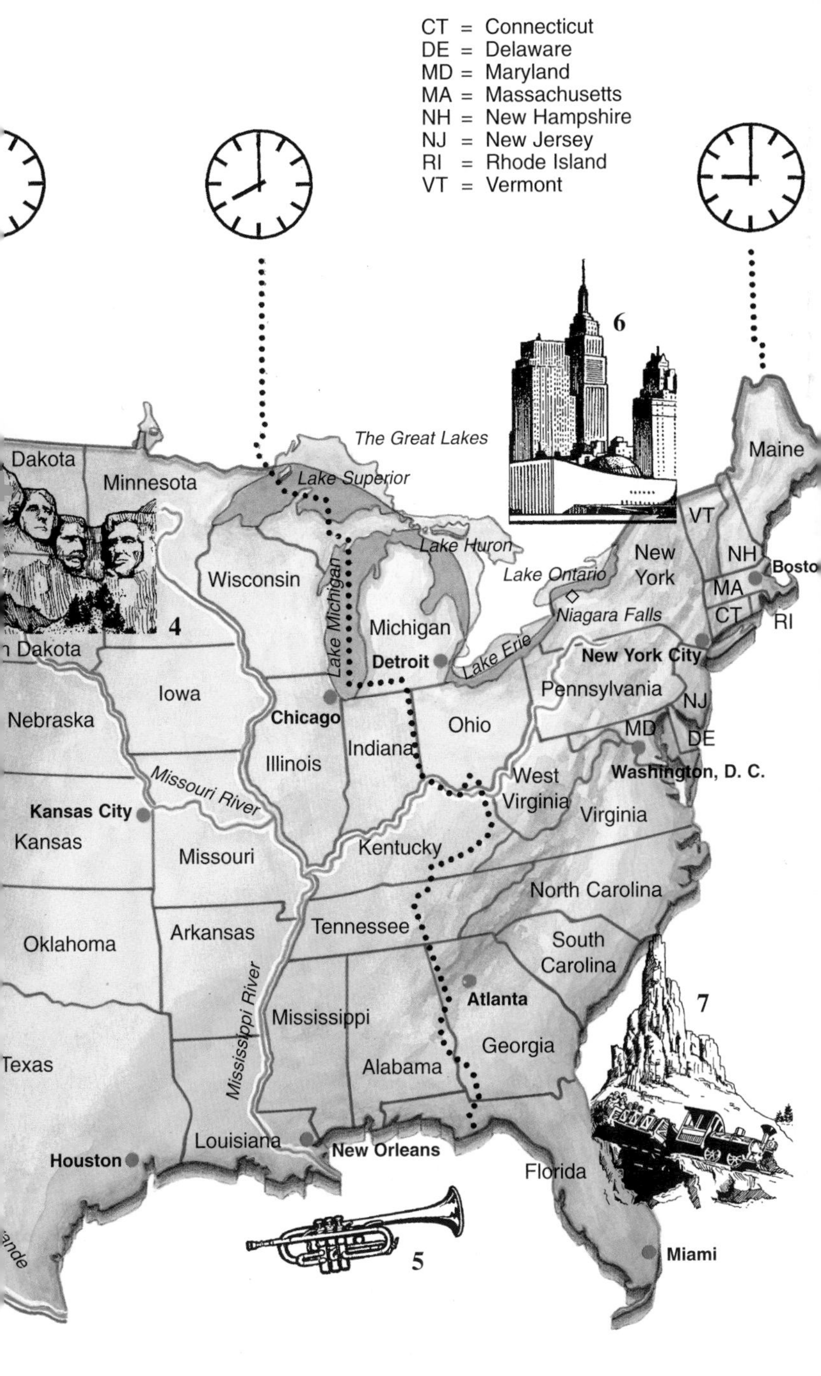
CT = Connecticut
DE = Delaware
MD = Maryland
MA = Massachusetts
NH = New Hampshire
NJ = New Jersey
RI = Rhode Island
VT = Vermont
6
The Great Lakes
Dakota
Minnesota
Lake Superior
Maine
VT
Lake Huron
New York
NH
Boston
Wisconsin
Lake Michigan
Lake Ontario
MA
Niagara Falls
CT
RI
4
Michigan
Dakota
Detroit
Lake Erie
New York City
Iowa
Pennsylvania
Nebraska
Chicago
NJ
Ohio
MD
DE
Indiana
Illinois
West Virginia
Washington, D. C.
Missouri River
Kansas City
Virginia
Kansas
Kentucky
Missouri
North Carolina
Tennessee
Oklahoma
Arkansas
South Carolina
Mississippi River
Atlanta
7
Mississippi
Georgia
Texas
Alabama
Louisiana
New Orleans
Houston
Florida
5
Miami

Australia and New Zealand

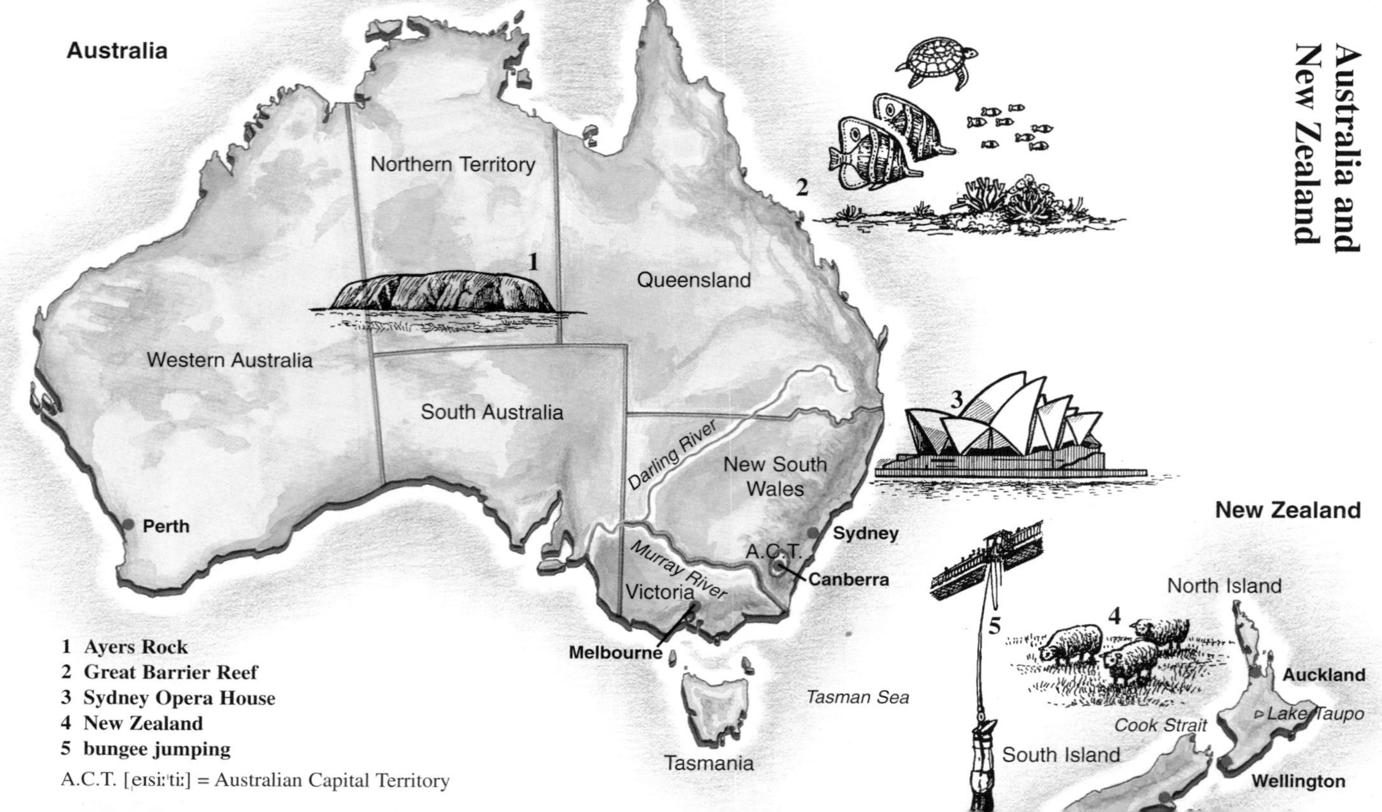

1 Ayers Rock
2 Great Barrier Reef
3 Sydney Opera House
4 New Zealand
5 bungee jumping

A.C.T. [eɪsiːˈtiː] = Australian Capital Territory

maltreat [ˌmælˈtriːt] **1.** *allg.*: schlecht behandeln **2.** *gewaltsam*: misshandeln
maltreatment [ˌmælˈtriːtmənt] **1.** *allg.*: schlechte Behandlung **2.** *gewaltsam*: Misshandlung
mammal [ˈmæml] Säugetier
man [mæn] *Pl.*: ***men*** [men] **1.** *Gattungsbegriff*: der Mensch, die Menschen **2.** ↔ ***woman***; Mann; ***make a man out of someone*** einen Mann aus jemandem machen **3.** *verallgemeinernd*: Mann, Person, jemand, man; ***every man*** jedermann; ***no man*** niemand; ***man by man*** Mann für Mann; ***to a man*** bis auf den letzten Mann; ***the man in the street*** der Mann auf der Straße **4.** *umg.*; *Anrede*: Mann, Mensch; ***tell me, man ...*** sag mal, Mensch ... **5.** *Damespiel*: Stein **6.** *Schach*: Figur
manage [ˈmænɪdʒ] **1.** leiten, führen (*Betrieb usw.*) **2.** managen (*Künstler, Sportler usw.*) **3.** zustande bringen, es fertig bringen (***to do*** zu tun); ***how did you manage to get the job?*** wie hast du es fertig gebracht, den Job zu kriegen? **4.** *umg.* bewältigen, schaffen (*Arbeit, Essen usw.*); ***can you manage?*** geht es?, schaffst du es?; ***I can manage*** es geht **5.** auskommen (***with*** mit; ***without*** ohne) **6.** es einrichten *oder* ermöglichen; ***can you manage Tuesday?*** passt es dir am Dienstag?
management [ˈmænɪdʒmənt] **1.** *Wirtschaft*: Management, Unternehmensführung; ***management consultant*** Unternehmensberater **2.** *Führungspersonal*: Geschäftsleitung, Direktion; ***under new management*** unter neuer Leitung, *Geschäft usw.*: neu eröffnet **3.** *von Wohnanlage usw.*: Verwaltung
manager [ˈmænɪdʒə] **1.** *Wirtschaft, allg.*: Manager(in) **2.** *Führungskraft*: Geschäftsführer(in), Leiter(in), Direktor(in) **3.** *von Sportler, Künstler usw.*: Manager(in) **4.** *von Zweigstelle usw.*: Filialleiter(in); ***bank manager*** Filialleiter(in) einer Bank **5.** *Fußball*: (Chef)Trainer **6.** *von Wohnanlage usw.*: Verwalter(in)
managerial [ˌmænəˈdʒɪərɪəl] ***managerial position*** leitende Stellung
managing [ˈmænɪdʒɪŋ] *Wirtschaft*: geschäftsführend, leitend; ***managing director*** *von großer Firma*: Geschäftsführer(in), Generaldirektor(in)
mane [meɪn] *von Pferd, Löwe*: Mähne (*auch übertragen von Menschen*)
man-eater [ˈmænˌiːtə] **1.** *Raubtier*: Menschenfresser **2.** *umg.* (≈ *Frau*) Vamp
maneuver[1] [məˈnuːvə] *AE* Manöver; ☞ ***manoeuvre***[1]
maneuver[2] [məˈnuːvə] *AE* manövrieren; ☞ ***manoeuvre***[2]
Man Friday [ˌmænˈfraɪdeɪ] **1.** *Romanfigur aus Robinson Crusoe*: Freitag **2.** *umg.* Mädchen für alles

Manhattan

Manhattan ist der kleinste der fünf Bezirke von New York City. Die anderen sind **The Bronx, Brooklyn, Queens** und **Staten Island** [ˌstætnˈaɪlənd]. **Manhattan** ist eine Insel im Mündungsgebiet des **Hudson River** und bildet das Wirtschafts- und Kulturzentrum der Stadt.

manhood [ˈmænhʊd] **1.** Mannesalter; ***reach manhood*** ins Mannesalter kommen **2.** (≈ *Mut usw.*) Männlichkeit
man-hour [ˈmænˌaʊə] Arbeitsstunde
manhunt [ˈmænhʌnt] *nach Verbrecher*: (Groß)Fahndung, Verbrecherjagd
mania [ˈmeɪnɪə] **1.** *Krankheit*: Manie, Wahn; ***persecution mania*** Verfolgungswahn **2.** *übertragen* Sucht (***for*** nach), Leidenschaft (***for*** für); ***mania for cleanliness*** Sauberkeitsfimmel; ***have a mania for ...*** verrückt sein nach ...
maniac [ˈmeɪnɪæk] **1.** *medizinisch*: Wahnsinnige(r), Verrückte(r) **2.** *übertragen* Fanatiker(in); ***car maniac*** Autonarr
manifesto [ˌmænɪˈfestəʊ] *Pl.* ***manifestoes*** *oder* ***manifestos*** **1.** *von Partei, Gewerkschaft usw.*: Manifest **2.** *in GB, von Partei*: Wahlprogramm
manipulate [məˈnɪpjʊleɪt] **1.** manipulieren (*Person, Wahlen usw.*) **2.** frisieren (*Konto usw.*)
manipulation [məˌnɪpjʊˈleɪʃn] **1.** *allg.*: Manipulation **2.** *von Konto*: Frisieren
mankind [⚠ mænˈkaɪnd] die Menschheit, die Menschen *Pl.*
manly [ˈmænlɪ] männlich, Männer...
man-made [ˌmænˈmeɪd] *See usw.*: künstlich; ***man-made fibres*** Kunstfasern
manned [mænd] *Raumfahrt usw.*: bemannt
manner [ˈmænə] **1.** Art, Weise; ***in this manner*** auf diese Art und Weise, so; ***in a manner of speaking*** sozusagen **2.** (≈ *Gehabe*) Betragen, Auftreten; ***it's just his manner*** das ist so seine Art; ***he behaved in such a manner that ...*** er benahm sich so *oder* derart, dass ...
manners [ˈmænəz] *Pl.* **1.** Benehmen, Umgangsformen, Manieren; ***it's bad manners to ...*** es gehört *oder* schickt sich nicht zu ...; ***that's bad manners*** das gehört sich nicht **2.** *einer Gesellschaft*: Sitten, Sitten und Gebräuche

M

manoeuvre[1] [mə'nuːvə] **1.** *auch* ***manoeuvres*** *Pl. militärisch*: Manöver; ***be on manoeuvres*** im Manöver sein; ***room for manoeuvre*** *übertragen* Handlungsspielraum **2.** *übertragen* Manöver, Schachzug, List

manoeuvre[2] [mə'nuːvə] manövrieren (*auch übertragen*)

manor [⚠ 'mænə] *BE* **1.** Landgut, Gutshof **2.** *auch* ***manor house*** Herrenhaus

manpower ['mæn,paʊə] **1.** Arbeitskraft, Arbeitspotenzial **2.** Personal; ***manpower shortage*** Arbeitskräftemangel

mansion ['mænʃn] **1.** Villa **2.** *von altem Adelsgeschlecht*: Herrenhaus **3.** *mst.* ***Mansions*** *Pl. bes. BE bezeichnet in Adressen ein Mietshaus mit vielen Wohnungen und Apartments*

manslaughter ['mæn,slɔːtə] Totschlag

man-to-man [,mæntə'mæn] **1.** *Gespräch usw.*: von Mann zu Mann **2.** *Sport*: ***man-to-man defence*** Manndeckung; ***play man-to-man*** Manndeckung spielen

manual[1] ['mænjʊəl] manuell, Hand…; ***manual work*** körperliche Arbeit

manual[2] ['mænjʊəl] Handbuch, Leitfaden (*zu einem technischen Gerät*); ☞ ***handbook***

manufacture[1] [,mænjʊ'fæktʃə] *von Gütern*: Fertigung, Herstellung; ***year of manufacture*** Herstellungsjahr, Baujahr

manufacture[2] [,mænjʊ'fæktʃə] **1.** herstellen, fertigen (*Güter usw.*) **2.** *übertragen* erfinden (*Ausrede usw.*)

manufacturer [,mænjʊ'fæktʃərə] *von Gerät usw.*: Hersteller

manuscript ['mænjʊskrɪpt] Manuskript

many ['menɪ] **1.** *allg.*: viele: ***many times*** oft; ***as many as forty*** nicht weniger als vierzig; ***twice as many*** doppelt so viel; ***many of us*** viele von uns; ***a good many*** ziemlich viele; ***a great many*** sehr viele; ***he's had one too many*** *umg.* er hat einen über den Durst getrunken **2.** ***many a time*** so manches Mal

map [mæp] **1.** Landkarte; ***be off the map*** *umg.*; *Ortschaft*: hinter dem Mond liegen; ***put on the map*** *umg.* bekannt machen (*Stadt usw.*) **2.** Stadtplan (⚠ *nicht* ***Mappe***)

maple ['meɪpl] *Baum*: Ahorn

> **maple leaf**
>
> Das Ahornblatt – **maple leaf** ['meɪpllιːf] – ist das Nationalsymbol Kanadas.

marble ['mɑːbl] *Gestein*: Marmor

March [mɑːtʃ] März; ***in March*** im März

march[1] [mɑːtʃ] marschieren; ***time is marching on*** *übertragen* es ist schon spät

march[2] [mɑːtʃ] **1.** *allg.*: Fußmarsch (*auch Strecke*); ***a day's march*** ein Tagesmarsch **2.** *Musikstück, beim Militär*: Marsch

mare [meə] Stute

margarine [⚠ ,mɑːdʒə'riːn] *BE, umg.* **marge** [mɑːdʒ] Margarine

margin [⚠ 'mɑːdʒɪn] **1.** *von Buch, Seite usw.*: Rand; ***in the margin*** am Rand **2.** *übertragen* Spielraum; ***allow*** *oder* ***leave a margin for*** Spielraum lassen für **3.** *auch* ***profit margin*** *Wirtschaft*: Gewinnspanne

marine[1] [mə'riːn] See…, Meeres…; ***marine chart*** Seekarte; ***marine mammals*** Meeressäuger; ***marine dumping*** *von Schadstoffen*: Verklappung

marine[2] [mə'riːn] **1.** *Soldat*: Marineinfanterist (⚠ *Marine* = ***navy***) **2.** ***tell that to the marines!*** *umg.* das kannst du deiner Großmutter erzählen!

marital ['mærɪtl] ehelich, Ehe…; ***marital status*** *auf Formularen*: Familienstand

maritime ['mærɪtaɪm] See…, Küsten…; ***maritime climate*** Meeresklima

mark[1] [mɑːk] **1.** *auf Kleidungsstück*: Fleck **2.** *auf Oberfläche*: Kratzer, Schramme, Kerbe **3.** *von Füßen, Reifen usw.*: Spur (*auch übertragen*); ***she made her mark on the team*** sie hat der Mannschaft ihren Stempel aufgedrückt; ***the months in hospital have left their mark*** die Monate in der Klinik haben ihre Spuren hinterlassen **4.** *übertragen* Zeichen; ***mark of confidence*** Vertrauensbeweis; ***distinc-***

map

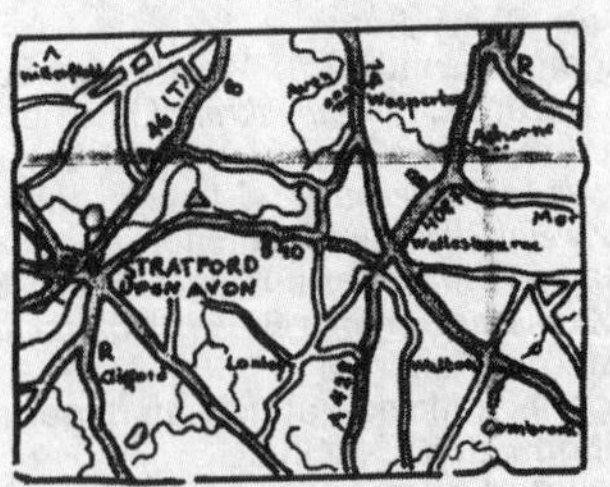

map

ABER:

folder

tive mark Kennzeichen **5.** *Schule*: Note, Zensur; ***get full marks*** *BE* die beste Note bekommen, die höchste Punktzahl erreichen **6.** *von Geschoss usw.*: Ziel (*auch übertragen*); ***hit the mark*** (das Ziel) treffen, *übertragen* ins Schwarze treffen; ***miss the mark*** das Ziel verfehlen, danebenschießen (*auch übertragen*); ***be wide of the mark*** weit danebenschießen, *übertragen* sich gewaltig irren **7.** *übertragen* (≈ *Qualität*) Norm; ***be up to the mark*** den Anforderungen gewachsen sein; ***I'm not feeling quite up to the mark these days*** ich bin momentan gesundheitlich nicht ganz auf der Höhe **8.** *Leichtathletik*: Startlinie; ***on your marks!*** auf die Plätze!

mark[2] [mɑːk] **1.** schmutzig machen, Flecken machen auf (*Kleidung usw.*) **2.** zerkratzen (*Oberfläche*) **3.** *mit Kreuz usw.*: markieren, anzeichnen (*in Buch, auf Karte usw.*) **4.** *übertragen* ein Zeichen sein für; ***to mark the occasion*** zur Feier des Tages, aus diesem Anlass **5.** *Schule*: benoten, zensieren (*Aufsatz, Prüfungsarbeit usw.*); ***mark something wrong*** etwas als Fehler anstreichen **6.** *Sport*: decken, markieren (*Gegenspieler*) **7.** ***mark my words!*** das kann ich dir sagen!

mark down [ˌmɑːk'daʊn] **1.** *im Preis*: heruntersetzen, herabsetzen (*Waren*) **2.** *schriftlich*: notieren

mark up [ˌmɑːk'ʌp] *im Preis*: hinaufsetzen, heraufsetzen

mark[3] [mɑːk] *ehemalige Währungseinheit*: Mark

marker ['mɑːkə] **1.** Markierstift **2.** *in Buch*: Lesezeichen **3.** *Sport*: Bewacher(in)

market[1] ['mɑːkɪt] **1.** *allg.*: Markt; ***be on the market*** auf dem Markt *oder* im Handel sein; ***put on the market*** auf den Markt bringen, zum Verkauf anbieten **2.** *in Stadt, Dorf*: Marktplatz **3.** *Warenverkauf*: Wochenmarkt, Jahrmarkt; ***at the market*** auf dem Markt **4.** *Absatzgebiet*: Markt; ***world market*** Weltmarkt; ***the market for dictionaries*** der Wörterbuchmarkt; ***there's no market for …*** … lässt *oder* lassen sich nicht absetzen

market[2] ['mɑːkɪt] **1.** auf den Markt bringen (*neue Produkte*) **2.** vertreiben (*Waren*)

market economy [ˌmɑːkɪt‿ɪ'kɒnəmɪ] Marktwirtschaft

marketing ['mɑːkɪtɪŋ] *Wirtschaft*: Marketing

market leader [ˌmɑːkɪt'liːdə] *Wirtschaft*: Marktführer

marketplace ['mɑːkɪtpleɪs] *in Dorf, Stadt*: Marktplatz

marmalade ['mɑːməleɪd] (Orangen- *oder* Zitronen)Marmelade (⚠ *Erdbeermarmelade* = ***strawberry jam***)

marmalade

Neben ihrer Schreibweise unterscheidet sich **marmalade** von der deutschen „Marmelade" auch dadurch, dass sie aus Zitrusfrüchten – Apfelsinen, Zitronen, Limonen usw. – gemacht wird. Alle anderen Marmeladensorten heißen **jam**.

maroon [mə'ruːn] *Farbe*: kastanienbraun

marooned [mə'ruːnd] von der Außenwelt abgeschnitten

marquee [mɑː'kiː] großes Zelt, Partyzelt

marriage [⚠ 'mærɪdʒ] **1.** *Zeremonie*: Heirat, Hochzeit (***to*** mit) **2.** *Lebensgemeinschaft*: Ehe; ***by marriage*** angeheiratet; ***related by marriage*** verschwägert

married ['mærɪd] verheiratet, Ehe…; ***married couple*** Ehepaar

marrow ['mærəʊ] **1.** Gartenkürbis **2.** (Knochen)Mark; ***be frozen to the marrow*** völlig durchgefroren sein

marry ['mærɪ] **1.** heiraten; ***be married*** verheiratet sein (***to*** mit); ***get married*** heiraten **2.** *auch* ***marry off*** verheiraten (*Tochter usw.*) (***to*** mit) **3.** (*Priester, Standesbeamte*) trauen

marsh [mɑːʃ] Sumpf, Marsch

marshy ['mɑːʃɪ] sumpfig

martyr ['mɑːtə] Märtyrer(in): ***make a martyr of oneself*** *übertragen* sich aufopfern, *ironisch* den Märtyrer spielen

marvellous, *AE* **marvelous** ['mɑːvləs] *Idee, Wetter usw.*: wunderbar, fabelhaft

marzipan ['mɑːzɪpæn] Marzipan

mascara [mæ'skɑːrə] Wimperntusche

mascot ['mæskət] Maskottchen

masculine ['mæskjʊlɪn] **1.** männlich, Männer… **2.** *Sprache*: maskulin, männlich

mash[1] [mæʃ] **1.** *allg.*: breiige Masse, Brei **2.** *BE, umg.* Kartoffelbrei, Ⓒⓗ Kartoffelstock

mash[2] [mæʃ] zerdrücken, zerquetschen (*Obst, Gemüse usw.*); ***mashed potatoes*** *Pl.* Kartoffelbrei, Ⓒⓗ Kartoffelstock

mask[1] [mɑːsk] **1.** *Verkleidung*: Maske (*auch übertragen*) **2.** *Computer*: Maske

mask[2] [mɑːsk] **1.** maskieren; ***masked ball*** Maskenball **2.** *übertragen* verschleiern

masquerade[1] [ˌmæskə'reɪd] Maskerade (*auch übertragen*)

masquerade[2] [ˌmæskəˈreɪd] ***masquerade as*** sich ausgeben als

mass[1] [mæs] *Gottesdienst*: Messe

mass[2] [mæs] **1.** *allg.*: Masse (*auch physikalisch*) **2.** *viele Leute, Sachen usw.*: Menge **3.** ***the masses*** *Pl.* (≈ *Leute*) die Masse, die Massen **4.** ***masses of*** *umg.* massenhaft, massig; ***he's got masses of CDs*** er hat Unmengen von CDs

massacre[1] [ˈmæsəkə] Massaker

massacre[2] [ˈmæsəkə] niedermetzeln

massage[1] [ˈmæsɑːʒ] Massage

massage[2] [ˈmæsɑːʒ] massieren

massive [ˈmæsɪv] **1.** *Mauer, Bauwerk*: massiv, wuchtig **2.** *übertragen* massiv; ***on a massive scale*** in ganz großem Rahmen

mass media [ˌmæsˈmiːdɪə] *Pl.* (⚠ *auch im Sg. verwendet*) Massenmedien *Pl.*

mass production [ˌmæsprəˈdʌkʃn] Massenproduktion

mast [mɑːst] *von Schiff, Antenne*: Mast

master[1] [ˈmɑːstə] **1.** ***be master of the situation*** Herr der Lage sein; ***be one's own master*** sein eigener Herr sein **2.** *in Handwerksberufen usw.*: Meister; ***master tailor*** Schneidermeister **3.** *bes. BE* Lehrer **4.** *Malerei usw.*: Meister; ***an old master*** ein alter Meister **5.** *Universitätsabschluss*: Magister; ***Master of Arts*** (*Abk.*: ***MA***) Magister Artium

master[2] [ˈmɑːstə] **1.** beherrschen (*Sprachen usw.*) **2.** meistern (*Aufgabe, Schwierigkeit usw.*) **3.** zügeln (*Temperament usw.*)

masterpiece [ˈmɑstəpiːs] Meisterwerk

mat [mæt] **1.** *auf Fußboden*: Matte **2.** *auf Tisch*: Untersetzer; ***place mat*** Platzdeckchen, Set; ***beer mat*** Bierdeckel

match[1] [mætʃ] Streichholz, Zündholz

match[2] [mætʃ] **1.** *allg. Sport*: Spiel, Wettkampf, Ⓐ, Ⓒⓗ Match **2.** *Tennis*: Match, Partie **3.** ***be no match for someone*** jemandem nicht gewachsen sein; ***find*** *oder* ***meet one's match*** seinen Meister finden (***in someone*** in jemandem) **4.** *von Personen*: gut zusammenpassendes Paar, Gespann; ***they're an excellent match*** sie passen ausgezeichnet zueinander **5.** Heirat; ***she's a good match*** sie ist eine gute Partie

match[3] [mætʃ] **1.** zusammenpassen, übereinstimmen (***with*** mit) (*auch farblich usw.*) **2.** *einer Person*: ebenbürtig *oder* gewachsen sein; ***no one can match her in cooking*** niemand kann so gut kochen wie sie

matchbox [ˈmætʃbɒks] Streichholzschachtel

matching [ˈmætʃɪŋ] (dazu) passend

matchless [ˈmætʃləs] *Schönheit usw.*: unvergleichlich, einzigartig

match point [ˈmætʃ‿pɔɪnt] *Tennis usw.*: Matchball

mate[1] [meɪt] **1.** *umg.* Kamerad, Kameradin, Kumpel; ***now listen, mate!*** jetzt hör mal, Freundchen! **2.** *oft in Zusammensetzungen*: ***workmate*** Arbeitskollege, -kollegin; ***schoolmate*** Schulfreund (-in) **3.** *bei Tieren*: ***her mate*** das Männchen; ***his mate*** das Weibchen

mate[2] [meɪt] *von Tieren*: (sich) paaren

mate[3] [meɪt] *Schach*: Matt

mate[4] [meɪt] *Schach*: matt setzen

material[1] [məˈtɪərɪəl] **1.** materiell, Material…; ***material damage*** Sachschaden; ***material wealth*** materieller Wohlstand **2.** *Bedürfnisse, Wohlergehen*: leiblich

material[2] [məˈtɪərɪəl] Material, Stoff (*beide auch übertragen für Referat, Buch usw.*)

maternal [məˈtɜːnl] **1.** *Gefühle usw.*: mütterlich, Mutter… **2.** *Verwandtschaft*: mütterlicherseits

maternity [məˈtɜːnətɪ] **1.** Mutterschaft **2.** ***maternity dress*** Umstandskleid; ***maternity leave*** Mutterschaftsurlaub; ***maternity ward*** Entbindungsstation

matey[1] [ˈmeɪtɪ] **1.** *abwertend* vertraulich **2.** ***be matey with someone*** *BE, umg.* mit jemandem auf Du und Du stehen

matey[2] [ˈmeɪtɪ] *als Anrede*: Freundchen; ***now look here, matey!*** jetzt hör mal gut zu, Freundchen!

math [mæθ] *AE, umg.* Mathe

mathematical [ˌmæθəˈmætɪkl] mathematisch

mathematician [ˌmæθəməˈtɪʃn] Mathematiker(in)

mathematics [ˌmæθəˈmætɪks] *Pl.* (⚠ *mst. im Sg.verwendet*) Mathematik

maths [mæθs] *Pl.* (⚠ *mst. im Sg. verwendet*) *BE, umg.* Mathe

matter[1] [ˈmætə] **1.** Sache, Angelegenheit; ***that's an entirely different matter*** das ist etwas ganz anderes; ***as a matter of course*** selbstverständlich, natürlich; ***as a matter of fact*** tatsächlich, eigentlich; ***a matter of form*** eine Formsache; ***as a matter of form*** der Form halber; ***a matter of taste*** (eine) Geschmackssache; ***a matter of time*** eine Frage der Zeit; ***it's a matter of life and death*** es geht um Leben und Tod; ***it's no laughing matter*** das ist nicht zum Lachen **2.** ***matters*** *Pl.* die Sache, die Dinge *Pl.*; ***to make matters worse*** was die Sache noch schlimmer macht; ***as matters stand*** wie die Dinge liegen **3.** ***what's the matter (with him)?*** was ist los (mit ihm)?; ***no matter what he says*** ganz gleich, was er sagt; ***no matter who*** gleichgültig, wer **4.** *Gedrucktes*

printed matter Drucksache; ***reading matter*** Lesestoff; **5.** *Physik*: Materie, Stoff **6.** *Medizin*: Eiter

matter[2] ['mætə] von Bedeutung sein (***to*** für); ***it doesn't matter*** es macht nichts; ***what does it matter?*** was macht es schon?

mattress ['mætrəs] Matratze

mature[1] [⚠ mə'tʃʊə] **1.** *Person*: reif, vernünftig **2.** *Wein, Käse usw.*: reif, ausgereift **3.** *Pläne usw.*: ausgereift

mature[2] [⚠ mə'tʃʊə] *von Wein usw.*: reifen (lassen) (*auch übertragen*)

maturity [mə'tʃʊərɪtɪ] Reife (*auch übertragen*)

Maundy Thursday [ˌmɔːndɪ'θɜːzdeɪ] Gründonnerstag

maxima ['mæksɪmə] *Pl. von* → ***maximum***

maximize ['mæksɪmaɪz] maximieren (*Gewinn, Chancen usw.*)

maximum ['mæksɪməm] *Pl.*: ***maxima*** ['mæksɪmə] *oder* ***maximums*** Maximum; ***maximum speed*** Höchstgeschwindigkeit

May [meɪ] Mai; ***in May*** im Mai

may [meɪ] **1.** *drückt Möglichkeit aus*: können; ***you may be right*** du magst *oder* kannst Recht haben, vielleicht hast du Recht; ***it may be true*** das kann stimmen; ***they may come or they may not*** vielleicht kommen sie, vielleicht auch nicht **2.** *drückt Erlaubnis aus*: dürfen, können; ***may I come in?*** darf ich reinkommen? **3.** ***you may as well go to bed*** du kannst ruhig ins Bett gehen; ☞ ***might***[2]

maybe ['meɪbiː] vielleicht

May Day ['meɪdeɪ] der 1. Mai

mayday ['meɪdeɪ] Mayday (*internationaler Funknotruf*)

mayo ['meɪəʊ] *AE, umg.* Majonäse, Majo

mayonnaise [ˌmeɪə'neɪz] Majonäse

mayor [meə] Bürgermeister(in)

maze [meɪz] *allg.*: Labyrinth (*auch übertragen*)

me [miː] **1.** mich; ***does he know me?*** kennt er mich? **2.** mir; ***she gave me the book*** sie gab mir das Buch; ***are you talking to me?*** redest du mit mir? **3.** *umg.* ich; ***it's me*** ich bins

meadow ['medəʊ] Wiese; ***in the meadow*** auf der Wiese *oder* Weide

meagre, *AE* **meager** ['miːgə] *Einkommen, Mahlzeit, Ergebnis*: mager, dürftig

meal [miːl] Mahlzeit, Essen; ***meals on wheels*** Essen auf Rädern; ***go out for a meal*** essen gehen; ***enjoy your meal!*** guten Appetit!, lass es dir schmecken! ☞ *Info unter dt.* ***Appetit***

meal – Mahlzeiten

Die Bezeichnungen der Mahlzeiten hängen zum Teil von der Region und der sozialen Schicht ab. Wichtig sind folgende Bezeichnungen:

breakfast	Frühstück
lunch	Mittagessen
tea	Nachmittagstee
dinner	Abendessen

Besonders im Norden und in Arbeiterfamilien werden oft andere Bezeichnungen gewählt:

breakfast	Frühstück
dinner	Mittagessen
tea/supper	Abendessen

In manchen Haushalten kann **supper** auch bedeuten: *kleiner Imbiss vor dem Zubettgehen.*

mealtime ['miːltaɪm] Essenszeit

mean[1] [miːn], ***meant*** [ment], ***meant*** [ment] **1.** (*Wort, Symbol usw.*) bedeuten, heißen; ***what does the word mean?*** was bedeutet das Wort?; ***does this mean anything to you?*** ist dir das ein Begriff?, sagt dir das etwas? **2.** (≈ *äußern*) meinen, sagen wollen; ***what do you mean by that?*** was willst du damit sagen? **3.** (≈ *im Sinn haben*) beabsichtigen, vorhaben; ***I've been meaning to send you a fax all day*** ich hatte schon den ganzen Tag vor, dir ein Fax zu schicken **4.** ***I mean it*** es ist mir Ernst damit; ***sorry - I didn't mean it!*** *umg.* 'tschuldigung - war nicht ernst gemeint!; ***mean business*** es ernst meinen; ***mean no harm*** es nicht böse meinen **5.** ***be meant for*** bestimmt sein für

mean[2] [miːn] **1.** *Verhalten usw.*: gemein, niederträchtig; ***he's really mean to her*** er ist wirklich gemein zu ihr **2.** *mit Geld usw.*: geizig, knauserig **3.** *umg.*; *charakterlich*: schäbig; ***feel mean*** sich schäbig *oder* gemein vorkommen (***about*** wegen)

mean[3] [miːn] **1.** Mitte, Mittelweg **2.** *von Zahlen usw.*: Durchschnitt

meaning ['miːnɪŋ] **1.** *von Wörtern, Gedicht usw.*: Sinn, Bedeutung (⚠ *Meinung* = ***opinion***); ***what's the meaning of this?*** was soll denn das bedeuten?; ***full of meaning*** *Blick, Mimik*: bedeutungsvoll **2.** *übertragen* Sinn, Inhalt; ***give one's life new meaning*** seinem Leben einen neuen Sinn geben

meaningful ['miːnɪŋfl] **1.** *Blick, Lächeln,*

M

Ereignis usw.: bedeutungsvoll **2.** *Arbeit, Aufgabe usw.*: sinnvoll
meaningless ['miːnɪŋləs] **1.** *Wort, Text usw.*: ohne Sinn **2.** *Leben, Tätigkeit usw.*: sinnlos
meanness ['miːnnəs] **1.** Gemeinheit, Niederträchtigkeit **2.** Geiz
means [miːnz] *Pl.*: ***means*** **1.** (≈ *Hilfsmittel*) Mittel, Weg; ***by means of*** mittels, durch, mit; ***a means of communication*** ein Kommunikationsmittel; ***means of transport*** Transportmittel; ***the end justifies the means*** der Zweck heiligt die Mittel **2.** ***means*** *Pl.* (≈ *Geld*) Mittel *Pl.*, Vermögen; ***live within*** (*bzw.* ***beyond***) ***one's means*** seinen Verhältnissen entsprechend (*bzw.* über seine Verhältnisse) leben **3.** *in Wendungen*: ***by all means*** unbedingt, aber selbstverständlich; ***by no means*** keineswegs, auf keinen Fall
meant [ment] *2. und 3. Form von* → ***mean***[1]
meantime ['miːntaɪm] ***in the meantime*** inzwischen, in der Zwischenzeit
meanwhile ['miːnwaɪl] inzwischen, in der Zwischenzeit
measles ['miːzlz] (⚠ *mst. im Sg. verwendet*) Masern *Pl.*; ***German measles*** Röteln
measure[1] ['meʒə] **1.** Maßnahme; ***take measures*** Maßnahmen treffen *oder* ergreifen **2.** *in der Physik usw.*: Maß, Maßeinheit; ***measure of length*** Längenmaß **3.** *Messvorrichtung*: Maß, Messgerät **4.** *übertragen* Maß, Maßstab; ***beyond all measure*** über alle Maßen, grenzenlos; ***in large measure*** in großem Maße
measure[2] ['meʒə] **1.** *allg.*: messen; ***measure someone*** jemandem Maß nehmen (*für Anzug, Kleid usw.*) **2.** abmessen (*Länge usw.*) **3.** ausmessen (*Raum, Fläche usw.*) **4.** *übertragen* vergleichen, messen (***against, with*** mit); ***measure one's strength with someone*** seine Kräfte mit jemandem messen
measurement ['meʒəmənt] **1.** *Vorgang*: Messung **2.** ***measurements*** *Pl.* Maße; ***take someone's measurements*** jemandem Maß nehmen (*für Anzug, Kleid usw.*)
meat [miːt] **1.** *als Nahrung*: Fleisch; ***cold meat*** kalter Braten **2.** *übertragen* Substanz, Gehalt (*von Aufsatz, Vortrag usw.*)
meatball ['miːtbɔːl] Fleischklößchen
mechanic [mɪ'kænɪk] Mechaniker(in)
mechanical [mɪ'kænɪkl] mechanisch (*auch übertragen*)
Mecklenburg-Western Pomerania ['meklənbɜːg,westən,pɒmə'reɪnɪə] Mecklenburg-Vorpommern
medal ['medl] **1.** *im Sport*: Medaille **2.** *für Verdienste*: Orden
medallist ['medlɪst] Medaillengewinner (-in)
meddle ['medl] sich einmischen (***with, in*** in)
media[1] ['miːdɪə] *Pl. von* → ***medium***[1]
media[2] ['miːdɪə] *Pl.* (⚠ *auch im Sg. verwendet*) ***the media*** die Medien; ***media event*** Medienereignis; ***media-shy*** medienscheu
mediator ['miːdɪeɪtə] *in Streit usw.*: Vermittler(in)
Medicaid ['medɪkeɪd] *in den USA*: *staatliche Gesundheitsfürsorge für Einkommensschwache*
medical[1] ['medɪkl] medizinisch, ärztlich; ***medical certificate*** ärztliches Attest; ***medical examination*** ärztliche Untersuchung; ***on medical grounds*** aus gesundheitlichen Gründen
medical[2] ['medɪkl] *umg.* ärztliche Untersuchung; ***go for a medical*** sich ärztlich untersuchen lassen
Medicare ['medɪkeə] *in den USA*: *staatliche Gesundheitsfürsorge für ältere Leute*
medicated ['medɪkeɪtɪd] ***medicated shampoo*** medizinisches Shampoo
medication [ˌmedɪ'keɪʃn] *Medizin*: Medikamente *Pl.*
medicine ['medsn] **1.** (≈ *Medikament*) Medizin, Arznei; ***I gave her a dose*** *oder* ***taste of her own medicine*** *übertragen* ich habe es ihr mit gleicher Münze heimgezahlt **2.** *Wissenschaft*: Medizin, Heilkunde
medicine chest ['medsn‿tʃest] Hausapotheke
medieval [ˌmedɪ'iːvl] mittelalterlich
mediocre [ˌmiːdɪ'əʊkə] mittelmäßig
Mediterranean[1] [ˌmedɪtə'reɪnɪən] ***the Mediterranean*** das Mittelmeer
Mediterranean[2] [ˌmedɪtə'reɪnɪən] südländisch, Mittelmeer…; ***the Mediterranean countries*** die Mittelmeerländer
medium[1] ['miːdɪəm] *Pl.*: ***media*** ['miːdɪə] *oder seltener* ***mediums*** **1.** *für Kommunikation, Information*: Medium **2.** ***strike a happy medium*** den goldenen Mittelweg finden
medium[2] ['miːdɪəm] *Pl.*: ***mediums*** *in der Parapsychologie*: Medium
medium[3] ['miːdɪəm] **1.** *Größe, Menge usw.*: mittlere(r, -s), mittel… **2.** *Steak*: medium, halb durch
medium-priced ['miːdɪəmpraɪst] ***a medium-priced hotel*** *usw.* ein Hotel *usw.* der mittleren Preislage
medium wave ['miːdɪəm‿weɪv] *Radio*: Mittelwelle
medley ['medlɪ] **1.** *von Musik*: Medley

Potpourri **2.** *beim Schwimmen*: Lagenstaffel

meek [miːk] **1.** sanft, sanftmütig **2.** ***be meek and mild*** sich alles gefallen lassen

meet [miːt], ***met*** [met], ***met*** [met] **1.** *allg.*: begegnen, treffen, sich treffen mit; ***can we meet again?*** sehen wir uns wieder?; ***our eyes met*** unsere Blicke trafen sich; ***we're meeting tomorrow at 10*** wir treffen *oder* sehen uns morgen um 10 **2.** (≈ *zum ersten Mal treffen*) kennen lernen; ***when I first met him*** als ich seine Bekanntschaft machte; ***nice*** *oder* ***pleased to meet you*** *umg.* sehr erfreut, angenehm; ***I've never met him*** ich kenne ihn nicht persönlich; ***we've met before*** wir kennen uns schon **3.** *vom Bahnhof usw.*: abholen; ***she came to meet me at the airport*** sie holte mich vom Flughafen ab **4.** *Sport*: treffen auf; ***the two teams meet for the first time*** die beiden Mannschaften spielen zum ersten Mal gegeneinander **5.** ***meet someone halfway*** *bes. übertragen* jemandem auf halbem Weg entgegenkommen **6.** ***there's more to it than meets the eye*** da steckt mehr dahinter **7.** ***meet a demand*** einer Forderung nachkommen **8.** ***meet a deadline*** einen Termin einhalten

meet with ['miːt‿wɪð] **1.** *zu einer Sitzung usw.*: zusammentreffen mit, sich treffen mit **2.** erleben, erleiden (*Unglück usw.*); ***meet with an accident*** einen Unfall erleiden, verunglücken **3.** ***meet with disapproval*** auf Ablehnung stoßen; ***meet with approval*** Beifall finden

meeting ['miːtɪŋ] **1.** *allg.*: Treffen, Begegnung **2.** *offiziell*: Sitzung, Besprechung; ***he's at*** *oder* ***in a meeting*** er ist in einer Besprechung **3.** *Sport*: Veranstaltung

meeting place ['miːtɪŋ‿pleɪs] Treffpunkt

megabucks ['megəbʌks] *Pl.*, *umg.* Schweinegeld; ***she's making megabucks*** sie verdient ein Schweinegeld

mellow[1] ['meləʊ] **1.** *Farbe*, *Licht*: warm **2.** *Obst*: reif, weich **3.** *Wein*: ausgereift, lieblich **4.** *Person*: gereift **5.** *nach Alkoholgenuss*: beschwipst

mellow[2] ['meləʊ] **1.** reifen (*auch übertragen Person*) **2.** reifen lassen

melody ['melədɪ] Melodie

melon ['melən] *Frucht*: Melone

melt [melt] **1.** (*Schnee*, *Eis usw.*) schmelzen, (*Butter usw.*) zergehen; ***melt in the mouth*** auf der Zunge zergehen **2.** (*Person*) dahinschmelzen; ***melt into tears*** in Tränen zerfließen **3.** schmelzen (*Metall usw.*), zerlassen (*Butter*, *Speck*) **4.** *übertragen* erweichen (*Herz*) **5.** *übertragen* (*Ärger*, *Zorn usw.*) verfliegen

meltdown ['meltdaʊn] *im Reaktor*: Kernschmelze

member ['membə] **1.** *von Verein*, *Partei usw.*: Mitglied; ***members only*** (Zutritt) nur für Mitglieder **2.** *von Familie*, *Stamm usw.*: Angehörige(r); ***member of the family*** Familienmitglied **3.** ***Member of Parliament*** *in GB*: Unterhausabgeordnete(r), *in Deutschland*: Bundestagsabgeordnete(r) **4.** ***member of staff*** *in Betrieb*: Mitarbeiter(in), *an Schule usw.*: Kollege

membership ['membəʃɪp] **1.** Mitgliedschaft (***of*** bei); ***membership card*** Mitgliedsausweis; ***membership fee*** Mitgliedsbeitrag **2.** Mitgliederzahl; ***have a membership of 200*** 200 Mitglieder haben

memorable ['memərəbl] **1.** *ein Tag usw.*: denkwürdig **2.** *Erlebnis usw.*: unvergesslich

memorial [mə'mɔːrɪəl] Denkmal, Gedenkstätte (***to*** für)

memorize ['məməraɪz] auswendig lernen (*Gedicht usw.*)

memory ['memərɪ] **1.** (≈ *Erinnerungsvermögen*) Gedächtnis; ***from memory*** aus dem Gedächtnis *oder* Kopf; ***have a good*** (*bzw.* ***bad***) ***memory*** ein gutes (*bzw.* schlechtes) Gedächtnis haben; ***I've got a bad memory for names*** ich habe ein schlechtes Namensgedächtnis; ***to the best of my memory*** soweit ich mich erinnern kann; ***he's got a memory like a sieve*** er hat ein Gedächtnis wie ein Sieb; ***in living memory*** seit Menschengedenken **2.** (≈ *Gedenken*) Andenken, Erinnerung (***of*** an); ***in memory of*** zum Andenken an **3.** *mst.* ***memories*** *Pl.* Erinnerung; ***childhood memories*** Kindheitserinnerungen **4.** *von Computer*: Speicher, Speicherkapazität

men [men] *Pl. von* → ***man***; ***men's room*** *AE* Herrentoilette

menace ['menəs] **1.** Drohung **2.** Bedrohung, drohende Gefahr

menacing ['menəsɪŋ] bedrohlich

mend [mend] **1.** *allg.*: reparieren **2.** ausbessern, flicken (*Socken*, *Hose usw.*) **3.** *übertragen* kitten (*Freundschaft usw.*) **4.** ***mend one's ways*** *übertragen* (*Person*) sich bessern

menial ['miːnɪəl] *Arbeit*: untergeordnet, niedrig

mental ['mentl] **1.** (≈ *gedanklich*) geistig, Geistes…; ***mental arithmetic*** Kopfrech-

M

nen; ***be mentally lazy*** geistig träge sein **2.** (≈ *psychisch*) geistig, seelisch; ***mental handicap*** geistige Behinderung; ***mental hospital*** psychiatrische Klinik, Nervenheilanstalt; ***mentally handicapped*** geistig behindert
mentality [men'tælətɪ] Mentalität
mention ['menʃn] erwähnen (***to*** gegenüber); ***don't mention it!*** *nach Dank*: bitte (sehr)!, gern geschehen!; ***not to mention ...*** ganz abgesehen *oder* zu schweigen von ...
menu ['menjuː] **1.** *in Restaurant*: Speisekarte **2.** *auf Computermonitor usw.*: Menü
menu bar ['menjuː‿bɑː] *Computer*: Menüleiste
MEP [ˌemiː'piː] (*Abk. für* **M**ember of the **E**uropean **P**arliament) Europaabgeordnete(r)
merchandise ['mɜːtʃəndaɪz] Ware, Waren *Pl.* (*für den Verkauf*)
merchant ['mɜːtʃənt] Großkaufmann
merciful ['mɜːsɪfl] barmherzig, gnädig
merciless ['mɜːsɪləs] unbarmherzig
mercury ['mɜːkjʊrɪ] *Metall*: Quecksilber
Mercury ['mɜːkjʊrɪ] *Planet*: Merkur
mercy ['mɜːsɪ] **1.** Erbarmen, Gnade; ***without mercy*** gnadenlos; ***be at someone's mercy*** jemandem (auf Gedeih und Verderb) ausgeliefert sein; ***have mercy on*** Mitleid *oder* Erbarmen haben mit **2.** *umg.* wahres Glück, Segen; ***it's a mercy no one was killed*** *nach Unfall usw.*: man kann von Glück sagen, dass es keine Toten gab
mere [mɪə] ***I'm a mere editor*** ich bin nur ein kleiner Redakteur; ***a mere 3.3% pay rise*** bloß *oder* lediglich 3,3% Lohnerhöhung; ***the mere thought of it*** allein der Gedanke daran
merely ['mɪəlɪ] bloß, nur, lediglich; ***she merely looked at him and left the room*** sie sah ihn nur an und ging aus dem Zimmer
merge [mɜːdʒ] *Wirtschaft*: fusionieren, (sich) zusammenschließen
merger ['mɜːdʒə] *Wirtschaft*: Fusion, Zusammenschluss
merit[1] ['merɪt] **1.** Verdienst **2.** ***have artistic merit*** von künstlerischem Wert sein
merit[2] ['merɪt] verdienen (*Lohn, Strafe usw.*)
meritocracy [ˌmerɪ'tɒkrəsɪ] Leistungsgesellschaft
mermaid ['mɜːmeɪd] Meerjungfrau, Nixe
merriment ['merɪmənt] **1.** Fröhlichkeit **2.** Gelächter, Heiterkeit
merry ['merɪ] **1.** *Person, Laune usw.*: lustig, fröhlich **2.** *umg.* beschwipst, angeheitert; ***get merry*** sich einen andudeln **3.** ***Merry Christmas!*** fröhliche *oder* frohe Weihnachten!
merry-go-round ['merɪgəʊˌraʊnd] Karussell, Ⓐ Ringelspiel
mesh [meʃ] **1.** *von Netz usw.*: Masche **2.** ***mesh of lies*** *übertragen* Lügennetz
mesmerize ['mezməraɪz] faszinieren, in seinen Bann schlagen; ***mesmerized*** fasziniert, gebannt
mess [mes] **1.** *in Zimmer usw.*: Unordnung, Durcheinander, *stärker*: Schmutz; ***the room was (in) a mess*** das Zimmer war unaufgeräumt, *stärker*: das Zimmer war ein einziges Durcheinander **2.** *übertragen* Patsche, Klemme; ***be in a nice mess*** ganz schön in der Klemme stecken; ***make a mess of something*** etwas verpfuschen **3.** *in Kaserne usw.*: Messe; ***officers' mess*** Offiziersmesse, Offizierskasino

> **mess about** *oder* **around** [ˌmes‿ə'baʊt *oder* ə'raʊnd] **1.** *umg.* (≈ *nichts tun*) herumgammeln **2.** (≈ *Unsinn machen*) herumalbern
> **mess up** [ˌmes'ʌp] **1.** in Unordnung bringen (*Zimmer, Wohnung usw.*) **2.** *übertragen* verpfuschen, über den Haufen werfen (*Pläne usw.*) **3. messed up** *Person*: verkorkst

message ['mesɪdʒ] **1.** Mitteilung, Nachricht; ***can I give him a message?*** kann ich ihm etwas ausrichten?; ***leave a message for someone*** jemandem eine Nachricht hinterlassen; ***can I take a message?*** kann ich etwas ausrichten?; ***I got the message*** *umg.* ich habs kapiert **2.** *übertragen* Aussage, Botschaft (*von Roman, Film usw.*)
messenger ['mesɪndʒə] Bote, Botin
mess-up ['mesʌp] Durcheinander
messy ['mesɪ] **1.** *Zimmer usw.*: schmutzig, unordentlich **2.** *Situation, Problem usw.*: verfahren, vertrackt
met [met] *2. und 3. Form von* → ***meet***
metal ['metl] Metall
meter[1] ['miːtə] *AE*; *Längenmaß*: Meter
meter[2] ['miːtə] Messgerät, Zähler
meter maid ['miːtə‿meɪd] *AE* Politesse
method ['meθəd] **1.** Methode, Verfahren; ***method of payment*** Zahlungsweise **2.** (≈ *Plan*) Methode, System; ***work with method*** methodisch arbeiten
metre ['miːtə] *BE* **1.** *Längenmaß*: Meter **2.** *in Gedichten*: Versmaß
metric ['metrɪk] ***the metric system*** das

M

metrische Maßsystem; ***go metric*** auf das metrische Maßsystem umstellen
metropolis [mə'trɒpəlɪs] Metropole, Hauptstadt
Mexican[1] ['meksɪkən] mexikanisch
Mexican[2] ['meksɪkən] Mexikaner(in)
Mexico ['meksɪkəʊ] Mexiko
miaow [miː'aʊ] miauen
mice [maɪs] *Pl. von* → ***mouse***
mickey ['mɪkɪ] ***take the mickey out of someone*** *bes. BE, umg.* jemanden auf den Arm nehmen, Ⓐ jemanden pflanzen
microchip ['maɪkrəʊtʃɪp] *Computer*: Mikrochip
microphone ['maɪkrəfəʊn] Mikrofon
microscope ['maɪkrəskəʊp] Mikroskop
microwave ['maɪkrəweɪv] **1.** *Physik*: Mikrowelle **2.** *auch* ***microwave oven*** Mikrowellenherd, *umg.* Mikrowelle
mid [mɪd] *in Zusammensetzungen*: mittlere(r, -s), Mittel...; ***in mid-April*** Mitte April; ***he's in his mid-forties*** er ist Mitte vierzig
midday [ˌmɪd'deɪ] Mittag; ***at midday*** mittags
middle[1] ['mɪdl] mittlere(r, -s), Mittel...; ***middle classes*** Mittelstand; ***middle finger*** Mittelfinger; ***middle name*** zweiter Vorname
middle[2] ['mɪdl] **1.** *allg.*: Mitte; ***in the middle of ...*** in der Mitte ..., mitten in ...; ***in the middle of July*** Mitte Juli; ***they live in the middle of nowhere*** sie wohnen jwd *oder* am Ende der Welt **2.** ***I'm in the middle of having breakfast - can I call you back?*** ich bin mitten beim Frühstück - kann ich Sie zurückrufen? **3.** *umg.*; *Körperpartie*: Taille
middle-aged [ˌmɪdl'eɪdʒd] mittleren Alters
Middle Ages [ˌmɪdl'eɪdʒɪz] *Pl.* ***the Middle Ages*** das Mittelalter
Middle East [ˌmɪdl'iːst] ***the Middle East*** der Nahe Osten

Middle East

Auch **the Near East** bedeutet „Naher Osten"; dieser Ausdruck wird aber seltener gebraucht.

middle-of-the-road [ˌmɪdləvðə'rəʊd] *politisch usw.*: gemäßigt
middleweight ['mɪdlweɪt] *Sport*: Mittelgewicht, Mittelgewichtler
middling ['mɪdlɪŋ] *umg.* **1.** mittelmäßig; ***how are you? - fair to middling*** wie geht's? - so einigermaßen **2.** leidlich, einigermaßen
midfield ['mɪdfiːld] *bes. beim Fußball*: Mittelfeld; ***midfield player*** Mittelfeldspieler(in)
midge [mɪdʒ] *Insekt*: Mücke
midlands ['mɪdləndz] ***the Midlands*** *Pl.* Mittelengland
midnight ['mɪdnaɪt] Mitternacht; ***at midnight*** um Mitternacht
midsummer [ˌmɪd'sʌmə] Hochsommer
midway [ˌmɪd'weɪ] auf halbem Weg (*sich treffen usw.*); ***midway*** ['mɪdweɪ] ***between London and Bristol*** auf halbem Weg zwischen London und Bristol
midwife ['mɪdwaɪf] *Pl.*: ***midwives*** ['mɪdwaɪvz] Hebamme
might[1] [maɪt] Macht; ***with all his*** *oder* ***her might*** mit aller Kraft
might[2] [maɪt] *2. Form von* → ***may***; ***it might happen*** es könnte geschehen; ***we might as well go*** da könnten wir (auch) ebenso gut gehen; ***you might have said something*** du hättest eigentlich was sagen können
might've ['maɪtəv] *Kurzform von* ***might have***
mighty ['maɪtɪ] mächtig, gewaltig (*beide auch übertragen*)
migraine ['miːgreɪn] *Kopfschmerzen*: Migräne
mike [maɪk] *umg.* Mikro (*Mikrofon*)
Milan [mɪ'læn] Mailand
mild [maɪld] **1.** *Geschmack, Seife, Strafe, Wetter usw.*: mild; ***to put it mildly*** gelinde gesagt **2.** *Fieber, Infekt usw.*: leicht
mildness ['maɪldnəs] Milde
mile [maɪl] Meile (*entspricht etwa 1,6 km*); ***for miles*** meilenweit; ***talk a mile a minute*** *umg.* wie ein Maschinengewehr *oder* Wasserfall reden; ***sorry - I was miles away*** Entschuldigung - ich war mit den Gedanken ganz woanders

mile

1 Meile hat rund 1,6 km. Wenn ein Auto mit 50 Meilen pro Stunde (**50 mph**) fährt, entspricht das im Deutschen ca. 80 km/h.

mileage ['maɪlɪdʒ] **1.** (zurückgelegte) Meilen; ***mileage per gallon*** Benzinverbrauch **2.** *auf Tacho*: Kilometerstand
mileometer [⚠ maɪ'lɒmɪtə] Meilenzähler, *entspricht*: Kilometerzähler
milestone ['maɪlstəʊn] Meilenstein (*auch übertragen*)
militarism ['mɪlɪtərɪzm] Militarismus
military[1] ['mɪlɪtərɪ] militärisch, Militär...; ***military academy*** Militärakademie;

military dictatorship Militärdiktatur; ***military government*** Militärregierung; ***military police*** Militärpolizei

military[2] ['mılıtərı] (⚠ *im Pl. verwendet*) ***the military*** das Militär

milk[1] [mılk] Milch; ***land of milk and honey*** *übertragen* Schlaraffenland; ***it's no use crying over spilt milk*** *Sprichwort*: geschehen ist geschehen

milk[2] [mılk] **1.** melken (*Kuh usw.*) **2.** *übertragen* ausnehmen (*Person*)

milk chocolate [ˌmılk'tʃɒklət] Vollmilchschokolade

milkshake ['mılkʃeık] Milchshake

milky ['mılkı] **1.** *Flüssigkeit*: milchig **2.** *Kaffee, Tee*: mit (viel) Milch

Milky Way [ˌmılkı'weı] (≈ *Galaxis*) Milchstraße

mill[1] [mıl] **1.** *zur Getreideverarbeitung*: Mühle; ***go through the mill*** *übertragen* viel durchmachen; ***put someone through the mill*** *übertragen* jemanden hart rannehmen, *umg.* jemanden durch die Mangel drehen **2.** *Industriebetrieb*: Fabrik, Werk

mill[2] [mıl] mahlen (*Getreide usw.*)

millennium [mı'lenıəm] *Pl.*: ***millennia*** [mı'lenıə] Jahrtausend; ***at the turn of the millennium*** um die Jahrtausendwende

miller ['mılə] Müller(in)

milligram ['mılıgræm] Milligramm

millimetre, *AE* **millimeter** ['mılıˌmiːtə] Millimeter

million ['mıljən] Million; ***six million dollars*** sechs Millionen Dollar; ***millions of people*** Millionen von Menschen; ***feel like a million dollars*** *umg.* sich ganz prächtig fühlen

millionaire [ˌmıljə'neə] Millionär(in)

millstone ['mılstəʊn] Mühlstein; ***be a millstone round someone's neck*** *übertragen* jemandem ein Klotz am Bein sein

mimosa [mı'məʊzə] **1.** *Pflanze*: Mimose **2.** *AE*; *Getränk aus Champagner und Orangensaft*

mince[1] [mıns] **1.** klein schneiden, Ⓐ faschieren (*mst. Fleisch*); ***mince meat*** Fleisch durchdrehen (Ⓐ faschieren), Hackfleisch machen; ***minced meat*** Hackfleisch, Ⓐ Faschiertes **2.** ***she doesn't mince matters*** *oder* ***her words*** *übertragen* sie nimmt kein Blatt vor den Mund

mince[2] [mıns] *BE* Hackfleisch, Ⓐ Faschiertes

mincemeat ['mınsmiːt] **1.** *etwa*: süße Pastetenfüllung **2.** *AE* Hackfleisch, Ⓐ Faschiertes; ***make mincemeat of someone*** *umg.* aus jemandem Hackfleisch machen

mincemeat

Das süße **mincemeat** besteht aus getrocknetem Obst, Korinthen, Talg und verschiedenen Gewürzen. Es wird in Teig gebacken und als **mince pie** zu Weihnachten gegessen.

mince pie [ˌmıns'paı] *Weihnachtsgebäck das aus einer mit* ***mincemeat*** *gefüllten Teigtasche besteht*

mincer ['mınsə] Fleischwolf

mind[1] [maınd] **1.** (≈ *Gedanken und Gefühle*) Sinn, Gemüt, Herz; ***have you got something on your mind?*** bedrückt dich etwas?; ***I can't get that film out of my mind*** dieser Film geht mir nicht aus dem Kopf **2.** (≈ *Intellekt*) Verstand, Geist; ***in her mind's eye she saw …*** vor ihren geistigen Auge sah sie …; ***be out of one's mind*** nicht bei Sinnen sein; ***lose one's mind*** den Verstand verlieren; ***you can put that out of your mind*** das kannst du dir aus dem Kopf schlagen; ***read someone's mind*** jemandes Gedanken lesen; ***out of sight, out of mind*** aus den Augen, aus dem Sinn **3.** (≈ *Auffassung*) Ansicht, Meinung; ***to my mind*** meiner Ansicht nach, meines Erachtens; ***change one's mind*** es sich anders überlegen, seine Meinung ändern; ***give someone a piece of one's mind*** jemandem gründlich die Meinung sagen **4.** (≈ *Vorhaben*) Lust, Absicht; ***have something in mind*** etwas im Sinn haben; ***have a good mind*** *oder* ***have half a mind to do something*** gute *oder* nicht übel Lust haben, etwas zu tun; ***make up one's mind*** sich entschließen, einen Entschluss fassen; ***I simply can't make up my mind*** ich kann mich einfach nicht entscheiden; ***we've made up our mind to move to Munich*** wir haben uns entschlossen, nach München zu ziehen **5.** (≈ *Erinnerung*) Gedächtnis; ***bear*** *oder* ***keep something in mind*** immer an etwas denken, etwas nicht vergessen **6.** *übertragen* (≈ *Person*) Kopf, Geist; ***she was among the finest minds of her time*** sie zählte zu den großen Geistern ihrer Zeit

mind[2] [maınd] **1.** (≈ *vorsichtig sein*) Acht geben auf; ***mind the step!*** Vorsicht, Stufe!; ***mind your head!*** stoß dir den Kopf nicht an! **2.** (≈ *sich mit etwas befassen*) sehen nach, aufpassen auf; ***mind your own business!*** kümmere dich um deine eige nen Angelegenheiten!; ***mind your language!*** pass auf, was du sagst! **3.** (≈ *mit etwas nicht einverstanden sein*) etwas haben gegen; ***do you mind my smoking*** *oder* ***if I smoke?*** haben Sie etwas dagegen *oder* stört es Sie, wenn ich rauche?; ***would you mind coming?*** würden Sie so freundlich sein zu kommen?; ***do you mind?*** *ungehalten*: ich muss doch sehr bitten!; ***never mind!*** macht nichts!, ist schon gut!; ***I don't mind*** meinetwegen, von mir aus (gern) **4.** ***mind you*** allerdings; ***mind you, she's still very young*** sie ist allerdings noch ziemlich jung

mine[1] [maɪn] ***it's mine*** es gehört mir; ***a friend of mine*** ein Freund von mir; ***his mother and mine*** seine und meine Mutter

mine[2] [maɪn] **1.** *im Bergbau*: schürfen, graben (***for*** nach) **2.** abbauen (*Erz*, *Kohle usw.*) **3.** *militärisch*: verminen

mine[3] [maɪn] **1.** *im Bergbau*: Bergwerk, Zeche, Grube **2.** *militärisch*: Mine

miner ['maɪnə] *im Bergbau*: Bergmann, Kumpel

mineral ['mɪnrəl] *Substanz*: Mineral

mingle ['mɪŋgl] **1.** (*Personen*) sich mischen (***among, with*** unter) **2.** (*Gefühle usw.*) sich vermischen (***with*** mit) **3.** mischen (***with*** mit)

minimal ['mɪnɪml] minimal

minimize ['mɪnɪmaɪz] **1.** minimieren, möglichst gering halten (*Risiko usw.*) **2.** bagatellisieren, herunterspielen (*Vorfall usw.*)

minimum[1] ['mɪnɪməm] *Pl.*: ***minima*** ['mɪnɪmə] *oder* ***minimums*** Minimum; ***reduce something to a minimum*** etwas auf ein Minimum reduzieren; ***keep something to a*** *oder* ***the minimum*** etwas auf ein Minimum beschränken

minimum[2] ['mɪnɪməm] Minimal…, Mindest…; ***minimum temperatures*** Tiefsttemperaturen; ***minimum wage*** Mindestlohn

mining ['maɪnɪŋ] Bergbau

minister ['mɪnɪstə] **1.** *Politik*: Minister(in); ***Minister of Education*** Bildungsminister(in): ***Prime Minister*** Premierminister (-in), Ministerpräsident **2.** *in protestantischen Gemeinden, bes. in USA*: Pfarrer(in)

ministry ['mɪnɪstrɪ] *Politik*: Ministerium; ***Ministry of Justice*** Justizministerium

minor[1] ['maɪnə] **1.** *AE; an Universität*: Nebenfach **2.** *Person*: Minderjährige(r) **3.** *Musik*: Moll; ***D minor*** d-Moll

minor[2] ['maɪnə] **1.** *Änderungen*, *Probleme usw.*: kleinere(r, -s), unbedeutend **2.** *Operation*, *Verletzung usw.*: leicht, kleinere(r, -s) **3.** *Person*: minderjährig

minority [maɪ'nɒrətɪ] Minderheit; ***be in the*** *oder* ***a minority*** in der Minderheit sein; ***minority government*** Minderheitsregierung

mint[1] [mɪnt] **1.** *Bonbon*: Pfefferminz **2.** Minze; ***mint sauce*** [ˌmɪnt'sɔːs] Minzsoße

mint[2] [mɪnt] **1.** Münzanstalt **2.** ***earn a mint*** *umg.* ein Heidengeld verdienen

mint[3] [mɪnt] ***in mint condition*** in tadellosem Zustand

minus[1] ['maɪnəs] **1.** *Mathematik*: minus, weniger **2.** *bei Temperaturangaben*: minus, unter null **3.** *umg.* ohne

minus[2] ['maɪnəs] **1.** *auch* ***minus sign*** Minuszeichen **2.** *in Kasse*, *Bilanz usw.*: Minus, Fehlbetrag **3.** *übertragen* Nachteil

minute[1] ['mɪnɪt] **1.** Minute; ***to the minute*** auf die Minute (genau); ***a ten-minute break*** eine zehnminütige Pause **2.** *übertragen* Augenblick; ***at the last minute*** in letzter Minute; ***in a minute*** sofort; ***just a minute!*** Moment mal!; ***I won't be a minute*** ich bin gleich wieder da, es dauert nicht lang; ***she was here a minute ago*** sie war eben noch da; ***have you got a minute?*** hast du einen Moment Zeit?; ☞ ***minutes***

minute[2] [⚠ maɪ'njuːt] **1.** (≈ *unbeträchtlich*) winzig **2.** *Untersuchung usw.*: peinlich genau, minuziös

minute hand ['mɪnɪt‿hænd] *von Uhr*: Minutenzeiger

minutes ['mɪnɪts] *Pl.* Sitzungsprotokoll; ***keep*** (*oder* ***do***) ***the minutes*** das Protokoll führen

miracle ['mɪrəkl] Wunder (*auch übertragen*); ***as if by a miracle*** wie durch ein Wunder; ***work*** *oder* ***perform miracles*** Wunder tun, Wunder vollbringen

miraculous [mə'rækjələs] *Heilung usw.*: wunderbar

mirage [⚠ 'mɪrɑːʒ] **1.** Luftspiegelung, Fata Morgana (*auch übertragen*) **2.** *übertragen* Illusion

mirror[1] ['mɪrə] **1.** Spiegel **2.** *übertragen* Spiegel, Spiegelbild (*einer Gesellschaft usw.*)

mirror[2] ['mɪrə] *übertragen* widerspiegeln

misbehave [ˌmɪsbɪ'heɪv] **1.** sich schlecht benehmen **2.** (*bes. Kind*) ungezogen sein

misbehaviour [ˌmɪsbɪ'heɪvɪə] schlechtes Benehmen, Ungezogenheit

miscalculate [ˌmɪs'kælkjʊleɪt] **1.** *bei Menge*, *Zahl usw.*: falsch berechnen, sich verrechnen **2.** *übertragen* falsch einschätzen (*Situation*, *Konsequenzen usw.*)

miscalculation [ˌmɪskælkjʊ'leɪʃn] **1.** Re-

M

chenfehler **2.** *übertragen* Fehleinschätzung

miscarriage [ˌmɪs'kærɪdʒ] Fehlgeburt

miscarry [ˌmɪs'kærɪ] eine Fehlgeburt haben

miscellaneous [⚠ ˌmɪsə'leɪnɪəs] **1.** (≈ *vielerlei*) gemischt, vermischt **2.** verschiedenartig

mischief [⚠ 'mɪstʃɪf] **1.** (≈ *Unsinn*) Unfug, Dummheiten; ***be up to mischief*** etwas aushecken; ***get into mischief*** etwas anstellen; ***be full of mischief*** immer zu Dummheiten aufgelegt sein **2.** (≈ *grober Unfug*) Unheil, Schaden; ***do someone a mischief*** jemandem Unheil *oder* Schaden zufügen

mischievous [⚠ 'mɪstʃɪvəs] **1.** *Blick usw.*: schelmisch **2.** boshaft, mutwillig

misconception [ˌmɪskən'sepʃn] falsche Annahme

miscount [ˌmɪs'kaʊnt] **1.** *allg.*: falsch zählen, sich verzählen **2.** *nach Wahlen usw.*: falsch auszählen (*Stimmen*)

miser ['maɪzə] Geizhals

miserable ['mɪzərəbl] **1.** *Lebensumstände usw.*: erbärmlich, *Bezahlung*: miserabel **2.** *Wohnverhältnisse*: armselig, elend **3.** *Stimmungslage*: unglücklich; ***feel miserable*** sich miserabel fühlen

M

miserly ['maɪzəlɪ] **1.** *Person*: geizig **2.** *Menge, Geldbetrag usw.*: armselig

misery ['mɪzərɪ] **1.** *Situation*: Elend, Not **2.** *Gefühlslage*: Kummer, Jammer

misfire [ˌmɪs'faɪə] **1.** (*Motor*) fehlzünden **2.** (*Trick usw.*) danebengehen **3.** (*Plan usw.*) fehlschlagen **4.** (*Pistole usw.*) Ladehemmung haben

misfit ['mɪsfɪt] Außenseiter(in)

misguided [mɪs'gaɪdɪd] **1.** *Meinung, Auffassung usw.*: irrig **2.** *Optimismus, Freundlichkeit usw.*: unangebracht

mishandle [ˌmɪs'hændl] falsch anpacken (*Problem, Vorhaben usw.*) (⚠ *misshandeln* = ***ill-treat***)

mishap ['mɪshæp] Missgeschick, Malheur; ***he's had a mishap*** ihm ist ein Missgeschick passiert; ***without mishap*** ohne Zwischenfälle

mismanage [ˌmɪs'mænɪdʒ] herunterwirtschaften (*Land, Firma usw.*)

mismanagement [ˌmɪs'mænɪdʒmənt] *politisch, wirtschaftlich*: Misswirtschaft

mishmash ['mɪʃmæʃ] *umg.* Mischmasch

misinform [ˌmɪsɪn'fɔːm] falsch informieren (***about*** über)

misinformation [ˌmɪsɪnfə'meɪʃn] Fehlinformation

misinterpret [ˌmɪsɪn'tɜːprɪt] **1.** missdeuten, falsch auffassen (*Äußerung usw.*) **2.** fehlinterpretieren (*Gedicht, Roman usw.*)

misinterpretation [ˌmɪsɪnˌtɜːprɪ'teɪʃn] **1.** *von Äußerung usw.*: Missdeutung **2.** *von Gedicht usw.*: Fehlinterpretation

misjudge [ˌmɪs'dʒʌdʒ] **1.** falsch beurteilen, verkennen (*Person*) **2.** falsch einschätzen (*Situation, Entfernung usw.*)

mislead [mɪs'liːd], ***misled*** [mɪs'led], ***misled*** [mɪs'led] irreführen, täuschen; ***be misled*** sich täuschen lassen

misprint ['mɪsprɪnt] *in Buch usw.*: Druckfehler

mispronounce [ˌmɪsprə'naʊns] falsch aussprechen (*Wort, Name usw.*)

mispronunciation [ˌmɪsprəˌnʌnsɪ'eɪʃn] falsche Aussprache

misread [ˌmɪs'riːd], ***misread*** [ˌmɪs'red], ***misread*** [ˌmɪs'red] **1.** falsch lesen (*Text, Schild usw.*) **2.** *übertragen* missdeuten

miss[1] [mɪs] **1.** ***Miss*** *mit folgendem Namen*: Fräulein **2.** ***Miss America*** Miss Amerika

miss[2] [mɪs] **1.** verpassen (*U-Bahn, Bus, Zug*); ***miss the boat*** *oder* ***bus*** *umg., übertragen* den Anschluss *oder* seine Chance verpassen **2.** versäumen, sich entgehen lassen (*Chance, Gelegenheit*); ***miss lunch*** nicht zu Mittag essen **3.** (≈ *nicht finden*) verfehlen (*Platz, Gebäude usw.*) **4.** (≈ *nicht bemerken*) überhören, übersehen, ***sorry - I missed that*** Entschuldigung - das hab ich nicht mitbekommen **5.** (≈ *Sehnsucht haben*) vermissen; ***I miss you very much*** du fehlst mir sehr **6.** *im Sport usw.*: nicht treffen (*Tor, Korb usw.*)

miss[3] [mɪs] **1.** *Sport usw.*: Fehlschuss, Fehlwurf **2.** *übertragen* Reinfall, Misserfolg

missile ['mɪsaɪl] **1.** *Stein, Speer usw.*: Wurfgeschoss, Ⓐ Wurfgeschoß **2.** *militärisch*: Rakete

missing ['mɪsɪŋ] **1.** *Gegenstand usw.*: fehlend; ***be missing*** fehlen, verschwunden *oder* weg sein **2.** *Person, Flugzeug usw.*: vermisst; ***be missing*** vermisst sein *oder* werden

mission ['mɪʃn] *politisch, militärisch oder kirchlich*: Mission, Auftrag

missionary ['mɪʃnərɪ] Missionar(in)

misspell [ˌmɪs'spel], ***misspelt*** [ˌmɪs'spelt], ***misspelt*** [ˌmɪs'spelt] *oder* ***misspelled, misspelled*** falsch schreiben

misspelling [ˌmɪs'spelɪŋ] Rechtschreibfehler

mist [mɪst] Dunst, feiner Nebel

mistake[1] [mɪ'steɪk], ***mistook*** [mɪ'stʊk], ***mistaken*** [mɪ'steɪkən] **1.** verwechseln; ***mistake A for B*** A mit B verwechseln **2.** falsch verstehen, missverstehen

mistake[2] [mɪ'steɪk] **1.** *allg.*: Fehler; ***make a***

mistake einen Fehler machen **2.** Irrtum, Versehen; ***by mistake*** irrtümlich, aus Versehen; ***make a mistake*** sich irren; ☞ *Info unter dt.* ***Fehler***
mistaken[1] [mɪ'steɪkən] *3. Form von* → ***mistake***[1]
mistaken[2] [mɪ'steɪkən] **1.** ***be mistaken*** sich irren; ***unless I'm very much mistaken*** wenn mich nicht alles täuscht **2.** *Meinung usw.*: irrig, falsch
mister ['mɪstə] **1.** ***Mister*** (*Abk.* ***Mr***) *in Anrede*: Herr **2.** ***hey mister!*** *bes. AE, umg.* hallo, Sie!
mistletoe [⚠ 'mɪsltəʊ] *Weihnachtsschmuck*: Mistelzweig

mistletoe

Den Mistelzweig findet man während der Weihnachtszeit in vielen britischen Häusern meist über einer Tür angebracht: Wenn jemand darunter steht, darf man sie / ihn küssen.

mistreat [ˌmɪs'triːt] schlecht behandeln
mistress ['mɪstrəs] **1.** *eines verheirateten Mannes*: Geliebte, Freundin **2.** *eines Tieres*: Herrin, *eines Hundes*: Frauchen
mistrust[1] [ˌmɪs'trʌst] Misstrauen (***of*** gegen)
mistrust[2] [ˌmɪs'trʌst] misstrauen
mistrustful [ˌmɪs'trʌstfl] misstrauisch (***of*** gegen)
misty ['mɪstɪ] **1.** *Luft*: dunstig, nebelig **2.** *Erinnerung, Vorstellung usw.*: unklar, verschwommen
misunderstand [ˌmɪsʌndə'stænd], ***misunderstood*** [ˌmɪsʌndə'stʊd], ***misunderstood*** [ˌmɪsʌndə'stʊd] missverstehen; ***don't misunderstand me*** versteh mich nicht falsch
misunderstanding [ˌmɪsʌndə'stændɪŋ] Missverständnis
misuse[1] [ˌmɪs'juːs] **1.** *von Amt usw.*: Missbrauch; ***misuse of power*** Machtmissbrauch **2.** *von Gerät, Wort usw.*: falscher Gebrauch
misuse[2] [ˌmɪs'juːz] **1.** missbrauchen (*Amt usw.*) **2.** falsch gebrauchen (*Gerät, Wort usw.*)
mix[1] [mɪks] **1.** *allg.*: mischen, vermischen (***with*** mit) **2.** ***water and oil don't mix*** Wasser und Öl vermischen sich nicht *oder* lassen sich nicht mischen **3.** mixen (*Cocktail usw.*) **4.** anrühren (*Teig usw.*) **5.** *übertragen* verbinden; ***mix business with pleasure*** das Angenehme mit dem Nützlichen verbinden **6.** ***mix well*** (*Person*) kontaktfreudig sein

mix up [ˌmɪks'ʌp] **1.** verwechseln (*Personen usw.*) (***with*** mit) **2.** durcheinander bringen (*Akten, Sachen usw.*) **3.** ***be mixed up in something*** in etwas verwickelt sein (*in Affäre usw.*)

mix[2] [mɪks] *allg.*: Mischung, Gemisch (*auch von Menschen, Ideen usw.*)
mixed [mɪkst] gemischt (*auch übertragen*: *Gefühle usw.*); ***mixed doubles*** *Tennis usw.*: gemischtes Doppel, Mixed
mixer ['mɪksə] **1.** Mixer (*auch Küchengerät*) **2.** *für Zement usw.*: Mischmaschine **3.** *für Musik usw.*: Mischpult **4.** ***be a good*** (*bzw.* ***bad***) ***mixer*** *umg.* kontaktfreudig (*bzw.* kontaktarm) sein
mixture ['mɪkstʃə] *allg.*: Mischung, Gemisch (*auch von Menschen, Ideen usw.*)
mix-up ['mɪksʌp] *umg.* Durcheinander
mo [məʊ] *BE, umg.* Moment, Augenblick; ***just a mo!*** kleinen Moment!, bin gleich (wieder) da!
moan[1] [məʊn] stöhnen, ächzen; ***moan with pain*** vor Schmerzen stöhnen
moan[2] [məʊn] Stöhnen, Ächzen; ***give a moan*** stöhnen, ächzen
mob[1] [mɒb] Mob, Pöbel
mob[2] [mɒb], ***mobbed, mobbed*** bedrängen, belagern (*Filmstar usw.*)
mobile ['məʊbaɪl] **1.** *allg.*: beweglich; ***mobile home*** Wohnwagen **2.** *übertragen* mobil (*Arbeitskräfte usw.*)
mobile (phone) [ˌməʊbaɪl'fəʊn] Handy, Mobiltelefon
mobility [məʊ'bɪlətɪ] **1.** *allg.*: Beweglichkeit **2.** *übertragen* Mobilität
mocha ['mɒkə] *Kaffee*: Mokka
mock[1] [mɒk] **1.** verspotten, lächerlich machen **2.** sich lustig machen (***at*** über)
mock[2] [mɒk] nachgemacht, Schein…
mockery ['mɒkərɪ] **1.** Spott, Hohn **2.** ***make a mockery of someone*** jemanden zum Gespött (der Leute) machen
modal ['məʊdl], **modal verb** [ˌməʊdl'vɜːb] Modalverb, modales Hilfsverb (*z.B. können* = ***can***, *müssen* = ***must***)
mod cons [ˌmɒd'kɒnz] *Pl. BE, umg.* (*kurz für* ***modern conveniences***) Komfort; ***a kitchen with all the mod cons*** eine Küche mit allen Schikanen
model[1] ['mɒdl] **1.** (≈ *Nachbildung*) Modell **2.** *Mode*: Model, Mannequin; (***male***) ***model*** Dressman, Model **3.** *Malerei*: Modell **4.** *übertragen* Muster, Vorbild (***for*** für); ***he's a model of self-control*** er ist ein Muster an Selbstbeherrschung **5.** *Bauart eines Autos usw.*: Modell, Typ; ☞ *Info S. 310*

M

model

model: „Dressman" sieht zwar aus wie ein Wort, das aus dem Englischen entlehnt sein könnte, aber dieses Wort gibt es im Englischen gar nicht. So ist es mit manchen Wörtern, von denen man vermutet, dass sie aus dem Englischen stammen, die aber zumindest in der „deutschen Bedeutung" im Englischen nicht bekannt sind; z. B.:

Deutsch	*Englisch*
Handy	**mobile phone**
Oldtimer	**vintage car** *oder* **veteran car**
Mobbing	**harassment** ['hærəsmənt] **at work**

model[2] ['mɒdl] **1.** Modell…; ***model builder*** Modellbauer **2.** *übertragen* vorbildlich; ***model student*** Musterschüler (-in)

model[3] [mɒdl], ***modelled, modelled***, *AE* ***modeled, modeled*** **1.** vorführen (*Kleider usw.*), als Mannequin *oder* Dressman arbeiten **2.** *mit Ton usw.*: modellieren

modem ['məʊdem] *Computer*: Modem

moderate[1] ['mɒdərət] **1.** *Appetit*, *Lebensstil*, *Größe usw.*: mäßig; ***moderate demands*** maßvolle Forderungen **2.** *Leistung*, *Schüler usw.*: mittelmäßig; ***moderately successful*** mäßig erfolgreich **3.** *politische Einstellung usw.*: gemäßigt **4.** *Strafe*, *Winter usw.*: mild

moderate[2] ['mɒdərət] *bes. politisch*: Gemäßigte(r)

moderate[3] ['mɒdəreɪt] **1.** mäßigen (*Ansprüche usw.*) **2.** moderieren (*Fernsehsendung usw.*)

moderation [ˌmɒdə'reɪʃn] Mäßigung; ***in moderation*** *essen*, *trinken usw.*: in *oder* mit Maßen, maßvoll

modern ['mɒdn] *allg.*: modern; ***modern history*** neuere Geschichte; ***in modern times*** in der heutigen Zeit; ***I study modern languages*** ich studiere neuere Sprachen

modernize ['mɒdənaɪz] modernisieren (*Haus*, *Betrieb usw.*)

modest ['mɒdəst] **1.** *Haus*, *Kleidung*, *Art einer Person*: bescheiden; ***she's modest about her achievements*** sie gibt nicht mit ihren Leistungen an **2.** (≈ *genügsam*) anspruchslos **3.** *Wunsch*, *Forderung*, *Preis usw.*: maßvoll, vernünftig

modesty ['mɒdəstɪ] Bescheidenheit; ***in all modesty*** bei aller Bescheidenheit

modification [ˌmɒdɪfɪ'keɪʃn] Modifikation, Abänderung

modify ['mɒdɪfaɪ] abändern, modifizieren

moist [mɔɪst] *Erde*, *Tuch usw.*: feucht (***with*** von)

moisten [⚠ 'mɔɪsn] anfeuchten, befeuchten (*Tuch*, *Lippen usw.*)

moisture ['mɔɪstʃə] *in Erdreich*, *Luft usw.* Feuchtigkeit

moisturizer ['mɔɪstʃəraɪzə] Feuchtigkeitscreme

molar ['məʊlə] Backenzahn

mold[1] [məʊld] *AE*; *auf Lebensmitteln usw.* Schimmel

mold[2] [məʊld] *AE*; *Technik*: Gussform

moldy ['məʊldɪ] *AE* schimmelig; → ***mouldy***

mole [məʊl] **1.** *Tier*: Maulwurf (*umg. auch für Spion*), Ⓒⓗ, Ⓐ Schermaus **2.** *auf Haut* Muttermal, Leberfleck

molecule ['mɒlɪkjuːl] *Chemie*: Molekül

molehill ['məʊlhɪl] Maulwurfshügel; ☞ ***mountain*** 2

molest [mə'lest] belästigen (*auch unsittlich*)

mom [mɒm] *bes. AE*, *umg.* Mami, Mutti

moment ['məʊmənt] *Zeitpunkt*: Moment, Augenblick; ***at the moment*** im Augenblick; ***at the last moment*** im letzten Augenblick; ***just a moment!*** *oder* ***wait a moment!*** Moment mal!, Augenblick!; ***the moment of truth*** die Stunde der Wahrheit

momentous [məʊ'mentəs] *Ereignis*, *Entscheidung*: bedeutsam, folgenschwer

momentum [məʊ'mentəm] **1.** *Physik*: Moment, Impuls **2.** *oft übertragen* Wucht, Schwung; ***gather*** *oder* ***gain momentum*** schneller werden, *übertragen* an Boden gewinnen (*von Idee*, *Partei usw.*); ***lose momentum*** langsamer werden, *übertragen* an Schwung verlieren (*auch übertragen*)

monarch ['mɒnək] Monarch(in), Herrscher(in)

monarchist ['mɒnəkɪst] Monarchist(in)

monarchy ['mɒnəkɪ] Monarchie; ***constitutional monarchy*** konstitutionelle Monarchie

monastery ['mɒnəstərɪ] Kloster (*für Mönche*)

Monday ['mʌndeɪ] Montag; ***on Monday*** (am) Montag; ***on Mondays*** montags

monetary ['mʌnɪtərɪ] Währungs… ***monetary union*** Währungsunion

money ['mʌnɪ] Geld; ***make money*** (*Person*) (viel) Geld verdienen, (*Geschäft*) sich rentieren; ***earn good money*** gut verdienen; ***spend money*** Geld ausgeben; ***be***

out of money kein Geld (mehr) haben; ***be in the money*** *umg.* reich sein; ***be short of money*** knapp bei Kasse sein; ***I'll bet you any money that …*** *umg.* ich wette mit dir um jeden Betrag, dass …; ***you get your money's worth there*** dort bekommen Sie etwas für Ihr Geld; ***this dictionary is good value for money*** dieses Wörterbuch ist sein Geld wert; ***have money to burn*** *umg.* Geld wie Heu haben; ***have you got enough money on you?*** hast du genügend Geld dabei?; ***for money reasons*** aus finanziellen Gründen

moneybox ['mʌnɪbɒks] Spardose, Sparbüchse

money matters
rund ums Geld

bank account	Bankkonto
bill *AE*	Geldschein
bureau de change [ˌbjʊərəʊ dɪ 'ʃɒndʒ]	Wechselstube
cash	Bargeld
cash card	Geldautomaten-karte
cashpoint, **cash dispenser**	Geldautomat
check *AE*	Scheck
cheque *BE*	Scheck
cheque card	Scheckkarte
credit card	Kreditkarte
current account	Girokonto
exchange rate	Wechselkurs
interest	Zinsen
interest rate	Zinssatz
loan	Kredit, Darlehen
note	Geldschein
overdrawn	überzogen
PIN number	PIN, Geheimzahl
plastic ['plæstɪk] *Sg. umg.*	Kreditkarten *Pl.*

money order ['mʌnɪˌɔːdə] Postanweisung, Zahlungsanweisung

monitor[1] ['mɒnɪtə] **1.** *Computer usw.*: Monitor **2.** *von Überwachungsanlage usw.*: Kontrollschirm

monitor[2] ['mɒnɪtə] überwachen, kontrollieren (*Klimaveränderungen, Kosten usw.*)

monk [mʌŋk] Mönch

monkey ['mʌŋkɪ] **1.** Affe; ***make a monkey of*** *oder* ***out of someone*** *umg.* jemanden zum Deppen machen **2.** *Kind*: Schlingel

> **monkey about** *oder* **around** [ˌmʌŋkɪ‿ə'baʊt *oder* ə'raʊnd] **1.** herumalbern **2.** *umg.* herumspielen (***with*** mit), herumpfuschen (***with*** an)

monkey business ['mʌŋkɪˌbɪznəs] *umg.* Blödsinn, Unfug; ***no monkey business!*** mach bloß keinen Unsinn!

monolingual [ˌmɒnəʊ'lɪŋgwəl] *Wörterbuch*: einsprachig

monologue, *AE auch* **monolog** ['mɒnəlɒg] *in Theater usw.*: Monolog

monotonous [⚠ mə'nɒtənəs] eintönig, monoton

monotony [mə'nɒtənɪ] Monotonie, Eintönigkeit

monster ['mɒnstə] **1.** *Tier, Fabelwesen usw.*: Monster, Ungeheuer (*beide auch übertragen*) **2.** *riesiges Ding*: Monstrum

month [mʌnθ] Monat; ***months ago*** vor Monaten; ***we haven't seen each other for months*** wir haben uns schon seit Monaten nicht mehr gesehen; ***a month from today*** heute in einem Monat

monthly[1] ['mʌnθlɪ] monatlich, Monats…; ***monthly season ticket*** Monatskarte

monthly[2] [mʌnθlɪ] *Zeitschrift*: Monatsschrift

monument ['mɒnjʊmənt] Monument, Denkmal (***to*** für *oder Genitiv*)

mood [muːd] **1.** Stimmung, Laune; ***be in a good*** (*bzw.* ***bad***) ***mood*** gute (*bzw.* schlechte) Laune haben, gut (*bzw.* schlecht) aufgelegt sein; ***be in the mood to do something*** *oder* ***be in the mood for something*** zu etwas aufgelegt sein, zu etwas Lust haben *oder* Lust haben, etwas zu tun; ***I'm in no laughing mood*** *oder* ***mood for laughing*** mir ist nicht nach *oder* zum Lachen zumute **2.** ***be in a mood*** schlechte Laune haben, schlecht aufgelegt sein; ***he's in one of his moods again*** er hat wieder einmal schlechte Laune **3.** *Sprache*: Modus

moody ['muːdɪ] **1.** launisch, launenhaft **2.** (≈ *missmutig*) schlecht gelaunt

moon[1] [muːn] **1.** Mond; ***there's a full moon tonight*** wir haben heute Vollmond; ***there's no moon tonight*** der Mond ist diese Nacht nicht zu sehen; ***the moons of Jupiter*** die Monde des Jupiter **2.** *in Wendungen*: ***be over the moon*** *umg.* überglücklich sein (***about, at*** über); ***ask for the moon*** nach etwas Unmöglichem verlangen; ***promise someone the moon*** jemandem das Blaue vom Himmel herunter versprechen; ***once in a blue moon*** *umg.* alle Jubeljahre einmal

moon[2] ['mu:n] *salopp* den nackten Hintern vorzeigen

moon about *oder* **around** [ˌmu:n‿ə-'baʊt *oder* ə'raʊnd] *mst. zu Hause*: lustlos herumlungern

moonlight[1] ['mu:nlaɪt] Mondlicht, Mondschein
moonlight[2] ['mu:nlaɪt] *umg.* schwarzarbeiten, Ⓐ pfuschen
moonlighter ['mu:nlaɪtə] *umg.* Schwarzarbeiter(in), Ⓐ Pfuscher(in)
moonlit ['mu:nlɪt] mondhell; ***moonlit night*** Mondnacht
moor [mʊə] *Landschaftsform*: Hochmoor
moose [mu:s] *Pl.*: ***moose*** *Hirschart in Nordamerika*: Elch
mop[1] [mɒp] **1.** *zum Wischen*: Mopp **2.** *auch* ***mop of hair*** Mähne
mop[2] [mɒp] ***mopped, mopped*** wischen, abwischen

mop up [ˌmɒp'ʌp] aufwischen

moped ['məʊped] Moped
moral[1] ['mɒrəl] moralisch; ***moral obligation*** moralische Verpflichtung; ***moral support*** moralische Unterstützung; ***moral values*** sittliche Werte; ***moral victory*** moralischer Sieg
moral[2] ['mɒrəl] **1.** *einer Geschichte usw.*: Moral; ***draw the moral from*** die Lehre ziehen aus **2.** ***morals*** *Pl.* (≈ *Moralvorstellungen*) Moral, Sitten
morale [mə'rɑ:l] *von Belegschaft, Mannschaft usw.*: Moral, Stimmung; ***raise the morale*** die Moral heben
morality [mə'rælətɪ] (≈ *Wertesystem*) Moral, Ethik
more [mɔ:] **1.** *allg.*: mehr; ***in 1996 more people were unemployed than the year before*** 1996 waren mehr Menschen arbeitslos als im Vorjahr; ***more than happy*** überglücklich **2.** (≈ *zusätzlich*) mehr, noch, noch mehr; ***some more tea*** noch etwas Tee; ***do you want more meat?*** willst du noch Fleisch?; ***two more miles*** noch zwei Meilen **3.** ***more and more*** immer mehr; ***more and more difficult*** immer schwieriger; ***more or less*** mehr oder weniger, ungefähr; ***..., the more so because ...*** ..., umso mehr, als... **4.** *zur Bildung von Steigerungsformen*: ***more important*** wichtiger; ***more expensive*** teurer; ***more often*** öfter **5.** ***once more*** noch einmal **6.** ***some more*** noch etwas, noch etwas mehr; ***can I have a little more?*** kann ich etwas mehr haben?; ***what more do you want?*** was willst du denn noch?
moreover [mɔ:r'əʊvə] außerdem, überdies
morning ['mɔ:nɪŋ] **1.** (≈ *Tagesbeginn*) Morgen; ***good morning!*** guten Morgen!; ***in the morning*** morgens, am Morgen; ***early in the morning*** frühmorgens, früh am Morgen; ***this morning*** heute Morgen; ***tomorrow morning*** morgen früh **2.** *vor 12 Uhr*: Vormittag; ***in the morning*** vormittags, am Vormittag; ***this morning*** heute Vormittag; ***tomorrow morning*** morgen Vormittag
Morocco [mə'rɒkəʊ] Marokko
Moroccan[1] [mə'rɒkən] marokkanisch
Moroccan[2] [mə'rɒkən] Marokkaner(in)
morose [mə'rəʊs] mürrisch
Morse code ['mɔ:s‿kəʊd] Morsealphabet
morsel ['mɔ:sl] **1.** Bissen, Happen **2.** *übertragen* Quäntchen
mortal[1] ['mɔ:tl] **1.** *Mensch*: sterblich **2.** *Verletzung usw.*: tödlich (***to*** für) **3.** ***mortal fear*** Todesangst; ***mortal sin*** Todsünde; ***mortal enemy*** Todfeind
mortal[2] ['mɔ:tl] Sterbliche(r); ***we ordinary mortals*** *humorvoll* wir gewöhnlichen Sterblichen
mortality [mɔ:'tælətɪ] *auch* ***mortality rate*** Sterblichkeitsrate
mortgage [⚠ 'mɔ:gɪdʒ] Hypothek, Baudarlehen; ***take out a mortgage*** eine Hypothek aufnehmen
mosaic [⚠ məʊ'zeɪɪk] Mosaik
Moscow ['mɒskəʊ] Moskau
Moslem ['mɒzləm] → ***Muslim***
mosque [mɒsk] Moschee
mosquito [mə'ski:təʊ] *Pl.*: ***mosquitos*** *oder* ***mosquitoes*** Moskito, Stechmücke; ***mosquito bite*** Mückenstich
moss [mɒs] *Pflanze*: Moos
most [məʊst] **1.** meiste(r, -s), größte(r, -s); ***for the most part*** größtenteils **2.** *vor Substantiven*: die meisten; ***like most people*** wie die meisten Leute; ***most children love comics*** die meisten Kinder lieben Comics; ***most of my friends*** die meisten meiner Freunde **3.** das meiste, der größte Teil; ***I spent most of my holidays in London*** ich verbrachte den größten Teil meines Urlaubs in London **4.** am meisten; ***most of all*** am allermeisten **5.** *zur Bildung des Superlativs*: ***the most important point*** der wichtigste Punkt; ***most agreeable*** äußerst angenehm; ***he's most likely to say no*** er sagt höchstwahrscheinlich Nein **6.** sehr, äu-

M

ßerst; ***a most reliable car*** ein äußerst verlässliches Auto **7.** ***at the most*** *oder* ***at most*** höchstens, bestenfalls; ***make the most of something*** das Beste aus etwas machen
mostly ['məʊstlɪ] **1.** größtenteils **2.** *zeitlich*: meistens
MOT [ˌeməʊ'tiː] *BE* (*eigentlich Abk. für* **M**inistry **o**f **T**ransport) *auch* ***MOT test*** *etwa*: TÜV-Prüfung; ***my car has failed*** *oder* ***hasn't got through its MOT*** mein Wagen ist nicht durch den TÜV gekommen
motel [məʊ'tel] Motel
mother[1] ['mʌðə] Mutter (*auch übertragen*); ***Mother's Day*** Muttertag; ***mother's milk*** Muttermilch; ***a mother of four*** eine Mutter von vier Kindern; ***mother hen*** Glucke (*auch übertragen*); ***Mother Earth*** Mutter Erde
mother[2] ['mʌðə] bemuttern
mother country ['mʌðəˌkʌntrɪ] Vaterland, Heimat
motherhood ['mʌðəhʊd] Mutterschaft
mother-in-law ['mʌðərɪnlɔː] *Pl.*: ***mothers-in-law*** Schwiegermutter
motherly ['mʌðəlɪ] *Gefühle usw.*: mütterlich
mother tongue [ˌmʌðə'tʌŋ] Muttersprache
motif [məʊ'tiːf] *Kunst*: Motiv
motion ['məʊʃn] **1.** *allg.*: Bewegung (*auch physikalisch usw.*); ***be in motion*** in Bewegung sein, in Gang sein (*auch übertragen*); ***set*** *oder* ***put in motion*** in Gang *oder* in Bewegung setzen (*auch übertragen*) **2.** *von Körperteil*: Bewegung, Geste, Wink; ***with a motion of the head*** mit einer Kopfbewegung **3.** *in Versammlung, Parlament usw.*: Antrag; ***on the motion of*** auf Antrag von (*oder Genitiv*); ☞ *Illu S. 783*
motionless ['məʊʃnləs] bewegungslos, regungslos
motion picture [ˌməʊʃn'pɪktʃə] *AE* Film
motion sensor ['məʊʃnˌsensə] Bewegungsmelder
motivate ['məʊtɪveɪt] motivieren (*Sportler usw.*)
motivation [ˌməʊtɪ'veɪʃn] Motivation
motive ['məʊtɪv] *für eine Entscheidung, Tat usw.*: Motiv, Beweggrund
motor ['məʊtə] **1.** *BE mst.* Elektromotor, *AE allg.*: Motor **2.** *BE, umg.* Auto; ***the motor industry*** die Automobilindustrie
motorbike ['məʊtəbaɪk] *umg.* Motorrad, Ⓒⓗ Töff
motorboat ['məʊtəbəʊt] Motorboot
motorcycle ['məʊtəˌsaɪkl] Motorrad, Ⓒⓗ Töff
motorcyclist ['məʊtəˌsaɪklɪst] Motorradfahrer(in)
motor home ['məʊtə‿həʊm] Wohnmobil
motorist ['məʊtərɪst] Autofahrer(in)
motor scooter ['məʊtəˌskuːtə] Motorroller
motorway ['məʊtəweɪ] *BE* Autobahn; ***motorway junction*** Autobahndreieck
mottled ['mɒtld] **1.** gesprenkelt **2.** *Haut*: fleckig
mould[1] [məʊld] *bes. BE*; *auf Lebensmitteln usw.*: Schimmel, Moder
mould[2] [məʊld] *bes. BE*; *Technik*: Gussform
mouldy ['məʊldɪ] *bes. BE* **1.** verschimmelt, schimmelig; ***get*** *oder* ***go mouldy*** verschimmeln **2.** moderig; ***mouldy smell*** Modergeruch
mount [maʊnt] **1.** (*Spannung usw.*) ansteigen, sich erhöhen **2.** organisieren (*Ausstellung usw.*) **3.** aufsteigen auf, besteigen (*Pferd, Fahrrad usw.*) **4.** hinaufgehen (*Treppe*)
Mount [maʊnt] *in Eigennamen*: ***on Mount Sinai*** auf dem Berg Sinai; ***Mount Fuji*** der (Berg) Fudschijama
mountain ['maʊntɪn] **1.** Berg (*auch übertragen*) **2.** ***mountains*** *Pl.* Berge, Gebirge; ***in the mountains*** im Gebirge; ***make a mountain out of a molehill*** *übertragen* aus einer Mücke einen Elefanten machen
mountaineer [ˌmaʊntɪ'nɪə] Bergsteiger (-in)
mountaineering [ˌmaʊntɪ'nɪərɪŋ] Bergsteigen
mountainous ['maʊntɪnəs] *Landschaft*: bergig, gebirgig
mountain range ['maʊntɪn‿reɪndʒ] Gebirgszug
mounted ['maʊntɪd] **1.** *Polizei usw.*: beritten **2.** *Dia*: gerahmt

Mount Rushmore

Mount Rushmore National Memorial – Gedenkstätte in den Black Hills im US-Bundesstaat South Dakota. Das Memorial zeigt die je rund 20 m hohen, aus dem Stein des Mount Rushmore gehauenen Köpfe der amerikanischen Präsidenten George Washington, Thomas Jefferson, Abraham Lincoln und Theodore Roosevelt; ☞ *Karte S. 295*

mourn [mɔːn] trauern (***for, over*** um), betrauern
mourner ['mɔːnə] Trauernde(r)
mourning ['mɔːnɪŋ] Trauer

M

mouse [maʊs] *Pl.*: ***mice*** [maɪs] *Tier*: Maus (*auch am Computer*)

mouse click ['maʊs‿klɪk] *Computer*: Mausklick

mouse key ['maʊs‿kiː] *Computer*: Maustaste

mouse mat ['maʊs‿mæt], **mouse pad** ['maʊs‿pæd] *Computer*: Mauspad

mouse potato ['maʊs‿pəˌteɪtəʊ] *umg.* (abgestumpfter) Computerfreak

mousetrap ['maʊstræp] Mausefalle

moustache [⚠ mə'stɑːʃ] Schnurrbart, (CH) Schnauz

mouth [maʊθ] **1.** Mund; ***keep one's mouth shut*** *umg.* den Mund halten; ***take the words out of someone's mouth*** jemandem das Wort aus dem Mund nehmen **2.** *von Tieren*: Maul, Schnauze **3.** *von Tal, Höhle, Tunnel usw.*: Eingang **4.** *von Fluss*: Mündung

mouthful ['maʊθfʊl] **1.** *von Essen*: Mund voll, Bissen **2.** *von Getränk*: Schluck **3.** *übertragen* Zungenbrecher

mouthwash ['maʊθwɒʃ] Mundwasser

mouthwatering ['maʊθˌwɔːtərɪŋ] *Essen, Duft*: appetitlich, lecker; ***it sounds mouthwatering!*** da läuft einem das Wasser im Mund zusammen!

movable ['muːvəbl] *allg.*: beweglich (*auch Feiertag*)

move[1] [muːv] **1.** *allg.*: bewegen; ***don't move!*** keine Bewegung! **2.** verrücken, woanders hinstellen (*Schrank, Hindernis usw.*) **3.** bewegen, rühren (*Körperteil*) **4.** ***move one's car*** seinen Wagen wegfahren **5.** *auch* ***move house*** umziehen, (CH) zügeln; ***we're moving to Berlin*** wir ziehen nach Berlin **6.** *gefühlsmäßig*: bewegen, rühren; ***be moved to tears*** zu Tränen gerührt sein **7.** *Schach usw.*: ziehen, einen Zug machen

move away [muːv‿ə'weɪ] *aus einem Ort*: wegziehen (***from*** aus, von)

move in [ˌmuːv'ɪn] **1.** *in ein Haus usw.*: einziehen **2.** ***move in with someone*** mit jemandem zusammenziehen

move on [ˌmuːv'ɒn] **1.** (*Person*) weitergehen; ***it's time to move on*** wir müssen weiter **2.** *in Besprechung usw.*: weitermachen, zum nächsten Thema kommen

move out [ˌmuːv'aʊt] *aus Wohnung usw.*: ausziehen

move over [ˌmuːv'əʊvə] zur Seite rücken; ***could you move over a bit?*** könntest du ein Stück rutschen?

move[2] [muːv] **1.** ***be on the move*** (*Personen*) in Bewegung sein, (*Entwicklung usw.*) im Fluss sein; ***get a move on!*** *umg.* Tempo!, mach schon! **2.** *in neues Haus usw.*: Umzug **3.** *bei Spielen*: Zug; ***it's your move*** Sie sind am Zug **4.** *übertragen* Schritt; ***make the first move*** den ersten Schritt tun; ***a clever move*** ein kluger Schachzug

movement ['muːvmənt] **1.** *allg.*: Bewegung (*auch übertragen*) **2.** *von Symphonie usw.*: Satz

movie ['muːvɪ] *bes. AE* **1.** *im Kino*: Film; ***movie theater*** *AE* Kino **2.** ***go to the movies*** ins Kino gehen

moving ['muːvɪŋ] *Anblick, Geschichte, Worte usw.*: bewegend, rührend

mow [məʊ], ***mowed, mowed*** *oder* ***mown*** [məʊn] mähen (*Rasen*)

mower ['məʊə] Rasenmäher

mown [məʊn] *3. Form von* → ***mow***

MP [ˌem'piː] (*Abk. für* **M**ember of **P**arliament) *in GB*: Unterhausabgeordnete(r)

mph [ˌempiː'eɪtʃ] (*Abk. für* **m**iles **p**er **h**our) Meilen pro Stunde (*30 mph entsprechen etwa 50 km/h*)

Mr ['mɪstə] *in Anrede*: Herr

Mrs ['mɪsɪz] *in Anrede für verheiratete Frau*: Frau; ***Mr and Mrs Baker*** Herr und Frau Baker, die Eheleute Baker

Ms [⚠ mɪz] *in Anrede, egal ob die Frau verheiratet oder ledig ist*: Frau

Mt [maʊnt] *Abk. für* → ***Mount***

much [mʌtʃ] **1.** *allg.*: viel; ***she doesn't talk much*** sie redet nicht viel; ***how much?*** wie viel?; ***that much*** so viel; ***as much again*** noch einmal so viel; ***four times as much*** viermal so viel; ***I don't think much of her*** ich halte nicht viel von ihr; ***he's not much of a dancer*** er ist kein großer Tänzer **2.** sehr; ***much to my regret*** sehr zu meinem Bedauern; ***much to my surprise*** zu meiner großen Überraschung **3.** *in Zusammensetzungen*: viel…; ***much-admired*** viel bewundert **4.** *vor Steigerungsformen*: viel; ***much better*** viel besser; ***much more difficult*** viel schwieriger **5.** ***he's much too old for you*** er ist viel zu alt für dich

muck [mʌk] **1.** Dreck, Schmutz **2.** *von Tieren*: Mist, Dung

muck about *oder* **around** [ˌmʌk‿ə'baʊt *oder* ə'raʊnd] *BE, umg.* **1.** herumalbern **2.** herumpfuschen (***with*** an)

muck up [ˌmʌk'ʌp] *BE, umg.* **1.** schmutzig machen **2.** verpfuschen, vermasseln

mucky ['mʌkɪ] schmutzig

mud [mʌd] **1.** (≈ *aufgeweichter Boden*) Schlamm, Matsch **2.** *Baumaterial*: Lehm **3.** ***drag through the mud*** *übertragen* in den Schmutz ziehen (*Person*, *Namen usw.*)

muddle[1] ['mʌdl] **1.** Durcheinander, Unordnung **2.** ***be in a muddle*** (*Dinge*) durcheinander sein **3.** ***be in a muddle*** (*Person*) durcheinander *oder* konfus sein

muddle[2] ['mʌdl] *bes. BE* **1.** *auch* ***muddle up*** durcheinander bringen **2.** *auch* ***muddle up*** (≈ *verwirren*) konfus machen

> **muddle through** [ˌmʌdl'θruː] *bes. BE* sich durchwursteln

muddy ['mʌdɪ] **1.** *Weg*, *Straße*: schlammig, matschig; **2.** *Wasser*, *See usw.*: schlammig, trüb **3.** *Schuhe*, *Fußboden*: schmutzig

mudguard ['mʌdgɑːd] *am Fahrrad*: Schutzblech

muesli ['mjuːzlɪ] Müsli

muffin ['mʌfɪn] **1.** *BE* Hefeteigsemmel **2.** *AE*, *kleine süße Semmel*

mug[1] [mʌg] **1.** *Gefäß*, *mst. mit Henkel*: Krug, Becher, *bes.* Ⓐ Haferl **2.** *umg.* (≈ *leichtgläubige Person*) Trottel; ***I was the mug as usual*** ich war wieder einmal der Dumme **3.** *salopp* Fresse

mug[2] [mʌg], ***mugged, mugged*** *bes. auf der Straße*: überfallen und ausrauben

mugger ['mʌgə] *umg.* Straßenräuber

mugging ['mʌgɪŋ] *umg.* Raubüberfall, *bes.* Straßenraub

muggy ['mʌgɪ] *umg. Luft*: schwül

mule [mjuːl] Maultier, Maulesel; ***as stubborn as a mule*** störrisch wie ein Maulesel

> **mull over** [ˌmʌl'əʊvə] ***mull over something*** *oder* ***mull something over*** über etwas nachdenken

multicultural [ˌmʌltɪ'kʌltʃrəl] *Gesellschaft*: multikulturell

multilingual [ˌmʌltɪ'lɪŋgwəl] *Person*, *Buch usw.*: mehrsprachig

multinational[1] [ˌmʌltɪ'næʃnəl] *Konzern*: multinational; ***multinational company*** *umg.* Multi

multinational[2] [ˌmʌltɪ'næʃnəl] *umg.* Multi (*Konzern*)

multiple ['mʌltɪpl] vielfach, mehrfach; ***multiple birth*** Mehrlingsgeburt; ***multiple collision*** Massenkarambolage

multiplication [ˌmʌltɪplɪ'keɪʃn] **1.** *Mathematik*: Multiplikation, Malnehmen **2.** *starker Anstieg*: Vervielfachung

multiply ['mʌltɪplaɪ] **1.** *Mathematik*: multiplizieren, malnehmen (***by*** mit); ***6 multiplied by 5 is 30*** 6 mal 5 ist 30 **2.** vermehren, vervielfachen (*Chancen*, *Anzahl usw.*)

multipurpose [ˌmʌltɪ'pɜːpəs] Mehrzweck…

multi-storey [ˌmʌltɪ'stɔːrɪ] vielstöckig; ***multi-storey car park*** Parkhaus

mum [mʌm] *bes. BE*, *umg.* Mami, Mutti

mumble ['mʌmbl] (vor sich hin) murmeln, nuscheln

mummy[1] ['mʌmɪ] *bes. BE*, *umg.* Mami, Mutti

mummy[2] ['mʌmɪ] Mumie

munch [mʌntʃ] mampfen (*Brot*, *Apfel usw.*)

Munich ['mjuːnɪk] München

murder[1] ['mɜːdə] Mord (***of*** an), Ermordung (⚠ *Mörder* = ***murderer***); ***commit a murder*** einen Mord begehen; ***get away with murder*** *umg.* sich alles erlauben können

murder[2] ['mɜːdə] **1.** morden, ermorden **2.** *übertragen* verschandeln, verhunzen (*Lied usw.*)

murderer ['mɜːdərə] Mörder(in)

murderous ['mɜːdərəs] mörderisch (*auch übertragen*)

murky ['mɜːkɪ] **1.** dunkel, finster (*auch übertragen*) **2.** *Gewässer*: trüb

murmur[1] ['mɜːmə] **1.** (≈ *raunen*) murmeln **2.** (≈ *aufbegehren*) murren (***at, against*** gegen) **3.** (*Bach*) rauschen

murmur[2] ['mɜːmə] **1.** Murmeln **2.** Murren; ***without a murmur*** ohne zu murren

muscle [⚠ 'mʌsl] Muskel; ***I've pulled a muscle*** ich habe eine Muskelzerrung

muse [mjuːz] grübeln, nachgrübeln (***on, over*** über)

museum [mjuː'ziːəm] Museum

> ## British Museum
>
> Das **British Museum** in London beherbergt eine der reichhaltigsten Kunst- und Antiquitätensammlungen der Welt mit erlesenen Ausstellungsstücken aus den Kulturbereichen von Ägypten, Assyrien, Babylonien, Asien, China, Griechenland, Mexiko und des antiken Rom.

mush [mʌʃ] **1.** Brei, Mus **2.** *AE* Maisbrei **3.** *Film usw.*: sentimentales Zeug

mushroom ['mʌʃrʊm] **1.** *allg.*: Pilz, *bes.* Ⓐ Schwammerl **2.** *bestimmte Art*: Champignon

M

mushroom cloud ['mʌʃrʊm‿klaʊd] Atompilz
mushy ['mʌʃɪ] **1.** breiig, weich **2.** *umg.*, *Film usw.*: rührselig
music ['mjuːzɪk] **1.** Musik; ***put*** *oder* ***set to music*** vertonen (*Gedicht usw.*); ***that's music to my ears*** das ist Musik in meinen Ohren; ***music box*** *AE* Spieldose (⚠ *Musikbox* = ***juke-box***) **2.** (≈ *Partitur*) Noten *Pl.* (⚠ *die einzelne Note* = ***note***)
musical[1] ['mjuːzɪkl] *Person*, *Unterhaltung*, *Geschmack usw.*: musikalisch; ***musical instrument*** Musikinstrument; ***musical box*** *BE* Spieldose
musical[2] ['mjuːzɪkl] Musical
musician [mjuː'zɪʃn] Musiker(in)
Muslim[1] ['mʊzlɪm] Muslim, Muslimin
Muslim[2] ['mʊzlɪm] muslimisch
mussel ['mʌsl] *Wassertier*: Muschel
must[1] [mʌst] **1.** müssen; ***you must read this book*** du musst dieses Buch unbedingt lesen; ***I must admit …*** ich muss zugeben, dass … **2.** ***must not*** nicht dürfen; ***you mustn't smoke here*** du darfst hier nicht rauchen **3.** *bei Annahmen*: müssen; ***she must be well over 40*** sie muss gut über 40 sein **4.** ***if you must*** *als Antwort auf Bitte*: wenn es (denn) sein muss **5.** ***you must be joking!*** du machst wohl Scherze!, das soll wohl ein Witz sein!
must[2] [mʌst] Muss; ***this book is an absolute must*** dieses Buch muss man unbedingt gelesen haben
must-have ['mʌsthæv] ***this lipstick is a must-have*** diesen Lippenstift muss man einfach haben
must-see ['mʌstsiː] ***this film is a must-see*** diesen Film muss man einfach gesehen haben
mustard ['mʌstəd] Senf
mustn't ['mʌsnt] *Kurzform von* ***must not***
must've ['mʌstəv] *Kurzform von* ***must have***
musty ['mʌstɪ] muffig, moderig
mutter ['mʌtə] **1.** murmeln **2.** *unzufrieden*: murren (***about*** über)
muttering ['mʌtərɪŋ] **1.** Murmeln **2.** *auch* ***mutterings*** *Pl.* Murren
mutton ['mʌtn] Hammelfleisch
mutual ['mjuːtʃʊəl] **1.** *Respekt*, *Hilfe*, *Abneigung usw.*: gegenseitig, wechselseitig ***be mutual*** auf Gegenseitigkeit beruhen ***by mutual consent*** *oder* ***agreement*** in gegenseitigem Einvernehmen **2.** *Interesse*, *Hobby usw.*: gemeinsam
muzzle[1] ['mʌzl] **1.** *von Pferd*, *Hund usw.* Maul, Schnauze **2.** *für Hund*: Maulkorb (*auch übertragen*) **3.** *von Pistole usw.* Mündung
muzzle[2] ['mʌzl] einen Maulkorb anlegen *übertragen auch* mundtot machen
MW *Abk. für* → ***medium wave***
my [maɪ] mein(e); ***where's my book?*** wo ist mein Buch?; ***I've lost my watch*** ich habe meine Uhr verloren; ***take my advice*** hör auf meinen Rat
myself [maɪ'self] **1.** *verstärkend*: ich selbst mich selbst, mir selbst; ***I did it myself*** ich habe es selbst getan; ***I did it all by myself*** ich habe es ganz allein getan **2.** *reflexiv* mich; ***I cut myself*** ich habe mich geschnitten **3.** mich (selbst); ***I want it for myself*** ich will es für mich (selbst) haben
mysterious [mɪ'stɪərɪəs] **1.** *Person*: mysteriös, geheimnisvoll; ***she's being very mysterious about it*** sie macht ein großes Geheimnis daraus; ***she smiled mysteriously*** sie lächelte geheimnisvoll **2.** *Vorfall*: rätselhaft, schleierhaft, unerklärlich ***in mysterious circumstances*** unter mysteriösen Umständen
mystery ['mɪstrɪ] Geheimnis, Rätsel (***to*** für *oder Dativ*); ***it's a complete mystery to me*** es ist mir völlig schleierhaft; ***make a mystery of something*** ein Geheimnis aus etwas machen
myth [⚠ mɪθ] (≈ *Sage*) Mythos
mythological [⚠ ˌmɪθə'lɒdʒɪkl] mythologisch
mythology [⚠ mɪ'θɒlədʒɪ] Mythologie ***Greek mythology*** die griechische Mythologie

N

nab [næb], ***nabbed, nabbed*** *umg.* **1.** schnappen, erwischen (*Dieb usw.*) **2.** sich schnappen (*Stuhl usw.*); ***someone's nabbed my seat*** jemand hat mir meinen Sitzplatz weggeschnappt

naff[1] [næf] *umg. Farbe, Stil usw.*: geschmacklos, schräg

naff[2] [næf] *umg.* ***naff off!*** zieh Leine!

nag[1] [næg], ***nagged, nagged*** **1.** nörgeln, herumnörgeln; ***stop nagging!*** hör mit der Nörgelei auf! **2.** ***nag someone for something*** jemandem wegen etwas in den Ohren liegen; ***for two weeks she's been nagging me to paint the wall*** seit zwei Wochen nervt sie mich damit, dass ich die Wand streichen soll

nag[2] [næg] *umg.* (≈ *altes Pferd*) Gaul, Klepper

nagger ['nægə] Nörgler(in)

nagging[1] ['nægɪŋ] Nörgelei

nagging[2] ['nægɪŋ] **1.** *Person*: nörgelnd **2.** *übertragen* nagend, bohrend (*Fragen, Schmerzen, Zweifel usw.*)

nail[1] [neɪl] **1.** *von Finger, Zehe*: Nagel; ***stop biting your nails!*** hör auf, an den Fingernägeln zu kauen! **2.** *in Wand*: Nagel; ***hit the nail on the head*** *übertragen* den Nagel auf den Kopf treffen

nail[2] [neɪl] nageln, annageln (***on*** auf; ***to*** an); ***nailed to the spot*** *übertragen* wie angenagelt

> **nail down** [ˌneɪl'daʊn] **1.** vernageln, zunageln (*Kiste usw.*) **2.** *übertragen* festnageln (***to*** auf)

nailbiting[1] ['neɪlˌbaɪtɪŋ] aufregend, spannend

nailbiting[2] ['neɪlˌbaɪtɪŋ] Nägelkauen

nail file ['neɪl‿faɪl] Nagelfeile

nail polish ['neɪlˌpɒlɪʃ], **nail varnish** ['neɪlˌvɑːnɪʃ] Nagellack

naive [⚠ naɪ'iːv] naiv (*auch Kunst*)

naivety [⚠ naɪ'iːvətɪ] Naivität

naked [⚠ 'neɪkɪd] nackt (*auch übertragen: Wahrheit usw.*); ***we stripped naked and jumped into the pool*** wir zogen uns nackt aus und sprangen in den Pool; ***with the naked eye*** mit bloßem Auge

name[1] [neɪm] **1.** *einer Person*: Name; ***first*** *oder* ***Christian name*** Vorname; ***last*** *oder* ***family name*** Nachname (☞ ***surname***); ***what's your name?*** wie heißen Sie?; ***my name's …*** ich heiße …; ***know someone by name*** jemanden mit Namen *oder* dem Namen nach kennen **2.** *einer Sache*: Name, Bezeichnung **3.** ***call someone names*** jemanden beschimpfen **4.** (≈ *öffentliches Ansehen*) Name, Ruf; ***get a bad name*** in Verruf kommen; ***have a bad name*** in schlechtem Ruf stehen; ***make a name for oneself*** sich einen Namen machen (***as*** als)

name[2] [neɪm] **1.** nennen; ***name someone Robert*** jemanden Robert nennen; ***a boy named Robert*** ein Junge namens Robert **2.** (≈ *angeben*) nennen, beim Namen nennen; ***name three novels by Thomas Mann*** nennen Sie mir drei Romane von Thomas Mann **3.** *für ein Amt usw.*: ernennen, nominieren (***for*** für) **4.** festsetzen, bestimmen (*Datum, Zeitpunkt usw.*)

name day ['neɪm‿deɪ] Namenstag

nameless ['neɪmləs] **1.** (≈ *anonym*) unbekannt (*Autor usw.*) **2.** *Spender usw.*: ungenannt; ***a person who shall remain nameless*** jemand, der ungenannt bleiben soll **3.** *übertragen* namenlos, unbeschreiblich (*Entsetzen, Erleichterung usw.*)

namely ['neɪmlɪ] (≈ *und zwar*) nämlich

nameplate ['neɪmpleɪt] *an Tür*: Namensschild, Türschild

namesake ['neɪmseɪk] *Mann*: Namensvetter, *Frau*: Namensschwester

name tag ['neɪm‿tæg] *an Kleidungsstück*: Namensschild

nanny ['nænɪ] **1.** Kindermädchen **2.** *BE, umg.* Oma, Omi

nap[1] [næp], ***napped, napped*** dösen, ein Nickerchen machen; ***catch someone napping*** *übertragen* jemanden überrumpeln

nap[2] [næp] Schläfchen, Nickerchen; ***have*** *oder* ***take a nap*** ein Nickerchen machen

nape [neɪp] *mst.* ***nape of the neck*** Genick

napkin ['næpkɪn] Serviette

Naples ['neɪplz] Neapel
nappy ['næpɪ] *BE* Windel
narcotic[1] [nɑː'kɒtɪk] *mst. Pl.* Rauschgift, Drogen
narcotic[2] [nɑː'kɒtɪk] betäubend, narkotisch
narrate [nə'reɪt] erzählen (*Geschichte*)
narration [nə'reɪʃn] Erzählung
narrative[1] ['nærətɪv] erzählend; ***narrative perspective*** Erzählperspektive
narrative[2] ['nærətɪv] Erzählung
narrator [nə'reɪtə] *in Roman usw.*: Erzähler(in)
narrow[1] ['nærəʊ] **1.** *Gasse, Spalt usw.*: eng, schmal **2.** *übertragen* eng; ***in the narrowest sense*** im engsten Sinne **3.** *Einkommen usw.*: knapp, dürftig **4.** *Mehrheit, Sieg usw.*: knapp; ***by a narrow margin*** knapp, mit knappem Vorsprung; ***that was a narrow escape*** das war knapp!
narrow[2] ['nærəʊ] **1.** (*Straße, Fluss usw.*) enger *oder* schmaler werden, sich verengen; ***his eyes narrowed*** er kniff die Augen zusammen **2.** enger machen, verengen (*Straße usw.*)
narrowly ['nærəʊlɪ] mit knapper Not; ***she narrowly escaped death*** sie ist gerade noch mit dem Leben davongekommen; ***he narrowly escaped drowning*** er wäre beinahe *oder* um ein Haar ertrunken
narrow-minded [ˌnærəʊ'maɪndəd] *Person*: engstirnig, voreingenommen
nasty ['nɑːstɪ] **1.** *Geschmack, Geruch usw.*: ekelhaft, eklig, widerlich **2.** *Wetter, Verbrechen usw.*: abscheulich **3.** *Benehmen, Person usw.*: gemein, fies **4.** *Buch, Film usw.*: ekelhaft, schmutzig, widerlich **5.** *Unfall, Sturz, Husten usw.*: böse, schlimm
nation ['neɪʃn] Nation, Volk
national[1] ['næʃnəl] **1.** national, National…, Landes…; ***national anthem*** Nationalhymne; ***national currency*** Landeswährung; ***national dish*** Nationalgericht; ***national holiday*** Nationalfeiertag; ***national language*** Landessprache; ***national park*** Nationalpark; ***national team*** *Sport*: Nationalmannschaft **2.** *Staatsorgane betreffend*: staatlich, öffentlich, Staats…; ***National Health Service*** *in GB*: staatlicher Gesundheitsdienst **3.** *Streik*: landesweit **4.** *Zeitung, TV-Sender usw.*: überregional
national[2] ['næʃnəl] Staatsangehörige(r)
national anthem [ˌnæʃnəl'ænθəm] Nationalhymne
national costume [ˌnæʃnəl'kɒstjuːm] Landestracht
nationalism ['næʃnəlɪzm] Nationalismus
nationalist[1] ['næʃnəlɪst] Nationalist(in)
nationalist[2] ['næʃnəlɪst] nationalistisch
nationalistic [ˌnæʃnə'lɪstɪk] *bes. abwer-tend* nationalistisch
nationality [ˌnæʃə'nælətɪ] Nationalität Staatsangehörigkeit; ***have French na-tionality*** die französische Staatsangehö-rigkeit besitzen *oder* haben
nationalize ['næʃnəlaɪz] verstaatlicher (*Betrieb*)
national service [ˌnæʃnəl'sɜːvɪs] *Militär* Wehrdienst
nationwide ['neɪʃn‿waɪd] landesweit; *ir Deutschland*: bundesweit
native[1] ['neɪtɪv] **1.** gebürtig, *bei Naturvöl-kern bes.*: eingeboren; ***I'm a native Ger-man*** ich bin gebürtiger Deutscher; ***th island's native inhabitants*** die Urein-wohner der Insel; ***Native Americans*** amerikanische Ureinwohner, Indiane **2.** *Brauchtum, Produkte usw.*: einhei-misch, Landes… **3.** heimatlich, Hei-mat…; ***native country*** Heimat, Vater-land; ***native language*** Muttersprache ***native speaker*** Muttersprachler(in) ***she's a native speaker of English*** sie ist englische Muttersprachlerin; ***nativ town*** Heimatstadt, Vaterstadt
native[2] ['neɪtɪv] **1.** Einheimische(r); ***a na-tive of London*** ein gebürtiger Londoner ***are you a native here?*** sind Sie von hier **2.** *bei Naturvölkern, oft als abwertenc empfunden*: Eingeborene(r)
natural ['nætʃrəl] **1.** *allg.*: natürlich, Na-tur…; ***die a natural death*** eines natürli-chen Todes sterben; ***natural disaster*** Na-turkatastrophe; ***natural gas*** Erdgas **2** *Verhalten usw.*: naturgemäß, angeborer (***to***; *dt. Dativ*); ***natural talent*** natürliche Begabung **3.** *übertragen* natürlich, selbst-verständlich **4.** *Benehmen, Art usw.*: natür-lich, ungekünstelt
naturally ['nætʃrəlɪ] **1.** *auch als Ausruf*: na-türlich; ***'Will you come to the party? -'Naturally!'*** „Kommst du zu der Party?" - „Natürlich!", „Na klar!"; ***naturally, won't be there*** natürlich werde ich nich da sein **2.** instinktiv, spontan; ***learning comes naturally to him*** das Lernen fäll ihm leicht
nature ['neɪtʃə] **1.** *allg.*: Natur; ***back to nature*** zurück zur Natur; ***the laws o nature*** die Naturgesetze **2.** *einer Person* Natur, Wesen, Veranlagung; ***he's a bi shy by nature*** er ist von Natur (aus) et-was schüchtern; ***it's*** (***in***) ***her nature*** e liegt in ihrem Wesen
nature reserve ['neɪtʃə‿rɪˌzɜːv] Natur-schutzgebiet
nature trail ['neɪtʃə‿treɪl] Naturlehrpfad

naughty ['nɔːtɪ] **1.** *Kind*: ungezogen, unartig **2.** *Witz usw.*: unanständig
navel ['neɪvl] **1.** Nabel **2.** *übertragen auch* Mittelpunkt
navigable ['nævɪgəbl] *Gewässer*: schiffbar
navigate ['nævɪgeɪt] **1.** *mit Schiff*: befahren, durchfahren (*Gewässer*) **2.** steuern, navigieren (*Flugzeug, Schiff usw.*) **3.** *beim Autofahren*: lotsen, dirigieren **4.** *im Internet*: navigieren
navy ['neɪvɪ] Kriegsmarine
near[1] [nɪə] **1.** *räumlich*: nahe, nahe gelegen; ***near at hand*** nahe, ganz in der Nähe; ***near here*** nicht weit von hier, hier in der Nähe; ***my nearest neighbours*** meine nächsten Nachbarn; ***the Near East*** der Nahe Osten; ***where's the nearest hospital?*** wo ist das nächste Krankenhaus? **2.** *zeitlich*: nahe, nahe bevorstehend; ***come nearer*** *Zeitpunkt*: näher rücken; ***in the near future*** in nächster Zukunft; ***be near at hand*** *Ereignis, Zeitpunkt*: bevorstehen **3.** (≈ *annähernd*) nahezu, beinahe, fast; ***he came near to tears*** er war den Tränen nahe; ***she came very near to hitting him*** es hätte nicht viel gefehlt, und sie hätte ihm eine geknallt **4.** *Verwandte*: nahe (verwandt); ***the nearest relations*** die nächsten Verwandten **5.** eng (befreundet); ***a near friend*** ein guter *oder* enger Freund **6.** ***be a near miss*** knapp scheitern; ***we had a near miss*** wir hatten beinahe einen Zusammenstoß; ***that was a near thing*** *umg.* das hätte ins Auge gehen können, das ging gerade noch einmal gut
near[2] [nɪə] sich nähern, näher kommen; ***be nearing completion*** (*Projekt usw.*) der Vollendung entgegengehen
nearby[1] [ˌnɪə'baɪ] in der Nähe; ***does she live nearby?*** wohnt sie in der Nähe?
nearby[2] ['nɪəbaɪ] nahe (gelegen); ***the nearby lake*** der nahe gelegene See
nearly ['nɪəlɪ] beinahe, fast; ***not nearly*** bei weitem nicht, nicht annähernd
neat [niːt] **1.** *Person, Zimmer usw.*: sauber, ordentlich; ***she's got neat handwriting*** sie hat eine saubere Handschrift **2.** *AE, umg.* (≈ *sehr gut*) super, klasse **3.** *übertragen* geschickt; ***a neat solution*** eine saubere *oder* elegante Lösung **4.** *BE* pur; ***two neat whiskies*** zwei Whisky pur
necessarily ['nesəsrəlɪ, ˌnesə'serəlɪ] notwendigerweise; ***not necessarily*** nicht unbedingt
necessary ['nesəsrɪ] **1.** notwendig, nötig, erforderlich (***to, for*** für); ***it's not necessary for him to come*** es ist nicht nötig, dass er mitkommt; ***a necessary evil*** ein notwendiges Übel; ***call me if necessary*** ruf mich an, wenns nötig ist **2.** *Folgen, Auswirkungen usw.*: unvermeidlich, zwangsläufig
necessity [nə'sesɪtɪ] Notwendigkeit; ***the bare necessities*** das absolut Notwendigste; ***of necessity*** notgedrungen; ***be a necessity of life*** lebensnotwendig sein; ***necessity is the mother of invention*** Not macht erfinderisch
neck[1] [nek] Hals (*auch von Flasche usw.*); ***be neck and neck*** *bei Rennen*: Kopf an Kopf liegen (*auch übertragen*); ***be up to one's neck in debt*** bis an den Hals in Schulden stecken; ***risk one's neck*** Kopf und Kragen riskieren; ***save one's neck*** den Kopf aus der Schlinge ziehen; ***break one's neck*** sich den Hals *oder* das Genick brechen
neck[2] [nek] *umg.* knutschen, schmusen
necklace ['nekləs] Halskette
nectar ['nektə] Nektar (*auch übertragen*)
nectarine ['nektəriːn] Nektarine
née, **nee** [⚠ neɪ] *bei Frauennamen*: geborene
need[1] [niːd] **1.** Bedarf (***of, for*** an), Bedürfnis (***of, for*** nach); ***in need of help*** hilfsbedürftig; ***in need of repair*** reparaturbedürftig; ***be in need of something*** etwas dringend brauchen **2.** (≈ *Erfordernis*) Notwendigkeit; ***there's no need for you to come*** du brauchst nicht zu kommen; ***if need be*** nötigenfalls, notfalls **3.** Armut, Not; ***be in need*** Not leiden; ***those in need*** die Notleidenden
need[2] [niːd] **1.** benötigen, brauchen; ***need something badly*** etwas dringend brauchen; ***your fingernails need cutting*** du musst dir wieder mal die Fingernägel schneiden **2.** brauchen, müssen; ***need to do something*** etwas tun müssen; ***you needn't do it*** *BE* du brauchst es nicht zu tun; ***you needn't have come*** *BE* du hättest nicht zu kommen brauchen
needle ['niːdl] **1.** *im Haushalt*: (Näh)Nadel **2.** *auch* ***knitting needle*** Stricknadel **3.** *einer Spritze, am Kompass, der Tanne usw.*: Nadel **4.** ***a needle in a haystack*** *übertragen* eine Stecknadel im Heuhaufen (⚠ *Stecknadel* = ***pin***)
needless ['niːdləs] unnötig, überflüssig; ***needless to say, we'll pick you up*** natürlich werden wir dich abholen
needn't ['niːdnt] *Kurzform von* ***need not***
neg. [neg] *Abk. für* ***negative***; ***HIV neg.*** HIV-negativ; ***b/w neg.*** Schwarzweißnegativ
negative[1] ['negətɪv] **1.** *allg.*: negativ **2.** *Antwort auch*: verneinend, *Sprache*:

N

verneint **3.** *Bescheid auch*: abschlägig, ablehnend

negative[2] ['negətɪv] **1.** Verneinung; ***answer in the negative*** verneinen **2.** *Foto*: Negativ

neglect[1] [nɪ'glekt] vernachlässigen (*Kind, sein Äußeres usw.*); ***a neglected garden*** ein verwahrloster Garten

neglect[2] [nɪ'glekt] Vernachlässigung; ***be in a state of neglect*** vernachlässigt *oder* verwahrlost sein

negotiate [nɪ'gəʊʃɪeɪt] **1.** verhandeln (***with*** mit; ***for, about, on*** über); ***negotiating skills*** *Pl.* Verhandlungsgeschick; ***negotiating table*** Verhandlungstisch **2.** aushandeln (***with*** mit) (*Vertrag usw.*)

negotiation [nɪˌgəʊʃɪ'eɪʃn] Verhandlung; ***it's still under negotiation*** darüber wird noch verhandelt

neigh [neɪ] (*Pferd*) wiehern

neighbour, *AE* **neighbor** ['neɪbə] Nachbar(in), Anlieger(in), Ⓐ Anrainer(in), Ⓒⓗ Anstößer(in); ***our next-door neighbours*** unsere direkten Nachbarn; ***we're next-door neighbours*** wir wohnen Tür an Tür

neighbourhood, *AE* **neighborhood** ['neɪbəhʊd] **1.** *in Stadt*: Viertel, Wohngegend; ***in the neighbourhood of the cathedral*** in der Umgebung des Doms **2.** *Personen*: Nachbarn *Pl.* **3.** ***the price is in the neighbourhood of £100*** es kostet so um die 100 Pfund

Neighbo(u)rhood Watch

In den USA, in Großbritannien, Australien und anderen englischsprachigen Ländern gibt es vielerorts Straßenschilder mit der Aufschrift **This is a Neighbo(u)rhood Watch Area**. Die **Neighbo(u)rhood Watch** („Nachbarschaftswache") ist eine freiwillige Organisation, die der Polizei bei der örtlichen Verbrechensbekämpfung hilft. Die Mitglieder dieser Organisation haben ein wachsames Auge gegenüber potenziellen Einbrechern, Autodieben usw. Und wenn die Nachbarn für längere Zeit nicht da sind, passen sie auf deren Häuser auf.

neighbouring, *AE* **neighboring** ['neɪbərɪŋ] benachbart, angrenzend

neither ['naɪðə] **1.** keine(r, -s) von beiden; ***neither of you*** keiner von euch beiden **2.** ***neither … nor …*** weder … noch … **3.** auch nicht; ***'I didn't do it.' - 'Neither did I.'*** „Ich war's nicht." - „Ich auch nicht."; ***'I don't like porridge.' - 'Me neither.'*** „Ich mag keinen Haferbrei." - „Ich auch nicht."

neologism [niː'ɒlədʒɪzm] *Sprache*: Neologismus, Neuwort

neon ['niːɒn] *Edelgas*: Neon; ***neon sign*** Neonreklame, Leuchtreklame

nephew ['nefjuː] Neffe

nephritis [nɪ'fraɪtɪs] *Medizin*: Nierenentzündung

nerd [nɜːd] *umg.* **1.** Schwachkopf, Trottel **2.** *auch* ***computer nerd*** Computerfreak

nerdy ['nɜːdɪ] *umg.* vertrottelt

nerve [nɜːv] **1.** Nerv; ***get on someone's nerves*** jemandem auf die Nerven gehen; ***have nerves of steel*** Nerven aus Stahl haben; ***hit*** *oder* ***touch a nerve*** einen wunden Punkt treffen; ***bag*** *oder* ***bundle of nerves*** *umg.*; *Person*: Nervenbündel **2.** *übertragen* Mut; ***have the nerve to do something*** den Nerv *oder* Mut haben, etwas zu tun **3.** *umg.* Frechheit; ***he had the nerve to ask me if …*** er hatte die Frechheit, mich zu fragen, ob …; ***what a nerve!*** so eine Frechheit!

nerve-racking, **nerve-wracking** ['nɜːvˌrækɪŋ] *Erlebnis usw.*: nervenaufreibend

nervous ['nɜːvəs] **1.** nervös; ***you make me nervous*** du machst mich nervös **2.** ***nervous system*** Nervensystem; ***nervous breakdown*** Nervenzusammenbruch; ***she's a nervous wreck*** sie ist mit den Nerven völlig am Ende

nervousness ['nɜːvəsnəs] Nervosität

nest[1] [nest] **1.** *von Vogel*: Nest **2.** *übertragen* Brutstätte (*des Verbrechens usw.*)

nest[2] [nest] (*Vögel*) nisten

net[1] [net] **1.** *zum Fischen, beim Tennis, Fußball usw.*: Netz (*auch übertragen*) **2.** *Computer*: Netz, Netzwerk **3.** ***the Net*** das Internet (≈ *globales Datennetzwerk*); ***surf the Net*** *Jargon*: im Netz surfen

net[2] [net] *Gewinn, Profit usw.*: netto, Netto…, Rein…

net[3] [net], ***netted, netted*** *bes. AE*; (*Geschäft*) netto einbringen, (*Angestellte*) netto verdienen; ***she's netting around £80,000 per year*** sie macht rund 80 000 Pfund netto im Jahr

Netherlands ['neðələndz] ***the Netherlands*** die Niederlande

netiquette ['netɪket] *Internet*: Netzetikette, Netikette

netspeak ['netspiːk] *Internet*: Internet-Jargon

network ['netwɜːk] **1.** *Rundfunk, TV*: Sendernetz **2.** *Computer*: Netzwerk **3.** *übertragen, von Tankstellen, Straßen usw.*: Netz; ***social network*** soziales Netz

neurosis [ˌnjʊˈrəʊsɪs] *Pl.:* **neuroses** [ˌnjʊˈrəʊsiːz] Neurose
neurotic[1] [ˌnjʊˈrɒtɪk] *Verhalten*: neurotisch
neurotic[2] [njʊˈrɒtɪk] Neurotiker(in)
neuter[1] [ˈnjuːtə] **1.** *Sprache*: neutral, sächlich **2.** *Biologie*: ungeschlechtlich
neuter[2] [ˈnjuːtə] *Sprache*: Neutrum
neutral[1] [ˈnjuːtrəl] *allg.* neutral
neutral[2] [ˈnjuːtrəl] **1.** *Person*: Neutrale(r) **2.** *Auto*: Leerlauf; ***the car is in neutral*** es ist kein Gang eingelegt; ***put the car in neutral*** den Gang herausnehmen
neutrality [njuːˈtræləti] Neutralität
neutron [ˈnjuːtrɒn] *Elementarteilchen*: Neutron
never [ˈnevə] ↔ ***always***; nie, niemals; ***never again*** nie wieder
never-ending [ˌnevərˈendɪŋ] endlos, unendlich, nicht enden wollend
never-never [ˌnevəˈnevə] ***buy something on the never-never*** *BE, umg.* etwas auf Pump *oder* Stottern kaufen
nevertheless [ˌnevəðəˈles] nichtsdestoweniger, dennoch, trotzdem
new [njuː] *allg.*: neu; ***nothing new*** nichts Neues; ***that's nothing new to me*** das ist mir nichts Neues; ***be new to someone*** jemandem neu *oder* ungewohnt sein; ***feel*** (***like***) ***a new man*** *oder* ***woman*** sich wie neugeboren fühlen; ***new moon*** Neumond
newbie [ˈnjuːbɪ] *umg.* Anfänger(in), Neuling
newcomer [ˈnjuːˌkʌmə] **1.** Neuankömmling **2.** *in Beruf usw.*: Neuling
newly [ˈnjuːlɪ] **1.** kürzlich, frisch; ***newly married*** jungverheiratet **2.** neu; ***newly made*** ganz neu; ***the newly appointed head of department*** der neu *oder* frisch eingestellte Abteilungsleiter
news [njuːz] (⚠ *nur im Sg. verwendet*) **1.** Neuigkeit(en), Nachricht(en); ***a bit*** *oder* ***piece of news*** eine Neuigkeit *oder* Nachricht; ***what's the news?*** was gibt es Neues?; ***that's good news*** das ist erfreulich, das hört man gern; ***that's news to me*** das ist mir neu; ***I haven't had any news from her for two months*** ich habe schon seit zwei Monaten nichts mehr von ihr gehört **2.** *Radio*, *TV*: Nachrichten; ***I heard it on the news*** ich hörte es in den Nachrichten
news agency [ˈnjuːzˌeɪdʒənsɪ] Nachrichtenagentur, Nachrichtendienst
newsagent [ˈnjuːzˌeɪdʒənt] *BE* **1.** *Person*: Zeitungshändler(in) **2.** *Laden*: Zeitungsgeschäft
news blackout [ˈnjuːzˌblækaʊt] Nachrichtensperre
newscast [ˈnjuːzkɑːst] *Rundfunk*, *TV* Nachrichtensendung
news dealer [ˈnjuːzˌdiːlə] *AE* **1.** *Person*: Zeitungshändler(in) **2.** *Laden*: Zeitungsgeschäft
news flash [ˈnjuːz‿flæʃ] *bes. BE*; *Rundfunk*, *TV*: Kurzmeldung
news magazine [ˈnjuːz‿mægəˌziːn] Nachrichtenmagazin
newspaper [ˈnjuːsˌpeɪpə] Zeitung; ***newspaper publisher*** Zeitungsverleger(in)
newsstand [ˈnjuːz‿stænd] Zeitungskiosk
new year [ˌnjuːˈjɪə] *oft* ***New Year*** neues Jahr; ***happy New Year!*** gutes neues Jahr!, Prosit Neujahr!; ***New Year's Day*** Neujahr, Neujahrstag; ***New Year's Eve*** Silvester, Silvesterabend

New Year's Eve

In Schottland ist zu Silvester das so genannte **first-footing** Tradition. **First-footing** bedeutet, man strebt an, als Erster im neuen Jahr über die Türschwelle der Nachbarn zu gehen. Und das soll den Gastgebern Glück bringen. Streng genommen erwartet man vom **first-footer**, dass er **tall, dark and handsome** ist. Als „Belohnung" bekommt er einen Whisky.

New Zealand[1] [ˌnjuːˈziːlənd] Neuseeland; ☞ *Karte S. 296*; ☞ *Info S. 322*
New Zealand[2] [ˌnjuːˈziːlənd] neuseeländisch
New Zealander [ˌnjuːˈziːləndə] Neuseeländer(in)
next [nekst] **1.** *räumlich*: nächste(r, -s); ***next door*** nebenan, im nächsten Raum *oder* Haus; ***next to the church you see …*** gleich neben der Kirche sehen Sie … **2.** *zeitlich*: nächste(r, -s); ***the next***

New Mexico

New Mexico – auf Deutsch auch **Neumexiko** – Bundesstaat im Süden der USA mit vielen mexikanischen und hispanischen Einflüssen und großen Wüstenflächen; ☞ *Karte S. 294*

New Orleans

New Orleans [ˌnjuːˈɔːlɪənz] – Stadt im US-Bundesstaat Louisiana, am Mississippi gelegen. New Orleans ist berühmt für seine französischen Einflüsse und bekannt als Wiege des Jazz; ☞ *Karte S. 295*

N

New Zealand

Staat im Pazifik südöstlich von Australien, der aus zwei Hauptinseln (North Island und South Island) und einigen kleineren Inseln besteht. Neben der Hauptstadt Wellington zählen Auckland und Christchurch zu den großen Städten. In Neuseeland leben ca. 3,3 Mio. Menschen. Hauptwirtschaftszweig ist die Landwirtschaft.

day am nächsten Tag; ***next month*** nächsten Monat; ***next time*** das nächste Mal; ***the next time I saw her, …*** als ich sie das nächste Mal sah, … **3.** *Reihenfolge*: nächste(r, -s); ***you'll be next*** du wirst der Nächste sein; ***who's next?*** wer ist als Nächster dran?, wer ist der Nächste; ***next please!*** der Nächste bitte; ***next but one*** übernächste(r, -s) **4.** ***next to nothing*** beinahe *oder* so gut wie nichts

next-door ['nekst‿dɔː] nebenan; ***we're next-door neighbours*** wir wohnen Tür an Tür

NHS [ˌeneɪtʃ'es] (*Abk. für* **N**ational **H**ealth **S**ervice) *in GB*: Staatlicher Gesundheitsdienst; ***get something on the NHS*** etwas auf Krankenschein *oder* Rezept bekommen

nibble ['nɪbl] knabbern (***at*** an); ***nibble at one's food*** im Essen herumstochern

nice [naɪs] **1.** *Person usw.*: nett, sympathisch, Ⓒⓗ gefreut **2.** *Wesen, Stimme usw.*: nett, freundlich (***to*** zu) **3.** *Geschmack, Geruch usw.*: gut, fein, lecker **4.** *Kleid, Aussehen*: nett, hübsch, schön **5.** *Wetter*: schön; ***nice and warm*** schön warm

nicely ['naɪslɪ] **1.** gut, fein; ***the project's getting along nicely*** das Projekt läuft ganz gut **2.** ***that'll do nicely*** das genügt vollauf **3.** ***he's doing nicely*** (*Patient*) es geht ihm besser, er macht gute Fortschritte

niche [niːʃ] *in Wand*: Nische (*auch übertragen*)

nick[1] [nɪk] **1.** *in Fläche*: Kerbe **2.** ***in the nick of time*** gerade noch rechtzeitig, im letzten Moment **3.** *BE, umg.* Kittchen **4.** ***be in good nick*** *BE.*; *umg.* gut in Schuss sein

nick[2] [nɪk] *BE, umg.* klauen; ***who's nicked my pen?*** wer hat meinen Stift geklaut?

nickname ['nɪkneɪm] Spitzname

nicotine ['nɪkətiːn] Nikotin

niece [niːs] Nichte

niff [nɪf] *BE, umg.* Gestank, Mief; ***there's abit of a niff in here*** hier mieft's

niffy ['nɪfɪ] *BE, umg.* stinkend; ***be niffy*** stinken

nifty ['nɪftɪ] *umg.* **1.** *Gerät, Vorrichtung*: praktisch, schlau **2.** *Kleidung, Person*: flott, fesch

night [naɪt] **1.** Nacht; ***at night*** in der Nacht, nachts; ***a starry night*** eine sternenklare Nacht; ***all night long*** die ganze Nacht; ***night and day*** Tag und Nacht; ***did you have a good night's sleep?*** hast du gut geschlafen?; ***if you want you can stay the night*** wenn du willst, kannst du hier übernachten; ***have an early night*** früh zu Bett gehen **2.** *vor dem Schlafengehen*: Abend; ***last night*** gestern Abend; ***on the night of May 5th*** am Abend des 5. Mai

night bird ['naɪt‿bɜːd] **1.** *Vogel*: Nachtvogel **2.** *übertragen* Nachtmensch, Nachtschwärmer(in)

nightcap ['naɪtkæp] **1.** *umg.* Schlummertrunk, Absacker **2.** Nachthaube

nightclub ['naɪtklʌb] Nachtklub, Nachtlokal

nightdress ['naɪtdres] Nachthemd

nightfall ['naɪtfɔːl] ***at nightfall*** bei Einbruch der Dunkelheit

nightie ['naɪtɪ] *umg.* Nachthemd

nightingale ['naɪtɪŋgeɪl] *Vogel*: Nachtigall

night life ['naɪt‿laɪf] Nachtleben

nightmare ['naɪtmeə] Albtraum (*auch übertragen*)

night owl ['naɪt‿aʊl] *umg.* Nachteule, Nachtmensch, Nachtschwärmer(in)

night school ['naɪt‿skuːl] Abendschule

night shift ['naɪt‿ʃɪft] Nachtschicht; ***be*** *oder* ***work on night shift*** Nachtschicht haben

nightshirt ['naɪtʃɜːt] *bes. für Männer*: Nachthemd

nil [nɪl] null; ***our team won three nil*** *oder* ***by three goals to nil*** (= *3-0*) unsere Mannschaft gewann drei zu null (= 3:0)

Nile [naɪl] Nil

nimby

Der Ausdruck **NIMBY** bzw. **nimby** steht als Kurzform für **not in my back yard** („nicht in meinem Hinterhof") und bezeichnet Leute, die nichts gegen bestimmte notwendige aber unerfreuliche Dinge wie den Bau von Straßen und Sportstadien, die Aufstellung von Müllcontainern usw. haben, solange die eigene Wohngegend nicht davon betroffen ist. Diese Doppelmoral entspricht in etwa dem deutschen „Sankt-Florians--Prinzip".

nine[1] [naɪn] neun; ***nine times out of ten*** in neun von zehn Fällen, fast immer
nine[2] [naɪn] *Buslinie, Spielkarte usw.*: Neun
ninepins ['naɪnpɪnz] (⚠ *nur mit Sg.*) Kegeln
nineteen[1] [ˌnaɪn'tiːn] neunzehn
nineteen[2] [ˌnaɪn'tiːn] *Buslinie usw.*: Neunzehn
nine-to-five [ˌnaɪntə'faɪv] ***nine-to-five job*** (normaler) Bürojob
ninety[1] ['naɪntɪ] neunzig
ninety[2] ['naɪntɪ] Neunzig; ***be in one's nineties*** *Alter*: in den Neunzigern sein; ***in the nineties*** in den Neunzigerjahren (*eines Jahrhunderts*)
ninth[1] [naɪnθ] neunte(r, -s)
ninth[2] [naɪnθ] **1.** Neunte(r, -s); ***the ninth of May*** der 9. Mai **2.** *Bruchteil*: Neuntel
nipple ['nɪpl] **1.** Brustwarze **2.** *technisch*: Nippel **3.** *AE*; *an Saugflasche*: Sauger
nitpicker ['nɪtˌpɪkə] *umg.* pingeliger *oder* kleinlicher Mensch, Korinthenkacker
nitpicking ['nɪtˌpɪkɪŋ] *umg.* pingelig, kleinlich
nitrate ['naɪtreɪt] Nitrat
nitrogen ['naɪtrədʒən] Stickstoff
nitty-gritty [ˌnɪtɪ'grɪtɪ] ***get down to the nitty-gritty*** *umg.* zur Sache kommen
nitwit ['nɪtwɪt] *umg.* Schwachkopf
no[1] [nəʊ] **1.** *allg.*: nein; ***say no to …*** Nein sagen zu …; ***the answer is no*** die Antwort ist Nein **2.** *mit Steigerungsformen*: nicht; ***they no longer live here*** sie wohnen nicht mehr hier **3.** ***no one*** keiner, niemand; ***in no time*** im Nu, im Handumdrehen **4.** ***no smoking!*** Rauchen verboten
no[2] [nəʊ] *Pl.*: ***noes*** [nəʊz] **1.** Nein; ***a clear no*** ein klares Nein (***to*** auf) **2.** *bei Abstimmung*: Gegenstimme, Neinstimme; ***the noes have it*** der Antrag ist abgelehnt
no[3] *Pl.*: ***nos*** *Abk. für* → ***number***[1]
Nobel peace prize [ˌnəʊbel'piːs‿praɪz] Friedensnobelpreis
Nobel prize [ˌnəʊbel'praɪz] Nobelpreis; ***Nobel prize winner*** Nobelpreisträger(in)
nobility [nəʊ'bɪlətɪ] Adel, Aristokratie
noble ['nəʊbl] **1.** *durch Geburt*: adlig, von Adel **2.** *Gesinnung, Handeln usw.*: edel, nobel **3.** *Bauwerk usw.*: prächtig, stattlich
nobleman ['nəʊblmən] *Pl.*: ***noblemen*** ['nəʊblmən] Adliger, Aristokrat
noblewoman ['nəʊblˌwʊmən] *Pl.*: ***noblewomen*** ['nəʊblˌwɪmɪn] Adelige, Aristokratin
nobody[1] ['nəʊbədɪ] keiner, niemand
nobody[2] ['nəʊbədɪ] *übertragen* Niemand, Null
no-brainer [ˌnəʊ'breɪnə] *umg.* Kinderspiel
no-claims bonus [ˌnəʊkleɪmz'bəʊnəs] *bei Kfz-Versicherung*: Schadensfreiheitsrabatt
nod[1] [nɒd], ***nodded, nodded*** nicken; ***nod at*** *oder* ***to someone*** jemandem zunicken; ***nod one's head*** mit dem Kopf nicken; ***have a nodding acquaintance with someone*** jemanden flüchtig kennen
nod[2] [nɒd] Nicken; ***give someone a nod*** jemandem zunicken
noes [nəʊz] *Pl. von* → ***no***[2]
no-frills [ˌnəʊ'frɪlz] ohne Extras, einfach, schlicht; ***a no-frills car*** ein Auto ohne Schnickschnack
noise [nɔɪz] **1.** Geräusch; ***what's that noise?*** was ist das für ein Geräusch? **2.** *unangenehm laut*: Krach, Lärm; ***try not to make any noise when you come home*** versuche, keinen Krach zu machen, wenn du nach Hause kommst; ***make a lot of noise about something*** *übertragen* viel Tamtam um etwas machen **3.** *im Radio usw.*: Rauschen
noise barrier ['nɔɪzˌbærɪə] *entlang einer Straße usw.*: Lärmschutzwall
noise pollution ['nɔɪz‿pəˌluːʃn] Lärmbelästigung
noise protection ['nɔɪz‿prəˌtekʃn] Lärmschutz
noisy ['nɔɪzɪ] *Straße, Motor usw.*: laut; ***don't be so noisy!*** *zu Kind*: sei nicht so laut!, mach nicht so einen Krach!
no-man's-land ['nəʊmænzlænd] Niemandsland
nominate ['nɒmɪneɪt] **1.** ernennen (***to*** zu); ***she was nominated*** (***as*** *oder* ***to be***) ***chairperson*** sie wurde zur Vorsitzenden ernannt **2.** als Kandidaten aufstellen (***for*** für); ***we nominated Jill for chairmanship*** wir nominierten Jill für den Vorsitz, wir schlugen Jill als Vorsitzende vor
nomination [ˌnɒmɪ'neɪʃn] **1.** Ernennung **2.** Nominierung
nominative ['nɒmɪnətɪv] *auch* ***nominative case*** *Sprache* Nominativ, erster Fall
non-alcoholic [ˌnɒnælkə'hɒlɪk] alkoholfrei
none [nʌn] **1.** keine(r, -s), niemand; ***none of them are*** *oder* ***is here*** keiner von ihnen ist hier; ***none of your tricks!*** lass deine Späße!; ***that's none of your business*** das geht dich gar nichts an **2.** ***he was none too pleased*** er war keineswegs erfreut; ***none too soon*** kein bisschen zu früh
nonetheless [ˌnʌnðə'les] nichtsdestoweniger, dennoch, trotzdem
non-event [ˌnɒnɪ'vent] *umg.* Reinfall, Pleite
non-fat ['nɒnfæt] fettarm, Mager…

non-fiction [ˌnɒn'fɪkʃn] (⚠ *nur im Sg. verwendet*) Sachbücher *Pl.*; ***a non-fiction book*** ein Sachbuch
nonflammable [ˌnɒn'flæməbl] *Material*: nicht entzündbar, *auch*: unbrennbar
non-iron [ˌnɒn'aɪən] *Hemd usw.*: bügelfrei
no-no ['nəʊnəʊ] *umg.* ***be a no-no*** tabu sein, nicht infrage kommen
nonpolluting [ˌnɒnpə'luːtɪŋ] *Waschmittel usw.*: umweltfreundlich
nonprofit [ˌnɒn'prɒfɪt] *AE*, **non-profit-making** [ˌnɒn'prɒfɪtmeɪkɪŋ] *Verein, Vereinigung, Unternehmen*: gemeinnützig
non-proliferation [ˌnɒnprəlɪfə'reɪʃn] *Politik*: Nichtweitergabe von Atomwaffen; ***non-proliferation treaty*** Atomsperrvertrag
non-returnable [ˌnɒnrɪ'tɜːnəbl] Einweg…; ***non-returnable bottle*** Einwegflasche
nonsense ['nɒnsəns] Unsinn, dummes Zeug; ***talk nonsense*** Unsinn reden; ***make*** (***a***) ***nonsense of something*** etwas ad absurdum führen
nonsensical [nɒn'sensɪkl] *Idee, Vorschlag usw.*: unsinnig
non-smoker [ˌnɒn'sməʊkə] **1.** *Person*: Nichtraucher(in) **2.** *im Zug*: Nichtraucherabteil
non-smoking [ˌnɒn'sməʊkɪŋ] ***non-smoking compartment*** *im Zug*: Nichtraucherabteil; ***non-smoking area*** *in Restaurants usw.*: Nichtraucherbereich

N

smoking / non-smoking

Da praktisch alle Restaurants in den englischsprachigen Ländern einen Nichtraucherbereich haben, wird man beim Eintreten gefragt **„Smoking or non-smoking?"**

non-standard [ˌnɒn'stændəd] *Sprache*: nicht hochsprachlich
non-stick [ˌnɒn'stɪk] *Pfanne usw.*: mit Antihaftbeschichtung
nonstop [ˌnɒn'stɒp] **1.** *Zug*: durchgehend **2.** *Flug*: ohne Zwischenlandung; ***nonstop flight*** Nonstopflug **3.** ***talk nonstop*** ununterbrochen reden
non-union [ˌnɒn'juːnɪən] **1.** *Arbeiter, Angestellte*: nicht organisiert **2.** *Firma*: gewerkschaftsfrei, gewerkschaftsfeindlich
non-violent [ˌnɒn'vaɪələnt] *Protest*: gewaltfrei
noodle ['nuːdl] Nudel
noon [nuːn] Mittag, Mittagszeit; ***at noon*** am *oder* zu Mittag, *genau*: um 12 Uhr (mittags)
no one ['nəʊ‿wʌn] niemand, keiner
noose [nuːs] Schlinge; ***put one's head in***(***to***) ***the noose*** *übertragen* den Kopf in die Schlinge stecken
nope [nəʊp] *umg.* nein
nor [nɔː] **1.** ***neither … nor …*** weder … noch … **2.** auch nicht; ***he doesn't know, and nor do I*** er weiß es nicht, und ich auch nicht
norm [nɔːm] Norm
normal ['nɔːml] normal, Normal…; ***as soon as things are back to normal …*** sobald sich die Lage wieder normalisiert hat, …; ***your temperature is above normal*** du hast erhöhte Temperatur; ***that's perfectly normal*** das ist ganz normal
normality [nɔː'mælɪtɪ] Normalität
normalize ['nɔːməlaɪz] **1.** normalisieren (*Beziehungen, Situation usw.*) **2.** (*Lage, Situation*) sich normalisieren
normally ['nɔːməlɪ] normalerweise, (für) gewöhnlich
Norman[1] ['nɔːmən] Normanne, Normannin
Norman[2] ['nɔːmən] normannisch
north[1] [nɔːθ] **1.** Norden; ***in the north of*** im Norden von (*oder Genitiv*); ***to the north of*** nördlich von (*oder Genitiv*) **2.** *auch* ***North*** Norden, nördlicher Landesteil: ***the North*** *BE* Nordengland, *AE* die Nordstaaten
north[2] [nɔːθ] Nord…, nördlich; ***the north side of the church*** die Nordseite der Kirche
north[3] [nɔːθ] **1.** *Richtung*: nordwärts, nach Norden **2.** ***north of*** nördlich von (*oder Genitiv*)
northbound ['nɔːθbaʊnd] nach Norden gehend *oder* fahrend
northeast[1] [ˌnɔːθ'iːst] Nordosten
northeast[2] [ˌnɔːθ'iːst] nordöstlich, Nordost…
northeast[3] [ˌnɔːθ'iːst] *Richtung*: nach Nordosten
northerly ['nɔːðəlɪ] *Richtung, Wind*: nördlich, Nord…
northern ['nɔːðn] nördlich, Nord…, ***northern Germany*** Norddeutschland
North Pole [ˌnɔːθ'pəʊl] Nordpol
North-Rhine/Westphalia [ˌnɔːθraɪn‿west'feɪlɪə] Nordrhein-Westfalen
North Sea [ˌnɔːθ'siː] Nordsee
northward ['nɔːθwəd], **northwards** ['nɔːθwədz] nördlich, nordwärts, nach Norden; ***drive northwards*** nordwärts *oder* nach Norden fahren
northwest[1] [ˌnɔːθ'west] Nordwesten
northwest[2] [ˌnɔːθ'west] nordwestlich Nordwest…

northwest[3] [ˌnɔːθ'west] *Richtung*: nach Nordwesten

Norway ['nɔːweɪ] Norwegen

Norwegian[1] [nɔː'wiːdʒn] norwegisch

Norwegian[2] [nɔː'wiːdʒn] *Sprache*: Norwegisch; ***in Norwegian*** auf Norwegisch

Norwegian[3] [nɔː'wiːdʒn] Norweger(in)

nose [nəʊz] **1.** Nase; ***blow one's nose*** sich die Nase putzen; ***pick one's nose*** in der Nase bohren **2.** *in Wendungen*: ***follow your nose*** immer der Nase nach; ***lead someone by the nose*** jemanden unter seiner Fuchtel haben; ***poke*** *oder* ***stick one's nose into something*** seine Nase in etwas stecken; ***you keep your nose out of this!*** du hältst dich da raus!; ***under his very nose*** direkt vor seiner Nase, vor seinen Augen; ***pay through the nose*** viel blechen müssen; ***keep your nose clean!*** bleib sauber! **3.** *übertragen* Nase, Riecher (***for*** für)

nose about *oder* **around** [ˌnəʊz‿ə'baʊt *oder* ə'raʊnd] *übertragen* herumschnüffeln (***for*** nach)

nosebleed ['nəʊzbliːd] ***have a nosebleed*** Nasenbluten haben

nosh[1] [nɒʃ] *umg.* **1.** *bes. BE* Essen; ***have some nosh*** (etwas) essen; ***have a quick nosh*** schnell etwas essen **2.** *AE* Bissen, Happen; ***have a nosh*** einen Happen essen

nosh[2] [nɒʃ] *umg.* **1.** *bes. BE* essen **2.** *AE* einen Bissen *oder* Happen essen

nostalgia [nɒ'stældʒə] Nostalgie; *im weiteren Sinne*: Sehnsucht (***for*** nach)

nostalgic [nɒ'stældʒɪk] nostalgisch

nostril ['nɒstrəl] **1.** *bei Mensch*: Nasenloch **2.** *bei Pferd*: Nüster

nosy ['nəʊzɪ] *umg.* neugierig

not [nɒt] **1.** nicht; ***not at all*** überhaupt nicht; ***I'm afraid not*** *auf Frage*: ich fürchte nein; ***not to my knowledge*** nicht dass ich wüsste; ***it's wrong, isn't it?*** (*kurz für* ***is it not***) es ist falsch, nicht wahr?; ***she asked me not to mention it*** sie bat mich, es nicht zu erwähnen **2.** ***not yet*** noch nicht **3.** ***not a bit*** kein bisschen **4.** ***'Thanks a lot.' - 'Not at all.'*** „Vielen Dank." - „Keine Ursache."

notable[1] ['nəʊtəbl] **1.** *Person*: bedeutend, angesehen **2.** *Tatsache*, *Umstand*: beachtenswert, bemerkenswert **3.** *Unterschied*: beträchtlich

notable[2] ['nəʊtəbl] bedeutende Persönlichkeit

notably ['nəʊtəblɪ] besonders, vor allem

notary ['nəʊtərɪ] *mst.* ***notary public*** Notar(in)

note[1] [nəʊt] **1.** Notiz, Aufzeichnung; ***make a note of something*** sich etwas notieren *oder* vormerken; ***take notes*** *im Unterricht usw.*: sich Notizen machen; ***speak without notes*** frei sprechen **2.** (≈ *Kurzinformation*) Zettel; ***did you find my note on the table?*** hast du den Zettel auf dem Tisch gefunden? **3.** *auf Buchseite usw.*: Anmerkung, Vermerk **4.** *BE* Banknote, Geldschein **5.** *Musik*: Note

note[2] [nəʊt] **1.** besonders beachten *oder* achten auf; ***please note that ...*** bitte beachten Sie, dass ... **2.** (≈ *erwähnen*) bemerken **3.** *oft* ***note down*** aufschreiben, notieren

notebook ['nəʊtbʊk] **1.** Notizbuch **2.** *AE* Schulheft **3.** *Computer*: Notebook

noted ['nəʊtɪd] bekannt, berühmt (***for*** wegen)

notepad ['nəʊtpæd] **1.** Notizblock **2.** *Computer*: Notepad (*PC im Notizblockformat*)

noteworthy ['nəʊtˌwɜːðɪ] *Ereignis*, *Tatsache*: bemerkenswert

nothing ['nʌθɪŋ] *allg.*: nichts; ***as if nothing had happened*** als ob nichts passiert sei; ***nothing doing*** *umg.* das kommt nicht in Frage, nichts zu machen; ***have nothing to do*** nichts zu tun haben; ***it's*** (= ***it has*** *oder* ***it is***) ***nothing to do with you*** das hat nichts mit dir zu tun; ***the book's nothing special*** das Buch ist nichts Besonderes; ***that's nothing compared to ...*** das ist nichts im Vergleich zu ...; ***that's nothing to me*** das bedeutet mir nichts; ***there's nothing like ...*** es geht nichts über ...; ***..., to say nothing of ...*** ..., ganz zu schweigen von ...; ***think nothing of*** nichts halten von, sich nichts machen aus; ***I got it for nothing*** ich bekam es umsonst

notice[1] ['nəʊtɪs] bemerken; ***he gave her a wink but she didn't notice*** er zwinkerte ihr zu, aber sie bemerkte es nicht; ***I noticed that she was sad*** ich bemerkte, dass sie traurig war

notice[2] ['nəʊtɪs] **1.** Notiz, Beachtung; ***take notice of*** Notiz nehmen von, beachten; ***take no notice of him*** beachte ihn gar nicht; ***that must have escaped my notice*** das muss mir entgangen sein **2.** (≈ *Information*) Ankündigung, Mitteilung; ***give someone notice of something*** jemanden von etwas benachrichtigen; ***give someone two weeks'*** *usw.* ***notice of something*** jemandem über etwas zwei Wochen *usw.* vorher Bescheid geben; ***till*** *oder* ***until further notice*** bis auf weiteres;

at (*AE* ***on***) ***short notice*** kurzfristig; ***without notice*** fristlos **3.** Bekanntmachung, Ankündigung; ***put up a notice*** *an schwarzem Brett usw.*: eine Bekanntmachung aushängen **4.** *von Arbeitsplatz, Wohnung usw.*: Kündigung, *Zeitraum*: Kündigungsfrist; ***give someone*** (***his*** *oder* ***her***) ***notice*** jemandem kündigen; ***hand in*** *oder* ***give in one's notice*** kündigen

noticeable ['nəʊtɪsəbl] merklich, erkennbar

notice board ['nəʊtɪs‿bɔːd] *bes. BE* Anschlagtafel, schwarzes Brett

notification [ˌnəʊtɪfɪ'keɪʃn] Meldung, Mitteilung, Benachrichtigung

notify ['nəʊtɪfaɪ] **1.** melden, mitteilen (*Neuigkeit usw.*) **2.** benachrichtigen; ***you'll be notified of our decision*** wir werden Sie über unsere Entscheidung informieren

notion ['nəʊʃn] *gedanklich*: Vorstellung, Idee

notorious [nəʊ'tɔːrɪəs] berüchtigt (***for*** für); ***she's a notorious liar*** sie ist eine notorische Lügnerin

nought [nɔːt] *BE*; *Ziffer*: Null

noun [naʊn] *Sprache*: Substantiv, Hauptwort, *bes.* Ⓐ, ⒸⒽ Nomen

nourish ['nʌrɪʃ] **1.** ernähren (*Person*) **2.** nähren, hegen (*Hoffnungen*)

nourishing ['nʌrɪʃɪŋ] *Nahrung*: nahrhaft

novel ['nɒvəl] Roman

novelist ['nɒvəlɪst] Romanschriftsteller (-in)

novella [nəʊ'velə] Novelle

novelty ['nɒvltɪ] **1.** (≈ *das Neusein*) Neuheit; ***once the novelty has worn off*** wenn der Reiz des Neuen erst mal vorbei ist **2.** (≈ *etwas Neues*) Neuheit; ***this is quite a novelty*** das ist ein Novum **3.** *mst.* ***novelties*** *Pl.* Krimskrams, Ramsch

November [nəʊ'vembə] November; ***in November*** im November

now [naʊ] **1.** jetzt, nun; ***they now live in Boston*** sie leben *oder* wohnen jetzt in Boston; ***now and again*** *oder* (***every***) ***now and then*** von Zeit zu Zeit, dann und wann; ***by now*** mittlerweile, inzwischen; ***from now on*** von jetzt an; ***up to now*** bis jetzt; ***a week from now*** heute in einer Woche **2.** (≈ *unverzüglich*) sofort; ***right 'now*** (jetzt) sofort; ***I want you to clean up your room 'now*** ich möchte, dass du dein Zimmer sofort aufräumst; ***it's now or never*** jetzt oder nie **3.** ***now that you're here …*** nun da *oder* jetzt wo du schon einmal da bist, …

nowadays ['naʊədeɪz] heutzutage

no way [ˌnəʊ'weɪ] *umg.* ***'Can I have your bike?' - 'No way!'*** „Kann ich dein Fahrrad haben?" – „Kommt nicht in Frage!"

nowhere ['nəʊweə] **1.** nirgends, nirgendwo; ***have nowhere to live*** kein Zuhause haben; ***nowhere near*** bei weitem nicht, auch nicht annähernd **2.** ***get nowhere fast*** *übertragen* überhaupt nicht weiterkommen, überhaupt keine Fortschritte machen; ***this will get us nowhere*** damit *oder* so kommen wir auch nicht weiter, das bringt uns auch nicht weiter

no-win situation [ˌnəʊ'wɪn‿sɪtʃʊˌeɪʃn] ausweglose Situation; ***it's a no-win situation*** wie mans macht macht mans verkehrt

nozzle ['nɒzl] **1.** *an Gefäß*: Ausguss, Öffnung **2.** *Tankstelle*: Zapfpistole

nuance ['njuːɑːns] Nuance

nuclear ['njuːklɪə] **1.** *Atomphysik*: Kern…, Atom…; ***nuclear energy*** Atomenergie, Kernenergie; ***nuclear-free*** atomwaffenfrei; ***nuclear power*** Atomkraft, Kernkraft, *Staat*: Atommacht; ***nuclear power plant*** Atomkraftwerk, Kernkraftwerk; ***nuclear weapons*** Atomwaffen, Kernwaffen

nude [njuːd] **1.** *auch* ***in the nude*** nackt **2.** *Malerei*: Akt

nudism ['njuːdɪzm] FKK, Freikörperkultur

nudist ['njuːdɪst] Nudist(in), FKK-Anhänger(in); ***nudist beach*** Nacktbadestrand, FKK-Strand

nuisance ['njuːsns] **1.** *Person*: Plage, Nervensäge; ***be a nuisance to someone*** jemandem lästig fallen, jemanden nerven; ***make a nuisance of oneself*** den Leuten auf die Nerven gehen **2.** *Geschehen*: Ärgernis, Missstand; ***what a nuisance!*** wie ärgerlich!

numb [⚠ nʌm] **1.** *Finger usw.*: gefühllos, taub (***with*** vor) (*Kälte usw.*) **2.** *übertragen* wie betäubt (***with*** vor) (*Schmerz usw.*)

number[1] ['nʌmbə] **1.** *Mathematik*: Zahl, Ziffer; ***even numbers*** gerade Zahlen; ***odd numbers*** ungerade Zahlen; ***be good at numbers*** gut rechnen können **2.** *von Haus, Telefonanschluss, Fax usw.*: Nummer; ***have someone's number*** *umg., übertragen* jemanden durchschaut haben; ***be number one*** *übertragen* die Nummer Eins sein **3.** (≈ *Menge*) Zahl, Anzahl; ***a number of people*** eine (ganze) Anzahl von Menschen; ***a great number of people*** eine Menge Leute; ***five in number*** fünf an der Zahl; ***I've asked you a number of times to …*** ich habe dich x-mal *oder* zigmal gebeten, …; ***in large***

numbers in großen Mengen, in großer Zahl **4.** *einer Zeitschrift*: Nummer, Ausgabe **5.** *Teil einer Aufführung*: Nummer, Stück

number[2] ['nʌmbə] **1.** nummerieren (*Seiten, Sitzplätze usw.*) **2.** ***his days are numbered*** seine Tage sind gezählt

numberplate ['nʌmbəpleɪt] *BE*; *am Auto*: Nummernschild

numeral ['njuːmrəl] (≈ *Zahl*) Ziffer; ***in Roman numerals*** in römischen Ziffern

numerical [njuː'merɪkl] **1.** *Code usw.*: numerisch **2.** *Überlegenheit usw.*: zahlenmäßig

numerous ['njuːmərəs] zahlreich

nun [nʌn] Nonne

nurse[1] [nɜːs] Krankenschwester; ***male nurse*** Krankenpfleger

nurse[2] [nɜːs] **1.** pflegen (*Kranke*); ***nurse someone back to health*** jemanden gesund pflegen **2.** auskurieren (*Krankheit*) **3.** stillen, die Brust geben (*Baby*)

nursery ['nɜːsrɪ] **1.** *für Kinder*: Tagesstätte **2.** *für Pflanzen*: Baumschule

nursery rhyme ['nɜːsrɪ‿raɪm] Kinderreim

nursery school ['nɜːsrɪ‿skuːl] Kindergarten; ***nursery school teacher*** Kindergärtner(in), Erzieher(in)

nursing home ['nɜːsɪŋ‿həʊm] **1.** *mst. privates* Pflegeheim **2.** *bes. BE* Privatklinik

nut [nʌt] **1.** *Frucht*: Nuss; ***a hard*** *oder* ***tough nut to crack*** *übertragen* eine harte Nuss **2.** *Werkzeug*: Schraubenmutter **3.** *umg.*(≈ *Kopf*) Birne; ***you must be off your nut*** du spinnst doch **4.** ***nuts*** *Pl. vulgär* (≈ *Hoden*) Eier; ☞ ***nuts***

nutcase ['nʌtkeɪs] *umg.* Spinner(in)

nutcracker ['nʌtˌkrækə] Nussknacker

nutmeg ['nʌtmeg] Muskatnuss

nutrition [njuː'trɪʃn] Ernährung

nutritious [njuː'trɪʃəs] nahrhaft

nuts [nʌts] ***be nuts*** *umg.* spinnen; ***you're driving me nuts*** *umg.* du machst mich noch wahnsinnig; ***be nuts about*** *oder* ***on*** *umg.* verrückt sein nach, wild *oder* scharf sein auf

nutter ['nʌtə] *umg.* Spinner(in)

nutty ['nʌtɪ] *umg.* verrückt (*auch Idee usw.*): ***be nutty*** spinnen; ***be nutty about*** *oder* ***on*** verrückt sein nach, wild *oder* scharf sein auf

O

O [əʊ] *Pl.*: ***O's*** *Ziffer*: Null; ***call three, double O, five*** rufen Sie 3005 an

oaf [əʊf] Tölpel, Trampel

oafish ['əʊfɪʃ] ungeschickt, tölpelhaft

oak [əʊk] *Baum*: Eiche; *Holz*: Eiche, Eichenholz

OAP [ˌəʊeɪ'piː] (*Abk. für* **o**ld **a**ge **p**ensioner) Rentner(in), Senior(in)

oar [ɔː] **1.** *in Ruderboot*: Ruder, Riemen **2.** ***put*** *oder* ***stick one's oar in*** *umg.* sich einmischen, seinen Senf dazugeben

oarsman ['ɔːzmən] *Pl.*: ***oarsmen*** ['ɔːzmən] *Sport* Ruderer

oarswoman ['ɔːzˌwʊmən] *Pl.*: ***oarswomen*** ['ɔːzˌwɪmɪn] *Sport* Ruderin

oasis [əʊ'eɪsɪs] *Pl.*: ***oases*** [əʊ'eɪsiːz] Oase (*auch übertragen*)

oath [əʊθ] *Pl.*: ***oaths*** [⚠ əʊðz] Eid, Schwur; ***oath of office*** Amtseid, Diensteid; ***be on*** *oder* ***under oath*** unter Eid stehen; ***swear*** *oder* ***take an oath*** einen Eid leisten *oder* ablegen, schwören (***on, to*** auf)

oats [əʊts] *Pl. Getreideart*: Hafer; ***he's feeling his oats*** *umg.* ihn sticht der Hafer; ***be off one's oats*** *umg.* keinen Appetit haben

obedience [ə'biːdɪəns] Gehorsam (***to*** gegenüber)

obedient [ə'biːdɪənt] gehorsam (***to***; *dt. Dativ*), folgsam; ***be obedient to someone*** jemandem folgen, jemandem gehorsam sein

obelisk ['ɒbəlɪsk] Obelisk

obese [əʊ'biːs] fettleibig

obesity [əʊ'biːsətɪ] Fettleibigkeit

obey [ə'beɪ] **1.** gehorchen, folgen (*Person*) **2.** befolgen (*Befehl usw.*)

obituary [ə'bɪtʃʊərɪ] **1.** Nachruf **2.** *auch* ***obituary notice*** Todesanzeige; ***the obituaries page*** die Todesanzeigen

object[1] [əb'dʒekt] **1.** dagegen sein, etwas dagegen haben; ***if you don't object*** wenn du nichts dagegen hast; ***do you object to my smoking?*** haben Sie etwas dagegen, wenn ich rauche?

2. *vor Gericht usw.*: Einspruch erheben (***to*** gegen)

object[2] ['ɒbdʒɪkt] **1.** Objekt, Gegenstand (*auch übertragen des Mitleids usw.*); ***money's no object*** Geld spielt keine Rolle **2.** *von Handlung, Vorhaben*: Ziel, Zweck, Absicht; ***that's the object of the exercise*** *übertragen* das ist der Zweck der Übung **3.** *Sprache*: Objekt

objection [əb'dʒekʃn] Einspruch (*auch vor Gericht*), Einwand (***to*** gegen); ***if you have no objections*** wenn du nichts dagegen hast; ***raise an objection*** einen Einwand erheben

objective[1] [əb'dʒektɪv] **1.** (≈ *unparteiisch*) objektiv, sachlich **2.** (≈ *real*) objektiv, tatsächlich

objective[2] [əb'dʒektɪv] *von Handeln, Lernen usw.*: Ziel; ***our main objective is …*** unser Hauptziel ist …; ***reach one's objective*** sein Ziel erreichen

objectivity [ˌɒbdʒek'tɪvətɪ] Objektivität

objector [əb'dʒektə] Gegner(in) (***to***; *dt. Genitiv*)

obligation [ˌɒblɪ'geɪʃn] *moralisch, rechtlich*: Verpflichtung; ***without obligation*** unverbindlich; ***be under an obligation to do something*** verpflichtet sein, etwas zu tun

obligatory [ə'blɪgətərɪ] verbindlich, obligatorisch; ***attendance is obligatory*** Anwesenheit ist Pflicht

oblige [ə'blaɪdʒ] *förmlich* **1.** nötigen, zwingen; ***be obliged to do something*** *auch*: etwas tun müssen **2.** *übertragen* verpflichten; ***feel obliged to do something*** sich verpflichtet fühlen, etwas zu tun; (***I'm***) ***much obliged*** (***to you***) ich bin Ihnen sehr zu Dank verpflichtet, besten Dank

oblivion [ə'blɪvɪən] ***fall*** *oder* ***sink into oblivion*** in Vergessenheit geraten

oblong[1] ['ɒblɒŋ] *Gegenstand, Form*: rechteckig, *AE auch* länglich

oblong[2] ['ɒblɒŋ] Rechteck

obnoxious [əb'nɒkʃəs] *Person, Verhalten, Geruch usw.*: widerwärtig, widerlich

oboe ['əʊbəʊ] *Musik*: Oboe

obscene [əb'siːn] *Worte, Gesten usw.*: obszön, unanständig, unzüchtig

obscenity [⚠ əb'senətɪ] Obszönität (*auch Wort, Geste usw.*)

obscure [əb'skjʊə] **1.** *Text, Bedeutung usw.*: dunkel, unklar **2.** *Motive usw.*: undurchsichtig; ***for some obscure reason*** aus einem unerfindlichen Grund **3.** *Gefühl*: unbestimmt, undeutlich **4.** *Ort, Dichter, usw.*: obskur, unbekannt, unbedeutend

observable [əb'zɜːvəbl] (≈ *klar zu sehen*) erkennbar, merklich

observation [ˌɒbzə'veɪʃn] **1.** Beobachtung, Überwachung; ***be under observation*** *durch Polizei, Arzt*: unter Beobachtung stehen; ***keep someone under observation*** jemanden beobachten **2.** ***power of observation*** Beobachtungsgabe **3.** (≈ *Äußerung*) Bemerkung (***on*** über)

observatory [əb'zɜːvətrɪ] Observatorium

observe [əb'zɜːv] **1.** beobachten, überwachen; ***he was observed entering the house*** er wurde beim Betreten des Hauses beobachtet **2.** beachten, befolgen (*Vorschrift usw.*) **3.** feiern, begehen (*Weihnachten, Ostern usw.*)

observer [əb'zɜːvə] Beobachter(in)

obsess [əb'ses] ***be obsessed with*** besessen sein von (*Idee usw.*)

obsession [əb'seʃn] **1.** Besessenheit; ***have an obsession with*** besessen sein von (*Idee usw.*) **2.** *umg.* fixe Idee

obsolescent [ˌɒbsə'lesnt] veraltend; ***be obsolescent*** (anfangen zu) veralten

obsolete ['ɒbsəliːt] veraltet

obstacle ['ɒbstəkl] Hindernis (***to*** für) (*auch übertragen*); ***be an obstacle to something*** etwas behindern, einer Sache im Weg stehen; ***he keeps putting obstacles in my way*** ständig legt er mir Steine in den Weg

obstacle race ['ɒbstəkl‿reɪs] *Sport*: Hindernisrennen

obstinacy ['ɒbstɪnəsɪ] Hartnäckigkeit (*auch übertragen*: *von Krankheit, Widerstand usw.*), Halsstarrigkeit, Starrsinn, Sturheit

obstinate ['ɒbstɪnət] hartnäckig (*auch übertragen*: *von Flecken usw.*), halsstarrig, stur

obstruct [əb'strʌkt] **1.** blockieren, versperren (*Straße usw.*); ***you're obstructing my view*** du versperrst mir die Sicht **2.** *übertragen* behindern, aufhalten (*Fortschritt, Pläne usw.*)

obstruction [əb'strʌkʃn] **1.** *von Straße usw.*: Blockierung, Versperrung **2.** *von Plänen usw.*: Behinderung

obstructionism [əb'strʌkʃənɪzm] Obstruktionspolitik

obstructive [əb'strʌktɪv] obstruktiv, behindernd; ***be obstructive*** *Person*: sich quer legen

obtain [əb'teɪn] **1.** erhalten, sich verschaffen (*Informationen, Wissen usw.*) **2.** erzielen (*Resultat, Gewinn usw.*)

obtainable [əb'teɪnəbl] erhältlich; ***no longer obtainable*** nicht mehr lieferbar

O

obtrusive [əb'truːsɪv] aufdringlich
obtuse [əb'tjuːs] **1.** *Mathematik*: stumpf (*Winkel*) 2. *Person*: begriffsstutzig, beschränkt
obvious ['ɒbvɪəs] **1.** *Vorteil, Grund usw.*: offensichtlich, klar, einleuchtend; ***it's very obvious that ...*** es liegt klar auf der Hand, dass ... **2.** ***he was obviously drunk*** er war eindeutig betrunken
occasion [ə'keɪʒn] **1.** (≈ *bestimmter Zeitpunkt*) Gelegenheit, Anlass; ***we've met on several occasions*** wir kennen uns von verschiedenen Anlässen her **2.** *günstiger Moment*: Gelegenheit; ***on this occasion*** bei dieser Gelegenheit; ***on the occasion of*** anlässlich (+ *Genitiv*) **3.** festliches Ereignis; ***to celebrate the occasion*** zur Feier des Tages
occasional [ə'keɪʒnəl] **1.** gelegentlich; ***he smokes an occasional cigarette*** er raucht gelegentlich *oder* hin und wieder eine Zigarette **2.** *Regenschauer usw.*: vereinzelt
occasionally [ə'keɪʒnəlɪ] gelegentlich, hin und wieder
Occident ['ɒksɪdənt] Okzident, Abendland; ***the Occident*** *auch* der Westen
occidental [ˌɒksɪ'dentl] abendländisch, westlich
occult [ə'kʌlt] magisch, geheimnisvoll; ***occult powers*** magische Kräfte
occupant ['ɒkjʊpənt] **1.** *von Zimmer, Haus usw.*: Bewohner(in); ***the occupants of the house*** die Hausbewohner **2.** *eines Autos usw.*: Insasse, Insassin
occupation [ˌɒkjʊ'peɪʃn] **1.** Beschäftigung, Beruf; ***what's your occupation?*** was sind Sie von Beruf?; ***by occupation*** von Beruf **2.** *bes. als Hobby*: Beschäftigung **3.** *militärisch*: Besetzung (*eines Landes*)
occupational [ˌɒkjʊ'peɪʃnəl] **1.** Berufs...; ***occupational hazard*** Berufsrisiko **2.** Beschäftigungs...; ***occupational therapy*** Beschäftigungstherapie
occupier ['ɒkjʊpaɪə] *von Zimmer, Haus usw.*: Bewohner(in)
occupy ['ɒkjʊpaɪ] **1.** wohnen in (*in Zimmer, Haus usw.*); ***be occupied*** bewohnt sein **2.** *militärisch*: besetzen **3.** einnehmen (*Raum*); ***be occupied*** *Stuhl, Sitz*: besetzt sein **4.** in Anspruch nehmen (*Zeit*) **5.** bekleiden, innehaben (*Position, Amt*) **6.** beschäftigen; ***occupy oneself with something*** sich mit etwas beschäftigen
occur [ə'kɜː], ***occurred, occurred*** **1.** (*Vorfall, Unfall usw.*) sich ereignen, vorkommen **2.** (*Problem usw.*) sich ergeben

> **occur to** [ə'kɜː‿tə] einfallen, in den Sinn kommen; ***it occurred to me that*** es fiel mir ein *oder* mir kam der Gedanke, dass

occurrence [⚠ ə'kʌrəns] **1.** *einzelne Begebenheit*: Ereignis, Vorfall, Vorkommnis; ***be an everyday occurrence*** etwas Alltägliches sein **2.** *allgemein*: Vorkommen (*von Tieren, Bodenschätzen, Unwettern usw.*)
ocean ['əʊʃən] **1.** Ozean, Meer; ***ocean climate*** Meeresklima, Seeklima; ***ocean liner*** Ozeandampfer **2.** ***oceans of*** *umg.* eine Unmenge von
oceangoing ['əʊʃənˌgəʊɪŋ] *Schiff*: hochseetüchtig
o'clock [ə'klɒk] ***five o'clock*** fünf Uhr
ocelot ['ɒsɪlɒt] Ozelot
ocher ['oʊkə] *AE* ☞ *BE* ***ochre***
ochre[1] ['əʊkə] Ocker
ochre[2] ['əʊkə] ockerfarben
octagon ['ɒktəgən] Achteck
octagonal [ɒk'tægənl] achteckig
octane ['ɒkteɪn] *Chemie*: Oktan; ***octane number*** *von Benzin*: Oktanzahl
octave [⚠ 'ɒktɪv] *Musik*: Oktave
October [ɒk'təʊbə] Oktober; ***in October*** im Oktober
octopus ['ɒktəpəs] *Pl.* ***octopuses*** ['ɒktəpəsɪz] Krake, Tintenfisch
oculist ['ɒkjʊlɪst] Augenarzt, Augenärztin
OD[1] [ˌəʊ'diː] (*Abk. für* ***overdose***) eine Überdosis nehmen
OD[2] [ˌəʊ'diː] (*Abk. für* ***overdose***) Überdosis
odd [ɒd] **1.** *Person, Ereignis usw.*: sonderbar, seltsam, merkwürdig; ***the odd thing about it is ...*** das Komische an der Sache ist ... **2.** *nach Zahlen*: ***50 odd*** etwas über 50, einige 50 **3.** ***odd number*** ungerade Zahl **4.** *Socke, Schuh usw.*: einzeln; ***you're wearing odd socks*** deine Socken passen nicht zusammen **5.** *nicht regelmäßig*: gelegentlich; ***odd jobs*** Gelegenheitsarbeiten; ***I enjoy the odd musical*** das eine oder andere Musical mag ich schon
oddball ['ɒdbɔːl] *bes. AE, umg.* komischer Kauz, Spinner
oddity ['ɒdətɪ] **1.** *Eigenschaft*: Eigentümlichkeit **2.** *komische Person*: Sonderling **3.** *komische Sache*: Kuriosität
oddly ['ɒdlɪ] **1.** *sich benehmen*: sonderbar, seltsam **2.** *auch* ***oddly enough*** seltsamerweise, merkwürdigerweise
odds [ɒdz] *Pl.* **1.** *bei Wetten usw.*: Gewinnchancen *Pl.*; ***the odds are 10 to 1*** die Chancen stehen 10 zu 1; ***the odds are that he will come*** *übertragen* er kommt

wahrscheinlich; ***against all odds*** wider Erwarten, entgegen allen Erwartungen **2.** ***be at odds with someone*** mit jemandem uneins sein; ***be at odds with something*** zu etwas im Widerspruch stehen **3.** ***it makes no odds*** *BE* es spielt keine Rolle, es macht keinen Unterschied **4.** ***odds and ends*** Krimskrams

odds-on [ˌɒdz'ɒn] **1.** *Kandidat usw.*: aussichtsreichste(r, -s) **2.** *Favorit*: hoch, klar **3.** ***it's odds-on that he will come*** er kommt höchstwahrscheinlich

odometer [əʊ'dɒmɪtə] *AE*; *von Auto*: Meilenzähler

odour, *AE* **odor** ['əʊdə] **1.** *allg.*: Geruch **2.** *wohlriechend*: Duft **3.** *übelriechend*: Gestank **4.** ***be in bad odour with someone*** bei jemandem schlecht angeschrieben sein

odyssey ['ɒdəsɪ] Odyssee

Oedipus complex ['iːdɪpəsˌkɒmpleks] *Psychologie*: Ödipuskomplex

of [ɒv, əv] **1.** *besitzanzeigend*: von (*oder Genitiv*); ***the handle of the gun*** der Griff des Revolvers; *auch*: ***the works of Shakespeare*** die Werke Shakespeares; ***a friend of mine*** ein Freund von mir **2.** *mit Ortsbezeichnung*: bei, von, aus; ***the Battle of Hastings*** die Schlacht von *oder* bei Hastings; ***south of London*** südlich von London; ***Mr X of London*** Mr X aus London **3.** *mit Eigenschaft*: von, mit; ***a woman of courage*** eine mutige Frau, eine Frau mit Mut; ***it was clever of him*** es war klug von ihm **4.** *mit Materialangabe*: aus, von; ***a dress made of silk*** ein Kleid aus Seide, ein Seidenkleid; ***made of steel*** aus Stahl **5.** *mit Ursache, Grund*: ***he died of Aids*** er starb an Aids; ***I'm proud of you*** ich bin stolz auf dich; ***she's afraid of the dark*** sie fürchtet sich vor der Dunkelheit; ***it smells of fish*** es riecht nach Fisch **6.** *bei Erwähnung von Thema, Person*: an; ***just think of X*** denk nur an X; ***I can't think of his name*** mir fällt sein Name nicht ein **7.** *oft unübersetzt*: ***the city of London*** die Stadt London; ***the month of April*** der Monat April; ***a glass of wine*** ein Glas Wein; ***a piece of meat*** ein Stück Fleisch **8.** *mit Zeitangabe*: ***your fax of May 3rd*** Ihr Fax vom 3. Mai

of course [əf'kɔːs] natürlich, selbstverständlich

off [ɒf] **1.** *räumlich*: fort, weg; ***I got on my motorbike and rode off*** ich stieg auf mein Motorrad und fuhr weg; ***I must be off*** ich muss gehen *oder* weg; ***where are you off to?*** wo solls denn hingehen?; ***off with you!*** fort mit dir!; ***off we go!*** los!, auf gehts!; ***three miles off*** drei Meilen entfernt; ***two miles off the coast*** zwei Meilen vor der Küste; ***keep off the grass!*** Betreten des Rasens verboten!; ***get off the bus*** aus dem Bus aussteigen **2.** *bei Gerät usw.*: aus, ausgeschaltet, abgeschaltet; ***please switch the radio off*** bitte schalte das Radio aus; ***all the lights were off*** alle Lichter waren aus **3.** *am Arbeitsplatz*: ***she's off today*** sie hat heute ihren freien Tag; ***give someone the afternoon off*** jemandem den Nachmittag freigeben; ***take a day off*** sich einen Tag freinehmen; ***be off duty*** dienstfrei haben, nicht im Dienst sein **4.** *Lebensmittel*: nicht mehr frisch, verdorben; ***the milk is off*** die Milch ist sauer **5.** ***well*** (*bzw.* ***badly***) ***off*** gut (*bzw.* schlecht) dran *oder* gestellt **6.** ***be off*** *Veranstaltung usw.*: ausfallen, nicht stattfinden; ***the party's off*** die Party fällt aus **7.** ***off and on*** ab und zu, hin und wieder **8.** ***5% off*** *von Preis*: 5% Nachlass

offal ['ɒfl] *von Tieren*: Innereien *Pl.*

offbeat [ˌɒf'biːt] *umg.* ausgefallen, unkonventionell

off-colour, *AE* **off-color** [ˌɒf'kʌlə] **1.** ***be*** *oder* ***feel off-colour*** sich nicht wohl fühlen **2.** *Witz usw.*: gewagt

offence, *AE* **offense** [ə'fens] **1.** *illegales Handeln*: Vergehen, Verstoß (***against*** gegen) **2.** (≈ *Verbrechen*) Straftat **3.** (≈ *Affront*) Beleidigung, Kränkung; ***give*** *oder* ***cause offence*** Anstoß *oder* Ärgernis erregen (***to*** bei); ***take offence*** Anstoß nehmen (***at*** an); ***be quick to take offence*** schnell beleidigt sein; ***'No offence, but ...'*** „Nichts für ungut, aber ..." **4.** *Sport*: Angriff

offend [ə'fend] beleidigen, kränken; ***be offended at*** *oder* ***by*** sich beleidigt fühlen durch

offender [ə'fəndə] **1.** Straftäter(in); ***first offender*** *Recht*: nicht Vorbestrafte(r), Ersttäter(in) **2.** *von Umweltschäden*: Verursacher

offensive[1] [ə'fensɪv] **1.** *Bemerkung, Handeln usw.*: beleidigend, anstößig; ***get offensive*** ausfallend werden **2.** *Militär, Sport*: Angriffs..., Offensiv...

offensive[2] [ə'fensɪv] *allg.*: Offensive; ***take the offensive*** die Offensive ergreifen

offer[1] ['ɒfə] **1.** *allg.*: anbieten; ***offer something for sale*** etwas zum Verkauf anbieten **2.** bieten (*Preis, Summe usw.*) **3.** ***offer to help someone*** jemandem seine Hilfe anbieten, sich bereit erklären, jemandem zu helfen **4.** ***the town has a lot to offer*** die Stadt hat eine Menge zu bieten

offer[2] ['ɒfə] **1.** Angebot; ***his offer of help*** sein Angebot zu helfen, seine angebotene Hilfe; ***make someone an offer*** jemandem ein Angebot machen; ***turn down*** *oder* ***decline an offer*** ein Angebot ablehnen; ***accept an offer*** ein Angebot annehmen **2.** *Wirtschaft*: Angebot, Offerte (***of*** über); ***on offer*** zu verkaufen, im Angebot; ***or nearest offer*** (*Abk.* ***o.n.o.***) Verhandlungsbasis

offhand [ˌɒf'hænd] *sich erinnern usw.*: auf Anhieb, so ohne weiteres

office ['ɒfɪs] **1.** Büro; ***at the office*** im Büro; ***go to the office*** ins Büro gehen **2.** *mst.* ***Office*** *bes. BE* Ministerium; ***Home Office*** Innenministerium **3.** Amt, Posten; ***be in office*** *Person*: im Amt sein, *Partei*: an der Regierung sein; ***be out of office*** *Person*: nicht mehr im Amt sein, *Partei*: nicht mehr an der Regierung sein

office block ['ɒfɪs‿blɒk] Bürogebäude

office boy ['ɒfɪs‿bɔɪ] Bürogehilfe

office girl ['ɒfɪs‿gɜːl] Bürogehilfin

office hours ['ɒfɪsˌaʊəz] *Pl.* Dienstzeit, Öffnungszeiten

officer ['ɒfɪsə] **1.** *beim Militär*: Offizier **2.** *bei Polizei usw.*: Beamte, Beamtin

official[1] [ə'fɪʃl] offiziell, amtlich, dienstlich; ***official language*** Amtssprache; ***official secret*** Amtsgeheimnis, Dienstgeheimnis

official[2] [ə'fɪʃl] **1.** *von Behörde*: Beamte, Beamtin **2.** *von Verein, Gewerkschaft usw.*: Funktionär(in)

officialese [əˌfɪʃə'liːz] *umg.* Amtssprache, Behördensprache

off-licence ['ɒfˌlaɪsns] *BE* Wein- und Spirituosenhandlung

offline ['ɒflaɪn] *Computer*: offline; ***work offline*** offline arbeiten

off-peak ['ɒfpiːk] ***off-peak electricity*** Nachtstrom; ***during off-peak hours*** außerhalb der Stoßzeiten; ***off-peak season*** Nebensaison

off-putting ['ɒfˌpʊtɪŋ] *BE, umg.* abstoßend (*Person, Verhalten*)

off-roader ['ɒfˌrəʊdə] *Auto*: Geländefahrzeug

off-season [ˌɒf'siːzn] *Tourismus*: Nebensaison

offset[1] ['ɒfset] **1.** Ausgleich; ***as an offset to*** als Ausgleich für **2.** *Buchdruck*: Offsetdruck **3.** *von Pflanze*: Ableger

offset[2] [ˌɒf'set], ***offset, offset***; *-ing-Form* ***offsetting*** *finanziell usw.*: ausgleichen, wettmachen

offshoot ['ɒfʃuːt] *von Pflanze*: Ableger (*auch übertragen*)

offshore ['ɒfʃɔː] **1.** *ankern, segeln usw.*: vor der Küste **2.** küstennah; ***off-shore fishing*** Küstenfischerei

offside [ˌɒf'saɪd] *Sport*: abseits; ***be offside*** abseits *oder* im Abseits stehen; ***offside trap*** Abseitsfalle

offspring ['ɒfsprɪŋ] **1.** Sprössling, Kind **2.** *Pl.* ***offspring*** Nachkommen *Pl.* Nachwuchs

off-the-peg [ˌɒfðə'peg], *AE* **off-the-rack** [ˌɒfðə'ræk] *Kleidung*: von der Stange

off-the-record [ˌɒfðə'rekɔːd] nicht für die Öffentlichkeit bestimmt, inoffiziell, vertraulich

often ['ɒfn] oft, häufig; ***not often*** nicht oft, selten; ***as often as not*** *oder* ***more often than not*** meistens; ***every so often*** öfters, von Zeit zu Zeit; ***all*** *oder* ***only too often*** nur zu oft

ogle ['əʊgl] **1.** *jemandem* (schöne) Augen machen **2.** *aufdringlich*: begaffen, anstarren

oh [əʊ] ach; ***oh dear*** oje

oick, oik [ɔɪk] *BE; abwertend* Proll, Prolo

oil[1] [ɔɪl] **1.** Öl; ***pour oil on troubled waters*** *übertragen* die Wogen glätten **2.** Erdöl; ***strike oil*** auf Öl stoßen, *übertragen* Glück haben **3.** ***oils*** *Pl.* Ölfarben; ***paint in oils*** in Öl malen

oil[2] [ɔɪl] ölen, schmieren; ***oil the wheels*** *übertragen* für einen reibungslosen Ablauf sorgen

oil change ['ɔɪl‿tʃeɪndʒ] *Auto*: Ölwechsel; ***do an oil change*** einen Ölwechsel machen

oil-contaminated ['ɔɪl‿kənˌtæmɪneɪtɪd] ölverseucht

oil paint ['ɔɪlpeɪnt] Ölfarbe

oil painting ['ɔɪlˌpeɪntɪŋ] **1.** *Technik*: Ölmalerei **2.** *Bild*: Ölgemälde; ***he's no oil painting*** *umg.* er ist nicht gerade der Schönste

oil pollution ['ɔɪlˌpə'luːʃn] Ölpest

oil-producing country ['ɔɪlprəˌdjuːsɪŋ'kʌntrɪ] Ölförderland

oil rig ['ɔɪl‿rɪg] Ölbohrinsel

oil slick ['ɔɪl‿slɪk] *auf Wasseroberfläche*: Ölteppich

oil well ['ɔɪl‿wel] Ölquelle

oily ['ɔɪlɪ] **1.** ölig, ölverschmiert **2.** *Haare, Haut*: fettig **3.** *übertragen* schleimig, aalglatt

ointment ['ɔɪntmənt] Salbe

OK[1], **okay**[1] [ˌəʊ'keɪ] *umg.* okay, o.k., in Ordnung; ***that's okay with me*** von mir aus, nichts dagegen

OK[2], **okay**[2] [ˌəʊ'keɪ] Okay, O.K., Genehmigung, Zustimmung; ***he gave his OK*** er gab sein O.K.

OK[3], **okay**[3] [ˌəʊ'keɪ] *Plan, Vorschlag usw.*: genehmigen, billigen

old [əʊld] **1.** *allg.*: alt; ***grow old*** alt werden, altern; ***I'm getting old!*** ich werde alt!; ***ten years old*** zehn Jahre alt; ***a ten-year-old boy*** ein zehnjähriger Junge; ***be old hat*** *umg.* ein alter Hut sein; ***old people's home*** Altenheim, Altersheim; ***the Old Testament*** das Alte Testament; ***the Old World*** die Alte Welt (≈ *Europa*) **2.** *übertragen* ***an old friend of mine*** ein alter Freund von mir; ***my old girlfriend*** meine ehemalige Freundin; ***my old lady*** *umg.* meine Alte (*Frau, Freundin oder Mutter*); ***my old man*** *umg.* mein Alter (*Mann, Freund oder Vater*) **3.** *in Wendungen*: ***I can use any old thing*** *umg.* ich hab für alles Verwendung; ***come any old time*** *umg.* komm, wann es dir gerade passt

old age [ˌəʊld'eɪdʒ] Alter; ***in one's old age*** im Alter; ***old age pension*** Rente, Pension; ***old age pensioner*** Rentner(in), Pensionär(in)

old-fashioned [ˌəʊld'fæʃnd] altmodisch

old-timer [ˌəʊld'taɪmə] *umg., übertragen* alter Hase (⚠ *Oldtimer* = ***vintage car***, *oder wenn das Auto vor 1905 gebaut wurde* = ***veteran car***)

O level ['əʊˌlevl] *früher in GB, etwa*: mittlere Reife

olive[1] ['ɒlɪv] **1.** *auch* ***olive tree*** Olivenbaum, Ölbaum **2.** *Frucht*: Olive

olive[2] ['ɒlɪv] olivgrün

olive oil [ˌɒlɪv'ɔɪl] Olivenöl

Olympic [ə'lɪmpɪk] olympisch; ***Olympic champion*** Olympiasieger(in); ***Olympic Games*** Olympische Spiele

Olympics [ə'lɪmpɪks] *Pl.* Olympische Spiele; ***Summer*** (*bzw.* ***Winter***) ***Olympics*** Olympische Sommerspiele (*bzw.* Winterspiele)

omelette, *AE* **omelet** ['ɒmlɪt] *Eierspeise*: Omelett

omen ['əʊmen] Omen, Vorzeichen

ominous ['ɒmɪnəs] ominös, unheilvoll; ***that's ominous*** das lässt nichts Gutes ahnen

omission [ə'mɪʃn] **1.** *von Wort*: Auslassung, Weglassung **2.** *von Aktion*: Unterlassung, Versäumnis; ***sin of omission*** Unterlassungssünde

omit [əʊ'mɪt] *auf Liste, in Aufzählung usw.*: weglassen, auslassen

on[1] [ɒn] **1.** *räumlich*: auf; ***it's on the table*** es ist auf dem Tisch; ***put it on the floor*** stell es auf den Boden **2.** *festgemacht*: an; ***the picture on the wall*** das Bild an der Wand; ***the dog's on the chain*** der Hund ist an der Leine **3.** *geographisch*: an; ***a small town on the Thames*** eine kleine Stadt an der Themse **4.** *Richtung, Ziel*: auf … (hin), an; ***drop something on the floor*** etwas zu Boden fallen lassen; ***hang something on a peg*** etwas an einen Haken hängen **5.** *am Körper*: ***find something on someone*** etwas bei jemandem finden; ***have you got any money on you?*** hast du Geld bei dir? **6.** ***be on a committee*** zu einem Ausschuss gehören, in einem Ausschuss sitzen; ***be on duty*** Dienst haben, im Dienst sein **7.** ***the joke was on me*** der Spaß ging auf meine Kosten; ***the next round's on me*** *umg.* die nächste Runde geht auf meine Rechnung **8.** *mit Thema*: über; ***a talk on Brecht*** ein Vortrag über Brecht **9.** *mit Zeitpunkt*: an; ***on June 6th*** am 6. Juni; ***on the morning of July 21st*** am Morgen des 21. Juli **10.** ***be on the pill*** die Pille nehmen **11.** weiter; ***and so on*** und so weiter; ***on and on*** immer weiter; ***on and off*** ab und zu, hin und wieder; ***from that day on*** von dem Tage an

on[2] [ɒn] **1.** ***be on*** (*Licht, Radio usw.*) an sein **2.** ***be on*** *im Fernsehen usw.*: laufen **3.** ***that's*** (***just***) ***not on*** *umg.* das ist einfach nicht drin

once [wʌns] **1.** *zahlenmäßig*: einmal; ***I've only seen him once*** ich habe ihn nur einmal gesehen; ***not once*** kein einziges Mal; ***once again*** *oder* ***once more*** noch einmal; ***once or twice*** ein paar Mal; ***once in a while*** ab und zu, hin und wieder; ***once and for all*** ein für alle Mal **2.** *vergangen*: einmal, einst; ***once upon a time there was …*** *in Märchen*: es war einmal … **3.** ***just this once*** nur dieses eine Mal **4.** ***they all talked at once*** sie sprachen alle auf einmal *oder* gleichzeitig **5.** ***please do it at once*** bitte erledige es sofort

oncoming ['ɒnˌkʌmɪŋ] ***oncoming traffic*** Gegenverkehr

one[1] [wʌn] **1.** *Zahl*: eins, ein, eine; ***one hundred*** einhundert **2.** *betont*: einzig; ***his one thought*** sein einziger Gedanke; ***my one and only hope*** meine einzige Hoffnung **3.** *unbestimmt*: ***one day*** eines Tages; ***one day next year*** irgendwann nächstes Jahr **4.** *auf Person bezogen*: ***one John Smith*** ein gewisser John Smith; ***the one who*** derjenige, welcher; ***help one another*** sich gegenseitig *oder* einander helfen **5.** *mst. unübersetzt*: ***the little ones*** die Kleinen; ***a red pencil***

and a blue one ein roter Bleistift und ein blauer; ***which one?*** welche(r, -s)?; ***this one*** diese(r, -s) **6.** *unpersönlich*: man; ***one might assume …*** man könnte meinen, …; ***break one's leg*** sich das Bein brechen

one[2] [wʌn] **1.** Eins, eins; ***at one*** um eins; ***be number one*** die Nummer Eins sein **2.** ***one by one*** *oder* ***one after the other*** einer nach dem andern; ***I for one*** ich zum Beispiel

one-armed [ˌwʌn'ɑːmd] einarmig; ***one-armed bandit*** *umg., Glücksspielautomat*: einarmiger Bandit

one-day [ˌwʌn'deɪ] *Kurs usw.*: eintägig

one-horse [ˌwʌn'hɔːs] **1.** *Kutsche*: einspännig **2.** *umg.*: ***one-horse town*** Kaff, Kuhdorf

one-man ['wʌnmæn] Einmann…; ***one-man band*** Einmannkapelle; ***one-man show*** One-Man-Show

one-night stand [ˌwʌnnaɪt'stænd] **1.** *Theater usw.*: einmaliges Gastspiel **2.** (≈ *sexuelles Abenteuer nur für eine Nacht*) One-Night-Stand

one-parent family ['wʌnˌpeərənt'fæməlɪ] Einelternteilfamilie

onerous ['əʊnərəs] *Aufgabe*, *Pflicht*: lästig, beschwerlich

oneself [wʌn'self] sich, sich selbst; ***all by oneself*** ganz allein; ***cut oneself*** sich schneiden

one-sided [ˌwʌn'saɪdɪd] einseitig (*auch übertragen*)

onetime ['wʌntaɪm] *Champion usw.*: ehemalige(r, -s), frühere(r, -s)

one-track ['wʌntræk] *Eisenbahn*: eingleisig; ***have a one-track mind*** *übertragen* immer nur das eine im Kopf haben

one-two [ˌwʌn'tuː] **1.** *beim Fußball usw.*: Doppelpass **2.** *beim Boxen*: Rechts-links-Kombination

one-way ['wʌnweɪ] **1.** Einbahn…; ***one-way street*** Einbahnstraße **2.** ***one-way ticket*** *bes. AE* einfache Fahrkarte, *bei Flug*: einfaches Ticket **3.** *übertragen* einseitig (*Beziehung*, *Sympathien usw.*)

ongoing ['ɒnˌgəʊɪŋ] *Suche*, *Verhandlungen usw.*: andauernd, laufend, im Gang befindlich

onion [⚠ 'ʌnjən] Zwiebel; ***know one's onions*** *umg.* sein Geschäft verstehen

online ['ɒnlaɪn] *Computer*: online, Online…; ***put the modem online*** das Modem auf Onlinebetrieb schalten; ***work online*** online arbeiten

onlooker ['ɒnˌlʊkə] *bei Unfall usw.*: Zuschauer(in)

only[1] ['əʊnlɪ] **1.** *allg.*: nur, bloß; ***it was only a joke*** es war nur ein Scherz; ***not only … but also …*** nicht nur …, sondern auch …; ***I only hope that …*** ich hoffe nur, dass … **2.** *zeitlich*: erst; ***only yesterday*** erst gestern; ***only just*** eben erst, gerade

only[2] ['əʊnlɪ] **1.** einzig; ***the only person who can do it*** der *oder* die Einzige, der *oder* die das tun kann **2.** ***I would love to come, the only thing is …*** ich würde gerne kommen, es ist nur …

o.n.o. (*Abk. for* **o**r **n**earest **o**ffer) *in Inseraten*: Verhandlungsbasis (*Abk.*: *VB*)

onrush ['ɒnrʌʃ] Ansturm

onset ['ɒnset] **1.** *des Winters*: Einbruch, Beginn **2.** *einer Krankheit*: Ausbruch

onside [ˌɒn'saɪd] *Sport*: nicht im Abseits

onslaught ['ɒnslɔːt] (heftiger) Angriff, Attacke (*auch übertragen*)

on-the-job [ˌɒnðə'dʒɒb] *Ausbildung*: praktisch; ***on-the-job training*** innerbetriebliche Ausbildung

onto ['ɒntʊ; *vor Konsonanten* 'ɒntə] **1.** *auf die Frage „wohin"*: auf, an; ***I've sewn the button back onto the shirt*** ich habe den Knopf wieder ans Hemd genäht **2.** ***be onto someone*** *umg.* jemandem auf die Schliche gekommen sein

onwards ['ɒnwədz] *Bewegung*: vorwärts, weiter; ***from today onwards*** von heute an

oops [ʊps] *überrascht*: oh, hoppla

ooze [uːz] **1.** (*Flüssigkeit*) durchsickern; ***ooze out*** aussickern; **2.** ***ooze out*** (*Luft*, *Gas*) entweichen **3.** *übertragen* ausstrahlen (*Charme*) **4.** *übertragen* verströmen (*Optimismus*, *gute Laune*)

opaque [əʊ'peɪk] **1.** undurchsichtig **2.** *übertragen* unverständlich

open[1] ['əʊpən] **1.** *allg.*: offen (*Buch*, *Fenster*, *Flasche usw.*); ***the door's open*** die Tür ist *oder* steht offen; ***hold the door open for someone*** jemandem die Tür aufhalten; ***keep one's eyes open*** *übertragen* die Augen offen halten; ***with open arms*** mit offenen Armen **2.** *Gelände*, *Meer usw.*: offen; ***in the open air*** im Freien **3.** *Geschäft usw.*: geöffnet, offen **4.** *übertragen* offen, öffentlich; ***open letter*** offener Brief; ***be open to the public*** *Museum*, *Kirche usw.*: für die Öffentlichkeit zugänglich; ***open day*** (*AE* ***open house***) Tag der offenen Tür; ***Open University*** *BE*; *etwa*: Fernuniversität **5.** *Person*: zugänglich, aufgeschlossen (***to*** für *oder Dativ*) **6.** *Frage*, *Problem usw.*: offen, unentschieden **7.** (≈ *ehrlich*) offen, freimütig; ***be open with someone*** offen mit jemandem reden **8.** (≈ *sichtbar*) offen, offenkundig; ***an open secret*** ein offenes Geheimnis **9. open cheque** *BE* Barscheck **10. open sandwich** belegtes Brot

open[2] [əʊpən] **1.** *allg.*: öffnen, aufmachen (*auch EDV*: *Datei, Ordner, Fenster*) **2.** öffnen, aufschlagen (*Buch, Heft usw.*) **3.** aufmachen, eröffnen (*Debatte, Feuer, Geschäft, Konto usw.*) **4.** (*Tür, Fenster usw.*) sich öffnen, aufgehen

open out [ˌəʊpən'aʊt] **1.** (*Straße, Platz usw.*) sich verbreitern, sich weiten **2.** auseinander falten (*Karte, Stadtplan*) **3.** *übertragen* (*Person*) auftauen, aus sich herausgehen

open up [ˌəʊpən'ʌp] **1.** aufmachen, aufschließen (*Tür, Schloss usw.*) **2.** aufmachen, eröffnen (*Lokal, Geschäft usw.*)

open[3] ['əʊpən] ***in the open*** im Freien; ***bring into the open*** *übertragen* an die Öffentlichkeit bringen

open-air [ˌəʊpən'eə] ***open-air festival*** Openairfestival; ***open-air swimming pool*** Freibad; ***open-air theatre*** Freilichttheater

open-ended [ˌəʊpən'endɪd] zeitlich unbegrenzt; ***open-ended discussion*** Openenddiskussion

opener ['əʊpənə] *für Dosen, Flaschen usw.*: Öffner

opening ['əʊpənɪŋ] **1.** *von Höhle, Hohlraum*: Öffnung **2.** *auf dem Arbeitsmarkt*: freie Stelle **3.** *von Theater, Diskussion, Konto usw.*: Eröffnung; ***opening ceremony*** Eröffnungszeremonie **4. *opening hours*** *von Geschäft, Bank usw.*: Öffnungszeiten

open-minded [ˌəʊpən'maɪndɪd] aufgeschlossen

opera [⚠ 'ɒprə] *Musik*: Oper; ***go to the opera*** in die Oper gehen

operable ['ɒpərəbl] **1.** *Plan usw.*: durchführbar **2.** *Maschine*: betriebsfähig **3.** *Medizin*: operabel, operierbar

opera house [⚠ 'ɒprə‿haʊs] Opernhaus, Oper

operate ['ɒpəreɪt] **1.** (*Maschine usw.*) arbeiten, in Betrieb sein **2.** bedienen (*Maschine usw.*) **3.** betreiben (*Geschäft usw.*) **4.** *Medizin*: operieren; ***operate on someone*** jemanden operieren **5.** *militärisch*: operieren

operating ['ɒpəreɪtɪŋ] **1. *operating instructions*** *Pl.* Bedienungsanleitung, Betriebsanleitung **2.** *Medizin*: ***operating theatre*** *BE* Operationssaal; ***operating table*** Operationstisch **3.** *Computer*: ***operating system*** Betriebssystem

operation [ˌɒpə'reɪʃn] **1.** *Medizin*: Operation; ***have an operation on one's arm*** am Arm operiert werden **2.** *von Maschine*: Betrieb, Lauf; ***in operation*** in Betrieb **3.** *militärisch*: Operation, Unternehmen

operator ['ɒpəreɪtə] **1.** *Telefon*: Vermittlung **2.** *an Maschinen*: Arbeiter(in), Bediener(in) **3.** *EDV*: Operator **4. *tour operator*** Reiseveranstalter **5. *a clever*** *oder* ***smooth operator*** *umg.* ein raffinierter Kerl

operetta [ˌɒpə'retə] *Musik*: Operette

opiate ['əʊpɪət] **1.** *Droge*: Opiat **2.** *übertragen* Beruhigungsmittel

opinion [ə'pɪnjən] **1.** (≈ *Auffassung*) Meinung, Ansicht; ***in my opinion*** meines Erachtens, meiner Meinung *oder* Ansicht nach; ***be of the opinion that …*** der Meinung *oder* Ansicht sein, dass …; ***that's a matter of opinion*** das ist Ansichtssache; ***public opinion*** die öffentliche Meinung **2.** (≈ *persönliche Einschätzung*) Meinung; ***form an opinion of*** sich eine Meinung bilden von; ***have a high*** (*bzw.* ***low***) ***opinion of*** eine (*bzw.* keine) hohe Meinung haben von

opinion-maker [ə'pɪnjənˌmeɪkə] Meinungsmacher(in)

opinion poll [ə'pɪnjən‿pəʊl] Meinungsumfrage

opinion pollster [ə'pɪnjənˌpəʊlstə] Meinungsforscher(in)

opium ['əʊpɪəm] Opium

opponent [ə'pəʊnənt] Gegner(in), Gegenspieler(in) (*beide auch Sport*)

opportune ['ɒpətjuːn] **1.** *Zeitpunkt*: günstig, passend; ***at an opportune moment*** *oder* ***time*** zu einem günstigen Zeitpunkt **2.** *Entscheidung, Handlung*: rechtzeitig

opportunism [ˌɒpə'tjuːnɪzm] Opportunismus

opportunist[1] [ˌɒpə'tjuːnɪst] Opportunist (-in)

opportunist[2] [ˌɒpə'tjuːnɪst] opportunistisch

opportunity [ˌɒpə'tjuːnətɪ] Gelegenheit, Möglichkeit, Chance; ***at the first*** *oder* ***earliest opportunity*** bei der erstbesten Gelegenheit; ***equal opportunities*** *Pl.* Chancengleichheit *Sg.*; ***take the opportunity*** die Gelegenheit nutzen

oppose [ə'pəʊz] sich widersetzen, ablehnen (*Plan, Vorhaben usw.*)

opposed [ə'pəʊzd] ***be opposed to a plan*** einem Plan ablehnend gegenüberstehen, gegen einen Plan sein

opposing [ə'pəʊzɪŋ] **1.** *Teams usw.*: gegnerisch **2.** *Ansichten usw.*: entgegengesetzt gegensätzlich

O

opposite[1] ['ɒpəzɪt] **1.** *Gebäude usw.*: gegenüberliegend; ***we live just opposite the station*** wir wohnen genau gegenüber dem Bahnhof **2.** *Richtung*: entgegengesetzt **3.** *übertragen* gegensätzlich, entgegengesetzt; ***the opposite sex*** das andere Geschlecht

opposite[2] ['ɒpəzɪt] Gegenteil, Gegensatz; ***be completely*** *oder* ***just the opposite*** genau das Gegenteil sein (***of*** von)

opposition [ˌɒpə'zɪʃn] **1.** Widerstand, Opposition (***to*** gegen) **2.** Gegensatz; ***be in opposition to*** im Gegensatz stehen zu **3.** *oft* **Opposition** *im Parlament*: Opposition; ***be in opposition*** in der Opposition sein

oppress [ə'pres] unterdrücken (*Bevölkerung, Land usw.*)

oppression [ə'preʃn] *von Land usw.*: Unterdrückung

oppressive [ə'presɪv] **1.** *Regierung usw.*: totalitär, diktatorisch **2.** *Hitze, Steuern*: drückend

oppressor [ə'presə] Unterdrücker(in)

opt [ɒpt] ***opt for*** (*bzw.* ***against***) ***something*** sich für (*bzw.* gegen) etwas entscheiden; ***opt to do something*** sich entscheiden, etwas zu tun

optical ['ɒptɪkl] optisch; ***optical illusion*** optische Täuschung; ***optical character recognition*** *Computer*: optische Zeichenerkennung

optician [ɒp'tɪʃn] Optiker(in)

optimism ['ɒptɪmɪzm] Optimismus

optimist ['ɒptɪmɪst] Optimist(in)

optimistic [ˌɒptɪ'mɪstɪk] optimistisch

optimize ['ɒptɪmaɪz] optimieren

optimum[1] ['ɒptɪməm] *Pl.*: ***optima*** ['ɒptɪmə] Optimum

optimum[2] ['ɒptɪməm] optimal, bestmöglich; ***in optimum condition*** im Bestzustand

option ['ɒpʃn] **1.** Wahl, Wahlmöglichkeit; ***I had no option but to sign*** ich hatte keine andere Wahl *oder* mir blieb keine andere Möglichkeit als zu unterschreiben; ***leave one's options open*** sich alle Möglichkeiten offen halten **2.** *Wirtschaft*: Option, Vorkaufsrecht (***on*** auf) **3.** *an Schule, Universität*: Wahlfach

optional ['ɒpʃnəl] freiwillig, fakultativ; ***optional subject*** *Schule*: Wahlfach; ***optional extra*** *Auto*: Sonderausstattung

opus ['əʊpəs] *Pl.*: ***opuses*** ['əʊpəsɪz] *oder* ***opera*** ['əʊpərə] *Kunst, Musik*: Opus

or [ɔː] **1.** *allg.*: oder; ***in a day or two*** in ein bis zwei Tagen; ***…, or so I believe*** …, glaube ich zumindest; ***either … or …*** entweder … oder …; ***a month or so*** etwa ein Monat **2.** ***she can't read or write*** sie kann weder lesen noch schreiben

oracle ['ɒrəkl] Orakel

oral[1] ['ɔːrəl] mündlich; ***oral exam*** mündliche Prüfung

oral[2] ['ɔːrəl] *Schule usw.*: mündliche Prüfung, *das* Mündliche

orange[1] ['ɒrɪndʒ] *Frucht*: Orange, Apfelsine; ***orange juice*** Orangensaft; ***orange squash*** *BE*; *etwa*: Orangensaftgetränk

orange[2] ['ɒrɪndʒ] orange, orangefarben

Orangeman

Orangeman ist der Name eines Mitglieds der **Orange Society**, einer irisch-protestantischen Gesellschaft, die für die Vorherrschaft der Protestanten in Nordirland kämpft. Die entsprechende schottische Vereinigung, die sich für die gesellschaftliche Vormacht der Protestanten in Schottland einsetzt, heißt **Orange Lodge**. Das Benennungsmotiv geht zurück auf den protestantischen **King William of Orange** (Wilhelm von Oranien aus den Niederlanden), der den irisch-katholischen **King James II** im Jahr 1690 besiegte.

orange squash

Orange squash ist ein gesüßter Sirup aus Orangenkonzentrat, der mit Wasser verdünnt wird. Ähnlich auch **lemon squash** (= Zitronensaft).

orang-utan [⚠ ɔː'ræŋətæn] *Menschenaffe*: Orang-Utan

orbit[1] ['ɔːbɪt] **1.** *von Satellit usw.*: Kreisbahn, Umlaufbahn **2.** *übertragen* Machtbereich, Einflusssphäre

orbit[2] ['ɔːbɪt] (*Satellit usw.*) umkreisen

orchard ['ɔːtʃəd] Obstgarten

orchestra ['ɔːkɪstrə] *Musik*: Orchester

orchid [⚠ 'ɔːkɪd] *Blume*: Orchidee

ordeal [ɔː'diːl] Qual, Tortur

order[1] ['ɔːdə] **1.** *geordneter Zustand*: Ordnung; ***restore order*** die Ordnung wiederherstellen ***put in order*** in Ordnung bringen **2.** *öffentliche Sicherheit*: Ordnung; ***law and order*** Recht und Ordnung **3.** (≈ *Struktur*) Ordnung, System; ***I can't see any order in your essay*** ich kann in deinem Aufsatz keine Struktur erkennen **4.** (≈ *Anordnung*) Reihenfolge; ***in order of importance*** nach Wichtigkeit; ***in alphabetical order*** in alphabetischer Reihenfolge **5.** ***out of order*** *Aufzug* *usw.*: defekt **6.** *Militär usw.*: Befehl, Anordnung; ***by order of*** auf Befehl von **7.** *im Lokal usw.*: Bestellung; ***last orders, please*** Polizeistunde! **8.** *für Firma*: Auftrag (***for*** für); ***make to order*** auf Bestellung anfertigen; ***order book*** Auftragsbuch **9.** *in Wendungen*: ***in order to be successful*** um Erfolg zu haben

order[2] ['ɔːdə] **1.** *im Lokal*: bestellen; ***have you ordered yet?*** haben Sie schon bestellt?; ***I ordered fried chicken*** ich habe Brathähnchen bestellt **2.** befehlen, anordnen; ***he ordered them to line up*** er befahl ihnen, sich in einer Reihe aufzustellen **3.** *nach Größe, Gewicht usw.*: ordnen **4.** ordern, bestellen (*Waren*)

orderly ['ɔːdəlɪ] **1.** *Haushalt, Person usw.*: ordentlich **2.** *Menge, Demonstranten usw.*: friedlich

ordinal number [ˌɔːdɪnl'nʌmbə] *Mathematik*: Ordnungszahl

ordinary ['ɔːdnərɪ] **1.** (≈ *normal*) üblich, gewöhnlich; ***ordinary people*** einfache Leute **2.** *Kunstwerk, Buch usw.*: mittelmäßig, Durchschnitts…

ore [ɔː] *Bergbau*: Erz

organ ['ɔːgən] **1.** *von Körper*: Organ; ***organ transplant*** Organtransplantation **2.** *übertragen* Organ, Instrument; ***party organ*** *Zeitung*: Parteiorgan **3.** *Musik*: Orgel

organ donor [ˌɔːgən'dəʊnə] *Medizin*: Organspender(in)

organic [ɔː'gænɪk] organisch (*auch übertragen*); ***organic chemistry*** organische Chemie; ***organic waste*** Biomüll

O

organism ['ɔːgənɪzm] Organismus (*auch übertragen*)

organist ['ɔːgənɪst] *Musik*: Organist(in), Orgelspieler(in)

organization [ˌɔːgənaɪ'zeɪʃn] *allg.*: Organisation

organize ['ɔːgənaɪz] *allg.*: organisieren; ***organized crime*** das organisierte Verbrechen; ***organized tour*** Gesellschaftsreise

organizer ['ɔːgənaɪzə] Organisator(in)

orgasm ['ɔːgæzm] Orgasmus

orgy [⚠ 'ɔːdʒɪ] Orgie (*auch übertragen*)

orient ['ɔːrɪent], **orientate** ['ɔːrɪənteɪt] ***this dictionary is oriented to*** *oder* ***towards the needs of pupils*** dieses Wörterbuch ist auf die Bedürfnisse von Schülern ausgerichtet; ***child-oriented*** *oder* ***child-orientated*** *Hotel usw.*: kinderfreundlich

oriental [ˌɔːrɪ'entl] *Länder, Kultur usw.*: asiatisch, östlich

orientation [ˌɔːrɪən'teɪʃn] Orientierung, *übertragen auch* Ausrichtung

origin ['ɒrɪdʒɪn] Ursprung, Abstammung, Herkunft; ***country of origin*** Ursprungsland; ***have its origin in*** *Problem, Konflikt usw.*: zurückgehen auf

original[1] [ə'rɪdʒnəl] **1.** Original…, Ur…; ***original text*** Urtext, Originaltext **2.** *Idee, Person*: originell

original[2] [ə'rɪdʒnəl] **1.** Original; ***in the original*** im Original **2.** *Person*: Original

originally [ə'rɪdʒnəlɪ] ursprünglich; ***I'm originally from …*** ich stamme ursprünglich aus …; ***originally, we had planned to …*** ursprünglich hatten wir vor, …

originate [ə'rɪdʒəneɪt] **1.** ***originate from*** zurückgehen auf, (her)stammen von *oder* aus **2.** ***originate from someone*** ausgehen von jemandem **3.** schaffen, ins Leben rufen (*Idee, Konzept usw.*)

ornament[1] ['ɔːnəmənt] **1.** *einzeln*: Ornament, Verzierung **2.** *Gesamtheit*: Ornamente, Verzierungen, Schmuck **3.** *übertragen* Zier, Zierde (***to*** für)

ornament[2] ['ɔːnəment] verzieren, schmücken

ornamental [ˌɔːnə'mentl] dekorativ; ***ornamental plant*** Zierpflanze

orphan[1] ['ɔːfn] Waise, Waisenkind

orphan[2] ['ɔːfn] zur Waise machen; ***be orphaned*** zum Waisenkind werden

orphanage ['ɔːfənɪdʒ] Waisenhaus

orthodox ['ɔːθədɒks] *Religion und allg.*: orthodox; ***Greek Orthodox Church*** griechisch-orthodoxe Kirche

orthographic [⚠ ˌɔːθə'græfɪk], **orthographical** [ˌɔːθə'græfɪkl] orthografisch

orthography [⚠ ɔː'θɒgrəfɪ] Orthografie, Rechtschreibung

orthopaedic *bes. BE*, **orthopedic** *AE* [⚠ ˌɔːθə'piːdɪk] *Medizin*: orthopädisch

orthopaedics *bes. BE*, **orthopedics** *AE* [⚠ ˌɔːθə'piːdɪks] (⚠ *im Sg. verwendet*) *Medizin*: Orthopädie

orthopaedist *bes. BE*, **orthopedist** *AE* [⚠ ˌɔːθə'piːdɪst] *Medizin*: Orthopäde, Orthopädin

ostrich ['ɒstrɪtʃ] *Vogel*: Strauß

other ['ʌðə] **1.** *allg.*: andere(r, -s); ***the others*** die anderen; ***the other guests*** *auch*: die übrigen Gäste; ***the other two*** *oder* ***the two others*** die anderen beiden, die beiden anderen; ***any other questions?*** sonst noch Fragen?; ***can you phone me some other time?*** kannst du mich ein andermal anrufen?; ***the other way round*** umgekehrt; ***in other words*** mit anderen Worten **2.** ***every other*** jede(r, -s) Zweite; ***every other day*** jeden zweiten Tag, alle zwei Tage

3. *the other day* neulich, kürzlich; ***the other night*** neulich abends

otherwise ['ʌðəwaɪz] **1.** sonst, andernfalls; ***we'd better go now, otherwise we'll miss our flight*** wir gehen jetzt besser, sonst verpassen wir noch den Flug **2.** ansonsten; ***I'm a bit overworked but otherwise I'm all right*** ich bin etwas überarbeitet, aber ansonsten gehts mir gut **3.** anderweitig; ***be otherwise engaged*** anderweitig beschäftigt sein; ***unless you are otherwise engaged*** wenn Sie nichts anderes vorhaben **4. *think otherwise*** anderer Meinung sein

otter ['ɒtə] Otter

ouch [aʊtʃ] *Ausruf*: au, aua, autsch

ought [ɔːt] ***he ought to do it*** er sollte es (eigentlich) tun; ***you ought to read that book*** das Buch solltest du lesen

ounce [aʊns] **1.** *Gewichtseinheit*: Unze (= *28,35 Gramm*) **2. *an ounce of truth*** *übertragen* ein Körnchen Wahrheit; ***he really hasn't got an ounce of sense*** er hat wirklich keinen Funken Verstand

our ['aʊə] unser; ***this is our house*** das ist unser Haus; ***Our Father*** *im Gebet*: Vater unser

ours ['aʊəz] unsere(r, -s); ***it's ours*** es gehört uns; ***a friend of ours*** ein Freund von uns

ourselves [ˌaʊə'selvz] **1.** uns; ***we had the beach all to ourselves*** wir hatten den Strand ganz für uns **2.** *verstärkend*: wir selbst, uns selbst; ***we did it ourselves*** wir haben es selbst getan

out[1] [aʊt] **1.** *Richtung*: hinaus, heraus; ***on the way out*** beim Hinausgehen; ***way out*** *Aufschrift usw.*: Ausgang, Ausfahrt; ***have a tooth out*** einen Zahn gezogen bekommen; ***out with you!*** *umg.* raus mit dir! **2.** *Position*: außen, draußen; ***she's out in the garden*** sie ist draußen im Garten; ***the tide is out*** es ist Ebbe **3.** *übertragen* nicht zu Hause, ausgegangen **4.** *Buch usw.*: heraus, erschienen **5.** *Politik*: nicht mehr im Amt *oder* an der Macht **6.** (≈ *unmodern*) aus der Mode, out **7.** *Feuer usw.*: aus, erloschen **8.** *Waren*: aus, ausverkauft (*auch Gerichte im Restaurant*) **9. *two out of three Americans*** zwei von drei Amerikanern **10. *it's made out of wood*** es ist aus Holz gemacht; ***out of reach*** außer Reichweite; ***out of breath*** außer Atem; ***we're out of oil*** uns ist das Öl ausgegangen

out[2] [aʊt] outen (*prominente Person*)

outback ['aʊtbæk] ***the outback*** *in Australien*: das Hinterland

outbid [ˌaʊt'bɪd], ***outbid, outbid***, *-ing-Form* ***outbidding*** *bei Auktion usw.*: überbieten

outbreak ['aʊtbreɪk] *von Seuche, Krieg usw.*: Ausbruch

outburst ['aʊtbɜːst] *von Gefühlen*: Ausbruch

outcast ['aʊtkɑːst] Ausgestoßene(r), Outcast

outclass [ˌaʊt'klɑːs] *mst. Sport*: weit überlegen sein, deklassieren

outcome ['aʊtkʌm] Ergebnis, Resultat; ***what was the outcome of the talks?*** was ist bei den Gesprächen herausgekommen?

outcry ['aʊtkraɪ] *übertragen* Aufschrei, Schrei der Entrüstung

outdated [ˌaʊt'deɪtɪd] **1.** (≈ *altmodisch*) überholt, veraltet **2.** *Pass usw.*: abgelaufen

outdistance [ˌaʊt'dɪstəns] *Sport usw.*: hinter sich lassen (*Verfolger*)

outdo [ˌaʊt'duː], ***outdid*** [ˌaʊt'dɪd], ***outdone*** [ˌaʊt'dʌn] ***outdo someone in something*** jemanden an *oder* in etwas übertreffen, jemanden in etwas schlagen *oder* besiegen

outdoor ['aʊtdɔː] ***outdoor shoes*** Straßenschuhe; ***outdoor swimming pool*** Freibad

outdoors[1] [ˌaʊt'dɔːz] draußen, im Freien; ***go outdoors*** nach draußen gehen

outdoors[2] [ˌaʊt'dɔːz] ***the great outdoors*** die freie Natur

outer ['aʊtə] äußere(r, -s), Außen…; ***outer wall*** Außenwand; ***outer garments*** *Pl.* Oberbekleidung; ***outer space*** Weltraum

outfit ['aʊtfɪt] **1.** Kleidung, *umg.* Outfit **2.** *Werkzeug usw.*: Ausrüstung, Geräte

outgoing [ˌaʊt'gəʊɪŋ] **1.** *Person*: kontaktfreudig **2.** *Amtsinhaber usw.*: scheidend **3. *outgoing mail*** Postausgang

outgoings ['aʊtˌgəʊɪŋz] *Pl., von Betrieb, Haushalt usw.*: Ausgaben

outgrow [ˌaʊt'grəʊ], ***outgrew*** [ˌaʊt'gruː], ***outgrown*** [ˌaʊt'grəʊn] **1.** *einer Person*: über den Kopf wachsen **2.** *aus Kleidungsstück*: herauswachsen; *einer Angewohnheit usw.*: entwachsen

outing ['aʊtɪŋ] **1.** Ausflug; ***go for an outing*** einen Ausflug machen **2.** *von Prominenten*: Outing, Outen

outlaw[1] ['aʊtlɔː] **1.** *Geschichte*: Geächtete(r) **2.** *allg.*: Bandit(in)

outlaw[2] ['aʊtlɔː] **1.** *Geschichte*: ächten, für vogelfrei erklären **2.** für ungesetzlich erklären, verbieten

outlet ['aʊtlet] **1.** *für Flüssigkeit*: Abfluss **2.** *für Gas, Rauch*: Abzug **3.** *Wirtschaft*: Verkaufsstelle (*einer Fabrik usw.*) **4.** *übertragen* Ventil (*für Gefühle*)

outline[1] ['aʊtlaɪn] **1.** *eines Gegenstands usw.*: Umriss **2.** *eines Plans usw.*: Abriss, Grundriss **3.** *eines Aufsatzes*: Entwurf, Gliederung
outline[2] ['aʊtlaɪn] **1.** *eines Gegenstands usw.*: den Umriss zeichnen **2.** *übertragen* in Umrissen darlegen
outlive [ˌaʊt'lɪv] überleben (*Person*); ***it has outlived its usefulness*** *übertragen* es hat ausgedient (*Maschine usw.*)
outlook ['aʊtlʊk] **1.** *auf Gegend usw.*: Blick, Aussicht (***from*** von; ***onto*** auf) **2.** *übertragen* Aussichten *Pl.* (***for*** für); ***the weather outlook*** die Wetteraussichten **3.** (≈ *Geisteshaltung*) Einstellung; ***outlook on life*** Lebensauffassung
outnumber [ˌaʊt'nʌmbə] zahlenmäßig überlegen sein; ***they were outnumbered by the enemy*** sie waren dem Gegner zahlenmäßig unterlegen
out-of-date [ˌaʊtəv'deɪt] veraltet, überholt
outpatient ['aʊtˌpeɪʃnt] *Medizin*: ambulanter Patient; ***outpatient treatment*** ambulante Behandlung; ***outpatients' department*** Ambulanz
outpost ['aʊtpəʊst] *militärisch*: Vorposten (*auch übertragen*)
output ['aʊtpʊt] **1.** *in Wirtschaft*: Output, Ausstoß, Produktion **2.** *Computer*: Datenausgabe
outrage[1] ['aʊtreɪdʒ] **1.** (≈ *Verbrechen*) Schandtat, Greueltat **2.** *öffentliche Reaktion auf einen Skandal*: Empörung, Entrüstung
outrage[2] ['aʊtreɪdʒ] *bes.* ***be outraged at something*** über etwas empört *oder* schockiert sein
outrageous [aʊt'reɪdʒəs] **1.** *Verbrechen*: abscheulich, verbrecherisch **2.** *Verhalten usw.*: empörend, unerhört
outright[1] ['aʊtraɪt] **1.** *Unsinn*, *Verlust usw.*: völlig, total, absolut **2.** *Ablehnung*, *Lüge usw.*: glatt **3.** *Charakter*, *Wesen*: offen
outright[2] [aʊt'raɪt] *zugeben*, *eingestehen*: ohne Umschweife, unumwunden
outset ['aʊtset] Anfang, Beginn; ***at the outset*** am Anfang; ***from the outset*** (gleich) von Anfang an
outside[1] [ˌaʊt'saɪd] **1.** *von Haus*, *Behälter usw.*: Außenseite; ***from the outside*** von außen; ***on the outside*** auf der Außenseite, außen **2.** ***at the (very) outside*** (aller)höchstens, äußerstenfalls
outside[2] ['aʊtsaɪd] **1.** äußere(r, -s), Außen…; ***outside broadcast*** *Rundfunk*, *TV*: Außenübertragung **2.** ***outside chance*** kleine Chance, *Sport*: Außenseiterchance
outside[3] [ˌaʊt'saɪd] draußen; ***go outside*** nach draußen gehen; ***go and play outside!*** geht raus zum Spielen!
outsider [ˌaʊt'saɪdə] *allg.*: Außenseiter(in)
outsize ['aʊtsaɪz], **outsized** [ˌaʊt'saɪzd] übergroß; ***outsize clothes*** Übergrößen *Pl.*, Kleidung in Übergröße
outskirts ['aʊtskɜːts] *Pl.* Stadtrand, Peripherie; ***on the outskirts of London*** am Stadtrand von London
outsource ['aʊtsɔːs] nach außen vergeben, outsourcen (*Arbeiten*, *Aufträge*)
outsourcing ['aʊtsɔːsɪŋ] Outsourcing
outspoken [aʊt'spəʊkən] **1.** *Person*, *Kritik*, *Meinung*: freimütig; ***be outspoken*** *Person*, *Buch usw.*: kein Blatt vor den Mund nehmen **2.** *Antwort*, *Stellungnahme*: unverblümt
outstanding [aʊt'stændɪŋ] **1.** *Schönheit*, *Talent usw.*: hervorragend **2.** *Arbeit*, *Problem usw.*: unerledigt **3.** *Rechnung*, *Forderungen usw.*: ausstehend
out-tray ['aʊt‿treɪ] Ablagekorb für ausgehende Post
outvote [ˌaʊt'vəʊt] überstimmen; ***be outvoted*** eine Abstimmungsniederlage erleiden
outward ['aʊtwəd] **1.** äußerlich, äußere(r, -s) (*beide auch übertragen*); ***in spite of his outward calm …*** trotz seiner nach außen gezeigten Gelassenheit … **2.** ***on the outward journey*** auf der Hinfahrt
outwardly ['aʊtwədlɪ] äußerlich; ***outwardly it looks as if …*** äußerlich *oder* nach außen sieht es so aus, als ob …
outwards ['aʊtwədz] nach außen; ***the window opens outwards*** das Fenster geht nach draußen auf
outwit [ˌaʊt'wɪt] überlisten, reinlegen
ovation [əʊ'veɪʃn] Ovation; ***give someone a standing ovation*** jemandem eine stehende Ovation bereiten
oven [⚠ 'ʌvən] Backofen, Bratröhre, *bes.* Ⓐ Backrohr, *umg.* Rohr; ***cook in a medium*** *oder* ***moderate oven*** bei mäßiger Hitze garen
ovenproof [⚠ 'ʌvənpruːf] *Geschirr*: ofenfest, hitzebeständig
oven-ready [⚠ ˌʌvən'redɪ] *Gericht*: bratfertig, backfertig
over ['əʊvə] **1.** *räumlich*: über; ***the lamp over the bed*** die Lampe über dem Bett **2.** *mit Richtung*, *Bewegung*: über, hinüber; ***he jumped over the fence*** er sprang über den Zaun; ***he ran over to them*** er rannte zu ihnen hinüber **3.** (≈ *jenseits*) über, auf der anderen Seite von (*oder Genitiv*); ***over the street*** auf der anderen Straßenseite; ***over there*** da drüben **4.** *in Rang usw.*: über; ***be over someone***

über jemandem stehen **5.** *mit Zahl, Mengenangabe usw.*: über, mehr als; ***over a mile*** über eine Meile; ***it cost over 10 dollars*** es kostete mehr als 10 Dollar; ***over a week*** über *oder* länger als eine Woche; ***children of 10 years and over*** Kinder von 10 Jahren und darüber; ***5 pounds and over*** 5 Pfund und mehr **6.** *zeitlich*: über, während; ***over many years*** viele Jahre hindurch; ***we'll stay over the weekend*** wir bleiben übers Wochenende **7.** zu Ende, vorüber, vorbei; ***when the match was over*** als das Spiel zu Ende war; ***get something over with*** *umg.* etwas hinter sich bringen **8.** *in Wendungen*: ***all over again*** noch einmal; ***over and over*** immer wieder; ***over and above his income*** über sein Einkommen hinaus

overact [ˌəʊvər'ækt] **1.** *Theater*: überziehen (*Rolle*) **2.** *übertragen* übertreiben

overactive [ˌəʊvər'æktɪv] überaktiv, *Fantasie*: übersteigert

overall[1] [ˌəʊvər'ɔːl] **1.** gesamt, Gesamt…; ***my overall impression*** mein Gesamteindruck; ***overall cost*** Gesamtkosten **2.** (≈ *generell*) im Großen und Ganzen; ***overall, he's a nice person*** eigentlich ist er ein ganz netter Typ **3.** (≈ *alles in allem*) insgesamt; ***what does it cost overall?*** wie hoch sind die Gesamtkosten?; ***overall majority*** *Politik*: absolute Mehrheit

overall[2] ['əʊvərɔːl] **1.** *BE* Arbeitsmantel, Kittel **2.** *AE* Overall **3.** ***overalls*** *Pl.*, *BE* Overall **4.** ***overalls*** *Pl.*, *AE* Latzhose

overboard ['əʊvəbɔːd] über Bord; ***throw overboard*** über Bord werfen (*auch übertragen*)

overbook [ˌəʊvə'bʊk] überbuchen (*Flug, Hotel usw.*)

overcast [ˌəʊvə'kɑːst] *Himmel*: bewölkt, bedeckt

overcharge [ˌəʊvə'tʃɑːdʒ] zu viel berechnen; ***overcharge someone by £10*** jemandem 10 Pfund zu viel berechnen

overcome [ˌəʊvə'kʌm], ***overcame*** [ˌəʊvə'keɪm], ***overcome*** [ˌəʊvə'kʌm] überwältigen, überwinden (*Scheu, Angst usw.*); ***he was overcome with emotion*** er wurde von seinen Gefühlen übermannt

overconfidence [ˌəʊvə'kɒnfɪdəns] übersteigertes Selbstbewusstsein

overcrowded [ˌəʊvə'kraʊdɪd] *Zimmer usw.*: überfüllt

overdo [ˌəʊvə'duː], ***overdid*** [ˌəʊvə'dɪd], ***overdone*** [ˌəʊvə'dʌn] **1.** übertreiben; ***overdo it*** *oder* ***overdo things*** zu weit gehen; ***now you're overdoing it*** jetzt übertreibst du aber **2.** *beim Kochen*: verbraten, verkochen **3.** ***don't overdo it*** übernimm dich nicht

overdose ['əʊvədəʊs] *Heroin usw.*: Überdosis

overdraft ['əʊvədrɑːft] Kontoüberziehung; ***have an overdraft of £100*** sein Konto um 100 Pfund überzogen haben; ***overdraft facility*** Überziehungskredit, Dispositionskredit

overdraw [ˌəʊvə'drɔː], ***overdrew*** [ˌəʊvə'druː], ***overdrawn*** [ˌəʊvə'drɔːn] überziehen (*Konto*); ***be overdrawn*** sein Konto überzogen haben

overdress [ˌəʊvə'dres] sich übertrieben *oder* zu fein anziehen (*für den Anlass*)

overdue [ˌəʊvə'djuː] *Miete usw.*: überfällig

overestimate [ˌəʊvər'estɪmeɪt] **1.** zu hoch schätzen (*Anzahl, Gewicht usw.*) **2.** *übertragen* überschätzen (*Gefahr, Fähigkeit, Person*)

overexpose [ˌəʊvərɪk'spəʊz] überbelichten (*Film*)

overflow [ˌəʊvə'fləʊ] **1.** (*Topf, Fass usw.*) überlaufen **2.** *auch* ***overflow its banks*** (*Fluss*) über die Ufer treten **3.** ***full to overflowing*** zum Überlaufen voll, *Raum*: überfüllt

overhead[1] [ˌəʊvə'hed] **1.** oben, droben; ***the clouds overhead*** die Wolken über uns; ***overhead railway*** Hochbahn **2.** ***overhead projector*** Overheadprojektor, Tageslichtprojektor **3.** ***overhead costs*** *oder* ***expenses*** *von Unternehmen*: laufende Unkosten **4.** *Sport*: Überkopf…; ***overhead kick*** *Fußball*: Fallrückzieher

overhead[2] ['əʊvəhed] **1.** ***overheads*** *Pl. von Unternehmen*: laufende Kosten **2.** *für Projektor*: Overheadfolie

overhear [ˌəʊvə'hɪə], ***overheard*** [ˌəʊvə'hɜːd], ***overheard*** [ˌəʊvə'hɜːd] **1.** mit anhören, mitbekommen (*Gespräch usw.*) **2.** aufschnappen (*Bemerkung, Äußerung*) (⚠ *überhören* = ***not hear, miss, ignore***)

overheat [ˌəʊvə'hiːt] **1.** *von Motor, Maschine*: heißlaufen **2.** überheizen (*Raum*)

overjoyed [ˌəʊvə'dʒɔɪd] überglücklich

overlap [ˌəʊvə'læp], ***overlapped, overlapped*** **1.** (*Dachziegel, Bretter usw.*) sich überdecken **2.** (*Ereignisse, Ideen, Vorschläge usw.*) sich überschneiden, sich überlappen

overleaf [ˌəʊvə'liːf] umseitig, umstehend; ***see table overleaf*** siehe umseitige Tabelle

overlook [ˌəʊvə'lʊk] **1.** nicht beachten, übersehen (*Person usw.*) **2.** (*Zimmer, Fenster usw.*) überblicken, Aussicht gewähren; ***a room overlooking the sea*** ein Zimmer mit Meeresblick

overnight [ˌəʊvəˈnaɪt] über Nacht (*auch übertragen*); ***stay overnight*** über Nacht bleiben; ***you can stay overnight at my place*** du kannst bei mir übernachten; ***overnight stay*** *oder* ***stop*** Übernachtung

overpass [ˈəʊvəpɑːs] *bes. AE* (Straßen-, Eisenbahn)Überführung

overpay [ˌəʊvəˈpeɪ], ***overpaid*** [ˌəʊvəˈpeɪd], ***overpaid*** [ˌəʊvəˈpeɪd] **1.** zu teuer bezahlen, zu viel bezahlen für **2.** ***overpay someone*** jemandem zu viel zahlen, jemanden überbezahlen

overpopulated [ˌəʊvəˈpɒpjʊleɪtɪd] übervölkert

overpopulation [ˌəʊvəˌpɒpjʊˈleɪʃn] Überbevölkerung

overpower [ˌəʊvəˈpaʊə] *mit Gewalt*: überwältigen, übermannen (*beide auch übertragen*)

overreact [ˌəʊvərɪˈækt] überreagieren, überzogen reagieren (***to*** auf)

overreaction [ˌəʊvərɪˈækʃn] Überreaktion, überzogene Reaktion

override [ˌəʊvəˈraɪd], ***overrode*** [ˌəʊvəˈrəʊd], ***overridden*** [ˌəʊvəˈrɪdən] sich hinwegsetzen über (*Bestimmungen, Entscheidung usw.*)

overriding [ˌəʊvəˈraɪdɪŋ] vordringlich, vorrangig; ***this aspect is of overriding importance*** dieser Aspekt ist von überragender Bedeutung; ***his overriding concern was to save money*** es ging ihm vor allem darum, Geld zu sparen

overrule [ˌəʊvəˈruːl] aufheben (*Entscheidung usw.*), abweisen (*Einspruch usw.*)

overseas [ˌəʊvəˈsiːz] **1.** nach *oder* in Übersee; ***go overseas*** nach Übersee gehen **2.** überseeisch, Übersee...; ***overseas students*** Studenten aus Übersee

oversee [ˌəʊvəˈsiː], ***oversaw*** [ˌəʊvəˈsɔː], ***overseen*** [ˌəʊvəˈsiːn] beaufsichtigen, überwachen (*Arbeiten, Beschäftigte usw.*)

oversensitive [ˌəʊvəˈsensɪtɪv] überempfindlich

overshadow [ˌəʊvəˈʃædəʊ] *wörtlich und übertragen* überschatten

oversize [ˈəʊvəsaɪz], **oversized** [ˌəʊvəˈsaɪzd] *Pullover usw.*: übergroß, mit Übergröße

oversleep [ˌəʊvəˈsliːp], ***overslept*** [ˌəʊvəˈslept], ***overslept*** [ˌəʊvəˈslept] verschlafen

overstaffed [ˌəʊvəˈstɑːft] *Firma, Behörde usw.*: (personell) überbesetzt

overstate [ˌəʊvəˈsteɪt] übertreiben, übertrieben darstellen

overstatement [ˌəʊvəˈsteɪtmənt] Übertreibung

overtake [ˌəʊvəˈteɪk], ***overtook*** [ˌəʊvəˈtʊk], ***overtaken*** [ˌəʊvəˈteɪkən] *mit dem Auto, Fahrrad, bei Wettrennen usw.*: überholen (*auch übertragen*)

over-the-counter [ˌəʊvəðəˈkaʊntə] *Medikamente*: rezeptfrei

overthrow [ˌəʊvəˈθrəʊ], ***overthrew*** [ˌəʊvəˈθruː], ***overthrown*** [ˌəʊvəˈθrəʊn] stürzen (*Regierung, Regime usw.*)

overtime [ˈəʊvətaɪm] **1.** *Arbeit*: Überstunden *Pl.*; ***be on*** (*oder* ***do*** *oder* ***work***) ***overtime*** Überstunden machen **2.** *AE*; *Sport*: Verlängerung

overture [ˈəʊvəˌtjʊə] *Musik*: Ouvertüre

overturn [ˌəʊvəˈtɜːn] **1.** umwerfen, umstoßen, umkippen (*Gegenstand*) **2.** *übertragen* stürzen, kippen (*Regierung usw.*) **3.** (*Boot, Schiff*) kentern

overview [ˈəʊvəvjuː] (≈ *Kurzfassung*) Überblick (***of*** über)

overweight [ˌəʊvəˈweɪt] **1.** *Person*: übergewichtig **2.** *Reisegepäck usw.*: zu schwer (***by*** um)

overwhelm [ˌəʊvəˈwelm] **1.** überwältigen (*Gegner usw.*) (*auch übertragen*) **2.** *übertragen* überhäufen (***with*** mit) (*mit Lob usw.*)

overwhelming [ˌəʊvəˈwelmɪŋ] überwältigend; ***vote overwhelmingly against*** (*bzw.* ***in favour of***) ***something*** mit überwältigender Mehrheit gegen (*bzw.* für) etwas stimmen

overwork [ˌəʊvəˈwɜːk] **1.** überanstrengen (*Person, Tier usw.*) **2.** sich überarbeiten; ***overworked*** *auch*: gestresst

owe [əʊ] **1.** schulden; ***you still owe me £100*** du schuldest mir noch 100 Pfund **2.** *übertragen* schulden, schuldig sein (*Erklärung, Entschuldigung*) **3.** verdanken, zu verdanken haben

owing [ˈəʊɪŋ] **1.** unbezahlt; ***there's still £1,000 owing*** es stehen noch 1000 Pfund aus **2.** ***owing to*** infolge, wegen

owl [⚠ aʊl] *Vogel*: Eule

own[1] [əʊn] besitzen; ***who owns this house?*** wem gehört dieses Haus?

own[2] [əʊn] **1.** eigene(r, -s); ***she didn't recognize her own brother*** sie hat ihren eigenen Bruder nicht erkannt; ***own goal*** *Sport*: Eigentor (*auch übertragen*) **2.** ***a car of his*** (***her*** *usw.*) ***own*** ein eigenes Auto; (***all***) ***on my*** (***his, our*** *usw.*) ***own*** (ganz) allein

owner [ˈəʊnə] Eigentümer(in), Besitzer(in)

owner-occupied [ˌəʊnə(r)ˈɒkjʊpaɪd] *Haus, Wohnung*: eigengenutzt

ownership [ˈəʊnəʃɪp] Besitz

O

own goal [ˌəʊn'gəʊl] *Sport* Eigentor (*auch übertragen*)

Oxfam

Die Abkürzung für **Oxford Committee for Famine Relief** („Oxforder Ausschuss für Hungerhilfe"). **Oxfam** wurde 1942 gegründet und ist die bekannteste Wohltätigkeitsorganisation Großbritanniens. Die **Oxfam**-Geschäfte, die es in vielen Orten gibt, verkaufen Gebrauchtwaren sowie eigens für sie gefertigte Produkte aus Entwicklungsländern.

ox [ɒks] *Pl.*: ***oxen*** ['ɒksn] *Rind*: Ochse
Oxbridge ['ɒksbrɪdʒ] die Universitäten Oxford und Cambridge
oxide ['ɒksaɪd] *Chemie*: Oxyd
oxidize ['ɒksɪdaɪz] *Chemie*: oxydieren
oxygen ['ɒksɪdʒən] *Element*: Sauerstoff
oxygen mask ['ɒksɪdʒən‿mɑːsk] *Medizin*: Sauerstoffmaske
oxygen tent ['ɒksɪdʒən‿tent] *Medizin*: Sauerstoffzelt
oyster ['ɔɪstə] Auster
ozone ['əʊzəʊn] *Gas*: Ozon; ***ozone layer*** Ozonschicht; ***ozone hole*** Ozonloch; ***ozone-friendly*** *Spray usw.*: FCKW-frei; ***ozone alert*** Ozonalarm

P

P [piː] ***mind one's p's and q's*** *umg.* sich anständig aufführen
pace[1] [peɪs] **1.** Tempo, Geschwindigkeit (*auch übertragen*); ***at a very slow pace*** ganz langsam; ***keep pace with*** Schritt halten mit (*auch übertragen*); ***set the pace*** *Sport*: das Tempo machen, *übertragen* das Tempo angeben **2.** *von Pferd*: Gangart
pace[2] [peɪs] **1.** *Sport, bei Rennen*: Schrittmacherdienste leisten, Tempo machen **2.** ***pace up and down*** auf und ab gehen
pacemaker ['peɪsˌmeɪkə] **1.** *Sport*: Schrittmacher(in) (*auch übertragen*) **2.** *Medizin*: Herzschrittmacher
Pacific[1] [pə'sɪfɪk] pazifisch; ***the Pacific islands*** die Pazifischen Inseln; ***the Pacific Ocean*** der Pazifische Ozean, der Pazifik
Pacific[2] [pə'sɪfɪk] ***the Pacific*** der Pazifik
pacifier ['pæsɪfaɪə] *AE* Schnuller
pacifism ['pæsɪfɪzm] Pazifismus
pacifist[1] ['pæsɪfɪst] Pazifist(in)
pacifist[2] ['pæsɪfɪst] pazifistisch
pack[1] [pæk] **1.** *von Stoff, Wäsche usw.*: Bündel **2.** *Waschpulver*: Paket **3.** *bes. AE*; *Zigaretten usw.*: Schachtel **4.** *Wölfe*: Rudel **5.** *Jagdhunde*: Meute **6.** *abwertend* Pack, Bande; ***pack of thieves*** Diebesbande **7.** ***a pack of cards*** ein Satz Spielkarten, ein Kartenspiel
pack[2] [pæk] **1.** packen (*Koffer usw.*), zusammenpacken (*Sachen*); ***be packed*** gepackt haben **2.** *auch* ***pack together*** *in Raum usw.*: zusammenpferchen **3.** vollstopfen (*Saal, Stadion*); ***packed*** *oder BE, umg.* ***packed out*** bis auf den letzten Platz gefüllt, brechend voll **4.** ***send someone packing*** jemanden fortjagen *oder* wegjagen

pack away [ˌpæk‿ə'weɪ] wegpacken, verstauen (*Sachen*)
pack in [ˌpæk'ɪn] *umg.* aufhören, Schluss machen; ***pack it in!*** hör endlich auf damit!
pack up [ˌpæk'ʌp] **1.** *in ein Paket*: einpacken, verpacken **2.** zusammenpacken (*Sachen*) **3.** *umg.* aufhören, Schluss machen (*mit Arbeit usw.*) **4.** *umg.* (*Maschine usw.*) den Geist aufgeben

package ['pækɪdʒ] *allg.*: Paket (*auch übertragen*); ***for only £49 you get a complete software package*** für nur 49 Pfund erhalten Sie ein komplettes Software-Paket
package deal ['pækɪdʒ‿diːl] Pauschalarrangement
package holiday ['pækɪdʒˌhɒlədeɪ] Pauschalurlaub
package tour ['pækɪdʒ‿tʊə] Pauschalreise
packed lunch [ˌpækt'lʌntʃ] *BE* Lunchpaket
packer ['pækə] *in Fabrik usw.*: Packer(in)
packet ['pækɪt] **1.** *allg.*: Paket **2.** *von Ware*: Schachtel, Verpackung **3.** *kleiner*: Päckchen; ***a packet of cigarettes*** eine Pa-

P

ckung *oder* Schachtel Zigarretten **4. *cost a packet*** *BE*, *umg*. ein Heidengeld kosten

packing ['pækɪŋ] **1.** *von Koffer*: Packen; ***do one's packing*** packen **2.** *Material*: Verpackung

pact [pækt] Pakt; ***make a pact with someone*** mit jemandem einen Pakt schließen

pad [pæd] **1.** *in Kleidungsstücken*: Polster; ***knee pad*** Knieschützer **2.** *aus Papier*: Block; ***writing pad*** Schreibblock

padded ['pædɪd] *zum Schutz usw.*: wattiert, ausgepolstert

paddle[1] ['pædl] **1.** *von Boot*: Paddel **2.** *von Dampfschiff*: Schaufel, Schaufelrad

paddle[2] ['pædl] *mit Boot*: paddeln (*auch schwimmen*)

paddling pool ['pædlɪŋ‿puːl] Planschbecken

Paddy ['pædɪ] *umg*. Paddy, Ire (⚠ *wird von Iren oft als beleidigend empfunden*)

padlock ['pædlɒk] Vorhängeschloss

paediatrician, *AE* **pediatrician** [ˌpiːdɪə'trɪʃn] Kinderarzt, Kinderärztin

paediatrics [ˌpiːdɪ'ætrɪks] Kinderheilkunde

pagan[1] ['peɪgən] Heide, Heidin

pagan[2] ['peɪgən] heidnisch

paganism ['peɪgənɪzm] Heidentum

page [peɪdʒ] *von Buch usw.*: Seite; ***it's on page 10*** es steht auf Seite 10; ***a four-page brochure*** ein vierseitiger Prospekt

pager ['peɪdʒə] Funkrufempfänger, *umg*. Piepser

pagoda [pə'gəʊdə] Pagode

paid [peɪd] *2. und 3. Form von* → **pay**[1]

pail [peɪl] Eimer (*bes. für Kinder*)

pain [peɪn] **1.** *körperlich*: Schmerz, Schmerzen; ***be in pain*** Schmerzen haben; ***I've got a pain in my back*** mir tut der Rücken weh; ***he's a pain in the neck*** *übertragen*, *umg*. er geht einem auf den Wecker, er nervt **2.** *seelisch*: Schmerz, Kummer; ***cause*** *oder* ***give someone pain*** jemandem Kummer machen **3. *pains*** *Pl*. Mühe; ***be at pains*** *oder* ***take pains to do something*** sich Mühe geben, etwas zu tun

pain

Wenn einen jemand nervt, dann muss vielleicht doch einmal etwas gesagt werden. Welche Möglichkeiten gibt es im Englischen?

you're irritating / bugging me	du irritierst mich
you're annoying me	du nervst
you're winding me up	du regst mich auf
you're getting (⚠ *nicht* **going** *oder* **falling) on my nerves**	du gehst/fällst mir auf die Nerven
you're driving me nuts/crazy	du machst mich wahnsinnig
you're a pain / pain in the neck / *vulgär* **pain in the arse** (*AE* **ass**)	du bist nervig / du gehst mir auf den Wecker / du gehst mir auf den Keks

painful ['peɪnfl] **1.** *körperlich*: schmerzend, schmerzhaft **2.** *seelisch*: schmerzlich **3.** *Vorfall*: unangenehm, peinlich

painkiller ['peɪnˌkɪlə] Schmerzmittel

painless ['peɪnləs] **1.** *Arztbehandlung*: schmerzlos **2.** *übertragen*, *umg*. leicht, einfach

painstaking ['peɪnzˌteɪkɪŋ] sorgfältig, gewissenhaft

paint[1] [peɪnt] **1.** malen (*Bild*, *Person*, *Stillleben usw.*); ***paint a gloomy*** (*bzw.* ***vivid***) ***picture of something*** *übertragen* etwas in düsteren (*bzw.* glühenden) Farben malen *oder* schildern **2.** anmalen, bemalen (*Wand*, *Fingernägel*, *Gesicht usw.*); ***paint one's face*** *auch abwertend* sich anmalen **3.** streichen, anstreichen (*Wand*, *Decke usw.*) **4.** lackieren (*Auto*, *Tür*, *Fensterrahmen*) **5. *paint the town red*** *umg*. einen draufmachen

paint[2] [peɪnt] Farbe, Lack; ***wet paint*** *Aufschrift*: Frisch gestrichen!

paintbox ['peɪntbɒks] Malkasten

paintbrush ['peɪntbrʌʃ] Pinsel

painter ['peɪntə] **1.** *Künstler*: Maler(in) **2.** *Handwerker*: Maler(in), Anstreicher(in)

pain threshold ['peɪnˌθreʃhəʊld] Schmerzschwelle (*auch übertragen*)

painting ['peɪntɪŋ] **1.** *Kunst*: Malerei **2.** *Kunstwerk*: Gemälde, Bild

pair [peə] **1.** *Schuhe usw.*: Paar; ***in pairs*** paarweise **2.** *etwas Zweiteiliges*, *mst. unübersetzt*: ***a pair of trousers*** eine Hose; ***a pair of glasses*** eine Brille **3.** *Lebenspartner*, *Tiere*: Paar, Pärchen

pajamas [pə'dʒɑːməz] *AE* Schlafanzug, Pyjama; ☞ *BE* ***pyjamas***

Pakistan [ˌpɑːkɪ'stɑːn] Pakistan

pal [pæl] *umg*. Kumpel; ***listen, pal, …*** *drohend*: hör mal, Freundchen, …

palace ['pæləs] Palast (*auch übertragen*)

palatable ['pælətəbl] schmackhaft (*auch übertragen*); ***make something palatable***

to someone jemandem etwas schmackhaft machen

palatal[1] ['pælətl] *Sprache*: Gaumen…; ***palatal sound*** Gaumenlaut

palatal[2] ['pælətl] *Sprache*: Gaumenlaut

palate ['pælət] **1.** *im Mund*: Gaumen **2.** *übertragen*: ***for my palate*** für meinen Geschmack; ***he has have no palate for ...*** er hat keinen Sinn für …

pale[1] [peɪl] **1.** *Gesicht*: blass, bleich; ***turn pale*** blass *oder* bleich werden **2.** *Farbton*: hell, blass

pale[2] [peɪl] **1.** blass *oder* bleich werden **2.** *übertragen* verblassen (***before, beside*** neben)

paleness ['peɪlnəs] Blässe

Palestine ['pæləstaɪn] Palästina

Palestinian[1] [ˌpælə'stɪnɪən] *Person*: Palästinenser(in)

Palestinian[2] [ˌpælə'stɪnɪən] palästinensisch

palm [⚠ pɑːm] **1.** Handfläche, Handteller; ***grease*** *oder* ***oil someone's palm*** *umg.* jemanden schmieren (***with*** mit); ***have*** *oder* ***hold someone in the palm of one's hand*** jemanden völlig in der Hand haben **2.** *Baum*: Palme

palm: Tipps zur Aussprache

Für die Palme und die Hand(innen)fläche gibt es ein und dasselbe englische Wort: **palm**, das sich aussprachemäßig in einem Punkt stark von der deutschen Palme unterscheidet: es wird ohne „l" gesprochen, also [pɑːm].

Neben **palm** gibt es noch ein paar andere Wörter, bei denen das geschriebene „l" nicht gesprochen wird:

calm [kɑːm], **half** [hɑːf], **talk** [tɔːk], **walk** [wɔːk] und **psalm** [sɑːm], bei dem dir sicher auffällt, dass auch das „p" nicht mitgesprochen wird.

Warst du schon mal in Florida? An der Ostküste, nördlich von Miami, liegt *West Palm Beach*. Vielleicht hast du dich damals darüber gewundert, wie die Leute den Ortsnamen aussprechen: ['westˌpɑːm'biːtʃ]?

Palm Sunday [ˌpɑːm'sʌndeɪ] Palmsonntag

palmtop ['pɑːmtɒp] *Computer*: Palmtop

palm tree ['pɑːm‿triː] *Baum*: Palme

palsy ['pɔːlzɪ] *Medizin veraltend*: Lähmung

pamper ['pæmpə] **1.** verwöhnen **2.** *auch*: verhätscheln (*Kind*)

pamphlet ['pæmflət] **1.** *informativ*: Broschüre **2.** *politisch*: Flugblatt **3.** *polemisch*: Pamphlet

pan [pæn] **1.** *zum Kochen*: Topf **2.** *zum Braten*: Pfanne **3.** *zum Wiegen*: Waagschale **4.** *bes. BE* Kloschüssel

Panama ['pænəmɑː] Panama

panama (hat) [ˌpænəmɑː'hæt] Panamahut

pancake ['pænkeɪk] **1.** Pfannkuchen, Ⓐ Palatschinke; ***Pancake Day*** *BE* Faschingsdienstag **2.** ***pancake landing*** *von Flugzeug*: Bauchlandung

Pancake Day

Pancake Day oder **Shrove Tuesday** ist im britischen Englisch der Faschingsdienstag.

Dieser Tag heißt **Pancake Day**, weil man da früher Pfannkuchen gebacken hat, um die Essenreste vor der Fastenzeit aufzubrauchen.

pancake roll [ˌpænkeɪk'rəʊl] *BE* Frühlingsrolle

pancreas ['pæŋkrɪəs] Bauchspeicheldrüse

panda ['pændə] Panda

panda car ['pændə‿kɑː] *BE* (Funk)Streifenwagen

pane [peɪn] *von Fenster, Glastür*: Scheibe

panel ['pænl] **1.** *aus Holz, Glas usw.*: Platte, Tafel **2.** *bei Podiumsdiskussion*: Diskussionsteilnehmer *Pl.*, Runde; ***panel discussion*** Podiumsdiskussion **3.** *in TV-Quiz*: Rateteam **4.** *von Maschine*: Schalttafel, Kontrolltafel **5.** *von Schwurgericht*: Liste der Geschworenen

pang [pæŋ] stechender Schmerz; ***pangs*** *Pl.* ***of hunger*** nagender Hunger; ***feel a pang of conscience*** Gewissensbisse haben

panic[1] ['pænɪk] **1.** Panik; ***be in a panic*** in Panik sein; ***get into a panic*** in Panik geraten; ***throw into a panic*** in Panik versetzen; ***panic buying*** Angstkäufe, Hamsterkäufe; ***panic button*** Alarmschalter **2.** ***be at panic stations*** *umg.*; *vor Stress usw.*: rotieren, am Rotieren sein

panic[2] ['pænɪk], ***panicked, panicked***; *-ing-Form* ***panicking*** **1.** in Panik versetzen, eine Panik auslösen unter (*Menschenmasse usw.*) **2.** in Panik geraten; ***don't panic!*** nur keine Panik!

panicky ['pænɪkɪ] *umg.* überängstlich; ***get panicky*** in Panik geraten

panic monger ['pænɪkˌmʌŋgə] Panikmacher

panorama [ˌpænə'rɑːmə] **1.** *Aussicht*: Pa-

norama **2.** *übertragen* (allgemeiner) Überblick (***of*** über)
pansy ['pænzɪ] **1.** *Blume*: Stiefmütterchen **2.** *umg., abwertend* Schwuchtel
pant [pænt] (*Mensch*) keuchen, (*Hund*) hecheln
panther ['pænθə] *Raubtier*: Panther
panties ['pæntɪz] *Pl. auch* ***pair of panties*** *für Kinder*: Höschen, *für Frauen auch*: Slip
pantomime ['pæntəmaɪm] **1.** *BE* Weihnachtsspiel (*für Kinder*) **2.** *Theater*: Pantomime
pantry ['pæntrɪ] Speisekammer, Vorratskammer
pants [pænts] *Pl.* **1.** *auch* ***pair of pants*** *BE* Unterhose **2.** *auch* ***pair of pants*** *AE* Hose; ***catch someone with his pants down*** *umg.* jemanden überrumpeln; ***wear the pants*** *übertragen* die Hosen anhaben; *umg.*: ***bore the pants off someone*** jemanden zu Tode langweilen
pantsuit ['pæntsuːt] *AE* Hosenanzug
pantyhose ['pæntɪhəʊz] *AE* Strumpfhose
panty liner ['pæntɪˌlaɪnə] Slipeinlage
pap [pæp] **1.** *Nahrung, auch abwertend*: Brei **2.** *umg.*; *Fernsehprogramm usw.*: Schrott
papal ['peɪpl] päpstlich
paparazzi [ˌpæpə'rætsɪ] *Pl.* Paparazzi *Pl.*
paper[1] ['peɪpə] **1.** *allg.*: Papier; ***on paper*** *übertragen* auf dem Papier **2.** Zeitung; ***be in the papers*** in der Zeitung stehen; ***our daily paper*** unsere Tageszeitung **3.** ***papers*** *Pl.* (≈ *Ausweis*) Papiere **4.** ***papers*** *Pl. in Ordner usw.*: Akten, Unterlagen **5.** (≈ *schriftliche Prüfung*) Arbeit, Klausur **6.** (≈ *Vortrag*) Referat; ***give*** *oder* ***read a paper*** ein Referat halten, referieren (***to*** vor; ***on*** über)
paper[2] ['peɪpə] tapezieren (*Wand, Zimmer*)
paperback ['peɪpəbæk] Taschenbuch; ***in paperback*** als Taschenbuch

paperboy, papergirl

In Großbritannien ist es für einige Schüler üblich, dass sie zumeist morgens vor der Schule Zeitungen austragen und sich dadurch etwas Taschengeld verdienen. Die Lieferungen finden am Wochenende und während der Ferien natürlich etwas später statt. Bestellt und bezahlt werden die Zeitungen und Illustrierten beim **newsagent** ['njuːzˌeɪdʒənt] (Zeitungshändler).

paper chase ['peɪpə‿tʃeɪs] *Spiel*: Schnitzeljagd
paper clip ['peɪpə‿klɪp] Büroklammer
paper feed ['peɪpə‿fiːd] *von Drucker usw.*: Papiereinzug
paperhanger ['peɪpəˌhæŋə] Tapezierer(in)
paper knife ['peɪpə‿naɪf], *Pl.* ***paper knives*** ['peɪpə‿naɪvz] *BE* Brieföffner
paper shop ['peɪpə‿ʃɒp] *BE* Zeitungsgeschäft
paper-thin [ˌpeɪpə'θɪn] hauchdünn (*auch übertragen*)
paperweight ['peɪpəweɪt] Briefbeschwerer
paperwork ['peɪpəwɜːk] Schreibarbeit
papier mâché [⚠ ˌpæpɪeɪ'mæʃeɪ] Pappmaschee
paprika ['pæprɪkə] ⚠ *Gewürzpulver*: Paprika
papyrus [⚠ pə'paɪrəs], *Pl.* ***papyri*** [pə'paɪraɪ] *oder* ***papyruses*** [pə'paɪrəsɪz] **1.** *Pflanze*: Papyrus, Papyrusstaude **2.** *Dokument*: Papyrus, Papyrusrolle
par [pɑː] **1.** ***be on a par with*** (*Preise, Gehälter, Tarife usw.*) auf gleicher Ebene liegen wie, vergleichbar sein mit; ***be on a par with someone*** jemandem ebenbürtig sein; ***I'm feeling below*** *oder* ***under par today*** *umg.* ich bin heute nicht ganz auf dem Posten **2.** *Golf*: Par; ***three under par*** drei (Schläge) unter Par
parable ['pærəbl] ⚠ *Literatur*: Parabel
parabola [pə'ræbələ] ⚠ *Mathematik*: Parabel
parachute[1] [⚠ 'pærəʃuːt] Fallschirm; ***parachute jump*** Fallschirmabsprung
parachute[2] [⚠ 'pærəʃuːt] **1.** mit dem Fallschirm abwerfen (*Versorgungsgüter usw.*) **2.** (*Person*) (mit dem Fallschirm) abspringen
parachutist [⚠ 'pærəʃuːtɪst] Fallschirmspringer(in)
parade[1] [pə'reɪd] **1.** *bei Festlichkeit*: Umzug, Festzug **2.** *militärisch*: Parade
parade[2] [pə'reɪd] **1.** *um aufzufallen*: stolzieren (***through*** durch) **2.** (*Demonstranten usw.*) ziehen (***through*** durch); ***thousands paraded peacefully through the city centre*** Tausende zogen friedlich durch die Innenstadt **3.** (*Soldaten*) paradieren
paradise ['pærədaɪs] Paradies (*auch übertragen*)
paradox ['pærədɒks] Paradox, Paradoxon
paradoxical [ˌpærə'dɒksɪkl] paradox; ***paradoxically*** (***enough***) paradoxerweise
paragliding ['pærəˌglaɪdɪŋ] *Sport*: Gleitschirmfliegen
paragon ['pærəgən] *Person*: Vorbild, Mus-

ter (***of*** an); ***paragon of virtue*** *bes. ironisch*: Ausbund an Tugend
paragraph ['pærəgrɑːf] *in Text*: Absatz, Abschnitt (⚠ *Paragraph* = ***article***)
parallel[1] ['pærəlel] *Mathematik*: parallel (***to, with*** zu) (*auch übertragen*); ***parallel bars*** *Pl. Turngerät*: Barren; ***parallel case*** Parallelfall
parallel[2] ['pærəlel] *Mathematik*: Parallele (***to, with*** zu) (*auch übertragen*); ***without parallel*** ohne Parallele, ohnegleichen; ***draw a parallel between … and …*** eine Parallele ziehen zwischen … und …
paralyse ['pærəlaɪz] *BE* **1.** *körperlich*: lähmen **2.** *übertragen auch*: lahmlegen, zum Erliegen bringen; ***be paralysed with*** *übertragen* starr *oder* wie gelähmt sein vor
paralysis [pə'ræləsɪs] *Pl.* ***paralyses*** [pə'ræləsiːz] **1.** *körperlich*: Lähmung **2.** *übertragen auch*: Lahmlegung
paralyze *AE* ☞***paralyse***
paramedic [ˌpærə'medɪk] Sanitäter(in)
parameter [pə'ræmɪtə] **1.** *Mathematik*: Parameter **2.** *mst.* ***parameters*** *Pl. übertragen* Rahmen; ***within the parameters of*** im Rahmen von (*oder Genitiv*)
paramilitary [ˌpærə'mɪlɪtərɪ] paramilitärisch
paranoia [ˌpærə'nɔɪə] **1.** *Medizin*: Paranoia **2.** *umg.* Verfolgungswahn
paranoiac[1] [ˌpærə'nɔɪæk] *Medizin*: paranoisch
paranoiac[2] [ˌpærə'nɔɪæk] *Medizin*: Paranoiker(in)
paranoid ['pærənɔɪd] **1.** *Medizin*: paranoid; **2.** ***be paranoid about something*** ständig Angst haben vor etwas, in ständiger Angst vor etwas leben
paraphrase[1] ['pærəfreɪz] (≈ *anders ausdrücken*) umschreiben, paraphrasieren
paraphrase[2] ['pærəfreɪz] Umschreibung, Paraphrase
paraplegia [ˌpærə'pliːdʒə] *Medizin*: Querschnitt(s)lähmung
paraplegic[1] [ˌpærə'pliːdʒɪk] querschnitt(s)gelähmt
paraplegic[2] [ˌpærə'pliːdʒɪk] Querschnitt(s)gelähmte(r)
parapsychology [ˌpærəsaɪ'kɒlədʒɪ] Parapsychologie
parasite ['pærəsaɪt] *Tier, Pflanze*: Schmarotzer, Parasit (*beide auch übertragen*)
parasitic [ˌpærə'sɪtɪk] **1.** *Biologie*: parasitär, parasitisch **2.** *übertragen auch*: schmarotzerhaft
parasol ['pærəsɒl] *tragbarer* Sonnenschirm
paratrooper ['pærəˌtruːpə] *Soldat*: Fallschirmjäger
paratroops ['pærətruːps] *Pl. Militäreinheit*: Fallschirmjägertruppe
parboil ['pɑːbɔɪl] halb gar kochen, ankochen
parcel ['pɑːsl] **1.** *für Postversand usw.*: Paket **2.** (≈ *Stück Land*) Parzelle
parchment ['pɑːtʃmənt] Pergament
pardon[1] ['pɑːdn] **1.** verzeihen, entschuldigen **2.** *in mst. gesprochenen Wendungen*: ***Oh, pardon me!*** Oh, Verzeihung!; ***pardon me for interrupting you*** verzeihen *oder* entschuldigen Sie, wenn ich Sie unterbreche; ***if you'll pardon the expression*** wenn ich so sagen darf **3.** *Recht*: begnadigen
pardon[2] ['pɑːdn] **1.** *Höflichkeitsfloskel*: ***I beg your pardon*** Entschuldigung!, Verzeihung! **2.** ***pardon?*** *oder förmlich*: ***I beg your pardon?*** *nachfragend*: wie bitte? **3.** ***I beg your pardon!*** *ärgerlich*: erlauben Sie mal!, ich muss doch sehr bitten! **4.** *Recht*: Begnadigung
parent ['peərənt] Elternteil; ***parents*** *Pl.* Eltern; ***single parent*** Alleinerziehende(r)
parental [pə'rentl] elterlich, Eltern…; ***parental leave*** (≈ *Erziehungsurlaub*) Elternzeit
parents-in-law ['peərəntsɪnlɔː] *Pl.* Schwiegereltern
Paris ['pærɪs] Paris
parish ['pærɪʃ] **1.** *kirchlich*: Pfarrbezirk, Gemeinde; ***parish church*** Pfarrkirche **2.** *BE; politisch*: Gemeinde; ***parish council*** Gemeinderat (*Gremium*)
park[1] [pɑːk] Park
park[2] [pɑːk] **1.** parken, abstellen (*Auto*); ***he's parked over there*** er parkt dort drüben **2.** *umg.* abstellen, lassen (*Sachen*)
park-and-ride [ˌpɑːkənd'raɪd] Park-and--ride-System
parking ['pɑːkɪŋ] **1.** Parken; ***no parking*** *Schild*: Parken verboten **2.** (≈ *Platz zum Parken*) Parkplätze *Pl.*, Parkfläche
parking disc ['pɑːkɪŋ‿dɪsk] Parkscheibe
parking fee ['pɑːkɪŋ‿fiː] Parkgebühr
parking garage ['pɑːkɪŋˌgærɑːʒ] *AE* Park(hoch)haus
parking lot ['pɑːkɪŋ‿lɒt] *AE*; *Gelände für viele Autos*: Parkplatz
parking meter ['pɑːkɪŋˌmiːtə] Parkuhr
parking offence ['pɑːkɪŋ‿əˌfens] Parkvergehen, Falschparken
parking offender ['pɑːkɪŋ‿əˌfendə] Parksünder(in), Falschparker(in)
parking place ['pɑːkɪŋ‿pleɪs] **1.** *für einzelnes Auto*: Parkplatz **2.** *am Straßenrand auch*: Parklücke
parking space ['pɑːkɪŋ‿speɪs] Parklücke

P

parking ticket ['pɑːkɪŋ,tɪkɪt] Strafzettel (*wegen Falschparkens*)
parliament [⚠ 'pɑːləmənt] Parlament
parliamentary [⚠ ,pɑːlə'mentrɪ] parlamentarisch
parody[1] ['pærədɪ] *von Person, Art zu Reden usw.*: Parodie, Persiflage (***of, on*** auf)
parody[2] ['pærədɪ] parodieren, persiflieren (*Person, Art zu Reden usw.*)
parole[1] [pə'rəʊl] *Recht*: Entlassung auf Bewährung, *vorübergehend*: Hafturlaub; ***put someone on parole*** jemanden auf Bewährung entlassen
parole[2] [pə'rəʊl] auf Bewährung entlassen, *vorübergehend*: Hafturlaub gewähren
parquet [⚠ 'pɑːkeɪ] *Bodenbelag*: Parkett; ***parquet floor*** Parkettboden
parrot ['pærət] *Vogel*: Papagei (*auch übertragen*)
parsley ['pɑːslɪ] *Küchenkraut*: Petersilie
part[1] [pɑːt] **1.** *allg. von einem Ganzen*: Teil; ***part of his money*** ein Teil seines Geldes; ***the front part of the building*** der vordere Teil *oder* der Vorderteil des Gebäudes; ***what part of Germany do you come from?*** aus welchem Teil Deutschlands stammst du?; ***what's the weather like in these parts?*** wie ist das Wetter hierzulande *oder* in dieser Gegend?; ***a three-part novel*** ein dreiteiliger Roman; ***be part of something*** zu etwas gehören; ***part of the body*** Körperteil; ***part of speech*** *Sprache*: Wortart **2.** *von Maschine usw.*: Teil, Bauteil; ***spare part*** Ersatzteil **3.** *von Serie*: Teil, Folge, Fortsetzung **4.** ***take part*** teilnehmen, sich beteiligen (***in*** an); ***did he have any part in it?*** hatte er damit was zu tun? **5.** *in Streit, Debatte usw.*: Seite, Partei; ***take someone's part*** für jemanden *oder* jemandes Partei ergreifen **6.** *Theater, Film usw.*: Rolle (*auch übertragen*); ***act*** *oder* ***play the part of X*** die Rolle des X spielen; ***play one's part*** *übertragen* seinen Beitrag leisten **7.** *AE* Scheitel; ☞ *BE* **parting 1** **8.** *in Wendungen*: ***for the most part*** größtenteils, *zeitlich*: meistens; ***on the part of*** vonseiten, seitens (+ *Genitiv*); ***on my part*** von mir, was mich angeht; ***that was a mistake on 'my part*** für diesen Fehler bin 'ich verantwortlich
part[2] [pɑːt] **1.** *in Partnerschaft*: sich trennen; ***part as friends*** in Freundschaft auseinander gehen; ***... till death us do part*** ..., bis dass der Tod uns scheidet **2.** trennen (*Streitende usw.*) **3.** scheiteln (*Haar*) **4.** aufziehen (*Vorhang*)
part[3] [pɑːt] ***part ..., part ...*** teils ..., teils ...; ***the exam ist part written, part oral*** die Prüfung findet teils schriftlich, teils mündlich statt
partial ['pɑːʃl] **1.** teilweise, Teil...; ***partial success*** Teilerfolg **2.** (≈ *nicht objektiv*) voreingenommen, parteiisch **3.** ***be partial to something*** eine Vorliebe für etwas haben
partiality [,pɑːʃɪ'ælətɪ] **1.** Parteilichkeit, Voreingenommenheit **2.** Schwäche, besondere Vorliebe (***for*** für)
partially ['pɑːʃəlɪ] teilweise, zum Teil; ***be partially to blame for*** mit schuld sein an
participant [pɑː'tɪsɪpənt] *an Wettbewerb usw.*: Teilnehmer(in)
participate [pɑː'tɪsɪpeɪt] teilnehmen, sich beteiligen (***in*** an)
participation [pɑː,tɪsɪ'peɪʃn] Teilnahme, Beteiligung
participle ['pɑːtɪsɪpl] *Sprache*: Partizip
particle ['pɑːtɪkl] **1.** *Staub usw.*: Teilchen, *Physik auch*: Partikel; ***there's not a particle of truth in it*** *übertragen* daran ist nicht ein einziges Wort wahr **2.** *Sprache*: Partikel
particular[1] [pə'tɪkjʊlə] besondere(r, -s), spezielle(r, -s); ***in this particular case*** in diesem speziellen Fall; ***be of no particular importance*** nicht besonders wichtig sein; ***for no particular reason*** aus keinem besonderen Grund; ***pay particular attention to ...*** achten Sie besonders auf ...!
particular[2] [pə'tɪkjʊlə] **1.** Einzelheit; ***particulars*** *Pl.* Einzelheiten, nähere Umstände; ***in particular*** insbesondere; ***further particulars from*** *in Stellenanzeigen usw.*: Näheres *oder* weitere Auskünfte bei **2.** ***particulars*** *Pl.* Personalien *Pl.*
particularly [pə'tɪkjʊləlɪ] besonders: ***I'm not particularly pleased*** ich bin nicht sonderlich erfreut
parting ['pɑːtɪŋ] **1.** *bes. BE*; *von Frisur*: Scheitel **2.** Abschied; ***parting kiss*** Abschiedskuss
partition[1] [pɑː'tɪʃn] **1.** Teilung **2.** *auch* ***partition wall*** Trennwand **3.** *Computer, auf der Festplatte*: Speicherblock
partition[2] [pɑː'tɪʃn] teilen (*Land usw.*); ***partition off*** abteilen, abtrennen (*Teil eines Zimmers usw.*)
partly ['pɑːtlɪ] zum Teil, teilweise; ***it was partly my fault*** es war zum Teil meine Schuld
partner ['pɑːtnə] **1.** *allg.*: Partner(in) **2.** *Wirtschaft*: Gesellschafter(in), Partner(in), Teilhaber(in)
partnership ['pɑːtnəʃɪp] **1.** Partnerschaft; ***go into partnership*** sich (als Partner) zu-

P

sammentun **2.** *Wirtschaft*: Personengesellschaft, Personalgesellschaft

partridge ['pɑːtrɪdʒ] *Vogel*: Rebhuhn

part-time [ˌpɑːt'taɪm] *Job*: Teilzeit…; ***part-time worker*** Teilzeitbeschäftigte(r); ***work part-time*** Teilzeit arbeiten

party ['pɑːtɪ] **1.** *Politik*: Partei **2.** (≈ *Fest*) Feier, Party; ***give a party*** eine Party geben **3.** *Personen*: Gesellschaft, Gruppe; ***a party of tourists*** eine Reisegesellschaft

party line 1. [ˌpɑːtɪ'laɪn] *Politik*: Parteilinie; ***follow the party line*** linientreu sein **2.** ['pɑːtɪ‿laɪn] *Telefon*: Gemeinschaftsanschluss

pass[1] [pɑːs] **1.** *im Gebirge*: Pass **2.** (≈ *Ausweis*) Passierschein; ***free pass*** *für Zug usw.*: Freifahrtschein **3.** *in der Schule*: ***get a pass in physics*** die Physikprüfung bestehen **4.** *Sport*: Pass, Zuspiel

pass[2] [pɑːs] **1.** vorbeigehen an, vorbeifahren an (*Gebäude, Person usw.*); ***let someone pass*** jemanden vorbeilassen; ***let something pass*** *übertragen* etwas durchgehen lassen **2.** *im Straßenverkehr, bei Rennen usw.*: überholen **3.** *Schule*: bestehen (*Prüfung*); ***did he pass?*** hat er bestanden? **4.** reichen, geben; ***pass the sugar, please*** reich mir bitte den Zucker **5.** *Sport*: abspielen (*Ball*), passen (***to*** zu) **6.** *Politik*: verabschieden (*Gesetz*) **7.** (*Zeit usw.*) vergehen, verstreichen **8.** *bei Kartenspielen*: passen (*auch übertragen*)

pass away [ˌpɑːs‿ə'weɪ] (≈ *sterben*) die Augen schließen, entschlafen

pass by [pɑːs'baɪ] **1.** *räumlich*: vorbeigehen, vorbeifahren **2.** (*Zeit*) vergehen

pass down [ˌpɑːs'daʊn] weitergeben, überliefern (*Bräuche, Tradition usw.*) (***to*** an *oder Dativ*)

pass on [ˌpɑːs'ɒn] **1.** weitergeben (*Informationen, Nachricht usw.*) (***to*** an *oder Dativ*) **2.** übertragen (*Krankheit*)

pass round [ˌpɑːs'raʊnd] **1.** *in einer Runde*: herumreichen **2.** *übertragen* in Umlauf setzen (*Gerücht usw.*); ***be passed round*** die Runde machen, in Umlauf sein

pass through [ˌpɑːs'θruː] ***I'm just passing through*** ich bin nur auf der Durchreise

passable ['pɑːsəbl] **1.** *Weg, Straße*: passierbar **2.** *Leistung usw.*: passabel

passage ['pæsɪdʒ] **1.** *zwischen Gebäuden*: Passage, Durchgang **2.** *eines Textes*: Passage, Abschnitt **3.** *bes. zur See*: Überfahrt, Schiffsreise

passenger ['pæsɪndʒə] **1.** *auf Schiff*: Passagier **2.** *im Flugzeug*: Passagier, Fluggast **3.** *im Zug*: Reisende(r); ***passenger train*** Personenzug **4.** *im Auto*: Insasse

passer-by [ˌpɑːsə'baɪ] *Pl.*: ***passers-by*** Passant(in)

passion ['pæʃn] **1.** *allg.*: Leidenschaft **2.** ***fly into a passion*** einen Wutanfall bekommen **3.** ***the Passion*** *religiös*: die Passion; ***Passion play*** Passionsspiel

passionate ['pæʃnət] *allg.*: leidenschaftlich

passive[1] ['pæsɪv] **1.** passiv; ***passive resistance*** passiver Widerstand; ***passive smoking*** passives Rauchen, Passivrauchen; ***passive vocabulary*** passiver Wortschatz **2.** *Sprache*: passivisch; ***passive voice*** Passiv

passive[2] ['pæsɪv] *Sprache*: Passiv

passport ['pɑːspɔːt] Reisepass, Pass; ***hold a British passport*** einen britischen Pass haben; ***passport photo*** Passbild

password ['pɑːswɜːd] **1.** *Computer*: Passwort **2.** *militärisch*: Kennwort, Parole

past[1] [pɑːst] **1.** vergangene(r, -s), frühere(r, -s); ***in the past 24 hours*** in den letzten 24 Stunden; ***be past*** vorüber *oder* vorbei sein; ***learn from past mistakes*** aus Fehlern der Vergangenheit lernen **2.** *Sprache*: ***past participle*** Partizip Perfekt; ***past perfect*** Plusquamperfekt; ***past tense*** Präteritum **3.** *räumlich*: vorbei, vorüber; ***run past*** vorbeilaufen (an) **4.** *zeitlich*: nach; ***ten (minutes) past six*** zehn (Minuten) nach sechs; ***half past seven*** halb acht; ***I'm past forty*** ich bin über vierzig

past[2] [pɑːst] ***the past*** die Vergangenheit; ***in the past*** in der Vergangenheit, früher

pasta ['pæstə] Teigwaren *Pl.*, Nudeln *Pl.*

paste[1] [peɪst] **1.** (≈ *streichbare Masse*) Paste **2.** *zum Kleben*: Kleister

paste[2] [peɪst] **1.** kleben (***to, on*** an); ***paste up*** ankleben **2.** *Computer*: einfügen (***into*** in); ***copy and paste*** kopieren und einfügen

pasteurize ['pɑːstʃəraɪz] pasteurisieren, keimfrei machen (*Milch usw.*)

pastime ['pɑːstaɪm] Zeitvertreib, Freizeitbeschäftigung; ***as a pastime*** zum Zeitvertreib; ***my pastimes are tennis and basketball*** in meiner Freizeit spiele ich Tennis und Basketball

pastry ['peɪstrɪ] **1.** *für Pasteten usw.*: Teig; ***puff pastry*** Blätterteig **2.** Gebäckstück, Teilchen; ***cakes and pastries*** Kuchen und Gebäck

pasture ['pɑːstʃə] *für Rinder, Schafe usw.*: Weide; ***put out to pasture*** auf die Weide

treiben, *umg.*, *übertragen* aufs Abstellgleis schieben
pasty[1] ['peɪstɪ] *Gesicht*: blass, käsig
pasty[2] [⚠ 'pæstɪ] *BE* Fleischpastete
pat[1] [pæt] **1.** Klaps: ***give someone a pat on the back*** *übertragen* jemandem auf die Schulter klopfen; ***give oneself a pat on the back*** sich selbst auf die Schulter klopfen **2.** *bes. Butter*: Portion; ☞ ***cowpat***
pat[2] [pæt] tätscheln; ***pat someone on the head*** (***shoulder***) jemandem den Kopf tätscheln (jemanden auf die Schulter klopfen); ***pat someone on the back*** *übertragen* jemandem auf die Schulter klopfen; ***pat oneself on the back*** *übertragen* sich selbst auf die Schulter klopfen
pat[3] [pæt] **1.** *Anwort usw.*: glatt **2.** ***have*** *oder* ***know something off pat*** etwas aus dem Effeff *oder* wie am Schnürchen können
patch [pætʃ] **1.** *auf Haut, Fell, Fläche*: Stelle, Fleck; ***damp patches on the ceiling*** feuchte Stellen an der Decke **2.** ***patches of mist*** Nebelschwaden; ***icy patches*** stellenweise Glatteis; ***in patches*** *übertragen* stellenweise **3.** *zum Schließen eines Loches*: Flicken **4.** ***vegetable patch*** *im Garten*: Gemüsebeet **5.** ***go through a bad patch*** *übertragen* eine Pechsträhne haben; ***go through a difficult patch*** eine schwere Zeit durchmachen
patent[1] ['peɪtnt] *Erfindung*: patentiert, Patent…; ***patent office*** Patentamt
patent[2] ['peɪtnt] Patent; ***protected by patent*** patentrechtlich geschützt; ***take out a patent on something*** etwas patentieren lassen
paternal [pə'tɜːnl] **1.** väterlich, Vater… **2.** *Großvater usw.*: väterlicherseits
paternity [pə'tɜːnətɪ] Vaterschaft; ***paternity suit*** Vaterschaftsprozess
path [pɑːθ] Pfad, Weg (*auch übertragen*; ***to*** zu); ***stand in someone's path*** jemandem im Weg stehen
pathetic [pə'θetɪk] **1.** Mitleid erregend; ***a pathetic sight*** ein Bild des Jammers **2.** *Leistung, Erscheinungsbild usw.*: jämmerlich, kläglich, miserabel; ***this is really pathetic!*** das ist echt zum Heulen!; ***that's pathetic*** *auch*: das ist ja lachhaft
patience ['peɪʃns] Geduld; ***lose one's patience*** die Geduld verlieren (***with*** mit); ***he listened with patience*** er hörte geduldig zu
patient[1] ['peɪʃnt] geduldig (***with*** mit); ***we waited patiently*** wir warteten geduldig
patient[2] ['peɪʃnt] Patient(in)
patriarch ['peɪtrɪɑːk] Patriarch
patriarchal [ˌpeɪtrɪ'ɑːkl] patriarchalisch

St Patrick's Day

Der 17. März ist für die Iren ein Nationalfeiertag. Am **St Patrick's Day** [snt'pætrɪksdeɪ] trägt man Klee (**shamrock**) im Knopfloch. Man sieht auch Legionen von Iren bzw. Irischstämmigen in Übersee in grünen T-Shirts. Viele Iren werden nach ihrem Schutzpatron **Patrick** genannt. Die Koseform dazu ist **Paddy**.

patriot ['pætrɪət] Patriot(in)
patriotic [ˌpætrɪ'ɒtɪk] patriotisch
patriotism ['pætrɪətɪzm] Patriotismus
patrol[1] [pə'trəʊl] **1.** *militärisch*: Patrouille **2.** *bei der Polizei*: Streife; ***patrol car*** Streifenwagen
patrol[2] [pə'trəʊl] **1.** (*Soldat*) patrouillieren **2.** (*Polizist*) auf Streife sein in **3.** (*Wächter*) seine Runde machen
patron ['peɪtrən] **1.** *von Festveranstaltung*: Schirmherr **2.** *Kunst*: Gönner, Förderer
patronage ['pætrənɪdʒ] Schirmherrschaft; ***under the patronage of*** unter der Schirmherrschaft von (*oder Genitiv*)
patronize ['pætrənaɪz] **1.** von oben herab *oder* herablassend behandeln **2.** fördern (*Kunst, Verein usw.*)
patronizing ['pætrənaɪzɪŋ] *Art, Auftreten usw.*: herablassend
patron saint [ˌpeɪtrən'seɪnt] Schutzheilige(r)
patter[1] ['pætə] **1.** (*Regen*) prasseln **2.** *von Schritten*: trappeln
patter[2] ['pætə] **1.** *von Regen*: Prasseln **2.** *von Schritten*: Trappeln
patter[3] ['pætə] *eines Vertreters usw.*: Sprüche *Pl.*; ***sales patter*** Verkaufsjargon
pattern ['pætn] **1.** *bei Verhalten, Ereignissen usw.*: Muster, Schema; ***their disputes always follow a set pattern*** ihre Auseinandersetzungen verlaufen immer nach dem üblichen Schema **2.** *auf Stoff, Kleidern usw.*: Muster **3.** (≈ *Warenprobe*) Muster
paunch [pɔːntʃ] dicker Bauch, Wanst
pauper ['pɔːpə] Arme(r)
pause[1] [pɔːz] *beim Reden usw.*: Pause; ***without a pause*** *reden usw.*: ohne Unterbrechung, pausenlos (⚠ *Pause in der Schule* = ***break***)
pause[2] [pɔːz] *bei Rede, Tätigkeit usw.*: innehalten
pave [peɪv] pflastern (*Weg, Straße, Platz*); ***pave the way for*** *übertragen* den Weg ebnen für

pavement ['peɪvmənt] **1.** *Straßenbelag*: Pflaster **2.** *BE* Gehsteig; ***pavement café*** Straßencafé **3.** *AE* Fahrbahn

paw [pɔː] **1.** *von Tier*: Pfote, Tatze **2.** *umg.* (≈ *Hand*) Pfote

pawn [pɔːn] **1.** *Schach*: Bauer **2.** *übertragen* Schachfigur

pay[1] [peɪ], ***paid*** [peɪd], ***paid*** [peɪd] **1.** bezahlen, begleichen (*Rechnung*); ***pay by credit card*** mit Kreditkarte bezahlen **2.** zahlen, entrichten (*Betrag*) **3.** bezahlen (*Person*) **4.** *übertragen* sich lohnen, sich bezahlt machen **5.** *in Wendungen*: ***pay attention*** aufpassen, aufmerksam sein; ***pay a visit*** einen Besuch abstatten, *umg.* aufs Klo gehen; ***pay someone a compliment*** jemandem ein Kompliment machen

> **pay back** [ˌpeɪ'bæk] **1.** zurückzahlen (*Schulden usw.*) **2.** ***I'll pay you back for that!*** *übertragen* das werde ich dir heimzahlen!
>
> **pay for** ['peɪ‿fə] **1.** bezahlen (*Ware, Dienstleistung*); ***Grandma paid for my driving lessons*** Oma hat meine Fahrstunden bezahlt **2.** ***he had to pay dearly for it*** *übertragen* es kam ihm teuer zu stehen, er musste es teuer bezahlen
>
> **pay in** [ˌpeɪ'ɪn], **pay into** [ˌpeɪ'ɪntʊ] *auf ein Konto*: einzahlen
>
> **pay off** [ˌpeɪ'ɒf] **1.** auszahlen (*Angestellte, Geschäftspartner usw.*) **2.** abzahlen, tilgen (*Schulden*) **3.** *übertragen* sich lohnen, sich bezahlt machen

pay[2] [peɪ] Bezahlung, Gehalt, Lohn

payable ['peɪəbl] **1.** *Rechnung usw.*: zahlbar, fällig **2.** ***be payable to*** *Scheck*: ausgestellt sein auf

pay freeze ['peɪ‿friːz] Lohnstopp

payment ['peɪmənt] Zahlung, Bezahlung; ***in payment of*** als Bezahlung für; ***on payment of*** gegen Zahlung von (*oder Genitiv*)

pay-per-view TV [ˌpeɪpə'vjuː‿tiːˌviː] Pay-per-View-TV

pay phone ['peɪ‿fəʊn] öffentliches Telefon

pay rise ['peɪ‿raɪz] Lohnerhöhung, Gehaltserhöhung

payroll ['peɪrəʊl] Lohnliste; ***be on someone's payroll*** bei jemandem beschäftigt sein

pay slip ['peɪ‿slɪp] Gehaltsabrechnung

pay TV ['peɪ‿tiːˌviː] Pay-TV, Bezahlfernsehen

PC[1] [ˌpiː'siː] (*Abk. für* **p**ersonal **c**omputer) *Computer*: PC, Personalcomputer

PC[2] [ˌpiː'siː] *Abk.* ☞ ***political correctness, politically correct***

PCP [ˌpiːsiː'piː] *AE* (*Abk. für* **p**rimimary **c**are **p**hysician) Allgemeinarzt

PDA [ˌpiːdiː'eɪ] (*Abk. für* **p**ersonal **d**igital **a**ssistant) PDA, Organizer

PE [ˌpiː'iː] (*Abk. für* **p**hysical **e**ducation) *Schulfach*: Sport

pea [piː] *Gemüse*: Erbse; ***they're as like as two peas*** (***in a pod***) *übertragen* sie gleichen sich wie ein Ei dem anderen

peace [piːs] **1.** Frieden; ***the two countries are at peace*** zwischen beiden Ländern herrscht Frieden; ***peace movement*** Friedensbewegung; ***peace process*** Friedensprozess; ***make one's peace with*** sich aussöhnen *oder* versöhnen mit **2.** *Recht*: öffentliche Ruhe und Ordnung **3.** *übertragen* Ruhe; ***peace of mind*** Seelenfrieden; ***in peace and quiet*** in Ruhe und Frieden

peaceable ['piːsəbl] **1.** *Diskussion, Konfliktlösung usw.*: friedlich **2.** *Person*: friedfertig

peace conference ['piːsˌkɒnfrəns] Friedenskonferenz

Peace Corps ['piːskɔː] *AE* Entwicklungsdienst

peaceful ['piːsfl] friedlich

peace-keeping ['piːsˌkiːpɪŋ] *Mandat usw.*: zur Friedenssicherung; ***peace-keeping troops*** *Pl.* Friedenstruppen *Pl.*

peace-loving ['piːsˌlʌvɪŋ] friedliebend

peace process ['piːsˌprəʊses] Friedensprozess

peace talks ['piːs‿tɔːks] *Pl.* Friedensverhandlungen *Pl.*, Friedensgespräche *Pl.*

peach [piːtʃ] **1.** *Frucht*: Pfirsich **2.** *Baum*: Pfirsichbaum

peacock ['piːkɒk] *Vogel*: Pfau

peak [piːk] **1.** *allg.*: Spitze **2.** *eines Bergs auch*: Gipfel **3.** *übertragen* Höchst…, Spitzen…; ***peak hours*** *Pl. im Straßenverkehr*: Hauptverkehrszeit, Stoßzeit, *im Stromnetz*: Hauptbelastungszeit

peanut ['piːnʌt] **1.** Erdnuss **2.** ***peanuts*** *Pl. umg.* (≈ *lächerliche Summe*) Klacks, Peanuts

peanut butter [ˌpiːnʌt'bʌtə] Erdnussbutter

pear [⚠ peə] **1.** *Frucht*: Birne **2.** *auch* ***pear tree*** Birnbaum

pearl [pɜːl] *Schmuck*: Perle (*auch übertragen*)

peasant [⚠ 'peznt] **1.** *bes. historisch*: Bauer, Bäuerin **2.** *übertragen, umg.* Bauer

pebble ['pebl] Kieselstein

peck[1] [pek] **1.** (*Vogel*) picken **2.** ***peck***

someone on the cheek *umg.* jemanden flüchtig auf die Wange küssen
peck[2] [pek] *auch* ***peck on the cheek*** *umg.* flüchtiger Kuss
peculiar [pɪ'kjuːlɪə] **1.** eigenartig, seltsam; ***the fish tastes peculiar*** der Fisch schmeckt eigenartig; ***I feel a bit peculiar*** mir ist irgendwie komisch **2.** (≈ *charakteristisch*) eigentümlich (***to*** für); ***be peculiar to*** *auch*: typisch sein für
pedagogic [ˌpedə'gɒdʒɪk], **pedagogical** [ˌpedə'gɒdʒɪkl] pädagogisch
pedagogue [ˌpedə'gɒg] **1.** *abwertend*(≈ *pedantischer Lehrer*) Schulmeister(in) **2.** *veraltend* Pädagoge, Pädagogin
pedagogy ['pedəgɒdʒɪ] Pädagogik
pedal ['pedl] *von Fahrrad usw.*: Pedal
pedal boat ['pedl‿bəʊt] Tretboot
pedal bin ['pedl‿bɪn] Treteimer
pedant ['pedənt] Pedant(in)
pedantic [pɪ'dæntɪk] pedantisch (***about*** wenn es um … geht)
pedantry ['pedəntrɪ] Pedanterie
peddle ['pedl] *mst. auf der Straße, an der Haustür*: verkaufen; ***peddle drugs*** mit Drogen handeln
pedestrian[1] [pə'destrɪən] **1.** Fußgänger…; ***pedestrian crossing*** *BE* Fußgängerüberweg; ***pedestrian precinct*** *oder* ***zone*** Fußgängerzone **2.** *Bericht, Stil usw.*: prosaisch, trocken **3.** *Person*: fantasielos

pedestrian crossing

Es gibt verschiedene Fußgängerübergänge, die alle nach Tieren benannt sind:

zebra crossing Zebrastreifen
pelican crossing Ampelübergang

(eine Abkürzung von **pedestrian light controlled crossing**)

puffin crossing

(**puffin** heißt der Papageientaucher; der Name ist eine Abkürzung von **pedestrian user-friendly intelligent crossing**)

toucan crossing

(ein Übergang, der von Fußgängern und Radfahrern benutzt werden kann, also „**two can cross**")

pedestrian[2] [pə'destrɪən] Fußgänger(in)
pediatrician [ˌpiːdɪə'trɪʃn] *AE* Kinderarzt, Kinderärztin
pedigree ['pedɪgriː] Stammbaum, Ahnentafel
pee[1] [piː] *umg.* pinkeln
pee[2] [piː] ***have a pee*** *umg.* pinkeln; ***go for a pee*** *umg.* pinkeln gehen
peek[1] [piːk] kurz *oder* verstohlen gucken (***at*** auf)
peek[2] [piːk] ***have*** *oder* ***take a peek at*** einen kurzen *oder* verstohlenen Blick werfen auf
peel[1] [piːl] **1.** schälen (*Kartoffeln usw.*) **2.** (*Haut*) sich schälen

peel off [ˌpiːl'ɒf] **1.** (*Tapete*) sich lösen **2.** (*Farbe*) abblättern **3.** (*Haut*) sich schälen **4.** abstreifen (*Kleider*)

peel[2] [piːl] *von Früchten, Gemüse*: Schale
peeler ['piːlə] *für Kartoffeln usw.*: Schäler
peelings ['piːlɪŋs] *Pl. von Kartoffeln usw.*: Schalen
peep[1] [piːp] *bes. heimlich*: gucken, lugen
peep[2] [piːp] **1.** ***take a peep at*** *bes. heimlich oder kurz*: gucken auf **2.** *Ton*: Piepsen
peephole ['piːphəʊl] **1.** Guckloch **2.** *in Tür*: Spion
Peeping Tom [ˌpiːpɪŋ'tɒm] Spanner, Voyeur
peg [peg] **1.** *BE* Wäscheklammer **2.** *für Kleider*: Haken; ***off the peg*** *Anzug usw.*: von der Stange **3.** (≈ *Holzpfosten*) Pflock; ***be a square peg in a round hole*** *übertragen* am falschen Platz sein **4.** *in Möbeln*: Stift **5.** *für Zelt*: Hering

peg out [ˌpeg'aʊt], ***pegged out, pegged out*** *bes. BE, umg.* den Löffel abgeben (*sterben*)

pelican ['pelɪkən] *Wasservogel*: Pelikan
pelican crossing [ˌpelɪkən'krɒsɪŋ] *BE*, Fußgängerüberweg mit Ampel
pelt[1] [pelt] **1.** *von Tier*: Fell, Pelz **2.** ***at full pelt*** mit voller Geschwindigkeit
pelt[2] [pelt] **1.** bewerfen, *auch übertragen* bombardieren (***with*** mit) **2.** ***it's pelting down*** *oder* ***it's pelting with rain*** es gießt in Strömen
pelvic ['pelvɪk] *Körperteil*: Becken…
pelvis ['pelvɪs] *Körperteil*: Becken
pen [pen] *allg.*: Stift; ***ballpoint pen*** Kugelschreiber; ***fountain pen*** Füller; ***felt-tip pen*** Filzschreiber

pen

Die Kurzform **pen** wird für „Kugelschreiber", „Füllfederhalter" oder „Filzstift" verwendet.

P

penalty ['penltı] **1.** Strafe; ***impose a penalty*** (*Gericht*) eine Strafe verhängen; ***pay the penalty for something*** *übertragen* etwas bezahlen *oder* büßen (***with*** mit) **2.** *Fußball*: Elfmeter, Ⓐ, Ⓒⓗ Penalty; ***penalty area*** *oder* ***box*** Strafraum; ***penalty kick*** Strafstoß, Elfmeter, Ⓐ, Ⓒⓗ Penalty; ***penalty shoot-out*** Elfmeterschießen
pence [pens] *Pl. von* → ***penny***
pencil ['pensl] Bleistift; ***pencil case*** Federmäppchen; ***pencil sharpener*** Bleistiftspitzer
pendulum ['pendjʊləm] Pendel (*auch übertragen von öffentlicher Meinung usw.*)
penetrate ['penətreıt] **1.** *in Gebiet usw.*: eindringen in **2.** (*Röntgenstrahlen usw.*) durchdringen, dringen durch **3.** infiltrieren, unterwandern (*Organisation, Staat*)
penetrating ['penətreıtıŋ] **1.** *Lärm, Blick usw.*: durchdringend **2.** *Verstand*: scharf
penfriend ['penfrend] *BE* Brieffreund(in)
penguin ['peŋgwın] *Vogel*: Pinguin
penicillin [ˌpenə'sılın] *Medizin*: Penicillin
peninsula [pə'nınsjʊlə] Halbinsel
penis ['piːnıs] *Pl.*: ***penises*** ['piːnısız] Penis
penknife ['pen‿naıf] *Pl.*: ***penknives*** ['pennaıvz] Taschenmesser
pen name ['pen‿neım] *von Schriftsteller*: Pseudonym
penniless ['penıləs] mittellos; ***be penniless*** *auch*: keinen Pfennig Geld haben
penny ['penı] *Pl.*: ***pennies*** *oder* ***pence*** [pens] *BE* Penny; ***in for a penny, in for a pound*** wer A sagt, muss auch B sagen; ***a pretty penny*** *umg.* ein hübsches Sümmchen; ***the penny has dropped*** *umg.* der Groschen ist gefallen; ***spend a penny*** *umg.* austreten

penny

Ein britisches Pfund hat 100 **pence.**

1p one penny, one p [piː]
5p five pence, five p
20p twenty pence, twenty p

Der Plural von **penny** lautet allgemein **pence**. Nur wenn von einzelnen Ein-Penny-Münzen die Rede ist, sagt man **pennies**.

penny pincher ['penıˌpıntʃə] *umg.* Pfennigfuchser(in)
penny-pinching ['penıˌpıntʃıŋ] *umg.* knickerig
penpal ['penpæl] *bes. AE, umg.* Brieffreund(in)
pension 1. ['penʃn] (≈ *Altersversorgung*) Rente, Pension; ***pension scheme*** Rentenversicherung **2.** ['pɑ̃sjɑ̃] (≈ *Gästehaus*) Pension (⚠ *wird im Englischen nur für Gästehäuser auf dem Kontinent verwendet; die entsprechende Einrichtung in GB heißt* ***boarding house*** *oder* ***guesthouse***)

pension off [ˌpenʃn'ɒf] **1.** *umg.* pensionieren, in den Ruhestand versetzen **2.** *umg., übertragen* ausrangieren (*Maschine usw.*)

pensioner ['penʃnə] Rentner(in), Pensionär(in)
pentagon ['pentəgən] **1.** *Geometrie*: Fünfeck **2.** ***the Pentagon*** das Pentagon (*amerikanisches Verteidigungsministerium*)
pentathlete [pen'tæθliːt] *Sport*: Fünfkämpfer(in)
pentathlon [pen'tæθlən] *Sport*: Fünfkampf
Pentecost ['pentıkɒst] *Kirche*: Pfingsten
penthouse ['penthaʊs] Penthouse, Penthaus
penultimate [pə'nʌltımət] vorletzte(r, -s)
peony ['piːənı] *Pflanze*: Pfingstrose
people ['piːpl] **1.** (⚠ *nur im Pl. verwendet*) Menschen, Leute; ***my people*** *umg.* meine Angehörigen *oder* Familie **2.** (⚠ *nur im Pl. verwendet*) man; ***people say that …*** man sagt, dass … **3.** ***the people*** (⚠ *nur im Pl. verwendet*) das Volk, die Bevölkerung; ***a man of the people*** ein Mann des Volks; ***people's front*** Volksfront; ***people's republic*** Volksrepublik **4.** Volk, Nation; ***the German people*** das deutsche Volk; ***the African peoples*** die afrikanischen Völker
pep [pep] *umg.* Pep, Schwung

pep up [ˌpep'ʌp] *umg.* aufmöbeln (*Person*); ***pep things up*** Schwung in den Laden bringen

pepper[1] ['pepə] **1.** *Gewürz*: Pfeffer **2.** *Gemüse*: Paprika; ***three peppers*** drei Paprikaschoten
pepper[2] ['pepə] **1.** (≈ *würzen*) pfeffern **2.** ***the report was peppered with statistics*** der Bericht war mit Statistiken gespickt
pepper mill ['pepə‿mıl] Pfeffermühle
peppermint ['pepəmınt] **1.** *Pflanze*: Pfefferminze **2.** *Bonbon*: Pfefferminz
pepper pot ['pepə‿pɒt] Pfefferstreuer
peppery ['pepərı] **1.** *Geschmack*: pfeff(e)rig **2.** *übertragen* hitzig (*Person*)

P

pep pill ['pep‿pɪl] *umg.* Aufputschtablette
pep talk ['pep‿tɔːk] *umg.* aufmunternde Worte; ***give someone a pep talk*** jemandem ein paar aufmunternde Worte sagen
per [pɜː] **1.** pro, je; ***ten marks per kilo*** zehn Mark pro Kilo; ***how many hours do you work per week?*** wie viele Stunden pro Woche arbeitest du?; ***120 kilometres per hour*** 120 Stundenkilometer **2.** ***as per*** laut, gemäß; ***as per our agreement of May …*** laut unserer Vereinbarung vom Mai, …
perceive [pə'siːv] **1.** wahrnehmen (*kleines Detail, kaum auffallende Veränderung usw.*) **2.** begreifen, erkennen (*Sachverhalt, Zusammenhänge usw.*)
percent[1], *BE auch* **per cent**[1] [pə'sent] …prozentig
percent[2], *BE auch* **per cent**[2] [pə'sent] Prozent
percentage [pə'sentɪdʒ] Prozentsatz, Teil; ***what percentage of … ?*** wie viel Prozent von …?; ***in percentage terms*** prozentual ausgedrückt
perception [pə'səpʃn] Wahrnehmung
perch[1] [pɜːtʃ] *Fisch*: Flussbarsch
perch[2] [pɜːtʃ] *für Vögel*: Sitzstange
perch[3] [pɜːtʃ] **1.** (*Vögel*) sich niederlassen, sich setzen (**on** auf) **2.** ***the chapel perched on the hill*** die auf dem Hügel thronende Kapelle
percussion [pə'kʌʃn] *Musik*: Schlagzeug
percussionist [pə'kʌʃnɪst] Schlagzeuger (-in)
perennial[1] [pə'renɪəl] **1.** *Pflanze*: ganzjährig **2.** *Problem usw.*: ewig, immer wiederkehrend
perennial[2] [pə'renɪəl] mehrjährige Pflanze
perfect[1] ['pɜːfɪkt] **1.** *allg.*: perfekt, vollkommen; ***perfect crime*** perfektes Verbrechen; ***nobody's perfect*** niemand ist vollkommen **2.** *Leistung usw.*: fehlerlos, makellos **3.** *verstärkend*: gänzlich, vollständig; ***perfect fool*** ausgemachter Narr; ***perfect nonsense*** kompletter Unsinn; ***they're perfect strangers to me*** das sind für mich wildfremde Leute
perfect[2] ['pɜːfɪkt] *Sprache*: Perfekt
perfect[3] [pə'fekt] vervollkommnen, perfektionieren (*Arbeitsweise, Kenntnisse usw.*)
perfection [pə'fekʃn] Vollkommenheit, Perfektion; ***bring to perfection*** vervollkommnen; ***the fish was cooked to perfection*** der Fisch war perfekt zubereitet
perfectionism [pə'fekʃnɪzm] Perfektionismus
perfectionist[1] [pə'fekʃnɪst] Perfektionist (-in)
perfectionist[2] [pə'fekʃnɪst] perfektionistisch
perfidious [pə'fɪdɪəs] *Person*: perfid(e), falsch
perfidy ['pɜːfɪdɪ] Perfidie, Falschheit
perforate ['pɜːfəreɪt] **1.** durchbohren, durchlöchern **2.** perforieren, lochen (*Papier, Akten usw.*)
perforation [ˌpɜːfə'reɪʃn] **1.** Durchbohrung, Durchlöcherung **2.** Perforation, Lochung
perform [pə'fɔːm] **1.** aufführen, spielen (*Theaterstück usw.*) **2.** *auch*: geben (*Konzert*), vortragen (*Musikstück, Lied*) **3.** vorführen (*Kunststück usw.*) **4.** ***perform well*** *bes. Sport*: eine gute Leistung zeigen, *in der Schule*: gut abschneiden **5.** verrichten (*Arbeit, Dienst usw.*) **6.** *Medizin*: durchführen (*Operation*)
performance [pə'fɔːməns] **1.** *Musik, Theater usw.*: Aufführung, Vorstellung **2.** *von Auto, Sportler, Schüler usw.*: Leistung
performer [pə'fɔːmə] *Theater usw.*: Darsteller(in), Künstler(in)
perfume[1] ['pɜːfjuːm] **1.** Parfüm **2.** *von Blumen usw.*: Duft
perfume[2] ['pɜːfjuːm] parfümieren
perhaps [pə'hæps] *allg.*: vielleicht
period ['pɪərɪəd] **1.** *allg. zeitlich*: Periode, Zeitdauer, Zeitraum; ***for a period of*** für die Dauer von **2.** *historisch*: Zeitalter, Epoche **3.** (≈ *Menstruation*) Periode **4.** *bes. AE; am Satzende*: Punkt
periodic [ˌpɪərɪ'ɒdɪk], **periodical** [ˌpɪərɪ'ɒdɪkl] periodisch, regelmäßig wiederkehrend
periodical [ˌpɪərɪ'ɒdɪkl] Zeitschrift
peripheral [pə'rɪfrəl] *Computer*: Peripheriegerät
periphery [pə'rɪfrɪ] Peripherie, *auch übertragen* Rand; ***on the periphery of the town*** am Stadtrand
perish ['perɪʃ] **1.** *förmlich* sterben, umkommen **2.** ***perish the thought!*** *umg.* Gott behüte! **3.** *Material*: brüchig werden, verschleißen **4.** *Lebensmittel*: schlecht werden, verderben
perishable ['perɪʃəbl] *Lebensmittel*: leicht verderblich
perjury ['pɜːdʒərɪ] *vor Gericht*: Meineid; ***commit perjury*** einen Meineid leisten
perm[1] [pɜːm] *umg.* Dauerwelle; ***give someone a perm*** jemandem eine Dauerwelle legen
perm[2] [pɜːm] ***perm someone's hair*** jemandem eine Dauerwelle legen

permanence ['pɜːmənəns] Permanenz, Dauerhaftigkeit
permanent ['pɜːmənənt] **1.** *allg.*: permanent, ständig; ***permanent address*** ständiger Wohnsitz **2.** *Schutz*, *Arbeitsplatz usw.*: dauerhaft
permission [pə'mɪʃn] Erlaubnis; ***without permission*** unerlaubt, unbefugt; ***ask permission from someone*** *oder* ***ask someone for permission*** jemanden um Erlaubnis bitten; ***give someone permission to do something*** jemandem die Erlaubnis geben *oder* jemandem erlauben, etwas zu tun
permissive [pə'mɪsɪv] liberal; (sexuell) freizügig; ***permissive parenting*** liberale *oder* nicht-autoritäre Kindererziehung; ***permissive society*** tabufreie Gesellschaft
permit[1] [pə'mɪt], ***permitted, permitted*** erlauben, gestatten; ***not permitted*** *auch*: verboten; ***permit someone to do something*** jemandem erlauben, etwas zu tun; ***weather permitting*** wenn es das Wetter erlaubt
permit[2] ['pɜːmɪt] *schriftlich*: Genehmigung
perpetual [pə'petʃʊəl] *Lärm*, *Angst*, *Nörgelei usw.*: fortwährend, ständig, ewig
perplex [pə'pleks] verwirren, verblüffen
perplexed [pə'plekst] verwirrt, verblüfft, perplex
perplexity [pə'pleksətɪ] Verwirrung, Verblüffung
persecute [⚠ 'pɜːsɪkjuːt] *bes. politisch*: verfolgen
persecution [ˌpɜːsɪ'kjuːʃn] **1.** *bes. politisch*: Verfolgung **2.** ***persecution complex*** *Psychologie*: Verfolgungswahn
Persian[1] ['pɜːʃən] persisch; ***Persian carpet*** Perser, Perserteppich; ***the Persian Gulf*** der Persische Golf
Persian[2] ['pɜːʃən] **1.** Perser(in) **2.** *Sprache*: Persisch
persist [pə'sɪst] **1.** ***persist in doing something*** etwas auch *oder* noch weiterhin tun; ***if you persist in coming late you'll be in trouble*** wenn du weiterhin ständig zu spät kommst, kriegst du Ärger **2.** ***'Sorry, but I don't agree,' he persisted.*** „Tut mir leid, ich bin nicht einverstanden", beharrte er **3.** (*Schmerzen*, *schlechtes Wetter usw.*) anhalten, fortdauern
persistent [pə'sɪstənt] **1.** *Person*: beharrlich **2.** *Gerücht usw.*: hartnäckig **3.** *Schmerzen*, *schlechtes Wetter usw.*: anhaltend, fortdauernd
person ['pɜːsn] Person, Mensch; ***in person*** persönlich
personal ['pɜːsnəl] **1.** (≈ *subjektiv*) persönlich; ***I know that from personal experience*** ich kenne das aus persönlicher Erfahrung **2.** *Angelegenheit*, *Sache*: persönlich, privat; ***personal call*** *Telefon*: Privatgespräch **3.** (≈ *unsachlich*) persönlich, anzüglich (*Bemerkung usw.*); ***get personal*** persönlich werden **4.** ***personal pronoun*** Personalpronomen, persönliches Fürwort
personal assistant [ˌpɜːsnəl‿ə'sɪstənt] *von Direktor(in) usw.*: persönlicher Assistent, persönliche Assistentin, *auch*: Chefsekretär(in)
personal digital assistant [ˌpɜːsnəlˌdɪdʒɪtl‿ə'sɪstənt] (*Abk.* ***PDA***) *Computer*: PDA, Organizer
personal identification number [ˌpɜːsnəl‿aɪdentɪfɪ'keɪʃnˌnʌmbə] (*Abk.* ***PIN***) *für Handy*, *EC-Karte usw.*: Geheimzahl
personality [ˌpɜːsə'nælətɪ] *Person*, *Charakter*: Persönlichkeit; ***personality cult*** Personenkult
personal organizer [ˌpɜːsnəl'ɔːgənaɪzə] **1.** *Kalender*: Terminplaner **2.** *Computer*: PDA, Organizer
personal stereo [ˌpɜːsnəl'sterɪəʊ] Walkman®
personal trainer [ˌpɜːsnəl'treɪnə] Privattrainer(in)
personification [pəˌsɒnɪfɪ'keɪʃn] Personifizierung
personify [pə'sɒnɪfaɪ] personifizieren; ***be laziness personified*** die Faulheit in Person sein
personnel [ˌpɜːsə'nel] **1.** *von Firma*: Personal, Belegschaft; ***personnel manager*** Personalchef **2.** die Personalabteilung
perspective [pə'spektɪv] **1.** *optisch*: Perspektive; ***in perspective*** *Zeichnung usw.*: perspektivisch richtig; ***the houses are out of perspective*** bei den Häusern stimmt die Perspektive nicht **2.** *übertragen* Perspektive, Blickwinkel; ***two different perspectives on the problem*** zwei unterschiedliche Sichtweisen des Problems
perspex® ['pɜːspeks] *BE* Plexiglas®
perspiration [ˌpɜːspə'reɪʃn] **1.** Schweiß **2.** Transpirieren, Schwitzen
perspire [pə'spaɪə] transpirieren, schwitzen
persuade [pə'sweɪd] **1.** überreden; ***can I persuade you to come?*** kann ich dich dazu überreden, mitzukommen? **2.** ***persuade someone that …*** jemanden davon überzeugen, dass …
persuasion [pə'sweɪʒn] **1.** Überredung **2.** *auch* ***powers of persuasion*** Überredungskunst **3.** *formell* Überzeugung; ***be***

P

of the persuasion that … der Überzeugung sein, dass …
persuasive [pəˈsweɪsɪv] *Argumente usw.*: überzeugend
perverse [pəˈvɜːs] **1.** *Person, Verhalten*: eigensinnig, querköpfig **2.** *Gedanke, Idee*: abwegig **3.** *sexuell*: pervers
perversion [pəˈvɜːʃn] **1.** *von Gedanken, Aussage usw.*: Pervertierung, Verdrehung **2.** *sexuell*: Perversion
pervert[1] [pəˈvɜːt] **1.** pervertieren (*Person, Charakter usw.*) **2.** verdrehen, entstellen (*Gedanken, Aussage usw.*); ***pervert the course of justice*** das Recht beugen
pervert[2] [ˈpɜːvɜːt] perverser Mensch
pessary [ˈpesərɪ] *Verhütungsmittel*: Pessar
pessimism [ˈpesəmɪzm] Pessimismus
pessimist [ˈpesəmɪst] Pessimist(in)
pessimistic [ˌpesəˈmɪstɪk] pessimistisch
pest [pest] **1.** *an Pflanzen*: Schädling; ***pests*** *Pl.* Ungeziefer; ***pest control*** Schädlingsbekämpfung **2.** *umg.*; *Person*: Nervensäge (⚠ *die Pest* = ***the plague***)
pester [ˈpestə] *umg.* **1.** belästigen (***with*** mit) **2.** ***my daughter keeps pestering me for a new bike*** *oder* ***my daughter keeps pestering me to buy her a new bike*** meine Tochter liegt mir ständig wegen eines neuen Fahrrads in den Ohren
pesticide [ˈpestɪsaɪd] Schädlingsbekämpfungsmittel
pet[1] [pet] **1.** Haustier **2.** *oft abwertend* Liebling; ***he's the teacher's pet*** er ist der Liebling des Lehrers **3.** *BE*; *Anrede*: Schatz
pet[2] [pet] **1.** Lieblings…; ***pet name*** Kosename **2.** Tier…; ***pet food*** Tiernahrung; ***pet shop*** Tierhandlung, Zoohandlung
pet[3] [pet], ***petted, petted*** **1.** streicheln (*Tier*) **2.** *umg.* Petting machen
petition [pəˈtɪʃn] **1.** *mst. politisch*: Petition (***against*** gegen); ***draw up a petition for*** (*bzw.* ***against***) ***something*** für (*bzw.* gegen) etwas Unterschriften sammeln **2.** *bei Behörde*: Eingabe, Gesuch; ***file a petition for divorce*** *bei Gericht*: eine Scheidungsklage einreichen
petrify [ˈpetrɪfaɪ] **1.** (*Fossilien usw.*) versteinern **2.** *übertragen* (sich) versteinern; ***petrified with horror*** vor Entsetzen wie versteinert, starr *oder* wie gelähmt vor Entsetzen; ***be petrified of*** panische Angst haben vor
petrol [ˈpetrəl] *BE* Benzin; ***petrol bomb*** Molotowcocktail; ***petrol coupon*** Benzingutschein; ***petrol pump*** *von Tankstelle*: Zapfsäule; ***petrol station*** Tankstelle
petroleum [pəˈtrəʊlɪəm] Erdöl (⚠ *Petroleum* = ***paraffin***)
petting [ˈpetɪŋ] (≈ *Sex*) Petting
petty [ˈpetɪ] **1.** *Problem, Detail usw.*: belanglos, unbedeutend; ***petty cash*** Portokasse **2.** *Vergehen*: geringfügig; ***petty crime*** Bagatelldelikte **3.** *Person, Denkweise usw.*: engstirnig
pH [ˌpiːˈeɪtʃ], **pH factor** [ˌpiːˈeɪtʃˌfæktə], **pH value** [ˌpiːˈeɪtʃˌvæljuː] *Chemie*: pH-Wert
phantom [ˈfæntəm] **1.** (≈ *Einbildung*) Phantom, Trugbild **2.** *von Verstorbenem*: Geist **3.** ***phantom limb pain*** Phantomschmerz; ***phantom pregnancy*** Scheinschwangerschaft
pharmaceutical [ˌfɑːməˈsjuːtɪkl] pharmazeutisch; ***pharmaceutical industry*** Pharmaindustrie
pharmaceuticals [ˌfɑːməˈsjuːtɪklz] *Pl.* Arzneimittel *Pl.*
pharmacist [ˈfɑːməsɪst] Apotheker(in)
pharmacy [ˈfɑːməsɪ] **1.** Apotheke **2.** *Wissenschaft*: Pharmazeutik, Pharmazie
phase[1] [feɪz] *allg.*: Phase; ***phases of the moon*** Mondphasen; ***transitional phase*** Übergangsphase
phase[2] [feɪz] schrittweise *oder* stufenweise durchführen; ***phased withdrawal of troops*** schrittweiser Truppenabzug
phat [fæt] *AE umg.* (voll) krass, endgeil
pH-balanced [ˌpiːˈeɪtʃˌbælənsd] *Seife usw.*: pH-neutral
PhD [ˌpiːeɪtʃˈdiː] *akademischer Grad*: Dr. phil.
pheasant [ˈfeznt] *Vogel*: Fasan
phenomenon [fəˈnɒmɪnən] *Pl.*: ***phenomena*** [fəˈnɒmɪnə] *allg.*: Phänomen; ***natural phenomenon*** Naturerscheinung

phenomenon

Die Pluralform **phenomena** wird besonders im amerikanischen Englisch auch mit dem Verb im Singular benutzt: **This is an unusual phenomena.**

philatelic [ˌfɪləˈtelɪk] philatelistisch
philatelist [fɪˈlætəlɪst] Briefmarkensammler(in), Philatelist(in)
philately [fɪˈlætəlɪ] Philatelie
Philippines [ˈfɪləpiːnz] ***the Philippines*** die Philippinen
philological [ˌfɪləˈlɒdʒɪkl] philologisch
philologist [fɪˈlɒlədʒɪst] Philologe, Philologin
philology [fɪˈlɒlədʒɪ] Philologie
philosopher [fəˈlɒsəfə] Philosoph(in)
philosophical [ˌfɪləˈsɒfɪkl] **1.** philosophisch **2.** *Person, Wesen*: abgeklärt, gelassen

philosophize [fə'lɒsəfaɪz] philosophieren (***about, on*** über)
philosophy [fə'lɒsəfɪ] **1.** Philosophie **2.** *übertragen auch*: Weltanschauung
phlegm [⚠ flem] **1.** *aus Nase, Rachen*: Schleim **2.** (≈ *Trägheit*) Phlegma
phlegmatic [fleg'mætɪk] phlegmatisch
phobia ['fəʊbɪə] *psychisch*: Phobie, krankhafte Angst (***about*** vor)
phoenix ['fiːnɪks] *Mythologie*: Phönix; ***rise like a phoenix from the ashes*** wie ein Phönix aus der Asche emporsteigen
phone[1] [fəʊn] **1.** Telefon; ***by phone*** telefonisch; ***answer the phone*** ans Telefon gehen; ***phone book*** Telefonbuch; ***phone box***, *AE* ***phone booth*** Telefonzelle; ***phone call*** Anruf, Gespräch; ***phone number*** Telefonnummer; ***turn the radio down - I'm on the phone*** mach das Radio leiser - ich telefoniere **2.** ***are you on the phone?*** *oder* ***have you got a phone?*** haben Sie Telefon? **3.** Hörer; ***pick up*** (*bzw.* ***put down***) ***the phone*** den Hörer abnehmen (*bzw.* auflegen)

on the phone

Im Allgemeinen meldet man sich in England am Telefon nicht mit dem Namen. Ein einfaches **Hello?** genügt. Der Arbeitsplatz ist vielleicht die Ausnahme. Hier ist die Nennung des Namens durchaus üblich. Manche melden sich auch mit ihrer Telefonnummer. Wenn du wissen willst, mit wem du sprichst, musst du fragen:

Hello, is that Richard?

Natürlich kannst du dich auch selbst gleich vorstellen:

Hello, this is Paul *oder*
Hello, Paul Kirchner speaking ...

Wenn du aber genau weißt, dass dein Gesprächspartner dir nicht bekannt ist und du willst eigentlich mit jemand anderem reden, kannst du auch gleich nach ihm fragen, ohne dass dies unhöflich wirkt:

Hello, could I speak to Tony please?
Jetzt ist dein Gesprächspartner am kürzeren Hebel. Denn er muss fragen, mit wem er spricht:

Who's speaking, please? ...
Hold on, I'll just get him.
(Moment bitte, ich hole ihn.)

phone[2] [fəʊn] telefonieren, anrufen; ***has Mum phoned yet?*** hat Mutti schon angerufen?

phone back [ˌfəʊn'bæk] zurückrufen; ***can I phone you back?*** kann ich dich zurückrufen?

phonecard ['fəʊnkɑːd] Telefonkarte
phone-in ['fəʊnɪn] *Rundfunk*, *TV*: Sendung mit Zuhörer- oder Zuschaueranrufen
phonetic [fə'netɪk] phonetisch; ***phonetic transcription*** Lautschrift
phoney[1], **phony**[1] ['fəʊnɪ] *AE, umg.*; *Geld usw.*: falsch (*auch Person*), unecht
phoney[2], **phony**[2] ['fəʊnɪ] *AE, umg.* **1.** *Geld usw.*: Fälschung **2.** *Person*: Schwindler(in)
phosphate ['fɒsfeɪt] *Chemie*: Phosphat
phosphate-free ['fɒsfeɪt‿friː] *Waschmittel usw.*: phosphatfrei
phosphorescent [ˌfɒsfə'resnt] phosphoreszierend
phosphorus ['fɒsfərəs] *Element*: Phosphor
photo ['fəʊtəʊ] *umg.* Foto, Bild; ***in the photo*** auf dem Foto; ***take a photo*** ein Foto machen (***of*** von)
photocopier ['fəʊtəʊˌkɒpɪə] Fotokopierer, Fotokopiergerät
photocopy[1] ['fəʊtəʊˌkɒpɪ] Fotokopie; ***make a photocopy of*** eine Fotokopie machen von

photograph

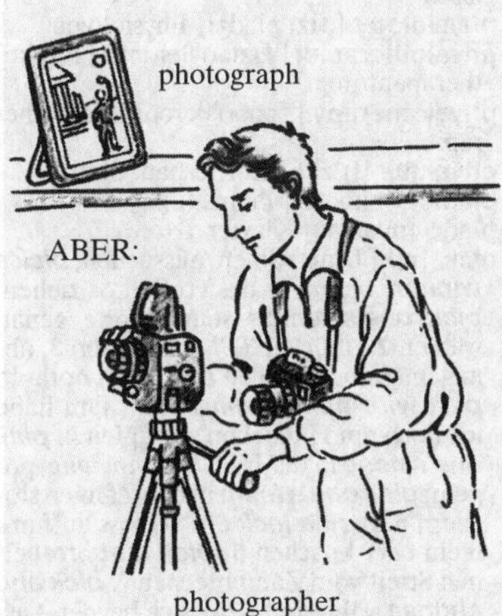

P

photocopy[2] ['fəʊtəʊˌkɒpɪ] fotokopieren
photo finish [ˌfəʊtəʊ'fɪnɪʃ] *Sport* Fotofinish
Photofit® ['fəʊtəʊfɪt] Phantombild
photograph[1] ['fəʊtəgrɑːf] Fotografie, Aufnahme; ***take a photograph*** eine Aufnahme machen (***of*** von) (*Fotograf* = ***photographer***); ☞ *Illu S. 355*
photograph[2] ['fəʊtəgrɑːf] fotografieren
photographer [fə'tɒgrəfə] Fotograf(in); ☞ *Illu S. 355*
photographic [ˌfəʊtə'græfɪk] fotografisch; ***photographic memory*** fotografisches Gedächtnis
photography [fə'tɒgrəfɪ] *Verfahren, Kunst usw.*: Fotografie
phrase [freɪz] *Sprache*: Wendung, Ausdruck
phrasebook ['freɪzbʊk] Sprachführer
phut [fʌt] ***go phut*** *BE, umg.* kaputtgehen, (*Pläne usw.*) platzen
physical[1] ['fɪzɪkl] **1.** physisch, körperlich; ***physical education*** *Schulfach*: Sport; ***physical handicap*** Körperbehinderung **2.** physikalisch
physical[2] ['fɪzɪkl] ärztliche Untersuchung
physically ['fɪzɪklɪ] ***be physically fit*** körperlich fit sein; ***physically handicapped*** körperbehindert
physician [fɪ'zɪʃən] Arzt, Ärztin
physicist ['fɪzɪsɪst] Physiker(in)
physics ['fɪzɪks] (⚠ *im Sg. verwendet*) Physik
physio ['fɪzɪəʊ] *umg.* Physiotherapeut(in)
physiognomy [⚠ ˌfɪzɪ'ɒnəmɪ] Physiognomie, Gesichtsausdruck
physiological [ˌfɪzɪə'lɒdʒɪkl] physiologisch
physiology [ˌfɪzɪ'ɒlədʒɪ] Physiologie
physiotherapist [ˌfɪzɪəʊ'θerəpɪst] Physiotherapeut(in)
physiotherapy [ˌfɪzɪəʊ'θerəpɪ] Physiotherapie
physique [fɪ'ziːk] Körperbau, Statur
pianist ['piːənɪst] Pianist(in)
piano [pɪ'ænəʊ] Klavier
pick[1] [pɪk] **1.** auswählen, aussuchen; ***pick a winner*** *übertragen* das große Los ziehen; ***pick one's words*** seine Worte genau wählen **2.** pflücken (*Blumen, Obst*) **3.** abnagen (*Knochen*); ***I've still got a bone to pick with him*** *übertragen* mit ihm habe ich noch ein Hühnchen zu rupfen **4.** ***pick one's nose*** in der Nase bohren, *umg.* popeln; ***pick one's teeth*** in den Zähnen stochern **5.** ***pick a lock*** ein Schloss auffummeln *oder* knacken **6.** ***pick a quarrel*** einen Streit vom Zaun brechen **7.** ***pick and choose*** wählerisch sein, sich bei der Auswahl Zeit lassen **8.** ***you're the expert - may I pick your brains about ...?*** *umg.* du bist der Fachmann - darf ich dich mal über ... ausquetschen *oder* ausfragen?

pick at ['pɪk‿ət] **1.** ***pick at one's food*** im Essen herumstochern **2.** (≈ *kritisieren*) *umg.* herumnörgeln an, herumhacken auf
pick on ['pɪk‿ɒn] **1.** (≈ *kritisieren*) *umg.* herumnörgeln an, herumhacken auf **2.** *für etwas Unangenehmes*: aussuchen; ***why pick on me?*** warum ausgerechnet ich?
pick out [ˌpɪk'aʊt] **1.** *aus verschiedenen Möglichkeiten, Dingen usw.*: auswählen **2.** (≈ *sehen*) ausmachen, erkennen
pick up [ˌpɪk'ʌp] **1.** *vom Boden* : aufheben, auflesen; ***pick oneself up*** *nach einem Sturz*: sich aufrappeln (*auch übertragen*) **2.** *umg.* abholen; ***I'll pick you up in my new car*** ich hole dich mit meinem neuen Wagen ab **3.** *umg.* mitnehmen (*Anhalter*) **4.** *umg.* sich holen *oder* einfangen (*Krankheit, Virus*) **5.** aufschnappen (*Kenntnisse, Informationen usw.*) **6.** ***pick up speed*** schneller werden **7.** *nach Krankheit usw.*: sich wieder erholen (*auch übertragen*) **8.** (*Wind usw.*) stärker werden

pick[2] [pɪk] **1.** *Werkzeug*: Spitzhacke, Pickel **2.** ***have one's pick of*** auswählen können aus; ***take your pick!*** such dir etwas aus!; ***the pick of the bunch*** das Allerbeste, das Beste vom Besten
pickaxe ['pɪkæks] *Werkzeug*: Spitzhacke, Pickel
picket[1] ['pɪkɪt] **1.** Pfahl **2.** Streikposten; ***picket line*** Streikpostenkette
picket[2] ['pɪkɪt] **1.** Streikposten aufstellen vor, durch Streikposten blockieren (*Fabrik usw.*) **2.** Streikposten stehen
picket fence ['pɪkɪtˌfens] Palisadenzaun
pickle[1] ['pɪkl] **1.** Marinade, Salzlake **2.** *AE* Essiggurke, Gewürzgurke **3.** *mst.* ***pickles*** *Pl.* (≈ *eingelegtes Gemüse*) Mixed Pickles *Pl.*
pickle[2] ['pɪkl] einlegen (*Gurken usw.*)
pick-me-up ['pɪkmɪʌp] *umg.* Muntermacher, Anregungsmittel
pickpocket ['pɪkˌpɒkɪt] Taschendieb(in)
picnic[1] ['pɪknɪk] Picknick; ***have a picnic*** Picknick machen; ***it was no picnic*** *umg.* es war kein Honiglecken
picnic[2] ['pɪknɪk], ***picnicked, picnicked***, *-ing-Form* ***picnicking*** picknicken

picture[1] ['pɪktʃə] **1.** *allg.*: Bild (*auch TV*); ***in the picture*** auf dem Bild **2.** *Kunstwerk*: Gemälde; ***as pretty as a picture*** sehr hübsch; ***paint a gloomy*** (*bzw.* ***vivid***) ***picture of something*** *übertragen* etwas in düsteren (*bzw.* glühenden) Farben malen *oder* schildern **3.** (≈ *Anblick*) Bild; ***be a picture*** *etwas sehr Schönes*: eine Pracht *oder* ein Traum sein; ***be the picture of health*** aussehen wie das blühende Leben; ***his face was a picture*** du hättest sein Gesicht sehen sollen **4.** (≈ *Foto*) Aufnahme; ***take a picture*** eine Aufnahme machen (***of*** von) **5.** *übertragen* Vorstellung; ***be in the picture*** im Bild sein **6.** *AE auch* ***motion picture*** *im Kino*: Film **7.** ***pictures*** *Pl., bes. BE, veraltend*: Kino; ***go to the pictures*** ins Kino gehen

picture[2] ['pɪktʃə] **1.** *auf einem Bild*: darstellen, abbilden **2.** *in Beschreibung, Schilderung*: darstellen **3.** *übertragen* sich vorstellen (*Situation, Person usw.*)

picture book ['pɪktʃə‿bʊk] Bilderbuch

picture gallery ['pɪktʃəˌgælərɪ] Gemäldegalerie

picture postcard [ˌpɪktʃə'pəʊstkɑːd] Ansichtskarte

picturesque [ˌpɪktʃə'resk] *Dorf, Landschaft usw.*: malerisch

piddle ['pɪdl] *umg.* pinkeln

> **piddle around** [ˌpɪdl‿ə'raʊnd] vertrödeln (*Zeit*)

piddling ['pɪdlɪŋ] *umg.* klein, unwichtig

pie [paɪ] **1.** *mit Fleisch und Gemüse*: Pastete **2.** *mit Obst*: (*mst.* gedeckter) Obstkuchen; ***easy as pie*** *umg.* kinderleicht

piece [piːs] **1.** *allg.*: Stück; ***a piece of cake*** ein Stück Kuchen; ***a piece of paper*** ein Stück Papier; ***a piece of advice*** ein Rat (-schlag); ***a piece of information*** eine Information; ***in pieces*** *Teller, Vase usw.*: entzwei, kaputt; ***in one piece*** *umg.*; *Sachen*: ganz, unbeschädigt, *Person*: heil, unverletzt; ***go to pieces*** *umg.*; *nervlich oder körperlich*: zusammenbrechen; ***pull*** *oder* ***tear to pieces*** *übertragen* zerpflücken (*Äußerung, Argument usw.*) **2.** *von Maschine usw.*: Teil; ***take to pieces*** auseinander nehmen, zerlegen **3.** Geldstück, Münze; ***a 10p*** (*gesprochen* ['tenpiː] *oder* ['tenpens]) ***piece*** eine Zehnpence-Münze **4.** *Schach*: Figur **5.** *Damespiel usw.*: Stein **6.** *in Zeitung*: Artikel

piecework ['piːswɜːk] Akkordarbeit; ***be on*** (*oder* ***do***) ***piecework*** im Akkord arbeiten

pie chart ['paɪ‿tʃɑːt] Tortendiagramm, Kreisdiagramm

pier [pɪə] **1.** *zum Anlegen von Schiffen*: Pier, Landungssteg **2.** *von Brücke*: Pfeiler

pierce [pɪəs] **1.** (*Messer, Schwert usw.*) durchbohren, durchstoßen **2.** piercen (*Nase, Nabel usw.*); ***have one's ears pierced*** sich die Ohrläppchen durchstechen lassen **3.** *übertragen* durchdringen; ***a cry pierced the silence*** ein Schrei zerriss die Stille

piercing[1] ['pɪəsɪŋ] **1.** *Geräusch*: durchdringend, *Schrei auch*: gellend **2.** *Kälte usw.*: schneidend **3.** *Blick, Schmerz usw.*: stechend

piercing[2] ['pɪəsɪŋ] *in Nase, Nabel usw.*: Piercing

pig [pɪg] **1.** *Tier*: Schwein; ***buy a pig in a poke*** *übertragen* die Katze im Sack kaufen; ***make a pig's ear of something*** *BE, umg.* etwas vermasseln **2.** *umg., abwertend* Schwein **3.** *umg.* (≈ *Polizist*) Bulle

pigeon ['pɪdʒən] *Vogel*: Taube

pigeonhole[1] ['pɪdʒənhəʊl] Ablagefach, *für Briefe usw.*: Postfach; ***put people in pigeonholes*** *übertragen* Menschen in Schubladen einordnen *oder* stecken

pigeonhole[2] ['pɪdʒənhəʊl] **1.** (in Fächern) ablegen (*Korrespondenz usw.*) **2.** *übertragen* einordnen, klassifizieren (*Personen*) **3.** *übertragen* zurückstellen (*Plan, Projekt usw.*)

piggy-bank ['pɪgɪbæŋk] Sparschwein

pigheaded [ˌpɪg'hedɪd] *Person*: dickköpfig, stur

piglet ['pɪglət] *junges Schwein*: Ferkel

pigment ['pɪgmənt] Pigment

pigsty ['pɪgstaɪ] Schweinestall, *übertragen auch* Saustall

pigtail ['pɪgteɪl] Zopf

pike [paɪk] *Fisch*: Hecht

pile[1] [paɪl] **1.** *von Kleidung, Zeitungen, Büchern usw.*: Stapel, Stoß **2.** ***piles of*** *oder* ***a pile of …*** *umg.* ein Haufen …, jede Menge …; ***make a pile*** *umg.* eine Menge Geld machen

pile[2] [paɪl] *auch* ***pile up*** aufhäufen, aufstapeln (*Bücher, Kleidung usw.*); ***the table was piled with books*** auf dem Tisch stapelten sich die Bücher

> **pile in** [ˌpaɪl'ɪn] *in Kino usw.*: sich hinein- *oder* hereindrängen.
>
> **pile on** [ˌpaɪl'ɒn] ***pile it on*** *umg.*; *positiv oder negativ*: dick auftragen
>
> **pile up** [ˌpaɪl'ʌp] (*Arbeit usw.*) sich anhäufen, sich ansammeln

P

piles [paɪlz] *Pl., Medizin*: Hämorrhoiden
pile-up ['paɪlʌp] *umg.* Massenkarambolage
pilgrim ['pɪlgrɪm] Pilger(in), Wallfahrer (-in); ***the Pilgrim Fathers*** *Geschichte*: die Pilgerväter
pill [pɪl] **1.** *Arznei*: Pille, Tablette; ***a bitter pill (to swallow)*** *übertragen* eine bittere Pille **2.** ***the Pill*** *umg.*; *Verhütungsmittel*: die Pille; ***be on the Pill*** die Pille nehmen
pillar ['pɪlə] Pfeiler, Säule (*auch übertragen*); ***from pillar to post*** *übertragen* von Pontius zu Pilatus
pillow ['pɪləʊ] Kissen, Kopfkissen
pillowcase ['pɪləʊkeɪs] Kissenbezug, Kopfkissenbezug
pillow fight ['pɪləʊ‿faɪt] Kissenschlacht
pilot[1] ['paɪlət] **1.** *von Flugzeug*: Pilot(in); ***pilot's licence*** Flugschein, Pilotenschein **2.** *von Schiff*: Lotse, Lotsin **3.** ***pilot film*** *TV*: Pilotfilm; ***pilot scheme*** Pilotprojekt
pilot[2] ['paɪlət] **1.** steuern, fliegen (*Flugzeug usw.*) **2.** lotsen (*Schiff usw.*) (*auch übertragen*)
pimp [pɪmp] Zuhälter
pimple ['pɪmpl] Pickel, Pustel, *bes.* Ⓐ Wimmerl
PIN [pɪn], **PIN number** ['pɪnˌnʌmbə] ☞ ***personal identification number***
pin[1] [pɪn] **1.** Stecknadel **2.** *bes. AE*; *oft als Schmuck*: *bes. AE* Brosche, Anstecknadel **3.** *für die Pinnwand usw.*: Reißnagel, Reißzwecke **4.** *beim Bowling*: Kegel
pin[2] [pɪn], ***pinned, pinned*** heften, festmachen, befestigen (***on, to*** an); ***we're pinning our hopes on the next match*** wir setzen unsere Hoffnung auf das nächste Spiel

> **pin down** [ˌpɪn'daʊn] **1.** *bei Ringkampf usw.*: zu Boden drücken **2.** *übertragen* festlegen, festnageln (*auf eine Aussage usw.*)

pinball ['pɪnbɔːl] Flippern; ***play pinball*** flippern; ***pinball machine*** Flipper, Spielautomat (⚠ ***flipper*** = *Flosse*)
pinch[1] [pɪntʃ] **1.** kneifen, zwicken; ***pinch someone's arm*** jemanden in den Arm zwicken **2.** (*Schuh, Stiefel*) drücken **3.** *umg.* klauen (*auch übertragen*: *Idee*); ***who's pinched my lighter?*** wer hat mein Feuerzeug geklaut?
pinch[2] [pɪntʃ] **1.** Kneifen, Zwicken; ***give someone a pinch*** jemanden kneifen *oder* zwicken **2.** Prise (*Salz usw.*) **3.** *übertragen* Notlage; ***feel the pinch*** knapp bei Kasse sein; ***at a pinch*** zur Not, notfalls
pine [paɪn] *Baum*: Kiefer
pineapple ['paɪnæpl] *Frucht*: Ananas
pine tree ['paɪn‿triː] *Baum*: Kiefer
pink[1] [pɪŋk] **1.** *Farbe*: Rosa **2.** *Blume*: Nelke
pink[2] [pɪŋk] **1.** rosa, rosafarben, pink; ***see pink elephants*** *umg., übertragen* weiße Mäuse sehen **2.** *umg., politisch*: rötlich, links angehaucht
pinkie ['pɪŋkiː] *AE, Schottisch* kleiner Finger
pink slip [ˌpɪŋk'slɪp] *AE, umg.* Entlassungsschreiben, blauer Brief
pinnacle ['pɪnəkl] **1.** (Fels)Gipfel **2.** *übertragen* Gipfel, Höhepunkt
pinpoint[1] ['pɪnpɔɪnt] **1.** Nadelspitze **2.** *übertragen* winziger Punkt; ***pinpoint of light*** Lichtpunkt
pinpoint[2] ['pɪnpɔɪnt] **1.** genau zeigen (*Lage, Ort*) **2.** *übertragen* genau bestimmen (*Grund für etwas*)
pint [⚠ paɪnt] **1.** *Maßeinheit*: *das* Pint (= *etwa 0,57 l*) **2.** *BE, umg.* Halbe (*Bier*); ***meet for a pint*** sich auf ein Bier treffen
pioneer[1] [ˌpaɪə'nɪə] **1.** Pionier **2.** *übertragen auch* Bahnbrecher, Wegbereiter
pioneer[2] [ˌpaɪə'nɪə] *übertragen* den Weg bahnen für, Pionierarbeit leisten für
pious ['paɪəs] fromm; ***pious hope*** frommer Wunsch
pip[1] [pɪp] **1.** *von Apfel usw.*: Kern **2.** *AE*; *auf Spielkarten, Würfel*: Auge
pip[2] [pɪp] *BE, umg.* knapp besiegen *oder* schlagen; ***pip someone at the post*** *Sport*: jemanden im Ziel abfangen, *übertragen* jemandem um Haaresbreite zuvorkommen
pipe[1] [paɪp] **1.** *für Gas, Wasser*: Rohr, Leitung **2.** *zum Rauchen*: Pfeife **3.** *von Orgel*: Pfeife **4.** ***pipes*** *Pl.* Dudelsack
pipe[2] [paɪp] leiten (*Wasser, Gas, Abwässer*); ***contaminated coolant was piped into the river*** verseuchtes Kühlmittel wurde in den Fluss geleitet
pipeline ['paɪplaɪn] **1.** Rohrleitung **2.** *für Erdöl, Erdgas*: Pipeline **3.** ***be in the pipeline*** *übertragen* in Vorbereitung sein (*Pläne usw.*), im Kommen sein (*Entwicklung usw.*)
piper ['paɪpə] Dudelsackpfeifer; ***pay the piper*** *übertragen* für die Kosten aufkommen
pipe smoker ['paɪpˌsməʊkə] Pfeifenraucher(in)
piping ['paɪpɪŋ] **1.** Rohrleitung, Rohrleitungssystem **2.** *auf Torten usw.*: Spritzguss
piping hot [ˌpaɪpɪŋ'hɒt] *Wasser, Essen usw.*: kochend heiß
piquant ['piːkənt] **1.** *Speisen*: pikant **2.**

übertragen, *Situation usw.*: reizvoll, faszinierend

pique[1] [piːk] kränken, verletzen; ***be piqued*** pikiert sein (***at*** über)

pique[2] [piːk] ***in a fit of pique*** gekränkt, verletzt, pikiert

piracy ['paɪrəsɪ] **1.** Seeräuberei, Piraterie **2.** *von Büchern*: Raubdruck **3.** *von CDs*: Raubpressung **4.** *von Videos*, *Software*: Herstellung von Raubkopien

pirate[1] ['paɪrət] **1.** Pirat, Seeräuber **2.** ***pirate copy*** *von Video*, *Software*: Raubkopie; ***pirate edition*** *von Buch*: Raubdruck; ***pirate radio*** Piratensender

pirate[2] ['paɪrət] unerlaubt kopieren; ***pirated copy*** *von Video*, *Software usw.*: Raubkopie

pirouette [ˌpɪrʊ'et] Pirouette; ***do a pirouette*** eine Pirouette drehen

Pisces [⚠ 'paɪsiːz] *Pl.* (⚠ *im Sg. verwendet*) *Sternbild*: Fische; ***be*** (***a***) ***Pisces*** Fisch sein

piss[1] [pɪs] *vulgär* pissen; ***it's pissing down*** *bes. BE* es schifft

piss off [ˌpɪs'ɒf] *vulgär* **1.** *übertragen* ankotzen; ***be pissed off with*** die Schnauze voll haben von **2.** ***piss off!*** verpiss dich!

piss[2] [pɪs] *vulgär* **1.** Pisse; ***take the piss out of someone*** jemanden verarschen **2.** Pissen; ***have a piss*** pissen; ***go for a piss*** pissen gehen

pissed ['pɪst] **1.** *BE*, *umg.* (≈ *betrunken*) blau **2.** *AE* stocksauer (***at*** auf)

pistachio [pɪ'stɑːʃɪəʊ] *Pl.* ***pistachios*** Pistazie (*Baum und Frucht*)

piste [piːst] (Ski)Piste

pistol ['pɪstl] *Waffe*: Pistole

pit [pɪt] **1.** *Bodenvertiefung*: Grube (*auch in Autowerkstatt*) **2.** *Bergbau*: Grube, Zeche; ***pit closure*** Zechenstilllegung **3.** *Motorsport*: Box; ***pit stop*** Boxenstopp

pita bread ['pɪtə‿bred] *bes. AE* ☞ ***pitta bread***

pitch[1] [pɪtʃ] **1.** aufschlagen (*Lager*, *Zelt usw.*) **2.** werfen, schleudern (*Ball usw.*, *bes. beim Baseball*)

pitch[2] [pɪtʃ] **1.** *BE*; *Sport*: Spielfeld **2.** *Musik*: Tonhöhe **3.** *übertragen* Grad, Stufe (*von Gefühlen*) **4.** *Substanz*: Pech; ***as black as pitch*** *Nacht*, *Finsternis*: pechschwarz, stockdunkel

pitch-black [ˌpɪtʃ'blæk], **pitch-dark** [ˌpɪtʃ'dɑːk] *Nacht*, *Finsternis*: pechschwarz, stockdunkel

pitcher ['pɪtʃə] **1.** *Baseball*: Werfer **2.** *AE*; *für Wasser*, *Bier usw.*: Krug

pitfall ['pɪtfɔːl] *übertragen* Falle, Fallstrick

pitiful ['pɪtɪfl] **1.** *Anblick*: Mitleid erregend **2.** *Person*, *Zustand*: bemitleidenswert **3.** *abwertend*; *Ausrede usw.*: erbärmlich, jämmerlich

pitiless ['pɪtɪləs] *Person*: unbarmherzig, gnadenlos (*auch übertragen*: *Hitze usw.*)

pitta bread ['pɪtə‿bred] *BE* Pita, Fladenbrot

pity[1] ['pɪtɪ] **1.** Mitleid; ***out of pity*** aus Mitleid; ***feel pity for*** *oder* ***have pity on*** Mitleid haben mit **2.** ***it's a pity*** es ist schade; ***pity you couldn't come*** schade, dass du nicht kommen konntest; ***what a pity!*** wie schade!

pity[2] ['pɪtɪ] bemitleiden, bedauern; ***I pity him*** er tut mir leid

pixel ['pɪksl] *Computer*: Pixel, Bildpunkt

pixie, pixy ['pɪksɪ] Elf, Elfe, Kobold

pizza [⚠ 'piːtsə] Pizza; ***pizza place*** Pizzeria

pizzeria [ˌpiːtsə'riːə] Pizzeria

placard ['plækɑːd] Plakat, *auf Demo auch*: Transparent

place[1] [pleɪs] **1.** *allg. räumlich*: Ort, Stelle, Platz; ***from place to place*** von Ort zu Ort; ***showers in places*** stellenweise Schauer; ***place of birth*** Geburtsort; ***place of work*** Arbeitsstätte **2.** *übertragen verwendet*: ***in place of*** an Stelle von (*oder Genitiv*); ***if I were in your place I would …*** an Ihrer Stelle würde ich …; ***just put yourself in my place*** versetzen Sie sich doch einmal in meine Lage; ***take place*** stattfinden; ***take someone's place*** jemandes Stelle einnehmen (⚠ *Platz nehmen* = ***sit down***) **3.** Haus, Wohnung; ***at his place*** bei ihm (zu Hause); ***let's go to my place*** gehen wir zu mir **4.** Wohnort, Ortschaft; ***there's nothing going on in this place*** hier ist nichts los **5.** *Reihenfolge*: Platz, Stelle; ***in the first place*** erstens, zuerst; ***why didn't she mention it in the first place?*** warum hat sie das nicht gleich erwähnt?; ***you shouldn't have invited him in the first place*** du hättest ihn gar nicht erst einladen sollen **6.** *Sport*: Platz; ***in third place*** auf dem dritten Platz **7.** *in Kurs*, *an Universität usw.*: Platz **8.** ***in place*** am richtigen Platz; ***out of place*** nicht am richtigen Platz, *übertragen* fehl am Platz; ***your remark was rather out of place*** deine Bemerkung war ziemlich unangebracht

place[2] [pleɪs] **1.** (≈ *hintun*) stellen, setzen, legen **2.** erteilen, vergeben (*Auftrag usw.*) (***with*** an) **3.** aufgeben (*Bestellung*) **4.** ***I***

can't place him ich weiß nicht, wo ich ihn hintun soll (≈ *woher ich ihn kenne*) **5.** ***be placed*** *Sport*: sich platzieren; ***be placed third*** an dritter Stelle platziert sein

placebo [plə'siːbəʊ] *Pl.* ***placebos*** *Medizin* Placebo; ***placebo effect*** Placeboeffekt

placement ['pleɪsmənt] **1.** *von Wohnung, Arbeitsplatz*: Vermittlung **2.** *Teil einer Ausbildung*: Praktikum

place name ['pleɪs‿neɪm] Ortsname

plagiarism ['pleɪdʒərɪzm] Plagiat

plagiarist ['pleɪdʒərɪst] Plagiator(in)

plagiarize ['pleɪdʒəraɪz] plagiieren (***from*** von)

plague[1] [pleɪg] **1.** *allg.*: Seuche **2.** ***the plague*** die Pest **3.** *von Ungeziefer*: Plage; ***a plague of locusts*** eine Heuschreckenplage

plague[2] [pleɪg] plagen (***with*** mit); ***be plagued by fears*** von Ängsten geplagt werden

plaice [pleɪs] *Pl.*: ***plaice*** *Fisch*: Scholle

plain[1] [pleɪn] **1.** *Kleidung, Einrichtung, Lebensstil*: einfach, schlicht; ***plain cooking*** gutbürgerliche Küche **2.** *Aussage usw.*: klar, klar und deutlich, unmissverständlich; ***the plain truth*** die nackte Wahrheit; ***make something plain*** etwas klarstellen; ***make something plain to someone*** jemandem etwas klarmachen; ***in plain English*** *übertragen* auf gut Deutsch **3.** *mst. auf eine Frau bezogen*: unscheinbar, reizlos **4.** (≈ *aufrichtig*) offen und ehrlich; ***be plain with someone*** jemandem gegenüber offen sein **5.** *verstärkend*: ausgesprochen, rein, völlig; ***plain nonsense*** barer Unsinn; ***this is plain crazy*** *umg.* das ist ganz einfach verrückt

plain[2] [pleɪn] Ebene, Flachland

plain chocolate [ˌpleɪn'tʃɒklət] Zartbitterschokolade

plain clothes [ˌpleɪn'kləʊðz] *Pl.* Zivilkleidung; ***in plain clothes*** *Polizei usw.*: in Zivil

plain-clothes [ˌpleɪn'kləʊðz] ***plain-clothes policeman*** Polizist in Zivil

plainspoken [ˌpleɪn'spəʊkən] offen, freimütig; ***be plainspoken*** *auch* sagen, was man denkt

plan[1] [plæn] **1.** (≈ *Vorhaben*) Plan, Absicht; ***change one's plans*** umdisponieren; ***according to plan*** planmäßig, plangemäß; ***make plans for the future*** Zukunftspläne machen **2.** *von Stadt, Gebäude usw.*: Plan

plan[2] [plæn], ***planned, planned*** **1.** *allg.*: planen; ***plan ahead*** vorausplanen; ***planned economy*** Planwirtschaft **2.** (≈ *vorhaben*) planen, beabsichtigen; ***we're planning to spend Easter in Austria*** wir wollen Ostern in Österreich verbringen

plane [pleɪn] Flugzeug; ***by plane*** mit dem Flugzeug; ***go by plane*** fliegen

planet ['plænɪt] Planet

planetarium [ˌplænɪ'teərɪəm] *Pl.* ***planetariums*** [ˌplænɪ'teərɪəmz] *oder* ***planetaria*** [ˌplænɪ'teərɪə] Planetarium

plank [plæŋk] **1.** *aus Holz*: Planke, Bohle, Brett; ***as thick as two short planks*** *BE, umg.* strohdumm **2.** *Politik*: Schwerpunkt (*eines Parteiprogramms*)

plankton ['plæŋktən] Plankton

plant[1] [plɑːnt] **1.** Pflanze; ***water the plants*** die Pflanzen gießen **2.** (≈ *Fabrik*) Werk, Betrieb

plant[2] [plɑːnt] **1.** *im Garten usw.*: pflanzen, anpflanzen, einpflanzen (*Baum, Gemüse usw.*) **2.** bepflanzen (*Land*) (***with*** mit) **3.** aufstellen, postieren (*Wächter, Polizisten usw.*) **4.** legen (*Bombe*)

plantation [plɑːn'teɪʃn] **1.** *in südlichen Ländern*: Plantage, Pflanzung **2.** *im Wald*: Schonung

plaque [plæk *oder* plɑːk] **1.** Gedenktafel **2.** *Medizin*: Zahnbelag

plasma ['plæzmə] *allg.*: Plasma

plaster[1] ['plɑːstə] **1.** *BE*; *Verband*: Pflaster **2.** *für Decken, Wände*: Verputz **3.** *auch* ***plaster of Paris*** Gips; ***have one's arm in plaster*** den Arm in Gips haben; ***put in plaster*** eingipsen (*Arm, Bein*)

plaster[2] ['plɑːstə] **1.** verputzen (*Decke, Wand*) **2.** vergipsen, zugipsen (*Loch*) **3.** ***her wall was plastered with postcards*** ihre Wand war mit Ansichtskarten zugekleistert

plastered ['plɑːstəd] *umg.* voll; ***get plastered*** sich volllaufen lassen

plastic[1] ['plæstɪk] Plastik, Kunststoff

plastic[2] ['plæstɪk] aus Plastik, Plastik…; ***plastic bag*** Plastiktüte

plate [pleɪt] **1.** *für Speisen*: Teller **2.** *allg.*: Platte (*auch Technik usw.*) **3.** ***hand someone something on a plate*** *umg.* jemandem etwas auf dem Tablett servieren

plateau ['plætəʊ] *Pl.* ***plateaus*** *oder* ***plateaux*** ['plætəʊz] Plateau, Hochebene

platform ['plætfɔːm] **1.** *Bahnhof*: Bahnsteig **2.** *für Reden usw.*: Podium, Tribüne

platinum ['plætɪnəm] *Chemie* Platin

platitude ['plætɪtjuːd] Plattitüde, Plattheit

platonic [plə'tɒnɪk] platonisch; ***platonic love*** platonische Liebe

plausibility [ˌplɔːzə'bɪlətɪ] Plausibilität

plausible ['plɔːzəbl] **1.** plausibel, glaubhaft **2.** *Lügner usw.*: geschickt

play[1] [pleɪ] **1.** spielen (*auch Sport, Theater*

P

usw.); ***play for money*** *beim Kartenspiel usw.*: um Geld spielen; ***play the piano*** *usw.* Klavier *usw.* spielen **2.** *Sport*: spielen gegen; ***play someone at chess*** gegen jemanden Schach spielen; ***where's the match being played?*** wo wird das Spiel ausgetragen? **3.** ausspielen (*Karte*) **4.** *Wendungen*: ***play for time*** Zeit zu gewinnen versuchen, *Sport*: auf Zeit spielen; ***play*** (***it***) ***safe*** *umg.* auf Nummer Sicher gehen

play at ['pleɪ‿ət] ***what do you think you're playing at?*** was soll denn das?
play down [ˌpleɪ'daʊn] ***play something down*** etwas herunterspielen
play off [ˌpleɪ'ɒf] ausspielen (***against*** gegen); ***he played them off against each other*** er spielte sie gegeneinander aus
play on ['pleɪ‿ɒn] ausnutzen (*Mitgefühl usw.*)
play up [ˌpleɪ'ʌp] **1.** betonen, herausstreichen (*eigene Qualitäten usw.*) **2.** ***play*** (***someone***) ***up*** (jemandem) Schwierigkeiten machen

play[2] [pleɪ] **1.** *Theater*: Schauspiel, (Theater)Stück **2.** ***fair play*** *Sport*: Fairplay, Fairness (*beide auch übertragen*) **3.** ***bring something into play*** etwas ins Spiel bringen; ***come into play*** ins Spiel kommen **4.** ***play on words*** Wortspiel
play-act ['pleɪækt] *im negativen Sinn* schauspielern
player ['pleɪə] *Musik*, *Sport*: Spieler(in)
playful ['pleɪfl] **1.** *junges Tier usw.*: verspielt **2.** *Kuss usw.*: schelmisch, neckisch
playground ['pleɪgraʊnd] **1.** Schulhof **2.** Spielplatz **3.** *übertragen* Tummelplatz
playgroup ['pleɪgruːp] *BE* Kindergarten; ***at playgroup*** im Kindergarten
playhouse ['pleɪhaʊs] **1.** (≈ *Theater*) Schauspielhaus **2.** *für Kinder*: Spielhaus
playing card ['pleɪɪŋ‿kɑːd] Spielkarte
playing field ['pleɪɪŋ‿fiːld] Sportplatz
playmaker ['pleɪˌmeɪkə] *Sport*: Spielmacher(in)
playmate ['pleɪmeɪt] Spielkamerad(in)
play-off ['pleɪɒf] *Sport*: Entscheidungsspiel
playpen ['pleɪpen] Laufgitter
playschool ['pleɪskuːl] *BE* Kindergarten; ***at playschool*** im Kindergarten
plaything ['pleɪθɪŋ] **1.** Spielzeug (*auch übertragen*: *von Willkür usw.*) **2.** ***playthings*** *Pl. von Kindern*: Spielsachen *Pl.*, Spielzeug
playtime ['pleɪtaɪm] ***during playtime*** in der Pause
playwright ['pleɪraɪt] Dramatiker(in)
plc [ˌpiːel'siː] (*Abk. für* **p**ublic **l**imited **c**ompany) AG
plea [pliː] (dringende) Bitte, Gesuch (***for*** um)
plead [pliːd], ***pleaded, pleaded***, *AE* ***pled*** [pled], ***pled*** [pled] **1.** (dringend) bitten (***for*** um); ***plead with someone*** jemanden bitten **2.** ***plead*** (***not***) ***guilty*** *vor Gericht*: sich (nicht) schuldig bekennen
pleasant ['pleznt] **1.** angenehm, Ⓒⓗ gefreut, *Nachricht usw. auch*: erfreulich **2.** *Person*: freundlich, Ⓒⓗ gefreut
please[1] [pliːz] bitte; ***would you please be quiet!*** würdet ihr bitte leise sein!
please[2] [pliːz] **1.** zufrieden stellen; (***just***) ***to please you*** (nur) dir zuliebe; ***there's no pleasing him*** *oder* ***you can't please him*** man kann es ihm nicht recht machen **2.** ***as you please*** wie Sie wünschen **3.** ***if you please*** *förmlich* bitte schön **4.** ***please yourself*** mach, was du willst!
pleased [pliːzd] **1.** ***be pleased with*** zufrieden sein mit **2.** ***be pleased about*** *oder* ***at*** sich freuen über **3.** ***I'm pleased to hear your good news*** es freut mich, Ihre gute Nachricht zu hören; ***pleased to meet you*** *bei Begrüßung*: freut mich!
pleasure ['pleʒə] **1.** Vergnügen, Freude; ***with pleasure*** mit Vergnügen; ***it gives me*** (***great***) ***pleasure to announce …*** es freut mich, Ihnen … anzukündigen; ***he took pleasure in making a fool of her*** er machte sich einen Spaß daraus, sie zum Narren zu halten **2.** ***'Thanks for your help.'– 'Pleasure*** *oder* ***My pleasure'*** „Danke für Ihre Hilfe." – „Gern geschehen"
pleb [pleb] *umg., abwertend* Prolet(in), Prolo
plebeian[1] [plə'biːən] **1.** *abwertend* Prolet (-in) **2.** *historisch*: Plebejer(in)
plebeian[2] [plə'biːən] **1.** *abwertend* proletenhaft **2.** *historisch*: plebejisch
plebiscite ['plebɪsaɪt] Volksabstimmung, Volksentscheid
pledge[1] [pledʒ] **1.** Versprechen, Zusicherung; ***make a*** (***firm***) ***pledge*** (fest) versprechen *oder* zusichern (***to do*** zu tun) **2.** ***as a pledge of*** zum Zeichen (*unserer Liebe usw.*) **3.** Pfand (*für geliehenes Geld usw.*)
pledge[2] [pledʒ] versprechen, zusichern (***to do*** zu tun, ***that*** dass)
plenary ['pliːnərɪ] ***plenary session*** *von Konferenz, Parlament usw.*: Plenarsitzung, Vollversammlung

P

plentiful ['plentɪfl] reichlich
plenty[1] ['plentɪ] ***that's plenty*** das ist reichlich; ***plenty of people*** viele Leute; ***plenty of time*** jede Menge Zeit
plenty[2] ['plentɪ] ***... in plenty*** ... im Überfluss, ... in Hülle und Fülle
pliable ['plaɪəbl], **pliant** ['plaɪənt] **1.** *Material*: biegsam **2.** *Person*: leicht beeinflussbar
pliers ['plaɪəz] *Pl., auch* ***pair of pliers*** Beißzange, Kneifzange
plight [plaɪt] Not, Notlage
plimsoll ['plɪmsl] *BE* Turnschuh; ☞ *AE* ***sneaker***

plimsoll

Plimsolls heißen die einfachen Turnschuhe aus Segeltuch; die sportlicheren Turnschuhe mit dicker Sohle, wie sie teilweise auch auf der Straße getragen werden, heißen **trainers** bzw. besonders in Amerika **tennis shoes**.

plod [plɒd] (≈ *mühsam gehen*) trotten
plop[1] [plɒp], ***plopped, plopped*** *umg.* plumpsen, *ins Wasser*: platschen; ***plop into a chair*** sich in einen Sessel plumpsen lassen
plop[2] [plɒp] *umg.* Plumps, Platsch
plot[1] [plɒt] **1.** Handlung (*eines Films usw.*) **2.** Komplott, Verschwörung **3.** Stück Land, Grundstück
plot[2] [plɒt], ***plotted, plotted*** **1.** sich verschwören (***against*** gegen) **2.** aushecken (*Mord*) **3.** einzeichnen (*Route usw.*)
plough[1] [plaʊ] Pflug
plough[2] [plaʊ] **1.** *auch* ***plough up*** pflügen, umpflügen **2.** ***plough through a book*** *umg.* ein Buch durchackern

Ploughman's Lunch

Wenn du Käse magst, solltest du mal den traditionellen **Ploughman's Lunch** probieren. Das sind verschiedene Käsesorten (z. B. Cheddar, Stilton, Brie) mit Baguette oder Vollkornbrot und Butter, einer großen Portion **pickles** und einer Salatgarnierung.

plow [plaʊ] *AE* Pflug; ☞ *BE* ***plough***[1], ***plough***[2]
pluck [plʌk] **1.** rupfen (*Geflügel*) **2.** zupfen (*Augenbrauen, Saiten usw.*)

pluck up [ˌplʌk'ʌp] ***pluck up (one's) courage*** sich ein Herz fassen

plucky ['plʌkɪ] *umg.* mutig
plug[1] [plʌg] **1.** *von Badewanne usw.*: Stöpsel **2.** *Elektrotechnik*: Stecker (⚠ *in der gesprochenen Sprache auch für* Steckdose *verwendet*)
plug[2] [plʌg] verstopfen, zustöpseln

plug in [ˌplʌg'ɪn], ***plugged in, plugged in*** *Gerät*: anschließen, einstecken

plum [plʌm] **1.** Pflaume, Zwetsch(g)e, Ⓐ Zwetschke **2.** ***he's got a plum job*** *umg.* er hat eine tolle Stelle
plumage ['pluːmɪdʒ] Gefieder
plumb[1] [⚠ plʌm] *Seefahrt usw.*: Lot, Senkblei
plumb[2] [⚠ plʌm] **1.** loten, ausloten (*Wassertiefe*) **2.** *übertragen* ergründen; ***plumb the depths of loneliness*** *oder* ***misery*** *usw.* die tiefsten Tiefen der Einsamkeit *oder* des Elends *usw.* erleben
plumb[3] [⚠ plʌm] **1.** *umg.* genau; ***the ball hit her plumb in the face*** der Ball traf sie mitten ins Gesicht **2.** *AE, umg.* total; ***I'm plumb tuckered*** ich bin total geschafft *oder* erledigt
plumber [⚠ 'plʌmə] Klempner(in), Installateur(in)
plumbing [⚠ 'plʌmɪŋ] **1.** Rohre, Rohrleitungen **2.** Klempnerarbeiten
plumb line ['plʌmlaɪn] *Seefahrt usw.*: Lot, Senkblei
plump [plʌmp] mollig, rundlich (⚠ *nicht* ***plump***)
plunder[1] ['plʌndə] plündern, ausplündern
plunder[2] ['plʌndə] **1.** *Tat*: Plünderung **2.** *Gewinn bei Plünderung usw.*: Beute
plunderer ['plʌndərə] Plünderer, Plünderin
plunge [plʌndʒ] (*auch Preise usw.*) stürzen

plunge into ['plʌndʒˌɪntə] **1.** (sich) stürzen in (*Wasser usw.*) **2.** ***plunge a knife into someone's back*** jemandem ein Messer in den Rücken stoßen **3.** ***he plunged himself into debt*** er stürzte sich in Schulden

plunging ['plʌndʒɪŋ] *Ausschnitt*: tief; ***with a plunging neckline*** tief ausgeschnitten
pluperfect [ˌpluː'pɜːfɪkt] *auch* ***pluperfect tense*** *Sprache* Plusquamperfekt
plural ['plʊərəl] *Sprache*: Plural, Mehrzahl
pluralism ['plʊərəlɪzm] Pluralismus
pluralist ['plʊərəlɪst], **pluralistic** [ˌplʊərə'lɪstɪk] pluralistisch
plus[1] [plʌs] *Mathematik*: plus, und

plural: Pluralwörter im Englischen

Im Englischen gibt es eine Reihe von Wörtern, die im Gegensatz zum Deutschen immer in der Mehrzahl stehen. Hier die wichtigsten

trousers	Hose	**scissors**	Schere
jeans	Jeans	**pliers**	Zange
pants	Unterhose, *AE* Hose	**scales**	Waage
pyjamas	Schlafanzug	**surroundings**	Umgebung
swimming trunks	Badehose	**outskirts**	Stadtrand
tights	Strumpfhose		
glasses	Brille	**thanks**	Dank
binoculars	Fernglas	**congratulations**	Glückwunsch
goggles	Taucher-, Schutzbrille	**police**	Polizei

Alle diese Substantive erscheinen also mit der Pluralform des Verbs:

Where are my tights?	Wo ist meine Strumpfhose?
The police were asking for witnesses.	Die Polizei fragte nach Zeugen.
I don't know where the scissors are.	Ich weiß nicht, wo die Schere ist.

Bei der ersten Gruppe der oben angeführten Ausdrücke (von **trousers** bis einschließlich **scales**) handelt es sich um Gegenstände, die aus **zwei** mehr oder weniger identischen Hälften bestehen (z. B. eine Hose, eine Schere, eine Waage). Sie fordern im Englischen eine Pluralform des Verbs und erscheinen somit nie mit **a** bzw. **an**. Statt dessen kann man bei diesen Substantiven **some** bzw. **any** oder **a pair of** voransetzen:

He was wearing a brand new pair of jeans.	Er hatte (eine) nagelneue Jeans an.
I saw some very nice swimming goggles today.	Heute habe ich eine sehr schöne Taucherbrille gesehen.
Have you got any gold-rimmed glasses.	Haben Sie eine Brille mit Goldrand?
We need a new pair of kitchen scissors.	Wir brauchen eine neue Küchenschere.

plus[2] [plʌs] **1.** *übertragen* Plus, Vorteil **2.** *auch* ***plus sign*** Plus(zeichen)

plywood ['plaɪwʊd] Sperrholz, Schichtholz

pm, PM, *auch* **p.m., P.M.** [ˌpiː'em] (*Abk. für* **p**ost **m**eridiem) nachmittags; ***3 pm*** 15 Uhr

PM [ˌpiː'em] *Abk. für* → ***Prime Minister***

pneumatic [⚠ njuː'mætɪk] *Technik*: ***pneumatic drill*** Pressluftbohrer

pneumonia [⚠ njuː'məʊnɪə] Lungenentzündung; ***she's got pneumonia*** sie hat eine Lungenentzündung

poach[1] [pəʊtʃ] (≈ *illegal jagen*) wildern

poach[2] [pəʊtʃ] pochieren (*Eier*); ***poached eggs*** *Pl.* verlorene Eier

poacher ['pəʊtʃə] Wilderer, Wilderin

PO Box [ˌpiːəʊ'bɒks] (*Abk. für* **p**ost **o**ffice box) Postfach

pocket[1] ['pɒkɪt] **1.** *in Hose usw.*: Tasche (*auch übertragen*) **2.** ***holidays to suit every pocket*** *übertragen* Urlaub passend für jeden Geldbeutel **3.** ***I'm £20 out of pocket*** ich habe 20 Pfund draufgelegt

pocket[2] ['pɒkɪt] **1.** einstecken **2.** *übertragen* in die eigene Tasche stecken, klauen (*Geld usw.*)

pocketbook ['pɒkɪtbʊk] **1.** *BE* Notizbuch **2.** *AE* Brieftasche (⚠ *Taschenbuch* = ***paperback***)

pocket calculator [ˌpɒkɪt'kælkjʊleɪtə] Taschenrechner

pocket knife ['pɒkɪt‿naɪf] *Pl.*: ***pocket knives*** ['pɒkɪt‿naɪvz] Taschenmesser

pocket money ['pɒkɪtˌmʌnɪ] Taschengeld

pod [pɒd] *bei Pflanzen*: Hülse, Schote

poem ['pəʊɪm] Gedicht

poet ['pəʊɪt] **1.** Dichter(in) **2.** *auch* ***lyric poet*** Lyriker(in)

poetess [ˌpəʊɪ'tes] Dichterin

poetic [pəʊ'etɪk] poetisch; ***poetic justice*** *übertragen* ausgleichende Gerechtigkeit; ***poetic licence*** dichterische Freiheit

P

poetry ['pəʊətrɪ] **1.** (die) Dichtung **2.** Gedichte

point[1] [pɔɪnt] **1.** Spitze (*einer Nadel usw.*) **2.** Punkt, Stelle, Ort; ***meeting point*** Treffpunkt **3.** Punkt (*einer Tagesordnung*) **4.** *Sport usw.*: Punkt; ***win on points*** nach Punkten gewinnen **5.** Sinn, Zweck; ***what's the point of*** (*oder* ***in***) ***waiting?*** was hat es für einen Sinn zu warten?; ***there's no point*** es hat keinen Zweck **6.** *Schriftzeichen*: Punkt **7.** *bei Dezimalstellen*: Komma; ***four point three*** (***4.3***) vier Komma drei (4,3) **8.** ***be on the point of leaving*** *usw.* im Begriff sein zu gehen *usw.* **9.** *Wendungen*: ***get to the point*** zur Sache kommen; ***keep*** *oder* ***stick to the point*** bei der Sache bleiben; ***she makes a point of being punctual*** sie legt Wert darauf, pünktlich zu sein; ***get*** (*oder* ***see, take***) ***someone's point*** verstehen, was jemand meint; ***miss the point*** nicht verstehen, worum es geht; ***that's not the point*** darum geht es nicht!; ***that's the whole point*** genau (das ist es)!; ***up to a point*** *übertragen* bis zu einem gewissen Punkt *oder* Grad; ***when it comes to the point*** wenn es darauf ankommt

point[2] [pɔɪnt] **1.** (mit dem Finger) zeigen (***at, to*** auf); ***you shouldn't point at people*** du solltest nicht mit dem Finger auf Leute zeigen! **2.** richten (*Waffe usw.*) (***at*** auf)

> **point out** [ˌpɔɪnt'aʊt] **1.** ***point something out to someone*** jemanden auf etwas hinweisen **2.** *übertragen* hinweisen auf; ***point out to someone that*** jemanden darauf aufmerksam machen, dass
>
> **point to** *oder* **towards** ['pɔɪnt‿tʊ *oder* təˌwɔːdz] *übertragen* hinweisen auf

point-blank [ˌpɔɪnt'blæŋk] **1.** *auch* ***at pointblank range*** *Schuss usw.*: aus kürzester Entfernung **2.** *übertragen* unverblümt, geradeheraus (*fragen usw.*)

pointed ['pɔɪntɪd] **1.** *Turm, Schuhe usw.*: spitz **2.** *Blick, Geste usw.*: viel sagend, unmissverständlich **3.** *Bemerkung*: spitz, scharf

pointer ['pɔɪntə] **1.** Zeiger (*eines Messgeräts*) **2.** *umg.* Fingerzeig, Tip **3.** Zeigestock

pointless ['pɔɪntləs] sinnlos, zwecklos

point of view [ˌpɔɪnt‿əv'vjuː] *Pl.*: ***points of view*** *übertragen* Gesichtspunkt, Standpunkt

poise[1] [pɔɪz] **1.** (Körper)Haltung **2.** *übertragen* Gelassenheit, (Selbst)Sicherheit

poise[2] [pɔɪz] balancieren; ***be poised*** *übertragen* schweben (***between*** zwischen)

poised [pɔɪzd] gelassen, (selbst)sicher

poison[1] ['pɔɪzn] Gift (***to*** für); ***what's your poison?*** *umg.* was möchten Sie trinken?

> **poison**
>
> Die Frage **what's your poison?** ist humorvoll gemeint und bezieht sich auf das alkoholische „Leibgetränk" des Gastes, etwa Whisky oder Gin Tonic, das bei zu reichlichem Genuss durchaus eine „giftige" Wirkung haben kann.

poison[2] ['pɔɪzn] vergiften (*auch übertragen*)

poisonous ['pɔɪznəs] giftig, Gift…

poke [pəʊk] **1.** stochern (in) (*Feuer usw.*) **2.** ***she poked her head into the room*** sie steckte ihren Kopf ins Zimmer **3.** stoßen; ***poke someone in the ribs*** jemandem einen Rippenstoß geben **4.** ***poke fun at*** sich lustig machen über

> **poke about** *oder* **around** [ˌpəʊk‿ə'baʊt *oder* ə'raʊnd] (herum)stöbern, (herum)wühlen (***in*** in)

poker ['pəʊkə] **1.** Poker(spiel) **2.** Schürhaken

poky ['pəʊkɪ] *Zimmer usw.*: winzig, eng

Poland ['pəʊlənd] Polen

polar ['pəʊlə] polar, Polar…

polar bear [ˌpəʊlə'beə] Eisbär

polarization [ˌpəʊlərаɪ'zeɪʃn] Polarisierung; ***polarization filter*** *Fotografie*: Polfilter

polarize ['pəʊləraɪz] polarisieren

pole[1] [pəʊl] **1.** *allg.*: Stange **2.** Stab (*für Hochsprung*)

pole[2] [pəʊl] *geographisch, von Magneten usw.*: Pol; ***they're poles apart*** *übertragen* zwischen ihnen liegen Welten

Pole [pəʊl] Pole, Polin

polecat ['pəʊlkæt] **1.** Iltis **2.** *AE* Stinktier, Skunk

polemic[1] [pə'lemɪk], **polemical** [pə'lemɪkl] polemisch

polemic[2] [pə'lemɪk] **1.** *auch* ***polemics*** *Pl.* (⚠ *im Sg. verwendet*) Polemik **2.** polemische Äußerung

pole vault ['pəʊl‿vɔːlt] Stabhochsprung

pole vaulter ['pəʊlˌvɔːltə] Stabhochspringer(in)

police[1] [pə'liːs] *Pl.* Polizei; ***the police have caught the thieves*** die Polizei hat die Diebe verhaftet

police[2] [pə'liːs] (polizeilich) überwachen (*Gebiet usw.*)
police car [pə'liːs‿kɑː] Polizeiauto
police department [pə'liːs‿dɪˌpɑːtmənt] *AE*; *Behörde*: Polizei
police force [pə'liːs‿fɔːs] Polizei
policeman [pə'liːsmən] *Pl.*: ***policemen*** [pə'liːsmən] Polizist, Ⓐ Wachmann, Gendarm
police officer [pə'liːsˌɒfɪsə] Polizeibeamte(r)
police record [pəˌliːs'rekɔːd] Strafregister; ***have a police record*** vorbestraft sein
police state [pə'liːs‿state] Polizeistaat
police station [pə'liːsˌsteɪʃn] Polizeirevier, Polizeiwache, Ⓐ Wachzimmer
policewoman [pə'liːsˌwʊmən] *Pl.*: ***policewomen*** [pə'liːsˌwɪmɪn] Polizistin
policy[1] ['pɒləsɪ] **1.** (≈ *Methode*) Verfahrensweise, (Geschäfts)Politik **2.** Politik; ***economic policy*** Wirtschaftspolitik
policy[2] ['pɒləsɪ] (Versicherungs)Police; ***take out an insurance policy*** eine Versicherung abschließen
polio ['pəʊlɪəʊ], **poliomyelitis** [ˌpəʊlɪəʊmaɪə'laɪtɪs] Kinderlähmung, Polio
polish[1] ['pɒlɪʃ] polieren, bohnern (*Boden*)

> **polish off** [ˌpɒlɪʃ'ɒf] *umg.* wegschaffen (*Arbeit usw.*), wegputzen (*Essen*)
> **polish up** [ˌpɒlɪʃ'ʌp] aufpolieren (*auch Sprachkenntnisse usw.*)

polish[2] ['pɒlɪʃ] **1.** (***shoe***) ***polish*** Schuhcreme **2.** (***furniture***) ***polish*** Möbelpolitur **3.** ***give something a final polish*** *übertragen* etwas den letzten Schliff geben
Polish[1] ['pəʊlɪʃ] polnisch
Polish[2] ['pəʊlɪʃ] *Sprache*: Polnisch
polished ['pɒlɪʃt] **1.** *Schuh*, *Fläche usw.*: glänzend, poliert **2.** *übertragen* geschliffen (*Sprache*), gewandt (*Auftreten*)
polite [pə'laɪt] höflich; ***he was just being polite*** er wollte nur höflich sein
politeness [pə'laɪtnəs] Höflichkeit
political [pə'lɪtɪkl] politisch
political asylum [pəˌlɪtɪkl‿ə'saɪləm] politisches Asyl; ***seek political asylum*** politisches Asyl beantragen
political correctness [pə'lɪtɪkl‿kə'rektnəs] *von Sprache*, *Verhalten*: politische Korrektheit; ☞*Info S. 366*
politically correct [pəˌlɪtɪklɪ‿kə'rekt] *von Sprache*, *Verhalten*: politisch korrekt
politician [ˌpɒlə'tɪʃn] Politiker(in)
politics ['pɒlətɪks] **1.** (die) Politik; ***go into politics*** in die Politik gehen; ***I think politics is*** (⚠ *Sg.*) ***boring*** ich halte Politik für langweilig **2.** *Studium*: politische Wissenschaft
poll[1] [pəʊl] **1.** (Meinungs)Umfrage **2.** *auch* ***polls*** *Pl.* Wahl; ***go to the polls*** zur Wahl gehen
poll[2] [pəʊl] befragen; ***65%*** *usw.* ***of those polled*** 65% *usw.* der Befragten
pollen [⚠ 'pɒlən] Pollen, Blütenstaub
polling booth ['pəʊlɪŋ‿buːð] Wahlkabine
polling day ['pəʊlɪŋ‿deɪ] Wahltag
polling station ['pəʊlɪŋˌsteɪʃn] Wahllokal
pollster ['pəʊlstə] Meinungsforscher(in)
pollutant [pə'luːtnt] Schadstoff
pollute [pə'luːt] verschmutzen, belasten (*Umwelt*), verunreinigen (*Flüsse usw.*)
polluter [pə'luːtə] Umweltverschmutzer (-in), Umweltsünder(in)
pollution [pə'luːʃn] (die) (Umwelt)Verschmutzung, Belastung der Umwelt; ***pollution level*** Schadstoffbelastung
polo ['pəʊləʊ] *Sport* Polo
polo neck ['pəʊləʊ‿nek] *BE* **1.** Rollkragenpullover **2.** Rollkragen
polo shirt ['pəʊləʊ‿ʃɜːt] Polohemd
polygamist [pə'lɪgəmɪst] Polygamist(in)
polygamous [pə'lɪgəməs] polygam
polygamy [pə'lɪgəmɪ] Polygamie
polyglot ['pɒlɪglɒt] polyglott, vielsprachig, mehrsprachig
polytechnic [ˌpɒlɪ'teknɪk] *etwa*: Technische Hochschule

polytechnics

Die ehemaligen **polytechnics** – Hochschulen mit technischem und betriebswirtschaftlichem Schwerpunkt – wurden in den Neunzigerjahren zum Rang von Universitäten erhoben und entsprechend umbenannt, z. B. **The Polytechnic of Wales** zu **The University of Glamorgan**.

pomp [pɒmp] Pomp
pompous ['pɒmpəs] **1.** aufgeblasen, wichtigtuerisch **2.** *Sprache*: schwülstig
pond [pɒnd] Teich, Weiher
ponder ['pɒndə] (lange) überlegen, nachdenken (***on, over*** über)
ponderous ['pɒndərəs] **1.** massig, schwer **2.** *übertragen* schwerfällig
pong [pɒŋ] *BE*, *umg.* Gestank
pony ['pəʊnɪ] *Pferd*: Pony
ponytail ['pəʊnɪteɪl] *Frisur*: Pferdeschwanz
poodle ['puːdl] *Hund*: Pudel
pooh-pooh [ˌpuː'puː] *umg.* geringschätzig abtun (*Vorschlag usw.*)

political correctness

Dieser Begriff hat seinen Ursprung in den USA und bedeutet so viel wie „politisch korrekte“, d. h. gesellschaftlich akzeptable Ausdrucksweise.
Wenn jemand **politically correct** (Abk. **PC** [ˌpiːˈsiː]) ist, dann vermeidet er oder sie Ausdrücke, die andere Menschen – besonders Frauen, Angehörige der verschiedenen Rassen, behinderte oder alte Menschen usw. – verletzen oder diskriminieren könnten:

politisch korrekter Ausdruck	wörtliche deutsche Übersetzung	statt	herkömmlicher Ausdruck	deutsche Erklärung
firefighter	„Feuerbekämpfer“	statt	**fireman** [ˈfaɪəmən]	Feuerwehrmann
senior citizen [ˌsiːnɪəˈsɪtɪzn]	„Senior“, „Seniorin“	statt	**pensioner**	Rentner
differently abled	„anders befähigt“	statt	**disabled** [dɪsˈeɪbld]	behindert
correctional facility [fəˈsɪlətɪ]	„Besserungsanstalt“	statt	**prison**	Gefängnis

Für viele „politisch korrekte Bezeichnungen“ gibt es durchaus nachvollziehbare Gründe. Wenn man z. B. von **firefighters** und nicht von **firemen** [ˈfaɪəmən] spricht, trägt das der Tatsache Rechnung, dass diesen Beruf auch Frauen ausüben. Oder: Wenn man Menschen schwarzer Hautfarbe bezeichnen will, sagt man richtig **black people** oder – in den USA – **African-Americans** und nicht etwa **negroes** [ˈniːgrəʊz]. Die früher als **Indians** bezeichneten „Ureinwohner“ Amerikas heißen mittlerweile **Native Americans**.

Zu beachten ist hier aber zum einen, dass Begriffe, die heute als „politically correct“ gelten, sehr kurzlebig und deshalb bald schon wieder überholt sein können. Zum anderen besteht auch die Gefahr, dass durch beschönigende Umschreibungen bestimmte Sachverhalte verschleiert werden, wenn z. B. **friendly fire** („eigenes Feuer“) verwendet wird, um damit sprachlich zu vertuschen, dass durch Fehler in der bewaffneten Auseinandersetzung nicht – wie gewollt – feindliche Stellungen bombardiert, sondern Soldaten aus den eigenen Reihen verwundet oder getötet worden sind.

Mittlerweile gibt es aber im Rahmen der **PC** auch Wortschöpfungen, die nicht ganz ernst zu nehmen sind und einen Sachverhalt mehr oder weniger bewusst humorvoll darstellen:

politisch korrekter Ausdruck	wörtliche deutsche Übersetzung	statt	herkömmlicher Ausdruck	deutsche Erklärung
he's chronologically gifted	*etwa*: er ist „altersmäßig begünstigt“	statt	**he's old**	er ist alt
she's vertically challenged [ˌvɜːtɪklɪˈtʃælɪndʒd]	*etwa*: sie ist „vertikal stark gefordert“	statt	**she's short**	sie ist klein
I'll ask my caregivers	ich werd mal meine „Fürsorger“ fragen	statt	**I'll ask my parents**	ich werde mal meine Eltern fragen
he's a nontraditional shopper	er ist ein „unkonventioneller Kunde“	statt	**he's a shoplifter**	er ist ein Ladendieb

P

pool[1] [puːl] **1.** (***swimming***) ***pool*** Schwimmbecken **2.** Teich, Tümpel **3.** *aus Regenwasser usw.*: Pfütze, Lache; ***pool of blood*** Blutlache
pool[2] [puːl] **1.** (gemeinsame) Kasse **2.** ...gemeinschaft, ...park; ***car pool*** *von Privatleuten*: Fahrgemeinschaft, *von Firma*: Fuhrpark
pool[3] [puːl] **1.** zusammenlegen (*Ersparnisse usw.*) **2.** *übertragen* vereinen (*Kräfte usw.*)
pool[4] [puːl] Poolbillard
pools [puːlz] ***the pools*** *bes. BE*; *etwa*: (Fußball)Toto; ***win*** (***on***) ***the pools*** *etwa*: im Toto gewinnen
poor[1] [pʊə] **1.** arm, mittellos **2.** *Qualität, Wetter usw.*: schlecht **3.** *Leistung usw.*: dürftig, schwach **4.** (≈ *unglücklich*) arm, bedauernswert
poor[2] [pʊə] ***the poor*** *Pl.* die Armen (⚠ *der Arme* = ***the poor man***)
poorly ['pɔːlɪ] **1.** *übertragen* dürftig, schwach; ***a poorly paid job*** ein schlecht bezahlter Job; ***I'm poorly paid*** ich werde schlecht bezahlt; ***do poorly in*** schlecht abschneiden bei **2.** krank; ***she's poorly*** es geht ihr schlecht
pop[1] [pɒp] *Musik*: Pop
pop[2] [pɒp] **1.** Knall (*eines Korkens usw.*) **2.** *umg.* Limo
pop[3] [pɒp], ***popped, popped*** **1.** (*Sektkorken usw.*) knallen **2.** (zer)platzen **3.** *mit einer Richtungsangabe*: schnell gehen *oder* laufen; ***pop round to the supermarket*** schnell mal zum Supermarkt gehen

> **pop in** [ˌpɒp'ɪn] ***pop in*** (***on someone***) (bei jemandem) auf einen Sprung vorbeikommen
> **pop off** [ˌpɒp'ɒf] *umg.* **1.** weggehen, verschwinden **2.** sterben
> **pop open** [ˌpɒp'əʊpən] aufplatzen, aufspringen
> **pop up** [ˌpɒp'ʌp] (plötzlich) auftauchen

popcorn ['pɒpkɔːn] Popcorn, Puffmais
pope [pəʊp] Papst
pop group ['pɒp‿gruːp] Popgruppe
poplar ['pɒplə] *Baum*: Pappel
pop music ['pɒpˌmjuːzɪk] Popmusik
poppy ['pɒpɪ] *Pflanze*: Mohn
pop star ['pɒp‿stɑː] Popstar
popular ['pɒpjʊlə] **1.** *Person, Musik usw.*: beliebt, populär; ***popular music*** leichte Musik **2.** *Missverständnis usw.*: weit verbreitet **3.** *Darstellung in einem Buch usw.*: allgemein verständlich; ***the popular press*** die Boulevardpresse; ***popular newspaper*** Boulevardblatt
popularity [ˌpɒpjʊ'lærətɪ] Beliebtheit, Popularität
popularize ['pɒpjʊləraɪz] **1.** populär machen **2.** allgemein verständlich darstellen
popularly ['pɒpjʊləlɪ] **1.** allgemein; ***he is popularly believed*** *oder* ***thought to be a capable politician*** nach allgemeiner Ansicht ist er ein fähiger Politiker; ***it is popularly believed that ...*** es wird allgemein angenommen *oder* davon ausgegangen, dass ... **2.** ***popularly elected*** *Politiker*: vom Volk gewählt
populate ['pɒpjʊleɪt] bevölkern, besiedeln
population [ˌpɒpjʊ'leɪʃn] **1.** Bevölkerung; ***population density*** Bevölkerungsdichte **2.** Einwohner (*einer Stadt usw.*) **3.** (Gesamt)Bestand (*an Tieren usw.*)
populist[1] ['pɒpjʊlɪst] populistisch
populist[2] ['pɒpjʊlɪst] Populist(in)
populous ['pɒpjʊləs] **1.** *Land, Region*: dicht besiedelt *oder* bevölkert **2.** *Stadt*: einwohnerstark
pop-up ['pɒpʌp] **1.** *Toaster*: automatisch **2.** ***pop-up book*** Hochklappbuch; ***pop-up menu*** *Computer*: Popup-Menü; ***pop-up window*** Popup-Fenster
porcelain ['pɔːslɪn] Porzellan
porch [pɔːtʃ] **1.** *eines Hauses*: überdachter Vorbau, Vordach **2.** *einer Kirche*: Portal **3.** *AE* Veranda
porcupine ['pɔːkjʊpaɪn] Stachelschwein
pore [pɔː] Pore

> **pore over** ['pɔːrˌəʊvə] vertieft sein in; ***pore over one's books*** über seinen Büchern hocken

pork [pɔːk] Schweinefleisch; ***pork chop*** Schweinekotelett
porker ['pɔːkə] **1.** Mastschwein **2.** *umg., abwertend* Fettsack
porky ['pɔːkɪ] *umg.* fett, dick
porn [ˌpɔːn] *umg.* **1.** Porno **2.** Porno...; ***porn movie*** Pornofilm
pornographic [ˌpɔːnə'græfɪk] pornographisch
pornography [pɔː'nɒgrəfɪ] Pornographie
porous ['pɔːrəs] **1.** *Material*: porös **2.** *übertragen* durchlässig
porridge ['pɒrɪdʒ] Porridge, Haferbrei; ☞*Info S. 368*
port[1] [pɔːt] **1.** Hafen; ***come into port*** *Schiff*: einlaufen; ***leave port*** *Schiff*: auslaufen **2.** Hafenstadt
port[2] [pɔːt] *Flugzeug, Schiff*: Backbord

P

porridge

Porridge wird hauptsächlich in Schottland gerne zum Frühstück gegessen. Er wird mit Wasser oder Milch angemacht, in einem Topf erhitzt und mit Zucker gesüßt. Man kann eine Prise Salz hinzufügen. Auf den fertigen Brei kommt ein Schuss kalte Milch oder Sahne.

portable ['pɔːtəbl] tragbar; ***portable TV (set)*** tragbarer Fernseher
portal ['pɔːtl] **1.** *von Kirche usw.*: Portal, Pforte **2.** *im Internet*: Portal
porter ['pɔːtə] **1.** (Gepäck)Träger **2.** Pförtner, Portier; ***porter's lodge*** Pförtnerloge **3.** *AE* Schlafwagenschaffner(in)
portfolio [ˌpɔːt'fəʊlɪəʊ] *für Zeichnungen, Dokumente*: Mappe
porthole ['pɔːthəʊl] *Schiff*: Bullauge
portion ['pɔːʃn] **1.** Teil *(eines größeren Ganzen), von Ticket*: Abschnitt **2.** Anteil (***of*** an) **3.** *Essen*: Portion
portly ['pɔːtlɪ] beleibt, korpulent
portrait ['pɔːtrət] Porträt
portray [pɔː'treɪ] **1.** schildern, darstellen (***as*** als) **2.** *Theater*: darstellen (*Charakter*)
Portugal ['pɔːtʃʊgl] Portugal
Portuguese[1] [ˌpɔːtʃʊ'giːz] portugiesisch
Portuguese[2] [ˌpɔːtʃʊ'giːz] *Sprache*: Portugiesisch
Portuguese[3] [ˌpɔːtʃʊ'giːz] Portugiese, Portugiesin; ***the Portuguese*** *Pl.* die Portugiesen
pose[1] [pəʊz] Haltung, Pose *(auch übertragen)*
pose[2] [pəʊz] **1.** ***pose for someone*** für jemanden Modell stehen *oder* sitzen **2.** ***pose a threat*** *usw.* eine Gefahr *usw.* darstellen (***for, to*** für)

pose as ['pəʊz‿əz] sich ausgeben (***as*** als)

posed [pəʊzd] *Foto*: gestellt
poser ['pəʊzə] *umg.* **1.** *Person*: Wichtigtuer(in), Angeber(in) **2.** *Problem usw.*: harte Nuss
posh [pɒʃ] *bes. BE, umg.* vornehm, piekfein, nobel
position[1] [pə'zɪʃn] **1.** Position, Lage, Standort **2.** Haltung, (Körper)Stellung **3.** *Wettbewerb*: ***be in third*** *usw.* ***position*** auf dem dritten *usw.* Platz liegen **4.** (gesellschaftliche) Stellung, Position **5.** *übertragen* Lage, Situation; ***be in a position to do something*** in der Lage sein, etwas zu tun **6.** *übertragen* Einstellung (***on*** zu); ***what's your position on …?*** wie stehen Sie zu …?; ***take the position that …*** den Standpunkt vertreten, dass … **7.** *Arbeit*: Stelle, Stellung (***with, in*** bei)
position[2] [pə'zɪʃn] (auf)stellen, postieren
positive[1] ['pɒzətɪv] **1.** *allg.*: positiv **2.** ***be positive*** sicher sein (***that*** dass); ***are you absolutely positive about that?*** bist du dir da ganz sicher? **3.** *Beweis usw.*: sicher, eindeutig, positiv
positive[2] ['pɒzətɪv] *Foto*: Positiv
possess [pə'zes] **1.** besitzen *(auch übertragen)* **2.** ***possessed by an idea*** von einer Idee besessen
possession [pə'zeʃn] **1.** Besitz; ***be in someone's possession*** in jemandes Besitz sein; ***be in possession of*** im Besitz sein von; ***take possession of*** Besitz ergreifen von, in Besitz nehmen **2.** Besitz(tum); ***all his possessions*** seine ganze Habe
possessive [pə'zesɪv] **1.** besitzgierig, besitzergreifend **2.** *Sprache*: ***possessive pronoun*** Possessivpronomen
possibility [ˌpɒsə'bɪlətɪ] Möglichkeit (***of doing*** zu tun); ***the house has possibilities*** aus dem Haus lässt sich etwas machen
possible ['pɒsəbl] möglich; ***do everything possible*** alles tun, was einem möglich ist; ***make something possible for someone*** jemandem etwas ermöglichen
possibly ['pɒsəblɪ] **1.** ***if I possibly can*** wenn ich irgend kann; ***I can't possibly do it*** ich kann das unmöglich tun **2.** *umg.* vielleicht, eventuell; ***could you possibly lend me some money?*** könntest du mir vielleicht etwas Geld leihen?
post[1] [pəʊst] Pfosten, Pfahl, Mast
post[2] [pəʊst] *bes. BE* Post; ***by post*** mit der Post, per Post
post[3] [pəʊst] **1.** *bes. BE* aufgeben, einwerfen (*Brief usw.*) **2.** *im Internet*: verbreiten (*Nachricht usw.*) **3.** ***keep someone posted*** jemanden auf dem Laufenden halten
post[4] [pəʊst] **1.** (Arbeits)Stelle **2.** Posten
post[5] [pəʊst] postieren (*Polizisten usw.*)
post[6] [pəʊst] **1.** anschlagen, ankleben (*Plakat usw.*) **2.** durch Aushang bekannt geben
postage ['pəʊstɪdʒ] Porto; ***how much is the postage on a letter to …?*** wie viel kostet ein Brief nach …?
postal ['pəʊstl] **1.** Post…, postalisch; ***postal vote*** Briefwahl **2.** *AE, umg.* ***go postal*** *vor Wut*: ausrasten, durchdrehen
postbox ['pəʊstbɒks] *bes. BE* Briefkasten

P

postcard ['pəʊstkɑːd] Postkarte, *oft auch* Ansichtskarte
postcode ['pəʊstkəʊd] *BE* Postleitzahl
poster ['pəʊstə] Plakat, Poster
poste restante [ˌpəʊst'restɒnt] *bes. BE* postlagernd
posterior [pɒ'stɪrɪə] *humorvoll* (≈ *Gesäß*) Allerwerteste
posterity [pɒ'sterətɪ] die Nachwelt
post-free [ˌpəʊst'friː] *bes. BE* portofrei
postgrad [ˌpəʊst'græd] *umg.*, **postgraduate** [ˌpəʊst'grædjʊət] Studierende(r) mit bereits einem Hochschulabschluss
posthumous ['pɒstjʊməs] posthum, postum
postman ['pəʊstmən] *Pl.*: ***postmen*** ['pəʊstmən] Briefträger, Postbote
postmark ['pəʊstmɑːk] Poststempel
post-modern [ˌpəʊst'mɒdn] postmodern
post-mortem [ˌpəʊst'mɔːtəm] **1.** *auch* ***post-mortem examination*** Autopsie, Obduktion **2.** *übertragen* Manöverkritik (*nach Scheitern eines Vorhabens*)
post office ['pəʊstˌɒfɪs] Post(amt); ☞ *Illu S. 884*
postpaid [ˌpəʊst'peɪd] *bes. AE* portofrei
postpone [ˌpəʊs'pəʊn] verschieben (***to*** auf), aufschieben (***to*** auf; ***till, until*** bis); ***he postponed seeing his doctor*** er verschob seinen Arztbesuch
postponement [ˌpəʊs'pəʊnmənt] Aufschub
postscript ['pəʊsskrɪpt] **1.** *in Brief*: Postskript(um), Nachschrift **2.** *zu einer Rede usw.*: Nachbemerkung **3.** *in einem Buch*: Nachwort
posture [⚠ 'pɒstʃə] (Körper)Haltung, Stellung
postwar ['pəʊstwɔː] Nachkriegs…
postwoman ['pəʊstˌwʊmən] *Pl.*: ***postwomen*** ['pəʊstˌwɪmɪn] Postbotin, Briefträgerin
pot[1] [pɒt] **1.** Topf, …topf **2.** (Tee-, Kaffee-) Kanne **3.** Kännchen, Portion; ***a pot of tea*** (*oder* ***coffee***) ein Kännchen Tee (*oder* Kaffee) **4.** *Wendungen*: ***he's got pots of money*** *umg.* er hat Geld wie Heu; ***go to pot*** *umg.* vor die Hunde gehen
pot[2] [pɒt] *umg.* (≈ *Marihuana*) Pot
pot[3] [pɒt] eintopfen (*Pflanze*)
potato [pə'teɪtəʊ] *Pl.*: ***potatoes*** Kartoffel, *bes.* Ⓐ Erdapfel; ***hot potato*** *umg., übertragen* heißes Eisen
potato chips [pə'teɪtəʊ‿tʃɪps] *Pl. AE*, **potato crisps** [pəˌteɪtəʊ'krɪsps] *Pl. BE* Kartoffelchips
potato peeler [pə'teɪtəʊˌpiːlə] *Küchengerät*: Kartoffelschäler
potato salad [pəˌteɪtəʊ'sæləd] Kartoffelsalat
potency ['pəʊtnsɪ] Stärke
potent ['pəʊtnt] **1.** *Medikament usw.*: stark **2.** *Argument usw.*: überzeugend, zwingend
potential[1] [pə'tenʃl] potenziell, möglich
potential[2] [pə'tenʃl] **1.** Potenzial, Leistungsfähigkeit; ***he has the potential to be a top athlete*** er hat das Zeug zu einem Spitzenathleten **2.** *Elektrotechnik*: Spannung
potentially [pə'tenʃəlɪ] potenziell, möglicherweise
pothole ['pɒthəʊl] **1.** *in Straße*: Schlagloch **2.** *unterirdisch*: Höhle
potholed ['pɒthəʊld] *Straße*: voller Schlaglöcher
potholer ['pɒthəʊlə] Höhlenforscher(in)
potion ['pəʊʃn] *s* Trank *m*
pot luck [ˌpɒt'lʌk] ***take pot luck*** sich überraschen lassen; nehmen, was kommt
pot plant ['pɒt‿plɑːnt] Topfpflanze
potter[1] ['pɒtə] **1.** schlendern **2.** *auch* ***potter about*** *oder* ***around*** herumwerkeln
potter[2] ['pɒtə] Töpfer(in); ***potter's wheel*** Töpferscheibe
pottery ['pɒtərɪ] **1.** (die) Töpferei **2.** Töpferwaren
potty[1] ['pɒtɪ] *bes. BE, umg.* verrückt; ***drive someone potty*** jemanden zum Wahnsinn treiben; ***he's potty about monster movies*** er ist (ganz) verrückt nach Monsterfilmen
potty[2] ['pɒtɪ] *umg.* Töpfchen (*für Kleinkinder*)
potty-trained ['pɒtɪtreɪnd] *Kleinkind*: sauber
pouch [paʊtʃ] **1.** Beutel (*auch bei Beuteltieren*) **2.** *unter den Augen*: Tränensack **3.** *Hamster usw.*: (Backen)Tasche
poultry ['pəʊltrɪ] Geflügel

pounce on ['paʊns‿ɒn] *übertragen* sich stürzen auf

pound [paʊnd] **1.** *Gewichtseinheit*: Pfund; ***a pound of cherries*** ein Pfund Kirschen (⚠ *Zeichen*: **lb**; *ein lb = ca. 453 g*) **2.** *Britische Währungseinheit*: Pfund; ***five-pound note*** Fünfpfundschein (⚠ *Zeichen*: **£**)
pour [pɔː] **1.** gießen, schütten; ***pour someone a cup of tea*** jemandem eine Tasse Tee eingießen **2.** (*Flüssigkeit*) strömen (*auch übertragen*) **3.** ***it's pouring down*** *oder* ***it's pouring with rain*** es gießt in Strömen

P

pour out [ˌpɔːr'aʊt] **1.** ausgießen (*Wasser usw.*) **2.** einschenken (*Getränk*) **3.** ***he poured his heart out to me*** *übertragen* er hat mir sein Herz ausgeschüttet

pout [paʊt] **1.** einen Schmollmund machen **2.** schmollen
poverty ['pɒvətɪ] Armut
poverty line ['pɒvətɪ‿laɪn] Armutsgrenze
poverty-stricken ['pɒvətɪˌstrɪkən] arm, Not leidend
POW [piːəʊ'dʌbljuː] (*Abk. für* **p**risoner **o**f **w**ar) Kriegsgefangene(r)
powder[1] ['paʊdə] **1.** Pulver; ***(gun)powder*** Schießpulver **2.** Puder (*für Kosmetik usw.*)
powder[2] ['paʊdə] pudern (*Gesicht usw.*)
powdered milk [ˌpaʊdəd'mɪlk] Milchpulver, Trockenmilch
powder room ['paʊdə‿ruːm] Damentoilette
power[1] ['paʊə] **1.** Macht, Gewalt (***over*** über); ***be in power*** *politisch*: an der Macht sein; ***be in someone's power*** in jemandes Gewalt sein **2.** *Recht usw.*: (Amts)Gewalt, Befugnis **3.** Kraft, Macht; ***he did everything in his power*** er tat alles, was in seiner Macht stand **4.** Vermögen, Fähigkeit; ***his powers of concentration*** sein Konzentrationsvermögen **5.** Kraft, *Sturm usw.*: Wucht, Gewalt **6.** Energie
power[2] ['paʊə] ***powered by electricity*** mit Elektroantrieb

power up [ˌpaʊə'rʌp] **1.** einschalten (*elektrisches Gerät*) **2.** hochfahren (*Computer*)

powerboat ['paʊəbəʊt] Rennboot
power brake ['paʊə‿breɪk] *Auto*: Servobremse
power cut ['paʊə‿kʌt], **power failure** ['paʊəˌfeɪljə] Stromausfall
powerful ['paʊəfl] **1.** stark (*auch übertragen*), kräftig **2.** mächtig, einflussreich
powerless ['paʊələs] **1.** machtlos **2.** ***be powerless to do something*** nicht die Möglichkeit haben, etwas zu tun
powernap ['paʊənæp] Nickerchen
power pack ['paʊə‿pæk] *von Elektrogerät*: Netzteil
power plant ['paʊə‿plɑːnt] *AE* Kraftwerk
power point ['paʊə‿pɔɪnt] *BE* Steckdose
power serve ['paʊə‿sɜːv] *Tennis*: Kanonenaufschlag
power station ['paʊəˌsteɪʃn] Kraftwerk
power steering [ˌpaʊə'stɪərɪŋ] *Auto*: Servolenkung
PR [ˌpiː'ɑː] *Abk. für* → ***public relations***
practicable ['præktɪkəbl] durchführbar
practical ['præktɪkl] **1.** *allg.*: praktisch **2.** *Person*: praktisch veranlagt **3.** vernünftig, realistisch
practically ['præktɪklɪ] praktisch, so gut wie
practice[1] ['præktɪs] **1.** Praxis; ***in practice*** in der Praxis; ***put into practice*** in die Praxis umsetzen **2.** Übung, Training; ***out of practice*** aus der Übung; ***practice makes perfect*** Übung macht den Meister **3.** (Arzt-, Anwalts)Praxis **4.** Brauch, Gewohnheit; ***practices*** *Pl. negativ*: Praktiken; ***it's common practice*** es ist allgemein üblich
practice[2] ['præktɪs] Übungs…, Probe…
practice[3] ['præktɪs] *AE* **1.** trainieren, (ein-) üben (*Musikstück usw.*); ***practice the piano*** Klavier üben **2.** *als Anwalt, Arzt usw.*: praktizieren; ☞ *BE* ***practise***
practiced ['præktɪst] *AE* geübt (***at, in*** in); ☞ *BE* ***practised***
practise ['præktɪs] *BE* **1.** trainieren, (ein-) üben (*Musikstück usw.*); ***practise the piano*** Klavier üben **2.** *als Anwalt, Arzt usw.*: praktizieren
practised ['præktɪst] *BE* geübt (***at, in*** in); ***he's (well) practised at managing difficult situations*** er ist darin geübt, mit schwierigen Situationen umzugehen
pragmatic [præg'mætɪk] pragmatisch
pragmatist ['prægmətɪst] Pragmatiker(in)
Prague [prɑːg] Prag
praise[1] [preɪz] loben (***for*** wegen)
praise[2] [preɪz] Lob; ***win praise*** Lob ernten
praiseworthy ['preɪzˌwɜːðɪ] lobenswert
pram [præm] *bes. BE* Kinderwagen
prank [præŋk] Streich
prattle ['prætl] *auch* ***prattle on*** plappern (***about*** von)
prawn [prɔːn] Garnele, Krabbe
pray [preɪ] beten (***to*** zu; ***for*** für, um)
prayer [preə] **1.** Gebet; ***prayer book*** Gebetbuch **2.** ***prayers*** *Pl. Gottesdienst*: Andacht
preach [priːtʃ] predigen (***to*** zu, vor)
preacher ['priːtʃə] Prediger(in)
preamble [priː'æmbl] **1.** *von Buch usw.*: Einleitung, Vorwort **2.** *juristisch*: Präambel
prearrange [ˌpriːə'reɪndʒ] vorher abmachen *oder* vereinbaren
precarious [prɪ'keərɪəs] prekär, unsicher
precaution [prɪ'kɔːʃn] Vorkehrung, Vorsichtsmaßnahme (***against*** gegen); ***as a***

precaution zur Vorsicht, vorsichtshalber
precede [prɪ'siːd] *zeitlich*: vorausgehen, vorangehen
precedence [⚠ 'presɪdəns] Vorrang; ***have*** (*oder* ***take***) ***precedence over*** Vorrang haben vor
precedent [⚠ 'presɪdənt] **1.** *Recht*: Präzedenzfall (*auch übertragen*) **2.** ***without precedent*** ohne Beispiel, noch nie dagewesen
precinct ['priːsɪŋkt] **1.** *in der Stadt*: Zone, Bereich **2.** *AE* (Polizei-, Wahl)Bezirk
precious[1] ['preʃəs] **1.** kostbar (*auch übertragen*) **2.** ***precious metal*** ['metl] Edelmetall; ***precious stone*** Edelstein
precious[2] ['preʃəs] ***precious little*** *umg.* herzlich wenig
precipice [⚠ 'presəpɪs] Abgrund
precise [prɪ'saɪs] genau, präzis; ***to be precise*** genau gesagt
precisely [prɪ'saɪslɪ] **1.** genau; ***at eight o'clock precisely*** genau um acht Uhr **2.** ***precisely*** genau!
precision [prɪ'sɪʒn] **1.** Genauigkeit, Präzision **2.** ***precision engineering*** Feinmechanik
precocious [prɪ'kəʊʃəs] *Kind*: frühreif
precondition [ˌpriːkən'dɪʃn] Vorausbedingung, Voraussetzung
precook [ˌpriː'kʊk] vorkochen
predate [priː'deɪt] **1.** *zeitlich*: vorangehen **2.** zurückdatieren (*Brief usw.*)
predator [⚠ 'predətə] Raubtier
predecessor ['priːdɪsesə] Vorgänger(in)
predestined [priː'destɪnd] prädestiniert, vorherbestimmt
predetermine [ˌpriːdɪ'tɜːmɪn] vorherbestimmen
predicament [prɪ'dɪkəmənt] missliche Lage, Zwangslage
predicate ['predɪkət] *Sprache*: Prädikat, Satzaussage
predicative [prɪ'dɪkətɪv] *Sprache*: prädikativ
predict [prɪ'dɪkt] vorhersagen, voraussagen
predictable [prɪ'dɪktəbl] vorhersagbar, voraussagbar
prediction [prɪ'dɪkʃn] Vorhersage, Voraussage
predominant [prɪ'dɒmɪnənt] *Meinung usw.*: (vor)herrschend, überwiegend
predominate [prɪ'dɒmɪneɪt] **1.** überlegen sein, die Oberhand haben (***over*** über) **2.** *zahlenmäßig.*: vorherrschen, überwiegen
pre-empt [prɪ'empt] zuvorkommen
pre-emptive [prɪ'emptɪv] präventiv; ***pre-emptive strike*** *oder* ***attack*** *militärisch*: Präventivschlag
prefab ['priːfæb] *umg.* Fertighaus
prefabricate [ˌpriː'fæbrɪkeɪt] vorfertigen; ***prefabricated house*** Fertighaus
preface [⚠ 'prefəs] Vorwort (***to*** zu)
prefect ['priːfekt] *BE*; *etwa*: Aufsichtsschüler(in), Vertrauensschüler(in)
prefer [prɪ'fɜː], ***preferred, preferred*** vorziehen (***to*** *dt. Dativ*), lieber mögen (***to*** als), bevorzugen; ***I prefer meat to fish*** Fleisch ist mir lieber als Fisch; ***he prefers listening to talking*** er hört lieber zu als dass er redet; ***I'd prefer to stay at home*** ich würde lieber zu Hause bleiben
preferable [⚠ 'prefrəbl] ***be preferable*** (***to***) vorzuziehen sein, besser sein (als)
preferably [⚠ 'prefrəblɪ] lieber, am liebsten, wenn möglich; ***preferably not*** möglichst nicht
preference [⚠ 'prefrəns] Vorliebe (***for*** für)
preferential [ˌprefə'renʃl] bevorzugt, Vorzugs…; ***he gets preferential treatment*** er wird bevorzugt behandelt
prefix ['priːfɪks] *Sprache*: Vorsilbe, Präfix
pregnancy ['pregnənsɪ] **1.** Schwangerschaft **2.** *bei Tieren*: Trächtigkeit
pregnant ['pregnənt] **1.** schwanger; ***she's four months pregnant*** sie ist im vierten Monat schwanger **2.** *bei Tieren*: trächtig
preheat [ˌpriː'hiːt] vorheizen
prehistoric [ˌpriːhɪ'stɒrɪk] prähistorisch, vorgeschichtlich
prejudge [ˌpriː'dʒʌdʒ] vorverurteilen (*Person*); ***prejudge the issue*** sich vorschnell eine Meinung bilden
prejudice [⚠ 'predʒʊdɪs] Vorurteil; ***have a prejudice against someone*** gegen jemanden Vorurteile haben
prejudiced [⚠ 'predʒʊdɪst] (vor)eingenommen, *Richter uw.*: befangen
preliminary [prɪ'lɪmɪnərɪ] Vor…, vorbereitend, einleitend
prelude [⚠ 'preljuːd] **1.** *Musik*: Vorspiel (***to*** zu) **2.** *Musik*: Präludium **3.** *übertragen* Auftakt (*zu Unruhen usw.*)
premarital [priː'mærɪtl] vorehelich
premature [⚠ 'premətʃə] **1.** vorzeitig, verfrüht, allzu früh; ***premature baby*** Frühgeburt **2.** *übertragen* voreilig
premeditated [priː'medɪteɪtɪd] vorsätzlich
premier ['premɪə] Premier, Premierminister(in)
premiere, **première** ['premɪeə] Premiere
premises [⚠ 'premɪsɪz] *Pl.* Gelände, Grundstück, Räumlichkeiten; ***on the premises*** an Ort und Stelle, im Haus *oder* Lokal

P

premium ['priːmɪəm] **1.** Versicherungsprämie **2.** Prämie, Bonus **3.** *AE*; *Benzin*: Super **4.** ***be at a premium*** *übertragen* hoch im Kurs stehen
premonition [ˌpremə'nɪʃn] (böse) Vorahnung
prenuptial [ˌpriː'nʌpʃl] ***prenuptial agreement*** Ehevertrag
preoccupation [priːˌɒkjʊ'peɪʃn] Beschäftigung (***with*** mit)
preoccupied [priː'ɒkjʊpaɪd] **1.** vertieft (***with*** in) **2.** gedankenverloren, geistesabwesend
preoccupy [priː'ɒkjʊpaɪ] (*Arbeit*, *Sorgen usw.*) (stark) beschäftigen
preordain [ˌpriːɔː'deɪn] vorherbestimmen; ***his success was preordained*** sein Erfolg war ihm vorherbestimmt
pre-owned [ˌpriː'əʊnd] *bes. AE* aus 2. Hand
prep [prep] *BE*, *umg.* Hausaufgabe, Hausaufgaben *Pl.*; ***do one's prep*** seine Hausaufgaben machen
prepaid [ˌpriː'peɪd] vorausbezahlt, *Brief usw.*: freigemacht
preparation [ˌprepə'reɪʃn] **1.** Vorbereitung (*auch für Prüfung usw.*) (***for*** auf, für) **2.** Zubereitung (*von Speisen*) **3.** ***make preparations*** Vorbereitungen treffen **4.** *Medizin*, *Kosmetik usw.*: Präparat
preparatory school [prɪ'pærətərɪ‿skuːl] → ***prep school***
prepare [prɪ'peə] **1.** vorbereiten (*Fest*, *Rede usw.*) **2.** zubereiten (*Speise usw.*) **3.** ***prepare*** (***oneself***) ***for*** sich vorbereiten auf, sich gefasst machen auf
prepared [prɪ'peəd] **1.** gefasst, vorbereitet (***for*** auf); ***be prepared!*** *Pfadfindermotto*: allzeit bereit! **2.** *Rede usw.*: vorbereitet **3.** bereit, gewillt; ***I'm not prepared to wait for hours*** ich bin nicht gewillt, stundenlang zu warten
preposition [ˌprepə'zɪʃn] *Sprache*: Präposition, Verhältniswort; ☞ *Illu S. 784, 785*
preposterous [prɪ'pɒstərəs] *Idee*, *Vorschlag*, *Forderung usw.*: absurd, grotesk
prep school ['prep‿skuːl] *umg.* **1.** *in GB*: *private Vorbereitungsschule auf ein Internat* (*Alter 8-13*) **2.** *in US*: *private Vorbereitungsschule auf das College*

prep school

In England (*nicht in Schottland*) bezeichnet **prep school** oder ausführlicher **preparatory school** eine private Schule, die Schüler im Alter von circa 8 bis 13 Jahren auf eine weiterführende Privatschule (**public school**) vorbereiten soll.

Sowohl **prep schools** als auch **public schools** sind größtenteils reine Jungen- bzw. Mädchenschulen, in denen Schuluniformen getragen werden.

In den USA dagegen bezeichnet dieser Schultyp eine Schule, auf der Schüler auf das College oder die Universität vorbereitet werden.

Beiden Formen ist gemeinsam, dass man mit ihnen im Allgemeinen Reichtum, Privilegien und einen hohen gesellschaftlichen Status verbindet.

prerequisite [priː'rekwəzɪt] Voraussetzung (***for, of, to*** für)
preschool ['priːskuːl] ***of preschool age*** im Vorschulalter
prescribe [prɪ'skraɪb] (*Arzt usw.*) verschreiben, verordnen (*Medikament*) (***for*** gegen)
prescription [prɪ'skrɪpʃn] **1.** Rezept (*auch übertragen*); ***available only on prescription*** rezeptpflichtig; ***prescription charge*** Rezeptgebühr **2.** verordnete Medizin
presence ['prezns] **1.** Gegenwart, Anwesenheit **2.** *von Dingen*: Vorhandensein
presence of mind [ˌprezns‿əv'maɪnd] Geistesgegenwart
present[1] ['preznt] Geschenk
present[2] [⚠ prɪ'zent] **1.** überreichen, übergeben; ***present something to someone*** *oder* ***present someone with something*** jemandem etwas überreichen **2.** bieten (*Möglichkeit usw.*), darstellen (*Schwierigkeit usw.*); ***this should present no problem*** (***to him***) das dürfte (für ihn) kein Problem sein **3.** vorbringen, unterbreiten (*Vorschlag*) **4.** *Kino*: zeigen, *Theater*: aufführen **5.** ***if the opportunity presents itself*** wenn sich die Chance bietet
present[3] ['preznt] **1.** anwesend (***at*** bei); ***present company excepted*** Anwesende ausgenommen **2.** gegenwärtig, jetzig, derzeitig; ***at the present moment*** zum gegenwärtigen Zeitpunkt; ***in the present case*** im vorliegenden Fall **3.** *von Dingen*: vorhanden
present[4] ['preznt] **1.** (≈ *Jetzt*) Gegenwart; ***at present*** gegenwärtig, zur Zeit; ***for the present*** vorerst, vorläufig **2.** *Sprache*: Präsens
presentable [prɪ'zentəbl] *Person*: vorzeigbar; ***be presentable*** sich sehen lassen können; ***make oneself presentable*** sich zurechtmachen
presentation [ˌprezn'teɪʃn] **1.** Vorführung,

P

Präsentation **2.** Überreichung (*von Preisen usw.*)
present continuous [ˌpreznt‿kən'tɪnjʊəs] *Sprache*: Verlaufsform der Gegenwart
present-day ['preznt‿deɪ] *Mode*, *Probleme usw.*: heutige(r, -s)
presenter [prɪ'zentə] *BE*; *Rundfunk*, *TV*: Moderator(in)
presently ['prezntlɪ] **1.** *formell*: in Kürze, bald **2.** *bes. AE* gegenwärtig, derzeit
present participle [ˌpreznt'pɑːtɪsɪpl] *Sprache*: Partizip Präsens
present perfect [ˌpreznt'pɜːfɪkt] *Sprache*: Perfekt, zweite Vergangenheit
present tense [ˌpreznt'tens] *Sprache*: Präsens, Gegenwart
preservation [ˌprezə'veɪʃn] **1.** Erhaltung; ***in a good state of preservation*** gut erhalten **2.** Konservierung
preservative [prɪ'zɜːvətɪv] Konservierungsmittel (⚠ *Präservativ* = ***condom***)
preserve[1] [prɪ'zɜːv] **1.** bewahren, erhalten (*Ordnung*, *Unabhängigkeit usw.*) **2.** haltbar machen, konservieren, einmachen (*Lebensmittel*)
preserve[2] [prɪ'zɜːv] *mst.* ***preserves*** *Pl.* Eingemachtes
preside [prɪ'zaɪd] den Vorsitz führen *oder* haben (***at, over*** bei); ***preside at a meeting*** *auch* eine Versammlung leiten
presidency ['prezɪdənsɪ] *Politik* **1.** *Amt*: Präsidentschaft **2.** Amtszeit (*eines Präsidenten*)
president ['prezɪdənt] **1.** Präsident(in) **2.** Vorsitzende(r) (*eines Klubs usw.*, *bes AE*: *einer Firma*, *Bank usw.*)
press[1] [pres] **1.** *Zeitung usw*: Presse **2.** (Drucker)Presse **3.** Presse (*für Früchte usw.*)
press[2] [pres] **1.** drücken (*Knopf usw.*) **2.** drücken auf (*Knopf usw.*) **3.** (aus)pressen (*Frucht*), pressen (*Blumen*) **4.** bügeln (*Hose*) **5.** (be)drängen; ***she pressed me to tell him*** sie legte mir nahe, es ihm zu sagen **6.** ***be pressed for time*** unter Zeitdruck stehen

> **press on** [ˌpres'ɒn] **1.** *auch* **press ahead** *übertragen* weitermachen (***with*** mit) **2.** ***press something on someone*** jemandem etwas aufdrängen

press agency ['presˌeɪdʒənsɪ] Presseagentur
press baron ['presˌbærən] *umg.* Pressezar
press box ['pres‿bɒks] *in Stadion usw.*: Pressetribüne; ***in the pressbox*** auf der Pressetribüne
press clipping ['presˌklɪpɪŋ] *bes. AE* → ***press cutting***
press conference ['presˌkɒnfrəns] Pressekonferenz
press cutting ['presˌkʌtɪŋ] Zeitungsausschnitt
press gallery ['presˌgælərɪ] *im Parlament* Pressetribüne; ***in the press gallery*** auf der Pressetribüne
pressing ['presɪŋ] *Angelegenheit*: dringend
press release ['pres‿rɪˌliːs] Pressemitteilung, Presseverlautbarung
press-stud ['pres‿stʌd] *BE* Druckknopf
press-up ['presʌp] *BE* Liegestütz; ***do ten press-ups*** zehn Liegestütze machen
pressure ['preʃə] *allg.*: Druck; ***under pressure*** *übertragen* unter Druck; ***put pressure on*** *übertragen* Druck ausüben auf
pressure cooker ['preʃəˌkʊkə] Schnellkochtopf
pressure group ['preʃə‿gruːp] *Politik*: Interessengruppe, Pressuregroup
prestige [pre'stiːʒ] Prestige, Ansehen
prestigious [pre'stɪdʒəs] **1.** *Schule*, *Autor usw.*: renommiert **2.** mit Prestige, Prestige…
presumably [prɪ'zjuːməblɪ] vermutlich
presume [prɪ'zjuːm] annehmen, vermuten
presumption [prɪ'zʌmpʃn] Annahme, Vermutung
pretence, *AE* **pretense** [prɪ'tens] **1.** Heuchelei, Verstellung; ***it's only a pretence*** es ist nur gespielt **2.** ***under false pretences*** unter Vorspiegelung falscher Tatsachen
pretend [prɪ'tend] vorgeben, vortäuschen, *beim Spiel*: so tun als ob; ***pretend to be asleep*** sich schlafend stellen; ***he's only pretending*** er tut nur so
pretense [prɪ'tens] *AE* → ***pretence***
pretentious [prɪ'tenʃəs] *abwertend* prätentiös, wichtigtuerisch, gewollt
preterite ['pretərɪt] *Sprache*: Präteritum, (erste) Vergangenheit
pretext [⚠ 'priːtekst] Vorwand; ***under*** *oder* ***on the pretext of having to work*** unter dem Vorwand, arbeiten zu müssen
pretty[1] ['prɪtɪ] **1.** *allg.*: hübsch; (⚠ *bei einem Mann spricht man von* ***handsome***) **2.** ***be sitting pretty*** *umg.* (finanziell) gut dastehen
pretty[2] ['prɪtɪ] *umg.* **1.** ziemlich, ganz schön; ***pretty cold*** ziemlich kalt **2.** ***pretty***

much the same thing so ziemlich dasselbe

prevail [prɪ'veɪl] **1.** (*Anschauung, Brauch usw.*) vorherrschen, weit verbreitet sein **2.** siegen (***over, against*** über), sich durchsetzen (***over, against*** gegen)

prevailing [prɪ'veɪlŋ] (vor)herrschend; ***the prevailing winds are from the southeast*** der Wind kommt vorwiegend aus Südost

prevent [prɪ'vent] **1.** verhindern, verhüten (*Unfall usw.*) **2.** ***prevent someone from doing something*** jemanden (daran) hindern *oder* davon abhalten, etwas zu tun

prevention [prɪ'venʃn] Verhinderung, Verhütung (***of*** von); ***prevention is better than cure*** vorbeugen ist besser als heilen

preventive [prɪ'ventɪv] *Maßnahme usw.*: vorbeugend, präventiv; ***preventive detention*** Vorbeugehaft, *bei Schwerkriminellen*: Sicherungsverwahrung

preview ['priːvjuː] *Film, TV, auch allg.*: Vorschau (***of*** auf)

previous ['priːvɪəs] vorhergehend, vorausgehend, vorherig; ***on the previous day*** am Tag davor, am Vortag

previously ['priːvɪəslɪ] früher, vorher

prey [preɪ] Beute, Opfer (*eines Raubtiers; auch übertragen*); ***be easy prey*** *übertragen* eine leichte Beute sein (***for*** für)

price[1] [praɪs] **1.** Preis (*auch übertragen*); ***what sort of price is it?*** was *oder* wie viel kostet es in etwa? **2.** ***put a price on someone's head*** eine Belohnung für jemandes Ergreifung aussetzen **3.** ***at a price*** für entsprechendes Geld **4.** ***I wouldn't sell it at 'any price*** *übertragen* ich würde es um keinen Preis verkaufen

price[2] [praɪs] ***this coat*** *usw.* ***is priced at £99*** dieser Mantel *usw.* ist mit 99 Pfund ausgezeichnet

price-conscious ['praɪs,kɒnʃəs] preisbewusst

price cut ['praɪs‿kʌt] Preissenkung

price freeze ['praɪs‿friːz] Preisstopp

priceless ['praɪsləs] *Kunstwerk, auch Talent usw.*: unbezahlbar

price list ['praɪs‿lɪst] Preisliste

price range ['praɪs‿reɪndʒ] Preisklasse, Preiskategorie

price tag ['praɪs‿tæg] Preisschild

pricey ['praɪsɪ] *umg.* teuer

prick[1] [prɪk] **1.** (Insekten-, Nadel)Stich; ***pricks*** *Pl.* ***of conscience*** *übertragen* Gewissensbisse **2.** Einstich **3.** *vulgär* Pimmel

prick[2] [prɪk] **1.** (durch)stechen, stechen in; ***prick one's finger*** sich in den Finger stechen (***on*** an; ***with*** mit) **2.** ***prick up one's ears*** *übertragen* die Ohren spitzen

P

prickle[1] ['prɪkl] Stachel, *Pflanzen auch*: Dorn

prickle[2] ['prɪkl] prickeln (*auch übertragen*), kratzen

prickly ['prɪklɪ] **1.** stachelig, *Pflanzen auch*: dornig **2.** prickelnd (*auch übertragen*) **3.** *umg.*; *Angelegenheit usw.*: haarig

pricy ['praɪsɪ] → ***pricey***

pride [praɪd] **1.** Stolz (*auch Gegenstand des Stolzes*); ***take (great) pride in*** (sehr) stolz sein auf **2.** *im negativen Sinn*: Hochmut

priest ['priːst] Priester(in)

priesthood ['priːsthʊd] **1.** Priesteramt, Priesterwürde **2.** *die Priester*: Priesterschaft

priestly ['priːstlɪ] priesterlich

primarily [praɪ'merəlɪ] in erster Linie, vor allem

primary[1] ['praɪmərɪ] **1.** wichtigste(r,-s), Haupt… **2.** grundlegend, Grund…

primary[2] ['praɪmərɪ] *in den USA; Politik*: Vorwahl

primary colour [,praɪmərɪ'kʌlə] Grundfarbe

primary school ['praɪmərɪ‿skuːl] Grundschule

prime[1] [praɪm] ***in the prime of life*** in der Blüte seiner Jahre

prime[2] [praɪm] **1.** wichtigste(r, -s), Haupt…; ***the prime cause of …*** der Hauptgrund für … **2.** *Qualität usw.*: erstklassig

Prime Minister [,praɪm'mɪnɪstə] Ministerpräsident(in), Premierminister(in)

prime number [,praɪm'nʌmbə] *Mathematik*: Primzahl

prime time ['praɪm‿taɪm] *bes. AE; TV*: Haupteinschaltzeit, Hauptsendezeit

primeval [praɪ'miːvl] urzeitlich, Ur…

primitive ['prɪmətɪv] **1.** urzeitlich, primitiv; ***a primitive people*** ein Naturvolk **2.** primitiv (*auch abwertend*)

prince [prɪns] **1.** *in Königsfamilie*: Prinz **2.** *Herrscher*: Fürst

Prince Charming [,prɪns'tʃɑːmɪŋ] **1.** *im Märchen*: Königssohn, Prinz **2.** *übertragen* Märchenprinz

princess [prɪn'ses, *vor Namen*: 'prɪnses] **1.** *in Königsfamilie*: Prinzessin **2.** *Frau eines Fürsten*: Fürstin

principal[1] ['prɪnsəpl] wichtigste(r,-s), Haupt…

principal[2] ['prɪnsəpl] **1.** *Schule usw.*: Rektor(in) **2.** *Theater*: Hauptdarsteller(in), *Musik*: Solist(in)

principality [,prɪnsə'pælətɪ] Fürstentum

principally ['prɪnsəplɪ] hauptsächlich

principle ['prɪnsəpl] **1.** Prinzip, Grundsatz; ***in principle*** im Prinzip, an sich; ***on prin-***

ciple prinzipiell, aus Prinzip **2.** *Physik usw.*: Prinzip, (Natur)Gesetz
print[1] [prɪnt] **1.** *das* Gedruckte; ***the small print*** das Kleingedruckte (*eines Vertrags*) **2.** Abdruck (*bes. von Finger oder Fuß*) **3.** *Kunst*: Druck, *Fotografie*: Abzug **4.** ***out of print*** *Buch*: vergriffen; ***in print*** gedruckt, *Buch*: erhältlich
print[2] [prɪnt] **1.** *allg.*: drucken; ***printed matter*** *Postwesen*: Drucksache **2.** *Foto*: abziehen **3.** *Zeitung usw.*: abdrucken, veröffentlichen (*Rede usw.*) **4.** bedrucken (*Stoff usw.*) **5.** in Druckbuchstaben schreiben

print out [ˌprɪnt'aʊt] *Computer*: ausdrucken

printer ['prɪntə] Drucker (*Beruf und Gerät*)
printer driver ['prɪntəˌdraɪvə] *Computer*: Druckertreiber
printing ['prɪntɪŋ] **1.** (der) Buchdruck **2.** ***printing error*** Druckfehler
printout ['prɪntaʊt] *Computer*: Ausdruck
prion ['praɪən] *Biologie*: Prion
prior ['praɪə] **1.** vorherig, früher **2.** ***prior to*** vor
priority [praɪ'ɒrətɪ] **1.** Priorität, Vorrang; ***give priority to something*** einer Sache den Vorrang geben; ***have*** *oder* ***take priority*** den Vorrang haben (***over*** vor), vorgehen **2.** vorrangige Sache **3.** *Straßenverkehr*: Vorfahrt; ***have priority*** Vorfahrt haben
prism ['prɪzm] Prisma
prison ['prɪzn] Gefängnis; ***go to prison*** ins Gefängnis kommen; ***prison sentence*** Gefängnisstrafe, Freiheitsstrafe
prisoner ['prɪznə] Gefangene(r), Häftling; ***hold*** *oder* ***keep someone prisoner*** jemanden gefangen halten; ***take someone prisoner*** jemanden gefangen nehmen; ***prisoner of war*** Kriegsgefangene(r)
prissy ['prɪsɪ] *umg.* zimperlich
privacy [⚠ 'prɪvəsɪ] **1.** Privatsphäre, Intimsphäre; ***there's no privacy here*** hier ist man nie ungestört **2.** ***in strict privacy*** streng vertraulich
private[1] ['praɪvət] **1.** privat, Privat…; ***private life*** das Privatleben **2.** *Angelegenheit*: vertraulich; ***keep something private*** etwas vertraulich behandeln
private[2] ['praɪvət] *militärisch*: Gefreite(r)
private detective [ˌpraɪvət dɪ'tektɪv], *umg.* **private eye** [ˌpraɪvət'aɪ] Privatdetektiv
private parts [ˌpraɪvət'pɑːts] *Pl.* Geschlechtsteile *Pl.*
private patient [ˌpraɪvət'peɪʃnt] Privatpatient(in)
private school [ˌpraɪvət'skuːl] Privatschule
privation [praɪ'veɪʃn] Entbehrung
privatization [ˌpraɪvətaɪ'zeɪʃn] Privatisierung
privatize ['praɪvətaɪz] privatisieren (*staatlichen Betrieb usw.*)
privilege ['prɪvəlɪdʒ] **1.** Privileg, Vorrecht **2.** (besondere) Ehre
privileged ['prɪvəlɪdʒd] **1.** ***we're privileged to …*** wir haben die Ehre, … **2.** *Gesellschaftsschicht usw.*: privilegiert
prize[1] [praɪz] (Sieger)Preis, *Lotterie*: Gewinn
prize[2] [praɪz] **1.** preisgekrönt **2.** Preis…; ***prize money*** Preisgeld **3.** *umg.* ***prize idiot*** Vollidiot
prize[3] [praɪz] (hoch) schätzen (*Wertgegenstand usw.*); ***prized possession*** wertvollster Besitz
pro [prəʊ] *Pl.*: ***pros*** *umg.* Profi; ☞ ***pros and cons***
probability [ˌprɒbə'bɪlətɪ] Wahrscheinlichkeit; ***in all probability*** aller Wahrscheinlichkeit nach, höchstwahrscheinlich;
probable ['prɒbəbl] wahrscheinlich
probably ['prɒbəblɪ] wahrscheinlich
probation [prə'beɪʃn] **1.** *von Berufsanfänger usw.*: Probe(zeit); ***he's still on probation*** er ist noch in der Probezeit **2.** *Recht*: Bewährung(sfrist); ***put someone on probation*** jemandes Strafe zur Bewährung aussetzen; ***probation officer*** Bewährungshelfer(in)
probe [prəʊb] **1.** *Medizin*, *Technik*: Sonde **2.** Untersuchung (⚠ *nicht* **Probe**)

probe into ['prəʊbˌɪntʊ] erforschen, (gründlich) untersuchen

problem ['prɒbləm] **1.** Problem; ***he passed the exam without any problems*** er bestand die Prüfung (völlig) problemlos **2.** *Mathematik usw.*: Aufgabe; ***do a problem*** eine Aufgabe lösen
problematic [ˌprɒblə'mætɪk], **problematical** [ˌprɒblə'mætɪkl] problematisch
probs [prɒbz] *BE*, *umg.*: ***no probs!*** null Problemo, kein Problem
procedure [prə'siːdʒə] Verfahren(sweise), Vorgehen
proceed [prə'siːd] **1.** (*Vorgang usw.*) weitergehen **2.** fortfahren (***with*** mit); ***proceed***

P

with one's work seine Arbeit fortsetzen **3.** vorgehen, verfahren; ***proceed with something*** etwas durchführen; ***proceed to do something*** sich daranmachen, etwas zu tun **4.** sich begeben (***to*** nach, zu)

proceedings [prə'siːdɪŋz] *Pl.* **1.** ***legal proceedings*** *Recht*: gerichtliche Schritte **2.** *bes. ungewöhnliche Ereignisse*: Vorgänge, Geschehnisse **3.** *von Sitzung usw.*: Protokoll, Mitschrift; *von Kongress*: Tätigkeitsbericht

proceeds [⚠ 'prəʊsiːdz] *Pl.* Erlös, Ertrag

process[1] ['prəʊses] **1.** Prozess (*einer Entwicklung*), Vorgang; ***in the process*** dabei; ***be in process*** im Gange sein; ***be in the process of doing something*** (gerade) dabei sein, etwas zu tun **2.** *Industrie*: Prozess, Verfahren (⚠ *(Straf)Prozess* = ***trial***)

process[2] ['prəʊses] **1.** *Industrie*: verarbeiten, haltbar machen (*Lebensmittel*), (chemisch) behandeln **2.** *Fotografie*: entwickeln (*Film*) **3.** *EDV*: verarbeiten (*Daten*) **4.** bearbeiten (*Anträge usw.*)

procession [prə'seʃn] Prozession, Umzug

processor ['prəʊsesə] *Computer*: Prozessor

proclaim [prə'kleɪm] verkünden, erklären; ***proclaim someone king*** jemanden zum König ausrufen

proclamation [ˌprɒklə'meɪʃn] Verkündung, Proklamation, Ausrufung

procure [prə'kjʊə] beschaffen, besorgen

prod[1] [prɒd] **1.** stoßen (***at*** nach); ***prod someone in the ribs*** jemandem einen Rippenstoß geben **2.** *übertragen* anspornen, anstacheln (***into*** zu); ***prod someone's memory*** jemandes Gedächtnis nachhelfen

prod[2] [prɒd] Stoß; ***prod in the ribs*** Rippenstoß

prodigal[1] ['prɒdɪgl] verschwenderisch; ***the prodigal son*** *Bibel*: der verlorene Sohn (*auch übertragen*)

prodigal[2] ['prɒdɪgl] Verschwender(in)

produce[1] [prə'djuːs] **1.** *Wirtschaft und allg.*: erzeugen, produzieren, herstellen **2.** *Theater*: inszenieren, einstudieren, *Film*: produzieren **3.** hervorholen (*Waffe, Brieftasche usw.*) (***from*** aus) **4.** vorlegen (*Ausweis usw.*), beibringen (*Beweise usw.*)

produce[2] [⚠ 'prɒdjuːs] Produkt(e), Erzeugnis(se) (*bes. Agrarpodukte*)

producer [prə'djuːsə] **1.** Produzent(in), Hersteller(in) **2.** *Film*: Produzent(in), *Theater, TV*: Regisseur(in)

product ['prɒdʌkt] Produkt (*auch Chemie, Mathematik und übertragen*), Erzeugnis

production [prə'dʌkʃn] **1.** *Wirtschaft und allg.*: Produktion, Herstellung, Erzeugung; ***go into production*** *Betrieb*: die Produktion aufnehmen, *Ware*: in Produktion gehen **2.** *Theater*: Inszenierung, *Film*: Produktion **3.** *Theater, TV*: Regie

production line [prə'dʌkʃn‿laɪn] Fließband, Fertigungsstraße

productive [prə'dʌktɪv] **1.** *allg.*: produktiv **2.** *Boden usw.*: ertragreich **3.** *Unternehmen usw.*: rentabel

productivity [ˌprɒdʌk'tɪvətɪ] **1.** *allg.*: Produktivität (*auch übertragen*) **2.** *von Boden usw.*: Ergiebigkeit **3.** *von Unternehmen usw.*: Rentabilität

prof [prɒf] *umg.* Prof (*Professor*)

profane [prə'feɪn] **1.** *Äußerung usw.*: (gottes)lästerlich **2.** (≈ *nicht religiös*) weltlich, profan

profession [prə'feʃn] **1.** Beruf (*bes. akademischer*); ***by profession*** von Beruf **2.** Berufsstand; ***the medical profession*** die Ärzteschaft, die Mediziner

professional[1] [prə'feʃnəl] **1.** Berufs…, beruflich **2.** *Rat, Arbeit*: fachmännisch **3.** professionell, Berufs… (*beide auch Sport*)

professional[2] [prə'feʃnəl] **1.** Fachmann, Fachfrau **2.** *Sport*: Profi

professor [prə'fesə] Professor(in)

proficiency [prə'fɪʃnsɪ] Können, Leistung(sstärke), Tüchtigkeit

proficient [prə'fɪʃnt] fähig, gut (*im Beruf, in einer Sprache usw.*); ***she's proficient in English*** sie beherrscht die englische Sprache

profile ['prəʊfaɪl] **1.** *allg.*: Profil; ***in profile*** im Profil **2.** (≈ *Bericht*) Porträt, Skizze

profit ['prɒfɪt] Gewinn, Profit; ***sell at a profit*** mit Gewinn verkaufen

> **profit by** *oder* **from** ['prɒfɪt‿baɪ *oder* frɒm] Nutzen *oder* Gewinn ziehen (aus), profitieren (von)

profitable ['prɒfɪtəbl] **1.** *Geschäft usw.*: Gewinn bringend, rentabel **2.** *übertragen* vorteilhaft, nützlich

profiteer [ˌprɒfɪ'tɪə] Profitmacher(in)

profiteering [ˌprɒfɪ'tɪərɪŋ] Wuchergeschäfte *Pl.*, Wucherei

profound [prə'faʊnd] **1.** *Eindruck, Schweigen usw.*: tief **2.** *Gedanke usw.*: tiefgründig, tiefsinnig

prognosis [prɒg'nəʊsɪs] *Pl.* ***prognoses*** [prɒg'nəʊsiːz] *Medizin und allg.*: Prognose

prognosticate [prɒg'nɒstɪkeɪt] voraussagen, vorhersagen, prognostizieren

program[1] ['prəʊgræm] **1.** *Computer*: Programm **2.** *AE*; *allg.*: Programm, *Rundfunk*, *TV auch*: Sendung

program[2] ['prəʊgræm] ***programmed, programmed***, *AE auch* ***programed, programed*** **1.** *Computer*: programmieren **2.** *AE* (vor)programmieren (*Gerät*)

programme[1] ['prəʊgræm] *allg.*: Programm, *Rundfunk*, *TV auch*: Sendung

programme[2] ['prəʊgræm] (vor)programmieren (*Gerät*)

programmer ['prəʊgræmə] Programmierer(in)

progress[1] ['prəʊgres] **1.** *räumlich*: ***make slow progress*** langsam vorankommen **2.** Fortschritt(e); ***progress is being made*** Fortschritte werden gemacht **3.** ***be in progress*** im Gange sein

progress[2] [⚠ prəʊ'gres] **1.** *räumlich*: sich vorwärts bewegen **2.** (*Zeit*, *Krankheit usw.*) fortschreiten **3.** (*Schüler usw.*) Fortschritte machen

progressive [prəʊ'gresɪv] **1.** fortschreitend **2.** fortschrittlich (*im Denken*) **3.** ***progressive form*** *Sprache*: Verlaufsform

prohibit [prə'hɪbɪt] verbieten, untersagen

prohibition [⚠ ˌprəʊɪ'bɪʃn] Verbot

project[1] [⚠ 'prɒdʒekt] Projekt, Vorhaben

project[2] [⚠ prə'dʒekt] **1.** *räumlich*: hervorragen, vorstehen **2.** projizieren (*Bild usw.*) (***onto*** auf)

projection [prə'dʒekʃn] **1.** Vorsprung (*eines Gebäudes*) **2.** (Voraus)Planung, Hochrechnung **3.** Projektion (*eines Films usw.*)

projectionist [prə'dʒekʃnɪst] Filmvorführer(in)

projector [prə'dʒektə] Projektor

prole [prəʊl] *BE*, *umg.*, *abwertend* Prolet (-in)

proletarian[1] [ˌprəʊlə'teərɪən] proletarisch, Proletarier…

proletarian[2] [ˌprəʊlə'teərɪən] Proletarier (-in)

proletariat [ˌprəʊlə'teərɪət] Proletariat

prolific [prə'lɪfɪk] *Schriftsteller usw.*: (sehr) produktiv

prologue, *AE* **prolog** ['prəʊlɒg] Prolog

prolong [prə'lɒŋ] verlängern (*Aufenthalt usw.*) (***by*** um)

prom [prɒm] **1.** *AE* Schülerball **2.** *in GB*: *klassisches Sommerkonzert*

The Proms

The Proms, kurz für **Promenade Concerts**, heißen die Konzerte, die jeden Sommer von Ende Juli bis September in der Londoner **Royal Albert Hall** stattfinden. Das Programm reicht von der Klassik bis zur Avantgarde und umfasst inzwischen auch Jazz und Ethnomusik. Den Höhepunkt bildet die **Last Night of the Proms**, bei der das Publikum traditionelle und patriotische Lieder begeistert mitsingt.

promenade[1] [ˌprɒmə'nɑːd] (Strand)Promenade

promenade[2] [ˌprɒmə'nɑːd] promenieren (in)

prominence ['prɒmɪnəns] Bekanntheit, Bedeutung; ***come into*** (*oder* ***rise to***) ***prominence*** bekannt *oder* berühmt werden

prominent ['prɒmɪnənt] **1.** vorspringend, vorstehend (*auch Kinn usw.*) **2.** *Kennzeichen usw.*: auffällig **3.** *übertragen* prominent, bekannt, berühmt

promise[1] ['prɒmɪs] **1.** Versprechen; ***make a promise*** ein Versprechen geben **2.** *übertragen* Hoffnung, Aussicht (***of*** auf)

promise[2] ['prɒmɪs] *allg.*: (etwas) versprechen (*auch übertragen*); ***I promise*** ich versprechs; ***I promise you, …*** das (eine) sag ich dir: …

promising ['prɒmɪsɪŋ] viel versprechend

promo ['prəʊməʊ] *bes. AE, umg.* **1.** *TV* Werbespot **2.** *in Zeitung*: Anzeige

promote [prə'məʊt] **1.** *beruflich*: befördern **2.** ***be promoted*** *BE*; *Sport*: aufsteigen (***to*** in) **3.** *Wirtschaft*: werben für (*ein Produkt*) **4.** *förmlich* fördern (*gute Sache usw.*)

promotion [prə'məʊʃn] **1.** *beruflich*: Beförderung; ***get promotion*** befördert werden; ***promotion prospects*** *Pl.* Aufstiegschancen **2.** *BE*; *Sport*: Aufstieg **3.** *Wirtschaft*: Werbung, Werbeaktion **4.** Förderung (*einer guten Sache*)

prompt[1] [prɒmpt] **1.** ***prompt someone to do something*** jemanden veranlassen, etwas zu tun **2.** führen zu, wecken (*Gefühle usw.*) **3.** vorsagen, *Theater*: soufflieren

prompt[2] [prɒmpt] **1.** prompt, unverzüglich, umgehend **2.** (≈ *zur ausgemachten Zeit kommend*) pünktlich

prompter ['prɒmptə] *Theater*: Souffleur, Souffleuse

promptness ['prɒmptnəs] **1.** Promptheit **2.** Pünktlichkeit

prone [prəʊn] ***be prone to*** *übertragen* neigen zu, anfällig sein für; ***be prone to colds*** erkältungsanfällig sein; ***be prone to do something*** dazu neigen, etwas zu tun

prong [prɒŋ] Zinke (*einer Gabel*)

pronoun ['prəʊnaʊn] *Sprache*: Pronomen, Fürwort

pronounce [prə'naʊns] **1.** aussprechen

(*Wort usw.*) **2.** *offiziell*: erklären für **3.** (*bes. Gericht*) verkünden (*Urteil*)
pronounced [prəˈnaʊnst] ausgesprochen, ausgeprägt
pronto [ˈprɒntəʊ] *umg.* fix; ***and pronto!*** aber dalli!
pronunciation [prəˌnʌnsɪˈeɪʃn] Aussprache
proof[1] [pruːf] **1.** Beweis(e), Nachweis; ***as*** *oder* ***in proof of*** als *oder* zum Beweis für (*oder Genitiv*); ***give proof of something*** etwas beweisen *oder* nachweisen **2.** ***put to the proof*** auf die Probe stellen
proof[2] [pruːf] *Material usw.*: …fest, …beständig, …dicht; ***bullet-proof*** kugelsicher; ☞ ***waterproof***
proofread [ˈpruːfriːd], ***proofread*** [ˈpruːfred], ***proofread*** [ˈpruːfred] Korrektur lesen
proofreader [ˈpruːfˌriːdə] Korrektor(in)
proofreading [ˈpruːfˌriːdɪŋ] Korrekturlesen
prop[1] [prɒp] Stütze (*auch übertragen*)
prop[2] [prɒp] ***propped, propped*** (ab)stützen

> **prop against** [ˈprɒp‿əˌgenst] lehnen gegen *oder* an
> **prop up** [ˌprɒpˈʌp] (ab)stützen; ***prop up the bar*** *humorvoll* an der Bar herumhängen

prop[3] [prɒp] *Theater*: Requisit
propaganda [ˌprɒpəˈgændə] Propaganda
propagate [ˈprɒpəgeɪt] **1.** (*Lebewesen*) sich fortpflanzen **2.** verbreiten (*Ideen usw.*)
propane [ˈprəʊpeɪn] Propan(gas)
propel [prəˈpel], ***propelled, propelled*** (an)treiben
propeller [prəˈpelə] *von Flugzeug usw.*: Propeller, *von Schiff auch*: Schraube
proper [ˈprɒpə] **1.** richtig, passend, geeignet; ***in its proper place*** am rechten Platz **2.** *Benehmen usw.*: anständig, schicklich **3.** *BE*, *umg.* echt, richtig **4.** *umg.*; *Feigling usw.*: richtig, *Tracht Prügel usw.*: gehörig, anständig
properly [ˈprɒpəlɪ] richtig, anständig
proper noun [ˌprɒpəˈnaʊn], **proper name** [ˌprɒpəˈneɪm] *Sprache*: Eigenname
property [ˈprɒpətɪ] **1.** Eigentum, Besitz; ***lost property*** Fundsachen; ***lost property office*** *BE* Fundbüro **2.** Land, Grundbesitz, Immobilie(n) **3.** *von Substanz usw.*: Eigenschaft
prophecy [ˈprɒfəsɪ] Prophezeiung
prophesy [⚠ ˈprɒfəsaɪ] prophezeien
prophet [ˈprɒfɪt] Prophet(in)
prophetic [prəˈfetɪk] prophetisch
prophylactic[1] [ˌprɒfəˈlæktɪk] *bes. Medizin*: prophylaktisch, vorbeugend
prophylactic[2] [ˌprɒfəˈlæktɪk] **1.** *Medizin*: Prophylaktikum, vorbeugendes Mittel **2.** Präservativ
prophylaxis [ˌprɒfəˈlæksɪs] *Medizin*: Prophylaxe
proponent [prəˈpəʊnənt] Befürworter(in)
proportion [prəˈpɔːʃn] **1.** *beim Vergleich*: Verhältnis; ***in proportion to*** im Verhältnis zu **2.** ***the painting is out of proportion*** die Proportionen des Bildes stimmen nicht **3.** Teil, Anteil **4.** ***be out of all proportion to*** (*Preis usw.*) in keinem Verhältnis stehen zu
proportional [prəˈpɔːʃnəl] **1.** proportional **2.** anteilmäßig
proportionate [prəˈpɔːʃnət] proportional
proposal [prəˈpəʊzl] **1.** Vorschlag, Angebot **2.** *auch* ***marriage proposal*** (Heirats)Antrag
propose [prəˈpəʊz] **1.** vorschlagen; ***propose something to someone*** jemandem etwas vorschlagen; ***he proposed going out to eat*** er schlug vor, essen zu gehen **2.** beabsichtigen, vorhaben **3.** ***he proposed to her*** er machte ihr einen Heiratsantrag
proposition[1] [ˌprɒpəˈzɪʃn] **1.** *bes. geschäftlich*: Vorschlag, Angebot **2.** *umg.* Sache, Angelegenheit **3.** (≈ *Lehrsatz*) These **4.** unsittlicher Antrag
proposition[2] [ˌprɒpəˈzɪʃn] ***proposition someone*** jemandem einen unsittlichen Antrag machen
proprietor [prəˈpraɪətə] *von Hotel, Geschäft usw.*: Inhaber, Besitzer
proprietress [prəˈpraɪətrəs] *von Hotel, Geschäft usw.*: Inhaberin, Besitzerin
propriety [prəˈpraɪətɪ] Anstand
propulsion [prəˈpʌlʃn] *Technik*: Antrieb
prosaic [prəʊˈzeɪɪk] prosaisch, nüchtern
pros and cons [ˌprəʊz‿ənˈkɒnz] *Pl.* ***the pros and cons*** *Pl.* das Für und Wider, das Pro und Kontra
prose [prəʊz] **1.** (die) Prosa **2.** *bes. BE*; *Schule*: Übersetzung in eine Fremdsprache; ***an Italian prose*** eine Übersetzung ins Italienische
prosecute [ˈprɒsɪkjuːt] **1.** *Rechtswesen*: strafrechtlich verfolgen (***for*** wegen) **2.** (*Anwalt*) die Anklage vertreten
prosecution [ˌprɒsɪˈkjuːʃn] **1.** *Rechtswesen*: strafrechtliche Verfolgung **2.** ***the prosecution*** *Rechtswesen*: die Staatsanwaltschaft, die Anklage **3.** Durchführung (*eines Plans usw.*)

prosecutor ['prɒsɪkjuːtə] *auch* ***public prosecutor*** Staatsanwalt, Staatsanwältin
prospect ['prɒspekt] *übertragen* Aussicht (***of*** auf); ***have something in prospect*** etwas in Aussicht haben; ***the prospects for the weekend*** die Aussichten für das Wochenende
prospective [prə'spektɪv] voraussichtlich; ***prospective buyer*** Kaufinteressent(in), potenzieller Käufer, potenzielle Käuferin; ***my prospective son-in-law*** mein zukünftiger Schwiegersohn
prospectus [prə'spektəs] **1.** *von Universität*: Studienführer **2.** *von Firma*: Prospekt
prosper ['prɒspə] (*Geschäft usw.*) blühen, florieren
prosperity [prɒ'sperətɪ] Wohlstand
prosperous ['prɒspərəs] **1.** *Person*: wohlhabend **2.** *Geschäft usw.*: florierend
prostitute ['prɒstɪtjuːt] Prostituierte
prostitution [ˌprɒstɪ'tjuːʃn] Prostitution
protagonist [prəʊ'tægənɪst] **1.** *Theater, Roman usw.*: Hauptfigur, Held(in) **2.** *übertragen* Vorkämpfer(in) (*einer Idee usw.*)
protect [prə'tekt] **1.** (be)schützen (***from, against*** vor, gegen) **2.** wahren (*Interessen usw.*)
protection [prə'tekʃn] **1.** Schutz **2.** *auch* ***protection money*** Schutzgeld (*an Erpresser*)
protectionism [prə'tekʃnɪzm] *Wirtschaftspolitik*: Protektionismus
protective [prə'tektɪv] **1.** Schutz…; ***protective clothing*** Schutzkleidung **2.** *Eltern usw.*: fürsorglich (***toward[s]*** gegenüber)
protector [prə'tektə] **1.** Beschützer(in) **2.** Schutz, …schützer
protectorate [prə'tektərət] *Politik*: Protektorat
protein ['prəʊtiːn] Protein
protest[1] [⚠ 'prəʊtest] Protest; ***in protest*** aus Protest (***against*** gegen); ***protest march*** Protestmarsch, Demonstration
protest[2] [⚠ prə'test] **1.** protestieren (***against, about*** gegen; ***to*** bei) **2.** beteuern (*Unschuld usw.*) **3.** demonstrieren, *AE auch* demonstrieren gegen; ***protest the war*** *AE* gegen den Krieg demonstrieren
Protestant[1] ['prɒtɪstənt] Protestant(in)
Protestant[2] ['prɒtɪstənt] protestantisch, evangelisch
protocol ['prəʊtəkɒl] *diplomatisch*: Protokoll (⚠ *Sitzungsprotokoll =* ***minutes*** *Pl.*)
proton ['prəʊtɒn] *Physik*: Proton
protoplasm ['prəʊtəˌplæzm] *Biologie*: Protoplasma
prototype ['prəʊtətaɪp] Prototyp
protrude [prə'truːd] herausragen, vorstehen (***from*** aus)
protruding [prə'truːdɪŋ] vorstehend (*auch Zähne usw.*), vorspringend (*Kinn*)
proud [praʊd] **1.** *allg.*: stolz (***of*** auf) **2.** hochmütig **3.** ***do someone proud*** jemandem eine Ehrung bereiten, *bei Einladung usw.*: jemanden verwöhnen
provable ['pruːvəbl] beweisbar, nachweisbar
prove [pruːv] ***proved, proved*** *oder AE* ***proven*** ['pruːvn] **1.** beweisen, nachweisen **2.** ***prove oneself*** (***to be***) sich erweisen als; ***prove*** (***to be***) sich erweisen als
proven[1] ['pruːvn] *3. Form von →* ***prove***
proven[2] ['pruːvn, 'prəʊvn] bewährt
proverb ['prɒvɜːb] Sprichwort
proverbial [prə'vɜːbɪəl] sprichwörtlich
provide [prə'vaɪd] **1.** versehen, versorgen (***with*** mit) (*Essen, Arbeit usw.*) **2.** zur Verfügung stellen (*Service usw.*) (***for someone*** jemandem)

> **provide for** [prə'vaɪd‿fɔː] **1.** sorgen für; ***she's got two children to provide for*** sie hat zwei Kinder zu versorgen **2.** vorsorgen für (*die Zukunft usw.*)

provided [prə'vaɪdɪd] *auch* ***provided that*** vorausgesetzt(, dass)
providence [⚠ 'prɒvɪdəns] (die) Vorsehung
provider [prə'vaɪdə] **1.** Ernährer(in) (*einer Familie*) **2.** *Internet*: Provider, Anbieter
province ['prɒvɪns] **1.** *Verwaltungseinheit*: Provinz **2.** ***the provinces*** *Pl.* die Provinz (*als Gegensatz zur Stadt*)
provincial [prə'vɪnʃl] **1.** Provinz… **2.** *abwertend* provinziell
provision [prə'vɪʒn] **1.** Bereitstellung (*von Diensten usw.*) **2.** Vorkehrung; ***make provisions*** vorsorgen (***against, for*** für) **3.** *Vertrag usw.*: Bestimmung; ***with the provision that …*** unter dem Vorbehalt, dass … (⚠ *nicht* ***Provision***); ☞ ***provisions***
provisional [prə'vɪʒnəl] provisorisch
provisions [prə'vɪʒnz] *Pl.* Proviant, Verpflegung
provocation [ˌprɒvə'keɪʃn] Provokation, Herausforderung
provocative [⚠ prə'vɒkətɪv] provozierend
provoke [prə'vəʊk] **1.** provozieren, reizen (*Person, Tier*); ***they provoked him into tearing up the contract*** sie brachten ihn dazu, den Vertrag zu zerreißen **2.** hervorrufen, auslösen (*Reaktion usw.*)
prowl[1] [praʊl] **1.** *auch* ***prowl about*** *oder*

P

around *Tier, Dieb*: umherschleichen, umherstreifen **2.** durchstreifen (*Straßen usw.*)
prowl[2] [praʊl] ***be on the prowl*** *Tier, Dieb*: umherstreifen, auf Beute aussein
prowl car ['praʊl‿kɑː] *AE* Streifenwagen
proximity [prɒk'sɪmətɪ] Nähe
proxy ['prɒksɪ] **1.** (Handlungs)Vollmacht **2.** Vertreter(in), Bevollmächtigte(r); ***by proxy*** durch einen Bevollmächtigten
prude [pruːd] ***be a prude*** prüde sein
prudence ['pruːdns] Umsicht, Besonnenheit
prudent ['pruːdnt] **1.** *Verhalten*: klug, vernünftig **2.** *Person*: umsichtig, besonnen
prudery ['pruːdərɪ] Prüderie
prudish ['pruːdɪʃ] prüde
prune [pruːn] Backpflaume
Prussia ['prʌʃə] Preußen
pry [praɪ], ***pried*** [praɪd], ***pried*** [praɪd]; *-ing-Form* ***prying***; *im negativen Sinn*: neugierig sein; ***pry into*** seine Nase stecken in
psalm [⚠ sɑːm] Psalm
pseudo [⚠ 'sjuːdəʊ] (≈ *unecht, nicht wirklich*) pseudo; ***a pseudo-intellectual*** ein Pseudeo-Intellektueller

pseudo: Tipps zur Aussprache

pseudo klingt im Englischen ganz anders.

Bei den allermeisten englischen Wörtern, die mit **ps-** beginnen, wird das „p" gar nicht gesprochen.

Beispiele:

pseudo ['sjuːdəʊ], **psychiatrist** [saɪ'kaɪətrɪst], **psychological** [ˌsaɪkə'lɒdʒɪkl], **psychologist** [saɪ'kɒlədʒɪst], **psychotherapy** [ˌsaɪkəʊ'θerəpɪ]

pseudonym [⚠ 'sjuːdənɪm] Pseudonym
psyche [⚠ 'saɪkɪ] Psyche, Seele
psychiatric [⚠ ˌsaɪkɪ'ætrɪk] **1.** *Behandlung usw.*: psychiatrisch **2.** *Störung usw.*: psychisch
psychiatrist [⚠ saɪ'kaɪətrɪst] Psychiater (-in)
psychiatry [⚠ saɪ'kaɪətrɪ] (die) Psychiatrie
psychic [⚠ 'saɪkɪk] **1.** ***to be psychic*** übersinnliche Kräfte haben **2.** okkult, spiritistisch **3.** *seltener*: psychisch (⚠ *psychisch = mst.* ***psychological***)
psychoanalysis [⚠ ˌsaɪkəʊə'næləsɪs] Psychoanalyse
psychoanalyst [⚠ ˌsaɪkəʊ'ænəlɪst] Psychoanalytiker(in)
psychobabble [⚠ 'saɪkəʊˌbæbl] *umg., abwertend* Psychoslang
psychological [⚠ ˌsaɪkə'lɒdʒɪkl] **1.** psychisch **2.** *Forschung usw.*: psychologisch
psychologist [⚠ saɪ'kɒlədʒɪst] Psychologe, Psychologin
psychology [⚠ saɪ'kɒlədʒɪ] Psychologie
psychopath [⚠ 'saɪkəʊpæθ] Psychopath (-in)
psychopathic [⚠ ˌsaɪkə'pæθɪk] psychopathisch
psychotherapist [⚠ ˌsaɪkəʊ'θerəpɪst] Psychotherapeut(in)
psychotherapy [⚠ ˌsaɪkəʊ'θerəpɪ] Psychotherapie
PTA [ˌpiːtiː'eɪ] (*Abk. für* **P**arent-**T**eacher **A**ssociation) Eltern-Lehrer-Vereinigung, *etwa*: Schulforum
PTO [ˌpiːtiː'əʊ] (*Abk. für* **p**lease **t**urn **o**ver) b. w. (*bitte wenden!*)
pub [pʌb] *auch* ***public house*** *bes. BE* Pub, Kneipe

pub

Pubs sind aus dem britischen Alltag nicht wegzudenken. Es sind oft kleine, gemütliche Kneipen, in denen man abends oder am Wochenende sein Bier trinken oder sich unterhalten kann.

Viele **Pubs** haben ihre Stammgäste (**regulars**), man kennt sich, und so entsteht eine sehr kommunikative Atmosphäre, die es auch „newcomers" ermöglicht schnell Anschluss zu finden.

Früher durften die englischen Pubs nur von 12–14 Uhr und von 18–23 Uhr geöffnet sein. Neue Bestimmungen haben aber vor allem in den Städten zu einer flexibleren Handhabung geführt. Allerdings gilt immer noch die eiserne Regel: Wenn der Wirt (**landlord**) **Last orders!** ruft, hat man die letzte Gelegenheit, ein allerletztes Getränk zu bestellen, während der Ruf **Time!** die Aufforderung darstellt, auszutrinken und das Lokal zu verlassen.

In den **Pubs** bekommt man in der Regel auch kleinere Mahlzeiten, die billiger sind als in den teuren Restaurants.

Da es keine Bedienung gibt, bestellt man an der Bar z. B. **a pint of lager** (= ein Helles; ein **pint** entspricht etwa einem halben Liter) oder **half a pint of lager** (= ein kleines Helles), vorausgesetzt, man ist über 18. Bei jeder Bestellung zahlt man auch gleich.

P

pub crawl ['pʌb‿krɔːl] *bes. BE, umg.* Kneipenbummel; ***go on a pub crawl*** einen Kneipenbummel machen
puberty ['pjuːbətɪ] (die) Pubertät; ***be going through puberty*** in der Pubertät sein
public[1] ['pʌblɪk] **1.** *allg.*: öffentlich; ***public transport*** (die) öffentliche(n) Verkehrsmittel **2.** Staats…; ***public prosecutor*** *Recht*: Staatsanwalt **3.** öffentlich, allgemein bekannt; ***make something public*** etwas bekannt *oder* publik machen
public[2] ['pʌblɪk] **1.** Öffentlichkeit; ***the public has*** *oder* ***have*** (⚠ *Sg. oder Pl.*) ***a right to be told*** die Öffentlichkeit hat ein Recht auf Information **2.** ***in public*** in der Öffentlichkeit, öffentlich (⚠ *Publikum* = ***audience***, *Sport*: ***spectators***)
publication [ˌpʌblɪ'keɪʃn] **1.** Bekanntmachung **2.** Publikation, Veröffentlichung
public company [ˌpʌblɪk'kʌmpənɪ] *BE*; *Wirtschaft*: Aktiengesellschaft
public holiday [ˌpʌblɪk'hɒlədeɪ] gesetzlicher Feiertag
publicity [pʌb'lɪsətɪ] **1.** Publicity **2.** Reklame, Werbung; ***publicity campaign*** Werbefeldzug
publicize ['pʌblɪsaɪz] **1.** bekannt machen, publik machen **2.** Reklame machen für
public library [ˌpʌblɪk'laɪbrərɪ] Stadtbibliothek, Volksbücherei
public relations [ˌpʌblɪk‿rɪ'leɪʃns] *Pl.* Publicrelations, Öffentlichkeitsarbeit
public school [ˌpʌblɪk'skuːl] **1.** *BE* Privatschule, Public School **2.** *bes. AE, auch in Schottland*: öffentliche Schule

public school

In England, Wales und Nordirland verbindet man mit der Bezeichnung **public school** eine Privatschule, die sehr hohe Studien- und Internatsgebühren verlangt und somit nur für eine zahlungskräftige Minderheit zugänglich ist. **Public school** ist der Name für diesen Schultyp, weil diese Schulen ursprünglich landesweit für alle Schüler offen waren. Staatliche Schulen heißen – leicht zu merken – einfach **state schools**. Die meisten der rund 200 britischen **public schools** haben eine weit zurückreichende Tradition. Zu ihnen gehören unter anderem **Eton, Harrow, Winchester** und für Mädchen **Cheltenham Ladies' College** und **Roedean**.

In den USA und in Schottland ist eine **public school** eine ganz normale vom Staat finanzierte Schule.

public transport [ˌpʌblɪk'trænspɔːt], **public transportation** [ˌpʌblɪkˌtrænspɔː'teɪʃn] (die) öffentliche(n) Verkehrsmittel
publish ['pʌblɪʃ] **1.** verlegen, herausbringen (*Buch usw.*); ***published weekly*** *Zeitschrift usw.*: erscheint wöchentlich **2.** publizieren, veröffentlichen (*Brief, Artikel usw.*) **3.** (*Firma usw.*) bekannt geben, bekannt machen (*Zahlen usw.*)
publisher ['pʌblɪʃə] **1.** Verleger(in), Herausgeber(in) **2.** *auch* ***publishers*** *Pl.* Verlag
puck [pʌk] *Eishockey*: Puck, Scheibe
pudding [⚠ 'pʊdɪŋ] **1.** *BE* Nachspeise; ***what's for pudding?*** was gibts zum Nachtisch? (⚠ *dt. Pudding* = ***blancmange***) **2.** *AE* Pudding
puddle ['pʌdl] Pfütze
puff[1] [pʌf] **1.** ***take a puff at*** ziehen an (*einer Zigarette*) **2.** ***puff of wind*** Windstoß **3.** *umg.* Puste; ***out of puff*** außer Puste
puff[2] [pʌf] **1.** schnaufen (*auch Lokomotive*), keuchen **2.** *auch* ***puff away*** paffen, ziehen (***at*** an) (*einer Zigarette*)
puffed [pʌft] *umg.* aus der *oder* außer Puste
puff pastry [ˌpʌf'peɪstrɪ] Blätterteig
puke [pjuːk] *salopp* kotzen; ***it makes me puke*** es kotzt mich an
pull[1] [pʊl] **1.** ziehen (*Wagen usw.*) **2.** ziehen an; ***pull someone's hair*** jemanden an den Haaren ziehen **3.** ziehen (*Zahn*), ausreißen (*Pflanze*) **4.** ***pull a muscle*** sich eine Muskelzerrung zuziehen **5.** *übertragen* anziehen (*Menge, Leute usw.*) **6.** ziehen (*Messer, Pistole*) **7.** *bes. BE* zapfen (*Bier*) **8.** ***pull a job*** *salopp* ein Ding drehen

pull away [ˌpʊl‿ə'weɪ] **1.** wegziehen **2.** (*Bus usw.*) anfahren, wegfahren **3.** *beim Rennen usw.*: sich absetzen
pull down [ˌpʊl'daʊn] abreißen (*Gebäude*)
pull in [ˌpʊl'ɪn] **1.** einziehen (*Bauch usw.*) **2.** (*Zug*) einfahren **3.** (*Auto usw.*) anhalten **4.** *umg.* (≈ *verdienen*) kassieren
pull off [ˌpʊl'ɒf] **1.** ausziehen (*Schuhe usw.*) **2.** ***pull something off*** *umg.* etwas abziehen, etwas drehen
pull out [ˌpʊl'aʊt] **1.** herausziehen (***of*** aus), ausziehen (*Tisch*) **2.** (*Zug*) abfahren **3.** (*Fahrzeug*) ausscheren **4.** *übertragen* sich zurückziehen, aussteigen (***of*** aus)
pull through [ˌpʊl'θruː] **1.** (*Kranker*) durchkommen **2.** durchbringen (*Kranken, Kandidaten usw.*)

P

pull together [ˌpʊl‿tə'geðə] **1.** an einem Strang ziehen **2.** ***pull oneself together*** sich zusammenreißen
pull up [ˌpʊl'ʌp] **1.** hochziehen **2.** (*Fahrzeug*) anhalten **3.** ***pull up a chair*** einen Stuhl heranziehen

pull[2] [pʊl] **1.** Ziehen, Ruck; ***give the rope a (good) pull*** (kräftig) am Seil ziehen **2.** Anziehungskraft (*auch übertragen*)
pull-down menu ['pʊldaʊnˌmenjuː] *Computer*: Pull-down-Menü
pulley ['pʊlɪ] *Technik*: Flaschenzug
pull-out[1] ['pʊlaʊt] ausziehbar; ***pull-out table*** Ausziehtisch
pull-out[2] ['pʊlaʊt] *herausnehmbarer Teil* (*in Zeitschrift*)
pullover ['pʊlˌəʊvə] Pullover
pull-up ['pʊlʌp] Klimmzug; ***how many pull-ups can you do?*** wie viele Klimmzüge schaffst du?
pulp [pʌlp] **1.** Fruchtfleisch **2.** Brei **3.** ***pulp fiction*** Schund(literatur)
pulpit [⚠ 'pʊlpɪt] Kanzel
pulsate [pʌl'seɪt] pulsieren (***with*** vor)
pulse [pʌls] **1.** Puls(schlag); ***feel*** *oder* ***take someone's pulse*** jemandem den Puls fühlen **2.** *Musik*: Rhythmus
pulverize ['pʌlvəraɪz] **1.** pulverisieren **2.** *übertragen, umg.* auseinander nehmen, fertig machen (*Person*)
puma [⚠ 'pjuːmə] Puma
pump[1] [pʌmp] Pumpe
pump[2] [pʌmp] **1.** pumpen (*auch Herz*) **2.** ***pump someone (for information)*** *umg.* jemanden aushorchen; ***pump someone for money*** jemanden um Geld anpumpen

pump out [ˌpʌmp'aʊt] **1.** auspumpen (*Keller usw.*) **2.** ausstoßen (*Abgase usw., übertragen*: *Waren usw.*)
pump up [ˌpʌmp'ʌp] aufpumpen (*Reifen usw.*)

pumpkin ['pʌmpkɪn] Kürbis

pumpkin pie

Pumpkin pie ist kein Gemüsegericht, sondern ein Nachtisch, der in Amerika – vor allem am **Thanksgiving Day** – beliebt ist. Das Kürbisfleisch wird mit braunem Zucker, Zimt, Muskat, Milch und Eiern gemischt und gebacken. Dazu gibt es Vanilleeis.

pun [pʌn] Wortspiel
punch[1] [pʌntʃ] (mit der Faust) schlagen
punch[2] [pʌntʃ] **1.** (Faust)Schlag **2.** *übertragen* Schwung, Pep
punch[3] [pʌntʃ] *Technik*: lochen; ***punch a hole in something*** ein Loch stanzen in
punch[4] [pʌntʃ] Locher
punch[5] [pʌntʃ] *Getränk*: Punsch
Punch [pʌntʃ] Kasper, Kasperle; ***Punch and Judy show*** Kasperletheater
punch line ['pʌntʃ‿laɪn] *von Witz*: Pointe
punch-up ['pʌntʃʌp] *BE, umg.* Schlägerei
punctual ['pʌŋktʃʊəl] pünktlich; ***be punctual*** pünktlich kommen (***for*** zu)
punctuation [ˌpʌŋktʃʊ'eɪʃn] *Schreiben*: Zeichensetzung, Interpunktion
punctuation mark [ˌpʌŋktʃʊ'eɪʃn‿mɑːk] Satzzeichen

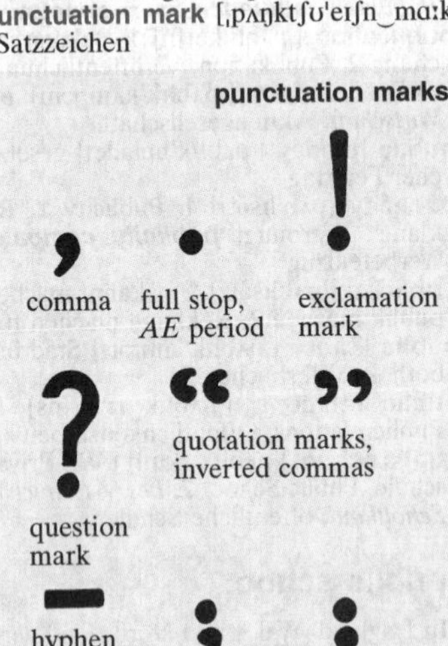

puncture[1] ['pʌŋktʃə] **1.** *Auto*: Reifenpanne **2.** (Ein)Stich, Loch
puncture[2] ['pʌŋktʃə] **1.** durchstechen, durchbohren (*z.B. Reifen*) **2.** (*Ballon, Reifen usw.*) ein Loch bekommen, platzen
pungent ['pʌndʒənt] *Geschmack, Geruch*: scharf
punish ['pʌnɪʃ] (be)strafen
punishable ['pʌnɪʃəbl] ***punishable offence*** strafbare Handlung
punishing ['pʌnɪʃɪŋ] **1.** *Kritik usw.*: hart, vernichtend **2.** *Rennen, Tempo usw.*: mörderisch, zermürbend
punishment ['pʌnɪʃmənt] **1.** Bestrafung **2.** Strafe; ***as a punishment*** als *oder* zur Strafe (***for*** für)
punk [pʌŋk] Punk (*Bewegung, Anhänger*)

punk rock [ˌpʌŋkˈrɒk] *Musik*: Punkrock
pup [pʌp] Welpe, junger Hund
pupa [ˈpjuːpə] *Pl.* ***pupas*** [ˈpjuːpəz] *oder* ***pupae*** [ˈpjuːpiː] *von Insekt*: Puppe
pupate [pjuːˈpeɪt] (*Insekt*) sich verpuppen
pupil[1] [ˈpjuːpl] Schüler(in)
pupil[2] [ˈpjuːpl] *Teil des Auges*: Pupille
puppet [ˈpʌpɪt] **1.** Marionette (*auch übertragen*); ***puppet show*** Marionettentheater, Puppenspiel **2.** Handpuppe (⚠ *Puppe* = ***doll***)
puppy [ˈpʌpɪ] Welpe, junger Hund
puppy fat [ˈpʌpɪ‿fæt] *BE*, *umg.* Babyspeck
puppy love [ˈpʌpɪ‿lʌv] *umg.* jugendliche Schwärmerei
purchase[1] [⚠ ˈpɜːtʃəs] kaufen, erwerben
purchase[2] [⚠ ˈpɜːtʃəs] Kauf, Erwerb (-ung)
purchase price [⚠ ˈpɜːtʃəs‿praɪs] Kaufpreis
purchasing power [⚠ ˈpɜːtʃəsɪŋˌpaʊə] Kaufkraft
pure [pjʊə] **1.** rein, pur, unvermischt; ***pure silk*** reine Seide **2.** *Luft, Wasser usw.*: sauber **3.** *Unsinn usw.*: völlig, pur; ***by pure coincidence*** rein zufällig
puree [ˈpjʊəreɪ] Püree, Brei; ***apple puree*** Apfelmus
purgatory [ˈpɜːgətrɪ] *kirchlich*: das Fegefeuer
purify [ˈpjʊərɪfaɪ] *Chemie usw.*: reinigen; ***purified water*** aufbereitetes Wasser
purism [ˈpjʊərɪzm] Purismus
purist [ˈpjʊərɪst] Purist(in)
Puritan [ˈpjʊərɪtən] *historisch*: Puritaner (-in)
puritan[1] [ˈpjʊərɪtən] Puritaner(in)
puritan[2] [ˈpjʊərɪtən] puritanisch
purity [ˈpjʊərətɪ] (die) Reinheit
purple [ˈpɜːpl] **1.** violett, *heller*: lila **2.** ***go purple with rage*** rot anlaufen vor Wut
purpose [ˈpɜːpəs] **1.** Absicht; ***on purpose*** absichtlich **2.** Zweck, Ziel; ***for all practical purposes*** praktisch, in der Praxis; ***serve the same purpose*** denselben Zweck erfüllen
purposeful [ˈpɜːpəsfl] entschlossen
purposely [ˈpɜːpəslɪ] absichtlich
purr [pɜː] (*Katze*) schnurren, (*Motor*) surren
purse [pɜːs] **1.** *BE* ⚠ Geldbeutel, Portemonnaie **2.** *AE* ⚠ Handtasche **3.** ***hold the purse strings*** *übertragen* über die Finanzen bestimmen **4.** *Boxen usw.*: Preisgeld
pursue [pəˈsjuː] **1.** verfolgen; ***be pursued by bad luck*** *übertragen* vom Pech verfolgt werden **2.** *übertragen* verfolgen (*Politik usw.*), weiterführen (*Angelegenheit*); ***pursue one's studies*** seinem Studium nachgehen
pursuit [pəˈsjuːt] **1.** Verfolgung; ***be in pursuit of someone*** jemanden verfolgen **2.** *übertragen* Streben (***of*** nach) **3.** ***in*** (***the***) ***pursuit of*** *übertragen* in Verfolgung (*eines Ziels*)
pus [pʌs] *Medizin*: Eiter
push[1] [pʊʃ] **1.** stoßen, schubsen; ***push one's way*** sich drängen (***through*** durch) **2.** drücken (*Tür, Taste usw.*) **3.** ***push someone*** (***to do something***) *übertragen* jemanden drängen(, etwas zu tun) **4.** durchzusetzen versuchen **5.** *übertragen* Reklame machen für, pushen **6.** ***push drugs*** *umg.* mit Drogen dealen

push ahead [ˌpʊʃ‿əˈhed] ***push ahead with*** vorantreiben (*Plan usw.*)
push around [ˌpʊʃ‿əˈraʊnd] herumschubsen, herumstoßen (*auch übertragen*)
push for [ˈpʊʃ‿fɔː] *übertragen* drängen auf (*eine Entscheidung usw.*)
push in [ˌpʊʃˈɪn] *umg.* sich vordrängeln (*in einer Schlange*)
push off [ˌpʊʃˈɒf] *umg.* abhauen
push on [ˌpʊʃˈɒn] ***push on with*** vorantreiben (*Plan usw.*)
push out [ˌpʊʃˈaʊt] *übertragen* hinausdrängen

purse

P

push over [ˌpʊʃ'əʊvə] umstoßen, umwerfen
push through [ˌpʊʃ'θruː] durchführen (*Vorhaben usw.*), durchbringen (*Gesetz usw, auch Schüler durch die Prüfung*)
push up [ˌpʊʃ'ʌp] hochtreiben (*Preise*)

push[2] [pʊʃ] **1.** Stoß, Schubs; ***we had to give the car a push*** wir mussten das Auto anschieben **2.** ***give someone the push*** *BE, umg.* (≈ *entlassen*) jemanden rausschmeißen, *Beziehung*: jemandem den Laufpass geben; ***get the push*** *BE, umg.* (≈ *gekündigt werden*) fliegen, *Beziehung*: den Laufpass bekommen
push button ['pʊʃˌbʌtn] Druckknopf
push-button ['pʊʃˌbʌtn] ***push-button telephone*** Tastentelefon
pushchair ['pʊʃ‿tʃeə] *BE* Sportwagen (*für Kinder*)
pusher ['pʊʃə] *umg.* (≈ *Drogenhändler*) Dealer
pushover ['pʊʃˌəʊvə] ***it was a pushover*** *umg.* es war ein Kinderspiel
push-up ['pʊʃʌp] *AE* Liegestütz
put [pʊt], ***put, put***; *-ing-Form* ***putting*** **1.** legen, setzen, stellen, tun; ***put the cup on the table*** die Tasse auf den Tisch stellen **2.** bringen (*in einen Zustand usw.*); ***he'll put it right*** er bringt es in Ordnung; ***put someone in an awkward position*** jemanden in eine unangenehme Lage bringen **3.** ausdrücken (*Gedanken*); ***how shall I put it?*** wie soll ich es sagen **4.** ***put a question to someone*** jemandem eine Frage stellen **5.** ***put an end to something*** etwas ein Ende setzen **6.** ***put money*** (*bzw.* ***time***) ***into something*** Geld (*bzw.* Zeit) in etwas stecken **7.** übersetzen (***into French*** ins Französische) **8.** ***put to sea*** *Seefahrt*: in See stechen

put across [ˌpʊt‿ə'krɒs] ***put something across*** etwas verständlich machen
put aside [ˌpʊt‿ə'saɪd] **1.** beiseite legen (*Buch usw.*) **2.** zurücklegen (*Geld*) **3.** ***put aside differences*** Meinungsverschiedenheiten beiseite legen
put away [ˌpʊt‿ə'weɪ] **1.** aufräumen, wegräumen **2.** zurücklegen (*Geld*) **3.** einsperren (*Kriminellen usw.*)
put back [ˌpʊt'bæk] **1.** *in Regal usw.*: zurücklegen, zurückstellen **2.** zurückstellen (*Uhr*) (***by*** um) **3.** verschieben (*Termin*) (***two days*** um zwei Tage; ***to*** auf)
put by [ˌpʊt'baɪ] zurücklegen (*Geld*)

put down [ˌpʊt'daʊn] **1.** hinlegen, hinstellen **2.** ***put something down on paper*** etwas zu Papier bringen; ***put one's name down for*** sich eintragen für **3.** niederschlagen (*Aufstand*)
put forward [ˌpʊt'fɔːwəd] **1.** vorlegen (*Vorschlag usw.*); ***put someone forward*** jemanden vorschlagen (***as*** als) **2.** vorstellen (*Uhr*) (***by*** um) **3.** vorverlegen (*Termin*) (***two days*** um zwei Tage; ***to*** auf)
put in [ˌpʊt'ɪn] **1.** hineinlegen, hineinstecken **2.** einfügen **3.** einreichen (*Gesuch usw.*) **4.** ***put in a lot of time*** (*bzw.* ***effort***) viel Zeit (*bzw.* Mühe) hineinstecken **5.** ***put in for a rise*** eine Gehaltserhöhung beantragen
put off [ˌpʊt'ɒf] **1.** ***put something off*** *Termin*: etwas verschieben (***till, until*** auf) **2.** hinhalten, vertrösten (*Person*) (***with*** mit) **3.** ***stop it, you're putting me off!*** hör auf damit, du bringst mich aus dem Konzept! **4.** ***it's enough to put you off your dinner*** das kann einem gründlich den Appetit verderben
put on [ˌpʊt'ɒn] **1.** anziehen (*Mantel usw.*), aufsetzen (*Hut*, *Brille*) **2.** auftragen (*Make-up*) **3.** anmachen, einschalten (*Licht*, *Radio usw.*) **4.** zunehmen (*an Gewicht*); ***put on weight*** zunehmen **5.** aufsetzen (*Essen*, *Topf*); ***put the potatoes on*** die Kartoffeln aufsetzen **6.** auflegen (*Schallplatte*) **7.** ***you're putting me on*** *bes. AE* du willst mich wohl verscheißern
put out [ˌpʊt'aʊt] **1.** hinauslegen, hinausstellen **2.** löschen (*Feuer*) **3.** ausmachen, abschalten (*Licht*) **4.** ***be put out by*** (*oder* ***about***) ***something*** über etwas verärgert sein **5.** ***I don't want to put you out*** ich möchte Ihnen keine Umstände machen
put over [ˌpʊt'əʊvə] **1.** verständlich machen **2.** ***put one over on someone*** *umg.* jemanden austricksen
put through [ˌpʊt'θruː] ***put someone through*** *am Telefon*: jemanden verbinden (***to*** mit)
put together [ˌpʊt‿tə'geðə] **1.** zusammensetzen, zusammenbauen (*Möbel usw.*) **2.** zusammenstellen, zusammentun **3.** ***he's cleverer than all his friends put together*** er ist intelligenter als alle seine Freunde zusammen
put up [ˌpʊt'ʌp] **1.** aufstellen (*Zelt usw.*), errichten (*Gebäude*) **2.** erhöhen (*Preise usw.*) **3.** aufhängen (*Bild usw.*), anschlagen (*Bekanntmachung*) **4.** ***put some-***

P

thing up for sale etwas zum Verkauf anbieten **5.** ***put up one's hand*** die Hand (hoch)heben **6.** aufspannen (*Schirm*) **7.** ***put someone up*** jemanden unterbringen **8.** ***put someone up to something*** jemanden zu etwas anstiften **9.** ***put up a fight*** sich zur Wehr setzen

put up with [ˌpʊtˈʌp‿wɪð] *umg.* sich abfinden mit; ***I'm not putting up with this any longer*** *umg.* das lasse ich mir nicht länger gefallen!; ***I don't know how you put up with him*** wie kannst du es nur mit ihm aushalten?

putrefy [ˈpjuːtrɪfaɪ] verfaulen, verwesen
putrid [ˈpjuːtrɪd] **1.** verfault, verwest **2.** *Geruch*: faulig
putsch [pʊtʃ] *politisch*: Putsch
putt [pʌt] *Golf*: putten
putter [ˈpʌtə] *Golf*: Putter
put-up job [ˈpʊtʌp‿dʒɒb] *umg.* abgekartetes Spiel
puzzle[1] [ˈpʌzl] **1.** Rätsel (*auch übertragen*); ***it's a puzzle to me*** es ist mir ein Rätsel **2.** Geduld(s)spiel **3.** ***jigsaw puzzle*** Puzzlespiel
puzzle[2] [ˈpʌzl] **1.** (*Problem usw.*) vor ein Rätsel stellen, verblüffen; ***be puzzled*** vor einem Rätsel stehen **2.** ***I'm puzzling over what to do*** ich zerbreche mir den Kopf darüber, was ich tun soll
puzzling [ˈpʌzlɪŋ] rätselhaft
pygmy, **Pygmy** [ˈpɪgmɪ] Pygmäe, Pygmäin
pyjamas [pəˈdʒɑːməz] *Pl. bes. BE, auch* ***pair of pyjamas*** Schlafanzug, *bes.* ⒸⒽ Pyjama
pylon [ˈpaɪlən] Hochspannungsmast
pyramid [ˈpɪrəmɪd] Pyramide (*auch geometrische Figur*)
pyre [ˈpaɪə] Scheiterhaufen
python [ˈpaɪθn] *Schlange*: Python

Q

quack[1] [kwæk] (*Ente*) quaken
quack[2] [kwæk] *umg.* Kurpfuscher, Quacksalber
quad [kwɒd] **1.** *Abk. für* → ***quadrangle 1*** **2.** *Abk. für* → ***quadruplet***
quadrangle [ˈkwɒdræŋgl] **1.** Innenhof (*bes. einer Schule*) **2.** *Geometrie*: Viereck
quadrangular [kwɒˈdræŋgjʊlə] viereckig
quadrilateral[1] [ˌkwɒdrɪˈlætərəl] vierseitig
quadrilateral[2] [ˌkwɒdrɪˈlætərəl] Viereck
quadruped [ˈkwɒdrʊped] *Zoologie*: Vierfüß(l)er
quadruple[1] [kwɒˈdrʊpl] vierfach
quadruple[2] [kwɒˈdrʊpl] (sich) vervierfachen
quadruplet [kwɒˈdrʊplət] Vierling
quail [kweɪl] *Vogel*: Wachtel
quaint [kweɪnt] *Dorf, Altstadt usw.*: idyllisch, malerisch
quake[1] [kweɪk] zittern, beben (***at the thought*** bei dem Gedanken); ***she was quaking with fear*** sie zitterte vor Angst
quake[2] [kweɪk] *umg.* Erdbeben
qualification [ˌkwɒlɪfɪˈkeɪʃn] **1.** *für Arbeitsstelle usw.*: Qualifikation, Voraussetzung (***for*** für, zu) **2.** Abschluss(zeugnis) (*einer Ausbildung*) **3.** (≈ *Bedingung*) Einschränkung, Vorbehalt
qualified [ˈkwɒlɪfaɪd] qualifiziert, geeignet (***for*** für); ***he's a qualified mechanic*** er ist gelernter Kfz-Mechaniker; ***is he really qualified to do this job?*** ist er für diese Arbeit wirklich geeignet?
qualify [ˈkwɒlɪfaɪ] **1.** sich qualifizieren (*auch Sport*) (***for*** für; ***as*** als); ***our team qualified for the finals*** unser Team hat sich für das Finale qualifiziert **2.** seine Ausbildung abschließen (***as*** als) **3.** (*Ausbildung usw.*) qualifizieren, befähigen (***for*** für, zu)
qualitative [ˈkwɒlɪtətɪv] qualitativ
quality [ˈkwɒlətɪ] **1.** Qualität, *Wirtschaft auch*: Güteklasse; ***quality of life*** Lebensqualität **2.** Eigenschaft
quality control [ˈkwɒlətɪ‿kənˌtrəʊl] Qualitätskontrolle
quality management [ˈkwɒlətɪˌmænɪdʒmənt] Qualitätsmanagement
quality paper [ˈkwɒlətɪˌpeɪpə] seriöse (Tages)Zeitung
quality time [ˈkwɒlətɪˌtaɪm] *Freizeit, die man intensiv mit der Familie oder mit einem Hobby verbringt*

qualms [⚠ kwɑːmz] *Pl.* Bedenken, Skrupel; ***have (no) qualms about doing something*** (keine) Bedenken haben, etwas zu tun
quantitative ['kwɒntɪtətɪv] quantitativ
quantity ['kwɒntətɪ] **1.** Quantität, Menge; ***in small quantities*** in kleinen Mengen; ***quantity discount*** *Wirtschaft*: Mengenrabatt **2.** *Mathematik*: Größe
quarantine ['kwɒrəntiːn] Quarantäne
quarrel[1] ['kwɒrəl] Streit, Auseinandersetzung (***with*** mit)
quarrel[2] ['kwɒrəl], ***quarrelled, quarrelled***, *AE* ***quarreled, quarreled*** (sich) streiten (***with*** mit; ***about, over*** über)
quarrelsome ['kwɒrəlsəm] streitsüchtig
quarry ['kwɒrɪ] Steinbruch
quart [kwɔːt] *Hohlmaß*: Quart
quarter[1] ['kwɔːtə] **1.** *allg.*: Viertel **2.** *bei Zeitangaben*: ***(a) quarter of an hour*** eine Viertelstunde; ***it's (a) quarter to six***, *AE auch* ***it's (a) quarter of six*** es ist Viertel vor sechs *oder* drei Viertel sechs; ***at (a) quarter past six***, *AE auch* ***at (a) quarter after six*** um Viertel nach sechs, um Viertel sieben **3.** (Stadt)Viertel **4.** Quartal, Vierteljahr **5.** *in US*: 25 Cents, 25-Cent-Münze **6.** ***quarters*** *Pl.* Quartier, Unterkunft (*auch militärisch*) **7.** ***from all quarters*** *übertragen* aus allen Himmelsrichtungen **8.** *übertragen* Seite, Stelle; ***in the highest quarters*** an höchster Stelle
quarter[2] ['kwɔːtə] **1.** (≈ *teilen*) vierteln **2.** *bes. militärisch*: einquartieren (***on*** bei)
quarterfinal [ˌkwɔːtə'faɪnl] Viertelfinale
quarterly ['kwɔːtəlɪ] vierteljährlich
quartet [kwɔː'tet] *Musik*: Quartett
quartz clock ['kwɔːts‿klɒk], **quartz watch** ['kwɔːts‿wɒtʃ] Quarzuhr
quaver[1] ['kweɪvə] Achtelnote
quaver[2] ['kweɪvə] (*Stimme*) zittern
quay [⚠ kiː] *Hafenanlage*: Kai
queasy ['kwiːzɪ] ***I feel queasy*** mir ist übel
queen [kwiːn] **1.** Königin; ***beauty queen*** Schönheitskönigin; ***queen bee*** Bienenkönigin; ***queen mother*** Königinmutter **2.** *Kartenspiel, Schach*: Dame; ***queen of hearts*** Herzdame **3.** *umg., abwertend* Tunte
queer [kwɪə] **1.** komisch, seltsam; ***I feel queer*** mir ist ganz komisch zumute **2.** ***he's a bit queer in the head*** *umg.* er 'hat sie nicht alle **3.** *umg.* schwul
quench [kwentʃ] löschen, stillen (*Durst*)
query[1] ['kwɪərɪ] Frage (*bei Zweifeln, Unklarheit usw.*)
query[2] ['kwɪərɪ] in Frage stellen, in Zweifel ziehen
quest [kwest] *bes. literarisch*: Suche (***for*** nach); ***in quest of*** auf der Suche nach
question[1] ['kwestʃən] **1.** Frage; ***ask someone a question*** jemandem eine Frage stellen **2.** Frage, Problem; ***only a question of time*** nur eine Frage der Zeit **3.** Zweifel, Frage; ***there's no question that …*** es steht außer Frage, dass …; ***there is no question about this*** daran besteht kein Zweifel **4.** ***that's out of the question*** das kommt nicht infrage
question[2] ['kwestʃən] **1.** befragen (***about*** über), (*Polizei usw.*) vernehmen (***about*** zu) **2.** bezweifeln (*Sachverhalt usw.*)
questionable ['kwestʃənəbl] **1.** fraglich, zweifelhaft **2.** *Verhalten usw.*: fragwürdig
question mark ['kwestʃən‿mɑːk] Fragezeichen
questionnaire [ˌkwestʃə'neə] Fragebogen
queue[1] [kjuː] *BE* (≈ *Reihe*) Schlange; ***stand in a queue*** Schlange stehen; ***jump the queue*** sich vordrängeln
queue[2] [kjuː] *BE, mst.* ***queue up*** Schlange stehen, sich anstellen (***for*** nach, um)
queue-jump ['kjuːdʒʌmp] *BE, umg.* sich vordrängeln
queue jumper ['kjuːˌdʒʌmpə] **1.** Vordrängler **2.** *im Straßenverkehr*: Kolonnenspringer
quick [kwɪk] **1.** schnell, rasch; ***be quick!*** mach schnell!, beeil dich! **2.** *Reise usw.*: kurz **3.** ***he's got a quick temper*** er ist ziemlich hitzig **4.** ***he's quick to learn*** er lernt schnell
quick-acting ['kwɪkˌæktɪŋ] *Medikament*: schnell wirkend
quick-change artist [ˌkwɪktʃeɪndʒ'ɑːtɪst] Verwandlungskünstler(in)
quicken ['kwɪkən] **1.** beschleunigen (*Entwicklung usw.*) **2.** (*Tempo*) schneller werden
quick-freeze [ˌkwɪk'friːz], ***quick-froze*** [ˌkwɪk'frəʊz], ***quick-frozen*** [ˌkwɪk'frəʊzn] tiefgefrieren, einfrieren
quickie ['kwɪkɪ] *umg.* **1.** *etwas Schnelles oder Kurzes, z.B. eine kurze Frage* **2.** *Sex*: Quickie
quickly ['kwɪklɪ] schnell
quicksand ['kwɪksænd] Treibsand
quick-tempered [ˌkwɪk'tempəd] aufbrausend, hitzig
quick-witted [ˌkwɪk'wɪtɪd] schlagfertig
quid [kwɪd] *Pl.*: ***quid*** *BE, umg.*; *Währung*: Pfund
quiet[1] ['kwaɪət] **1.** ruhig (*auch Leben usw.*), still; ***quiet, please*** Ruhe, bitte! **2.** ***keep something quiet*** *oder* ***keep quiet about something*** etwas für sich behalten

quiet[2] ['kwaɪət] **1.** Ruhe, Stille **2.** ***on the quiet*** *umg.* heimlich

quieten down [ˌkwaɪətn'daʊn] (sich) beruhigen

quill [kwɪl] **1.** Feder (*eines Vogels*) **2.** *zum Schreiben*: Feder(kiel)
quilt [kwɪlt] Steppdecke
quilted ['kwɪltɪd] *Kleidung usw.*: Stepp…
quin [kwɪn] *BE, umg. Abk. für* → ***quintuplet***
quinine ['kwɪniːn] *Medizin*: Chinin
quint [kwɪnt] *AE, umg.* Fünfling
quintessence [kwɪn'tesns] **1.** Quintessenz **2.** *Verkörperung einer Eigenschaft*: Inbegriff
quintet [kwɪn'tet] *Musik*: Quintett
quintuplet ['kwɪntjʊplət] Fünfling
quirk [kwɜːk] **1.** ***quirk of fate*** Laune des Schicksals **2.** Marotte (*einer Person*)
quit [kwɪt], ***quit, quit***, *BE auch* ***quitted, quitted*** *umg.* **1.** aufhören (mit); ***quit doing something*** aufhören, etwas zu tun; ***quit smoking*** das Rauchen aufgeben **2.** *umg.* kündigen
quite [kwaɪt] **1.** ganz, völlig; ***be quite right*** völlig recht haben **2.** ziemlich; ***quite a disappointment*** eine ziemliche Enttäuschung; ***quite a few*** ziemlich viele; ***quite good*** ziemlich *oder* recht gut **3.** ***quite (so)*** *bes. BE*; *als Antwort*: genau, ganz recht **4.** ***she's quite a girl*** sie ist ein tolles Mädchen
quits [kwɪts] quitt (***with*** mit); ***call it quits*** *umg.* es gut sein lassen
quitter ['kwɪtə] ***he's no quitter*** *umg.* er gibt nicht so schnell auf
quiver[1] ['kwɪvə] zittern (***with*** vor; ***at*** bei *einem Gedanken usw.*)
quiver[2] ['kwɪvə] Zittern
quiver[3] ['kwɪvə] *für Pfeile*: Köcher
quiz[1] [kwɪz] *Pl.*: ***quizzes*** **1.** (≈ *Fragespiel*) Quiz **2.** *bes. AE*; *Schule*: Kurztest
quiz[2] [kwɪz], ***quizzed, quizzed*** **1.** ausfragen (***about*** über) **2.** *bes. AE*; *Schule*: abfragen, testen
quotation [kwəʊ'teɪʃn] **1.** Zitat (***from*** aus); ***quotation from the Bible*** Bibelzitat **2.** *Wirtschaft*: Kostenvoranschlag
quotation marks [kwəʊ'teɪʃn‿mɑːks] *Pl.* Anführungszeichen
quote[1] [kwəʊt] **1.** zitieren (***from*** aus); ***he was quoted as saying that …*** er soll gesagt haben, dass … **2.** anführen (*Beispiel usw.*)
quote[2] [kwəʊt] *umg.* **1.** Zitat **2.** ***put*** (*oder* ***place***) ***in quotes*** in Gänsefüßchen setzen **3.** ***quote … unquote*** Zitat … Zitat Ende
quotient ['kwəʊʃnt] *Mathematik*: Quotient

R

r [ɑː] ***the three R's*** (= ***reading, writing, arithmetic***) Lesen, Schreiben, Rechnen
rabbi ['ræbaɪ] *Religion*: Rabbiner(in), Rabbi
rabbit ['ræbɪt] Kaninchen
rabbit punch ['ræbɪt‿pʌntʃ] Genickschlag
rabble ['ræbl] Pöbel, Mob
rabble-rouser ['ræblˌraʊzə] Aufrührer(-in), Demagoge, Demagogin, Volksverhetzer(in)
rabble-rousing ['ræblˌraʊzɪŋ] aufwieglerisch, demagogisch
rabid ['ræbɪd] **1.** *Tier*: tollwütig **2.** *Person*: fanatisch; ***he's a rabid fascist*** er ist ein radikaler Faschist
rabies ['reɪbiːz] *bei Tieren*: Tollwut
raccoon [rə'kuːn] Waschbär
race[1] [reɪs] *Sport*: Rennen (*auch übertragen* ***for*** um), Lauf; ***race against time*** *übertragen* Wettlauf mit der Zeit
race[2] [reɪs] **1.** an (einem) Rennen teilnehmen **2.** um die Wette laufen *oder* fahren (***against, with*** mit); (***I'll***) ***race you to the corner*** wer zuerst an der Ecke ist! **3.** rasen, rennen; ***race someone to hospital*** in rasender Fahrt jemanden ins Krankenhaus bringen
race[3] [reɪs] **1.** Rasse **2.** Rassenzugehörigkeit
racecourse ['reɪskɔːs] **1.** *BE* Pferderennbahn **2.** *AE*; *allg.*: Rennbahn, Rennstrecke
racehorse ['reɪshɔːs] Rennpferd
racer ['reɪsə] **1.** *Tier*: Rennpferd **2.** *Person*: Rennfahrer(in) **3.** *Gerät*: Rennrad, Rennwagen

racetrack ['reɪstræk] Rennbahn, Rennstrecke
racial ['reɪʃl] rassisch, Rassen…; ***racial segregation*** (die) Rassentrennung
racial discrimination [ˌreɪʃl‿dɪˌskrɪmɪ'neɪʃn] (die) Rassendiskriminierung
racing ['reɪsɪŋ] Renn…; ***racing bike*** Rennrad; ***racing car*** Rennwagen
racism ['reɪsɪzm] (der) Rassismus
racist[1] ['reɪsɪst] Rassist(in)
racist[2] ['reɪsɪst] rassistisch
rack[1] [ræk] **1.** Gestell, …ständer; ***magazine rack*** Zeitungsständer; ***luggage rack*** *Zug*: Gepäcknetz **2.** *historisch*: Folter(bank)
rack[2] [ræk] **1.** ***rack one's brains*** sich den Kopf zerbrechen **2.** ***be racked by*** *oder* ***with*** geplagt *oder* gequält werden von
rack[3] [ræk] ***go to rack and ruin*** *Gebäude usw.*: verfallen, *Land*, *Wirtschaft*: dem Ruin entgegentreiben
racket[1] ['rækɪt] *Tennis usw.*: Schläger
racket[2] ['rækɪt] *umg.* **1.** Krach, Lärm; ***make a racket*** Krach machen **2.** organisierte Kriminalität; ***drugs racket*** Drogengeschäft
racoon [rə'kuːn] → ***raccoon***
racy ['reɪsɪ] *Geschichte usw.*: spritzig
radar[1] ['reɪdɑː] Radar
radar[2] ['reɪdɑː] Radar…; ***radar screen*** Radarschirm; ***radar trap*** Radarfalle
radial tyre [ˌreɪdɪəl'taɪə] *Auto*: Gürtelreifen
radiant ['reɪdɪənt] strahlend (*auch übertragen*); ***be radiant with joy*** vor Freude strahlen
radiate ['reɪdɪeɪt] **1.** ausstrahlen (*Wärme, Licht usw., auch übertragen*) **2.** (*Straßen usw.*) strahlenförmig ausgehen (***from*** von)
radiation [ˌreɪdɪ'eɪʃn] **1.** Ausstrahlung (*von Hitze usw.*) **2.** (radioaktive) Strahlung
radiator ['reɪdɪeɪtə] **1.** Heizkörper **2.** *Auto*: Kühler
radical ['rædɪkl] radikal, grundlegend
radio[1] ['reɪdɪəʊ] *Pl.*: ***radios*** **1.** *Gerät*: Radio; ***on the radio*** im Radio **2.** *Institution*: Rundfunk, Radio **3.** Funk; ***by radio*** per *oder* über Funk **4.** Funkgerät
radio[2] ['reɪdɪəʊ], ***radioed, radioed*** **1.** funken (*Nachricht usw.*) **2.** anfunken (*Ort*)
radioactive [ˌreɪdɪəʊ'æktɪv] radioaktiv
radioactive waste [ˌreɪdɪəʊˌæktɪv'weɪst] Atommüll, radioaktiver Abfall
radioactivity [ˌreɪdɪəʊæk'tɪvətɪ] Radioaktivität
radio alarm [ˌreɪdɪəʊ‿ə'lɑːm] Radiowecker
radio-cassette player [ˌreɪdɪəʊkə'set ˌpleɪə] Radiorekorder
radio station ['reɪdɪəʊˌsteɪʃn] Rundfunksender, Rundfunkstation
radio telephone [ˌreɪdɪəʊ'telɪfəʊn] Funktelefon
radish [⚠ 'rædɪʃ] Radieschen
radius ['reɪdɪəs] *Pl.*: ***radii*** ['reɪdɪaɪ] **1.** *Mathematik*: Radius, Halbmesser **2.** ***within a three-mile radius*** im Umkreis von drei Meilen (***of*** um)
raffle[1] ['ræfl] Tombola
raffle[2] ['ræfl] *auch* ***raffle off*** verlosen
raft [rɑːft] Floß
rag [ræg] **1.** Lumpen, Lappen; ***in rags*** zerlumpt; ***be (like) a red rag to a bull to someone*** *BE*, *umg.* wie ein rotes Tuch für jemanden sein **2.** *umg.* Käseblatt
rage[1] [reɪdʒ] **1.** Wut, Zorn; ***be in a rage*** wütend sein **2.** ***that's the latest rage*** *oder* ***that's all the rage*** *umg.* das ist der letzte Schrei
rage[2] [reɪdʒ] **1.** (≈ *schimpfen*) wettern (***against, at*** gegen) **2.** (*Krankheit, Sturm*) wüten, (*Meer, Sturm*) toben
ragged [⚠ 'rægɪd] **1.** *Kleidung*: zerlumpt **2.** *Bart*: zottig
raid[1] [reɪd] **1.** Überfall (***on*** auf) **2.** Razzia
raid[2] [reɪd] **1.** überfallen (*Bank usw.*) **2.** (*Polizei*) eine Razzia machen in
rail [reɪl] **1.** Geländer **2.** …halter; ***towel rail*** Handtuchhalter **3.** *Eisenbahn*: Schiene; ***rails*** *Pl. auch*: Gleis(e) **4.** ***travel by rail*** mit der Bahn fahren **5.** ***go off the rails*** *umg.* durchdrehen; ***be off the rails*** *umg.* spinnen
railing [reɪlɪŋ] *auch* ***railings*** *Pl.* Geländer
railroad ['reɪlrəʊd] *AE* Eisenbahn → ***railway***
railway ['reɪlweɪ] *bes. BE* Eisenbahn
railway line ['reɪlweɪ‿laɪn] **1.** Bahnlinie **2.** Gleis
railway station ['reɪlweɪˌsteɪʃn] Bahnhof ☞ *Illu S. 981*
rain[1] [reɪn] Regen; ***it's pouring with rain*** es gießt in Strömen
rain[2] [reɪn] **1.** regnen **2.** ***rain down on*** (*Schläge usw.*) niederprasseln auf

rain

Das englische Wetter ist gar nicht so schlecht wie sein Ruf. Man muss aber zugeben: Wenn es so viele unterschiedliche Bezeichnungen für Regen gibt, muss es dafür einen Grund geben.

It's …	es …
spitting	tröpfelt

R

drizzling	nieselt
raining (heavily)	regnet (stark)
pouring	regnet in Strömen
tipping down	schüttet
raining cats and dogs	gießt in Strömen
pelting down	prasselt nieder
bucketing down / coming down in buckets	gießt wie aus Kübeln

rain off [ˌreɪn'ɒf], *AE* **rain out** [ˌreɪn'aʊt] ***be rained off*** (*AE* ***out***) wegen Regens abgesagt werden (*Veranstaltung usw.*)

rainbow ['reɪnbəʊ] Regenbogen
raincoat ['reɪnkəʊt] Regenmantel
raindrop ['reɪndrɒp] Regentropfen
rainfall ['reɪnfɔːl] Niederschlag
rainforest ['reɪnˌfɒrɪst] Regenwald
rainy ['reɪnɪ] **1.** regnerisch, Regen…; ***the rainy season*** die Regenzeit (*in den Tropen*) **2.** *Tag*: verregnet; ***keep something for a rainy day*** *übertragen* etwas für schlechte Zeiten aufheben
raise[1] [reɪz] **1.** (hoch)heben (*Gegenstand, Hand usw.*), hochziehen (*Vorhang usw.*); ***raise one's hat to someone*** vor jemandem den Hut ziehen; ***raise one's eyebrows*** die Stirn runzeln; ***raise one's voice*** laut werden **2.** erhöhen (*Gehalt, Preise usw.*) **3.** ***raise someone's hopes*** in jemandem Hoffnung erwecken; ***raise objections*** Einwände erheben **4.** zusammenbringen, beschaffen (*Geld usw.*) **5.** großziehen (*Kinder*) **6.** züchten (*Tiere*), anbauen (*Getreide usw.*) **7.** aufwerfen (*Frage*), zur Sprache bringen (*Problem usw.*) **8.** hervorrufen (*Protest usw.*); ***raise a laugh*** Gelächter ernten **9.** aufwirbeln (*Staub usw.*)
raise[2] [reɪz] *AE* Lohnerhöhung, Gehaltserhöhung; ☞ *BE* ***rise**[2] **4***
raisin ['reɪzn] Rosine
rake[1] [reɪk] Rechen, Harke
rake[2] [reɪk] rechen, harken (*Rasen, Laub*)

rake in [ˌreɪk'ɪn] *umg.* kassieren (*Geld*); ***rake it in*** *umg.* das Geld nur so scheffeln

rally[1] ['rælɪ] **1.** Kundgebung, (Massen)Versammlung **2.** *Motorsport*: Rallye
rally[2] ['rælɪ] **1.** (*Truppen usw.*) (sich) (wieder) sammeln **2.** sich erholen (***from*** von) (*auch wirtschaftlich*)

rally round [ˌrælɪ'raʊnd] ***rally round someone*** sich jemandes annehmen

RAM [ræm] (*Abk. für* **r**andom **a**ccess **m**emory) *Computer*: Arbeitsspeicher
ram[1] [ræm] Widder, Schafbock
ram[2] [ræm], ***rammed, rammed*** **1.** (*Fahrzeug usw.*) rammen **2.** (≈ *hineintun*) rammen (*Pfosten usw.*) (***into*** in)
ramble ['ræmbl] **1.** streifen, wandern **2.** *auch* ***ramble on*** weitschweifig erzählen
rambling ['ræmblɪŋ] **1.** *Pflanzen*: rankend, Kletter…; ***rambling rose*** Kletterrose **2.** *übertragen* weitschweifig, unzusammenhängend (*Rede, Aufsatz usw.*) **3.** *Gebäude*: weitläufig
ramp [ræmp] Rampe
rampage ['ræmpeɪdʒ] ***go on the rampage*** randalieren
rampant ['ræmpənt] **1.** *Krankheit usw.*: grassierend **2.** *Pflanze*: wuchernd
ramshackle ['ræmˌʃækl] **1.** *Haus*: baufällig **2.** *Fahrzeug*: klapp(e)rig **3.** *Verein, Partei, Organisation usw.*: chaotisch, schlecht organisiert
ran [ræn] *2. Form von* → ***run**[1]*
ranch [rɑːntʃ] **1.** *in USA*: (≈ *Farm mit Viehzucht*) Ranch **2.** *AE* …farm; ***chicken ranch*** Geflügelfarm
rancher ['rɑːntʃə] **1.** Rancher, Viehzüchter **2.** …züchter
rancid ['rænsɪd] *Butter usw.*: ranzig; ***go rancid*** ranzig werden
random ['rændəm] ***at random*** aufs Geratewohl, wahllos, willkürlich
randy ['rændɪ] *BE, umg.* scharf, geil
rang [ræŋ] *2. Form von* → ***ring**[3]*
range[1] [reɪndʒ] **1.** Skala, Palette; ***in this price range*** in dieser Preisklasse **2.** Auswahl (*an Waren usw.*), *wirtschaftlich auch*: Sortiment; ***a wide range of goods*** ein großes Warenangebot **3.** Reichweite (*eines Fernglases usw.*), Schussweite (*eines Gewehrs usw.*) **4.** Entfernung; ***at close*** (*oder* ***short***) ***range*** aus kurzer Entfernung **5.** ***mountain range*** Bergkette **6.** *in USA*: Weideland
range[2] [reɪndʒ] (*Maße, Werte usw.*) schwanken, sich bewegen (***from … to, between … and*** zwischen … und)
ranger ['reɪndʒə] **1.** Förster **2.** *AE* Ranger
rank[1] [ræŋk] **1.** *bes. militärisch*: Rang **2.** Rang, (soziale) Stellung **3.** ***the rank and file*** die Basis (*einer Partei*); ☞ ***ranks***
rank[2] [ræŋk] **1.** (≈ *dazugehören*) zählen (***among*** zu), rangieren (***above*** über); ***he ranks as a great musician*** er gilt als großer Musiker **2.** (≈ *einordnen*) rech-

R

nen, zählen (***among*** zu); ***he's ranked 2nd in the world*** er steht an 2. Stelle der Weltrangliste

ranking[1] ['ræŋkɪŋ] **1.** Rangliste **2.** *auf Rangliste*: Platzierung **3.** *Einordnung in Rangliste*: Bewertung (*z.B. von Studenten, Lehrern*)

ranking[2] ['ræŋkɪŋ] *Offizier, Offizielle*: ranghoch

ranks [ræŋks] *Pl.* ***the ranks*** *Militär*: die Mannschaften und Unteroffiziere

ransack ['rænsæk] **1.** durchwühlen (*Schublade, Schrank usw.*) **2.** plündern (*Haus usw.*)

ransom[1] ['rænsəm] Lösegeld; ***hold someone to ransom*** jemanden als Geisel halten, *übertragen* jemanden erpressen

ransom[2] ['rænsəm] auslösen, freikaufen

rant [rænt] *auch* ***rant on*** *oder* ***rant and rave*** (***about***) sich lautstark auslassen (über)

rap[1] [ræp] **1.** Klopfen; ***give someone a rap over the knuckles*** *übertragen* jemandem auf die Finger klopfen **2.** *Musik*: *auch* ***rap music*** Rap

rap[2] [ræp], ***rapped, rapped*** **1.** klopfen, schlagen (***at*** an; ***on*** auf) **2.** *AE*, *salopp* quatschen

rape[1] [reɪp] Vergewaltigung

rape[2] [reɪp] vergewaltigen

rapid ['ræpɪd] schnell, rasch; ***rapid reaction force*** *militärisch*: schnelle Eingreiftruppe; ***rapid transit*** (***system***) *AE* Schnellbahnsystem

rapidity [rə'pɪdətɪ] Schnelligkeit

rapids ['ræpɪdz] *Pl.* Stromschnelle(n)

rapist ['reɪpɪst] Vergewaltiger

rapper ['ræpə] *Musik*: Rapper(in)

rapt [ræpt] ***with rapt attention*** mit gespannter Aufmerksamkeit

rapture ['ræptʃə] ***be in raptures*** entzückt *oder* hingerissen sein (***about, at, over*** von)

rare [reə] **1.** selten, rar **2.** *Atmosphäre, Luft*: dünn **3.** *Steak*: (≈ *fast roh*) englisch

rarely ['reəlɪ] selten

raring ['reərɪŋ] ***be raring to do something*** *umg.* es kaum mehr erwarten können, etwas zu tun

rarity ['reərətɪ] Seltenheit, Rarität

rascal ['rɑːskl] *humorvoll* Schlingel

rash[1] [ræʃ] voreilig, vorschnell

rash[2] [ræʃ] (Haut)Ausschlag

rasp [rɑːsp] raspeln

raspberry [⚠ 'rɑːzbərɪ] Himbeere

rat [ræt] Ratte; ***smell a rat*** (≈ *Verdacht schöpfen*) Lunte riechen; ***rats!*** *verärgert*: Mist!, *widersprechend*: Quatsch!

rate[1] [reɪt] **1.** Geschwindigkeit, Tempo (*bes. einer Entwicklung usw.*); ***at a fas[t] rate*** zügig, rapide **2.** Quote, Rate; ***birt[h] rate*** Geburtenrate; ***rate of inflation*** *ode[r]* ***inflation rate*** Inflationsrate **3.** *Finanzwe[]sen*: Satz, Kurs; ***interest rate*** Zinssatz **4** ***at any rate*** *übertragen* auf jeden Fall

rate[2] [reɪt] einschätzen (***highly*** hoch), hal[]ten (***as*** für); ***be rated as*** gelten als

-rate [-reɪt] …klassig; ***a first-rate actor*** ei[n] erstklassiger Schauspieler

rate of exchange [ˌreɪt‿əv‿ɪks'tʃeɪndʒ] Wechselkurs

rather ['rɑːðə] **1.** ziemlich; ***rather a col[d] night*** *oder* ***a rather cold night*** eine ziem[]lich kalte Nacht **2.** ***I'd rather stay a[t] home*** ich möchte lieber zu Hause blei[]ben **3.** ***or rather*** (oder) vielmehr

ratification [ˌrætɪfɪ'keɪʃn] *Politik*: Ratifi[]zierung

ratify ['rætɪfaɪ] *Politik*: ratifizieren

ratings ['reɪtɪŋz] *Pl.*; *TV*: Einschaltquote

ration[1] [⚠ 'ræʃn] Ration

ration[2] [⚠ 'ræʃn] rationieren (*Lebensmit[]tel usw.*)

rational ['ræʃnəl] **1.** vernunftbegabt **2.** *Ide[]en usw.*: vernünftig

rationalism ['ræʃnəlɪzm] Rationalismus

rationalist[1] ['ræʃnəlɪst] Rationalist(in)

rationalist[2] ['ræʃnəlɪst], **rationalisti[c]** [ˌræʃnə'lɪstɪk] rationalistisch

rationalization [ˌræʃnəlaɪ'zeɪʃn] Rationa[]lisierung

rationalize ['ræʃnəlaɪz] *bes. BE* rationali[]sieren (*Betrieb*)

rat race ['ræt‿reɪs] *gnadenloser beruflicher Konkurrenzkampf unter Kollegen*

rat run ['ræt‿rʌn] *umg.* (≈ *Nebenstraße*) Schleichweg

rattle[1] ['rætl] **1.** (*Fenster usw.*) klappern **2.** (*Ketten usw.*) rasseln, klirren **3.** (*Münzen usw.*) klimpern **4.** (*Regen usw.*) prasseln (***on*** auf) **5.** (*Fahrzeug usw.*) knattern **6.** ***rattle someone*** *BE* jemanden beunruhigen *oder* durcheinander bringen

> **rattle off** [ˌrætl'ɒf] herunterrasseln (*Gedicht usw.*)

rattle[2] ['rætl] Rassel, Klapper

rattlesnake ['rætlsneɪk] Klapperschlange

rattrap ['rættræp] **1.** Rattenfalle **2.** *umg. Haus, Wohnung usw.*: Bruchbude **3.** *umg.* Falle, ausweglose Lage

ratty ['rætɪ] *umg.* **1.** gereizt; ***there's no need to be ratty*** sei doch nicht gleich so gereizt **2.** *AE* schäbig (*Kleidungsstück*)

raucous ['rɔːkəs] *Stimme, Gelächter*: heiser, rau

ravage ['rævɪdʒ] (*Sturm usw.*) verwüsten
ravages ['rævɪdʒɪz] *Pl.* Verwüstungen, *übertragen* negative Auswirkungen
rave[1] [reɪv] **1.** *wirr*: fantasieren (*auch im Fieber*) **2.** *begeistert*: ***rave about something*** von etwas schwärmen **3.** *verärgert*: toben, wettern (***at*** gegen)
rave[2] [reɪv] Party, Fete, Rave
raven ['reɪvn] Rabe
ravine [rə'viːn] Schlucht, Klamm, *bes.* Ⓒⓗ Tobel
raving ['reɪvɪŋ] **1.** tobend; ***raving mad*** *umg.* völlig *oder* total übergeschnappt **2.** ***a raving beauty*** *umg.* eine hinreißend schöne Frau
ravish ['rævɪʃ] hinreißen; ***be ravished by*** entzückt *oder* hingerissen sein von
ravishing ['rævɪʃɪŋ] hinreißend
raw [rɔː] **1.** *Gemüse usw.*: roh **2.** *Technik*: roh, Roh…; ***raw material*** Rohstoff **3.** *Anfänger*: unerfahren, grün **4.** *Haut*: wund **5.** *Wetter, Tag usw.*: nasskalt **6.** ***get a raw deal*** *umg.* ungerecht behandelt werden
ray [reɪ] **1.** Strahl; ***ray of light*** Lichtstrahl **2.** ***ray of hope*** Hoffnungsschimmer
raze [reɪz] *auch* ***raze to the ground*** dem Erdboden gleichmachen
razor ['reɪzə] **1.** Rasiermesser **2.** *elektrisch*: Rasierapparat **3.** ***be on a razor's edge*** *übertragen* auf des Messers Schneide stehen
razor blade ['reɪzə‿bleɪd] Rasierklinge
razor-sharp [ˌreɪzə'ʃɑːp] **1.** *Messer, Klinge*: scharf wie ein Rasiermesser **2.** *Verstand*: messerscharf
razzamatazz [ˌræzəmə'tæz], **razzmatazz** [ˌræzmə'tæz] *umg.* Rummel, Trubel
Rd *Abk. für* → ***Road***
re [riː] ***re your letter of …*** *Geschäftsbrief*: Betr.: Ihr Schreiben vom …
reach[1] [riːtʃ] **1.** erreichen (*Person, Ort, Alter usw.*) **2.** greifen, langen (***for*** nach) (*beide auch übertragen*) **3.** *räumlich*: reichen *oder* gehen (bis an *oder* zu) (⚠ *ausreichen* = ***be enough***)

> **reach down** [ˌriːtʃ'daʊn] herunterreichen, hinunterreichen (***from*** von)
> **reach out** [ˌriːtʃ'aʊt] **1.** (die Hand *oder* den Arm) ausstrecken **2.** greifen, langen (***for*** nach) (*beide auch übertragen*)

reach[2] [riːtʃ] ***within*** (*bzw.* ***out of***) ***someone's reach*** in (*bzw.* außer) jemandes Reichweite; ***be within easy reach*** leicht zu erreichen sein
react [rɪ'ækt] reagieren (***to*** auf); ***react against*** sich wehren gegen
reaction [rɪ'ækʃn] Reaktion
reactionary [rɪ'ækʃənrɪ] *politisch*: Reaktionär(in)
reactivate [rɪ'æktɪveɪt] reaktivieren
reactive [rɪ'æktɪv] *Chemie*: reaktionsfähig, reaktiv
reactor [rɪ'æktə] *Physik*: Reaktor
read[1] [riːd], ***read*** [red], ***read*** [red] **1.** lesen; ***I've read about it*** ich habe darüber *oder* davon gelesen; ***read*** (***something***) ***to someone*** jemandem (etwas) vorlesen (***from*** aus) **2.** ***read well*** *Aufsatz usw.*: sich gut lesen; ***the letter*** *usw.* ***reads as follows*** der Brief *usw.* lautet folgendermaßen **3.** ablesen (*Zähler usw.*) **4.** (*Thermometer usw.*) (an)zeigen, stehen auf **5.** ***he's reading Geography at Oxford*** *BE* er studiert Geographie in Oxford **6.** ***read between the lines*** zwischen den Zeilen lesen **7.** ***we can take it as read*** [red] ***that …*** wir können davon ausgehen, dass …

> **read into** [ˌriːd'ɪntʊ] ***read something into*** (≈ *interpretieren*) etwas hineinlesen in
> **read out** [ˌriːd'aʊt] vorlesen
> **read over** *oder* **through** [ˌriːd'əʊvə *oder* 'θruː] (ganz) durchlesen
> **read up** [ˌriːd'ʌp] ***read up*** (***on***) ***something*** *umg.* etwas nachlesen

read[2] [riːd] ***it's a good read*** *bes. BE* es liest sich gut
read[3] [red] *2. und 3. Form von* → ***read***[1]; ☞ ***well-read***
readable ['riːdəbl] **1.** *Buch usw.*: lesbar, leicht zu lesen **2.** *Schrift*: leserlich
reader ['riːdə] **1.** Leser(in) **2.** *Schule*: Lesebuch
readership ['riːdəʃɪp] Leser *Pl.*, Leserkreis
readily ['redɪlɪ] **1.** bereitwillig **2.** leicht, ohne weiteres
reading[1] ['riːdɪŋ] **1.** Lesen **2.** Lesung (*auch im Parlament*) **3.** *auch* ***reading matter*** Lesestoff, Lektüre **4.** Wert (*einer Messung*)
reading[2] ['riːdɪŋ] Lese…; ***reading lamp*** Leselampe; ***reading room*** Lesesaal
read-only ['riːdˌəʊnlɪ] *Computer*: schreibgeschützt; ***read-only memory*** (*Abk.*: ***ROM***) Lesespeicher
ready ['redɪ] **1.** bereit, fertig (***for something*** für etwas) ***ready for takeoff*** *Flugzeug*: startbereit, startklar; ***get ready*** (sich) fertig machen; ***he's getting breakfast ready*** er bereitet das Frühstück zu **2.** ***be ready to do something*** bereit sein, etwas zu tun, *auch*: schnell bei der Hand

R

sein, etwas zu tun **3.** im Begriff, nahe daran; ***ready to cry*** den Tränen nahe
ready-made ['redɪmeɪd] **1.** *Kleidung*: Konfektions…; ***ready-made suit*** Konfektionsanzug **2.** *Essen*: vorgekocht **3.** *übertragen* passend, geeignet (*Ausrede, Entschuldigung usw.*); ***ready-made solution*** Patentlösung
readymeal [ˌredɪ'miːl] Fertiggericht
ready money [ˌredɪ'mʌnɪ] Bargeld
ready-to-serve [ˌredɪtə'sɜːv] *Essen*: tischfertig
real [rɪəl] **1.** *Gold, Gefühl usw.*: echt **2.** richtig, tatsächlich, wirklich, wahr; ***his real name*** sein richtiger Name **3.** ***for real*** *umg.* echt, im Ernst
real estate ['rɪəl‿ɪˌsteɪt] Immobilien
realism ['rɪəlɪzm] Realismus
realist ['rɪəlɪst] Realist(in)
realistic [rɪə'lɪstɪk] realistisch
reality [rɪ'ælətɪ] (die) Realität, (die) Wirklichkeit; ***in reality*** in Wirklichkeit; ***become (a) reality*** wahr werden
reality check [rɪ'ælətɪ‿tʃek] *umg.* ***it's time for a reality check*** sehen wir die Dinge doch realistisch
realization [ˌrɪəlaɪ'zeɪʃn] **1.** Erkenntnis **2.** Realisierung, Verwirklichung (*eines Plans*)
realize ['rɪəlaɪz] **1.** erkennen, begreifen, einsehen; ***he realized that …*** ihm wurde klar, dass … **2.** realisieren, verwirklichen (*Plan, Vorhaben usw.*)
really ['rɪəlɪ] **1.** wirklich, tatsächlich **2.** ***not really*** eigentlich nicht **3.** ***you really must come*** du musst unbedingt kommen
realm [⚠ relm] **1.** (König)Reich **2.** ***within the realms of possibility*** im Bereich des Möglichen
realo ['rɪələʊ *oder* reɪ'ɑːləʊ] *umg., Politik*: Realo
real time ['rɪəl‿taɪm] *Computer*: Echtzeit
reanimate [ˌriː'ænɪmeɪt] **1.** *Medizin*: wieder beleben **2.** *übertragen* neu beleben
reanimation [ˌriːænɪ'meɪʃn] **1.** *Medizin*: Wiederbelebung **2.** *übertragen* Neubelebung
reap [riːp] **1.** schneiden, ernten (*Getreide usw.*) **2.** ***reap the benefit(s) of one's work*** *übertragen* die Früchte seiner Arbeit ernten
reappear [ˌriːə'pɪə] wieder erscheinen
rear[1] [rɪə] **1.** Hinterseite, Rückseite, *Auto*: Heck; ***at (AE in) the rear of*** hinten in; ***in the rear*** hinten **2.** *umg.* Hintern
rear[2] [rɪə] **1.** hinter **2.** Hinter…, Rück…, Heck…; ***rear exit*** Hinterausgang; ***rear windscreen*** Heckscheibe
rear[3] [rɪə] **1.** aufziehen, großziehen (*Kind, Tier*) **2.** (*Pferd*) sich aufbäumen
rear light [ˌrɪə'laɪt] Rücklicht
rearrange [ˌriːə'reɪndʒ] **1.** ändern (*Pläne*) **2.** umstellen (*Möbel usw.*)
rearview mirror [ˌrɪəvjuː'mɪrə] Rückspiegel
reason[1] ['riːzn] **1.** Grund (***for*** für); ***for no reason*** ohne Grund, grundlos; ***have every reason to be angry*** *usw.* guten Grund haben, sich zu ärgern *usw.* **2.** (der) Verstand **3.** (die) Vernunft **4.** ***it stands to reason*** es ist logisch
reason[2] ['riːzn] **1.** logisch denken **2.** folgern (***that*** dass)

> **reason with** ['riːzn‿wɪð] diskutieren *oder* vernünftig reden mit

reasonable ['riːznəbl] **1.** vernünftig **2.** *Essen usw.*: ganz gut, passabel **3.** *umg.*; *Preise*: angemessen, günstig
reasonably ['riːznəblɪ] **1.** ziemlich, eini-

R

	In the Bathroom	**Im Badezimmer**
1	mirror	Spiegel
2	mouthwash	Mundwasser
3	hairbrush	Haarbürste
4	electric toothbrush	elektrische Zahnbürste
5	electric shaver	(elektrischer) Rasierapparat
6	toothbrush	Zahnbürste
7	cream	Creme
8	dental water jet, *AE* waterpick	Munddusche
9	soap	Seife
10	soap dish	Seifenschale
11	toothpaste	Zahnpasta
12	tap, *AE* faucet	Wasserhahn
13	comb [kəʊm]	Kamm
14	towel	Handtuch
15	washbasin	Waschbecken
16	bathmat	Badematte
17	hairdryer	Föhn
18	medicine cabinet	Hausapotheke
19	shower	Dusche
20	bath(tub)	Badewanne
21	(bathroom) scale(s)	(Personen)Waage

In the Bathroom
19
18
6
8
2
4
20
7
5
14
13
21
11
12
9
15
10
17
16

In the Living Room
①
2
③
4
5
6
7
8
9
10
11
13
14
15
16
17
18
19
⑳
21
22

germaßen; ***he's reasonably well-off*** er ist ziemlich reich **2.** vernünftig; ***behave reasonably*** sich vernünftig benehmen

reassure [ˌriːə'ʃɔː] **1.** ***reassure someone that …*** jemandem versichern, dass … **2.** beruhigen (*Person*)

rebate ['riːbeɪt] Rückzahlung, Rückvergütung

rebel[1] ['rebl] Rebell(in)

rebel[2] [⚠ rɪ'bel] rebellieren, sich auflehnen (***against*** gegen)

rebellion [rɪ'beljən] Aufstand, Rebellion

rebellious [rɪ'beljəs] rebellisch, aufständisch

rebirth [ˌriː'bɜːθ] Wiedergeburt

reboot [ˌriː'buːt] *Computer*: neu booten, rebooten, neu laden

rebound[1] [rɪ'baʊnd] (*Ball usw.*) abprallen, zurückprallen (***from*** von)

rebound[2] ['riːbaʊnd] **1.** *Basketball*: Rebound **2.** ***he's still on the rebound from his broken relationship with Jean*** er leidet immer noch unter dem Bruch der Beziehung mit Jean; ***she married Bill on the rebound, after Jack had left her*** sie heiratete Bill, um sich darüber hinwegzutrösten, dass Jack sie verlassen hatte

rebuff[1] [rɪ'bʌf] schroffe Abweisung

rebuff[2] [rɪ'bʌf] schroff abweisen

rebuild [ˌriː'bɪld], ***rebuilt*** [ˌriː'bɪlt], ***rebuilt*** [ˌriː'bɪlt] **1.** wieder aufbauen, umbauen (*Haus usw.*) **2.** *übertragen* wieder aufbauen (*Vertrauen usw.*)

rebuke[1] [rɪ'bjuːk] rügen, tadeln (***for*** wegen)

rebuke[2] [rɪ'bjuːk] Rüge, Tadel

recall [rɪ'kɔːl] **1.** sich erinnern an; ***I don't recall <u>seeing</u> her*** ich erinnere mich nicht daran, sie gesehen zu haben **2.** zurückrufen (*auch defekte Waren*)

recapitulate [ˌriːkə'pɪtʃʊleɪt] (noch einmal) kurz zusammenfassen

recede [rɪ'siːd] zurückweichen; ***his hair's starting to recede*** seine Geheimratsecken werden immer größer

receipt [⚠ rɪ'siːt] **1.** Quittung, Empfangsbestätigung **2.** Empfang, Eingang (*von Waren*) (⚠ *nicht* ***Rezept***)

receipt

receipts

ABER:

prescription recipe

receipts [⚠ rɪ'siːts] *Pl.* Einnahmen

receive [rɪ'siːv] **1.** bekommen, empfangen, erhalten (*auch medizinische Behandlung*) **2.** *Rundfunk, TV*: empfangen **3.** ***I was on the receiving end*** *umg.* er hat alles an mir ausgelassen

receiver [rɪ'siːvə] **1.** (Telefon)Hörer **2.** *Radio usw.*: Empfänger **3.** *auch* ***official receiver*** *BE* Konkursverwalter(in)

R

In the Living Room Im Wohnzimmer

1	ceiling	Decke	12	staircase	Treppe
2	lamp	Lampe	13	TV (set)	Fernseher
3	wall	Wand	14	video recorder	Videorekorder
4	picture	Bild	15	sofa	Sofa, Couch
5	mantelpiece	Kaminsims	16	cushion	Kissen
6	fireplace	Kamin	17	chair	Stuhl
7	bookcase	Bücherschrank	18	rug	(Teppich)Brücke
8	curtain	Vorhang	19	(fitted) carpet	Teppich(boden)
9	window	Fenster	20	floor	Boden
10	stereo (system)	Stereoanlage	21	table	Tisch
11	door	Tür(e)	22	armchair	Sessel

recent ['riːsnt] **1.** *Ereignisse usw.*: jüngste(r, -s) **2.** *Foto usw.*: neuere(r, -s)
recently ['riːsntlɪ] **1.** kürzlich, vor kurzem **2.** in letzter Zeit
receptacle [rɪ'septəkl] *förmlich* Behälter
reception [rɪ'sepʃn] **1.** Begrüßung, Empfang; ***a warm reception*** ein herzlicher Empfang **2.** *offizieller Anlass*: Empfang **3.** *Hotel*: Rezeption **4.** *Rundfunk*, *TV*: Empfang
receptionist [rɪ'sepʃnɪst] **1.** *im Hotel usw.*: Empfangsdame, Empfangschef(in) **2.** *beim Arzt usw.*: Sprechstundenhilfe
recess [rɪ'ses] **1.** Pause, *AE auch* Schulpause **2.** *Parlament*: Ferien **3.** Nische (*in einer Wand usw.*)
recession [rɪ'seʃn] *Wirtschaft*: Rezession
recharge [ˌriː'tʃɑːdʒ] aufladen (*Batterie*)
recipe [⚠ 'resəpɪ] Rezept (***for*** für) (*auch übertragen*) (⚠ *nicht* ***Arztrezept***)
recipient [rɪ'sɪpɪənt] Empfänger(in)
recital [rɪ'saɪtl] Konzert, Vortrag; ***a piano recital*** ein Klavierabend
recite [rɪ'saɪt] aufsagen, vortragen (*Gedicht*)
reckless ['rekləs] **1.** leichtsinnig, *Fahrer*: rücksichtslos **2.** *Geschwindigkeit*: gefährlich
recklessness ['rekləsnəs] Rücksichtslosigkeit
reckon ['rekən] **1.** *umg.* glauben (***that*** dass) **2.** ausrechnen, berechnen

> **reckon on** ['rekən‿ɒn] (≈ *erwarten*) rechnen auf *oder* mit
> **reckon up** [ˌrekən'ʌp] zusammenzählen, zusammenrechnen (*Kosten usw.*)
> **reckon with** ['rekən‿wɪð] rechnen mit (*einer Person*, *einem Umstand usw.*); ***a team to be reckoned with*** eine Mannschaft, mit der man rechnen muss

reckoning ['rekənɪŋ] **1.** Berechnung; ***by my reckoning*** nach meiner (Be)Rechnung; **2.** ***day of reckoning*** *übertragen* Tag der Abrechnung, Stunde der Wahrheit
reclaim [rɪ'kleɪm] **1.** zurückfordern (***from*** von) **2.** *Technik*, *Chemie*: wiedergewinnen (*Wertstoffe*) (***from*** aus)
recline [rɪ'klaɪn] **1.** (*Person*) sich zurücklehnen **2.** (*Sitz*) sich verstellen lassen **3.** zurückstellen (*Sitz*)
recluse [rɪ'kluːs] Einsiedler(in)
recognition [ˌrekəg'nɪʃn] **1.** (Wieder)Erkennen **2.** Anerkennung; ***in*** (*oder* ***as a***) ***recognition of*** als Anerkennung für, in Anerkennung (+ *Genitiv*)
recognizable [ˌrekəg'naɪzəbl] (wieder) erkennbar; ***be hardly recognizable*** kaum zu erkennen sein
recognize ['rekəgnaɪz] **1.** (wieder)erkennen (***by*** an) **2.** anerkennen (*auch offiziell*) **3.** einsehen (***that*** dass)
recoil [rɪ'kɔɪl] zurückschrecken (***from*** vor)
recollect [⚠ ˌrekə'lekt] sich erinnern an; ***recollect doing something*** sich daran erinnern, etwas getan zu haben; ***as far as I*** (***can***) ***recollect*** soweit ich mich erinnere
recollection [⚠ ˌrekə'lekʃn] Erinnerung (***of*** an)
recommend [ˌrekə'mend] **1.** empfehlen (***as*** als; ***for*** für); ***recommend doing something*** raten, etwas zu tun **2.** ***he has little to recommend him*** es spricht wenig für ihn **3.** ***the hotel is not to be recommended*** das Hotel ist nicht zu empfehlen
recommendable [ˌrekə'mendəbl] empfehlenswert, ratsam
recommendation [ˌrekəmen'deɪʃn] Empfehlung
recompense[1] ['rekəmpens] entschädigen
recompense[2] ['rekəmpens] Entschädigung; ***as a*** (*oder* ***in***) ***recompense*** als Entschädigung (***for*** für)
reconcile ['rekənsaɪl] **1.** versöhnen, aussöhnen (***with*** mit); ***they are reconciled again*** sie haben sich wieder versöhnt **2.** in Einklang bringen (*Fakten usw.*) (***with*** mit)

> **reconcile to** ['rekənsaɪl‿tʊ] ***become reconciled to something*** *übertragen* sich mit etwas abfinden

reconciliation [ˌrekənsɪlɪ'eɪʃn] Versöhnung (***between*** zwischen; ***with*** mit)
reconsider [ˌriːkən'sɪdə] noch einmal überdenken
reconstruct [ˌriːkən'strʌkt] **1.** wieder aufbauen (*Gebäude usw.*) **2.** *übertragen* rekonstruieren (*Fall usw.*)
record[1] [rɪ'kɔːd] **1.** aufnehmen (*auf Tonband usw.*), aufzeichnen (*TV-Programm usw.*) **2.** aufschreiben, festhalten (*Fakten usw.*) **3.** *offiziell*: zu Protokoll *oder* zu den Akten nehmen **4.** registrieren (*Messwerte*)
record[2] ['rekɔːd] **1.** (Schall)Platte; ***make a record*** eine Platte aufnehmen **2.** *Sport usw.*: Rekord **3.** ***to set the record straight*** um das klarzustellen; ***keep a record of*** Buch führen über **4.** ***have a criminal record*** *Recht*: vorbestraft sein **5.** ***off the record*** inoffiziell

record[3] ['rekɔːd] *Sport usw.*: Rekord…; ***record holder*** Rekordhalter(in); ***in record time*** in Rekordzeit

recorder [rɪ'kɔːdə] **1.** (Kassetten)Rekorder, Tonbandgerät **2.** *Musikinstrument*: Blockflöte

recording [rɪ'kɔːdɪŋ] Aufnahme; ***recording studio*** Aufnahmestudio, Tonstudio

record player ['rekɔːd,pleɪə] Plattenspieler

recount[1] [rɪ'kaʊnt] erzählen (*Geschichte*)

recount[2] [,riː'kaʊnt] nachzählen (*Stimmen usw.*)

recoup [rɪ'kuːp] **1.** ausgleichen (*Verlust*) **2.** zurückbekommen (*Ausgaben*) (***from*** von)

recover [rɪ'kʌvə] **1.** gesund werden, sich erholen (***from*** von) (*auch übertragen*); ***he has fully recovered*** er ist wieder ganz gesund **2.** wieder finden (*Gestohlenes usw.*) **3.** ausgleichen (*Kosten*) **4.** ***recover consciousness*** wieder zu sich kommen **5.** bergen (*Opfer*)

recovery [rɪ'kʌvərɪ] **1.** Erholung, Genesung (*auch übertragen*); ***make a quick recovery*** sich schnell erholen **2.** Wiederfinden (*von Gestohlenem usw.*) **3.** Bergung (*von Opfern*)

recreation [,rekrɪ'eɪʃn] *in der Freizeit*: Erholung, Freizeitbeschäftigung

recreational [,rekrɪ'eɪʃnəl] ***recreational activities*** *Pl.* Freizeitgestaltung; ***recreational vehicle*** (*Abk.* ***RV***) *AE* Wohnmobil, Caravan

recreation ground [,rekrɪ'eɪʃn‿graʊnd] *BE* Spielplatz

recreation room [,rekrɪ'eɪʃn‿ruːm] **1.** Aufenthaltsraum **2.** *AE* Hobbyraum

recruit[1] [rɪ'kruːt] **1.** *Militär*: Rekrut **2.** neues Mitglied (*im Verein usw.*) (***to*** in)

recruit[2] [rɪ'kruːt] **1.** anwerben, rekrutieren (*Personal*) **2.** werben (*Mitglieder*)

rectangle ['rektæŋgl] Rechteck

rectangular [rek'tæŋgjʊlə] rechteckig, rechtwinklig

rector ['rektə] *anglikanische Kirche*: Pfarrer

recumbent[1] [rɪ'kʌmbənt] liegend

recumbent[2] [rɪ'kʌmbənt] *auch* ***recumbent bicycle*** Liegefahrrad

recuperate [rɪ'kjuːpəreɪt] **1.** sich erholen (***from*** von) **2.** wettmachen (*Verluste usw.*)

recur [rɪ'kɜː], ***recurred, recurred*** (*Problem*) wiederkehren, (*Schmerz*) wieder einsetzen

recurrent [rɪ'kʌrənt] wiederkehrend

recyclable [,riː'saɪkləbl] wiederverwertbar, recycelbar

recycle [,riː'saɪkl] wieder verwerten, recyceln; ***recycled paper*** Umweltpapier

recycling [,riː'saɪklɪŋ] Recycling, Wiederverwertung

red[1] [red], ***redder, reddest*** rot; ***the lights are red*** die Ampel steht auf Rot; ***go*** (*oder* ***turn***) ***red*** rot werden

red[2] [red] Rot; ***dressed in red*** rot *oder* in Rot gekleidet; ***see red*** *übertragen* rotsehen; ***be in the red*** *finanziell*: in den roten Zahlen sein

red alert [,red‿ə'lɜːt] höchste Alarmstufe, Alarmstufe rot

red card [,red'kɑːd] *Sport* rote Karte

red carpet [,red'kɑːpɪt] roter Teppich

red-carpet treatment [,red'kɑːpət,triːtmənt] ***give someone the red-carpet treatment*** jemanden mit großem Bahnhof empfangen

Red Cross [,red'krɒs] Rotes Kreuz

redcurrant [,red'kʌrənt] Rote Johannisbeere

redden ['redn] **1.** röten, rot färben **2.** *aus Scham usw*: rot werden (***with*** vor)

reddish ['redɪʃ] rötlich

redecorate [riː'dekəreɪt] renovieren, neu tapezieren *oder* streichen (*Zimmer usw.*)

redeem [rɪ'diːm] **1.** einlösen (*Pfand*) **2.** wiederherstellen (*Ruf*); ***redeem oneself*** sich rehabilitieren **3.** ausgleichen, wettmachen (*schlechte Eigenschaft*) **4.** *kirchlich*: erlösen

Redeemer [rɪ'diːmə] Erlöser, Heiland

redemption [rɪ'dempʃn] *bes. kirchlich*: Erlösung (***from*** von)

redevelop [,riːdɪ'veləp] sanieren (*Gebäude, Stadtteil*)

redevelopment [,riːdɪ'veləpmənt] *eines Stadtteils usw.*: Sanierung

red-handed [,red'hændɪd] ***catch someone red-handed*** jemanden auf frischer Tat ertappen

redhead ['redhed] *umg.* Rothaarige(r)

red-headed [,red'hedəd] rothaarig

red herring [,red'herɪŋ] **1.** *Fisch*: Bückling **2.** *übertragen* Ablenkungsmanöver, falsche Fährte *oder* Spur

red-hot [,red'hɒt] **1.** rot glühend **2.** *übertragen* glühend

redial[1] [,riː'daɪəl] nochmals wählen (*Telefonnummer*)

redial[2] [,riː'daɪəl] *Telefon*: Wahlwiederholung

Red Indian [,red'ɪndɪən] Indianer(in) (⚠ *heute sagt man* ***Native American***)

redirect [,riːdə'rekt] nachsenden (*Brief*)

rediscover [,riːdɪ'skʌvə] wieder entdecken

rediscovery [,riːdɪ'skʌvərɪ] Wiederentdeckung

redistribute [,riːdɪ'strɪbjuːt] neu verteilen, umverteilen (*Vermögen usw.*)

redistribution [ˌriːdɪstrɪˈbjuːʃn] Neuverteilung, Umverteilung
red-letter day [ˌredˈletə‿deɪ] Freudentag, Glückstag (***for*** für)
red light [ˌredˈlaɪt] **1.** *Warnsignal usw.*: rotes Licht **2.** Rotlicht; ***go through the red lights*** bei Rot über die Kreuzung fahren
red-light district [ˌredˈlaɪtˌdɪstrɪkt] Rotlichtviertel
redo [ˌriːˈduː], ***redid*** [ˌriːˈdɪd], ***redone*** [ˌriːˈdʌn] nochmals machen; ***redo one's hair*** sich überkämmen
redouble [ˌriːˈdʌbl] verdoppeln (*Anstrengungen*)
redress [rɪˈdres] **1.** wieder gutmachen (*Unrecht*) **2.** abstellen, beseitigen (*Missstand*) **3.** ***redress the balance*** das Gleichgewicht wiederherstellen
red tape [ˌredˈteɪp] **1.** *System*: Bürokratie, Amtsschimmel **2.** *umg.*, *konkret*: Papierkrieg, Behördenkram
reduce [rɪˈdjuːs] **1.** *allg.*: verringern, reduzieren **2.** senken (*Steuern*), herabsetzen (*Preise*) **3.** *AE* abnehmen (*an Gewicht*)

> **reduce to** [rɪˈdjuːs‿tʊ] **1.** reduzieren *oder* verringern auf (*Hälfte usw.*) **2.** ***reduce someone to tears*** jemanden zum Weinen bringen

reduced-emission [rɪˌdjuːstɪˈmɪʃn] *Auto*: abgasreduziert
reduction [rɪˈdʌkʃn] **1.** *allg.*: Senkung, Reduzierung **2.** *bei Kauf*: (Preis)Ermäßigung
redundant [rɪˈdʌndənt] **1.** überflüssig **2.** *Arbeiter*: arbeitslos; ***be made redundant*** den Arbeitsplatz verlieren
red wine [ˌredˈwaɪn] Rotwein
reed [riːd] Schilf(rohr), Ried
reef [riːf] Felsenriff, Riff
reek[1] [riːk] Gestank; ***there was a reek of garlic*** es stank nach Knoblauch
reek[2] [riːk] stinken (***of*** nach)
reel[1] [riːl] **1.** Rolle (*Kabelrolle usw.*) **2.** Spule (*Filmspule usw.*)

> **reel off** [ˌriːlˈɒf] *umg.* herunterrasseln (*Gedicht usw.*)

reel[2] [riːl] **1.** *Person*: wanken **2.** ***my head was reeling*** mir drehte sich alles
reelect [ˌriːɪˈlekt] wieder wählen (*Politiker usw.*)
re-election [ˌriːɪˈlekʃn] *Politik*: Wiederwahl; ***seek re-election*** sich erneut zur Wahl stellen
re-enter [ˌriːˈentə] wieder eintreten in (*auch Raumfahrt*), wieder betreten
re-entry [ˌriːˈentrɪ] Wiedereintreten, Wiedereintritt(***into*** in)
ref [ref] (*Abk. für* ***referee***) *umg.* Schiedsrichter, Schiri
ref. [ref] (*Abk. für* ***reference***); ***our*** (*bzw.* ***your***) ***ref.*** *Geschäftsbriefe*: unser (*bzw.* Ihr) Zeichen
refectory [rɪˈfektərɪ] *an Schule, Universität*: Mensa

> **refer to** [rɪˈfɜː‿tʊ] ***referred to, referred to*** **1.** sprechen von, sich beziehen auf **2.** nachschlagen in (*einem Lexikon usw.*) **3.** *um Auskunft usw.*: verweisen an **4.** übergeben, überweisen an (*auch Patienten*)

referee [ˌrefəˈriː] Schiedsrichter, *Boxen*: Ringrichter
reference [ˈrefrəns] **1.** Verweis, Hinweis (***to*** auf); (***list of***) ***references*** *Pl.* Quellenangabe **2.** ***make*** (***a***) ***reference to something*** etwas erwähnen **3.** Referenz, Zeugnis (*für Bewerbung usw.*)
reference book [ˈrefrəns‿bʊk] Nachschlagewerk
referendum [ˌrefəˈrendəm] *Pl.*: ***referendums, referenda*** [ˌrefəˈrendə] *Politik*: Referendum, Volksabstimmung
refill[1] [⚠ ˌriːˈfɪl] nachfüllen, auffüllen
refill[2] [⚠ˈriːfɪl] (Füller)Patrone, (Kugelschreiber)Mine
refine [rɪˈfaɪn] raffinieren (*Öl, Zucker*)
refined [rɪˈfaɪnd] *Benehmen, Sprache*: fein, vornehm
refinery [rɪˈfaɪnərɪ] Raffinerie
reflect [rɪˈflekt] **1.** *Strahlen usw.*: reflektieren, zurückstrahlen **2.** *Bild usw.*: (wider-)spiegeln, reflektieren; ***be reflected in*** sich (wider)spiegeln in (*auch übertragen*) **3.** *übertragen* nachdenken (***on, about*** über)

> **reflect on** *oder* **upon** [rɪˈflekt‿ɒn *oder* əˌpɒn] *übertragen* ***reflect*** (***badly***) ***on*** sich nachteilig auswirken auf *oder* ein schlechtes Licht werfen auf

reflection [rɪˈflekʃn] **1.** Spiegelbild **2.** Reflexion, (Wider)Spiegelung (*auch übertragen*) **3.** *übertragen* Überlegung; ***on reflection*** nach einigem Nachdenken
reflector [rɪˈflektə] Rückstrahler (*z.B. am Fahrrad*)
reflex [ˈriːfleks] *auch* ***reflex action*** Reflex

R

reflexive [rɪ'fleksɪv] *Sprache*: reflexiv, rückbezüglich; ***reflexive pronoun*** Reflexivpronomen
reform[1] [rɪ'fɔːm] **1.** reformieren (*System*) **2.** bessern, resozialisieren (*Sträfling usw.*)
reform[2] [rɪ'fɔːm] *Politik usw.*: Reform
reformat [ˌriː'fɔːmæt] *Computer*: umformatieren
reformation [ˌrefə'meɪʃn] Reformierung; ***the Reformation*** *kirchlich*: die Reformation
reformer [rɪ'fɔːmə] **1.** *bes. Religion*: Reformator **2.** *bes Politik*: Reformer(in)
refrain [rɪ'freɪn] Kehrreim, Refrain

> **refrain from** [rɪ'freɪn‿frəm] ***refrain from something*** sich etwas verkneifen; ***Please refrain from smoking*** Bitte nicht rauchen!

refresh [rɪ'freʃ] **1.** (*Getränk usw.*) erfrischen **2.** ***refresh oneself*** sich erfrischen **3.** ***refresh one's memory*** sein Gedächtnis auffrischen
refresher course [rɪ'freʃə‿kɔːs] Auffrischungskurs
refreshing [rɪ'freʃɪŋ] erfrischend
refreshment [rɪ'freʃmənt] Erfrischung (*auch Getränk usw.*)
refrigerator [rɪ'frɪdʒəreɪtə] Kühlschrank (△ *in GB wird mst.* **fridge** *verwendet*)
refuel [ˌriː'fjuːəl], *BE* ***refuelled, refuelled***, *AE* ***refueled, refueled*** auftanken (*Flugzeug, Auto*)
refuge ['refjuːdʒ] Zuflucht (***from*** vor) (*auch übertragen*); ***seek refuge*** Zuflucht suchen
refugee [ˌrefjʊ'dʒiː] Flüchtling; ***refugee camp*** Flüchtlingslager
refund [rɪ'fʌnd] zurückzahlen, zurückerstatten (*Geld, Auslagen*)
refurbish [riː'fɜːbɪʃ] renovieren
refusal [rɪ'fjuːzl] **1.** *von Angebot usw.*: Ablehnung **2.** *bei Bitte usw.*: Weigerung
refuse[1] [rɪ'fjuːz] **1.** ablehnen (*Angebot usw.*) **2.** sich weigern (***to do*** zu tun)
refuse[2] [△ 'refjuːs] Abfall, Müll
refute [rɪ'fjuːt] widerlegen (*Aussage usw.*)
regain [rɪ'geɪn] wiedergewinnen, zurückgewinnen
regal ['riːgl] königlich, majestätisch
regard[1] [rɪ'gɑːd] **1.** ***with regard to*** im Hinblick auf **2.** Rücksicht; ***without regard to*** *oder* ***for*** ohne Rücksicht auf; ***have no regard for*** *oder* ***pay no regard to*** keine Rücksicht nehmen auf **3.** Achtung; ***hold someone in high regard*** jemanden hoch achten; ☞ ***regards***
regard[2] [rɪ'gɑːd] **1.** *übertragen* betrachten (***with*** mit); ***regard as*** betrachten als, halten für; ***be regarded as*** gelten als **2.** ***as regards ...*** was … betrifft **3.** betrachten, ansehen
regarding [rɪ'gɑːdɪŋ] bezüglich, hinsichtlich
regardless [rɪ'gɑːdləs] ***regardless of*** ohne Rücksicht auf
regards [rɪ'gɑːdz] *Pl.* ***give him my*** (***best***) ***regards*** grüße ihn (herzlich) von mir; ***with kind regards*** mit freundlichen Grüßen
regenerate [rɪ'dʒenəreɪt] **1.** (*Wald, Organismus usw.*) sich regenerieren **2.** erneuern (*Stadtviertel, Region usw.*)
regeneration [rɪˌdʒenə'reɪʃn] **1.** Regenerierung **2.** Erneuerung
regent ['riːdʒənt] Regent(in)
reggae ['regeɪ] *Musik*: Reggae
regime [reɪ'ʒiːm] *Politik*: Regime
regiment ['redʒɪmənt] Regiment
region ['riːdʒən] **1.** Gebiet, Region **2.** ***in the region of £50*** um die *oder* ungefähr 50 Pfund
regional ['riːdʒnəl] regional
register[1] ['redʒɪstə] **1.** Register, Verzeichnis; ***keep a register of*** Buch führen über **2.** *Musik*: Register, Tonlage
register[2] ['redʒɪstə] **1.** registrieren (lassen), anmelden, (sich) eintragen (lassen) (*in eine Liste*) **2.** *an Hochschule usw.*: sich einschreiben *oder* immatrikulieren **3.** *im Hotel*: sich anmelden **4.** ***registered letter*** *Postwesen*: Einschreibebrief, Einschreiben **5.** ***it didn't register*** *umg.* ich habe es nicht registriert
registration [ˌredʒɪ'streɪʃn] **1.** Registrierung, Eintragung **2.** Anmeldung, Einschreibung
registration document [ˌredʒɪ'streɪʃnˌdɒkjʊmənt] *BE*; *Auto, etwa*: Fahrzeugbrief
registration number [ˌredʒɪ'streɪʃnˌnʌmbə] *Auto*: (polizeiliches) Kennzeichen
registry office ['redʒɪstrɪˌɒfɪs] *bes. BE* Standesamt
regret[1] [rɪ'gret], ***regretted, regretted*** **1.** bedauern, bereuen; ***regret doing something*** es bedauern, etwas getan zu haben **2.** ***we regret to inform you that ...*** *in Schreiben*: wir müssen Ihnen leider mitteilen, dass …
regret[2] [rɪ'gret] Bedauern (***at*** über), Reue; ***with great regret*** mit großem Bedauern; ***have no regrets*** nichts bereuen; ***have no regrets about doing something*** es nicht bereuen, etwas getan zu haben

R

regrettable [rɪ'gretəbl] bedauerlich
regular[1] ['regjʊlə] **1.** regelmäßig (*auch Verb-, Steigerungs- und Pluralformen*); ***at regular intervals*** in regelmäßigen Abständen **2.** *Leben usw.*: geregelt, geordnet; ***be in regular employment*** fest angestellt sein **3.** *Armee usw.*: regulär, Berufs…
regular[2] ['regjʊlə] **1.** *umg.* Stammgast, Stammkunde **2.** Normalbenzin
regularity [ˌregjʊ'lærətɪ] Regelmäßigkeit
regularly ['regjʊləlɪ] regelmäßig
regulate ['regjʊleɪt] **1.** regeln (*durch Bestimmungen usw.*) **2.** *Technik*: einstellen, regulieren
regulation [ˌregjʊ'leɪʃn] **1.** Regelung, Regulierung **2.** *durch Behörde usw.*: Vorschrift
rehabilitate [⚠ ˌriːə'bɪlɪteɪt] rehabilitieren
rehabilitation [⚠ ˌriːəbɪlɪ'teɪʃn] Rehabilitation; ***rehabilitation center*** (*bes. BE* ***centre***) Rehabilitationszentrum
rehearsal [rɪ'hɜːsl] *Musik*, *Theater*: Probe
rehearse [rɪ'hɜːs] *Theater usw.*: proben
reign[1] [reɪn] Herrschaft; ***reign of terror*** Schreckensherrschaft
reign[2] [reɪn] (*König*, *Königin*) herrschen (***over*** über) (*auch übertragen*); ***silence reigned*** es herrschte Schweigen
reimburse [ˌriːɪm'bɜːs] (zurück)erstatten, vergüten (*Auslagen usw.*)
reimbursement [ˌriːɪm'bɜːsmənt] *von Auslagen usw.*: Erstattung, Vergütung
rein [reɪn] *auch* ***reins*** Zügel; ***give free rein to one's imagination*** seiner Fantasie freien Lauf lassen; ***keep a tight rein on*** *übertragen* streng kontrollieren
reincarnation [ˌriːɪnkɑː'neɪʃn] Reinkarnation, Wiedergeburt
reindeer ['reɪnˌdɪə], *Pl.* ***reindeer*** Ren, Rentier
reinforce [ˌriːɪn'fɔːs] **1.** *allg.*: verstärken **2.** *übertragen* stützen, untermauern (*Forderung*, *Argument usw.*)
reinforcement [ˌriːɪn'fɔːsmənt] **1.** *allg.*: Verstärkung **2.** *übertragen auch* Stützung, Untermauerung **3.** ***reinforcements*** *Pl. militärisch*: Verstärkung
reissue[1] [ˌriː'ɪsjuː] **1.** neu auflegen (*Buch usw.*) **2.** neu herausgeben (*Briefmarken usw.*)
reissue[2] [ˌriː'ɪsjuː] **1.** *von Buch usw.*: Neuauflage **2.** *von Briefmarken usw.*: Neuausgabe
reject [rɪ'dʒekt] **1.** ablehnen (*Angebot usw.*) **2.** abschlagen (*Bitte*) **3.** verwerfen (*Plan usw.*) **4.** *medizinisch*: abstoßen (*verpflanztes Organ*)
rejection [rɪ'dʒekʃn] **1.** Ablehnung (*eines Angebots usw.*) **2.** Zurückweisung (*einer Bitte usw.*) **3.** Verwerfen (*eines Plans usw.*) **4.** *medizinisch*: Abstoßung (*eines Organs*)
rejoice [rɪ'dʒɔɪs] jubeln (***at, over*** über)
rejoicing [rɪ'dʒɔɪsɪŋ] Jubel
rejoin [ˌriː'dʒɔɪn] sich wieder anschließen (an), wieder eintreten in
rejuvenate [rɪ'dʒuːvəneɪt] **1.** verjüngen (*Person*) **2.** *übertragen* erneuern (*Partei usw.*)
rejuvenation [rɪˌdʒuːvə'neɪʃn] Verjüngung
relapse[1] [rɪ'læps] **1.** zurückfallen (***into*** in) (*schlechte Gewohnheiten usw.*) **2.** *Kranker*: einen Rückfall bekommen
relapse[2] [rɪ'læps] *allg.*: Rückfall
relate [rɪ'leɪt] **1.** erzählen, berichten **2.** *Fakten*: in Verbindung bringen (***to*** mit)

> **relate to** [rɪ'leɪt‿tʊ] **1.** sich beziehen auf **2.** zusammenhängen mit **3.** ***I can't relate to her*** ich finde keine Beziehung zu ihr

related [rɪ'leɪtɪd] **1.** *Familie*: verwandt (***to*** mit) **2.** *übertragen* verwandt; ***be related to*** *übertragen* zusammenhängen mit
relation [rɪ'leɪʃn] **1.** Verwandte(r); ***all our relations*** unsere gesamte Verwandtschaft **2.** Beziehung; ***bear no relation to*** in keiner Beziehung stehen zu **3.** ***in*** *oder* ***with relation to*** in Bezug auf
relations [rɪ'leɪʃnz] *Pl.*; *diplomatisch*, *geschäftlich usw.*: Beziehungen (***between*** zwischen; ***with*** zu)
relationship [rɪ'leɪʃnʃɪp] **1.** Beziehung, Verhältnis **2.** Verwandtschaft
relative[1] ['relətɪv] Verwandte(r)
relative[2] ['relətɪv] **1.** relativ **2.** *Sprache*: Relativ…; ***relative pronoun*** Relativpronomen
relatively ['relətɪvlɪ] relativ
relax [rɪ'læks] **1.** sich entspannen **2.** lockern (*Griff*, *Bestimmungen usw.*) **3.** *übertragen* nachlassen in (*seinen Anstrengungen usw.*)
relaxation [ˌriːlæk'seɪʃn] **1.** Entspannung **2.** Lockerung (*von Bestimmungen*)
relaxed [rɪ'lækst] entspannt, locker
relay[1] ['riːleɪ] **1.** *auch* ***relay race*** *Sport*: Staffel(lauf) **2.** ***work in relays*** *Arbeiter*: in Schichten arbeiten **3.** *Elektrotechnik*: Relais **4.** *Rundfunk*, *TV*: Übertragung
relay[2] ['riːleɪ] **1.** *Rundfunk*, *TV*: übertragen **2.** weitergeben (*Nachricht*) (***to*** an)
release[1] [rɪ'liːs] **1.** entlassen (***from*** aus), freilassen, loslassen **2.** *übertragen* entbin-

R

den (***from*** von) (*einer Verpflichtung*) **3.** lösen (*Handbremse*) **4.** herausbringen (*Film usw.*), veröffentlichen (*Fakten*)

release[2] [rɪ'liːs] **1.** Entlassung, Befreiung **2.** *von Film, CD usw.*: Veröffentlichung; ***on general release*** *Film*: in allen Kinos

relegate ['relɪgeɪt] *mst. Sport*: ***be relegated*** absteigen (***to*** in)

relegation [ˌrelɪ'geɪʃn] *Sport*: Abstieg

relentless [rɪ'lentləs] **1.** *Verhalten*: erbarmungslos, unerbittlich **2.** (≈ *ohne Ende*) unaufhörlich

relevant ['reləvənt] relevant, wichtig (***to*** für)

reliability [rɪˌlaɪə'bɪlətɪ] Zuverlässigkeit, Verlässlichkeit

reliable [rɪ'laɪəbl] zuverlässig, (CH) währschaft

reliance [rɪ'laɪəns] Vertrauen

reliant [rɪ'laɪənt] ***be reliant on*** abhängig sein von, angewiesen sein auf

relic ['relɪk] **1.** Relikt, Überbleibsel **2.** *kirchlich*: Reliquie

relief [rɪ'liːf] **1.** Erleichterung (*auch bei Schmerzen usw.*); ***much to my relief*** zu meiner großen Erleichterung **2.** ***tax relief*** *BE* Steuererleichterung **3.** Unterstützung, Hilfe **4.** *AE* Sozialhilfe; ***be on relief*** Sozialhilfe beziehen **5.** *Wandbild usw.*: Relief

relieve [rɪ'liːv] **1.** lindern (*Schmerzen, Not*), erleichtern (*Gewissen*) **2.** *im Dienst*: ablösen **3.** ***relieve oneself*** (≈ *Notdurft verrichten*) sich erleichtern

> **relieve of** [rɪ'liːv‿əv] ***relieve someone of something*** jemandem etwas abnehmen (*Arbeit, Gepäckstück usw.*), *humorvoll* jemanden um etwas erleichtern (*um die Brieftasche usw.*)

relieved [rɪ'liːvd] erleichtert

religion [rɪ'lɪdʒən] Religion

religious [rɪ'lɪdʒəs] **1.** religiös, Religions… **2.** religiös, fromm

religious education [rɪˌlɪdʒəs‿edjʊ'keɪʃn] *Schule*: Religion, Religionsunterricht

relinquish [rɪ'lɪŋkwɪʃ] **1.** aufgeben, verzichten auf (*Ansprüche, Rechte*) **2.** abtreten (***to*** an), überlassen (*Besitz usw.*)

relish[1] ['relɪʃ] **1.** ***with relish*** mit Genuss **2.** *Kochen*: würzige Soße, Relish

relish[2] ['relɪʃ] **1.** genießen **2.** *übertragen* Gefallen finden an; ***I don't relish the idea*** ich bin nicht begeistert von der Aussicht (***of doing*** zu tun)

relook[1], **re-look** [riː'lʊk] ***relook at something*** einen zweiten Blick auf etwas werfen, sich etwas nochmal ansehen; *im weiteren Sinn*: über etwas erneut nachdenken

relook[2] ['riːlʊk] ***take a relook at something*** einen zweiten Blick auf etwas werfen, sich etwas nochmal ansehen; *im weiteren Sinn*: über etwas erneut nachdenken

reluctance [rɪ'lʌktəns] Widerwillen; ***with reluctance*** widerwillig, ungern

reluctant [rɪ'lʌktənt] widerstrebend, widerwillig

> **rely on** [rɪ'laɪ‿ɒn], ***relied on*** [rɪ'laɪd‿ɒn], ***relied on*** [rɪ'laɪd‿ɒn]; *-ing-Form* ***relying on*** **1.** sich verlassen auf **2.** (***have to***) ***rely on*** abhängig sein von, angewiesen sein auf

remain [rɪ'meɪn] **1.** *allg.*: bleiben **2.** (übrig) bleiben; ***a lot remains to be done*** es bleibt noch viel zu tun

remainder [rɪ'meɪndə] Rest (*auch beim Rechnen*)

remaining [rɪ'meɪnɪŋ] übrig, restlich

remains [rɪ'meɪnz] *Pl.* Reste, Überreste

remake[1] [ˌriː'meɪk], ***remade*** [ˌriː'meɪd], ***remade*** [ˌriː'meɪd] wieder *oder* neu machen

remake[2] ['riːmeɪk] *von Film*: Remake, Neuverfilmung

remand [rɪ'mɑːnd] ***be on remand*** *BE*; *Gerichtswesen*: in Untersuchungshaft sein

remark[1] [rɪ'mɑːk] Bemerkung (***about, on*** über)

remark[2] [rɪ'mɑːk] bemerken, äußern

remarkable [rɪ'mɑːkəbl] bemerkenswert, beachtlich

remedy ['remədɪ] **1.** *Medizin*: Mittel, Heilmittel (***for, against*** gegen) **2.** *übertragen* (Gegen)Mittel (***for, against*** gegen)

remember [rɪ'membə] **1.** sich erinnern an; ***remember doing something*** sich daran erinnern, etwas getan zu haben; ***suddenly he remembered that*** plötzlich fiel ihm ein, dass; ***I can't remember*** ich kann mich nicht erinnern; ***if I remember right(ly)*** wenn ich mich recht erinnere **2.** denken an; ***remember to do something*** daran denken, etwas zu tun; ***I must remember that*** das muss ich mir merken; ☞*Info S. 402*

> **remember to** [rɪ'membə‿tʊ] ***please remember me to your sister*** grüß bitte deine Schwester von mir

R

remember, forget, remind

remember <u>to</u> <u>do</u> something	daran denken / nicht vergessen etwas zu tun
Did you remember to feed the cat?	Hast du daran gedacht die Katze zu füttern?
forget <u>to</u> <u>do</u> something	vergessen etwas zu tun
Don't forget to post that letter.	Denk daran / vergiss nicht den Brief einzuwerfen.

Remember to und **forget to** können in jeder grammatischen Zeitform vorkommen. Es geht darum, dass man selbst oder die Person, von der die Rede ist, daran denkt, oder eben nicht daran denkt (= vergisst), etwas zu tun.

remember doing something	sich daran erinnern, wie / dass …
I remember sending her a postcard.	Ich kann mich erinnern, dass ich ihr eine Postkarte geschickt habe.
never forget <u>doing</u> something	nie vergessen, wie / dass …
I'll never forget falling into that canal in Amsterdam.	Ich werde nie vergessen, wie ich in Amsterdam in diesen Kanal gefallen bin.

Remember -ing und never **forget -ing** beziehen sich immer nur auf etwas, das in der Vergangenheit passiert ist. Es geht um die <u>Erinnerung an Vergangenes</u>.

remind someone <u>to</u> <u>do</u> something	jemanden daran erinnern etwas zu tun / noch einmal sagen, wann / wie *usw.* …
Can you remind me to take the bread out of the freezer.	Kannst du mich daran erinnern das Brot aus der Gefriertruhe zu nehmen?

Auch in Konstruktionen wie:

Can you remind me when his birthday is?	Kannst du mir noch einmal sagen, wann er Geburtstag hat?
I'll remind you about the tickets on the day.	Ich werde dich an dem (betreffenden) Tag (noch einmal) an die Karten erinnern.

Remind kann in jeder grammatischen Zeitform vorkommen. Man verwendet **remind**, wenn <u>eine Person von jemand anderem daran erinnert wird</u> etwas zu tun, bzw. <u>noch einmal wissen will</u>, wie etwas ist oder war.

R

remembrance [rɪ'membrəns] Erinnerung (***of*** an); ***in remembrance of*** <u>zur</u> Erinnerung an; ***Remembrance Day*** *oder* ***Sunday*** *BE* Volkstrauertag

remind [rɪ'maɪnd] ***remind someone*** jemanden erinnern (***that*** daran, dass); ***please remind me to ring Peter*** erinnere mich bitte daran, dass ich Peter anrufe

> **remind of** [rɪ'maɪnd‿əv] erinnern an; ***she reminds me of my sister*** sie erinnert mich an meine Schwester

reminder [rɪ'maɪndə] *Wirtschaft*: Mahnung

remittance [rɪ'mɪtns] *von Geld*: Überweisung (***to*** an)

remnant ['remnənt] **1.** Rest (*auch übertragen*) **2.** Stoffrest

remorse [rɪ'mɔːs] Gewissensbisse, Reue; ***feel remorse*** Gewissensbisse haben

remote [rɪ'məʊt] **1.** fern, (weit) entfernt; ***in the remote past*** in ferner Vergangenheit **2.** *Dorf usw.*: abgelegen, entlegen **3.** *Chance*: gering; ***I haven't got the remotest idea*** ich habe nicht die geringste Ahnung

remote access [rɪˌməʊt'ækses] *Computer usw.*: Fernzugriff

remote control [rɪˌməʊt‿kən'trəʊl] **1.** Fernsteuerung, Fernlenkung **2.** *Gerät*: Fernbedienung

remote interrogation [rɪˌməʊt‿ɪntərə'geɪʃn] *Telefon*: Fernabfrage

removable [rɪˈmuːvəbl] *Deckel, Verschluss usw.*: abnehmbar
removal [rɪˈmuːvl] **1.** (≈ *Wegnehmen*) Entfernung **2.** *in neue Wohnung usw.*: Umzug
removal van [rɪˈmuːvl‿væn] Möbelwagen
remove [rɪˈmuːv] **1.** entfernen (***from*** von), herausnehmen **2.** abnehmen (*Deckel, Hut usw.*), ablegen (*Kleidung*) **3.** *übertragen* beseitigen (*Schwierigkeiten*), aus dem Weg räumen (*Hindernisse*)
remover [rɪˈmuːvə] *Mittel*: …entferner; ***stain-remover*** Fleckentferner
Renaissance [⚠ rɪˈneɪsns] *historisch*: Renaissance
renaissance [⚠ rɪˈneɪsns] *einer Mode, Bewegung usw.*: Wiedergeburt
rename [ˌriːˈneɪm] umbenennen (*auch Computer: Datei, Ordner*)
render [ˈrendə] *förmlich* **1.** machen; ***render someone unable to do something*** jemanden unfähig machen, etwas zu tun **2.** leisten (*Hilfe*), erweisen (*Dienst*)
rendezvous [ˈrɒndɪvuː] *Pl.*: ***rendezvous*** [ˈrɒndɪvuːz] Rendezvous, Verabredung
renew [rɪˈnjuː] erneuern; ***renew one's efforts*** erneute Anstrengungen machen; ***renew one's visa*** sein Visum erneuern lassen; ***with renewed strength*** mit neuen Kräften
renewable [rɪˈnjuːəbl] **1.** *Vertrag, Ausweis usw.*: verlängerbar **2.** *Energiequellen, Rohstoffe usw.*: erneuerbar
renewal [rɪˈnjuːəl] **1.** *allg.*: Erneuerung **2.** *von Ausweis usw.*: Verlängerung **3.** ***urban renewal*** Stadterneuerung
renounce [rɪˈnaʊns] verzichten auf (*Amt, Anspruch usw.*)
renovate [ˈrenəveɪt] renovieren
renovation [ˌrenəˈveɪʃn] Renovierung
renowned [rɪˈnaʊnd] berühmt (***for*** wegen, für)
rent[1] [rent] **1.** Miete, Pacht, Ⓐ, ⒸⒽ Zins (⚠ *nicht* ***Rente***); ***for rent*** *bes. AE* zu vermieten *oder* verpachten **2.** *bes. AE* Leihgebühr; ***for rent*** zu vermieten *oder* verleihen
rent[2] [rent] **1.** mieten, pachten (***from*** von) **2.** *auch* ***rent out*** *bes. AE* vermieten, verpachten (***to*** an) **3.** *bes. AE* mieten (*Auto usw.*); ***rented car*** Leihwagen, Mietwagen
rent-a-car (service) [ˈrentəkɑː(ˌsɜːvɪs)] *bes. AE* Autoverleih
rental [ˈrentl] **1.** Miete, Pacht **2.** *bes. AE* Leihgebühr; ***car rental (service)*** Autoverleih
rent-free [ˌrentˈfriː] mietfrei, pachtfrei
renunciation [rɪˌnʌnsɪˈeɪʃn] Verzicht (***of*** auf)
reopen [riːˈəʊpən] wieder eröffnen
reorganize [riːˈɔːgənaɪz] **1.** umstrukturieren (*Betrieb*) **2.** rationalisieren (*Betrieb*)
rep [rep] *umg.* **1.** *einer Firma*: Handelsvertreter(in) **2.** *einer Organisation*: Repräsentant(in) **3.** (*Abk. für* ***repertory theatre***) Repertoire-Theater
repair[1] [rɪˈpeə] reparieren, ausbessern
repair[2] [rɪˈpeə] **1.** Reparatur; ***be in for repair*** in Reparatur sein **2.** ***be in good repair*** in gutem Zustand sein; ***be in bad repair*** in schlechtem Zustand sein; ***be (damaged) beyond repair*** irreparabel (beschädigt) sein
reparation [ˌrepəˈreɪʃn] **1.** Wiedergutmachung **2.** ***reparations*** *Politik*: Reparationen
repay [rɪˈpeɪ] ***repaid, repaid*** **1.** zurückzahlen (*Geld usw.*) (*auch übertragen*); ***repay someone's expenses*** jemandem seine Auslagen erstatten **2.** erwidern (*Besuch usw.*) **3.** *übertragen* sich erkenntlich zeigen für; ***how can we repay (you for) your hospitality?*** wie können wir uns für eure Gastfreundschaft revanchieren?
repayable [rɪˈpeɪəbl] rückzahlbar
repayment [rɪˈpeɪmənt] Rückzahlung
repeat[1] [rɪˈpiːt] **1.** wiederholen; ***repeat oneself*** sich wiederholen; ***repeat something after someone*** jemandem etwas nachsprechen **2.** weitersagen (***to someone*** jemandem)
repeat[2] [rɪˈpiːt] **1.** *Rundfunk, TV*: Wiederholung **2.** *Musik*: Wiederholungszeichen
repeated [rɪˈpiːtɪd] wiederholt
repel [rɪˈpel], ***repelled, repelled*** **1.** zurückschlagen (*Angriff*) **2.** (*Material*) abweisen (*Wasser*) **3.** ***I was repelled by the sight*** *übertragen* der Anblick stieß mich ab
repent [rɪˈpent] bereuen
repertory [ˈrepətrɪ] *auch* ***repertory theatre*** Repertoire-Theater
repetition [ˌrepəˈtɪʃn] Wiederholung
replace [rɪˈpleɪs] **1.** ***replace someone*** *oder* ***something*** jemanden *oder* etwas ersetzen (***with, by*** durch) **2.** zurücklegen, zurückstellen; ***replace the receiver*** *Telefon*: (den Hörer) auflegen
replacement [rɪˈpleɪsmənt] Ersatz, *Person*: Vertretung
replant [ˌriːˈplɑːnt] **1.** umpflanzen (*Pflanze*) **2.** neu bepflanzen (*Garten usw.*)
replay[1] [ˌriːˈpleɪ] *Spiel*: wiederholen
replay[2] [ˈriːpleɪ] **1.** *Sport*: Wiederholungsspiel **2.** *TV, oft in Zeitlupe*: Wiederholung
reply[1] [rɪˈplaɪ] antworten, erwidern (***that*** dass); ***reply to someone*** jemandem antworten; ***reply to a letter*** einen Brief beantworten

reply[2] [rɪ'plaɪ] Antwort, Erwiderung (***to*** auf); ***in reply to*** (als Antwort) auf
report[1] [rɪ'pɔːt] **1.** *allg.*: Bericht (***on*** über) **2.** *BE*; *Schule*: Zeugnis
report[2] [rɪ'pɔːt] **1.** berichten (über) (***to someone*** jemandem); ***it is reported that …*** es heißt, dass …; ***he is reported to have said*** er soll gesagt haben **2.** (*Reporter usw.*) berichten (***on*** über) **3.** melden (*Unfall usw.*) (***to someone*** jemandem); ***report someone*** (***to the police***) jemanden anzeigen (***for*** wegen) **4.** sich melden (***to*** bei); ***report sick*** sich krank melden
report card [rɪ'pɔːt‿kaːd] *AE* Zeugnis; ☞ *BE* ***report***[1] 2
reported speech [rɪˌpɔːtɪd'spiːtʃ] *Sprache*: (die) indirekte Rede
reporter [rɪ'pɔːtə] Reporter(in)
represent [ˌreprɪ'zent] **1.** vertreten (*Person, BE auch Wahlbezirk*) **2.** (*Bild, Zeichen usw.*) darstellen (*auch übertragen*)
representation [ˌreprɪzen'teɪʃn] **1.** Vertretung **2.** *Politik*: ***proportional representation*** Verhältniswahlrecht **3.** *Bild usw.*: Darstellung
representative[1] [ˌreprɪ'zentətɪv] **1.** (Stell-) Vertreter(in) **2.** *Politik*: Abgeordnete(r)
representative[2] [ˌreprɪ'zentətɪv] repräsentativ (***of*** für) (*auch politisch*)
repress [rɪ'pres] unterdrücken (*Volk, Gefühle usw.*)
repression [rɪ'preʃn] Unterdrückung, Repression
repressive [rɪ'presɪv] *Staat, Gesetze usw.*: repressiv
reprimand[1] ['reprɪmaːnd] rügen, tadeln (***for*** wegen)
reprimand[2] ['reprɪmaːnd] Rüge, Tadel
reprint[1] ['riːprɪnt] *von Buch*: Neuauflage, Nachdruck
reprint[2] [ˌriː'prɪnt] nachdrucken (*Buch*)
reproach[1] [rɪ'prəʊtʃ] Vorwurf; ***look of reproach*** vorwurfsvoller Blick
reproach[2] [rɪ'prəʊtʃ] ***reproach someone*** jemandem Vorwürfe machen (***for*** wegen)
reproachful [rɪ'prəʊtʃfl] *Blick usw.*: vorwurfsvoll
reprocess [ˌriː'prəʊses] wieder aufbereiten (*Kernbrennstoffe*)
reprocessing plant [ˌriː'prəʊsesɪŋ‿plaːnt] *bes. für Atommüll*: Wiederaufbereitungsanlage
reproduce [ˌriːprə'djuːs] **1.** *auch* ***reproduce oneself*** *Biologie*: sich fortpflanzen *oder* vermehren **2.** reproduzieren (*Bild usw.*) **3.** wiedergeben (*Ton usw.*)
reproduction [ˌriːprə'dʌkʃn] **1.** Fortpflanzung **2.** Reproduktion (*eines Bildes usw.*) **3.** Wiedergabe (*eines Tons usw.*)
reprove [rɪ'pruːv] rügen, tadeln (***for*** wegen)
reptile ['reptaɪl] Reptil, Kriechtier
republic [rɪ'pʌblɪk] Republik
republican[1] [rɪ'pʌblɪkən] republikanisch
republican[2] [rɪ'pʌblɪkən] Republikaner (-in)
repulsive [rɪ'pʌlsɪv] abstoßend, widerlich
reputation [ˌrepjʊ'teɪʃn] Ruf, *im engeren Sinn*: guter Ruf; ***have a reputation for being …*** im Ruf stehen, … zu sein
reputed [rɪ'pjuːtɪd] ***be reputed to be …*** als … gelten
reputedly [rɪ'pjuːtɪdlɪ] angeblich
request[1] [rɪ'kwest] Bitte (***for*** um), Wunsch (***for*** nach); ***at someone's request*** auf jemandes Bitte hin; ***on request*** auf Wunsch
request[2] [rɪ'kwest] bitten (um), ersuchen (um) (***to do*** zu tun)
request stop [rɪ'kwest‿stɒp] *für Bus*: Bedarfshaltestelle
require [rɪ'kwaɪə] **1.** erfordern; ***be required*** erforderlich sein; ***if required*** wenn nötig **2.** benötigen, brauchen **3.** verlangen (***that*** dass; ***something of someone*** etwas von jemandem); ***be required to do something*** etwas tun müssen
required [rɪ'kwaɪəd] erforderlich, notwendig; ***required reading*** *Schule, Universität*: Pflichtlektüre
requirement [rɪ'kwaɪəmənt] **1.** Anforderung; ***meet the requirements*** den Anforderungen entsprechen **2.** Erfordernis
requisite ['rekwɪzɪt] *mst.* ***requisites*** Artikel; ***camping requisites*** *Pl.* Campingzubehör
rerun[1] [ˌriː'rʌn], ***reran*** [ˌriː'ræn], ***rerun*** [ˌriː'rʌn] **1.** *TV*: wiederholen (*Film*) **2.** ***be rerun*** *Sport*: (*Lauf*) wiederholt werden
rerun[2] ['riːrʌn] *allg., TV*: Wiederholung
rescue[1] ['reskjuː] retten (***from*** aus, vor)
rescue[2] ['reskjuː] Rettung; ***come to someone's rescue*** jemandem zu Hilfe kommen
research[1] [rɪ'sɜːtʃ] Forschung (***on*** auf dem Gebiet + *Genitiv*); ***carry out*** (*oder* ***do***) ***research into something*** etwas erforschen; ***market research*** Marktforschung
research[2] [rɪ'sɜːtʃ] forschen (***on*** auf dem Gebiet + *Genitiv*); ***research*** (***into***) ***something*** etwas erforschen
researcher [rɪ'sɜːtʃə] Forscher(in)
resemblance [rɪ'zembləns] Ähnlichkeit (***to*** mit); ***there's a strong resemblance between them*** sie sind sich sehr ähnlich
resemble [rɪ'zembl] ähnlich sein, ähneln

resent [rɪ'zent] übel nehmen, sich ärgern über
resentful [rɪ'zentfʊl] verärgert, *über einen längeren Zeitraum*: nachtragend
resentment [rɪ'zentmənt] Verärgerung, Groll
reservation [ˌrezə'veɪʃn] **1.** Vorbehalt; ***with reservation(s)*** unter Vorbehalt; ***without reservation*** vorbehaltlos **2.** Reservierung, Vorbestellung; ***make a reservation*** ein Zimmer *usw.* bestellen **3.** *AE* (Indianer)Reservat
reserve[1] [rɪ'zɜːv] **1.** reservieren (lassen), vorbestellen (*Zimmer usw.*) **2.** ***reserve something*** (sich) etwas aufsparen (***for*** für) **3.** ***reserve the right to do something*** sich (das Recht) vorbehalten, etwas zu tun
reserve[2] [rɪ'zɜːv] **1.** Reserve (***of*** an); ***keep something in reserve*** etwas in Reserve halten **2.** (Naturschutz)Reservat; ***wildlife reserve*** Wildreservat **3.** *Sport*: Reservespieler(in) **4.** *Charakter*: Zurückhaltung
reserved [rɪ'zɜːvd] *Person*: reserviert, zurückhaltend
reservoir ['rezəvwɑː] Stausee
reset [ˌriː'set], ***reset, reset***; *-ing-Form* ***resetting*** umstellen (*Uhr*), zurückstellen (*Zeiger usw.*) (***to*** auf)
reshuffle[1] [ˌriː'ʃʌfl] **1.** umbilden (*Kabinett, Regierung usw.*) **2.** neu mischen (*Karten*)
reshuffle[2] ['riːˌʃʌfl] *von Kabinett, Regierung usw.*: Umbildung
reside [rɪ'zaɪd] seinen Wohnsitz haben
residence ['rezɪdəns] **1.** Wohnsitz, Residenz **2.** Aufenthalt; ***residence permit*** Aufenthaltsgenehmigung
resident[1] ['rezɪdənt] ansässig, wohnhaft
resident[2] ['rezɪdənt] **1.** Bewohner(in) (*eines Hauses*), Einwohner(in) (*einer Stadt*) **2.** Anlieger(in), Ⓐ Anrainer(in), Ⓒⓗ Anstößer(in) **3.** (Hotel)Gast
residential [ˌrezɪ'denʃl] Wohn…; ***residential area*** Wohngebiet; ***residential care*** *für Senioren, Behinderte usw.*: Heimpflege
resign [rɪ'zaɪn] **1.** aufgeben, verzichten auf **2.** *von Posten*: zurücktreten (***from*** von), (sein Amt) niederlegen **3.** ***resign oneself to*** sich abfinden mit
resignation [ˌrezɪg'neɪʃn] **1.** Rücktritt, Amtsniederlegung; ***hand in*** (*oder* ***send in***) ***one's resignation*** seinen Rücktritt einreichen **2.** Resignation
resigned [rɪ'zaɪnd] *Blick usw.*: resigniert
resin [⚠ 'rezɪn] Harz
resist [rɪ'zɪst] **1.** widerstehen; ***I can't resist marzipan*** bei Marzipan kann ich nicht widerstehen; ***I couldn't resist*** (***doing***) ***it*** ich musste es einfach tun **2.** Widerstand leisten (gegen), sich widersetzen (*einer Forderung usw.*)
resistance [rɪ'zɪstəns] **1.** Widerstand (***to*** gegen); ***offer*** (*oder* ***put up***) ***resistance*** Widerstand leisten; ***without offering resistance*** widerstandslos **2.** *auch* ***power of resistance*** Widerstandskraft (***to*** gegen) **3.** *Elektrotechnik*: Widerstand
resistant [rɪ'zɪstənt] **1.** widerstandsfähig, resistent (***to*** gegen) **2.** *Material*: …beständig, …fest; ***heat-resistant*** hitzebeständig
resit[1] [ˌriː'sɪt], ***resat*** [ˌriː'sæt], ***resat*** [ˌriː'sæt] *BE* wiederholen (*Prüfung*)
resit[2] ['riːsɪt] *BE* Wiederholungsprüfung
resolute ['rezəluːt] resolut, entschlossen
resolution [ˌrezə'luːʃn] **1.** Beschluss, *Parlament*: Resolution **2.** Vorsatz; ***make a resolution*** einen guten Vorsatz fassen **3.** Entschlossenheit **4.** Lösung (*eines Problems*)

> ## resolution
> Es ist üblich, zum neuen Jahr eine **New Year's Resolution** zu treffen – einen guten Vorsatz, der so lange wie möglich eingehalten werden soll.

resolve [rɪ'zɒlv] **1.** beschließen (***that*** dass); ***she resolved not to give in*** sie beschloss, nicht nachzugeben **2.** lösen (*Problem usw.*), überwinden (*Schwierigkeit usw.*)
resonance ['rezənəns] **1.** *Physik*: Resonanz **2.** *von Stimme usw.*: voller Klang (⚠ *Resonanz im übertragenen Sinn* = ***response***)
resort [rɪ'zɔːt] **1.** Urlaubsort; ***seaside resort*** Badeort; ***health resort*** Kurort **2.** ***as a last resort*** notfalls, wenn alle Stricke reißen; ***he turned to me as a last resort*** als er nicht mehr weiterwusste, kam er zu mir

> **resort to** [rɪ'zɔːt‿tʊ] greifen zu (*Mittel usw.*)

resound [rɪ'zaʊnd] hallen, widerhallen
resounding [rɪ'zaʊndɪŋ] **1.** *akustisch*: widerhallend; *Gelächter*: schallend **2.** *übertragen* überwältigend (*Erfolg, Sieg usw.*)
resource [rɪ'zɔːs] **1.** *mst.* ***resources*** *Pl.* (Geld)Mittel, (Boden)Schätze **2.** ***leave someone to his own resources*** jemanden sich selbst überlassen
respect[1] [rɪ'spekt] **1.** Achtung, Respekt

(**for** vor); ***have*** (***no***) ***respect for*** (keinen) Respekt haben vor **2.** Rücksicht (**for** auf); ***out of respect for*** aus Rücksicht auf; ***without respect to*** ohne Rücksicht auf, ungeachtet (+ *Genitiv*) **3.** Beziehung, Hinsicht; ***in many respects*** in vieler Hinsicht; ***in some respects*** in gewisser Hinsicht; ***with respect to*** was … betrifft; ☞ ***respects***

respect[2] [rɪ'spekt] **1.** respektieren, achten **2.** berücksichtigen, respektieren (*Wünsche*)

respectable [rɪ'spektəbl] **1.** ehrbar, geachtet **2.** ***it's not respectable to spit in public*** es gehört sich nicht, in der Öffentlichkeit zu spucken **3.** *umg.*; *Leistung usw.*: respektabel, beachtlich

respectful [rɪ'spektfl] respektvoll

respective [rɪ'spektɪv] jeweilig; ***they went to their respective places*** jeder von ihnen ging zu seinem Platz

respectively [rɪ'spektɪvlɪ] beziehungsweise; ***Mr and Mrs Jones, 35 and 33 years old respectively*** Herr und Frau Jones, 35 beziehungsweise 33 Jahre alt

respects [rɪ'spekts] ***give my respects to your wife*** *usw. förmlich* eine Empfehlung an Ihre Gattin *usw.*

respond [rɪ'spɒnd] **1.** antworten (**to** auf; **that** dass) **2.** *übertragen* reagieren (**to** auf)

response [rɪ'spɒns] **1.** Antwort (**to** auf); ***make no response*** keine Antwort geben **2.** *übertragen* Reaktion (**to** auf)

responsibility [rɪˌspɒnsə'bɪlətɪ] **1.** Verantwortung; ***claim responsibility for*** die Verantwortung übernehmen für (*Terroranschlag usw.*); ***take responsibility*** die Verantwortung übernehmen (**for** für); ***sense of responsibility*** Verantwortungsbewusstsein **2.** *oft* ***responsibilities*** Verpflichtung, Pflicht(en)

responsible [rɪ'spɒnsəbl] **1.** verantwortlich (**for** für); ***be responsible to someone for something*** jemandem (gegenüber) für etwas verantwortlich sein **2.** ***hold someone responsible*** jemanden verantwortlich machen (**for** für) **3.** *Person*: verantwortungsbewusst **4.** *Position*: verantwortungsvoll

responsive [rɪ'spɒnsɪv] **1.** *Person*: aufgeschlossen (**to** für) **2.** ***be responsive*** (*Gerät*, *Bremsen*) ansprechen, reagieren (**to** auf)

rest[1] [rest] Ruhe(pause), Erholung; ***have*** (*oder* ***take***) ***a rest*** sich ausruhen, Pause *oder* Rast machen; ***lay to rest*** zur letzten Ruhe betten

rest[2] [rest] **1.** ruhen, (sich) ausruhen; ***let something rest*** *übertragen* etwas auf sich beruhen lassen; ***I won't rest until*** *übertragen* ich werde nicht eher ruhen, bis **2.** (*Leiter usw.*) lehnen (***against*** gegen, an, ***on*** an)

rest[3] [rest] **1.** Rest; ***all the rest*** alle übrigen **2.** ***for the rest*** im Übrigen

restaurant ['restərɒnt] Restaurant, Gaststätte

restaurant car ['restərɒnt‿kɑː] *BE von Zug*: Speisewagen

restful ['restfl] **1.** *Musik*, *Farben usw.*: ruhig **2.** *Wochenende usw.*: erholsam

rest home ['rest‿həʊm] Pflegeheim

resting place ['restɪŋ‿pleɪs] (***last***) ***resting place*** (letzte) Ruhestätte

restless ['restləs] **1.** ruhelos, rastlos **2.** *Person*, *Nacht*: unruhig; ***I had a restless night*** ich konnte nicht schlafen

restock [ˌriː'stɒk] wieder auffüllen (*Lager*)

restoration [ˌrestə'reɪʃn] **1.** Restaurierung **2.** Wiederherstellung (*der Ordnung usw.*)

restore [rɪ'stɔː] **1.** restaurieren (*Gemälde usw.*) **2.** wiederherstellen (*Ordnung*); ***be restored*** (***to health***) wieder gesund sein

restrain [rɪ'streɪn] ***restrain*** (***from***) zurückhalten (von); ***restrain someone from doing something*** jemanden davon abhalten, etwas zu tun; ***I had to restrain myself*** ich musste mich beherrschen

restraint [rɪ'streɪnt] **1.** Beherrschung (*von Gefühlen*) **2.** *durch Vorschriften usw.*: Beschränkung, Einschränkung

restrict [rɪ'strɪkt] beschränken (**to** auf), einschränken

restriction [rɪ'strɪkʃn] *durch Vorschriften usw.*: Beschränkung, Einschränkung; ***without restrictions*** uneingeschränkt

restrictive [rɪ'strɪktɪv] einengend, einschränkend, restriktiv

rest room ['rest‿ruːm] *AE* Toilette (*in Restaurant usw.*)

restructure [ˌriː'strʌktʃə] umstrukturieren

result[1] [rɪ'zʌlt] resultieren, sich ergeben (***from*** aus)

> **result in** [rɪ'zʌlt‿ɪn] zur Folge haben, führen zu

result[2] [rɪ'zʌlt] **1.** Ergebnis, Resultat; ***without result*** ergebnislos **2.** Folge; ***as a result*** infolgedessen; ***as a result of*** als Folge von

resume [rɪ'zjuːm] **1.** wieder aufnehmen (*Arbeit*), fortsetzen (*Diskussion usw.*) **2.** weitermachen mit, fortfahren mit (*einer Tätigkeit*)

résumé ['rezju:meɪ] **1.** Resümee, Zusammenfassung **2.** *AE* Lebenslauf

resurrection [⚠ ˌrezə'rekʃn] ***the Resurrection*** *kirchlich*: die Auferstehung

retail[1] ['ri:teɪl] *auch* ***retail trade*** Einzelhandel

retail[2] ['ri:teɪl] ***it retails at £2*** es kostet im Einzelhandel zwei Pfund

retailer ['ri:teɪlə] Einzelhändler(in)

retail price [ˌri:teɪl'praɪs] Einzelhandelspreis, Verkaufspreis; ***recommended retail price*** unverbindliche Preisempfehlung

retail therapy [ˌri:teɪl'θerəpɪ] *umg. etwa*: Frustkauf

retain [rɪ'teɪn] behalten, bewahren (*Eigenschaft, Fassung usw.*)

retaliate [rɪ'tælɪeɪt] **1.** Vergeltung üben, sich revanchieren (***against*** an) **2.** zurückschlagen, kontern (*auch übertragen*)

retaliation [rɪˌtælɪ'eɪʃn] Vergeltung, Revanche

retarded [rɪ'tɑ:dɪd] (***mentally***) ***retarded*** (geistig) zurückgeblieben

retell [ˌri:'tel], ***retold*** [ˌri:'təʊld], ***retold*** [ˌri:'təʊld] nacherzählen (*Geschichte*)

rethink [ˌri:'θɪŋk], ***rethought*** [ˌri:'θɔ:t], ***rethought*** [ˌri:'θɔ:t] noch einmal überdenken

reticent [⚠ 'retɪsənt] zurückhaltend

retinue [⚠ 'retɪnju:] Gefolge (*einer prominenten Persönlichkeit*)

retire [rɪ'taɪə] **1.** in Rente *oder* Pension gehen **2.** sich zurückziehen

retired [rɪ'taɪəd] pensioniert, im Ruhestand

retirement [rɪ'taɪəmənt] Pensionierung, Ruhestand; ***retirement age*** Pensionsalter, Rentenalter; ***retirement pay*** Altersrente; ***early retirement*** Vorruhestand

retort[1] [rɪ'tɔ:t] (scharf) entgegnen

retort[2] [rɪ'tɔ:t] (scharfe) Entgegnung

retrace [rɪ'treɪs] **1.** zurückverfolgen (*Tathergang usw.*) **2.** ***retrace one's steps*** denselben Weg zurückgehen

retract [rɪ'trækt] zurückziehen (*Angebot usw.*), zurücknehmen (*Behauptung usw.*)

retrain [ˌri:'treɪn] umschulen, sich umschulen lassen

retraining [ˌri:'treɪnɪŋ] Umschulung

retreat[1] [rɪ'tri:t] **1.** *militärisch*: Rückzug **2.** Zufluchtsort

retreat[2] [rɪ'tri:t] **1.** *militärisch*: sich zurückziehen **2.** zurückweichen (***from*** vor)

retrieval [rɪ'tri:vl] **1.** *allg.*: Zurückholen **2.** *Computer*: Abfragen, Abrufen, Retrieval (*von gespeicherten Daten*) **3.** *eines Fehlers*: Wiedergutmachen, *eines Verlusts*: Wettmachen; **4.** *aus Notsituation*: Rettung; ***beyond*** (*oder* ***past***) ***retrieval*** hoffnungslos (*Situation*) **5.** *Jagd*: Apportieren

retrieve [rɪ'tri:v] **1.** *allg.*: zurückholen **2.** *Computer*: abfragen, abrufen, wieder auffinden (*gespeicherte Daten*) **3.** wieder gutmachen (*Fehler usw.*), wettmachen (*Verlust usw.*) **4.** *aus Notsituation*: retten **5.** (*Jagdhund*) apportieren

retrospect ['retrəʊspekt] ***in retrospect*** rückschauend, im Rückblick

retrospective[1] [ˌretrə'spektɪv] **1.** rückblickend, rückschauend **2.** *von Gesetz usw.*: rückwirkend

retrospective[2] [ˌretrə'spektɪv] (≈ *Werkschau eines Künstlers*) Retrospektive

retrovirus ['retrəʊˌvaɪrəs] *Medizin*: Retrovirus

return[1] [rɪ'tɜ:n] **1.** zurückkehren, zurückkommen **2.** (*Symptome usw.*) wieder auftreten **3.** zurückgeben, zurückbringen (*Geliehenes usw.*) **4.** zurückschicken (*Brief usw.*); ***return to sender*** *Post*: zurück an Absender **5.** erwidern (*Besuch usw.*) **6.** *übertragen* zurückkommen (***to*** auf) (*ein Thema usw.*)

return[2] [rɪ'tɜ:n] **1.** Rückkehr, *übertragen* Wiederkehr; ***on his return*** bei seiner Rückkehr **2.** *BE* Rückfahrkarte **3.** ***tax return*** Steuererklärung **4.** ***by return*** (***of post***) *BE* postwendend, umgehend **5.** ***in return*** als Gegenleistung (***for*** für); ***expect nothing in return*** keine Gegenleistung erwarten **6.** *Tennis usw.*: Return, Rückschlag **7.** ***many happy returns*** (***of the day***) herzlichen Glückwunsch zum Geburtstag **8.** *Wirtschaft*: Gewinn **9.** *Computer*: Eingabetaste, Return, Returntaste; ***to exit the program, press return*** zum Verlassen des Programms Return drücken

return[3] [rɪ'tɜ:n] Rück…; ***return game*** *Sport*: Rückspiel; ***return ticket*** *BE* Rückfahrkarte, Rückflugticket

returnable [rɪ'tɜ:nəbl] Mehrweg…; ***returnable bottle*** Mehrwegflasche, *mit Pfand*: Pfandflasche

return key [rɪ'tɜ:n‿ki:] *Computer*: Eingabetaste; ☞ ***return 9***

reunification [ˌri:ju:nɪfɪ'keɪʃn] *bes. politisch*: Wiedervereinigung

reunify [ri:'ju:nɪfaɪ] *bes. politisch*: wieder vereinigen

reunion [ri:'ju:nɪən] **1.** Treffen, Wiedersehensfeier **2.** Wiedervereinigung

reunite [ˌri:ju:'naɪt] wieder vereinigen (*Land, auch Familie usw.*)

reuse [ˌri:'ju:z] **1.** wieder verwenden **2.** wieder verwerten, recyceln (*Abfälle usw.*)

rev[1] [rev] *umg., Auto*: Umdrehung; ***number of revs*** Drehzahl

R

rev[2] [rev], ***revved, revved***; *-ing-Form* ***revving*** *umg. auch*: ***rev up*** *Motor*: aufheulen, aufheulen lassen
revaluation [ˌriːvæljʊ'eɪʃn] *Währung*: Aufwertung
revalue [ˌriː'væljuː] aufwerten (*Währung*)
revamp [ˌriː'væmp] *umg.* **1.** aufmöbeln (*Haus usw.*) **2.** aufpolieren (*Theaterstück usw.*) **3.** auf Vordermann bringen (*Firma, Organisation usw.*)
rev counter ['revˌkaʊntə] *Auto*: Drehzahlmesser
reveal [rɪ'viːl] **1.** den Blick freigeben auf, zeigen **2.** aufdecken (*Geheimnis usw.*)
revealing [rɪ'viːlɪŋ] **1.** *Kleid, Ausschnitt*: offenherzig **2.** *übertragen* aufschlussreich (*Bemerkung, Reaktion usw.*)
revelation [ˌrevə'leɪʃn] **1.** Enthüllung, Aufdeckung **2.** *kirchlich*: Offenbarung; ***the Book of Revelation(s)*** *Bibel*: die Offenbarung;
revenge[1] [rɪ'vendʒ] **1.** Rache; ***in revenge*** aus Rache (***for*** für); ***take (one's) revenge on someone (for something)*** sich an jemandem (für etwas) rächen **2.** *Spiel, Sport*: Revanche
revenge[2] [rɪ'vendʒ] **1.** rächen **2.** ***revenge oneself on someone (for something)*** sich an jemandem (für etwas) rächen
revenue [⚠ 'revənjuː] *auch* ***revenues*** *Pl.* Staatseinnahmen, Staatseinkünfte
reverence [⚠ 'revrəns] Verehrung, Ehrfurcht (***for*** vor); ***hold in reverence*** verehren
Reverend ['revrənd] *kirchlich*: Hochwürden
reverent [⚠ 'revrənt] ehrfurchtsvoll
reverse[1] [rɪ'vɜːs] umgekehrt, *Richtung*: entgegengesetzt; ***reverse gear*** *Auto*: Rückwärtsgang; ***in reverse order*** in umgekehrter Reihenfolge; ***reverse side*** *Stoff*: linke Seite
reverse[2] [rɪ'vɜːs] **1.** (*Wagen*) rückwärts fahren; ***reverse one's car out of the garage*** rückwärts aus der Garage fahren **2.** umkehren (*Reihenfolge*) **3.** umstoßen (*Entscheidung*), aufheben (*Urteil*) **4.** ***reverse the charges*** *BE* ein R-Gespräch führen
reverse[3] [rɪ'vɜːs] **1.** Gegenteil; ***quite the reverse*** ganz im Gegenteil **2.** ***put the car into reverse*** *Auto*: den Rückwärtsgang einlegen **3.** Rückseite (*einer Münze*)

> **revert to** [rɪ'vɜːt‿tʊ] **1.** zurückfallen in (*eine Gewohnheit usw.*), zurückkehren in (*einen Zustand*) **2.** zurückkommen auf (*ein Thema*)

review[1] [rɪ'vjuː] **1.** Überprüfung; ***be under review*** überprüft werden **2.** Kritik, Rezension (*eines Buchs*) **3.** *AE*; *Schule*: Test, Wiederholung **4.** Revue
review[2] [rɪ'vjuː] **1.** überprüfen **2.** besprechen, rezensieren (*Buch*) **3.** *AE*; *Schule*: wiederholen (*Lernstoff für eine Prüfung*)
reviewer [rɪ'vjuːə] *von Buch*: Kritiker(in), Rezensent(in)
revise [rɪ'vaɪz] **1.** revidieren (*Meinung*) **2.** überarbeiten (*Buch usw.*) **3.** *BE* wiederholen (*Lernstoff*) **4.** ***I've got to revise for tomorrow's test*** ich muss noch für die Arbeit morgen lernen
revision [rɪ'vɪʒn] **1.** Revision, Überarbeitung (*eines Texts*) **2.** *BE*; *Schule*: (Stoff-) Wiederholung (*für eine Prüfung*)
revival [rɪ'vaɪvl] **1.** Wiederbelebung (*auch übertragen*) **2.** *Theater*: Wiederaufnahme (*eines Stücks*)
revive [rɪ'vaɪv] **1.** (wieder) beleben **2.** wieder aufleben lassen (*Tradition usw.*); ***it revived memories of her childhood*** es rief Erinnerungen an ihre Kindheit wach
revocation [ˌrevə'keɪʃn] **1.** *eines Gesetzes*: Aufhebung **2.** *einer Entscheidung, Genehmigung usw.*: Rückgängigmachung, Widerruf
revoke [rɪ'vəʊk] **1.** aufheben (*Gesetz usw.*) **2.** rückgängig machen, widerrufen (*Entscheidung, Erlaubnis usw.*)
revolt[1] [rɪ'vəʊlt] revoltieren (***against*** gegen)
revolt[2] [rɪ'vəʊlt] Revolte, Aufstand
revolting [rɪ'vəʊltɪŋ] abstoßend
revolution [ˌrevə'luːʃn] Revolution
revolutionary[1] [ˌrevə'luːʃənrɪ] revolutionär, Revolutions…
revolutionary[2] [ˌrevə'luːʃənrɪ] *politisch*: Revolutionär(in) (*auch übertragen*)
revolve [rɪ'vɒlv] sich drehen, rotieren

> **revolve around** [rɪˌvɒlv‿ə'raʊnd] ***he thinks the whole world revolves around him*** er glaubt, alles dreht sich nur um ihn

revolver [rɪ'vɒlvə] Revolver
revolving door [rɪˌvɒlvɪŋ'dɔː] Drehtür
reward[1] [rɪ'wɔːd] Belohnung; ***as a reward (for)*** als Belohnung (für)
reward[2] [rɪ'wɔːd] belohnen
rewarding [rɪ'wɔːdɪŋ] lohnend, *Aufgabe usw. auch*: dankbar
rewind [riː'waɪnd], ***rewound*** [riː'waʊnd], ***rewound*** [riː'waʊnd] zurückspulen (*Video usw.*)
reword [ˌriː'wɜːd] umformulieren

rewrite [ˌriːˈraɪt], ***rewrote*** [ˌriːˈrəʊt], ***rewritten*** [ˌriːˈrɪtn] umschreiben (*Artikel usw.*)

rhetoric [⚠ ˈretərɪk] **1.** Rhetorik **2.** *im negativen Sinn*: Phrasendrescherei

rhetorical [rɪˈtɒrɪkl] rhetorisch; ***rhetorical question*** rhetorische Frage

rheumatic[1] [ruːˈmætɪk] *Medizin*: rheumatisch; ***rheumatic fever*** rheumatisches Fieber

rheumatic[2] [ruːˈmætɪk] *Medizin*: Rheumatiker(in)

rheumatism [ˈruːmətɪzm] *Medizin*: Rheuma(tismus)

Rhine [raɪn] Rhein

Rhineland-Palatinate [ˌraɪnlænd‿pəˈlætɪnət] Rheinland-Pfalz

rhino [ˈraɪnəʊ] *Pl.*: ***rhinos*** *umg.* Nashorn, Rhinozeros

rhinoceros [raɪˈnɒsərəs] Rhinozeros, Nashorn

Rhodes [rəʊdz] Rhodos

rhododendron [ˌrəʊdəˈdendrən] *Zierpflanze*: Rhododendron

rhombus [ˈrɒmbəs] *Geometrie*: Rhombus, Raute

rhubarb [ˈruːbɑːb] Rhabarber

rhyme[1] [raɪm] Reim, Vers

rhyme[2] [raɪm] (sich) reimen (***with*** auf)

rhythm [ˈrɪðəm] Rhythmus

rhythmic [ˈrɪðmɪk] rhythmisch

rib [rɪb] Rippe

ribbon [ˈrɪbən] Band (*z.B. für das Haar*)

rice [raɪs] Reis

rice paddy [ˈraɪsˌpædɪ] Reisfeld

rice pudding [ˌraɪsˈpʊdɪŋ] *etwa*: Milchreis

rice wine [ˈraɪs‿waɪn] Reiswein

rich[1] [rɪtʃ] **1.** reich (*auch übertragen*); ***rich in vitamin C*** *usw.* reich an Vitamin C *usw.* **2.** *Schmuck*: kostbar **3.** *Speise*: schwer **4.** *Boden*: ertragreich **5.** *Töne*: voll, *Farben*: satt **6.** ***that's a bit rich!*** *umg.* das ist ein starkes Stück!

rich[2] [rɪtʃ] ***the rich*** *Pl.* die Reichen (⚠ *der Reiche* = ***the rich man***)

riches [ˈrɪtʃɪz] *Pl.* Reichtum, Reichtümer

rid [rɪd] ***get rid of someone*** *oder* ***something*** jemanden *oder* etwas loswerden

ridden [ˈrɪdn] *3. Form von* → ***ride***[1]

riddle [ˈrɪdl] Rätsel (*auch übertragen*)

ride[1] [raɪd], ***rode*** [rəʊd], ***ridden*** [ˈrɪdn] **1.** reiten (***on*** auf); ***ride a pony*** ein Pony reiten; ***she goes riding*** sie geht reiten **2.** fahren (***on*** auf *einem Fahrrad usw.*, in *einem Bus usw.*) **3.** (Fahrrad, Motorrad) fahren, fahren auf; ***can you ride a bike?*** kannst du Rad fahren?

ride[2] [raɪd] **1.** Fahrt; ***give someone a ride*** jemanden (im Auto *usw.*) mitnehmen; ***go for a ride in the car*** spazieren fahren **2.** *zu Pferd usw.*: Ritt **3.** ***take someone for a ride*** *umg.* jemanden reinlegen

rider [ˈraɪdə] **1.** Reiter(in) **2.** (Rad-, Motorrad)Fahrer(in)

ridge [rɪdʒ] **1.** *Gebirge*: Kamm, Grat **2.** *auf einer Fläche*: Rippe

ridicule[1] [ˈrɪdɪkjuːl] Spott, Gespött

ridicule[2] [ˈrɪdɪkjuːl] spotten über

ridiculous [rɪˈdɪkjʊləs] lächerlich; ***don't be ridiculous*** mach dich nicht lächerlich!

riding[1] [ˈraɪdɪŋ] Reiten

riding[2] [ˈraɪdɪŋ] Reit…; ***riding breeches*** *Pl.* Reithose; ***riding academy*** *AE* Reitschule

riffraff [ˈrɪfræf] Gesindel, Pack

rifle[1] [ˈraɪfl] Gewehr, Büchse

rifle[2] [ˈraɪfl] *mst.* ***rifle through*** durchwühlen

rift [rɪft] **1.** Spalt, Spalte **2.** *übertragen* Riss

rig [rɪg], ***rigged, rigged*** manipulieren (*Wahlergebnisse usw.*)

right[1] [raɪt] ↔ ***left*** **1.** rechte(r, -s), Rechts… (*auch übertragen, politisch*) **2.** rechts (***of*** von); ***turn right*** (sich) nach rechts wenden, *Auto*: rechts abbiegen

right[2] [raɪt] ↔ ***left*** **1.** *die* Rechte, rechte Seite; ***on*** (*oder* ***at, to***) ***the right*** (***of***) rechts (von); ***on our right*** zu unserer Rechten; ***the second turning to*** (*oder* ***on***) ***the right*** die zweite Querstraße rechts; ***make a right*** *AE* rechts abbiegen; ***keep to the right*** sich rechts halten, *Auto*: rechts fahren **2.** ***the right*** *politisch*: die Rechte

right[3] [raɪt] ↔ ***wrong*** **1.** richtig, recht; ***the right thing*** das Richtige; ***all right*** schon gut!, in Ordnung!; ***guess right*** richtig (er)raten **2.** korrekt, richtig; ***is your watch right?*** geht deine Uhr richtig? **3.** ***be right*** Recht haben **4.** geeignet, richtig; ***he's right for the job*** er ist der Richtige für die Stelle **5.** in Ordnung, richtig; ***put*** *oder* ***set right*** in Ordnung bringen, *Irrtum*: richtig stellen

right[4] [raɪt] **1.** Recht; ***know right from wrong*** Recht von Unrecht unterscheiden können **2.** Anrecht, Recht (***to*** auf); ***have the right to something*** Anspruch auf etwas haben; ***it's my right of way*** *Verkehr*: ich habe Vorfahrt (Ⓒⓗ Vortritt) **3.** ***civil rights*** Bürgerrechte

right[5] [raɪt] **1.** ***right now*** im Moment, sofort **2.** ***right at the beginning*** ganz am Anfang **3.** ***right in the middle*** *usw.* genau in der Mitte *usw.* **4.** ***right away*** sofort

right angle [ˈraɪtˌæŋgl] *Mathematik*: rechter Winkel

rightful [ˈraɪtfl] *Besitzer usw.*: rechtmäßig

right-hand ['raɪthænd] rechte(r, -s); ***right--hand bend*** *Straße*: Rechtskurve; ***right--hand drive*** *Auto in GB*: Rechtssteuerung
right-handed [ˌraɪt'hændɪd] rechtshändig; ***be right-handed*** Rechtshänder(in) sein
rightist ['raɪtɪst] *politisch*: rechtsgerichtet
rightly ['raɪtlɪ] **1.** richtig; ***rightly or wrongly*** zu Recht oder Unrecht **2.** mit *oder* zu Recht; ***she was rightly ashamed*** sie schämte sich zu Recht
right-wing [ˌraɪt'wɪŋ] *politisch*: dem rechten Flügel angehörend, Rechts…
rigid ['rɪdʒɪd] **1.** starr (***with*** vor), steif **2.** *übertragen* unbeugsam, *Prinzipien usw.*: starr
rigmarole ['rɪgmərəʊl] *umg.*; *abwertend* **1.** Geschwätz **2.** *langatmige Geschichte*: Gelaber, Geschwafel **3.** *Vorgang*: Theater, Zirkus
rigorous ['rɪgərəs] *Kontrolle usw.*: streng, rigoros
rim [rɪm] Rand (*einer Tasse usw.*)
ring[1] [rɪŋ] **1.** *allg.*: Ring; ***form a ring*** einen Kreis bilden **2.** *Zirkus*: Manege **3.** *Boxen*: Ring **4.** *Wirtschaft*: Ring, Kartell
ring[2] [rɪŋ], ***rang*** [ræŋ], ***rung*** [rʌŋ] **1.** (*Glocke, Klingel usw.*) läuten, klingeln; ***the bell is ringing*** es läutet *oder* klingelt **2.** *bes. BE*; *Telefon*: anrufen; ***ring someone*** jemanden anrufen **3.** (*Glas, Stimme, Ohren*) klingen **4.** ***it rings a bell*** *übertragen* es kommt mir bekannt vor

> **ring back** [ˌrɪŋ'bæk] *bes. BE*; *Telefon*: zurückrufen
> **ring for** ['rɪŋ‿fɔː] ***ring for someone*** *oder* ***something*** nach jemandem *oder* etwas läuten; ***ring for the doctor*** den Arzt rufen
> **ring off** [ˌrɪŋ'ɒf] *bes. BE*; *Telefon*: (den Hörer) auflegen, Schluss machen
> **ring round** [ˌrɪŋ'raʊnd] *bes. BE* herumtelefonieren
> **ring up** [ˌrɪŋ'ʌp] **1.** *bes. BE* anrufen **2.** eintippen (*Preis, Ware*) (*in die Kasse*)

ring[3] [rɪŋ] **1.** Läuten, Klingeln **2.** ***that has a familiar ring to it*** *übertragen* das kommt mir (irgendwie) bekannt vor **3.** *bes. BE*; *Telefon*: Anruf; ***give someone a ring*** jemanden anrufen
ring binder ['rɪŋˌbaɪndə] Ringbuch
ring finger ['rɪŋˌfɪŋgə] Ringfinger
ringleader ['rɪŋˌliːdə] Rädelsführer(in)
ring road ['rɪŋ‿rəʊd] *bes. BE* Umgehungsstraße
ringtone ['rɪŋtəʊn] *bes. von Handy*: Klingelton, Signalton

rink [rɪŋk] **1.** Eisbahn **2.** Rollschuhbahn
rinse[1] [rɪns] *auch* ***rinse out*** (aus)spülen, spülen (*Wäsche, Haar usw.*)
rinse[2] [rɪns] *Haare*: Tönung
riot[1] ['raɪət] **1.** Aufruhr, Krawall; ***run riot*** randalieren, randalierend ziehen (***through*** durch); ***riot police*** Bereitschaftspolizei **2.** ***it's a riot*** *umg.* das ist zum Schreien
riot[2] ['raɪət] randalieren
rip[1] [rɪp], ***ripped, ripped***; ***rip something*** sich etwas zerreißen (***on*** an)

> **rip apart** [ˌrɪp‿ə'pɑːt] auseinander reißen
> **rip off** [ˌrɪp'ɒf] **1.** ***rip off one's shirt*** sich das Hemd herunterreißen **2.** ***rip someone off*** *umg.* jemanden neppen *oder* abzocken
> **rip open** [ˌrɪp'əʊpən] aufreißen
> **rip up** [ˌrɪp'ʌp] zerreißen

rip[2] [rɪp] Riss
ripe [raɪp] reif (*auch übertragen*)
ripen ['raɪpən] (*Früchte usw.*) reifen
rip-off ['rɪpɒf] *umg.* Nepp, Wucher, Diebstahl
rise[1] [raɪz] ***rose*** [rəʊz], ***risen*** ['rɪzn] **1.** (*Rauch usw.*) aufsteigen, (*Vorhang usw.*) sich heben **2.** (*Straße, Wasser usw.*) ansteigen **3.** (*Preise usw.*) steigen (***by*** um) **4.** *förmlich* aufstehen (*auch am Morgen*), sich erheben **5.** (*Sonne*) aufgehen **6.** (*Fluss*) entspringen

> **rise up** [ˌraɪz'ʌp] (*Volk usw.*) sich erheben (***against*** gegen)

rise[2] [raɪz] **1.** *übertragen* Anstieg; ***rise in prices*** Anstieg der Preise; ***rise in population*** Bevölkerungszunahme **2.** *übertragen* Aufstieg (***to*** zu); ***the rise and fall of Rome*** *usw.* der Aufstieg und Fall Roms *usw.* **3.** *Straße usw.*: Steigung **4.** *bes. BE* Lohnerhöhung, Gehaltserhöhung **5.** ***give rise to*** verursachen, führen zu
risen ['rɪzn] *3. Form von* → ***rise***[1]
riser ['raɪzə] ***early riser*** Frühaufsteher(in); ***late riser*** Langschläfer(in)
rising ['raɪzɪŋ] **1.** *Generation*: heranwachsend **2.** *Politiker usw.*: aufstrebend
risk[1] [rɪsk] Gefahr, Risiko; ***at one's own risk*** auf eigene Gefahr; ***at the risk of making a fool of myself*** auf die Gefahr hin, mich lächerlich zu machen; ***be at risk*** gefährdet sein; ***run*** (*oder* ***take***) ***a risk*** ein Risiko eingehen
risk[2] [rɪsk] **1.** *allg.*: riskieren **2.** aufs Spiel

R

setzen (*sein Leben usw.*) **3.** wagen (*den Sprung usw.*); ***risk doing something*** es wagen *oder* riskieren, etwas zu tun
risky ['rɪskɪ] riskant, gefährlich
risotto [rɪ'zɒtəʊ] Risotto
risqué ['rɪskeɪ] *Witz usw.*: gewagt
rite [raɪt] Ritus, Ritual, Brauch
ritual ['rɪtʃʊəl] Ritual, Ritus, Zeremoniell
ritzy ['rɪtsɪ] *umg.* stinkvornehm, feudal
rival[1] ['raɪvl] **1.** Rivale, Rivalin **2.** *Wirtschaft*: Konkurrent(in)
rival[2] ['raɪvl] ***rivalled, rivalled***, *AE* ***rivaled, rivaled*** es aufnehmen (können) mit (***for*** an)
rivalry ['raɪvlrɪ] **1.** Rivalität **2.** *Wirtschaft*: Konkurrenz(kampf)
river ['rɪvə] Fluss, Strom; ***down the river*** flussabwärts; ***up the river*** flussaufwärts
riverside ['rɪvəsaɪd] Flussufer; ***by the riverside*** am Fluss
road [rəʊd] **1.** (Land)Straße; ***down*** (*bzw.* ***up***) ***the road*** die Straße hinunter (*bzw.* hinauf); ***off the road*** von der Straße entfernt, im Gelände; ***road map*** Straßenkarte **2.** ***be on the road*** mit dem Auto unterwegs sein, *Theater usw.*: auf Tournee sein; ***3 hours by road*** 3 Autostunden (entfernt) **3.** ***be on the right road to*** *übertragen* auf dem richtigen Weg sein nach
road accident ['rəʊd,æksɪdənt] Verkehrsunfall
roadblock ['rəʊdblɒk] Straßensperre
road hog ['rəʊd‿hɒg] *umg.* Verkehrsrowdy
roadholding ['rəʊd,həʊldɪŋ] *Auto*: Straßenlage
roadhouse ['rəʊdhaʊs] *AE* Rasthaus
roadie ['rəʊdɪ] Roadie
road map ['rəʊd‿mæp] Straßenkarte
road pricing ['rəʊd,praɪsɪŋ] (Einführung von) Straßenbenutzungsgebühren
road rage ['rəʊd‿reɪdʒ] aggressives Verhalten im Straßenverkehr
road safety ['rəʊd,seɪftɪ] Verkehrssicherheit
roadside ['rəʊdsaɪd] ***at*** *oder* ***by the roadside*** am Straßenrand; ***roadside inn*** Rasthaus
roadsign ['rəʊdsaɪn] Verkehrsschild
road tax ['rəʊd‿tæks] *in GB*; *etwa*: Kfz-Steuer
road test ['rəʊd‿test] Probefahrt; ***do a road test*** eine Probefahrt machen
road-test ['rəʊdtest] eine Probefahrt machen mit, Probe fahren (*Auto usw.*)
road toll ['rəʊd‿təʊl] Straßenbenutzungsgebühr
roadworks ['rəʊdwɜːks] *Pl.* Straßenbauarbeiten (⚠ *in GB auf Warnschildern*)
roadworthy ['rəʊd,wɜːðɪ] *Auto usw.*: verkehrssicher
roam [rəʊm] wandern (durch)
roar[1] [rɔː] **1.** Gebrüll; ***roars*** *Pl.* ***of laughter*** brüllendes Gelächter **2.** *von Verkehr usw.*: Tosen, Donnern
roar[2] [rɔː] **1.** brüllen (***with*** vor); ***roar*** (***with laughter***) vor Lachen brüllen **2.** (*Fahrzeug*) donnern
roaring ['rɔːrɪŋ] **1.** *Person, wildes Tier*: brüllend **2.** *Wassermassen*: tosend, donnernd **3.** ***roaring success*** *umg.* Bombenerfolg **4.** ***roaring drunk*** *umg.* sternhagelvoll
roast[1] [rəʊst] **1.** *allg.*: braten **2.** rösten (*Kaffee usw.*)
roast[2] [rəʊst] Braten
roast[3] [rəʊst] gebraten; ***roast beef*** Rinderbraten; ***roast chicken*** Brathuhn
roasting ['rəʊstɪŋ] ***give someone a*** (***real***) ***roasting*** *umg.* jemanden zusammenstauchen (***for*** wegen)
rob [rɒb], ***robbed, robbed*** überfallen (*Bank usw.*); ***rob someone*** jemanden berauben; ***rob someone of something*** jemandem etwas rauben
robber ['rɒbə] Räuber(in)
robbery ['rɒbərɪ] Raub(überfall); ***bank robbery*** Bankraub
robe [rəʊb] **1.** (≈ *Gewand*) Talar, Robe **2.** *bes. AE* Bademantel, Morgenrock
robin ['rɒbɪn] *Vogel*: Rotkehlchen
robot ['rəʊbɒt] Roboter (*auch übertragen*)
robust [rəʊ'bʌst] **1.** *Gesundheit, Material usw.*: robust **2.** *Firma usw.*: gesund
rock[1] [rɒk] **1.** wiegen, schaukeln; ***rock a child to sleep*** ein Kind in den Schlaf wiegen **2.** (*Boot usw.*) schaukeln **3.** erschüttern (*auch übertragen*) **4.** *Musik*: rocken
rock[2] [rɒk] **1.** Fels, Felsen (*auch Pl.*) **2.** *Geologie*: Gestein **3.** Felsbrocken, *AE* Stein (⚠ *nicht* ***Rock***); ☞ ***rocks***
rock[3] [rɒk] Rock(musik)
rock bottom [,rɒk'bɒtəm] ***hit*** (*oder* ***reach***) ***rock bottom*** einen *oder* seinen Tiefpunkt erreichen
rock-bottom [,rɒk'bɒtəm] *Preise, Zinsen usw.*: allerniedrigste(r, -s), äußerste(r, -s); ***rock-bottom prices*** Schleuderpreise
rocker ['rɒkə] **1.** *BE* Rocker **2.** ***he's off his rocker*** *umg.* er hat sie nicht alle
rockery ['rɒkərɪ] Steingarten
rocket[1] ['rɒkɪt] **1.** Rakete **2.** ***give someone a rocket*** *bes. BE, umg.* jemanden zusammenstauchen
rocket[2] ['rɒkɪt] (*Preise*) in die Höhe schießen
rocking chair ['rɒkɪŋ‿tʃeə] Schaukelstuhl

rocking horse ['rɒkɪŋ‿hɔːs] Schaukelpferd
rock 'n' roll [ˌrɒkən'rəʊl] **1.** *Musik*: Rock 'n' Roll **2.** *umg.* ***… is the new rock 'n' roll*** … ist jetzt total angesagt
rocks [rɒks] *Pl.* **1.** Klippen **2.** ***on the rocks*** *bes. Whisky*: mit Eis **3.** ***on the rocks*** *umg.*; *Firma, Ehe usw.*: am Ende
rocky[1] ['rɒkɪ] felsig
rocky[2] ['rɒkɪ] *umg.* wackelig
rococo [rə'kəʊkəʊ] Rokoko
rod [rɒd] **1.** Rute; ***fishing rod*** Angelrute **2.** Stab, Stange
rode [rəʊd] *2. Form von* → ***ride***[1]
rodent ['rəʊdnt] Nagetier
rodeo [rəʊ'deɪəʊ] Rodeo
roe[1] [rəʊ] *vom Fisch*: Rogen
roe[2] [rəʊ] ☞ ***roe deer***
roebuck ['rəʊbʌk] Rehbock
roe deer ['rəʊˌdɪə] Reh
roger ['rɒdʒə] *Funkverkehr*: verstanden!
rogue [rəʊg] **1.** Gauner; ***rogues' gallery*** Verbrecheralbum **2.** *humorvoll* Schlingel
role [rəʊl] *Theater*: Rolle (*auch übertragen*)
role play ['rəʊl‿pleɪ] *bes. Psychologie*: Rollenspiel
roll[1] [rəʊl] **1.** *allg.*: rollen; ***tears were rolling down her cheeks*** Tränen rollten ihr über die Wangen **2.** (*Gefährt*) rollen, fahren **3.** schwanken, (*Schiff*) schlingern **4.** (*Tier usw.*) sich wälzen **5.** walzen (*Rasen usw.*), ausrollen (*Teig*) **6.** ***rolled into one*** *übertragen, allerlei Verschiedenes*: in einem

> **roll in** [ˌrəʊl'ɪn] (*Geld usw.*) hereinströmen
> **roll on** [ˌrəʊl'ɒn] ***roll on, Saturday!*** *BE* wenn es doch nur schon Samstag wäre!
> **roll out** [ˌrəʊl'aʊt] ausrollen (*Teig, Teppich*)
> **roll up** [ˌrəʊl'ʌp] **1.** aufrollen, zusammenrollen **2.** hochkrempeln (*Ärmel*) (*auch übertragen*) **3.** *umg.* antanzen

roll[2] [rəʊl] **1.** Brötchen, Semmel **2.** Rolle **3.** (Fett)Wulst **4.** Grollen (*des Donners*)
roll call ['rəʊl‿kɔːl] *in Schulklasse, beim Militär usw.*: Namensaufruf
roller ['rəʊlə] **1.** *Technik*: Rolle, Walze **2.** Lockenwickler (⚠ *nicht* ***Roller***)
roller blind ['rəʊlə‿blaɪnd] Rollladen, Rollo
roller coaster ['rəʊləˌkəʊstə] **1.** Achterbahn **2.** *übertragen* Berg- und Talfahrt
roller skate ['rəʊlə‿skeɪt] Rollschuh
roller skating ['rəʊləˌskeɪtɪŋ] Rollschuhlaufen
roll-on ['rəʊlɒn] Deoroller
ROM [rɒm] (*Abk. für* **r**ead **o**nly **m**emory) *Computer*: Lesespeicher
Roman[1] ['rəʊmən] Römer(in)
Roman[2] ['rəʊmən] römisch; ***Roman numeral*** römische Ziffer
romance[1] [rəʊ'mæns] **1.** (≈ *Liebesaffäre*) Romanze **2.** (≈ *stimmungsvolle Atmosphäre*) Romantik **3.** *Literatur*: Liebesroman, Abenteuerroman, Ritterroman
Romance[2] [rəʊ'mæns] *Sprache*: romanisch
Romania [⚠ ruː'meɪnɪə] Rumänien
Romanian[1] [⚠ ruː'meɪnɪən] rumänisch
Romanian[2] [⚠ ruː'meɪnɪən] *Sprache*: Rumänisch
Romanian[3] [⚠ ruː'meɪnɪən] Rumäne, Rumänin
romantic [rəʊ'mæntɪk] romantisch
romanticism [rəʊ'mæntɪsɪzm] *oft* ***Romanticism*** *Kunst, Literatur usw.*: Romantik
Romany ['rɒmənɪ] **1.** *Person*: Roma **2.** *Sprache*: Romani
Rome [rəʊm] Rom
romp [rɒmp] *auch* ***romp about*** *oder* ***around*** (*Kinder usw.*) herumtollen
roof [ruːf] *Pl.*: ***roofs*** **1.** Dach; ***have no roof over one's head*** kein Dach über dem Kopf haben; ***live under the same roof*** unter einem Dach leben (***as*** mit) **2.** ***go through the roof*** *umg.*; *Person*: an die Decke gehen, *Kosten usw.*: ins Unermessliche steigen
roofer ['ruːfə] Dachdecker(in)
roof garden ['ruːfˌgɑːdn] Dachgarten
roof rack ['ruːf‿ræk] Dachgepäckträger
rooftop ['ruːftɒp] ***shout something from the rooftops*** *übertragen* etwas an die große Glocke hängen
rook [rʊk] *Schach*: Turm
room[1] [ruːm] **1.** Raum, Zimmer **2.** Platz, Raum; ***make room for someone*** jemandem Platz machen **3.** *übertragen* Spielraum
room[2] [ruːm] ***he's rooming with us*** *AE* er wohnt bei uns (zur Untermiete); ☞ ***lodge***[2] ***1***
roomer ['ruːmə] *AE* Untermieter(in); ☞ ***lodger***
roommate ['ruːm‿meɪt] Zimmergenosse, Zimmergenossin
room service ['ruːmˌsɜːvɪs] *in Hotel*: Zimmerservice
room temperature ['ruːmˌtemprətʃə] Zimmertemperatur
roomy ['ruːmɪ] geräumig
rooster ['ruːstə] *bes. AE*; *Tier*: Hahn
root[1] [ruːt] *allg.*: Wurzel (*auch übertragen*); ***get to the root of something*** *übertragen*

einer Sache auf den Grund gehen; ***have its roots in*** *übertragen* seinen Ursprung haben in

root[2] [ruːt] **1.** Wurzeln schlagen (*auch übertragen*) **2.** *auch* ***root about*** *oder* ***around*** herumwühlen (***among*** in)

root for ['ruːt‿fɔː] *bes. AE, umg.* ***root for someone*** *Sport*: jemanden anfeuern
root out [ˌruːt'aʊt] **1.** *übertragen* (mit der Wurzel) ausrotten (*Übel*) **2.** aufstöbern

rooted ['ruːtɪd] **1.** ***rooted in*** verwurzelt in, eingewurzelt in **2.** ***stand rooted to the spot*** wie angewurzelt dastehen

rope[1] [rəʊp] **1.** Seil, *Schiff*: Tau; ***jump rope*** *AE* seilhüpfen **2.** *AE* Lasso; ☞ ***ropes***

rope[2] [rəʊp] **1.** festbinden (***to*** an) **2.** *AE* mit dem Lasso fangen (*Tier*)

rope ladder [ˌrəʊp'lædə] Strickleiter

ropes [rəʊps] *Pl.* **1.** (≈ *Boxring*) Seile **2.** ***know the ropes*** *umg.* sich auskennen; ***show someone the ropes*** *umg.* jemanden einweihen

rosary ['rəʊzərɪ] *kirchlich*: Rosenkranz

rose[1] [rəʊz] *2. Form von* → ***rise***[1]

rose[2] [rəʊz] *Pflanze*: Rose

rose[3] [rəʊz] rosarot, rosenrot

rose-coloured, *AE* **rose-colored** ['rəʊzˌkʌləd] **1.** rosarot, rosenrot **2.** ***see everything through rose-coloured spectacles*** *übertragen* alles durch eine rosarote Brille sehen

roster ['rɒstə] Dienstplan

rosy ['rəʊzɪ] rosig (*auch übertragen*)

rot [rɒt], ***rotted, rotted*** **1.** *auch* ***rot away*** verfaulen, (*bes. Holz*) verrotten **2.** verfaulen *oder* verrotten lassen

rotate [rəʊ'teɪt] **1.** sich drehen **2.** rotieren lassen, drehen

rotation [rəʊ'teɪʃn] Rotation, Drehung

rotor ['rəʊtə] *Technik*: Rotor

rotten ['rɒtn] **1.** verfault, faul **2.** *bes. Holz*: verrottet, morsch **3.** *umg.* miserabel; ***feel rotten*** sich mies fühlen (*auch übertragen*)

rouge [ruːʒ] Rouge

rough[1] [rʌf] **1.** *Straße usw.*: uneben, *Haut, Stimme usw.*: rau **2.** *Meer, Wetter usw.*: stürmisch **3.** *Person usw.*: grob, *Sport*: hart; ***be rough with*** grob umgehen mit **4.** *Manuskript, Entwurf usw.*: roh, Roh… **5.** *übertragen* grob, ungefähr; ***at a rough guess*** grob geschätzt; ***I have a rough idea*** ich kann mir ungefähr vorstellen **6.** ***feel rough*** *BE, umg.* sich mies fühlen

rough[2] [rʌf] ***take the rough with the smooth*** die Dinge nehmen, wie sie kommen

rough[3] [rʌf] ***rough it*** *umg.* primitiv leben

rough[4] [rʌf] **1.** ***sleep rough*** im Freien übernachten **2.** ***play*** (***it***) ***rough*** *Sport*: (über-) hart spielen

roughage ['rʌfɪdʒ] *in der Nahrung*: Ballaststoffe

roughen ['rʌfn] rau machen

roughly ['rʌflɪ] **1.** grob (*auch übertragen*) **2.** *übertragen* ungefähr; ***roughly speaking*** grob geschätzt, über den Daumen gepeilt

round[1] [raʊnd] **1.** *allg.*: rund **2.** *Körper*: rundlich **3.** (≈ *voll, ganz*) rund **4.** ***in round figures*** rund (gerechnet)

round[2] [raʊnd] **1.** *allg.*: herum, umher; ***I'll show you round*** ich führ dich herum; ***all round*** ringsherum **2.** ***all*** (***the***) ***year round*** das ganze Jahr über **3.** ***round about*** *umg.* ungefähr **4.** ***come round*** (bei jemandem) vorbeikommen

round[3] [raʊnd] **1.** (rund) um, um (… herum); ***trip round the world*** Weltreise; ***do you live round here?*** wohnen Sie hier in der Gegend?; ***round the corner*** um die Ecke; ***show someone round the house*** jemandem das Haus zeigen **2.** ***the other way round*** umgekehrt **3.** etwa; ***somewhere round £100*** so um die 100 Pfund

round[4] [raʊnd] **1.** *Boxen, Verhandlungen usw.*: Runde **2.** Rundgang, Runde; ***do*** (*oder* ***be out on***) ***one's rounds*** seine Runde machen, *Arzt*: Hausbesuche machen **3.** Lage, Runde (*Bier usw.*); ***it's my round*** die Runde geht auf mich **4.** *Musik*: Kanon

round down [ˌraʊnd'daʊn] abrunden (*Preis usw.*) (***to*** auf)
round off [ˌraʊnd'ɒf] **1.** beschließen (*Mahlzeit usw.*) (***with*** mit) **2.** aufrunden *oder* abrunden (*Preis usw.*) (***to*** auf)
round up [ˌraʊnd'ʌp] **1.** zusammentreiben (*Vieh*) **2.** *umg.* hochnehmen (*Verbrecher*) **3.** zusammentrommeln, auftreiben **4.** aufrunden (*Preis*) (***to*** auf)

roundabout ['raʊndəbaʊt] **1.** *BE* Kreisverkehr **2.** *BE* Karussell, Ⓐ Ringelspiel; ***go on the roundabout*** Karussell fahren

round-table conference ['raʊndˌteɪbl'kɒnfrəns] Round-Table-Konferenz, Konferenz am runden Tisch

round-the-clock [ˌraʊnd‿ðə'klɒk] 24-stündig, rund um die Uhr

round trip [ˌraʊnd'trɪp] *AE* Hin- und Rückfahrt, *Flug*: Hin- und Rückflug

round-trip ticket [ˌraʊnd‿trɪp'tɪkɪt] *AE* Rückfahrkarte, *Flug*: Rückflugticket
rouse [raʊz] **1.** wecken (***from, out of*** aus) **2.** *übertragen* aufrütteln (***from, out of*** aus)
route [ruːt] **1.** Route, Strecke **2.** *Verkehrsmittel*: Linie; ***bus route*** Buslinie
routine [ˌruː'tiːn] **1.** Routine, Gewohnheit **2.** *Computer*: Routine
row[1] [rəʊ] **1.** Reihe; ***row house*** *AE* Reihenhaus **2.** ***four*** *usw.* ***times in a row*** viermal *usw.* nacheinander *oder* hintereinander
row[2] [rəʊ] rudern
row[3] [⚠ raʊ] *BE*, *umg.* **1.** Krach, Krawall; ***kick up*** (*oder* ***make***) ***a row*** Krach schlagen **2.** Streit, Krach
row[4] [⚠ raʊ] *umg.* (sich) streiten (***with*** mit; ***about*** über)
rowboat ['rəʊbəʊt] *AE* Ruderboot
rowdy ['raʊdɪ] rowdyhaft, laut; ***rowdy teenagers*** jugendliche Rowdys
row house ['rəʊ‿haʊs] *AE* Reihenhaus
rowing boat ['rəʊɪŋ‿bəʊt] *BE* Ruderboot
royal[1] ['rɔɪəl] königlich, Königs…; ***Her Royal Highness*** Ihre Königliche Hoheit; ***royal blue*** *Farbe*: königsblau
royal[2] ['rɔɪəl] *umg.* Mitglied des Königshauses
royalty ['rɔɪəltɪ] **1.** Mitglied(er) der königlichen Familie **2.** *mst.* ***royalties*** Tantieme (***on*** auf)
rub [rʌb], ***rubbed, rubbed*** reiben, wischen, scheuern (***against, on*** an); ***rub dry*** trockenreiben; ***rub one's hands*** (***together***) sich die Hände reiben (***with*** vor)

> **rub down** [ˌrʌb'daʊn] abreiben (*Körper*)
> **rub in** [ˌrʌb'ɪn] **1.** einreiben **2.** ***rub it in*** *umg.* darauf herumreiten
> **rub off** [ˌrʌb'ɒf] **1.** abreiben **2.** (*Farbe, Schmutz usw.*) abgehen; ***rub off on*(*to*)** *übertragen* abfärben auf
> **rub out** [ˌrʌb'aʊt] **1.** ausradieren **2.** *AE* (≈ *töten*) auslöschen

rubber ['rʌbə] **1.** Gummi **2.** *BE* Radiergummi **3.** *bes. AE*, *umg.* Kondom
rubber band [ˌrʌbə'bænd] Gummiband
rubber dinghy [ˌrʌbə'dɪŋɪ] Schlauchboot
rubberneck ['rʌbənek] *AE*, *umg.* gaffen
rubbernecker ['rʌbəˌnekə] *AE*, *umg.* Gaffer
rubber plant ['rʌbə‿plɑːnt] Gummibaum
rubber stamp [ˌrʌbə'stæmp] Stempel
rubbish ['rʌbɪʃ] **1.** Abfall, Abfälle, Müll; ***rubbish bin*** Mülleimer; ***rubbish tip*** Müllabladeplatz; ***rubbish chute*** Müllschlucker **2.** *übertragen* Blödsinn, Quatsch, *bes.* Ⓐ Schmarr(e)n
rubble ['rʌbl] Schutt, Trümmer
ruby ['ruːbɪ] Rubin
rucksack ['rʌksæk] *bes. BE* Rucksack
rudder ['rʌdə] *Flugzeug, Schiff*: Ruder
ruddy ['rʌdɪ] **1.** *Gesichtsfarbe*: frisch, gesund, *Backen*: rot **2.** *BE*, *umg.* verdammt
rude [ruːd] **1.** *Person*: unhöflich, grob, frech **2.** *Witz usw.*: unanständig **3.** *Schock usw.*: bös; ***a rude awakening*** ein böses Erwachen
rudimentary [ˌruːdɪ'mentərɪ] **1.** *Kenntnisse usw.*: elementar, Anfangs… **2.** *Ausstattung, Einrichtung usw.*: primitiv **3.** *Biologie*: rudimentär (*auch übertragen*)
rudiments ['ruːdɪmənts] *Pl.* Grundlagen
ruffle[1] ['rʌfl] **1.** kräuseln (*Wasser*), zerzausen (*Haar*) **2.** aus der Fassung bringen (*Person*)
ruffle[2] ['rʌfl] *an Kleidung usw.*: Rüsche
rug [rʌg] **1.** (≈ *Teppich*) Brücke, Vorleger **2.** *BE* dicke Wolldecke **3.** ***pull the rug*** (***out***) ***from under someone*** *übertragen* jemandem den Boden unter den Füßen wegziehen
rugby ['rʌgbɪ] *Sport*: Rugby
rugged [⚠ 'rʌgɪd] **1.** *Landschaft usw.*: rau, felsig **2.** *Felsen usw.*: zerklüftet **3.** *Gerät usw.*: robust, stabil
ruin[1] ['ruːɪn] **1.** Ruin, Ende (*von Hoffnungen usw.*) **2.** Verfall; ***fall into ruin*** verfallen **3.** *auch* ***ruins*** Ruine, Überreste **4.** ***be*** (*oder* ***lie***) ***in ruins*** in Trümmern liegen, *übertragen* zerstört *oder* ruiniert sein
ruin[2] ['ruːɪn] **1.** zerstören (*Gebäude, Hoffnungen, Leben usw.*); ***ruined castle*** Burgruine **2.** ruinieren (*Menschen, Kleidung, Gesundheit usw.*); ***ruin one's eyes*** sich die Augen verderben
rule[1] [ruːl] **1.** Regel, Vorschrift; ***against the rules*** regelwidrig, verboten **2.** (≈ *Gewohnheit*) Regel; ***as a rule*** in der Regel; ***he makes it a rule to get up early*** er hat es sich zur Regel gemacht, früh aufzustehen **3.** *politisch*: Herrschaft
rule[2] [ruːl] **1.** herrschen (***over*** über) **2.** herrschen über; ***be ruled by*** *übertragen* sich leiten lassen von, beherrscht werden von **3.** (*bes. Gericht*) entscheiden (***against*** gegen; ***in favour of*** für; ***on*** in; ***that*** dass)

> **rule out** [ˌruːl'aʊt] **1.** ausschließen (*Fehler usw.*) **2.** unmöglich machen

ruler ['ruːlə] **1.** Herrscher(in) **2.** Lineal
rum [rʌm] Rum

R

Rumanian[1] [ruː'meɪnɪən] rumänisch

Rumanian[2] [ruː'meɪnɪən] *Sprache*: Rumänisch

Rumanian[3] [ruː'meɪnɪən] Rumäne, Rumänin

rumble ['rʌmbl] **1.** (*Donner*) grollen, (*Fahrzeug*) rumpeln **2.** (*Magen*) knurren

rummage[1] ['rʌmɪdʒ] *auch* ***rummage about*** *oder* ***around*** herumstöbern, herumwühlen (***among, in, through*** in)

rummage[2] ['rʌmɪdʒ] *AE* Trödel, Ramsch

rummy ['rʌmɪ] *Kartenspiel*: Rommé, Rommee

rumour, *AE* **rumor** ['ruːmə] Gerücht(e); ***rumour has it that …*** es geht das Gerücht, dass …

rumoured, *AE* **rumored** ['ruːməd] ***it's rumoured that …*** es geht das Gerücht, dass …

rumple ['rʌmpl] zerknittern, zerzausen

run[1] [rʌn], ***ran*** [ræn], ***run*** [rʌn]; *-ing-Form* ***running*** **1.** laufen (*auch Sport*), rennen **2.** *Sport*: laufen (*Rennen*, *Strecke*) **3.** (*Fahrzeug*) fahren **4.** (*Bus*, *Zug usw.*) verkehren, fahren **5.** ***run someone*** *oder* ***something*** (***home***) jemanden *oder* etwas (nach Hause) fahren *oder* bringen **6.** (*Wasser usw.*) fließen, laufen; ***tears were running down her face*** Tränen liefen ihr übers Gesicht; ***his nose was running*** ihm lief die Nase **7.** laufen lassen (*Wasser usw.*); ***run a bath*** ein Bad einlaufen lassen **8.** (*Butter*, *Farbe usw.*) zerfließen, zerlaufen **9.** (*Maschine usw.*) laufen (*auch übertragen*); ***with the engine running*** mit laufendem Motor **10.** *Technik*: laufen lassen (*Maschine usw.*) **11.** führen (*Geschäft*), leiten (*Hotel usw.*) **12.** (*Straße usw.*) laufen, verlaufen **13.** (*Bestimmung usw.*) gelten, laufen (***for two years*** zwei Jahre) **14.** (*Theaterstück usw.*) laufen (***for six months*** ein halbes Jahr lang) **15.** ***run low*** *oder* ***short*** *Vorräte usw.*: knapp werden **16.** *bes AE* kandidieren (*für eine Wahl*) **17.** (*Vers usw.*) gehen, lauten **18.** (*Zeitung usw.*) abdrucken, bringen (*Artikel usw.*) **19.** ***run drugs across the border*** Drogen über die Grenze schmuggeln **20.** ***it runs in the family*** *übertragen* das liegt in der Familie **21.** ***run a temperature*** Fieber haben

run across [ˌrʌn‿ə'krɒs] **1.** hinüberlaufen **2.** ***run across someone*** jemanden zufällig treffen **3.** (≈ *finden*) stoßen auf

run after [ˌrʌn'ɑːftə] nachlaufen, hinterherlaufen (*auch übertragen*)

run against [ˌrʌn‿ə'genst] **1.** sich stoßen an (*Kopf usw.*) **2.** *bes. AE*; *politisch*: kandidieren gegen

run along [ˌrʌn‿ə'lɒŋ] ***run along!*** ab mit dir!

run around [ˌrʌn‿ə'raʊnd] **1.** herumlaufen **2.** sich herumtreiben (***with*** mit)

run away [ˌrʌn‿ə'weɪ] davonlaufen (***from*** vor) (*auch übertragen*); ***run away from home*** von zu Hause ausreißen

run away with [ˌrʌn‿ə'weɪ‿wɪð] **1.** durchbrennen mit (*Geld usw.*) **2.** (*Fantasie usw.*) durchgehen mit **3.** ***don't run away with the idea that …*** glaube bloß nicht, dass …

run back [ˌrʌn'bæk] **1.** zurücklaufen **2.** zurückspulen (*Band*, *Film*)

run down [ˌrʌn'daʊn] **1.** anfahren, 'umfahren (*mit Auto*) **2.** (*Uhr*) ablaufen, (*Batterie*) leer werden **3.** schlecht machen; ☞ ***run-down***

run for ['rʌn‿fɔː] **1.** ***run for it!*** lauf, was du kannst!; ***run for one's life*** um sein Leben laufen **2.** *bes AE*; *politisch*: kandidieren für

run in [ˌrʌn'ɪn] **1.** einfahren (*Wagen usw.*) **2.** *umg.* hoppnehmen (*Verbrecher usw.*)

run into ['rʌnˌɪntʊ] **1.** laufen *oder* fahren gegen **2.** zufällig treffen (*Person*) **3.** *übertragen* geraten in (*Schwierigkeiten*); ***run into debt*** Schulden machen **4.** *Kosten usw.*: sich belaufen auf, gehen in

run off with [ˌrʌn'ɒf‿wɪð] durchbrennen mit

run on **1.** ['rʌn‿ɒn] *Technik*: fahren mit; ***run on electricity*** *Motor usw.*: elektrisch betrieben werden **2.** [ˌrʌn'ɒn] (*Veranstaltung usw.*) sich hinziehen (***until*** bis)

run out [ˌrʌn'aʊt] **1.** hinausrennen **2.** (*Vorräte usw.*) zu Ende gehen; ***I've run out of money*** mir ist das Geld ausgegangen **3.** (*Vertrag*, *Zeit usw.*) ablaufen

run over [ˌrʌn'əʊvə] **1.** überfahren (*mit dem Auto*) **2.** (*Wasser*, *Gefäß usw.*) überlaufen

run through [ˌrʌn'θruː] **1.** durchspielen (*Szene usw.*) **2.** durchgehen (*Notizen usw.*)

run up [ˌrʌn'ʌp] ***run up debts*** Schulden machen

run up against [ˌrʌn'ʌp‿əˌgenst] stoßen auf (*starken Widerstand usw.*)

run[2] [rʌn] **1.** Lauf (*auch Sport*); ***at a run*** im Laufschritt **2.** Fahrt; ***go for a run in the car*** eine Spazierfahrt machen **3.** *Theaterstück usw.*: Laufzeit **4.** Reihe, Serie; ***run***

of good luck Glückssträhne; ***run of bad luck*** Pechsträhne **5.** Ansturm, *Wirtschaft auch*: Run (***on*** auf) **6.** ***have the run of something*** etwas uneingeschränkt benutzen dürfen **7.** *bes. AE* Laufmasche **8.** ***in the 'long run*** *übertragen* auf (die) Dauer, auf lange Sicht; ***in the 'short run*** *übertragen* zunächst, auf kurze Sicht **9.** ***on the run*** auf der Flucht (***from the police*** vor der Polizei); ☞ ***runs***

runabout ['rʌnəbaʊt] *umg.* Kleinwagen

runaway ['rʌnəweɪ] Ausreißer(in)

run-down [ˌrʌn'daʊn] **1.** *Gebäude usw.*: heruntergekommen **2.** *Person*: abgespannt

rung[1] [rʌŋ] *3. Form von* → ***ring***[3]

rung[2] [rʌŋ] Sprosse (*einer Leiter*)

runner ['rʌnə] **1.** *Sport*: Läufer(in) **2.** …schmuggler(in); ***gun-runner*** Waffenschmuggler **3.** Kufe (*von Schlitten*)

runner-up [ˌrʌnər'ʌp] *Pl.*: ***runners-up*** [ˌrʌnəz'ʌp] *im Rennen*: Zweite(r)

running[1] ['rʌnɪŋ] **1.** Laufen, Rennen; ***he's still in the running*** *übertragen* er liegt noch gut im Rennen (***for*** um); ***be out of the running*** *übertragen* aus dem Rennen sein (***for*** um) **2.** Führung, Leitung

running[2] ['rʌnɪŋ] **1.** *Wasser*: fließend **2.** ***four times*** (*bzw.* ***for three days***) ***running*** viermal (*bzw.* drei Tage) hintereinander *oder* nacheinander **3.** *Sport*: Lauf…; ***running shoes*** Laufschuhe

runny ['rʌnɪ] **1.** *Butter usw.*: weich, flüssig **2.** *Nase*: laufend, *Augen*: tränend

runs [rʌnz] ***have the runs*** *bes. BE, umg.* den flotten Otto haben

runway ['rʌnweɪ] *Flugzeug*: Start- und Landebahn, Rollbahn

rupture[1] ['rʌptʃə] **1.** *Medizin*; *von Organen, Adern*: Bruch, Riss **2.** *übertragen* Bruch, Abbruch (*von Beziehungen usw.*)

rupture[2] ['rʌptʃə] **1.** (*Leitung usw.*) zerspringen, zerreißen, platzen **2.** *Medizin*: ***rupture oneself*** sich einen Bruch heben; ***rupture a muscle*** sich einen Muskelriss zuziehen

rural ['rʊərəl] ländlich

rush[1] [rʌʃ] **1.** hasten, hetzen **2.** ***rush someone to hospital*** jemanden auf dem schnellsten Weg ins Krankenhaus bringen **3.** schnell erledigen; ***don't rush it*** lass dir Zeit dabei **4.** ***be rushed*** (***off one's feet***) auf Trab sein

> **rush at** ['rʌʃ‿ət] sich stürzen auf
> **rush into** [ˌrʌʃ'ɪntʊ] ***rush into something*** *übertragen* sich in etwas stürzen, etwas überstürzen

rush[2] [rʌʃ] **1.** Ansturm (***for*** auf, nach); ***there was a rush for the door*** alles drängte zur Tür **2.** Hast, Hetze; ***what's*** (***all***) ***the rush?*** wozu diese Hast?

rush hour ['rʌʃ‿aʊə] Hauptverkehrszeit, Stoßzeit; ***rush hour traffic*** Berufsverkehr

Russia ['rʌʃə] Russland

Russian[1] ['rʌʃn] russisch

Russian[2] ['rʌʃn] *Sprache*: Russisch

Russian[3] ['rʌʃn] Russe, Russin

rust[1] [rʌst] Rost

rust[2] [rʌst] rosten, verrosten

rustic ['rʌstɪk] ländlich, bäuerlich, rustikal

rustle [⚠ 'rʌsl] **1.** (*Papier usw.*) rascheln, knistern **2.** rascheln *oder* knistern mit

> **rustle up** [⚠ ˌrʌsl'ʌp] *umg.* **1.** auftreiben (*Geld, Hilfe usw.*) **2.** ***rustle up a meal*** (schnell) etwas zu essen zaubern

rustproof ['rʌstpruːf] rostfrei, nicht rostend

rusty ['rʌstɪ] **1.** *Metall usw.*: rostig **2.** *Kenntnisse usw.*: eingerostet; ***my French is a bit rusty*** mein Französisch ist etwas eingerostet

rut [rʌt] ***get into a rut*** *übertragen* in einen Trott verfallen

ruthless ['ruːθləs] **1.** unbarmherzig, rücksichtslos **2.** hart (*bei Entscheidungen usw.*)

RV [ˌɑː'viː] (*Abk. für* recreational vehicle) *AE* Wohnmobil, Caravan

rye [raɪ] Roggen

rye bread ['raɪ‿bred] Roggenbrot

S

Sabbath ['sæbəθ] *Religion*: Sabbath
sabbatical [sə'bætɪkl] **1.** *in Firma*: Sabbatjahr **2.** *Universität*: Forschungsjahr
saber ['seɪbə] *AE* Säbel; ☞ *BE* ***sabre***
sabotage[1] ['sæbətɑːʒ] Sabotage
sabotage[2] ['sæbətɑːʒ] sabotieren
sabre ['seɪbə] *bes. BE* Säbel
sack[1] [sæk] **1.** Sack **2.** ***give someone the sack*** *umg.* (≈ *entlassen*) jemanden rausschmeißen; ***get the sack*** *umg.* rausgeschmissen werden **3.** ***hit the sack*** *umg.* (≈ *schlafen gehen*) sich aufs Ohr *oder* in die Falle hauen
sack[2] [sæk] ***sack someone*** *umg.* (≈ *entlassen*) jemanden rausschmeißen
sackcloth ['sæk‿klɒθ] Sackleinen
sackrace ['sækreɪs] Sackhüpfen
sacrament ['sækrəmənt] *kirchlich*: Sakrament
sacred ['seɪkrɪd] **1.** *Musik usw.*: geistlich, sakral **2.** heilig (***to someone*** jemandem)
sacrifice[1] ['sækrɪfaɪs] Opfer (*auch übertragen*)
sacrifice[2] ['sækrɪfaɪs] opfern (***to someone*** *oder* ***something*** jemandem *oder* einer Sache)
sacrilege ['sækrəlɪdʒ] *allg.*: Frevel, Sakrileg
sad [sæd], ***sadder, saddest*** **1.** *allg.*: traurig **2.** *Verlust*: schmerzlich **3.** *Irrtum usw.*: bedauerlich; ***sad to say*** bedauerlicherweise, leider
sadden ['sædn] traurig machen, betrüben
saddle[1] ['sædl] **1.** (Reit)Sattel **2.** *von Fahrrad*: (Fahrrad)Sattel
saddle[2] ['sædl] satteln (*Pferd*)
sadism ['seɪdɪzm] Sadismus
sadist ['seɪdɪst] Sadist(in)
sadistic [sə'dɪstɪk] sadistisch
sadly ['sædlɪ] **1.** traurig **2.** bedauerlicherweise, leider
sadness ['sædnəs] Traurigkeit
SAE [ˌeseɪ'iː] **1.** (*Abk. für* **s**tamped **a**ddressed **e**nvelope) frankierter Rückumschlag **2.** (*Abk. für* **s**elf **a**ddressed **e**nvelope) adressierter Rückumschlag
safari [sə'fɑːrɪ] Safari
safari park [sə'fɑːrɪ‿pɑːk] Safaripark
safe[1] [seɪf] **1.** (≈ *außer Gefahr*) sicher, in Sicherheit (***from*** vor); ***be safe*** in Sicherheit sein **2.** unverletzt; ***he arrived safely*** er ist gut angekommen; **3.** ungefährlich, sicher; ***not safe*** gefährlich **4.** ***keep something in a safe place*** etwas an einem sicheren Ort aufbewahren **5.** *Arbeitsplatz usw.*: sicher **6.** ***it's safe to say*** man kann mit Sicherheit sagen **7.** ***to be on the 'safe side*** um ganz sicher zu gehen
safe[2] [seɪf] Safe, Tresor, Geldschrank
safe-deposit box ['seɪfdɪˌpɒzɪt‿bɒks] Bankschließfach, *in Hotel usw.*: Tresorfach
safeguard[1] ['seɪfgɑːd] Schutz (***against*** gegen, vor)
safeguard[2] ['seɪfgɑːd] schützen (***against, from*** gegen, vor)
safety ['seɪftɪ] Sicherheit
safety belt ['seɪftɪ‿belt] Sicherheitsgurt; ☞ ***seat belt***
safety curtain ['seɪftɪˌkɜːtn] *im Theater*: eiserner Vorhang
safety glass ['seɪftɪ‿glɑːs] Sicherheitsglas
safety island ['seɪftɪˌaɪlənd] *AE* Verkehrsinsel
safety lock ['seɪftɪ‿lɒk] Sicherheitsschloss
safety measure ['seɪftɪˌmeʒə] Sicherheitsmaßnahme
safety net ['seɪftɪ‿net] **1.** *im Zirkus usw.*: Fangnetz **2.** *übertragen* Sicherheitsnetz
safety pin ['seɪftɪ‿pɪn] Sicherheitsnadel
safety precaution ['seɪftɪ‿prɪˌkɔːʃn] Sicherheitsvorkehrung
sag [sæg], ***sagged, sagged*** **1.** (*Dach usw.*) sich senken **2.** (*Ärmel usw.*) (herab)hängen **3.** *übertragen* sinken, (*Interesse usw.*) nachlassen
Sagittarius [ˌsædʒɪ'teərɪəs] *Sternzeichen*: Schütze
said [sed] *2. und 3. Form von* → ***say***[1]
sail[1] [seɪl] **1.** Segel; ***set sail*** *Schiff*: auslaufen (***for*** nach) **2.** *Unternehmung*: Segelfahrt
sail[2] [seɪl] **1.** (*Schiff*) fahren, segeln (*auch übertragen*); ***go sailing*** segeln gehen **2.** durchsegeln, befahren (*Meer usw.*) **3.** segeln (*Boot*), steuern (*Schiff*) **4.** (*Schiff*)

auslaufen (***for*** nach) **5.** gleiten; ***she sailed into the room*** sie schwebte ins Zimmer; ***sail through an examination*** eine Prüfung spielend schaffen (⚠ *nicht* ***durchsegeln***)

sailboat ['seɪlbəʊt] *AE* Segelboot

sailing ['seɪlɪŋ] Segeln, Segelsport

sailing boat ['seɪlɪŋ‿bəʊt] *bes. BE* Segelboot

sailing ship ['seɪlɪŋ‿ʃɪp] Segelschiff

sailor ['seɪlə] Seemann, Matrose

saint [seɪnt] **1.** Heilige(r) **2.** (⚠ *vor Eigennamen* ***Saint***, *Abk.* ***St*** [snt]) ***St Andrew*** der heilige Andreas

sake [seɪk] ***for the sake of*** um … willen, … zuliebe; ***for your sake*** dir zuliebe, deinetwegen; ***for God's*** (***goodness, heaven's***) ***sake!*** *umg.* um Gottes willen!

salad ['sæləd] Salat (⚠ *Kopfsalat* = ***lettuce***)

salad cream ['sæləd‿kriːm] Salatmajonäse

salad dressing ['sæləd͵dresɪŋ] Salatsoße

salami [sə'lɑːmɪ] Salami

salaried ['sælərɪd] ***salaried employee*** Gehaltsempfänger(in), Angestellte(r)

salary ['sælərɪ] (≈ *Verdienst*) Gehalt

sale [seɪl] **1.** Verkauf; ***for sale*** zu verkaufen; ***not for sale*** unverkäuflich; ***be on sale*** (*Ware*) verkauft werden, erhältlich sein, *auch*: reduziert sein; ***put up for sale*** zum Verkauf anbieten; ***be up for sale*** zum Verkauf stehen **2.** *im Laden*: Schlussverkauf **3.** Auktion, Versteigerung

saleable ['seɪləbl] *bes. BE* verkäuflich (*Waren*)

salesclerk ['seɪlzklɑːk] *AE* (Laden)Verkäufer(in)

sales conference ['seɪlz͵kɒnfrəns] Vertretertagung

sales figures ['seɪlz͵fɪgəz] *Pl.* Verkaufszahlen

salesgirl ['seɪlzgɜːl] *oft abwertend* (Laden)Verkäufer(in)

salesman ['seɪlzmən] *Pl.*: ***salesmen*** ['seɪlzmən] **1.** Verkäufer **2.** (Handels)Vertreter

sales rep ['seɪlz‿rep], **sales representative** ['seɪlz‿reprɪ͵zentətɪv] Handelsvertreter(in)

sales slip ['seɪlz‿slɪp] *AE* Kassenbeleg

saleswoman ['seɪlz͵wʊmən] *Pl.*: ***saleswomen*** ['seɪlzwɪmɪn] **1.** Verkäuferin **2.** (Handels)Vertreterin

saliva [⚠ sə'laɪvə] Speichel

salmon [⚠ 'sæmən] Lachs

salmonella [͵sælmə'nelə] *Sg. Medizin*: Salmonellen *Pl.*; ***salmonella poisoning*** Salmonellenvergiftung, Salmonellose

salon [⚠ 'sælɒn] (Friseur)Salon, (Schönheits)Salon

saloon [sə'luːn] **1.** *auch* ***saloon car*** *BE* Limousine **2.** *AE*; *Wilder Westen*: Saloon

salt[1] [sɔːlt] **1.** Salz **2.** ***take something with a grain*** (*oder* ***pinch***) ***of salt*** *übertragen* etwas nicht für bare Münze nehmen

salt[2] [sɔːlt] **1.** salzen **2.** (mit Salz) streuen (*Straße usw.*)

salt cellar ['sɔːlt͵selə] *BE* Salzstreuer

salt-free ['sɔltfriː] salzlos

salt shaker ['sɔːlt͵ʃeɪkə] *AE* Salzstreuer

salty ['sɔːltɪ] salzig

salutary ['sæljʊtərɪ] *Erfahrung usw.*: heilsam, lehrreich

salutation [͵sælju:'teɪʃn] **1.** Begrüßung, Gruß **2.** Anrede (*im Brief*)

salute[1] [sə'luːt] **1.** *militärisch*: salutieren (vor) **2.** (be)grüßen

salute[2] [sə'luːt] **1.** *militärisch*: Ehrenbezeigung **2.** *militärisch*: Salut; ***a 21-gun salute*** 21 Salutschüsse

salvage ['sælvɪdʒ] bergen (***from*** aus)

salvation [sæl'veɪʃn] **1.** Rettung **2.** *kirchlich*: (Seelen)Heil, Erlösung **3.** ***Salvation Army*** Heilsarmee

salvo ['sælvəʊ] *Pl.*: ***salvos*** *oder* ***salvoes*** *militärisch*: Salve (*auch übertragen*)

same [seɪm] **1.** ***the same*** derselbe, dieselbe, dasselbe, der *oder* die *oder* das Gleiche; ***the film of the same name*** der gleichnamige Film **2.** ***amount*** (*oder* ***come***) ***to the same thing*** auf dasselbe hinauslaufen **3.** ***all*** (*oder* ***just***) ***the same*** dennoch, trotzdem **4.** ***it's all the same to me*** es ist mir ganz egal **5.** (***the***) ***same again*** noch mal das Gleiche **6.** ***same as usual*** *umg.* so wie immer **7.** ***we both get paid the same*** wir bekommen beide gleich viel Geld

same-sex [͵seɪm'seks] ***same-sex relationship*** gleichgeschlechtliche Beziehung; ***same-sex marriage*** *oder* ***union*** gleichgeschlechtliche Ehe

sample[1] ['sɑːmpl] **1.** Muster, Probe (*auch Urinprobe*); ***sample bottle*** Probefläschchen **2.** Kostprobe (***of***; *dt. Genitiv*), *übertragen* (typisches) Beispiel (***of*** für)

sample[2] ['sɑːmpl] kosten, probieren

sanatorium [͵sænə'tɔːrɪəm] *Pl.*: ***sanatoriums*** *oder* ***sanatoria*** [͵sænə'tɔːrɪə] Sanatorium

sanction ['sæŋkʃn] **1.** ***sanctions*** *Pl.* Sanktionen; ***take sanctions against*** *oder* ***impose sanctions on*** Sanktionen verhängen über **2.** Billigung, Zustimmung

sanctuary ['sæŋktʃʊərɪ] **1.** Schutzgebiet (*für Tiere*) **2.** Zuflucht; ***seek sanctuary with*** Zuflucht suchen bei

S

sand [sænd] **1.** Sand **2.** ***sands*** *Pl.* Sand(fläche), Sandstrand
sandal ['sændl] Sandale
sandbank ['sændbæŋk] Sandbank
sandbox ['sændbɒks] *AE* Sandkasten
sandcastle ['sændˌkɑːsl] Sandburg
sand dune ['sænd‿djuːn] Sanddüne
sandman ['sændmæn] Sandmann
sandpaper ['sændˌpeɪpə] Sandpapier
sandpit ['sændpɪt] *bes. BE* Sandkasten
sandstorm ['sændstɔːm] Sandsturm
sandwich [⚠ 'sænwɪdʒ] Sandwich

sandwiches

Sandwiches (entweder größere belegte Brötchen oder zwei Scheiben Brot mit Füllung) sind ein einfaches Essen zwischendurch. Häufig begegnet man z. B. dem **club sandwich** (zwei Schichten mit Salat, Speck und Hähnchenbruststreifen), dem **BLT** – **bacon lettuce and tomato** (Frühstücksspeck, Kopfsalat und Tomate) oder – etwas edler – **smoked salmon and cucumber** (Räucherlachs mit Salatgurkenscheiben).

sandy ['sændɪ] **1.** sandig, voller Sand; ***sandy beach*** Sandstrand **2.** *Haar*: rotblond
sane [seɪn] **1.** *Person*: geistig gesund, *im rechtlichen Sinn*: zurechnungsfähig **2.** *Lösung*: vernünftig
sang [sæŋ] *2. Form von* → ***sing***
sanitarium [ˌsænə'teərɪəm] *Pl.*: ***sanitariums*** *oder* ***sanitaria*** [ˌsænɪ'teərɪə] *AE* Sanatorium; ☞ ***sanatorium***
sanitary ['sænətrɪ] hygienisch, Gesundheits…; ***sanitary facilities*** *Pl.* sanitäre Einrichtungen; ***sanitary pad*** *oder* ***sanitary towel*** *BE oder* ***sanitary napkin*** *AE* (Damen)Binde
sanity ['sænətɪ] **1.** geistige Gesundheit, *im rechtlichen Sinn*: Zurechnungsfähigkeit **2.** ***lose one's sanity*** verrückt werden
sank [sæŋk] *2. Form von* → ***sink***[1]
Santa ['sæntə], **Santa Claus** ['sæntə‿klɔːz] der Weihnachtsmann, der Nikolaus

Santa

In Großbritannien und in den USA kommt der Weihnachtsmann in der Nacht zum 25. Dezember, und zwar durch den Schornstein.

sap[1] [sæp] **1.** *in Pflanzen*: Saft **2.** *umg.* Einfaltspinsel, Trottel
sap[2] [sæp] **1.** *körperlich*: schwächen **2.** *übertragen* schwächen, untergraben (*Zuversicht, Vertrauen usw.*)
sapphire ['sæfaɪə] Saphir
sarcasm ['sɑːkæzm] Sarkasmus
sarcastic [sɑː'kæstɪk] sarkastisch
sarcophagus [⚠ sɑː'kɒfəgəs] *Pl.*: ***sarcophagi*** [⚠ sɑː'kɒfəgaɪ] *oder* ***sarcophaguses*** Sarkophag
sardine [ˌsɑː'diːn] Sardine
SASE [ˌeseɪes'iː] *AE* (*Abk. für* self **a**ddressed **s**tamped **e**nvelope) frankierter Rückumschlag
sash window [ˌsæʃ'wɪndəʊ] Schiebefenster
sat [sæt] *2. und 3. Form von* → ***sit***
Satan ['seɪtn] Satan
satchel ['sætʃl] (Schul)Ranzen
satellite ['sætəlaɪt] **1.** Satellit; ***satellite dish*** Parabolantenne; ***live from New York via satellite*** live über Satellit aus New York **2.** *auch* ***satellite state*** Satellit (-enstaat) **3.** *auch* ***satellite town*** Satellitenstadt
satin ['sætɪn] Satin
satire ['sætaɪə] Satire (***on*** auf)
satirical [sə'tɪrɪkl] satirisch
satisfaction [ˌsætɪs'fækʃn] **1.** Befriedigung, Zufriedenstellung **2.** ***satisfaction*** (***at, with***) Zufriedenheit (mit), Genugtuung (über); ***to her*** *usw.* ***satisfaction*** zu ihrer *usw.* Zufriedenheit
satisfactory [ˌsætɪs'fæktərɪ] befriedigend, zufriedenstellend
satisfy ['sætɪsfaɪ] **1.** ***satisfy someone*** jemanden zufriedenstellen; ***be satisfied with*** zufrieden sein mit **2.** befriedigen (*Bedürfnisse, Neugier usw.*)
satisfying ['sætɪsfaɪɪŋ] **1.** befriedigend, erfreulich **2.** *Nahrung*: sättigend
saturate ['sætʃəreɪt] **1.** (durch)tränken (***with*** mit); ***saturated with*** (*oder* ***in***) ***blood*** blutgetränkt **2.** *Chemie* sättigen (*auch übertragen*)
saturation [ˌsætʃə'reɪʃn] Sättigung; ***saturation point*** *Chemie*: Sättigungspunkt; ***reach saturation point*** *übertragen* seinen Sättigungsgrad erreichen
Saturday ['sætədeɪ] Sonnabend, Samstag; ***on Saturday*** (am) Sonnabend *oder* Samstag; ***on Saturdays*** sonnabends, samstags
sauce [sɔːs] Soße (⚠ *Bratensoße* = ***gravy***)
saucepan ['sɔːspən] Kochtopf
saucer ['sɔːsə] Untertasse
saucy ['sɔːsɪ] *bes. BE*; *Bemerkung, Witz usw.*: schlüpfrig, anzüglich
Saudi Arabia [ˌsaʊdɪ‿ə'reɪbɪə] Saudi-Arabien
sauna ['sɔːnə] Sauna; ***have a sauna*** in die Sauna gehen

S

saunter ['sɔːntə] bummeln, schlendern
sausage ['sɒsɪdʒ] Wurst
savage[1] ['sævɪdʒ] **1.** *Tier usw.*: wild **2.** *abwertend* unzivilisiert **3.** *Rache*: brutal
savage[2] ['sævɪdʒ] *abwertend* Wilde(r)
save [seɪv] **1.** retten (***from*** vor); ***save someone's life*** jemandem das Leben retten **2.** *auch* ***save up*** sparen (*Geld*) (***for*** für, auf) **3.** sparen, einsparen (*Geld, Zeit usw.*) **4.** aufheben, aufsparen (***for*** für); ***save something for someone*** jemandem etwas aufheben; ***save one's strength*** seine Kräfte schonen **5.** ersparen; ***you can save your excuses*** du kannst dir deine Ausreden sparen!; ***save someone doing something*** es jemandem ersparen, etwas zu tun **6.** *Computer*: abspeichern, sichern (*Daten*) **7.** ***save one's skin*** seine Haut retten
savings ['seɪvɪŋz] *Pl.* Ersparnisse; ***savings account*** Sparkonto; ***savings and loan association*** *AE* Bausparkasse; ***savings bank*** Sparkasse
saviour, *AE* **savior** ['seɪvjə] **1.** Retter(in) **2.** ***the Saviour*** *kirchlich*: der Heiland
savour, *AE* **savor** ['seɪvə] genießen; ***savour the moment*** den Augenblick genießen
savoury, *AE* **savory** ['seɪvərɪ] **1.** *Geschmack, Duft*: lecker **2.** (≈ *nicht süß*) herzhaft, pikant
saw[1] [sɔː] *2. Form von* → ***see***
saw[2] [sɔː] Säge
saw[3] [sɔː], ***sawed, sawn*** [sɔːn] *oder bes. AE* ***sawed*** sägen
sawdust ['sɔːdʌst] Sägemehl
sawmill ['sɔːmɪl] Sägewerk
sawn [sɔːn] *3. Form von* → ***saw***[3]
Saxon[1] ['sæksn] sächsisch
Saxon[2] ['sæksn] *Sprache*: Sächsisch
Saxon[3] ['sæksn] Sachse, Sächsin
Saxony ['sæksənɪ] Sachsen
Saxony-Anhalt [ˌsæksənɪ'ɑːnhɑːlt] Sachsen-Anhalt
saxophone ['sæksəfəʊn] Saxophon
say[1] [seɪ], ***said*** [sed], ***said*** [sed] **1.** *allg.*: sagen (***to*** zu) **2.** ***I can't say*** das kann ich nicht sagen; ***he didn't say*** er hats nicht gesagt **3.** annehmen; ***(let's) say this happens*** angenommen, das geschieht; ***if I save, say, £10 a month*** wenn ich, sagen wir mal, 10 Pfund im Monat spare **4.** ***they say he's very rich*** *oder* ***he's said to be very rich*** er soll sehr reich sein **5.** ***say a prayer*** beten **6.** *Wendungen*: ***you can say 'that again!*** das kannst du laut sagen!; ***you don't say!*** was du nicht sagst!; ***it goes without saying (that ...)*** es versteht sich von selbst (, dass ...); ***to say nothing of*** ganz zu schweigen von; ***that is to say ...*** das heißt ...; ***that's not to say that ...*** das soll nicht bedeuten *oder* heißen, dass ...; ***to say the least*** um es milde auszudrücken
say[2] [seɪ] **1.** Mitspracherecht (***in*** bei) **2.** ***have one's say*** seine Meinung äußern, zu Wort kommen; ***he's always got to have his say*** er muss immer seinen Senf dazu geben!
saying ['seɪɪŋ] Sprichwort, Redensart; ***as the saying goes*** wie man (so) sagt
scab [skæb] **1.** *Medizin*: Grind, Schorf **2.** *Tierkrankheit*: Räude **3.** *abwertend* Streikbrecher(in)
scabies ['skeɪbiːz] *Medizin*: Krätze
scaffold ['skæfəʊld] **1.** (Bau)Gerüst **2.** Schafott
scaffolding ['skæfəʊldɪŋ] (Bau)Gerüst
scald [skɔːld] **1.** ***scald oneself*** sich verbrühen **2.** ***scald one's fingers*** *usw.* sich die Finger *usw.* verbrühen (***with*** mit)
scale[1] [skeɪl] **1.** Skala, Gradeinteilung **2.** *Technik usw.*: Maßstab **3.** ***on a large scale*** in großem Umfang **4.** *Musik*: Skala, Tonleiter **5.** *bes. AE* Waage
scale[2] [skeɪl] *von Fisch usw.*: Schuppe
scales [skeɪlz] *Pl.*, *auch* ***pair of scales*** Waage
scalp [skælp] **1.** Kopfhaut **2.** *als Trophäe*: Skalp (*auch übertragen*)
scalpel ['skælpl] *Medizin*: Skalpell
scan [skæn], ***scanned, scanned*** **1.** absuchen (***for*** nach) **2.** *Radar*: abtasten **3.** *Computer*: scannen, einscannen, einlesen (*Grafik, Text*)
scandal ['skændl] **1.** Skandal **2.** (≈ *Skandalgeschichten*) Klatsch
scandalize ['skændlaɪz] ***he was scandalized*** er war empört *oder* entrüstet (***by, at*** über; ***to hear*** als er hörte)
scandalmonger ['skændlˌmʌŋgə] Lästermaul, Klatschmaul
scandalous ['skændləs] skandalös
Scandinavia [ˌskændɪ'neɪvɪə] Skandinavien
Scandinavian[1] [ˌskændɪ'neɪvɪən] skandinavisch
Scandinavian[2] [ˌskændɪ'neɪvɪən] Skandinavier(in)
scanner ['skænə] *Computer*: Scanner
scant [skænt] dürftig, *Chance usw.*: gering
scanty ['skæntɪ] dürftig, *Kleidung*: knapp
scar [skɑː] Narbe
scarce [⚠ skeəs] **1.** *Ware*: knapp **2.** selten **3.** ***make oneself scarce*** *umg.* sich aus dem Staub machen

scarcely [⚠ 'skeəslɪ] kaum, schwerlich

scare[1] [skeə] ***scare someone*** jemanden erschrecken; ***be scared*** Angst haben (***of*** vor); ***be scared stiff*** (*oder* ***to death***) eine Heidenangst haben

> **scare away** [ˌskeər‿ə'weɪ] verjagen
> **scare off** [ˌskeər'ɒf] **1.** verjagen, verscheuchen **2.** ***scare someone off*** *übertragen* jemanden abschrecken

scare[2] [skeə] **1.** Schreck(en) **2.** ***bomb scare*** Bombenalarm

scarecrow ['skeəkrəʊ] Vogelscheuche

scaremonger ['skeəˌmʌŋgə] Panikmacher(in)

scaremongering ['skeəˌmʌŋgərɪŋ] Panikmache

scarf [skɑːf] *Pl.*: ***scarfs*** *oder* ***scarves*** [skɑːvz] **1.** Schal **2.** *Tuch*: Halstuch **3.** *auch* ***headscarf*** Kopftuch

scarlet ['skɑːlət] **1.** *Farbe*: scharlachrot **2.** ***he went scarlet*** er wurde hochrot

scarlet fever [ˌskɑːlət'fiːvə] *Medizin*: Scharlach

scarves [skɑːvz] *Pl. von →* ***scarf***

scary ['skeərɪ] *umg.*; *Geschichte usw.*: unheimlich, gruselig

scathing ['skeɪðɪŋ] *Kritik usw.*: scharf, vernichtend

scatter ['skætə] **1.** (*Menge*) sich zerstreuen, (*Vögel*) auseinander stieben **2.** zerstreuen (*Menge*), auseinander scheuchen (*Vögel*) **3.** *auch* ***scatter about*** *oder* ***around*** verstreuen, ausstreuen

scatterbrain ['skætəbreɪn] *umg.* Schussel

scatterbrained ['skætəbreɪnd] *umg.* schusselig, schusslig

scattered ['skætəd] ***scattered showers*** vereinzelt Schauer

scavenger ['skævɪndʒə] *Tier*: Aasfresser

scenario [sə'nɑːrɪəʊ] *Film, Theater, TV*: Szenario (*auch übertragen*)

scene [siːn] **1.** *allg.*: Szene; ***change of scene*** Szenenwechsel, *übertragen* Tapetenwechsel **2.** *Theater usw.*: Kulisse **3.** *Theater, Roman usw.*: Ort der Handlung **4.** Schauplatz; ***scene of the accident*** Unfallort; ***be on the scene*** zur Stelle sein **5.** Szene, Anblick; ***scene of destruction*** Bild der Zerstörung **6.** ***make a scene*** (jemandem) eine Szene machen **7.** *umg.* …szene; ***drug scene*** Drogenszene **8.** ***behind the scenes*** hinter den Kulissen **9.** ***come on(to) the scene*** auf der Bildfläche erscheinen

scene:
Tipps zur Aussprache

Keine große **scene**, aber ein total ungewohntes Hörerlebnis!

Szene = **scene**, Szenario = **scenario**, ist ja klar! Aber Schere = **scissors**?

Und jetzt die Aussprache:

scenario [sə'nɑːrɪəʊ], **scene** [siːn], **sceptre** *oder* **scepter** [*beide*: 'septə], **descend** [dɪ'send]

science ['saɪəns], **scientific** [ˌsaɪən'tɪfɪk], **scientist** ['saɪəntɪst], **scissors** ['sɪzəz]

sc- am Wortanfang, gefolgt von **e** oder **i**, sagt dir also, dass die *beiden* Buchstaben wie [s] gesprochen werden.

Aber keine Regel ohne Ausnahme: **sceptic** ['skeptɪk], **sceptical** ['skeptɪkl], **scepticism** ['skeptɪsɪzm] wird mit [sk] gesprochen!

scenery ['siːnərɪ] **1.** Landschaft, Gegend **2.** *Theater*: Bühnenbild, Kulissen

scenic ['siːnɪk] *Landschaft*: malerisch

scent[1] [sent] **1.** Duft, Geruch **2.** *bes. BE* Parfüm

scent[2] [sent] wittern (*auch übertragen*)

scepter ['septə] *AE* Zepter; ☞ *BE* ***sceptre***

sceptical [⚠ 'skeptɪkl] *BE* skeptisch; ***be sceptical about*** (*oder* ***of***) ***something*** einer Sache skeptisch gegenüberstehen

sceptre ['septə] *bes. BE* Zepter

schedule[1] ['ʃedjuːl, *AE* 'skedʒuːl] **1.** Zeitplan, Programm **2.** Aufstellung, Verzeichnis **3.** *bes. AE* Fahrplan, Flugplan **4.** ***three months ahead of schedule*** drei Monate früher als vorgesehen; ***be behind schedule*** Verspätung haben, *auch*: im Verzug sein; ***on schedule*** (fahr)planmäßig, pünktlich

schedule[2] ['ʃedjuːl, *AE* 'skedʒuːl] ansetzen (*Termin*) (***for*** auf, für); ***scheduled departure*** *Flugzeug*: planmäßiger Abflug; ***scheduled flight*** Linienflug

scheme[1] [skiːm] **1.** *bes. BE* (≈ *Plan*) Programm, Projekt **2.** *für Klassifizierung*: Schema, System **3.** *im negativen Sinn*: (schlauer) Plan, *gegen eine Person*: Intrige

scheme[2] [skiːm] einen Plan aushecken, *gegen Person*: intrigieren (***against*** gegen)

schizophrenia [ˌskɪtsə'friːnɪə] *Medizin*: Schizophrenie, Bewusstseinsspaltung

schizophrenic[1] [ˌskɪtsəˈfrenɪk] *Medizin*: schizophren (*auch übertragen*: *Situation usw.*)
schizophrenic[2] [ˌskɪtsəˈfrenɪk] *Medizin*: Schizophrene(r)
schmaltz, schmalz [ʃmɔːlts] *umg., abwertend* Schmalz (*bes. Musik*)
schmaltzy [ˈʃmɔːltsɪ] *umg., abwertend* schmalzig
schmooze [ʃmuːz] *AE, umg.* plaudern
schnapps [ʃnæps] Schnaps
schnitzel [ˈʃnɪtsl] Wiener Schnitzel
scholar [⚠ ˈskɒlə] **1.** Gelehrte(r) **2.** Schüler(in), Student(in); ***she's an excellent scholar*** sie ist eine ausgezeichnete Schülerin (*oder* Studentin) **3.** Stipendiat(in)
scholarly [⚠ ˈskɒləlɪ] **1.** *Person*: gelehrt **2.** *Zeitschrift usw.*: wissenschaftlich
scholarship [⚠ ˈskɒləʃɪp] **1.** *an Universität*: Stipendium **2.** Gelehrsamkeit
school[1] [skuːl] **1.** *allg.*: Schule; ***at*** (*AE* ***in***) ***school*** auf *oder* in der Schule; ***go to school*** zur Schule gehen; ***there's no school today*** heute ist schulfrei; ***school outing*** Schulausflug **2.** *AE* Hochschule; ***go to law*** (*bzw.* ***medical***) ***school*** Jura (*bzw.* Medizin) studieren **3.** *an Universität*: Fachbereich, Fakultät, *im engeren Sinn*: Institut
school[2] [skuːl] Schwarm (*Heringe usw.*)
school age [ˈskuːl‿eɪdʒ] schulpflichtiges Alter, Schulalter; ***be of school age*** schulpflichtig *oder* im schulpflichtigen Alter sein
school bag [ˈskuːl‿bæg] Schultasche
schoolboy [ˈskuːlbɔɪ] Schüler
school bus [ˈskuːl‿bʌs] Schulbus
schoolchild [ˈskuːl‿tʃaɪld] *Pl.*: ***schoolchildren*** [ˈskuːlˌtʃɪldrən] Schulkind
school days [ˈskuːl‿deɪz] *Pl.* Schulzeit
schoolgirl [ˈskuːlgɜːl] Schülerin
school-leaver [ˌskuːlˈliːvə] Schulabgänger(in)
schoolmate [ˈskuːlmeɪt] Mitschüler(in)
school report [ˈskuːl‿rɪˌpɔːt] *BE* Schulzeugnis
schoolteacher [ˈskuːlˌtiːtʃə] Lehrer(in)
schoolyard [ˈskuːljɑːd] Schulhof
science [ˈsaɪəns] **1.** *auch* ***natural science*** Naturwissenschaft(en) **2.** *übertragen* Kunst, Lehre **3.** ***domestic science*** Hauswirtschaftslehre
science fiction [ˌsaɪənsˈfɪkʃn] Sciencefiction
science park [ˈsaɪəns‿pɑːk] Technologiepark
scientific [ˌsaɪənˈtɪfɪk] **1.** *Forschung usw.*: (natur)wissenschaftlich **2.** *Vorgehensweise*: exakt
scientist [ˈsaɪəntɪst] Naturwissenschaftler (-in)
sci-fi [ˌsaɪˈfaɪ] *umg.* Sciencefiction
scissors [⚠ ˈsɪzəz] *Pl., auch* ***pair of scissors*** Schere; ***the scissors are blunt*** die Schere ist stumpf
scold [skəʊld] ausschelten (***for*** wegen)
scolding [ˈskəʊldɪŋ] Schelte; ***give someone a scolding*** jemanden ausschel- ten
scone [skɒn, skəʊn] *kleiner runder Kuchen, der mit Butter gegessen wird*
scoop [skuːp] **1.** Schöpfkelle, Schaufel (*für Mehl usw.*) **2.** Portionierer (*für Eis*) **3.** Kugel (*Eis*) **4.** *Presse*: Exklusivmeldung

> **scoop out** [ˌskuːpˈaʊt] herausschöpfen, herausschaufeln (***of*** aus)

scooter [ˈskuːtə] **1.** (Kinder)Roller, (CH) Trottinett **2.** (Motor)Roller
scope [skəʊp] **1.** Bereich; ***be beyond the scope of*** den Rahmen (+ *Genitiv*) sprengen **2.** (Spiel)Raum (***for*** für)
scorch [skɔːtʃ] versengen, verbrennen
scorcher [ˈskɔːtʃə] *umg.* glühend heißer Tag
scorching [ˈskɔːtʃɪŋ] *umg.* glühend heiß
score[1] [skɔː] **1.** (Spiel)Stand, (Spiel)Ergebnis; ***what's the score?*** wie stehts?; ***what was the final score?*** wie ging das Spiel aus?; ***half-time scores*** Halbzeitergebnisse **2.** *Musik*: Partitur, Musik (*zu einem Film usw.*) **3.** ***on that score*** in dieser Hinsicht **4.** ***have a score to settle with someone*** mit jemandem ein Hühnchen zu rupfen haben; ***settle old scores*** eine alte Rechnung begleichen; ☞ ***scores***
score[2] [skɔː] **1.** *Sport*: einen Treffer erzielen, ein Tor schießen **2.** *Sport*: erzielen (*Treffer*), schießen (*Tor*); ***score a goal*** ein Tor schießen **3.** Erfolg haben (***with*** mit)
scoreboard [ˈskɔːbɔːd] *Sport*: Anzeigetafel
scorer [ˈskɔːrə] *Sport*: Torschütze
scores [skɔːz] *Pl.* ***scores of*** viele
scorn [skɔːn] Verachtung (***for*** für)
scornful [ˈskɔːnfl] verächtlich
Scorpio [ˈskɔːpɪəʊ] *Sternzeichen*: Skorpion
scorpion [ˈskɔːpɪən] *Tier*: Skorpion
Scot [skɒt] Schotte, Schottin
Scotch[1] [skɒtʃ] schottisch (*Whisky usw.*) (⚠ *nicht in Bezug auf Personen*)
Scotch[2] [skɒtʃ] (schottischer) Whisky

S

Scotch, Scots oder Scottish?

Scots bezeichnet in erster Linie die Leute und ihre Sprache:
the Scots language, the Scots people

Scottish bezieht sich hauptsächlich auf Land und Leute sowie deren Traditionen und Produkte:

the Scottish Highlands, the Scottish New Year, Scottish woollens (Wollsachen), **Scottish history**

Scotch wird nur in Zusammenhang mit bestimmten traditionellen Produkten verwendet und gilt ansonsten als altmodisch und sogar beleidigend:

Scotch whisky, Scotch beef, Scotch broth (*dicke Suppe aus Hammelfleisch- oder Rinderbrühe, Gemüse und Gerstengraupen*), **Scotch egg** (*hart gekochtes Ei in paniertem Wurstbrät*), **Scotch terrier**.

Von allen drei Adjektiven wird **Scottish** am häufigsten verwendet.

Scotch tape® [ˌskɒtʃ'teɪp] *AE*, *etwa*: Tesafilm®, (durchsichtiges) Klebeband
scotch-tape [ˌskɒtʃ'teɪp] *AE* mit Klebeband zusammenkleben
scot-free [ˌskɒt'friː] ***get off scot-free*** ungeschoren davonkommen
Scotland ['skɒtlənd] Schottland; ☞ *Karte S. 293*
Scots [skɒts] schottisch; ***the Scots*** die Schotten
Scotsman ['skɒtsmən] *Pl.*: ***Scotsmen*** ['skɒtsmən] Schotte
Scotswoman ['skɒtsˌwʊmən] *Pl.*: ***Scotswomen*** ['skɒtsˌwɪmɪn] Schottin
Scottish ['skɒtɪʃ] schottisch; ***the Scottish*** die Schotten

The Scottish Executive

The Scottish Executive (die schottische Exekutive) ist die im Rahmen der britischen Dezentralisierungspolitik entstandene Regionalregierung für Schottland. Sie hat für bestimmte Bereiche die politische Entscheidungskompetenz, z. B. für Bildungs-, Familien- und Gesundheitspolitik, Kommunalverwaltung, Landwirtschaft sowie Justiz. Die schottische Exekutive wurde als Resultat eines Referendums (1997) und eines nachfolgenden Gesetzes (**Scotland Act** 1998) im Jahre 1999 etabliert. Sie wird von einem **First Minister** geführt, der die anderen Minister ernennt und der dem schottischen Parlament verantwortlich ist.

scoundrel ['skaʊndrəl] Schurke, Schuft
scour[1] ['skaʊə] absuchen (*Gegend usw.*) (***for*** nach)
scour[2] ['skaʊə] scheuern, ⓒⓗ fegen (*Topf usw.*)
scout [skaʊt] **1.** *oft* ***boy scout*** Pfadfinder; ***girl scout*** *AE* Pfadfinderin **2.** *militärisch*: Späher **3.** (***talent***) ***scout*** Talentsucher
scowl [skaʊl] ein böses Gesicht machen
scram [skræm] *umg.*; *mst.* ***scram!*** hau(t) ab!, verschwinde(t)!, zieh(t) Leine!
scramble[1] ['skræmbl] **1.** klettern **2.** drängen (nach), sich drängeln (*um einen Platz, um Jobs usw.*)
scramble[2] ['skræmbl] Gedrängel
scrambled eggs [ˌskræmbld'egz] *Pl.* Rührei(er)
scrap[1] [skræp] **1.** Stückchen, Fetzen **2.** ***scraps*** *Pl.* (Speise)Reste **3.** *auch* ***scrap metal*** Schrott; ***it was sold for scrap*** es wurde verschrottet
scrap[2] [skræp], ***scrapped, scrapped*** **1.** ausrangieren (*Unbrauchbares*) **2.** aufgeben (*Plan usw.*) **3.** verschrotten (*Auto usw.*)
scrap[3] [skræp] *umg.* Streiterei, Balgerei
scrap[4] [skræp], ***scrapped, scrapped*** *umg.* sich streiten, sich balgen
scrapbook ['skræpbʊk] Sammelalbum
scrape[1] [skreɪp] **1.** (ab)kratzen, (ab)schaben (***from*** von) **2.** sich aufschürfen (*Knie usw.*) (***on*** auf) **3.** scheuern (***against*** an) **4.** ankratzen (*Auto usw.*) **5.** ***scrape a living*** *übertragen* sich gerade so über Wasser halten

scrape by [ˌskreɪp'baɪ] *übertragen* über die Runden kommen (***on*** mit)
scrape off [ˌskreɪp'ɒf] abkratzen (von)
scrape through [ˌskreɪp'θruː] ***scrape through an examination*** mit Ach und Krach durch eine Prüfung kommen
scrape together [ˌskreɪp‿tə'geðə] zusammenkratzen (*Geld*)

scrape[2] [skreɪp] *umg.* ***get into a scrape*** in Schwulitäten kommen
scrapheap ['skræphiːp] Schrotthaufen; ***be on the scrapheap*** *übertragen* zum alten Eisen gehören

S

scrap paper ['skræpˌpeɪpə] *bes. BE* Schmierpapier
scrap value ['skræpˌvæljuː] Schrottwert
scrapyard ['skræpjɑːd] Schrottplatz
scratch[1] [skrætʃ] **1.** (zer)kratzen, ankratzen (*Wagen usw.*) **2.** kratzen (***at*** an) **3.** (sich) kratzen; ***scratch one's head*** *usw.* sich am Kopf *usw.* kratzen **4.** *Rap*, *Hip-Hop*: scratchen
scratch[2] [skrætʃ] **1.** Kratzer, Schramme **2.** ***start from scratch*** ganz von vorn anfangen
scratchcard ['skrætʃkɑːd] Rubbellos
scratchy ['skrætʃɪ] *Pullover usw.*: kratzig
scrawl[1] [skrɔːl] (hin)kritzeln
scrawl[2] [skrɔːl] **1.** Gekritzel **2.** *Handschrift*: Klaue
scrawny ['skrɔːnɪ] *Mensch*: dürr
scream[1] [skriːm] schreien (***with*** vor)
scream[2] [skriːm] **1.** Schrei **2.** ***it's a scream*** *umg.* das ist zum Schreien (komisch)
screech [skriːtʃ] **1.** kreischen (*auch Bremsen*) **2.** ***screech to a halt*** (*Auto usw.*) quietschend zum Stehen kommen
screen[1] [skriːn] **1.** *TV usw.*: (Bild)Schirm; ***screen saver*** *Computer*: Bildschirmschoner **2.** *Film*: Leinwand, *auch übertragen* Kino **3.** Wandschirm
screen[2] [skriːn] **1.** abschirmen, schützen **2.** zeigen (*Film*), senden (*Programm*) **3.** ***screen someone*** *übertragen* jemanden überprüfen, *medizinisch*: jemanden untersuchen
screenager ['skriːneɪdʒə] Computerfreak, Internetfreak
screenplay ['skriːnpleɪ] *Film*, *TV*: Drehbuch
screensaver ['skriːnˌseɪvə] *Computer*: Bildschirmschoner
screenwriter ['skriːnˌraɪtə] *Film*, *TV*: Drehbuchautor(in)
screw[1] [skruː] **1.** Schraube **2.** ***he's got a 'screw loose*** *umg.* bei ihm ist eine Schraube locker
screw[2] [skruː] **1.** (an)schrauben (***to*** an) **2.** ***screw something out of someone*** etwas aus jemandem herauspressen **3.** *vulgär* bumsen

> **screw together** [ˌskruː‿tə'geðə] zusammenschrauben
> **screw up** [ˌskruː'ʌp] **1.** zusammenkneifen (*Augen*), verziehen (*Gesicht*) **2.** zusammenknüllen (*Papier*) **3.** *umg.* vermasseln (*Plan usw.*)

screwball ['skruːbɔːl] *bes. AE*, *umg.* Spinner(in)
screwdriver ['skruːˌdraɪvə] Schraubenzieher
screw top [ˌskruː'tɒp] Schraubverschluss
screwy ['skruːɪ] *umg.* verrückt
scribble[1] ['skrɪbl] (hin)kritzeln
scribble[2] ['skrɪbl] Gekritzel
script [skrɪpt] **1.** *Film*, *TV*: Drehbuch, *Theater*: Text **2.** Manuskript (*einer Rede usw.*) **3.** ***Arabic*** *usw.* ***script*** arabische *usw.* Schrift
Scripture ['skrɪptʃə] *auch* ***the*** (***Holy***) ***Scriptures*** *Pl.* die (Heilige) Schrift
scroll [skrəʊl] *Computer*: scrollen, blättern (*am Bildschirm*)
scrooge [skruːdʒ] Geizhals
scrounge [skraʊndʒ] *umg.* schnorren (***off*** von, bei)
scrub[1] [skrʌb] **1.** schrubben, scheuern, Ⓒⓗ fegen (*Boden usw.*) **2.** *umg.* streichen (*Plan usw.*)
scrub[2] [skrʌb] Gebüsch, Gestrüpp
scrubber ['skrʌbə] **1.** Scheuerbürste, Schrubber **2** *BE*, *umg.* Flittchen
scruff [skrʌf] ***grab someone by the scruff of the neck*** jemanden am Genick packen
scruffy ['skrʌfɪ] *umg.* schmudd(e)lig, vergammelt
scrunch [skrʌntʃ] **1.** *auch* ***scrunch up*** zusammenknüllen (*Papier*) **2.** (*Schnee*, *Kies*) knirschen
scruple ['skruːpl] Skrupel; ***have no scruples about doing something*** keine Skrupel haben, etwas zu tun
scrutinize ['skruːtɪnaɪz] genau prüfen
scuba diving ['skuːbəˌdaɪvɪŋ] (Sport)Tauchen
scuffle[1] ['skʌfl] (sich) raufen (***for*** um)
scuffle[2] ['skʌfl] Rauferei, Handgemenge
sculptor ['skʌlptə] Bildhauer(in)
sculpture ['skʌlptʃə] **1.** Skulptur, Plastik **2.** *Kunstform*: Bildhauerei
scum [skʌm] **1.** Schaum **2.** *übertragen*, *abwertend* Abschaum
scurry ['skʌrɪ] (*Maus usw.*) huschen
sea [siː] **1.** Meer (*auch übertragen*), *die* See (⚠ *der* See = ***lake***); ***at sea*** auf See; ***by sea*** auf dem Seeweg; ***by the sea*** am Meer; ***go to sea*** zur See gehen **2.** ***be all at sea*** *übertragen* völlig ratlos sein
sea animal ['siːˌænɪml] Meerestier
sea bed ['siː‿bed] Meeresboden
seabird ['siːbɜːd] Seevogel
seafood ['siːfuːd] Meeresfrüchte *Pl.*
seafront ['siːfrʌnt] Strandpromenade, Uferpromenade
seagoing ['siːˌɡəʊɪŋ] *Yacht usw.*: hochseetüchtig, Hochsee…
seagull ['siːɡʌl] Seemöwe

S

seahorse ['siːhɔːs] Seepferdchen
seal[1] [siːl] Seehund, Robbe
seal[2] [siːl] **1.** *auf Dokument, Urkunde*: Siegel **2.** Versiegelung, *aus Metall*: Plombe
seal[3] [siːl] **1.** versiegeln **2.** zukleben (*Briefumschlag*) **3.** *übertragen* besiegeln (*Abkommen usw.*)
sea level ['siːˌlevl] Meeresspiegel; ***above sea level*** über dem Meeresspiegel
sea lion ['siːˌlaɪən] Seelöwe
seam [siːm] Naht
seaman ['siːmən] *Pl.*: ***seamen*** ['siːmən] Seemann
sea mile ['siː‿maɪl] Seemeile
seaplane ['siːpleɪn] Wasserflugzeug
seaport ['siːpɔːt] Seehafen, Hafenstadt
sea power ['siːˌpaʊə] *Staat*: Seemacht
search[1] [sɜːtʃ] **1.** suchen (***for*** nach) **2.** ***search someone*** *oder* ***something*** jemanden *oder* etwas durchsuchen (***for*** nach) **3.** ***search 'me!*** *umg.* keine Ahnung!

> **search through** ['sɜːtʃ‿θruː] durchsuchen

search[2] [sɜːtʃ] **1.** Suche (***for*** nach); ***in search of*** auf der Suche nach **2.** Durchsuchung (*durch die Polizei*)
search engine ['sɜːtʃˌendʒɪn] *Computer*: Suchmaschine
search function ['sɜːtʃˌfʌŋkʃn] *Computer*: Suchfunktion
search party ['sɜːtʃˌpɑːtɪ] Suchmannschaft, Suchtrupp
search warrant ['sɜːtʃˌwɒrənt] Durchsuchungsbefehl
searing ['sɪərɪŋ] *Hitze*: glühend, *Schmerz*: scharf
seashell ['siːʃel] Muschel(schale)
seashore ['siːʃɔː] Strand
seasick ['siːsɪk] seekrank
seasickness ['siːsɪknəs] Seekrankheit
seaside ['siːsaɪd] ***at*** *oder* ***by the seaside*** am Meer; ***go to the seaside*** ans Meer fahren; ***seaside resort*** Seebad
season[1] ['siːzn] **1.** Jahreszeit **2.** Saison, …zeit; ***holiday season*** Urlaubszeit **3.** ***cherries*** *usw.* ***are in season*** jetzt ist Kirschenzeit *usw.* **4.** ***Season's Greetings!*** *auf Karte*: Frohe Weihnachten!
season[2] ['siːzn] würzen (*Speise*)
seasonal ['siːznəl] saisonbedingt, Saison…
seasoning ['siːznɪŋ] Gewürz
season ticket ['siːznˌtɪkɪt] **1.** *Bahn usw.*: Zeitkarte **2.** *Theater*: Abonnement **3.** *Sport*: Jahreskarte
seat[1] [siːt] **1.** Sitz(gelegenheit), (Sitz)Platz; ***take a seat*** Platz nehmen; ***take one's seat*** seinen Platz einnehmen; ***back seat*** Rücksitz; ***front seat*** Vordersitz **2.** Sitz (-fläche) (*eines Stuhls usw.*) **3.** Hosenboden, Hinterteil **4.** Sitz (*einer Regierung usw.*)
seat[2] [siːt] **1.** ***be seated*** sitzen; ***please be seated*** bitte nehmen Sie Platz; ***remain seated*** sitzen bleiben **2.** ***the hall seats 500*** der Saal hat 500 Sitzplätze
seat belt ['siːt‿belt] *Auto usw.*: Sicherheitsgurt; ***fasten one's seat belt*** sich anschnallen; ***be wearing a seat belt*** angegurtet sein
seating ['siːtɪŋ] Sitzgelegenheit, Sitzgelegenheiten *Pl.*; ***a seating capacity of 20 000*** 20 000 Sitzplätze
sea urchin ['siːˌɜːtʃɪn] Seeigel
seaweed ['siːwiːd] (See)Tang
seaworthy ['siːˌwɜːðɪ] *Boot, Schiff*: seetüchtig
sec [sek] *umg.* Augenblick, Sekunde; ***just a sec*** Augenblick mal, bitte
seclude [sɪ'kluːd] (sich) absondern
secluded [sɪ'kluːdɪd] **1.** *Leben usw.*: zurückgezogen **2.** *Haus, Ortschaft usw.*: abgelegen
seclusion [sɪ'kluːʒn] Abgeschiedenheit; ***live in seclusion*** zurückgezogen leben
second[1] ['sekənd] **1.** zweite(r, -s); ***second hand*** aus zweiter Hand; ***a second time*** noch einmal; ***every second day*** jeden zweiten Tag, alle zwei Tage **2.** ***be second to none*** unerreicht sein (***as*** als) **3.** ***she finished second*** sie kam als Zweite ins Ziel
second[2] ['sekənd] *der, die, das* Zweite; ***the second of May*** der 2. Mai
second[3] ['sekənd] **1.** Sekunde (*auch Mathematik, Musik*) **2.** *übertragen* Augenblick, Sekunde; ***just a second*** Augenblick(, bitte)!; ***I won't be a second*** ich komme gleich (wieder); ***have you got a second?*** hast du einen Moment Zeit (für mich)?
secondary ['sekəndərɪ] **1.** zweitrangig, nebensächlich **2.** *Schule usw.*: höhere(r, -s)
secondary school ['sekəndərɪ‿skuːl] weiterführende Schule (*z.B. Gesamtschule*)
second best [ˌsekənd'best] zweitbeste(r, -s); ***come off second best*** den Kürzeren ziehen
second class [ˌsekənd'klɑːs] *Bahn usw.* zweite(r) Klasse
second-class [ˌsekənd'klɑːs] **1.** zweitklassig **2.** *Bahn, Post, Briefmarke usw.*: zweiter Klasse; ***a second-class return to***

S

Brighton eine Rückfahrkarte zweiter Klasse nach Brighton

second-hand [ˌsekənd'hænd] **1.** *Nachricht usw.*: aus zweiter Hand **2.** *Ware*: gebraucht, Gebraucht…

second hand ['sekənd‿hænd] Sekundenzeiger (*der Uhr*)

secondly ['sekəndlɪ] zweitens

second-rate [ˌsekənd'reɪt] zweitklassig

secrecy ['siːkrəsɪ] **1.** *als Wesenszug*: Verschwiegenheit **2.** Geheimhaltung (*eines Projekts usw.*)

secret[1] ['siːkrət] Geheimnis; ***make no secret of*** kein Geheimnis machen aus; ***in secret*** heimlich, im Geheimen

secret[2] ['siːkrət] **1.** geheim, Geheim…; ***keep something secret*** etwas geheim halten (***from*** vor); ***secret agent*** Geheimagent(in); ***secret service*** Geheimdienst **2.** *Bewunderer*: heimlich

secretary ['sekrətrɪ] **1.** Sekretär(in) (***to***; *dt. Genitiv*) **2.** *Politik*: Minister(in); ***Secretary of State*** *BE* Minister(in), *AE* Außenminister(in)

secretary general [ˌsekrətrɪ'dʒenrəl] *von Partei usw.*: Generalsekretär

secrete [sɪ'kriːt] (*Zelle*, *Drüse*, *Organ*) absondern (*Flüssigkeit*)

secretion [sɪ'kriːʃn] Absonderung, Sekret

secretive ['siːkrətɪv] heimlichtuerisch; ***be secretive about something*** mit etwas geheimnisvoll tun

secretly ['siːkrətlɪ] heimlich, im Geheimen

sect [sekt] Sekte

section ['sekʃn] **1.** *allg.*: Teil **2.** Abschnitt (*eines Buchs usw.*) **3.** *Rechtswesen*: Paragraph **4.** *Institution usw.*: Abteilung **5.** *Mathematik usw.*: Schnitt; ***in section*** im Schnitt

sector ['sektə] *allg.*: Sektor, Bereich

secular ['sekjʊlə] weltlich, profan

secure[1] [sɪ'kjʊə] *allg.*: sicher (***against, from*** vor); ***feel secure*** sich sicher fühlen

secure[2] [sɪ'kjʊə] **1.** fest verschließen, sichern (*Tür usw.*) **2.** sichern (***against, from*** vor) **3.** ***secure something*** sich etwas sichern, etwas erreichen

security [sɪ'kjʊərətɪ] **1.** *allg.*: Sicherheit; ***Security Council*** Sicherheitsrat (*der UNO*) **2.** Sicherheitsdienst **3.** ***securities*** *Pl. Wirtschaft*: Wertpapiere

sedan [⚠ sɪ'dæn] *bes. AE* Limousine

sedate[1] [sɪ'deɪt] ruhig, gelassen; *Tempo*: gemütlich

sedate[2] [sɪ'deɪt] *Medizin*: sedieren, ein Beruhigungsmittel geben

sedation [sɪ'deɪʃn] ***be under sedation*** unter dem Einfluss von Beruhigungsmitteln stehen; ***put under sedation*** sedieren, ein Beruhigungsmittel geben

sedative[1] ['sedətɪv] Beruhigungsmittel

sedative[2] ['sedətɪv] beruhigend

sediment ['sedɪmənt] Ablagerung, Bodensatz, Sediment

seduce [sɪ'djuːs] verführen

seduction [sɪ'dʌkʃn] Verführung

see [siː], ***saw*** [sɔː], ***seen*** [siːn] **1.** sehen; ***I saw him come*** (*oder* ***coming***) ich sah ihn kommen **2.** *gedanklich*: sich vorstellen; ***I can't see him as a doctor*** ich kann ihn mir nicht als Arzt vorstellen **3.** ersehen, entnehmen (***from the newspaper*** aus der Zeitung) **4.** verstehen; ***I see*** (ich) verstehe!, ach so!; ***you see*** weißt du; (***do you***) ***see what I mean?*** verstehst du, was ich meine? **5.** sehen, verstehen (*Problem usw.*); ***as I see it*** wie ich es sehe **6.** ***see someone*** jemanden besuchen *oder* sprechen (***on business*** geschäftlich); ***go*** *bzw.* ***come to see someone*** jemanden besuchen (gehen *bzw.* kommen) **7.** aufsuchen (*Anwalt usw.*); ***I've got to see a doctor*** ich muss zum Arzt gehen **8.** (***go and***) ***see*** (≈ *überprüfen*) nachsehen **9.** ***see someone*** (*Chef*, *Arzt usw.*) jemanden empfangen; ***the boss wouldn't see me*** der Chef wollte mich einfach nicht empfangen **10.** ***see someone to the station*** jemanden zum Bahnhof bringen **11.** (***now***) ***let me see*** warte mal!, lass mich überlegen!; ***we'll see*** mal sehen; ***you'll see*** du wirst schon sehen **12.** ***see you!*** bis dann! (*als Abschiedsgruß*), tschüs!, *bes.* Ⓐ servus!

see about ['siː‿əˌbaʊt] ***we'll see about 'that!*** *umg.* das wollen wir mal sehen!; ***I'll see about it*** ich werde mich darum kümmern

see off [ˌsiː'ɒf] **1.** ***see someone off*** jemanden verabschieden (***at the station*** am Bahnhof) **2.** verjagen, verscheuchen

see out [ˌsiː'aʊt] ***see someone out*** jemanden hinausbegleiten

see through [ˌsiː'θruː] **1.** durchschauen (*Lüge*, *Lügner usw.*) **2.** ***see someone through a hard time*** jemandem über eine schwere Zeit hinweghelfen

see to ['siː‿tʊ] ***see to it that*** dafür sorgen, dass

seed[1] [siːd] **1.** *Pflanze*: Same(n), *Landwirtschaft*: Saat(gut) **2.** *Obst*: Kern **3.** *Sport*: ***number two*** *usw.* ***seed*** Zweitplatzierte(r) *usw.*

seed[2] [siːd] *Sport*: platzieren; ***be seeded***

number three *usw.* als Dritte(r) *usw.* platziert (*oder* gesetzt) sein, in der Rangfolge Platz 3 *usw.* einnehmen
seedless ['siːdləs] *Mandarinen*, *Trauben usw.*: kernlos
seed money ['siːdˌmʌnɪ] *Wirtschaft*: Startfinanzierung, Anschubfinanzierung
seedy ['siːdɪ] *Haus*, *Hotel usw.*: vergammelt, schäbig
seeing ['siːɪŋ] *auch* ***seeing that*** da
seek [siːk], ***sought*** [sɔːt], ***sought*** [sɔːt] **1.** suchen (*Wahrheit usw.*) **2.** streben nach
seem [siːm] **1.** scheinen; ***that doesn't seem possible*** das (er)scheint mir unmöglich **2.** ***it seems that*** anscheinend, es scheint, dass; ***it seems as if*** es sieht so aus, als ob
seeming ['siːmɪŋ] scheinbar
seemingly ['siːmɪŋlɪ] **1.** scheinbar; ***a seemingly trivial remark*** eine scheinbar beiläufige Bemerkung **2.** anscheinend **3.** ***a seemingly endless stream of traffic*** eine nicht enden wollende Autokolonne
seen [siːn] *3. Form von* → ***see***
seep [siːp] (*Wasser usw.*) sickern
seesaw ['siːsɔː] Wippe, Wippschaukel
seethe [siːð] ***he was seething with rage*** er kochte *oder* schäumte vor Wut
see-through ['siːθruː] *Kleidung*: durchsichtig
segment[1] ['segmənt] **1.** Teil, Stück **2.** *Biologie*, *Mathematik usw.*: Segment
segment[2] [seg'ment] zerlegen, zerteilen
segregate ['segrɪgeɪt] trennen (*nach Rassen*, *Geschlechtern usw.*)
segregation [ˌsegrɪ'geɪʃn] Trennung; ***racial segregation*** Rassentrennung
seismic ['saɪzmɪk] **1.** seismisch, Erdbeben… **2.** *umg.*, *übertragen* drastisch, dramatisch
seismograph ['saɪzməgrɑːf] *Gerät*: Seismograph, Erdbebenmesser
seismologist [saɪz'mɒlədʒɪst] *Person*: Seismologe, Seismologin
seismology [saɪz'mɒlədʒɪ] *Wissenschaft*: Seismologie, Seismik, Erdbebenkunde
seize [siːz] **1.** packen, ergreifen (***by*** an) **2.** *übertragen* ergreifen (*Gelegenheit*, *Macht*) **3.** (*Polizei*) beschlagnahmen (*Drogen usw.*)
seizure ['siːʒə] **1.** *von Beweisstücken*, *Vermögen usw.*: Beschlagnahme **2.** *von Macht*, *Kontrolle usw.*: Ergreifung **3.** *Medizin*: Anfall
seldom ['seldəm] selten
select[1] [sə'lekt] (aus)wählen (***from*** aus)
select[2] [sə'lekt] ausgewählt, exklusiv
selection [sə'lekʃn] Auswahl (***of*** an)
self [self] *Pl.*: ***selves*** [selvz] Ich, Selbst; ***he's back to his old self*** er ist wieder der Alte
self-absorbed [ˌselfəb'zɔːbd] mit sich selbst beschäftigt
self-addressed [ˌselfə'drest] ***self-addressed envelope*** Rückumschlag; ☞ ***SAE***, ***SASE***
self-adhesive [ˌselfəd'hiːsɪv] selbstklebend
self-appointed [ˌselfə'pɔɪntɪd] *abwertend* selbsternannt
self-assured [ˌselfə'ʃɔːd] selbstbewusst
self-catering[1] [ˌself'keɪtərɪŋ] *Urlaub*, *Unterkunft usw.*: für Selbstversorger, mit Selbstverpflegung
self-catering[2] [ˌself'keɪtərɪŋ] *im Urlaub*, *Unterkunft usw.*: Selbstverpflegung
self-centred *BE*, **self-centered** *AE* [ˌself'sentəd] egozentrisch, ichbezogen
self-confidence [ˌself'kɒnfɪdəns] Selbstbewusstsein, Selbstvertrauen
self-confident [ˌself'kɒnfɪdənt] selbstbewusst
self-conscious [ˌself'kɒnʃəs] befangen, gehemmt (⚠ *selbstbewusst* = ***self-confident***)
self-control [ˌselfkən'trəʊl] Selbstbeherrschung
self-defence, *AE* **self-defense** [ˌselfdɪ'fens] **1.** Selbstverteidigung **2.** *Recht*: Notwehr; ***she acted in self-defence*** sie handelte in Notwehr
self-employed [ˌselfɪm'plɔɪd] *beruflich*: selbstständig
self-evident [ˌself'evɪdənt] **1.** selbstverständlich; ***it's self-evident*** das versteht sich von selbst **2.** *Tatsache usw.*: offensichtlich
self-explanatory [ˌselfɪk'splænətrɪ] ohne Erläuterung verständlich, für sich selbst sprechend
self-help group [ˌself'help‿gruːp] Selbsthilfegruppe
selfish ['selfɪʃ] selbstsüchtig, egoistisch
selfless ['selfləs] selbstlos
self-pity [ˌself'pɪtɪ] Selbstmitleid
self-reliant [ˌselfrɪ'laɪənt] selbstständig
self-respect [ˌselfrɪ'spekt] Selbstachtung
self-satisfied [ˌself'sætɪsfaɪd] selbstzufrieden
self-service [ˌself'sɜːvɪs] **1.** Selbstbedienung **2.** ***self-service restaurant*** Selbstbedienungsrestaurant
sell [sel], ***sold*** [səʊld], ***sold*** [səʊld] **1.** verkaufen (***to*** an; ***for*** für) **2.** führen (*Ware*); ***do you sell paint?*** führen Sie auch Farbe? **3.** ***this stereo sells at £399*** diese Stereoanlage kostet 399 Pfund **4.** ***these boots are selling well*** diese Stiefel ver-

kaufen sich gut **5.** ***be sold on something*** *Person*: von etwas begeistert sein

sell out [ˌsel'aʊt] ***be sold out*** *Ware*: ausverkauft sein (*auch Konzert usw.*); ***we're sold out of umbrellas*** *im Geschäft*: Schirme sind ausverkauft

sell-out ['selaʊt] ***the concert was a sell-out*** das Konzert war total ausverkauft
sell-by date ['selbaɪ‿deɪt] Mindesthaltbarkeitsdatum
seller ['selə] **1.** Verkäufer(in) **2.** ***be a good seller*** *Ware*: sich gut verkaufen
Sellotape® ['seləteɪp] *BE*, *etwa*: Tesafilm®, (durchsichtiges) Klebeband
sellotape ['seləteɪp] *BE* mit Klebeband zusammenkleben
selves [selvz] *Pl. von* → ***self***
semen ['siːmən] Samen, Sperma
semester [sə'mestə] *Universität*: Semester
semi… ['semɪ] halb…, Halb…
semi ['semɪ] *umg.*, *BE* Doppelhaushälfte
semicircle ['semɪˌsɜːkl] Halbkreis
semicolon [ˌsemɪ'kəʊlən] Semikolon, Strichpunkt
semi-detached [ˌsemɪdɪ'tætʃt] ***semi-detached house*** Doppelhaushälfte
semifinal [ˌsemɪ'faɪnl] *Sport*: Semifinale, Halbfinale
seminar ['semɪnɑː] *Universität*: Seminar
semi-skilled [ˌsemɪ'skɪld] *Arbeiter(in)*: angelernt
senate ['senət] Senat
senator ['senətə] Senator(in)
send [send], ***sent*** [sent], ***sent*** [sent] **1.** senden, schicken (*Gegenstände*, *Grüße usw.*) (***to someone*** jemandem, an jemanden) **2.** schicken (*Person*) (***to bed*** ins Bett) **3.** versenden (*Ware usw.*) (***to*** an)

send away [ˌsend‿ə'weɪ] **1.** fortschicken (*Person*) **2.** ***send away for something*** etwas anfordern *oder* bestellen
send back [ˌsend'bæk] zurückschicken (*Ware usw.*, *auch Person*)
send for ['send‿fɔː] **1.** ***send for someone*** jemanden holen lassen **2.** ***send for something*** sich etwas kommen lassen
send in [ˌsend'ɪn] einsenden, einreichen
send off [ˌsend'ɒf] **1.** fortschicken **2.** absenden (*Brief*) **3.** *BE*; *Sport*: vom Platz stellen (*Spieler*) **4.** ***send off for something*** etwas anfordern *oder* bestellen
send on [ˌsend'ɒn] **1.** vorausschicken (*Gepäck usw.*) **2.** nachschicken, nachsenden (***to*** an *e-e Adresse*) (*Brief usw.*)

send out [ˌsend'aʊt] **1.** hinausschicken **2.** verschicken (*Einladungen usw.*) **3.** ***send out for something*** etwas holen lassen
send up [ˌsend'ʌp] **1.** hinaufschicken **2.** *BE*, *umg.* parodieren, verulken

sender ['sendə] Absender(in)
senile ['siːnaɪl] senil
senior[1] ['siːnɪə] **1.** älter (***to*** als); ***senior citizens*** Senioren **2.** dienstälter, ranghöher (***to*** als) **3.** ***senior high*** (***school***) *AE die oberen Klassen der High School*
senior[2] ['siːnɪə] **1.** ***he's two years my senior*** er ist zwei Jahre älter als ich **2.** *AE* Student(in) *oder* Schüler(in) im letzten Jahr
sensation [sen'seɪʃn] **1.** *Ereignis usw.*: Sensation **2.** *körperlich*: Empfindung, Gefühl
sensational [sen'seɪʃnəl] **1.** *umg.* fantastisch **2.** sensationell, Sensations…
sensationalism [sen'seɪʃnəlɪzm] **1.** Sensationsgier **2.** Sensationsmache
sense[1] [sens] **1.** (***common***) ***sense*** Vernunft, Verstand; ***have the sense to do something*** so klug sein, etwas zu tun **2.** *Wahrnehmung*: Sinn; ***sense of hearing*** Gehörsinn **3.** Sinn, Gefühl (***of*** für); ***sense of duty*** Pflichtgefühl **4.** Gefühl, Empfindung; ***sense of security*** Gefühl der Sicherheit **5.** Sinn, Bedeutung (*z.B. eines Wortes*) **6.** ***in a sense*** in gewisser Hinsicht **7.** ***make sense*** *Satz*: einen Sinn ergeben, *Handlung usw.*: vernünftig sein **8.** ***I couldn't make any sense of it*** ich konnte mir darauf keinen Reim machen; ☞ ***senses***
sense[2] [sens] fühlen, spüren
senseless ['sensləs] **1.** *Handlung usw.*: sinnlos, unsinnig **2.** *Person*: bewusstlos
senses ['sensɪz] *Pl.* (klarer) Verstand ***bring someone to his senses*** jemanden zur Besinnung *oder* Vernunft bringen; ***come to one's senses*** zur Vernunft kommen
sensible ['sensəbl] vernünftig (*auch Kleidung*) (⚠ *sensibel* = ***sensitive***)
sensitive ['sensətɪv] **1.** sensibel, empfindsam **2.** (≈ *schnell verletzt*) empfindlich; ***be sensitive to*** empfindlich reagieren auf **3.** einfühlsam **4.** *Körperteil*, *Messgerät usw.*: empfindlich **5.** *Thema usw.*: heikel
sensor ['sensə] *Technik*: Sensor
sent [sent] *2. und 3. Form von* → ***send***
sentence[1] ['sentəns] **1.** *Sprache*: Satz **2.** *Gericht*: Strafe, Urteil; ***pass sentence*** *Richter usw.*: das Urteil fällen (***on*** über)
sentence[2] ['sentəns] verurteilen (***to*** zu)

S

sentiment ['sentɪmənt] **1.** Gefühl **2.** *auch* ***sentiments*** *Pl.* Ansicht, Meinung
sentimental [ˌsentɪ'mentl] **1.** gefühlvoll, gefühlsbetont **2.** *negativ*: sentimental
sentimentality [ˌsentɪmen'tælətɪ] Sentimentalität
sentry ['sentrɪ] Wache, Wachtposten
separate[1] ['sepəreɪt] **1.** *allg.*: trennen (***from*** von); ***be separated*** getrennt leben (***from*** von) **2.** (auf)teilen, (zer)teilen (***into*** in) **3.** sich trennen (*auch Ehepaar*)
separate[2] ['seprət] **1.** getrennt, separat **2.** einzeln, Einzel…; ***charge something separately*** etwas extra berechnen **3.** verschieden
separation [ˌsepə'reɪʃn] Trennung
separatism ['seprətɪzm] *Politik*: Separatismus
separatist[1] ['seprətɪst] *Politik*: Separatist (-in)
separatist[2] ['seprətɪst] *Politik*: separatistisch
September [sep'tembə] September; ***in September*** im September
sequel ['siːkwəl] **1.** Fortsetzung (*eines Films, Romans usw.*) **2.** *übertragen* Folge (***to*** von *oder Genitiv*)
sequence ['siːkwəns] **1.** (Aufeinander-) Folge (*von Ereignissen usw.*) **2.** (Reihen-) Folge; ***in sequence*** der Reihe nach **3.** *von Film usw.*: Sequenz
sequoia [sɪ'kwɔɪə] Mammutbaum
Serb[1] [sɜːb] Serbe, Serbin
Serb[2] [sɜːb] serbisch
Serb[3] [sɜːb] *Sprache*: Serbisch
Serbia ['sɜːbɪə] Serbien
Serbian[1] ['sɜːbɪən] Serbe, Serbin
Serbian[2] ['sɜːbɪən] serbisch
Serbian[3] ['sɜːbɪən] *Sprache*: Serbisch
serenade [ˌserə'neɪd] **1.** *Lied*: Ständchen **2.** *klassisches Musikstück*: Serenade
serene [sə'riːn] **1.** *Himmel usw.*: heiter, klar **2.** *Person, Gemüt usw.*: gelassen
sergeant [⚠ 'sɑːdʒənt] **1.** *militärisch*: Feldwebel **2.** Polizei(haupt)meister
serial[1] ['sɪərɪəl] **1.** (Fernseh)Serie, (Rundfunk)Serie **2.** Fortsetzungsroman
serial[2] ['sɪərɪəl] **1.** Serien…; ***serial novel*** Fortsetzungsroman; ***serial killer*** Serienmörder **2.** serienmäßig, Serien…; ***serial number*** Seriennummer
series ['sɪəriːz] **1.** Serie, Reihe, Folge **2.** *Rundfunk, TV usw.*: Serie, *von Büchern, Vorträgen usw.*: Reihe
serious ['sɪərɪəs] **1.** *allg.*: ernst **2.** ernsthaft, ernst gemeint; ***are you serious?*** ist das dein Ernst?; ***be serious about doing something*** etwas wirklich tun wollen **3.** *Problem usw.*: ernsthaft, ernstlich, *Schaden, Krankheit usw.*: schwer
seriously ['sɪərɪəslɪ] ernst, ernsthaft, im Ernst; ***seriously ill*** ernstlich krank; ***take someone*** *oder* ***something seriously*** jemanden *oder* etwas ernst nehmen
sermon ['sɜːmən] **1.** *kirchlich*: Predigt **2.** *umg.* Moralpredigt, Strafpredigt
serum ['sɪərəm] *Pl.*: ***serums*** *oder* ***sera*** ['sɪərə] Serum
servant ['sɜːvənt] Diener(in) (*auch übertragen*); ***domestic servants*** Hauspersonal
serve[1] [sɜːv] **1.** dienen (*seinem Land usw.*) (***under*** unter); ***serve in the army*** in der Armee dienen **2.** *auch* ***serve up*** servieren (*Essen*); ***serve someone*** (***with***) ***something*** jemandem etwas servieren; ***serves: 6-8*** *Kochrezept*: für 6-8 Personen **3.** ***serve someone*** *im Laden usw.*: jemanden bedienen; ***are you being served?*** werden Sie schon bedient? **4.** durchlaufen (*Amtszeit usw.*), verbüßen (*Strafe*) **5.** (*Gegenstand usw.*) dienen (***as, for*** als); ***it serves its purpose*** das erfüllt seinen Zweck **6.** *Tennis usw.*: aufschlagen; ***X to serve*** Aufschlag X **7.** ***it serves you right*** *umg.* das geschieht dir (ganz) recht
serve[2] [sɜːv] *Tennis usw.*: Aufschlag
server ['sɜːvə] **1.** *Computer*: Server **2.** *kirchlich*: Messdiener, Ministrant
service[1] ['sɜːvɪs] **1.** *im Hotel usw.*: Service, Bedienung **2.** Dienst (***to*** an); ***do someone a service*** jemandem einen Dienst erweisen **3.** ***services*** *Pl.* Dienstleistungen **4.** …dienst; ***postal service*** Postdienst **5.** Militär(dienst); ***join the services*** zum Militär gehen **6.** Betrieb; ***be out of service*** außer Betrieb sein **7.** *kirchlich*: Gottesdienst **8.** (≈ *Geschirr*) Service; ***coffee service*** Kaffeeservice **9.** *Technik*: Wartung, *Auto*: Inspektion; ***put one's car in for a service*** seinen Wagen zur Inspektion bringen **10.** *Tennis usw.*: Aufschlag
service[2] ['sɜːvɪs] *Technik*: warten; ***my car is being serviced*** mein Wagen ist bei der Inspektion
service area ['sɜːvɪsˌeərɪə] *BE* (Autobahn)Raststätte (*mit Tankstelle usw.*)
service charge ['sɜːvɪs‿tʃɑːdʒ] Bedienung(szuschlag)
service industry ['sɜːvɪsˌɪndəstrɪ] Dienstleistungsgewerbe
service provider ['sɜːvɪs‿prəˌvaɪdə] **1.** *allg.*: Dienstleister **2.** *Internet*: Serviceprovider
serviceman ['sɜːvɪsmən] *Pl.*: ***servicemen*** ['sɜːvɪsmən] Militärangehöriger

S

service station ['sɜːvɪsˌsteɪʃn] Tankstelle mit Werkstatt
serviette [ˌsɜːvɪ'et] *bes. BE* Serviette
serving ['sɜːvɪŋ] *Essen*: Portion
session ['seʃn] **1.** *Parlament usw.*: Sitzung, Sitzungsperiode; ***be in session*** tagen **2.** *beim Arzt usw.*: Sitzung, Behandlung **3.** …termin; ***photo session*** Fototermin
set[1] [set], ***set, set***; *-ing-Form* ***setting*** **1.** stellen, setzen, legen; ***please set the tray on the table*** bitte stell das Tablett auf den Tisch **2.** ***the novel is set in France*** der Roman spielt in Frankreich **3.** versetzen (*in einen Zustand*); ***set someone free*** jemanden freilassen; ***set right*** in Ordnung bringen; ***set on fire*** *oder* ***set fire to*** anzünden, in Brand stecken **4.** veranlassen; ***set someone thinking*** jemandem einen Denkanstoß geben **5.** einstellen, stellen (*Wecker*) (***for*** auf); ***set one's watch*** seine Uhr stellen **6.** ***set the table*** den Tisch decken **7.** festsetzen, festlegen (*Preis, Termin usw.*) **8.** aufstellen (*Rekord*) **9.** ***set a good example*** mit gutem Beispiel vorangehen **10.** (*Sonne*) untergehen **11.** (*Pudding usw.*) fest werden

set about ['set‿əbaʊt] **1.** ***set about doing something*** sich daranmachen, etwas zu tun **2.** *umg.* herfallen über
set aside [ˌset‿ə'saɪd] **1.** beiseite legen (*Geld*) **2.** freihalten (*Zeit*)
set back [ˌset'bæk] **1.** zurücksetzen (*Haus usw.*) **2.** verzögern (*Plan usw.*) (***by two months*** um zwei Monate) **3.** ***the car set me back £500*** *umg.* der Wagen hat mich 500 Pfund gekostet
set down [ˌset'daʊn] **1.** *BE* absetzen (*Fahrgast*) **2.** (schriftlich) niederlegen (*Gedanken usw.*)
set in [ˌset'ɪn] (*Winter usw.*) einsetzen
set off [ˌset'ɒf] **1.** aufbrechen, sich aufmachen **2.** auslösen (*Alarm usw.*)
set on ['set‿ɒn] hetzen auf (*Hund usw.*)
set out [ˌset'aʊt] **1.** arrangieren, aufstellen (*auch Schachfiguren usw.*) **2.** aufbrechen, sich aufmachen **3.** ***set out to do something*** sich daranmachen, etwas zu tun **4.** darstellen, darlegen (*Plan, Argument usw.*)
set up [ˌset'ʌp] **1.** errichten (*Straßensperren usw.*) **2.** gründen (*Firma usw.*); ***set up house*** einen Hausstand gründen **3.** aufbauen (*Kamera usw.*) **4.** aufstellen (*Rekord*) **5.** ***set (oneself) up as*** sich niederlassen (***as*** als)

set[2] [set] **1.** festgesetzt, festgelegt; ***set books*** *Pl. oder* ***set reading*** *Schule*: Pflichtlektüre; ***set lunch*** *oder* ***set meal*** *BE* Menü **2.** ***be set on doing something*** (fest) entschlossen sein, etwas zu tun; ***be dead set against something*** strikt gegen etwas sein **3.** bereit, fertig; ***be all set*** startklar sein
set[3] [set] **1.** *Zusammengehöriges*: Satz (*Werkzeug usw.*), Garnitur (*Wäsche usw.*); ***tea set*** Teeservice **2.** *TV usw.*: Apparat, Gerät; ***television set*** Fernsehgerät **3.** *Theater*: Bühnenbild **4.** *Film*: Szenenaufbau; ***on the set*** bei den Dreharbeiten **5.** ***a shampoo and set*** *beim Friseur*: Waschen und Legen **6.** *Tennis usw.*: Satz; ***set point*** Satzball
set-aside ['setəˌsaɪd] **1.** Erspartes, Rücklagen *Pl.* **2.** *Agrarpolitik*: stillgelegte Fläche; ***set-aside scheme*** Konzept der Flächenstilllegung
setback ['setbæk] Rückschlag (***to*** für)
set piece [ˌset'piːs] **1.** *in Film, Roman usw.*: klassische Szene **2.** *Fußball usw.*: Standardsituation
set square ['set‿skweə] *BE* Zeichendreieck, *umg.* Geodreieck
settee [se'tiː] Sofa
setting ['setɪŋ] **1.** Schauplatz (*eines Films usw.*) **2.** *eines Edelsteins*: Fassung **3.** *von Sonne, Mond*: Untergang
settle ['setl] **1.** ***settle (oneself) (on)*** sich niederlassen (auf), sich setzen (auf) **2.** beruhigen (*Person, Nerven usw.*) **3.** vereinbaren, klären (*Frage usw.*); ***that settles it*** damit ist der Fall erledigt **4.** beilegen (*Streit usw.*) **5.** besiedeln (*Land*) **6.** sich niederlassen (***in*** in) (*einer Stadt usw.*) **7.** begleichen (*Rechnung*), ausgleichen (*Konto*)

settle back [ˌsetl'bæk] sich zurücklehnen
settle down [ˌsetl'daʊn] **1.** ***settle (oneself) down (on)*** sich niederlassen (auf), sich setzen (auf) **2.** sich beruhigen, (*Aufregung*) sich legen **3.** sesshaft *oder* häuslich werden **4.** ***settle down in*** sich eingewöhnen in **5.** beruhigen (*Person, Nerven usw.*)
settle for ['setl‿fɔː] sich begnügen mit
settle in [ˌsetl'ɪn] sich eingewöhnen, sich einleben
settle up [ˌsetl'ʌp] **1.** (be)zahlen **2.** abrechnen (***with*** mit) (*auch übertragen*)

settled ['setld] **1.** *Wetter*: beständig **2.** *Ansichten usw.*: fest
settlement ['setlmənt] **1.** Siedlung, Be-

S

siedlung **2.** Vereinbarung, Einigung; ***reach a settlement*** sich einigen (***with*** mit)

settler ['setlə] Siedler(in)

set-top box ['settɒpˌbɒks] *BE*; *TV*: Decoder

set-up ['setʌp] **1.** (≈ *Anordnung usw.*) System, Regelung **2.** *umg.* (≈ *Trick*) abgekartete Sache

seven[1] ['sevn] sieben

seven[2] ['sevn] *Buslinie*, *Spielkarte usw.*: Sieben

seventeen[1] [ˌsevn'tiːn] siebzehn

seventeen[2] [ˌsevn'tiːn] *Buslinie usw.*: Siebzehn

seventh[1] ['sevnθ] siebente(r, -s)

seventh[2] ['sevnθ] **1.** Siebente(r, -s) **2.** *Bruchteil*: Siebtel

seventy[1] ['sevntɪ] siebzig

seventy[2] ['sevntɪ] Siebzig; ***he's in his seventies*** er ist in den Siebzigern; ***in the seventies*** in den Siebzigerjahren (*eines Jahrhunderts*)

sever ['sevə] durchtrennen (*Ader usw.*), abtrennen (*Körperteil usw.*)

several ['sevrəl] mehrere, einige; ***I've talked to her several times*** ich habe mehrere Male mit ihr gesprochen

severe [sɪ'vɪə] **1.** *Verletzung usw.*: schwer, ernst **2.** *Schmerzen*: stark **3.** *Winter*: hart, streng **4.** *Person*: streng **5.** *Kritik*: scharf

severity [sɪ'verətɪ] **1.** Schwere (*einer Verletzung usw.*) **2.** Strenge, Härte (*eines Winters*) **3.** *als Wesenszug*: Strenge **4.** Schärfe (*einer Kritik*)

sew [⚠ səʊ], ***sewed, sewn*** [səʊn] *oder* ***sewed*** nähen

sewage ['suːɪdʒ] Abwasser

sewer ['suːə] Abwasserkanal

sewing [⚠ 'səʊɪŋ] **1.** *Tätigkeit*: Nähen **2.** *woran gearbeitet wird*: Näharbeit

sewing machine ['səʊɪŋ‿məˌʃiːn] Nähmaschine

sewn [səʊn] *3. Form von* → ***sew***

sex[1] [seks] **1.** Geschlecht (*„männlich" oder „weiblich"*) **2.** Sex, Sexualität **3.** ***have sex with*** Geschlechtsverkehr haben mit

sex[2] [seks] **1.** Sexual…; ***sex crime*** Sexualverbrechen; ***sex object*** Lustobjekt **2.** Geschlechts…; ***sex organ*** Geschlechtsorgan; ***sex change*** Geschlechtsumwandlung **3.** Sex…; ***sex appeal*** (≈ *erotische Ausstrahlung*) Sex-Appeal

sexism ['seksɪzm] Sexismus (*Diskriminierung der Frauen*)

sexist[1] ['seksɪst] *Äußerung*, *Einstellung usw.*: sexistisch

sexist[2] ['seksɪst] Sexist(in)

sexual ['sekʃʊəl] **1.** sexuell, Sexual… **2.** ***sexual intercourse*** Geschlechtsverkehr

sexuality [ˌsekʃʊ'ælətɪ] Sexualität

sexy ['seksɪ] *umg.* sexy, aufreizend

SF [ˌes'ef] (*Abk. für* science fiction) Science-Fiction

shabby ['ʃæbɪ] *allg.*: schäbig

shack [ʃæk] Hütte, Baracke

shackles ['ʃæklz] *Pl.* Fesseln, Ketten

shade[1] [ʃeɪd] **1.** Schatten (*als Schutz vor der Sonne*) **2.** …schirm; ***lampshade*** Lampenschirm **3.** Farbton **4.** *übertragen* Nuance **5.** ***a shade*** *übertragen* ein kleines bisschen; ***a shade (too) loud*** eine Spur zu laut; ☞ ***shades***

shade[2] [ʃeɪd] abschirmen (***from light*** gegen Licht)

shades [ʃeɪdz] *Pl. umg.* Sonnenbrille

shadow[1] ['ʃædəʊ] **1.** Schatten (*den ein Gegenstand usw. wirft*; *auch übertragen*) **2.** ***there's not a shadow of doubt about it*** *übertragen* daran besteht nicht der geringste Zweifel

shadow[2] ['ʃædəʊ] (≈ *verfolgen*) beschatten

shadow cabinet [ˌʃædəʊ'kæbɪnət] *Politik*: Schattenkabinett

shadow economy [ˌʃædəʊ‿ɪ'kɒnəmɪ] Schattenwirtschaft

shadowy ['ʃædəʊɪ] **1.** schattig, dunkel **2.** *übertragen* geheimnisvoll

shady ['ʃeɪdɪ] **1.** schattig **2.** *umg.*; *Person*: zwielichtig, *Geschäft usw. auch*: zweifelhaft

shaft [ʃɑːft] **1.** Schaft (*eines Pfeils usw.*) **2.** *Werkzeug*: Stiel **3.** *Aufzug usw.*: Schacht

shaggy ['ʃægɪ] zottig, zottelig

shake[1] [ʃeɪk], ***shook*** [ʃʊk], ***shaken*** ['ʃeɪkən] **1.** wackeln, zittern, beben (***with*** vor) **2.** schütteln **3.** ***shake hands with someone*** jemandem die Hand schütteln **4.** ***shake one's head*** den Kopf schütteln **5.** *übertragen* erschüttern (*jemandes Glauben usw.*); ***he was badly shaken by the accident*** der Unfall hat ihn arg mitgenommen

shake down [ˌʃeɪk'daʊn] *umg.* herunterschütteln

shake off [ˌʃeɪk'ɒf] abschütteln, loswerden (*beide auch übertragen*)

shake out [ˌʃeɪk'aʊt] ausschütteln

shake up [ˌʃeɪk'ʌp] **1.** *übertragen* aufrütteln **2.** erschüttern **3.** umkrempeln (*Betrieb*)

shake[2] [ʃeɪk] **1.** Schütteln **2.** *Getränk*: Shake, Mixgetränk; ☞ ***shakes***

shaken ['ʃeɪkən] *3. Form von* → **shake**[1]
shaker ['ʃeɪkə] **1.** Shaker, Mixbecher **2.** *AE* ***salt shaker*** Salzstreuer
shakes [ʃeɪks] ***it's no great shakes*** *umg.* es ist nicht gerade umwerfend

Shakespeare

Shakespeare ['ʃeɪkspɪə], **William** – 1564–1616 – wohl berühmtester englischer Dichter, der vor allem Dramen (z. B. *Romeo und Julia*) und Gedichte (bes. Sonette) geschrieben hat; geboren, gestorben und auch begraben in Stratford-upon-Avon, einer kleinen Stadt nahe Oxford, in der man heute noch Gebäude besichtigen kann, die mit seinem Leben verbunden sind; ☞ *Karte S. 293*

shaky ['ʃeɪkɪ] **1.** *Stuhl usw.*: wackelig **2.** *Person*: zittrig, wackelig; ***I feel a bit shaky*** ich fühle mich etwas schwach
shall [ʃæl] **1.** *förmlich*; *Futur*: ***I shall*** ich werde; ***we shall not*** *oder* ***shan't*** wir werden nicht **2.** *in Fragen*: ***shall I*** soll ich …?; ***shall we*** sollen wir …?, wollen wir …?; ***shall we go?*** gehen wir?
shallow ['ʃæləʊ] seicht, flach (*auch übertragen*)
sham [ʃæm] Heuchelei; ***it was just a sham*** es war alles nur gespielt (⚠ *nicht* ***Scham***)
shambles ['ʃæmblz] *Pl.* ***the room was (in) a shambles*** *umg.* das Zimmer war das reinste Schlachtfeld
shame [ʃeɪm] **1.** Scham(gefühl) **2.** Schande; ***bring shame on someone*** jemandem Schande machen **3.** ***what a shame!*** (wie) schade!; ***it's a shame*** (es ist) schade, *stärker*: es ist eine Schande **4.** ***shame on you!*** schäm dich!
shameful ['ʃeɪmfl] beschämend, schändlich
shameless ['ʃeɪmləs] schamlos, unverschämt
shampoo[1] [ʃæm'puː] *Pl.*: ***shampoos*** **1.** Shampoo(n) **2.** Haarwäsche
shampoo[2] [ʃæm'puː], ***shampooed, shampooed***; *-ing-Form* ***shampooing*** waschen (*Haare*), schamponieren (*Teppich usw.*)
shamrock ['ʃæmrɒk] Kleeblatt (⚠ *Wahrzeichen von Irland*)
shan't [ʃɑːnt] *Kurzform von* ***shall not***; ☞ ***shall***
shape[1] [ʃeɪp] **1.** Form; ***in the shape of*** in Form (+ *Genitiv*) (*auch übertragen*); ***take shape*** *übertragen* Gestalt annehmen; ☞ *Illu S. 786* **2.** *Person*: Gestalt **3.** ***be in good*** (*bzw.* ***bad***) ***shape*** *Person*: in guter (*bzw.* schlechter) Verfassung sein, *AE auch*: gut (*bzw.* nicht gut) in Form sein, *Gebäude usw.*: in gutem (*bzw.* schlechtem) Zustand sein **4.** *für Sandkasten*: Förmchen
shape[2] [ʃeɪp] **1.** formen (*Ton usw.*) (***into*** zu) **2.** *übertragen* prägen, formen (*Charakter*)
share[1] [ʃeə] **1.** Anteil (***in, of*** an); ***have a share in*** beteiligt sein an **2.** *bes. BE*; *Wirtschaft*: Aktie
share[2] [ʃeə] teilen (*auch übertragen*); ***share something*** (sich) etwas teilen (***with*** mit); ***we share a flat*** wir wohnen gemeinsam in einer Wohnung

share out [ˌʃeər'aʊt] verteilen (***among, between*** an, unter)

shareholder ['ʃeəˌhəʊldə] *bes. BE*; *Wirtschaft*: Aktionär(in)
shareware ['ʃeəweə] *Computer*: Shareware (*Computerprogramme, die oft als Testversion ausprobiert werden können, bevor man für die Vollversion bezahlt*)
shark [ʃɑːk] **1.** Hai(fisch) **2.** *umg.*; *Person*: Schlitzohr, gerissener Geschäftemacher
sharp[1] [ʃɑːp] **1.** ↔ ***blunt***; *allg.*: scharf **2.** *Nadel usw.*: spitz **3.** *Gegensatz usw.*: deutlich, scharf **4.** *Geschmack*: herb, scharf **5.** *Ton usw.*: schneidend, scharf **6.** *Schmerz, Wind usw.*: heftig, schneidend **7.** ***a sharp tongue*** eine spitze Zunge **8.** ***brake sharply*** scharf bremsen **9.** *Person*: scharfsinnig **10.** ***sharp practice*** unsaubere Geschäfte
sharp[2] [ʃɑːp] ***at two o'clock sharp*** Punkt 2 (Uhr)
sharpen ['ʃɑːpən] **1.** schärfen, schleifen (*Messer usw.*) **2.** spitzen (*Bleistift usw.*)
sharpener ['ʃɑːpnə] (Bleistift)Spitzer
sharpness ['ʃɑːpnəs] **1.** *von Messer*: Schärfe **2.** *von Nadel, Dorn usw.*: Spitzheit **3.** *übertragen* Scharfsinn, Scharfsinnigkeit, Schärfe (*des Verstands*)
shatter ['ʃætə] **1.** zerschmettern, zerschlagen **2.** (*Glas usw.*) zerspringen **3.** *übertragen* zerstören (*Hoffnungen usw.*) **4.** ***I was shattered*** *umg.* ich war total geschockt **5.** ***I'm shattered*** *bes. BE, umg.* ich bin geschlaucht
shave[1] [ʃeɪv] (sich) rasieren
shave[2] [ʃeɪv] **1.** Rasur; ***have a shave*** sich rasieren **2.** ***that was a close shave*** *umg.* das war knapp
shaven ['ʃeɪvn] kahlgeschoren

S

shaver ['ʃeɪvə] Elektrorasierer
shaving ['ʃeɪvɪŋ] Rasier…; ***shaving brush*** Rasierpinsel; ***shaving foam*** Rasierschaum; ***shaving soap*** Rasierseife
shavings ['ʃeɪvɪŋz] *Pl.* (Hobel)Späne
shawl [ʃɔːl] Umhängetuch, *als Kopfbedeckung*: Kopftuch
she[1] [ʃiː] sie
she[2] [ʃiː] **1.** Sie, Mädchen, Frau **2.** *bei Tieren*: Weibchen, Sie
she[3] [ʃiː] *bei Tieren*: …weibchen; ***she-bear*** Bärin
sheaf [ʃiːf] *Pl.*: ***sheaves*** [ʃiːvz] **1.** *Landwirtschaft*: Garbe **2.** *Papier usw.*: Bündel
shear [⚠ ʃɪə], ***sheared, shorn*** [ʃɔːn] *oder* ***sheared*** scheren (*Schaf*)
shears [⚠ ʃɪəz] *Pl.*, *auch* ***pair of shears*** (große) Schere; ***pruning shears*** Gartenschere
sheaves [ʃiːvz] *Pl. von* → ***sheaf***
shed[1] [ʃed], ***shed, shed***; *-ing-Form* ***shedding*** **1.** vergießen (*Blut, Tränen*) **2.** (*Pflanze, Tier*) verlieren (*Blätter, Haare*) **3.** ***shed a few pounds*** ein paar Pfund abnehmen **4.** *übertragen* ablegen (*Hemmungen usw.*)
shed[2] [ʃed] **1.** Schuppen **2.** Stall
she'd [ʃiːd] *Kurzform von* ***she had*** *oder* ***she would***
sheep [ʃiːp] *Pl.*: ***sheep*** Schaf (*auch übertragen*)
sheepdog ['ʃiːpdɒg] Schäferhund
sheepish ['ʃiːpɪʃ] *Person, Lächeln*: verlegen
sheepskin ['ʃiːpskɪn] Schaffell
sheer [ʃɪə] **1.** bloß, rein; ***by sheer coincidence*** rein zufällig **2.** *Abhang*: steil, (fast) senkrecht **3.** *Stoff*: hauchdünn
sheet [ʃiːt] **1.** Betttuch, Bettlaken; ***(as) white as a sheet*** kreidebleich **2.** *Papier*: Bogen, Blatt **3.** *Glas usw.*: Platte, Scheibe **4.** ***sheet of ice*** Eisfläche
shelf [ʃelf] *Pl.*: ***shelves*** [ʃelvz] Brett, Bord; ***bookshelf*** Bücherbord; ***shelves*** *Pl.* Regal
shelf life ['ʃelf‿laɪf] *von Waren*: Lagerfähigkeit, Haltbarkeit
shell[1] [ʃel] **1.** *von Ei, Auster usw.*: Schale, *von Erbsen usw.*: Hülse **2.** Muschel(schale) **3.** *von Schnecke*: Haus, *von Schildkröte*: Panzer **4.** *militärisch*: Granate **5.** ***come out of one's shell*** *übertragen* aus sich herausgehen
shell[2] [ʃel] **1.** schälen, enthülsen (*Erbsen usw.*) **2.** *militärisch*: beschießen
she'll [ʃiːl] *Kurzform von* ***she will***
shellfish ['ʃelfɪʃ] *Pl.*: ***shellfish*** Schalentier (*z.B. Hummer*) (⚠ *nicht Schellfisch*)
shelter[1] ['ʃeltə] **1.** Unterstand; ***bus shelter*** *Bushaltestelle*: Wartehäuschen; ***air-raid shelter*** (Luftschutz)Bunker **2.** Unterkunft (*für Obdachlose*) **3.** Schutz, Unterkunft; ***run for shelter*** Schutz suchen; ***take shelter*** sich unterstellen (***under*** unter)
shelter[2] ['ʃeltə] **1.** schützen (***from*** vor) **2.** sich unterstellen
shelve [ʃelv] **1.** (in ein Regal) einstellen (*Bücher*) **2.** *übertragen* zurückstellen (*Plan usw.*)
shelves [ʃelvz] *Pl. von* → ***shelf***
shepherd [⚠ 'ʃepəd] Schäfer, Hirte (*auch übertragen*)
sherbet ['ʃɜːbət] **1.** *BE* Brausepulver **2.** *bes. AE* (≈ *Eis*) Sorbet
sheriff ['ʃerɪf] Sheriff
she's [ʃiːz] *Kurzform von* ***she is*** *oder* ***she has***
shield[1] [ʃiːld] (≈ *Schutz*) Schild, Schutz
shield[2] [ʃiːld] ***shield someone*** jemanden schützen (***from*** vor), jemanden de- cken
shift[1] [ʃɪft] **1.** bewegen, schieben (*z.B. Möbelstück*) **2.** ***shift from one foot to the other*** von einem Fuß auf den anderen treten **3.** (*Interessen usw.*) sich verlagern, sich wandeln **4.** (ab)schieben, abwälzen (*Schuld, Verantwortung*) (***onto*** auf) **5.** ***shift gear*** den Gang wechseln
shift[2] [ʃɪft] **1.** *übertragen* Wandel, Verlagerung **2.** *Arbeit*: Schicht (*Zeit und Arbeiter*); ***he's on night shift*** er hat Nachtschicht **3.** *Computer*: Shift(taste); ***press shift and F5*** drücken Sie Shift und F5
shift key ['ʃɪft‿kiː] **1.** *auf Schreibmaschinentastatur*: Umschalttaste **2.** *auf Computertastatur*: Shifttaste
shift lock ['ʃɪft‿lɒk] *auf Schreibmaschinen- und Computertastatur*: Feststelltaste
shift worker ['ʃɪftˌwɜːkə] Schichtarbeiter (-in)
shifty ['ʃɪftɪ] verschlagen, zwielichtig
shilling ['ʃɪlɪŋ] *BE*; *alte Münze*: Schilling
shimmer[1] ['ʃɪmə] schimmern
shimmer[2] ['ʃɪmə] Schimmer
shin [ʃɪn], **shinbone** ['ʃɪnbəʊn] Schienbein
shine[1] [ʃaɪn], ***shone*** [⚠ ʃɒn], ***shone*** [⚠ ʃɒn] **1.** (*Sonne*) scheinen, (*Lampe usw.*) leuchten **2.** glänzen (***with*** vor) **3.** ***shine a torch into*** mit einer Taschenlampe leuchten in
shine[2] [ʃaɪn] **1.** Glanz **2.** ***take a shine to someone*** *umg.* jemanden sofort mögen
shingles ['ʃɪŋglz] (⚠ *nur im Sg. verwendet*) *Medizin*: Gürtelrose
shiny ['ʃaɪnɪ] glänzend, *Ärmel usw.*: blank
ship[1] [ʃɪp] Schiff
ship[2] [ʃɪp], ***shipped, shipped*** **1.** verschiffen **2.** *allg.*: verfrachten, versenden

shipment ['ʃɪpmənt] **1.** *Ware*: Ladung, Sendung **2.** Verschiffung, *allg.*: Versand
shipowner ['ʃɪpˌəʊnə] Reeder
shipper ['ʃɪpə] Spediteur
shipping ['ʃɪpɪŋ] **1.** Schifffahrt **2.** *von Gütern*: Versand
shipwreck [⚠ 'ʃɪprek] ***be shipwrecked*** Schiffbruch erleiden
shipyard ['ʃɪpjɑːd] (Schiffs)Werft
shirk [ʃɜːk] sich drücken (vor)
shirker ['ʃɜːkə] Drückeberger(in)
shirt [ʃɜːt] Hemd; ***keep your shirt on!*** *umg.* reg dich ab!
shirtsleeves ['ʃɜːtsliːvz] *Pl.* ***in one's shirtsleeves*** in Hemdsärmeln, hemdsärmelig
shirty ['ʃɜːtɪ] ***get shirty with someone*** *bes. BE, umg.* jemanden anschnauzen
shit[1] [ʃɪt], **shit, shit** *oder* **shat** [ʃæt], **shat** [ʃæt]; *-ing-Form* **shitting** *vulgär* scheißen
shit[2] [ʃɪt] **1.** *vulgär* Scheiße **2.** *salopp* Shit (*Haschisch*) **3.** *salopp*; *unnützes Zeug, Bemerkung usw.*: Scheiß; ***don't give me that shit!*** erzähl nicht so einen Scheiß! **4.** *vulgär*; *Person*: Arschloch **5.** *vulgär*: ***be in deep shit*** *oder* ***be in the shit*** in der Scheiße sitzen
shitless ['ʃɪtləs] *vulgär*: ***be scared shitless*** sich vor Angst in die Hosen scheißen
shitty ['ʃɪtɪ] *vulgär*; *Stimmung, Laune usw.*: beschissen
shiver[1] ['ʃɪvə] zittern (***with*** vor)
shiver[2] ['ʃɪvə] Schauer; ***the sight sent shivers (up and) down my spine*** bei dem Anblick überlief es mich eiskalt
shoal [ʃəʊl] Schwarm (*Fische*)
shock[1] [ʃɒk] **1.** Schock, Schreck **2.** Wucht (*einer Explosion*) **3.** *Elektrotechnik*: Schlag, Schock
shock[2] [ʃɒk] schockieren, erschüttern
shock absorber ['ʃɒk‿əbˌzɔːbə] *Auto*: Stoßdämpfer
shocked [ʃɒkt] schockiert, erschüttert
shocker ['ʃɒkə] *umg.*; *Film usw.*: Schocker
shocking ['ʃɒkɪŋ] **1.** *Verhalten, Kleidung usw.*: schockierend, anstößig **2.** *Nachricht usw.*: erschütternd **3.** *BE, umg.*; *Wetter, Essen usw.*: entsetzlich
shockproof ['ʃɒkpruːf] stoßgesichert
shock therapy ['ʃɒkˌθerəpɪ], **shock treatment** ['ʃɒkˌtriːtmənt] *Medizin*: Schockbehandlung, Schocktherapie (*auch übertragen*)
shock wave ['ʃɒk‿weɪv] *nach Explosion usw.*: Druckwelle; ***send shock waves through*** *übertragen* erschüttern
shoddy ['ʃɒdɪ] **1.** *Ware*: minderwertig, *Arbeit*: schlampig **2.** *Trick usw.*: gemein

S

shoe [ʃuː] **1.** Schuh **2.** *von Pferd*: (Huf)Eisen **3.** ***I wouldn't like to be in his shoes*** *übertragen* ich möchte nicht in seiner Haut stecken
shoehorn ['ʃuːhɔːn] Schuhlöffel
shoelace ['ʃuːleɪs] Schnürsenkel
shoemaker ['ʃuːˌmeɪkə] Schuhmacher (-in), Schuster(in)
shoestring ['ʃuːstrɪŋ] **1.** *AE* Schnürsenkel **2.** ***do something on a shoestring*** etwas mit ganz wenig Geld durchziehen
shone [⚠ ʃɒn] *2. und 3. Form von* → ***shine***[1]
shoo [ʃuː] verscheuchen (*Vögel, Kinder*)
shook [ʃʊk] *2. Form von* → ***shake***[1]
shoot[1] [ʃuːt], **shot** [ʃɒt], **shot** [ʃɒt] **1.** schießen (***at*** auf) **2.** abfeuern (*Gewehr, Kugel*), abschießen (*Pfeil usw.*) (***at*** auf) **3.** *Jagd*: schießen, erlegen **4.** anschießen, niederschießen (*Person, Tier*) **5.** *auch* ***shoot dead*** erschießen **6.** (≈ *sich schnell bewegen*) rasen, schießen **7.** *Film*: drehen, filmen, *Fotografie*: aufnehmen **8.** (*Pflanze*) treiben **9.** *Sport*: schießen; ***shoot at goal*** aufs Tor schießen **10.** ***shoot the lights*** *umg.*; *an Ampel*: bei Rot durchfahren **11.** ***shooting pains*** stechende Schmerzen **12.** ***shoot heroin*** fixen

> **shoot down** [ˌʃuːt'daʊn] **1.** abschießen (*Flugzeug usw.*) **2.** *übertragen* abschmettern (*Vorschlag usw.*)

> **shoot up** [ˌʃuːt'ʌp] **1.** (*Flammen usw.*) in die Höhe schießen **2.** (*Preise*) in die Höhe schnellen

shoot[2] [ʃuːt] *von Pflanze*: Trieb
shooting ['ʃuːtɪŋ] **1.** Schießen, Schießerei **2.** Erschießung (*eines Menschen*) **3.** *Film*: Dreharbeiten
shooting star [ˌʃuːtɪŋ'stɑː] Sternschnuppe
shop[1] [ʃɒp] **1.** *bes. BE* Laden, Geschäft **2.** Werkstatt **3.** ***talk shop*** fachsimpeln
shop[2] [ʃɒp], **shopped, shopped** **1.** ***go shopping*** einkaufen gehen **2.** *bes. BE, salopp* verpfeifen (*bei der Polizei*)

> **shop around** [ˌʃɒp‿ə'raʊnd] sich informieren, die Preise vergleichen

shop assistant ['ʃɒp‿əˌsɪstənt] *BE* Verkäufer(in)
shop floor [ˌʃɒp'flɔː] **1.** ***on the shop floor***

short forms – Kurzformen

Im Englischen gibt es etliche abgekürzte Wörter, die umgangssprachlich anstelle deren Vollform verwendet werden. Hier einige Beispiele:

umgangssprachlich	*Vollform*	*Übersetzung*
bike	1. **bicycle** 2. **motorbike**	1. Fahrrad 2. Motorrad
budgie	**budgerigar**	Wellensittich
hippo	**hippopotamus**	Nilpferd
mac	**mackintosh**	Regenmantel
mike	**microphone**	Mikrofon
rhino ['raɪnəʊ]	**rhinoceros**	Nashorn

in der Produktion **2.** ***the shop floor*** die Arbeiter

shopkeeper ['ʃɒpˌkiːpə] *bes. BE* Ladenbesitzer(in)

shoplifter ['ʃɒpˌlɪftə] Ladendieb(in)

shoplifting ['ʃɒpˌlɪftɪŋ] Ladendiebstahl

shopper ['ʃɒpə] Käufer(in)

shopping[1] ['ʃɒpɪŋ] **1.** Einkäufe (*Sachen*) **2.** Einkaufen; ***do one's shopping*** einkaufen, (seine) Einkäufe machen

shopping[2] ['ʃɒpɪŋ] Einkaufs…; ***shopping bag*** Einkaufstasche; ***shopping centre*** (*AE* ***center***) Einkaufszentrum; ***shopping list*** Einkaufszettel; ***shopping mall*** *AE* Einkaufszentrum

shop window [ˌʃɒp'wɪndəʊ] Schaufenster

shore [ʃɔː] **1.** Küste, (See)Ufer **2.** ***on shore*** an Land; ***shore leave*** Landurlaub

shorn [ʃɔːn] *3. Form von* → ***shear***

short[1] [ʃɔːt] **1.** ↔ ***long*** *räumlich, zeitlich*: kurz; ***a short time ago*** vor kurzer Zeit, vor kurzem **2.** ↔ ***tall*** *Person*: klein **3.** ***'maths' is short for 'mathematics'*** „maths" ist die Kurzform von „mathematics" **4.** ***in the short run*** zunächst, auf kurze Sicht **5.** ***in the short term*** kurzfristig (gesehen) **6.** ***be short of money*** *oder* ***cash*** knapp bei Kasse sein; ***short of breath*** kurzatmig **7.** barsch (***with*** zu), kurz angebunden **8.** ***short of*** *übertragen* außer

short[2] [ʃɔːt] **1.** plötzlich, abrupt; ***stop short*** *Auto usw.*: abrupt bremsen, *beim Reden*: plötzlich innehalten **2.** ***be caught*** (*oder* ***taken***) ***short*** *bes. BE, umg.* dringend mal (verschwinden) müssen **3.** ***go short*** (***of***) zu wenig haben **4.** ***fall short of*** nicht erreichen **5.** ***run short*** knapp werden, zur Neige gehen; ***we're running short of bread*** uns geht das Brot aus **6.** ***stop short of*** zurückschrecken vor; ***stop short of doing something*** davor zurückschrecken, etwas zu tun **7.** ***cut short*** abbrechen (*Urlaub usw.*)

short[3] [ʃɔːt] **1.** *umg.*; *Elektrizität*: Kurzschluss **2.** *BE, umg.* (≈ *Schnaps*) Kurzer **3.** ***he's called Bill for short*** er wird kurz Bill genannt **4.** ***in short*** kurz(um), kurz gesagt; ☞ ***shorts***

shortage ['ʃɔːtɪdʒ] Mangel (***of*** an); ***food shortage*** Lebensmittelknappheit

short-circuit [ˌʃɔːt'sɜːkɪt] **1.** *Elektrizität*: einen Kurzschluss verursachen in **2.** *übertragen* umgehen (*langen Prozess usw.*)

short circuit [ˌʃɔːt'sɜːkɪt] *Elektrizität*: Kurzschluss

shortcoming ['ʃɔːtˌkʌmɪŋ] *Pl.* Unzulänglichkeit, Mangel

short cut [ˌʃɔːt'kʌt] Abkürzung

shorten ['ʃɔːtn] **1.** kürzen, kürzer machen (*auch Rock usw.*) **2.** kürzer werden

shorthand ['ʃɔːthænd] Kurzschrift, Stenographie; ***do shorthand*** stenographieren; ***shorthand typist*** Stenotypistin

shortlist[1] ['ʃɔːtlɪst] *BE*; *bei Stellenausschreibung usw.*: ***be on the shortlist*** *BE* in der engeren Wahl sein

shortlist[2] ['ʃɔːtlɪst] *BE*; *bei Stellenausschreibung usw.*: in die engere Wahl ziehen; ***be shortlisted*** in der engeren Wahl sein

shortly ['ʃɔːtlɪ] **1.** bald, in Kürze **2.** ***shortly afterwards*** kurz danach

shorts [ʃɔːts] *Pl.* **1.** *auch* ***pair of shorts*** Shorts **2.** *auch* ***pair of shorts*** *bes. AE* (Herren)Unterhose

shortsighted [ˌʃɔːt'saɪtɪd] kurzsichtig (*auch übertragen*)

short story [ˌʃɔːt'stɔːrɪ] Kurzgeschichte

short-tempered [ˌʃɔːt'tempəd] unbeherrscht

short-term ['ʃɔːt‿tɜːm] kurzfristig

short time [ˌʃɔːt'taɪm] ***be on*** (*oder* ***work***) ***short time*** *BE*; *Wirtschaft*: kurzarbeiten

shot[1] [ʃɒt] **1.** Schuss; ***like a shot*** blitzschnell, sofort **2.** (*Ball*)*Sport*: Schuss, Wurf, Schlag **3.** ***he's a good shot*** er ist ein guter Schütze **4.** *umg.* Versuch; ***I'll***

have a shot at it ich probiers mal **5.** Schrot (*zum Schießen*) **6.** *umg.* (≈ *Foto*) Aufnahme **7.** *Film, TV*: Aufnahme **8.** *umg.* Spritze **9.** ***call the shots*** *umg.* das Sagen haben **10.** ***big shot*** *umg.* hohes Tier

shot[2] [ʃɒt] *2. und 3. Form von* → ***shoot***[1]

shotgun ['ʃɒtgʌn] Schrotflinte

shotgun wedding [ˌʃɒtgʌn'wedɪŋ] *umg.* Mussheirat

shot put ['ʃɒt‿pʊt] *Leichtathletik*: Kugelstoßen

shot-putter ['ʃɒtˌpʊtə] Kugelstoßer(in)

should [ʃʊd, ʃəd] **1.** *allg.*: ***I should*** ich sollte; ***you should*** du solltest *usw.* **2.** *bei Vermutungen*: ***he should be home by now*** er müsste inzwischen zu Hause sein **3.** *anstelle von* ***would*** (*nach* ***I*** *und* ***we***): würde; ***I should like to know*** ich würde gern wissen **4.** *statt* ***would*** *bei if--Sätzen* (*nach* ***I*** *und* ***we***): ***I should go if I were you*** ich an deiner Stelle würde gehen

shoulder ['ʃəʊldə] Schulter

shoulder bag ['ʃəʊldə‿bæg] Umhängetasche, Schultertasche

shoulder blade ['ʃəʊldə‿bleɪd] *Körper*: Schulterblatt

shouldn't ['ʃʊdnt] *Kurzform von* ***should not***

should've ['ʃʊdəv] *Kurzform von* ***should have***

shout[1] [ʃaʊt] rufen, schreien (***for*** nach; ***for help*** um Hilfe)

> **shout at** ['ʃaʊt‿ət] ***shout at someone*** jemanden anschreien

shout[2] [ʃaʊt] Ruf, Schrei

shove[1] [⚠ ʃʌv] **1.** stoßen, schubsen **2.** stopfen (*Kleidungsstücke usw.*) (***into*** in)

> **shove off** [ˌʃʌv'ɒf] ***shove off!*** *umg.* hau ab!

shove[2] [⚠ ʃʌv] Stoß, Schubs

shovel[1] [⚠ 'ʃʌvl] Schaufel

shovel[2] [⚠ 'ʃʌvl] ***shovelled, shovelled***, *AE* ***shoveled, shoveled*** schaufeln

show[1] [ʃəʊ], ***showed*** [ʃəʊd], ***shown*** [ʃəʊn] **1.** zeigen, vorzeigen (*Fahrkarte usw.*); ***show someone how to do something*** jemandem zeigen, wie man etwas macht **2.** zu sehen sein; ***it shows*** man sieht es **3.** bringen, führen (*Person*) (***to*** zu) **4.** *Theater usw.*: zeigen, vorführen, *TV*: bringen

> **show around** *oder* **round** [ˌʃəʊ‿ə'raʊnd *oder* 'raʊnd] herumführen; ***show someone around the house*** jemanden durchs Haus führen
>
> **show in** [ˌʃəʊ'ɪn] hereinführen, hineinbringen
>
> **show off** [ˌʃəʊ'ɒf] **1.** angeben, protzen **2.** ***show something off*** mit etwas angeben (***to*** bei)
>
> **show out** [ˌʃəʊ'aʊt] herausführen, hinausbringen
>
> **show up** [ˌʃəʊ'ʌp] **1.** *umg.* kommen, aufkreuzen **2.** heraufführen, hinaufbringen **3.** ***show someone up*** jemanden bloßstellen, jemanden blamieren

show[2] [ʃəʊ] **1.** *Theater usw.*: Vorstellung **2.** *TV usw.*: Show **3.** Ausstellung, …schau; ***be on show*** ausgestellt sein **4.** Demonstration (*von Macht usw.*) **5.** *abwertend*: Schau; ***nothing but show*** eine reine Schau; ***make a show of*** heucheln (*Interesse usw.*) **6.** ***run the show*** *umg.* den Laden schmeißen **7.** ***put up a poor*** *usw.* ***show*** eine schwache *usw.* Leistung zeigen; ***steal the show*** jemandem die Schau stehlen

show biz ['ʃəʊ‿bɪz] *umg.* Showgeschäft

show business ['ʃəʊˌbɪznəs] Showgeschäft

showcase ['ʃəʊkeɪs] Schaukasten, Vitrine

showdown ['ʃəʊdaʊn] Kraftprobe

shower[1] ['ʃaʊə] **1.** *Regen usw.*: Schauer; ***scattered showers*** vereinzelt Schauer **2.** Dusche; ***have*** (*oder* ***take***) ***a shower*** duschen

shower[2] ['ʃaʊə] **1.** duschen **2.** ***shower someone with something*** jemanden mit etwas überschütten *oder* überhäufen

shower cabinet ['ʃaʊəˌkæbɪnət] Duschkabine

shower curtain ['ʃaʊəˌkɜːtn] Duschvorhang

shower gel ['ʃaʊə‿dʒel] Duschgel

showerhead ['ʃaʊəhed] Brauseaufsatz

shown [ʃəʊn] *3. Form von* → ***show***[1]

show-off ['ʃəʊ‿ɒf] *umg.* Angeber(in)

shrank [ʃræŋk] *2. Form von* → ***shrink***

shred[1] [ʃred] **1.** Fetzen; ***tear to shreds*** zerfetzen **2.** ***tear to shreds*** *Theaterstück usw.*: verreißen **3.** Schnitzel, Stückchen **4.** ***not a shred of doubt*** *übertragen* nicht der geringste Zweifel

shred[2] [ʃred], ***shredded, shredded*** **1.** in Streifen schneiden (*Gemüse usw.*) **2.** zerfetzen, in den Reißwolf geben (*Papier*)

shrewd [ʃruːd] scharfsinnig, klug

shriek[1] [ʃriːk] (gellend) aufschreien

shriek² [ʃriːk] (schriller) Schrei
shrill [ʃrɪl] schrill, gellend
shrimp [ʃrɪmp] **1.** *Meerestier*: Garnele **2.** *umg.* Knirps
shrine [ʃraɪn] **1.** Heiligtum, Wallfahrtsstätte **2.** Reliquienschrein
shrink¹ [ʃrɪŋk], ***shrank*** [ʃræŋk] *oder* ***shrunk*** [ʃrʌŋk], ***shrunk*** [ʃrʌŋk] **1.** (zusammen)schrumpfen (*auch übertragen*), (*Stoff usw.*) einlaufen **2.** (*Beliebtheit usw.*) schwinden
shrink² [ʃrɪŋk] *salopp* Psychiater, Seelenklempner
shrivel ['ʃrɪvl], ***shrivelled, shrivelled***, *AE* ***shriveled, shriveled*** austrocknen, runzelig werden; ***shrivelled*** runzelig
Shrove Tuesday [ˌʃrəʊv'tjuːzdeɪ] Faschingsdienstag, Fastnachtsdienstag
shrub [ʃrʌb] Busch, Strauch
shrug [ʃrʌg], ***shrugged, shrugged***; ***shrug*** (***one's shoulders***) mit den Achseln *oder* Schultern zucken

shrug off [ˌʃrʌg'ɒf] *übertragen* als unwichtig abtun

shrunk [ʃrʌŋk] *2. und 3. Form von* → ***shrink***
shudder¹ ['ʃʌdə] **1.** schaudern **2.** (*Haus usw.*) beben, (*Zug usw.*) rütteln
shudder² ['ʃʌdə] Schauder
shuffle ['ʃʌfl] **1.** mischen (*Spielkarten*) **2.** ***shuffle*** (***one's feet***) schlurfen
shun [ʃʌn], ***shunned, shunned*** meiden
shut [ʃʌt], ***shut, shut***; *-ing-Form* ***shutting*** **1.** zumachen, schließen (*Tür usw., auch Fabrik usw.*); ***keep one's mouth shut*** *umg.* den Mund halten **2.** (*Tür usw.*) zugehen, schließen (*auch Laden usw.*) **3.** einschließen (***in*** in); ***shut one's finger in the door*** sich den Finger in der Tür einklemmen

shut away [ˌʃʌt‿ə'weɪ] **1.** wegschließen **2.** ***shut oneself away*** sich vergraben (***in*** in) (*im Zimmer usw.*)
shut down [ˌʃʌt'daʊn] **1.** schließen (*Fabrik usw.*) **2.** (*Fabrik usw.*) schließen
shut off [ˌʃʌt'ɒf] **1.** abstellen (*Gas, Maschine usw.*) **2.** (*Maschine usw.*) (sich) abschalten **3.** fern halten (***from*** von)
shut up [ˌʃʌt'ʌp] **1.** ***shut up!*** *umg.* halt die Klappe! **2.** ***shut someone up*** *umg.* jemandem den Mund stopfen **3.** einsperren (***in*** in) **4.** schließen (*Geschäft*)

shutdown ['ʃʌtdaʊn] *einer Firma, Fabrik usw.*: Schließung, *für immer auch*: Stilllegung
shutter ['ʃʌtə] **1.** Fensterladen **2.** *an Kamera*: Verschluss; ***shutter speed*** Verschlusszeit
shuttle¹ ['ʃʌtl] **1.** *Verkehrsmittel im Pendelverkehr*; ***shuttle train*** Pendelzug; ***shuttle bus*** Bus im Pendelverkehr; ***shuttle service*** Pendelverkehr **2.** ***space shuttle*** Raumfähre
shuttle² ['ʃʌtl] **1.** im Pendelverkehr befördern, hin- und herfahren **2.** (*Personen*) pendeln
shuttlecock ['ʃʌtlkɒk] Federball
shy¹ [ʃaɪ] **1.** *Person*: schüchtern (***of, with*** gegenüber); ***don't be shy*** nur keine Hemmungen! **2.** *Tier*: scheu
shy² [ʃaɪ] (*Pferd*) scheuen (***at*** vor)

shy away from [ˌʃaɪ‿ə'weɪ‿frɒm] *übertragen* zurückschrecken vor; ***shy away from doing something*** davor zurückschrecken, etwas zu tun

shyness ['ʃaɪnəs] Scheu, Schüchternheit
Siberia [saɪ'bɪərɪə] Sibirien
siblings ['sɪblɪŋz] *Pl.* Geschwister *Pl.*
Sicily ['sɪsəlɪ] Sizilien
sick¹ [sɪk] **1.** krank; ***be off sick*** krank(geschrieben) sein; ***report sick*** sich krankmelden **2.** ***be sick*** *bes. BE* sich übergeben; ***he felt sick*** ihm war schlecht **3.** ***be sick of something*** *umg.* etwas satt haben; ***be sick*** (***and tired***) ***of doing something*** *umg.* es (gründlich) satt haben, etwas zu tun **4.** ***it makes me sick*** mir wird schlecht davon, *übertragen* es ekelt mich an **5.** *Witz usw.*: (≈ *geschmacklos*) abartig, pervers
sick² [sɪk] ***the sick*** *Pl.* die Kranken
sickbag ['sɪkbæg] *im Flugzeug*: Spucktüte
sickbay ['sɪkbeɪ] *in Schule*: Krankenzimmer
sickbed ['sɪkbed] Krankenbett
sick building syndrome [ˌsɪk'bɪldɪŋˌsɪndrəʊm] Sick-Building-Syndrom (*Krankheitssymptome, die aus Schadstoffen oder schlechter Belüftung in Gebäuden resultieren*)
sicken ['sɪkən] anekeln, anwidern (*beide auch übertragen*); ***it's sickening*** es ist zum Kotzen
sick headache [ˌsɪk'hedeɪk] *Medizin, etwa*: Migräne
sickie ['sɪkɪ] *umg.* **1.** *Person*: Perversling **2.** ***take a sickie*** einen Tag blaumachen
sickle ['sɪkl] Sichel

S

sick leave ['sɪk‿liːv] ***be on sick leave*** krank(geschrieben) sein
sickly ['sɪklɪ] **1.** *Person*: kränklich **2.** *Lächeln*: matt **3.** *Geruch usw.*: widerwärtig **4.** ***sickly-sweet*** übersüß
sickness ['sɪknəs] **1.** *allg.*: Krankheit **2.** *vom Magen her*: Übelkeit
sick note ['sɪk‿nəʊt] Krankmeldung
side[1] [saɪd] **1.** *allg.*: Seite (*auch übertragen*); ***side by side*** nebeneinander, Seite an Seite; ***at the side of the road*** am Straßenrand; ***on the side*** *übertragen* nebenbei, nebenher; ***take sides*** Partei ergreifen (***with*** für; ***against*** gegen) **2.** *bes. BE*; *Sport*: Mannschaft **3.** ***to be on the 'safe side*** um ganz sicher zu gehen
side[2] [saɪd] Seiten…; ***side door*** Seitentür
side[3] [saɪd] Partei ergreifen (***with*** für; ***against*** gegen)
sideboard ['saɪdbɔːd] *Möbelstück*: Anrichte
sideboards ['saɪdbɔːdz] *Pl., bes. AE* **sideburns** ['saɪdbɜːnz] *Pl.* Koteletten
side dish ['saɪd‿dɪʃ] *Essen*: Beilage
side effect ['saɪd‿ɪˌfekt] *mst. negativ*: Nebenwirkung
side impact protection ['saɪdˌɪmpækt‿prəˈtekʃn] *Auto*: Seitenaufprallschutz
sidekick ['saɪdkɪk] *umg.* **1.** Kumpan(in), Kumpel **2.** Handlanger(in)
sideline ['saɪdlaɪn] **1.** Nebenbeschäftigung **2.** *Sport*: Seitenlinie; ***on the sideline(s)*** am Spielfeldrand
side show ['saɪd‿ʃəʊ] **1.** Nebenvorstellung **2.** Sonderausstellung
sidesplitting ['saɪdˌsplɪtɪŋ] zwerchfellerschütternd
side step ['saɪd‿step] **1.** Schritt zur Seite **2.** *Boxen*: Sidestep
sidestep ['saɪdstep] **1.** *allg.*: einen Schritt zur Seite machen **2.** *einem Schlag* (durch einen Schritt zur Seite) ausweichen **3.** *übertragen* ausweichen (*einer Frage usw.*)
sidetrack ['saɪdtræk] *übertragen* ablenken; ***get sidetracked*** abgelenkt werden
sidewalk ['saɪdwɔːk] *bes. AE* Bürgersteig, Gehsteig; ☞ *BE* ***pavement 2***
sideward ['saɪdwəd], **sidewards** ['saɪdwədz] **1.** seitlich; ***sideward jump*** Sprung zur Seite **2.** seitwärts, nach der *oder* zur Seite
sideways ['saɪdweɪz] **1.** seitwärts **2.** zur Seite; ***step sideways*** zur Seite gehen
siege [siːdʒ] *militärisch*: Belagerung
siesta [sɪ'estə] Siesta; ***have*** *oder* ***take a siesta*** Siesta halten
sieve[1] [⚠ sɪv] Sieb
sieve[2] [⚠ sɪv] (durch)sieben

> **sift through** [ˌsɪft'θruː] *übertragen* sichten, durchsehen (*Material usw.*)

sigh[1] [saɪ] (auf)seufzen; ***sigh with relief*** erleichtert aufatmen
sigh[2] [saɪ] Seufzer; ***heave a sigh of relief*** einen Seufzer der Erleichterung ausstoßen
sight[1] [saɪt] **1.** Sehvermögen; ***have good sight*** gute Augen haben, gut sehen **2.** Anblick, Blick; ***love at first sight*** Liebe auf den ersten Blick; ***catch sight of*** erblicken; ***lose sight of*** aus den Augen verlieren **3.** Sicht(weite); ***be (with)in sight*** in Sicht sein (*auch übertragen*); ***she never lets her children out of her sight*** sie lässt ihre Kinder nie aus den Augen **4.** *mst.* ***sights*** *Pl.* Sehenswürdigkeit **5.** ***know someone by sight*** jemanden vom Sehen kennen **6.** ***a sight for sore eyes*** *umg.* eine Augenweide
sight[2] [saɪt] sichten
sightseeing ['saɪtˌsiːɪŋ] Sightseeing, Besichtigung von Sehenswürdigkeiten; ***go sightseeing*** sich die Sehenswürdigkeiten anschauen; ***sightseeing tour*** Sightseeingtour, (Stadt)Rundfahrt
sign[1] [saɪn] **1.** *allg.*: Zeichen, *Mathematik, Musik auch*: Vorzeichen; ***there was no sign of him*** von ihm war keine Spur zu sehen **2.** *übertragen* Anzeichen **3.** Schild; ***danger sign*** Warnschild **4.** ***sign of the zodiac*** Sternzeichen
sign[2] [saɪn] **1.** *allg.*: unterschreiben, unterzeichnen **2.** signieren (*Bild, Buch*) **3.** ausstellen (*Scheck*) **4.** sich eintragen in **5.** *bes BE*; *Sport*: verpflichten (*Spieler*) **6.** *bes BE*; *Sport*: (einen Vertrag) unterschreiben (***for*** bei)

> **sign for** ['saɪn‿fɔː] den Empfang (+ *Genitiv*) bestätigen (*durch Unterschrift*)
> **sign in** [ˌsaɪn'ɪn] (*Besucher*) sich eintragen
> **sign off** [ˌsaɪn'ɒf] Schluss machen (*im Brief, auch allg.*)
> **sign on** [ˌsaɪn'ɒn] **1.** (*Arbeitsloser*) stempeln gehen **2.** (*Sportler usw.*) sich verpflichten, unterschreiben
> **sign out** [ˌsaɪn'aʊt] sich austragen
> **sign up** [ˌsaɪn'ʌp] **1.** (einen Arbeitsvertrag) unterschreiben **2.** sich einschreiben (*für einen Kurs usw.*)

signal[1] ['sɪgnəl] Signal, Zeichen (*beide auch übertragen*)
signal[2] ['sɪgnəl], ***signalled, signalled,***

AE **signaled, signaled** **1.** Zeichen geben **2.** *übertragen* signalisieren (*Bereitschaft usw.*)
signature ['sɪgnətʃə] Unterschrift, Signatur
signature tune ['sɪgnətʃəˌtjuːn] *Radio, TV*: Erkennungsmelodie
significance [sɪg'nɪfɪkəns] Bedeutung, Wichtigkeit
significant [sɪg'nɪfɪkənt] **1.** bedeutend, wichtig **2.** *Blick usw.*: viel sagend
signify ['sɪgnɪfaɪ] **1.** bedeuten **2.** kundtun (*Meinung usw.*)
sign language ['saɪnˌlæŋgwɪdʒ] Zeichensprache
signpost ['saɪnpəʊst] Wegweiser
silence ['saɪləns] Stille, Schweigen; ***silence!*** Ruhe!; ***in silence*** schweigend
silencer ['saɪlənsə] **1.** *BE*; *Auto*: Auspufftopf **2.** *an Waffe*: Schalldämpfer
silent ['saɪlənt] **1.** still, schweigsam; ***remain silent*** schweigen **2.** *Gebet, Buchstabe usw.*: stumm; ***silent film*** Stummfilm
silhouette [ˌsɪluː'et] Silhouette
silicon ['sɪlɪkən] ⚠ *Chemie*: Silizium
silicone ['sɪlɪkəʊn] ⚠ *Chemie*: Silikon
silk [sɪlk] Seide
silky ['sɪlkɪ] *Haare, Fell usw.*: seidig
sill [sɪl] Sims; ***windowsill*** Fensterbrett
silliness ['sɪlɪnəs] Albernheit, Dummheit
silly[1] ['sɪlɪ] albern, dumm; ***don't be silly!*** mach (*bzw.* red) doch keinen Unsinn!; ***silly billy*** *umg.* Dummerchen
silly[2] ['sɪlɪ] *umg.* Dummkopf, Dummerchen
silly season ['sɪlɪˌsiːzn] *umg.*; *für Medien*: Sauregurkenzeit
silver ['sɪlvə] **1.** Silber (*auch Besteck usw.*) **2.** Silber(münzen) **3.** Silbermedaille
silver jubilee [ˌsɪlvə'dʒuːbɪliː] 25-jähriges Jubiläum
silver medal [ˌsɪlvə'medl] Silbermedaille
silver medallist [ˌsɪlvə'medlɪst] Silbermedaillengewinner(in)
silverware ['sɪlvəweə] Silber(besteck), Tafelsilber
silver wedding [ˌsɪlvə'wedɪŋ] Silberhochzeit
silvery ['sɪlvərɪ] silbrig
similar ['sɪmələ] ähnlich (***to***; *dt. Dativ*)
similarity [ˌsɪmə'lærətɪ] Ähnlichkeit (***to*** mit)
similarly ['sɪmələlɪ] **1.** ähnlich **2.** entsprechend, ebenso
simmer ['sɪmə] köcheln, leicht kochen
simple ['sɪmpl] **1.** *allg.*: einfach, *Aufgabe usw. auch*: leicht; ***for the simple reason that*** aus dem einfachen Grund, weil **2.** *Person usw.*: schlicht, einfach **3.** einfältig
simple-minded [ˌsɪmpl'maɪndɪd] einfältig
simplicity [sɪm'plɪsətɪ] Einfachheit, Schlichtheit
simplification [ˌsɪmplɪfɪ'keɪʃn] Vereinfachung
simplify ['sɪmplɪfaɪ] vereinfachen
simplistic [sɪm'plɪstɪk] grob vereinfachend
simply ['sɪmplɪ] **1.** einfach; ***to put it simply*** einfach ausgedrückt **2.** bloß, nur; ***it's simply a question of money*** es ist nur eine Frage des Geldes **3.** ***simply great*** *usw. umg.* einfach großartig *usw.*
simulate ['sɪmjʊleɪt] **1.** vortäuschen, simulieren (*bes. Krankheit*) **2.** *Technik usw.*: simulieren, imitieren
simulation [ˌsɪmjʊ'leɪʃn] **1.** Vortäuschung **2.** *Technik usw.*: Simulation, Imitation
simultaneous [ˌsɪml'teɪnɪəs] simultan, gleichzeitig
sin[1] [sɪn] Sünde
sin[2] [sɪn], ***sinned, sinned*** sündigen
since [sɪns] **1.** seit; ***we haven't met since last year*** wir haben uns seit letztem Jahr nicht mehr gesehen **2.** inzwischen; ***… but we have since become reconciled*** … aber wir haben uns inzwischen wieder versöhnt **3.** *auch* ***ever since*** seitdem, seither **4.** seit(dem); ***since losing his job, he's never been the same*** seit(dem) er seine Stelle verloren hat, ist er nicht mehr derselbe **5.** *bei Ursache*: (≈ *weil*) da; ***since you're not willing to help me, …*** da du nicht bereit bist, mir zu helfen, …
sincere [sɪn'sɪə] aufrichtig, offen
sincerely [sɪn'sɪəlɪ] **1.** aufrichtig **2.** ***Yours sincerely*** *Briefschluss*: Mit freundlichen Grüßen
sincerity [sɪn'serətɪ] Aufrichtigkeit
sinew ['sɪnjuː] Sehne
sing [sɪŋ], ***sang*** [sæŋ], ***sung*** [sʌŋ] singen; ***sing someone something*** jemandem etwas (vor)singen
Singapore [ˌsɪŋə'pɔː] Singapur
singe [sɪndʒ] ansengen, versengen
singer ['sɪŋə] Sänger(in)
singer-songwriter [ˌsɪŋə'sɒŋˌraɪtə] Liedermacher(in)
single[1] ['sɪŋgl] **1.** einzig; ***not a single one*** kein Einziger **2.** einfach, einzeln, Einzel…; ***single room*** Einzelzimmer; ***single room supplement*** *oder* ***single occupancy*** Einzelzimmerzuschlag; ***single ticket*** *BE* einfache Fahrkarte, *Flugzeug*: einfaches Ticket **3.** unverheiratet; ***single parent*** Alleinerziehende(r); ***single parent family*** Einelternfamilie
single[2] ['sɪŋgl] **1.** *BE* einfache Fahrkarte,

Flugzeug: einfaches Ticket **2.** *Schallplatte*: Single **3.** *Person*: Single; ***singles bar*** Single-Bar; ☞ ***singles***

single out [ˌsɪŋgl'aʊt] aussondern

single currency [ˌsɪŋgl'kʌrənsɪ] einheitliche Währung, Einheitswährung
Single European Market [ˌsɪŋglˌjʊərəpiːən'mɑːkɪt] europäischer Binnenmarkt
single file [ˌsɪŋgl'faɪl] (***in***) ***single file*** im Gänsemarsch
single-handed [ˌsɪŋgl'hændɪd] eigenhändig, (ganz) allein
single market [ˌsɪŋgl'mɑːkɪt] *Europa*: Binnenmarkt
single-minded [ˌsɪŋgl'maɪndɪd] zielstrebig
singles ['sɪŋglz] *Pl. Tennis usw.*: Einzel; ***a singles match*** ein Einzel
singular[1] ['sɪŋgjʊlə] **1.** *Sprache*: Singular…, Einzahl… **2.** *übertragen* einzigartig, einmalig
singular[2] ['sɪŋgjʊlə] *Sprache*: Singular, Einzahl
sinister ['sɪnɪstə] finster, unheimlich
sink[1] [sɪŋk], ***sank*** [sæŋk] *oder* ***sunk*** [sʌŋk], ***sunk*** [sʌŋk] **1.** sinken, untergehen **2.** versenken (*Schiff usw.*) **3.** zunichte machen (*Pläne usw.*) **4.** sinken (***into a chair*** in einen Sessel) **5.** ***my heart*** (*oder* ***spirits***) ***sank*** meine Stimmung sank **6.** bohren (*Brunnen usw.*) **7.** ***leave someone to sink or swim*** jemanden sich selbst überlassen
sink[2] [sɪŋk] Spülbecken, Spüle, Ⓒⓗ Schüttstein
sinner ['sɪnə] Sünder(in)
sinus ['saɪnəs] *Medizin*: (Nasen)Nebenhöhle
sinusitis [ˌsaɪnə'saɪtɪs] *Medizin*: (Nasen-)Nebenhöhlenentzündung
sip[1] [sɪp], ***sipped, sipped*** nippen (an *oder* von), schluckweise trinken
sip[2] [sɪp] Schlückchen
sir [sɜː] **1.** *Anrede*: Sir; ***Dear Sir or Madam*** *Anrede in Briefen*: Sehr geehrte Damen

singular: Singularwörter im Englischen

Es gibt im Englischen einige Begriffe, die im Gegensatz zum Deutschen nur als Singular verwendet werden. Sie können also nicht mit **a** bzw. **an** benutzt werden. Stattdessen kann man, wo angebracht, **some** oder **any** einfügen. Hier die wichtigsten:

advice	Rat, Ratschlag, Ratschläge
I need some advice.	Ich brauche einen Rat / ein paar gute Ratschläge.
information	Information(en)
Have you got any information about the flight?	Haben Sie irgendwelche Informationen über den Flug?
knowledge	Wissen, Kenntnis(se)
What is his knowledge of history like?	Wie sind so seine Geschichtskenntnisse?
news (*trotz* **-s** *am Ende ist* **news** *ein Singularwort*)	Nachricht(en)
The news is mixed	Die Nachrichten sind gemischt.
progress	Fortschritt(e)
We're making some progress.	Wir machen Fortschritte.
furniture	Möbel
Furniture is expensive.	Möbel sind teuer.

Um den Singular auszudrücken, kann man den meisten dieser Ausdrücke **a piece of** voranstellen:

a piece of advice	ein Ratschlag
a piece of information	eine Information
a piece of news	eine Nachricht
a piece of furniture	ein Möbelstück

S

und Herren **2.** ***Sir*** *BE*; *Adelstitel*: ***Sir*** [⚠ sə] ***Winston*** (***Churchill***)

Sir

Die Anrede **Sir** wird entweder dem Vornamen oder dem Vornamen + Nachnamen vorangestellt. Nie erscheint sie mit dem Nachnamen allein. Also: **Sir Winston** oder **Sir Winston Churchill** (nicht „Sir Churchill"!).

siren ['saɪrən] Sirene
sister ['sɪstə] **1.** Schwester **2.** *BE* Oberschwester **3.** *kirchlich*: (Ordens)Schwester; ***Sister Mary*** Schwester Mary
sister-in-law ['sɪstərɪnlɔː] *Pl.*: ***sisters-in--law*** Schwägerin
sisterly ['sɪstəlɪ] schwesterlich
sit [sɪt], ***sat*** [sæt], ***sat*** [sæt]; *-ing-Form* ***sitting*** **1.** *allg.*: sitzen (*auf einem Stuhl usw.*) **2.** sich setzen (*auf einen Stuhl usw.*) **3.** setzen (*Kind usw.*), stellen (*Gegenstand*) (***in*** in; ***on*** auf) **4.** (*Gegenstand*) stehen, liegen (*an einem bestimmten Platz*) **5.** (*Versammlung usw.*) tagen **6.** *BE* ablegen, machen (*Prüfung*) **7.** ***be sitting pretty*** *umg.* (finanziell) gut dastehen

sit about *oder* **around** [ˌsɪt‿ə'baʊt *oder* ə'raʊnd] herumsitzen
sit back [ˌsɪt'bæk] sich zurücklehnen, *übertragen* die Hände in den Schoß legen
sit down [ˌsɪt'daʊn] **1.** sich setzen **2.** sitzen; ***sitting down*** im Sitzen
sit for ['sɪt‿fɔː] **1.** *BE* ablegen, machen (*Prüfung*) **2.** Modell sitzen für
sit in [ˌsɪt'ɪn] ***sit in for someone*** jemanden vertreten
sit on ['sɪt‿ɒn] **1.** *übertragen* (≈ *nicht erledigen*) sitzen auf **2.** unterdrücken
sit out [ˌsɪt'aʊt] auslassen (*Tanz*)
sit up [ˌsɪt'ʌp] **1.** sich aufsetzen **2.** hinsetzen (*Kind usw.*) **3.** aufrecht sitzen; ***sit up!*** setz dich gerade hin! **4.** *abends*: aufbleiben **5.** ***make someone sit up*** (***and take notice***) *umg.* jemanden aufhorchen lassen

sitcom ['sɪtkɒm] *TV*: Situationskomödie
sit-down ['sɪtdaʊn] *auch* ***sit-down strike*** Sitzstreik
site [saɪt] **1.** Platz, Stelle; ***camping site*** Zeltplatz **2.** (Ausgrabungs)Stätte **3.** Bauplatz; ***building*** *oder* ***construction site*** Baustelle
sit-in ['sɪtɪn] **1.** Sit-in, Sitzblockade **2.** Sitzstreik
sitting ['sɪtɪŋ] Sitzung (*auch Malerei usw.*)
sitting room ['sɪtɪŋ‿ruːm] Wohnzimmer
situated ['sɪtʃʊeɪtɪd] ***be situated*** *Haus usw.*: gelegen sein, liegen
situation [ˌsɪtʃʊ'eɪʃn] **1.** *übertragen* Lage, Situation **2.** ***situations*** *Pl.* ***vacant*** Stellenangebote; ***situations*** *Pl.* ***wanted*** Stellengesuche **3.** Lage (*eines Hauses usw.*)
six[1] [sɪks] sechs
six[2] [sɪks] *Buslinie, Spielkarte usw.*: Sechs
six-pack ['sɪkspæk] **1.** *von Getränken*: Sechserpack(ung); ***he's one can short of a six-pack*** *umg.* er hat nicht alle Tassen im Schrank **2.** *humorvoll* Waschbrettbauch

six-pack

Six-pack ist ein aus den USA stammender Begriff, der einen „Sechserpack" Bierdosen beschreibt. Auch findet man ihn in der Wendung **"He's/She's one can short of a six-pack"** („Ihm/Ihr fehlt eine Bierdose zum Sechserpack", d. h. er/sie hat nicht alle Tassen im Schrank).

Mit **six-pack** bezeichnet man umgangssprachlich auch einen ☞ Waschbrettbauch.

sixteen[1] [ˌsɪks'tiːn] sechzehn
sixteen[2] [ˌsɪks'tiːn] *Buslinie usw.*: Sechzehn
sixth[1] [sɪksθ] sechste(r, -s)
sixth[2] [sɪksθ] **1.** Sechste(r, -s) **2.** *Bruchteil*: Sechstel
sixth form ['sɪksθ‿fɔːm] *BE*; *Schule*: Abschlussklasse

sixth form

Sixth form heißt die Abschlussklasse in der Schule, während der sich Schüler im Alter von ca. 16 bis 18 auf ihre **A levels** vorbereiten. Die **sixth form** besteht aus der **lower sixth** (1. Jahr) und der **upper sixth** (2. Jahr) und entspricht in etwa der deutschen Kollegstufe oder Sekundarstufe II.

sixty[1] ['sɪkstɪ] sechzig
sixty[2] ['sɪkstɪ] Sechzig; ***he's in his sixties*** er ist in den Sechzigern; ***in the sixties*** in den Sechzigerjahren (*eines Jahrhunderts*)
size [saɪz] **1.** Größe, *übertragen auch*: Ausmaß; ***what's the size of … ?*** wie groß ist …? **2.** *Kleider usw.*: Größe, Nummer;

what size do you take? welche Größe tragen Sie?

size up [ˌsaɪzˈʌp] abschätzen

sizeable [ˈsaɪzəbl] *Summe*: beträchtlich
sizzle [ˈsɪzl] (*Fleisch usw.*) brutzeln
skate[1] [skeɪt] **1.** Schlittschuh **2.** Rollschuh
skate[2] [skeɪt] **1.** Schlittschuh laufen, Eis laufen **2.** Rollschuh laufen
skateboard [ˈskeɪtbɔːd] Skateboard
skateboarder [ˈskeɪtbɔːdə] Skateboardfahrer(in)
skatepark [ˈskeɪtpɑːk] Skateboardanlage
skater [ˈskeɪtə] **1.** Eis- *oder* Schlittschuhläufer(in) **2.** Rollschuhläufer(in) **3.** Inlineskater(in)
skating rink [ˈskeɪtɪŋ‿rɪŋk] **1.** (Kunst)Eisbahn **2.** Rollschuhbahn
skeleton [ˈskelɪtən] Skelett, Gerippe (*beide auch übertragen*)
skeptical [ˈskeptɪkl] *bes. AE* skeptisch; ☞ *BE* ***sceptical***
sketch[1] [sketʃ] **1.** *Kunst*: Skizze **2.** Sketch
sketch[2] [sketʃ] **1.** skizzieren **2.** *oft* ***sketch in*** *oder* ***out*** *übertragen* skizzieren, umreißen
sketch pad [ˈsketʃ‿pæd] Skizzenblock
skewer[1] [ˈskjuːə] Fleischspieß
skewer[2] [ˈskjuːə] aufspießen (*Fleisch*)
ski[1] [skiː] **1.** Ski **2.** *an Fahrzeug*: Kufe
ski[2] [skiː], ***skied, skied***; *-ing-Form* ***skiing*** Ski fahren *oder* laufen
skid[1] [skɪd], ***skidded, skidded*** (*Auto usw.*) schleudern
skid[2] [skɪd] ***go into a skid*** (*Auto usw.*) ins Schleudern kommen
skiing [ˈskiːɪŋ] Skifahren, Skilaufen
skilful [ˈskɪlfl] geschickt
skill [skɪl] **1.** *allg.*: Geschick, Geschicklichkeit **2.** *speziell*: Fertigkeit, berufliche Qualifikation
skilled [skɪld] **1.** *allg.*: geschickt (***at, in*** in) **2.** ***skilled worker*** Facharbeiter(in)
skillet [ˈskɪlɪt] *AE* Bratpfanne
skillful [ˈskɪlfl] *AE* geschickt; ☞ ***skilful***
skim [skɪm], ***skimmed, skimmed*** **1.** *auch* ***skim off*** abschöpfen (*Fett usw.*) (***from*** von) **2.** entrahmen (*Milch*)

skim through [ˌskɪmˈθruː] überfliegen (*Bericht usw.*)

skimmed milk [ˌskɪmdˈmɪlk] entrahmte Milch
skimp [skɪmp] ***skimp*** (***on***) sparen an
skimpy [ˈskɪmpɪ] dürftig, *Kleidung*: knapp
skin[1] [skɪn] **1.** Haut (*auch von Wurst, auf Milch usw.*); ***be all skin and bones*** nur noch Haut und Knochen sein; ***be soaked to the skin*** bis auf die Haut durchnässt sein **2.** Haut, Fell (*von Tier*) **3.** *von Obst usw.*: Schale **4.** ***by the skin of one's teeth*** *umg.* mit knapper Not **4.** *BE, umg.* Skin, Skinhead, Glatze
skin[2] [skɪn], ***skinned, skinned*** **1.** abhäuten (*Tier*) **2.** schälen (*Zwiebel usw.*) **3.** ***skin one's knee*** sich das Knie aufschürfen
skinflint [ˈskɪnflɪnt] Geizhals
skinhead [ˈskɪnhed] Skinhead
skinny [ˈskɪnɪ] dürr
skip [skɪp], ***skipped, skipped*** **1.** *auf und ab*: hüpfen **2.** *BE* seilspringen **3.** *übertragen* springen (***from one subject to another*** von ˈeinem Thema zum andern) **4.** überspringen, auslassen (*Kapitel usw.*) **5.** schwänzen (*Unterricht usw.*), ausfallen lassen (*Mahlzeit*)
skipper [ˈskɪpə] **1.** *Schiff*: Kapitän **2.** *Sport*: Mannschaftsführer(in)
skipping [ˈskɪpɪŋ] Seilspringen
skipping rope [ˈskɪpɪŋ‿rəʊp] *BE* Springseil
skirt [skɜːt] Rock, Ⓒ Jupe
ski run [ˈskiː‿rʌn] Skihang, Piste
skive [skaɪv] *BE, umg.*; *bei der Arbeit*: faulenzen, sich vor der Arbeit drücken
skull [skʌl] **1.** Schädel **2.** ***skull and crossbones*** *Symbol*: Totenkopf
skunk [skʌŋk] Skunk, Stinktier
sky [skaɪ] Himmel; ***in the sky*** am Himmel
skydiving [ˈskaɪˌdaɪvɪŋ] Fallschirmspringen
skylight [ˈskaɪlaɪt] Dachfenster, Oberlicht
skyline [ˈskaɪlaɪn] Skyline, Silhouette (*einer Stadt*)
skyscraper [ˈskaɪˌskreɪpə] Wolkenkratzer
slab [slæb] **1.** Platte; ***stone slab*** Steinplatte **2.** dickes Stück (*Kuchen, Käse usw.*), Tafel (*Schokolade*)
slack [slæk] **1.** *Seil usw.*: locker **2.** *übertragen* lasch, nachlässig **3.** *Wirtschaft*: flau
slacken [ˈslækən] **1.** lockern (*Seil usw.*) **2.** locker werden **3.** *übertragen* verringern **4.** *auch* ***slacken off*** *Nachfrage usw.*: nachlassen
slain [sleɪn] *3. Form von* → ***slay***
slam [slæm], ***slammed, slammed*** **1.** *auch* ***slam shut*** *Tür usw.*: zuknallen, zuschlagen **2.** ***slam something*** (***down***) *umg.* etwas knallen (***on*** auf)

slam on [ˈslæm‿ɒn] ***slam on the brakes, slam the brakes on*** *beim Autofahren*: auf die Bremse steigen

S

slammin ['slæmɪn] *AE*, *umg.* endgeil, voll krass
slander[1] ['slɑːndə] Verleumdung
slander[2] ['slɑːndə] verleumden
slanderous ['slɑːndrəs] verleumderisch
slang [slæŋ] Slang, Jargon
slant [slɑːnt] Schräge; ***at a slant*** schräg
slanting ['slɑːntɪŋ] schräg
slap[1] [slæp] Schlag, Klaps; ***a slap in the face*** *wörtlich* eine Ohrfeige (*bes.* Ⓐ Watsche), *übertragen* ein Schlag ins Gesicht
slap[2] [slæp], ***slapped, slapped*** **1.** schlagen; ***slap someone's face*** jemanden ohrfeigen, Ⓐ jemanden watschen **2.** *auch* ***slap down*** klatschen (***on*** auf) **3.** (*Wellen usw.*) klatschen (***against*** gegen)
slaphead ['slæphed] *umg.*, *abwertend* Glatzkopf
slapstick ['slæpstɪk] Slapstick, Klamauk
slash[1] [slæʃ] **1.** aufschlitzen, zerschlitzen; ***slash one's wrists*** sich die Pulsadern aufschneiden **2.** *übertragen* drastisch herabsetzen (*Preise*), drastisch kürzen (*Ausgaben*)
slash[2] [slæʃ] **1.** Hieb, Schnitt **2.** Schlitz (*in Kleid usw.*) **3.** *Satzzeichen*: Schrägstrich **4.** ***go for*** *oder* ***have a slash*** *vulgär* pissen gehen
slate [sleɪt] **1.** *Gestein*: Schiefer **2.** Schiefertafel **3.** *AE*; *Politik*: Kandidatenliste
slaughter ['slɔːtə] **1.** schlachten (*Tier*) **2.** niedermetzeln (*Menschen*) **3.** *umg.*, *Sport*: fertig machen, zerlegen
slaughtered ['slɔːtəd] *BE*, *umg.* stockbesoffen
slaughterhouse ['slɔːtəhaʊs] Schlachthaus
slave [sleɪv] Sklave, Sklavin
slave driver ['sleɪvˌdraɪvə] *umg.* Sklaventreiber(in), Leuteschinder(in)
slave labour [ˌsleɪv'leɪbə] Sklavenarbeit (*auch übertragen*)
slavery ['sleɪvərɪ] Sklaverei
slavish ['sleɪvɪʃ] sklavisch
slay [sleɪ], ***slew*** [sluː], ***slain*** [sleɪn] ermorden, umbringen
sleazy ['sliːzɪ] **1.** *Gebäude usw.*: schäbig, heruntergekommen **2.** (≈ *unmoralisch*) anrüchig
sled [sled], **sledge**[1] [sledʒ] (Rodel)Schlitten
sledge[2] [sledʒ] ***go sledging*** Schlitten fahren (gehen), Ⓒⓗ schlitteln gehen
sleek [sliːk] **1.** *Haar usw.*: seidig **2.** *Auto*: schnittig
sleep[1] [sliːp] Schlaf; ***in one's sleep*** im Schlaf; ***go to sleep*** einschlafen (⚠ *schlafen gehen* = ***go to bed***); ***I couldn't get to sleep*** ich konnte nicht einschlafen; ***put to sleep*** (≈ *betäuben*, *töten*) einschläfern
sleep[2] [sliːp], ***slept*** [slept], ***slept*** [slept] **1.** schlafen **2.** ***this tent sleeps four people*** in diesem Zelt können vier Leute schlafen

> **sleep around** [ˌsliːp‿ə'raʊnd] *umg.*, *abwertend* rumbumsen
> **sleep in** [ˌsliːp'ɪn] lang *oder* länger schlafen (⚠ *nicht* ***einschlafen***)
> **sleep off** [ˌsliːp'ɒf] ***sleep it off*** *umg.* seinen Rausch ausschlafen
> **sleep on** ['sliːp‿ɒn] überschlafen (*Problem usw.*)
> **sleep with** ['sliːp‿wɪð] ***sleep with someone*** mit jemandem schlafen

sleeper ['sliːpə] **1.** Schlafende(r), Schläfer (-in); ***be a light*** (*bzw.* ***heavy***) ***sleeper*** einen leichten (*bzw.* festen) Schlaf haben **2.** *BE*; *von Gleis*: Schwelle **3.** *Eisenbahn*: Schlafwagen **4.** Schlafwagenplatz **5.** *übertragen* Schläfer (*Agent*, *Terrorist*)
sleeping bag ['sliːpɪŋ‿bæg] Schlafsack
sleeping car ['sliːpɪŋ‿kɑː] *Eisenbahn*: Schlafwagen
sleeping pill ['sliːpɪŋ‿pɪl], **sleeping tablet** ['sliːpɪŋˌtæblət] Schlaftablette
sleepless ['sliːpləs] *Nacht*: schlaflos
sleepwalk ['sliːpwɔːk] schlafwandeln, nachtwandeln
sleepwalker ['sliːpˌwɔːkə] Schlafwandler (-in), Nachtwandler(in)
sleepy ['sliːpɪ] **1.** schläfrig, müde **2.** *Städtchen usw.*: verschlafen, verträumt
sleepyhead ['sliːpɪhed] *umg.* Schlafmütze
sleet [sliːt] Schneeregen
sleeve [sliːv] **1.** Ärmel **2.** *bes. BE* (Platten)Hülle
sleigh [⚠ sleɪ] (Pferde)Schlitten
slender ['slendə] **1.** *Figur*: schlank, schmal **2.** *übertragen* mager, gering
slept [slept] *2. und 3. Form von* → ***sleep***[2]
slew [sluː] *2. Form von* → ***slay***
slice[1] [slaɪs] **1.** *Brot usw.*: Scheibe, *Kuchen usw.*: Stück **2.** *übertragen* Anteil (***of*** an) **3.** *BE*; *zum Servieren*: Wender; ***cake slice*** Tortenheber
slice[2] [slaɪs] *auch* ***slice up*** in Scheiben *oder* Stücke schneiden

> **slice off** [ˌslaɪs'ɒf] abschneiden (*Stück*) (***from*** von)

slick[1] [slɪk] **1.** *Vorstellung usw.*: gekonnt **2.** clever, gewieft **3.** *Straße usw.*: glatt, rutschig

S

slick[2] [slɪk] **1.** (***oil***) ***slick*** Ölteppich **2.** *AE, umg.* Hochglanzmagazin
slicker ['slɪkə] *AE* Regenmantel
slid [slɪd] *2. und 3. Form von* → **slide**[1]
slide[1] [slaɪd], ***slid*** [slɪd], ***slid*** [slɪd] **1.** gleiten, rutschen **2.** gleiten lassen
slide[2] [slaɪd] **1.** Rutsche, Rutschbahn **2.** *Foto*: Dia **3.** *Geröll usw.*: …rutsch; ***landslide*** Erdrutsch (*auch politisch*) **4.** *BE* Haarspange
slide projector ['slaɪd‿prəˌdʒektə] Diaprojektor
slide rule ['slaɪd‿ruːl] *veraltet, Mathematik*: Rechenschieber
sliding door [ˌslaɪdɪŋ'dɔː] Schiebetür
slight [slaɪt] **1.** leicht, geringfügig; ***I haven't got the slightest idea*** ich habe nicht die geringste Ahnung **2.** ***not in the slightest*** nicht im Geringsten
slightly ['slaɪtlɪ] etwas, ein bisschen
slim[1] [slɪm], ***slimmer, slimmest*** **1.** schlank **2.** *Chance, Hoffnung usw.*: gering
slim[2] [slɪm], ***slimmed, slimmed*** eine Schlankheitskur *oder* Diät machen
slime [slaɪm] Schleim
slimy ['slaɪmɪ] schleimig (*auch übertragen*)
sling[1] [slɪŋ], ***slung*** [slʌŋ], ***slung*** [slʌŋ] schleudern (⚠ *nicht* ***schlingen***)
sling[2] [slɪŋ] *bei Verletzung*: Schlinge
slip[1] [slɪp], ***slipped, slipped*** **1.** rutschen, *auf Eis auch*: schlittern **2.** *auf glatter Fläche*: ausrutschen **3.** (≈ *sich schnell bewegen*) schlüpfen **4.** ***slip something into someone's hand*** jemandem etwas in die Hand schieben; ***slip someone something*** jemandem etwas zuschieben **5.** ***it slipped my mind*** es ist mir entfallen **6.** ***be slipping*** nachlassen, schlechter werden **7.** ***let something slip*** (***through your fingers***) sich etwas entgehen lassen **8.** ***he let slip that*** ihm ist herausgerutscht, dass

> **slip into** ['slɪp‿ɪntʊ] schlüpfen in (*ein Kleidungsstück*)
> **slip out** [ˌslɪp'aʊt] **1.** sich hinausschleichen **2.** ***it just slipped out*** es ist mir *usw.* so herausgerutscht
> **slip out of** [ˌslɪp'aʊt‿əv] schlüpfen aus (*einem Kleidungsstück*)
> **slip up** [ˌslɪp'ʌp] sich vertun

slip[2] [slɪp] **1.** Versehen, Flüchtigkeitsfehler; ***slip of the tongue*** Versprecher **2.** Unterkleid, Unterrock (⚠ *nicht* ***Slip***) **3.** ***give someone the slip*** *umg.* jemandem entwischen
slip[3] [slɪp] *auch* ***slip of paper*** Zettel
slipped disc [ˌslɪpt'dɪsk] Bandscheibenvorfall
slipper ['slɪpə] Hausschuh, Pantoffel (⚠ *Slipper* = ***slip-on*** [***shoe***])
slippery ['slɪpərɪ] **1.** glatt, rutschig **2.** *Seife usw.*: glitschig **3.** *übertragen* zwielichtig
slip road ['slɪp‿rəʊd] *BE* **1.** *allg.*: Zufahrtsstraße **2.** *auf Autobahn je nach Richtung*: Ausfahrt, Auffahrt
slipshod ['slɪpʃɒd] schlampig, schluderig
slit[1] [slɪt] Schlitz (*auch im Rock usw.*)
slit[2] [slɪt], ***slit, slit***; *-ing-Form* ***slitting*** (auf)schlitzen
slobber ['slɒbə] sabbern
slog [slɒg] *umg. auch* ***hard slog*** Schinderei, Plackerei
slogan ['sləʊgən] Slogan, Spruch
slop [slɒp], ***slopped, slopped*** **1.** verschütten (*Flüssigkeit*) **2.** überschwappen, schwappen (***over*** über)
slope[1] [sləʊp] (*Boden usw.*) sich neigen
slope[2] [sləʊp] **1.** *von Berg*: (Ab)Hang **2.** *von Straße, Dach usw.*: Neigung, Gefälle
sloppy ['slɒpɪ] **1.** *Arbeit usw.*: schlampig, schluderig **2.** *umg.*; *Film usw.*: schmalzig
sloshed [slɒʃt] *umg.* blau, besoffen; ***get sloshed*** sich besaufen
slot [slɒt] **1.** (≈ *Öffnung*) Schlitz **2.** *umg.* Platz, Stelle (*in einer Liste, Reihe usw.*)
sloth [⚠ sləʊθ] *Tier*: Faultier
slot machine ['slɒt‿məˌʃiːn] **1.** Münzautomat **2.** Spielautomat
slouch [slaʊtʃ] **1.** sich lümmeln **2.** *beim Gehen*: latschen
Slovak[1] ['sləʊvæk] slowakisch
Slovak[2] ['sləʊvæk] Slowake, Slowakin
Slovakia [sləʊ'vækɪə] *die* Slowakei
Slovene ['sləʊviːn] → ***Slovenian***
Slovenia [sləʊ'viːnɪə] Slowenien
Slovenian[1] [sləʊ'viːnɪən] slowenisch
Slovenian[2] [sləʊ'viːnɪən] Slowene, Slowenin
slovenly [⚠ 'slʌvnlɪ] schlampig, schluderig
slow [sləʊ] **1.** *allg.*: langsam, *Person auch* begriffsstutzig; ***be slow to do something*** sich mit etwas Zeit lassen; ***slow lane*** *Verkehr*: Kriechspur **2.** ***in slow motion*** in Zeitlupe **3.** ***be*** (***five minutes*** *usw.*) ***slow*** (*Uhr*) (fünf Minuten *usw.*) nachgehen **4.** *Wirtschaft*: schleppend

> **slow down** [ˌsləʊ'daʊn] **1.** ***slow down!*** fahr (*bzw.* geh) langsamer! **2.** verringern (*Geschwindigkeit*), verzögern (*Projekt usw.*)

slowcoach ['sləʊkəʊtʃ] *BE* Trödler(in)

S

slowdown ['sləudaun] **1.** Nachlassen, Rückgang **2.** *AE* Bummelstreik
slowpoke ['sləupəuk] *AE* Trödler(in)
slowworm ['sləuwɜːm] *Eidechsenart*: Blindschleiche
sludge [slʌdʒ] Schlamm, Matsch
slug [slʌg] Nacktschnecke; ☞ ***snail***
sluggish ['slʌgɪʃ] träge, schleppend
sluice [sluːs] Schleuse
slum [slʌm] *mst.* ***slums*** *Pl.* Slums, Elendsviertel
slump[1] [slʌmp] **1.** ***slump into a chair*** sich in einen Sessel plumpsen lassen **2.** (*Preise*) stürzen, (*Umsatz usw.*) stark zurückgehen
slump[2] [slʌmp] *Wirtschaft*: Krise; ***slump in prices*** Preissturz
slung [slʌŋ] *2. und 3. Form von* → ***sling***[1]
slur[1] [slɜː], ***slurred, slurred***; ***slur one's speech*** lallen
slur[2] [slɜː] ***cast a slur on someone*** jemanden verunglimpfen
slurp [slɜːp] schlürfen (*Suppe usw.*)
slush [slʌʃ] **1.** Schneematsch **2.** *umg.* Kitsch
sly [slaɪ] **1.** gerissen, schlau **2.** *Lächeln*: verschmitzt **3.** ***on the sly*** heimlich
smack[1] [smæk] **1.** schlagen, einen Klaps geben **2.** ***smack one's lips*** schmatzen
smack[2] [smæk] **1.** Klaps, Schlag **2.** *umg.* (≈ *Kuss*) Schmatz

> **smack of** ['smæk‿əv] *übertragen* schmecken *oder* riechen nach

small[1] [smɔːl] *allg.*: klein; ***feel small*** sich klein vorkommen (⚠ *schmal* = ***narrow***)
small[2] [smɔːl] ***small of the back*** Kreuz
small ad ['smɔːl‿æd] *umg.* Kleinanzeige
small change [ˌsmɔːl'tʃeɪndʒ] Kleingeld
small hours ['smɔːlˌauəz] ***until*** *oder* ***into the small hours*** bis in die frühen Morgenstunden
small-minded [ˌsmɔːl'maɪndɪd] engstirnig
smallpox ['smɔːlpɒks] *Krankheit*: Pocken
small print [ˌsmɔːl'prɪnt] Kleingedruckte(s)
small talk ['smɔːl‿tɔːk] (≈ *unverbindliche Unterhaltung*) Konversation, Small Talk
smarmy ['smɑːmɪ] *umg.* schmierig
smart[1] [smɑːt] **1.** *bes BE*; *Auto, Kleidung usw.*: schick, *bes.* Ⓐ fesch **2.** *bes AE* schlau, clever **3.** *Bewegung usw.*: blitzschnell, *Schritt usw.*: flott **4.** *Restaurant usw.*: vornehm
smart[2] [smɑːt] (*Wunde*) weh tun, brennen
smart aleck ['smɑːtˌælɪk] *umg.* Besserwisser(in)
smart arse ['smɑːt‿ɑːs], *AE* **smart ass** ['smɑːt‿æs] *vulgär* Klugscheißer(in)
smart card ['smɑːt‿kɑːd] Smartcard, Chipkarte
smartphone ['smɑːtfəun] Smartphone (*internetfähiges Mobiltelefon*)
smash[1] [smæʃ] **1.** *auch* ***smash up*** zerschlagen **2.** *auch* ***smash up*** zu Schrott fahren (*Wagen*) **3.** (*Glas usw.*) zerspringen **4.** schmettern (*auch Tennis*) **5.** zerschlagen (*Drogenring*)

> **smash into** ['smæʃˌɪntu] prallen an *oder* gegen, krachen gegen

smash[2] [smæʃ] **1.** Schlag **2.** *Tennis usw.*: Schmetterball **3.** schwerer Unfall
smash[3] [smæʃ] ***smash hit*** Superhit
smashing ['smæʃɪŋ] *BE, umg.* toll
smash-up ['smæʃʌp] *Auto*: schwerer Unfall
smattering ['smætərɪŋ] ***a smattering of English*** ein paar Brocken Englisch
smear[1] [smɪə] **1.** Fleck **2.** *Medizin*: Abstrich
smear[2] [smɪə] **1.** verschmieren **2.** schmieren (*Creme usw.*) (***on, over*** auf) **3.** einschmieren (*Haut usw.*) (***with*** mit)
smell[1] [smel], ***smelt*** [smelt], ***smelt*** [smelt] *oder* ***smelled, smelled*** **1.** riechen (***at*** an), riechen an **2.** riechen, *stärker*: stinken (***of*** nach) (*beide auch übertragen*)
smell[2] [smel] Geruch, *stärker*: Gestank
smelly ['smelɪ] *Socken usw.*: stinkend
smelt [smelt] *2. und 3. Form von* → ***smell***[1]
smile[1] [smaɪl] Lächeln; ***with a smile*** lächelnd, mit einem Lächeln, ***be all smiles*** (übers ganze Gesicht) strahlen; ***give someone a smile*** jemanden anlächeln, jemandem zulächeln
smile[2] [smaɪl] lächeln (***about*** über); ***keep smiling!*** immer nur lächeln!

> **smile at** ['smaɪl‿ət] **1.** anlächeln, zulächeln **2.** belächeln

smiley ['smaɪlɪ] Smiley (*Emoticon in Form eines lächelnden Gesichts*)
smirk [smɜːk] (schadenfroh) grinsen
smith [smɪθ] Schmied
smithereens [ˌsmɪðə'riːnz] *Pl.* ***smash (in)to smithereens*** in tausend Stücke schlagen *oder* zerspringen
smog [smɒg] Smog; ***smog alert*** Smogalarm
smoke[1] [sməuk] **1.** Rauch; ***go up in smoke*** *übertragen* in Rauch aufgehen

2. ***have a smoke*** eine rauchen 3. *umg.* Zigarette
smoke² [sməʊk] 1. rauchen 2. räuchern (*Fisch, Fleisch usw.*)
smoked [sməʊkt] geräuchert, Räucher…
smoker ['sməʊkə] 1. Raucher(in) 2. *Eisenbahn*: Raucherwagen
smokestack ['sməʊkstæk] Schornstein
smoking ['sməʊkɪŋ] Rauchen; ***no smoking*** Rauchen verboten; ***smoking compartment*** Raucher(abteil)
smoky ['sməʊkɪ] *Zimmer usw.*: rauchig, verräuchert
smolder ['sməʊldə] *AE* glimmen, schwelen (*beide auch übertragen*); ☞ *BE* ***smoulder***
smooch [smuːtʃ] *umg.* knutschen (***with*** mit)
smooth¹ [⚠ smuːð] 1. *Oberfläche*: glatt 2. *Flug*: ruhig 3. *übertragen* reibungslos 4. *Person*: aalglatt
smooth² [⚠ smuːð] *auch* ***smooth out*** glätten, glatt streichen
smother ['smʌðə] 1. ersticken (*Person, Feuer*) 2. *übertragen* überschütten (***with*** mit)
smoulder ['sməʊldə] *bes. BE* glimmen, schwelen (*beide auch übertragen*)
SMS [ˌesem'es] (*Abk. für* **s**hort **m**essage **s**ervice *oder* **s**hort **m**essaging **s**ystem) SMS
smudge¹ [smʌdʒ] 1. verschmieren (***with*** mit) 2. (*Farbe usw.*) schmieren
smudge² [smʌdʒ] Fleck, Klecks
smug [smʌg], ***smugger, smuggest*** selbstgefällig
smuggle ['smʌgl] schmuggeln (***into*** nach; ***out of*** aus)
smuggler ['smʌglə] Schmuggler(in)
smut [smʌt] *übertragen* Dreck, Schmutz
smutty ['smʌtɪ] *übertragen* dreckig, schmutzig
snack [snæk] Imbiss, Ⓐ Jause; ***have a snack*** eine Kleinigkeit essen, Ⓐ jausnen
snack bar ['snæk‿bɑː] Imbissstube
snag [snæg] Problem, Haken
snail [sneɪl] 1. Schnecke; ☞ ***slug*** 2. ***at a snail's pace*** im Schneckentempo
snail mail ['sneɪl‿meɪl] *humorvoll* Schneckenpost (*im Gegensatz zur E-Mail*)
snake [sneɪk] Schlange
snap¹ [snæp], ***snapped, snapped*** 1. zerbrechen, zerreißen 2. *auch* ***snap shut*** zuschnappen 3. *umg.* knipsen 4. ***snap one's fingers*** mit den Fingern schnalzen

> **snap at** ['snæp‿ət] 1. schnappen nach 2. (≈ *anschreien*) anfahren

> **snap off** [ˌsnæp'ɒf] abbrechen
> **snap up** [ˌsnæp'ʌp] wegschnappen (*Ware usw.*)

snap² [snæp] *umg.*; *Foto*: Schnappschuss
snap³ [snæp] ***snap decision*** spontane Entscheidung
snap fastener [⚠ 'snæpˌfɑːsnə] *AE* Druckknopf; ☞ *BE* ***press-stud***
snappy ['snæpɪ] *umg.* 1. modisch, schick 2. ***make it snappy!*** *umg.* mach fix!
snapshot ['snæpʃɒt] Schnappschuss
snare [sneə] Falle, Schlinge (*auch übertragen*)
snarl [snɑːl] (*Hund, auch Person*) knurren
snarl-up ['snɑːlʌp] Verkehrschaos
snatch [snætʃ] 1. packen, schnappen; ***snatch someone's handbag*** jemandem die Handtasche entreißen 2. entführen (*Kind*)

> **snatch at** ['snætʃ‿ət] greifen nach

sneak¹ [sniːk], ***sneaked, sneaked***, *AE auch* ***snuck*** [snʌk], ***snuck*** [snʌk] 1. (sich) schleichen, sich stehlen 2. *umg.* klauen 3. ***sneak a look at*** heimlich einen Blick werfen auf 4. ***sneak on someone*** *BE*, *umg.* jemanden verpetzen

> **sneak up** [ˌsniːk'ʌp] ***sneak up on someone*** sich an jemanden anschleichen

sneak² [sniːk] *BE, umg.* Petzer(in), Petze
sneaker ['sniːkə] *AE* Turnschuh
sneer [snɪə] 1. spöttisches Grinsen 2. spöttische Bemerkung

> **sneer at** ['snɪər‿ət] 1. höhnisch grinsen über 2. spotten über

sneeze [sniːz] 1. niesen 2. ***not to be sneezed at*** *umg.* nicht zu verachten
snicker ['snɪkə] *bes. AE* kichern (***at*** über); ☞ *BE* ***snigger***
sniff [snɪf] 1. schniefen, die Nase hochziehen 2. schnüffeln 3. schnüffeln (*Klebstoff usw.*), schnupfen (*Kokain*)

> **sniff at** ['snɪf‿ət] 1. (*Hund usw.*) schnüffeln an 2. ***not to be sniffed at*** nicht zu verachten

snigger ['snɪgə] *bes. BE* (boshaft) kichern (***at*** über)
snip[1] [snɪp] **1.** Schnitt **2.** *BE, umg.* günstiger Kauf
snip[2] [snɪp], ***snipped, snipped*** schnippeln
sniper ['snaɪpə] Heckenschütze
snivel ['snɪvl], ***snivelled, snivelled***, *AE* ***sniveled, sniveled*** jammern
snob [snɒb] *abwertend* Snob
snobbery ['snɒbərɪ] *abwertend* Snobismus
snobbish ['snɒbɪʃ] *abwertend* versnobt
snog [snɒg], ***snogged, snogged*** *BE, umg.* knutschen, schmusen (***with*** mit)
snooker[1] ['snuːkə] Snooker Pool
snooker[2] ['snuːkə] ***be snookered*** *umg.* völlig machtlos sein, nichts machen können (*in einer Situation*)

> **snoop about** *oder* **around** ['snuːp‿əˌbaʊt *oder* əˌraʊnd] *umg.* herumschnüffeln (***in*** in)

snooty ['snuːtɪ] *umg.* hochnäsig
snooze[1] [snuːz] *umg.* ein Nickerchen machen
snooze[2] [snuːz] *umg.* Nickerchen; ***have a snooze*** ein Nickerchen machen
snore [snɔː] schnarchen
snorkel ['snɔːkl] Schnorchel
snort [snɔːt] schnauben (*auch wütend usw.*)
snot [snɒt] *umg.* Rotz
snotty ['snɒtɪ] **1.** ***snotty nose*** *umg.* Rotznase **2.** → ***snooty***
snout [snaʊt] Schnauze, Rüssel
snow[1] [snəʊ] **1.** Schnee; **(*as*) *white as snow*** schneeweiß **2.** Schneefall **3.** *salopp* Kokain
snow[2] [snəʊ] schneien
snowball ['snəʊbɔːl] Schneeball
snowball fight ['snəʊbɔːl‿faɪt] Schneeballschlacht
snowboard ['snəʊbɔːd] Snowboard
snowboarder ['snəʊbɔːdə] Snowboardfahrer(in)
snowboarding ['snəʊbɔːdɪŋ] Snowboarden, Snowboarding
snow-capped ['snəʊkæpt] schneebedeckt (*Berggipfel*)
snow chain ['snəʊ‿tʃeɪn] *Auto*: Schneekette
snowdrop ['snəʊdrɒp] Schneeglöckchen
snowfall ['snəʊfɔːl] Schneefall
snowflake ['snəʊfleɪk] Schneeflocke
snowman ['snəʊmæn] *Pl.:* ***snowmen*** ['snəʊmen] Schneemann
snowy ['snəʊɪ] schneereich, verschneit
snub[1] [snʌb], ***snubbed, snubbed*** brüskieren, vor den Kopf stoßen
snub[2] [snʌb] ***snub nose*** Stupsnase
snuff[1] [snʌf] Schnupftabak
snuff[2] [snʌf] ausdrücken (*Kerze*)
snuffle ['snʌfl] schniefen, schnüffeln
snug [snʌg], ***snugger, snuggest*** **1.** behaglich, gemütlich **2.** *Kleidung*: gut sitzend

> **snuggle up to** [ˌsnʌgl'ʌp‿tʊ] ***snuggle up to someone*** sich an jemanden kuscheln

so[1] [səʊ] **1.** so, dermaßen; ***he's so stupid (that) ...*** er ist so dumm, dass ... **2.** *verkürzend*: ***I hope so*** ich hoffe (es); ***I think so*** ich glaube schon **3.** auch; ***He's tired. So am I*** Er ist müde. Ich auch **4.** (ja) so; ***I'm so glad*** ich bin ja so glücklich **5.** so, in dieser Weise; ***is that so?*** wirklich? **6.** ***so as to*** *Bestimmung*: so dass, um zu **7.** ***a mile or so*** etwa eine Meile **8.** ***and so on*** und so weiter **9.** ***so far*** bis jetzt, bisher
so[2] [səʊ] **1.** *Begründung*: also, so, deshalb **2.** *Bestimmung*: ***so*** (***that***) damit **3.** ***so what?*** *umg.* na und?
soak [səʊk] **1.** einweichen (*Wäsche usw.*) (***in*** in) **2.** (*Flüssigkeit*) sickern **3.** *umg.* ausnehmen, neppen (*Touristen usw.*)

> **soak up** [ˌsəʊk'ʌp] aufsaugen (*Flüssigkeit usw.*)

soaked [səʊkt] ***soaked to the skin*** bis auf die Haut durchnässt
soaking ['səʊkɪŋ] ***soaking*** (***wet***) tropfnass
so-and-so ['səʊənsəʊ] *umg.* **1.** *Person, deren Namen man nicht genau kennt*: Soundso, Sowieso; ***a Mr so-and-so*** ein Herr Soundso **2.** ***he's a real so-and-so*** er ist ein (ganz) gemeiner Kerl
soap[1] [səʊp] Seife
soap[2] [səʊp] einseifen
soap opera ['səʊpˌɒprə] *TV*: Seifenoper

soap opera

Soap opera heißen diese Fernsehserien, weil sie ursprünglich von großen Waschmittelkonzernen gesponsert wurden.

soar [sɔː] **1.** aufsteigen **2.** (*Berg usw.*) hochragen **3.** (*Preise usw.*) in die Höhe schnellen
sob [sɒb], ***sobbed, sobbed*** schluchzen

S

sober ['səʊbə] nüchtern (*auch übertragen*)

> **sober up** [ˌsəʊbər'ʌp] **1.** wieder nüchtern werden **2.** nüchtern machen, ausnüchtern

sob story ['sɒbˌstɔːrɪ] *umg.* rührselige Geschichte
so-called ['səʊkɔːld] sogenannte(r, -s)
soccer ['sɒkə] *Sport*: Fußball
sociable ['səʊʃəbl] gesellig
social ['səʊʃl] **1.** gesellschaftlich, Gesellschafts… **2.** sozial, Sozial…; ***social science*** Sozialwissenschaft **3.** *umg.*; *Person*: gesellig
socialism ['səʊʃəlɪzm] Sozialismus
socialist[1] ['səʊʃəlɪst] Sozialist(in)
socialist[2] ['səʊʃəlɪst] sozialistisch
socialize ['səʊʃəlaɪz] ***I don't socialize much*** ich gehe nicht oft unter die Leute
social security [ˌsəʊʃl‿sɪ'kjʊərətɪ] **1.** *BE* Sozialhilfe; ***be on social security*** Sozialhilfe beziehen **2.** *AE* Sozialversicherung
social worker ['səʊʃlˌwɜːkə] Sozialarbeiter(in)
society [sə'saɪətɪ] *allg.*: Gesellschaft
sociology [ˌsəʊʃɪ'ɒlədʒɪ] Soziologie
sock [sɒk] Socke, Socken
socket ['sɒkɪt] **1.** Steckdose **2.** *Glühbirne*: Fassung **3.** *Kopfhörer usw.*: Anschluss
sod[1] [sɒd] *bes. BE* **1.** *vulgär* Arschloch, blöder Hund **2.** *umg.* ***poor sod*** armes Schwein
sod[2] [sɒd] *BE, umg.* **1.** ***sod it!*** Scheiße! **2.** ***sod off!*** verpiss dich!
soda ['səʊdə] **1.** *auch* ***soda water*** Soda (-wasser) **2.** *bes. AE* (Orangen)Limonade
sofa ['səʊfə] Sofa
soft [sɒft] **1.** *allg.*: weich **2.** *Musik usw.*: leise **3.** *Beleuchtung usw.*: gedämpft **4.** *Berührung*: sanft **5.** *umg.*; *Job*: bequem **6.** nachsichtig (***with someone*** gegen jemanden) **7.** ***get soft*** verweichlichen **8.** *Droge*: weich
soft-boiled ['sɒftbɔɪld] *Ei*: weich (gekocht)
soft drink ['sɒft‿drɪŋk] alkoholfreies Getränk
soften [⚠ 'sɒfn] **1.** weich machen **2.** dämpfen (*Ton, Licht usw.*) **3.** (*Butter usw.*) weich werden

> **soften up** [⚠ ˌsɒfn'ʌp] ***soften someone up*** *umg.* jemanden weich machen

softhearted [ˌsɒft'hɑːtɪd] weichherzig
softie ['sɒftɪ] *umg.* sentimentaler Typ
softness ['sɒftnəs] Weichheit
soft-soap [ˌsɒft'səʊp] ***soft-soap someone*** *umg.* jemandem schmeicheln
soft toy [ˌsɒft'tɔɪ] Plüschtier
software ['sɒftweə] *Computer*: Software
softy ['sɒftɪ] *umg.* sentimentaler Typ
soggy ['sɒgɪ] **1.** *Boden*: aufgeweicht **2.** *Gemüse usw.*: matschig **3.** *Brot usw.*: teigig
soil[1] [sɔɪl] Boden, Erde
soil[2] [sɔɪl] beschmutzen, schmutzig machen
solace ['sɒləs] Trost
solar ['səʊlə] Sonnen…, Solar…; ***solar energy*** Sonnenenergie; ***solar panel*** Sonnenkollektor
solarium [sə'leərɪəm] *Pl.*: ***solaria*** [sə'leərɪə] *oder* ***solariums*** Solarium
sold [səʊld] *2. und 3. Form von* → ***sell***
solder [⚠ 'sɒldə] (ver)löten
soldier ['səʊldʒə] Soldat
sole[1] [səʊl] *von Fuß, Schuh*: Sohle
sole[2] [səʊl] **1.** einzige(r, -s) **2.** alleinige(r, -s), Allein…
sole[3] [səʊl] *Fisch*: Seezunge
solely ['səʊllɪ] (einzig und) allein, ausschließlich
solemn [⚠ 'sɒləm] **1.** *Zeremonie usw.*: feierlich **2.** *Person, Musik usw.*: ernst
solicitor [sə'lɪsɪtə] *BE* Rechtsanwalt, Rechtsanwältin (*der/die meist nicht vor Gericht auftritt*)
solid[1] ['sɒlɪd] **1.** *allg.*: fest **2.** *Truhe usw.*: stabil, massiv **3.** ***a solid gold watch*** eine Uhr aus massivem Gold **4.** *übertragen* gewichtig, *Grund*: triftig **5.** *übertragen* einmütig, geschlossen (***for*** für; ***against*** gegen) **6.** ***I waited for a solid hour*** *umg.* ich wartete eine geschlagene Stunde **7.** *umg.* (*≈ sehr gut*) spitze, stark **8.** *umg.* (*≈ sehr schwierig*) unlösbar, hammerschwer (*Prüfung, Klassenarbeit usw.*)
solid[2] ['sɒlɪd] **1.** *Geometrie*: Körper **2.** ***solids*** *Pl.* feste Nahrung
solidarity [ˌsɒlɪ'dærətɪ] Solidarität; ***in solidarity with*** aus Solidarität mit
soliloquy [sə'lɪləkwɪ] *Theater*: Monolog
solitary ['sɒlətərɪ] **1.** einsam, *Leben auch*: zurückgezogen; ***solitary confinement*** *im Gefängnis*: Einzelhaft **2.** *Ort usw.*: abgelegen **3.** *Beispiel usw.*: einzige(r, -s)
solitude ['sɒlətjuːd] Einsamkeit
solo[1] ['səʊləʊ] *Pl.*: ***solos*** *Musik*: Solo
solo[2] ['səʊləʊ] *Musik*: solo, Solo…
solstice ['sɒlstɪs] Sonnenwende
soluble ['sɒljʊbl] **1.** *Chemie*: löslich; ***soluble in water*** wasserlöslich **2.** *übertragen* lösbar (*Problem usw.*)
solution [sə'luːʃn] **1.** *eines Problems*: Lösung **2.** *Chemie*: Lösung

S

solvable ['sɒlvəbl] *Aufgabe*, *Problem*: lösbar
solve [sɒlv] **1.** lösen (*Aufgabe*, *Problem usw.*) **2.** aufklären (*Verbrechen*)
somber ['sɒmbə] *AE* düster
sombre ['sɒmbə] düster
some[1] [sʌm] **1.** etwas, ein wenig **2.** *vor Plural*: einige, ein paar **3.** (irgend)ein; ***some fool let the dog out*** irgend so ein Idiot hat den Hund rausgelassen; ***some day*** eines Tages **4.** manche; ***some people believe …*** manche Leute glauben … **5.** ***to some extent*** bis zu einem gewissen Grad
some[2] [səm] **1.** ungefähr; ***some 30 people*** ungefähr 30 Leute **2.** ***take some more*** nimm noch etwas; ***would you like some more cake?*** möchtest du noch ein Stück Kuchen?
somebody[1] ['sʌmbədɪ] jemand
somebody[2] ['sʌmbədɪ] ***be somebody*** etwas vorstellen, jemand sein
someday ['sʌmdeɪ] eines Tages
somehow ['sʌmhaʊ] irgendwie
someone ['sʌmwʌn] jemand
someplace ['sʌmpleɪs] *AE* **1.** irgendwo **2.** irgendwohin; ☞ *BE* ***somewhere***
somersault ['sʌməsɔːlt] Salto, Purzelbaum; ***do a somersault*** einen Salto machen, einen Purzelbaum schlagen
something[1] ['sʌmθɪŋ] **1.** etwas **2.** ***or something*** (***like that***) *umg.* oder so (was) **3.** ***that was*** (***really***) ***something*** das war vielleicht was
something[2] ['sʌmθɪŋ] ***a little something*** *Geschenk*: eine Kleinigkeit
something[3] ['sʌmθɪŋ] ***something like*** *umg.* ungefähr; ***look something like*** so ähnlich aussehen wie
sometime ['sʌmtaɪm] irgendwann
sometimes ['sʌmtaɪmz] manchmal
someway ['sʌmweɪ] *AE* irgendwie
somewhat ['sʌmwɒt] **1.** ein wenig **2.** ***somewhat of a shock*** ein ziemlicher Schock
somewhere ['sʌmweə] **1.** irgendwo **2.** irgendwohin **3.** ***somewhere between 30 and 40*** *übertragen* so zwischen 30 und 40
son [sʌn] Sohn
sonata [sə'nɑːtə] *Musik*: Sonate
song [sɒŋ] **1.** Lied **2.** Gesang (*auch von Singvögeln*) **3.** ***for a song*** *umg.* spottbillig
songbird ['sɒŋbɜːd] Singvogel
songbook ['sɒŋbʊk] Liederbuch
son-in-law ['sʌnɪnlɔː] *Pl.*: ***sons-in-law*** Schwiegersohn
sonnet ['sɒnɪt] Sonett
soon [suːn] **1.** bald; ***as soon as*** sobald; ***as soon as possible*** sobald wie möglich **2.** ***just as soon*** genauso gerne
sooner ['suːnə] **1.** eher, früher; ***the sooner the better*** je früher, desto besser; ***sooner or later*** früher oder später **2.** ***I would sooner … than …*** ich würde lieber … als …
soot [⚠ sʊt] Ruß
soothe [suːð] **1.** beruhigen **2.** *Salbe usw.*: lindern (*Schmerzen*)
sophisticated [sə'fɪstɪkeɪtɪd] **1.** kultiviert **2.** *Technik*: hoch entwickelt, raffiniert
sophomore ['sɒfəmɔː] *AE* Student(in) im zweiten Jahr
soprano [sə'prɑːnəʊ] *Musik*: Sopran (*Tonlage, Stimme, Sänger*), *Sängerin auch*: Sopranistin
sorbet [⚠ 'sɔːbeɪ] *bes. BE* Fruchteis
sorcerer ['sɔːsərə] Zauberer, Hexenmeister, Hexer
sorceress ['sɔːsəres] Zauberin, Hexe
sorcery ['sɔːsərɪ] Zauberei, Hexerei
sordid ['sɔːdɪd] schmutzig (*auch übertragen*)
sore[1] [sɔː] **1.** weh, wund, entzündet; ***have a sore throat*** Halsschmerzen haben **2.** ***sore point*** *übertragen* wunder Punkt **3.** *bes. AE*, *umg.* sauer (***about*** wegen)
sore[2] [sɔː] wunde Stelle, Wunde
sorrow ['sɒrəʊ] **1.** Leid, Kummer (***at, over*** über, um), Trauer (***at, over*** um) **2.** (≈ *Problem*) Sorge
sorry[1] ['sɒrɪ] **1.** ***feel sorry for someone*** jemanden bedauern; ***I feel sorry for him*** er tut mir Leid; ***I'm sorry*** (es) tut mir Leid, Entschuldigung! **2.** ***I'm sorry to say*** ich muss leider sagen **3.** jämmerlich
sorry[2] ['sɒrɪ] **1.** (es) tut mir leid; ***say sorry*** sich entschuldigen (***to someone*** bei jemandem; ***for something*** für etwas) **2.** Entschuldigung!, Verzeihung! **3.** *bes. BE* wie bitte?
sort[1] [sɔːt] **1.** Sorte, Art; ***all sorts of things*** alles Mögliche **2.** ***I had a sort of feeling that*** ich hatte irgendwie das Gefühl, dass **3.** ***I sort of expected it*** *umg.* ich habe es irgendwie erwartet **4.** ***of a sort*** *oder* ***of sorts*** *abwertend* so etwas Ähnliches wie
sort[2] [sɔːt] *allg.*: sortieren

sort out [ˌsɔːt'aʊt] **1.** aussortieren **2.** lösen (*Problem usw.*), klären (*Frage usw.*) **3.** *AE* (*Dinge*) sich entwickeln, ausgehen **4.** ***sort someone out*** *BE*, *umg.* jemandem zeigen, wo es lang geht
sort through [ˌsɔːt'θruː] durchsehen (*Papiere, Akten usw.*)

so-so [ˌsəʊ'səʊ] *umg.* so lala

S

soufflé ['suːfleɪ] Soufflé, Soufflee, Auflauf
sought [sɔːt] *2. und 3. Form von* → ***seek***
sought-after ['sɔːtˌɑːftə] begehrt, gesucht
soul [səʊl] **1.** Seele (*auch übertragen*) **2.** *Musik*: Soul
soulful ['səʊlfl] **1.** *Musik usw.*: gefühlvoll **2.** *Blick*: seelenvoll
soul music ['səʊlˌmjuːzɪk] Soul, Soulmusik
sound[1] [saʊnd] **1.** Geräusch **2.** *Physik*: Schall; ***sound barrier*** Schallmauer **3.** *TV usw.*: Ton **4.** *Musik*: Klang **5.** *Sprache*: Laut
sound[2] [saʊnd] **1.** klingen; ***that sounds like a good idea!*** das hört sich nach einer guten Idee an! **2.** erklingen, ertönen **3.** ***sound one's horn*** hupen

> **sound out** [ˌsaʊnd'aʊt] aushorchen (***about, on*** über)

sound[3] [saʊnd] **1.** *Person, Tier*: gesund; ***sound as a bell*** kerngesund **2.** *Gegenstand usw.*: intakt, in Ordnung **3.** *Person, Rat usw.*: klug, vernünftig **4.** *Ausbildung usw.*: gründlich **5.** *Schlaf*: fest, tief
sound[4] [saʊnd] ***be sound asleep*** fest *oder* tief schlafen
soundcard ['saʊndkɑːd] *Computer*: Soundkarte
soundproof ['saʊndpruːf] schalldicht
soundtrack ['saʊndtræk] **1.** Filmmusik **2.** *Film*: Tonspur
soup [suːp] Suppe

> **soup up** [ˌsuːp'ʌp] *umg.* aufmotzen, frisieren (*Auto, Motor*)

soup plate ['suːp‿pleɪt] Suppenteller
soup spoon ['suːp‿spuːn] Suppenlöffel
sour ['saʊə] **1.** sauer **2.** *übertragen* mürrisch **3.** ***turn sour*** *übertragen* sich verschlechtern
source [sɔːs] **1.** Quelle **2.** *übertragen* Ursprung
source code ['sɔːs‿kəʊd] *Computer*: Quelltext
source file ['sɔːs‿faɪl] *Computer*: Quelldatei
source language ['sɔːsˌlæŋgwɪdʒ] **1.** *bei Übersetzungen usw.*: Ausgangssprache **2.** *Computer*: Quellsprache
south[1] [saʊθ] **1.** Süden; ***in the south of*** im Süden von (*oder Genitiv*); ***to the south of*** südlich von (*oder Genitiv*) **2.** *auch* ***South*** Süden, südlicher Landesteil; ***the South*** *BE* Südengland, *AE* die Südstaaten
south[2] [saʊθ] Süd…, südlich; ***South Pole*** Südpol
south[3] [saʊθ] **1.** *Richtung*: südwärts, nach Süden **2.** ***south of*** südlich von (*oder Genitiv*)
South Africa [ˌsaʊθ'æfrɪkə] Südafrika
South America [ˌsaʊθ‿ə'merɪkə] Südamerika
South American[1] [ˌsaʊθ‿ə'merɪkən] südamerikanisch
South American[2] [ˌsaʊθ‿ə'merɪkən] Südamerikaner(in)
southbound ['saʊθbaʊnd] nach Süden gehend *oder* fahrend
southeast[1] [ˌsaʊθ'iːst] Südosten
southeast[2] [ˌsaʊθ'iːst] südöstlich, Südost…
southeast[3] [ˌsaʊθ'iːst] *Richtung*: nach Südosten
southerly [⚠ 'sʌðəlɪ] *Richtung, Wind*: südlich, Süd…
southern [⚠ 'sʌðn] südlich, Süd…
South Pole [ˌsaʊθ'pəʊl] Südpol
southward ['saʊθwəd], **southwards** ['saʊθwədz] südlich, südwärts, nach Süden
southwest[1] [ˌsaʊθ'west] Südwesten
southwest[2] [ˌsaʊθ'west] südwestlich, Südwest…
southwest[3] [ˌsaʊθ'west] *Richtung*: nach Südwesten
souvenir [ˌsuːvə'nɪə] Andenken (***of*** an), Souvenir
sovereign [⚠ 'sɒvrɪn] Herrscher(in)
Soviet[1] ['səʊvɪət] *historisch*: sowjetisch, Sowjet…
Soviet[2] ['səʊvɪət] ***the Soviets*** *Pl. historisch*: die Sowjets
Soviet Union [ˌsəʊvɪət'juːnɪən] *historisch*: Sowjetunion
sow[1] [səʊ], ***sowed***, ***sown*** [səʊn] *oder* ***sowed*** **1.** säen, aussäen **2.** besäen (*Feld*) (***with*** mit)
sow[2] [⚠ saʊ] Sau
soy [sɔɪ], **soya** ['sɔɪə] **1.** Soja **2.** Sojasoße
soya bean ['sɔɪə‿biːn] Sojabohne
soya sauce ['sɔɪə‿sɔːs] Sojasoße
soybean ['sɔɪ‿biːn] Sojabohne
soy sauce [ˌsɔɪ'sɔːs] Sojasoße
spa [spɑː] (Heil)Bad
space [speɪs] **1.** Raum (*auch physikalisch*) **2.** (≈ *All*) Weltraum **3.** Platz, Raum (*für etwas*); ***save space*** Platz sparen **4.** (≈ *freier Raum*) Lücke, Platz; ***parking space*** Parklücke **5.** *zwischen Wörtern, Zeilen*: Zwischenraum **6.** *zeitlich*: Zeitraum

S

space bar ['speɪs‿bɑː] *Schreibmaschine, Computer*: Leertaste
spacecraft ['speɪskrɑːft] *Pl.*: ***spacecraft*** Raumschiff
space lab ['speɪs‿læb] Raumlabor
spaceship ['speɪsʃɪp] Raumschiff
space shuttle ['speɪsˌʃʌtl] Raumfähre
space station ['speɪsˌsteɪʃn] Raumstation
space suit ['speɪs‿suːt] Raumanzug
space travel ['speɪsˌtrævɫ] (Welt)Raumfahrt
space walk ['speɪs‿wɔːk] Weltraumspaziergang
spacing ['speɪsɪŋ] *in Text*: Zeilenabstand; ***type something in*** *oder* ***with single*** (***double***) ***spacing*** etwas mit einzeiligem (zweizeiligem) Abstand tippen
spacious ['speɪʃəs] *Zimmer usw.*: geräumig
spade [speɪd] **1.** Spaten **2.** ***call a spade a spade*** *übertragen* das Kind beim Namen nennen **3.** ***spades*** *Pl. Kartenspiel*: Pik; ***eight of spades*** Pikacht; ***Jack of spades*** Pikbube

spaghetti

Beachte, dass **spaghetti** im Englischen nur im Singular erscheint:

This spaghetti is wonderful!
Diese Spaghetti sind fantastisch!

Spain [speɪn] Spanien
spam[1®] [spæm] Frühstücksfleisch
spam[2] [spæm] *Computer*: Werbemüll, Junk-E-Mails
spam[3] [spæm] *Computer*: zumüllen, spammen
spammer ['spæmə] *Computer*: Spammer, Zumüller
spamming ['spæmɪŋ] *Computer*: Spamming, Zumüllen
span[1] [spæn] *2. Form von* → ***spin***[1]
span[2] [spæn] *zeitlich, räumlich*: Spanne
span[3] [spæn], ***spanned, spanned*** *übertragen* sich erstrecken über
Spaniard ['spænjəd] Spanier(in)
Spanish[1] ['spænɪʃ] spanisch
Spanish[2] ['spænɪʃ] *Sprache*: Spanisch
Spanish[3] ['spænɪʃ] ***the Spanish*** *Pl.* die Spanier
spank [spæŋk] ***spank someone*** jemandem den Hintern versohlen
spanking ['spæŋkɪŋ] Tracht Prügel
spanner ['spænə] Schraubenschlüssel
spare[1] [speə] **1.** entbehren; ***I can't spare it*** ich kann es nicht entbehren **2.** übrig haben (*Zeit, Geld usw.*); ***can you spare me 10 minutes?*** hast du 10 Minuten Zeit für mich? **3.** scheuen (*keine Mühen usw.*) **4.** ***spare someone something*** jemandem etwas ersparen (⚠ *nicht Geld sparen*)
spare[2] [speə] **1.** Ersatz…; ***spare tyre*** Reservereifen, *BE, humorvoll* (≈ *Fettwulst*) Rettungsring **2.** übrig; ***spare room*** Gästezimmer; ***have you got a spare moment?*** hast du einen Moment Zeit?
spare[3] [speə] **1.** *Auto*: Reservereifen **2.** *bes. BE*; *Technik*: Ersatzteil
spare time [ˌspeə'taɪm] Freizeit
sparing ['speərɪŋ] sparsam; ***be sparing with something*** sparsam mit etwas umgehen
spark[1] [spɑːk] Funke(n) (*auch übertragen*)
spark[2] [spɑːk] *auch* ***spark off*** auslösen (*Krawalle usw.*)
sparkle ['spɑːkl] funkeln (***with*** vor)
sparkling ['spɑːklɪŋ] **1.** funkelnd, blitzend **2.** ***sparkling wine*** Schaumwein **3.** *Witz*: sprühend, *Vortrag usw.*: schwungvoll
spark plug ['spɑːk‿plʌg] Zündkerze
sparrow ['spærəʊ] Spatz, Sperling
sparse [spɑːs] spärlich
spasm ['spæzm] *medizinisch*: Krampf
spat [spæt] *2. und 3. Form von* → ***spit***[1]
spatter ['spætə] bespritzen (***with*** mit)
spawn[1] [spɔːn] *von Fischen, Fröschen usw.*: Laich
spawn[2] [spɔːn] **1.** (*Fische, Frösche usw.*) laichen **2.** *übertragen* hervorbringen, produzieren
spay [speɪ] sterilisieren (*weibliches Tier*)
speak [spiːk], ***spoke*** [spəʊk], ***spoken*** ['spəʊkən] **1.** sprechen, reden (***to, with*** mit; ***about, of*** über); ***speaking!*** *Telefon*: am Apparat!; ***we don't speak*** (***to each other***) wir sprechen nicht miteinander **2.** sprechen, sagen; ***speak one's mind*** seine Meinung sagen **3.** sprechen (*Sprache*) **4.** ***we're not on speaking terms*** wir sprechen nicht miteinander **5.** sprechen (***to*** vor; ***about, on*** über) **6.** ***generally speaking*** im Allgemeinen **7.** ***so to speak*** sozusagen **8.** ***speak of the devil!*** wenn man vom Teufel spricht!

speak for ['spiːk‿fɔː] sprechen für; ***it speaks for itself*** das spricht für sich
speak out [ˌspiːk'aʊt] seine Meinung sagen; ***speak out against*** seine Stimme erheben gegen
speak to ['spiːk‿tʊ] ***speak to someone*** *umg.* (≈ *tadeln*) mit jemandem ein Wörtchen reden
speak up [ˌspiːk'ʌp] **1.** lauter sprechen **2.** ***speak up for*** sich aussprechen für

speaker ['spiːkə] **1.** Sprecher(in), Redner (-in) **2.** ***Speaker*** *Parlament*: Präsident(in) **3.** ***a speaker of English*** jemand, der Englisch spricht **4.** *Musik usw.*: Lautsprecher
speaking clock [ˌspiːkɪŋ'klɒk] *BE*; *Telefon*: Zeitansage
spear [⚠ spɪə] Speer
spearmint [⚠ 'spɪəmɪnt] Grüne Minze
special[1] ['speʃl] **1.** speziell, besondere(r, -s) **2.** Sonder…; ***special school*** Sonderschule; ***special offer*** Sonderangebot **3.** bestimmt, speziell
special[2] ['speʃl] **1.** Sonderbus, Sonderzug **2.** *TV usw.*: Sondersendung **3.** Sonderangebot; ***be on special*** *AE* im Angebot sein
specialist ['speʃlɪst] **1.** *allg.*: Spezialist(in) **2.** *Medizin*: Facharzt, Fachärztin (***in*** für)
speciality [ˌspeʃɪ'ælətɪ] **1.** Spezialität **2.** Spezialgebiet
specialization [ˌspeʃəlaɪ'zeɪʃn] Spezialisierung
specialize ['speʃəlaɪz] sich spezialisieren (***in*** auf)
specially ['speʃlɪ] **1.** besonders **2.** speziell, extra; ☞ ***especially***
specialty ['speʃltɪ] *AE* **1.** Spezialität **2.** Spezialgebiet; ☞ ***speciality***
species ['spiːʃiːz] *Biologie*: Spezies, Art
specific [spə'sɪfɪk] **1.** konkret, präzis; ***could you be a bit more specific?*** könnten Sie sich etwas genauer ausdrücken? **2.** spezifisch (*auch physikalisch*), speziell
specifically [spə'sɪfɪklɪ] ausdrücklich
specification [ˌspesɪfɪ'keɪʃn] genaue Angabe, genaue Beschreibung
specify ['spesəfaɪ] genau angeben
specimen ['spesəmɪn] **1.** *mst. von etwas Seltenem*: Exemplar **2.** *für Untersuchung*: Muster, Probe **3.** *umg.*, *abwertend* Typ
speck [spek] **1.** kleiner Fleck, *Staub usw.*: Korn **2.** Punkt (⚠ *nicht* ***Speck***)
speckled ['spekld] gesprenkelt
specs [speks] *Pl.*, *auch* ***pair of specs*** Brille
spectacle ['spektəkl] **1.** Schauspiel (*auch übertragen*) **2.** Anblick **3.** ***make a spectacle of oneself*** sich lächerlich machen
spectacles ['spektəklz] *Pl.*, *auch* ***pair of spectacles*** Brille; ***where are my spectacles?*** wo ist meine Brille?
spectacular [spek'tækjʊlə] spektakulär
spectator [spek'teɪtə] Zuschauer(in)
spectre ['spektə] *bes. BE* **1.** (≈ *Geist*) Gespenst **2.** *übertragen auch*: Schreckgespenst
spectrum ['spektrəm], *Pl.*: ***spectra*** ['spektrə] **1.** *Physik*: Spektrum **2.** *übertragen* Spektrum, Palette; ***a broad spectrum of opinion(s)*** ein breites Meinungsspektrum
speculate ['spekjʊleɪt] **1.** Vermutungen anstellen (***about, on*** über) **2.** *Wirtschaft*: spekulieren (***in*** mit)
speculation [ˌspekjʊ'leɪʃn] Spekulation (*auch wirtschaftlich*), Vermutung
speculative ['spekjʊlətɪv] spekulativ, *Wirtschaft auch*: Spekulations…; ***speculative application*** Blindbewerbung
speculator ['spekjʊleɪtə] *Wirtschaft*: Spekulant(in)
sped [sped] *2. und 3. Form von* → ***speed***[2]
speech [spiːtʃ] **1.** (≈ *Sprechvermögen, Ausdrucksweise*) Sprache; ***direct speech*** wörtliche Rede **2.** Rede, Ansprache (***to*** vor) **3.** *vor Gericht*: Plädoyer
speechless ['spiːtʃləs] sprachlos (***with*** vor)
speed[1] [spiːd] **1.** Geschwindigkeit, Tempo; ***at a speed of*** mit einer Geschwindigkeit von; ***at full*** (*oder* ***top***) ***speed*** mit Höchstgeschwindigkeit **2.** *Auto usw.*: Gang; ***five-speed gearbox*** Fünfganggetriebe **3.** *Film*: (Licht)Empfindlichkeit **4.** *umg.*; *Droge*: Speed
speed[2] [spiːd], ***sped*** [sped], ***sped*** [sped] schnell fahren, rasen; ***he was stopped for speeding*** er wurde wegen zu schnellen Fahrens gestoppt

speed up [ˌspiːd'ʌp] ***speeded up, speeded up*** beschleunigen

speed bump ['spiːd‿bʌmp] *zur Verkehrsberuhigung*: Bodenschwelle
speed dial ['spiːdˌdaɪəl] *Telefon*: Kurzwahl, Kurzwahltaste
speed limit ['spiːdˌlɪmɪt] *Auto*: Tempolimit
speedometer [spɪ'dɒmɪtə] Tachometer
speed trap ['spiːd‿træp] Radarfalle
speedy ['spiːdɪ] schnell, *Antwort*: prompt
spell[1] [spel], ***spelt*** [spelt], ***spelt*** [spelt], *bes. AE* ***spelled, spelled*** **1.** buchstabieren **2.** (orthographisch richtig) schreiben; ***how do you spell it?*** wie schreibt man das? **3.** ***that spells trouble*** *umg.* das bedeutet Ärger

spell out [ˌspel'aʊt] **1.** buchstabieren **2.** genau erklären *oder* sagen (***to someone*** jemandem)

S

spell[2] [spel] Weile; ***cold spell*** Kälteperiode; ***sunny spells*** Aufheiterungen
spell[3] [spel] **1.** Zauber (*auch übertragen*) **2.** Zauber(spruch)
spellbound ['spelbaʊnd] wie gebannt
spell-checker ['spelˌtʃekə] *Computer*: Rechtschreibprogramm
speller ['spelə] **1.** ***be a good*** (***bad***) ***speller*** gut (schlecht) in Rechtschreibung sein **2.** *Computer*: Rechtschreibprogramm, Speller
spelling ['spelɪŋ] **1.** Rechtschreibung; ***spelling mistake*** (Recht)Schreibfehler **2.** Schreibung, Schreibweise (*eines Wortes*)
spelt [spelt] *2. und 3. Form von* → ***spell***[1]
spend [spend], ***spent*** [spent], ***spent*** [spent] **1.** ausgeben (*Geld*) (***on*** für) **2.** verbringen (*Urlaub, Zeit*); ***spend an hour doing something*** eine Stunde damit verbringen, etwas zu tun (⚠ *nicht* ***spenden***)
spending money ['spendɪŋˌmʌnɪ] frei verfügbares Geld (*für persönliche Ausgaben*)
spendthrift ['spendθrɪft] Verschwender (-in)
spent[1] [spent] *2. und 3. Form von* → ***spend***
spent[2] [spent] *bes. Streichholz*: verbraucht
sperm [spɜːm] Sperma, Samen(flüssigkeit)
spew [spjuː] **1.** *auch* ***spew out*** ausstoßen (*Rauch usw.*) **2.** *auch* ***spew out*** hervorquellen (***from*** aus) **3.** *salopp* kotzen
sphere [sfɪə] **1.** *Geometrie*: Kugel **2.** *übertragen* Sphäre, Bereich
spice[1] [spaɪs] **1.** Gewürz **2.** *übertragen* Würze
spice[2] [spaɪs] würzen (***with*** mit)
spicy ['spaɪsɪ] **1.** würzig **2.** *übertragen* pikant
spider ['spaɪdə] Spinne
spike[1] [spaɪk] **1.** Spitze, Dorn **2.** *Sport*: Spike; ***spikes*** *Pl.* Spikes, Rennschuhe
spike[2] [spaɪk] **1.** aufspießen **2.** ***spiked*** *Getränk*: mit Schuss
spiky ['spaɪkɪ] **1.** spitz, stachelig **2.** *BE, umg.* leicht eingeschnappt
spill[1] [spɪl], ***spilt*** [spɪlt], ***spilt*** [spɪlt], *bes AE* ***spilled, spilled*** **1.** ausschütten, verschütten **2.** (*Flüssigkeit*) verschüttet werden, sich ergießen (***over*** über) **3.** (*Menschen*) strömen (***out of*** aus)

> **spill over** [ˌspɪl'əʊvə] **1.** (*Flüssigkeit*) überlaufen **2.** *übertragen* übergreifen (***into*** auf)

spill[2] [spɪl] ***oil spill*** Ölunfall
spilt [spɪlt] *2. und 3. Form von* → ***spill***[1]
spin[1] [spɪn], ***spun*** [spʌn], ***spun*** [spʌn]; *-ing-Form* ***spinning*** **1.** (sich) drehen, (*Wäsche*) schleudern **2.** ***my head is spinning*** mir dreht sich alles **3.** spinnen (*Fäden, Wolle usw.*)

> **spin out** [ˌspɪn'aʊt] **1.** in die Länge ziehen (*Arbeit usw.*) **2.** strecken (*Geld usw.*)
> **spin round** [ˌspɪn'raʊnd] herumwirbeln

spin[2] [spɪn] **1.** (schnelle) Drehung **2.** *Ball*: Effet **3.** *umg.*; *Auto*: Spritztour; ***go for a spin*** eine Spritztour machen
spinach [⚠ 'spɪnɪdʒ] Spinat
spin doctor ['spɪnˌdɒktə] *umg.*; *Politik*: Medienreferent(in)
spin-drier [ˌspɪn'draɪə] → ***spin-dryer***
spin-dry [ˌspɪn'draɪ], ***spin-dried*** [ˌspɪn'draɪd], ***spin-dried*** [ˌspɪn'draɪd] schleudern (*Wäsche*)
spin-dryer [ˌspɪn'draɪə] *BE* (Wäsche-) Schleuder
spine [spaɪn] **1.** *Körper*: Rückgrat, Wirbelsäule **2.** *von Tier, Pflanze*: Stachel, Dorn **3.** *von Buch*: (Buch)Rücken
spine-chiller ['spaɪnˌtʃɪlə] Gruselfilm, Gruselgeschichte
spine-chilling ['spaɪnˌtʃɪlɪŋ] gruselig, schaurig
spineless ['spaɪnləs] **1.** *Tier*: wirbellos **2.** *übertragen*; *Person*: ohne Rückgrat
spinning wheel ['spɪnɪŋ‿wiːl] Spinnrad
spin-off ['spɪnɒf] **1.** Nebenprodukt, Abfallprodukt **2.** *übertragen* Begleiterscheinung, (positiver) Nebeneffekt
spinster ['spɪnstə] *oft abwertend* unverheiratete (ältere) Frau
spiny ['spaɪnɪ] stachelig, dornig
spiral[1] ['spaɪrəl] spiralenförmig, Spiral…
spiral[2] ['spaɪrəl] Spirale (*auch übertragen*)
spiral staircase [ˌspaɪrəl'steəkeɪs] Wendeltreppe
spire ['spaɪə] (Kirch)Turmspitze
spirit ['spɪrɪt] **1.** *allg.*: Geist **2.** *in Klasse, Team*: Stimmung **3.** Schwung, Elan **4.** *auch* ***spirits*** *Pl.* Spirituosen
spirits ['spɪrɪts] Laune, Stimmung; ***be in high spirits*** in Hochstimmung sein; ***be in low spirits*** niedergeschlagen sein
spiritual ['spɪrɪtʃʊəl] **1.** geistig **2.** *kirchlich*: geistlich
spit[1] [spɪt], ***spat*** [spæt], ***spat*** [spæt], *AE auch* ***spit*** [spɪt], ***spit*** [spɪt] **1.** spucken, ausspucken; ***spit at someone*** jemanden anspucken **2.** ***it's spitting*** es tröpfelt

S

spit out [ˌspɪt'aʊt] **1.** ausspucken **2.** ***spit it out!*** *übertragen, umg.* spucks aus!

spit² [spɪt] Spucke
spite [spaɪt] **1.** Boshaftigkeit, Gehässigkeit; ***out of*** (*oder* ***from***) ***pure spite*** aus reiner Bosheit **2.** ***in spite of*** trotz
spiteful ['spaɪtfl] boshaft, gehässig
spitting image [ˌspɪtɪŋ'ɪmɪdʒ] ***he's the spitting image of Charles*** er ist Charles wie aus dem Gesicht geschnitten
splash¹ [splæʃ] **1.** spritzen, (*Regen*) klatschen (***against*** gegen) **2.** spritzen (*Wasser usw.*) (***on*** auf; ***over*** über) **3.** bespritzen (***with*** mit); ***splash one's face with cold water*** sich kaltes Wasser ins Gesicht spritzen **4.** planschen (***in*** in), platschen (***through*** durch) **5.** *umg.*; *Zeitung usw.*: in großer Aufmachung bringen

splash about [ˌsplæʃ‿ə'baʊt] **1.** herumspritzen **2.** planschen **3.** ***splash one's money about*** *bes. BE, umg.* mit Geld um sich werfen
splash around [ˌsplæʃ‿ə'raʊnd] planschen
splash out [ˌsplæʃ'aʊt] ***splash out on something*** *bes. BE, umg.* sich etwas spendieren

splash² [splæʃ] **1.** Spritzer **2.** *bes. BE; im Getränk*: Spritzer, Schuss (*Soda usw.*)
splatter ['splætə] bespritzen (***with*** mit)
spleen [spliːn] **1.** *Organ*: Milz **2.** schlechte Laune, *stärker*: Wut (⚠ *dt. Spleen* = ***cranky idea*** *bzw.* ***strange habit***)
splendid ['splendɪd] großartig, herrlich
splendour, *AE* **splendor** ['splendə] Pracht
splinter¹ ['splɪntə] Splitter
splinter² ['splɪntə] splittern, zersplittern
split¹ [splɪt], ***split, split***; *-ing-Form* ***splitting*** **1.** (zer)spalten, zerreißen **2.** sich spalten, zerreißen **3.** *auch* ***split up*** aufteilen (***between*** unter; ***into*** in) **4.** sich teilen (***into*** in) **5.** *auch* ***split up*** (***with***) Schluss machen (mit), sich trennen (von) **6.** ***split one's sides*** (***laughing***) *umg.* sich vor Lachen biegen
split² [splɪt] **1.** Riss, Spalt **2.** *übertragen* Bruch, Spaltung **3.** *mst.* ***the splits*** *Pl.* Spagat
splitting ['splɪtɪŋ] *Kopfschmerzen*: rasend
spoil [spɔɪl], ***spoiled, spoiled*** *oder* ***spoilt*** [spɔɪlt], ***spoilt*** [spɔɪlt] **1.** (≈ *ruinieren*) verderben **2.** verwöhnen, verziehen; ***a spoilt child*** ein verzogenes Kind
spoiler ['spɔɪlə] *Auto*: Spoiler
spoilsport ['spɔɪlspɔːt] Spielverderber(in)
spoilt [spɔɪlt] *2. und 3. Form von* → ***spoil***
spoke [spəʊk] *2. Form von* → ***speak***
spoken ['spəʊkən] *3. Form von* → ***speak***
spokesman ['spəʊksmən] *Pl.*: ***spokesmen*** ['spəʊksmən] Sprecher
spokesperson ['spəʊksˌpɜːsn] Sprecher(-in)
spokeswoman ['spəʊksˌwʊmən] *Pl.*: ***spokeswomen*** ['spəʊksˌwɪmɪn] Sprecherin
sponge¹ [⚠ spʌndʒ] **1.** *zum Waschen*: Schwamm **2.** *Gebäck*: Biskuitkuchen
sponge² [⚠ spʌndʒ] **1.** *auch* ***sponge down*** abwaschen **2.** *übertragen* schnorren (***from, off, on*** von, bei)

sponge off [⚠ ˌspʌndʒ'ɒf] **1.** (mit einem Schwamm) abwischen **2.** ***sponge off someone*** *umg.* jemandem auf der Tasche liegen

sponge bag [⚠ 'spʌndʒ‿bæg] *BE* Kulturbeutel, Toilettentasche
sponge cake [⚠ 'spʌndʒ‿keɪk] Biskuitkuchen
sponger [⚠ 'spʌndʒə] Schnorrer(in)
spongy ['spʌndʒɪ] **1.** *Material*: schwammartig, schwammig **2.** *Brot usw.*: teigig **3.** *Boden usw.*: weich, nachgiebig
sponsor¹ ['spɒnsə] **1.** *Sport usw.*: Sponsor(-in), Geldgeber(in) **2.** Spender(in) **3.** *Recht*: Bürge, Bürgin
sponsor² ['spɒnsə] **1.** sponsern, fördern **2.** bürgen für
spontaneous [spɒn'teɪnɪəs] spontan
spook [spuːk] *umg.* Gespenst
spooky ['spuːkɪ] *umg.* gespenstisch
spool [spuːl] Spule, Rolle
spoon [spuːn] Löffel
spoon-feed ['spuːnfiːd], ***spoon-fed*** ['spuːnfed], ***spoon-fed*** ['spuːnfed] **1.** füttern (*Baby usw.*) **2.** ***spoon-feed someone with something*** *oder* ***something to someone*** *übertragen* jemandem etwas vorkauen
spoonful ['spuːnfʊl] *ein* Löffel(voll)
sporadic [spə'rædɪk] vereinzelt, sporadisch
spore [spɔː] *Biologie*: Spore
sporran ['spɒrən] *bei schottischer Tracht*: Felltasche
sport¹ [spɔːt] **1.** Sport(art) **2.** *oft* ***sports*** *Pl. allg.*: Sport **3.** *auch* ***good sport*** *umg.* feiner Kerl; ***be a sport*** sei kein Spielverderber
sport² [spɔːt] *AE; bes Kleidung*: Sport…

S

sport[3] [spɔːt] protzen mit
sporting ['spɔːtɪŋ] **1.** sportlich **2.** *Verhalten, Angebot usw.*: fair
sports [spɔːts] Sport…; ***sports car*** Sportwagen; ***sports club*** Sportverein; ***sports field*** Sportplatz
sports jacket ['spɔːts,dʒækɪt] Sakko
sportsman ['spɔːtsmən] *Pl.*: ***sportsmen*** ['spɔːtsmən] **1.** *allg.*: Sportler **2.** *anerkennend*: feiner Kerl
sportswoman ['spɔːts,wʊmən] *Pl.*: ***sportswomen*** ['spɔːts,wɪmɪn] Sportlerin
sporty ['spɔːtɪ] *umg.* **1.** sportlich, sportbegeistert **2.** *Kleidung*: flott
spot[1] [spɒt] **1.** Punkt, Tupfen, Fleck **2.** *auf der Haut*: Pickel, *bes.* Ⓐ Wimmerl, ⒸⒽ Bibeli **3.** Ort, Platz, Stelle; ***on the spot*** *zeitlich*: auf der Stelle, sofort, *räumlich*: an Ort und Stelle, vor Ort **4.** ***soft spot*** *übertragen* Schwäche (***for*** für) **5.** ***a spot of*** *BE, umg.* ein bisschen **6.** ***be in a spot*** *umg.* in Schwierigkeiten sein **7.** *umg.* (≈ *Spotlight*) Spot **8.** ***put someone on the spot*** jemanden in die Enge treiben
spot[2] [spɒt], ***spotted, spotted*** entdecken
spot check [,spɒt'tʃek] Stichprobe
spotless ['spɒtləs] makellos
spotlight ['spɒtlaɪt] Scheinwerfer(licht)
spotted ['spɒtɪd] getüpfelt, gefleckt
spotty ['spɒtɪ] *BE, umg.* pickelig
spouse [spaʊs] Gatte, Gattin, Gemahl(in)
spout [spaʊt] **1.** Tülle, Schnabel (*einer Kanne*) **2.** ***be up the spout*** *umg.* im Eimer sein
sprain [spreɪn] ***sprain one's ankle*** sich den Knöchel verstauchen
sprang [spræŋ] *2. Form von* → ***spring***[1]
spray[1] [spreɪ] **1.** sprühen, spritzen (***on*** auf) **2.** besprühen, spritzen (***with*** mit)
spray[2] [spreɪ] **1.** Spray **2.** Spaydose
spread[1] [spred], ***spread, spread*** **1.** *auch* ***spread out*** ausbreiten, ausstrecken (*Arme*), spreizen (*Finger*) **2.** *auch* ***spread out*** sich ausbreiten **3.** sich erstrecken (***over, across*** über) **4.** (*Krankheit usw.*) sich verbreiten, (*Feuer usw.*) übergreifen (***to*** auf) **5.** verbreiten (*Nachricht usw.*) **6.** streichen (*Butter usw.*) (***on*** auf) **7.** (be-)streichen (*Brot usw.*) (***with*** mit)
spread[2] [spred] **1.** Verbreitung (*von Krankheit usw.*) **2.** *von Flügeln usw.*: Spannweite **3.** (Brot)Aufstrich **4.** *umg.* Festessen
spree [spriː] Bummel, Tour; ***shopping spree*** Großeinkauf
sprightly ['spraɪtlɪ] *älterer Mensch*: munter, rüstig
spring[1] [sprɪŋ], ***sprang*** [spræŋ] *oder AE* ***sprung*** [sprʌŋ], ***sprung*** [sprʌŋ] springen
spring[2] [sprɪŋ] **1.** *Jahreszeit*: Frühling, Frühjahr; ***in*** (***the***) ***spring*** im Frühling **2.** *von Bach, Fluss*: Quelle **3.** *Technik*: (Sprung)Feder
spring[3] [sprɪŋ] Frühlings…
springboard ['sprɪŋbɔːd] Sprungbrett (*auch übertragen* ***for, to*** für)
spring break [,sprɪŋ'breɪk] *AE* Frühjahrsferien
spring chicken [,sprɪŋ'tʃɪkən] **1.** (≈ *junges Huhn*) Stubenküken **2.** *humorvoll*: ***be no spring chicken*** nicht mehr der *oder* die Jüngste sein
spring roll [,sprɪŋ'rəʊl] *chinesische Mahlzeit*: Frühlingsrolle
springtime ['sprɪŋtaɪm] Frühling(szeit)
sprinkle ['sprɪŋkl] **1.** sprengen (*Wasser usw.*) (***on*** auf), streuen (*Salz usw.*) (***on*** auf) **2.** (be)sprengen, bestreuen (***with*** mit)
sprinkler ['sprɪŋklə] **1.** Sprenger (*für Rasen*) **2.** Sprinkler, Berieselungsanlage
sprinkling ['sprɪŋklɪŋ] ***a sprinkling of*** ein bisschen, ein paar
sprint[1] [sprɪnt] *Sport*: sprinten
sprint[2] [sprɪnt] *Sport*: Sprint, Spurt
sprite [spraɪt] Geist, Kobold
spritzer ['sprɪtsə] Weinschorle, Gespritzte(r)
sprout[1] [spraʊt] (*Knospen usw.*) sprießen, (*Saat usw.*) keimen
sprout[2] [spraʊt] **1.** Trieb, Keim (*einer Pflanze*) **2.** ***sprouts*** *Pl.* Rosenkohl
spruce[1] [spruːs] Fichte
spruce[2] [spruːs] adrett
sprung [sprʌŋ] *3. Form von* → ***spring***[1], *AE auch 2. Form von* → ***spring***[1]
spun [spʌn] *2. und 3. Form von* → ***spin***[1]
spur [spɜː] **1.** *Reiten*: Sporn **2.** *übertragen* Ansporn (***to*** zu) **3.** ***on the spur of the moment*** spontan
spur-of-the-moment [,spɜːrəvðə'məʊmənt] *Entschluss*: spontan
spurt[1] [spɜːt] *Sport*: spurten, sprinten
spurt[2] [spɜːt] *Sport*: Spurt, Sprint; ***put on a spurt*** einen Spurt hinlegen
spy[1] [spaɪ] Spion(in)
spy[2] [spaɪ] spionieren (***for*** für)
Sq, **Sq.** *Abk. für* → ***square***[1] ***2***
sq *Abk. für* → ***square***[2] 1
squabble ['skwɒbl] (sich) streiten (***about, over*** um, wegen)
squad [skwɒd] **1.** *Sport*: Mannschaft, *von Arbeitern*: Trupp **2.** Kommando (*der Polizei*), Dezernat
squander ['skwɒndə] verschwenden (*Geld, Zeit usw.*) (***on*** an, auf, für, mit), vertun (*Chance*)

square[1] [skweə] **1.** Quadrat **2.** *in der Stadt, Teil eines Namens*: Square, Platz **3.** *Mathematik*: Quadrat(zahl) **4.** Feld (*eines Brettspiels*)
square[2] [skweə] **1.** quadratisch, Quadrat…; ***three square metres*** drei Quadratmeter; ***square root*** *Mathematik*: Quadratwurzel **2.** rechtwinklig, *Schultern usw.*: eckig **3.** *Behandlung usw.*: fair, gerecht **4.** ***be all square*** *übertragen* quitt sein **5.** *umg.*; *Mahlzeit*: anständig
square[3] [skweə] **1.** *auch* ***square off*** *oder* ***up*** quadratisch *oder* rechtwinklig machen **2.** *auch* ***square off*** in Quadrate einteilen; ***squared paper*** kariertes Papier **3.** ***4 squared is*** (*oder* ***equals***) ***16*** *Mathematik*: 4 hoch 2 ist 16 **4.** übereinstimmen (***with*** mit) **5.** ausgleichen (*Konto*), begleichen (*Schulden*)
squarely ['skweəlɪ] **1.** *moralisch*: fair, gerecht **2.** direkt (*jemanden anschauen usw.*) **3.** *bei Kritik usw.*: genau, direkt

The Square Mile

The Square Mile ist ein anderer Name für die Londoner **City**, die sich – was dem Namen zu entnehmen ist – über eine Quadratmeile erstreckt.

squash[1] [skwɒʃ] **1.** zerdrücken, zerquetschen **2.** (sich) quetschen (***into*** in) (*ein Auto usw.*)
squash[2] [skwɒʃ] **1.** *BE* Fruchtsaftgetränk **2.** *Sportart*: Squash **3.** Gedränge **4.** *AE* Kürbis
squat [skwɒt], ***squatted, squatted*** **1.** hocken, kauern **2.** *als Hausbesetzer*: ein Haus besetzt haben
squatter ['skwɒtə] Hausbesetzer(in)
squaw [skwɔː] (≈ *Indianerfrau*), *oft abwertend oder tabu* Squaw
squeak[1] [skwiːk] **1.** (*Maus usw.*) piepsen **2.** (*Tür usw.*) quietschen
squeak[2] [skwiːk] **1.** *von Tier*: Piepser **2.** *von Reifen usw.*: Quietschen
squeal[1] [skwiːl] kreischen (***with*** vor)
squeal[2] [skwiːl] Schrei, *von Schwein*: Quieken
squeamish ['skwiːmɪʃ] empfindlich, zart besaitet
squeeze[1] [skwiːz] **1.** drücken **2.** auspressen, ausquetschen (*Orangen usw.*) **3.** (sich) quetschen *oder* zwängen (***into*** in)

squeeze out [ˌskwiːz'aʊt] **1.** ausdrücken (*Schwamm usw.*) **2.** auspressen (*Saft usw.*) (***of*** aus)

squeeze[2] [skwiːz] **1.** ***give something a squeeze*** etwas drücken **2.** Gedränge
squeezer ['skwiːzə] (Zitronen)Presse
squib [skwɪb] Knallfrosch
squid [skwɪd] *Meerestier*: Tintenfisch
squint[1] [skwɪnt] **1.** *wegen Augenfehler*: schielen **2.** *bei starkem Licht*: blinzeln
squint[2] [skwɪnt] ***have a squint*** schielen
squirrel ['skwɪrəl] Eichhörnchen
squirt [skwɜːt] **1.** (*Wasser usw.*) spritzen **2.** bespritzen, nass spritzen
St, **St.** [snt] **1.** *Abk. für* → ***Saint*** **2.** *Abk. für* → ***Street***
stab[1] [stæb], ***stabbed, stabbed*** **1.** stechen (***at*** nach; ***with*** mit) **2.** einen Stich versetzen, niederstechen; ***stab to death*** erstechen
stab[2] [stæb] Stich; ***stab*** (***wound***) Stichverletzung (⚠ *nicht* ***Stab***)
stabbing ['stæbɪŋ] *Schmerz*: stechend
stability [stə'bɪlətɪ] Stabilität (*auch übertragen*)
stabilize ['steɪbəlaɪz] (sich) stabilisieren
stabilizer ['steɪbəlaɪzə] *Technik*, *Chemie usw.*: Stabilisator
stable[1] ['steɪbl] stabil (*auch übertragen*)
stable[2] ['steɪbl] **1.** *BE* Pferdestall **2.** *AE*; *allg.*: Stall
stack[1] [stæk] **1.** Stapel, Stoß **2.** ***stacks of*** *oder* ***a stack of*** *bes. BE*, *umg.* jede Menge (*Zeit, Arbeit usw.*)
stack[2] [stæk] **1.** stapeln (*Bücher usw.*) **2.** vollstapeln (*Zimmer usw.*) (***with*** mit)

stack up [ˌstæk'ʌp] aufstapeln

stadium ['steɪdɪəm] *Pl.*: ***stadiums*** *oder* ***stadia*** ['steɪdɪə] *Sport*: Stadion (⚠ *Stadium* = ***stage***)
staff [stɑːf] **1.** Mitarbeiter(stab), Personal **2.** *an Schule*, *Universität*: Lehrkörper **3.** *militärisch*: Stab
staff room ['stɑːf‿ruːm] Lehrerzimmer
stag [stæg] Hirsch
stage[1] [steɪdʒ] **1.** *Theater*: Bühne (*auch übertragen*) **2.** Stadium, Phase (*einer Entwicklung*) **3.** Etappe (*auch Radsport und übertragen*) **4.** *von Rakete*: Stufe
stage[2] [steɪdʒ] **1.** *Theater*: inszenieren (*auch übertragen*) **2.** veranstalten
stagecoach ['steɪdʒkəʊtʃ] *historisch*: Postkutsche
stage fright ['steɪdʒ‿fraɪt] Lampenfieber
stage name ['steɪdʒ‿neɪm] Künstlername
stagger ['stægə] **1.** schwanken, torkeln **2.** (*Nachricht usw.*) umwerfen **3.** staffeln (*Arbeitszeit usw.*)
staggering ['stægərɪŋ] *Nachricht usw.*:

umwerfend, *Preis usw.*: Schwindel erregend
stagnant ['stægnənt] stagnierend
stagnate [stæg'neɪt] *Wirtschaft*: stagnieren
stagnation [stæg'neɪʃn] Stagnation
stag night ['stæg‿naɪt] *Abschiedsfeier des Bräutigams vom Junggesellendasein am Vorabend der Hochzeit*
stain[1] [steɪn] **1.** Flecken machen auf **2.** (*Teppich usw.*) fleckenempfindlich sein **3.** färben, beizen (*Holz*)
stain[2] [steɪn] **1.** Fleck **2.** *übertragen* Makel
stained glass [ˌsteɪnd'glɑːs] *in Fenstern usw.*: Glasmalerei
stainless ['steɪnləs] **1.** *Metall*: nicht rostend, rostfrei; ***stainless steel*** Edelstahl **2.** *Charakter, Ruf*: untadelig
stair [steə] (Treppen)Stufe; ☞ ***stairs***
staircase ['steəkeɪs] Treppe, Treppenhaus, *bes.* Ⓐ Stiege
stairs [steəz] *Pl.* Treppe, *bes.* Ⓐ Stiege; ***flight of stairs*** Treppe, *bes.* Ⓐ Stiege
stairway ['steəweɪ] Treppe, Treppenhaus
stake[1] [steɪk] **1.** Pfahl, Pfosten **2.** ***at the stake*** *historisch*: auf dem Scheiterhaufen
stake[2] [steɪk] **1.** Anteil, Beteiligung (***in*** an) **2.** Einsatz (*bei Wette usw.*) **3.** ***be at stake*** *übertragen* auf dem Spiel stehen
stake[3] [steɪk] **1.** setzen (*Geld usw.*) (***on*** auf) **2.** riskieren, aufs Spiel setzen (*Ruf usw.*)
stalactite ['stæləktaɪt] (≈ *Tropfstein*) Stalaktit
stalagmite ['stæləgmaɪt] (≈ *Tropfstein*) Stalagmit
stale [steɪl] **1.** *Brot usw.*: alt, *Luft usw.*: abgestanden **2.** *Witz usw.*: abgedroschen
stalemate[1] ['steɪlmeɪt] **1.** *Schach*: Patt **2.** *übertragen* Patt, Pattsituation, Sackgasse; ***end in (a) stalemate*** in einer Sackgasse enden
stalemate[2] ['steɪlmeɪt] **1.** *Schach*: patt setzen **2.** *übertragen* in eine Sackgasse führen
stalk[1] [stɔːk] Stengel, Stiel, Halm
stalk[2] [stɔːk] **1.** (*Jäger usw.*) sich anpirschen an **2.** stolzieren, steif(beinig) gehen
stall[1] [stɔːl] **1.** *bes. BE* (Verkaufs)Stand **2.** Box (*im Stall*) **3.** Kirchenstuhl; ***stalls*** *Pl.* Chorgestühl (⚠ *nicht* ***Stall***); ☞ ***stalls***
stall[2] [stɔːl] **1.** (*Motor*) absterben **2.** abwürgen (*Motor*) **3.** Zeit schinden
stallion [⚠ 'stæljən] (Zucht)Hengst
stalls [stɔːlz] *Pl. BE*; *Theater*: Parkett
stamina ['stæmɪnə] Ausdauer, Kondition
stammer ['stæmə] stottern, stammeln
stamp[1] [stæmp] **1.** stampfen, trampeln **2.** ***stamp one's foot*** aufstampfen **3.** stempeln (*Pass usw.*), aufstempeln (*Datum usw.*) (***on*** auf) **4.** frankieren (*Brief usw.*); ***stamped addressed envelope*** frankierter Rückumschlag **5.** ***stamp someone as*** *übertragen* jemanden abstempeln als

> **stamp out** [ˌstæmp'aʊt] **1.** austreten (*Feuer*) **2.** ausrotten (*Übel*)

stamp[2] [stæmp] **1.** (Brief)Marke; ***tax stamp*** Steuermarke **2.** Stempel (*auch Abdruck*)
stamp album ['stæmpˌælbəm] Briefmarkenalbum
stamp collection ['stæmp‿kəˌlekʃn] Briefmarkensammlung
stamp collector ['stæmp‿kəˌlektə] Briefmarkensammler(in)
stampede [stæm'piːd] **1.** wilde Flucht (*von Tieren*) **2.** Ansturm (***for*** auf) (*auch übertragen*)
stance [stæns] **1.** *beim Sport, Tanzen usw.*: Haltung **2.** *übertragen* Haltung, Einstellung
stand[1] [stænd], ***stood*** [stʊd], ***stood*** [stʊd] **1.** *allg.*: stehen; ***stand still*** stillstehen **2.** aufstehen **3.** stellen (***on*** auf) **4.** ***as matters*** (*oder* ***things***) ***stand*** so wie die Dinge stehen **5.** aushalten, ertragen (*Hitze usw.*) **6.** standhalten (*einer Prüfung usw.*) **7.** ***I can't stand him*** ich kann ihn nicht ausstehen **8.** ***stand someone a drink*** *umg.* jemandem einen Drink spendieren **9.** ***stand a chance*** Chancen haben

> **stand about** *oder* **around** [ˌstænd‿ə'baʊt *oder* ə'raʊnd] herumstehen
> **stand back** [ˌstænd'bæk] **1.** *räumlich*: zurücktreten **2.** *übertragen* Abstand gewinnen
> **stand by** ['stænd‿baɪ] **1.** ***stand by someone*** zu jemandem halten **2.** stehen zu (*seinem Wort usw.*) **3.** ***stand idly 'by*** tatenlos zusehen (*auch übertragen*)
> **stand for** ['stænd‿fɔː] **1.** (*Zeichen usw.*) bedeuten **2.** *in Fragen und verneint*: sich gefallen lassen, dulden; ***I won't stand for it any longer*** ich werde mir das nicht länger gefallen lassen **3.** eintreten für (*Ziele usw.*) **4.** ***stand for election*** *bes BE* kandidieren
> **stand in** [ˌstænd'ɪn] einspringen (***for*** für)
> **stand out** [ˌstænd'aʊt] **1.** hervorstechen; ***stand out against*** *oder* ***from*** sich abheben von **2.** sich wehren (***against*** gegen)
> **stand up** [ˌstænd'ʌp] **1.** stehen; ***standing up*** im Stehen **2.** aufstehen **3.** ***stand someone up*** *umg.* jemanden versetzen

S

stand up for [ˌstænd'ʌp‿fɔː] eintreten für
stand up to [ˌstænd'ʌp‿tʊ] **1.** aushalten (*Beanspruchung usw.*) **2.** ***stand up to someone*** jemandem die Stirn bieten

stand² [stænd] **1.** (Verkaufs)Stand **2.** Ständer; ***coat stand*** Kleiderständer **3.** *Sport usw.*: Tribüne **4.** ***take a stand*** klar Stellung beziehen (***on*** zu) **5.** *Taxi*: Stand (-platz)
standalone ['stændəˌləʊn] *Computer*: eigenständig, nicht vernetzt
standard¹ ['stændəd] **1.** Norm, Maßstab **2.** Standard; ***standard of living*** Lebensstandard **3.** (≈ *Flagge*) Standarte, Stander
standard² ['stændəd] **1.** normal, Normal…, Standard… **2.** maßgebend, Standard…; ***standard English*** korrektes Englisch
standardization [ˌstændədaɪ'zeɪʃn] **1.** *bes. Technik*: Standardisierung, Normung **2.** *auch allg.*: Vereinheitlichung
standardize ['stændədaɪz] **1.** *bes. Technik*: standardisieren, normen **2.** *auch allg.*: vereinheitlichen
standard lamp ['stændəd‿læmp] *BE* Stehlampe
standby ['stændbaɪ] *Pl.*: ***standbys*** **1.** *Notproviant usw.*: Reserve **2.** ***on standby*** *Polizei usw.*: in Bereitschaft
stand-in ['stændɪn] **1.** *Film*: Double **2.** Vertreter(in)
standing ['stændɪŋ] **1.** stehend; ***standing room*** *Theater, Stadion*: Stehplätze; ***standing ovations*** stürmischer Beifall, stehende Ovationen **2.** ***standing order*** *Bank*: Dauerauftrag
standoffish [ˌstænd'ɒfɪʃ] *umg.* hochnäsig
standpoint ['stændpɔɪnt] *übertragen* Standpunkt
standstill ['stændstɪl] Stillstand (*auch übertragen*); ***bring to a standstill*** zum Stehen bringen (*Auto usw.*), *übertragen* zum Erliegen bringen (*Produktion usw.*)
stand-up ['stændʌp] *Mahlzeit*: im Stehen
stank [stæŋk] *2. Form von* → ***stink¹***
stanza ['stænzə] Strophe
staple¹ ['steɪpl] Heftklammer, Krampe
staple² ['steɪpl] heften (***to*** an)
staple diet [ˌsteɪpl'daɪət] Hauptnahrungsmittel *Pl.*
stapler ['steɪplə] Hefter
star¹ [stɑː] **1.** Stern **2.** ***see stars*** Sterne sehen (*vor Schmerzen*) **3.** ***you can thank your lucky stars that*** du kannst von Glück reden, dass **4.** *Zeichen*: Sternchen **5.** *berühmte Person*: Star **6.** ***Stars and Stripes*** *das* Sternenbanner (*Staatsflagge der USA*) (⚠ *der Singvogel* = ***starling***)

Stars and Stripes

Stars and Stripes, auch **Star-Spangled Banner** („mit Sternen übersätes Banner") genannt, heißt die Flagge der USA. Sie besteht aus 50 Sternen, die die amerikanischen Staaten symbolisch darstellen, sowie sieben roten und sechs weißen Streifen, die die 13 ursprünglichen Kolonien symbolisieren.

star² [stɑː] Haupt…, Star…
star³ [stɑː], ***starred, starred*** **1.** ***a film starring …*** ein Film mit … in der Hauptrolle *oder* den Hauptrollen **2.** (*Schauspieler*) die Hauptrolle spielen (***in*** in)
starboard ['stɑːbəd] *Schiff*: Steuerbord
starch [stɑːtʃ] *in Nahrung, für Wäsche*: Stärke
stare [steə] **1.** starren **2.** ***stare someone in the face*** *Gegenstand*: vor jemandes Augen liegen, *übertragen* klar auf der Hand liegen

stare at ['steər‿ət] anstarren

starfish ['stɑːfɪʃ] *Meerestier*: Seestern
stark¹ [stɑːk] **1.** *Tatsachen usw.*: nackt **2.** *Gegensatz usw.*: krass (⚠ *nicht* ***stark***)
stark² [stɑːk] **1.** ***stark naked*** *umg.* splitternackt **2.** ***stark raving mad*** *humorvoll* total verrückt
starkers ['stɑːkəz] *BE, umg.* splitternackt
starlet ['stɑːlət] Starlet, Filmsternchen
starling ['stɑːlɪŋ] *Singvogel*: Star
starlit ['stɑːlɪt] *Himmel, Nacht*: sternenklar
starry-eyed [ˌstɑːrɪ'aɪd] *umg.* naiv
Star-Spangled Banner ['stɑːˌspæŋgld-'bænə] *das* Sternenbanner (*Staatsflagge und Nationalhymne der USA*)
start¹ [stɑːt] **1.** *auch* ***start off*** anfangen, beginnen; ***start all over again*** noch einmal ganz von vorn anfangen; ***start school*** zur Schule kommen; ***start doing something*** damit anfangen, etwas zu tun **2.** *auch* ***start up*** starten (*Aktion usw.*), gründen (*Geschäft, Familie usw.*) **3.** anlassen, starten (*Motor, Auto usw.*) **4.** *auch* ***start off*** *oder* ***out*** *zur Reise*: aufbrechen (***for*** nach) **5.** *Sport*: starten **6.** *vor Schreck*: zusammenzucken (***at*** bei) **7.** ***to start with …*** zunächst einmal …, erst einmal …

S

start back [ˌstɑːtˈbæk] ***start back for home*** sich auf den Heimweg machen
start for [ˈstɑːt‿fɔː] sich auf den Weg machen nach

start[2] [stɑːt] **1.** Anfang, Beginn, *bes. Sport*: Start; ***at the start*** am Anfang; ***from the start*** von Anfang an; ***make a start on something*** mit etwas anfangen **2.** *Reise*: Aufbruch **3.** Vorsprung (***on, over*** vor) **4.** ***wake up with a start*** aus dem Schlaf aufschrecken
starter [ˈstɑːtə] **1.** *BE, umg.* Vorspeise **2.** *Sport*: Starter(in) **3.** *Motor*: Starter, Anlasser
starting point [ˈstɑːtɪŋ‿pɔɪnt] Ausgangspunkt (*auch übertragen*)
startle [ˈstɑːtl] erschrecken, bestürzen
start-up [ˈstɑːtʌp] **1.** *Wirtschaft*: Start-up, Neugründung (*einer Firma*) **2.** *auch* ***start-up company*** *oder* ***business*** Start-up-Unternehmen (*neu gegründete Firma*) **3.** *Computer*: Start
starvation [stɑːˈveɪʃn] Hunger; ***die of starvation*** verhungern
starve [stɑːv] **1.** hungern **2.** ***starve*** (***to death***) verhungern; ***I'm starving*** *umg.* ich komme fast um vor Hunger **3.** (ver-)hungern lassen
state[1] [steɪt] **1.** Zustand; ***state of mind*** Gemütszustand; ***state of emergency*** *nach Katastrophe usw.*: Notstand **2.** *oft* ***State*** *politisch*: Staat; ***the States*** *Pl. umg. die* (Vereinigten) Staaten **3.** ***get in***(***to***) ***a state*** *umg.* sich aufregen
state[2] [steɪt] staatlich, Staats…
state[3] [steɪt] **1.** angeben, nennen (*Name, Beruf usw.*) **2.** (*Zeuge usw.*) erklären, aussagen (***that*** dass) **3.** festlegen, festsetzen
stately home [ˌsteɪtlɪˈhəʊm] *in GB*: herrschaftliches Anwesen
statement [ˈsteɪtmənt] **1.** *offiziell*: Erklärung; ***make a statement*** eine Erklärung abgeben (***to*** vor) **2.** Darstellung, Angabe (*von Fakten usw.*) **3.** *vor Gericht, bei Polizei*: Aussage **4.** ***bank statement*** Kontoauszug
state-of-the-art [ˌsteɪtəvðɪˈɑːt] neueste(r, -s), auf dem neuesten Stand der Technik stehend
statesman [ˈsteɪtsmən] *Pl.*: ***statesmen*** [ˈsteɪtsmən] Staatsmann
static[1] [ˈstætɪk] **1.** *Physik*: statisch **2.** *übertragen* (≈ *gleich bleibend*) statisch
static[2] [ˈstætɪk] **1.** *Radio, TV*: atmosphärische Störungen **2.** ***statics*** (⚠ *im Sg. verwendet*) *Architektur usw.*: Statik
station[1] [ˈsteɪʃn] **1.** Bahnhof (*auch Bus, U-Bahn*), Station; ***bus station*** Busbahnhof **2.** Station; ***research station*** Forschungsstation **3.** …stelle; ***petrol station*** Tankstelle **4.** (Polizei)Wache **5.** *Rundfunk, TV*: Station, Sender
station[2] [ˈsteɪʃn] **1.** aufstellen, postieren (*Wachen usw.*) **2.** *ständig*: stationieren
stationary [ˈsteɪʃnərɪ] *Auto usw.*: stehend
stationer [ˈsteɪʃnə] Schreibwarenhändler (-in)
stationery [ˈsteɪʃnərɪ] **1.** Schreibwaren **2.** Briefpapier
station wagon [ˈsteɪʃnˌwægən] *AE*; *Auto*: Kombi; ☞ ***estate car***
statistical [stəˈtɪstɪkl] statistisch
statistics [stəˈtɪstɪks] (⚠ *meist im Pl. verwendet*) Statistik
statue [ˈstætʃuː] Statue, Standbild
stature [ˈstætʃə] Statur, Wuchs
status [ˈsteɪtəs] **1.** Status; ***marital status*** Familienstand **2.** *gesellschaftlich*: Stellung
status bar [ˈsteɪtəs‿bɑː] *Computer*: Statuszeile
status quo [ˌsteɪtəsˈkwəʊ] Status quo
status symbol [ˈsteɪtəsˌsɪmbl] Statussymbol
statute [ˈstætʃuːt] **1.** Gesetz; ***by statute*** gesetzlich **2.** *einer Organisation*: Statut
stay[1] [steɪ] **1.** bleiben (***for*** *oder* ***to lunch*** zum Mittagessen) **2.** ***be here to stay*** *Mode, Arbeitslosigkeit usw.*: von Dauer sein, sich halten werden **3.** wohnen (***with friends*** bei Freunden); ***stay the night at a hotel*** im Hotel übernachten (⚠ *nicht* ***stehen***)

stay away [ˌsteɪ‿əˈweɪ] wegbleiben, sich fernhalten (***from*** von)
stay back [ˌsteɪˈbæk] zurückbleiben, Abstand halten
stay in [ˌsteɪˈɪn] zu Hause *oder* drinnen bleiben
stay on [ˌsteɪˈɒn] ***stay on at school*** (mit der Schule) weitermachen
stay out [ˌsteɪˈaʊt] draußen bleiben
stay up [ˌsteɪˈʌp] *abends*: aufbleiben
stay with [ˈsteɪ‿wɪð] wohnen bei (*vorübergehend*)

stay[2] [steɪ] Aufenthalt
staying power [ˈsteɪɪŋˌpaʊə] Ausdauer
steadfast [ˈstedfɑːst] **1.** treu **2.** *Blick*: fest
steady[1] [ˈstedɪ] **1.** (stand)fest, stabil **2.** *Hand usw.*: ruhig, *Nerven*: gut **3.** *Tempo usw.*: gleichmäßig **4.** *Arbeitsplatz usw.*: fest **5.** ***steady*** (***on***)! *BE, umg.* Vorsicht!
steady[2] [ˈstedɪ] ins Gleichgewicht bringen (*Boot usw.*)

steady[3] ['stedɪ] ***go steady*** *AE* einen festen Freund (*oder* eine feste Freundin) haben
steak [steɪk] **1.** Steak **2.** *von Fisch*: Filet

steak and kidney pie

Die typische britische Küche ist gar nicht mehr so leicht auszumachen. Denn heutzutage wird in England mehr Pasta gegessen als **steak and kidney pie** (mit Rindfleisch, Rindernieren, Champignons und Zwiebeln gefüllte Pastete). Trotzdem ist **meat and two veg** (Fleisch und zwei Gemüsesorten – Kartoffeln sind selbstverständlich auch dabei) für manchen immer noch der Inbegriff für **a proper meal** (ein richtiges Essen).

In britischen Kneipen steht nach wie vor einfaches, aber herzhaftes und traditionelles Essen zur Auswahl.

steal [stiːl], ***stole*** [stəʊl], ***stolen*** ['stəʊlən] **1.** stehlen (*auch übertragen*); ***steal a glance at*** einen verstohlenen Blick werfen auf **2.** sich stehlen, (sich) schleichen (***out of*** aus)
steam[1] [stiːm] **1.** Dunst, Dampf **2.** *Energie*: Dampf **3.** ***let off steam*** *übertragen* Dampf ablassen
steam[2] [stiːm] **1.** (*auch Schiff, Lokomotive*) dampfen; ***steaming hot*** kochend heiß **2.** dämpfen, dünsten (*Speisen*)

steam up [ˌstiːm'ʌp] **1.** (*Scheibe usw.*) beschlagen **2.** ***get steamed up*** *Scheibe usw.*: beschlagen, *übertragen*, *umg.* sich aufregen (***about*** über)

steam engine ['stiːmˌendʒɪn] Dampfmaschine
steamer ['stiːmə] **1.** *Schiff*: Dampfer **2.** Dampfkochtopf
steamship ['stiːmʃɪp] Dampfer
steel [stiːl] Stahl
steep [stiːp] **1.** steil **2.** *Preisanstieg*: stark **3.** *umg.*; *Forderung*: happig, *Preis*: gesalzen
steeple ['stiːpl] Kirchturm (*mit Spitze*)
steeplechase ['stiːpltʃeɪs] **1.** *Pferdesport*: Hindernisrennen **2.** *Sport*: Hindernislauf
steer[1] [stɪə] steuern, lenken
steer[2] [stɪə] (junger) Ochse (⚠ *Stier* = ***bull***)
steering wheel ['stɪərɪŋ‿wiːl] Lenkrad
stein [⚠ staɪn] Maßkrug
stem[1] [stem] **1.** *Pflanze*: Stängel, Stiel (*auch eines Sektglases usw.*) **2.** *von Wort*: Stamm
stem[2] [stem], ***stemmed, stemmed*** **1.** stillen (*Blutung*) **2.** *übertragen* eindämmen, stoppen

stem from ['stem‿frəm] herrühren von

stem cell ['stem‿sel] *Biologie*: Stammzelle
stench [stentʃ] Gestank
step[1] [step] **1.** Schritt (*auch Geräusch*); ***take a step*** einen Schritt machen **2.** Stufe, Sprosse; ***mind the step!*** Vorsicht, Stufe! **3.** ***take steps*** *übertragen* etwas unternehmen **4.** *übertragen* Schritt **5.** ***step by step*** *übertragen* Schritt für Schritt
step[2] [step], ***stepped, stepped*** **1.** gehen, treten (***in*** in; ***on*** auf) **2.** ***step on it*** *oder* ***step on the gas*** *umg.* Gas geben (*auch übertragen*)

step aside [ˌstep‿ə'saɪd] **1.** zur Seite treten **2.** *übertragen* Platz machen (***in favour of*** für), zurücktreten (***as*** als; ***in favour of*** zugunsten)
step back [ˌstep'bæk] **1.** zurücktreten **2.** *vor Schreck usw.*: zurückweichen
step down [ˌstep'daʊn] **1.** heruntersteigen, hinuntersteigen **2.** → ***step aside*** 2
step forward [ˌstep'fɔːwəd] **1.** vortreten, nach vorne treten **2.** *übertragen* (*Zeugen usw.*) sich melden
step in [ˌstep'ɪn] *übertragen* (*Staat usw.*) eingreifen, einschreiten
step up [ˌstep'ʌp] steigern (*Produktion usw.*)

step... ['step-] Stief...; ***stepbrother*** Stiefbruder; ***stepfather*** Stiefvater; ***stepmother*** Stiefmutter; ***stepsister*** Stiefschwester
stereo[1] ['sterɪəʊ] *Pl.*: ***stereos*** **1.** Stereogerät, Stereoanlage **2.** ***in stereo*** in Stereo
stereo[2] ['sterɪəʊ] Stereo...; ***stereo system*** Stereoanlage
stereotype ['sterɪətaɪp] Klischee
sterile ['steraɪl] **1.** *Biologie*: steril, unfruchtbar **2.** *medizinisch*: steril, keimfrei
sterility [stə'rɪlətɪ] **1.** *Biologie*: Sterilität, Unfruchtbarkeit **2.** *medizinisch*: Sterilität, Keimfreiheit
sterilization [ˌsterəlaɪ'zeɪʃn] *Medizin*: Sterilisation, Sterilisierung
sterilize ['sterəlaɪz] sterilisieren
sterling ['stɜːlɪŋ] *britische Währung*: das Pfund Sterling
stern[1] [stɜːn] *Person, Blick usw.*: streng
stern[2] [stɜːn] *Schiff*: Heck

steroid ['sterɔɪd ,'stɪərɔɪd] *Medizin*: Steroid

stethoscope ['steθəskəʊp] *Medizin*: Stethoskop

stew[1] [stjuː] schmoren, dünsten (*Gemüse usw.*); ***stewed apples*** *Pl.* Apfelkompott

stew[2] [stjuː] Eintopf

steward ['stjuːəd] **1.** *Flugzeug, Schiff*: Steward **2.** *bei Veranstaltung*: Ordner(in)

stewardess [ˌstjuːə'des] *Flugzeug, Schiff*: Stewardess

stick[1] [stɪk] **1.** (trockener) Zweig **2.** Stock; ***walk with a stick*** am Stock gehen **3.** *Hockey*: Schläger **4.** *Schlagwaffe*: Knüppel **5.** Stück (*Kreide usw.*), Stange (*Dynamit, Sellerie usw.*)

stick[2] [stɪk], ***stuck*** [stʌk], ***stuck*** [stʌk] **1.** stecken, stechen mit (*einer Nadel usw.*) (***into*** in) **2.** kleben (bleiben), halten (***to*** an) **3.** kleben (***on*** auf, an), ankleben (***with*** mit) **4.** stecken bleiben **5.** *umg.* stellen, setzen, legen **6.** ausstehen, aushalten; ***I can't stick him*** *bes. BE, umg.* ich kann ihn nicht ausstehen

> **stick around** [ˌstɪk‿ə'raʊnd] *umg.* dableiben
> **stick at** ['stɪk‿ət] bleiben an
> **stick by** ['stɪk‿baɪ] *umg.* **1.** bleiben bei, stehen zu (*seinem Wort usw.*) **2.** halten zu (*einer Person*)
> **stick out** [ˌstɪk'aʊt] **1.** vorstehen, (*Ohren usw.*) abstehen **2.** ***it sticks out a mile*** das sieht ja ein Blinder! **3.** ausstrecken (*Zunge usw.*) **4.** *umg.* durchstehen
> **stick to** ['stɪk‿tʊ] **1.** bleiben bei (*einem Getränk, der Wahrheit usw.*), stehen zu (*seinem Wort usw.*) **2.** (≈ *weitermachen*) bleiben an (*einer Arbeit usw.*)
> **stick together** [ˌstɪk‿tə'geðə] **1.** zusammenkleben **2.** *übertragen* zusammenhalten
> **stick up** [ˌstɪk'ʌp] ***stick 'em up!*** *umg.* Hände hoch!
> **stick up for** [ˌstɪk'ʌp‿fɔː] verteidigen
> **stick with** ['stɪk‿wɪð] **1.** bleiben bei (*einer Person*) **2.** halten zu (*einer Person*)

sticker ['stɪkə] Aufkleber, Ⓐ Pickerl

sticking plaster ['stɪkɪŋˌplɑːstə] Heftpflaster

stickler ['stɪklə] ***be a stickler for*** es ganz genau nehmen mit, großen Wert legen auf

stick-on ['stɪkɒn] ***stick-on label*** Aufklebeetikett

stick-to-it-ive [ˌstɪk'tuːətɪv] *AE, umg., Person*: hartnäckig, zäh

stick-to-it-iveness [ˌstɪk'tuːətɪvnəs] *AE, umg.* Hartnäckigkeit, Zähigkeit

stick-up ['stɪkʌp] *umg.* (Raub)Überfall

sticky ['stɪkɪ] **1.** klebrig (***with*** von) **2.** Klebe…; ***sticky tape*** Klebeband **3.** *Wetter*: drückend **4.** *umg.*; *Lage*: unangenehm

stiff [stɪf] **1.** *allg.*: steif; ***beat until stiff*** steif schlagen (*Eiweiß usw.*) **2.** *alkoholisches Getränk usw.*: stark **3.** *Aufgabe*: schwierig **4.** *Strafe*: hart **5.** *umg.*; *Preis*: happig

stiffen ['stɪfn] **1.** steif werden **2.** stärken, steifen (*Kragen usw.*) **3.** *übertragen* (*Person*) ganz starr werden

stifle ['staɪfl] unterdrücken (*Seufzer usw.*)

still[1] [stɪl] **1.** (immer) noch, noch immer **2.** dennoch, trotzdem **3.** *beim Komparativ*: noch; ***it'll be hotter still*** es wird noch heißer werden

still[2] [stɪl] **1.** *allg.*: still, ruhig; ***keep still*** stillhalten; ***stand still*** stillstehen **2.** *Getränk*: ohne Kohlensäure

still life [ˌstɪl'laɪf] *Pl.*: ***still lifes*** *Malerei*: Stillleben

stilt [stɪlt] **1.** Stelze **2.** *Architektur*: Pfahl

stilted ['stɪltɪd] *abwertend*; *Stil*: gestelzt

stimulant ['stɪmjʊlənt] **1.** *Medizin*: Stimulans, Anregungsmittel **2.** *übertragen* Anreiz, Ansporn (***to*** für)

stimulate ['stɪmjʊleɪt] **1.** *medizinisch*: stimulieren, anregen **2.** anspornen (***to do*** zu tun) **3.** ankurbeln (*Produktion usw.*)

sting[1] [stɪŋ], ***stung*** [stʌŋ], ***stung*** [stʌŋ] **1.** (*Biene usw.*) stechen **2.** (*Augen usw.*) brennen **3.** ***the smoke was stinging our eyes*** der Rauch brannte uns in den Augen

sting[2] [stɪŋ] **1.** Stachel (*bes. eines Insekts*) **2.** Stich (*von Insekt*) **3.** brennender Schmerz

stinging nettle ['stɪŋɪŋˌnetl] Brennnes- sel

stingy [⚠ 'stɪndʒɪ] *umg.*; *Person*: knickrig; ***be stingy with*** knickern mit

stink[1] [stɪŋk], ***stank*** [stæŋk] *oder* ***stunk*** [stʌŋk], ***stunk*** [stʌŋk] **1.** stinken (***of*** nach) **2.** *umg.* (*Idee usw.*) miserabel sein

stink[2] [stɪŋk] **1.** Gestank **2.** ***kick up*** *oder* ***make*** *oder* ***raise a stink*** *umg.* Stunk machen (***about*** wegen)

stinking[1] ['stɪŋkɪŋ] stinkend

stinking[2] ['stɪŋkɪŋ] ***stinking rich*** *umg.* stinkreich

stint [stɪnt] (Arbeits)Pensum

stir[1] [stɜː], ***stirred, stirred*** **1.** (um)rühren (*Suppe usw.*) **2.** (≈ *sich bewegen*) sich rühren **3.** bewegen (*Arm, Bein usw.*)

> **stir up** [ˌstɜːr'ʌp] **1.** aufwühlen (*auch übertragen*) **2.** *übertragen* stiften (*Unruhe*), entfachen (*Streit*)

S

stir[2] [stɜː] **1.** ***give something a stir*** etwas (um)rühren **2.** ***cause*** (*oder* ***create***) ***a stir*** *übertragen* für Aufsehen sorgen
stirring ['stɜːrɪŋ] aufwühlend, bewegend
stirrup [⚠ 'stɪrəp] Steigbügel
stitch[1] [stɪtʃ] **1.** *Nähen usw.*: Stich **2.** *Stricken usw.*: Masche; ***drop a stitch*** eine Masche fallen lassen **3.** ***I needed 5 stitches*** *medizinisch*: ich musste mit fünf Stichen genäht werden; ***he had his stitches out*** ihm wurden die Fäden gezogen **4.** ***have a stitch*** Seitenstechen haben **5.** ***we were in stitches*** *umg.* wir haben uns totgelacht
stitch[2] [stɪtʃ] *auch* ***stitch up*** zunähen, nähen (*auch Wunde*)
stock[1] [stɒk] **1.** Vorrat (***of*** an); ***have something in stock*** etwas vorrätig haben; ***be out of stock*** *Ware*: nicht vorrätig sein **2.** ***take stock*** *Wirtschaft*: Inventur machen, *übertragen* Bilanz ziehen **3.** ***stocks*** *Pl. Wirtschaft*: Aktien, Wertpapiere **4.** *Kochen*: Brühe **5.** Viehbestand **6.** *übertragen* Abstammung (⚠ *nicht* ***Stock***)
stock[2] [stɒk] **1.** *Wirtschaft*: vorrätig haben, führen (*Ware*) **2.** ***be well stocked with*** gut versorgt *oder* eingedeckt sein mit

stock up [ˌstɒk'ʌp] sich eindecken (***on, with*** mit)

stock[3] [stɒk] **1.** *Ausrede usw.*: Standard… **2.** *Wirtschaft*: Standard…, Serien…
stockbroker ['stɒkˌbrəʊkə] Börsenmakler (-in)
stock cube ['stɒk‿kjuːb] Brühwürfel
stock exchange ['stɒk‿ɪksˌtʃeɪndʒ] *Wirtschaft*: Börse
stockholder ['stɒkˌhəʊldə] *Wirtschaft*; *bes. AE* Aktionär(in)
stocking ['stɒkɪŋ] (Damen)Strumpf
stock market ['stɒkˌmɑːkɪt] *Wirtschaft*: Börse
stockpile[1] ['stɒkpaɪl] Vorrat (***of*** an)
stockpile[2] ['stɒkpaɪl] einen Vorrat anlegen an, hamstern, horten (*Lebensmittel usw.*)
stockroom ['stɒkruːm] Lager, Lagerraum
stocktaking ['stɒkˌteɪkɪŋ] Inventur
stocky ['stɒkɪ] stämmig, untersetzt
stoical ['stəʊɪkl] stoisch, gelassen
stoicism ['stəʊɪsɪzm] Gelassenheit
stole[1] [stəʊl] *2. Form von* → ***steal***
stole[2] [stəʊl] Stola
stolen ['stəʊlən] *3. Form von* → ***steal***
stomach[1] [⚠ 'stʌmək] **1.** *Organ*: Magen; ***on an empty stomach*** auf nüchternen Magen, mit nüchternem Magen; ***it turns my stomach*** das dreht mir den Magen um **2.** *im weiteren Sinn*: Bauch
stomach[2] [⚠ 'stʌmək] *mst.* ***I can't stomach …*** ich kann … nicht vertragen (*auch übertragen*)
stomachache [⚠ 'stʌmək‿eɪk] **1.** Magenschmerzen **2.** Bauchschmerzen
stomach upset [⚠ 'stʌmәkˌʌpset] Magenverstimmung
stomp [stɒmp] *umg.* stampfen, trampeln
stone [stəʊn] **1.** Stein (*auch Edelstein*); ***it's only a stone's throw*** (***away***) ***from …*** es ist nur einen Katzensprung entfernt von … **2.** (*Pl.*: ***stone*** *oder* ***stones***) *brit. Gewichtseinheit* (*= 6,35 kg*) **3.** *im Obst*: Kern, Stein
Stone Age ['stəʊn‿eɪdʒ] Steinzeit
stoned [stəʊnd] *salopp* **1.** stoned (*unter Drogeneinwirkung*) **2.** stinkbesoffen
stone-dead [ˌstəʊn'ded] mausetot
stone-deaf [ˌstəʊn'def] stocktaub

Stonehenge

Stonehenge [ˌstəʊn'hendʒ] – steinzeitliche Kultstätte 12 km nördlich von Salisbury in Südengland, die aus ringförmig angeordneten riesengroßen Steinpfeilern und quer darüber liegenden Steinblöcken besteht. Sie wurde etwa ab 2800 v. Chr. angelegt, und man vermutet, dass die Menschen dort den Lauf von Sonne und Mond beobachtet und mythische Riten abgehalten haben. Stonehenge wird heute von vielen Touristen besichtigt; ☞ *Karte S. 293*

stony ['stəʊnɪ] **1.** steinig **2.** *Gesicht, Herz usw.*: steinern, *Schweigen*: eisig
stood [stʊd] *2. und 3. Form von* → ***stand***[1]
stool [stuːl] **1.** Hocker, Schemel (⚠ *Stuhl* = ***chair***) **2.** *medizinisch* (≈ *Kot*) Stuhl
stoop [stuːp] **1.** *auch* ***stoop down*** sich bücken **2.** gebeugt gehen
stop[1] [stɒp], ***stopped, stopped*** **1.** stehen bleiben (*auch Uhr usw.*), (an)halten; ***stop short*** *oder* ***dead*** plötzlich anhalten *oder* stehen bleiben **2.** anhalten (*Fahrzeug usw.*), abstellen (*Maschine usw.*) **3.** ein Ende machen (*einer Sache*) **4.** stillen (*Blutung*) **5.** zum Erliegen bringen (*Arbeiten, Verkehr usw.*) **6.** aufhören (mit); ***stop smoking*** mit dem Rauchen aufhören; ***stop it!*** hör auf damit! **7.** ***stop short of*** (*oder* ***at***) zurückschrecken vor **8.** verhindern (*Ereignis usw.*) **9.** ***stop someone*** (***from***) ***doing something*** jemanden davon abhalten *oder* daran hindern, etwas

stop **anhalten / aufhören**

Stop kann mit der **-ing**-Form oder auch mit dem Infinitiv erscheinen, wobei es aber einen großen Unterschied in der Bedeutung gibt.

stop doing something	aufhören etwas zu tun; mit etwas aufhören
My father has stopped smoking after 26 years.	Mein Vater hat nach 26 Jahren mit dem Rauchen aufgehört.
stop to do something	anhalten / mit etwas aufhören, um etwas anderes zu tun
I was doing my homework, but I had to stop to make the dinner.	Ich war bei meinen Hausaufgaben, musste aber aufhören, um das Essen zu machen.

zu tun **10.** *bes. BE* bleiben (***for supper*** zum Abendessen) **11.** sperren (lassen) (*Scheck*) **12.** (ver)stopfen (*Rohr usw.*)

stop at ['stɒp‿ət] ***stop at nothing*** vor nichts zurückschrecken
stop by [ˌstɒp'baɪ] (≈ *besuchen*) vorbeischauen
stop off [ˌstɒp'ɒf] *umg.* Zwischenstation machen (***at, in*** in), Halt machen
stop over [ˌstɒp'əʊvə] Zwischenstation machen (***in*** in)

stop[2] [stɒp] **1.** Halt; ***come to a stop*** anhalten **2.** Haltestelle; ***bus stop*** Bushaltestelle **3.** *Zug*: Aufenthalt **4.** *bes. BE*; *Satzzeichen*: Punkt
stopgap ['stɒpgæp] Notbehelf

stool

stool ABER: chair

stopover ['stɒpˌəʊvə] **1.** Zwischenstation **2.** *Flugzeug*: Zwischenlandung
stoppage ['stɒpɪdʒ] **1.** (≈ *Streik*) Arbeitsniederlegung **2.** ***stoppages*** *Pl. BE* (Gehalts)Abzug, (Lohn)Abzug
stopper ['stɒpə] Stöpsel
stopwatch ['stɒpwɒtʃ] Stoppuhr
storage ['stɔːrɪdʒ] (Ein)Lagerung
store[1] [stɔː] **1.** *auch* ***store up*** sich einen Vorrat anlegen an **2.** lagern (*Kohle usw.*), einlagern (*Möbel usw.*) **3.** speichern (*Daten*, *Energie usw.*)
store[2] [stɔː] **1.** Vorrat (***of*** an); ***have something in store*** etwas vorrätig haben **2.** Lager(halle) **3.** Kaufhaus, Warenhaus; ***department store*** Kaufhaus **4.** *bes. AE* Laden, Geschäft
store detective ['stɔː‿dɪˌtektɪv] Ladendetektiv
storekeeper ['stɔːˌkiːpə] *bes. AE* Ladenbesitzer(in), Ladeninhaber(in)
storeroom ['stɔːruːm] **1.** Lagerraum **2.** *in Haus, Wohnung*: Vorratskammer
storey ['stɔːrɪ] *bes. BE* Stock(werk), Etage; ***a six-storey building*** ein sechsstöckiges Gebäude
storeyed ['stɔːrɪd], *AE* **storied** ['stɔːrɪd] ***a six-storeyed building*** ein sechsstöckiges Gebäude
stork [stɔːk] Storch
storm[1] [stɔːm] Unwetter, Sturm
storm[2] [stɔːm] stürmen, toben
stormy ['stɔːmɪ] stürmisch (*auch übertragen*)
story[1] ['stɔːrɪ] **1.** Geschichte, Erzählung; ***short story*** Kurzgeschichte; ***to cut a long story short*** um es kurz zu machen **2.** Handlung (*eines Romans usw.*) **3.** ***the story goes*** es heißt **4.** *Zeitung usw.*: Story, Bericht **5.** (≈ *Lüge*) Märchen
story[2] ['stɔːrɪ] *AE* Stock(werk), Etage; ☞ *BE* ***storey***

stout [staʊt] **1.** korpulent **2.** *übertragen* entschieden, hartnäckig
stove [stəʊv] Ofen, *zum Kochen auch*: Herd
stowaway ['stəʊəweɪ] *in Flugzeug, Schiff*: blinder Passagier
straggly ['stræglɪ] *Haar*: struppig
straight[1] [streɪt] **1.** gerade, *Haar*: glatt; ***straight line*** gerade Linie, *Mathematik*: Gerade **2.** ***get*** *oder* ***put straight*** in Ordnung bringen, *Zimmer usw.*: aufräumen **3.** offen, ehrlich (***with*** zu) **4.** ***let's get 'one thing straight*** wir wollen eines klarstellen; ***set someone straight about something*** *übertragen* jemandem etwas klarmachen **5.** ohne Unterbrechung; ***his third straight win*** *Sport*: sein dritter Sieg in Folge **6.** *Alkohol*: pur; ***two straight whiskies*** zwei Whisky pur **7.** ***keep a straight face*** ernst bleiben **8.** *umg.*; *sexuell*: hetero **9.** *umg.*; *Drogen*: sauber, clean
straight[2] [streɪt] **1.** gerade; ***straight ahead*** geradeaus; ***go straight on*** geradeaus weitergehen **2.** genau, direkt **3.** klar (*sehen, denken usw.*) **4.** *auch umg.* ***straight out*** geradeheraus
straightaway [ˌstreɪtə'weɪ] sofort
straighten ['streɪtn] **1.** gerade rücken (*Krawatte usw.*), gerade machen **2.** glätten (*Haar*) **3.** in Ordnung bringen (*Zimmer*)

> **straighten out** [ˌstreɪtn'aʊt] **1.** (*Straße usw.*) gerade werden **2.** in Ordnung bringen, klären (*Angelegenheit*) **3.** auf die richtige Bahn bringen (*Person*)
> **straighten up** [ˌstreɪtn'ʌp] **1.** sich aufrichten **2.** in Ordnung bringen, aufräumen (*Zimmer usw.*) **3.** gerade hängen, gerade rücken

straightforward [ˌstreɪt'fɔːwəd] **1.** aufrichtig **2.** *Sachverhalt*: einfach, unkompliziert
straight-out [ˌstreɪt'aʊt] *bes. AE*, *umg.* offen, freimütig, direkt
strain[1] [streɪn] **1.** überanstrengen (*sich, Augen usw.*); ***strain a muscle*** sich eine Muskelzerrung zuziehen **2.** (an)spannen (*Seil usw.*) **3.** ***strain one's ears*** (*bzw.* ***eyes***) die Ohren spitzen (*bzw.* genau hinschauen) **4.** sich anstrengen **5.** strapazieren (*Nerven usw.*) **6.** abgießen (*Gemüse, Tee usw.*)
strain[2] [streɪn] **1.** Spannung (*auch politisch usw.*) **2.** *übertragen* Belastung (***on*** für); ***put a strain on someone*** jemanden belasten
strained [streɪnd] **1.** ***strained muscle*** Muskelzerrung **2.** *Lächeln*: gezwungen, *Beziehung*: gespannt
strainer ['streɪnə] Sieb
strait [streɪt] *auch* ***straits*** *Pl.* Meerenge, Straße
strand [strænd] (Haar)Strähne, Faden
strange [streɪndʒ] **1.** merkwürdig, seltsam; ***strange to say*** so merkwürdig es auch klingen mag; ***strangely*** (***enough***) merkwürdigerweise, seltsamerweise **2.** unbekannt, fremd (***to someone*** jemandem)
stranger ['streɪndʒə] Fremde(r); ***I'm a stranger here*** ich bin hier fremd
strangle ['stræŋgl] **1.** erwürgen, erdrosseln **2.** *übertragen* abwürgen, ersticken
strap[1] [stræp] **1.** Riemen, Gurt **2.** *in Bus usw.*: Haltegriff, Schlaufe **3.** *an Kleid usw.*: Träger **4.** *an Armbanduhr*: (Arm-) Band
strap[2] [stræp], ***strapped, strapped*** **1.** festschnallen (***to*** an) **2.** *auch* ***strap up*** *BE* bandagieren (*Bein usw.*)
straphanger ['stræpˌhæŋə] *umg.* **1.** *in Bus usw.*: Stehplatzinhaber(in) **2.** *übertragen* Pendler(in)
strategic [strə'tiːdʒɪk] strategisch, strategisch wichtig
strategist ['strætədʒɪst] Stratege, Strategin
strategy ['strætədʒɪ] Strategie
straw [strɔː] **1.** Stroh **2.** Strohhalm, Trinkhalm **3.** ***it's the last straw!*** das hat noch gefehlt!, das ist der Gipfel!
strawberry ['strɔːbərɪ] Erdbeere
stray[1] [streɪ] **1.** sich verirren **2.** *übertragen* (*Gedanken usw.*) abschweifen (***from*** von)
stray[2] [streɪ] verirrtes *oder* streunendes Tier
stray[3] [streɪ] *Kugel, Tier*: verirrt, *Tier auch*: streunend
streak [striːk] **1.** Streifen, *im Haar*: Strähne; ***a streak of lightning*** ein Blitz **2.** *übertragen* (Charakter)Zug **3.** ***lucky streak*** Glückssträhne; ***unlucky streak*** Pechsträhne
stream[1] [striːm] **1.** Bach **2.** …strom; ***stream of visitors*** Besucherstrom; ***stream of traffic*** Verkehrsstrom **3.** *übertragen* Flut, Schwall (*von Verwünschungen usw.*) **4.** *von Wasser, Luft*: Strömung **5.** *BE*; *Schule*: Leistungsgruppe
stream[2] [striːm] **1.** (*auch Besucher, Licht usw.*) strömen; ***tears were streaming down her face*** Tränen liefen ihr übers Gesicht **2.** wehen, flattern (***in the wind*** im Wind)
streamer ['striːmə] Luftschlange
streamline ['striːmlaɪn] rationalisieren

streamlined ['striːmlaɪnd] *Auto usw.*: stromlinienförmig, windschnittig
street [striːt] **1.** Straße (*in Stadt oder Dorf*); ***in*** (*bes. AE* ***on***) ***the street*** auf der Straße **2. *that's right up my street*** *BE, übertragen* das ist genau mein Fall
street battle ['striːtˌbætl] Straßenschlacht
streetcar ['striːtkɑː] *AE* Straßenbahn
street furniture ['striːtˌfɜːnɪtʃə] Straßenmöbel *Pl.*, urbanes Mobiliar (*Abfallkörbe, Bänke usw.*)
street lamp ['striːt‿læmp], **street light** ['striːt‿laɪt] Straßenlaterne
street map ['striːt‿mæp] Stadtplan
street value ['striːtˌvæljuː] *von Drogen*: (Straßen)Verkaufswert
streetwise ['striːtwaɪz] mit allen Wassern gewaschen, clever
streetworker ['striːtˌwɜːkə] Streetworker (-in), Straßensozialarbeiter(in)
strength [streŋθ] Stärke (*auch übertragen*), Kraft, Kräfte
strengthen ['streŋθn] **1.** verstärken **2.** *übertragen* stärken **3.** (*Wind usw.*) stärker werden, sich verstärken
strenuous ['strenjʊəs] **1.** *Tätigkeit usw.*: anstrengend **2.** *Bemühungen usw.*: unermüdlich, eifrig
stress[1] [stres] **1.** *übertragen* Stress; ***be under stress*** unter Stress stehen, im Stress sein **2.** *Technik usw.*: Belastung **3.** *Sprache*: Betonung; ***stress mark*** Betonungszeichen
stress[2] [stres] **1.** *übertragen* betonen, Wert legen auf **2.** *Sprache*: betonen (*Silbe usw.*) **3. *be stressed*** *Person*: gestresst sein
stressed out [ˌstrest'aʊt] gestresst, stressgeplagt
stress-free ['stresfriː] stressfrei
stressful ['stresfl] stressig, aufreibend
stress mark ['stres‿mɑːk] *Sprache*: Betonungszeichen
stressor ['stresə] Stressfaktor
stretch[1] [stretʃ] **1.** sich dehnen, länger *oder* weiter werden **2.** spannen (*Seil usw.*) **3.** (aus)weiten (*Schuhe usw.*) **4.** *räumlich*: sich erstrecken (***to*** bis zu) **5.** sich dehnen *oder* strecken **6. *stretch one's legs*** *umg.* sich die Beine vertreten

stretch out [ˌstretʃ'aʊt] **1.** sich ausstrecken **2.** ausstrecken (*Arm usw.*)

stretch[2] [stretʃ] **1. *have a stretch*** sich dehnen *oder* strecken **2.** Strecke (*einer Straße*) **3.** Zeit(raum), Zeit(spanne); ***at a stretch*** hintereinander, ohne Unterbrechung
stretcher ['stretʃə] Tragbahre, Trage
stretchy ['stretʃɪ] dehnbar, elastisch
stricken ['strɪkən] *oft* ***-stricken*** betroffen von (*Katastrophe*), ergriffen von (*Panik*)
strict [strɪkt] streng, *Anweisungen auch*: strikt; ***be strict with*** streng sein mit *oder* zu
strictly ['strɪktlɪ] **1.** streng **2.** genau; ***strictly*** (***speaking***) genau genommen
stridden ['strɪdn] *3. Form von* → ***stride***[1]
stride[1] [straɪd], ***strode*** [strəʊd], ***stridden*** ['strɪdn] schreiten (*mit großen Schritten*)
stride[2] [straɪd] (großer) Schritt
strident ['straɪdnt] *Stimme usw.*: durchdringend
strike[1] [straɪk], ***struck*** [strʌk], ***struck*** [strʌk] **1.** schlagen, treffen **2.** (*Blitz*) einschlagen (in) **3.** anzünden (*Streichholz*) **4.** (*Uhr*) schlagen; ***the clock struck ten*** die Uhr schlug zehn **5.** (*Arbeiter*) streiken (***for*** für) **6.** streichen (***from, off*** aus, von) (*einer Liste*) **7.** *übertragen* stoßen auf (*Öl usw.*) **8. *be struck by*** beeindruckt sein von; ***how does the house strike you?*** wie findest du das Haus?; ***it struck me as rather strange that*** es kam mir ziemlich seltsam vor, dass **9.** anschlagen (*Saite usw.*) **10. *strike it rich*** *umg.* das große Geld machen

strike at ['straɪk‿ət] einschlagen auf
strike back [ˌstraɪk'bæk] zurückschlagen (*auch übertragen*)
strike off [ˌstraɪk'ɒf] **1.** abschlagen (*Ast usw.*) **2.** streichen (*von einer Liste*)
strike on *oder* **upon** ['straɪk‿ɒn *oder* əˌpɒn] *übertragen* kommen auf (*eine Idee usw.*)
strike out [ˌstraɪk'aʊt] **1.** (um sich) schlagen **2.** (aus)streichen (*Text usw.*)
strike up [ˌstraɪk'ʌp] **1.** anstimmen (*Lied usw.*) **2.** schließen (*Freundschaft usw.*), anknüpfen (*Gespräch*) (***with*** mit)

strike[2] [straɪk] **1.** *Wirtschaft*: Streik; ***be on strike*** streiken; ***go on strike*** in den Streik treten; ***call a strike*** einen Streik ausrufen **2.** *militärisch*: Angriff; ***first strike*** Erstschlag **3.** Fund (*von Öl usw.*)
strike ballot ['straɪkˌbælət] Urabstimmung
strike-bound ['straɪkbaʊnd] bestreikt, vom Streik lahmgelegt
strikebreaker ['straɪkˌbreɪkə] Streikbrecher(in)
strike call ['straɪkkɔːl] Streikaufruf
striker ['straɪkə] **1.** *Fußball*: Stürmer(in) **2.** *Wirtschaft*: Streikende(r)

S

striking ['straɪkɪŋ] auffallend, *Ähnlichkeit usw.*: verblüffend
string[1] [strɪŋ] **1.** Schnur, Bindfaden, Ⓐ Schnürl **2.** *Schürze usw.*: Band **3.** *Puppenspiel*: Faden **4.** Saite (*von Gitarre, Tennisschläger usw.*), *Bogen*: Sehne **5.** …schnur; ***string of pearls*** Perlenschnur **6.** *übertragen* Reihe, Serie **7.** ***pull a few strings*** *übertragen* seine Beziehungen spielen lassen; ☞ ***strings***
string[2] [strɪŋ], ***strung*** [strʌŋ], ***strung*** [strʌŋ] **1.** aufreihen (*Perlen usw.*) **2.** besaiten (*Gitarre usw.*), bespannen (*Tennisschläger*)
string[3] [strɪŋ] *Musik*: Streich…
string bean [ˌstrɪŋ'biːn] *AE* grüne Bohne, Ⓐ Fisole
stringed instrument [ˌstrɪŋd'ɪnstrəmənt] Saiteninstrument, Streichinstrument
stringent ['strɪndʒənt] *Regeln usw.*: streng
strings [strɪŋz] **1.** *Musik*: Streichinstrumente **2.** *die* Streicher (*eines Orchesters*)
stringy ['strɪŋɪ] *Fleisch usw.*: faserig
strip[1] [strɪp], ***stripped, stripped*** **1.** abkratzen, abreißen (*Tapete usw.*) (***from, off*** von) **2.** *auch* ***strip off*** sich ausziehen (***to*** bis auf), *beim Arzt*: sich freimachen; ***strip to the waist*** den Oberkörper freimachen **3.** *auch* ***strip down*** zerlegen (*Motor usw.*) **4.** ***strip someone of something*** jemandem etwas rauben *oder* wegnehmen
strip[2] [strɪp] **1.** Streifen (*Land, Papier usw.*) **2.** ***do a strip*** Striptease machen, strippen **3.** *BE*; *Fußball*: Dress
strip cartoons [ˌstrɪp‿kɑː'tuːnz] *Pl. BE* Comics
stripe [straɪp] **1.** Streifen **2.** *militärisch*: (Ärmel)Streifen, Winkel
striped [straɪpt] gestreift; ***striped pattern*** Streifenmuster
strip light ['strɪp‿laɪt] Neonröhre, Neonlicht
strip lighting ['strɪpˌlaɪtɪŋ] Neonbeleuchtung
stripper ['strɪpə] Stripteasetänzer(in)
striptease ['strɪptiːz] Striptease
stripy ['straɪpɪ] gestreift, Streifen…
strive [straɪv], ***strove*** [strəʊv], ***striven*** ['strɪvn] **1.** sich bemühen (***to do*** zu tun) **2.** streben (***for, after*** nach)
striven ['strɪvn] *3. Form von* → ***strive***
strode [strəʊd] *2. Form von* → ***stride***[1]
stroke[1] [strəʊk] streicheln; ***stroke someone's hair*** jemandem übers Haar streichen
stroke[2] [strəʊk] **1.** Schlag (*auch Tennis, einer Uhr usw.*), Hieb; ***a stroke of lightning*** ein Blitz; ***on the stroke of ten*** Punkt *oder* Schlag zehn (Uhr) **2.** ***give someone a stroke*** jemanden streicheln **3.** *Mediz* Schlag(anfall) **4.** *Pinsel usw.*: Strich *Schwimmen*: Zug **6.** ***a stroke of lu*** *übertragen* ein glücklicher Zufall **7.** ***hasn't done a stroke*** (***of work***) ***yet*** *übertragen* er hat noch keinen Strich getan ***four-stroke engine*** *Technik*: Viertakt motor
stroll[1] [strəʊl] bummeln, schlendern
stroll[2] [strəʊl] Bummel, Spaziergang; ***for a stroll*** einen Spaziergang machen
stroller ['strəʊlə] **1.** Spaziergänger(in) *bes. AE* Sportwagen (*für Kinder*)
strong [strɒŋ] **1.** *allg.*: stark (*auch Persönlichkeit, Medikament usw.*), kräftig (*auch Geschmack usw.*) **2.** *Land usw.*: mäch **3.** *Möbel usw.*: stabil, *Schuhe usw.*: f **4.** *gesundheitliche Verfassung*: robust *Beweise*: unerschütterlich **6.** *Chan usw.*: groß, *Kandidat*: aussichtsreich
strongbox ['strɒŋbɒks] (Geld)Kassette
stronghold ['strɒŋhəʊld] **1.** *militäris* Festung, Stützpunkt **2.** *übertragen* Hoc burg
strongly ['strɒŋlɪ] ***I strongly advised h against it*** ich riet ihm dringend davon
strong-minded [ˌstrɒŋ'maɪndɪd] willen stark
strove [strəʊv] *2. Form von* → ***strive***
struck [strʌk] *2. und 3. Form von* ***strike***[1]
structural ['strʌktʃrəl] **1.** baulich, Bau. ***structural damage*** Schaden an der Ba substanz **2.** *Unterschied usw.*: strukture strukturbedingt; ***structural chan*** *Wirtschaft usw.*: Strukturwandel
structure[1] ['strʌktʃə] **1.** Struktur, Aufba Gliederung **2.** Bau, Konstruktion
structure[2] ['strʌktʃə] strukturieren, *v Aufsatz usw.*: aufbauen, gliedern
strudel ['struːdl] *bes. AE*; *Essen*: Strud
struggle[1] ['strʌgl] **1.** kämpfen (***with*** m ***for*** um) **2.** *übertragen* sich abmühen (***w*** mit; ***to do*** zu tun) **3.** um sich schlag *oder* treten
struggle[2] ['strʌgl] Kampf (*auch übertragen*)
strum [strʌm] klimpern (auf) (*Gitarre*)
strung [strʌŋ] *2. und 3. Form von* ***string***[2]
strut [strʌt], ***strutted, strutted*** stolzier
stub[1] [stʌb] **1.** Stummel (*einer Zigarette, nes Bleistifts usw.*) **2.** Kontrollabschnitt (*ner Eintrittskarte usw.*)
stub[2] [stʌb] ***stub one's toe*** sich die Ze anstoßen (***against, on*** an)
stubble ['stʌbl] (⚠ *nur im Sg. verwend* *Bart, Feld*: Stoppeln

stubborn ['stʌbən] **1.** eigensinnig, stur **2.** *Fleck, Widerstand usw.*: hartnäckig
stuck[1] [stʌk] *2. und 3. Form von* → ***stick***[2]
stuck[2] [stʌk] **1.** ***be stuck*** (*Fenster usw.*) klemmen **2.** ***be stuck*** *umg.* festsitzen, nicht weiterkommen (*wegen Schwierigkeit*)
stuck-up [ˌstʌk'ʌp] *umg.* hochnäsig
stud[1] [stʌd] **1.** *auch* ***press-stud*** Druckknopf **2.** Stollen (*eines Fußballschuhs*) **3.** Ziernagel
stud[2] [stʌd] **1.** Gestüt **2.** (Zucht)Hengst
student ['stjuːdnt] Student(in), *bes. AE auch*: Schüler(in)
studied ['stʌdɪd] wohl überlegt, *im negativen Sinn*: wohl berechnet
studio ['stjuːdɪəʊ] *Pl.*: ***studios*** **1.** *TV, Rundfunk*: Studio **2.** Atelier (*eines Künstlers*) **3.** Studio, Einzimmerappartement
studio apartment ['stjuːdɪəʊ‿əˌpɑːtmənt] *bes. AE* Studio, Einzimmerappartement
studio couch ['stjuːdɪəʊ‿kaʊtʃ] Schlafcouch
studio flat ['stjuːdɪəʊ‿flæt] *BE* Studio, Einzimmerappartement
studious ['stjuːdɪəs] fleißig
study[1] ['stʌdɪ] **1.** ***studies*** *Pl.* Studium **2.** Studie, Untersuchung (***of*** über); ***make a study of something*** etwas untersuchen **3.** Arbeitszimmer **4.** *bes. Malerei*: Studie (***of*** zu)
study[2] ['stʌdɪ] **1.** studieren (*Medizin usw., auch Landkarte usw.*) (***under someone*** bei jemandem); ***study to be a doctor*** Medizin studieren **2.** lernen (***for*** für) (*eine Prüfung*)
stuff[1] [stʌf] **1.** *umg.*; *allg.*: Zeug, Sachen; ***in the shop they sell furniture and stuff*** in dem Laden verkaufen sie Möbel und so **2.** *bes. übertragen* Stoff, Material
stuff[2] [stʌf] **1.** (aus)stopfen (*Kissen usw.*), vollstopfen (*Tasche usw.*) (***with*** mit) **2.** (hinein)stopfen (***into*** in) **3.** *beim Kochen*: füllen (*Ente usw.*) **4.** ***stuff oneself*** *umg.* sich vollstopfen (*mit Essen*)

stuffed up [ˌstʌft'ʌp] *Nase*: verstopft

stuffing ['stʌfɪŋ] Füllung (*auch Kochen*)
stuffy ['stʌfɪ] **1.** *Raum usw.*: stickig **2.** *übertragen* prüde, spießig
stumble ['stʌmbl] stolpern (***on, over***, *übertragen* ***at, over*** über)
stump[1] [stʌmp] Stumpf (*von Baum, Bein usw.*), Stummel (*von Bleistift usw.*)
stump[2] [stʌmp] **1.** stampfen, stapfen **2.** ***I'm stumped there*** *umg.* da bin ich überfragt
stun [stʌn], ***stunned, stunned*** (*Schlag, auch Nachricht usw.*) betäuben
stung [stʌŋ] *2. und 3. Form von* → ***sting***[1]
stunk [stʌŋk] *2. und 3. Form von* → ***stink***[1]
stunning ['stʌnɪŋ] **1.** (≈ *schön*) umwerfend **2.** *Nachricht usw.*: unglaublich
stunt [stʌnt] **1.** (gefährliches) Kunststück, *Film*: Stunt **2.** *in der Werbung*: Gag
stunt man ['stʌnt‿mæn] *Pl.*: ***stunt men*** ['stʌnt‿men] *Film*: Stuntman, Double
stunt woman ['stʌntˌwʊmən], *Pl.* ***stunt women*** ['stʌntˌwɪmɪn] *Film*: Stuntwoman, Double
stupid ['stjuːpɪd] **1.** dumm **2.** *übertragen, umg.* blöd
stupidity [stjuː'pɪdətɪ] Dummheit (*auch Handlung usw.*)
sturdy ['stɜːdɪ] *Beine usw.*: stämmig
stutter ['stʌtə] (*auch Motor*) stottern
sty [staɪ] Schweinestall
style[1] [staɪl] **1.** *allg.*: Stil; ***in style*** in großem Stil; ***that's not my style*** *umg.* das ist nicht meine Art **2.** Mode, Stil **3.** *Ware*: Ausführung, Modell
style[2] [staɪl] entwerfen, gestalten
styli ['staɪlaɪ] *Pl. von* → ***stylus***
styling [staɪlɪŋ] Machart, Design
stylish ['staɪlɪʃ] **1.** *Möbel*: stilvoll **2.** *Person*: elegant
stylistic [staɪ'lɪstɪk] stilistisch, Stil…
stylus ['staɪləs] *Pl.*: ***styluses*** *oder* ***styli*** ['staɪlaɪ] Nadel (*eines Plattenspielers*)
Styria ['stɪrɪə] die Steiermark
sub [sʌb] *umg.* **1.** U-Boot **2.** *Sport*: Auswechselspieler(in) **3.** ***subs*** *Pl.* Beitrag, Beiträge (*für Klub usw.*)
subcommittee ['sʌbkəˌmɪtɪ] *in Parlament usw.*: Unterausschuss
subconscious[1] [sʌb'kɒnʃəs] *Psychologie*: Unterbewusstsein
subconscious[2] [sʌb'kɒnʃəs] *Psychologie*: unterbewusst
subcontinent [ˌsʌb'kɒntɪnənt] Subkontinent
subculture ['sʌbˌkʌltʃə] Subkultur
subdivide [ˌsʌbdɪ'vaɪd] unterteilen
subdivision ['sʌbdɪˌvɪʒn] **1.** Unterteilung **2.** Unterabteilung
subdue [səb'djuː] **1.** unterwerfen (*Land usw.*) **2.** unterdrücken (*Ärger usw.*)
subdued [səb'djuːd] **1.** *Stimme, Licht usw.*: gedämpft **2.** *Person*: (merkwürdig) still **3.** *Stimmung, Atmosphäre*: gedrückt
subject[1] ['sʌbdʒekt] **1.** Thema; ***on the subject of*** über (*ein bestimmtes Thema*); ***the subject of much criticism*** *usw.* Gegenstand heftiger Kritik *usw.*; ***change the subject*** das Thema wechseln **2.** *Schule, Universität*: Fach **3.** *Sprache*: Subjekt,

Satzgegenstand **4.** *Person*: Untertan(in), Staatsangehörige(r)
subject[2] ['sʌbdʒekt] **1.** ***subject to*** anfällig für; ***be subject to*** *auch*: neigen zu **2.** ***be subject to*** abhängen von; ***prices subject to change*** Preisänderungen vorbehalten
subject[3] [səb'dʒekt] unterwerfen (*Volk usw.*)

subject to [səb'dʒekt‿tʊ] ***subject someone to an examination*** *usw.* jemanden einer Prüfung *usw.* unterziehen; ***subject someone to criticism*** *usw.* jemanden der Kritik *usw.* aussetzen

subjective [səb'dʒektɪv] subjektiv
subject matter ['sʌbdʒekt,mætə] *von Rede, Buch usw.*: Stoff, Inhalt
subjunctive [səb'dʒʌŋktɪv] *Sprache*: Konjunktiv
sublet [,sʌb'let], ***sublet, sublet***; *-ing-Form* ***subletting*** untervermieten, weitervermieten (*Zimmer, Haus*)
sublime [sə'blaɪm] großartig, erhaben
submarine ['sʌbməriːn] Unterseeboot, U-Boot
submerge [səb'mɜːdʒ] **1.** (*U-Boot*) tauchen **2.** (ein)tauchen (***in*** in)
submission [səb'mɪʃn] **1.** *unter Zwang*: Unterwerfung **2.** Einreichung, Einsendung (*von Antrag usw.*)
submissive [səb'mɪsɪv] *Person*: unterwürfig
submit [səb'mɪt], ***submitted, submitted*** **1.** einreichen (*Gesuch usw.*) (***to*** bei *oder Dativ*) **2.** nachgeben
subordinate[1] [sə'bɔːdɪnət] untergeordnet (***to***; *dt. Dativ*); ***subordinate clause*** *Sprache*: Nebensatz, Ⓐ Gliedsatz
subordinate[2] [sə'bɔːdɪnət] Untergebene(r)
subordinate[3] [sə'bɔːdɪneɪt] unterordnen (***to***; *dt. Dativ*), zurückstellen (***to*** hinter)
subplot ['sʌbplɒt] *in Film, Theaterstück usw.*: Nebenhandlung
subscribe [səb'skraɪb] *bes. BE* geben, spenden, beisteuern (*Geld*) (***to*** für)

subscribe to [səb'skraɪb‿tʊ] **1.** abonnieren, abonniert haben (*Zeitschrift usw.*) **2.** sich anschließen (*einer Meinung*)

subscriber [səb'skraɪbə] **1.** Abonnent(in) **2.** *Telefon*: Teilnehmer(in)
subscription [səb'skrɪpʃn] **1.** (Mitglieds-) Beitrag **2.** Abonnement (*von Zeitschrift usw.*)
subsequent ['sʌbsɪkwənt] **1.** *in Abfolge*: anschließend, nachfolgend **2.** *zeitlich*: spätere(r, -s)
subsidiary [səb'sɪdɪərɪ] *Wirtschaft*: Tochtergesellschaft
subsidiary subject [səb,sɪdɪərɪ'sʌbdʒekt] *Schule, Universität*: Nebenfach
subsidize ['sʌbsɪdaɪz] subventionieren
subsidy ['sʌbsədɪ] Subvention
subsistence [səb'sɪstəns] Existenz, Überleben; ***live at subsistence level*** am Existenzminimum leben
substance ['sʌbstəns] **1.** Substanz, Stoff **2.** Substanz (*einer Aussage usw.*)
substandard [,sʌb'stændəd] **1.** *Ware, Qualität usw.*: minderwertig **2.** *Ausdrucksweise*: inkorrekt
substantial [səb'stænʃl] **1.** *Möbel usw.*: solid, Ⓒⓗ währschaft **2.** *Gehalt usw.*: beträchtlich, *Änderungen usw. auch*: wesentlich **3.** *Mahlzeit*: kräftig, Ⓒⓗ währschaft
substitute[1] ['sʌbstɪtjuːt] **1.** Ersatz **2.** Ersatz(mann), *Sport*: Auswechselspieler(in)
substitute[2] ['sʌbstɪtjuːt] ***substitute A for B*** B durch A ersetzen, B gegen A austauschen

substitute for ['sʌbstɪtjuːt‿fɔː] einspringen für, ersetzen

substructure ['sʌb,strʌktʃə] *Architektur*: Fundament, Unterbau (*beide auch übertragen*)
subtenant [,sʌb'tenənt] Untermieter(in)
subterranean [,sʌbtə'reɪnɪən] unterirdisch
subtitle ['sʌb,taɪtl] *Buch, Film*: Untertitel
subtle [⚠ 'sʌtl] **1.** *Unterschied usw.*: fein, *Aroma usw. auch*: zart **2.** *Plan usw.*: raffiniert
subtlety [⚠ 'sʌtltɪ] Feinheit, Finesse
subtract [səb'trækt] *Mathematik*: abziehen, subtrahieren (***from*** von)
subtraction [səb'trækʃn] Subtraktion
suburb ['sʌbɜːb] Vorort; ***live in the suburbs*** am Stadtrand wohnen
suburban [sə'bɜːbən] *oft abwertend* vorstädtisch, Vorstadt…
suburbia [sə'bɜːbɪə] *oft abwertend* **1.** Vorstadt **2.** Vorstadtleben
subway ['sʌbweɪ] **1.** *BE*; *für Fußgänger*: Unterführung **2.** *AE* U-Bahn
sub-zero [,sʌb'zɪərəʊ] ***sub-zero temperatures*** Temperaturen unter null
succeed [sək'siːd] **1.** Erfolg haben, erfol

reich sein, (*Plan usw.*) gelingen; ***he succeeded in doing it*** es gelang ihm, es zu tun **2.** ***succeed someone*** jemandem nachfolgen, jemandes Nachfolger werden

succeed to [sək'siːd‿tʊ] nachfolgen in (*einem Amt*)

success [sək'ses] Erfolg; ***without success*** ohne Erfolg, erfolglos
successful [sək'sesfl] erfolgreich; ***be successful*** Erfolg haben, erfolgreich sein, *Plan usw. auch*: gelingen; ***he was successful in getting the job*** es gelang ihm, die Stelle zu bekommen
succession [sək'seʃn] **1.** Folge; ***in quick succession*** in rascher Folge **2.** *in einem Amt*: Nachfolge
successive [sək'sesɪv] aufeinander folgend
successor [sək'sesə] Nachfolger(in) (***to*** in) (*einem Amt*); ***successor to the throne*** Thronfolger(in)
succulent ['sʌkjʊlənt] *Steak usw.*: saftig

succumb to [⚠ sə'kʌm‿tʊ] erliegen (*einer Krankheit, der Versuchung usw.*)

such [sʌtʃ] **1.** solch, derartig; ***such a man*** so ein Mann; ***no such thing*** nichts dergleichen; ***such as*** wie (zum Beispiel) **2.** so, derart; ***such a nice day*** so ein schöner Tag; ***such a long time*** eine so lange Zeit; ***such is life*** so ist das Leben **3.** ***as such*** als solche(r, -s)
suck [sʌk] **1.** *bei Flüssigem*: saugen (***at*** an) **2.** lutschen (an) (*Daumen usw.*) **3.** ***something sucks*** *bes. AE, salopp* etwas ist beschissen

suck up [ˌsʌk'ʌp] ***suck up to someone*** *umg.* jemandem in den Hintern kriechen

sucker ['sʌkə] *umg.* (≈ *leicht zu täuschender Mensch*) Trottel; ***I'm a sucker for …*** bei … werd ich schwach
sucking pig ['sʌkɪŋ‿pɪg] Spanferkel
suckle ['sʌkl] säugen (*junges Tier*), stillen (*Baby*)
suckling pig ['sʌklɪŋ‿pɪg] Spanferkel
suck-up ['sʌkʌp] *umg.* Arschkriecher(in)
sudden[1] ['sʌdn] plötzlich
sudden[2] ['sʌdn] ***all of a sudden*** ganz plötzlich, auf einmal
suddenly ['sʌdnlɪ] plötzlich
sue [suː] *Recht* **1.** klagen (***for*** auf) **2.** verklagen (*Person*) (***for*** auf, wegen)
suede [⚠ sweɪd] Wildleder, Veloursleder
suffer ['sʌfə] **1.** leiden (***from*** an, unter) **2.** darunter leiden **3.** erleiden (*Niederlage usw.*), tragen (*Folgen*)
suffering ['sʌfərɪŋ] Leiden, Leid
sufficient [sə'fɪʃnt] genügend, genug; ***be sufficient*** genügen, (aus)reichen (***for*** für)
suffix ['sʌfɪks] *Sprache*: Nachsilbe, Suffix
suffocate ['sʌfəkeɪt] ersticken
suffocating ['sʌfəkeɪtɪŋ] **1.** *Atmosphäre, Gefühl*: drückend, erstickend **2.** *Hitze*: drückend, brütend **3.** *Raumluft*: stickig
suffrage ['sʌfrɪdʒ] *Politik*: Wahlrecht, Stimmrecht
sugar[1] ['ʃʊgə] **1.** Zucker **2.** *bes. AE, umg.; Anrede*: Schatz
sugar[2] ['ʃʊgə] zuckern
sugar bowl ['ʃʊgə‿bəʊl] Zuckerdose
sugarcane ['ʃʊgəkeɪn] Zuckerrohr
sugar-free [ˌʃʊgə'friː] ohne Zucker
sugary ['ʃʊgərɪ] **1.** zuckerig, Zucker… **2.** *übertragen* süßlich
suggest [sə'dʒest] **1.** vorschlagen; ***I suggest going*** (*oder* ***that we go***) ***home*** ich schlage vor heimzugehen **2.** (*Umstand usw.*) hindeuten auf; ***suggest that*** darauf hindeuten, dass **3.** andeuten; ***I'm not suggesting that*** ich will damit nicht sagen, dass
suggestion [sə'dʒestʃn] **1.** Vorschlag; ***make*** (*oder* ***offer***) ***a suggestion*** einen Vorschlag machen **2.** Anflug, Spur **3.** Andeutung
suggestive [sə'dʒestɪv] *Bemerkung usw.*: zweideutig, *Blick usw.*: viel sagend
suicidal [ˌsuːɪ'saɪdl] **1.** selbstmörderisch (*auch übertragen*); ***suicidal thoughts*** Selbstmordgedanken **2.** *Person*: selbstmordgefährdet
suicide ['suːɪsaɪd] **1.** Selbstmord (*auch übertragen*); ***commit suicide*** Selbstmord begehen **2.** *Person*: Selbstmörder(in)
suicide attack ['suːɪsaɪd‿əˌtæk] Selbstmordanschlag, Selbstmordattentat
suicide bomber [⚠ 'suːɪsaɪdˌbɒmə] Selbstmordattentäter(in)
suit[1] [suːt] **1.** Anzug, *für Frauen*: Kostüm **2.** *Kartenspiel*: Farbe **3.** *Recht*: (Zivil)Prozess, Verfahren
suit[2] [suːt] **1.** ***suit someone*** *Termin usw.*: jemandem passen; ***that suits me fine*** das passt mir gut, das ist mir sehr recht **2.** ***this colour*** *usw.* ***suits you*** diese Farbe *usw.* steht dir gut **3.** ***they're well suited*** (***to each other***) sie passen gut zusam-

S

men **4.** ***suit yourself!*** mach, was du willst!
suitable ['suːtəbl] passend, geeignet (***for, to*** für)
suitcase ['suːtkeɪs] Koffer
suite [swiːt] **1.** *Möbel*: Garnitur **2.** *im Hotel*: Suite, Zimmerflucht **3.** *Musik*: Suite
sulk [sʌlk] schmollen
sulky ['sʌlkɪ] schmollend
sullen ['sʌlən] mürrisch, verdrossen
sulphur dioxide [ˌsʌlfə‿daɪ'ɒksaɪd] Schwefeldioxyd
sultry ['sʌltrɪ] **1.** schwül **2.** *Blick*: aufreizend
sum [sʌm] **1.** Summe, Betrag **2.** (einfache) Rechenaufgabe; ***do sums*** rech- nen

sum up [ˌsʌm'ʌp], ***summed up, summed up*** zusammenfassen; ***to sum up*** zusammenfassend

summarize ['sʌməraɪz] zusammenfassen
summary ['sʌmərɪ] Zusammenfassung
summer[1] ['sʌmə] Sommer; ***in (the) summer*** im Sommer
summer[2] ['sʌmə] Sommer…
summer camp ['sʌmə‿kæmp] Ferienlager

summer camp

Viele Schüler in den USA und Kanada verbringen die Sommerferien alljährlich in einem **summer camp**. Das ist eine Art Ferienlager mit Hütten und/oder Zelten, in dem ein breites Spektrum an sportlichen Aktivitäten sowie Bastelarbeiten usw. angeboten werden. Betreut werden die Schüler von jungen Erwachsenen.

S

summer holidays [ˌsʌmə'hɒlədeɪz] *Pl.* Sommerferien *Pl.*
summer sales [ˌsʌmə'seɪlz] *Pl.* Sommerschlussverkauf
summertime[1] ['sʌmətaɪm] *Jahreszeit*: Sommer(zeit); ***in (the) summertime*** im Sommer
summer time[2] ['sʌmə‿taɪm] *bes. BE*; *Uhrzeit*: Sommerzeit
summery ['sʌmərɪ] sommerlich, Sommer…
summit ['sʌmɪt] Gipfel (*auch politisch usw.*)
summon ['sʌmən] **1.** zitieren (*Person*) (***to*** in) **2.** einberufen (*Versammlung usw.*)

summon up [ˌsʌmən'ʌp] zusammennehmen (*Kraft, Mut usw.*)

sumptuous ['sʌmptʃʊəs] luxuriös
sun[1] [sʌn] Sonne
sun[2] [sʌn], ***sunned, sunned***; ***sun oneself*** sich sonnen
sunbathe ['sʌnbeɪð] sonnenbaden, sich sonnen
sunbeam ['sʌnbiːm] Sonnenstrahl
sunbed ['sʌnbed] Sonnenbank
sunblock ['sʌnblɒk] Sunblocker, starke Sonnenschutzcreme
sunburn ['sʌnbɜːn] Sonnenbrand
sunburned ['sʌnbɜːnd], **sunburnt** ['sʌnbɜːnt] ***be sunburned*** einen Sonnenbrand haben
sundae [⚠ 'sʌndeɪ] Eisbecher
Sunday ['sʌndeɪ] Sonntag; ***on Sunday*** (am) Sonntag; ***on Sundays*** sonntags
Sunday best [ˌsʌndeɪ'best] Sonntagsanzug, Sonntagskleidung
Sunday driver [ˌsʌndeɪ'draɪvə] Sonntagsfahrer(in)
sundial ['sʌnˌdaɪəl] Sonnenuhr
sundown ['sʌndaʊn] Sonnenuntergang
sundowner ['sʌndaʊnə] *umg.* Dämmerschoppen
sun-dried ['sʌndraɪd] *Tomaten usw.*: in der Sonne getrocknet
sundry ['sʌndrɪ] diverse, verschiedene; ***all and sundry*** jedermann
sunflower ['sʌnˌflaʊə] Sonnenblume
sung [sʌŋ] *3. Form von* → ***sing***
sunglasses ['sʌnˌglɑːsɪz] *Pl., auch* ***pair of sunglasses*** Sonnenbrille
sunk [sʌŋk] *2. und 3. Form von* → ***sink***
sunken ['sʌŋkən] **1.** gesunken, versunken **2.** *Wangen usw.*: eingefallen
sunlamp ['sʌnlæmp] Höhensonne
sunlight ['sʌnlaɪt] Sonnenlicht
sunny ['sʌnɪ] **1.** sonnig **2.** *Lächeln usw.*: fröhlich, *Wesen usw.*: sonnig
sunrise ['sʌnraɪz] Sonnenaufgang; ***at sunrise*** bei Sonnenaufgang
sunrise industry ['sʌnraɪzˌɪndəstrɪ] Zukunftsindustrie
sunroof ['sʌnruːf] **1.** Dachterrasse **2.** *Auto*: Schiebedach
sunscreen ['sʌnskriːn] Sonnenschutzcreme
sunset ['sʌnset] Sonnenuntergang; ***at sunset*** bei Sonnenuntergang
sunshade ['sʌnʃeɪd] Sonnenschirm
sunshine ['sʌnʃaɪn] Sonnenschein
sunstroke ['sʌnstrəʊk] Sonnenstich
suntan ['sʌntæn] (Sonnen)Bräune; ***suntan lotion*** (*oder* ***oil***) Sonnencreme

suntanned ['sʌntænd] braun gebrannt
sunworshipper ['sʌn,wɜːʃɪpə] Sonnenanbeter(in)
super ['suːpə] *umg.* super, klasse
superb [suː'pɜːb] ausgezeichnet
superficial [,suːpə'fɪʃl] oberflächlich (*auch übertragen*)
superfluous [suː'pɜːflʊəs] überflüssig
superglue® ['suːpəgluː] Sekundenkleber
superhighway ['suːpə,haɪweɪ] *AE* Autobahn
superhuman [,suːpə'hjuːmən] übermenschlich
superintendent [,suːpərɪn'tendənt] **1.** Aufsichtsbeamte(r) **2.** *BE*; *etwa*: Kommissar **3.** *AE*; *etwa*: Polizeichef
superior¹ [suː'pɪərɪə] **1.** ranghöher (***to*** als) **2.** überlegen (***to***; *dt. Dativ*), besser (***to*** als) **3.** ausgezeichnet **4.** *negativ*: überheblich
superior² [suː'pɪərɪə] Vorgesetzte(r)
superiority [suː,pɪərɪ'ɒrətɪ] **1.** Überlegenheit (***over*** gegenüber) **2.** Überheblichkeit
superlative [suː'pɜːlətɪv] *Sprache*: Superlativ (*auch übertragen*)
superman ['suːpəmæn] *Pl.*: ***supermen*** ['suːpəmen] **1.** Supermann **2.** Übermensch
supermarket ['suːpə,mɑːkɪt] Supermarkt
supernatural [,suːpə'nætʃrəl] übernatürlich
superpower ['suːpə,paʊə] *Politik*: Supermacht
supersede [,suːpə'siːd] ablösen
supersonic [,suːpə'sɒnɪk] *Flugzeug, Physik*: Überschall…
superstition [,suːpə'stɪʃn] Aberglaube
superstitious [,suːpə'stɪʃəs] abergläubisch
superstructure ['suːpə,strʌktʃə] **1.** *von Schiff*: Deckaufbauten *Pl.* **2.** *übertragen* Überbau
supervise ['suːpəvaɪz] beaufsichtigen
supervision [,suːpə'vɪʒn] Aufsicht
supervisor ['suːpəvaɪzə] **1.** Aufseher(in), Aufsicht **2.** *Schule, etwa*: Tutor(in)
supper ['sʌpə] Abendessen, Ⓐ Nachtmahl, ⒸⒽ Nachtessen; ***have supper*** zu Abend essen

> ## supper
>
> **Supper** kann sowohl die Hauptabendmahlzeit bezeichnen als auch einen kleinen Imbiss vor dem Zubettgehen.

supple ['sʌpl] **1.** *Körper usw.*: gelenkig, geschmeidig **2.** *Material*: biegsam, elastisch
supplement¹ ['sʌplɪmənt] **1.** Ergänzung (***to*** zu *oder Genitiv*) **2.** Nachtrag, Anhang (***to*** zu) (*einem Buch*) **3.** Ergänzungsband **4.** Beilage (*zu einer Zeitung*)
supplement² ['sʌplɪment] ergänzen, aufbessern (*Einkommen usw.*) (***with*** mit)
supplementary [,sʌplɪ'mentərɪ] zusätzlich
supplier [sə'plaɪə] **1.** *Wirtschaft*: Lieferant **2.** *auch* ***suppliers*** *Pl.* Lieferfirma
supplies [sə'plaɪz] *Pl.* **1.** Vorrat (***of*** an), Proviant, *militärisch*: Nachschub **2.** …bedarf; ***office supplies*** Bürobedarf; ☞ ***supply²***
supply¹ [sə'plaɪ] **1.** liefern, sorgen für **2.** versorgen (*Stadt usw.*), beliefern (***with*** mit) **3.** abhelfen (*einem Bedürfnis usw.*)
supply² [sə'plaɪ] **1.** Lieferung (***to*** an) **2.** Versorgung **3.** ***be in short supply*** *Ware usw.*: knapp sein **4.** ***supply and demand*** Angebot und Nachfrage; ☞ ***supplies***
support¹ [sə'pɔːt] **1.** (ab)stützen, tragen (*Gewicht usw.*) **2.** unterstützen (*Person usw.*) (*auch finanziell*), unterhalten (*Familie*) **3.** *übertragen* stützen (*Währung usw.*) **4.** ***he supports Leeds United*** er ist Leeds-United-Fan
support² [sə'pɔːt] **1.** Stütze **2.** *übertragen* Unterstützung; ***in support of*** zur Unterstützung (+ *Genitiv*)
supporter [sə'pɔːtə] Anhänger(in) (*auch Sport*), Befürworter(in)
supporting [sə'pɔːtɪŋ] ***supporting actor*** (***role*** *usw.*) Nebendarsteller(in), (Nebenrolle *usw.*)
supportive [sə'pɔːtɪv] ***he was very supportive when I …*** er war mir eine große Stütze, als ich …
suppose¹ [sə'pəʊz] **1.** annehmen, vermuten; ***I suppose I must have fallen asleep*** ich muss wohl eingeschlafen sein; ***I suppose so*** ich nehme es an, wahrscheinlich **2.** ***he's supposed to be rich*** er soll reich sein **3.** ***you're not supposed to smoke here*** du darfst hier nicht rauchen; ***aren't you supposed to be at work?*** solltest du nicht (eigentlich) in der Arbeit sein?; ***what's that supposed to mean?*** was soll denn das? **4.** (*Prognose usw.*) voraussetzen
suppose² [sə'pəʊz] **1.** angenommen **2.** wie wäre es, wenn; ***suppose we went home?*** wie wäre es, wenn wir nach Hause gingen?
supposed [sə'pəʊzd] angebliche(r, -s)
supposedly [⚠ sə'pəʊzɪdlɪ] angeblich
supposing [sə'pəʊzɪŋ] angenommen
suppository [sə'pɒzɪtrɪ] *Medizin*: Zäpfchen
suppress [sə'pres] unterdrücken (*auch Lächeln, Gefühl*)

suppurate [⚠ 'sʌpjʊreɪt] *Medizin*; (*Wunde*) eitern
supremacy [⚠ sʊ'preməsɪ] Vormachtstellung
supreme [sʊ'priːm] **1.** *Autorität*: höchste(r, -s), oberste(r, -s) **2.** größte(r, -s)
surcharge ['sɜːtʃɑːdʒ] **1.** Zuschlag (***on*** auf) **2.** *Post*: Nachporto, Strafporto (***on*** auf)
sure[1] [ʃɔː] **1.** *allg.*: sicher; ***sure of oneself*** selbstsicher; ***for sure*** ganz bestimmt; ***be*** (*oder* ***feel***) ***sure*** sich sicher sein; ***I'm not sure*** da bin ich mir nicht sicher; ***you're sure to like this play*** dir wird das Stück sicher gefallen **2.** ***be sure to lock the door*** vergiss nicht abzuschließen **3.** ***make sure that*** sich (davon) überzeugen, dass, *aktiv*: dafür sorgen, dass; ***make sure of something*** sich von etwas überzeugen, *aktiv*: sich etwas sichern **4.** ***to be sure*** sicherlich
sure[2] [ʃɔː] **1.** *bes. AE*, *umg.* sicher, klar **2.** ***sure enough*** tatsächlich
surely ['ʃɔːlɪ] **1.** sicher(lich), bestimmt **2.** doch (wohl); ***surely someone*** (***in the class***) ***knows the answer*** irgend jemand (in der Klasse) wird doch wohl die Antwort wissen
surf[1] [sɜːf] **1.** *Sport*: surfen **2.** ***surf the net*** *Computer*: im Internet surfen
surf[2] [sɜːf] Brandung
surface[1] ['sɜːfɪs] Oberfläche (*auch übertragen*); ***road surface*** Straßendecke
surface[2] ['sɜːfɪs] auftauchen (*auch übertragen*)
surface mail ['sɜːfɪs meɪl] Land- und Seebeförderung (*im Gegensatz zur Luftpost*)
surfboard ['sɜːfbɔːd] Surfboard, Surfbrett
surfer ['sɜːfə] **1.** *Sport*: Surfer(in), Wellenreiter(in) **2.** *Computer*: Internetsurfer(in), Surfer(in)
surfing ['sɜːfɪŋ] Surfen, Wellenreiten
surge [sɜːdʒ] (*Menge*) drängen, strömen
surgeon ['sɜːdʒən] Chirurg(in)
surgery ['sɜːdʒərɪ] **1.** Chirurgie **2.** ***he needs surgery*** er muss operiert werden **3.** *BE* Sprechzimmer, Ⓐ Ordination **4.** *BE* Sprechstunde, Ⓐ Ordination; ***surgery hours*** *Pl.* Sprechstunden, Ⓐ Ordination
surgical ['sɜːdʒɪkl] chirurgisch, operativ
surgicenter ['sɜːdʒɪˌsentə] *AE* Poliklinik
surly ['sɜːlɪ] griesgrämig, mürrisch
surname ['sɜːneɪm] Nachname
surplus ['sɜːpləs] Überschuss (***of*** an)
surprise[1] [sə'praɪz] Überraschung; ***take by surprise*** überraschen; ***much to my surprise*** zu meiner großen Überraschung
surprise[2] [sə'praɪz] überraschen, wundern
surprised [sə'praɪzd] überrascht; ***be surprised at*** *oder* ***by*** überrascht *oder* verwundert sein über, sich wundern über; ***I wouldn't be surprised if …*** es würde mich nicht wundern, wenn …
surprising [sə'praɪzɪŋ] überraschend; ***surprisingly*** (***enough***) überraschenderweise
surreal [sə'rɪəl] surreal, unwirklich
surrealism [sə'rɪəlɪzm] *Kunst*: Surrealismus
surrealist[1] [sə'rɪəlɪst] *Kunst*: Surrealist(in)
surrealist[2] [sə'rɪəlɪst] *Kunst*: surrealistisch
surrealistic [səˌrɪə'lɪstɪk] surrealistisch
surrender[1] [sə'rendə] **1.** sich ergeben (***to*** *dt. Dativ*), kapitulieren (***to*** vor); ***surrender*** (***oneself***) ***to the police*** sich der Polizei stellen **2.** übergeben, ausliefern (***to*** *dt. Dativ*)
surrender[2] [sə'rendə] Kapitulation (***to*** vor)
surrogate mother [ˌsʌrəgət'mʌðə] Leihmutter
surround [sə'raʊnd] **1.** umgeben **2.** (*Polizei usw.*) umstellen (*Haus usw.*)
surrounding [sə'raʊndɪŋ] umliegend
surroundings [sə'raʊndɪŋz] *Pl.* Umgebung
surveillance [sə'veɪləns] Überwachung; ***keep under surveillance*** überwachen
survey[1] [sə'veɪ] **1.** betrachten (*auch übertragen*) **2.** vermessen (*Land*)
survey[2] ['sɜːveɪ] **1.** Umfrage **2.** Überblick (***of*** über)
survival [sə'vaɪvl] **1.** Überleben (*auch übertragen*) **2.** *bes. BE* Überbleibsel (***from*** aus)
survive [sə'vaɪv] **1.** überleben (*auch übertragen*), am Leben bleiben **2.** erhalten bleiben **3.** überstehen (*Erdbeben usw.*), überdauern (*Jahrhundert usw.*)
survivor [sə'vaɪvə] Überlebende(r) (***from, of***; *dt. Genitiv*)
susceptible [⚠ sə'septəbl] **1.** empfänglich (***to*** für) **2.** anfällig (***to*** für) (*Krankheiten usw.*) **3.** leicht zu beeindrucken
suspect[1] [sə'spekt] **1.** *bei Problem, Verbrechen*: vermuten **2.** verdächtigen (***of***; *dt. Genitiv*); ***be suspected of doing something*** im *oder* unter dem Verdacht stehen, etwas zu tun **3.** anzweifeln, bezweifeln
suspect[2] ['sʌspekt] Verdächtige(r)
suspect[3] ['sʌspekt] verdächtig, suspekt
suspend [sə'spend] **1.** (vorübergehend) einstellen (*Verkauf, Zahlungen usw.*) *Recht*: zur Bewährung aussetzen (*Stra*

3. suspendieren (***from duty*** vom Dienst), *Sport*: sperren **4.** *förmlich* aufhängen (*Lampe usw.*) (***from*** an)

suspender [sə'spendə] *BE* Strumpfhalter

suspenders [sə'spendəz] *Pl.*, *auch* ***pair of suspenders*** *AE* Hosenträger

suspense [sə'spens] Spannung; ***keep someone in suspense*** jemanden auf die Folter spannen

suspension [sə'spenʃn] **1.** (vorübergehende) Einstellung **2.** Suspendierung, *Sport*: Sperre **3.** *Technik*: Federung, Aufhängung **4.** ***suspension bridge*** Hängebrücke

suspicion [sə'spɪʃn] **1.** Verdacht **2.** *auch* ***suspicions*** *Pl. Gefühl*: Argwohn, Verdacht **3.** *übertragen* Hauch, Spur

suspicious [sə'spɪʃəs] **1.** argwöhnisch, misstrauisch (***of*** gegenüber); ***become suspicious*** *auch*: Verdacht schöpfen **2.** verdächtig

suss [sʌs] *BE*, *umg.* ***suss that …*** dahinter kommen, dass …

> **suss out** [ˌsʌs'aʊt] *BE*, *umg.* erkennen, herausbekommen (*Absicht*, *Vorhaben*); ***I can't suss him out*** ich werd aus ihm nicht schlau

sustain [sə'steɪn] **1.** stärken (*auch moralisch*) **2.** aufrechterhalten (*Interesse usw.*) **3.** erleiden (*Schaden*, *Verlust*) **4.** *Musik*: halten (*Ton*) **5.** *Recht*: stattgeben (*einem Einspruch usw.*) **6.** aushalten, tragen (*Gewicht*)

sustainable [sə'steɪnəbl] **1.** *Entwicklung, Rohstoffe, Wachstum usw.*: nachhaltig **2.** *Energiequellen*: erneuerbar

sustained [sə'steɪnd] **1.** *Beifall, Druck, Interesse usw.*: anhaltend **2.** *Anstrengungen usw.*: ausdauernd

swagger ['swægə] stolzieren

swallow[1] [⚠ 'swɒləʊ] **1.** schlucken (*auch im Sinne von glauben*); ***swallow hard*** *übertragen* kräftig schlucken **2.** hinunterschlucken (*Ärger usw.*), vergessen (*seinen Stolz*)

swallow[2] [⚠ 'swɒləʊ] Schwalbe

swam [swæm] *2. Form von* → ***swim***[1]

swamp[1] [⚠ swɒmp] Sumpf

swamp[2] [⚠ swɒmp] *übertragen* überschwemmen (***with*** mit)

swampy [⚠ 'swɒmpɪ] sumpfig

swan [⚠ swɒn] Schwan

swank[1] [swæŋk] *bes. BE*, *umg.* angeben

swank[2] [swæŋk] *bes. BE*, *umg.* **1.** Angeber (-in) **2.** Angabe

swanky ['swæŋkɪ] *umg.* **1.** piekfein **2.** *bes. BE* angeberisch

swap[1] [⚠ swɒp], ***swapped, swapped*** *umg.* tauschen (***with*** mit), eintauschen (***for*** für, gegen); ***swap places*** die Plätze tauschen

swap[2] [⚠ swɒp] *umg.* **1.** Tausch; ***do a swap*** tauschen **2.** Tauschobjekt

swarm[1] [swɔːm] Schwarm (*Bienen, Touristen usw.*)

swarm[2] [swɔːm] **1.** (*Menschen*) strömen **2.** (*Bienen*) schwärmen

swat [⚠ swɒt] totschlagen (*Fliege usw.*)

sway [sweɪ] **1.** (*Bäume usw.*) sich wiegen, (*Schiff usw.*) schaukeln **2.** hin- und herbewegen, schwenken **3.** beeinflussen (*Person*)

swear [sweə], ***swore*** [swɔː], ***sworn*** [swɔːn] **1.** fluchen **2.** schwören (***on the Bible*** auf die Bibel; ***to God*** bei Gott); ***swear something to someone*** jemandem etwas schwören

> **swear at** ['sweər‿ət] ***swear at someone*** jemanden wüst beschimpfen
> **swear by** ['sweə‿baɪ] *übertragen, umg.* schwören auf (*Heilmittel usw.*)
> **swear to** ['sweə‿tʊ] ***I couldn't swear to it*** ich kann es nicht beschwören

swearword ['sweəwɜːd] Kraftausdruck, Fluch

sweat[1] [swet] schwitzen (***with*** vor) (*auch übertragen*)

> **sweat out** [ˌswet'aʊt] **1.** ausschwitzen (*Krankheit*) **2.** ***sweat it out*** *übertragen, umg.* durchhalten, ausharren

sweat[2] [swet] **1.** Schweiß; ***get in(to) a sweat*** *übertragen, umg.* ins Schwitzen kommen (***about*** wegen) **2.** *umg.* Schufterei **3.** ***no sweat*** *umg.* kein Problem

sweater [⚠ 'swetə] Pullover

sweatshirt ['swetʃɜːt] Sweatshirt

sweaty ['swetɪ] **1.** schweißig, verschwitzt **2.** Schweiß… **3.** *Hitze usw.*: schweißtreibend

Swede [swiːd] Schwede

Sweden ['swiːdn] Schweden

Swedish[1] ['swiːdɪʃ] schwedisch; ***Swedish woman*** *oder* ***girl*** Schwedin

Swedish[2] ['swiːdɪʃ] *Sprache*: Schwedisch

sweep[1] [swiːp], ***swept*** [swept], ***swept*** [swept] **1.** kehren, fegen, (CH) wischen **2.** (*Sturm*) fegen über **3.** ***sweep past someone*** (*Person*) an jemandem vorbeirauschen

sweep aside [ˌswiːp‿əˈsaɪd] *übertragen* beiseite schieben (*Einwand usw.*)
sweep away [ˌswiːp‿əˈweɪ] **1.** wegfegen, wegkehren (*Staub, Laub usw.*) **2.** (*Lawine, Fluten usw.*) mitreißen (*auch übertragen: Publikum*) **3.** *übertragen* hinwegfegen (*Einwände, Bedenken*)

sweep[2] [swiːp] **1. *give the floor a sweep*** den Boden kehren *oder* fegen **2.** *umg.* Schornsteinfeger(in)
sweeper [ˈswiːpə] **1.** *Person*: Straßenkehrer(in) **2.** *Maschine*: Kehrmaschine **3.** *Fußball*: Ausputzer(in)
sweeping [ˈswiːpɪŋ] **1.** *Reform usw.*: umfassend, radikal **2.** *Behauptung usw.*: pauschal
sweepstake [ˈswiːpsteɪk] **1.** *Wetten*: Pferdetoto **2.** *AE*; *allg.*: Lotterie
sweet[1] [swiːt] **1.** süß (*auch übertragen*); ***sweet nothings*** *Pl. humorvoll* Zärtlichkeiten; ***have a sweet tooth*** gern Süßes naschen, eine Naschkatze sein **2.** *Musik usw.*: lieblich **3.** lieb, reizend; ***how sweet of you*** wie lieb von dir
sweet[2] [swiːt] **1.** *BE* Bonbon, Ⓐ Zuckerl, Süßigkeit; ***sweets*** Süßigkeiten **2.** *BE* Nachtisch, Ⓐ Mehlspeise; ***for sweet*** als *oder* zum Nachtisch
sweet-and-sour [ˌswiːt‿ənˈsaʊə] süß-sauer
sweet corn [ˈswiːt‿kɔːn] *BE* (Zucker-)Mais
sweeten [ˈswiːtn] **1.** süßen (*Speisen, Getränke*) **2.** *übertragen* besänftigen **3.** *umg.* (≈ *bestechen*) schmieren (*Person*)
sweetener [ˈswiːtnə] Süßstoff
sweetheart [ˈswiːthɑːt] *Anrede*: Schatz
sweetie [ˈswiːtɪ] *umg.* **1.** *BE* Bonbon **2. *be a sweetie*** *Kind usw.*: süß sein
swell [swel], ***swelled, swollen*** [ˈswəʊlən] *oder* ***swelled***; *auch* ***swell up*** (an)schwellen
swelling [ˈswelɪŋ] Schwellung
sweltering [ˈsweltərɪŋ] drückend, schwül
swept [swept] *2. und 3. Form von →* ***sweep***[1]
swerve [swɜːv] (*Auto*) (aus)schwenken (***to the left*** nach links), einen Schwenk machen
swift [swɪft] schnell, flink, rasch
swiftness [ˈswɪftnəs] Schnelligkeit
swim[1] [swɪm], ***swam*** [swæm], ***swum*** [swʌm]; *-ing-Form* ***swimming*** **1.** schwimmen **2.** durchschwimmen (*Gewässer*)
swim[2] [swɪm] ***go for a swim*** schwimmen gehen
swimmer [ˈswɪmə] Schwimmer(in)
swimming [ˈswɪmɪŋ] Schwimmen
swimming bath [ˈswɪmɪŋ‿bɑːθ] *auch* ***swimming baths*** [⚠ ˈswɪmɪŋ‿bɑːðz] *BE* Schwimmbad, *bes.* Hallenbad
swimming cap [ˈswɪmɪŋ‿kæp] Badekappe
swimming costume [ˈswɪmɪŋˌkɒstjuːm] Badeanzug
swimming pool [ˈswɪmɪŋ‿puːl] Swimmingpool, Schwimmbecken
swimming trunks [ˈswɪmɪŋ‿trʌŋks] *Pl. auch* ***pair of swimming trunks*** Badehose
swimsuit [ˈswɪmsuːt] Badeanzug
swindle[1] [ˈswɪndl] ***swindle someone out of something*** jemanden um etwas betrügen (⚠ *nicht* ***schwindeln***)
swindle[2] [ˈswɪndl] Betrug, Schwindel
swine [swaɪn] (≈ *Lump*) Schwein
swing[1] [swɪŋ], ***swung*** [swʌŋ], ***swung*** [swʌŋ] **1.** (hin- und her)schwingen, schaukeln, pendeln **2.** schwingen (*die Arme usw.*) **3.** sich schwingen **4.** (*Auto usw.*) einbiegen (***into*** in)
swing[2] [swɪŋ] **1.** *für Kinder*: Schaukel **2.** Schlag, *Boxen*: Schwinger **3.** *übertragen*; *oft politisch*: Umschwung **4. *in full swing*** in vollem Gange
swing door [ˌswɪŋˈdɔː] Pendeltür
swipe[1] [swaɪp] Schlag
swipe[2] [swaɪp] *umg.* **1.** klauen **2.** durchziehen, einlesen (*Karte mit Magnetstreifen*)

swipe at [ˈswaɪp‿ət] schlagen nach; ***swipe away at someone*** auf jemanden einschlagen

swipe card [ˈswaɪp‿kɑːd] *für elektronisch gesicherte Türen usw.*: Magnetstreifenkarte
swirl[1] [swɜːl] wirbeln
swirl[2] [swɜːl] Wirbel
Swiss[1] [swɪs] Schweizer(in); ***the Swiss*** *Pl.* die Schweizer
Swiss[2] [swɪs] schweizerisch, Schweizer(…)
switch[1] [swɪtʃ] **1.** Schalter **2.** *übertragen* Änderung (*eines Plans usw.*) **3.** Gerte, Rute **4.** *AE*; *Eisenbahn*: Weiche
switch[2] [swɪtʃ] **1.** *auch* ***switch over*** (um-)schalten (***to*** auf) **2.** *auch* ***switch over*** umstellen (*Produktion usw.*) (***to*** auf) **3.** *auch* ***switch over*** *übertragen* überwechseln (***to*** zu)

switch off [ˌswɪtʃˈɒf] **1.** abschalten, ausschalten **2.** (*Person*) abschalten (*geistig*)

switch on [ˌswɪtʃ'ɒn] anschalten, einschalten

switchblade ['swɪtʃbleɪd] *AE* Springmesser
switchboard ['swɪtʃbɔːd] **1.** (Telefon-) Zentrale; ***switchboard operator*** Telefonist(in) **2.** *Elektrotechnik*: Schalttafel
Switzerland ['swɪtsələnd] *die* Schweiz
swivel ['swɪvl], ***swivelled, swivelled***, *AE* ***swiveled, swiveled*** sich drehen
swivel chair ['swɪvl_tʃeə] Drehstuhl
swollen ['swəʊlən] *3. Form von* → ***swell***
swoop[1] [swuːp] *übertragen* (*Polizei*) zuschlagen
swoop[2] [swuːp] Razzia
sword [⚠ sɔːd] Schwert
swore [swɔː] *2. Form von* → ***swear***
sworn [swɔːn] *3. Form von* → ***swear***
swot[1] [swɒt] *BE*, *umg.* Streber(in)
swot[2] [swɒt] *BE*, *umg.* büffeln (***for*** für)

swot up [ˌswɒt'ʌp] *BE*, *umg.* büffeln, pauken (***for*** für)

swum [swʌm] *3. Form von* → ***swim***[1]
swung [swʌŋ] *2. und 3. Form von* → ***swing***[1]

Sydney Opera House

Sydney ['sɪdnɪ] **Opera House – Opernhaus von Sydney** – modernes Wahrzeichen Australiens, das in Sydney, der größten Stadt des Kontinents, von 1957 bis 1966 auf einer Landzunge direkt am Hafen erbaut wurde; ☞ *Karte S. 296*

syllabi ['sɪləbaɪ] *Pl. von* → ***syllabus***
syllable ['sɪləbl] *Sprache*: Silbe
syllabus ['sɪləbəs] *Pl.*: ***syllabuses*** *oder* ***syllabi*** ['sɪləbaɪ] *Schule*: Lehrplan
symbol ['sɪmbl] Symbol (*auch Chemie*)
symbolic [sɪm'bɒlɪk] symbolisch; ***be symbolic of something*** etwas symbolisieren
symbolize ['sɪmbəlaɪz] symbolisieren
symmetrical [sɪ'metrɪkl] symmetrisch
symmetry ['sɪmətrɪ] Symmetrie
sympathetic [ˌsɪmpə'θetɪk] **1.** mitfühlend **2.** verständnisvoll, wohlwollend (⚠ *nicht* ***sympathisch***)
sympathize ['sɪmpəθaɪz] **1.** mitfühlen (***with*** mit) **2.** Verständnis haben (***with*** für), sympathisieren (***with*** mit)
sympathizer ['sɪmpəθaɪzə] Sympathisant (-in)
sympathy ['sɪmpəθɪ] **1.** Mitgefühl; ***letter of sympathy*** Beileidsschreiben; ***sympathies*** *Pl.* Beileid(sschreiben) **2.** Verständnis, Wohlwollen
symphonic [sɪm'fɒnɪk] *Musik*: sinfonisch
symphony ['sɪmfənɪ] *Musik*: Sinfonie, Symphonie
symptom ['sɪmptəm] Symptom, Anzeichen (***of*** für, von) (*beide auch übertragen*)
synagogue ['sɪnəgɒg] *jüdisches Gotteshaus*: Synagoge
synchronize ['sɪŋkrənaɪz] **1.** aufeinander abstimmen (*Absichten*, *Aktionen usw.*) **2.** synchronisieren (*Film*, *Uhren usw.*) **3.** (*Uhren*) synchron gehen
syndicate ['sɪndɪkət] *Wirtschaft*: Konsortium, Syndikat
syndrome ['sɪndrəʊm] *Medizin*: Syndrom
synonym ['sɪnənɪm] *Sprache*: Synonym
synonymous [sɪ'nɒnəməs] synonym
syntax ['sɪntæks] Syntax, Satzbau
synthesis ['sɪnθəsɪs] Synthese
synthesize ['sɪnθəsaɪz] *Chemie*: synthetisch *oder* künstlich herstellen
synthetic [sɪn'θetɪk] synthetisch, Kunst…
Syria ['sɪrɪə] Syrien
syringe [sɪ'rɪndʒ] *medizinisch*: Spritze
syrup ['sɪrəp] Sirup
system ['sɪstəm] **1.** *allg.*: System **2.** …netz; ***road system*** Straßennetz **3.** *von Mensch*: Organismus
systematic [ˌsɪstə'mætɪk] systematisch
systematize ['sɪstəmətaɪz] systematisieren

T

T [tiː] ***that's him to a T*** *umg.* das ist er, wie er leibt und lebt; ***it fits to a T*** *umg.* es passt *oder* sitzt wie angegossen
ta [tɑː] *BE, umg.* danke!
tab [tæb] **1.** Aufhänger, Schlaufe **2.** Etikett, Schildchen **3.** *umg.* Rechnung; ***pick up the tab*** (die Rechnung) bezahlen **4.** *Computer, Schreibmaschine* ☞ ***tab stop***
table ['teɪbl] **1.** Tisch; ***at the table*** am Tisch; ***at table*** *förmlich* bei Tisch **2.** *Personen*: Tisch, (Tisch)Runde **3.** Tabelle **4.** *Mathematik*: Einmaleins **5.** ***turn the tables (on someone)*** *übertragen* den Spieß umdrehen
tablecloth ['teɪbl‿klɒθ] Tischtuch
table d'hôte [ˌtɑːbl'dəʊt] Menü
table manners ['teɪblˌmænəz] *Pl.* Tischmanieren
tablespoon ['teɪblspuːn] Esslöffel
tablet ['tæblət] **1.** *Arznei*: Tablette **2.** Stück (*Seife*) **3.** Tafel (*aus Stein usw.*) (⚠ *Tablett* = ***tray***)

tablet

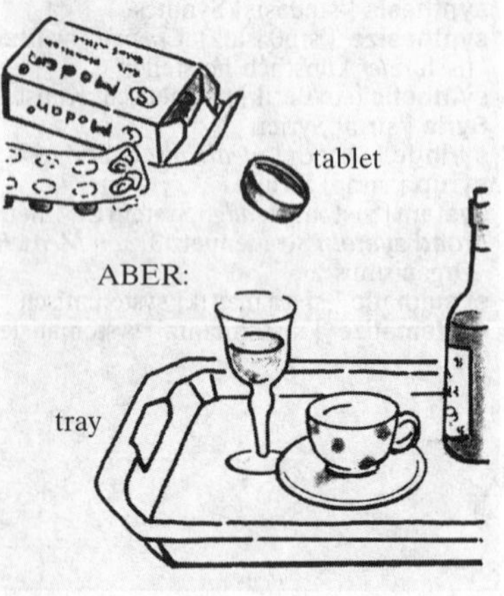

table tennis ['teɪblˌtenɪs] Tischtennis
tableware ['teɪblweə] Geschirr und Besteck
tabloid ['tæblɔɪd] Boulevardzeitung
tabloid press ['tæblɔɪd‿pres] Boulevardpresse
taboo, **tabu**[1] [tə'buː] Tabu
taboo, **tabu**[2] [tə'buː] ***be taboo*** tabu sein
tab stop ['tæb‿stɒp] *Computer, Schreibmaschine*: Tabulator
tabular ['tæbjʊlə] tabellarisch; ***in tabular form*** tabellarisch
tachometer [tæ'kɒmɪtə] Drehzahlmesser
tack[1] [tæk] **1.** (kleiner) Nagel **2.** *Nähen*: Heftstich
tack[2] [tæk] **1.** annageln (***to*** an) **2.** *Nähen*: heften (*Stoffteile*)

tack on [ˌtæk'ɒn] anfügen (***to*** an)

tackle[1] ['tækl] **1.** angehen (*Problem usw.*) **2.** *Sport*: angreifen (*ballführenden Gegner*) **3.** zur Rede stellen (***about*** wegen)
tackle[2] ['tækl] **1.** *Sport*: Angriff **2.** Gerät(e) (*zum Angeln usw.*) **3.** *Technik*: Flaschenzug
tacky ['tækɪ] **1.** *umg.*; *Kleidung usw.*: geschmacklos **2.** *umg.*; *Gegend usw.*: schäbig, heruntergekommen **3.** *Farbe usw.*: klebrig
tact [tækt] Takt
tactful ['tæktfl] taktvoll
tactic ['tæktɪk] *oft* ***tactics*** *Pl.* Taktik, taktischer Zug
tactical ['tæktɪkl] taktisch
tactician [tæk'tɪʃn] Taktiker(in)
tactics ['tæktɪks] *Pl.* (⚠ *auch im Sg. verwendet*) *militärisch*, *Sport*: Taktik
tactless ['tæktləs] taktlos
tadpole ['tædpəʊl] Kaulquappe
taffy ['tæfɪ] *AE* Toffee, Karamellbonbon; ☞ ***toffee***
tag[1] [tæg] **1.** Etikett, Schild; ***price tag*** Preisschild **2.** *auch* ***question tag*** *Sprache*: Frageanhängsel **3.** ***play tag*** Fangen spielen **4.** *Computer*: Tag, Markierung
tag[2] [tæg], ***tagged, tagged*** **1.** etikettieren, auszeichnen (*Waren*) **2.** ***tag*** (***as***) *übertragen* bezeichnen als, abstempeln als **3.** *Computer*: taggen, markieren

T

tag along [ˌtæg‿ə'lɒŋ] *umg.* mitgehen, mitkommen; ***tag along behind someone*** hinter jemandem hertrotten
tag on [ˌtæg'ɒn] anfügen

tail [teɪl] Schwanz (*auch eines Drachen usw.*), Schweif (*auch eines Kometen*)
tailback ['teɪlbæk] *bes. BE*; *Auto*: Rückstau
tail end [ˌteɪl'end] Ende, Schluss
tailgate[1] ['teɪlgeɪt] *Auto*: Hecktür, Heckklappe
tailgate[2] ['teɪlgeɪt] *Auto*: zu dicht auffahren
taillight ['teɪl‿laɪt] *Auto*: Rücklicht
tailor[1] ['teɪlə] (Herren)Schneider
tailor[2] ['teɪlə] **1.** schneidern **2.** *übertragen* zuschneiden (***to*** auf) (*Bedürfnisse usw.*)
tails [teɪlz] *Pl.* **1.** ***heads or tails?*** Kopf oder Zahl? **2.** Frack
Taiwan [ˌtaɪ'wɑːn] Taiwan
take[1] [teɪk], ***took*** [tʊk], ***taken*** ['teɪkən] **1.** *allg.*: nehmen; ***be taken*** *Platz*: besetzt sein **2.** (weg)nehmen **3.** mitnehmen **4.** bringen; ***take someone to the station*** jemanden zum Bahnhof bringen **5.** *militärisch*: einnehmen (*Stadt usw.*) **6.** *Schach usw.*: schlagen (*Stein*, *Figur*) **7.** erringen (*Preis usw.*) **8.** (an)nehmen (*Scheck usw.*) **9.** annehmen (*Rat usw.*); ***take it or leave it*** *bei Angebot usw.*: ja oder nein, entscheide dich **10.** hinnehmen (*Kritik usw.*) **11.** aushalten, ertragen **12.** brauchen; ***it took him two hours to do it*** er brauchte zwei Stunden, um es zu tun; ***it takes three hours*** es dauert drei Stunden **13.** machen (*Prüfung usw.*) **14.** ***take care of*** sich kümmern um **15.** ***take for granted*** als selbstverständlich betrachten **16.** ***I take it*** ich nehme an; ***I take it you've met in York*** ich nehme an, ihr kennt euch aus York **17.** ***take place*** *Veranstaltung usw.*: stattfinden **18.** ***take a seat*** Platz nehmen **19.** ***take a photo*** (*oder* ***picture***) ***of*** fotografieren **20.** ***take part*** teilnehmen (***in*** an) **21.** (ein)nehmen (*Medizin*) **22.** ***take notes*** Notizen machen **23.** ***be taken by*** *oder* ***with*** angetan sein von **24.** ***he's got what it takes*** *umg.* er bringt alle Voraussetzungen mit

take after [ˌteɪk'ɑːftə] (≈ *ähnlich sein*) nachschlagen (*der Mutter, dem Vater usw.*)
take along [ˌteɪk‿ə'lɒŋ] mitnehmen
take apart [ˌteɪk‿ə'pɑːt] auseinander nehmen (*auch Gegner*), zerlegen

take away [ˌteɪk‿ə'weɪ] **1.** wegnehmen (***from someone*** jemandem) **2. …** ***to take away*** *BE*; *Essen*: … zum Mitnehmen
take back [ˌteɪk'bæk] **1.** zurückbringen **2.** zurücknehmen (*Ware, etwas Gesagtes*)
take down [ˌteɪk'daʊn] **1.** herunternehmen, abnehmen (*Plakat usw.*) **2.** (sich) aufschreiben *oder* notieren (*Notizen*)
take for ['teɪk‿fɔː] ***what do you take me for?*** wofür hältst du mich eigentlich?
take from ['teɪk‿frəm] **1.** ***take something from someone*** jemandem etwas wegnehmen **2.** *Mathematik*: abziehen von **3.** ***you can take it from 'me that …*** du kannst mir glauben, dass …
take in [ˌteɪk'ɪn] **1.** (bei sich) aufnehmen (*Person*) **2.** *übertragen* einschließen (*Kosten usw.*) **3.** enger machen (*Kleidungsstück*) **4.** (≈ *verstehen*) begreifen **5.** hereinlegen; ***be taken in by*** hereinfallen auf
take off [ˌteɪk'ɒf] **1.** ablegen, ausziehen (*Kleidungsstück*), abnehmen (*Hut*) **2.** (*Flugzeug*) abheben **3.** *umg.* imitieren, nachahmen (*Person*) **4.** freinehmen (*Arbeitstag*) **5.** *umg.* abhauen, verschwinden
take on [ˌteɪk'ɒn] **1.** (*Firma*) einstellen (*Arbeiter usw.*) **2.** annehmen (*Ausdruck, Farbe usw.*) **3.** sich anlegen mit **4.** annehmen, übernehmen (*Arbeit usw.*)
take out [ˌteɪk'aʊt] **1.** herausnehmen **2.** ausführen, ausgehen mit **3.** abschließen (*Versicherung*) **4.** abheben (*Geld*)
take out on [ˌteɪk'aʊt‿ɒn] ***take it out on someone*** sich an jemandem abreagieren
take over [ˌteɪk'əʊvə] **1.** übernehmen (*Amt usw.*) **2.** die Verantwortung *oder* Macht übernehmen; ***can you take over?*** kannst du mich ablösen?
take to ['teɪk‿tʊ] **1.** Gefallen finden an **2.** ***take to doing something*** anfangen, etwas zu tun **3.** sich zurückziehen in; ***take to one's bed*** sich ins Bett legen
take up [ˌteɪk'ʌp] **1.** ***take up diving*** *usw.* anfangen zu tauchen *usw.* **2.** aufgreifen (*Vorschlag usw.*) **3.** in Anspruch nehmen (*Zeit*), einnehmen (*Platz*) **4.** ***take someone up on his offer*** auf jemandes Angebot zurückkommen **5.** fortfahren mit (*Erzählung usw.*) **6.** aufnehmen (*Flüssigkeit*)

take[2] [teɪk] *Film*, *TV*: Einstellung
takeaway ['teɪkəˌweɪ] *BE* **1.** *Mahlzeit*: Es-

sen zum Mitnehmen **2.** Lokal mit Straßenverkauf

takeaway

Häufiger als in Deutschland findet man in Großbritannien Lokale, die Essen zum Mitnehmen anbieten. Oft sind es auch einfache Schnellküchen, in deren „Verkaufsraum" man das fertig verpackte warme Essen bekommt und bezahlt. Besonders häufig sind in den größeren Städten **Indian** *oder* **Chinese takeaways**. Man sagt z.B. **'There's an Indian takeaway just round the corner.'** und meint damit das Lokal; oder man sagt **'Let's get an Indian takeaway.'** und meint damit das Gericht.

take-home pay ['teɪkhəʊm‿peɪ] Nettolohn, Nettogehalt
taken ['teɪkən] *3. Form von* → ***take***[1]
takeoff ['teɪkɒf] **1.** *Flugzeug*: Abheben, Start; ***ready for takeoff*** *Flugzeug*: startbereit **2.** *Sport*: Absprung **3.** Parodie
takeout ['teɪkaʊt] *AE* **1.** Essen zum Mitnehmen **2.** Restaurant mit Straßenverkauf; ☞ *BE* ***takeaway***
takeover ['teɪk,əʊvə] Übernahme (*einer Firma usw.*)
takings ['teɪkɪŋz] *Pl.* Einnahmen
tale [teɪl] **1.** Erzählung, Geschichte; ***fairy tale*** Märchen **2.** Lügengeschichte, Märchen **3.** ***tell tales*** petzen
talent ['tælənt] Talent (*auch Person*), Begabung; ***have a great talent for music*** musikalisch sehr begabt sein
talented ['tæləntɪd] talentiert, begabt
talk[1] [tɔːk] **1.** reden, sprechen, sich unterhalten (***to, with*** mit; ***about*** über; ***of*** von); ***talk about something*** *auch*: etwas besprechen; ***get oneself talked about*** ins Gerede kommen; ***talking of …*** da wir gerade von … sprechen; ***talk big*** große Töne spucken **2.** ***talk shop*** sich über die Arbeit *oder* Geschäftliches unterhalten **3.** '***you can talk!*** *oder* ***look who's talking!*** *umg.* das sagst ausgerechnet du!

T

talk down to [,tɔːk'daʊn‿tʊ] ***talk down to someone*** mit jemandem von oben herab reden
talk into ['tɔːk,ɪntʊ] ***talk someone into (doing) something*** jemanden zu etwas überreden
talk out of [,tɔːk'aʊt‿əv] **1.** ***talk someone out of something*** jemandem etwas ausreden **2.** ***talk one's way out of something*** sich aus etwas herausreden
talk over [,tɔːk'əʊvə] besprechen (*Problem usw.*) (***with*** mit)
talk round [,tɔːk'raʊnd] ***talk someone round*** jemanden umstimmen
talk through [,tɔːk'θruː] ausdiskutieren, besprechen (*Problem usw.*)

talk[2] [tɔːk] **1.** Gespräch, Unterhaltung (***with*** mit; ***about*** über) **2.** Vortrag; ***give a talk*** einen Vortrag halten (***to*** vor; ***about, on*** über) **3.** Gerede; ***there's a lot of talk about …*** es ist viel die Rede von …; ***be the talk of the town*** Stadtgespräch sein; ☞ ***talks***
talkative ['tɔːkətɪv] gesprächig, redselig
talker ['tɔːkə] ***be a good talker*** gut reden können
talking[1] ['tɔːkɪŋ] Sprechen, Reden; ***do all the talking*** allein das Wort führen
talking[2] ['tɔːkɪŋ] sprechend; ***talking doll*** [,tɔːkɪŋ'dɒl] Sprechpuppe; ***talking head*** [,tɔːkɪŋ'hed] *umg.* TV-Sprecher(in); ***talking point*** ['tɔːkɪŋ‿pɔɪnt] Gesprächsthema, *auch*: Streitpunkt
talking-to ['tɔːkɪŋtuː] Standpauke; ***give someone a talking-to*** jemandem eine Standpauke halten
talks [tɔːks] *Pl. Politik usw.*: Gespräche, Verhandlungen
talk show ['tɔːk‿ʃəʊ] *AE; TV*: Talkshow
talk time ['tɔːk‿taɪm] *von schnurlosem Telefon, Handy*: Sprechzeit
tall [tɔːl] **1.** *Person*: groß, *Gebäude usw.*: hoch **2.** ***that's a tall order*** *umg.* das ist ein bisschen viel verlangt
tally ['tælɪ] (*Angaben, Berichte usw.*) übereinstimmen (***with*** mit)
tame[1] [teɪm] **1.** *Tier*: zahm **2.** *umg.* fad, lahm
tame[2] [teɪm] zähmen (*wildes Tier*)

tamper with ['tæmpə‿wɪð] sich zu schaffen machen an (*unbefugt*)

tampon ['tæmpɒn] *Medizin*: Tampon
tan[1] [tæn], ***tanned, tanned*** **1.** braun werden **2.** gerben (*Leder*)
tan[2] [tæn] Bräune
tang [tæŋ] (scharfer) Geruch *oder* Geschmack
tangent ['tændʒənt] *Mathematik*: Tangente
tangerine [,tændʒə'riːn] Mandarine
tangible ['tændʒəbl] greifbar, *übertragen auch*: handfest

tangle[1] ['tæŋgl] *auch* ***tangle up*** verwirren, durcheinander bringen (*auch übertragen*); ***get tangled*** sich verheddern (*auch übertragen*)

> **tangle with** ['tæŋgl‿wɪð] *umg.* aneinander geraten mit

tangle[2] ['tæŋgl] Gewirr, Durcheinander
tango[1] ['tæŋgəʊ] *Musik*: Tango
tango[2] ['tæŋgəʊ] *Musik*: Tango tanzen; ***it takes two to tango*** *übertragen* dazu gehören zwei
tank [tæŋk] **1.** *Auto usw.*: Tank **2.** *militärisch*: Panzer
tankard ['tæŋkəd] (Bier)Humpen
tanker ['tæŋkə] **1.** *Schiff*: Tanker, Tankschiff **2.** *Auto*: Tanklaster
tantalizing ['tæntəlaɪzɪŋ] verlockend, reizvoll
tantrum ['tæntrəm] Wutanfall
tap[1] [tæp] **1.** *Wasserleitung usw.*: Hahn **2.** Zapfhahn; ***beer on tap*** Bier vom Fass **3.** ***have something on tap*** *übertragen* etwas auf Lager *oder* zur Verfügung haben
tap[2] [tæp], ***tapped, tapped*** **1.** erschließen (*Naturschätze usw.*) **2.** anzapfen, abhören (*Telefon*) **3.** anstechen, anzapfen (*Fass*)
tap[3] [tæp], ***tapped, tapped*** **1.** (leicht) klopfen (an *oder* auf *oder* gegen); ***tap someone on the shoulder*** jemandem auf die Schulter klopfen **2.** klopfen mit (*den Fingern, Füßen*) (***on*** auf), trommeln mit (*den Fingern*) (***on*** auf)
tap[4] [tæp] **1.** (leichtes) Klopfen **2.** Klaps
tap dancing ['tæpˌdɑːnsɪŋ] Stepptanz, Steppen
tape[1] [teɪp] **1.** *allg.*: Band **2.** (***adhesive*** *oder* ***sticky***) ***tape*** Klebeband **3.** Tonband, Magnetband **4.** (Band)Aufnahme **5.** *Sport*: Zielband **6.** Bandmaß
tape[2] [teɪp] **1.** (auf Band) aufnehmen (*Musik, Film*) **2.** *auch* ***tape up*** (mit Klebeband) zukleben
tape measure ['teɪpˌmeʒə] Bandmaß
taper ['teɪpə] sich verjüngen, spitz zulaufen
tape recorder ['teɪp‿rɪˌkɔːdə] Tonbandgerät
tapestry ['tæpɪstrɪ] Gobelin, Wandteppich
tap water ['tæpˌwɔːtə] Leitungswasser
tar[1] [tɑː] Teer
tar[2] [tɑː], ***tarred, tarred*** teeren
target ['tɑːgɪt] **1.** (Ziel)Scheibe **2.** *übertragen* Zielscheibe (*des Spotts usw.*) **3.** Ziel (*auch übertragen*), *Wirtschaft auch*: Soll; ***target group*** Zielgruppe
target language ['tɑːgɪtˌlæŋgwɪdʒ] *in Wörterbuch, Übersetzung*: Zielsprache
tarmac ['tɑːmæk] **1.** Asphalt **2.** *Flughafen*: Rollfeld
tarnish ['tɑːnɪʃ] **1.** (*Metall*) anlaufen **2.** *übertragen* beflecken (*Ruf*)
tart[1] [tɑːt] **1.** Obstkuchen, Obsttörtchen **2.** *umg.* Flittchen, Nutte **3.** *frauenfeindlich*: Tussi
tart[2] [tɑːt] **1.** herb, sauer **2.** *Antwort usw.*: scharf, beißend
tartan ['tɑːtn] Schottenstoff, Schottenmuster
task [tɑːsk] **1.** Aufgabe **2.** ***take someone to task*** *übertragen* jemanden zurechtweisen (***for*** wegen)
task force ['tɑːsk‿fɔːs] *Militär usw.*: Spezialeinheit
taste[1] [teɪst] **1.** Geschmack(sinn) **2.** Geschmack (*einer Speise*); ***have no taste*** nach nichts schmecken **3.** Kostprobe; ***have a taste of*** probieren, *übertragen* einen Vorgeschmack bekommen von **4.** *übertragen* Geschmack; ***in bad taste*** *Witz usw.*: geschmacklos **5.** *übertragen* Vorliebe (***for*** für)
taste[2] [teɪst] **1.** kosten, probieren **2.** *mit den Sinnen*: schmecken **3.** *übertragen* erleben, kosten **4.** (*Speise*) schmecken (***of*** nach)
tasteful ['teɪstfl] *übertragen* geschmackvoll
tasteless ['teɪstləs] geschmacklos (*auch übertragen*)
tasty ['teɪstɪ] schmackhaft
tat [tæt] ***tit for tat*** wie du mir, so ich dir
ta-ta [ˌtæ'tɑː] *BE, umg.* tschüss!
tattered ['tætəd] *Kleidung*: zerlumpt
tatters ['tætəz] *Pl.* ***in tatters*** *Kleidung*: zerlumpt, *Leben usw.*: ruiniert
tattoo[1] [tæ'tuː] Tätowierung
tattoo[2] [tæ'tuː] tätowieren
tattoo[3] [tæ'tuː] *militärisch*: Musikparade
tatty ['tætɪ] *bes. BE, umg.* schäbig (*Kleidung usw.*)
taught [tɔːt] *2. und 3. Form von* → ***teach***
Taurus ['tɔːrəs] *Sternzeichen*: Stier
taut [tɔːt] *Seil usw.*: straff
tawdry ['tɔːdrɪ] **1.** *Kleidung*: billig und geschmacklos **2.** *Person*: aufgedonnert
tax[1] [tæks] Steuer (***on*** auf); ***put a tax on something*** etwas besteuern
tax[2] [tæks] **1.** besteuern **2.** strapazieren (*jemandes Geduld usw.*)
taxable ['tæksəbl] steuerpflichtig
tax adviser ['tæks‿ədˌvaɪzə] Steuerberater(in)
taxation [tæk'seɪʃn] Besteuerung
tax bracket ['tæksˌbrækɪt] Steuerklasse

tax consultant ['tæksˌkənsʌltənt] Steuerberater(in)
tax-deductible [ˌtæksdɪ'dʌktəbl] (steuerlich) absetzbar
tax evasion ['tæks‿ɪˌveɪʒn] Steuerhinterziehung *f*
tax-free [ˌtæks'friː] steuerfrei
tax haven ['tæksˌheɪvən] Steueroase, Steuerparadies
taxi[1] ['tæksɪ] Taxi, Taxe
taxi[2] ['tæksɪ] (*Flugzeug*) rollen
taxicab ['tæksɪkæb] Taxi, Taxe
taxi driver ['tæksɪˌdraɪvə] Taxifahrer(in)
taxing ['tæksɪŋ] anstrengend
taxi rank ['tæksɪ‿ræŋk], **taxi stand** ['tæksɪ‿stænd] Taxistand
taxpayer ['tæksˌpeɪə] Steuerzahler(in)
tax return ['tæks‿rɪˌtɜːn] Steuererklärung
tea [tiː] **1.** Tee; ***make tea*** Tee kochen; ***a cup of tea*** eine Tasse Tee **2.** ***high tea*** *BE* frühes Abendessen

tea

Tea in der Bedeutung „Nachmittagstee" entspricht in etwa dem deutschen „Kaffeetrinken". Zum Tee (oder auch Kaffee) werden meistens Sandwiches oder Gebäck gegessen. Zum traditionellen **afternoon tea**, wie man ihn in Cafés und Hotels einnehmen kann, gehören auch die **scones** [skɒnz, skəʊnz]; das sind kleine runde Weizenmehlkuchen, die mit Butter oder **clotted cream** (sehr dicker Sahne) und Marmelade gegessen werden.

teabag ['tiːbæg] Teebeutel
tea break ['tiː‿breɪk] (Tee- *oder* Kaffee-) Pause
tea caddy ['tiːˌkædɪ] Teebüchse, Teedose
teach [tiːtʃ], ***taught*** [tɔːt], ***taught*** [tɔːt] **1.** lehren, unterrichten (***at*** an) (*einer Schule*); ***she teaches English*** sie unterrichtet Englisch; ***teach someone*** (***how to do***) ***something*** jemandem etwas beibringen **2.** ***teach someone a lesson*** *übertragen* jemandem eine Lektion erteilen **3.** ***that'll teach you*** *umg.* das hast du nun davon!
teacher ['tiːtʃə] Lehrer(in); ***form teacher*** *BE* Klassenlehrer(in)
teaching ['tiːtʃɪŋ] **1.** *das* Unterrichten **2.** Lehrberuf; ***go into teaching*** Lehrer(in) werden **3.** ***the teachings of Christ*** die Lehren Christi
tea cosy ['tiːˌkəʊzɪ] Teewärmer
teacup ['tiːkʌp] Teetasse
team [tiːm] **1.** Team, *Sport auch*: Mannschaft **2.** *Pferde usw.*: Gespann

team up [ˌtiːm'ʌp] sich zusammentur

team game ['tiːm‿geɪm] *Sport*: Ma schaftsspiel
teammate ['tiːmmeɪt] *Sport*: Mannscha kamerad(in)
team player ['tiːmˌpleɪə] **1.** *Sport*: Ma schaftsspieler(in) **2.** *übertragen* Tean beiter(in)
team spirit [ˌtiːm'spɪrɪt] **1.** *Sport*: Ma schaftsgeist **2.** *im weiteren Sinn*: Geme schaftsgeist
teamwork ['tiːmwɜːk] Teamwork, (meinschaftsarbeit
teapot ['tiːpɒt] Teekanne
tear[1] [tɪə] Träne; ***in tears*** in Tränen auf löst; ***burst into tears*** in Tränen ausb chen; ***tears of joy*** Freudentränen
tear[2] [⚠ teə], ***tore*** [tɔː], ***torn*** [tɔːn] **1.** ***t something*** etwas zerreißen, sich et zerreißen (***on*** an) **2.** (*Stoff usw.*) (zer)ı ßen **3.** wegreißen (***from*** von) **4.** ***be t between ... and ...*** *übertragen* hin- ı hergerissen sein zwischen ... und ... *umg.* rasen, sausen

tear down [ˌteə'daʊn] **1.** herunterreiß (*Plakat usw.*) **2.** abreißen (*Haus usw.*)
tear off [ˌteər'ɒf] **1.** abreißen **2.** sich vo Leib reißen (*Kleidung*)
tear out [ˌteər'aʊt] (her)ausreißen (aus)
tear up [ˌteər'ʌp] **1.** aufreißen (*Bode Straße usw.*) **2.** zerreißen (*Papier usw*

tear[3] [⚠ teə] Riss
teardrop ['tɪədrɒp] Träne
tearful ['tɪəfl] **1.** *Person*: weinend **2.** *schied usw.*: tränenreich
tear gas ['tɪə‿gæs] Tränengas
tearjerker ['tɪəˌdʒɜːkə] *sentimentaler F. usw.*: Schnulze
tearoom ['tiːruːm] Teestube, Café
tease [tiːz] **1.** necken, hänseln (***about*** gen) **2.** reizen, ärgern
tea set ['tiː‿set] Teeservice
teaspoon ['tiːspuːn] Teelöffel
teat [tiːt] **1.** *BE* (Gummi)Sauger (*ei. Saugflasche*) **2.** *bei Tieren*: Zitze
teatime ['tiːtaɪm] Teestunde
tea towel ['tiːˌtaʊəl] *bes. BE* Geschirrt
technical ['teknɪkl] **1.** *allg.*: technisch Fach...; ***technical term*** Fachausdruc
technician [tek'nɪʃn] *Beruf*: Techniker (*auch Sport, Kunst usw.*)
technique [tek'niːk] Verfahren, Tech (*auch Musik, Malerei, Sport usw.*)

T

techno ['teknəʊ] *Musik*: Techno
technocrat ['teknəkræt] Technokrat(in)
technological [ˌteknə'lɒdʒɪkl] technologisch, technisch
technology [tek'nɒlədʒɪ] Technik, Technologie
teddy ['tedɪ], **teddy bear** ['tedɪ‿beə] Teddy(bär)
tedious ['tiːdɪəs] langweilig

> **teem with** ['tiːm‿wɪð] (*Ort*) wimmeln von

teen [tiːn] *bes. AE* Teenager…, für Teenager
teenage ['tiːneɪdʒ], **teenaged** ['tiːneɪdʒd] **1.** im Teenageralter **2.** Teenager…, für Teenager
teenager ['tiːneɪdʒə] Teenager, Jugendliche(r)
teens [tiːnz] *Pl.* ***be in one's teens*** im Teenageralter sein
teeny ['tiːnɪ], **teeny weeny** [ˌtiːnɪ'wiːnɪ] *umg.* klitzeklein, winzig
tee shirt ['tiː‿ʃɜːt] T-Shirt

T-shirt

Meistens wird „tee shirt" – ähnlich wie im Deutschen – **T-shirt** geschrieben. Der Name stammt von der Form des T-Shirts, die einem großen T ähnelt.

teeth [tiːθ] *Pl. von* → ***tooth***
teethe [tiːð] (*Baby*) zahnen
teething ['tiːðɪŋ] ***teething troubles*** *übertragen* Kinderkrankheiten
teetotaller [ˌtiː'təʊtlə] Antialkoholiker (-in), Abstinenzler(in)
telecast[1] ['telɪkɑːst] *mst* ***telecast, telecast***, *auch* ***telecasted, telecasted*** im Fernsehen übertragen *oder* bringen
telecast[2] ['telɪkɑːst] Fernsehsendung
telecommunications [ˌtelɪkəmjuːnɪ'keɪʃnz] *Pl.* **1.** *allg.*: Telekommunikation **2.** *im engeren Sinn*: Fernmeldewesen, Nachrichtenübermittlung
telecommuter [ˌtelɪkə'mjuːtə] Telearbeiter(in)
telecommuting [ˌtelɪkə'mjuːtɪŋ] Telearbeit
teleconference[1] ['telɪˌkɒnfrəns] Telekonferenz
teleconference[2] ['telɪˌkɒnfrəns] eine (Besprechung per) Telekonferenz abhalten
telegram ['telɪgræm] Telegramm
telegraph ['telɪgrɑːf] ***by telegraph*** telegrafisch
telepathic [ˌtelɪ'pæθɪk] telepathisch
telepathy [tə'lepəθɪ] Telepathie
telephone[1] ['telɪfəʊn] **1.** Telefon; ***by telephone*** telefonisch **2.** Hörer
telephone[2] ['telɪfəʊn] telefonieren, anrufen
telephone banking [ˌtelɪfəʊn'bæŋkɪŋ] Telefonbanking
telephone booth ['telɪfəʊn‿buːð] *bes. AE*, **telephone box** ['telɪfəʊn‿bɒks] *BE* Telefonzelle
telephone call ['telɪfəʊn‿kɔːl] Telefonanruf, Telefongespräch
telephone directory ['telɪfəʊn‿dəˌrektərɪ] Telefonbuch
telephone exchange ['telɪfəʊn‿ɪksˌtʃeɪndʒ] Fernsprechamt
telephone number ['telɪfəʊnˌnʌmbə] Telefonnummer
telephoto lens [ˌtelɪfəʊtəʊ'lenz] *Fotografie*: Teleobjektiv
telescope ['telɪskəʊp] Teleskop, Fernrohr
teleshopping ['telɪˌʃɒpɪŋ] Teleshopping
teletext ['telɪtekst] Videotext
televise ['telɪvaɪz] im Fernsehen senden
television ['telɪˌvɪʒn] **1.** *auch* ***television set*** Fernsehapparat **2.** Fernsehen; ***on television*** im Fernsehen; ***watch television*** fernsehen
teleworker ['telɪˌwɜːkə] Telearbeiter(in)
telex ['teleks] **1.** Telex, Fernschreiben **2.** Fernschreiber
tell [tel], ***told*** [təʊld], ***told*** [təʊld] **1.** sagen, erzählen (*Geschiche usw.*); ***he told me about it*** er hat mir davon erzählt; ***I can't tell you how …*** ich kann dir gar nicht sagen, wie … **2.** sagen, befehlen; ***I told you to stay at home*** ich habe dir doch gesagt, du sollst zu Hause bleiben **3.** nennen (*seinen Namen usw.*), angeben (*Grund usw.*) **4.** ***he can tell the time*** *Kind*: er kennt die Uhr **5.** (mit Bestimmtheit) sagen, erkennen (***by*** an); ***I can't tell one from the other*** *oder* ***I can't tell them apart*** ich kann sie nicht auseinander halten **6.** sich auswirken (***on*** bei, auf), sich bemerkbar machen **7.** ***you can never*** (*oder* ***never can***) ***tell*** man kann nie wissen **8.** ***you're telling 'me!*** *umg.* wem sagst du das!

> **tell off** [ˌtel'ɒf] *umg.* ausschimpfen, schimpfen mit (***for*** wegen)
> **tell on** ['tel‿ɒn] ***tell on someone*** jemanden verpetzen *oder* verraten

teller ['telə] *bes. AE* Kassierer(in) (*einer Bank*); ***automatic teller*** Geldautomat
telling-off [ˌtelɪŋ'ɒf] ***give someone a***

(***good***) ***telling-off*** *umg.* jemandem eine Standpauke halten (***for*** wegen)
telltale[1] ['telteɪl] verräterisch
telltale[2] ['telteɪl] *umg.* Petze(r)
telly ['telɪ] *bes. BE, umg.* (≈ *Fernseher*) ***what's on telly*** was kommt im Fernsehen?
temp [temp] *BE, umg.* Zeitarbeitskraft; ***work as a temp*** Zeitarbeit machen
temper ['tempə] **1.** Temperament, Gemüt **2.** Laune, Stimmung; ***be in a bad temper*** schlecht gelaunt sein; ***lose one's temper*** die Beherrschung verlieren **3.** ***be in a temper*** *umg.* gereizt *oder* wütend sein
temperament ['temprəmənt] Temperament (*auch im Sinne von Lebhaftigkeit*)
temperamental [ˌtemprə'mentl] launisch (*auch Auto usw.*)
temperate ['tempərət] *Klima usw.*: gemäßigt
temperature ['temprətʃə] Temperatur; ***have*** (*oder* ***be running***) ***a temperature*** erhöhte Temperatur *oder* Fieber haben; ***take someone's temperature*** Fieber *oder* jemandes Temperatur messen
tempi ['tempiː] *Pl. von* → ***tempo***
template ['templeɪt] **1.** Schablone, Vorlage **2.** *Computer*: Dokumentvorlage, Maske
temple[1] ['templ] Tempel
temple[2] ['templ] *Teil des Kopfes*: Schläfe
tempo ['tempəʊ] *Pl.*: ***tempos*** *oder* ***tempi*** ['tempiː] *Musik*: Tempo (*auch übertragen*)
temporarily ['temprərəlɪ] vorübergehend
temporary ['temprərɪ] vorübergehend, zeitweilig; ***temporary work*** Zeitarbeit
tempt [tempt] **1.** in Versuchung führen, verführen (***to*** zu; ***into doing something*** dazu, etwas zu tun) **2.** ***tempt fate*** (*oder* ***providence***) das Schicksal herausfordern
temptation [temp'teɪʃn] Versuchung, Verführung
tempting ['temptɪŋ] verführerisch
ten[1] [ten] zehn
ten[2] [ten] *Buslinie, Spielkarte usw.*: Zehn; ***tens*** *Pl.* ***of thousands*** zehntausende
tenant [⚠ 'tenənt] Pächter(in), Mieter(in)
tend [tend] neigen, tendieren (***to, towards*** zu)
tendency ['tendənsɪ] Tendenz, Neigung; ***have a tendency to*** (*oder* ***towards***) neigen *oder* tendieren zu
tender ['tendə] **1.** *für Schmerz*: empfindlich **2.** *Fleisch*: zart **3.** *Blick usw.*: zärtlich
tenderloin ['tendəlɔɪn] *Fleisch*: zartes Lendenstück
tendon ['tendən] *Körper*: Sehne
tenement ['tenəmənt] Mietshaus, *abwertend* Mietskaserne
Tenerife [ˌtenə'riːf] Teneriffa

tenner ['tenə] *umg.*; *Geldschein*: Zehner
tennis ['tenɪs] Tennis
tennis court ['tenɪs‿kɔːt] Tennisplatz
tennis elbow ['tenɪsˌelbəʊ] *Medizin*: Tennisarm
tennis player ['tenɪsˌpleɪə] Tennisspiel(er) (-in)
tennis racket ['tenɪsˌrækɪt] Tennisschläger
tennis shoe ['tenɪs‿ʃuː] *AE* Turnschu(h) (*auch für die Straße*)
tenor [⚠ 'tenə] *Musik*: Tenor
tenpin ['tenpɪn] **1.** ***tenpin bowling*** *B*[…] Bowling **2.** ***tenpins*** *Pl.* (⚠ *nur mit S*[…] *AE* Bowling
tense[1] [tens] **1.** *Lage usw.*: (an)gespann[t] *Person*: (über)nervös **2.** gespannt, straf[f]
tense[2] [tens] *Sprache*: Zeit(stufe), Tempu[s] ***present tense*** Gegenwart, Präsens; ***pa***[…] ***tense*** Vergangenheit, Präteritum; ***futu***[…] ***tense*** Zukunft, Futur
tension ['tenʃn] **1.** *Technik usw.*: Spannun[g] **2.** *übertragen* Spannung(en), Anspannun[g]
tent [tent] Zelt
tentative ['tentətɪv] **1.** *Planung usw.*: vo[r]läufig, versuchsweise **2.** *Bewegung usw.* vorsichtig, zögernd
tenth[1] [tenθ] zehnte(r, -s)
tenth[2] [tenθ] **1.** Zehnte(r, -s) **2.** *Bruchte*[…] Zehntel; ***a tenth of a second*** eine Zehntelsekunde
tent peg ['tent‿peg] Hering, Zeltpflock
tent pole ['tent‿pəʊl] Zeltstange
tepee ['tiːpiː] (≈ *Indianerzelt*) Tipi
tepid ['tepɪd] lau(warm) (*auch übertragen*)
term [tɜːm] **1.** *BE*; *Schule, Universität*: Tr[i]mester **2.** Ausdruck, Bezeichnung; ***in n***[…] ***uncertain terms*** unmissverständlich ***in the long term*** langfristig; ***in the sho***[…] ***term*** kurzfristig; ☞ ***terms***

> **term out** [ˌtɜːm'aʊt] ***be termed out*** (***o***[…] ***office***) ein Amt turnusgemäß aufge[…]ben, (aus einem Am) turnusgemäß ausscheiden

terminal ['tɜːmɪnl] **1.** (≈ *Flughafengebäude*) Terminal **2.** *Eisenbahn usw.*: Endstation **3.** *Computer*: Terminal
terminate ['tɜːmɪneɪt] **1.** beenden, kündigen (*Vertrag usw.*) **2.** enden, (*Vertrag*) a[b]laufen **3.** abbrechen (*Schwangerschaft*)
termination [ˌtɜːmɪ'neɪʃn] **1.** Beendigun[g] Kündigung (*eines Vertrags*) **2.** Ende, Ab[]lauf **3.** Abbruch (*einer Schwangerschaft*)
terminology [ˌtɜːmɪ'nɒlədʒɪ] Terminologie, Fachsprache

terminus ['tɜːmɪnəs] *Bus*, *Bahn*: Endstation

terms [tɜːmz] *Pl.* **1.** Bedingungen **2.** Beziehung, Verhältnis; ***they're not on speaking terms*** sie sprechen nicht miteinander **3.** ***come to terms with something*** sich mit etwas abfinden **4.** ***in terms of ...*** was ... betrifft

terrace ['terəs] **1.** *bes BE* Häuserreihe **2.** ***terraces*** *Pl. bes BE*; *Sport*: Ränge **3.** Terrasse **4.** *auch*: Reihenhaus

terraced house [ˌterəst'haʊs] *BE* Reihenhaus

terrible ['terəbl] schrecklich, furchtbar (*beide auch übertragen*, *umg.*)

terribly ['terəblɪ] schrecklich, furchtbar (*beide auch übertragen*, *umg.*)

terrific [tə'rɪfɪk] *umg.* **1.** toll, fantastisch **2.** *Geschwindigkeit usw.*: wahnsinnig

terrify ['terəfaɪ] schreckliche Angst einjagen; ***I'm terrified of spiders*** ich habe schreckliche Angst vor Spinnen

terrifying ['terəfaɪɪŋ] **1.** furchtbar, schrecklich **2.** *Anblick*, *Geschichte auch*: Furcht erregend

territorial [ˌterə'tɔːrɪəl] Gebiets...; ***territorial claims*** *Pl.* Gebietsansprüche

territory ['terətərɪ] **1.** (Staats)Gebiet, Territorium **2.** *von Tieren*: Revier **3.** *übertragen* Gebiet

terror ['terə] **1.** panische Angst **2.** *Person*, *Sache*: Schrecken **3.** *politisch usw.*: Terror **4.** *umg.*; *bes. Kind*: Landplage

terrorism ['terərɪzm] Terrorismus

terrorist[1] ['terərɪst] Terrorist(in)

terrorist[2] ['terərɪst] terroristisch, Terror...

terrorize ['terəraɪz] terrorisieren

terse ['tɜːs] *Antwort*, *Nachricht usw.*: knapp, kurz

test[1] [test] *allg.*: Test; ***put to the test*** auf die Probe stellen; ***driving test*** Fahrprüfung

test[2] [test] **1.** testen, prüfen; ***the teacher tested me on this chapter*** der Lehrer fragte mich dieses Kapitel ab **2.** auf die Probe stellen (*jemandes Geduld usw.*)

testament ['testəmənt] **1.** ***Old*** (***New***) ***Testament*** *Bibel*: Altes (Neues) Testament **2.** ***last will and testament*** *förmlich* Testament, letzter Wille

test ban ['test‿bæn] Atomteststopp

test card ['test‿kɑːd] *BE*; *TV*: Testbild

test drive ['test‿draɪv] *Auto*: Probefahrt

test-drive ['testdraɪv], ***test-drove*** ['testdrəʊv], ***test-driven*** ['testˌdrɪvn] *Auto*: Probe fahren, eine Probefahrt machen

tester ['testə] **1.** *Person*: Tester(in), Prüfer (-in) **2.** *Gerät*: Testgerät, Prüfgerät

testicle ['testɪkl] *Körper*: Hoden

testify ['testɪfaɪ] *Recht* **1.** aussagen (***for*** für; ***against*** gegen) **2.** ***testify that ...*** bezeugen, dass ...

testimony ['testɪmənɪ] *Recht*: Aussage

test match ['test‿mætʃ] *Kricket*: internationaler Vergleichskampf

test tube ['test‿tjuːb] Reagenzglas

test-tube baby [ˌtest‿tjuːb'beɪbɪ] Retortenbaby

tether ['teðə] ***at the end of one's tether*** *übertragen* am Ende seiner Kräfte

text[1] [tekst] Text

text[2] [tekst] eine SMS schicken, simsen; ***I'll text you as soon as ...*** ich schicke dir eine SMS, sobald ...

textbook ['tekstbʊk] Lehrbuch

textile ['tekstaɪl] Stoff; ***textiles*** *Pl.* Textilien

texting ['tekstɪŋ] das Versenden von SMS-Nachrichten, Simsen

text message ['tektstˌmesɪdʒ] SMS, SMS-Nachricht

text-message ['tektstˌmesɪdʒ] simsen, eine SMS *oder* SMS-Nachricht verschicken

texture ['tekstʃə] Beschaffenheit, Struktur

Thames [temz] Themse

than [ðən] *in Vergleichen*: als

thank [θæŋk] **1.** danken, sich bedanken bei (***for*** für); ***thank you*** danke; ***thank you very much*** vielen Dank; ***no, thank you*** nein, danke; ***say thank you*** sich bedanken **2.** ***he's only got himself to thank for it*** er hat es sich selbst zuzuschreiben **3.** ***thank God*** (*oder* ***goodness, heaven***)! Gott sei Dank!

thankful ['θæŋkfl] dankbar (***for*** für), froh (***that*** dass; ***to be*** zu sein); ***thankfully*** *auch*: zum Glück, Gott sei Dank

thankless ['θæŋkləs] *Aufgabe*: undankbar

thanks [θæŋks] *Pl.* **1.** Dank; ***with thanks*** dankend, mit Dank; ***thanks*** danke; ***many thanks*** vielen Dank; ***no, thanks*** nein, danke; ***say thanks*** sich bedanken **2.** ***thanks to*** dank (+ *Genitiv*), wegen (+ *Genitiv*)

Thanksgiving [θæŋks'gɪvɪŋ] *AE*; *etwa*: Erntedankfest

Thanksgiving Day

Am **Thanksgiving Day** gedenken die Amerikaner des Jahres 1621, als ihnen die Indianer zeigten, wie man erfolgreich Getreide anbaut. Bei dieser Familienfeier werden als Hauptspeise traditionsgemäß Putenbraten mit Preiselbeersoße, Süßkartoffeln und Gemüse gegessen. Zum Nachtisch gibt es ☞ **pumpkin pie**.

thankyou ['θæŋkjuː] Danke(schön)
that[1] [ðæt] **1.** das; ***that is*** (***to say***) das heißt; ***like 'that*** so; ***and all 'that*** *umg.* und so; ***let's leave it at that*** *umg.* lassen wir es dabei bewenden; ***and that's that*** und damit basta; ***that's five pounds*** das macht fünf Pfund **2.** jener, jene, jenes; ***that car over there*** das Auto dort drüben
that[2] [ðət] der, die, das, welcher, welche, welches; ***everything that*** alles, was
that[3] [ðət] dass
that[4] [ðæt] *umg.* so, dermaßen; ***it's that simple*** so einfach ist das
thatched [θætʃt] *Cottage*: strohgedeckt
thaw[1] [θɔː] (auf)tauen, *übertragen* auftauen; ***it's thawing*** es taut
thaw[2] [θɔː] Tauwetter (*auch übertragen*)
the[1] [ðə, *vor Vokal*: ðɪ] **1.** der, die, das, *Plural*: die **2.** ***play the piano*** Klavier spielen **3.** *betont*: ***it's 'the*** [ðiː] ***hit*** das ist 'der Hit; ***are you 'the*** [ðiː] ***Tom Cruise?*** sind Sie 'der Tom Cruise?
the[2] [ðə] ***the ... the*** je ... desto; ***the sooner the better*** je eher, desto besser
theatre, *AE* **theater** ['θɪətə] **1.** Theater; ***be in the theatre*** beim Theater sein **2.** ***lecture theatre*** Hörsaal **3.** *übertragen* Schauplatz; ***theatre of war*** Kriegsschauplatz **4.** *BE* Operationssaal
theft [θeft] Diebstahl
their [ðeə] ihr, ihre(n); ***everyone took their seats*** alle nahmen Platz
theirs [ðeəz] ***it's theirs*** es gehört ihnen; ***a friend of theirs*** ein Freund von ihnen
them [ðəm, *betont*: ðem] **1.** sie; ***I can't find them*** ich kann sie nicht finden **2.** ihnen; ***it belongs to them*** es gehört ihnen **3.** *umg.* sie; ***we're younger than them*** wir sind jünger als sie; ***it's 'them*** 'sie sinds; ***them and us*** die und wir (*z.B. Arbeitgeber und Arbeitnehmer*)
theme [θiːm] Thema (*auch Musik*)
theme park ['θiːm‿pɑːk] Themenpark
theme song ['θiːm‿sɒŋ] *Film*: Titelsong
themselves [ðəm'selvz] **1.** sich; ***they're enjoying themselves*** sie amüsieren sich **2.** *verstärkend*: selbst, selber, allein; ***they did it themselves*** (*bzw.* ***all by themselves***) sie haben es selbst (*bzw.* ganz allein) getan **3.** sich (selbst); ***they want it for themselves*** sie wollen es für sich selbst
then [ðen] **1.** dann; ***but then*** andererseits **2.** da, damals; ***by then*** bis dahin; ***from then on*** von da an
then [ðen] damalige(r, -s); ***the then chancellor*** der damalige Kanzler
theologian [ˌθiːə'ləʊdʒn] Theologe, Theologin
theological [ˌθiːə'lɒdʒɪkl] theologis
theological college Priesterseminar
theology [θɪ'ɒlədʒɪ] Theologie
theoretical [ˌθɪə'retɪkl] theoretisch
theorist ['θɪərɪst] Theoretiker(in)
theorize ['θɪəraɪz] theoretisieren (***abo on*** über)
theory ['θɪərɪ] Theorie; ***in theory*** theo tisch
therapist ['θerəpɪst] Therapeut(in)
therapy ['θerəpɪ] Therapie
there[1] [ðeə] **1.** da, dort; ***the phone's o there*** das Telefon ist da drüben **2.** (da)h (dort)hin; ***get there*** hinkommen, *umg.* schaffen; ***go there*** hingehen **3.** ***there*** *Plural*: ***there are*** es gibt *oder* ist *oder* si ***there are too many cars on the road*** der Straße sind zu viele Autos **4.** ***the you are*** hier bitte, *vorwurfsvoll*: sie du!, da hast dus! **5.** ***there and then*** (≈ *fort*) auf der Stelle
there[2] [ðeə] so, da hast dus!, na also; ***the there*** ist ja gut!
therefore ['ðeəfɔː] **1.** deshalb, daher folglich, also
thermal ['θɜːml] Wärme..., thermis Thermal...; ***thermal bath*** Thermalb ***thermal spring*** Thermalquelle
thermals ['θɜːmlz] *Pl.* Thermounter sche
thermometer [θə'mɒmɪtə] Thermon ter
thermos® ['θɜːməs], *auch* ***thermos bo*** *AE oder* ***thermos flask*** *bes. BE* Th mosflasche®
these [ðiːz] *Pl. von* → ***this***[1], ***this***[2]
thesis ['θiːsɪs] *Pl.*: ***theses*** ['θiːsiːz] These **2.** *Universität*: Dissertation, D torarbeit
they [ðeɪ] **1.** sie *Pl.* **2.** man; ***they say*** m sagt
they'd [ðeɪd] *Kurzform von* ***they had o they would***
they'll [ðeɪl] *Kurzform von* ***they will***
they're [ðeə] *Kurzform von* ***they are***
they've [ðeɪv] *Kurzform von* ***they hav***
thick[1] [θɪk] **1.** *allg.*: dick **2.** *Nebel usw.*: di dicht; ***thick with smoke*** verräuchert *bes. BE, umg.* dumm **4.** ***they're as th as thieves*** *bes. BE, umg.* sie sind di Freunde **5.** ***that's a bit thick!*** *bes. E umg.* das ist ein starkes Stück!
thick[2] [θɪk] ***in the thick of*** *übertragen* n ten in; ***through thick and thin*** du dick und dünn
thicken ['θɪkən] **1.** eindicken, binden (*ße*) **2.** dicker werden, *Nebel*: dichter w den
thicket ['θɪkɪt] Dickicht

thickheaded [ˌθɪk'hedəd] *umg.* strohdumm
thickness ['θɪknəs] Dicke, Stärke
thicko ['θɪkəʊ] *umg.* Dummkopf, Blödmann
thick-skinned [ˌθɪk'skɪnd] *übertragen* dickfellig
thief [θiːf] *Pl.: **thieves*** [θiːvz] Dieb(in); ***stop, thief!*** haltet den Dieb!
thigh [θaɪ] *Körper*: (Ober)Schenkel
thimble ['θɪmbl] Fingerhut
thin[1] [θɪn], ***thinner, thinnest*** **1.** dünn, *Haar auch*: schütter; ***disappear*** (*oder* ***vanish***) ***into thin air*** *übertragen* sich in Luft auflösen **2.** *Rede, Ausrede usw.*: schwach
thin[2] [θɪn], ***thinned, thinned*** **1.** verdünnen, strecken (*Soße usw.*) **2.** dünner werden, (*Nebel, Haar*) sich lichten
thing [θɪŋ] **1.** Ding; ***what's this thing?*** was ist das?; ***I couldn't see a thing*** ich konnte überhaupt nichts sehen **2.** *übertragen* Ding, Sache, Angelegenheit; ***a funny thing*** etwas Komisches; ***another thing*** etwas anderes; ***there's no such thing as*** es gibt kein(e, -n); ***for 'one thing*** *bei Begründung*: zum einen; ***know a thing or two about …*** etwas verstehen von … **3.** *Person, Tier*: Ding **4.** ***make a thing of*** *umg.* aufbauschen; ☞ ***things***
thingamajig ['θɪŋəmədʒɪg] *umg.* Dings, Dingsbums

thingamajig

Varianten dieses Wortes sind: **thingummy** ['θɪŋəmɪ], **thingummyjig** ['θɪŋəmɪdʒɪg], **thingumabob** ['θɪŋəmɪbɒb]

things [θɪŋz] *Pl.* **1.** Sachen, *Gepäck usw. auch*: Zeug **2.** *übertragen* Dinge, Lage; ***don't rush things*** nichts überstürzen!
think [θɪŋk], ***thought*** [θɔːt], ***thought*** [θɔːt] **1.** denken, glauben, meinen (***that*** dass); ***think hard*** scharf nachdenken; ***I think so*** ich glaube ja, ich denke schon; ***I thought as much*** das habe ich mir gedacht **2.** halten für; ***he thinks he's clever*** er hält sich für klug **3.** ***I can't think why*** ich kann nicht verstehen, warum **4.** ***try to think where*** versuch dich zu erinnern, wo **5.** ***think twice*** es sich genau überlegen **6.** ***come to think of it*** da fällt mir ein, *einschränkend*: wenn ich es mir recht überlege

think about ['θɪŋk‿əbaʊt] **1.** denken an **2.** nachdenken über; ***I'll think about it*** ich überlege es mir **3.** ***what do you think about …?*** was halten Sie von …?;
think of ['θɪŋk‿əv] **1.** denken an; ***think of doing something*** daran denken, etwas zu tun **2.** ***what do you think of …?*** was halten Sie von …? **3.** ***I can't think of his name*** mir fällt sein Name nicht ein **4.** ***think better of it*** es sich anders überlegen **5.** ***think highly*** (*bzw.* ***little***) ***of*** viel (*bzw.* wenig) halten von **6.** ***I'll think of something*** ich lasse mir was einfallen
think out *oder* **through** [ˌθɪŋk'aʊt *oder* 'θruː] durchdenken
think over [ˌθɪŋk'əʊvə] nachdenken über, sich überlegen
think up [ˌθɪŋk'ʌp] sich ausdenken

thinker ['θɪŋkə] Denker(in)
thinking[1] ['θɪŋkɪŋ] denkend, Denk…; ***put on one's thinking cap on*** *umg.* scharf nachdenken
thinking[2] ['θɪŋkɪŋ] Denken; ***do some thinking*** nachdenken; ***to my*** (***way of***) ***thinking*** meiner Meinung nach; ***good thinking!*** gute Idee!
think tank ['θɪŋk‿tæŋk] Expertenkommission, Beraterstab
thin-skinned [ˌθɪn'skɪnd] *übertragen* dünnhäutig
third[1] [θɜːd] dritte(r, -s); ***Third World*** Dritte Welt
third[2] [θɜːd] **1.** Dritte(r, -s) **2.** *Bruchteil*: Drittel
third[3] [θɜːd] als dritte(r, -s)
thirdly ['θɜːdlɪ] drittens
third-party insurance [ˌθɜːdpɑːtɪ‿ɪn'ʃʊərəns] Haftpflichtversicherung
third-rate [ˌθɜːd'reɪt] drittklassig
thirst [θɜːst] Durst; ***die of thirst*** verdursten
thirsty ['θɜːstɪ] **1.** durstig; ***be*** (*oder* ***feel***) (***very***) ***thirsty*** (sehr) durstig sein, (großen) Durst haben **2.** ***gardening*** *usw.* ***is thirsty work*** Gartenarbeit *usw.* macht durstig
thirteen[1] [ˌθɜː'tiːn] dreizehn
thirteen[2] [ˌθɜː'tiːn] *Buslinie usw.*: Dreizehn
thirty[1] ['θɜːtɪ] dreißig
thirty[2] ['θɜːtɪ] Dreißig; ***be in one's thirties*** in den Dreißigern sein; ***in the thirties*** in den Dreißigerjahren (*eines Jahrhunderts*)
this[1] [ðɪs] **1.** dieser, diese, dieses, dies, das; ***like this*** so; ***this is what I expected*** (ge-

T

nau) das habe ich erwartet; ***these are his children*** das sind seine Kinder **2.** ***after this*** danach; ***before this*** zuvor
this[2] [ðɪs] **1.** dieser, diese, dieses; ***this afternoon*** heute Nachmittag; ***this time*** diesmal **2.** ***there was this man*** *umg.* da war so'n Mann
this[3] [ðɪs] *umg.* so; ***it's this big*** es ist so groß
thistle [⚠ 'θɪsl] Distel
thorax ['θɔːræks], *Pl.*: ***thoraxes*** *oder* ***thoraces*** ['θɔːrəsiːz] *Medizin*: Thorax, Brustkorb
thorn [θɔːn] **1.** *Pflanze*: Dorn **2.** ***be a thorn in someone's flesh*** (*oder* ***side***) *übertragen* jemandem ein Dorn im Auge sein
thorny ['θɔːnɪ] **1.** dornig **2.** *übertragen* heikel
thorough [⚠ 'θʌrə] **1.** *Kenntnisse usw.*: gründlich **2.** *Durcheinander usw.*: fürchterlich
thoroughfare [⚠ 'θʌrəfeə] Hauptverkehrsstraße; ***no thoroughfare*** Durchfahrt verboten!
thoroughly [⚠ 'θʌrəlɪ] **1.** gründlich **2.** völlig, total; ***I thoroughly enjoyed it*** es hat mir ausgesprochen gut gefallen
those [ðəʊz] *Pl. von* → ***that***[1], ***that***[2]
though [ðəʊ] **1.** obwohl; ***even though*** obwohl, auch wenn **2.** ***as though*** als ob, wie wenn **3.** doch, jedoch; ***he's strange - I like him though*** er ist komisch, aber (*oder* doch) ich mag ihn
thought[1] [θɔːt] *2. und 3. Form von* → ***think***
thought[2] [θɔːt] **1.** Denken **2.** Gedanke (***of*** an); ***that's a thought*** gute Idee!; ***on second thoughts*** (*AE* ***thought***) wenn ich es mir recht überlege
thoughtful ['θɔːtfl] **1.** *in Gedanken vertieft*: nachdenklich **2.** rücksichtsvoll, aufmerksam
thoughtless ['θɔːtləs] **1.** (≈ *unüberlegt*) gedankenlos **2.** *Person*, *Verhalten*: rücksichtslos
thousand[1] ['θaʊznd] tausend; ***a*** (*oder* ***one***) ***thousand*** (ein)tausend
thousand[2] ['θaʊznd] Tausend; ***hundreds of thousands*** hunderttausende
thousandth[1] ['θaʊznθ] tausendste(r, -s)
thousandth[2] ['θaʊznθ] **1.** Tausendste(r, -s) **2.** *Bruchteil*: Tausendstel
thrash [θræʃ] **1.** verdreschen, verprügeln **2.** *umg.*; *Sport*: eine Abfuhr erteilen
thrashing ['θræʃɪŋ] ***give someone a thrashing*** jemandem eine Tracht Prügel verpassen, *umg.*; *Sport*: jemandem eine Abfuhr erteilen
thread[1] [⚠ θred] Faden (*auch übertragen*)
thread[2] [⚠ θred] **1.** einfädeln (*Nadel*) **2.** auffädeln, aufreihen (*Perlen usw.*) (***on, onto*** auf)
threadbare [⚠ 'θredbeə] fadenscheinig (*auch übertragen*)
threat [θret] **1.** Drohung **2.** Bedrohung (***to*** für *oder Genitiv*), Gefahr (***to*** für)
threaten ['θretn] **1.** drohen (*auch Gefahr*), bedrohen (***with*** mit) **2.** androhen, drohen mit **3.** bedrohen, gefährden; ***be threatened with extinction*** vom Aussterben bedroht sein
three[1] [θriː] drei
three[2] [θriː] *Buslinie*, *Spielkarte usw.*: Drei
three-dimensional [ˌθriːdaɪ'menʃnəl] **1.** dreidimensional **2.** *übertragen* plastisch
three-piece ['θriːpiːs] dreiteilig
three-quarter [ˌθriː'kwɔːtə] Dreiviertel…
threshold ['θreʃhəʊld] Schwelle (*auch übertragen*)
threw [θruː] *2. Form von* → ***throw***[1]
thrifty ['θrɪftɪ] sparsam
thrill[1] [θrɪl] **1.** prickelndes Gefühl, Nervenkitzel **2.** aufregendes Erlebnis
thrill[2] [θrɪl] ***be thrilled*** hingerissen sein (***at, about*** von); ***I was thrilled to hear that …*** ich war von der Nachricht hingerissen, dass …
thriller ['θrɪlə] Thriller, Reißer
thrilling ['θrɪlɪŋ] fesselnd, packend
thrive [θraɪv], ***throve*** [θrəʊv] *oder* ***thrived, thriven*** ['θrɪvn] *oder* ***thrived*** **1.** *Pflanze*, *Tier*: gedeihen (*auch Kind*) **2.** *übertragen*; *Geschäft usw.*: blühen, florieren
throat [θrəʊt] **1.** Kehle, Rachen **2.** Hals
throb [θrɒb], ***throbbed, throbbed*** (*Herz*) pochen
throne [θrəʊn] Thron (*auch übertragen*)
throng [θrɒŋ] Schar (***of*** von)
throttle[1] ['θrɒtl] erdrosseln
throttle[2] ['θrɒtl] **1.** *Technik*: Drossel(ventil) **2.** ***at full throttle*** mit Vollgas
through[1] [θruː] **1.** durch (*auch übertragen*) **2.** ***Monday through Thursday*** *bes. AE* Montag bis (einschließlich) Donnerstag
through[2] [θruː] **1.** durch **2.** durch…; ***wet through*** völlig durchnässt; ***read through*** durchlesen
through[3] [θruː] **1.** *Zug usw.*: durchgehend; ***through traffic*** Durchgangsverkehr **2.** ***be through*** *umg.* fertig sein (***with*** mit)
throughout[1] [θruː'aʊt] **1.** ***throughout the night*** die ganze Nacht hindurch **2.** überall in; ***throughout the country*** im ganzen Land
throughout[2] [θruː'aʊt] **1.** ganz, überall; ***carpeted throughout*** ganz mit Teppichboden ausgelegt **2.** *zeitlich*: die ganze Zeit (hindurch)
throw[1] [θrəʊ], ***threw*** [θruː], ***thrown***

[θrəʊn] **1.** werfen (***at*** nach); ***throw someone something*** jemandem etwas zuwerfen **2.** werfen, würfeln; ***throw a three*** eine Drei würfeln **3.** (*Pferd*) abwerfen (*Reiter*) **4.** *umg.* schmeißen, geben (*Party*)

throw away [ˌθrəʊ‿ə'weɪ] **1.** wegwerfen **2.** vertun (*Chance usw.*)
throw back [ˌθrəʊ'bæk] zurückwerfen
throw in [ˌθrəʊ'ɪn] **1.** hineinwerfen **2.** (gratis) dazugeben; ***get something thrown in*** etwas (gratis) dazubekommen **3.** *Sport*: einwerfen (*Ball*) **4.** ***throw in the towel*** *Boxen*: das Handtuch werfen (*auch übertragen*)
throw into ['θrəʊˌɪntʊ] ***throw oneself into*** sich stürzen in (*auch übertragen*)
throw on ['θrəʊ‿ɒn] sich 'überwerfen (*Kleidungsstück*)
throw out [ˌθrəʊ'aʊt] **1.** wegwerfen **2.** hinauswerfen (*Person*) (*auch im Sinne von entlassen*) **3.** ablehnen (*Vorschlag usw.*) **4.** äußern (*Vorschlag usw.*)
throw together [ˌθrəʊ‿tə'geðə] **1.** zusammenwerfen **2.** fabrizieren, zurechtbasteln **3.** zusammenbringen (*Leute*)
throw up [ˌθrəʊ'ʌp] **1.** hochwerfen **2.** *umg.* hinschmeißen (*Job usw.*) **3.** *umg.* (≈ *sich übergeben*) brechen

throw[2] [θrəʊ] Wurf (*von Ball, Speer usw.*)
throwaway ['θrəʊəweɪ] **1.** *Bemerkung*: hingeworfen **2.** Wegwerf…, Einweg…
thrower ['θrəʊə] Werfer(in)
throw-in ['θrəʊɪn] *Fußball*: Einwurf
thrown [θrəʊn] *3. Form von* → ***throw***[1]
thru [θruː] *AE, umg.* → ***through***
thrush [θrʌʃ] *Vogel*: Drossel
thrust [θrʌst], ***thrust, thrust*** **1.** stoßen (*auch Person*) (***into*** in) **2.** stecken (***into*** in)
thruway ['θruːweɪ] *AE, umg.* Schnellstraße
thud[1] [θʌd] dumpfes Geräusch, Plumps
thud[2] [θʌd], ***thudded, thudded*** plumpsen
thug [θʌg] Schläger (*gewalttätiger Mann*)
thumb[1] [⚠ θʌm] Daumen
thumb[2] [⚠ θʌm] ***thumb a lift*** per Anhalter fahren, trampen (***to*** nach)

thumb through [⚠ 'θʌm‿θruː] ***thumb through a book*** ein Buch durchblättern

thumb index [⚠ 'θʌmˌɪndeks] *von Buch*: Daumenregister
thumbnail [⚠ 'θʌmneɪl] Daumennagel *m*
thumbnail sketch [⚠ ˌθʌmneɪl'sketʃ] **1.** Kurzbeschreibung **2.** *Zeichnung*: kleine Skizze
thumbscrew [⚠ 'θʌmskruː] **1.** *Technik*: Flügelschraube, Rändelschraube **2.** *historisch*: Daumenschraube; ***put the thumbscrews on someone*** *übertragen* jemandem die Daumenschrauben anlegen
thumbtack [⚠ 'θʌmtæk] *AE* Reißzwecke
thump[1] [θʌmp] **1.** einen Schlag versetzen, hauen (*Person*) **2.** (*Herz*) hämmern, pochen **3.** plumpsen **4.** trampeln
thump[2] [θʌmp] dumpfer Schlag; ***give someone a thump*** jemandem eine runterhauen
thunder[1] ['θʌndə] Donner
thunder[2] ['θʌndə] **1.** (*auch Zug usw.*) donnern **2.** brüllen, donnern
thunderclap ['θʌndəklæp] Donner, Donnerschlag
thundercloud ['θʌndəklaʊd] Gewitterwolke
thunderous ['θʌndərəs] *Applaus*: donnernd
thunderstorm ['θʌndəstɔːm] Gewitter, Unwetter
Thuringia [θjʊ'rɪndʒɪə] Thüringen
Thursday ['θɜːzdeɪ] Donnerstag; ***on Thursday*** (am) Donnerstag; ***on Thursdays*** donnerstags
thus [ðʌs] **1.** *Art und Weise*: so, auf diese Weise **2.** *als Konsequenz*: folglich, somit **3.** ***thus far*** bisher
thwart [θwɔːt] durchkreuzen (*Pläne usw.*)
tick[1] [tɪk] **1.** Ticken (*einer Uhr usw.*) **2.** *BE* Haken, Häkchen (*als Vermerkzeichen*) **3.** *bes. BE, umg.* Augenblick; ***in a tick*** sofort
tick[2] [tɪk] **1.** (*Uhr usw.*) ticken **2.** *auch* ***tick off*** abhaken (*Namen usw.*)
tick[3] [tɪk] *Ungeziefer*: Zecke
tick[4] [tɪk] ***on tick*** *umg.* auf Pump
ticket[1] ['tɪkɪt] **1.** *Theater usw.*: (Eintritts-)Karte, Ⓒⓗ Billett **2.** *Eisenbahn usw.*: Fahrkarte, Ⓒⓗ Billett, *Flugzeug*: Flugschein, Ticket **3.** ***luggage ticket*** Gepäckschein **4.** *an Ware*: Etikett, (Preis)Schild **5.** *Auto*: Strafzettel **6.** *bes. AE*; *politisch*: Wahlliste
ticket[2] ['tɪkɪt] ***be ticketed for*** *bes. AE* einen Strafzettel bekommen wegen
ticket collector ['tɪkɪt‿kəˌlektə] (Bahnsteig)Schaffner(in)
ticket inspector ['tɪkɪt‿ɪnˌspektə] Fahrkartenkontrolleur(in)
ticket machine ['tɪkɪt‿məˌʃiːn] Fahrscheinautomat
ticket office ['tɪkɪtˌɒfɪs] Fahrkartenschalter
tickle ['tɪkl] **1.** kitzeln **2.** ***be tickled pink*** *oder* ***to death*** *umg.* sich freuen wie ein Schneekönig

ticklish ['tɪklɪʃ] kitzlig (*auch übertragen*)
tidal wave [ˌtaɪdl'weɪv] **1.** Flutwelle **2.** *übertragen* Welle, Woge
tidbit ['tɪdbɪt] *AE* Leckerbissen
tide [taɪd] **1.** Gezeiten, Tide, Ebbe und Flut; ***high tide*** Hochwasser, Flut; ***low tide*** Niedrigwasser, Ebbe **2.** *übertragen* Strömung, Trend
tidy[1] ['taɪdɪ] **1.** sauber, ordentlich, *Zimmer auch*: aufgeräumt **2.** *umg.*; *Summe*: ordentlich, beträchtlich
tidy[2] ['taɪdɪ] *auch* ***tidy up*** in Ordnung bringen, *von Zimmer auch*: aufräumen
tie[1] [taɪ] **1.** Krawatte, Schlips **2.** Band, Schnur **3.** ***ties*** *Pl. übertragen* Bindungen (*familiär usw.*) **4.** Last, Belastung **5.** Unentschieden; ***end in a tie*** *Spiel*: unentschieden ausgehen **6.** *AE*; *Eisenbahn*: Schwelle
tie[2] [taɪ], ***tied, tied***; *-ing-Form* ***tying*** **1.** binden (***to*** an), (sich) binden (*Krawatte usw.*) **2.** verschnüren (*Paket usw.*) **3.** ***be tied to*** *übertragen* (eng) verbunden sein mit **4.** ***tie for second place*** *Sport usw.*: gemeinsam den zweiten Platz belegen

tie down [ˌtaɪ'daʊn] **1.** binden, einschränken **2.** festlegen (*Person*) (***to*** auf)
tie in [ˌtaɪ'ɪn] passen (***with*** zu)
tie up [ˌtaɪ'ʌp] **1.** fesseln, binden (*Gefangenen usw.*) **2.** verschnüren (*Paket usw.*) **3.** ***be tied up*** *übertragen* beschäftigt sein **4.** ***be tied up with*** mit etwas zusammenhängen

tiebreak ['taɪbreɪk], **tiebreaker** ['taɪˌbreɪkə] *Tennis*: Tie-Break
tiger ['taɪgə] Tiger
tight[1] [taɪt] **1.** fest, fest sitzend **2.** *Seil usw.*: straff **3.** eng (*auch Kleidungsstück*) **4.** *Rennen usw.*: knapp **5.** *umg.* knickerig **6.** *umg.* (≈ *betrunken*) blau **7.** *in Zusammensetzungen*: ...dicht; ***watertight*** wasserdicht
tight[2] [taɪt] **1.** fest; ***hold tight*** festhalten **2.** *umg.* gut; ***sleep tight!*** schlaf gut!
tighten ['taɪtn] **1.** anziehen (*Schraube usw.*) **2.** straffen (*Seil usw.*) **3.** *auch* ***tighten up*** verschärfen (*Gesetz usw.*)
tights [taɪts] *Pl. auch* ***pair of tights*** *BE* Strumpfhose
tigress ['taɪgrəs] Tigerin
til, **'til** [tɪl] *AE*, *umg.* bis; ☞ ***till***
tile[1] [taɪl] **1.** (Dach)Ziegel **2.** Fliese, Kachel, Ⓒⓗ Plättli
tile[2] [taɪl] **1.** (mit Ziegeln) decken **2.** fliesen, kacheln, Ⓒⓗ plätteln
till[1] [tɪl] **1.** *allg.*: bis **2.** ***not till*** erst (wenn), nicht vor, nicht bevor; ***not till Mond***... erst (am) Montag, nicht vor Montag
till[2] [tɪl] (Laden)Kasse
tilt[1] [tɪlt] kippen
tilt[2] [tɪlt] **1.** ***at a tilt*** schief, schräg **2.** (***at***) ***f***... ***tilt*** *umg.* mit Volldampf, mit Karacho
timber ['tɪmbə] **1.** Bauholz **2.** (Nutz)W... **3.** Balken
time[1] [taɪm] **1.** *allg.*: Zeit; ***some time a***... vor einiger Zeit; ***all the time*** die gan... Zeit; ***at the time*** damals; ***three*** *usw.* ***a time*** (≈ *gleichzeitig*) drei *usw.* auf e... mal; ***at times*** manchmal; ***by the ti***... wenn, als, *Zukunft*: bis; ***for a time*** ei... Zeit lang; ***for the time being*** vorläuf... fürs Erste; ***from time to time*** von Z... zu Zeit; ***in time*** rechtzeitig; ***on ti***... pünktlich; ***in no time*** (***at all***) im Nu; ... ***two years' time*** in zwei Jahren; ***ta***... ***your time*** lass dir Zeit!; ***it's about ti***... es wird aber auch Zeit; ***time's up*** die Z... ist um; ***free time*** Freizeit; ***it's time*** ... ***bed*** es ist Zeit zum Zubettgehen; ***ha***... ***a good time*** sich gut unterhalten, Sp... haben; ***do time*** *umg.* sitzen (***for*** wege... **2.** (Uhr)Zeit; ***what's the time?*** wie s... ist es?; ***what time?*** um wie viel Uhr?; ***th***... ***time tomorrow*** morgen um diese Zeit ... *Musik*: Takt; ***in time*** im Takt **4.** Mal; ***ti***... ***and again*** *oder* ***time after time*** imm... wieder; ***every time I ...*** jedesmal, we... ich ...; ***how many times?*** wie oft?; ***ne***... ***time*** (***I ...***) nächstes Mal(, wenn ich ... ***this time*** diesmal; ***three times*** dreim... ***three times four equals*** (*oder* ***is***) ***twel***... *Rechnen*: drei mal vier ist zwölf
time[2] [taɪm] **1.** ***time something well*** si... für etwas einen günstigen Zeitpunkt a... suchen, *Sport*: etwas gut timen **2.** stopp... (*mit einer Stoppuhr*); ***he was timed at*** ... ***seconds*** für ihn wurden 20 Sekunden ... stoppt
time-consuming ['taɪmkənˌsjuːmɪŋ] ze... aufwändig, Zeit raubend
time difference ['taɪmˌdɪfrəns] Zeitunt... schied
time lag ['taɪm‿læg] Zeitdifferenz
timeless ['taɪmləs] **1.** ewig **2.** *Schönh*... *usw.*: zeitlos
time limit ['taɪmˌlɪmɪt] Frist; ***there is*** ... ***time limit on it*** es ist befristet
timely ['taɪmlɪ] **1.** rechtzeitig **2.** ***it was*** ... ***timely call*** *usw.* der Anruf *usw.* k... zur rechten Zeit
time-out [ˌtaɪm'aʊt] *Pl.*: ***times-out*** *Spo*... Spielunterbrechung, Auszeit, Timeout
timer ['taɪmə] Timer, Schaltuhr
timesaving ['taɪmˌseɪvɪŋ] Zeit sparend
timetable ['taɪmˌteɪbl] *bes. BE* **1.** Fahrpl...

Flugplan **2.** *Schule*: Stundenplan **3.** Zeitplan
time zone ['taɪm‿zəʊn] Zeitzone
timid ['tɪmɪd] ängstlich, furchtsam
timing ['taɪmɪŋ] Zeiteinteilung, Timing
tin [tɪn] **1.** *Metall*: Zinn **2.** *Material*: (Weiß-)Blech; ***tin can*** Blechdose **3.** *BE* (Blech-, Konserven)Dose, Büchse; ***a tin of beans*** eine Dose Bohnen
tinfoil ['tɪnfɔɪl] Stanniol(papier), Alufolie
tinge[1] [tɪndʒ] ***tinged with*** mit einem Hauch von
tinge[2] [tɪndʒ] Tönung; ***have a tinge of red*** ins Rote spielen
tingle ['tɪŋgl] prickeln, kribbeln (***with*** vor)
tinker ['tɪŋkə] *auch* ***tinker about*** herumbasteln (***with*** an)
tinkle ['tɪŋkl] bimmeln, klirren
tinned [tɪnd] *BE* Dosen…, Büchsen…; ***tinned fruit*** Obstkonserven; ***tinned foods*** Konserven
tinny ['tɪnɪ] *Klang*: blechern
tin opener ['tɪn,əʊpənə] *BE* Dosenöffner
tint[1] [tɪnt] (Farb)Ton, Tönung
tint[2] [tɪnt] tönen (*Haar usw.*)
tiny ['taɪnɪ] winzig
tip[1] [tɪp] **1.** *allg.*: Spitze; ***it's on the tip of my tongue*** *übertragen* es liegt mir auf der Zunge **2.** Filter (*einer Zigarette*)
tip[2] [tɪp], ***tipped, tipped*** **1.** *bes BE* (aus-)kippen, schütten **2.** (*Stuhl usw.*) kippen
tip[3] [tɪp] **1.** *bes. BE* Müllhalde **2.** *BE*; *übertragen, umg.* Saustall
tip[4] [tɪp] Trinkgeld
tip[5] [tɪp], ***tipped, tipped*** ein Trinkgeld geben; ***tip someone 50p*** jemandem 50 Pence Trinkgeld geben
tip[6] [tɪp] Tipp, Rat(schlag); ***take my tip and …*** hör auf mich und …

tip off [,tɪp'ɒf] ***tip someone off*** jemandem einen Tipp *oder* Wink geben

tip-off ['tɪpɒf] *umg.* Tipp, Wink
tipsy ['tɪpsɪ] angeheitert, beschwipst
tiptoe[1] ['tɪptəʊ] ***on tiptoe*** auf Zehenspitzen
tiptoe[2] ['tɪptəʊ] auf Zehenspitzen gehen
tiptop [,tɪp'tɒp] *umg.* erstklassig; ***be in tiptop condition*** tipptopp in Ordnung sein
tire[1] ['taɪə] **1.** ermüden, müde machen **2.** müde werden, ermüden
tire[2] ['taɪə] *AE* Reifen, (CH) Pneu; ☞ *BE* ***tyre***
tired ['taɪəd] **1.** müde; ***tired out*** (völlig) erschöpft **2.** ***be tired of someone*** *oder* ***something*** *übertragen* jemanden *oder* etwas satt haben; ***be tired of doing something*** es satt haben, etwas zu tun
tireless ['taɪələs] unermüdlich
tiresome ['taɪəsəm] *übertragen* lästig
tiring ['taɪərɪŋ] ermüdend, anstrengend
tissue ['tɪʃuː] **1.** Papiertuch, Papiertaschentuch **2.** Gewebe (*von Pflanzen, Tieren*) **3.** *auch* ***tissue paper*** Seidenpapier
tit[1] [tɪt] *mst.* ***tits*** *Pl. salopp* (≈ *Brust*) Titte
tit[2] [tɪt] *Vogel*: Meise
tit[3] [tɪt] ***tit for tat*** wie du mir, so ich dir
titanic [taɪ'tænɪk] gigantisch
titbit ['tɪtbɪt] *bes. BE* Leckerbissen
title ['taɪtl] **1.** *allg.*: Titel **2.** *Recht*: (Rechts-)Anspruch (***to*** auf)
titleholder ['taɪtl,həʊldə] *Sport*: Titelhalter(-in), Titelträger(in)
title page ['taɪtl‿peɪdʒ] Titelseite
title role ['taɪtl‿rəʊl] *in Film, Theaterstück*: Titelrolle
titmouse ['tɪtmaʊs] *Pl.* ***titmice*** ['tɪtmaɪs] *Vogel*: Meise
titter ['tɪtə] kichern
TM [,tiː'em] *Abk. für* → ***trademark*** 1
to[1] [tə, *vor Vokal*: tʊ] **1.** *Richtung, Ziel*: zu, nach, an, in; ***go <u>to</u> England*** nach England fahren; ***go <u>to</u> bed*** ins Bett gehen; ***go <u>to</u> one's room*** auf *oder* in sein Zimmer gehen; ***go <u>to</u> town*** in die Stadt gehen; ***go <u>to</u> the cinema*** ins Kino gehen **2.** in; ***have you ever been <u>to</u> London?*** bist du schon einmal in London gewesen? **3.** *Zweck*: zu, auf, für; ***invite someone <u>to</u> dinner*** jemanden zum Essen einladen **4.** *Zugehörigkeit*: zu, für, in; ***the key to this room*** der Schlüssel zu diesem Zimmer **5.** (im Verhältnis *oder* Vergleich) zu; ***compared to*** im Vergleich zu **6.** *Ausmaß*: bis, (bis) zu, (bis) an **7.** *zeitlich*: bis, bis zu, bis gegen, vor; ***from three to four*** von drei bis vier (Uhr); ***it's (a)quarter <u>to</u> six*** es ist Viertel vor sechs **8.** *betonter Dativ*: ***give it to me!*** gib es mir! **9.** *Antwort usw.*: auf; ***the answer <u>to</u> your question*** die Antwort auf deine Frage
to[2] [tə, *vor Vokal*: tʊ] **1.** *Bildung des Infinitivs*: ***to go*** gehen; ***easy to understand*** leicht zu verstehen **2.** *Zweck*: um zu; ***he does it only to please her*** er tut es nur ihr zuliebe **3.** *verkürzter Nebensatz*: ***the last man to leave the ship*** der letzte Mann, der das Schiff verlässt; ***he was the first to arrive*** er kam als Erster; ***to hear him talk*** wenn man ihn (so) reden hört
to[3] [tuː] **1.** ***the door was leaned to*** die Tür war angelehnt; ***push the door to*** mach die Tür zu **2.** ***to and fro*** hin und her, auf und ab
toad [təʊd] Kröte

toadstool ['təʊdstu:l] ungenießbarer Pilz
toast[1] [təʊst] **1.** *Brot*: Toast **2.** Trinkspruch, Toast
toast[2] [təʊst] **1.** toasten, rösten **2.** *umg.* sich wärmen (*die Füße usw.*)
toaster ['təʊstə] Toaster
tobacco [tə'bækəʊ] *Pl.*: ***tobaccos*** Tabak
tobacconist [tə'bækənɪst] Tabak(waren)-händler(in), Ⓐ Trafikant(in)
toboggan[1] [tə'bɒgən] (Rodel)Schlitten
toboggan[2] [tə'bɒgən] rodeln, Ⓐ Ⓒⓗ schlitteln
today[1] [tə'deɪ] **1.** heute; ***a week ago today*** heute vor acht Tagen; ***a week today*** *oder* ***today week*** *BE* heute in einer Woche *oder* in acht Tagen **2.** heutzutage
today[2] [tə'deɪ] **1.** ***today's paper*** die Zeitung von heute **2.** ***of today*** *oder* ***today's*** von heute, heutig
toddler ['tɒdlə] Kleinkind
to-do [tə'du:] *Pl.*: ***to-dos*** *umg.* Getue, Theater (***about*** um)
toe [təʊ] **1.** Zehe **2.** Spitze (*von Schuh usw.*)
toenail ['təʊneɪl] Zehennagel
toffee ['tɒfɪ] Toffee, Karamellbonbon
together [tə'geðə] **1.** zusammen (***with*** mit) **2.** zusammen…
toggle ['tɒgl], **toggle key** ['tɒgl‿ki:] *Computer*: Umschalttaste
toggle switch ['tɒgl‿swɪtʃ] *Technik*: Kippschalter
toil [tɔɪl] *auch* ***toil away*** sich abmühen *oder* plagen (***at*** mit)
toilet ['tɔɪlət] Toilette
toilet bag ['tɔɪlət‿bæg] Kulturbeutel
toilet paper ['tɔɪlət,peɪpə] Toilettenpapier
toiletries ['tɔɪlətrɪz] *Pl.* Toilettenartikel *Pl.*
toilet roll ['tɔɪlət‿rəʊl] Rolle Toilettenpapier
token[1] ['təʊkən] **1.** ***as a*** (*oder* ***in***) ***token of*** als Zeichen (+ *Genitiv*) **2.** *Geschenk*: Andenken **3.** *BE* Gutschein **4.** Münze, Marke, Jeton
token[2] ['təʊkən] ***token woman*** *usw.* Alibifrau *usw.*
told [təʊld] *2. und 3. Form von* → ***tell***
tolerable ['tɒlərəbl] erträglich
tolerance ['tɒlərəns] Toleranz (***for, of, towards*** gegenüber)
tolerant ['tɒlərənt] tolerant (***of, towards*** gegenüber)
tolerate ['tɒləreɪt] **1.** dulden **2.** ertragen
toll [təʊl] **1.** Benutzungsgebühr, *bes.* Ⓐ Maut **2.** Verlust(e), *übertragen* Preis; ***death toll*** Zahl der Toten; ***take its toll*** *übertragen* seinen Tribut fordern
toll-free [,təʊl'fri:] *AE*; *Telefon*: gebührenfrei
toll road ['təʊl‿rəʊd] Mautstraße
tomato [tə'mɑ:təʊ] *Pl.*: ***tomatoes*** Tomate, Ⓐ Paradeiser; ***tomato sauce*** Tomatensoße, *BE auch* Ketschup
tomb [⚠ tu:m] Grab(mal), Gruft
tomboy ['tɒmbɔɪ] *Mädchen*: Wildfang
tombstone [⚠ 'tu:mstəʊn] Grabstein
tomcat ['tɒmkæt] Kater
tome [təʊm] *humorvoll* (≈ *Buch*) Wälzer
tomfoolery [,tɒm'fu:lərɪ] Unsinn, Blödsinn
tomogram ['təʊməgræm] *Medizin*: Tomogramm
tomography [tə'mɒgrəfɪ] *Medizin*: Tomographie; ***magnetic resonance tomography*** (*Abk.* ***MRT***) Kernspintomographie
tomorrow[1] [tə'mɒrəʊ] morgen; ***a week tomorrow*** *oder* ***tomorrow week*** *BE* morgen in einer Woche *oder* in acht Tagen; ***tomorrow morning*** morgen früh; ***tomorrow night*** morgen Abend
tomorrow[2] [tə'mɒrəʊ] **1.** ***tomorrow's paper*** die Zeitung von morgen; ***the day after tomorrow*** übermorgen **2.** Zukunft; ***of tomorrow*** *oder* ***tomorrow's*** von morgen
ton [tʌn] **1.** *Gewicht*: Tonne **2.** ***tons*** *Pl.* ***of*** *umg.* jede Menge

ton

Eine **ton** wiegt in Großbritannien 1016 Kilo, in den USA 907,2 Kilo. Die Entsprechung der metrischen Tonne (1000 Kilo) heißt **tonne** [tʌn].

tone [təʊn] **1.** *allg.*: Ton, Klang **2.** *AE*; *Musik*: Note **3.** *übertragen* Niveau
toner ['təʊnə] *von Drucker usw.*: Toner; ***toner cartridge*** Tonerkassette, Tonerkartusche
tongs [tɒŋz] *Pl.*, *auch* ***pair of tongs*** Zange
tongue [⚠ tʌŋ] **1.** Zunge (*auch eines Schuhs usw.*); ***tongue in cheek*** scherzhaft, ironisch **2.** Sprache; ***mother tongue*** Muttersprache; ***slip of the tongue*** Versprecher; ***hold one's tongue*** den Mund halten
tongue twister ['tʌŋ,twɪstə] Zungenbrecher
tonic ['tɒnɪk] **1.** ***be a real tonic*** *allg.*: richtig gut tun **2.** ***a gin and tonic*** ein Gin Tonic
tonight[1] [tə'naɪt] heute Abend, heute Nacht
tonight[2] [tə'naɪt] ***tonight's programme*** das Programm (von) heute Abend
tonne [tʌn] *Gewicht*: Tonne (= *1000 kg*)
tonsil ['tɒnsl] *Körper*: Mandel

tonsillitis [ˌtɒnsəˈlaɪtɪs] Mandelentzündung, Angina

too [tuː] **1.** zu; ***she drives too fast*** sie fährt zu schnell **2. *not too …*** nicht allzu …; ***he isn't too well*** es geht ihm nicht allzu gut **3.** *nachgestellt*: auch; ***I liked it too*** mir gefiel es auch **4.** *bei Erstaunen*: auch noch, noch dazu

took [tʊk] *2. Form von →* ***take***[1]

tool [tuːl] Werkzeug (*auch übertragen*), Gerät

toolbar [ˈtuːl‿bɑː] *Computer*: Toolbalken, Symbolleiste

tool box [ˈtuːl‿bɒks] Werkzeugkasten

toot [tuːt] ***toot*** (***one's horn***) *Auto*: hupen

tooth [tuːθ] *Pl.*: **teeth** [tiːθ] Zahn (*auch eines Kamms, einer Säge usw.*)

toothache [ˈtuːθeɪk] Zahnschmerzen

toothbrush [ˈtuːθbrʌʃ] Zahnbürste

toothless [ˈtuːθləs] zahnlos

toothpaste [ˈtuːθpeɪst] Zahnpasta

toothpick [ˈtuːθpɪk] Zahnstocher

tootsie, **tootsy** [ˈtʊtsɪ] *Kindersprache*: Füßchen

top[1] [tɒp] **1.** oberer Teil; ***at the top of the page*** oben auf der Seite; ***from top to toe*** von Kopf bis Fuß; ***on top*** oben(auf), darauf; ***on top of*** (oben) auf, über; ***on top of each other*** aufeinander, übereinander **2.** Gipfel (*eines Bergs*) **3.** Krone, Wipfel (*eines Baums*) **4.** Kopfende (*eines Betts usw.*) **5.** *übertragen* Spitze; ***be at the top of*** an der Spitze (+ *Genitiv*) stehen **6. *at the top of one's voice*** aus vollem Hals **7.** Top, Oberteil (*eines Bikinis usw.*) **8.** Deckel (*eines Glases*), Verschluss **9. *get on top of someone*** *umg.* (*Arbeit usw.*) jemandem über den Kopf wachsen

top[2] [tɒp] **1.** oberste(r, -s) **2.** *übertragen* Höchst…, Spitzen…; ***at top speed*** mit Höchstgeschwindigkeit

top[3] [tɒp], ***topped, topped*** **1.** *übertragen* übersteigen, übertreffen **2.** bedecken (***with*** mit) **3. *top the bill*** der Star des Programms sein

> **top up** [ˌtɒpˈʌp] *bes. BE* **1.** auffüllen (*Tank usw.*) **2. *top someone up*** *umg.* jemandem nachschenken (*Getränk*)

top[4] [tɒp] *Spielzeug*: Kreisel

top-class [ˌtɒpˈklɑːs] spitzen…, Spitzen…; ***a top-class restaurant*** ein Restaurant der Spitzenklasse

top hat [ˌtɒpˈhæt] *Hut*: Zylinder

topic [ˈtɒpɪk] Thema

topical [ˈtɒpɪkl] *Buch usw.*: aktuell

topless [ˈtɒpləs] oben ohne, Oben-ohne-…

top-level [ˈtɒpˌlevl] Spitzen…

topmost [ˈtɒpməʊst] oberste(r, -s)

topping [ˈtɒpɪŋ] ***with a topping of whipped cream*** mit Schlagsahne darauf

topple [ˈtɒpl] **1.** *mst.* ***topple over*** umkippen **2.** *übertragen* stürzen (*Regierung usw.*)

top-quality [ˌtɒpˈkwɒlətɪ] spitzen…, Spitzen…; ***top-quality product*** Spitzenprodukt

top-secret [ˌtɒpˈsiːkrət] streng geheim

topsoil [ˈtɒpsɔɪl] Mutterboden

topspin [ˈtɒpspɪn] *Tennis*: Topspin

torch [tɔːtʃ] **1.** *BE* Taschenlampe **2.** Fackel

torchlight [ˈtɔːtʃlaɪt] ***by torchlight*** bei Fackelschein

tore [tɔː] *2. Form von →* ***tear***[2]

torment[1] [ˈtɔːment] Qual

torment[2] [tɔːˈment] quälen, *übertragen auch*: plagen; ***be tormented by*** (*oder* ***with***) gequält *oder* geplagt werden von

torn [tɔːn] *3. Form von →* ***tear***[2]

torrent [ˈtɒrənt] reißender Strom

torrential [təˈrenʃl] *Regen*: sintflutartig

tortoise [⚠ ˈtɔːtəs] Schildkröte

tortuous [ˈtɔːtʃʊəs] **1.** *Pfad usw.*: gewunden **2.** *übertragen* umständlich

torture[1] [ˈtɔːtʃə] **1.** Folter **2.** *übertragen* Qual

torture[2] [ˈtɔːtʃə] **1.** foltern **2. *be tortured by*** (*oder* ***with***) *übertragen* gequält werden von

Tory [ˈtɔːrɪ] *BE*; *politisch*: Tory, Konservative(r)

toss[1] [tɒs] **1.** werfen **2.** hochwerfen (*Münze*) **3.** *auch* ***toss up*** eine Münze hochwerfen; ***toss for something*** um etwas losen, etwas auslosen **4.** *auch* ***toss about*** *oder* ***toss and turn*** sich hin und her werfen (*im Schlaf*)

toss[2] [tɒs] Hochwerfen (*einer Münze*)

tot [tɒt] **1.** *auch* ***tiny tot*** *umg.* Knirps, kleiner Wicht **2.** Schluck (*Alkohol*)

> **tot up** [ˌtɒtˈʌp], ***totted up, totted up*** *umg.* zusammenrechnen, zusammenzählen

total[1] [ˈtəʊtl] **1.** völlig, total, Total… **2.** ganz, gesamt, Gesamt…

total[2] [ˈtəʊtl] Gesamtmenge, (End)Summe; ***a total of 20 cases*** insgesamt 20 Kisten; ***in total*** insgesamt

total[3] [ˈtəʊtl], ***totalled, totalled***, *AE* ***totaled, totaled*** sich belaufen auf; ***… totalling £500*** … von insgesamt 500 Pfund

totalitarian [təʊˌtælɪˈteərɪən] *Regime, Staat*: totalitär

totally [ˈtəʊtəlɪ] völlig, vollkommen

T

totter ['tɒtə] schwanken, wanken
touch[1] [tʌtʃ] **1.** (sich) berühren, anfassen **2.** anrühren (*Essen, Alkohol usw.*) **3.** *übertragen* rühren, bewegen; ***deeply touched*** tief bewegt **4.** ***touch wood*** *BE, umg.* (unberufen) toi, toi, toi

touch down [ˌtʌtʃ'daʊn] (*Flugzeug usw.*) aufsetzen
touch on ['tʌtʃ‿ɒn] (kurz) ansprechen, streifen (*Thema*)
touch up [ˌtʌtʃ'ʌp] **1.** ausbessern, *von Foto*: retuschieren **2.** *BE, umg.* begrapschen

touch[2] [tʌtʃ] **1.** Tastsinn; ***be soft to the touch*** sich weich anfühlen **2.** *mst. mit der Hand*: Berühren, Berührung **3.** ***be in touch with*** in Verbindung stehen mit; ***get in touch with*** sich in Verbindung setzen mit; ***keep in touch with*** in Verbindung bleiben mit **4.** ***a personal touch*** *übertragen* eine persönliche Note **5.** Spur (*Salz usw.*) **6.** ***in touch*** *Fußball*: im Aus
touch-and-go [ˌtʌtʃən'gəʊ] *Situation usw.*: kritisch; ***it was touch-and-go whether …*** es stand auf des Messers Schneide, ob …
touchdown ['tʌtʃdaʊn] **1.** *eines Flugzeugs usw.*: Landung **2.** *American Football, Rugby*: (≈ *Treffer*) Touchdown
touché ['tuːʃeɪ] *umg.* ***touché!*** eins zu null für dich!
touched [tʌtʃt] **1.** *emotional*: gerührt, bewegt **2.** ***be touched*** *umg.* einen Schlag haben
touching ['tʌtʃɪŋ] rührend, bewegend
touchline ['tʌtʃlaɪn] *Fußball*: Seitenlinie
touch screen ['tʌtʃ‿skriːn] *Computer*: Touchscreen, Berührungsbildschirm
touchstone ['tʌtʃstəʊn] Prüfstein (***of*** für)
touch-type ['tʌtʃtaɪp] *mit Schreibmaschine, Computer*: blind schreiben
touchy ['tʌtʃɪ] **1.** empfindlich, reizbar **2.** *Thema*: heikel
tough [⚠ tʌf] **1.** *allg.*: zäh **2.** *Material usw.*: robust, widerstandsfähig **3.** *Haltung usw.*: hart; ***get tough with*** hart vorgehen gegen **4.** *Konkurrenz usw.*: hart **5.** *Problem usw.*: schwierig **6.** gewalttätig, (knall)hart
toughen [⚠ 'tʌfn] *auch* ***toughen up*** hart *oder* zäh machen
tour[1] [tʊə] **1.** Tour (***of*** durch) **2.** (Rund-) Reise, (Rund)Fahrt; ***tour operator*** Reiseveranstalter **3.** Ausflug, Wanderung **4.** Rundgang (***of*** durch); ***guided tour*** Führung **5.** *Theater usw.*: Tournee (***of*** durch); ***be on tour*** auf Tournee sein (***in*** in)

T

tour[2] [tʊə] **1.** *auch* ***tour around*** bereisen, reisen durch **2.** *Theater usw.*: eine Tournee machen (durch); ***be touring Germany*** auf Deutschlandtournee sein
tour guide ['tʊə‿gaɪd] Reiseleiter(in)
tourism ['tʊərɪzm] Tourismus, Fremdenverkehr
tourist[1] ['tʊərɪst] Tourist(in)
tourist[2] ['tʊərɪst] Touristen…; ***tourist class*** *Flugzeug, Schiff*: Touristenklasse
tourist guide ['tʊərɪst‿gaɪd] Fremdenführer(in)
tourist office ['tʊərɪstˌɒfɪs] Touristeninformation, Fremdenverkehrsbüro
tournament ['tʊənəmənt] Turnier
tour operator ['tʊəˌɒpəreɪtə] Reiseveranstalter
tousled ['taʊzld] *Haar*: zerzaust
tow[1] [⚠ təʊ] abschleppen (*Auto usw.*)
tow[2] [⚠ təʊ] ***give someone a tow*** jemanden abschleppen
towards [tə'wɔːdz] *bes. BE,* **toward** [tə'wɔːd] *bes. AE* **1.** *Richtung*: auf … zu, (in) Richtung, zu **2.** *zeitlich*: gegen; ***towards the end of*** gegen Ende (+ *Genitiv*) **3.** *Einstellung usw.*: gegenüber
towel ['taʊəl] Handtuch
towelling ['taʊəlɪŋ] Frottee
tower ['taʊə] Turm

tower over *oder* **above** [ˌtaʊər'əʊvə *oder* ə'bʌv] überragen (*auch übertragen*)

tower block ['taʊə‿blɒk] *BE* (großes) Hochhaus

tower block

Als **tower blocks** bezeichnet man sowohl (moderne) Bürohochhäuser als auch vielgeschossige Wohnhäuser. In Großbritannien wurden sie als Wohnhäuser mit preiswerten Mieten besonders in den Sechzigerjahren für Familien mit geringerem Einkommen gebaut. Von der Architektur her sind sie oft eintönig.

towering ['taʊərɪŋ] **1.** hoch aufragend **2.** *übertragen* überragend
town [taʊn] Stadt; ***in town*** in der Stadt; ***go to town*** in die Stadt fahren *oder* gehen; ***be out on the town*** *umg.* einen draufmachen
town centre [ˌtaʊn'sentə] *BE* Stadtmitte
town hall [ˌtaʊn'hɔːl] Rathaus
township ['taʊnʃɪp] *AE* (Stadt)Gemeinde (Kreis)Bezirk

town twinning [ˌtaʊnˈtwɪnɪŋ] Städtepartnerschaft
towrope [⚠ ˈtəʊrəʊp] *Auto*: Abschleppseil
toxic [ˈtɒksɪk] giftig, Gift…, toxisch
toy[1] [tɔɪ] Spielzeug; ***toys*** *Pl.* Spielsachen, Spielzeug, *im Geschäft*: Spielwaren
toy[2] [tɔɪ] **1.** Spielzeug… **2.** *Hund*: Zwerg…; ***toy poodle*** Zwergpudel

> **toy with** [ˈtɔɪ‿wɪð] spielen mit (*auch mit einer Idee usw.*)

toy shop [ˈtɔɪ‿ʃɒp] Spielwarengeschäft
trace[1] [treɪs] **1.** ausfindig machen, aufspüren, finden; ***he was traced to …*** seine Spur führte nach … **2.** *auch* ***trace back*** zurückverfolgen (***to*** bis zu) **3.** (durch)pausen
trace[2] [treɪs] Spur (*auch übertragen*); ***without*** (***a***) ***trace*** spurlos
tracing [ˈtreɪsɪŋ] Pause, Pauszeichnung
tracing paper [ˈtreɪsɪŋˌpeɪpə] Pauspapier
track[1] [træk] **1.** *auch* ***tracks*** *Pl.* Spur (*auch eines Tonbands usw. und übertragen*), *Jagd auch*: Fährte; ***be on the wrong track*** auf der falschen Spur *oder* auf dem Holzweg sein **2.** Pfad, Weg **3.** *auch* ***tracks*** *Pl. Eisenbahn*: Gleis, Geleise **4.** *Sport*: (Renn-) Bahn **5.** *AE*; *Sport*: Leichtathletik **6.** ***keep*** (*bzw.* ***lose***) ***track*** (***of***) die Übersicht behalten (*bzw.* verlieren) (über)
track[2] [træk] verfolgen

> **track down** [ˌtrækˈdaʊn] aufspüren, auftreiben (*auch übertragen*)

track and field [ˌtræk‿ənˈfiːld] *AE* Leichtathletik; ☞ ***athletics***
trackball [ˈtrækbɔːl] *Computer* **1.** *von Laptop*: Trackball **2.** *von Maus*: Rollkugel
tracksuit [ˈtræksuːt] Trainingsanzug
tract [trækt] Fläche, Gebiet
tractor [ˈtræktə] Traktor, Zugmaschine
trade[1] [treɪd] **1.** Handel (***in*** mit) **2.** Branche, Gewerbe; ***be in the tourist trade*** im Fremdenverkehrsgewerbe (tätig) sein **3.** (*bes.* Handwerks)Beruf; ***by trade*** von Beruf
trade[2] [treɪd] **1.** handeln (***in*** mit), Handel treiben **2.** (ein)tauschen (***for*** gegen)

> **trade in** [ˌtreɪdˈɪn] in Zahlung geben (*Altwagen usw.*)

trade barrier [ˈtreɪdˌbærɪə] Handelsbarriere, Handelsschranke
trademark [ˈtreɪdmɑːk] **1.** *Wirtschaft*: Warenzeichen **2.** *übertragen* Markenzeichen
trade name [ˈtreɪd‿neɪm] *Wirtschaft*: Markenname
trader [ˈtreɪdə] Händler(in)
trade school [ˈtreɪd‿skuːl] *AE* Berufsschule
tradesman [ˈtreɪdzmən] *Pl.*: ***tradesmen*** [ˈtreɪdzmən] *BE* **1.** Händler, Ladeninhaber **2.** Lieferant
trade union [ˌtreɪdˈjuːnɪən] Gewerkschaft
trade unionist [ˌtreɪdˈjuːnɪənɪst] Gewerkschaftler(in)
tradition [trəˈdɪʃn] Tradition
traditional [trəˈdɪʃnəl] traditionell
traffic [ˈtræfɪk] **1.** Verkehr; ***traffic calming*** *BE*; *in Stadt*: Verkehrsberuhigung **2.** (*bes.* illegaler) Handel (***in*** mit) (*Drogen usw.*)

> **traffic in** [ˈtræfɪk‿ɪn], ***trafficked in, trafficked in*** (*bes.* illegal) handeln mit

traffic circle [ˈtræfɪkˌsɜːkl] *AE* Kreisverkehr; ☞ ***roundabout 1***
traffic jam [ˈtræfɪk‿dʒæm] (Verkehrs-) Stau
traffic lights [ˈtræfɪk‿laɪts] *Pl. BE*, **traffic light** [ˈtræfɪk‿laɪt] *AE* Verkehrsampel
traffic warden [ˈtræfɪkˌwɔːdn] *BE* Parküberwacher, Politesse
tragedy [ˈtrædʒədɪ] Tragödie
tragic [ˈtrædʒɪk] tragisch
trail[1] [treɪl] **1.** nachschleifen lassen **2.** ***trail*** (***along***) ***behind someone*** hinter jemandem herschleifen **3.** verfolgen (*Mensch, Tier*) **4.** *Sport*: zurückliegen (hinter) (***by*** um)
trail[2] [treɪl] **1.** Spur (*auch übertragen*); ***be*** (***hot***) ***on someone's trail*** jemandem (dicht) auf der Spur sein **2.** Pfad, Weg
trailer [ˈtreɪlə] **1.** *Auto*: Anhänger **2.** *AE* Caravan, Wohnwagen **3.** *Film*, *TV*: Trailer, Vorschau
train[1] [treɪn] **1.** *Eisenbahn*: Zug; ***by train*** mit der Bahn, mit dem Zug; ***on the train*** im Zug; ***train set*** (Spielzeug)Eisenbahn **2.** *Reihe von Fahrzeugen usw.*: Kolonne **3.** Schleppe (*von Hochzeitskleid*) **4.** *übertragen* Folge, Kette (*von Ereignissen usw.*)
train[2] [treɪn] **1.** ausbilden (***as*** als, zum), *Sport*: trainieren (*Mannschaft usw.*) **2.** schulen (*Verstand usw.*) **3.** abrichten, dressieren (*Tier*) **4.** ausgebildet werden (***as*** als, zum) **5.** *Sport*: trainieren (***for*** für) **6.** richten (*Geschütz usw.*) (***on*** auf)

T

trainee [ˌtreɪ'niː] Auszubildende(r), Praktikant(in), *umg.* Azubi
trainer ['treɪnə] **1.** *Sport*: Trainer(in) **2.** *von Tieren*: Dresseur, Dompteur, Dompteuse **3.** *BE* Turnschuh, Trainingsschuh (*auch für die Straße*)
training ['treɪnɪŋ] **1.** Ausbildung, Schulung **2.** *von Tieren*: Abrichten, Dressur **3.** *Sport*: Training; ***be out of training*** nicht in Form sein
trait [treɪt] Charakterzug, Eigenschaft
traitor ['treɪtə] Verräter (***to*** an)
tram [træm], **tramcar** ['træmkɑː] *bes. BE* Straßenbahn(wagen); ***by tram*** mit der Straßenbahn
tramp[1] [træmp] stapfen, trampeln (durch) (⚠ *trampen* = ***hitchhike***)
tramp[2] [træmp] **1.** Tramp, Landstreicher (-in) **2.** ***a long tramp*** ein weiter Weg **3.** Flittchen
trample ['træmpl] **1.** trampeln **2.** zertrampeln
trampoline ['træmpəliːn] Trampolin
trance [trɑːns] Trance; ***go into a trance*** in Trance verfallen
tranquil ['træŋkwɪl] ruhig, friedlich
tranquillity, *AE* **tranquility** [træŋ'kwɪlətɪ] Ruhe, Frieden
tranquillize, *AE* **tranquilize** ['træŋkwəlaɪz] **1.** beruhigen (*Person*) **2.** betäuben (*Tier*)
tranquillizer, *AE* **tranquilizer** ['træŋkwəlaɪzə] Beruhigungsmittel
transact [træn'zækt] abwickeln (*Geschäft*), abschließen (*Handel*)
transaction [træn'zækʃn] **1.** Abwicklung, Abschluss **2.** Transaktion, Geschäft
transatlantic [ˌtrænzət'læntɪk] transatlantisch, Transatlantik…
transcendental [⚠ ˌtrænsen'dentl] ***transcendental meditation*** transzendentale Meditation
transcontinental ['trænzˌkɒntɪ'nentl] transkontinental
transcribe [træn'skraɪb] **1.** abschreiben, niederschreiben **2.** übertragen, schriftlich festhalten (*Aussage usw.*) **3.** in Lautschrift übertragen
transcript ['trænskrɪpt] Abschrift, Niederschrift
transcription [træn'skrɪpʃn] **1.** Abschreiben, Niederschreiben **2.** *von Manuskript usw.*: Abschrift, Niederschrift **3.** phonetische Umschrift
transfer[1] [træns'fɜː], ***transferred, transferred*** **1.** verlegen (*Betrieb usw.*) (***to*** nach) **2.** versetzen (*Person*) (***to*** nach) **3.** *Sport*: (*Spieler*) wechseln (***to*** zu) **4.** *Sport*: transferieren (*Spieler*) (***to*** zu), abgeben (***to*** an) **5.** überweisen (*Geld*) (***to someone*** an j… manden, ***to an account*** auf ein Konto) … *Recht*: übertragen (*Eigentum, Recht*) (… auf) **7.** *auf Reisen*: umsteigen (***from*** … ***to*** von … auf)

> **transfer to** [træns'fɜː‿tʊ] *von Bandau…* *nahme usw.*: überspielen auf

transfer[2] ['trænsfɜː] **1.** Verlegung (*ein… Betriebs usw.*), Versetzung (*einer Perso…*) **2.** *Sport*: Transfer, Wechsel **3.** Überwe…sung (*von Geld*) **4.** *Recht*: Übertragu… (*von Rechten usw.*) **5.** *bes. BE* Abziehbi… **6.** *bes. AE* Umsteige(fahr)karte
transfer fee ['trænsfɜː‿fiː] *Sport*: Tran…fersumme, Ablöse(summe)
transform [træns'fɔːm] umwandeln, ve…wandeln (***into*** in)
transformation [ˌtrænsfə'meɪʃn] Ur…wandlung, Verwandlung
transfusion [træns'fjuːʒn] Bluttransfu…on
transgenic [ˌtrænz'dʒenɪk] *Biolog…* transgen
transistor [træn'zɪstə] **1.** *Elektronik*: Tra…sistor **2.** *auch* ***transistor radio*** Transistc… radio
transit ['trænsɪt] **1.** Durchfahrt (*durch e… Land*); ***transit passenger*** Transitreise…de(r); ***transit camp*** Durchgangslager … Beförderung, Transport; ***in transit*** unte…wegs, auf dem Transport
transition [træn'zɪʃn] Übergang (***from*** … ***to*** von … zu)
transitive ['trænsətɪv] *Sprache*: transitiv
translate [træns'leɪt] übersetzen (***fro…*** ***English into German*** aus dem Eng…schen ins Deutsche)
translation [træns'leɪʃn] Übersetzung
translator [træns'leɪtə] Übersetzer(in)
transmission [trænz'mɪʃn] **1.** *Rundfun…* *TV*: Übertragung, Sendung; ***transmi…sions*** *Pl. auch*: Programm **2.** *Auto*: G…triebe **3.** Übertragung (*einer Krankhei…*)
transmit [trænz'mɪt], ***transmitted, tran…mitted*** **1.** (aus)senden (*Signale*) **2.** *Run…funk, TV*: senden (*Programm*) **3.** übertr…gen (*Krankheit*) **4.** *Physik*: leiten (*Wärn… usw.*), durchlassen (*Licht usw.*)
transmitter [trænz'mɪtə] Sender
transparency [træns'pærənsɪ] **1.** Durc…sichtigkeit (*auch übertragen*) **2.** Ove…head-Folie **3.** Dia(positiv)
transparent [træns'pærənt] **1.** durchsic…tig **2.** *übertragen* durchsichtig, offenku…dig
transpire [træn'spaɪə] **1.** (*Pflanze*) transp…

rieren **2.** (*Mensch*) transpirieren, schwitzen **3.** ***it transpired that …*** es sickerte durch *oder* wurde bekannt, dass … **4.** *umg.* passieren, geschehen

transplant[1] [træns'plɑːnt] **1.** umpflanzen (*Pflanze*) **2.** *medizinisch*: transplantieren, verpflanzen (*Organ*) **3.** umsiedeln (*Menschen*), verlegen (*Betrieb usw.*) (***to*** nach)

transplant[2] ['trænsplɑːnt] **1.** Transplantation, (Organ)Verpflanzung **2.** (≈ *Organ*) Transplantat

transport[1] ['trænspɔːt] **1.** Transport, Beförderung **2.** Beförderungsmittel, Verkehrsmittel; ***public transport*** öffentliche Verkehrsmittel; ***Department of Transport*** *in GB*: Verkehrsministerium

transport[2] [træns'pɔːt] transportieren (*Waren usw.*), befördern (*auch Personen*)

transportation [ˌtrænspɔː'teɪʃn] **1.** *bes. AE* Transport, Beförderung **2.** *bes. AE* Beförderungsmittel, Verkehrsmittel

trap[1] [træp] **1.** Falle (*auch übertragen*); ***set a trap for someone*** jemandem eine Falle stellen **2.** ***keep one's trap shut*** *salopp* die Schnauze halten

trap[2] [træp], ***trapped, trapped*** **1.** ***be trapped*** (*Bergleute usw.*) eingeschlossen sein **2.** *übertragen* in eine Falle locken **3.** (in *oder* mit einer Falle) fangen **4.** *Sport*: stoppen (*Ball*)

trapper ['træpə] Trapper, Fallensteller

trash [træʃ] **1.** *umg.*; *Film, Buch usw.*: Schund **2.** *umg.* Quatsch, Unsinn; ***don't talk trash*** red keinen Unsinn **3.** *AE* Abfall, Müll; ***trash can*** Abfalleimer, Mülleimer **4.** *bes. AE* Gesindel

trashy ['træʃɪ] Schund…

trauma ['trɔːmə] *Psychologie, Medizin*: Trauma

traumatic [trɔː'mætɪk] *Psychologie*: traumatisch

travel[1] ['trævl] ***travelled, travelled***, *AE* ***traveled, traveled*** **1.** reisen **2.** bereisen (*Land usw.*) **3.** zurücklegen, fahren (*Strecke*)

travel[2] ['trævl] **1.** *das* Reisen **2.** ***travels*** *Pl.* (*bes.* Auslands)Reisen

travel agency ['trævlˌeɪdʒənsɪ] Reisebüro

travel agent ['trævlˌeɪdʒənt] **1.** Reisebürokaufmann, Reisebürokauffrau **2.** *Firma*: Reisebüro

travel bureau ['trævlˌbjʊərəʊ] Reisebüro

travel card ['trævl‿kɑːd] *für öffentliche Verkehrsmittel*: Zeitkarte, *je nach Gültigkeit*: Wochen-, Monats-, Jahreskarte

traveler ['trævlə] *AE* Reisende(r); ☞ ***traveller***

traveling ['trævlɪŋ] *AE* Reise…; ☞ *BE* ***travelling***

traveller ['trævlə] *BE* Reisende(r)

traveller's cheque, *AE* **traveler's check** ['trævləzˌtʃek] Reisescheck, Travellerscheck

travelling ['trævlɪŋ] *BE* **1.** Reise…; ***travelling (alarm) clock*** Reisewecker; ***travelling salesman*** *Wirtschaft*: (Handels)Vertreter (***in*** für) **2.** Wander…; ***travelling circus*** Wanderzirkus

travelsick ['trævlsɪk] reisekrank

travelsickness ['trævlˌsɪknəs] Reisekrankheit

trawler ['trɔːlə] Fischdampfer

tray [treɪ] **1.** Tablett **2.** *BE* Ablagekorb

treacherous [⚠ 'tretʃərəs] **1.** verräterisch **2.** *übertragen* tückisch

treachery [⚠ 'tretʃərɪ] Verrat

treacle ['triːkl] *BE* Sirup

tread[1] [⚠ tred], ***trod*** [trɒd], ***trodden*** ['trɒdn] *oder* ***trod*** treten (***on*** auf, in); ***tread carefully*** *übertragen* vorsichtig vorgehen (*bei einem Problem*)

tread[2] [⚠ tred] **1.** Gang, Schritt(e) **2.** *Auto*: Profil (*eines Reifens*)

treason ['triːzn] Landesverrat

treasure[1] ['treʒə] Schatz; ***treasure hunt*** Schatzsuche

treasure[2] ['treʒə] in Ehren halten, schätzen

treasurer ['treʒərə] *eines Klubs usw.*: Kassenwart, Kassenführerin

Treasury ['treʒərɪ] Finanzministerium

treat[1] [triːt] **1.** behandeln (***like*** wie), umgehen mit **2.** ***treat a topic*** *oder* ***subject*** (*Buch usw.*) ein Thema behandeln **3.** betrachten (***as*** als) **4.** *medizinisch*: behandeln (***for*** gegen); ***be treated for*** in ärztlicher Behandlung stehen wegen **5.** einladen (***to*** zu); ***treat someone to something*** jemandem etwas spendieren; ***treat oneself to something*** sich etwas leisten **6.** *Chemie, Technik*: behandeln (***with*** mit; ***against*** gegen)

treat[2] [triːt] **1.** Freude, Überraschung **2.** ***this is my treat*** das geht auf meine Rechnung

treatise ['triːtɪz] (wissenschaftliche) Abhandlung (***on*** über)

treatment ['triːtmənt] *allg.*: Behandlung

treaty ['triːtɪ] *politisch*: Vertrag

treble[1] ['trebl] dreifach; ***treble the number*** die dreifache Zahl

treble[2] ['trebl] verdreifachen

treble[3] ['trebl] Sopran(stimme), Knabensopran; ***he's a treble*** er singt Sopran

tree [triː] Baum; ***in a tree*** auf einem Baum

treeline ['triːlaɪn] *im Hochgebirge*: Baumgrenze

treetop ['triːtɒp] (Baum)Wipfel

trek [trek], ***trekked, trekked***; *-ing-Form* ***trekking*** **1.** marschieren, ziehen **2.** *umg.* latschen
tremble ['trembl] zittern (***with*** vor); ***tremble at the thought*** (*oder* ***to think***) bei dem Gedanken zittern
tremendous [trə'mendəs] **1.** gewaltig **2.** *umg.* klasse, toll
tremor ['tremə] Zittern, Beben (*auch von Erde*)
trench [trentʃ] **1.** Graben **2.** *militärisch*: Schützengraben
trend [trend] **1.** Trend, Tendenz (***towards*** zu) **2.** Mode
trendy ['trendɪ] *umg.* modern; ***be trendy*** als schick gelten, in sein; ***a trendy disco*** eine In-Disko
trespass ['trespəs] ***no trespassing*** Betreten verboten!
trespasser ['trespəsə] ***trespassers will be prosecuted*** Betreten bei Strafe verboten!
trey [treɪ] *AE*; *Basketball*: Dreier, Dreipunktewurf
trial ['traɪəl] **1.** *Recht*: Prozess, Verhandlung; ***be on*** (*oder* ***stand***) ***trial*** vor Gericht stehen (***for*** wegen) **2.** Prüfung, Test; ***on trial*** auf *oder* zur Probe; ***he's still on trial*** er ist noch in der Probezeit **3.** ***be a trial to someone*** jemandem Ärger machen
trial balloon ['traɪəl‿bə,luːn] *übertragen* Versuchsballon
trial period [,traɪəl'pɪərɪəd] Probezeit
triangle ['traɪæŋgl] **1.** *Mathematik*: Dreieck **2.** *Musik*: Triangel **3.** *AE* Zeichendreieck
triangular [traɪ'æŋgjʊlə] dreieckig
triathlon [traɪ'æθlən] *Sport*: Triathlon
triathlete [traɪ'æθliːt] *Sport*: Triathlet(in)
tribal ['traɪbl] Stammes…
tribe [traɪb] *in Afrika usw.*: Stamm
tribunal [traɪ'bjuːnl] *Recht*: Gericht
tributary [⚠ 'trɪbjʊtərɪ] Nebenfluss
tribute [⚠ 'trɪbjuːt] ***pay tribute to someone*** jemandem Anerkennung zollen
trick[1] [trɪk] **1.** Trick (*auch im negativen Sinn*), *mit Karten usw.*: Kunststück; ***by a trick*** mit einem Trick **2.** ***play a trick on someone*** jemandem einen Streich spielen **3.** ***take a trick*** *Kartenspiel*: einen Stich machen **4.** ***how's tricks?*** *umg.* wie gehts?
trick[2] [trɪk] ***trick question*** Fangfrage
trick[3] [trɪk] überlisten, reinlegen
trickery ['trɪkərɪ] *im negativen Sinn*: Tricks
trickle ['trɪkl] tröpfeln, rieseln
trickster ['trɪkstə] Betrüger(in), Schwindler(in)
tricky ['trɪkɪ] **1.** schwierig, *Problem usw. auch*: heikel **2.** *Person*: durchtrieben, raffiniert
tricycle ['traɪsɪkl] Dreirad
tried [traɪd] *2. und 3. Form von* → ***try***[1]
trifle ['traɪfl] **1.** Kleinigkeit, Lappalie **2.** *BE* Trifle (*Biskuitdessert*)

> **trifle**
>
> Ein **trifle** besteht aus einem Biskuitboden mit einer Schicht Wackelpudding, Obst aus der Dose und einer weiteren Schicht aus Vanillesoße und Sahne obendrauf.

trigger[1] ['trɪgə] Abzug (*am Gewehr usw.*)
trigger[2] ['trɪgə] *auch* ***trigger off*** *übertragen* auslösen
trilogy ['trɪlədʒɪ] Trilogie
trim[1] [trɪm], ***trimmed, trimmed*** **1.** stutzen, beschneiden (*Hecke, Bart usw.*) **2.** ***trimmed with fur*** *Kleidung*: mit Pelzbesatz
trim[2] [trɪm] **1.** ***give something a trim*** etwas stutzen *oder* beschneiden **2.** ***be in good trim*** *umg.*; *Auto usw.*: gut in Schuss sein, *Person auch*: gut in Form sein
trim[3] [trɪm], ***trimmer, trimmest*** gepflegt
trimming ['trɪmɪŋ] **1.** Besatz **2.** ***trimmings*** *Pl.* Zubehör; ***with all the trimmings*** mit allem Schnickschnack
trip[1] [trɪp], ***tripped, tripped*** **1.** stolpern (***over*** über) **2.** ***trip someone*** (***up***) jemandem ein Bein stellen (*auch übertragen*)
trip[2] [trɪp] **1.** Reise, Ausflug, Trip; ***go on a bus trip*** eine Busreise machen **2.** *salopp* (≈ *Drogenrausch*) Trip
triple ['trɪpl] (sich) verdreifachen
triplet ['trɪplət] Drilling
trite [traɪt] *Bemerkung usw.*: abgedroschen; banal
triumph[1] ['traɪʌmf] Triumph (***over*** über)
triumph[2] ['traɪʌmf] triumphieren (***over*** über)
triumphal [traɪ'ʌmfl] Triumph…
triumphant [traɪ'ʌmfənt] triumphierend
trivial ['trɪvɪəl] **1.** unbedeutend, belanglos **2.** alltäglich, gewöhnlich
trod [trɒd] *2. Form von* → ***tread***[1]
trodden ['trɒdn] *3. Form von* → ***tread***[1]
trolley ['trɒlɪ] **1.** *bes. BE* Einkaufswagen, Gepäckwagen, Kofferkuli **2.** ***tea trolley*** *BE* Teewagen **3.** *AE* Straßenbahn
trombone [trɒm'bəʊn] Posaune
troop[1] [truːp] Schar; ☞ ***troops***
troop[2] [truːp] (*Menschen usw.*) strömen
trooper ['truːpə] **1.** *militärisch*: Kavallerist **2.** *AE* Polizist (*eines Bundesstaats*)

T

troops [truːps] *Pl. Militär*: Truppen; ***2000 troops*** 2000 Soldaten
trophy ['trəʊfɪ] Trophäe
tropical ['trɒpɪkl] tropisch, Tropen…
tropics ['trɒpɪks] *Pl.* Tropen
trot[1] [trɒt] **1.** *Gangart*: Trab **2.** ***on the trot*** *BE*, *umg.* hintereinander **3.** ***be on the trot*** *BE*, *umg.* auf Trab sein
trot[2] [trɒt], ***trotted, trotted*** **1.** traben **2.** traben lassen (*Pferd*)
trouble[1] ['trʌbl] **1.** Schwierigkeit, Problem; ***be in trouble*** in Schwierigkeiten sein; ***get into trouble*** in Schwierigkeiten geraten, Schwierigkeiten bekommen (***with*** mit); ***get someone into trouble*** jemanden in Schwierigkeiten bringen **2.** ***take the trouble to do something*** sich die Mühe machen, etwas zu tun **3.** ***be looking for trouble*** Streit suchen **4.** *auch* ***troubles*** *Pl. politisch*: Unruhen **5.** *medizinisch*: Leiden, Beschwerden
trouble[2] ['trʌbl] **1.** beunruhigen **2.** Umstände machen, bitten (***for*** um; ***to do*** zu tun); ***I don't want to trouble you*** ich möchte Ihnen keine Umstände machen
troublemaker ['trʌblˌmeɪkə] Unruhestifter(in)
troubleshooter ['trʌblˌʃuːtə] **1.** *Technik*: Störungssucher(in), Fehlersucher(in) **2.** *bei Konflikten usw.*: Vermittler(in), Friedensstifter(in)
troublesome ['trʌblsəm] lästig
trouble spot ['trʌbl‿spɒt] *bes. Politik*: Unruheherd
trough [⚠ trɒf] Trog
troupe [truːp] *Theater usw.*: Truppe
trousers ['traʊzəz] *Pl.* Hose; ***a new pair of trousers*** eine neue Hose
trouser suit ['traʊzə‿suːt] Hosenanzug
trout [traʊt] Forelle
trowel ['traʊəl] Maurerkelle
truant ['truːənt] Schulschwänzer(in); ***play truant*** *BE* (die Schule) schwänzen
truce [truːs] Waffenstillstand (*auch übertragen*)
truck [trʌk] *bes. AE* Lastwagen, Fernlaster
truck driver ['trʌkˌdraɪvə] *bes. AE* Lastwagenfahrer, Fernfahrer
trucker ['trʌkə] *AE* Lastwagenfahrer, Fernfahrer
truck stop ['trʌk‿stɒp] *AE* Fernfahrerlokal
trudge [trʌdʒ] stapfen (***through*** durch)
true [truː], ***truer, truest*** **1.** wahr; ***be true*** *auch*: stimmen **2.** echt, wirklich, wahr; ***true love*** wahre Liebe **3.** treu (***to*** *dt. Dativ*); ***stay true to one's principles*** seinen Grundsätzen treu bleiben **4.** getreu (***to*** *dt. Dativ*) **5.** ***come true*** sich bewahrheiten
truffle [trʌfl] *Pilz und Konfekt*: Trüffel
truly ['truːlɪ] **1.** wahrheitsgemäß **2.** wirklich, wahrhaft **3.** aufrichtig; ***Yours truly*** *bes. AE*; *Briefschluss*: Hochachtungsvoll
trump [trʌmp] *auch* ***trump card*** Trumpf (-karte); ***play one's trump card*** *übertragen* seinen Trumpf ausspielen; ☞ ***trumps***
trumps [trʌmps] *Pl. Kartenspiel*: Trumpf
trumpet[1] ['trʌmpɪt] Trompete
trumpet[2] ['trʌmpɪt] (*Elefant*) trompeten
truncheon ['trʌntʃən] (Gummi)Knüppel, Schlagstock
trunk [trʌŋk] **1.** (Baum)Stamm **2.** *Elefant*: Rüssel **3.** Schrankkoffer **4.** *Körper*: Rumpf **5.** *bes. AE*; *Auto*: Kofferraum; ☞ ***trunks***
trunks [trʌŋks] *Pl.*, *auch* ***pair of trunks*** Badehose
trust[1] [trʌst] **1.** Vertrauen (***in*** zu); ***place*** (*oder* ***put***) ***one's trust in*** Vertrauen setzen in; ***take something on trust*** etwas einfach glauben **2.** *Wirtschaft*: Treuhand, Trust
trust[2] [trʌst] **1.** trauen, vertrauen (***in*** auf) **2.** sich verlassen auf; ***trust someone to do something*** sich darauf verlassen, dass jemand etwas tut; ***trust him!*** das sieht ihm ähnlich! **3.** (zuversichtlich) hoffen
trustee [ˌtrʌ'stiː] *Recht*: Treuhänder(in), Vermögensverwalter(in)
trusting ['trʌstɪŋ] vertrauensvoll
trustworthy ['trʌstˌwɜːðɪ] vertrauenswürdig
truth [truːθ] *Pl.*: ***truths*** [⚠ truːðz] Wahrheit; ***in truth*** in Wahrheit; ***there's no truth in it*** daran ist nichts Wahres; ***to tell*** (***you***) ***the truth*** um die Wahrheit zu sagen
truthful ['truːθfl] **1.** wahrheitsgemäß **2.** *Person*: wahrheitsliebend
try[1] [traɪ], ***tried*** [traɪd], ***tried*** [traɪd] **1.** versuchen (***to do*** zu tun); ***try hard*** sich große Mühe geben **2.** (≈ *testen*) ausprobieren **3.** probieren, kosten (*Essen*, *Trinken*) **4.** *Recht*: verhandeln (über); ***try someone*** jemandem den Prozess machen (***for*** wegen) **5.** auf die Probe stellen (*jemandes Geduld*) **6.** es versuchen; ***try and come*** *umg.* versuch zu kommen; ☞ *Info S. 498*

try for ['traɪ‿fɔː] *BE* sich bemühen um (*Stelle*, *Stipendium usw.*)
try on [ˌtraɪ'ɒn] **1.** anprobieren, aufprobieren (*Hut usw.*) **2.** ***try it on*** *BE*, *umg.* probieren, wie weit man gehen kann
try out [ˌtraɪ'aʊt] **1.** ausprobieren **2.** ***try out for*** *AE* sich bemühen um

T

try – (es) versuchen, sich bemühen, etwas ausprobieren

Das Verb **try** kann sowohl mit dem Infinitiv (**try to do something**) als auch mit der **-ing**-Form (**try doing something**) erscheinen. Es gibt jedoch einen Unterschied in der Bedeutung:

try to do something	versuchen / sich bemühen etwas zu tun
I tried to reach the light, but it was too high up.	Ich versuchte ans Licht heranzukommen, aber es war zu hoch.
I tried to ring you at least five times.	Ich hab mindestens fünfmal versucht dich anzurufen.

Hier wird die Schwierigkeit oder Anstrengung betont, um das Erzielte zu erreichen.

try doing something	etwas ausprobieren, es mit etwas versuchen
"I can't lift this case." – "Try pushing it."	„Ich kann diesen Koffer nicht heben." – „Probier mal, ob du ihn schieben kannst."

Hier geht es um die Möglichkeit bzw. den Versuch, das erwünschte Ziel zu erreichen. Oft wird das in Form eines Vorschlags ausgedrückt.

try[2] [traɪ] Versuch; ***have a try*** es versuchen; ***I'll give it a try*** ich werde es versuchen

trying ['traɪɪŋ] anstrengend, aufreibend

T-shirt ['tiː‿ʃɜːt] T-Shirt

tub [tʌb] **1.** Bottich, Tonne **2.** Becher (*für Margarine usw.*) **3.** *AE* (Bade)Wanne

tube [tjuːb] **1.** Röhre, Rohr **2.** Schlauch **3.** Tube **4.** ***the Tube*** *umg.* die U-Bahn (*in London*); ***by Tube*** mit der U-Bahn

TUC [ˌtiːjuː'siː] (*Abk. für* **T**rades **U**nion **C**ongress) *BE* Gewerkschaftsbund

tuck [tʌk] stecken; ***tuck something under one's arm*** sich etwas unter den Arm klemmen

> **tuck in** [ˌtʌk'ɪn] **1.** *bes. BE, umg.* reinhauen **2.** ins Bett packen (*Kind*)
> **tuck up** [ˌtʌk'ʌp] *auch* ***tuck up in bed*** ins Bett packen (*Kind*)

Tuesday ['tjuːzdɪ] Dienstag; ***on Tuesday*** (am) Dienstag; ***on Tuesdays*** dienstags

tug[1] [tʌg], ***tugged, tugged*** zerren *oder* ziehen (an)

tug[2] [tʌg] **1.** Ruck; ***tug-of-war*** Tauziehen **2.** *Boot*: Schlepper

tuition [tjuː'ɪʃn] **1.** Unterricht **2.** *bes. AE* Unterrichtsgebühr(en)

tulip ['tjuːlɪp] Tulpe

tumble ['tʌmbl] fallen (*auch Preise*), stürzen

tumble dryer [ˌtʌmbl'draɪə] Trockenautomat, Wäschetrockner

tummy ['tʌmɪ] *umg.* Bauch; ***he's got a sore tummy, he's got (a) tummy-ache*** er hat Bauchweh

tumour, *AE* **tumor** ['tjuːmə] Tumor

tumult ['tjuːmʌlt] Tumult

tumultuous [tjuː'mʌltʃʊəs] tumultartig, *Applaus, Empfang*: stürmisch

tuna ['tjuːnə] Thunfisch, (CH) Thon

tune[1] [tjuːn] **1.** Melodie **2.** ***be out of tune*** *Instrument*: verstimmt sein

tune[2] [tjuːn] **1.** *auch* ***tune up*** stimmen (*Instrument*) **2.** *auch* ***tune up*** tunen (*Motor*) **3.** einstellen (*Radio usw.*) (***to*** auf)

> **tune in** [ˌtjuːn'ɪn] **1.** (das Radio *usw.*) einschalten; ***tune in to*** einschalten (*Sender, Programm*); ***be tuned in to*** eingeschaltet haben (*Sender, Programm*) **2.** einstellen (*Radio usw.*) (***to*** auf)

Tunisia [tjuː'nɪzɪə] Tunesien

Tunisian[1] [tjuː'nɪzɪən] tunesisch

Tunisian[2] [tjuː'nɪzɪən] Tunesier(in)

tunnel[1] ['tʌnl] Tunnel, Unterführung

tunnel[2] ['tʌnl] ***tunnelled, tunnelled***, *AE* ***tunneled, tunneled*** durchtunneln (*Berg*), untertunneln (*Fluss usw.*)

turbulence ['tɜːbjʊləns] *beim Fliegen*: Turbulenzen

turf [tɜːf] **1.** Rasen, Rasenstück **2.** ***the tur[f]*** der Pferderennsport

Turk [tɜːk] Türke, Türkin

turkey ['tɜːkɪ] Truthahn, Truthenne

Turkey ['tɜːkɪ] *die* Türkei

Turkish[1] ['tɜːkɪʃ] türkisch

Turkish[2] ['tɜːkɪʃ] *Sprache*: Türkisch

turmoil ['tɜːmɔɪl] Aufruhr

turn[1] [tɜːn] **1.** sich drehen **2.** drehen, *vo[n] Schlüssel auch*: herumdrehen **3.** umdre[hen]

T

hen (*Schallplatte usw.*), umblättern (*Seite*), wenden (*Braten usw.*) **4.** *auf Straße*: abbiegen, einbiegen (***into*** in); ***turn left*** (sich) nach links wenden, *Auto*: links abbiegen **5.** (*Person*) sich umdrehen **6.** ***turn the corner*** um die Ecke biegen **7.** richten (*Schlauch usw.*) (***on*** auf) **8.** zuwenden (*Aufmerksamkeit*) (***to*** *dt. Dativ*) **9.** *mit Adjektiv*: werden; ***turn pale*** blass werden **10.** sich verwandeln, *übertragen* umschlagen (***into, to*** in) **11.** *in einen anderen Zustand versetzen*: verwandeln (***into*** in); ***the novel was turned into a film*** der Roman wurde verfilmt

turn away [ˌtɜːn‿əˈweɪ] **1.** abwenden (*Gesicht usw.*) (***from*** von) **2.** abweisen (*Person*) **3.** sich abwenden (***from*** von)
turn back [ˌtɜːnˈbæk] **1.** umkehren **2.** zurückschicken (*Person*) **3.** zurückstellen (*Uhr*) **4.** *Buch*: zurückblättern (***to*** auf)
turn down [ˌtɜːnˈdaʊn] **1.** umlegen (*Kragen*), zurückschlagen (*Bettdecke*) **2.** leiser stellen (*Radio usw.*), zurückdrehen (*Heizung*) **3.** ablehnen (*Angebot usw.*)
turn in [ˌtɜːnˈɪn] **1.** ***turn oneself in*** sich stellen (*der Polizei*) **2.** *umg.* (≈ *zu Bett gehen*) sich aufs Ohr legen
turn off [ˌtɜːnˈɒf] **1.** abdrehen (*Gas, Wasser*) **2.** ausmachen, ausschalten (*Licht usw.*) **3.** abstellen (*Motor*) **4.** *auf Straße*: abbiegen **5.** ***it turns me off*** *umg.* das widert mich an, das nimmt mir die Lust
turn on [ˌtɜːnˈɒn] **1.** aufdrehen (*Gas, Wasser*) **2.** anstellen (*Gerät*) **3.** anmachen, anschalten (*Licht, Radio usw.*) **4.** *umg.* anturnen, anmachen (*auch sexuell*) **5.** (*Erfolg usw.*) abhängen von **6.** (≈ *angreifen*) losgehen auf
turn out [ˌtɜːnˈaʊt] **1.** ausmachen, ausschalten (*Licht*) **2.** hinauswerfen (*Person*) **3.** (*Menschen*) erscheinen, kommen (***for*** zu) **4.** (*Fabrik usw.*) ausstoßen (*Waren*) **5.** (aus)leeren (*Tasche usw.*) **6.** sich erweisen *oder* herausstellen (***a success*** als Erfolg; ***to be false*** als falsch); ***he turned out to be a good swimmer*** er erwies sich als guter Schwimmer
turn over [ˌtɜːnˈəʊvə] **1.** umdrehen (*Schallplatte usw.*), umblättern (*Seite*), wenden (*Braten usw.*) **2.** (*Person*) sich umdrehen **3.** (*Gegenstand*) umkippen **4.** übergeben (*Person, Sache*) (***to***; *dt. Dativ*) **5.** *Buch*: umblättern; ***please turn over*** bitte wenden
turn round [ˌtɜːnˈraʊnd] **1.** sich umdrehen **2.** ***turn one's car round*** wenden
turn to [ˈtɜːn‿tʊ] ***turn to someone*** sich jemandem zuwenden, *übertragen* sich an jemanden wenden
turn up [ˌtɜːnˈʌp] **1.** lauter stellen (*Radio usw.*) **2.** (*Verlorenes*) (wieder) auftauchen **3.** (≈ *kommen*) auftauchen

turn[2] [tɜːn] **1.** (Um)Drehung **2.** Biegung, Kurve; ***make a right turn*** nach rechts abbiegen **3.** ***in turn*** der Reihe nach, abwechselnd; ***it's my turn*** ich bin dran; ***miss a turn*** *Brettspiele*: einmal aussetzen; ***take turns*** sich abwechseln (***at*** bei); ***take turns at doing something*** *oder* ***take it in turn(s) to do something*** etwas abwechselnd tun **4.** *übertragen* Wende, Wendung; ***at the turn of the century*** um die Jahrhundertwende; ***take a turn for the better*** (*bzw.* ***worse***) sich zum Besseren (*bzw.* Schlechteren) wenden **5.** ***do someone a good*** (*bzw.* ***bad***) ***turn*** jemandem einen guten (*bzw.* schlechten) Dienst erweisen
turncoat [ˈtɜːnkəʊt] Abtrünniger(r), *umg.* Wendehals
turning [ˈtɜːnɪŋ] Abzweigung
turning point [ˈtɜːnɪŋ‿pɔɪnt] *übertragen* Wendepunkt
turnip [ˈtɜːnɪp] Rübe
turn-off [ˈtɜːnɒf] *Straße*: Abzweigung
turnout [ˈtɜːnaʊt] **1.** (Wahl)Beteiligung **2.** *umg.* Aufmachung (*einer Person*)
turnover [ˈtɜːnˌəʊvə] *Wirtschaft*: Umsatz
turnpike [ˈtɜːnpaɪk] *AE* gebührenpflichtige Schnellstraße
turnstile [ˈtɜːnstaɪl] Drehkreuz
turquoise[1] [ˈtɜːkwɔɪz] türkis, türkisfarben
turquoise[2] [ˈtɜːkwɔɪz] *Edelstein*: Türkis
turtle [ˈtɜːtl] **1.** Wasserschildkröte **2.** *AE*; *allg.*: Schildkröte
turtleneck [ˈtɜːtlnek] *bes. AE* Rollkragen(pullover)
Tuscany [ˈtʌskənɪ] die Toskana
tusk [tʌsk] *von Elefant usw.*: Stoßzahn
tutor[1] [ˈtjuːtə] **1.** Privatlehrer(in) **2.** *in GB, Universität*: Studienleiter(in), Tutor(in)
tutor[2] [ˈtjuːtə] unterrichten, Nachhilfe geben
tux [tʌks] *umg.*, **tuxedo** [tʌkˈsiːdəʊ] *Pl.*: ***tuxedos*** *AE* Smoking
TV[1] [ˌtiːˈviː] **1.** Fernsehen; ***on*** (***the***) ***TV*** im Fernsehen; ***watch TV*** fernsehen **2.** *Gerät*: Fernseher
TV[2] [ˌtiːˈviː] Fernseh…
tweezers [ˈtwiːzəz] *Pl., auch* ***pair of tweezers*** Pinzette
twelfth[1] [twelfθ] zwölfte(r, -s)

T

twelfth[2] [twelfθ] **1.** Zwölfte(r, -s) **2.** *Bruchteil*: Zwölftel
twelve[1] [twelv] zwölf
twelve[2] [twelv] *Buslinie usw.*: Zwölf
twenty[1] ['twentɪ] zwanzig
twenty[2] ['twentɪ] Zwanzig; ***be in one's twenties*** in den Zwanzigern sein; ***in the twenties*** in den Zwanzigerjahren (*eines Jahrhunderts*)
twice [twaɪs] zweimal; ***twice as much*** doppelt *oder* zweimal so viel; ***think twice*** es sich genau überlegen (***before*** bevor)
twiddle ['twɪdl] ***twiddle one's thumbs*** *übertragen* Däumchen drehen
twig [twɪg] Zweig
twilight ['twaɪlaɪt] **1.** (*bes.* Abend)Dämmerung **2.** Zwielicht, Dämmerlicht
twin[1] [twɪn] Zwilling
twin[2] [twɪn] Zwillings...; ***twin brother*** Zwillingsbruder; ***twin sister*** Zwillingsschwester; ***twin towers*** *Pl.* Zwillingstürme; ***twin beds*** *Pl.* zwei Einzelbetten; ***twin town*** *BE* Partnerstadt
twin[3] [twɪn] ***be twinned with*** *BE*; *Stadt*: die Partnerstadt sein von
twine [twaɪn] Bindfaden, Schnur
twined [twaɪnd] **1.** *auch* ***twined together*** zusammengedreht **2.** gewunden (***round*** um)
twinge [twɪndʒ] (leichter) Schmerz
twinkle[1] ['twɪŋkl] (*Sterne*) glitzern, (*auch Augen*) funkeln (***with*** vor)
twinkle[2] ['twɪŋkl] **1.** Glitzern **2.** ***with a twinkle in one's eye*** augenzwinkernd
twinkling ['twɪŋklɪŋ] ***in the twinkling of an eye*** im Handumdrehen, im Nu
twirl [twɜːl] **1.** (herum)wirbeln **2.** wirbeln (***round*** über)
twist[1] [twɪst] **1.** sich winden, (*Fluss usw. auch*) sich schlängeln **2.** wickeln (***round*** um); ***twist someone round one's little finger*** *übertragen* jemanden um den (kleinen) Finger wickeln **3.** drehen **4.** ***twist one's ankle*** (mit dem Fuß) umknicken, sich den Fuß vertreten **5.** *übertragen* entstellen, verdrehen
twist[2] [twɪst] **1.** Drehung **2.** Biegung **3.** *übertragen* Wendung **4.** *Tanz*: Twist **5.** ***be round the twist*** *BE*, *umg.* verrückt sein
twister ['twɪstə] **1.** *BE*, *umg.* Gauner(in) **2.** *AE*, *umg.* Tornado
twit [twɪt] *umg.* Idiot
twitch[1] [twɪtʃ] **1.** zucken (mit) **2.** zupfen a[n]
twitch[2] [twɪtʃ] Zucken, Zuckung
twitter ['twɪtə] zwitschern
two[1] [tuː] **1.** zwei **2.** ***in a day or two*** in ei[n] paar Tagen; ***break*** (*bzw.* ***cut***) ***in two*** i[n] zwei Teile brechen (*bzw.* schneiden); ***the two cars*** die beiden Autos
two[2] [tuː] **1.** *Buslinie, Spielkarte usw.*: Zwe[i] **2.** ***the two of us*** wir beide; ***in twos*** z[u] zweit, paarweise; ***put two and two together*** zwei und zwei zusammenzählen
two-faced [ˌtuː'feɪst] falsch, heuchlerisc[h]
twofold ['tuːfəʊld] zweifach
twopence [⚠ 'tʌpəns] *BE* **1.** zwei Pence **2.** ***I don't care*** (*oder* ***give***) ***twopence*** *um[g.]* das ist mir völlig egal
twopenny [⚠ 'tʌpnɪ] *BE*, *umg.* **1.** für zw[ei] Pence, Zweipenny... **2.** *übertragen* billi[g]
two-way ['tuːweɪ] ***two-way traffic*** Gege[n]verkehr
tycoon [taɪ'kuːn] (Industrie)Magnat
tying [taɪɪŋ] *-ing-Form von* → ***tie***[2]
type[1] [taɪp] **1.** Art, Sorte **2.** Typ; ***of thi[s] type*** dieser Art; ***she's not my typ[e]*** *umg.* sie ist nicht mein Typ
type[2] [taɪp] Maschine schreiben, tippen
typewriter ['taɪpˌraɪtə] Schreibmaschine
typewritten ['taɪpˌrɪtn] *Brief, Manuskrip[t]* maschine(n)geschrieben
typhoon [taɪ'fuːn] *Sturm*: Taifun
typical ['tɪpɪkl] typisch (***of*** für)
typing ['taɪpɪŋ] ***typing error*** Tippfehler
typist ['taɪpɪst] Schreibkraft; ***shorthan[d] typist*** Stenotypistin
tyrannize [⚠ 'tɪrənaɪz] tyrannisieren
tyranny [⚠ 'tɪrənɪ] Tyrannei
tyrant ['taɪrənt] Tyrann
tyre ['taɪə] *bes. BE* Reifen, Ⓒⓗ Pneu
Tyrol [tɪ'rəʊl] Tirol
Tyrolean[1] [ˌtɪrə'liːən] tirol(er)isch
Tyrolean[2] [ˌtɪrə'liːən] *Sprache*: Tiroleris[ch]
Tyrolean[3] [ˌtɪrə'liːən] Tiroler(in)

T

U

ubiquitous [juːˈbɪkwɪtəs] allgegenwärtig
udder [ˈʌdə] *von Tier*: Euter
UFO [ˌjuːefˈəʊ, ˈjuːfəʊ] *Pl.*: ***UFO's*** *oder* ***UFOs*** (*Abk. für* **U**nidentified **F**lying **O**bject) Ufo, UFO
ugh [ʌg, ɜː] ***ugh!*** igitt!
ugliness [ˈʌglɪnəs] Hässlichkeit
ugly [ˈʌglɪ] **1.** hässlich (*auch übertragen*) **2.** *Wunde usw.*: bös, schlimm
UK [ˌjuːˈkeɪ] *Abk. für* → ***United Kingdom***
Ukraine [juːˈkreɪn] Ukraine
Ukrainian[1] [juːˈkreɪnɪən] ukrainisch
Ukrainian[2] [juːˈkreɪnɪən] *Sprache*: Ukrainisch
Ukrainian[3] [juːˈkreɪnɪən] Ukrainer(in)
ulcer [ˈʌlsə] *medizinisch*: Geschwür
ulterior [ʌlˈtɪərɪə] ***ulterior motive*** Hintergedanke
ultimate[1] [ˈʌltɪmət] **1.** *Ziel, Ergebnis usw.*: letzte(r, -s), End… **2.** *Autorität usw.*: höchste(r, -s)
ultimate[2] [ˈʌltɪmət] ***the ultimate in*** das Höchste an
ultimately [ˈʌltɪmətlɪ] **1.** schließlich **2.** (≈ *im Grunde genommen*) letztlich, letzten Endes
ultimatum [ˌʌltɪˈmeɪtəm] *Pl.*: ***ultimatums*** *oder* ***ultimata*** [ˌʌltɪˈmeɪtə] Ultimatum
ultrahigh [ˈʌltrəhaɪ] ***ultrahigh frequency*** *Radio, Funk*: Ultrakurzwelle
ultrasonic [ˌʌltrəˈsɒnɪk] Ultraschall…
ultrasound [ˈʌltrəsaʊnd] Ultraschall
ultraviolet [ˌʌltrəˈvaɪələt] ultraviolett
umbilical [ʌmˈbɪlɪkl] ***umbilical cord*** *bei Neugeborenen*: Nabelschnur
umbrella [ʌmˈbrelə] **1.** (Regen)Schirm **2.** *übertragen* Schutz; ***under the umbrella of*** unter dem Schutz (+ *Genitiv*)
umbrella organization [ʌmˈbreləˌɔːgənaɪˈzeɪʃn] Dachorganisation
umbrella stand [ʌmˈbrelə‿stænd] Schirmständer
umpire[1] [ˈʌmpaɪə] *Sport*: Schiedsrichter (-in)
umpire[2] [ˈʌmpaɪə] *Sport*: als Schiedsrichter fungieren (bei)
umpteen [ˌʌmpˈtiːn] ***umpteen times*** *umg.* x-mal
umpteenth [ˌʌmpˈtiːnθ] ***for the umpteenth time*** *umg.* zum x-ten Mal
UN [ˌjuːˈen] (*Abk. für* **U**nited **N**ations) UNO
unabashed [ˌʌnəˈbæʃt] ungeniert, unverfroren
unable [ʌnˈeɪbl] ***be unable to do something*** unfähig sein, etwas zu tun, etwas nicht tun können
unabridged [ˌʌnəˈbrɪdʒd] *Roman, Wörterbuch usw.*: ungekürzt
unacceptable [ˌʌnəkˈseptəbl] unannehmbar (***to*** für), unzumutbar
unaccompanied [⚠ ˌʌnəˈkʌmpənɪd] ohne Begleitung (*auch musikalisch*)
unaccounted [ˌʌnəˈkaʊntɪd] ***ten persons are still unaccounted for*** zehn Personen werden noch vermisst
unaccustomed [ˌʌnəˈkʌstəmd] **1.** ungewohnt **2.** ***be unaccustomed to something*** etwas nicht gewohnt sein
unaffected [ˌʌnəˈfektɪd] **1.** ***be unaffected by*** nicht betroffen werden von **2.** natürlich, ungekünstelt
unambiguous [ˌʌnæmˈbɪgjʊəs] unzweideutig, eindeutig
unanimous [⚠ juːˈnænɪməs] einmütig, einstimmig; ***by a unanimous decision*** einstimmig
unanswered [ʌnˈɑːnsəd] *Brief, Frage usw.*: unbeantwortet
unapproachable [ˌʌnəˈprəʊtʃəbl] **1.** *Gegend usw.*: unzugänglich **2.** *Person*: unnahbar
unarmed [ˌʌnˈɑːmd] unbewaffnet
unasked [ˌʌnˈɑːskt] **1.** *Frage*: ungestellt **2.** *Hilfe usw.*: unaufgefordert, ungebeten **3.** *Besucher, Gast*: uneingeladen, ungebeten
unassisted [ˌʌnəˈsɪstɪd] (ganz) allein, ohne (fremde) Hilfe
unassuming [ˌʌnəˈsjuːmɪŋ] bescheiden
unattached [ˌʌnəˈtætʃt] *Person*: ungebunden
unattended [ˌʌnəˈtendɪd] unbeaufsichtigt
unattractive [ˌʌnəˈtræktɪv] unattraktiv
unauthorized [ˌʌnˈɔːθəraɪzd] unbefugt, unberechtigt
unavailable [ˌʌnəˈveɪləbl] **1.** nicht erhältlich **2.** *Person*: nicht erreichbar

unavoidable [ˌʌnə'vɔɪdəbl] unvermeidlich
unaware [ˌʌnə'weə] ***be unaware of something*** sich einer Sache nicht bewusst sein, etwas nicht bemerken; ***be unaware that …*** nicht bemerken, dass …
unawares [ˌʌnə'weəz] ***catch*** (*oder* ***take***) ***someone unawares*** jemanden überraschen *oder* überrumpeln
unbalance [ˌʌn'bæləns] aus dem Gleichgewicht bringen (*auch seelisch*)
unbalanced [ˌʌn'bælənst] **1.** *Charakter, Person*: labil **2.** *Bericht, Gutachten usw.*: einseitig **3.** *Konto, Bilanz usw.*: unausgeglichen
unbearable [ʌn'beərəbl] unerträglich
unbeatable [ʌn'biːtəbl] unschlagbar (*auch Preise usw.*)
unbeaten [ʌn'biːtn] *Sport*: ungeschlagen
unbelievable [ˌʌnbɪ'liːvəbl] unglaublich
unbending [ʌn'bendɪŋ] unbeugsam
unbiased, unbiassed [ʌn'baɪəst] unvoreingenommen, *Recht*: unbefangen
unbind [ˌʌn'baɪnd], ***unbound*** [ˌʌn'baʊnd], ***unbound*** [ˌʌn'baʊnd] losbinden
unblemished [ˌʌn'blemɪʃt] *Ruf usw.*: makellos
unborn [ˌʌn'bɔːn] ungeboren
unbreakable [ʌn'breɪkəbl] unzerbrechlich
unbroken [ʌn'brəʊkən] **1.** (≈ *ganz*) unzerbrochen **2.** (≈ *andauernd*) ununterbrochen (*Frieden, Sonnenschein usw.*) **3.** *Rekord, Siegesserie*: ungebrochen **4.** *Pferd*: nicht zugeritten
unburden [ˌʌn'bɜdn] von einer Last befreien; ***unburden oneself to someone*** jemandem sein Herz ausschütten
unbutton [ˌʌn'bʌtn] aufknöpfen
uncalled-for [ʌn'kɔːldfɔː] **1.** *Kritik*: ungerechtfertigt **2.** *Bemerkung usw.*: deplatziert, unpassend, unnötig
uncanny [ʌn'kænɪ] *Gefühl*: unheimlich
unceasing [ʌn'siːsɪŋ] unaufhörlich
uncertain [ʌn'sɜːtn] **1.** unsicher, ungewiss, unbestimmt **2.** *Wetter*: unbeständig
uncertainty [ʌn'sɜːtntɪ] Unsicherheit, Ungewissheit
unchanged [ʌn'dʒeɪndʒd] unverändert
unchanging [ʌn'dʒeɪndʒɪŋ] unveränderlich
uncharitable [ʌn'tʃærɪtəbl] unfair; ***that was rather uncharitable of you*** das war nicht gerade nett von dir (***to do*** zu tun)
unchecked [ˌʌn'tʃekt] **1.** *Verbreitung usw.*: ungehindert, ungehemmt **2.** *bei Waren usw.*: unkontrolliert, ungeprüft
uncivil [ˌʌn'sɪvl] unhöflich
uncivilized [ʌn'sɪvəlaɪzd] unzivilisiert
uncle ['ʌŋkl] Onkel

Uncle Sam

Uncle Sam steht als Symbolfigur für die USA. Er wird als älterer, weißhaariger, bärtiger Herr dargestellt, auf dessen Anzug und Zylinder die amerikanische Flagge zu sehen ist.

unclean [ˌʌn'kliːn] unrein (*auch übertragen*)
uncomfortable [ʌn'kʌmftəbl] **1.** unbequem **2.** ***feel uncomfortable*** sich unbehaglich fühlen
uncommon [ʌn'kɒmən] ungewöhnlich
uncommunicative [ˌʌnkə'mjuːnɪkətɪv] verschlossen, wortkarg
uncompromising [ʌn'kɒmprəmaɪzɪŋ] kompromisslos
unconcerned [ˌʌnkən'sɜːnd] ***be unconcerned about*** sich keine Gedanken *oder* Sorgen machen über
unconditional [ˌʌnkən'dɪʃnəl] *Kapitulation usw.*: bedingungslos
unconfirmed [ˌʌnkən'fɜːmd] *Bericht, Gerücht usw.*: unbestätigt
unconscious [ʌn'kɒnʃəs] **1.** bewusstlos **2.** ***be unconscious of something*** sich einer Sache nicht bewusst sein, etwas nicht bemerken **3.** unbewusst, unbeabsichtigt
unconsciousness [ʌn'kɒnʃəsnəs] Bewusstlosigkeit
unconsidered [ˌʌnkən'sɪdəd] *Bemerkung usw.*: unbedacht, unüberlegt
unconstitutional ['ʌnˌkɒnstɪ'tjuːʃnəl] verfassungswidrig
uncontrollable [ˌʌnkən'trəʊləbl] **1.** unkontrollierbar, *Kind*: nicht zu bändigen(d) **2.** *Wut usw.*: unbändig
uncontrolled [ˌʌnkən'trəʊld] **1.** *Kinder*: unbeaufsichtigt **2.** *Gefühlsäußerung*: unkontrolliert, hemmungslos
unconventional [ˌʌnkən'venʃnəl] unkonventionell
uncooked [ˌʌn'kʊkt] ungekocht, roh
uncooperative [ˌʌnkəʊ'ɒprətɪv] nicht entgegenkommend, nicht hilfsbereit
uncork [ˌʌn'kɔːk] entkorken (*Flasche*)
uncountable [ʌn'kaʊntəbl] unzählbar (*auch Sprache*)
uncouth [ʌn'kuːθ] *Person usw.*: ungehobelt
uncover [ʌn'kʌvə] aufdecken, *übertragen auch*: enthüllen
uncritical [ˌʌn'krɪtɪkl] unkritisch
uncrowned [ˌʌn'kraʊnd] ungekrönt (*auch übertragen*)
uncultured [ʌn'kʌltʃəd] unkultiviert
undamaged [ʌn'dæmɪdʒd] unbeschädigt
undated [ˌʌn'deɪtɪd] *Brief usw.*: undatiert, ohne Datum

undecided [ˌʌndɪˈsaɪdɪd] **1.** *Person*: unentschlossen **2.** *Ergebnis usw.*: unentschieden, offen

undelete [ˌʌndɪˈliːt] *Computer*: wiederherstellen (*Datei*, *Text usw.*)

undeniable [ˌʌndɪˈnaɪəbl] unbestreitbar

under[1] [ˈʌndə] **1.** *allg.*: unter; ***it costs under £10*** *auch*: es kostet weniger als 10 Pfund **2. *have someone under one*** jemanden unter sich haben

under[2] [ˈʌndə] **1.** unten **2.** (≈ *weniger*) darunter

underachieve [ˌʌndərəˈtʃiːv] *bes. in der Schule*: hinter den Erwartungen zurückbleiben

underachiever [ˌʌndərəˈtʃiːvə] Schüler (-in), der/die hinter den Erwartungen zurückbleibt

underage [ˌʌndərˈeɪdʒ] minderjährig

undercarriage [ˈʌndəˌkærɪdʒ] *Flugzeug*: Fahrwerk

undercharge [ˌʌndəˈtʃɑːdʒ] zu wenig berechnen *oder* verlangen; ***undercharge someone by £10*** jemandem 10 Pfund zu wenig berechnen

underclothes [ˈʌndəkləʊ(ð)z] *Pl.* Unterwäsche

undercover [ˌʌndəˈkʌvə] ***undercover agent*** verdeckter Ermittler

undercut [ˌʌndəˈkʌt], ***undercut, undercut*** (im Preis) unterbieten

underdeveloped country [ˌʌndədɪveləptˈkʌntrɪ] Entwicklungsland

underdog [ˈʌndədɒg] Benachteiligte(r)

underdone [ˌʌndəˈdʌn] *Steak usw.*: nicht gar, nicht durchgebraten

underdress [ˌʌndəˈdres] sich zu leger anziehen (*für einen Anlass*)

underestimate [ˌʌndərˈestɪmeɪt] **1.** zu niedrig veranschlagen (*Kosten usw.*) **2.** *übertragen* unterschätzen

underfloor [ˈʌndəflɔː] ***underfloor heating*** Fußbodenheizung

undergo [ˌʌndəˈgəʊ], ***underwent*** [ˌʌndəˈwent], ***undergone*** [ˌʌndəˈgɒn] **1.** erleben, durchmachen **2.** sich unterziehen (*einer Operation usw.*)

undergrad [ˈʌndəgræd] *umg.*, **undergraduate** [ˌʌndəˈgrædʒʊət] *Universität*: Student(in)

underground[1] [ˌʌndəˈgraʊnd] **1.** unterirdisch; ***underground car park*** Tiefgarage **2.** *übertragen* Untergrund…

underground[2] [ˌʌndəˈgraʊnd] **1.** unterirdisch **2. *go underground*** *übertragen* untertauchen, in den Untergrund gehen

underground[3] [ˈʌndəgraʊnd] **1.** *bes. BE* U-Bahn; ***by underground*** mit der U-Bahn **2.** *übertragen* Untergrund

undergrowth [ˈʌndəgrəʊθ] Unterholz

underhand [ˌʌndəˈhænd], **underhanded** [ˌʌndəˈhændɪd] hinterhältig

underlie [ˌʌndəˈlaɪ], ***underlay*** [ˌʌndəˈleɪ], ***underlain*** [ˌʌndəˈleɪn] zugrunde liegen

underline [ˌʌndəˈlaɪn] unterstreichen (*auch übertragen*)

undermine [ˌʌndəˈmaɪn] **1.** *übertragen* untergraben, unterminieren **2.** unterspülen

underneath[1] [ˌʌndəˈniːθ] unter

underneath[2] [ˌʌndəˈniːθ] darunter

underneath[3] [ˌʌndəˈniːθ] *umg.* Unterseite

undernourished [ˌʌndəˈnʌrɪʃt] unterernährt

underpants [ˈʌndəpænts] *Pl.*, *auch* ***pair of underpants*** Unterhose

underpass [ˈʌndəpɑːs] (Straßen-, Eisenbahn)Unterführung

underpay [ˌʌndəˈpeɪ], ***underpaid*** [ˌʌndəˈpeɪd], ***underpaid*** [ˌʌndəˈpeɪd] zu wenig zahlen, unterbezahlen

underprivileged [ˌʌndəˈprɪvəlɪdʒd] unterprivilegiert, benachteiligt

underrate [ˌʌndəˈreɪt] unterschätzen

undersecretary [ˌʌndəˈsekrətrɪ] *politisch*: Staatssekretär

undershirt [ˈʌndəʃɜːt] *AE* Unterhemd

undersigned [ˌʌndəˈsaɪnd] ***the undersigned*** der *oder* die Unterzeichnete, die Unterzeichneten

undersize [ˌʌndəˈsaɪz], **undersized** [ˌʌndəˈsaɪzd] zu klein

understaffed [ˌʌndəˈstɑːft] *Firma, Behörde usw.*: (personell) unterbesetzt

understand [ˌʌndəˈstænd], ***understood*** [ˌʌndəˈstʊd], ***understood*** [ˌʌndəˈstʊd] **1.** verstehen; ***make oneself understood*** sich verständlich machen **2. *I understand (that) …*** ich habe gehört *oder* erfahren, dass …; ***am I to understand that …*** soll das heißen, dass …; ***give someone to understand that …*** jemandem zu verstehen geben, dass …

understandable [ˌʌndəˈstændəbl] verständlich (*auch übertragen*); ***understandably*** *auch*: verständlicherweise

understanding[1] [ˌʌndəˈstændɪŋ] **1.** Verstand; ***be*** (*oder* ***go***) ***beyond someone's understanding*** über jemandes Verstand gehen **2.** Verständnis (***of*** für); ***with understanding*** verständnisvoll **3. *come to an understanding*** eine Abmachung treffen (***with*** mit); ***on the understanding that …*** unter der Voraussetzung, dass …

understanding[2] [ˌʌndəˈstændɪŋ] verständnisvoll

understate [ˌʌndəˈsteɪt] untertreiben, untertrieben darstellen

U

understatement [ˌʌndəˈsteɪtmənt] Untertreibung
understood [ˌʌndəˈstʊd] *2. und 3. Form von* → ***understand***
undertake [ˌʌndəˈteɪk], ***undertook*** [ˌʌndəˈtʊk], ***undertaken*** [ˌʌndəˈteɪkən] **1.** übernehmen (*Aufgabe usw.*) **2.** sich verpflichten (***to do*** zu tun)
undertaker [ˈʌndəteɪkə] (Leichen)Bestatter, Beerdigungsinstitut (⚠ *nicht* ***Unternehmer***)
undertaking [ˌʌndəˈteɪkɪŋ] ***a risky undertaking*** ein riskantes Unternehmen
underwater[1] [ˌʌndəˈwɔːtə] Unterwasser…
underwater[2] [ˌʌndəˈwɔːtə] unter Wasser
underwear [ˈʌndəweə] Unterwäsche
underweight [ˌʌndəˈweɪt] zu leicht (***by*** um), *Person*: untergewichtig; ***be underweight by five kilos*** *oder* ***be five kilos underweight*** fünf Kilo Untergewicht haben
underwent [ˌʌndəˈwent] *2. Form von* → ***undergo***
underworld [ˈʌndəwɜːld] Unterwelt
undeserved [ˌʌndɪˈzɜːvd] *Lob, Tadel usw.*: unverdient
undeservedly [ˌʌndɪˈzɜːvɪdlɪ] unverdient (-ermaßen)
undesirable [ˌʌndɪˈzaɪərəbl] unerwünscht
undid [ʌnˈdɪd] *2. Form von* → ***undo***
undies [ˈʌndɪz] *Pl. umg.* (*bes.* Damen)Unterwäsche
undisciplined [ʌnˈdɪsɪplɪnd] undiszipliniert, disziplinlos
undiscovered [ˌʌndɪˈskʌvəd] unentdeckt
undisturbed [ˌʌndɪˈstɜːbd] ungestört
undivided [ˌʌndɪˈvaɪdɪd] ungeteilt (*auch übertragen*)
undo [ʌnˈduː], ***undid*** [ʌnˈdɪd], ***undone*** [ʌnˈdʌn] **1.** aufmachen, öffnen (*Paket, Verschluss usw.*) **2.** *übertragen* zunichte machen
undoing [ʌnˈduːɪŋ] ***be someone's undoing*** jemandes Verderben sein
undone [ʌnˈdʌn] *3. Form von* → ***undo***
undoubtedly [ʌnˈdaʊtɪdlɪ] zweifellos
undreamed-of [ʌnˈdriːmdɒv], **undreamt-of** [ʌnˈdremtɒv] ungeahnt
undress [ʌnˈdres] **1.** sich ausziehen, *beim Arzt*: sich freimachen **2.** ausziehen (*Baby usw.*); ***get undressed*** sich ausziehen
undrinkable [ʌnˈdrɪŋkəbl] ungenießbar
undying [ʌnˈdaɪɪŋ] ewig, unsterblich
unease [ʌnˈiːz], **uneasiness** [ʌnˈiːzɪnəs] Unbehagen
uneasy [ʌnˈiːzɪ] unbehaglich; ***I'm uneasy about*** mir ist nicht wohl bei
uneatable [ˌʌnˈiːtəbl] ungenießbar
uneconomic [ˈʌnˌiːkəˈnɒmɪk] *Unternehmen, Produkt usw.*: unwirtschaftlich
uneconomical [ˈʌnˌiːkəˈnɒmɪkl] *im Verbrauch von Rohstoffen, Energie usw.*: unwirtschaftlich, nicht sparsam
uneducated [ʌnˈedjʊkeɪtɪd] ungebildet
unemotional [ˌʌnɪˈməʊʃnəl] leidenschaftslos, kühl, beherrscht
unemployed [ˌʌnɪmˈplɔɪd] arbeitslos
unemployed [ˌʌnɪmˈplɔɪd] ***the unemployed*** *Pl.* die Arbeitslosen
unemployment [ˌʌnɪmˈplɔɪmənt] Arbeitslosigkeit; ***unemployment benefit*** *BE*, ***unemployment compensation*** *AE* Arbeitslosengeld

unemployment – Arbeitslosigkeit

jobcentre	Arbeitsamt
jobless	arbeitslos
jobless figures	Arbeitslosenzahl *Sg.*
out of work	arbeitslos
plant closures	Fabrikstilllegungen
redundancies	Entlassungen
be made redundant	seinen Arbeitsplatz verlieren
short-time work	Kurzarbeit
unemployment benefit, jobseeker's allowance	Arbeitslosengeld
unemployment figures	Arbeitslosenzahl *Sg.*

unending [ʌnˈendɪŋ] endlos
unequal [ʌnˈiːkwəl] **1.** ungleich, unterschiedlich **2.** *übertragen* ungleich, einseitig
unequalled, *AE* **unequaled** [ʌnˈiːkwəld] unerreicht, unübertroffen
uneven [ʌnˈiːvn] **1.** *Fläche usw.*: uneben, ungerade **2.** *Verteilung usw.*: ungleichmäßig **3.** *Puls, Atmung usw.*: unregelmäßig **4.** *Leistung usw.*: unterschiedlich **5.** *Zahl*: ungerade
uneventful [ˌʌnɪˈventfl] ereignislos
unexpected [ˌʌnɪkˈspektɪd] unerwartet
unfailing [ʌnˈfeɪlɪŋ] unerschöpflich
unfair [ˌʌnˈfeə] unfair, *Wettbewerb*: unlauter
unfaithful [ʌnˈfeɪθfl] untreu (***to*** *dt. Dativ*)
unfamiliar [ˌʌnfəˈmɪlɪə] **1.** nicht vertraut **2.** ***be unfamiliar with*** nicht kennen
unfashionable [ʌnˈfæʃnəbl] unmodern
unfasten [⚠ ʌnˈfɑːsn] aufmachen, öffnen (*Gürtel, Verschluss usw.*)

U

unfavourable, *AE* **unfavorable** [ʌn'feɪvərəbl] **1.** ungünstig, unvorteilhaft (***to, for*** für) **2.** *Reaktion usw.*: negativ, ablehnend
unfeeling [ʌn'fiːlɪŋ] gefühllos, herzlos
unfinished [ˌʌn'fɪnɪʃt] unfertig, unvollendet
unfit [ʌn'fɪt] **1.** *körperlich*: nicht fit, nicht in Form **2.** unfähig, untauglich; ***unfit to drive*** fahruntüchtig **3.** *für Aufgabe usw.*: unpassend, ungeeignet
unfold [ʌn'fəʊld] auseinander falten
unforeseen [ˌʌnfɔː'siːn] unvorhergesehen
unforgettable [ˌʌnfə'getəbl] unvergesslich
unforgivable [ˌʌnfə'gɪvəbl] unverzeihlich
unfortunate [ʌn'fɔːtʃənət] **1.** unglücklich, unglückselig **2.** *Vorfall usw.*: bedauerlich
unfortunately [ʌn'fɔːtʃənətlɪ] leider, bedauerlicherweise
unfounded [ʌn'faʊndɪd] unbegründet
unfriendly [ʌn'frendlɪ] unfreundlich (***to*** zu)
unfulfilled [ˌʌnfʊl'fɪld] *Hoffnung*, *Wunsch usw.*: unerfüllt
unfurnished [ˌʌn'fɜːnɪʃt] *Wohnung*, *Zimmer*: unmöbliert
ungodly [ʌn'gɒdlɪ] ***at some ungodly hour*** *umg.* zu einer unchristlichen Zeit
ungrateful [ʌn'greɪtfl] undankbar
unguarded [ʌn'gɑːdɪd] *übertragen* unbedacht
unhappiness [ʌn'hæpɪnəs] Traurigkeit
unhappy [ʌn'hæpɪ] unglücklich
unharmed [ˌʌn'hɑːmd] **1.** *Person*: unverletzt, unversehrt **2.** *Sache*, *Ruf*: unbeschädigt
unhealthy [ʌn'helθɪ] **1.** kränklich, nicht gesund **2.** (≈ *krank machend*) ungesund **3.** *abwertend* unnatürlich, krankhaft
unheard-of [ʌn'hɜːd‿ɒv] noch nie da gewesen, beispiellos
unhelpful [ʌn'helpfl] nicht hilfreich
unhesitating [ʌn'hezɪteɪtɪŋ] **1.** prompt **2.** bereitwillig; ***unhesitatingly*** *auch*: anstandslos
unhoped-for [ʌn'həʊpt‿fɔː] unverhofft
unhurt [ʌn'hɜːt] unverletzt
uni ['juːnɪ] *BE*, *umg.* (≈ *Universität*) Uni
unicorn ['juːnɪkɔːn] *Fabeltier*: Einhorn
unidentified [ˌʌnaɪ'dentɪfaɪd] unbekannt, nicht identifiziert
unification [ˌjuːnɪfɪ'keɪʃn] *von Ländern*: Vereinigung
uniform[1] ['juːnɪfɔːm] Uniform
uniform[2] ['juːnɪfɔːm] einheitlich
uniformed ['juːnɪfɔːmd] in Uniform
uniformity [ˌjuːnɪ'fɔːmətɪ] Einheitlichkeit
unify ['juːnɪfaɪ] **1.** vereinen, vereinigen (*Länder*, *Organisationen*) **2.** vereinheitlichen (*Systeme usw.*)
unilateral [ˌjuːnɪ'lætrəl] *übertragen* einseitig, *bes. politisch*: unilateral
unimaginable [ˌʌnɪ'mædʒɪnəbl] unvorstellbar
unimaginative [ˌʌnɪ'mædʒɪnətɪv] einfallslos
unimportant [ˌʌnɪm'pɔːtnt] unwichtig
unimpressed [ˌʌnɪm'prest] unbeeindruckt (***by*** von)
uninhabitable [ˌʌnɪn'hæbɪtəbl] *Gegend*, *Haus*: unbewohnbar
uninhabited [ˌʌnɪn'hæbɪtɪd] *Insel*, *Gegend*: unbewohnt
uninjured [ˌʌn'ɪndʒəd] unverletzt
uninsured [ˌʌnɪn'ʃʊəd] unversichert
unintelligent [ˌʌnɪn'telɪdʒənt] unintelligent
unintelligible [ˌʌnɪn'telɪdʒəbl] unverständlich (***to*** für *oder Dativ*)
unintended [ˌʌnɪn'tendɪd], **unintentional** [ˌʌnɪn'tenʃnəl] unabsichtlich, unbeabsichtigt
uninterested [ʌn'ɪntrəstɪd] uninteressiert (***in*** an)
uninteresting [ʌn'ɪntrəstɪŋ] uninteressant
uninterrupted [ˌʌnɪntə'rʌptɪd] ununterbrochen
uninvited [ˌʌnɪn'vaɪtɪd] uneingeladen, ungebeten
union ['juːnɪən] **1.** Vereinigung, Union **2.** Gewerkschaft **3.** ***Union Jack*** Union Jack (*britische Nationalflagge*)

Union Jack

Der Name der Flagge des Vereinigten Königreichs, **Union Jack**, bezieht sich auf die Vereinigung (**union**) Englands und Schottlands im Jahr 1707 sowie auf den Flaggenmast von Schiffen (**jack staff**). Die Flagge kann man sich aus drei übereinander liegenden Flaggen zusammengesetzt vorstellen: 1. die von **St George** für England (rotes Kreuz auf weißem Hintergrund), 2. die von **St Andrew** für Schottland (zwei diagonale weiße Streifen, die sich auf einem blauen Hintergrund kreuzen) und 3. die von **St Patrick** für Nordirland (zwei diagonale rote Streifen auf weißem Hintergrund).

unionist ['juːnɪənɪst] Gewerkschaftler(in)
unionize ['juːnɪənaɪz] (sich) gewerkschaftlich organisieren
unique [juː'niːk] einzigartig, einmalig
unison ['juːnɪsn] ***in unison*** einstimmig

unit ['juːnɪt] **1.** *allg.*: Einheit **2.** *Schule*: Unit, Lehreinheit **3.** *Technik*: Element, Teil, (Anbau)Element **4.** *in Firma usw.*: Abteilung **5.** *Mathematik*: Einer
unite [juː'naɪt] **1.** verbinden, vereinigen **2.** sich vereinigen *oder* zusammentun
united [juː'naɪtɪd] vereint, vereinigt; ***United Nations*** *Pl.* Vereinte Nationen; ***be united in*** sich einig sein in
United Kingdom [juːˌnaɪtɪd'kɪŋdəm] *das* Vereinigte Königreich (*Großbritannien und Nordirland*); ☞ *Karte S. 293*
United States [juːˌnaɪtɪd'steɪts], **United States of America** [juːˌnaɪtɪdˌsteɪts‿əv‿ə'merɪkə] die Vereinigten Staaten (von Amerika), die USA; ☞ *Karte S. 294, 295*
unity ['juːnətɪ] **1.** Einheit **2.** *Mathematik*: Eins
universal [ˌjuːnɪ'vɜːsl] **1.** universal, universell **2.** allgemein
universe ['juːnɪvɜːs] Universum, Weltall
university[1] [ˌjuːnɪ'vɜːsətɪ] Universität, Hochschule; ***go to university*** die Universität besuchen
university[2] [ˌjuːnɪ'vɜːsətɪ] Universitäts…; ***university education*** akademische Bildung, Hochschulbildung
unjust [ˌʌn'dʒʌst] ungerecht (***to*** gegen)
unkempt [ˌʌn'kempt] **1.** *Kleidung usw.*: ungepflegt **2.** *Haar*: ungekämmt
unkind [ˌʌn'kaɪnd] unfreundlich (***to*** zu)
unkindness [ˌʌn'kaɪndnəs] Unfreundlichkeit
unknown [ˌʌn'nəʊn] unbekannt
unlawful [ʌn'lɔːfl] ungesetzlich
unleaded [⚠ ˌʌn'ledɪd] *Benzin*: bleifrei, unverbleit
unleash [ʌn'liːʃ] **1.** loslassen, von der Leine lassen (*Hund*) **2.** *übertragen* freien Lauf lassen (*seinem Zorn usw.*); ***all his anger was unleashed on her*** sein ganzer Zorn entlud sich auf sie
unless [ən'les] wenn *oder* sofern … nicht, es sei denn
unlike [ˌʌn'laɪk] **1.** im Gegensatz zu **2.** ***he's quite unlike his father*** er ist ganz anders als sein Vater; ***that's very unlike him*** das sieht ihm gar nicht ähnlich
unlikely [ʌn'laɪklɪ] **1.** ***he's unlikely to come*** es ist unwahrscheinlich, dass er kommt **2.** unwahrscheinlich, unglaubwürdig
unlimited [ʌn'lɪmɪtɪd] unbegrenzt
unlisted [ʌn'lɪstɪd] *Telefon*: ***be unlisted*** nicht im Telefonbuch stehen, geheim sein; ***unlisted number*** Geheimnummer
unload [ʌn'ləʊd] entladen (*Fahrzeug*), abladen, ausladen (*auch Gegenstände*)
unlock [ʌn'lɒk] aufschließen
unluckily [ʌn'lʌkɪlɪ] unglücklicherweise; ***unluckily for me*** zu meinem Pech
unlucky [ʌn'lʌkɪ] Unglücks…; ***unlucky day*** Unglückstag; ***be unlucky*** *Person*: Pech haben, *Umstand usw.*: Unglück bringen
unmade [ˌʌn'meɪd] *Bett*: ungemacht
unmanned [ˌʌn'mænd] *Raumschiff usw.*: unbemannt
unmarked [ˌʌn'mɑːkt] **1.** nicht gekennzeichnet **2.** *Sport*: ungedeckt, frei
unmarried [ˌʌn'mærɪd] unverheiratet, ledig
unmask [ˌʌn'mɑːsk] *übertragen* entlarven
unmatched [ˌʌn'mætʃt] unvergleichlich, unübertroffen
unmerciful [ʌn'mɜːsɪfl] erbarmungslos, unbarmherzig
unmistakable [ˌʌnmɪ'steɪkəbl] unverkennbar, unverwechselbar
unmoved [ʌn'muːvd] ungerührt; ***he remained unmoved by it*** es ließ ihn kalt
unmusical [ˌʌn'mjuːzɪkl] unmusikalisch
unnamed [ˌʌn'neɪmd] **1.** (≈ *anonym*) ungenannt **2.** namenlos
unnatural [ʌn'nætʃrəl] **1.** unnatürlich **2.** *im negativen Sinn*: widernatürlich
unnecessarily [ʌn'nesəsrəlɪ] unnötigerweise
unnecessary [ʌn'nesəsərɪ] unnötig
unnerve [ˌʌn'nɜːv] entnerven, entmutigen
unnoticed [ˌʌn'nəʊtɪst] ***go*** (*oder* ***pass***) ***unnoticed*** unbemerkt bleiben
unoccupied [ʌn'ɒkjʊpaɪd] **1.** *Haus usw.*: leer (stehend), unbewohnt; ***be unoccupied*** *Haus usw.*: leer stehen **2.** *Person*: unbeschäftigt **3.** *militärisch*: unbesetzt
unofficial [ˌʌnə'fɪʃl] inoffiziell
unorthodox [ʌn'ɔːθədɒks] unorthodox, unkonventionell
unpack [ˌʌn'pæk] auspacken
unpaid [ˌʌn'peɪd] unbezahlt
unparalleled [ʌn'pærəleld] beispiellos
unpardonable [ʌn'pɑːdnəbl] unverzeihlich
unperturbed [ˌʌnpə'tɜːbd] gelassen, ruhig
unpleasant [ʌn'pleznt] **1.** unangenehm, *Nachricht usw. auch*: unerfreulich **2.** *Person*: unfreundlich
unplug [ˌʌn'plʌg] *von Elektrogerät*: den Stecker herausziehen
unplugged [ˌʌn'plʌgd] *Musik*: (rein) akustisch, unplugged
unpopular [ʌn'pɒpjʊlə] unpopulär, unbeliebt; ***make oneself unpopular with*** sich unbeliebt machen bei
unprecedented [ʌn'presɪdentɪd] beispiellos, noch nie da gewesen

U

unpredictable [ˌʌnprɪˈdɪktəbl] **1.** unvorhersehbar **2.** *Person*: unberechenbar
unprejudiced [⚠ ʌnˈpredʒʊdɪst] unvoreingenommen, *Recht*: unbefangen
unprepared [ˌʌnprɪˈpeəd] **1.** unvorbereitet **2.** nicht gefasst *oder* vorbereitet (***for*** auf)
unproductive [ˌʌnprəˈdʌktɪv] unproduktiv (*auch übertragen*), unergiebig
unprofessional [ˌʌnprəˈfeʃnəl] **1.** *Verhalten*, *Auftreten*: unprofessionell **2.** *Arbeit*: unfachmännisch, laienhaft
unprofitable [ˌʌnˈprɒfɪtəbl] **1.** *Geschäft*: unrentabel **2.** *übertragen* nutzlos, zwecklos
unpromising [ˌʌnˈprɒmɪsɪŋ] wenig erfolgversprechend, ziemlich aussichtslos
unprovoked [ˌʌnprəˈvəʊkt] grundlos
unpublished [ʌnˈpʌblɪʃt] unveröffentlicht
unpunctual [ˌʌnˈpʌŋktʃʊəl] unpünktlich
unpunctuality [ˌʌnpʌŋktʃʊˈælətɪ] Unpünktlichkeit
unpunished [ʌnˈpʌnɪʃt] unbestraft, ungestraft; ***go unpunished*** straflos bleiben
unqualified 1. [ˌʌnˈkwɒlɪfaɪd] unqualifiziert, ungeeignet (***for*** für) **2.** [ʌnˈkwɒlɪfaɪd] *Lob usw.*: uneingeschränkt
unquestionable [ʌnˈkwestʃənəbl] **1.** *Ansehen*, *Position usw.*: unbestritten **2.** *Tatsache usw.*: unbezweifelbar
unquestioning [ˌʌnˈkwestʃənɪŋ] *Gehorsam usw.*: bedingungslos
unquote [ˌʌnˈkwəʊt] ***quote … unquote*** Zitat … Zitat Ende
unravel [ʌnˈrævl], ***unravelled, unravelled***, *AE* ***unraveled, unraveled*** **1.** auftrennen (*Pullover usw.*) **2.** (*Pullover usw.*) sich auftrennen **3.** entwirren (*auch übertragen*)
unreadable [ʌnˈriːdəbl] **1.** unlesbar, nicht lesbar **2.** *Schrift usw.*: unleserlich
unreal [ʌnˈrɪəl] unwirklich
unrealistic [ˌʌnrɪəˈlɪstɪk] unrealistisch
unreasonable [ʌnˈriːznəbl] **1.** unvernünftig **2.** übertrieben, unzumutbar
unreliable [ˌʌnrɪˈlaɪəbl] unzuverlässig
unrequited [ˌʌnrɪˈkwaɪtɪd] *Liebe*: unerwidert
unreserved [ˌʌnrɪˈzɜːvd] **1.** *Zustimmung usw.*: uneingeschränkt **2.** *Platz im Theater usw.*: nicht reserviert **3.** *Person*: nicht reserviert, offen
unrest [ʌnˈrest] *politisch usw.*: Unruhen
unrestrained [ˌʌnrɪˈstreɪnd] hemmungslos
unrestricted [ˌʌnrɪˈstrɪktɪd] uneingeschränkt
unrewarding [ˌʌnrɪˈwɔːdɪŋ] wenig lohnend, *Aufgabe usw. auch*: undankbar
unripe [ˌʌnˈraɪp] unreif
unrivalled, *AE* **unrivaled** [ʌnˈraɪvld] unerreicht, unübertroffen
unroll [ʌnˈrəʊl] aufrollen, entrollen
unruly [ʌnˈruːlɪ] **1.** ungebärdig, wild **2.** *Haare*: widerspenstig
unsafe [ʌnˈseɪf] unsicher, nicht sicher; ***feel unsafe*** sich nicht sicher fühlen
unsaid [ʌnˈsed] ***leave something unsaid*** etwas nicht aussprechen; ***be left*** (*oder* ***go***) ***unsaid*** ungesagt bleiben
unsal(e)able [ˌʌnˈseɪləbl] unverkäuflich
unsalted [ˌʌnˈsɔːltɪd] ungesalzen
unsanitary [ˌʌnˈsænətərɪ] unhygienisch
unsatisfactory [ˌʌnsætɪsˈfæktərɪ] **1.** *allg.*: unbefriedigend **2.** *Leistung*, *Ergebnis auch*: nicht zufrieden stellend
unsatisfied [ʌnˈsætɪsfaɪd] unzufrieden (***with*** mit)
unscientific [ˈʌnˌsaɪənˈtɪfɪk] unwissenschaftlich
unscrew [ˌʌnˈskruː] abschrauben
unscrupulous [ʌnˈskruːpjʊləs] skrupellos, gewissenlos
unseat [ˌʌnˈsiːt] **1.** abwerfen (*Reiter*) **2.** *übertragen* des Amtes entheben
unseeded [ˌʌnˈsiːdɪd] *Sport*: ungesetzt
unseemly [ʌnˈsiːmlɪ] *Verhalten*: ungebührlich, unziemlich
unseen [ˌʌnˈsiːn] **1.** ungesehen, unbemerkt (*verschwinden usw.*) **2.** *bes. Hindernis*, *Gefahr usw.*: unsichtbar
unselfish [ʌnˈselfɪʃ] selbstlos, uneigennützig
unsentimental [ˈʌnˌsentɪˈmentl] unsentimental
unsettle [ˌʌnˈsetl] beunruhigen, durcheinander bringen
unsettled [ˌʌnˈsetld] **1.** *Frage usw.*: ungeklärt **2.** *Wetter*: unbeständig **3.** *Lage usw.*: unsicher **4.** *Rechnung*: unbeglichen
unshakable, **unshakeable** [ʌnˈʃeɪkəbl] unerschütterlich
unshaven [ˌʌnˈʃeɪvn] unrasiert
unsightly [ʌnˈsaɪtlɪ] unansehnlich, hässlich
unsigned [ˌʌnˈsaɪnd] **1.** *Gemälde usw.*: unsigniert **2.** *Brief*, *Dokument usw.*: nicht unterschrieben, nicht unterzeichnet, ohne Unterschrift
unskilled [ˌʌnˈskɪld] *Arbeit*, *Arbeiter*: ungelernt; ***unskilled worker*** Hilfsarbeiter (-in)
unsociable [ʌnˈsəʊʃəbl] ungesellig
unsocial [ˌʌnˈsəʊʃl] **1.** *Politik*: unsozial **2.** ***work unsocial hours*** *BE* außerhalb der normalen Arbeitszeit arbeiten
unsold [ˌʌnˈsəʊld] unverkauft
unsolicited [ˌʌnsəˈlɪsɪtɪd] *Manuskript*

usw.: unverlangt eingesandt, *Waren*: unaufgefordert zugesandt, unbestellt
unsolved [ˌʌn'sɒlvd] *Fall usw.*: ungelöst
unsophisticated [ˌʌnsə'fɪstɪkeɪtɪd] **1.** *Person*: einfach **2.** *Technik*: unkompliziert
unsound [ˌʌn'saʊnd] **1.** nicht gesund, krank, *Gesundheit auch*: angegriffen; ***of unsound mind*** nicht zurechnungsfähig **2.** *Gebäude usw.*: nicht intakt *oder* in Ordnung **3.** *übertragen* unklug, unvernünftig (*Rat usw.*); nicht stichhaltig (*Argument*)
unspeakable [ʌn'spiːkəbl] unbeschreiblich, unsäglich
unspoiled [ˌʌn'spɔɪld], **unspoilt** [ˌʌn'spɔɪlt] unverdorben
unstable [ʌn'steɪbl] **1.** instabil (*auch übertragen*) **2.** *Person*: labil
unsteady [ʌn'stedɪ] **1.** wackelig, *Hand*: unsicher **2.** *Preise usw.*: schwankend **3.** ungleichmäßig
unstressed [ˌʌn'strest] *Sprache*: unbetont
unstuck [ˌʌn'stʌk] **1.** ***come unstuck*** abgehen, sich lösen **2.** ***come unstuck*** *umg.*; *Person*, *Plan*: scheitern
unsuccessful [ˌʌnsək'sesfl] erfolglos, vergeblich; ***be unsuccessful*** keinen Erfolg haben
unsuitable [ʌn'suːtəbl] unpassend, ungeeignet (***for, to*** für)
unsure [ˌʌn'ʃʊə] *allg.*: unsicher; ***unsure of oneself*** unsicher; ***I'm unsure whether …*** ich bin mir nicht sicher, ob …
unsurpassed [ˌʌnsə'pɑːst] *Qualität*, *Leistung usw.*: unübertroffen
unsuspected [ˌʌnsə'spektɪd] **1.** unvermutet **2.** *Person*: unverdächtig
unsuspecting [ˌʌnsə'spektɪŋ] nichts ahnend, ahnungslos
unsweetened [ˌʌn'swiːtnd] ungesüßt
unsympathetic [ˌʌnsɪmpə'θetɪk] gefühllos
unthinkable [ʌn'θɪŋkəbl] undenkbar, unvorstellbar
untidy [ʌn'taɪdɪ] unordentlich
untie [ˌʌn'taɪ], ***untied, untied***; *-ing-Form* ***untying*** **1.** aufknoten, lösen (*Knoten*) **2.** losbinden (*Person usw.*) (***from*** von)
until [ən'tɪl] **1.** *allg.*: bis **2.** ***not until*** erst (wenn), nicht vor, nicht bevor; ***not until Monday*** erst (am) Montag, nicht vor Montag
untimely [ʌn'taɪmlɪ] **1.** *Ankunft*, *Tod usw.*: vorzeitig, verfrüht **2.** *Zeitpunkt usw.*: unpassend, ungelegen
untiring [ʌn'taɪərɪŋ] unermüdlich
untouched [ʌn'tʌtʃt] **1.** unberührt, unangetastet (*auch Essen*) **2.** (≈ *unbeschädigt*) unversehrt, heil **3.** *emotional*: ungerührt, unbewegt

U

untranslatable [ˌʌntrænz'leɪtəbl] unübersetzbar
untreated [ˌʌn'triːtɪd] **1.** *Obst*, *Gemüse usw.*: (≈ *naturbelassen*) unbehandelt **2.** *Verletzung*, *Krankheit*: unbehandelt
untrue [ʌn'truː] **1.** *Behauptung*: unwahr **2.** *Partner(in)*: untreu (***to*** *dt. Dativ*)
untruth [ʌn'truːθ] Unwahrheit
unused[1] [ˌʌn'juːzd] unbenutzt, ungebraucht
unused[2] [ʌn'juːst] ***be unused to something*** etwas nicht gewohnt sein
unusual [ʌn'juːʒʊəl] ungewöhnlich
unveil [ˌʌn'veɪl] enthüllen (*Denkmal usw.*)
unvoiced [ˌʌn'vɔɪst] *Sprache*: stimmlos
unwanted [ˌʌn'wɒntɪd] unerwünscht, *Schwangerschaft auch*: ungewollt
unwelcome [ʌn'welkəm] unwillkommen
unwell [ʌn'wel] ***be*** (*oder* ***feel***) ***unwell*** sich unwohl fühlen, sich nicht wohl fühlen
unwieldy [ʌn'wiːldɪ] unhandlich, sperrig
unwilling [ʌn'wɪlɪŋ] widerwillig; ***be unwilling to do something*** nicht bereit sein, etwas zu tun, etwas nicht tun wollen
unwind [ˌʌn'waɪnd], ***unwound*** [ˌʌn'waʊnd], ***unwound*** [ˌʌn'waʊnd] **1.** abwickeln **2.** sich abwickeln **3.** *umg.* abschalten, sich entspannen
unwise [ˌʌn'waɪz] unklug
unwitting [ʌn'wɪtɪŋ] **1.** unwissentlich **2.** unbeabsichtigt
unworthy [ʌn'wɜːðɪ] ***be unworthy of something*** einer Sache nicht würdig sein, etwas nicht verdienen
unwound [ˌʌn'waʊnd] *2. und 3. Form von* → ***unwind***
unwrap [ʌn'ræp], ***unwrapped, unwrapped*** auswickeln, auspacken
unwritten [ˌʌn'rɪtn] ***unwritten law*** *übertragen* ungeschriebenes Gesetz
unyielding [ʌn'jiːldɪŋ] unnachgiebig
unzip [ˌʌn'zɪp], ***unzipped, unzipped*** **1.** *eines Kleids*, *einer Tasche usw.*: den Reißverschluss aufmachen; ***could you unzip me, please?*** könntest du mir bitte den Reißverschluss aufmachen? **2.** *Computer*: entzippen, entpacken (*Datei*)
up[1] [ʌp] **1.** oben; ***up there*** dort oben; ***jump up and down*** hüpfen; ***walk up and down*** auf und ab *oder* hin und her gehen **2.** ***coffee prices*** *usw.* ***are up this month*** die Kaffeepreise *usw.* sind diesen Monat gestiegen **3.** ***come up to someone*** auf jemanden zukommen **4.** (≈ *zu Ende*) ***time's up*** die Zeit ist um; ***eat up*** aufessen **5.** (≈ *nicht im Bett*) auf; ***is he up yet?*** ist er schon auf? **6.** ***up to*** bis zu; ***up to a moment ago*** bis vor einem Augenblick **7.** ***be up to something*** *umg.* etwas vorhaben,

etwas im Schilde führen; ***I'm not up to it*** ich bin der Sache nicht gewachsen; ***it's up to you*** das liegt bei Ihnen (*bzw.* bei dir)

up[2] [ʌp] oben auf, herauf, hinauf; ***up the river*** flussaufwärts; ***climb up a tree*** auf einen Baum hinaufklettern

up[3] [ʌp] **1.** nach oben (gerichtet), Aufwärts… **2.** ***be well up in*** (*oder* ***on***) *umg.* viel verstehen von **3.** ***be up for sale*** zum Verkauf stehen **4.** ***what's up?*** *umg.* was ist los?

up[4] [ʌp], ***upped, upped*** **1.** *umg.* erhöhen (*Angebot, Preis usw.*) **2.** ***he upped and left her*** *umg.* er hat sie von heute auf morgen sitzen lassen

up-and-coming [ˌʌpən'kʌmɪŋ] *Talent usw.*: viel versprechend, Nachwuchs…

upbringing ['ʌpˌbrɪŋɪŋ] Erziehung

upcoming ['ʌpˌkʌmɪŋ] bevorstehend

update[1] [ˌʌp'deɪt] auf den neuesten Stand bringen, aktualisieren

update[2] ['ʌpdeɪt] **1.** Aktualisierung **2.** *von Computerprogramm*: Update

upgrade [ˌʌp'greɪd] nachrüsten (*Computer*)

upheaval [ʌp'hiːvl] Aufruhr, Umwälzung

uphill[1] [ˌʌp'hɪl] aufwärts, bergan

uphill[2] ['ʌphɪl] **1.** *Straße usw.*: bergauf führend **2.** *übertragen* mühselig, hart

upholstery [ʌp'həʊlstərɪ] Polsterung

upkeep ['ʌpkiːp] Unterhalt(ungskosten)

upload [ˌʌp'ləʊd] *Computer*: uploaden, heraufladen (*Programm usw.*)

upmarket [ˌʌp'mɑːkɪt] **1.** *Kundenkreis*: anspruchsvoll **2.** *Produkt, Hotel usw.*: exklusiv

upon [ə'pɒn] **1.** *förmlich* auf **2.** ***once upon a time there was …*** es war einmal …

upper[1] ['ʌpə] obere(r, -s); ***upper arm*** Oberarm; ***upper class(es)*** *Gesellschaft*: Oberschicht; ***upper deck*** *Schiff, Bus*: Oberdeck

upper[2] ['ʌpə] Obermaterial (*eines Schuhs*)

Upper Austria [ˌʌpə(r)'ɒstrɪə] Oberösterreich

upper-case ['ʌpəkeɪs], **uppercase letter** [ˌʌpəkeɪs'letə] Großbuchstabe, Versal; ***in uppercase*** (***letters***) in Großbuchstaben

upper class [ˌʌpə'klɑːs] Oberschicht

upper-class [ˌʌpə'klɑːs] **1.** Oberschicht…, der Oberschicht **2.** *Akzent, Auftreten*: vornehm

uppercut ['ʌpəkʌt] *Boxen*: Aufwärtshaken, Uppercut

uppermost ['ʌpəməʊst] oberste(r, -s); ***be uppermost*** *übertragen* an erster Stelle stehen

upright[1] ['ʌpraɪt] **1.** aufrecht, gerade, senkrecht **2.** *übertragen* rechtschaffen, aufrecht

upright[2] ['ʌpraɪt] aufrecht, gerade; ***sit upright*** gerade sitzen

upright[3] ['ʌpraɪt] Pfosten

uprising ['ʌpˌraɪzɪŋ] Aufstand

upriver [ˌʌp'rɪvə] flussaufwärts

uproar ['ʌprɔː] Aufruhr, Tumult; ***be in uproar*** in Aufruhr sein

ups and downs [ˌʌpsən'daʊnz] *Pl. die* Höhen und Tiefen (*des Lebens*)

upset[1] [ˌʌp'set], ***upset, upset***; *-ing-Form* ***upsetting*** **1.** *übertragen* aus der Fassung bringen, aufregen **2.** *übertragen* durcheinander bringen (*Pläne usw.*) **3.** ***the fish has upset my stomach*** ich habe mir durch den Fisch den Magen verdorben **4.** umkippen, umstoßen, umwerfen

upset[2] ['ʌpset] **1.** ***stomach upset*** Magenverstimmung **2.** *bes. Sport*: Überraschung

upside down [ˌʌpsaɪd'daʊn] verkehrt herum; ***turn upside down*** umdrehen, *übertragen auch*: auf den Kopf stellen

upstairs [ˌʌp'steəz] ↔ ***downstairs*** **1.** *auf die Frage „wohin"*: nach oben, die Treppe herauf *oder* hinauf; ***let's go upstairs*** gehen wir nach oben **2.** *auf die Frage „wo"*: oben, im oberen Stockwerk; ***the upstairs flats*** die oberen Wohnungen

upstream [ˌʌp'striːm] flussauf(wärts)

uptake ['ʌpteɪk] ***be quick on the uptake*** *umg.* schnell schalten; ***be slow on the uptake*** *umg.* schwer von Begriff sein

up-to-date [ˌʌptə'deɪt] **1.** modern **2.** aktuell

up-to-the-minute [ˌʌptəðə'mɪnɪt] **1.** hochmodern **2.** allerneueste(r, -s)

uptown [ˌʌp'taʊn] *AE* in den besseren Wohnvierteln (gelegen *oder* lebend); ***in uptown Los Angeles*** in den Außenbezirken von Los Angeles

upward[1] ['ʌpwəd] *AE* nach oben; ***face upward*** mit dem Gesicht nach oben

upward[2] ['ʌpwəd] Aufwärts…

upwards ['ʌpwədz] **1.** nach oben; ***face upwards*** mit dem Gesicht nach oben **2.** ***from £2 upwards*** ab 2 Pfund; ***upwards of £2*** *umg.* mehr als 2 Pfund **3.** *übertragen* aufwärts

uranium [jʊ'reɪnɪəm] *Chemie*: Uran

urban ['ɜːbən] städtisch, Stadt…

urge[1] [ɜːdʒ] **1.** *auch* ***urge on*** antreiben, *übertragen auch*: anspornen (***to*** zu) **2.** ***urge someone*** jemanden drängen (***to do*** zu tun) **3.** drängen auf

urge[2] [ɜːdʒ] Drang, Verlangen

urgency ['ɜːdʒənsɪ] Dringlichkeit

urgent ['ɜːdʒənt] dringend; ***it's urgent*** *auch*: es eilt; ***they're in urgent need***

of … sie brauchen *oder* benötigen dringend …

urine ['jʊərɪn] Urin

URL [ˌjuːɑːr'el] (*Abk. für* **U**niform *oder* **U**niversal **R**esource **L**ocator) *Computer*: URL-Adresse

urn [ɜːn] **1.** Urne **2.** Großkaffeemaschine, Großteemaschine

us [əs, *betont* ʌs] **1.** uns (*Akkusativ oder Dativ von* ***we***); ***both of us*** wir beide; ***all of us*** wir alle **2.** *umg.* wir; ***they're older than us*** sie sind älter als wir; ***it's us*** wir sinds **3.** *reflexiv*: uns; ***we looked behind us*** wir sahen hinter uns

US [ˌjuː'es] *Abk. für* → *the* ***United States***

USA [ˌjuːes'eɪ] *Abk. für* → *the* ***United States of America***; ☞ *Karte S. 294, 295*

usable ['juːzəbl] brauchbar, verwendbar

usage ['juːsɪdʒ] **1.** *von Wörtern*: (Sprach-) Gebrauch **2.** *von Gegenständen*: Behandlung **3.** Brauch, Gepflogenheit; ***it's common usage*** es ist allgemein üblich

use[1] [juːz], ***used*** [juːzd], ***used*** [juːzd] **1.** *allg.*: benutzen, gebrauchen, verwenden; ***do you know how to use this?*** kannst du damit umgehen? **2.** anwenden (*Taktik, Methode, Gewalt usw.*) **3.** (≈ *aufbrauchen*) brauchen, verbrauchen (*Benzin usw.*) **4.** *im negativen Sinn*: benutzen, ausnutzen (*Person*) (***for*** für) **5.** ***I*** *usw.* ***could use*** **…** ich *usw.* könnte … brauchen; ***I could use a drink*** ich könnte etwas zu trinken brauchen

use up [ˌjuːz'ʌp] aufbrauchen, verbrauchen

use[2] [⚠ juːs] **1.** Benutzung, Gebrauch, Verwendung; ***come into use*** in Gebrauch kommen; ***make use of*** Gebrauch machen von, benutzen **2.** Verwendung (-szweck); ***it has many uses*** es ist vielseitig verwendbar **3.** Nutzen; ***be of use*** nützlich *oder* von Nutzen sein (***to*** für); ***what's the use of that?*** was nützt das?; ***it's no use complaining*** es hat keinen Zweck, sich zu beklagen

use[3] [⚠ juːs], ***used*** [⚠ juːst], ***used*** [⚠ juːst] ***I used to live here*** ich habe früher hier gewohnt; ***he used to be a chain smoker*** er war früher einmal Kettenraucher

used[1] [juːzd] gebraucht; ***used car*** Gebrauchtwagen

used[2] [juːst] ***be used to something*** etwas gewohnt sein; ***be used to doing something*** es gewohnt sein, etwas zu tun

useful ['juːsfl] nützlich; ***make oneself useful*** sich nützlich machen

useless ['juːsləs] nutzlos; ***it's useless*** *auch*: es ist zwecklos (***to do*** zu tun)

user ['juːzə] **1.** Benutzer(in) **2.** Verbraucher(in)

user-friendly [ˌjuːzə'frendlɪ] *Wörterbuch usw.*: benutzerfreundlich, leicht zu handhaben

usher ['ʌʃə] **1.** *in Theater, Kino*: Platzanweiser(in) **2.** *BE* Gerichtsdiener

usherette [ˌʌʃə'ret] Platzanweiserin

USSR [ˌjuːeses'ɑː] (*Abk. für* **U**nion of **S**oviet **S**ocialist **R**epublics) *historisch*: UdSSR

usual ['juːʒʊəl] üblich; ***as usual*** wie gewöhnlich *oder* üblich; ***it's not usual for him to be so late*** er kommt normalerweise nicht so spät

usually ['juːʒʊəlɪ] meistens, (für) gewöhnlich, normalerweise

usury ['juːʒərɪ] Wucher

utensil [juː'tensl] Gerät; ***utensils*** *Pl. auch*: Utensilien

uterus ['juːtərəs] *Pl.*: ***uteruses*** *oder* ***uteri*** [⚠ 'juːtəraɪ] *Körper*: Gebärmutter

utility [juː'tɪlətɪ] **1.** Nutzen, Nützlichkeit **2.** *auch* ***public utility*** Versorgungsbetrieb

utilize ['juːtəlaɪz] nutzen, verwenden

utmost[1] ['ʌtməʊst] äußerste(r, -s), höchste(r, -s), größte(r, -s)

utmost[2] ['ʌtməʊst] *das* Äußerste; ***do one's utmost*** sein Möglichstes tun

utter[1] ['ʌtə] *mst. bei Negativem*: total, völlig

utter[2] ['ʌtə] ausstoßen (*Seufzer*), äußern

utterance ['ʌtrəns] Äußerung

U-turn ['juːtɜːn] **1.** ***do a U-turn*** *Auto*: wenden **2.** *übertragen* Kehrtwendung

V

v. [viː, 'vɜːsəs] *Abk. für* → ***versus***
vac [væk] *BE, umg.* Semesterferien
vacancy ['veɪkənsɪ] **1.** ***'vacancies'*** „Zimmer frei"; ***'no vacancies'*** „belegt" **2.** *Arbeit*: freie *oder* offene Stelle; ***'vacancies'*** „wir stellen ein"
vacant ['veɪkənt] **1.** leer stehend, unbewohnt; ***'vacant'*** *Toilette*: „frei" **2.** *Arbeitsstelle*: frei, offen **3.** *Blick usw.*: leer
vacate [və'keɪt] räumen (*Zimmer usw.*)
vacation[1] [və'keɪʃn] **1.** *bes. AE* Ferien, Urlaub; ***be on vacation*** im Urlaub sein **2.** *bes. BE*; *Universität*: Semesterferien
vacation[2] [və'keɪʃn] *bes. AE* Urlaub machen, die Ferien verbringen
vacationer [və'keɪʃnə], **vacationist** [və'keɪʃnɪst] *bes. AE* Urlauber(in)
vaccinate ['væksɪneɪt] impfen (***against*** gegen)
vaccination [ˌvæksɪ'neɪʃn] Impfung
vaccination certificate [ˌvæksɪ'neɪʃn‿səˌtɪfɪkət] Impfpass
vaccine ['væksiːn] Impfstoff
vacuum[1] ['vækjʊəm] Vakuum
vacuum[2] ['vækjʊəm] saugen (*Teppich usw.*)
vacuum bottle ['vækjʊəmˌbɒtl] *AE* Warmhalteflasche
vacuum cleaner ['vækjʊəmˌkliːnə] Staubsauger
vacuum flask ['vækjʊəm‿flɑːsk] *BE* Thermosflasche
vacuum packed [ˌvækjʊəm'pækd] vakuumverpackt
vagina [⚠ və'dʒaɪnə] *Körper*: Scheide
vagrant ['veɪgrənt] Landstreicher(in)
vague [⚠ veɪg] verschwommen, *übertragen auch*: vage; ***be vague*** sich nur vage äußern (***about*** über, zu); ***I haven't got the vaguest idea*** ich habe nicht die leiseste Ahnung
vain [veɪn] **1.** eingebildet, eitel **2.** *Versuch usw.*: vergeblich; ***in vain*** *auch*: vergebens
valence ['veɪləns] *bes. AE*, **valency** ['veɪlənsɪ] *bes. BE Chemie*: Wertigkeit, Valenz
valentine ['væləntaɪn] **1.** *Person, der man am Valentinstag einen Gruß schickt* **2.** Valentinskarte
valet ['vælɪt, 'væleɪ] (Kammer)Diener
valid ['vælɪd] **1.** *Argument usw.*: stichhaltig, triftig **2.** *Ausweis, Fahrkarte usw.*: gültig (***for two weeks*** zwei Wochen); ***be valid*** *auch*: gelten **3.** *Recht*: rechtsgültig
valley ['vælɪ] Tal
validity [və'lɪdətɪ] **1.** *von Argument usw.*: Stichhaltigkeit **2.** *von Ausweis, Fahrkarte usw.*: Gültigkeit, Gültigkeitsdauer **3.** *Recht*: Rechtsgültigkeit
valuable[1] ['væljʊəbl] wertvoll
valuable[2] ['væljʊəbl] *mst.* ***valuables*** *Pl.* Wertsachen
value[1] ['væljuː] *allg.*: Wert; ***be of value*** wertvoll sein (***to*** für); ***be good value*** *oder* ***be value for money*** preiswert sein
value[2] ['væljuː] **1.** schätzen (*Haus usw.*) (***at*** auf) **2.** schätzen (*jemandes Rat usw.*)
value-added tax [ˌvæljuːˌædɪd'tæks] *BE*; *Wirtschaft*: Mehrwertsteuer
values ['væljuːz] *Pl.* (*bes.* sittliche) Werte
valve [vælv] **1.** *Technik*, *Instrument*: Ventil **2.** *Körper*: Klappe
vampire ['væmpaɪə] Vampir
van [væn] **1.** Lieferwagen, Transporter **2.** *BE*; *Bahn*: (geschlossener) Güterwagen
vandal ['vændl] **1.** ***Vandal*** *historisch*: Vandale **2.** *übertragen* Vandale, Rowdy
vandalism ['vændəlɪzm] Wandalismus
vandalize ['vændəlaɪz] mutwillig zerstören
vanguard ['vængɑːd] **1.** *militärisch*: Vorhut **2.** ***be in the vanguard*** (***of***) an der Spitze stehen (von)
vanilla [və'nɪlə] Vanille
vanish ['vænɪʃ] **1.** (*Person*) verschwinden; ***vanish into thin air*** sich in Luft auflösen **2.** (*Angst, Hoffnung usw.*) schwinden
vanity ['vænətɪ] Eitelkeit
vanity case ['vænətɪ‿keɪs] Schminkkoffer
vapor ['veɪpə] *AE* Dampf, Dunst; ☞ *BE* ***vapour***
vaporize ['veɪpəraɪz] verdampfen, verdunsten
vapour ['veɪpə] *bes. BE* Dampf, Dunst
variable[1] ['veərɪəbl] **1.** *Größe, Wert usw.*: variabel, veränderlich **2.** *Maschine usw.*: regulierbar **3.** *Wetter usw.*: unbeständig
variable[2] ['veərɪəbl] *Mathematik*: Variable,

veränderliche Größe (*beide auch übertragen*)
variant ['veərɪənt] Variante
variation [ˌveərɪ'eɪʃn] **1.** Schwankung, Abweichung **2.** *Musik*: Variation (**on** über)
varied ['veərɪd] **1.** unterschiedlich **2.** abwechslungsreich, *Leben*: bewegt
variety [və'raɪətɪ] **1.** Abwechslung **2.** Vielfalt; ***for a variety of reasons*** aus den verschiedensten Gründen **3.** *Wirtschaft*: Auswahl (**of** an) **4.** *Tierwelt, Pflanzenwelt*: Art, Sorte **5.** Varietee, Show
various ['veərɪəs] **1.** *bei Auswahl usw.*: verschieden **2.** mehrere, verschiedene; ***for various reasons*** aus mehreren Gründen
varnish[1] ['vɑːnɪʃ] Lack
varnish[2] ['vɑːnɪʃ] lackieren
vary ['verɪ] **1.** variieren, (*Meinungen*) auseinander gehen (**on** über); ***vary in size*** verschieden groß sein **2.** (ver)ändern
vase [vɑːz] Vase
vast [vɑːst] **1.** *Größe*: riesig **2.** *Fläche*: weit
vastly ['vɑːstlɪ] gewaltig, weitaus
VAT [ˌviːeɪ'tiː, væt] (*Abk. für* value-**a**dded **t**ax) Mehrwertsteuer
Vatican ['vætɪkən] ***the Vatican*** der Vatikan
vault[1] [vɔːlt] **1.** *auch* **vaults** *Pl.* (Keller-) Gewölbe **2.** *auch* **vaults** *Pl.* Stahlkammer, Tresorraum **3.** *Baustil*: Gewölbe
vault[2] [vɔːlt] springen, setzen (über)
vault[3] [vɔːlt] Sprung
VD [ˌviː'diː] (*Abk. für* **v**enereal **d**isease) Geschlechtskrankheit
've [v, əv] *Abk. für* → ***have***
veal [viːl] Kalbfleisch
veal cutlet [ˌviːl'kʌtlət] Kalbsschnitzel
veer [vɪə] ***veer to the left*** (*Auto*) nach links scheren
veg [⚠ vedʒ] *Pl.*: ***veg*** *bes. BE, umg.* Gemüse; ***and two veg*** und zweierlei Gemüse
vegan ['viːgən] Veganer(in)
vegeburger ['vedʒɪˌbɜːgə] Gemüseburger
vegetable ['vedʒtəbl] *mst.* ***vegetables*** *Pl.* Gemüse; ***and two vegetables*** und zweierlei Gemüse; ☞ *Illu S. 883*
vegetarian[1] [ˌvedʒə'teərɪən] Vegetarier (-in)
vegetarian[2] [ˌvedʒə'teərɪən] vegetarisch
vegetate ['vedʒəteɪt] dahinvegetieren
vegetation [ˌvedʒə'teɪʃn] Vegetation
veg(g)ie[1] ['vedʒɪ] *umg.* **1.** Vegetarier(in) **2.** *bes. AE* Gemüse
veg(g)ie[2] ['vedʒɪ] *umg.* **1.** vegetarisch **2.** *bes. AE* Gemüse…
vehement [⚠ 'viːəmənt] vehement, heftig
vehicle [⚠ 'viːɪkl] **1.** Fahrzeug **2.** *übertragen* Medium

V

veil [veɪl] Schleier
vein [veɪn] Ader (*auch bei Pflanzen, Geologie*), *im engeren Sinn*: Vene
Velcro® ['velkrəʊ] ***Velcro*** (***fastening***) Klettverschluss®
velocity [və'lɒsətɪ] *Physik, Technik*: Geschwindigkeit
velvet ['velvɪt] Samt
vendetta [ven'detə] **1.** *ursprünglich*: Blutrache **2.** (≈ *lang andauernder Streit*) Fehde
vending machine ['vendɪŋ‿məˌʃiːn] (Waren)Automat
vendor ['vendə] Händler(in); ***newspaper vendor*** Zeitungsverkäufer(in)
venerable ['venərəbl] ehrwürdig
venerate ['venəreɪt] verehren
veneration [ˌvenə'reɪʃn] Verehrung
venereal disease [vəˌnɪərɪəl‿dɪ'ziːz] Geschlechtskrankheit
Venetian blind [vəˌniːʃn'blaɪnd] Jalousie
vengeance ['vendʒəns] **1.** Rache; ***take vengeance on*** sich rächen an **2.** ***with a vengeance*** *umg.* gewaltig, und wie
Venice ['venɪs] Venedig
venison ['venɪsən] Wildbret (*Rehfleisch*)
venom [⚠ 'venəm] **1.** *von Tieren*: Gift **2.** *übertragen* Gehässigkeit
venomous [⚠ 'venəməs] **1.** *Tier*: giftig **2.** *übertragen* gehässig
vent[1] [vent] abreagieren (*Wut usw.*) (**on** an)
vent[2] [vent] **1.** (Abzugs)Öffnung **2.** *übertragen* Ventil; ***give vent to*** Luft machen (*seinem Ärger usw.*)
ventilate ['ventɪleɪt] lüften, belüften
ventilation [ˌventɪ'leɪʃn] (Be)Lüftung
ventilator ['ventɪleɪtə] **1.** Ventilator, Lüfter **2.** *Medizin*: Beatmungsgerät
venture[1] ['ventʃə] **1.** *bes. Wirtschaft*: Unternehmen **2.** (gewagtes) Unternehmen
venture[2] ['ventʃə] **1.** sich wagen (*wohin*) **2.** (zu äußern) wagen; ***venture to do something*** es wagen, etwas zu tun. **3.** riskieren (*Ruf usw.*), aufs Spiel setzen (**on** bei)
venture capital ['ventʃəˌkæpɪtl] *Wirtschaft*: Risikokapital
venue ['venjuː] Schauplatz, *Sport*: Austragungsort
veranda, verandah [və'rændə] Veranda
verb [vɜːb] *Sprache*: Verb, Zeitwort
verbal ['vɜːbl] **1.** mündlich **2.** Wort…
verbalize ['vɜːbəlaɪz] ausdrücken, in Worte fassen, verbalisieren
verdict ['vɜːdɪkt] **1.** *Recht*: Spruch (*der Geschworenen*); ***verdict of guilty*** Schuldspruch **2.** Meinung, Urteil (**on** über)
verge [vɜːdʒ] Rand (*auch übertragen*); ***be on the verge of tears*** den Tränen nahe sein

verge on ['vɜːdʒ‿ɒn] *übertragen* grenzen an

verify ['verɪfaɪ] **1.** bestätigen (*Aussage usw.*) **2.** (über)prüfen **3.** nachweisen, beweisen (*Theorie usw.*)
veritable ['verɪtəbl] *verstärkend*: wahr (*Triumph usw.*)
vermin ['vɜːmɪn] **1.** Schädlinge, Ungeziefer **2.** *übertragen* Gesindel, Pack
vernacular [və'nækjʊlə] **1.** Landessprache **2.** *regional*: Dialekt, Mundart
vernissage [ˌvɜːnɪ'sɑːʒ] Vernissage
versatile ['vɜːsətaɪl] **1.** vielseitig **2.** *Material usw.*: vielseitig verwendbar
verse [vɜːs] **1.** Poesie, Versdichtung **2.** Vers (*auch Bibelvers*) **3.** *von Lied*: Strophe
versed [vɜːst] ***be (well) versed in*** beschlagen *oder* bewandert sein in
version ['vɜːʃn] **1.** Ausführung, Version (*eines Geräts usw.*) **2.** Version, Darstellung (*eines Ereignisses*) **3.** Version, Fassung (*eines Textes*) **4.** Übersetzung
versus ['vɜːsəs] *Recht*, *Sport*: gegen
vertebra ['vɜːtɪbrə] *Pl.*: ***vertebrae*** ['vɜːtɪbriː] *Körper*: Wirbel
vertebral column [ˌvɜːtɪbrəl'kɒləm] *Körper*: Rückgrat, Wirbelsäule
vertebrate ['vɜtɪbrət] *Zoologie*: Wirbeltier
vertical ['vɜːtɪkl] senkrecht, vertikal
vertigo ['vɜːtɪgəʊ] ***suffer from vertigo*** an *oder* unter Höhenangst leiden
very[1] ['verɪ] **1.** sehr; ***very much older*** sehr viel älter; ***I very much hope that …*** ich hoffe sehr, dass …; ***very well*** also gut **2.** aller…; ***the very last drop*** der allerletzte Tropfen; ***for the very last time*** zum allerletzten Mal
very[2] ['verɪ] **1.** ***the very*** genau der *oder* die *oder* das; ***the very opposite*** genau das Gegenteil; ***it's the very thing*** es ist genau das Richtige (***for doing*** um zu tun) **2.** ***the very thought*** schon der Gedanke (***of*** an); ***the very idea!*** um Himmels willen!
vessel ['vesl] **1.** Schiff **2.** Gefäß (*auch von Körper, Pflanze*)
vest [vest] **1.** ⚠ *BE* Unterhemd, Ⓐ, Ⓒⓗ (Unter)Leibchen **2.** ⚠ *AE* Weste (⚠ *Weste = BE* ***waistcoat***)
vet[1] [vet] *umg.* Tierarzt, Tierärztin
vet[2] [vet], ***vetted, vetted*** *bes. BE*, *umg.* überprüfen
vet[3] [vet] *AE*, *umg.* Veteran
veteran[1] ['vetərən] Veteran (*auch übertragen*)
veteran[2] ['vetərən] **1.** altgedient, erfahren **2.** ***veteran car*** *BE*; *Auto*: Oldtimer (*Baujahr bis 1905*)
veterinarian [ˌvetərɪ'neərɪən] *AE*, **veterinary surgeon** [ˌvetrənərɪ'sɜːdʒən] *BE* Tierarzt, Tierärztin
veto[1] [⚠ 'viːtəʊ] *Pl.*: ***vetos*** Veto
veto[2] [⚠ 'viːtəʊ] sein Veto einlegen gegen
via ['vaɪə] über, *bei Städtenamen auch*: via
vibes [vaɪbz] *Pl. umg.* **1.** Atmosphäre (*eines Orts*), Ausstrahlung (*von Menschen*) **2.** Vibraphon
vibrant ['vaɪbrənt] **1.** *Farbe usw.*: kräftig **2.** *Leben*: pulsierend **3.** *Person*: dynamisch
vibrate [vaɪ'breɪt] **1.** vibrieren, zittern **2.** (*Luft*) flimmern (***with heat*** vor Hitze) **3.** ***the city vibrates with life*** in der Stadt pulsiert das Leben
vibration [vaɪ'breɪʃn] **1.** Vibrieren, Zittern **2.** ***vibrations*** *Pl. umg.* Atmosphäre (*eines Orts*), Ausstrahlung (*von Menschen*)
vicar ['vɪkə] *BE* Pfarrer
vice[1] [vaɪs] Laster
vice[2] [vaɪs] *bes. BE*, *Technik*: Schraubstock
vice[3] [vaɪs] Vize…, stellvertretend
vice versa [ˌvaɪs(ɪ)'vɜːsə] ***and vice versa*** und umgekehrt
vicinity [vɪ'sɪnətɪ] ***in the vicinity of*** in der Nähe von (*oder Genitiv*); ***in this vicinity*** hier in der Nähe
vicious ['vɪʃəs] **1.** *charakterlich*: boshaft, bösartig **2.** *Angriff, Täter usw.*: brutal **3.** *Kopfschmerzen usw.*: brutal, gemein
vicious circle [ˌvɪʃəs'sɜːkl] Teufelskreis
victim ['vɪktɪm] Opfer; ***fall victim to*** betroffen werden von, *bei Krankheit*: erkranken an
victimize ['vɪktɪmaɪz] ungerecht behandeln, schikanieren
victor ['vɪktə] *förmlich* Sieger(in)

vest ABER: waistcoat

victorious [vɪk'tɔːrɪəs] siegreich
victory ['vɪktərɪ] Sieg
video[1] ['vɪdɪəʊ] *Pl.*: ***videos*** **1.** *auch* ***video cassette, videotape*** Video(kassette); ***on video*** auf Video **2.** *auch* ***video*** (***cassette***) ***recorder*** Videorekorder
video[2] ['vɪdɪəʊ] *bes. BE* auf Video aufnehmen, aufzeichnen
video camera ['vɪdɪəʊˌkæmərə] Videokamera
video card ['vɪdɪəʊ‿kɑːd] *Computer*: Video-Karte
video clip ['vɪdɪəʊ‿klɪp] Videoclip
video nasty [ˌvɪdɪəʊ'nɑːstɪ] Horrorvideo, Pornovideo
videophone ['vɪdɪəʊfəʊn] Bildtelefon
video recorder ['vɪdɪəʊ‿rɪˌkɔːdə] Videorekorder
video recording ['vɪdɪəʊ‿rɪˌkɔːdɪŋ] Videoaufnahme
video shop ['vɪdɪəʊ‿ʃɒp] Videothek
videotape ['vɪdɪəʊteɪp] auf Video aufnehmen, aufzeichnen
vie [vaɪ], ***vied, vied***; *-ing-Form* ***vying*** wetteifern (***with*** mit; ***for*** um)
Vienna [vɪ'enə] Wien
view[1] [vjuː] **1.** Sicht (***of*** auf); ***in full view of someone*** direkt vor jemandes Augen; ***in view of*** *übertragen* angesichts (+ *Genitiv*); ***with a view to*** *übertragen* mit Blick auf; ***with a view to doing something*** in *oder* mit der Absicht, etwas zu tun; ***be on view*** ausgestellt *oder* zu besichtigen sein; ***come into view*** in Sicht kommen **2.** Aussicht, Blick (***of*** auf); ***a room with a view*** ein Zimmer mit schöner Aussicht **3.** *Fotografie*: Ansicht **4.** Meinung, Ansicht (***about, on*** über); ***in my view*** meiner Ansicht nach **5.** *übertragen* Überblick (***of*** über) **6.** ***have in view*** in Aussicht haben **7.** ***keep in view*** im Auge behalten
view[2] [vjuː] **1.** *übertragen* betrachten (***as*** als; ***with*** mit) **2.** besichtigen (*Haus usw.*) **3.** fernsehen
viewer ['vjuːə] (Fernseh)Zuschauer(in)
viewfinder ['vjuːˌfaɪndə] *an Kamera*: Sucher
viewpoint ['vjuːpɔɪnt] Standpunkt
vigil ['vɪdʒɪl] (Nacht)Wache; ***keep vigil*** wachen (***over*** bei) (*bes. bei Kranken*)
vigilance ['vɪdʒɪləns] Wachsamkeit
vigilant ['vɪdʒɪlənt] wachsam
vigilante [ˌvɪdʒɪ'læntɪ] Mitglied einer Bürgerwehr; ***vigilantes*** Bürgerwehr
vigor ['vɪgə] *AE* Energie; ☞ *BE* ***vigour***
vigorous ['vɪgərəs] energisch
vigour ['vɪgə] *bes. BE* Energie
Viking ['vaɪkɪŋ] *historisch*: Wikinger
vile [vaɪl] **1.** *Geruch, Wetter usw.*: scheußlich **2.** *Denk-, Handlungsweise*: niedrig, gemein
villa ['vɪlə] Villa
village ['vɪlɪdʒ] Dorf
villager ['vɪlɪdʒə] Dorfbewohner(in)
villain ['vɪlən] **1.** *in Film usw.*: Bösewicht **2.** *BE, umg.* Ganove **3.** *umg.* Bengel
vindictive [vɪn'dɪktɪv] nachtragend, rachsüchtig
vine [vaɪn] **1.** (Wein)Rebe **2.** Kletterpflanze (⚠ *Wein* = ***wine***)
vinegar ['vɪnɪgə] Essig
vineyard [⚠ 'vɪnjəd] Weinberg
vintage[1] ['vɪntɪdʒ] **1.** Jahrgang (*eines Weins*) **2.** Weinlese
vintage[2] ['vɪntɪdʒ] **1.** *Wein*: Jahrgangs… **2.** glänzend, hervorragend **3.** ***vintage car*** *bes. BE* Oldtimer (*Baujahr 1919-30*)
viola [vɪ'əʊlə] Bratsche
violate ['vaɪəleɪt] **1.** verletzen, brechen (*Vertrag usw.*) **2.** stören (*Frieden usw.*) **3.** schänden (*Grab*) **4.** vergewaltigen (*Frau*)
violation [ˌvaɪə'leɪʃn] **1.** Verletzung, Bruch (*eines Vertrags usw.*) **2.** Störung **3.** Schändung (*eines Grabes*) **4.** Vergewaltigung
violence ['vaɪələns] **1.** Gewalt **2.** Gewalttätigkeit **3.** *von Unwetter*: Heftigkeit
violent ['vaɪələnt] **1.** gewalttätig **2.** gewaltsam; ***violent crime*** Gewaltverbrechen **3.** *Auseinandersetzung, Sturm usw.*: heftig
violet[1] ['vaɪələt] Veilchen
violet[2] ['vaɪələt] *Farbe*: lila, *dunkler*: violett
violin [ˌvaɪə'lɪn] Geige, Violine
violinist [ˌvaɪə'lɪnɪst] Geiger(in), Violinist (-in)
VIP [ˌviːaɪ'piː] (*Abk. für* **v**ery **i**mportant **p**erson) prominente Persönlichkeit
viral ['vaɪrəl] *medizinisch*: Virus…
virgin[1] ['vɜːdʒɪn] **1.** Jungfrau **2.** *umg., übertragen* (gänzlich) unerfahrene Person; ***I'm an internet virgin*** mit dem Internet habe ich überhaupt keine Erfahrung
virgin[2] ['vɜːdʒɪn] unberührt (*auch übertragen*)
Virgo ['vɜːgəʊ] *Sternzeichen*: Jungfrau
virile ['vɪraɪl] **1.** männlich **2.** potent
virility [vɪ'rɪlətɪ] **1.** Männlichkeit **2.** Potenz
virtual ['vɜːtʃʊəl] **1.** ***it's a virtual certainty that*** es steht praktisch fest, dass **2.** ***virtual reality*** *Computer*: virtuelle Realität
virtually ['vɜːtʃʊəlɪ] praktisch, so gut wie
virtue ['vɜːtʃuː] **1.** Tugend(haftigkeit) **2.** Tugend; ***make a virtue of necessity*** aus der Not eine Tugend machen **3.** ***by*** (*oder* ***in***) ***virtue of*** kraft (+ *Genitiv*), aufgrund (+ *Genitiv*)
virtuous ['vɜːtʃʊəs] tugendhaft (⚠ *nicht* ***virtuos***)

virulent ['vɪrʊlənt] **1.** *Krankheit*: bösartig, *Gift*: schnell wirkend **2.** *übertragen* gehässig
virus ['vaɪrəs] *medizinisch*: Virus (*auch Computer*); ***virus scanner*** *Computer*: Virensuchprogramm
visa ['viːzə] Visum, *im Pass eingetragenes auch*: Sichtvermerk
visibility [ˌvɪzə'bɪlətɪ] Sicht, Sichtweite
visible ['vɪzəbl] **1.** sichtbar **2.** *übertragen* (er)sichtlich
vision ['vɪʒn] **1.** Sehkraft **2.** *übertragen* Weitblick **3.** Vision; ***have visions of doing something*** sich schon etwas tun sehen
visionary[1] ['vɪʒnərɪ] **1.** *positiv*: weit blickend **2.** *negativ*: eingebildet, unwirklich
visionary[2] ['vɪʒnərɪ] **1.** *positiv*: Visionär, Seher(in) **2.** *negativ*: Fantast(in)
visit[1] ['vɪzɪt] **1.** besuchen (*Person*), besichtigen (*Museum usw.*) **2.** ***be visiting*** auf Besuch sein (*AE* ***in*** in; ***with*** bei) **3.** inspizieren

visit with ['vɪzɪt‿wɪð] *AE* plaudern mit

visit[2] ['vɪzɪt] **1.** Besuch, Besichtigung (***to*** *dt. Genitiv*); ***for*** (*oder* ***on***) ***a visit*** auf Besuch; ***pay someone a visit*** jemandem einen Besuch abstatten, *Arzt*: aufsuchen; ***I've got to pay a visit*** *BE*, *umg.* ich muss mal verschwinden **2.** *AE* Plauderei (***with*** mit)
visiting card ['vɪzɪtɪŋ‿kɑːd] Visitenkarte
visiting hours ['vɪzɪtɪŋ‿aʊəz] *Pl.* Besuchszeit
visiting professor [ˌvɪzɪtɪŋ‿prə'fesə] Gastprofessor(in)
visiting team [ˌvɪzɪtɪŋ'tiːm] *Sport*: ***the visiting team*** die Gäste *Pl.*
visitor ['vɪzɪtə] Besucher(in) (***to*** *dt. Genitiv*; ***from*** aus); ***visitors*** *Pl.* ***to England*** Englandbesucher; ***have visitors*** Besuch haben; ***visitors' book*** Gästebuch
visor ['vaɪzə] **1.** *an Helm*: Visier **2.** Schirm (*einer Mütze*) **3.** *Auto*: (Sonnen)Blende
vista ['vɪstə] Aussicht, Blick (***of*** auf)
visual ['vɪʒʊəl] **1.** Seh… **2.** visuell; ***visual aids*** *Pl. Schule*: Anschauungsmaterial
visualize ['vɪʒʊəlaɪz] sich vorstellen
vital ['vaɪtl] **1.** unbedingt notwendig (***to, for*** für); ***of vital importance*** von größter Wichtigkeit **2.** *Organ usw.*: lebenswichtig
vitality [vaɪ'tælətɪ] Vitalität, Lebenskraft
vitally ['vaɪtlɪ] **1.** vital, kraftvoll **2.** äußerst; ***vitally important*** äußerst wichtig
vital statistics [ˌvaɪtl‿stə'tɪstɪks] **1.** Bevölkerungsstatistik **2.** *humorvoll* Maße (*einer Frau*)
vitamin ['vɪtəmɪn] Vitamin
viva ['vaɪvə] *BE*, *umg.* → ***viva voce***
vivacious [vɪ'veɪʃəs] *bes. Frau*: lebhaft, temperamentvoll
viva voce [⚠ ˌvaɪvə'vəʊsɪ] *Universität*: mündliche Prüfung
vivid ['vɪvɪd] **1.** *Licht*: hell **2.** *Farben*: kräftig, leuchtend **3.** *Schilderung usw.*: anschaulich **4.** *Fantasie*: lebhaft
vivisection [ˌvɪvɪ'sekʃn] Vivisektion
V-neck ['viːnek] V-Ausschnitt
vocab ['vəʊkæb] *umg.* Wörterverzeichnis
vocabulary [vəʊ'kæbjʊlərɪ] **1.** Vokabular, Wortschatz **2.** Wörterverzeichnis
vocal[1] ['vəʊkl] **1.** Stimm…; ***vocal cords*** *oder* ***chords*** *Pl. Körper*: Stimmbänder **2.** *Protest usw.*: lautstark
vocal[2] ['vəʊkl] ***vocals by …*** Gesang: …
vocalist ['vəʊkəlɪst] Sänger(in)
vocation [vəʊ'keɪʃn] **1.** Begabung (***for*** für) **2.** Berufung
vocational [vəʊ'keɪʃnəl] Berufs…; ***vocational training*** Berufsausbildung
vogue [vəʊg] Mode; ***be in vogue*** Mode sein
vogue expression [ˌvəʊg‿ɪk'spreʃn], **vogue word** [ˌvəʊg'wɜːd] Modewort
voice[1] [vɔɪs] **1.** Stimme (*auch übertragen*) **2.** ***active voice*** *Sprache*: Aktiv; ***passive voice*** *Sprache*: Passiv
voice[2] [vɔɪs] **1.** zum Ausdruck bringen (*Meinung usw.*) **2.** *Sprache*: stimmhaft aussprechen
voiced [vɔɪst] *Sprache*: stimmhaft
voiceless ['vɔɪsləs] *Sprache*: stimmlos
voice mail ['vɔɪs‿meɪl] Voicemail, telefonische Nachricht
voice output ['vɔɪsˌaʊtpʊt] *Computer*: Sprachausgabe
void[1] [vɔɪd] **1.** leer; ***void of*** ohne **2.** *Recht*: nichtig, ungültig
void[2] [vɔɪd] Leere
volatile ['vɒlətaɪl] **1.** *Lage*: unbeständig **2.** *Person*: sprunghaft
volcano [vɒl'keɪnəʊ] *Pl.*: ***volcanoes*** *oder* ***volcanos*** Vulkan
volley ['vɒlɪ] **1.** Salve, Hagel (*von Fragen usw.*) **2.** *Tennis*: Volley, Flugball, *Fußball*: Volleyschuss
volleyball ['vɒlɪbɔːl] *Sport*: Volleyball
volt [vəʊlt] *Elektrotechnik*: Volt
voltage ['vəʊltɪdʒ] *Elektrotechnik*: Spannung
volume ['vɒljuːm] **1.** Lautstärke; ***at full volume*** in voller Lautstärke; ***turn the volume up*** (*bzw.* ***down***) lauter (*bzw.* leiser) drehen; ***volume control*** Lautstärke-

regler **2.** *Mathematik*, *Physik*: Volumen, Rauminhalt **3.** *Handel usw.*: Volumen, *Verkehr*: Aufkommen **4.** *Buch*: Band; ***a two-volume novel*** ein zweibändiger Roman
voluminous [⚠ və'luːmɪnəs] **1.** *Behältnis*: geräumig **2.** *Bericht usw.*: umfangreich
voluntarily ['vɒləntərəlɪ] freiwillig
voluntary ['vɒləntərɪ] **1.** freiwillig **2.** *Tätigkeit*: unbezahlt
volunteer[1] [ˌvɒlən'tɪə] **1.** sich freiwillig melden (***for*** zu) (*auch zum Militär*) **2.** anbieten (*Hilfe usw.*); ***volunteer to do something*** sich anbieten, etwas zu tun **3.** von sich aus sagen
volunteer[2] [ˌvɒlən'tɪə] Freiwillige(r) (*auch beim Militär*), freiwilliger Helfer
vomit ['vɒmɪt] **1.** sich übergeben **2.** erbrechen, spucken
vote[1] [vəʊt] **1.** Abstimmung (***about, on*** über); ***put to the vote*** abstimmen lassen über; ***take a vote on*** abstimmen über **2.** *bei Wahl*: Stimme; ***cast one's vote for*** *oder* ***give one's vote to*** stimmen für **3.** Stimmzettel **4.** Wahlrecht; ***get the vote*** wahlberechtigt werden
vote[2] [vəʊt] **1.** wählen, abstimmen; ***vote for*** (*bzw.* ***against***) stimmen für (*bzw.* gegen) **2.** ***vote that*** *umg.* vorschlagen, dass

vote on ['vəʊt‿ɒn] abstimmen über
vote out [ˌvəʊt'aʊt] ***vote out of office*** abwählen

voter ['vəʊtə] Wähler(in)

vouch for ['vaʊtʃ‿fɔː] **1.** sich verbürgen für **2.** bürgen für

voucher ['vaʊtʃə] Gutschein
vow[1] [vaʊ] Gelöbnis; ***make*** (*oder* ***take***) ***a vow*** ein Gelöbnis ablegen
vow[2] [vaʊ] geloben, schwören (***to do*** zu tun)
vowel ['vaʊəl] *Sprache*: Selbstlaut, Vokal
voyage ['vɔɪɪdʒ] (See)Reise
vs. ['vɜːsəs] *Abk. für* → ***versus***
vulgar ['vʌlgə] **1.** vulgär, ordinär **2.** geschmacklos
vulnerable ['vʌlnərəbl] **1.** *übertragen* verwundbar, verletzbar **2.** anfällig (***to*** für)
vulture ['vʌltʃə] *Vogel*: Geier

W

wacky ['wækɪ] *umg.* verrückt
wad [wɒd] **1.** Knäuel, *Watte usw.*: Bausch **2.** Bündel (*Banknoten, Papier usw.*)
waddle ['wɒdl] watscheln
wade [weɪd] *im Wasser*: waten
wafer ['weɪfə] **1.** (Eis)Waffel **2.** *Religion*: Hostie
waffle[1] ['wɒfl] Waffel
waffle[2] ['wɒfl] *bes. BE, umg.* schwafeln
wag [wæg], ***wagged, wagged*** **1.** ***wag one's finger at someone*** jemandem mit dem Finger drohen **2.** ***wag its tail*** (*Hund*) mit dem Schwanz wedeln
wage[1] [weɪdʒ] *mst.* ***wages*** *Pl.* Lohn
wage[2] [weɪdʒ] ***wage*** (***a***) ***war against*** (*oder* ***on***) Krieg führen gegen
wage claim ['weɪdʒ‿kleɪm], **wage demand** ['weɪdʒ‿dɪˌmɑːnd] Lohn- *oder* Gehaltsforderung
wage earner ['weɪdʒˌɜːnə] Lohnempfänger(in)
wage freeze ['weɪdʒ‿friːz] Lohnstopp
wage rise ['weɪdʒ‿raɪz] Lohnerhöhung
wages ['weɪdʒɪz] *Pl.* Lohn
wagon, *BE auch* **waggon** ['wægən] **1.** Fuhrwerk, Wagen **2.** *BE*; *Eisenbahn*: (offener) Güterwagen
wail [weɪl] **1.** (*Person*) jammern **2.** (*Wind*) heulen
waist [weɪst] Taille
waistcoat [⚠ 'weɪskəʊt] *bes. BE* Weste
waistline ['weɪstlaɪn] Taille
wait[1] [weɪt] **1.** warten (***for*** auf); ***wait*** (***for***) ***10 minutes*** 10 Minuten warten; ***wait for someone*** *auch*: jemanden erwarten; ***wait for someone to do something*** darauf warten, dass jemand etwas tut; ***it can wait*** das kann warten (***until*** bis); ***keep someone waiting*** jemanden warten lassen; ***I can't wait to see him*** ich kann es kaum erwarten, ihn zu sehen; ***wait and see!*** warte es ab!; ***I'll have to wait and see how …*** ich muss abwarten, wie … **2.** ***wait*** (***at table***) (*Kellner usw.*) bedienen

W

wait on ['weɪt‿ɒn] ***wait on someone*** jemanden bedienen (*bes. im Restaurant*)
wait up [ˌweɪt'ʌp] ***wait up*** *umg.* aufbleiben (***for*** wegen)

wait[2] [weɪt] **1.** Wartezeit; ***have a long wait*** lange warten müssen (***for*** auf) **2.** ***lie in wait for someone*** jemandem auflauern
waiter ['weɪtə] Kellner, Ober, *als Anrede*: (Herr) Ober
waiting ['weɪtɪŋ] ***'no waiting'*** „Halteverbot"
waiting room ['weɪtɪŋ‿ruːm] *Bahnhof*: Wartesaal, *beim Arzt usw.*: Wartezimmer
waitress[1] ['weɪtrəs] Kellnerin, Bedienung, ⒸⒽ Serviertochter
waitress[2] ['weɪtrəs] kellnern; ***she spent the summer waitressing*** sie hat im Sommer als Kellnerin gearbeitet
wake[1] [weɪk], ***woke*** [wəʊk], ***woken*** ['wəʊkən] *oder AE* ***waked, waked*** **1.** *auch* ***wake up*** (auf)wecken, *übertragen* wecken **2.** *auch* ***wake up*** aufwachen, wach werden
wake[2] [weɪk] ***in the wake of*** als Folge von
wake[3] [weɪk] Totenwache
waken ['weɪkən] **1.** *auch* ***waken up*** (auf-)wecken **2.** *auch* ***waken up*** aufwachen
wake-up call ['weɪkʌp‿kɔːl] Weckruf, *übertragen* Alarmzeichen
Wales [weɪlz] Wales; ☞ *Karte S. 293*
walk[1] [wɔːk] **1.** (zu Fuß) gehen, laufen **2.** spazieren gehen, *über längere Strecke*: wandern **3.** bringen, begleiten (*Person*) (***to*** zu); ***walk someone home*** jemanden nach Hause bringen **4.** ausführen (*Hund*)

walk away [ˌwɔːk‿ə'weɪ] weggehen
walk in [ˌwɔːk'ɪn] hineingehen, hereinkommen
walk into [ˌwɔːk'ɪntʊ] **1.** hineingehen in, hereinkommen in **2.** ***walk into someone*** jemanden zufällig treffen **3.** ***walk into a trap*** *übertragen* in eine Falle gehen
walk off [ˌwɔːk'ɒf] fortgehen, weggehen
walk out on [ˌwɔːk'aʊt‿ɒn] ***walk out on someone*** *umg.* jemanden sitzen lassen
walk up [ˌwɔːk'ʌp] **1.** hinaufgehen, heraufkommen **2.** ***walk up to someone*** auf jemanden zugehen

walk[2] [wɔːk] **1.** Spaziergang, Wanderung; ***go for*** (*oder* ***have, take***) ***a walk*** einen Spaziergang machen, spazieren gehen; ***it's just a five-minute walk from here*** es sind zu Fuß nur fünf Minuten **2.** Spazierweg, Wanderweg **3.** *Art der Bewegung*: Gang
walkabout ['wɔːkəˌbaʊt] *bes. BE, umg.* Bad in der Menge; ***do*** *oder* ***go on a walkabout*** ein Bad in der Menge nehmen
walker ['wɔːkə] **1.** Spaziergänger(in), Wanderer, Wanderin; ***be a fast walker*** schnell gehen **2.** *Sport*: Geher(in)
walkies ['wɔːkɪz] *Pl.* ***go walkies*** *BE umg.* Gassi gehen
walking ['wɔːkɪŋ] Gehen, Spazierengehen, Wandern
walking shoes ['wɔːkɪŋ‿ʃuːz] *Pl.* Wanderschuhe
walk-on ['wɔːkɒn] ***walk-on part*** *Theater*: Statistenrolle
walkout ['wɔːkaʊt] **1.** Arbeitsniederlegung, Streik **2.** *bei Verhandlung usw.*: Verlassen des Saales (unter Protest)
walkover ['wɔːkˌəʊvə] **1.** leichter *oder* müheloser Sieg **2.** *übertragen* Kinderspiel
wall[1] [wɔːl] **1.** Wand (*auch übertragen*); ***wall of fire*** Feuerwand **2.** Mauer (*auch übertragen*) **3.** ***drive someone up the wall*** *umg.* jemanden wahnsinnig machen
wall[2] [wɔːl] mit einer Mauer umgeben
wallet ['wɒlɪt] Brieftasche
wallflower ['wɔːlˌflaʊə] *übertragen, umg.* Mauerblümchen
wallop[1] [⚠ 'wɒləp] *umg.*; *harter Schlag*: Ding; ***give someone a wallop*** jemandem ein Ding verpassen
wallop[2] [⚠ 'wɒləp] *umg.*, *Sport*: in die Pfanne hauen (***at*** in)
wallow ['wɒləʊ] **1.** (*Tier*) sich wälzen **2.** ***wallow in luxury*** im Luxus schwelgen
wall painting ['wɔːlˌpeɪntɪŋ] Wandgemälde
wallpaper[1] ['wɔːlˌpeɪpə] **1.** Tapete **2.** *Computer*: Hintergrundbild
wallpaper[2] ['wɔːlˌpeɪpə] tapezieren
wall-to-wall [ˌwɔːltə'wɔːl] ***wall-to-wall carpeting*** Teppichboden
wally ['wɒlɪ] *BE, umg.* Trottel
walnut ['wɔːlnʌt] **1.** Walnuss **2.** Walnussbaum **3.** *Holz*: Nussbaum
walrus ['wɔːlrəs] Walross
waltz[1] [wɔːls] *Musik*: Walzer
waltz[2] [wɔːls] Walzer tanzen
wand [wɒnd] (Zauber)Stab
wander ['wɒndə] **1.** herumlaufen, streifen (*etwas ziellos*) (⚠ *eine Wanderung machen* = ***hike***) **2.** ***wander from*** (*oder* ***off***) ***the topic*** vom Thema abschweifen **3.** (*Gedanken usw.*) wandern

wander about *oder* **around** [ˌwɒndər‿ə'baʊt *oder* ə'raʊnd] herumirren

wane [weɪn] (*Mond*) abnehmen
wangle ['wæŋgl] *umg.* organisieren (*Eintrittskarten usw.*); ***wangle something out of someone*** jemandem etwas abluchsen
wank [wæŋk] *BE*; *vulgär* wichsen
wanker ['wæŋkə] *BE*; *vulgär* Wichser
wanna ['wɒnə] *Kurzform von* ***want to*** *oder* ***want a***
want[1] [wɒnt] **1.** wollen; ***I don't want to*** ich will nicht; ***he knows what he wants*** er weiß, was er will; ***want to do something*** etwas tun wollen; ***want someone to do something*** wollen, dass jemand etwas tut; ***want something done*** wollen, dass etwas getan wird; ***it wants doing straightaway*** *umg.* es muss sofort erledigt werden **2.** brauchen, sprechen wollen (*Person*); ***you're wanted on the phone*** du wirst am Telefon verlangt **3.** ***be wanted*** (polizeilich) gesucht werden (***for*** wegen) **4.** *umg.* brauchen, nötig haben **5.** ***you want to see a doctor*** *umg.* du solltest zum Arzt gehen
want[2] [wɒnt] **1.** Mangel (***of*** an); ***for want of*** mangels (+ *Genitiv*) **2.** Bedürfnis, Wunsch **3.** ***live in want*** Not leiden
wanting ['wɒntɪŋ] **1.** ***be found wanting*** den Ansprüchen nicht genügen **2.** ***they're wanting in*** es fehlt *oder* mangelt ihnen an
wanton ['wɒntən] **1.** mutwillig **2.** *Frau, Leben*: liederlich **3.** *Blick usw.*: lüstern
war [wɔː] **1.** Krieg (*auch übertragen*) **2.** *übertragen* Kampf (***against*** gegen)
warble ['wɔːbl] (*Vogel*) trillern
war crime ['wɔː‿kraɪm] Kriegsverbrechen
war criminal ['wɔːˌkrɪmɪnl] Kriegsverbrecher(in)
ward [wɔːd] **1.** Station (*eines Krankenhauses*) **2.** *politisch*: Stadtbezirk **3.** *Recht*: Mündel

> **ward off** [ˌwɔːd'ɒf] abwehren (*Schlag usw.*), abwenden (*Gefahr usw.*)

warden ['wɔːdn] **1.** *von Museum usw.*: Aufseher(in) **2.** *von Jugendherberge*: Herbergsvater, Herbergsmutter **3.** *AE* (Gefängnis)Direktor(in)
warder ['wɔːdə] *BE* Aufsichtsbeamte, Aufsichtsbeamtin (*in Gefängnis*)
wardrobe ['wɔːdrəʊb] **1.** (Kleider-)Schrank **2.** *Kleiderbestand*: Garderobe
ware [weə] *in Zusammensetzungen*: …waren; ***glassware*** Glaswaren
warehouse ['weəhaʊs] *Pl.*: ***warehouses*** ['weəˌhaʊzɪz] Lager(haus), Warenlager (⚠ *Warenhaus* = ***department store***)
warfare ['wɔːfeə] Kriegsführung (*auch psychologische*); ***chemical warfare*** Einsatz von chemischen Waffen
warhead ['wɔːhed] *militärisch*: Sprengkopf
warm[1] [wɔːm] **1.** warm (*auch Farben, Stimme usw.*); ***I'm*** (*oder* ***I feel***) ***warm*** mir ist warm; ***dress warmly*** sich warm anziehen **2.** *Empfang*: warm, herzlich
warm[2] [wɔːm] **1.** wärmen; ***warm one's hands*** sich die Hände wärmen **2.** aufwärmen

> **warm to** ['wɔːm‿tʊ] *übertragen* sich erwärmen für
> **warm up** [ˌwɔːm'ʌp] **1.** wärmen **2.** warm *oder* wärmer werden **3.** aufwärmen (*Speise*) **4.** warm laufen lassen (*Motor*) **5.** *Sport*: sich aufwärmen

warm-hearted [ˌwɔːm'hɑːtɪd] **1.** warmherzig **2.** *Empfang*: warm, herzlich
warming ['wɔːmɪŋ] ***global warming*** Erwärmung der Erdatmosphäre
warmonger ['wɔːˌmʌŋgə] Kriegshetzer (-in)
warm start [ˌwɔːm'stɑːt] *Auto, Computer*: Warmstart
warmth ['wɔːmθ] Wärme
warm-up ['wɔːmʌp] Aufwärmtraining
warn [wɔːn] **1.** warnen (***against, of*** vor); ***warn someone not to do*** (*oder* ***against doing***) ***something*** jemanden davor warnen, etwas zu tun **2.** verständigen (*Person usw.*) (***of*** von; ***that*** davon, dass)
warning[1] ['wɔːnɪŋ] **1.** Warnung (***of*** vor); ***without warning*** ohne Vorwarnung; ***let that be a warning to you*** das soll dir eine Warnung sein! **2.** Verwarnung
warning[2] ['wɔːnɪŋ] Warn…; ***warning signal*** Warnsignal (*auch übertragen*); ***warning triangle*** *Auto*: Warndreieck
war paint ['wɔː‿peɪnt] **1.** *von Indianern usw.*: Kriegsbemalung **2.** *humorvoll* Make-up
warpath ['wɔːpɑːθ] ***be on the warpath*** auf dem Kriegspfad sein
warrant ['wɒrənt] ***arrest warrant*** Haftbefehl
warranty ['wɒrəntɪ] *für Ware*: Garantie; ***the printer is still under warranty*** auf dem Drucker ist noch Garantie
warrior ['wɒrɪə] Krieger
Warsaw ['wɔːsɔː] Warschau
warship ['wɔːʃɪp] Kriegsschiff
wart [wɔːt] Warze
wary ['weərɪ] vorsichtig

was [wəz, *betont* wɒz] *2. Form von* **be 1. *I, he, she, it was*** ich, er, sie, es war **2.** *Passiv*: ***I, he, she, it was*** ich, er, sie, es wurde

wash[1] [wɒʃ] **1.** waschen; ***wash your hands*** wasch dir die Hände!; ***get washed*** sich waschen; ***wash the dishes*** Geschirr spülen **2.** sich waschen **3.** ***that won't wash*** *umg.* das glaubt kein Mensch

wash out [ˌwɒʃ'aʊt] **1.** auswaschen **2. *be washed out*** *Spiel usw.*: wegen Regens abgesagt *oder* abgebrochen werden

wash up [ˌwɒʃ'ʌp] **1.** abwaschen, (das) Geschirr spülen **2.** *AE* sich waschen **3.** (*Meer*) anschwemmen, anspülen

wash[2] [wɒʃ] **1.** Wäsche; ***be in the wash*** in der Wäsche sein; ***give something a wash*** etwas waschen; ***have a wash*** sich waschen **2. *car wash*** Autowaschanlage

washable ['wɒʃəbl] waschbar, waschecht

washbasin ['wɒʃˌbeɪsn] *BE* Waschbecken, Ⓒⓗ Lavabo

washboard ['wɒʃbɔːd] Waschbrett (*auch Musikinstrument*)

washboard abs [ˌwɒʃbɔːd'æbz] *Pl., umg.* Waschbrettbauch

washbowl ['wɒʃbəʊl] *AE* Waschbecken, Ⓒⓗ Lavabo

washcloth ['wɒʃklɒθ] *AE* Waschlappen

washed-out [ˌwɒʃt'aʊt] **1.** *Stoff*: verwaschen **2.** *umg.* schlapp, erschöpft

washer ['wɒʃə] **1.** *Technik*: Dichtungsring **2.** *AE* Waschmaschine

washing ['wɒʃɪŋ] Wäsche (*auch Textilien*); ***do the washing*** die Wäsche waschen

washing machine ['wɒʃɪŋ‿məˌʃiːn] Waschmaschine

washing-up [ˌwɒʃɪŋ'ʌp] *BE* Abwasch (*auch Geschirr*); ***do the washing-up*** den Abwasch machen

wash-out ['wɒʃaʊt] *umg.* **1.** Pleite **2.** *Person*: Niete

washroom ['wɒʃruːm] *AE* Toilette

wasn't ['wɒznt] *Kurzform von* **was not**

wasp ['wɒsp] Wespe

waste[1] [weɪst] **1.** Verschwendung; ***waste of time*** Zeitverschwendung **2.** Abfall, Müll; ***waste separation*** Mülltrennung

waste[2] [weɪst] verschwenden, vergeuden (*Geld, Zeit usw.*) (**on** an, für); ***waste one's time doing something*** seine Zeit damit verschwenden, etwas zu tun

waste[3] [weɪst] **1.** ungenutzt, überschüssig **2.** Abfall…; ***waste material*** Abfallstoffe **3.** *Land*: brachliegend

wastebasket ['weɪstˌbɑːskɪt] *AE* Papierkorb

waste disposal ['weɪst‿dɪˌspəʊzl] Abfallbeseitigung, Müllentsorgung

wasteful ['weɪstfl] verschwenderisch

waste paper [ˌweɪst'peɪpə] Papierabfall

wastepaper basket [ˌweɪst'peɪpəˌbɑːskɪt] Papierkorb

waste pipe ['weɪst‿paɪp] Abflussrohr

waste product ['weɪstˌprɒdʌkt] Abfallprodukt

waster ['weɪstə] Verschwender(in)

watch[1] [wɒtʃ] **1.** beobachten, zuschauen (bei), sich ansehen; ***watch someone do*** (*oder* ***doing***) ***something*** beobachten, wie jemand etwas tut; ***watch TV*** (*oder* ***television***) fernsehen **2.** aufpassen auf, achten auf; ***watch you don't spill your coffee*** pass auf, dass du deinen Kaffee nicht verschüttest; ***watch it!*** *umg.* pass auf!, Vorsicht!, *drohend*: pass bloß auf!; ***watch one's step*** *übertragen* aufpassen

watch for ['wɒtʃ‿fɔː] Ausschau halten nach

watch out [ˌwɒtʃ'aʊt] ***watch out!*** pass auf!, Vorsicht!

watch out for [ˌwɒtʃ'aʊt‿fɔː] **1.** Ausschau halten nach **2.** sich in Acht nehmen vor

watch[2] [wɒtʃ] (Armband)Uhr

watch[3] [wɒtʃ] Wache; ***be on the watch for*** Ausschau halten nach

watchdog ['wɒtʃdɒg] Wachhund

watchful ['wɒtʃfl] wachsam

watchman ['wɒtʃmən] *Pl.*: **watchmen** ['wɒtʃmən] Wachmann, Wächter

watchstrap ['wɒtʃstræp], *AE* **watchband** ['wɒtʃbænd] Uhrarmband

water[1] ['wɔːtə] Wasser; ☞ ***waters***

water: Tipps zur Aussprache

v und **w** tun sich *im Englischen* gegenseitig nur weh, wenn man sie gleich ausspricht.

Das englische **w** wird ganz anders als das deutsche gesprochen, es klingt eher wie das „u“ bei dem Entsetzensschrei „Uaah!“ **What?** spricht sich also wie „uott“, und **wind** spricht sich wie „uind“!

Das englische **v** wird dagegen wie ein deutsches **w** in „**W**asser“, „**w**inzig“, „**W**unsch“ *usw.* ausgesprochen.

Kein Grund also, die beiden Laute im Eifer des Gefechts miteinander zu verwechseln oder gar beide wie das englische **w** zu sprechen.

Our visit to Venice was a very worthwhile adventure, wasn't it?
[aʊə ˌvɪzɪt tə 'venɪs wəz‿ə ˌverɪ 'wɜːθwaɪl əd'ventʃə, 'wɒznt‿ɪt]

Unser Venedig-Besuch war doch tatsächlich ein tolles Erlebnis, oder?

water² ['wɔːtə] **1.** gießen (*Blumen*), sprengen (*Rasen usw.*) **2.** (*Augen*) tränen; ***the sight made my mouth water*** bei dem Anblick lief mir das Wasser im Mund zusammen **3.** tränken (*Vieh*)
waterbed ['wɔːtəbed] Wasserbett
water bird ['wɔːtə‿bɜːd] Wasservogel
watercolour, *AE* **watercolor** ['wɔːtəˌkʌlə] **1.** Wasserfarbe, Aquarellfarbe **2.** *Bild*: Aquarell
waterfall ['wɔːtəfɔːl] Wasserfall
waterfront ['wɔːtəfrʌnt] Hafenviertel
watering can ['wɔːtərɪŋ‿kæn], *AE auch* **watering pot** ['wɔːtərɪŋ‿pɒt] Gießkanne
water lily ['wɔːtəˌlɪlɪ] *Pflanze*: Seerose
watermark ['wɔːtəmɑːk] *in Geldscheinen usw.*: Wasserzeichen
watermelon ['wɔːtəˌmelən] *Frucht*: Wassermelone
water pipe ['wɔːtə‿paɪp] **1.** Wasserrohr **2.** *zum Rauchen*: Wasserpfeife
water polo ['wɔːtəˌpəʊləʊ] *Sport*: Wasserball (*Spiel*)
waterproof ['wɔːtəpruːf] wasserdicht
waters ['wɔːtəz] *Pl.* **1.** Gewässer *Pl.* **2.** Wasser *Pl.* (*eines Flusses usw.*) **3.** Heilquelle; ***drink** oder **take the waters*** eine Kur machen; ☞ ***water¹***
water skiing ['wɔːtəˌskiːɪŋ] Wasserskilaufen
watertight ['wɔːtətaɪt] **1.** wasserdicht **2.** *Argument, Alibi usw.*: hieb- und stichfest, wasserdicht
waterwings ['wɔːtəwɪŋz] *Pl.* Schwimmflügel *Pl.*
waterworks ['wɔːtəwɜːks] *Pl.* **1.** (⚠ *oft mit Sg.*) Wasserwerk **2.** *umg.* Blase **3.** ***turn on the waterworks*** *umg.* das Heulen anfangen
watery ['wɔːtərɪ] wässerig, wässrig
watt [wɒt] *Elektrotechnik*: Watt
wave¹ [weɪv] **1.** winken (mit), schwenken; ***wave one's hand*** winken; ***wave someone goodbye*** jemandem zum Abschied zuwinken; ***wave at** (oder **to**) **someone*** jemandem zuwinken **2.** (*Fahne*) wehen **3.** in Wellen legen (*Haar*) **4.** (*Haar*) sich wellen
wave² [weɪv] **1.** *allg.*: Welle (*auch übertragen*) **2.** ***give someone a wave*** jemandem zuwinken
wavelength ['weɪvleŋθ] *Radio usw.*: Wellenlänge (*auch übertragen*)
waver ['weɪvə] **1.** (*Licht, Augen*) flackern **2.** *übertragen* schwanken (***between*** zwischen)
wavy ['weɪvɪ] wellig, gewellt
wax¹ [wæks] **1.** Wachs **2.** (Ohren)Schmalz
wax² [wæks] wachsen, *von Fußboden*: bohnern
wax³ [wæks] (*Mond*) zunehmen
waxworks ['wækswɜːks] *Pl.* (⚠ *mst. mit Sg.*) Wachsfigurenkabinett
way¹ [weɪ] **1.** Weg; ***way back*** Rückweg; ***way home*** Heimweg; ***way in*** Eingang; ***way out*** Ausgang; ***ways and means*** *Pl. übertragen* Mittel und Wege; ***be on the** (oder **one's**) **way to*** unterwegs sein nach; ***lose one's way*** sich verirren; ***make way*** Platz machen (***for*** für) **2.** Richtung; ***this way*** hierher, hier entlang; ***the other way round*** andersherum **3.** Weg, Strecke; ***be a long way from*** weit entfernt sein von; ***Easter is still a long way off*** bis Ostern ist es noch lang **4.** Art, Weise; ***way of life*** Lebensweise; ***if I had my way*** wenn es nach mir ginge; ***you can't have it both ways*** du kannst nicht beides haben **5.** Hinsicht; ***in a way*** (*oder* ***some ways***) in gewisser Hinsicht; ***no way!*** *umg.* kommt überhaupt nicht infrage! **6.** ***by the way*** *übertragen* übrigens **7.** ***give way*** nachgeben; ***'give way'*** *BE* „Vorfahrt achten", CH „Vortritt beachten"; ☞ ***ways***
way² [weɪ] *umg.* weit; ***they're friends from way back*** sie sind alte Freunde
waylay [weɪ'leɪ], ***waylaid*** [weɪ'leɪd], ***waylaid*** [weɪ'leɪd] **1.** auflauern **2.** *umg., übertragen* abpassen, abfangen
ways [weɪz] *Pl.* Brauch, Sitte, Gewohnheit
wayward ['weɪwəd] eigensinnig
we [wiː] wir
weak [wiːk] *allg.*: schwach, *Kaffee usw. auch*: dünn
weaken ['wiːkən] **1.** schwächen **2.** schwächer werden **3.** *übertragen* nachgeben
weak-kneed [ˌwiːk'niːd] *umg.* feige, ängstlich
weakling ['wiːklɪŋ] Schwächling
weakness ['wiːknəs] *allg.*: Schwäche
weal [wiːl] Striemen (*von Schlägen usw.*)
wealth [welθ] **1.** Reichtum **2.** *übertragen* Fülle (***of*** von)
wealth tax ['welθ‿tæks] Vermögenssteuer
wealthy ['welθɪ] reich, wohlhabend
weapon ['wepən] Waffe (*auch übertragen*)

wean [wiːn] entwöhnen (*Kleinkind*)

wean off [ˌwiːn'ɒf] ***wean someone off something*** jemandem etwas abgewöhnen, jemanden von etwas abbringen

wear[1] [weə], ***wore*** [wɔː], ***worn*** [wɔːn] **1.** tragen (*Brille*, *Schmuck usw.*), anhaben (*Mantel usw.*), aufhaben (*Hut usw.*) **2.** ***something to wear*** etwas zum Anziehen **3.** ***these shoes have worn well*** diese Schuhe haben sich gut gehalten **4.** sich abnutzen **5.** abnutzen, durchwetzen; ***I've worn a hole in my trousers*** ich habe meine Hose durchgewetzt

wear down [ˌweə'daʊn] **1.** abtreten (*Stufen*), ablaufen (*Absätze*), abfahren (*Reifen*) **2.** sich abtreten *oder* ablaufen *oder* abfahren **3.** *übertragen* zermürben

wear off [ˌweər'ɒf] (*Schmerz usw.*) nachlassen

wear out [ˌweər'aʊt] **1.** abnutzen, abtragen (*Kleidung*) **2.** sich abnutzen *oder* abtragen **3.** *übertragen* erschöpfen

wear[2] [weə] **1.** *auch* ***wear and tear*** Abnutzung **2.** *oft in Zusammensetzungen*: Kleidung; ***menswear*** Herrenkleidung

wearily [⚠ 'wɪərəlɪ] müde, lustlos

wearing ['weərɪŋ] *Arbeit, Streit usw.*: ermüdend

weary [⚠ 'wɪərɪ] **1.** *Person*: erschöpft **2.** *Tätigkeit*: ermüdend

weasel ['wiːzl] Wiesel

weather[1] ['weðə] Wetter, Witterung; ***in all weathers*** bei jedem Wetter

weather[2] ['weðə] **1.** überstehen (*Krise usw.*) **2.** *Geologie*: verwittern

weather-bound ['weðəbaʊnd] ***the planes (ships) were weather-bound*** die Flugzeuge (Schiffe) konnten wegen des schlechten Wetters nicht starten (auslaufen)

weather chart ['weðə tʃɑːt] Wetterkarte

weather forecast ['weðəˌfɔːkɑːst] Wettervorhersage

weatherman ['weðəmæn] *Pl.*: ***weathermen*** ['weðəmen] *im Radio, TV*: Wettermann; ***what does the weatherman say?*** was sagt der Wetterbericht?

weatherproof ['weðəpruːf] wetterfest

weather satellite ['weðəˌsætəlaɪt] Wettersatellit

weather station ['weðəˌsteɪʃn] Wetterwarte

weave [wiːv], ***wove*** [wəʊv], ***woven*** ['wəʊvn] **1.** weben **2.** flechten

web [web] **1.** Netz (*auch übertragen*) **2.** *auch* ***The Web*** *Kurzform von* → ***The World-Wide Web***

webhead ['webhed] *Computer*: Computer-Freak, *im engeren Sinne*: Internet-Freak

web page ['webpeɪdʒ] *Computer*: Webseite (*einzelne Seite*)

web site ['websaɪt] *Computer*: Website (*Homepage plus alle Seiten, auf die man von der Homepage aus weiterklicken kann*)

wed [wed], ***wedded, wedded*** *oder* ***wed, wed*** heiraten

we'd [wiːd] *Kurzform von* ***we had*** *oder* ***we would***

wedding[1] ['wedɪŋ] Hochzeit

wedding[2] ['wedɪŋ] Hochzeits…; ***wedding dress*** Brautkleid, Hochzeitskleid; ***wedding ring*** Ehering, Trauring

wedge [wedʒ] **1.** Keil **2.** Stück (*Kuchen usw.*), Ecke (*Käse*)

Wednesday [⚠ 'wenzdeɪ] Mittwoch; ***on Wednesday*** (am) Mittwoch; ***on Wednesdays*** mittwochs

wee[1] [wiː] *bes. Schottisch, umg.* klein; ***a wee bit*** ein (kleines) bisschen

wee[2] [wiː] *Kindersprache*: Pipi machen

wee[3] [wiː] *Kindersprache*: ***do*** (*oder* ***have***) ***a wee*** Pipi machen

weed[1] [wiːd] Unkraut

weed[2] [wiːd] (Unkraut) jäten

weed out [ˌwiːd'aʊt] *übertragen* aussieben, aussondern (***from*** aus)

weedkiller ['wiːdˌkɪlə] Unkrautvernichtungsmittel

week [wiːk] Woche; ***week after week*** *oder* ***week in, week out*** Woche für Woche; ***after weeks of waiting*** nach wochenlangem Warten; ***for weeks*** wochenlang; ***a week today*** *oder* ***today week*** *BE* heute in einer Woche *oder* in acht Tagen

weekday ['wiːkdeɪ] Wochentag, Werktag; ***on weekdays*** werktags

weekend[1] [ˌwiːk'end] Wochenende; ***at*** (*bes. AE* ***on***) ***the weekend*** am Wochenende

weekend[2] ['wiːkend] Wochenend…

weekly[1] ['wiːklɪ] Wochen…, wöchentlich

weekly[2] ['wiːklɪ] Wochen(zeit)schrift

weep [wiːp], ***wept*** [wept], ***wept*** [wept] **1.** weinen (***for*** *oder* ***with joy*** vor Freude; ***for someone*** um jemanden; ***over*** über) **2.** (*Wunde*) nässen

weepy ['wiːpɪ] *umg.* Schnulze

weigh [weɪ] **1.** wiegen; ***it weighs 10 kilos*** es wiegt 10 Kilo **2.** abwiegen, wiegen; ***weigh oneself*** (≈ *sein Gewicht kontrollieren*) sich wiegen **3.** *übertragen* abwägen (***against*** gegen) **4.** ***weigh anchor*** *Schiff*: den Anker lichten

> **weigh down** [ˌweɪˈdaʊn] niederdrücken (*auch übertragen*)
> **weigh out** [ˌweɪˈaʊt] abwiegen
> **weigh up** [ˌweɪˈʌp] **1.** abwägen **2.** einschätzen (*Person*)

weight[1] [weɪt] **1.** *allg*.: Gewicht; ***weights and measures*** *Pl*. Maße und Gewichte; ***it's five kilos in weight*** es wiegt fünf Kilo; ***what's your weight?*** wie viel wiegst du?; ***gain*** (*oder* ***put on***) ***weight*** zunehmen; ***lose weight*** abnehmen **2.** Last (*auch übertragen*) **3.** *übertragen* Bedeutung

weight[2] [weɪt] beschweren (*mit Gewicht*)

weightless [ˈweɪtləs] schwerelos

weightlifter [ˈweɪtˌlɪftə] *Sport*: Gewichtheber(in)

weightlifting [ˈweɪtˌlɪftɪŋ] *Sport*: Gewichtheben

weighty [ˈweɪtɪ] **1.** schwer **2.** *übertragen* gewichtig, schwerwiegend

weird [wɪəd] **1.** *umg*. sonderbar, verrückt **2.** unheimlich

weirdo [ˈwɪədəʊ] *umg*. irrer Typ

welcome[1] [ˈwelkəm] ***welcome back*** (*oder* ***home***)! willkommen zu Hause!; ***welcome to England!*** willkommen in England!

welcome[2] [ˈwelkəm] begrüßen (*auch übertragen*)

welcome[3] [ˈwelkəm] **1.** willkommen; ***you're welcome to do it*** Sie können es gerne tun **2.** *Nachricht usw*.: angenehm **3.** ***you're welcome*** *bes. AE* nichts zu danken!, keine Ursache!

welcome[4] [ˈwelkəm] Empfang

weld [weld] schweißen

welfare [ˈwelfeə] **1.** Wohl; ***welfare state*** Wohlfahrtsstaat **2.** *AE* Sozialhilfe; ***be on welfare*** Sozialhilfe beziehen

well[1] [wel], ***better*** [ˈbetə], ***best*** [best] **1.** gut; (***all***) ***well and good*** schön und gut; ***as well*** ebenso, auch; ***as well as*** sowohl … als auch, nicht nur …, sondern auch; ***just as well*** ebenso gut, genauso gut; ***very well*** also gut, na gut; ***I couldn't very well say no*** ich konnte schlecht Nein sagen; ***do well*** gut daran tun (***to do*** zu tun); ***well done!*** bravo! **2.** gut, gründlich; ***shake well*** kräftig schütteln **3.** weit; ***well in advance*** schon lange vorher

well[2] [wel] **1.** nun, also (*oft unübersetzt*) **2.** ***well, well!*** na so was!

well[3] [wel], ***better*** [ˈbetə], ***best*** [best] **1.** gesund; ***I don't feel well*** ich fühle mich nicht wohl; ***get well soon*** werde bald wieder gesund **2.** ***it's all very well for you to criticize*** du kannst leicht kritisieren

well[4] [wel] **1.** Brunnen; ***well water*** Brunnenwasser **2.** Quelle; ***oil well*** Ölquelle

we'll [wiːl] *Kurzform von* ***we will*** *oder* ***we shall***

well-balanced [ˌwelˈbælənst] **1.** *Person*: ausgeglichen **2.** *Ernährung*: ausgewogen

well-behaved [ˌwelbɪˈheɪvd] *Kind usw*.: artig

well-being [ˌwelˈbiːɪŋ] Wohl(ergehen)

well-done [ˌwelˈdʌn] *Steak*: durchgebraten

well-earned [ˌwelˈɜːnd] wohlverdient

well-informed [ˌwelɪnˈfɔːmd] **1.** *zu einem Thema*: gut unterrichtet **2.** *in vielerlei Hinsicht*: (vielseitig) gebildet

wellington [ˈwelɪŋtən] *bes. BE*, *auch* ***wellington boot*** Gummistiefel

Wellington boots

Wellington boots, umgangssprachlich auch **wellies** genannt, haben ihren Namen von dem General und Staatsmann **Duke of Wellington**, der auf dem Schlachtfeld hohe Lederstiefel trug. Die heutigen **Wellingtons** sind allerdings aus Gummi.

well-kept [ˌwelˈkept] **1.** *Haus, Garten usw*.: gepflegt **2.** *Geheimnis*: streng gehütet

well-known [ˌwelˈnəʊn] (wohl) bekannt

well-meaning [ˌwelˈmiːnɪŋ] *Person*: wohlmeinend, *Rat usw. auch*: gut gemeint

well-meant [ˌwelˈment] *Rat usw*.: gut gemeint, wohl gemeint

well-off[1] [ˌwelˈɒf], ***better-off*** [ˈbetər‿ɒf], ***best-off*** [ˈbestɒf] begütert, reich

well-off[2] [ˌwelˈɒf] ***the well-off*** *Pl*. die Reichen

well-read [ˌwelˈred] (≈ *gebildet*) belesen

well-to-do [ˌweltəˈduː] *umg*. reich

Welsh[1] [welʃ] walisisch

Welsh[2] [welʃ] *Sprache*: Walisisch

Welsh[3] [welʃ] ***the Welsh*** *Pl*. die Waliser

Welshman [ˈwelʃmən] *Pl*.: ***Welshmen*** [ˈwelʃmən] Waliser

Welshwoman [ˈwelʃˌwʊmən] *Pl*.: ***Welshwomen*** [ˈwelʃˌwɪmɪn] Waliserin

went [went] *2. Form von* → ***go***[1]

wept [wept] *2. und 3. Form von* → ***weep***

were [wɜː] *2. Form von* **be**; ***you were*** du warst, Sie waren, ihr wart; ***we were*** wir waren; ***they were*** sie waren; ***if I were …*** wenn ich … wäre
we're [wɪə] *Kurzform von* ***we are***
weren't [wɜːnt] *Kurzform von* ***were not***
werewolf [ˈweəwʊlf] *Pl.:* ***werewolves*** [ˈwɪəwʊlvz] Werwolf
west[1] [west] **1.** Westen; ***in the west of*** im Westen von (*oder Genitiv*); ***to the west of*** westlich von (*oder Genitiv*) **2.** *auch* ***West*** Westen, westlicher Landesteil; ***the West*** *AE* der Westen, die Weststaaten
west[2] [west] West…, westlich
west[3] [west] **1.** *Richtung*: westwärts, nach Westen **2.** ***west of*** westlich von (*oder Genitiv*)
westbound [ˈwestbaʊnd] nach Westen gehend *oder* fahrend

West End

West End heißt der Stadtteil im Westen Londons, der für seine Theater, Kinos, Einkaufsstraßen und Luxushotels bekannt ist. Der Name steht besonders für das dortige Theaterleben: **West End play / show**.

westerly [ˈwestəlɪ] *Richtung, Wind*: westlich, West…
western[1] [ˈwestən] westlich, West…
western[2] [ˈwestən] Western
West Indies [ˌwestˈɪndɪz] (≈ *Karibik*) Westindische Inseln

West Indies

Die **West Indies** heißen so, weil Kolumbus glaubte, Indien erreicht zu haben.

Westphalia [westˈfeɪlɪə] Westfalen
westward [ˈwestwəd], **westwards** [ˈwestwədz] westlich, westwärts, nach Westen
wet[1] [wet], ***wetter, wettest*** **1.** nass, *Farbe usw. auch*: feucht; ***wet paint!*** *Aufschrift*: Vorsicht, frisch gestrichen! **2.** *Wetter*: regnerisch **3.** *BE, umg. Person*: weichlich, schlapp
wet[2] [wet] **1.** Nässe, Feuchtigkeit **2.** *BE, umg. Person*: Weichling, Waschlappen
wet[3] [wet], ***wetted, wetted*** *oder* ***wet, wet*** nass machen; ***wet one's bed*** ins Bett machen; ***wet oneself*** in die Hose machen
wet blanket [ˌwetˈblæŋkɪt] Miesmacher (-in), Spielverderber(in)
wet dream [ˌwetˈdriːm] *umg.* feuchter Traum
wet suit [ˈwet‿suːt] Tauchanzug, Surfanzug
we've [wiːv] *Kurzform von* ***we have***
whale [weɪl] Wal
whaling [ˈweɪlɪŋ] Walfang
wharf [wɔːf] *Pl.:* ***wharfs*** *oder* ***wharves*** [wɔːvz] *im Hafen*: Kai
what[1] [wɒt] **1.** was; ***what's for lunch?*** was gibts zum Mittagessen?; ***what is this called?*** wie heißt das?; ***what for?*** wozu?, wofür; ***what about …?*** wie wärs mit …?; ***what if …?*** was ist, wenn …? **2.** was; ***he told me what to do*** er sagte mir, was ich tun sollte; ***know what's what*** *umg.* Bescheid wissen; ***tell someone what's what*** *umg.* jemandem Bescheid stoßen; ***what's more*** außerdem
what[2] [wɒt] **1.** was für ein(e), welch(er, -e, -es); ***what luck!*** so ein Glück! **2.** alle, die *oder* alles, was; ***I gave him what money I had*** ich gab ihm, was ich an Geld hatte
what'd [wɒtd] *Kurzform von* ***what did*** *oder* ***what had*** *oder* ***what would***
whatever[1] [wɒtˈevə] **1.** was (auch immer), alles, was **2.** egal, was
whatever[2] [wɒtˈevə] **1.** welch(er, -e, -es) … auch (immer) **2.** ***no … whatever*** überhaupt kein(e)
what'll [ˈwɒtl] *Kurzform von* ***what will*** *oder* ***what shall***
what's [wɒts] *Kurzform von* ***what is*** *oder* ***what has***
whatsit [ˈwɒtsɪt] *umg.* Dingsbums
whatsoever[1] [ˌwɒtsəʊˈevə] **1.** was (auch immer), alles, was **2.** egal, was
whatsoever[2] [ˌwɒtsəʊˈevə] ***no … whatsoever*** überhaupt kein(e)
what've [wɒtv] *Kurzform von* ***what have***
wheat [wiːt] Weizen
wheedle [ˈwiːdl] umschmeicheln, schöntun; ***wheedle someone into doing something*** jemanden so lange beschwatzen, bis er *oder* sie etwas tut; ***wheedle something out of someone*** jemandem etwas abschwatzen
wheel[1] [wiːl] **1.** Rad **2.** *Schiff, Auto*: Steuer; ***steering wheel*** Lenkrad; ***be at the wheel*** *Auto*: am Steuer sitzen; ☞ ***wheels***
wheel[2] [wiːl] schieben (*Fahrrad usw.*)
wheelbarrow [ˈwiːlˌbærəʊ] Schubkarre(n)
wheelchair [ˈwiːltʃeə] Rollstuhl
wheel clamp [ˈwiːl‿klæmp] *für Auto*: Parkkralle
wheeled [wiːld] mit Rädern; ***four-wheeled*** vierrädrig
wheelie bin [ˈwiːlɪ‿bɪn] *BR*; *umg.* Mülltonne (mit Rädern)
wheels [wiːlz] *Pl. salopp* fahrbarer Untersatz, Wagen

wheeze [wiːz] keuchen

when[1] [wen] **1.** *fragend*: wann **2.** ***the day when*** der Tag, an dem *oder* als **3.** als ...; ***he broke a leg when skiing*** er brach sich beim Skifahren ein Bein **4.** (≈ *sobald*) wenn **5.** ***say when!*** *umg.*; *beim Einschenken usw.*: sag halt!

when[2] [wen] ***since when?*** seit wann?

whenever [wen'evə] wann auch (immer), jedesmal, wenn

when'll ['wenl] *Kurzform von* ***when will*** *oder* ***when shall***

when's [wenz] *Kurzform von* ***when is*** *oder* ***when has***

when've [wenv] *Kurzform von* ***when have***

where [weə] **1.** wo; ***where ... (from)?*** woher? **2.** wohin; ***where ... (to)?*** wohin?

whereabouts[1] [ˌweərə'baʊts] ***whereabouts?*** wo (ungefähr)?

whereabouts[2] ['weərəbaʊts] *Pl.* (⚠ *auch mit Sg.*) Verbleib, Aufenthaltsort

whereas [weər'æz] während, wohingegen

whereby [weə'baɪ] wonach, wodurch

where'd [weəd] *Kurzform von* ***where did*** *oder* ***where had*** *oder* ***where would***

where'll ['weəl] *Kurzform von* ***where will*** *oder* ***where shall***

where's [weəz] *Kurzform von* ***where is*** *oder* ***where has***

where've [weəv] *Kurzform von* ***where have***

wherever [weər'evə] wo(hin) auch (immer), ganz gleich, wo(hin)

whether ['weðə] ob

which [wɪtʃ] **1.** welch(er, -e, -es); ***which of you?*** wer von euch? **2.** *nach vorhergehendem Substantiv*: der, die, das **3.** *nach vorhergehendem Satz*: was

whichever [wɪtʃ'evə] welch(er, -e, -es) auch (immer), ganz gleich, welch(er, -e, -es)

whiff [wɪf] **1.** *von Parfüm, Braten usw.*: Duft **2.** *übertragen* Hauch

while[1] [waɪl] Weile; ***a little while ago*** vor kurzem; ***for a while*** eine Zeit lang, einen Augenblick; ***once in a while*** ab und zu

while[2] [waɪl] **1.** *zeitlich und bei Vergleichen*: während **2.** *einschränkend*: obwohl

> **while away** [ˌwaɪl‿ə'weɪ] ***while away the time*** sich die Zeit vertreiben (***by doing something*** mit etwas)

whilst [waɪlst] während

whim [wɪm] Laune

whimper ['wɪmpə] **1.** (*Hund*) winseln **2.** wimmern

whimsical ['wɪmzɪkl] wunderlich, *Bemerkung usw.*: neckisch

whine [waɪn] **1.** (*Hund*) jaulen **2.** jammern (***about*** über)

whip[1] [wɪp] **1.** Peitsche **2.** *Süßspeise*: Creme

whip[2] [wɪp], ***whipped, whipped*** **1.** (aus-) peitschen **2.** sausen, (*Wind*) fegen **3.** schlagen (*Sahne usw.*) **4.** *BE*, *umg.* klauen

> **whip out** [ˌwɪp'aʊt] zücken (*Geld, Revolver usw.*)
> **whip up** [ˌwɪp'ʌp] **1.** schnell vorbereiten (*Essen usw.*) **2.** entfachen (*Interesse usw.*)

whipped cream [ˌwɪpt'kriːm] Schlagsahne (*geschlagen*), Ⓐ (Schlag)Obers, Schlag, ⒸⒽ geschwungene(r) Nidel

whirl[1] [wɜːl] wirbeln

whirl[2] [wɜːl] **1.** Wirbel **2.** *übertragen* Trubel

whirlpool ['wɜːlpuːl] **1.** *in Fluss usw.*: Strudel **2.** Whirlpool

whirlwind ['wɜːlwɪnd] Wirbelwind

whisk[1] [wɪsk] *zum Kochen*: Schneebesen

whisk[2] [wɪsk] schlagen (*Eiweiß usw.*)

whisker ['wɪskə] *Katze usw.*: Schnurrhaar

whiskers ['wɪskəz] *Pl.* Backenbart

whiskey ['wɪskɪ] Whisky (*USA oder Irland*)

whisky ['wɪskɪ] (*bes.* schottischer) Whisky; ***whisky and soda*** Whisky Soda

whisper[1] ['wɪspə] flüstern (***to*** mit); ***whisper something to someone*** jemandem etwas zuflüstern

whisper[2] ['wɪspə] **1.** Flüstern; ***in a whisper*** im Flüsterton **2.** Gerücht

whistle[1] [wɪsl] **1.** Pfeife; ***blow one's whistle*** pfeifen **2.** Pfiff

whistle[2] [wɪsl] pfeifen

white[1] [waɪt] **1.** *allg.*: weiß; ***white bread*** Weißbrot; ***white man*** Weißer; ***white wedding*** Hochzeit in Weiß **2.** *übertragen* blass, bleich; ***white as a sheet*** kreidebleich **3.** ***white lie*** *übertragen* Notlüge

white[2] [waɪt] **1.** Weiß; ***dressed in white*** weiß gekleidet, in Weiß **2.** *oft* ***White*** Weiße(r) **3.** *das* Weiße (*im Auge*) **4.** *vom Ei*: Eiweiß

white-collar [ˌwaɪt'kɒlə] ***white-collar worker*** *etwa*: Schreibtischarbeiter(in); ***white-collar crime*** Wirtschaftskriminalität

whiten ['waɪtn] **1.** weiß machen **2.** weiß werden

whitewash ['waɪtwɒʃ] **1.** tünchen, weißen (*Wand*) **2.** *umg.* beschönigen

white wine [ˌwaɪt'waɪn] Weißwein

whitish ['waɪtɪʃ] *Farbe*: weißlich

Whitsun ['wɪtsn] **1.** Pfingstsonntag **2.** Pfingsten
Whit Sunday [ˌwɪt'sʌndeɪ] Pfingstsonntag

> **whiz(z) by** *oder* **past** [ˌwɪz'baɪ *oder* 'pɑːst], ***whizzed by*** *oder* ***past***, ***whizzed by*** *oder* ***past*** vorbeizischen

whiz(z) [wɪz] *umg.* Experte, Genie, Kanone; ***computer whiz(z)*** Computerexperte
whiz(z) kid ['wɪz‿kɪd] *umg.* Senkrechtstarter(in)
who [huː] **1.** wer, wen, wem; ***who do you think you are?*** für wen hältst du dich eigentlich? **2.** *im Relativsatz*: welch(er, -e, -es), der, die, das
who'd [huːd] *Kurzform von* **who did** *oder* ***who would*** *oder* ***who had***
whodunit, **whodunnit** [ˌhuː'dʌnɪt] *umg.* Krimi

whodunit

Dieses eigenartige Wort ist eine Zusammenfügung von **who done it**, das grammatisch korrekt eigentlich **who did it?** (= wer hat es getan?) heißen müsste. Die Frage bezieht sich natürlich auf den Übeltäter der kriminellen Handlung.

whoever [huː'evə] **1.** wer auch (immer), wen auch (immer), wem auch (immer), egal, wer *oder* wen *oder* wem **2.** ***whoever can that be?*** wer kann denn das nur sein?
whole[1] [həʊl] ganz
whole[2] [həʊl] *das* Ganze; ***on the whole*** im Großen und Ganzen, alles in allem
wholefood ['həʊlfuːd] *auch* ***wholefoods*** *Pl.* Vollwertkost
whole-hearted [ˌhəʊl'hɑːtɪd] *Aufmerksamkeit*: ungeteilt; *Versuch usw.*: ernsthaft
whole-heartedly [ˌhəʊl'hɑːtɪdlɪ] uneingeschränkt, voll und ganz
wholemeal ['həʊlmiːl] Vollkorn…; ***wholemeal bread*** Vollkornbrot
wholesale ['həʊlseɪl] Großhandel
wholesaler ['həʊlseɪlə] Großhändler(in)
wholesome ['həʊlsəm] **1.** gesund **2.** *übertragen* gut, nützlich
who'll [huːl] *Kurzform von* **who will** *oder* ***who shall***
wholly [⚠ 'həʊlɪ] gänzlich, völlig
whom [huːm] **1.** wen, wem **2.** *im Relativsatz*: welch(en, -e, -es), den (die, das), welch(em, -er), dem (der); ***the children, most of whom were tired, …*** die Kinder, von denen die meisten müde waren, …
whoop [⚠ huːp] (*bes.* Freuden)Schrei
whooping cough [⚠ 'huːpɪŋ‿kɒf] Keuchhusten
whoops [wʊps] *Ausruf*: hoppla!
whopper ['wɒpə] *umg.* **1.** Mordsding **2.** faustdicke Lüge
whore [⚠ hɔː] Hure
who're ['huːə] *Kurzform von* ***who are***
who's [huːz] *Kurzform von* ***who is*** *oder* ***who has***
whose [huːz] **1.** wessen; ***whose coat is this?*** *oder* ***whose is this coat?*** wem gehört dieser Mantel? **2.** *im Relativsatz*: dessen, deren
why [waɪ] warum, weshalb; ***why not go by bus?*** warum nimmst du nicht den Bus?
why'd [waɪd] *Kurzform von* **why did** *oder* ***why had*** *oder* ***why would***
why's [waɪz] *Kurzform von* ***why is*** *oder* ***why has***
why've [waɪv] *Kurzform von* ***why have***
wick [wɪk] **1.** *von Kerze*: Docht **2.** ***get on someone's wick*** *BE*, *umg.* jemandem auf den Wecker gehen
wicked [⚠ 'wɪkɪd] **1.** gemein, niederträchtig **2.** *übertragen* unerhört
wicker ['wɪkə] Korb…; ***wicker basket*** Weidenkorb
wide[1] [waɪd] **1.** breit **2.** *Augen*: weit offen **3.** *Interessen usw.*: umfangreich, vielfältig
wide[2] [waɪd] **1.** weit **2.** ***go wide*** *Sport*: (*Ball usw.*) danebengehen
wide-angle lens [ˌwaɪdæŋgl'lenz] Weitwinkelobjektiv
wide-awake [ˌwaɪdə'weɪk] **1.** hellwach **2.** *übertragen* aufgeweckt
widely ['waɪdlɪ] **1.** weit (*auch übertragen*); ***it's widely known that*** es ist weithin bekannt, dass **2.** ***widely different*** völlig verschieden
widen ['waɪdn] **1.** verbreitern **2.** breiter werden
wide-open [ˌwaɪd'əʊpən] weit offen
widespread ['waɪdspred] weit verbreitet
widow ['wɪdəʊ] Witwe
widowed ['wɪdəʊd] verwitwet
widower ['wɪdəʊə] Witwer
width [wɪdθ] **1.** Breite; ***six feet in width*** sechs Fuß breit; ***what's the width of …?*** wie breit ist …? **2.** *Stoff usw.*: Bahn
wield [wiːld] **1.** schwingen (*Stock usw.*) **2.** ausüben (*Einfluss usw.*)
wife [waɪf] *Pl.*: ***wives*** [waɪvz] (Ehe)Frau, Gattin
wig [wɪg] Perücke
wild[1] [waɪld] **1.** *allg.*: wild; ***the Wild West*** der Wilde Westen **2.** *Wetter, Applaus usw.*:

stürmisch **3.** *Person*: außer sich (***with*** vor) **4.** *Idee usw.*: verrückt

wild[2] [waɪld] ***in the wild*** in freier Wildbahn

wild[3] [waɪld] ***go wild*** *umg.* ausflippen

wildcat ['waɪldkæt] Wildkatze

wilderness [⚠ 'wɪldənəs] Wildnis

wildfire ['waɪldˌfaɪə] ***spread like wildfire*** sich wie ein Lauffeuer verbreiten

wildlife ['waɪldlaɪf] Tier- und Pflanzenwelt

wilful ['wɪlfl] **1.** *Kind*: eigensinnig **2.** *Handlung usw.*: absichtlich, *bes. im rechtlichen Sinn*: vorsätzlich

will[1] [wɪl] **1.** *Futur*: ***I'll be back in 10 minutes*** ich bin in 10 Minuten zurück (⚠ *ich will* = ***I want to***) **2.** *Bereitschaft, Entschluss*: ***I won't go there again*** ich gehe da nicht mehr hin; ***the door won't shut*** die Tür schließt nicht; ***will you have some coffee?*** möchtest du eine Tasse Kaffee? **3.** *Bitte*: ***shut the window, will you?*** mach bitte das Fenster zu **4.** *Wiederholung*: ***accidents will happen*** Unfälle wird es immer geben **5.** *Vermutung*: ***that'll be my sister*** das wird meine Schwester sein

will[2] [wɪl] **1.** Wille; ***will to live*** Lebenswille; ***against one's will*** gegen seinen Willen; ***at will*** nach Belieben; ***of one's own free will*** aus freien Stücken **2.** *auch* ***last will and testament*** Letzter Wille, Testament; ***make one's will*** sein Testament machen

willful ['wɪlfl] *AE* **1.** eigensinnig **2.** absichtlich, *bes. im rechtlichen Sinn*: vorsätzlich

willies ['wɪlɪz] *Pl. umg.* ***give someone the willies*** jemandem unheimlich sein

willing ['wɪlɪŋ] **1.** bereit (***to do*** zu tun); ***willing to compromise*** kompromissbereit; ***God willing*** so Gott will **2.** (bereit)willig

willingly ['wɪlɪŋlɪ] gerne, bereitwillig

willingness ['wɪlɪŋnəs] Bereitschaft

willow ['wɪləʊ] *Baum*: Weide

willowy ['wɪləʊɪ] *Figur*: gertenschlank

willpower ['wɪlˌpaʊə] Willenskraft

willy-nilly [ˌwɪlɪ'nɪlɪ] wohl oder übel, nolens volens

wilt [wɪlt] verwelken, welk werden

wily ['waɪlɪ] gerissen, raffiniert

wimp [wɪmp] *umg.* Schwächling, Versager, Waschlappen

win[1] [wɪn], ***won*** [wʌn], ***won*** [wʌn]; *-ing-Form* ***winning*** **1.** gewinnen, siegen; ***OK, you win*** okay, wie du willst **2.** ***it won her first prize*** es brachte ihr den ersten Preis ein

> **win back** [ˌwɪn'bæk] zurückgewinnen
> **win out** *oder* **through** [ˌwɪn'aʊt *oder* 'θruː] sich durchsetzen
> **win over** *oder* **round** [ˌwɪn'əʊvə *oder* raʊnd] für sich gewinnen; ***win someone over to*** jemanden gewinnen für

win[2] [wɪn] *bes. Sport*: Sieg

wince [wɪns] zusammenzucken (***at*** bei)

winch [wɪntʃ] *Technik*: Winde

wind[1] [wɪnd] **1.** Wind; ***get wind of*** *übertragen* Wind bekommen von **2.** Atem; ***get one's wind*** wieder zu Atem kommen **3.** *Darm*: Blähungen **4.** ***the wind*** *Musik*: die Blasinstrumente, die Bläser (*eines Orchesters*)

wind[2] [⚠ waɪnd], ***wound*** [waʊnd], ***wound*** [waʊnd] **1.** drehen (an) **2.** aufziehen (*Uhr usw.*) **3.** wickeln (***round*** um) **4.** (*Pfad usw.*) sich winden *oder* schlängeln

> **wind back** [ˌwaɪnd'bæk] zurückspulen
> **wind down** [ˌwaɪnd'daʊn] **1.** herunterkurbeln (*Autofenster*) **2.** reduzieren (*Produktion*) **3.** *umg.* sich entspannen
> **wind up** [ˌwaɪnd'ʌp] **1.** hochkurbeln (*Autofenster usw.*) **2.** aufziehen (*Uhr usw.*) **3.** beschließen (*Versammlung usw.*) **4.** auflösen (*Unternehmen*) **5.** *umg.* landen (***in*** in); ***wind up doing something*** am Ende etwas tun; ***you'll wind up with a heart attack*** du kriegst noch mal einen Herzinfarkt

windchill factor ['wɪndtʃɪlˌfæktə] *etwa*: gefühlte Temperatur (*durch den Wind beeinflusstes Kältegefühl*)

wind energy ['wɪndˌenədʒɪ] Windenergie

windfall ['wɪndfɔːl] **1.** unverhofftes Geschenk, unverhoffter Gewinn **2.** Fallobst

winding [⚠ 'waɪndɪŋ] *Pfad usw.*: gewunden

wind instrument ['wɪndˌɪnstrəmənt] *Musik*: Blasinstrument

windmill ['wɪndmɪl] Windmühle

window ['wɪndəʊ] **1.** Fenster (*auch Computer*) **2.** Schaufenster **3.** Schalter (*in Bank usw.*)

window seat ['wɪndəʊ‿siːt] Fensterplatz

window shade ['wɪndəʊ‿ʃeɪd] *AE* Rollo

window-shopping ['wɪndəʊˌʃɒpɪŋ] Schaufensterbummel; ***go window-shopping*** einen Schaufensterbummel machen

windowsill ['wɪndəʊsɪl] Fensterbank, Fensterbrett

windpipe ['wɪndpaɪp] *Körper*: Luftröhre

windscreen ['wɪndskriːn] *bes. BE*; *Auto*: Windschutzscheibe; ***windscreen wiper*** Scheibenwischer
windshield ['wɪndʃiːld] *AE*; *Auto*: Windschutzscheibe; ☞ *BE* **windscreen**
windy ['wɪndɪ] windig
wine [waɪn] Wein
wine bar ['waɪn‿bɑː] Weinlokal
wine bottle ['waɪnˌbɒtl] Weinflasche
wine glass ['waɪn‿glɑːs] Weinglas
wine list ['waɪn‿lɪst] *in Lokal*: Weinkarte, Getränkekarte
winery ['waɪnərɪ] *AE* Weingut
wing [wɪŋ] **1.** *allg.*: Flügel (*auch von Gebäude*) **2.** *Flugzeug*: Tragfläche **3.** *BE*; *Auto*: Kotflügel
winger ['wɪŋə] *Sport*: Flügelstürmer(in)
wink[1] [wɪŋk] zwinkern (⚠ *nicht* ***winken***)
wink[2] [wɪŋk] **1.** Zwinkern; ***give someone a wink*** jemandem zuzwinkern **2.** ***I didn't get a wink of sleep*** (*oder* ***I didn't sleep a wink***) ***last night*** ich habe letzte Nacht kein Auge zugetan
winker ['wɪŋkə] *BE*, *umg.*; *Auto*: Blinker
winner ['wɪnə] **1.** Gewinner(in), *bes. Sport*: Sieger(in) **2.** ***be a real winner*** *umg.* ein Riesenerfolg sein
winning ['wɪnɪŋ] **1.** siegreich, Sieger…, Sieges… **2.** *Lächeln usw.*: gewinnend
winnings ['wɪnɪŋz] *Pl.* Gewinn
winter ['wɪntə] Winter; ***in*** (***the***) ***winter*** im Winter
winter sports [ˌwɪntə'spɔːts] *Pl.* Wintersport
wintery ['wɪntərɪ] **1.** winterlich, Winter… **2.** *Lächeln*: frostig
wintertime ['wɪntətaɪm] Winter(zeit); ***in*** (***the***) ***wintertime*** im Winter
wipe[1] [waɪp] (ab)wischen (*Tisch usw.*), wischen (*Krümel usw.*) (***off*** von); ***wipe one's shoes*** sich die Schuhe abputzen (***on*** auf); ***wipe one's nose*** sich die Nase putzen; ***wipe clean*** abwischen (*Tafel usw.*)

> **wipe off** [ˌwaɪp'ɒf] wegwischen
> **wipe out** [ˌwaɪp'aʊt] **1.** auswischen **2.** auslöschen (*Menschen*), ausrotten (*Rasse*) **3.** *umg.* schlauchen
> **wipe up** [ˌwaɪp'ʌp] aufwischen

wipe[2] [waɪp] ***give something a wipe*** etwas abwischen
wiper ['waɪpə] *Auto*: (Scheiben)Wischer
wire[1] ['waɪə] **1.** Draht **2.** *Elektrotechnik*: Leitung **3.** *AE* Telegramm
wire[2] ['waɪə] **1.** *auch* ***wire up*** Leitungen verlegen in **2.** *bes. AE* ein Telegramm schicken, telegrafieren
wisdom ['wɪzdəm] Weisheit, Klugheit; ***wisdom tooth*** Weisheitszahn
wise [waɪz] vernünftig, weise, klug; ***you were wise to do that*** es war klug von dir, das zu tun; ***be none the wiser*** *umg.* nicht klüger sein als vorher; ***get wise to something*** *umg.* etwas spitzkriegen
wisely ['waɪzlɪ] **1.** weise, klug **2.** klugerweise
wish[1] [wɪʃ] **1.** ***if you wish*** (***to***) wenn du willst; ***I wish he were here*** ich wünschte, er wäre hier **2.** wollen; ***I wish to make a complaint*** ich möchte mich beschweren **3.** wünschen; ***wish someone well*** jemandem alles Gute wünschen

> **wish for** ['wɪʃ‿fɔː] ***wish for something*** sich etwas wünschen

wish[2] [wɪʃ] Wunsch (***for*** nach); ***make a wish*** sich etwas wünschen; (***with***) ***best wishes*** *Briefschluss*: Herzliche Grüße; ***best wishes on passing your exam*** herzlichen Glückwunsch zur bestandenen Prüfung
wishful thinking [ˌwɪʃfl'θɪŋkɪŋ] Wunschdenken
wishy-washy ['wɪʃɪˌwɒʃɪ] *umg.* **1.** *Farben usw.*: fad **2.** *Person*: lasch
wisp [wɪsp] Büschel (*Gras*, *Haar*)
wistful ['wɪstfl] wehmütig
wit [wɪt] **1.** Geist, Witz **2.** geistreicher Mensch **3.** *auch* ***wits*** *Pl.* Verstand
witch [wɪtʃ] Hexe
witchcraft ['wɪtʃkrɑːft] Hexerei
witch doctor ['wɪtʃˌdɒktə] Medizinmann
witch hunt ['wɪtʃ‿hʌnt] *historisch*: Hexenjagd (*mst. übertragen*)
with [wɪð] **1.** *allg.*: mit; ***are you still with me?*** kannst du mir folgen? **2.** bei; ***she's staying with a friend*** sie wohnt bei einer Freundin **3.** vor; ***tremble with fear*** vor Angst zittern **4.** von; ***part with*** sich trennen von **5.** für; ***are you with me or against me?*** bist du für oder gegen mich? **6.** ***go with*** *Gegenstand*: gehören zu, passen zu
withdraw [wɪð'drɔː], ***withdrew*** [wɪð'druː], ***withdrawn*** [wɪð'drɔːn] **1.** abheben (*Geld*) (***from*** von) **2.** zurückziehen (*Angebot usw.*), zurücknehmen **3.** sich zurückziehen **4.** zurücktreten (***from*** von)
withdrawal [wɪð'drɔːəl] **1.** ***make a withdrawal*** Geld abheben (***from*** von) **2.** Rücknahme **3.** *militärisch*: Abzug **4.** Rücktritt (***from*** von) **5.** Entzug (*von Drogen*)

wither ['wɪðə] eingehen, verdorren
withering ['wɪðərɪŋ] *Blick, Ton, Kritik*: vernichtend
withhold [wɪð'həʊld], ***withheld*** [wɪð'held], ***withheld*** [wɪð'held] zurückhalten (*Zahlung, Information usw.*), verschweigen (*Wahrheit usw.*)
withholding tax [wɪð'həʊldɪŋ‿tæks] *AE*; *etwa*: Quellensteuer
within [wɪð'ɪn] innerhalb (+ *Genitiv*)
without [wɪð'aʊt] ohne
withstand [wɪð'stænd] ***withstood*** [wɪð'stʊd], ***withstood*** [wɪð'stʊd] standhalten (+ *Dativ*), widerstehen (+ *Dativ*)
witness[1] ['wɪtnəs] *allg.*: Zeuge, Zeugin
witness[2] ['wɪtnəs] **1.** ***did anybody witness the accident?*** hat jemand den Unfall gesehen? **2.** beglaubigen (*Unterschrift usw.*)
witty ['wɪtɪ] geistreich, witzig
wives [waɪvz] *Pl. von* → ***wife***
wizard ['wɪzəd] *in Märchen*: Zauberer
wobble ['wɒbl] wackeln
woe [wəʊ] Kummer, Leid
woke [wəʊk] *2. Form von* → ***wake***[1]
woken ['wəʊkən] *3. Form von* → ***wake***[1]
wolf [⚠ wʊlf] *Pl.*: ***wolves*** [wʊlvz] Wolf
wolves [⚠ wʊlvz] *Pl. von* → ***wolf***
woman[1] ['wʊmən] *Pl.*: ***women*** [⚠ 'wɪmɪn] Frau
woman[2] ['wʊmən] ***woman priest*** Priesterin

woman

Achte auf die Bildung des Plurals bei Zusammensetzungen mit **woman**:

Singular	*Plural*
woman driver	**women drivers**
woman priest	**women priests**

womanize ['wʊmənaɪz] hinter den Frauen her sein
womanizer ['wʊmənaɪzə] Schürzenjäger, Casanova
womb [⚠ wuːm] *Körper*: Gebärmutter, Mutterleib
women [⚠ 'wɪmɪn] *Pl. von* → ***woman1***; ***women's team*** *Sport*: Damenmannschaft
won [wʌn] *2. und 3. Form von* → ***win***[1]
wonder[1] ['wʌndə] **1.** neugierig *oder* gespannt sein (***if, whether*** ob; ***what*** was); ***well, I wonder*** na, ich weiß nicht (recht) **2.** sich fragen, überlegen; ***I wonder if you could help me*** vielleicht können Sie mir helfen **3.** sich wundern (***about, at*** über)
wonder[2] ['wʌndə] **1.** Staunen, Verwunderung **2.** Wunder; ***it's a wonder*** (***that***) es ist ein Wunder, dass; (***it's***) ***no*** (*oder* ***small, little***) ***wonder*** (***that***) kein Wunder, dass; ***do*** (*oder* ***work***) ***wonders*** wahre Wunder vollbringen (***for*** bei)
wonderful ['wʌndəfl] wunderbar
wonderland ['wʌndəlænd] **1.** Wunderland **2.** Paradies
wonky ['wɒŋkɪ] *BE, umg.* wacklig, schwach
won't [wəʊnt] *Kurzform von* ***will not***
woo [wuː] umwerben (*Person*)
wood [wʊd] **1.** Holz **2.** *auch* ***woods*** *Pl.* Wald **3.** ***be out of the wood*** (*oder* ***woods***) *übertragen* über den Berg sein
wooded ['wʊdɪd] bewaldet
wooden ['wʊdn] hölzern (*auch übertragen*), Holz…
woodland ['wʊdlənd] Waldland, Waldung
woodpecker ['wʊd,pekə] *Vogel*: Specht
woodwind ['wʊdwɪnd] ***the woodwind*** *Musik*: die Holzblasinstrumente, die Holzbläser; ***woodwind instrument*** *Musik*: Holzblasinstrument
woodwork ['wʊdwɜːk] Holzarbeiten
wool [⚠ wʊl] Wolle
woollen *bes. BE*, **woolen** *AE* [⚠ 'wʊlən] aus Wolle, wollen, Woll…
woollens *bes. BE*, **woolens** *AE* [⚠ 'wʊlənz] *Pl.* Wollsachen, Wollkleidung
woolly, *AE auch* **wooly** [⚠ 'wʊlɪ] **1.** aus Wolle, wollen, Woll… **2.** wollig **3.** *übertragen*; *Idee usw.*: wirr
Worcester sauce [⚠ ,wʊstə'sɔːs] *Würze*: Worcestersoße
word [wɜːd] **1.** *allg.*: Wort; ***by word of mouth*** mündlich; ***word for word*** Wort für Wort, wortwörtlich; ***in a word*** in 'einem Wort; ***in other words*** mit anderen Worten; ***in one's own words*** in eigenen Worten; ***angry isn't the word*** (***for …***) ärgerlich ist gar kein Ausdruck (für …); ***he always has to have the last word*** er muss immer das letzte Wort haben; ***can I have a word*** (*oder* ***a few words***) ***with you?*** kann ich Sie mal kurz sprechen?; ***have words*** eine Auseinandersetzung haben (***with*** mit); ***put into words*** ausdrücken, in Worte fassen **2.** (≈ *Versprechen*) ***take someone at his word*** jemanden beim Wort nehmen; ***be as good as one's word*** halten, was man verspricht; ***take my word for it*** *umg.* verlass dich drauf! **3.** ***words*** *Pl.* Text (*eines Lieds*) **4.** Nachricht; ***send word that*** Nachricht geben, dass
wording ['wɜːdɪŋ] Wortlaut
word order ['wɜːd,ɔːdə] Wortstellung
wordplay ['wɜːdpleɪ] Wortspiel

W

word processing ['wɜːd,prəʊsesɪŋ] *Computer*: Textverarbeitung

word-processing ['wɜːd,prəʊsesɪŋ] *Computer*: Textverarbeitungs...; ***word-processing program*** Textverarbeitungsprogramm

word processor ['wɜːd,prəʊsesə] *Computer*: Textverarbeitungssystem

wordy ['wɜːdɪ] wortreich, langatmig

wore [wɔː] *2. Form von* → ***wear***[1]

work[1] [wɜːk] **1.** *allg.*: Arbeit; ***at work*** am Arbeitsplatz; ***be out of work*** arbeitslos sein; ***set to work*** sich an die Arbeit machen; ***make short work of*** kurzen Prozess machen mit **2.** Werk (*auch Tat*); ***work of art*** Kunstwerk; ☞ ***works***

work[2] [wɜːk] **1.** arbeiten (***at, on*** an) **2.** funktionieren (*auch übertragen*) **3.** ***work someone hard*** jemanden hart rannehmen **4.** bedienen (*Maschine*)

work in [ˌwɜːk'ɪn] einbauen (*Zitat usw.*)

work off [ˌwɜːk'ɒf] **1.** abarbeiten (*Schulden*) **2.** abreagieren (*Zorn usw.*) (***on*** an)

work out [ˌwɜːk'aʊt] **1.** ausrechnen, *übertragen* sich zusammenreimen **2.** ausarbeiten (*Plan usw.*) **3.** klappen; ***it'll never work out*** daraus kann nichts werden **4.** (*Rechnung usw.*) aufgehen **5.** *umg.* trainieren

work up [ˌwɜːk'ʌp] **1.** aufpeitschen (*Zuhörer usw.*); ***be worked up*** aufgeregt *oder* nervös sein (***about*** wegen) **2.** sich holen (*Appetit usw.*), aufbringen (*Begeisterung usw.*) **3.** ausarbeiten (***into*** zu)

workaholic [ˌwɜːkə'hɒlɪk] *umg.* Arbeitssüchtige(r)

workbench ['wɜːkbentʃ] Werkbank

workbook ['wɜːkbʊk] *Schule*: Arbeitsbuch

workday ['wɜːkdeɪ] Arbeitstag

worker ['wɜːkə] **1.** Arbeiter(in); ***office worker*** Büroangestellte(r) **2.** ***be a real worker*** hart arbeiten

workflow ['wɜːkfləʊ] Arbeitsablauf; ***workflow schedule*** Arbeitsablaufplan

workforce ['wɜːkfɔːs] Belegschaft, Arbeiterschaft (*einer Firma usw.*)

working ['wɜːkɪŋ] **1.** Arbeits...; ***working day*** Arbeitstag; ***working hours*** *Pl.* Arbeitszeit; ***working relationship*** Zusammenarbeit; ***they have a good working relationship*** sie arbeiten gut zusammen **2.** arbeitend; ***working class(es)*** Arbeiterklasse **3.** ***a working knowledge of French*** französische Grundkenntnisse **4.** ***in working order*** in betriebsfähigem Zustand

workload ['wɜːkləʊd] Arbeitspensum

workman ['wɜːkmən] *Pl.*: ***workmen*** ['wɜːkmən] Handwerker, Arbeiter

workout ['wɜːkaʊt] *umg.* (Fitness)Training

work permit ['wɜːkˌpɜːmɪt] Arbeitserlaubnis

workplace ['wɜːkpleɪs] Arbeitsplatz

works [wɜːks] *Pl.* **1.** *Technik*: Werk, Getriebe (*einer Maschine usw.*) **2.** (⚠ *oft mit Sg.*) Werk, Fabrik; ☞ ***work***[1]

workshop ['wɜːkʃɒp] **1.** Werkstatt **2.** Seminar, Workshop

workstation ['wɜːkˌsteɪʃn] *Computer*: Computerarbeitsplatz, Workstation

work-to-rule [ˌwɜːktə'ruːl] Dienst nach Vorschrift

world[1] [wɜːld] **1.** *allg.*: Welt; ***in the world*** auf der Welt; ***what in the world ...?*** was um alles in der Welt ...?; ***all over the world*** in der ganzen Welt **2.** ***do someone the world of good*** jemandem unwahrscheinlich gut tun **3.** ***it means all the world to him*** es bedeutet ihm alles

world[2] [wɜːld] Welt...; ***world championship*** Weltmeisterschaft; ***world record*** Weltrekord; ***world war*** Weltkrieg

World Cup [ˌwɜːld'kʌp] Fußballweltmeisterschaft

world-famous [ˌwɜːld'feɪməs] weltberühmt

World Heritage Site [ˌwɜːld'herɪtɪdʒ‿saɪt] *Gebäude, Naturdenkmal usw.*: Weltkulturerbe

worldly ['wɜːldlɪ] weltlich, irdisch

worldwide [ˌwɜːld'waɪd] weltweit; ***World-Wide Web*** *Computer*: Internet

worm[1] [⚠ wɜːm] Wurm

worm[2] [⚠ wɜːm] **1.** ***worm one's way through*** sich schlängeln durch **2.** ***worm one's way into someone's confidence*** sich jemandes Vertrauen erschleichen

worn [wɔːn] *3. Form von* → ***wear***[1]

worn out [ˌwɔːn'aʊt] **1.** *Kleidung*: abgenutzt, abgetragen **2.** *Person*: erschöpft

worried [⚠ 'wʌrɪd] besorgt, beunruhigt; ***be worried*** sich sorgen, sich Sorgen machen (***about*** über, um, wegen)

worry[1] [⚠ 'wʌrɪ] **1.** beunruhigen, Sorgen machen **2.** sich sorgen, sich Sorgen machen (***about, over*** über, um, wegen)

worry[2] [⚠ 'wʌrɪ] Sorge

worrying [⚠ 'wʌrɪɪŋ] Besorgnis erregend

worse[1] [wɜːs] *Komparativ von* ***bad***; schlechter, schlimmer; ***worse still*** was noch schlimmer ist; ***to make matters worse*** zu allem Übel

worse[2] [wɜːs] Schlechteres, Schlimmeres
worsen ['wɜːsn] **1.** verschlechtern **2.** sich verschlechtern
worship[1] ['wɜːʃɪp] **1.** Verehrung **2.** Gottesdienst
worship[2] ['wɜːʃɪp], ***worshipped, worshipped***, *AE* ***worshiped, worshiped*** **1.** anbeten (*Gott*), verehren; ***worship God*** *auch*: zu Gott beten **2.** vergöttern
worst[1] [wɜːst] *Superlativ von* ***bad***; schlechteste(r, -s), schlimmste(r, -s)
worst[2] [wɜːst] *der, die, das* Schlechteste *oder* Schlimmste; ***at*** (***the***) ***worst*** schlimmstenfalls; ***if the worst comes to the worst*** wenn alle Stricke reißen; ***get the worst of it*** den Kürzeren ziehen
worst[3] [wɜːst] *Superlativ von* ***badly***; am schlechtesten *oder* schlimmsten; ***come off worst*** den Kürzeren ziehen (***in*** bei)
worth[1] [wɜːθ] wert; ***it's worth £10*** es ist 10 Pfund wert; ***a skirt worth £20*** ein Rock im Wert von 20 Pfund; ***it's worth a try*** es ist einen Versuch wert; ***it isn't worth it*** es lohnt sich nicht; ***it might be worth your while*** es könnte sich für dich lohnen (***to do*** zu tun); ***worth mentioning*** erwähnenswert; ***it isn't worth waiting any longer*** es lohnt sich nicht, noch länger zu warten
worth[2] [wɜːθ] Wert
worthless ['wɜːθləs] wertlos
worthwhile [ˌwɜːθ'waɪl] lohnend; ***be worthwhile*** sich lohnen
worthy [⚠ 'wɜːðɪ] wert, würdig; ***worthy of admiration*** bewundernswürdig
would [wʊd] **1.** ***he said he would come*** er sagte, er werde kommen; ***he would have come if …*** er wäre gekommen, wenn …; ***what would you do if …?*** was würdest du tun, wenn …?; ***how would you know?*** woher willst du denn das wissen?; ***you wouldn't understand*** das verstehst du sowieso nicht; ***you would, wouldn't you?*** *umg.* das sieht dir ähnlich! **2.** *Bereitschaft, Entschluss*: ***he wouldn't tell us what had happened*** er wollte uns nicht sagen, was passiert war; ***the door wouldn't shut*** die Tür schloss nicht; ***I would rather not say what I think*** ich sage lieber nicht, was ich denke **3.** *höfliche Bitte*: ***shut the window, would you?*** mach doch bitte das Fenster zu **4.** *frühere Gewohnheit*: ***he would often take a walk after supper*** er machte nach dem Abendessen oft einen Spaziergang
would-be ['wʊdbiː] Möchtegern…; ***a would-be poet*** ein Möchtegerndichter
wouldn't ['wʊdnt] *Kurzform von* ***would not***
would've [wʊdv] *Kurzform von* ***would have***
wound[1] [waʊnd] *2. und 3. Form von* → ***wind***[2]
wound[2] [⚠ wuːnd] Wunde, Verletzung
wound[3] [⚠ wuːnd] **1.** verwunden, verletzen **2.** *übertragen* verletzen (*jemandes Stolz usw.*)
wove [wəʊv] *2. Form von* → ***weave***
woven ['wəʊvn] *3. Form von* → ***weave***
wow [waʊ] *umg.* ***wow!*** *höchst erstaunt, überrascht*: wow!, Mann!, Mensch!

wr-: Tipps zur Aussprache

Wrack klingt im Englischen ganz anders.

Wo wir [vr-] sagen, wie etwa beim (Schiffs)Wrack, sprechen englische Muttersprachler bei Wörtern, die mit „wr-“ am Anfang geschrieben werden, das „w“ *nicht* mit.

Beispiele:
wrap [ræp], **wreck** [rek], **wring** [rɪŋ], **wrong** [rɒŋ] und natürlich **write** [raɪt], **wrote** [rəʊt], **written** ['rɪtn]

Und wie spricht sich wohl der berühmte Erbauer der Londoner St-Paul's Cathedral, *Sir Christopher Wren*, aus?

wrangle [⚠ 'ræŋgl] (sich) streiten (***with*** mit; ***over*** um)
wrap[1] [⚠ ræp], ***wrapped, wrapped*** **1.** einpacken, einwickeln (***in*** in) **2.** wickeln (*Papier usw.*) (***around, round*** um)

> **wrap up** [ˌræp'ʌp] **1.** einpacken, einwickeln (***in*** in) **2.** sich warm anziehen **3.** unter Dach und Fach bringen (*Geschäft, Projekt usw.*)

wrap[2] [⚠ ræp] **1.** Hülle **2.** *um Schulter*: Umhang **3.** *Essen*: (gefüllte und zusammengerollte) Tortilla
wrapper [⚠ 'ræpə] **1.** *allg.*: Verpackung, *von Bonbon*: Papier **2.** *von Buch*: (Schutz)Umschlag
wrapping [⚠ 'ræpɪŋ] Verpackung; ***wrapping paper*** Packpapier, Geschenkpapier
wrath [⚠ rɒθ] Zorn
wreath [⚠ riːθ] *Pl.*: ***wreaths*** [⚠ riːðz] Kranz
wreck[1] [⚠ rek] *Schiff*: Wrack (*auch Person*)
wreck[2] [⚠ rek] **1.** ***be wrecked*** Schiffbruch erleiden **2.** zunichte machen (*Hoffnungen*)

wreckage [⚠ 'rekɪdʒ] Trümmer (*auch übertragen*)
wren [⚠ ren] *Vogel*: Zaunkönig
wrench [⚠ rentʃ] **1.** ***wrench something from someone*** jemandem etwas entwinden **2.** ***wrench one's ankle*** sich den Fuß verrenken
wrest [⚠ rest] ***wrest something from someone*** jemandem etwas entreißen
wrestle [⚠ 'resl] **1.** ringen (***with*** mit) **2.** *übertragen* ringen, kämpfen (***with*** mit; ***for*** um)
wrestler [⚠ 'reslə] Ringer(in)
wrestling [⚠ 'reslɪŋ] *Sport*: Ringen
wretch [⚠ retʃ] *Person*: armer Teufel
wretched [⚠ 'retʃɪd] **1.** *allg.*: elend **2.** *Kopfschmerzen, Wetter usw.*: scheußlich **3.** *umg.*; *bei Verärgerung*: verflixt
wriggle [⚠ 'rɪgl] sich winden, zappeln
wring [⚠ rɪŋ], ***wrung*** [⚠ rʌŋ], ***wrung*** [⚠ rʌŋ] **1.** ***wring one's hands*** die Hände ringen **2.** *oft* ***wring out*** auswringen (*Wäsche*)
wringing wet [⚠ ˌrɪŋɪŋ'wet] klatschnass
wrinkle[1] [⚠ 'rɪŋkl] **1.** Falte, Runzel **2.** *umg.* Kniff, Trick
wrinkle[2] [⚠ 'rɪŋkl] *auch* ***wrinkle up*** runzeln (*Stirn*), rümpfen (*Nase*)
wrinkled [⚠ 'rɪŋkld] zerknittert, *Haut*: faltig
wrist [⚠ rɪst] Handgelenk
wristband [⚠ 'rɪstbænd] **1.** Armband **2.** *Sport*: Schweißband
wristwatch [⚠ 'rɪstwɒtʃ] Armbanduhr
write [⚠ raɪt], ***wrote*** [⚠ rəʊt], ***written*** [⚠ 'rɪtn] **1.** schreiben; ***write to someone*** jemandem schreiben **2.** ***write someone*** *bes. AE* jemandem schreiben **3.** ausstellen (*Scheck*) **4.** ***it was written all over his face*** *übertragen* es stand ihm im Gesicht geschrieben

write down [ˌraɪt'daʊn] aufschreiben, niederschreiben
write in [ˌraɪt'ɪn] schreiben (***to*** an) (*Behörde usw.*); ***write in for something*** etwas anfordern
write off [ˌraɪt'ɒf] **1.** *Wirtschaft*: abschreiben (*auch als Verlust*) **2.** *bes. BE* zu Schrott fahren (*Wagen*) **3.** ***write off for something*** etwas anfordern
write out [ˌraɪt'aʊt] **1.** ausschreiben (*Namen usw.*) **2.** aufschreiben (*Bericht usw.*) **3.** ausstellen (*Quittung usw.*)
write up [ˌraɪt'ʌp] **1.** ausarbeiten (*Notizen usw.*) **2.** berichten über

write-off [⚠ 'raɪtɒf] **1.** *bes. BE*; *Auto*: Totalschaden **2.** *Wirtschaft*: Abschreibung
writer [⚠ 'raɪtə] **1.** *von Brief usw.*: Schreiber(in), Verfasser(in), Autor(in) **2.** *beruflich*: Schriftsteller(in)
writhe [⚠ raɪð] sich winden (***in, with*** vor)
writing[1] [⚠ 'raɪtɪŋ] **1.** (Hand)Schrift **2.** Schreiben (*Tätigkeit*) **3.** ***in writing*** schriftlich; ☞ ***writings***
writing[2] [⚠ 'raɪtɪŋ] Schreib…; ***writing desk*** Schreibtisch; ***writing paper*** Schreibpapier
writings [⚠ 'raɪtɪŋz] *Pl.* Werke; ☞ ***writing***[1]
written[1] [⚠ 'rɪtn] *3. Form von* → ***write***
written[2] [⚠ 'rɪtn] schriftlich; ***written language*** Schriftsprache
wrong[1] [⚠ rɒŋ] **1.** falsch; ***be wrong*** falsch sein, nicht stimmen, *Person*: Unrecht haben, *Uhr*: falsch gehen **2.** unrecht; ***you were wrong to say that*** es war nicht recht von dir, das zu sagen **3.** ***is anything wrong?*** ist etwas nicht in Ordnung?; ***what's wrong with you?*** was ist los mit dir?
wrong[2] [⚠ rɒŋ] falsch; ***get someone*** *oder* ***something wrong*** jemanden *oder* etwas falsch verstehen; ***go wrong*** *Person*: einen Fehler machen, *Sache*: schiefgehen; ***the printer*** *usw.* ***has gone wrong*** der Drucker *usw.* ist nicht in Ordnung
wrong[3] [⚠ rɒŋ] Unrecht; ***be in the wrong*** im Unrecht sein
wrongdoer [⚠ 'rɒŋˌduːə] Missetäter(in), Übeltäter(in)
wrongful [⚠ 'rɒŋfl] ungerechtfertigt
wrongly [⚠ 'rɒŋlɪ] **1.** (≈ *nicht korrekt*) falsch **2.** zu Unrecht (*bestraft werden usw.*) **3.** fälschlicherweise (*etwas glauben usw.*)
wrote [⚠ rəʊt] *2. Form von* → ***write***
wrung [⚠ rʌŋ] *2. und 3. Form von* → ***wring***
wry [⚠ raɪ] *Lächeln*: süßsauer

xenophobia [⚠ ,zenə'fəʊbɪə] Ausländerfeindlichkeit
xenophobic [⚠ ,zenə'fəʊbɪk] ausländerfeindlich
Xmas [⚠ 'krɪsməs, 'eksməs] *umg.* Weihnachten; ☞ ***Christmas***
X-ray[1] ['eksreɪ] röntgen
X-ray[2] ['eksreɪ] **1.** Röntgenaufnahme **2.** Röntgenuntersuchung

Y

yacht [⚠ jɒt] **1.** Jacht **2.** *Sport*: (Segel)Boot
yachting [⚠ 'jɒtɪŋ] Segeln
yank[1] [jæŋk] *umg.* ziehen *oder* reißen an
yank[2] [jæŋk] ***give something a yank*** *umg.* an etwas kräftig ziehen
Yankee ['jæŋkɪ] *umg.* Yankee, Ami
yap [jæp], ***yapped, yapped*** **1.** (*Hund*) kläffen **2.** *umg.* quasseln
yard[1] [jɑːd] *Maßeinheit*: Yard
yard[2] [jɑːd] **1.** Hof; ***school yard*** Schulhof **2.** ***front yard*** *AE* Vorgarten; ☞ ***backyard***
yardstick ['jɑːdstɪk] *übertragen* Maßstab
yarn [jɑːn] **1.** (≈ *Faden*) Garn **2.** *umg.* (fantastische) Geschichte
yawn[1] [jɔːn] gähnen (*auch übertragen*: *Abgrund*)
yawn[2] [jɔːn] **1.** Gähnen **2.** ***be a big yawn*** *umg.* zum Gähnen (langweilig) sein
yd *Abk. für* → ***yard(s)***[1]
yeah [jeə] *umg.* ja
year [jɪə] Jahr; ***year after year*** Jahr für Jahr; ***year in, year out*** jahraus, jahrein; ***all the year round*** das ganze Jahr hindurch; ***this year*** dieses Jahr, heuer
yearly ['jɪəlɪ] jährlich
yearn [jɜːn] sich sehnen (***for*** nach; ***to do*** danach, zu tun)
yearning[1] ['jɜːnɪŋ] Sehnsucht
yearning[2] ['jɜːnɪŋ] sehnsüchtig
yeast [jiːst] Hefe
yell[1] [jel] **1.** schreien, brüllen (***with*** vor) **2.** *auch* ***yell out*** brüllen (*Befehl usw.*)
yell[2] [jel] Schrei
yellow[1] ['jeləʊ] gelb; ***Yellow Pages®*** *Pl. Telefonbuch*: gelbe Seiten, Branchenverzeichnis; ***yellow press*** Sensationspresse
yellow[2] ['jeləʊ] Gelb
yellow[3] ['jeləʊ] sich gelb färben, vergilben
yelp [jelp] **1.** aufschreien **2.** (*Hund*) (auf-)jaulen
yep [jep] *umg.* ja
yes[1] [jes] ja; ***oh yes*** o doch, o ja
yes[2] [jes] Ja, Jastimme
yesterday[1] ['jestədɪ] **1.** gestern; ***yesterday morning*** gestern Morgen; ***the day before yesterday*** vorgestern **2.** ***I wasn't born yesterday*** ich bin (doch) nicht von gestern
yesterday[2] ['jestədɪ] ***yesterday's paper*** die gestrige Zeitung
yet [jet] **1.** *fragend*: schon **2.** noch; ***not yet*** noch nicht; ***as yet*** bis jetzt, bisher **3.** *mit Komparativ*: (doch) noch **4.** (≈ *trotzdem*) doch, aber, dennoch
yew [juː] *Baum*: Eibe
y-fronts [⚠ 'waɪfrʌnts] *umg.* Herrenunterhose
Yiddish ['jɪdɪʃ] *Sprache*: Jiddisch
yield[1] [jiːld] **1.** tragen (*Früchte*), abwerfen (*Gewinn*) **2.** (*Boden*) nachgeben **3.** nachgeben, *militärisch*: sich ergeben (***to***; *dt. Dativ*)

> **yield to** ['jiːld‿tʊ] ***yield to someone*** *AE*; *im Straßenverkehr*: jemandem Vorfahrt gewähren

yield² [jiːld] Ertrag
yoga ['jəʊgə] Yoga, Joga
yoghurt, **yogurt** ['jɒgət] Joghurt
yoke [jəʊk] Joch (*auch übertragen*)
yolk [⚠ jəʊk] (Ei)Dotter, Eigelb

Yosemite National Park

Yosemite [jəʊ'semətɪ] **National Park** – weltberühmter Nationalpark im US-Bundesstaat Kalifornien mit vielen Naturwundern, wie z. B. Cañons, Wasserfällen und Mammutbäumen; ☞ *Karte S. 294*

you [juː] **1.** du, Sie, ihr **2.** *Dativ*: dir, Ihnen, euch **3.** *Akkusativ*: dich, Sie, euch **4.** *verallgemeinernd*: man; ***you never know*** man weiß nie
you'd [juːd] *Kurzform von* ***you had*** *oder* ***you would***
you'll [juːl] *Kurzform von* ***you will*** *oder* ***you shall***
young¹ [jʌŋ] jung
young² [jʌŋ] **1. *the young*** die jungen Leute, die Jugend **2.** *von Tier*: Junge *Pl.*
youngster ['jʌŋstə] Jugendliche(r)
your [jɔː] dein(e); *Plural*: euer, eure; Ihr(e) (*auch Pl.*)
you're [jɔː] *Kurzform von* ***you are***
yours [jɔːz] dein(er, -e, -es); ***is this book yours?*** gehört dieses Buch dir?, ist dies dein Buch?; *Plural*: euer, eure(s); Ihr(er, -e, -es) (*auch Pl.*); ***a friend of yours*** ein Freund von dir
yourself [jɔː'self] *Pl.*: **yourselves** [jɔː'selvz] **1.** *verstärkend*: selbst; ***you yourself told me*** *oder* ***you told me yourself*** du hast es mir selbst erzählt **2.** *reflexiv*: dir, dich, sich; ***did you hurt yourself?*** hast du dich verletzt?
youth¹ [juːθ] **1.** *Lebensalter*: Jugend; ***in my youth*** in meiner Jugend **2.** ⚠ *Pl.*: **youths** [⚠ juːðz] *oft abwertend*; *bes. junger Mann*: Jugendlicher **3. *today's youth*** die heutige Jugend (*Mädchen und Jungen*)
youth² [juːθ] Jugend...; ***youth club*** Jugendklub; ***youth hostel*** Jugendherberge
youthful ['juːθfl] jugendlich
you've [juːv] *Kurzform von* ***you have***
yucca ['jʌkə] Yucca, Palmlilie
Yugoslav¹ ['juːgəʊslɑːv] jugoslawisch
Yugoslav² ['juːgəʊslɑːv] Jugoslawe, Jugoslawin
Yugoslavia [ˌjuːgəʊ'slɑːvɪə] Jugoslawien (⚠ *nur bis 2003*)
yummy ['jʌmɪ] *umg.* lecker
yuppie¹ ['jʌpɪ] Yuppie
yuppie² ['jʌpɪ] yuppiemäßig

Z

zap [zæp], ***zapped, zapped*** **1.** *Computer*: löschen **2.** *bei Computerspiel*: zerstören, killen **3.** (≈ *schnell fahren*) düsen **4.** *TV*: ständig hin- und herschalten, zappen
zeal [ziːl] Eifer
zealot [⚠ 'zelət] Fanatiker(in)
zealous [⚠ 'zeləs] eifrig; ***be zealous*** eifrig bemüht sein (***for*** um; ***to do*** darum, zu tun)
zebra ['zebrə, *bes. AE* 'ziːbrə] Zebra
zebra crossing [ˌzebrə'krɒsɪŋ] *in GB*: Zebrastreifen
zero¹ ['zɪərəʊ] *Pl.*: ***zeros*** *oder* ***zeroes*** Null (*AE auch Telefon*); ***10 degrees below zero*** 10 Grad unter Null
zero² ['zɪərəʊ] Null...; ***zero growth*** Nullwachstum; ***zero-emission*** schadstofffrei; ***zero tolerance*** (*gegenüber Kriminalität usw.*) Zerotoleranz, Nulltoleranz
zest [zest] **1.** *einer Zitrone, Orange usw.*: Schale **2.** Begeisterung; ***zest for life*** Lebensfreude
zigzag¹ ['zɪgzæg] Zickzack
zigzag² ['zɪgzæg], ***zigzagged, zigzagged*** **1.** im Zickzack laufen *oder* fahren **2.** (*Weg usw.*) zickzackförmig verlaufen
zinc [zɪŋk] Zink
zip¹ [zɪp] **1.** Reißverschluss **2.** *umg.* Schwung
zip² [zɪp], ***zipped, zipped*** *umg.* flitzen

zip up [ˌzɪp'ʌp] ***zip something up*** den Reißverschluss von etwas zumachen; ☞ ***unzip***

zip code ['zɪp‿kəʊd] *AE* Postleitzahl
zip file ['zɪp‿faɪl] *Computer*: Zip-Datei,

komprimierte Datei, *umg.* gezippte Datei
zipper ['zɪpə] *bes. AE* Reißverschluss
zodiac ['zəʊdɪæk] ***signs of the zodiac*** Tierkreiszeichen
zombie ['zɒmbɪ] Zombie
zone [zəʊn] Zone
zonked [zɒŋkt] *umg.* total geschafft
zoo [zuː] Zoo
zoological [⚠ ˌzəʊə'lɒdʒɪkl] zoologisch
zoology [⚠ zəʊ'ɒlədʒɪ] Zoologie
zoom[1] [zuːm] *umg.* sausen
zoom[2] [zuːm],**zoom lens** [⚠ 'zuːm‿lenz] *an der Kamera*: Zoom, Zoomobjektiv
zucchini [zʊ'kiːnɪ] *Pl.:* ***zucchinis*** *AE* Zucchini
Zurich ['zʊərɪk] Zürich

Wörterverzeichnis Deutsch-Englisch

A

A 1. *das A und O* the most important thing; **2. *von A bis Z durchlesen*** read* through from beginning to end, *Buch*: read* from cover to cover **3. *das ist von A bis Z erlogen*** it's a pack of lies
à: ***30 Bücher à € 9,80*** 30 books at €9.80 each (⚠ *Preisangabe mit Punkt*; *gesprochen* nine euros eighty)
Aal eel; ***sich winden wie ein Aal*** wriggle [⚠ 'rɪgl] like an eel
aalen: ***sich in der Sonne aalen*** bask [bɑːsk] in the sun
Aas (≈ *Tierleiche*) carcass ['kɑːkəs]
ab 1. *allg.*: from; ***ab heute*** from today, starting today; ***von jetzt ab*** from now on **2. *ab 40 Personen*** from 40 people (upwards), … for groups of 40 and more **3. *ab 5000 Euro*** from 5,000 euros (upwards) **4. *ab und zu*** now and then, from time to time, occasionally **5. *der Knopf ist ab*** the button has come off **6. *London ab 17.30*** *im Fahrplan*: dep. (= departure) London 17.30
abarbeiten work off (*Schulden*)
abartig 1. *allg.*: abnormal [æb'nɔːml] **2.** *Verhalten*: abnormal, perverse [pə'vɜːs]
Abbau 1. (≈ *Reduzierung*) reduction (+ *Gen. oder* **von** of, in); ***der Abbau von Arbeitskräften*** the reduction of the workforce, reducing the workforce **2.** (≈ *Rückgang*) decline **3.** *von Kohle*: mining **4.** *Chemie*: decomposition, disintegration

> **Abbau**
>
> der Abbau von Arbeitskräften = **reducing the workforce**
>
> Oft verwendet man im Englischen eine Verbform mit *-ing* (**reducing**) als Entsprechung für das deutsche Substantiv (der Abbau).

abbauen 1. take* down (*Gerüst usw.*) **2.** mine (*Kohle usw.*) **3.** (≈ *verringern*) reduce **4.** *übertragen* get* rid of (*Vorurteile usw.*)
abbeißen bite* off
abbestellen 1. cancel [⚠ 'kænsl] (*Zeitschrift usw.*) **2. *jemanden abbestellen*** tell* someone not to come
abbiegen 1. (*Auto*, *Straße*) turn (off) **2. *nach rechts*** (*bzw.* ***links***) ***abbiegen*** turn right (*bzw.* left)
Abbild ↔ *Wirklichkeit*: image ['ɪmɪdʒ], (≈ *Spiegelbild*) reflection
abbilden 1. portray, depict **2. *wie oben abgebildet*** as shown above
Abbildung picture, illustration
abbinden 1. untie, undo* **2.** take* off (*Krawatte*) **3.** tie up (*Bein*, *Arm*)
abblasen *übertragen*, *umg.* call off
abblättern *allg.*: peel off
abblenden *Auto*: dip (*AE* dim) one's headlights
Abblendlicht 1. dipped beam, *bes. AE* low beam **2. *mit Abblendlicht fahren*** drive* with (*oder* on) dipped (*AE* dimmed) headlights
abblitzen: ***sie ließ ihn abblitzen*** she gave him the brush-off
abblocken block (*auch übertragen*)
abbrausen: ***sich abbrausen*** have* (*oder* take*) a shower
abbrechen 1. *allg. und übertragen*: break* off **2.** *Computer*: abort, cancel **3. *die Schule abbrechen*** drop out of school **4. *seine Zelte abbrechen*** *übertragen* pack one's bags and leave
abbremsen *beim Auto usw.*: brake, slow down
abbrennen burn* down (*auch Kerze usw.*)
abbringen: ***jemanden von etwas abbringen*** persuade someone not to do something; ***ich habe versucht, sie davon abzubringen*** I tried to talk her out of it
Abbruch 1. *eines Gebäudes usw.*: demolition [ˌdemə'lɪʃn] **2. *vor Abbruch unserer Beziehung*** before we split up
Abbrucharbeiten demolition work (⚠ *Sg.*)
abbuchen: ***gestern wurden 100 Euro von meinem Konto abgebucht*** my account was debited ['debɪtɪd] with 100 euros yesterday; ***der Betrag wird von Ihrem Konto abgebucht*** the sum will be debited <u>to</u> your account
Abbuchung charge, debit ['debɪt] (entry)
Abbuchungsauftrag debit ['debɪt] order
abbürsten brush off (*Staub*)

abbüßen: ***eine Strafe abbüßen*** serve a sentence

abchecken (≈ *kontrollieren*) check

Abc ABC, alphabet ['ælfəbet]; ***nach dem Abc*** alphabetically [ˌælfə'betɪklɪ], in alphabetical order

Abc-Schütze first year pupil ['pjuːpl], *AE* first grader; ***sie ist noch ABC-Schütze*** she's (only) just started school

abdampfen **1.** evaporate [ɪ'væpəreɪt] **2.** *umg.* (≈ *weggehen*) clear off

abdanken **1.** resign **2.** (*Kaiser, König usw.*) abdicate

Abdankung **1.** resignation [ˌrezɪg'neɪʃn] **2.** *Monarch*: abdication

abdecken **1.** cover (over) (*Grab, Tennisplatz usw.*) **2.** cover (*Bereich, Thema*) **3.** clear (*Tisch*) **4.** turn down (*Bett, Bettdecke*) **5.** ***der Sturm hat das ganze Dach abgedeckt*** the storm blew the whole roof off

Abdeckstift *bei Hautunreinheiten*: cover-up stick, concealer (stick)

abdrehen **1.** turn off (*Gas, Wasser usw.*) **2.** (*Flugzeug, Schiff usw.*) change course

Abdruck impression, imprint ['ɪmprɪnt]

abdrücken (≈ *schießen*) fire, pull the trigger

abduschen: ***sich abduschen*** have* (*oder* take*) a quick shower

Abend **1.** evening; ***guten Abend!*** good evening!; ***am Abend*** in the evening, at night, (≈ *jeden Abend*) *auch*: in the evenings; ***heute Abend*** this evening, tonight; ***morgen Abend*** tomorrow night, tomorrow evening; ***gestern Abend*** yesterday evening, last night; ***am nächsten Abend*** the next evening **2.** ***es wird Abend*** it's getting dark **3.** ***zu Abend essen*** have* dinner, have* supper

Abendbrot, **Abendessen** dinner, supper

Abendkasse box office

Abendkleid evening dress, *AE* evening gown [gaʊn]

Abendland: ***das Abendland*** the West

Abendmahl: ***das Abendmahl*** (Holy) Communion (⚠ *ohne* the)

Abendnachrichten the news (this evening) (⚠ *mit Sg.*)

Abendrot red sky, sunset (*Letzteres auch übertragen*)

abends in the evening, (≈ *jeden Abend*) *auch*: in the evenings; ***um 8 Uhr abends*** at 8 (o'clock) in the evening, at 8 pm

Abendschule evening classes (⚠ *Pl.*), night school

At my Desk — An meinem Schreibtisch

	At my Desk	An meinem Schreibtisch
1	monitor, screen	Bildschirm
2	speaker	Lautsprecher
3	keyboard	Tastatur
4	mouse	Maus
5	mouse pad, mouse mat	Mauspad
6	printer	Drucker
7	CD-ROM	CD-ROM
8	scissors (*Pl.*)	Schere
9	scanner	Scanner
10	sticky tape	Klebeband
11	staple(s)	Heftklammer(n)
12	stapler	Hefter
13	highlighter	Leuchtstift
14	felt-tip (pen)	Filzstift
15	glue stick	Klebestift
16	pencil case	Federmäppchen
17	ring binder	Ringbuch
18	compasses (*Pl.*)	Zirkel
19	rubber, *AE* eraser	Radiergummi
20	pencil sharpener	(Bleistift)Spitzer
21	pencil	Bleistift
22	(ballpoint) pen	Kugelschreiber
23	ruler	Lineal
24	fountain pen	Füller
25	paper clip(s)	Büroklammer(n)
26	calculator	Taschenrechner
27	desk	Schreibtisch
28	computer	Computer, Rechner
29	CD writer	CD-Brenner
30	CD-ROM drive	CD-ROM-Laufwerk
31	DVD drive	DVD-Laufwerk
32	disk drive	Diskettenlaufwerk
33	exercise book, *AE* notebook	(Schul)Heft
34	rucksack, *AE* backpack	Rucksack
35	mobile (phone), *AE* cell(ular) phone	Handy
36	books	Bücher

Shall we download that? — Wollen wir das runterladen?

At my Desk
Shall we download that?

In the Classroom
Will we be tested on that in the exam?
1
2
3
4
5
6
7
8
1
9
10

Abendvorstellung *Kino, Theater usw.*: evening performance
Abendzeitung evening paper
Abenteuer adventure [əd'ventʃə]
Abenteuerfilm adventure film
abenteuerlich 1. *Reise usw.*: adventurous **2.** (≈ *riskant*) risky **3.** *Erscheinung usw.*: eccentric [ɪk'sentrɪk], bizarre [bɪ'zɑː]
Abenteuerspielplatz adventure playground
aber 1. but **2.** ***aber sicher!*** (but) of course **3.** ***aber nein!*** oh no, *versichernd*: of course not **4.** ***aber dennoch*** yet, (but) still, nevertheless **5.** ***das ist aber nett von dir*** that's really nice of you
Aberglaube superstition [ˌsuːpə'stɪʃn]
abergläubisch superstitious [ˌsuːpə'stɪʃəs]
abfahrbereit *Zug usw.*: ready to leave
abfahren 1. (≈ *wegfahren*) leave*, set* out *oder* off (**nach** for) **2.** *Ski*: ski down **3.** ***ihm wurde ein Bein abgefahren*** he was run over and lost a leg; → ***abgefahren***
Abfahrt 1. (≈ *Abreise*) departure **2.** *Ski*: downhill run
Abfahrtslauf *Skisport*: downhill race
Abfahrtsläufer(in) downhill racer, downhiller
Abfahrtszeit departure time
Abfall 1. *allg., auch radioaktiv*: waste **2.** *bes. Hausmüll*: rubbish, *bes. AE* garbage, *AE* trash **3.** *in der Öffentlichkeit, bes. Papier*: litter
Abfallbeseitigung waste disposal
Abfalleimer waste bin, *AE* garbage can
abfallen 1. (≈ *herunterfallen*) fall* (*oder* drop) off **2.** ***für dich wird auch etwas abfallen*** there'll be* something in it for you too
abfallend *Gelände*: sloping
Abfallentsorgung waste disposal
abfällig *Bemerkung*: disparaging [dɪ'spærɪdʒɪŋ]; ***sich abfällig über jemanden äußern*** make* disparaging remarks about someone
Abfallprodukt 1. waste product **2.** *verwertbares*: by-product, spin-off
Abfallverwertung waste recycling
abfälschen deflect (*Ball*)
abfangen intercept [ˌɪntə'sept] (*Angriff, Ball, Brief, Feind usw.*)
Abfangjäger (≈ *Flugzeug*) interceptor [ˌɪntə'septə]
abfertigen 1. get* ready for dispatch (*Ware*) **2.** ***wir wurden an der Grenze sehr schnell abgefertigt*** we got through customs very quickly
Abfertigung 1. *Waren*: dispatch **2.** *Zoll*: (customs) clearance
Abfertigungshalle *Flugreise*: terminal
Abfertigungsschalter *Flug*: check-in desk
abfeuern 1. fire (*Schuss*) **2.** launch [lɔːntʃ] (*Rakete*)
abfinden 1. ***jemanden abfinden*** (≈ *entschädigen*) compensate someone **2.** ***sich mit etwas abfinden*** come* to terms with something
Abfindung 1. (≈ *Entschädigung*) compensation **2.** *von Angestellten*: redundancy payment
abflauen 1. (*Wind*) die down **2.** (*Nachfrage, Geschäft*) fall* (*oder* drop) off
abfliegen 1. (*Flugzeug*) take* off **2.** (*Person*) fly* **3.** *mit Flugzeug*: patrol [pə'trəʊl] (*Strecke*)
abfließen 1. run* off **2.** *in einen See usw.*: drain (***in*** into)
Abflug 1. takeoff **2.** *Zeit*: departure; ☞ ***Start***
abflugbereit ready for takeoff
Abflugzeit departure (time), flight departure (time)
Abfluss (≈ *Abflussstelle*) outlet, drain
Abfrage *per Computer*: (computer) search
abfragen: ***jemanden abfragen*** test (*AE* quiz) someone
abführen: ***jemanden abführen*** (≈ *verhaf-*

In the Classroom **Im Klassenzimmer**

1	pupil, *AE* student	Schüler, Schülerin
2	washbasin	Waschbecken
3	wastepaper basket	Papierkorb
4	overhead projector	Overhead-Projektor
5	blackboard	Tafel
6	sponge	Schwamm
7	chalk	Kreide
8	teacher	Lehrer
9	desk	Schulbank
10	chair	Stuhl

Will we be tested on that in the exam? — Kommt das in der Prüfung dran?

ten) take* someone into custody ['kʌstədɪ]
abfüllen 1. *allg.*: fill 2. *in Flaschen*: bottle
Abgabe 1. *Fußball*: (≈ *Abspiel*) pass 2. ***Abgaben leisten*** *Steuern*: pay* tax(es)
Abgang: ***nach seinem Abgang von der Schule reiste er viel*** when (*oder* after) he left school he travelled a lot
abgängig Ⓐ missing (***aus*** from)
Abgangszeugnis (school-)leaving certificate [sə'tɪfɪkət], *AE* diploma
Abgase *beim Auto*: exhaust fumes [ɪg'zɔːst‿fjuːmz]
abgasreduziert *beim Auto*: reduced-emission ...
Abgastest *beim Auto*: exhaust [ɪg'zɔːst] emission test
abgearbeitet worn out
abgeben 1. (≈ *übergeben*) hand in (*Hefte, Aufgabe usw., auch Gepäck*); ***am Ende der Stunde bitte die Hefte*** (***bei mir***) ***abgeben!*** please hand in your exercise books at the end of the lesson 2. ***er gab ihr einen Keks*** *usw.* ***ab*** he let her have one of his biscuits ['bɪskɪts] *usw.* 3. ***eine Erklärung*** *usw.* ***abgeben*** make* a statement *usw.* 4. ***mit ihm gebe ich mich nicht ab*** I won't have anything to do with him 5. *Sport*: pass the ball (***an*** to)
abgebildet: ***wie oben abgebildet*** as shown above
abgebrannt 1. *Gebäude usw., auch Kerze*: burnt down 2. *umg.* (≈ *ohne Geld*) broke
abgefahren *Reifen*: worn, bald [bɔːld]
abgehackt *Redeweise*: disjointed, bitty
abgehärtet *körperlich*: tough [⚠ tʌf]
abgehen 1. ***von der Schule abgehen*** leave* school (⚠ *ohne* the) 2. (*Knopf usw.*) come* off 3. ***er geht mir sehr ab*** *übertragen* I miss him badly
abgehetzt exhausted [ɪg'zɔːstɪd], *umg.* shattered
abgekartet: ***abgekartetes Spiel*** put-up job ['putʌp‿dʒɒb]
abgelegen: ***abgelegenes Dorf*** remote village
abgemacht 1. ***abgemacht!*** (okay,) it's a deal 2. ***abgemacht ist abgemacht*** a deal's a deal
abgemagert: ***er sieht furchtbar abgemagert aus*** he's just skin and bones
Abgeordnete(r) 1. *im Parlament*: member of parliament [⚠ 'pɑːləmənt] 2. *des britischen Unterhauses*: Member of Parliament (*Abkürzung*: MP [ˌem'piː]) 3. *im amerikanischen Repräsentantenhaus*: Congressman (*männlich*), Congresswoman (*weiblich*)
Abgeordnetenhaus 1. *allg.*: parliament [⚠ 'pɑːləmənt] 2. *in GB*: House of Commons 3. *in den USA*: House of Representatives
abgepackt *Lebensmittel*: prepacked
abgeschieden *Haus, Leben usw.*: secluded
abgeschlagen: ***er ist weit abgeschlagen*** *Läufer*: he's a long way behind
abgeschlossen 1. (≈ *beendet*) completed 2. ***ein abgeschlossenes Studium haben*** have* a (university) degree
abgeschnitten: ***von der Außenwelt abgeschnitten*** cut off from the outside world
abgesehen: ***abgesehen von*** apart (*bes. AE* aside) from; ***abgesehen davon, dass er krank ist*** apart from the fact that he's ill
abgespannt exhausted [ɪg'zɔːstɪd], worn out
abgestanden *Bier usw.*: flat, stale
abgestorben 1. *Pflanze, Gewebe*: dead 2. *Zeh usw.*: numb [⚠ nʌm]; ***meine Hand ist wie abgestorben*** my hand has gone (completely) numb
abgestumpft *Mensch*: insensitive
abgetragen *Kleider*: worn, *stärker*: shabby
abgewöhnen 1. ***sich das Rauchen*** *usw.* ***abgewöhnen*** give* up smoking *usw.* 2. ***das werde ich ihm abgewöhnen*** I'll soon cure him of that
Abgott idol ['aɪdl]
abgrasen *übertragen* scour ['skaʊə] (***nach*** for)
abgrenzen 1. mark (*oder* fence) off (*Gebiet, Grundstück*) 2. ***wir müssen diese Themen*** *usw.* ***voneinander abgrenzen*** we've got to look at these topics *usw.* separately
Abgrund 1. abyss [ə'bɪs], chasm [⚠ 'kæzm] 2. ***sie steht am Rande des Abgrunds*** *übertragen* she's on the brink of disaster
abgucken 1. *unerlaubt*: copy; ***er hat abgeguckt*** he was copying; ***nicht abgucken!*** stop copying! 2. ***sich bei jemandem etwas abgucken*** learn* something from someone
Abguss cast, mould [məʊld]
abhaben: ***willst du etwas abhaben?*** do you want a bit (*oder* some)?
abhacken chop off, cut* off
abhaken 1. tick (*AE* check) off (*Geschriebenes*) 2. ***das*** (***Thema***) ***ist schon abgehakt*** that's been dealt with
abhalten: ***jemanden davon abhalten, etwas zu tun*** keep* (*oder* prevent *oder* stop) someone from doing something

abhandeln (≈ *erörtern*) deal* with, discuss (*Thema usw.*)
Abhandlung treatise [⚠ 'triːtɪz] (**über** on)
Abhang slope, *steil*: precipice [⚠ 'presəpɪs]
abhängen 1. **abhängen von** *übertragen* depend on; **es hängt davon ab, ob** it depends (on) whether 2. take* down (*Bild usw.*)
abhängig 1. dependent (**von** on) 2. **das ist abhängig davon, ob** it depends (on) whether 3. **er ist abhängig** (≈ *drogenabhängig*) he's a drug addict ['drʌgˌædɪkt], he's an addict
Abhängigkeit *allg.*: dependence (**von** on)
abhärten: **sich abhärten** *umg.* toughen [⚠ 'tʌfn] oneself up
abhauen 1. (≈ *abschlagen*) cut* off 2. *umg.* (≈ *weglaufen*) run* off, run* away 3. **hau ab!** *umg.* clear off!, get lost!
abheben 1. (*Flugzeug usw.*) take* off 2. **ich muss Geld abheben** I must go and get some money (from the bank) 3. **ich möchte 200 Euro abheben** I'd like to withdraw 200 euros 4. *Spielkarten*: cut* (the cards) 5. **kannst du mal abheben?** *Telefon*: can you get it?
abheften file (away) (*Dokumente usw.*)
abhetzen: **sich abhetzen** wear* [weə] oneself out
abholen fetch, pick up, collect (*jemanden, Brief usw.*); **jemanden vom Bahnhof abholen** meet* someone (*oder* pick someone up) at the station
abholzen 1. cut* down (*Bäume*) 2. clear (of trees) (*Gebiet*)
abhören 1. bug (*Telefon, Telefongespräch, Büro, Gebäude*) 2. **wir wurden abgehört** we were bugged
Abi *umg.* → **Abitur**
Abitur: **das Abitur machen** *etwa*: take* one's school-leaving exams (*oder BE* A-levels), *AE* graduate from high school
Abiturient(in) 1. *vor dem Abitur, BE etwa*: sixth-former; **er ist Abiturient** he's in the sixth form, *AE* he's in the senior grade 2. *nach dem Abitur, AE etwa*: high-school graduate; **sie ist Abiturientin** she's done her Abitur (*oder* school-leaving exams)
Abiturklasse *etwa*: sixth form, *AE* senior grade
Abiturzeugnis „Abitur" certificate [sə'tɪfɪkət], *BE etwa*: GCE A-levels [ˌdʒiːsiː'iː 'eɪˌlevlz] (⚠ *Pl.*), *AE etwa*: (Senior High School) graduation diploma
abkapseln: **er kapselt sich ab** *übertragen* he's cutting himself off, he's isolating himself
abkaufen 1. **jemandem etwas abkaufen** buy* something from (*umg.* off) someone 2. **das kauf ich dir nicht ab!** *übertragen* I don't believe you, I'm not going to buy that
abklappern scour ['skaʊə], comb [⚠ kəʊm] (*Läden, Gegend*) (**nach** for), do* (*Museen usw.*)
abklingen 1. (≈ *nachlassen*) wear* off [ˌweər'ɒf], abate 2. (*Schmerz*) ease 3. (*Fieber, Schwellung*) go* down 4. (*Sturm, Erregung usw.*) subside [səb'said], die down
abklopfen brush off (*Staub*)
abknallen: **jemanden abknallen** *umg.* shoot* someone, bump someone off
abkommen 1. **vom Weg abkommen** lose* [luːz] one's way 2. **von der Fahrbahn abkommen** leave* the road 3. **vom Thema abkommen** stray from the point
Abkommen: **ein Abkommen treffen** make* (*oder* come* to) an agreement (**über** on)
abkoppeln 1. unhitch (*Anhänger, Eisenbahnwagen*) 2. undock (*Raumfähre*)
abkratzen 1. scrape off (*z. B. Rost*) 2. *salopp* (≈ *sterben*) kick the bucket, snuff it
abkühlen: **sich abkühlen** cool off (*oder* down) (*auch übertragen*)
Abkühlung cooling (down), *übertragen* cooling (off)
abkupfern *übertragen* crib, lift
abkürzen 1. shorten (*Vorgang*) 2. (≈ *eine Abkürzung verwenden*) abbreviate [ə'briːvɪeɪt] (*Wort, Begriff*) 3. **(den Weg) abkürzen** take* a short cut
Abkürzung 1. *des Weges*: short cut 2. *eines Wortes*: abbreviation [əˌbriːvɪ'eɪʃn]; ☞ *Übersicht S. 30*
abladen 1. unload 2. dump (*Müll*)
Ablage Ⓒⓗ (≈ *Zweig-, Annahme-, Verkaufsstelle*) branch [brɑːntʃ]
ablagern: **sich ablagern** (*Stoffe, Mineralien usw.*) form a deposit [dɪ'pɒzɪt] (**auf** on)
ablassen 1. let* off (*Dampf*) 2. let* out (*Luft*) 3. drain off (*Wasser*)
Ablauf 1. (≈ *Verlauf*) course [kɔːs] 2. **der Ablauf der Ereignisse** the course of events 3. *einer Frist, eines Vertrages*: expiry [ɪk'spaɪərɪ]
ablaufen 1. (*Wasser usw.*) run* (*oder* flow) off 2. (*Frist, Pass usw.*) run* out, expire [ɪk'spaɪə]
ablecken 1. (≈ *entfernen*) lick off 2. **den Teller** *usw.* **ablecken** lick the plate *usw.* clean; **er leckte sich die Finger ab** he licked his fingers (clean)

Abneigungen / Dinge, die man nicht mag — Dislikes

Ich mag Montage nicht.	**I don't like Mondays.**
Ich mag es nicht, wenn man mich anstarrt.	**I don't like being stared at.**
Ich mach mir nicht besonders viel aus Würstchen.	**I'm not very keen on sausages.**
Ich kann Leute nicht ertragen, die endlos reden.	**I can't stand people who never stop talking.**

ablegen 1. take* off (*Kleider*) **2.** file (*Akten*)
Ableger *Pflanze*: shoot
ablehnen 1. refuse [rɪ'fjuːz], turn down (*Einladung, Angebot*) **2.** reject (*Vorschlag, Angebot, Gesetzentwurf*) **3.** disapprove of (*jemanden, Abtreibung usw.*) **4.** turn down (*Bewerber*)
Ablehnung 1. (≈ *Zurückweisung*) refusal [rɪ'fjuːzl] **2.** *eines Vorschlags*: rejection
ableiten 1. (≈ *logisch folgern*) deduce [dɪ'djuːs] (***aus*** from) **2.** ***dieses Wort leitet sich aus dem Lateinischen ab*** this word is derived from Latin
ablenken: ***er lenkt mich immer von der Arbeit ab*** he keeps distracting me from my work
Ablenkung (≈ *Zerstreuung*) diversion, distraction
Ablenkungsmanöver *übertragen* diversionary tactic, red herring ['herɪŋ]
ablesen 1. *Rede*: read* (from notes) **2.** ***das Gas*** (*bzw.* ***den Strom***) ***ablesen*** read* the gas (*bzw.* electricity) meter **3.** ***ich konnte ihr von den Augen ablesen, dass …*** I could see in her eyes that …
abliefern 1. deliver [dɪ'lɪvə] (*Waren*) (***bei*** to, at) **2.** (≈ *übergeben*) hand in (*Dokumente usw.*) (***an*** to)
ablösen 1. (≈ *entfernen*) remove (***von*** from), take* off **2.** take* over from (*einen Kollegen usw.*)
Ablösesumme *Sport*: transfer fee ['trænsfɜː‿fiː]
Ablösung *im Amt usw.*: replacement
ABM (*Abk. für* **A**rbeits**b**eschaffungs**m**aßnahme) job-creation scheme ['dʒɒbkriːˌeɪʃn‿skiːm]
abmachen 1. (≈ *lösen*) take* off, remove **2.** undo* (*Strick, Kette usw.*)
Abmachung agreement, arrangement; ***eine Abmachung treffen*** come* to an agreement (***über*** on, about)
abmagern get* (very) thin; ***er ist abgemagert*** he's lost a lot of weight
abmalen (≈ *kopieren*) copy
abmelden 1. cancel ['kænsl] (*Zeitung usw.*) **2.** ***sich polizeilich abmelden*** notify the police that one is moving away **3.** ***Jane hat ihr Auto abgemeldet*** Jane took her car off the road
abmessen measure ['meʒə]
Abmessung 1. (≈ *das Abmessen*) measurement **2.** (≈ *Maße*) dimension
abmurksen: ***jemanden abmurksen*** *salopp* do* someone in
abnabeln: ***sich abnabeln*** cut* the cord
Abnahme (≈ *Verminderung*) decrease ['diːkriːs], decline [dɪ'klaɪn] (***der, des*** in; *nicht* of)
abnehmbar removable, detachable
abnehmen 1. (≈ *herunternehmen*) take* down, remove **2.** (≈ *entfernen*) take* off **3.** *beim Telefonieren*: answer the phone **4.** ***den Hörer abnehmen*** pick up the receiver **5.** ***sie will unbedingt abnehmen*** *Gewicht*: she really wants to lose weight **6.** (*Unfälle, Diebstähle usw.*) go* down **7.** (*Kräfte, Energie*) decline **8.** (*Tage*) get* shorter
Abneigung 1. dislike (***gegen*** of) **2.** *stärker*: aversion [ə'vɜːʃn] (to)
abnorm 1. (≈ *unnormal*) abnormal **2.** (≈ *ungewöhnlich*) exceptional, unusual
abnutzen: ***sich abnutzen*** wear* (out) [weə (ˌweər'aʊt)]
Abnutzung wear (and tear) [ˌweə(r‿ən'teə)]
Abo *umg.* → ***Abonnement***
Abonnement 1. *Zeitung*: subscription (***bei*** to) **2.** *Theater*: subscription, season ticket (***bei*** for)
Abonnent(in) subscriber [səb'skraɪbə]
abonnieren subscribe to; ***wir haben zwei Zeitschriften abonniert*** we subscribe to two magazines
abpfeifen *bei Spielende*: blow* the final whistle [⚠ 'wɪsl]
Abpfiff: ***beim Abpfiff*** at the final whistle [⚠ 'wɪsl]
abplatzen (*Metall, Farbe usw.*) flake off
abprallen rebound [rɪ'baʊnd], bounce off
abpumpen pump off
abquälen: ***sich mit etwas abquälen***

struggle (*oder* have* a hard time) with something
abrasieren shave off; ***er hat sich den Bart abrasiert*** he's shaved off his beard
abräumen 1. ***(den Tisch) abräumen*** clear the table **2.** *beim Turnier usw.*: (≈ *gewinnen*) sweep* the board
abreagieren 1. work off (*Ärger usw.*) (***an*** on) **2.** ***sich abreagieren*** *umg.* let* off steam
abrechnen 1. (≈ *abziehen*) deduct, subtract **2.** ***(mit jemandem) abrechnen*** *übertragen* get* even (with someone)
abregen: ***reg dich ab!*** *umg.* cool it!, take it easy!
abreiben 1. *allg.*: rub off **2.** rub (down) (*Körper*) **3.** ***sich abreiben*** rub oneself down
Abreibung: ***jemandem eine Abreibung verpassen*** *umg.* give* someone a thrashing
Abreise departure (***nach*** for); ***meine Mutter weinte bei meiner Abreise*** my mother cried when I left
abreisen leave* (***nach*** for)
Abreisetag day of departure, departure date
abreißen 1. (≈ *abtrennen*) tear* [⚠ teə] (*oder* rip) off **2.** ***ein Gebäude abreißen*** pull down a building
abrichten train (*Tier*)
abriegeln block (off) (*Straße, Gebiet usw.*)
Abriss 1. *von Gebäuden*: demolition **2.** (≈ *kurze Darstellung*) outline, summary
abrücken 1. (≈ *wegrücken*) move away **2.** (*Truppen*) move out **3.** (≈ *sich distanzieren*) distance ['dɪstəns] oneself (***von*** from)
Abruf: ***auf Abruf*** on call
abrufen *Computer*: call up, retrieve (*Daten*)
abrunden 1. round off (*auch übertragen*) **2.** ***eine Zahl nach oben*** (*bzw.* ***unten***) ***abrunden*** round a number up (*bzw.* down)
abrüsten disarm
Abrüstung disarmament
Abrüstungsgespräche disarmament talks
abrutschen 1. slip off (*oder* down) **2.** ***er ist in Mathe abgerutscht*** he's fallen behind in maths [mæθs] (*AE* math)
ABS *im Auto*: ABS, anti-lock braking system
Absage (≈ *Ablehnung*) rejection, refusal
absagen 1. cancel [⚠ 'kænsl], call off (*Veranstaltung, Besuch usw.*) **2.** ***ich muss leider absagen*** I'm afraid I can't come
absahnen cream off (*Profit usw.*)
Absatz 1. (≈ *Abschnitt*) paragraph **2.** *Schuh*: heel **3.** (≈ *Verkauf*) sales (⚠ *Pl.*) **4.** (≈ *Treppenabsatz*) landing
abschaffen 1. abolish (*Todesstrafe, Zölle usw.*) **2.** ***er will sein Auto*** *usw.* ***abschaffen*** he wants to get rid of his car *usw.*
Abschaffung *der Sklaverei usw.*: abolition [ˌæbəˈlɪʃn]
abschalten 1. switch off, turn off (*Licht, Radio usw.*) **2.** *übertragen* switch off, relax; ***im Biergarten kann man immer so richtig abschalten*** a beer garden is a good place to relax (completely)
abschätzen 1. estimate (*Preis, Größe, Menge usw.*) **2.** assess (*Wert, Schaden, Lage*)
Abscheu 1. (≈ *Horror, Entsetzen*) horror (***vor*** of) **2.** (≈ *Ekel*) disgust (***vor*** for)
abscheulich 1. (≈ *Ekel erregend*) disgusting **2.** (≈ *grauenhaft*) dreadful ['dredfl] **3.** *Verbrechen*: atrocious [ə'trəʊʃəs]
abschicken 1. send* (off) (*Paket, Brief*) **2.** *mit der Post*: post, *AE* mail
abschieben 1. (≈ *jemanden loswerden*) get* rid of **2.** (≈ *ausweisen*) deport
Abschiebung (≈ *Ausweisung*) deportation
Abschied 1. (≈ *Trennung*) farewell **2.** ***Abschied nehmen*** say* goodbye (***von*** to) **3.** ***zum Abschied gab er ihr einen Kuss*** he kissed her goodbye
Abschieds... *in Zusammensetzungen*: farewell; ***Abschiedsbrief*** farewell letter; ***Abschiedsfeier*** farewell (*oder* leaving) party; ***Abschiedskonzert*** farewell concert; ***Abschiedsrede*** farewell speech; ***Abschiedsworte*** words of farewell
Abschiedskuss goodbye kiss
abschießen shoot* down (*Flugzeug, Pilot*)
abschlagen 1. *wörtlich allg.*: knock [⚠ nɒk] off **2.** cut* off (*Kopf*) **3.** ***etwas abschlagen*** *übertragen* refuse [rɪ'fjuːz] (to do) something
Abschleppdienst breakdown (*AE* towing) service; ***ruf doch mal den Abschleppdienst an!*** why don't you call the breakdown men (⚠ *Pl.*) (*AE* the wreckers ⚠ *Pl.*)?
Abschleppseil towrope ['təʊrəʊp]
Abschleppwagen breakdown truck (*oder* lorry), *AE* wrecker [⚠ 'rekə]
abschleppen: ***mein Auto ist abgeschleppt worden*** my car was towed [təʊd] away
abschließen 1. (≈ *zuschließen*) lock (*Auto, Zimmer, Schrank usw.*) **2.** (≈ *beenden*) end, finish (*Sitzung, Vortrag usw.*) **3.** sign (*Vertrag*)
abschließend 1. ***abschließende Bemerkungen*** concluding remarks **2.** ***ab-***

schließend sagte er … he ended by saying …
Abschluss (≈ *Beendigung*) conclusion
Abschlussball *Schule*: school leavers' ball, *AE* graduation ball
Abschlussfeier *Schule*: prize-giving day
Abschlussprüfung **1.** *allg.*: final exam(ination) **2.** *Uni*: finals (⚠ *Pl.*) **3.** *an der Schule*: school-leaving exam (*oder* exams *Pl.*)
abschmecken **1.** (≈ *kosten*) taste **2.** (≈ *würzen*) season
abschminken: **1.** ***sie schminkt sich gerade ab*** she's taking her make-up off **2.** ***das kannst du dir abschminken!*** you can forget about that
abschnallen **1.** ***er schnallte sich ab*** *Auto, Flugzeug*: he took off his seatbelt, he undid his seatbelt **2.** ***da schnallste ab!*** *salopp* it's mind-boggling
abschneiden **1.** *allg.*: cut* off **2.** cut* (*Haare*); ***er hat sich die Haare abgeschnitten*** he's cut his hair **3.** ***er hat bei der Prüfung gut*** (*bzw.* ***schlecht***) ***abgeschnitten*** he did well (*bzw.* badly) in the exam
Abschnitt **1.** section **2.** *eines Buches*: section, *kürzerer*: passage ['pæsɪdʒ] **3.** *Zeit*: period **4.** (≈ *Kontrollabschnitt*) stub
abschrauben unscrew [ˌʌn'skruː]
abschrecken **1.** (≈ *einschüchtern, verjagen*) scare off **2.** *übertragen* pour [pɔː] cold water over (*Eier, Nudeln*)
abschreckend: ***ein abschreckendes Beispiel*** a warning, a deterrent [dɪ'terənt]
Abschreckung deterrence [dɪ'terəns]
abschreiben *in der Schule*: copy, crib; ***er hat*** (***das***) ***von seinem Nachbarn abgeschrieben*** he copied (*oder* cribbed) (that) from the boy *usw.* next to him
Abschrift copy, duplicate ['djuːplɪkət]
Abschussrampe launch(ing) pad ['lɔːntʃ(ɪŋ)‿pæd]
abschütteln shake* off (*auch übertragen*)
abschwächen tone down (*Kritik usw.*)
abschweifen *vom Thema*: digress [daɪ'gres]; ***nicht abschweifen!*** keep to the point
absehbar: ***in absehbarer Zeit*** in the foreseeable future
absehen **1.** (≈ *voraussehen*) foresee*, see*; ***es ist kein Ende abzusehen*** there's no end in sight; ***die Folgen sind noch nicht abzusehen*** there's no telling how things will turn out **2.** ***er hat es auf ihr Geld abgesehen*** he's after her money
abseits: ***abseits stehen*** stand* apart (*auch übertragen*)
Abseits *Sport*: **1.** ***im Abseits stehen*** be* offside [ˌɒf'saɪd] **2.** ***nicht im Abseits stehen*** be* onside [ˌɒn'saɪd]
Abseitsfalle offside trap
Abseitstor offside goal
absenden send*, post, *bes. AE* mail (*Post*)
Absender (≈ *Adresse*) a<u>dd</u>ress [ə'dres, *AE auch*: 'ædres]
Absender(in) *eines Briefes usw.*: sender

Absender

Auf einem Briefumschlag, Paket usw. schreibt man vor der Absenderadresse oft **From:** …, seltener **Sender:** …

Absenz Ⓒⓗ, Ⓐ absence ['æbsəns]
absetzen **1.** take* off (*Hut, Brille*) **2.** put* down (*Glas, Koffer*) **3.** call off (*Streik, Fußballspiel*) **4.** ***wo können wir Sie absetzen?*** *Auto*: where can we drop you (off)? **5.** ***kann man das steuerlich absetzen?*** is it tax-deductible? **6.** ***sich ins Ausland absetzen*** leave* the country
absichern **1.** ***eine Baustelle*** *usw.* ***absichern*** make* a building site *usw.* safe **2.** ***sich absichern*** (≈ *sichergehen*) cover oneself
Absicht **1.** intention **2.** (≈ *Ziel*) aim, object ['ɒbdʒɪkt] **3.** ***mit Absicht*** on purpose ['pɜːpəs]; ***ohne Absicht*** unintentionally **4.** ***es war nicht meine Absicht ihn zu beleidigen*** I didn't mean to offend him
absichtlich (≈ *mit Absicht*) on purpose
absitzen **1.** (≈ *vom Pferd absteigen*) dismount, get* off one's horse **2.** ***eine Strafe absitzen*** serve a sentence, do* time
absolut **1.** *allg.*: absolute **2.** ***ich sehe absolut keinen Sinn darin*** I don't see any point in it at all
Absolvent(in) **1.** school-leaver, *AE* (high school) graduate ['grædʒʊət] **2.** *einer Hochschule*: graduate ['grædʒʊət]
absolvieren finish, *bes. AE* graduate ['grædʒʊeɪt] from (*Schule, Hochschule*)
Abspann *Film, Fernsehen*: (final) credits ['kredɪts](⚠ *Pl.*)
abspeichern save, store (*Text, Daten usw.*)
absperren block (*Straße*)
Absperrung **1.** (≈ *Sperre*) barrier ['bærɪə] **2.** *Straße*: roadblock
abspielen **1.** play (*Kassette, CD usw.*) **2.** ***den Ball an jemanden abspielen*** pass the ball to someone **3.** ***sich abspielen*** (≈ *geschehen*) happen, take* place
absplittern **1.** (*Holz*) splinter (off), chip off **2.** (*Farbe, Lack*) flake off
Absprache agreement, arrangement; ***laut Absprache*** according to the agreement

absprechen **1.** ***sich mit jemandem absprechen, dass ...*** (≈ *abmachen, sich einigen*) arrange with someone that ... **2.** ***wir hatten uns vorher abgesprochen*** we agreed in advance what we would say

abspringen **1.** *wörtlich* jump off (*oder* down); ***abspringen von*** jump off, jump down from **2.** ***abspringen von*** *Kurs usw.*: drop out of, withdraw from

Absprung **1.** *wörtlich* jump **2.** ***den Absprung wagen*** *übertragen* take* the plunge

abstammen: ***der Mensch stammt vom Affen ab*** man is descended from the apes

Abstammung descent [dɪ'sent], origin ['ɒrɪdʒɪn]

Abstammungslehre theory of evolution [ˌiːvə'luːʃn]

Abstand **1.** (≈ *Entfernung*) distance ['dɪstəns]; ***im Abstand von 10 Metern*** at a distance of 10 metres, 10 metres away, *bei mehreren Gegenständen usw.*: 10 metres apart **2.** (≈ *kleinerer Zwischenraum*) space, gap **3.** *zeitlich*: interval ['ɪntəvl]; ***in regelmäßigen Abständen*** at regular intervals

abstauben **1.** (≈ *Staub entfernen*) dust **2.** (≈ *unerlaubt mitnehmen*) *umg.* swipe, snitch **3.** *Fußball*: tap (the ball) in

Abstecher detour ['diːtʊə], *AE* side trip

Absteige *salopp* dosshouse, *AE* flop-house

absteigen **1.** *vom Fahrrad, vom Pferd usw.*: get* off **2.** (*Mannschaft*) be* relegated, go* down

abstellen **1.** *allg.*: put* down **2.** park (*Auto*) **3.** ***stell dein Fahrrad im Garten ab!*** put your bike in the garden **4.** turn off (*Maschine*; *Gas, Wasser*)

Abstellplatz *für Auto*: parking space

Abstellraum storeroom, *BE auch* lumber room

Abstieg **1.** (≈ *das Absteigen*) way down; ***beim Abstieg*** on the way down **2.** (≈ *Weg*) descent [dɪ'sent]; ***der Abstieg war schwierig*** the descent was difficult **3.** *Sport*: relegation [ˌrelɪ'geɪʃn]

abstimmen **1.** ***Dinge aufeinander abstimmen*** coordinate things **2.** *zeitlich*: time **3.** match (*Farben*) **4.** (*Parlament usw.*) vote

Abstimmung (≈ *Stimmabgabe*) vote; ***eine Abstimmung durchführen*** take* a vote

Abstoß *Fußball*: goal kick

abstoßend repulsive, disgusting

abstrahlen emit [ɪ'mɪt], radiate (*Wärme*)

abstrakt abstract ['æbstrækt] (*auch Kunst*)

abstreiten (≈ *leugnen*) deny

Absturz **1.** fall **2.** *beim Flugzeug*: crash

abstürzen **1.** fall* **2.** (*Flugzeug*) crash **3.** (*Computer*) crash

absuchen search (*Gebiet usw.*) (**nach** for)

Abt abbot ['æbət]

abtasten **1.** feel* (**nach** for) **2.** *nach Waffen usw.*: frisk (**nach** for) **3.** *Radar usw.*: scan

abtauen defrost (*Kühlschrank*)

Abtei abbey ['æbɪ]

Abteil *im Zug*: compartment

Abteilung *allg.*: department

Abteilungsleiter(in) **1.** head of (a *oder* the) department, department head **2.** *im Kaufhaus*: floor [flɔː] manager

abtippen type up (*Text*)

Äbtissin abbess ['æbes]

abtrainieren work off (*Pfunde usw.*)

Abtransport removal, transportation

abtreiben: ***(ein Kind) abtreiben lassen*** have* an abortion

Abtreibung abortion

Abtreibungspille abortion pill [ə'bɔːʃn-pɪl], morning-after pill

abtrennen separate (**von** from)

abtreten **1.** ***sich die Schuhe abtreten*** wipe one's feet **2.** *vom Amt*: resign [rɪ'zaɪn]

abtrocknen **1.** dry **2.** ***sich die Hände abtrocknen*** dry one's hands (**an** on) **3.** dry up (*das Geschirr*), do* the drying-up

abtun dismiss (*Vorschlag usw.*) (**als** as)

abwägen **1.** consider carefully **2.** ***seine Worte abwägen*** weigh [weɪ] one's words

abwählen **1.** ***jemanden abwählen*** vote someone out of office **2.** *Schule*: drop (*Fach*)

abwälzen shift (**auf** on to); ***die Verantwortung auf einen anderen abwälzen*** pass the buck (to someone else)

abwandeln modify

abwandern (*Bevölkerung*) migrate [maɪ'greɪt], move

Abwanderung migration [maɪ'greɪʃn]

Abwandlung variation, modification

Abwart (CH) (≈ *Hausmeister*) caretaker

abwarten **1.** wait for (*etwas*) **2.** ***wir müssen noch abwarten*** we'll have to wait and see **3.** ***das bleibt abzuwarten*** that remains to be seen

abwärts down, downwards ['daʊnwədz]

Abwasch **1.** (≈ *schmutziges Geschirr*) dirty dishes (⚠ *Pl.*) **2.** ***den Abwasch machen*** do* the dishes, do* the washing-up

abwaschbar *Tapete usw.*: washable

abwaschen **1.** wash up (*Geschirr*) **2.** (≈ *Geschirr spülen*) do* the dishes (⚠ *Pl.*), do* the washing-up **3.** wash off (*Schmutz*)

Abwasser waste water, sewage ['suːɪdʒ]

abwechseln **1.** ***sie wechselten sich beim***

Fahren ab *Auto*: they shared the driving **2. *Regen und Sonnenschein wechselten sich ab*** one minute it was raining, the next the sun was shining
abwechselnd alternately [ɔːl'tɜːnətlɪ]; ***sie haben abwechselnd gespielt*** *auch*: they took it in turns to play
Abwechslung change; ***zur Abwechslung*** for a change
abwechslungsreich varied ['veərɪd]
Abwehr 1. (≈ *Verteidigung*) defence, *AE* defense (*auch Sport*) **2.** (≈ *Widerstand*) resistance [rɪ'zɪstəns]
Abwehr... *in Zusammensetzungen*: defensive; ***Abwehrfehler*** *Sport*: defensive error; ***Abwehrreaktion*** defensive reaction; ***Abwehrspiel*** *Sport*: defensive play
abwehren 1. beat* back (*Angriff, Feind*) **2.** *Boxen, Fußball*: block **3.** (*Torwart*) save (*Schuss*) **4.** ward off (*Gefahr usw.*)
Abwehrspieler(in) defender
Abwehrstoff antibody ['æntɪˌbɒdɪ]
abweichen 1. (*stark*) *voneinander abweichen* differ (sharply) **2. *von den Regeln abweichen*** break* the rules
abweichend differing
Abweichung 1. deviation [ˌdiːvɪ'eɪʃn] (***von*** from) **2.** (≈ *Unterschied*) difference
abweisen reject, turn down (*Bitte usw.*)
abweisend unfriendly, cool
Abweisung rejection
abwenden 1. (*sich*) *abwenden* turn away **2.** avert [ə'vɜːt] (*Gefahr, Krise, Unheil usw.*)
abwerben 1. poach (*Kunden*) **2.** headhunt (*Arbeitskraft*) **3.** woo (*bes. Wähler*)
abwerfen 1. (≈ *hinunterwerfen*) throw* down **2.** throw* (*Reiter*) **3.** drop (*Bomben*) **4.** yield (*Gewinn*)
abwerten devalue [ˌdiː'væljuː] (*Geld*)
Abwertung *Geld, Währung*: devaluation
abwesend 1. absent ['æbsənt] **2.** (≈ *zerstreut*) absent-minded
abwickeln 1. unwind* [ˌʌn'waɪnd] **2.** take* off (*Verband*) **3. *mit jemandem ein Geschäft abwickeln*** do* a deal with someone
abwiegen weigh out [⚠ ˌweɪ'aʊt]
abwimmeln 1. get* rid of (*jemanden*) **2.** get* out of (*Arbeit*)
abwischen 1. *etwas abwischen* wipe something off **2.** wipe (*Tisch, Mund*) **3. *wisch dir die Tränen ab!*** dry your tears now
abwürgen *umg.* **1.** stall (*Motor*) **2. *etwas sofort abwürgen*** nip something in the bud
abzahlen pay* off
abzählen 1. count **2.** count (out) (*Geld*) **3. *das kannst du dir an den (fünf) Fingern abzählen*** it's as clear as daylight
Abzahlung: ***etwas auf Abzahlung kaufen*** buy* something on hire purchase [ˌhaɪə'pɜːtʃəs], *bes. AE* buy* something on the installment plan
abzapfen tap, draw* (off) (*Bier usw.*)
Abzeichen 1. *allg.*: badge **2.** (≈ *Rangabzeichen*) insignia [ɪn'sɪgnɪə] (*Pl.*)
abzeichnen 1. (≈ *kopieren*) copy, draw* (***von*** from) **2.** (≈ *unterschreiben*) initial
Abziehbild transfer [⚠ 'trænsfɜː]
abziehen 1. *wörtlich* take* off **2. *einem Kaninchen*** *usw.* ***das Fell abziehen*** skin a rabbit *usw.* **3.** strip (*Bett*) **4.** take* out (*Schlüssel*) **5.** withdraw* (*Truppen*) **6.** (≈ *abrechnen*) subtract **7.** (≈ *weggehen*) go* away, *umg.* push off **8.** (*Rauch*) escape **9. *das Gewitter ist abgezogen*** the storm has passed (over)
abzielen 1. *auf etwas abzielen* (*Attacke, Bemerkung usw.*): be* aimed at something **2. *worauf hat er abgezielt?*** what was he driving at?
abzocken: ***Kunden abzocken*** *umg.* rip customers off
Abzocker(in) *umg.* swindler
Abzug 1. *von Truppen*: withdrawal, retreat **2.** *am Gewehr*: trigger **3.** (≈ *Vervielfältigung*) copy **4.** *von Foto*: print
Abzugshaube *Küche*: cooker hood [⚠ hʊd]
abzweigen (*Weg usw.*) branch off
Abzweigung 1. *einer Straße*: turning, turn-off **2.** (≈ *Gabelung*) fork
ach 1. oh **2. *ach, wie schade*** (*oder* ***wie ärgerlich***) *usw.!* oh no! **3. *ach so!*** oh, I see **4. *ach was!*** nonsense, rubbish **5. *ach wo!*** oh no, of course not
Ach: ***mit Ach und Krach eine Prüfung bestehen*** scrape through an exam
Achillesferse Achilles' heel [əˌkɪliːz'hiːl]
Achillessehne Achilles tendon [əˌkɪliːz'tendən]
Achse 1. *Technik, Auto*: axle **2.** *Mathe*: axis ['æksɪs] *Pl.*: axes ['æksiːz] **3. (*dauernd*) *auf Achse sein*** be* (always) on the move
Achsel shoulder ['ʃəʊldə]
Achselhöhle armpit
acht 1. eight [eɪt] **2. *in acht Tagen*** in a week('s time); **(*heute*) *vor acht Tagen*** a week ago (today); ***alle acht Tage*** every week, once a week
Acht[1] **1.** *Zahl*: (number) eight **2.** *Bus, Straßenbahn usw.*: number eight bus, number eight tram *usw.*
Acht[2]: ***Acht geben*** be* careful

achte(**r, -s**) eighth [eɪtθ]; ***8. April*** 8(th) April, April 8(th) (⚠ *gesprochen* the eighth of April); ***am 8. April*** on 8(th) April, on April 8(th) (⚠ *gesprochen* on the eighth of April)

Achte(**r**) **1.** (the) eighth [(ðɪ)‿eɪtθ] **2.** ***er war Achter*** he was eighth **3.** ***Heinrich VIII.*** Henry VIII (*gesprochen* Henry the Eighth; VIII *ohne Punkt!*) **4.** ***heute ist der Achte*** it's the eighth today

Achteck octagon ['ɒktəgn]

achtel eighth [eɪtθ]; ***drei achtel Liter*** three eighths of a litre

Achtel eighth [eɪtθ]

Achtelfinale *Sport*: **1.** round before the quarter final **2.** ***das Achtelfinale erreichen*** reach the last sixteen

achten 1. respect (*jemanden*) **2.** ***achte auf dein Fahrrad*** *usw.* keep an eye on your bike *usw.*

Achter *Rudern*: eight [eɪt]

Achterbahn roller coaster, *BE auch* big dipper

achtfach 1. ***die achtfache Menge*** eight times the amount **2.** ***der achtfache deutsche Meister X*** eight-times German champion X (⚠ *ohne* the)

Achtung 1. (≈ *Respekt*) respect (***vor*** for) **2.** ***Achtung!*** *Warnung*: look out! **3.** ***Achtung!*** *Militär*: attention! **4.** ***Achtung Stufe!*** mind the step, *AE* caution: step!

achtzehn *Zahl*: eighteen [ˌeɪ'tiːn]

achtzehnte(**r, -s**) eighteenth [ˌeɪ'tiːnθ]

achtzig eighty ['eɪtɪ]

Achtzigerjahre: ***in den Achtzigerjahren*** in the eighties ['eɪtɪz]

achtzigste(**r, -s**) eightieth ['eɪtɪəθ]

Acker field

Ackerbau agriculture ['ægrɪkʌltʃə], farming

Acryl (≈ *Chemiefaser*) acrylic [ə'krɪlɪk]

Acrylglas acrylic glass [əˌkrɪlɪk'glɑːs]

A.D. AD [ˌeɪ'diː] (*Abk. für* **a**nno **d**omini)

Adapter (≈ *Verbindungsteil*) adapter

addieren add (up) (*Zahlen*)

Addition 1. addition **2.** (≈ *Summe*) sum

Adel nobility, aristocracy [ˌærɪ'stɒkrəsɪ]

Ader 1. *allg.*: vein [veɪn], blood vessel **2.** (≈ *Schlagader*) artery ['ɑːtərɪ]

Adjektiv adjective

Adjektiv in der Funktion eines Substantivs

Im Deutschen kann man ein Adjektiv ohne weiteres in ein Substantiv zur Bezeichnung einer Person oder mehrerer Personen verwandeln: *blind – der/die Blinde*, *krank – ein Kranker / eine Kranke*, *grün – das Grüne* usw.

Im Englischen geht dies nur, wenn das vom Adjektiv abgeleitete Substantiv alle oder zumindest eine Gruppe von Menschen mit bestimmten Eigenschaften bezeichnet:

the old	die Alten
the sick	die Kranken
the homeless	die Obdachlosen
the injured ['ɪndʒəd]	die Verletzten *usw.*

Dies trifft auch für Nationalitätenbezeichnungen zu:

the French	die Franzosen
the English	die Engländer
the Dutch	die Holländer
the Chinese	die Chinesen *usw.*

Du musst dabei dem Substantiv immer **the** voranstellen, und obwohl die Substantive die Pluralform des Verbs fordern, erhalten sie selbst kein Plural-**s** am Ende:

The rich are people who have a lot of money and possessions.	Reiche sind Leute mit viel Geld und Besitz.

Im Singular musst du ein Substantiv wie **man, woman, lady, girl, boy, person** bzw. das Stützwort **one** hinzufügen:

a sick person	eine Kranke, ein Kranker, ein kranker Mensch
sick people	Kranke (= mehrere Kranke, aber vgl. **the sick** oben)
that fat man over there	der Dicke da drüben
I'll have the little one	ich nehme das Kleine
I mean the pretty girl	ich meine die Hübsche *usw.*

Adler eagle
adlig noble
Adlige noblewoman ['nəʊblˌwʊmən]
Adliger nobleman ['nəʊblmən], aristocrat ['ærɪstəkræt]
Admiral *Marine*: admiral ['ædmərəl]
adoptieren adopt
Adoption adoption
Adoptiveltern adoptive parents [əˌdɒptɪv-'peərənts]
Adoptivkind adopted [ə'dɒptɪd] child
Adrenalin adrenalin [ə'drenəlɪn]
Adressbuch directory [də'rektərɪ], *persönliches*: address book
Adresse address [ə'dres, *AE auch*: 'ædres]
adressieren address (***an*** to)
Advent Advent ['ædvent]

Advent

Der Advent wird in den englischsprachigen Ländern im Allgemeinen nicht gefeiert, obwohl sich der Adventskalender nach dem deutschen Muster allmählich einbürgert.

Adventskalender Advent calendar
Adventskranz Advent wreath [riːθ]
Adverb adverb ['ædvɜːb]
Aerobic aerobics [eə'rəʊbɪks]; ***Aerobic macht Spaß*** aerobics is fun
aerodynamisch aerodynamic [ˌeərəʊdaɪ'næmɪk]
Affäre affair; ***sie haben eine Affäre*** they're having an affair
Affe **1.** monkey ['mʌŋkɪ] **2.** (≈ *Menschenaffe*) ape **3.** ***dummer Affe*** *umg.* twit
Affenhitze scorching (*oder* sizzling) heat (⚠ *ohne* a); ***hier ist eine Affenhitze!*** *Raum*: it's scorching in here, *Gebiet*: it's scorching over here
Afghanistan Afghanistan [əf'gænɪstɑːn]
Afrika Africa ['æfrɪkə]
Afrikaner(in), **afrikanisch** African ['æfrɪkən]; ☞ ***Nationalitäten***
Afro-Look: ***im Afro-Look*** with (*oder* wearing) an Afro hairstyle
After anus ['eɪnəs]
AG **1.** (*Abk. für* **A**rbeits**g**ruppe) study group **2.** (*Abk. für* **A**ktien**g**emeinschaft) public limited company (*Abk.* PLC), *AE* (stock) corporation
Ägäis: ***die Ägäis*** the Aegean Sea [ɪˌdʒiːən'siː]
Agave *Pflanze*: agave [ə'geɪv(ɪ)]
Agent(in) agent ['eɪdʒənt]
Agentur agency ['eɪdʒənsɪ]
Aggression aggression
aggressiv aggressive [ə'gresɪv]
Aggressivität aggressiveness
Ägypten Egypt ['iːdʒɪpt]
Ägypter(in), **ägyptisch** Egyptian [ɪ'dʒɪpʃn]; ☞ ***Nationalitäten***
ah: ***ah!*** *genießerisch*: ooh [uː], ah [ɑː], mmm
äh: ***äh!*** **1.** *Sprechpause*: er [ɜː], um [ʌm] **2.** *angeekelt*: ugh [ɜː], yuk [jʌk]
aha: ***aha!*** I see
Ahn *förmlich* (≈ *Vorfahre*) ancestor ['ænsestə], forefather
ähneln **1.** look (*oder* be*) like, resemble **2.** ***unsere Ansichten ähneln sich sehr*** we have very similar opinions
ahnen **1.** (≈ *vermuten*) suspect [sə'spekt] **2.** (≈ *vorhersehen*) foresee* **3.** ***ich habs geahnt*** I knew it
ähnlich **1.** similar (to), like **2.** ***jemandem ähnlich sehen*** look (*oder* be*) like someone **3.** ***das sieht ihm*** *usw.* ***ähnlich*** that's him *usw.* all over, that's just like him *usw.*
Ähnlichkeit **1.** resemblance (***mit*** to), likeness **2.** (≈ *Vergleichbarkeit*) similarity (***mit*** with) **3.** ***viel Ähnlichkeit haben mit*** look very much like, *übertragen* be* very similar to
Ahnung **1.** (≈ *Vermutung*) suspicion **2.** ***keine Ahnung haben*** (***von***) know* nothing about **3.** ***keine Ahnung!*** no idea **4.** ***ich hatte nicht die leiseste Ahnung*** (***davon***) I hadn't the faintest idea (about it)
ahnungslos **1.** (≈ *nichts ahnend*) unsuspecting **2.** ***sie war völlig ahnungslos*** she hadn't got a clue [kluː]
Ahorn maple ['meɪpl] (tree)
Ähre ear (of corn *usw.*)
Aids Aids, AIDS (*Abk. für* **A**cquired **I**mmune **D**eficiency **S**yndrome)
Aidshilfe *Institution*: Aids centre
aidsinfiziert Aids-infected, infected with Aids
Aidskranke(r) Aids victim (*oder* sufferer)
Aidstest Aids test; ***einen Aidstest machen lassen*** have* (*oder* go* for) an Aids test
Aidstote: ***die Zahl der Aidstoten nimmt immer noch zu*** the number of Aids deaths (*oder* of people dying of Aids) is still increasing
Airbag *Auto*: airbag
Aircondition airconditioning
Ajatollah *islamisch*: ayatollah [ˌaɪə'tɒlə]
Akademie **1.** *allg.*: academy [ə'kædəmɪ] **2.** (≈ *Fachschule*) college, institute ['ɪnstɪtjuːt]
Akademiker(in) (≈ *Hochschulabsolvent*) (university) graduate ['grædʒʊət] (⚠

engl. academic = ***Wissenschaftler(in)***, ***Hochschullehrer(in)***)
Akazie (≈ *Baum, Strauch*) acacia [ə'keɪʃə]
Akkord *Musik*: chord [⚠ kɔːd]
Akkordarbeit piecework
Akkordeon accordion
Akku, Akkumulator (storage) battery, *BE auch* accumulator [ə'kjuːmjəleɪtə]
akkurat **1.** (≈ *exakt*) precise [prɪ'saɪs] **2.** *Handschrift usw.*: neat
Akkusativ accusative [ə'kjuːzətɪv] (case)
Akne (≈ *Hautunreinheit*) acne ['æknɪ]
Akrobat(in) acrobat ['ækrəbæt]
Akt **1.** *Theater usw.*: act **2.** *Kunst*: nude
Akte file, record ['rekɔːd]
Aktenordner file
Aktenschrank filing cabinet ['faɪlɪŋˌkæbɪnət]
Aktentasche briefcase (⚠ ***Brieftasche*** = wallet)
Aktie share, *AE* stock
Aktiengesellschaft joint-stock company, *AE* corporation
Aktienkurs share price, *AE* stock price
Aktienmarkt stock market
Aktion **1.** (≈ *Kampagne*) campaign [kæm'peɪn] **2.** ***in Aktion treten*** take* (some) action
Aktionär(in) shareholder, *AE* stockholder
aktiv *allg.*: active
Aktivität activity [ək'tɪvətɪ]
aktuell **1.** *Thema*: topical (⚠ *engl.* actual = ***eigentlich***) **2.** *Problem, Mode*: current ['kʌrənt] **3.** ***von aktuellem Interesse*** of topical interest **4.** ***ein aktueller Bericht über Großbritannien*** a report on current affairs in Britain **5.** ***aktuelle Zahlen*** up-to-date figures
Aktuelle(s): ***Aktuelles aus der Politik*** (***Literatur, Filmbranche*** *usw.*) the latest developments in politics (the latest from the literary world, the movie world *usw.*)
Akupressur *Medizin*: acupressure ['ækjʊˌpreʃə]
Akupunktur *Medizin*: acupuncture ['ækjʊˌpʌŋktʃə]
Akustik: ***die Akustik in diesem Theater ist ziemlich schlecht*** the acoustic<u>s</u> of this theatre <u>are</u> rather bad
akustisch acoustic [ə'kuːstɪk]
akut **1.** *Schmerzen*: acute, severe **2.** *übertragen* acute, severe, pressing
AKW (*Abk. für* **A**tom**k**raft**w**erk) nuclear power station [ˌnjuːklɪə'paʊəˌsteɪʃn]
Akzent (≈ *Aussprache*) accent ['æksnt]; ***mit starkem schottischen Akzent*** with <u>a</u> strong Scottish accent
akzentfrei without an accent ['æksnt], *betont*: without <u>any</u> accent; ***sie spricht völlig akzentfrei*** she hasn't got an (*oder* any) accent at all
akzeptabel **1.** acceptable (***für*** to) **2.** ***akzeptable Preise*** reasonable prices
akzeptieren accept [ək'sept]
Alarm alarm; ***Alarm schlagen*** sound the alarm; ***blinder Alarm*** false alarm
Alarmanlage alarm system
alarmieren **1.** alarm (*auch übertragen*) (⚠ *engl.* alert = ***warnen***) **2.** ***die Polizei alarmieren*** call the police
Alaska Alaska
Albanien Albania [æl'beɪnɪə]
Albatros albatross ['ælbətrɒs]
albern **1.** silly **2.** ***albernes Zeug*** rubbish, nonsense ['nɒnsəns]
Albino albino [æl'biːnəʊ]
Albtraum nightmare (*auch übertragen*)
Album album (*auch LP*)
Algebra algebra ['ældʒɪbrə]
Algen algae ['ældʒiː]
Algerien Algeria [æl'dʒɪərɪə]
Algerier(in), **algerisch** Algerian [æl'dʒɪərɪən]; ☞ ***Nationalitäten***
Alibi alibi ['æləbaɪ] (*auch übertragen*)
Alimente maintenance ['meɪntənəns] (⚠ *Sg.*); ***Alimente zahlen*** pay* maintenance
Alkohol alcohol ['ælkəhɒl]
alkoholfrei **1.** non-alcoholic, alcohol-free **2.** ***alkoholfreie Getränke*** soft drinks
Alkoholiker(in) alcoholic [ˌælkə'hɒlɪk]
alkoholisch *Getränke usw.*: alcoholic
Alkoholismus alcoholism ['ælkəhɒlɪzm]
Alkoholproblem: ***er hat ein Alkoholproblem*** he's got a drink problem
Alkoholtest *für Autofahrer*: breath [breθ] test
Alkoholverbot ban <u>on</u> alcohol ['ælkəhɒl]
all **1.** all; ***all diese Sachen*** all these things **2.** ***alle beide*** both of them **3.** ***alle drei*** all three (of them) **4.** ***sie*** (***wir*** *usw.*) ***alle*** all of them (us *usw.*) **5.** ***sind alle da?*** is everyone (*oder* everybody) here? **6.** ***alle, die mitmachen wollen*** <u>anyone</u> who wants to take part **7.** ***auf alle Fälle*** in <u>any</u> case **8.** ***alle zwei Tage*** every other day **9.** ***alle acht Tage*** once a week **10.** ***alle Menschen*** everyone, everybody **11.** ***alles Gute*** all the best; → ***alle, alles***
All **1.** universe **2.** ***das All*** (≈ *Weltall*) (outer) space (⚠ *ohne* the)
alle (≈ *aufgebraucht*) finished, all gone
Allee avenue ['ævənjuː] (⚠ *engl.* alley = *mst.* ***Gasse***)
allein **1.** alone; ***ganz allein*** all alone **2.** ***kann ich dich allein lassen?*** can I leave you alone? **3.** (≈ *einsam*) lonely **4.** ***allein stehend*** (≈ *ledig*) single, unmarried
alleinige(r, -s) only, sole

Alleinsein: ***das Alleinsein*** loneliness, being alone (⚠ *beide ohne* the)
allerbeste(**r**, **-s**) **1.** ***meine allerbeste Freundin*** my very best friend **2.** ***am allerbesten*** best of all
allerdings 1. (≈ *jedoch*) though [ðəʊ], but, however; ***er war allerdings nicht da*** but (*oder* though) he wasn't there, he wasn't there, however **2.** ***„Warst du schon beim Direktor?" - „Allerdings!"*** 'Have you been to the headmaster?' - 'You bet!'
allererste(**r**, **-s**) **1.** very first **2.** ***zu allererst*** first of all
Allergie allergy ['ælədʒɪ]
Allergiepass allergy ID ['ælədʒɪ‿aɪ,diː]
Allergiker(**in**) allergy ['ælədʒɪ] sufferer; ***sie ist Allergikerin*** she suffers from an allergy (*bzw.* allergies)
allergisch allergic [ə'lɜːdʒɪk] (***gegen*** to) (*auch übertragen*)
allerhand 1. (≈ *viel*) all kinds of, lots of, quite a lot of **2.** ***das ist allerhand*** *lobend*: that's not bad **3.** ***das ist ja allerhand*** *umg.*, *tadelnd*: that's a bit thick
Allerheiligen All Saints' Day
allerlei all kinds (*oder* sorts) of
allerletzte(**r**, **-s**) very last, last of all
allermeiste(**r**, **-s**) **1.** ***die allermeisten Leute*** most people **2.** ***am allermeisten*** most of all
allerwenigste(**r**, **-s**) **1.** ***die allerwenigsten Leute*** very few people **2.** ***am allerwenigsten*** least of all
alles 1. everything **2.** ***alles in allem*** all in all
Alleskleber all-purpose glue [gluː]
allgemein 1. general **2.** ***im Allgemeinen*** in general, generally **3.** ***allgemein gesprochen*** generally speaking **4.** ***es ist allgemein üblich, dass man ...*** it's common practice to (+ *Inf.*) **5.** ***es ist allgemein bekannt, dass*** it's a well-known fact that
Allgemeinarzt, **Allgemeinärztin** general practitioner, GP [,dʒiː'piː]
Allgemeinbildung: ***sie hat eine gute Allgemeinbildung*** she has a good general (*oder* all-round) education
Allgemeinheit general public
Allgemeinwissen general knowledge
Allheilmittel cure-all, panacea [,pænə'sɪə] (*auch übertragen*)
Allianz alliance [ə'laɪəns]
Alligator alligator ['ælɪgeɪtə]
alliiert: ***die alliierten Streitkräfte*** the allied ['ælaɪd] forces
Alliierte(**r**) ally; ***die Alliierten*** the Allies ['ælaɪz]
allmählich 1. gradual ['grædʒʊəl] **2.** ***allmählich müsstest du das können*** you should be able to do that by now
Alltag daily routine [ruː'tiːn]
alltäglich 1. (≈ *tagtäglich*) daily **2.** ***alltägliche Probleme*** *usw.* everyday problems *usw.* **3.** ***das ist nichts Alltägliches*** it doesn't happen every day
allzu 1. far (*oder* much) too **2.** ***nicht allzu*** not too, not particularly
Alm alpine pasture [,ælpaɪn'pɑːstʃə]
Almosen alms [⚠ ɑːmz]
Alpen: ***die Alpen*** the Alps [ælps]
Alpenveilchen cyclamen [⚠ 'sɪkləmən]
Alphabet alphabet ['ælfəbet]
alphabetisch alphabetical [,ælfə'betɪkl]
alpin alpine ['ælpaɪn]
Alptraum nightmare (*auch übertragen*)
als 1. *vergleichend*: than; ***er ist älter als du*** he's older than you **2.** ***wir hatten nichts als Ärger*** we had nothing but trouble **3.** (≈ *in der Eigenschaft von*) as; ***als Antwort*** as an answer; ***als kleines Mädchen*** as a little girl **4.** *zeitlich*: when; ***als er hereinkam, ging ich aus dem Zimmer*** when he came in, I left the room **5.** *zeitlich*: while; ***als ich aus dem Fenster schaute, kam er herein*** while I was looking out of the window, he came in **6.** ***als ob*** as if
also 1. (≈ *deshalb*) so, therefore; ***niemand war da, also gingen wir*** no one was there, so we left **2.** ***also, ich ...*** well, I ... **3.** ***also gut*** all right (then)
alt 1. *allg.*: old **2.** *geschichtlich*: old, ancient ['eɪnʃnt] **3.** (≈ *gebraucht*) used, second-hand **4.** *Wendungen*: ***wie alt bist du?*** how old are you?; ***er ist*** (***doppelt***) ***so alt wie ich*** he's (twice) my age
Altar altar ['ɔːltə]
Altbau old building
Altbauwohnung flat (*AE* apartment) in an old building
Alte 1. (≈ *alte Frau*) old woman **2.** ***meine Alte*** *salopp* (≈ *Mutter*) the old woman, (≈ *Ehefrau*) the missus
Alte(**r**) **1.** (≈ *alter Mann*) old man **2.** ***mein Alter*** *salopp* (≈ *Vater*, *Ehemann*) the old man **3.** ***Alte und Junge*** young and old people, people of all ages
Altenheim old people's home
Alter 1. age **2.** ***im Alter*** in my *usw.* old age **3.** *Wendungen*: ***er ist in meinem Alter*** he's (about) my age; ***im Alter von 40 Jahren*** at the age of forty; ***man sieht ihm sein Alter nicht an*** he doesn't look his age
älter 1. *allg.*: older; ***er ist älter als ich*** he's older than me **2.** ***ihr älterer Bruder*** her elder brother **3.** ***ein älterer Herr*** an elder-

ly (gentle)man **4. *Cranach der Ältere* (*d. Ä.*)** Cranach the Elder
alternativ alternative [ɔːl'tɜːnətɪv]; ***alternative Lebensweise*** alternative lifestyle
Alternative alternative [ɔːl'tɜːnətɪv]
Altersgrenze 1. (≈ *Rentenalter*) retirement age **2.** *bei Sportlern usw.*: age limit
Altersgruppe age group
Altersheim old people's home
Altersklasse *Sport*: age group
Altersunterschied age difference
Altertum: ***das Altertum*** antiquity [æn'tɪkwətɪ] (⚠ *ohne* the)
älteste(r, -s) 1. oldest **2.** *in der Familie*: eldest; ***mein ältester Sohn*** my eldest son
Altglas used glass, *leere Flaschen*: empty bottles (⚠ *Pl.*)
Altglascontainer bottle bank, *AE* glass recycling bin
altklug precocious [prɪ'kəʊʃəs]
Altlasten 1. *Boden*: contaminated soil (⚠ *Sg.*) **2.** *Müllhalden*: disused waste dumps **3.** *übertragen* burdens of the past
altmodisch old-fashioned
Altpapier waste paper
Altpapierverwertung waste-paper recycling
altsprachlich classical; ***altsprachliche Abteilung*** classics department
Altstadt: ***in der Münchner Altstadt*** in the old part of Munich ['mjuːnɪk]
Altweibersommer Indian summer
Alu-Felgen alloy ['ælɔɪ] wheels, alloys
Alufolie tin foil, *AE* aluminum foil
Alzheimer(krankheit) Alzheimer's disease ['æltshaɪməz‿dɪˌziːz]
Aluminium aluminium [ˌælə'mɪnɪəm], *AE* aluminum [ə'luːmɪnəm]
am (= *an dem*) → ***an***
Amaryllis *Pflanze*: amaryllis [ˌæmə'rɪlɪs]
Amateur(in) amateur [⚠ 'æmətə]
Amateurfunker(in) radio ham
Ambiente 1. ambience ['æmbɪəns] **2.** (≈ *Atmosphäre*) atmosphere ['ætməsfɪə]
Amboss anvil ['ænvɪl]
ambulant: ***das konnte ambulant behandelt werden*** I *usw.* had it done as an out-patient
Ambulanz 1. (≈ *Klinik*) outpatients' department **2.** (≈ *Krankenwagen*) ambulance ['æmbjələns]
Ameise ant [ænt]
Ameisenhaufen anthill ['ænthɪl]
Amerika America
Amerikaner American; ***er ist Amerikaner*** he's (an) American; ☞ ***Nationalitäten***
Amerikanerin American woman (*oder* lady *bzw.* girl); ***sie ist Amerikanerin*** she's (an) American; ☞ ***Nationalitäten***
amerikanisch American
Ami *umg, oft auch im negativen Sinn* **1.** Yank **2.** (≈ *Soldat*) GI
Ammoniak ammonia
Amnestie amnesty; ***eine Amnestie erlassen*** declare (*oder* grant) an amnesty
Amok: ***Amok laufen*** run* amok [ə'mɒk]
Amokschütze mad gunman
Ampel traffic lights (⚠ *Pl.*), *AE auch* traffic light; ***biegen Sie bei der ersten Ampel nach rechts ab*** turn right at the first set of traffic lights
Amphitheater amphitheatre, *AE* amphitheater ['æmfɪˌθɪətə]
Ampulle ampoule ['æmpuːl]
Amputation amputation
amputieren amputate
Amsel blackbird
Amsterdam Amsterdam ['æmstədæm]
Amt 1. (≈ *Dienststelle*) office, department **2.** (≈ *Posten*) post **3.** (≈ *Aufgabe, Pflicht*) (official) duty, function
amtlich official
Amtsmissbrauch abuse [ə'bjuːs] of office
Amtszeichen *Telefon*: dialling tone, *AE* dial tone
amüsieren 1. *sich amüsieren* (≈ *sich gut unterhalten*) enjoy oneself, have* fun, have* a good time **2. *er amüsierte sich über sie*** he made fun of her
an 1. *zeitlich*: on; ***am 1. März*** on 1(st) March, on March 1(st) (⚠ *gesprochen* on the first of March); ***am Abend*** (*bzw.* ***Morgen***) in the evening (*bzw.* morning); ***am Tage*** during the day **2.** *örtlich*: at; on; ***am Fenster*** at the window; ***ans Fenster*** *gehen usw.*: to the window; ***an der Tür*** *jemand*: at the door, *Gegenstand*: on the door; ***an der Grenze*** at the border; ***am Himmel*** in the sky; ***an einer Schule*** at a school; ***am Meer*** on the coast; ***an der Themse*** on the Thames **3.** (≈ *neben, nahe*) by, next to, near; ***am Tisch sitzen*** sit* at the table; ***am Wald*** near the woods **4. *er war am schnellsten*** *usw.* he was the fastest *usw.* **5. *von nun an*** from now on **6. *London an 18.05*** *im Fahrplan*: arr. (= arrival) London 18.05 **7. *an - aus*** on - off
anal anal ['eɪnl]
Analphabet(in) illiterate [ɪ'lɪtərət]
Analyse analysis [ə'næləsɪs] *Pl.*: analyses [ə'næləsiːz]
analysieren analyse ['ænəlaɪz], *AE* analyze
Anämie (≈ *Blutarmut*) an(a)emia [ə'niːmɪə]

Ananas pineapple ['paɪnæpl]

Anarchie anarchy ['ænəkɪ]

Anatomie anatomy [ə'nætəmɪ]

anatomisch anatomical [ˌænə'tɒmɪkl]

anbahnen: ***zwischen den beiden bahnt sich was an*** *Beziehung*: there's something going on between them (*oder* those two)

Anbau 1. *am Gebäude*: annexe, *AE* annex ['æneks] **2.** *Landwirtschaft*: cultivation

anbauen 1. *Landwirtschaft*: grow* **2.** ***wir haben angebaut*** *beim Haus usw.*: we've extended the house *usw.*

anbehalten: ***den Mantel*** *usw.* ***anbehalten*** keep* one's coat *usw.* on

anbei: ***anbei* (*senden wir Ihnen*) …** enclosed please find …

anbeißen bite, *auch übertragen* take the bait

anbellen bark at (*auch übertragen*)

anbeten 1. worship ['wɜːʃɪp] **2.** *übertragen* worship, adore, idolize ['aɪdlaɪz]

Anbetracht: ***in Anbetracht der schwierigen Lage*** in view of the difficult situation

anbieten offer; ***jemandem etwas anbieten*** offer someone something

anbinden 1. tie up, fasten [⚠ 'fɑːsn] (***an*** to) **2.** ***den Hund anbinden*** put* the dog on the leash

Anblick sight; ***beim ersten Anblick*** at first sight (⚠ *ohne* the)

anbraten sear [sɪə] (*Steak usw.*); ***etwas zu scharf anbraten*** brown something too much

anbrechen 1. start on (*Dose, Packung usw.*) **2.** (≈ *öffnen*) open (*Flasche usw.*) **3.** ***ein neues Zeitalter brach an*** a new age was dawning

anbrennen 1. (*Speisen*) burn* **2.** ***er hat das Essen anbrennen lassen*** he's burnt the meal **3.** ***das Fleisch schmeckt angebrannt*** the meat tastes burnt

anbringen 1. (≈ *herbeibringen*) bring* **2.** (≈ *befestigen*) fix, fasten [⚠ 'fɑːsn] **3.** make* (*Bemerkung, Beschwerde*)

anbrüllen 1. (*Löwe*) roar at **2.** (*Mensch*) scream at, yell at

Andenken 1. memory; ***zum Andenken an*** in memory of **2.** (≈ *Souvenir*) souvenir

andere(**r, -s**) **1.** (≈ *weitere, -r, -s*) other; ***ein anderes Beispiel*** another example; ***die anderen Bücher*** the other books **2.** (≈ *zu unterscheidende, -r, -s*) different; ***ein anderes Auto*** a different car **3.** (≈ *folgende, -r, -s*) next; ***am anderen Tag*** the next day **4.** ***ein anderer, eine andere*** someone else; ***die anderen*** the others **5.** ***alles andere*** everything else **6.** ***alles andere als*** anything but **7.** ***unter anderem*** among other things

andererseits on the other hand

ändern 1. change **2.** alter ['ɔːltə] (*Kleid usw.*) **3.** ***ich kann es nicht ändern*** *übertragen* I can't help it **4.** ***sich ändern*** change; ***sich zum Vorteil*** (*bzw.* ***Nachteil***) ***ändern*** change for the better (*bzw.* worse)

anders 1. different **2.** (***alles muss***) ***anders werden*** (everything's got to) change **3.** ***sie ist anders als ihre Schwester*** she's not like her sister **4.** ***anders ausgedrückt …*** to put* it another way … **5.** ***ich kann nicht anders*** I can't help it **6.** ***jemand anders*** somebody (*bzw.* anybody) else **7.** ***niemand anders*** nobody else **8.** ***irgendwo anders*** somewhere else

Andersdenkende(**r**) *politisch*: dissenter

andersherum the other way round

anderswo(**hin**) somewhere else

anderthalb one and a half [hɑːf]; ***anderthalb Pfund*** a pound and a half

Änderung 1. change; ***eine Änderung vornehmen*** make* a change **2.** *Kleid*: alteration **3.** *übertragen*; *geringfügige*: modification

andeuten (≈ *zu verstehen geben*) hint, suggest [sə'dʒest]; ***er deutete an, dass …*** he hinted (*oder* suggested) that …

Andeutung: ***eine Andeutung machen*** drop a hint

Andorra Andorra [æn'dɔːrə]

Andrang: ***es herrschte großer Andrang*** there was a huge crush

andrehen 1. turn on (*Gas, Licht usw.*) **2.** ***wer hat dir denn dieses Kleid angedreht?*** who talked you into (buying) that dress?

androhen: ***jemandem etwas androhen*** threaten ['θretn] someone with something

anecken: ***bei jemandem anecken*** *umg.* rub someone up the wrong way

aneignen 1. ***sich Kenntnisse über etwas aneignen*** learn* about something **2.** ***er hat sich die polnische Sprache angeeignet*** he learnt (how to speak) Polish

aneinander 1. ***aneinander denken*** think* of each other **2.** ***sich aneinander gewöhnen*** get* used to each other **3.** ***aneinander geraten*** clash (***mit*** with), (≈ *handgreiflich werden*) come* to blows (***mit*** with)

anerkannt 1. recognized ['rekəgnaɪzd]; ***ein international anerkannter Wissenschaftler*** *usw.* an internationally recognized scientist *usw.* **2.** *Tatsache, Wahrheit usw.*: accepted

anerkennen 1. recognize ['rekəgnaɪz] (*Staat*, *Rekord*, *Zeugnisse*) (***als*** as) 2. accept (*Forderung*, *Bedingungen*)

Anerkennung 1. recognition [ˌrekəg'nɪʃn] 2. ***Anerkennung finden*** win* recognition 3. ***Anerkennung verdienen*** deserve credit ['kredɪt] 4. ***in Anerkennung*** (+ *Gen.*) in recognition of

anfahren 1. (≈ *rammen*) run* into, hit* (*Auto usw.*) 2. run* into, knock down (*Fußgänger*) 3. call at (*Hafen*)

Anfall attack; ***einen Anfall bekommen*** have* an attack

Anfang 1. beginning, start; ***am Anfang*** at the beginning, at the start 2. ***von Anfang an*** (right) from the start 3. ***Anfang März*** early in March, at the beginning of March; ***Anfang 1996*** early in 1996 4. ***am Anfang*** (+ *Gen.*) at the beginning of 5. ***Anfang der Sechzigerjahre*** in the early sixties 6. ***sie ist Anfang 20*** she's in her early twenties

anfangen 1. start (***mit*** with), begin*; ***anfangen zu arbeiten*** *usw.* start working *usw.*, start work *usw.* 2. ***ich weiß nichts damit anzufangen*** I don't know what to do with it

Anfänger(in) beginner (***in*** at)

Anfängerkurs beginners' course [kɔːs]

anfangs at first

Anfangsbuchstabe first (*oder* initial) letter

anfassen 1. (≈ *berühren*) touch 2. ***fass doch mal mit an!*** can you give me (*bzw.* us *usw.*) a hand? 3. ***das Handtuch fasst sich weich*** *usw.* ***an*** the towel feels soft (⚠ *nicht* softly) *usw.*

anfauchen 1. (*Katze*) spit* at 2. ***jemanden anfauchen*** *übertragen* snap at someone

anfechtbar contestable [kən'testəbl] (*auch juristisch*)

anfechten 1. (≈ *nicht anerkennen*) contest [kən'test] 2. appeal against (*Urteil*, *Entscheidung*)

anfertigen 1. make* (*Regal*, *Kleid usw.*) 2. do* (*Übersetzung usw.*); ☞ *Info unter* ***machen***

anfeuern 1. *übertragen* encourage [ɪn'kʌrɪdʒ] 2. *durch Zuruf*: cheer (on), *AE auch* root for

Anflug *Flugzeug*: approach; ***beim Anflug*** during the approach

anfordern request, demand

Anforderung: ***hohe Anforderungen stellen*** *in der Schule*: set* high standards (***an*** for)

Anfrage inquiry, enquiry [ɪn'kwaɪrɪ]

anfragen 1. inquire, ask 2. ***bei jemandem anfragen*** ask someone (about something)

anfreunden 1. ***ich freundete mich mit ihm an*** I made friends with him 2. ***wir freundeten uns an*** we became friends

anfühlen: ***es fühlt sich weich an*** it feels soft (⚠ *nicht* softly)

anführen 1. *wörtlich*: lead* 2. (≈ *erwähnen*) state, say* 3. (≈ *nennen*) quote, give* (*Beispiel*) 4. ***Beweise anführen*** offer (*oder* give*) proof (***zu*** of)

Anführer(in) leader

Anführungsstriche, **Anführungszeichen** quotation marks, inverted commas

Anführungsstriche

Die englischen Anführungsstriche sind jeweils oben angebracht und nach innen gekehrt. Sie erinnern in ihrer Form an die Zahlen 66 bzw. 99: “ ” – **sixty-six and ninety-nine, like washing hanging on a line.**

Angabe 1. (≈ *Aussage*) statement 2. ***Angabe, Angaben*** (≈ *Auskunft*) information (*Sg.*) 3. ***genaue*** (*oder* ***nähere***) ***Angaben*** particulars, details 4. (≈ *Prahlen*) bragging, showing off 5. ***Angaben zur Person*** personal data

angeben 1. give* (*Name*, *Grund usw.*) 2. (≈ *zeigen*) show, indicate 3. quote (*Preis*) 4. ***mit jemandem*** *bzw.* ***etwas angeben*** show off (with) someone *bzw.* something

Angeber(in) show-off

angeblich alleged [ə'ledʒd], supposed; ***angeblich spricht er fließend Englisch*** he's supposed to speak fluent English

angeboren inborn

Angebot 1. offer 2. ***Angebot und Nachfrage*** supply and demand

angebracht 1. appropriate ['əprəʊprɪət] 2. ***nicht angebracht*** inappropriate 3. ***er hielt es für angebracht zu ...*** he thought it (was) appropriate to (+ *Inf.*)

angebrannt 1. *Essen*: (slightly) burnt 2. ***angebrannt schmecken*** taste burnt, have* a burnt taste

angegossen: ***etwas passt wie angegossen*** something fits like a glove [glʌv]

angegriffen: ***angegriffen aussehen*** look exhausted (*oder* unwell)

angehen 1. (*Licht*) go* on 2. tackle (*Problem*) 3. (≈ *betreffen*) concern; ***was ihn angeht*** as far as he's concerned, as for him; ***das geht dich nichts an*** that's none of your business

angehören *als Mitglied*: belong (+ *Dativ* to), be* a member (of)

Angehörige(r) 1. (≈ *Mitglied*) member **2.** (≈ *Verwandte*, *-er*) relative ['relətɪv]
Angeklagte(r) *Gericht*: defendant
angeknackst 1. *Gesundheit*, *Beziehung*: shaky **2.** *Selbstbewusstsein*: dented
Angel fishing rod
Angelegenheit matter, affair
angeln fish (***nach*** for) (*auch übertragen*); ***nach Komplimenten angeln*** fish for compliments
Angelsachse, **Angelsächsin** Anglo-Saxon
angelsächsisch Anglo-Saxon
Angelschein fishing licence ['fɪʃɪŋˌlaɪsns] (*AE* license), fishing permit [⚠ 'fɪʃɪŋˌpɜː-mɪt]
Angelschnur fishing line
angemessen 1. (≈ *passend*) appropriate [ə'prəʊprɪət] (+*Dativ* to, for) **2.** *Preis*: reasonable **3.** (≈ *ausreichend*) adequate ['ædɪkwət]
angenehm pleasant ['pleznt], agreeable
angenommen (let's) suppose, supposing; ***angenommen es regnet - was machen wir dann?*** suppose it rains, what do we do then?
angeregt 1. *Gespräch*: lively, animated **2.** ***sich angeregt unterhalten*** have* a lively discussion (*oder* coversation)
angesagt (≈ *Mode*) *umg*. in, hip; ***... ist jetzt total angesagt*** *auch*: ... is the new rock 'n' roll
angeschlagen 1. *Gesundheit*: shaky **2.** *seelisch*: shaken
angesehen 1. respected **2.** *Firma usw.*: reputable ['repjʊtəbl] **3.** *Persönlichkeit*: distinguished [dɪ'stɪŋgwɪʃt]
angesichts: ***angesichts der Tatsache, dass ...*** in view of the fact that ...
angespannt 1. *Nerven usw.*: strained **2.** *Lage*, *Situation*: tense
Angestellte(r) (salaried) employee [(ˌsælərɪd)‿ɪm'plɔɪiː], white-collar worker
angestrengt: ***angestrengt arbeiten*** (*bzw.* ***nachdenken***) work (*bzw.* think*) hard (⚠ *engl.* hardly = ***kaum***)
angetrunken: ***er war angetrunken*** he had been drinking
angewandt: ***angewandte Künste*** applied arts
angewiesen: ***angewiesen sein auf*** be* dependent on, depend on
angewöhnen: ***gewöhn dir nicht das Lügen an!*** don't get into the habit of telling lies
Angewohnheit habit
Angina (≈ *Mandelentzündung*) tonsillitis [ˌtɒnsə'laɪtɪs] (⚠ *engl.* angina = ***Angina pectoris*** - *Herzkrankheit*)
Angina Pectoris (≈ *Herzkrankheit*) angina (pectoris) [æn'dʒaɪnə (ænˌdʒaɪnə-'pektərɪs)]
Angler(in) angler ['æŋglə]
Anglikaner(in) Anglican; ***sie ist Anglikanerin*** she's Anglican, she's Church of England
anglikanisch Anglican
Anglist(in) 1. (≈ *Student*) English student **2.** (≈ *Dozent*) English lecturer
Anglistik English language and literature, *AE* English studies (⚠ *Pl.*)
Anglizismus Anglicism ['æŋglɪsɪzm]
Angola Angola
angreifen *allg.*: attack
angrenzend adjacent [ə'dʒeɪsnt] (***an*** to), adjoining [ə'dʒɔɪnɪŋ]
Angriff 1. attack (*auch Sport und übertragen*) **2.** ***in Angriff nehmen*** *Geschäfte usw.*: get* started on, get* down to
angriffslustig aggressive [ə'gresɪv]
Angst 1. fear (***vor*** of) (⚠ *engl.* anxiety = ***Sorge***; ***Angstzustände***) **2.** ***aus Angst*** out of fear; ***aus Angst, dass ...*** for fear that ... **3.** ***sie hat Angst vor der Dunkelheit*** she's scared (*oder* afraid) of the dark **4.** ***sie hat Angst, die Wahrheit zu sagen*** she's scared (*oder* afraid) to tell the truth **5.** ***jemandem Angst einjagen*** frighten (*oder* scare) someone
Angsthase *umg*. scaredy-cat ['skeədɪkæt]
ängstlich 1. (≈ *schüchtern*) timid **2.** ***er ist ängstlich*** he's easily frightened **3.** (≈ *besorgt*, *beunruhigt*) anxious ['æŋkʃəs]
angucken look at
angurten: ***du musst dich noch angurten!*** you need to fasten [⚠ 'fɑːsn] your seatbelt
anhaben 1. have* (got) on (⚠ *nie in der Verlaufsform*), wear* [weə] (*Kleider*) **2.** have* (got) on (*Licht*, *Herd*, *Radio usw.*); ***hast du dein Radio an?*** have you got your radio on?
anhalten 1. *allg.*: stop; ☞ *Info unter engl.* **stop 2.** ***den Atem anhalten*** hold* one's breath **3.** (≈ *andauern*) last
anhaltend: ***anhaltender Regen*** continuous rainfall
Anhalter(in) hitchhiker; ***per Anhalter fahren*** hitchhike, *umg*. hitch (a lift)
Anhaltspunkt clue [kluː], indication (***für*** of); ***keine Anhaltspunkte haben*** have* nothing to go by
anhand: ***anhand von*** by means of
Anhang *eines Buches usw.*: appendix *Pl.*: appendices [ə'pendɪsiːz]
anhängen 1. (≈ *aufhängen*) hang* up (***an*** on) **2.** (≈ *hinzufügen*) add (***an*** to)
Anhänger 1. *Schmuck*: pendant **2.** (≈

Schild) label, tag **3.** *an Auto usw.*: trailer
Anhänger(in) **1.** *allg.*: follower **2.** *Partei; Sport*: supporter
anhäufen: (***sich***) ***anhäufen*** accumulate [ə'kjuːmjəleɪt] (*auch Kapital*), pile up
anheben **1.** (≈ *hochheben*) lift **2.** raise (*Preise, Gehälter usw.*)
anheften **1.** fasten [⚠ 'fɑːsn] (***an*** to) **2.** *mit Reißzwecken*: pin (***an*** to) **3.** *mit Heftklammern*: staple (***an*** to) **4.** *mit Büroklammern*: attach (***an*** to)
Anhieb: ***auf Anhieb*** straightaway; ***auf Anhieb fällt mir dazu nichts ein*** I can't think of anything off-hand
anhimmeln idolize ['aɪdəlaɪz]; ***er himmelte sie den ganzen Abend an*** he just couldn't take his eyes off her all evening
anhören **1.** (***sich***) ***anhören*** listen [⚠ 'lɪsn] to, hear* **2.** ***etwas*** (***zufällig***) ***mit anhören*** overhear* something (⚠ *dt.* ***überhören*** = not hear, miss) **3.** ***hör dir das mal an*** just listen to that **4.** ***ich kann mir den Blödsinn nicht länger anhören*** I can't listen to that rubbish (*oder* nonsense) any longer
Animateur(in) host, entertainments officer
Anis **1.** (≈ *Pflanze*) anise ['ænɪs] **2.** (≈ *Gewürz*) aniseed ['ænɪsiːd]
ankämpfen **1.** ***ankämpfen gegen*** fight*; ***gegen den Wind ankämpfen*** struggle against the wind **2.** ***gegen den Schlaf ankämpfen*** fight* (*oder* struggle) to stay awake
Ankauf purchase ['pɜːtʃəs]
Anker anchor ['æŋkə]; ***vor Anker gehen*** drop anchor
ankern (cast*) anchor ['æŋkə]
anketten **1.** chain (***an*** to) **2.** ***den Hund anketten*** put* the dog on the chain
Anklage **1.** accusation, charge **2.** ***Anklage erheben*** bring* a charge (***gegen*** against)
anklagen accuse [ə'kjuːz] (***wegen*** of), charge (***wegen*** with); ***er wurde wegen*** (*oder* ***des***) ***Mordes angeklagt*** he was accused of (*oder* charged with) murder
Anklang: ***Anklang finden*** (≈ *befürwortet werden*) meet* with approval [ə'pruːvl]
ankleben stick* on; ***ankleben an*** stick* on(to)
anklicken *Computer*: click (on)
anklopfen knock [⚠ nɒk] (***an*** at, on)
Anklopfen *Telefon*: call wait(ing)
ankommen **1.** arrive (***in*** at, in) **2.** ***bin gut angekommen!*** arrived safely **3.** ***ist das Paket gut angekommen?*** did the parcel get to you all right? **4.** ***dauernd kommt er mit Fragen an*** he keeps turning up with questions **5.** ***gegen ihn kommst du nicht an*** you're no match for him **6.** ***es kommt ganz darauf an*** it all depends (***ob*** whether)
ankoppeln **1.** connect (***an*** to) **2.** *Raumfahrt*: dock (***an*** with)
ankotzen: ***es kotzt mich an*** *vulgär* it makes me sick
ankreuzen mark with a cross, put* a cross next to
ankündigen **1.** announce; ***die Lehrerin kündigte den Schülern die Klassenarbeit*** (***vorher***) ***an*** the teacher announced the (class) test to the pupils (in advance) **2.** ***der Frühling kündigt sich an*** spring is on its way
Ankündigung announcement
Ankunft arrival; ***bei Ankunft, nach Ankunft*** on arrival
Ankunftszeit arrival time, time of arrival
ankurbeln: ***die Wirtschaft ankurbeln*** boost the economy
anlächeln: ***sie lächelte ihn an*** she smiled at him, she gave him a smile
Anlage **1.** (≈ *Fabrikanlage*) plant **2.** (≈ *Stereoanlage*) hi-fi ['haɪfaɪ] system **3.** (≈ *Sportanlage*) sports complex **4.** (≈ *Grünanlage*) grounds (⚠ *Pl.*); ***öffentliche Anlagen*** public gardens **5.** (≈ *Kapitalanlage*) investment **6.** *zu einem Brief*: enclosure; ***in der*** (*oder* ***als***) ***Anlage senden wir Ihnen …*** enclosed please find …
Anlass **1.** (≈ *Gelegenheit*) occasion **2.** (≈ *Ursache, Grund*) reason, grounds (⚠ *Pl.*) (***für*** for) **3.** ***aus Anlass*** (+ *Gen.*) on the occasion of **4.** ***aus diesem Anlass*** for this reason **5.** ***ohne Anlass*** for no reason
anlassen **1.** keep* on (*Mantel*) **2.** start (up) (*Motor*)
Anlasser *beim Auto*: starter
anlässlich on the occasion of
Anlauf **1.** *Sport*: run-up **2.** *übertragen* attempt; ***beim ersten Anlauf*** at the first attempt, at the first go
anlaufen **1.** *Sport*: run* up **2.** *übertragen* start; ***der Film läuft nächste Woche an*** the film starts next week **3.** (≈ *beschlagen*) steam up **4.** (*Schiff*) call at (*Hafen*)
anlegen **1.** ***einen Verband anlegen*** put* on a dressing **2.** start (*Akte, Sammlung usw.*) **3.** open (*Konto*) **4.** ***wie viel willst du anlegen?*** how much do you want to spend? **5.** ***Geld in Aktien anlegen*** invest money in shares **6.** (*Schiff*) dock (***in*** at) **7.** ***sich mit jemandem anlegen*** start a fight (*bzw.* an argument) with someone
Anleger(in) (≈ *Investor*) investor
anlehnen **1.** ***lehn dein Fahrrad doch an***

die Hauswand an! just lean your bike against the wall **2.** ***sich anlehnen an*** lean* on **3.** ***bitte lehn die Tür nur an!*** leave the door open a bit, please **4.** ***sich (stark) anlehnen an*** *übertragen* follow (closely)
anleiern: ***etwas anleiern*** *umg.* get* something going
Anleitung **1.** direction [də'rekʃn], guidance ['gaɪdns] **2.** (≈ *Bedienungsanleitung*) instructions (⚠ *Pl.*)
Anlieger(in) (local) resident ['rezɪdənt]; ***Anlieger frei*** *Straßenschild*: access only
anlocken **1.** lure [ljʊə] (*Tiere*) **2.** attract, *stärker*: lure (*Menschen*)
anmachen **1.** (≈ *befestigen*) attach **2.** (≈ *anzünden*) light* **3.** (≈ *einschalten*) switch on **4.** turn on (*Licht, Radio usw.*) **5.** dress (*Salat*) **6.** ***willst du mich anmachen?*** *salopp* are you trying to chat me up?, *AE* are you trying to come on to me? **7.** ***die Musik macht mich echt an*** *salopp* that music really turns me on
anmalen **1.** paint (*Gegenstand*) **2.** ***sie malt sich zu stark an*** *übertragen* she wears [weəz] too much make-up
Anmeldeformular registration form, (≈ *Antrag*) application form
Anmeldegebühr registration fee
anmelden **1.** ***sich (polizeilich*** *usw.*) ***anmelden*** register (with the police *usw.*) **2.** ***sich beim Arzt*** *usw.* ***anmelden*** make* an appointment with the doctor *usw.* **3.** *Kurs usw.*: enrol, sign up (***zu*** for)
Anmeldung **1.** registration **2.** *zur Teilnahme*: enrolment
anmerken **1.** ***sie merkte ihm seinen Ärger*** *usw.* ***an*** she could tell (that) he was annoyed *usw.* **2.** ***ich werde mir nichts anmerken lassen*** I won't let anything show
Anmerkung **1.** *schriftliche*: note **2.** (≈ *Bemerkung*) comment **3.** (≈ *Fußnote*) footnote
annähen sew* [səʊ] on; ***könntest du mir mal einen Knopf an den Mantel annähen?*** could you sew a button on my coat (for me)?
annähernd roughly ['rʌflɪ], approximately
annähernde(r, -s): ***annähernde Beschreibung*** rough [rʌf] description
Annäherung approach (***an*** to)
Annahme (≈ *Vermutung*) assumption; ***in der Annahme, dass ...*** on the assumption that ..., assuming that ...
Annahmeschluss deadline, closing date
annehmbar acceptable (***für*** to)
annehmen **1.** (≈ *vermuten*) assume **2.** ***nehmen wir an ...*** (let's) suppose, supposing ... **3.** (≈ *akzeptieren*) accept **4.** adopt (*ein Kind, einen Namen*) **5.** take* on (*Form, Gestalt*) **6.** *Sport*: take* (*Ball*)
Annehmlichkeiten **1.** *allg.*: comforts **2.** (≈ *Vorteile*) advantages [əd'vɑːntɪdʒɪz]
Annonce (≈ *Kleinanzeige*) (classified) ad; ***hast du unter den Annoncen nachgeschaut?*** have you looked at the small ads?
annullieren cancel ['kænsl] (*Flug, Auftrag*)
anonym anonymous [ə'nɒnɪməs]
Anonymität anonymity [ˌænə'nɪmətɪ]
Anorak anorak ['ænəræk]
anordnen **1.** (≈ *ordnen, aufstellen*) arrange (in order) **2.** (≈ *befehlen*) order
Anordnung **1.** (≈ *Aufstellung*) arrangement **2.** (≈ *Befehl*) order
anorganisch inorganic [ˌinɔː'gænɪk]
anpacken **1.** tackle (*Arbeit, Problem usw.*) **2.** ***bei jemandem mit anpacken*** lend* someone a hand
anpassen: ***sich an eine Situation*** *usw.* ***anpassen*** adapt to a situation *usw.*
Anpassung adaptation, adjustment
anpfeifen **1.** ***das Spiel anpfeifen*** start the game **2.** ***jemanden anpfeifen*** *umg.* give* someone a roasting, *AE* chew someone up
Anpfiff *Fußball usw.*: kick-off (⚠ *ohne* the)
anprobieren try on
Anrainer(in) *bes.* Ⓐ (≈ *Anlieger, -in*) neighbour ['neɪbə]; ***ausgenommen Anrainer*** except for access ['ækses]
anrechnen **1.** ***ich rechne dir hoch an, was du für mich getan hast*** I really appreciate what you've done for me **2.** ***als Fehler anrechnen*** count as a mistake
Anrede (form of) address
anregen **1.** (≈ *ermuntern*) encourage [ɪn'kʌrɪdʒ], stimulate ['stɪmjʊleɪt] **2.** (≈ *vorschlagen*) suggest [sə'dʒest] **3.** whet (*Appetit*) **4.** ***jemanden zum Nachdenken anregen*** make* someone think, set* (*oder* get*) someone thinking
anregend stimulating
Anregung **1.** stimulation [ˌstimjʊ'leɪʃn] **2.** (≈ *Ermunterung*) encouragement [ɪn'kʌrɪdʒmənt] **3.** (≈ *Vorschlag*) suggestion [sə'dʒestʃn]; ***auf Anregung von*** at the suggestion of
Anreise journey ['dʒɜːnɪ]
Anreisetag day of arrival, arrival date
Anreiz incentive [ɪn'sentɪv]
anrempeln: ***jemanden anrempeln*** bump into someone, *böswillig*: jostle [⚠ 'dʒɒsl] someone
anrichten **1.** cause (*Unheil, Schaden*) **2.** prepare (*Speisen*)
Anruf (phone) call

Anrufbeantworter answering machine [⚠ 'ɑːnsərɪŋ‿məˌʃiːn], *BE auch* answerphone [⚠ 'ɑːnsəfəʊn], *AE auch* answerer [⚠ 'ɑːnsərə]
anrufen 1. call (up), ring* (up), phone (up) **2.** ***ruf mich doch einfach an*** just give me a call (*oder* a ring)
anrühren *allg.*: touch (*auch Alkohol, Geld*); ***er rührt keinen Tropfen Alkohol an*** he won't touch a drop of alcohol
Ansage announcement
ansagen announce
Ansager(in) announcer
ansammeln: ***sich ansammeln*** (*Abfall, Arbeit usw.*) pile up
Ansatz 1. (≈ *Anzeichen*) first signs (⚠ *Pl.*); ***er zeigt Ansätze zur Besserung*** he's slowly beginning to get better **2.** (≈ *Methode*) approach; ***das ist im Ansatz richtig, aber …*** you've got the right idea, but …
ansaugen 1. *allg.*: suck in, suck up **2.** suck in, draw* in (*Luft*)
anschaffen 1. ***sich etwas anschaffen*** buy* something, get* (oneself) something **2.** ***sich Kinder anschaffen*** have* children
Anschaffung: ***das war eine große Anschaffung*** that was a big investment
anschalten switch on, turn on
anschauen → ***ansehen***
anschaulich 1. (≈ *deutlich*) clear **2.** *Beschreibung*: graphic **3.** ***etwas anschaulich machen*** illustrate something clearly
Anschauung (≈ *Ansicht*) view, opinion
Anschein 1. ***dem*** (*oder* ***allem***) ***Anschein nach …*** it looks (very much) as if … **2.** ***den Anschein erwecken hart zu arbeiten*** *usw.* give* the impression of working hard *usw.*
anscheinend apparently [ə'pærəntlɪ]; ***er ist anscheinend krank*** he seems to be ill
anschieben 1. ***er wird sein Auto anschieben müssen*** he'll have to give his car a push **2.** ***können Sie mich mal anschieben?*** could you give me a push?
anschießen: ***er wurde angeschossen*** *mit Waffe*: he was shot at and wounded, he was hit
Anschlag 1. (≈ *Bekanntmachung*) notice, (≈ *Plakat*) poster **2.** (≈ *Überfall*) attack; ***auf den Präsidenten wurde ein Anschlag verübt*** there's been an attempt on the President's life **3.** ***ich hab einen***

Anrede und Titel

Im Englischen hat man den Vorteil, dass man nicht zwischen „Sie" und „du" unterscheiden muss. Es kann jeder mit **you** angeredet werden.

Bei Erwachsenen solltest du folgende Anrede benutzen:

bei Männern, egal ob verheiratet oder nicht:

Mr Harris [ˌmɪstə'hærɪs]	Herr Harris

bei verheirateten Frauen:

Mrs Williams [ˌmɪsɪz'wɪlɪəmz]	Frau Williams

bei unverheirateten Frauen bzw. wenn man nicht weiß, ob sie verheiratet sind:

Ms Collins [ˌmɪz'kɒlɪnz]	Frau Collins

Heutzutage gilt die Anrede **Miss** (= Fräulein), außer in der Schule, als diskriminierend und sollte deshalb nur bei unverheirateten (älteren) Frauen benutzt werden, wenn diese es ausdrücklich wünschen. Ansonsten ist die neutrale Bezeichnung **Ms** höflicher. Eine unverheiratete Frau solltest du nie mit **Mrs** anreden, da dies sachlich falsch wäre.

Bei akademischen Titeln gibt es einen wichtigen Unterschied zum Deutschen: Du solltest den Titel (**Dr, Professor** usw.) nie zusammen mit der Anrede (**Mr, Mrs, Ms**) benutzen. Es heißt also:

Dr Marsden	Herr (bzw. Frau) Dr. Marsden
Professor Bond	Herr (bzw. Frau) Professor Bond

Für Ärzte gilt dies ebenfalls:

Good morning, Dr Hope!	Guten Morgen, Frau (bzw. Herr) Dr. Hope!
I've been feeling very dizzy lately, Doctor.	Mir ist in letzter Zeit immer so schwindlig, Herr (bzw. Frau) Doktor.

Anschlag auf dich vor I've got a favour to ask of you **4.** ***60 Anschläge pro Zeile*** *Schreibmaschine*: 60 strokes per line
anschlagen 1. put* up (*Plakat usw.*) **2.** *Schwimmen*: touch **3.** (*Medikament usw.*) work
anschleppen: ***wen bringst du denn da angeschleppt?*** *übertragen* who have you got in tow [təʊ]?
anschließen 1. *technisch, elektrisch*: (≈ *verbinden*) connect (***an*** to) **2.** *mit Stecker*: plug in **3.** *mit Kette*: chain (***an*** to); ***schließ dein Fahrrad am Pfosten an!*** chain your bike to the post **4.** *übertragen* (≈ *hinzufügen*) add (***an*** to) **5.** ***sich einer Gruppe*** (*bzw.* ***einer politischen Partei*** *usw.*) ***anschließen*** join a group (*bzw.* a political party *usw.*) **6.** ***an den Vortrag schloss sich eine Diskussion an*** the lecture was followed by a discussion
anschließend 1. ***anschließend gingen wir nach Hause*** afterwards we went home **2.** ***seine anschließenden Bemerkungen*** his subsequent ['sʌbsɪkwənt] remarks
Anschluss 1. *allg.*: connection; ***du hast Anschluss nach Glasgow*** *Zug, Bus usw.*: there's a connection to Glasgow **2.** *Telefon*: line; ***ich bekomme keinen Anschluss*** I can't get through **3.** (≈ *Gasanschluss, Wasseranschluss usw.*) supply **4.** ***im Anschluss an die Diskussion*** following the discussion
Anschlussflug connecting flight, (flight) connection
Anschlusszug connecting train, (train) connection
anschnallen 1. ***vergiss nicht dich anzuschnallen!*** *Auto*: don't forget to put your seatbelt on **2.** ***„Bitte schnallen Sie sich an!"*** *im Flugzeug*: 'Would you please fasten [⚠ 'fɑːsn] your seatbelt(s).' **3.** put on (*Skier*)
anschnauzen shout at, yell at
anschneiden 1. start (*Brot usw.*) **2.** raise, bring* up (*Thema, Frage usw.*)
anschrauben screw on (***an*** to)
anschreiben 1. ***können Sie das mal anschreiben?*** *an die Tafel*: could you write it on the (black)board? **2.** write* to (*Amt, Behörde*)
anschreien shout at, *stärker*: scream at
Anschrift address [ə'dres, *AE auch* 'ædres]
Anschuldigung accusation, charge
anschwärzen: ***jemanden anschwärzen*** *umg., übertragen* run* someone down
anschwellen swell* (up) (*auch übertragen*)
anschwemmen wash ashore (*oder* up)
ansehen 1. (≈ *anschauen*) look at **2.** ***sich etwas (genau) ansehen*** take* (*oder* have*) a (close) look at **3.** (≈ *bei etwas zuschauen*) watch **4.** ***sich einen Film (ein Theaterstück, ein Spiel*** *usw.*) ***ansehen*** (go* to) see* a film (a play, a game *usw.*) **5.** ***man sieht ihm sein Alter nicht an*** he doesn't look his age
Ansehen 1. (≈ *Achtung*) reputation [ˌrepjʊ'teɪʃn] **2.** ***ein hohes Ansehen genießen*** be* very highly regarded **3.** ***an Ansehen verlieren*** lose* credit
ansehnlich (≈ *beträchtlich*) considerable
ansetzen 1. (≈ *hinzufügen*) add (***an*** to) **2.** ***einen Termin ansetzen*** fix a date **3.** ***Rost ansetzen*** start to rust
Ansicht 1. (≈ *Meinung*) opinion, view; ***meiner Ansicht nach*** in my opinion **2.** (≈ *Anblick*) sight, view **3.** (≈ *Blickwinkel*) view; ***Ansicht von vorne*** (*bzw.* ***hinten***) front (*bzw.* rear) view
Ansichtskarte (picture) postcard

Ansichtskarte

Für „Ansichtskarte" sagt man meistens einfach **postcard**; nur wenn man betonen bzw. klarmachen will, dass es sich um eine Ansichtskarte und keine normale Postkarte handelt, sagt man **picture postcard**.

Ansichtssache: ***das ist Ansichtssache*** that's a matter of opinion
ansiedeln: ***(sich) ansiedeln*** settle
ansonsten 1. (≈ *im Übrigen*) otherwise, apart from that **2.** (≈ *anderenfalls*) otherwise
anspannen tense, (≈ *zeigen*) flex (*Muskeln*); ***du musst die Muskeln anspannen*** you must tense your muscles ['mʌslz]
Anspannung *übertragen* strain, exertion [ɪg'zɜːʃn]
Anspielung allusion (***auf*** to)
anspitzen sharpen (*Bleistift usw.*)
Anspitzer *für Bleistift*: (pencil) sharpener
Ansporn incentive [ɪn'sentɪv] (***für*** to)
anspornen: ***jemanden anspornen*** spur someone on, encourage someone
Ansprache speech (***an*** to); ***eine Ansprache halten*** make* a speech
ansprechen 1. address, speak* to **2.** ***jemanden auf*** (*oder* ***wegen***) ***etwas ansprechen*** speak* to someone about something **3.** (≈ *gefallen, ankommen bei*) appeal to (*das Publikum usw.*)
Ansprechpartner(in) person to turn (*oder* talk) to, contact ['kɒntækt]
anspringen 1. ***sie wurde von einem***

Hund angesprungen (≈ *angefallen*) she was attacked by a dog **2.** (*Motor*) start

anspritzen (≈ *bespritzen*) splash

Anspruch 1. claim (***auf*** to); ***Anspruch haben auf*** be* entitled to **2.** ***Zeit in Anspruch nehmen*** take* up time **3.** ***hohe Ansprüche an jemanden stellen*** expect a lot of someone **4.** ***ihre Arbeit nimmt sie stark in Anspruch*** her work keeps her very busy

anspruchslos 1. (≈ *bescheiden*) modest **2.** (≈ *schlicht*) plain, simple **3.** *Roman usw.*: light, lowbrow ['ləʊbraʊ]

anspruchsvoll *allg.*: demanding

anspucken spit* at

anstacheln 1. spur on **2.** ***jemanden zum Klauen anstacheln*** goad [gəʊd] someone into stealing things

Anstalt 1. establishment, institution **2.** (≈ *Nervenheilanstalt*) mental hospital

Anstand (≈ *Benehmen*) manners (⚠ *Pl.*); ***jemandem ein bisschen Anstand beibringen*** teach* someone how to behave

anständig 1. *allg. und übertragen*: decent ['diːsnt] **2.** ***eine anständige Tracht Prügel*** a good hiding **3.** ***benimm dich anständig!*** behave yourself (properly)! **4.** ***sie sagte ihm anständig die Meinung*** she gave him a piece of her mind

anstarren stare at

anstatt: ***anstatt zu kommen*** *usw.* instead <u>of</u> com<u>ing</u> *usw.*

anstecken 1. ***sich anstecken*** *Erkältung, Masern usw.*: (≈ *sich infizieren*) catch* a cold (*bzw.* the measles) *usw.* (***bei*** from); ***ich habe mich bei X angesteckt*** I caught (*oder* got) it from X **2.** ***er hat mich mit seiner Erkältung angesteckt*** he's given me his cold, he's passed his cold on to me **3.** put* on (*Ring usw.*) **4.** set* fire to (*Haus usw.*) **5.** (≈ *anzünden*) light* (*Zigarette*)

ansteckend catching, infectious

Anstecknadel 1. pin **2.** (≈ *Abzeichen*) badge, *AE mst.* button

Ansteckung infection

anstehen 1. (≈ *sich anstellen*) queue up [ˌkjuːˈʌp], *AE* line up (***nach*** for) **2.** ***was steht an?*** what's next on the agenda?

ansteigen *allg.*: go* up, rise*

anstelle, an Stelle: ***anstelle*** (*oder* ***an Stelle***) ***von*** (*oder Gen.*) instead of [ɪnˈsted‿əv], in place of

anstellen 1. switch on, turn on (*Radio, Licht*) **2.** turn on (*Wasser*) **3.** ***was hast du angestellt?*** what have you been up to? **4.** ***stell dich nicht so an!*** stop mak<u>ing</u> such a fuss **5.** ***sich anstellen*** *in der Schlange*: queue up, *AE* line up (***nach*** for)

Anstieg *übertragen* rise, increase (+ *Gen.* in)

anstiften: ***jemanden zu etwas anstiften*** incite someone to do something; ***er hat mich dazu angestiftet*** *mst.*: he put me up to it

Anstifter(in) instigator ['ɪnstɪgeɪtə]

anstinken: ***das stinkt mich an*** I'm sick of it

Anstoß 1. *Fußball*: kick-off (⚠ *ohne* the) **2.** *übertragen* (≈ *Antrieb*) impulse ['ɪmpʌls], impetus ['ɪmpɪtəs]

anstoßen 1. ***etwas anstoßen*** (≈ *etwas in Bewegung setzen*) give* something a push **2.** ***stoßen wir auf dich an*** let's drink to your health

Anstößer(in) Ⓒⓗ (≈ *Anlieger, -in*) resident ['rezɪdənt], (≈ *Nachbar, -in*) neighbour

anstrahlen illuminate (*Gebäude*)

anstreichen 1. *mit Farbe*: paint **2.** ***Sie haben das*** (***als Fehler***) ***angestrichen*** you marked it wrong

anstrengen 1. ***sich anstrengen*** make* an effort ['efət], try hard **2.** ***das strengt an*** it's hard work

anstrengend strenuous ['strenjʊəs], hard

Anstrengung effort ['efət], *stärker*: strain

Antarktis: ***die Antarktis*** the Antarctic, Antarctica (⚠ *ohne* the)

Anteil 1. *vom Ganzen*: share (***an*** of) **2.** ***Anteil an etwas nehmen*** take* (*oder* show) an interest in something **3.** ***sie hat großen Anteil an unserem Erfolg*** she contributed a lot to our success

Anteilnahme (≈ *Interesse*) interest (***an*** in)

Antenne aerial ['eərɪəl], *bes. AE* antenna

Antialkoholiker(in) teetotaller [tiːˈtəʊtlə]

antiautoritär anti-authoritarian [ˌæntɪɔːˌθɒrɪˈteərɪən]

Antibabypille birth control pill; ***die Antibabypille*** *umg.* the pill

Antibiotikum antibiotic [ˌæntɪbaɪˈɒtɪk]

Antifaschismus anti-Fascism [ˌæntɪˈfæʃɪzm]

antik 1. ancient [⚠ ˈeɪnʃənt], classical **2.** ***antike Möbel*** antique [ænˈtiːk] furniture (⚠ *Sg.*)

Antike 1. ***die Welt der Antike*** the ancient [ˈeɪnʃənt] world **2.** ***die Kunst der Antike*** the art of the ancient world

Antikörper antibody [ˈæntɪˌbɒdɪ]

Antillen: ***die Antillen*** the Antilles [⚠ ænˈtɪliːz]

Antilope ant<u>e</u>lope [ˈæntɪləʊp]

Antiquariat *für Bücher*: second-hand bookshop

Antiquitäten antiques [ænˈtiːks]

Antisemitismus: ***der Antisemitismus*** anti-Semitism (⚠ *ohne* the)
Antiterroreinheit anti-terrorist squad [skwɒd]
Antiterrorgesetze anti-terrorist legislation [ˌledʒɪ'sleɪʃn] (⚠ *Sg.*)
antörnen: ***das törnt mich an*** *salopp*; *Musik usw.*: it turns me on
Antrag **1.** ***einen Antrag stellen auf*** make* an application for **2.** (≈ *Antragsformular*) application form; ***einen Antrag ausfüllen*** fill in (*oder* fill out) an application form
Antragsteller(in) applicant ['æplɪkənt]
antreffen **1.** find*, come* across (*Ding*) **2.** meet* (*Person*)
antreiben **1.** drive* (*Fahrzeug, Maschine*) **2.** drive*, power (*Motor*); ***das Flugzeug wird von zwei Düsentriebwerken angetrieben*** the aircraft is powered by two jet engines **2.** ***jemanden*** (***zur Arbeit***) ***antreiben*** make* someone work
Antreiber(in) *übertragen* slave driver
antreten **1.** (***zum Wettkampf***) ***antreten*** *Sport*: compete (***gegen*** with, against) **2.** ***sein Amt antreten*** take* up office **3.** ***eine Reise antreten*** set* out (*oder* off) on a journey
Antrieb **1.** ***aus eigenem Antrieb*** of one's own accord **2.** (≈ *Anreiz*) incentive [ɪn'sentɪv] **3.** *Technik*: drive
Antrittsbesuch first visit
antun **1.** ***jemandem Gewalt antun*** act violently towards someone **2.** ***er würde niemandem etwas antun*** he wouldn't hurt (*oder* harm) a fly **3.** ***das darfst du mir nicht antun*** you can't do that to me
anturnen → ***antörnen***
Antwort **1.** answer ['ɑːnsə], reply (***auf*** to); ***in Antwort auf*** in answer to **2.** *übertragen* response
antworten **1.** answer ['ɑːnsə] (***jemandem*** someone; ***auf etwas*** something), reply (***jemandem*** to someone; ***auf etwas*** to something); ***du hast mir auf meine Frage noch nicht geantwortet*** you haven't answered my question yet; ***hat sie dir geantwortet?*** did she reply to you? **2.** ***was hat sie geantwortet?*** what did she say?
anvertrauen: ***jemandem etwas anvertrauen*** entrust someone with something, *Geheimnis*: confide something in someone
anwachsen **1.** (≈ *Wurzeln schlagen*) take* root **2.** (≈ *zunehmen*) grow*, increase [in'kriːs] **3.** ***anwachsen auf*** (*Betrag*) run* up to
Anwalt, **Anwältin** **1.** lawyer ['lɔːjə], *BE auch* solicitor, *AE auch* attorney [⚠ ə'tɜːnɪ] **2.** (***sich***) ***einen Anwalt nehmen*** get* a lawyer
Anwaltskanzlei law office, solicitor's office [sə'lɪsɪtəzˌɒfɪs]
Anweisung **1.** (≈ *Anleitung*) instruction, instructions (⚠ *Pl.*); ***auf Anweisung von*** on the instructions (⚠ *Pl.*) of **2.** (≈ *Befehl*) order
anwenden **1.** use [juːz] (*Methode, Gewalt*) **2.** apply (*Theorie, Regel, Mittel*) (***auf*** to)
Anwender(in) *Computer*: user
Anwenderprogramm *Computer*: user program (⚠ *auch BE nicht* programme)
Anwendersoftware *Computer*: user software
Anwendung **1.** (≈ *Gebrauch*) use [⚠ juːs] **2.** (≈ *Nutzung*) application
Anwendungsbeispiel example; ***kannst du mir ein Anwendungsbeispiel geben?*** can you give me an example (of how it's used)?
anwerben recruit
Anwesen estate [⚠ ɪ'steɪt], property
anwesend present ['preznt] (***bei*** at); ***er war nicht anwesend*** he wasn't there
Anwesende(r): ***die Anwesenden*** those present ['preznt]
Anwesenheit **1.** presence ['prezns] **2.** *in der Schule*: attendance
Anwesenheitsliste attendance list, *bes. in der Schule auch*: register ['redʒɪstə]
Anzahl number; ***eine große Anzahl*** (+ *Gen.*) a large number of
anzahlen: ***£ 15 anzahlen*** make* a down payment of £15 (***für*** for, on) (*gesprochen* fifteen pounds)
Anzahlung **1.** deposit [dɪ'pɒzɪt] **2.** *bei Ratenzahlung*: down payment
anzapfen *allg.*: tap (*Fass, Telefon, Leitung*)
Anzeichen **1.** *allg.*: sign ['saɪn], indication **2.** *einer Krankheit*: symptom ['sɪmptəm]
Anzeige **1.** (≈ *Zeitungsanzeige*) advertisement [⚠ əd'vɜːtɪsmənt], ad **2.** (≈ *Bekanntgabe*) announcement
anzeigen: ***jemanden anzeigen*** report someone to the police
anziehen **1.** draw* up (*Bein, Knie*) **2.** put* on (*einen Pullover, ein Kleid usw.*) **3.** ***sich anziehen*** get* dressed, dress **4.** (≈ *festziehen*) tighten (*Schraube, Seil*) **5.** ***die Handbremse anziehen*** put* the handbrake (*AE mst.* emergency brake) on **6.** (*Preise*) rise*
anziehend (≈ *schön*) attractive
Anziehung, **Anziehungskraft** *übertragen* attraction, appeal; ***auf jemanden eine starke Anziehungskraft ausüben*** have* a strong attraction for someone

Anzug **1.** *Kleidung*: suit [suːt]; ***im Anzug erscheinen*** turn up in a suit (and tie) **2.** ***es ist ein Gewitter im Anzug*** there's a thunderstorm on the way
anzünden **1.** light* (*Zigarre, Pfeife*) **2.** set* fire to (*Haus, Stroh usw.*)
Aorta aorta [eɪ'ɔːtə]
Apartheid apartheid [⚠ ə'pɑːtheɪt]
Apartment (≈ *Kleinwohnung*) (small) flat, one-room flat, *AE* (small) apartment
aper *bes.* Ⓐ, ⒸⒽ (≈ *schneefrei*) snow-free
Aperitif aperitif [əˌperɪ'tiːf]
Apfel apple
Apfelbaum apple tree
Apfelkuchen apple flan, *AE* apple cake
Apfelmus apple sauce
Apfelsaft apple juice
Apfelsine orange ['ɒrɪndʒ]
Apfelstrudel apfelstrudel ['æpflˌstruːdl]
Apostel apostle [⚠ ə'pɒsl]
Apostroph apostrophe [⚠ ə'pɒstrəfɪ]

Apostroph

Der Apostroph wird vor allem in folgenden Fällen verwendet:

1. um bei abgekürzten Formen einen oder mehrere weggelassene(n) Buchstaben zu ersetzen:

I'm	←	**I am**
you're	←	**you are**
don't	←	**do not**
it's	←	**it is**
fish 'n' chips	←	**fish and chips**

2. um Besitz anzuzeigen:

Mr Brown's jacket
my mother's car
our friends' house (Plural: Apostroph nach dem **-s**)

bei Wörtern, die auf **-s** enden:
James' pen oder **James's pen,** beide gesprochen: [ˌdʒeɪmzɪz'pen]

3. bei Zeitangaben wie folgenden:

Saturday's newspaper
today's special offer

Vorsicht bei folgenden „Fallen":

it's a poodle	es ist ein Pudel
it's lost its lead	er hat seine Leine verloren

it's ← **it is** *oder* **it has**
its = Besitzform von **it** (= sein, ihr)

Apotheke chemist's (shop), *AE* pharmacy, *bes. AE* drugstore
Apotheker(in) pharmacist, *BE auch* chemist, *AE auch* druggist
Apparat **1.** *Technik*: apparatus [ˌæpə'reɪtəs] **2.** (≈ *Gerät, Vorrichtung*) device, machine **3.** *kleiner*: gadget ['gædʒɪt] **4.** *Telefon*: ***am Apparat!*** speaking; ***am Apparat bleiben*** hold* the line **5.** *übertragen*; *Verwaltung*: organization
Appell (≈ *Aufruf*) appeal (***an*** to)
appellieren: ***appellieren an*** appeal to
Appetit **1.** appetite; ***ich habe keinen Appetit*** I'm not hungry; ***ich habe keinen Appetit auf Fleisch*** I don't feel like (eating) meat **2.** ***guten Appetit!*** bon appetit! [ˌbɒn‿æpə'tiː], *bes. AE* enjoy your meal!

Guten Appetit

Während es im Deutschen höflich ist, vor dem Essen einen „Guten Appetit!" zu wünschen, ist im Englischen ein solches Startsignal zu Beginn der Mahlzeit nicht so üblich. Man hört aber gelegentlich Folgendes:

Bon appetit! (*etwas förmlich*)
Enjoy your meal! (*vorwiegend von Kellnerinnen und Kellnern verwendet*)
Enjoy! (*besonders in den USA*)

appetitlich appetizing
applaudieren applaud [ə'plɔːd]
Applaus applause [ə'plɔːz]
Aprikose apricot ['eɪprɪkɒt]
April **1.** April ['eɪprəl]; ***im April*** in April (⚠ *ohne* the) **2.** ***April, April!*** April fool!
Aprilscherz April fool joke
apropos: ***apropos Bildung ...*** talking about education ...
Aquaplaning aquaplaning ['ækwəpleɪnɪŋ]
Aquarell watercolour ['wɔːtəˌkʌlə]
Aquarium aquarium [ə'kweərɪəm]
Äquator equator [ɪ'kweɪtə]
Ära era ['ɪərə]
Araber Arab ['ærəb]; ***er ist Araber*** he's (an) Arab; ☞ ***Nationalitäten***
Araberin Arab woman (*oder* lady *bzw.* girl); ***sie ist Araberin*** she's (an) Arab; ☞ ***Nationalitäten***
Arabien Arabia [ə'reɪbɪə]
arabisch **1.** *Länder*: Arab ['ærəb] **2.** *Zahlen, Sprache, Schrift*: Arabic ['ærəbɪk]; ***auf Arabisch*** in Arabic
Arbeit **1.** *allg.*: work; ***schwere Arbeit*** hard work; ***es ist eine interessante*** *usw.* ***Arbeit*** it's interesting *usw.* work (⚠ *ohne* an) **2.** (≈ *Berufstätigkeit*) work, employment **3.** (≈ *Stelle*) job **4.** ***bei*** (*oder* ***auf*** *oder* ***in***) ***der Arbeit*** (≈ *Arbeitsstelle*) at work

(⚠ *ohne* the) **5.** ***sie ist gerade bei der Arbeit*** (≈ *arbeitet gerade*) she's working **6.** ***zur*** (*oder* ***in die***) ***Arbeit gehen*** go* to work **7.** ***an die Arbeit gehen*** (≈ *mit der Arbeit beginnen*) start work **8.** ***ich hoffe, es macht Ihnen nicht zu viel Arbeit*** (≈ *Mühe*) I hope it's not too much trouble for you **9.** ***ohne Arbeit*** unemployed, out of work, jobless **10.** (≈ *Ergebnis*) (piece of) work **11.** (≈ *Klassenarbeit*) test

arbeiten 1. work; ***sie arbeitet in einer Fabrik*** she works in a factory; ***er arbeitet bei BMW*** *Firma*: he works for BMW, *Fabrik*: he works at BMW; ***sie arbeitet an einem neuen Roman*** she's working on a new novel **2.** *Organe*: work, function

Arbeiter(in) 1. *allg.*: worker **2.** *im Gegensatz zum Angestellten*: blue-collar worker

Arbeiterklasse working class, working classes (⚠ *Pl.*)

Arbeitgeber(in) employer [ɪm'plɔɪə]

Arbeitnehmer(in) employee [ɪm'plɔiː]

Arbeitsamt employment office, *BE auch* job centre

Arbeitsbedingungen working conditions

Arbeitsbeschaffungsprogramm job-creation scheme ['dʒɒbkriːˌeɪʃn‿skiːm]

Arbeitsbescheinigung certificate [sə'tɪfɪkət] of employment

Arbeitserlaubnis work permit ['wɜːkˌpɜːmɪt]

Arbeitsessen working lunch (*bzw.* dinner), *geschäftlich*: business lunch (*bzw.* dinner)

Arbeitsgemeinschaft *Schule*: **1.** *Gruppe*: study group **2.** ***Arbeitsgemeinschaften*** (≈ *freiwillige Fächer*) extracurricular activities

Arbeitsgruppe *im Unterricht*: study group

Arbeitskampf labour dispute ['leɪbəˌdɪspjuːt], industrial action

Arbeitskleidung work(ing) clothes [⚠ kləʊ(ð)z] (*Pl.*)

Arbeitskraft 1. (≈ *Arbeiter*) worker **2.** (≈ *Angestellter*) employee [ɪm'plɔiː] **3.** ***Arbeitskräfte*** workforce, manpower (⚠ *beide Sg.*; manpower *ohne* the); ***wir brauchen mehr Arbeitskräfte*** we need more manpower

Arbeitskräftemangel manpower shortage

Arbeitskreis working group, *Schule*: study group

Arbeitslager *für Zwangsarbeiter*: labour camp

arbeitslos unemployed, out of work

Arbeitslose(r) 1. unemployed person **2.** ***die Arbeitslosen*** the unemployed (*Pl.*); ***die Zahl der Arbeitslosen*** the number of people out of work, unemployment figures (⚠ *Pl.*)

Arbeitslosengeld 1. unemployment benefit **2.** ***Arbeitslosengeld beziehen*** *umg.* be* on the dole

Arbeitslosenzahl unemployment figures [ˌʌnɪm'plɔɪməntˌfɪgəz] (⚠ *Pl.*), number of unemployed

Arbeitslosigkeit unemployment

Arbeitsmarkt labour market, job market; ***die Lage auf dem Arbeitsmarkt*** the job situation

Arbeitsniederlegung strike, walkout

Arbeitspensum workload

Arbeitsplatz 1. (≈ *Arbeitsstätte*) workplace; ***am Arbeitsplatz*** at work **2.** (≈ *Stelle*) job; ***haben Sie noch freie Arbeitsplätze?*** are there any vacancies ['veɪkənsɪz]?

Arbeitsspeicher *Computer*: main memory, random access memory (*Abk.* RAM)

Arbeitssuche 1. job-hunting (⚠ *ohne* the) **2.** ***er ist auf Arbeitssuche*** he's looking for a job

Arbeitstag working day, workday

Arbeitsweise 1. (≈ *Methode*) working method ['meθəd] **2.** *eines Geräts*: functioning

Arbeitszeit working hours (⚠ *Pl.*)

Arbeitszeitverkürzung reduction in working hours (⚠ *nicht* of)

Arbeitszimmer study

Archäologe archaeologist, *bes. AE* archeologist [ˌɑːkɪ'ɒlədʒɪst]

Archäologie archaeology, *bes. AE* archeology [ˌɑːkɪ'ɒlədʒɪ]

Archäologin archaeologist, *bes. AE* archeologist [ˌɑːkɪ'ɒlədʒɪst]

archäologisch archaeological, *bes. AE* archeological [ˌɑːkɪə'lɒdʒɪkl]

Arche ark; ***die Arche Noah*** Noah's ark

Architekt(in) architect ['ɑːkɪtekt]

Architektur architecture ['ɑːkɪtektʃə]

Archiv archives ['ɑːkaɪvz] (*Pl.*)

Arena 1. *Sport*; *politische usw.*: arena [ə'riːnə] **2.** *Zirkus*: ring **3.** *Stierkampf*: bullring ['bʊlrɪŋ]

Argentinien Argentina [ˌɑːdʒən'tiːnə]

Ärger 1. (≈ *Unannehmlichkeiten*) trouble; ***das alte Auto wird uns noch viel Ärger machen*** that old car is going to cause us a lot of trouble; ***Ärger kriegen*** get* into trouble; ***das gibt Ärger*** there'll be trouble **2.** (≈ *Verärgerung*) annoyance [ə'nɔɪəns], *stärker*: anger ['æŋgə]

ärgerlich 1. ***ärgerlich über etwas*** annoyed (*stärker* angry) about something **2.** ***ärgerlich über*** (*bzw.* ***auf***) ***jemanden*** annoyed (*stärker* angry) with someone

3. ***das ist ärgerlich*** that's annoying, that's a (real) nuisance ['nju:sns]
ärgern 1. annoy **2.** tease [ti:z] (*Kind*, *Tier*) **3.** ***ich habe mich richtig über ihn*** (*bzw.* ***darüber***) ***geärgert*** I was really annoyed with him (*bzw.* about it)
Argument argument; ***das ist kein Argument*** that's no argument
Arie (≈ *Sologesangsstück*) aria ['ɑ:rɪə]
Aristokratie aristocracy [ˌærɪ'stɒkrəsɪ]
Arktis: ***die Arktis*** the Arctic
arktisch arctic (*auch übertragen*)
arm poor (*auch übertragen*); ***das Land ist arm an Bodenschätzen*** the country is poor in natural resources
Arm 1. arm **2.** (≈ *Ärmel*) sleeve **3.** *eines Flusses*: branch **4.** ***du willst mich wohl auf den Arm nehmen?*** you're pulling my leg!
Armaturen 1. (≈ *Hähne*) taps, *AE* faucets **2.** *Auto usw.*: instruments, controls
Armaturenbrett dashboard
Armband bracelet ['breɪslət]
Armbanduhr wristwatch ['rɪstwɒtʃ]
Arme(r) poor woman (*bzw.* man); ***die Armen*** the poor (⚠ *Pl.*)
Armee army (*auch übertragen*)
Armeehose combats ['kɒmbæts] (⚠ *Pl.*), combat trousers (⚠ *Pl.*); ***er trug eine Armeehose*** he was wearing (a pair of) combats
Ärmel 1. sleeve **2.** ***er hat die Lösung förmlich aus dem Ärmel geschüttelt*** he came up with the solution just like that
Ärmelkanal: ***der Ärmelkanal*** the (English) Channel ['tʃænl]
ärmellos sleeveless
Armenien Armenia [ɑ:'mi:nɪə]
Armut: (***die***) ***Armut*** poverty (***an*** of) (*auch übertragen*)
Armutsgrenze: ***an*** (*bzw.* ***unter***) ***der Armutsgrenze liegen*** be* on (*bzw.* below) the poverty ['pɒvətɪ] line
Aroma (≈ *Geruch*) aroma [ə'rəʊmə]
Aromatherapie aromatherapy [əˌrəʊmə'θerəpɪ]
aromatisch aromatic [ˌærə'mætɪk]
arrogant arrogant ['ærəgənt]
Arroganz arrogance ['ærəgəns]
Arsch *salopp* arse [ɑ:s], *AE* ass [æs]
Arschkriecher(in) *vulgär BE* arse-licker, *AE* ass-licker, *AE umg.* suck-up
Arschloch *vulgär*, *Person*: arsehole, bastard ['bɑ:stəd], *AE* asshole
Art 1. (≈ *Art und Weise*) way, manner; ***auf die(se) Art*** (in) this way; ***auf die eine oder andere Art*** somehow or other **2.** (≈ *Sorte*) kind, sort, type; ***Waffen aller Art*** all kinds (*oder* sorts) of weapons; ***eine Art Obstsalat*** *usw.* some kind (*oder* sort) of fruit salad *usw.* **3.** (≈ *Eigenart*, *Wesen*) nature; ***das ist eigentlich nicht seine Art*** that's not like him (at all) **4.** ***einzig in seiner Art*** unique [ju:'ni:k]; **5.** (≈ *Benehmen*) behaviour [bɪ'heɪvɪə], manner **6.** *Biologie*: (≈ *Gattung*, *Sorte*) species ['spi:ʃi:z] *Pl.*: species
Artenreichtum biodiversity [ˌbaɪəʊdaɪ'vɜ:sətɪ], rich animal and plant life
Artenschutz protection of (endangered) species [(ɪnˌdeɪndʒəd)]'spi:ʃi:z
Arterie artery ['ɑ:tərɪ]
artig 1. well-behaved, good **2.** ***sei artig!*** be good!, be a good boy (*bzw.* girl)!
Artikel 1. (≈ *Ware*) article ['ɑ:tɪkl], item **2.** *Grammatik*: article
Artischocke artichoke ['ɑ:tɪtʃəʊk]
Artist(in) acrobat ['ækrəbæt], (circus) performer (⚠ *engl.* artist = *allg.* ***Künstler, Künstlerin***)
Arznei(mittel) medicine ['medsn], drug
Arzt doctor
Arzthelferin doctor's assistant, nurse
Ärztin (lady) doctor
ärztlich medical; ***sie ließ sich ärztlich behandeln*** she received medical treatment
As → ***Ass***
Asbest asbestos [æs'bestəs]
Asche ash, *mst.* ashes (⚠ *Pl.*)
Aschenbahn *Sport*: cinder track
Aschenbecher ashtray
Aschenputtel Cinderella (*auch übertragen*)
Aschermittwoch Ash Wednesday ['wenzdɪ]
ASCII-Code *Computer*: ASCII code ['æskɪ‿kəʊd]
Aserbaidschan Azerbaijan [ˌæzəbaɪ'dʒɑ:n]
Asiat(in) Asian ['eɪʃn]; ☞ ***Nationalitäten***
asiatisch Asian ['eɪʃn]
Asien Asia ['eɪʃə]
asozial *Verhalten*, *Familie usw.*: antisocial
Aspekt aspect ['æspekt] (*auch grammatisch*)
Asphalt asphalt ['æsfælt]
Ass *Spielkarte*, *Person*, *Tennis*: ace [eɪs]
Assistent(in) assistant [ə'sɪstənt]
Ast 1. branch **2.** *im Holz*: knot [⚠ nɒt]
Aster aster ['æstə]
ästhetisch aesthetic [i:s'θetɪk], *AE mst.* esthetic
Asthma asthma [⚠ 'æsmə]
Asthmaanfall asthma(tic) attack ['æsmə‿əˌtæk (æsˌmætɪk‿ə'tæk)]
astrein 1. ***die Sache ist nicht ganz astrein*** there's something fishy about the

business **2.** *umg.* (≈ *ausgezeichnet*) great, fantastic
Astrologe astrologer [ə'strɒlədʒə]
Astrologie astrology [ə'strɒlədʒɪ]
Astrologin astrologer [ə'strɒlədʒə]
Astronaut(in) astronaut ['æstrənɔːt]
Astronomie astronomy [ə'strɒnəmɪ]
astronomisch astronomic(al) [ˌæstrə'nɒmɪkl] (*auch übertragen*)
Asyl *politisch*: asylum [ə'saɪləm]; ***um (politisches) Asyl bitten*** ask for (political) asylum
Asylbewerber(in) asylum-seeker [ə'saɪləmˌsiːkə]
Asylrecht right of asylum [ə'saɪləm]
Atelier studio
Atem **1.** (≈ *das Atmen*) breathing ['briːðɪŋ] **2.** (≈ *Atemluft*) breath [⚠ breθ] (*auch übertragen*); ***außer Atem*** out of breath; ***sie hielt den Atem an*** she held her breath
atemberaubend breathtaking [⚠ 'breθˌteɪkɪŋ]
atemlos breathless [⚠ 'breθləs] (*auch übertragen*), out of breath
Atempause breather ['briːðə]; ***eine Atempause einlegen*** take* a breather
Atheist(in) atheist ['eɪθɪɪst]
Athen Athens ['æθɪnz]
Äther ether ['iːθə]
Äthiopien Ethiopia [ɪːθɪ'əʊpɪə]
Athlet(in) athlete ['æθliːt]
athletisch athletic [æθ'letɪk]
Atlantik: ***der Atlantik*** the Atlantic (Ocean)
Atlas atlas ['ætləs]
atmen breathe [briːð]
Atmosphäre atmosphere (*auch übertragen*)
Atmung breathing ['briːðɪŋ]
Atom atom ['ætəm]
Atom... *in Zusammensetzungen*: nuclear ['njuːklɪə], atomic; ***Atombombe*** atomic (*oder* atom) bomb [bɒm], A-bomb; ***Atomenergie*** nuclear (*oder* atomic) energy; ***Atomforschung*** nuclear research; ***Atomgegner(in)*** anti-nuclear activist; ***Atomkern*** atomic nucleus; ***Atomkraftwerk*** nuclear power station; ***Atomkrieg*** nuclear war; ***Atommüll*** nuclear waste; ***Atomstreitmacht*** nuclear power; ***Atomtest*** nuclear test; ***Atomwaffe*** nuclear (*oder* atomic) weapon; ***Atomzeitalter*** nuclear age
atomwaffenfrei: ***atomwaffenfreie Zone*** nuclear-free zone [ˌnjuːklɪəfriː'zəʊn]
ätsch *Schadenfreude*: serves you right!
Attentat **1.** (≈ *Versuch*) assassination attempt (***auf*** on); ***zwei Terroristen verübten ein Attentat auf den Präsidenten*** two terrorists tried to assassinate the president **2.** *geglücktes*: assassination (***auf*** of); ***er fiel einem Attentat zum Opfer*** he was assassinated **3.** ***ich habe ein Attentat auf dich vor*** *übertragen* I've got a favour to ask of you
Attentäter(in) assassin [ə'sæsɪn]
Attest certificate [sə'tɪfɪkət]; ***ärztliches Attest*** medical (*oder* doctor's) certificate
Attraktion attraction
attraktiv attractive
Attrappe **1.** dummy *Pl.*: dummies **2.** ***es ist alles Attrappe*** *übertragen* it's all fake
Attribut attribute ['ætrɪbjuːt]
ätzend **1.** caustic, corrosive **2.** *Geruch*: pungent ['pʌndʒənt] **3.** ***(das ist) echt ätzend*** *salopp* it's the pits
au **1.** ouch! [aʊtʃ] **2.** ***au ja!*** yeah! [jeə]
Aubergine aubergine ['əubəʒiːn], *bes. AE auch* eggplant
auch **1.** (≈ *ebenfalls*) too, as well, also; ***wir kommen auch*** we're also coming, we're coming too (*oder* as well) (⚠ *Wortstellung*) **2.** (≈ *selbst, sogar*) even; ***auch ein Anfänger kann das!*** even a beginner can do that! **3.** ***auch wenn ...*** even if ...; ***auch wenn wir Zeit hätten, würden wir nicht kommen*** even if we had time, we wouldn't come **4.** ***ich kanns nicht - ich auch nicht*** I can't do it - nor (*oder* neither) can I, I can't either **5.** ***nicht nur ..., sondern auch*** not only ..., but also **6.** ***ohne auch nur zu fragen*** without even asking
Audiokassette audio cassette
audiovisuell audiovisual [ˌɔːdɪəʊ'vɪʒʊəl]
auf **1.** on; ***auf dem/den Tisch*** on the table; ***auf der Insel*** on the island; ***auf Seite 3*** on page 3 **2.** in; ***auf der Welt*** in the world; ***auf seinem Zimmer*** in his room **3.** at; ***auf der Post*** at the post office; ***auf einer Party*** at a party; ***auf der Schule*** at school **4.** to; ***auf die Post*** *usw.* ***gehen*** go* to the post office *usw.*; ***geh auf dein Zimmer*** go to your room; ***auf Reisen*** travelling, on a trip; ***auf Urlaub*** on holiday, *AE* on vacation **5.** ***auf der Straße*** (≈ *in der Stadt*) in (*AE auch* on) the street; ***auf der Straße*** *zwischen Orten und Ortsteilen*: on the road **6.** ***(etwas) auf dem Klavier*** *usw.* ***spielen*** play (something on) the piano *usw.* **7.** ***auf Englisch*** in English **8.** (≈ *hoch*) up, upwards **9.** (≈ *offen*) open; ***die Flasche ist auf*** the bottle is open **10.** ***das Geschäft ist auf*** (≈ *geöffnet*) the shop is open; ***wann machen Sie auf?*** when do you open? **11.** ***bist du schon auf?*** (≈ *aus dem Bett*) are you up yet? **12.**

auf und ab up and down; ***das Auf und Ab des Lebens*** the ups and downs of life **13.** ***auf gehts!*** *umg.* let's go!
aufarbeiten: ***ich muß noch viel aufarbeiten*** *Rückstände*: I've got a lot to catch up on
Aufbau 1. *eines Gebäudes*: (≈ *das Errichten*) construction, erection **2.** (≈ *Montage*) assembly **3.** (≈ *Struktur*) structure (*eines Gebäudes usw., eines Dramas, auch einer Organisation*) **4.** *eines Bildes*: composition
aufbauen 1. (≈ *errichten*) put* up (*Gebäude*) **2.** put* up (*Zelt*) **3.** structure (*Rede, Aufsatz, Organisation usw.*) **4.** (≈ *wiederaufbauen*) rebuild* **5.** ***worauf baut diese neue Theorie*** *usw.* ***auf?*** what is this new theory *usw.* based on?
aufbauschen *übertragen* exaggerate [ɪg'zædʒəreɪt], play up
aufbekommen 1. ***ich bekomme die Tür*** *usw.* ***nicht auf*** I can't get the door *usw.* open **2.** ***ich bekomme den Knopf*** *usw.* ***nicht auf*** I can't get this button *usw.* undone **3.** ***viel aufbekommen*** *Hausaufgaben*: get* a lot of homework; ***wir haben heute nichts aufbekommen*** we haven't got (*oder* didn't get) any homework today
aufbewahren 1. *allg.*: keep* **2.** keep*, store (*Lebensmittel*)
aufblasbar inflatable [ɪn'fleɪtəbl]
aufblasen blow* up, inflate (*Ballon usw.*)
aufbleiben 1. (*Tür usw.*) stay open **2.** (≈ *wach bleiben*) stay up; ***lange aufbleiben*** stay up late
aufblenden *Auto*: turn (the headlights) on full (*AE* high) beam
aufbrechen 1. break* (*oder* force) open **2.** ***ein Auto aufbrechen*** break* into a car **3.** (≈ *weggehen*) leave*, set* off (***nach*** for)
aufbringen 1. raise (*Geld*) **2.** summon up, muster (*Mut, Energie*)
Aufbruch 1. departure **2.** ***wir sind gerade im Aufbruch*** we're just about to leave
aufbrummen: ***jemandem eine Strafarbeit aufbrummen*** *Schule*: land someone with extra (home)work
aufdecken 1. uncover, expose (*Verbrechen, Verschwörung usw.*) **2.** disclose, reveal (*Fakten, Tatsachen usw.*) **3.** ***das Bett aufdecken*** turn the bedclothes down **4.** show* (*Spielkarten*)
aufdonnern: ***sich aufdonnern*** *umg.* get (all) dolled up
aufdrängen 1. ***jemandem etwas aufdrängen*** force something on someone **2.** ***ich will mich ja nicht aufdrängen, aber …*** I don't want to intrude, but …
aufdrehen 1. turn on (*Hahn usw.*) **2.** turn up (*Radio usw.*)
aufdringlich 1. obtrusive **2.** *Person*: obtrusive, *umg.* pushy
Aufdruck imprint ['ɪmprɪnt]
aufeinander 1. (≈ *übereinander*) on top of each other **2.** ***aufeinander angewiesen sein*** depend on each other **3.** ***aufeinander folgend*** successive, consecutive; ***an drei aufeinander folgenden Tagen*** (for) three days running
Aufenthalt 1. stay **2.** *Zug*: stop; ***wie lange haben wir hier Aufenthalt?*** how long do we stop here?
Aufenthaltserlaubnis residence permit ['rezɪdəns,pɜːmɪt]
Aufenthaltsgenehmigung residence permit ['rezɪdəns,pɜːmɪt]
Aufenthaltsraum lounge [laʊndʒ]
auferstehen rise* from the dead
Auferstehung: ***die Auferstehung*** the Resurrection [ˌrezə'rekʃn]
aufessen eat* up
Auffahrt 1. *Autobahn*: slip road, *AE* ramp **2.** *zu einem Gebäude*: drive, driveway
auffallen 1. ***er will immer auffallen*** he's always trying to attract attention **2.** ***jemandem fällt etwas auf*** someone notices something; ***mir ist es gar nicht aufgefallen*** I didn't even notice (it) **3.** ***das fällt nicht auf*** nobody will notice
auffällig 1. striking, conspicuous [kən'spɪkjʊəs] **2.** *Farben, Kleider*: loud, *umg.* flashy
auffangen 1. catch* (*Ball usw.*) **2.** cushion [⚠ 'kʊʃn] (*Stoß, Aufprall usw.*)
auffassen 1. (≈ *begreifen*) understand*, grasp **2.** (≈ *deuten*) interpret [ɪn'tɜːprɪt], understand*; ***soll ich das als Beleidigung auffassen?*** is that meant to be an insult?
Auffassung 1. (≈ *Meinung*) view; ***die Auffassung vertreten, dass …*** take* the view that … **2.** (≈ *Deutung*) interpretation
auffinden find*, discover
auffordern 1. ***sie forderte ihn auf zu gehen*** *eindringlich*: she asked him to leave **2.** ***der Politiker forderte seine Anhänger zur Stimmabgabe auf*** the politician called on his followers to vote
Aufforderung 1. (≈ *Bitte*) request **2.** *eindringliche*: demand
auffressen 1. eat up, devour [dɪ'vaʊə] **2.** ***er wir dich schon nicht auffressen*** *umg., übertragen* he won't eat you **3.** ***die Arbeit frisst mich auf*** *übertragen* I'm drowning in work
auffrischen: ***du musst dein Englisch auffrischen!*** you must brush up your English!
aufführen 1. perform (*Theaterstück*) **2.**

show* (*Film*) **3. *sich aufführen wie ...*** behave like …
Aufführung 1. *Theater*: performance **2.** *Film*: showing, show
Aufgabe 1. (≈ *Arbeit*) job, task; ***es ist nicht meine Aufgabe zu ...*** it's not my job (*oder* task) to (+ *Inf.*) **2.** (≈ *Pflicht*) duty **3.** (≈ *Rechenaufgabe usw.*) problem **4.** (≈ *Hausaufgabe*) homework (⚠ *Sg.*; *ohne* a)
Aufgang (≈ *Treppe*) staircase, stairs (⚠ *Pl.*)
aufgeben 1. (≈ *verzichten auf*) give* up; ***das Rauchen*** *usw.* ***aufgeben*** give* up (*oder* stop) smoking **2.** give* up (*Beruf, Wohnung, Hoffnung*) **3.** set* (*Aufgabe*); ***sie gibt immer sehr viel auf*** she always sets (*AE* assigns) a lot of homework **4.** post, *AE* mail (*Brief*) **5.** check in (*Luftgepäck*) **6.** place (*Bestellung*) **7.** *Boxen und übertragen*: throw* in the towel
aufgehen 1. (*Sonne, Mond, Sterne*) rise* **2.** (*Vorhang*) rise*, go* up **3.** (≈ *sich öffnen*) open (*auch Blume*)
aufgehoben: ***er ist dort gut aufgehoben*** he's in good hands there
aufgeilen: ***sich an etwas aufgeilen*** *umg.* be* (*oder* get*) turned on by something
aufgelegt: ***ich bin gut*** (*bzw.* ***schlecht***) ***aufgelegt*** I'm in a good (*bzw.* bad) mood
aufgeregt 1. (≈ *erregt*) excited [ɪk'saɪtɪd] **2.** (≈ *nervös*) nervous ['nɜːvəs]
aufgeschlossen 1. (≈ *offen*) open (***für, gegenüber*** to); ***sie ist Kritik gegenüber immer aufgeschlossen*** she's always open to criticism **2.** (≈ *interessiert*) open-minded
aufgeweckt *Kind*: (very) bright
aufgreifen 1. pick up (*Person*) **2. *ein Thema*** (***einen Vorschlag*** *usw.*) ***aufgreifen*** take* up a subject (a suggestion *usw.*)
aufgrund: ***aufgrund der*** (***geltenden***) ***Gesetze in Frankreich*** *usw.* because of the law in France *usw.*; ***aufgrund des Lehrermangels*** because of the shortage of teachers
aufhaben 1. *sie hat einen Hut auf* she's got a hat on, she's wearing a hat **2. *viel*** *bzw.* ***wenig aufhaben*** *Hausaufgaben*: have* a lot of (*bzw.* very little) homework **3. *das Geschäft hat auf*** the shop is open
aufhalten 1. stop (*Dieb, Entwicklung*) **2.** (≈ *verzögern*) hold* up, delay **3. *ich will Sie nicht länger aufhalten*** I won't keep you any longer **4. *er soll sich in Berlin aufhalten*** he's said to be (staying) in Berlin
aufhängen 1. *etwas aufhängen* hang* (up) something (***an*** on) **2. *jemanden aufhängen*** (≈ *töten*) hang someone

aufhängen

Achte auf die unterschiedlichen Zeitformen:

(*Kleider usw.*) (auf)hängen	**hang, hung, hung**
(*jemanden*) hängen	**hang, hanged, hanged**

He hung the coat up in the hall.
They hanged him for murder.

aufheben 1. *vom Boden*: pick up **2.** (≈ *nicht wegwerfen*) keep* **3.** (≈ *beenden*) call off (*Boykott, Streik*) **4.** lift (*Verbot, Blockade*)
aufheitern 1. *jemanden aufheitern* cheer someone up **2. *es heitert sich auf*** *Wetter*: it's clearing up
Aufheiterungen *Wetter*: sunny spells
aufhetzen stir up; ***er hat seine Kollegen gegen den Chef aufgehetzt*** he's stirred his colleagues up against the boss
aufholen 1. *verlorene Zeit aufholen* make* up for lost time **2. *in Biologie muss ich noch aufholen*** I must try to catch* up in biology **3.** *Verspätung*: (*Zug*) make* up the delay
aufhören 1. stop (⚠ *+Verb in der* -ing-*Form*); ***sie hörte nicht auf zu reden*** she wouldn't stop talking; ***hör auf*** (***damit***)***!*** stop it!; ☞ *Info unter engl.* **stop** **2.** (≈ *ein Ende nehmen*) (come* to an) end
aufkaufen 1. *allg.*: buy* up **2.** take* over (*eine Firma usw.*)
aufklären 1. clear up (*Verbrechen, Missverständnis usw.*) **2. *jemanden über etwas aufklären*** (≈ *informieren*) inform someone about something **3. *ein Kind aufklären*** *sexuell*: explain the facts of life to a child
Aufklärung 1. *wir arbeiten noch an der Aufklärung des Verbrechens* *usw.* we're still trying to solve (*oder* clear up) the crime *usw.* **2. *sexuelle Aufklärung*** sex education **3. *die Aufklärung*** *Zeitalter*: the (Age of) Enlightenment
aufkleben stick* on; ***aufkleben auf*** stick* on(to)
Aufkleber sticker
aufknöpfen unbutton
aufkommen 1. (≈ *entstehen*) arise* **2. *Zweifel aufkommen lassen*** give* rise to doubt **3. *für den Schaden*** *usw.* ***aufkommen*** pay* for the damage *usw.*
aufkreuzen *umg.* turn up
aufladen 1. load (***auf*** onto) **2. *mit der Arbeit*** *usw.*, ***da hast du dir ganz schön was aufgeladen*** you've loaded yourself

with a lot of work *usw.* there **3.** charge (*Batterie*)
Auflage 1. *eines Buches*: edition **2.** *einer Zeitung bzw. Zeitschrift*: circulation
auflassen: ***die Tür*** *usw.* ***auflassen*** leave* (*oder* keep*) the door *usw.* open
auflegen 1. put* on (*CD*, *Tischtuch usw.*) **2.** (***den Hörer***) ***auflegen*** put* the phone down, hang* up
auflehnen: ***sich auflehnen*** rebel [rɪ'bel], *stärker*: revolt [rɪ'vəʊlt] (***gegen*** against)
auflesen pick up (*auch übertragen*)
aufleuchten 1. *allg.*: light* up **2.** (*Blitz usw.*) flash
auflisten make* a list of, list
auflockern 1. loosen (up), break* up (*Boden*) **2.** relax, make* more relaxed (*Atmosphäre*, *Stimmung*) **3.** liven [⚠ 'laɪvn] up (*Unterricht*, *Vortrag usw.*)
auflösen 1. *in Flüssigkeit*: dissolve [⚠ dɪ'zɒlv] **2.** cancel [⚠ 'kænsl] (*Vertrag*) **3.** solve (*Rätsel*) **4.** close down (*Firma*, *Lager*) **5.** ***sich auflösen*** (*Nebel*, *Wolken*) disperse [dɪ'spɜːs], disappear; ***die Wolken lösen sich allmählich auf*** the clouds are beginning to break up **6.** ***der Stau hat sich aufgelöst*** traffic is back to normal
Auflösung 1. *Bildschirm*, *Drucker usw.*: resolution **2.** *eines Vertrags*: cancellation **3.** *eines Rätsels usw.*: solution **4.** *eines Parlaments*: dissolution, dissolving
aufmachen 1. *allg.*: (≈ *öffnen*) open **2.** put* up (*Schirm*) **3.** open up (*Geschäft*) **4.** *Wohnungstür auf Klingelzeichen*: answer the door **5.** ***sich nach Schottland aufmachen*** set* off for Scotland
aufmerksam 1. ***aufmerksam sein*** *in der Schule usw.*: pay* attention **2.** ***ich möchte euch auf die interessante Deckenbemalung*** *usw.* ***aufmerksam machen*** I'd like to draw your attention to the interesting painting on the ceiling *usw.* **3.** (≈ *höflich*) attentive; ***danke, sehr aufmerksam!*** thank you, that's very kind (of you)
Aufmerksamkeit 1. attention; ***Aufmerksamkeit erregen*** attract attention; ***seine Aufmerksamkeit richten auf*** focus one's attention on; ***jemandem*** (*bzw.* ***etwas***) ***Aufmerksamkeit schenken*** pay* attention to someone (*bzw.* something) **2.** (≈ *kleines Geschenk*) little present ['preznt]
aufmuntern 1. (≈ *ermutigen*) encourage [ɪn'kʌrɪdʒ] (***zu etwas*** to do something) **2.** (≈ *aufheitern*) cheer up
aufmüpfig rebellious [rɪ'beljəs]
Aufnahme 1. (≈ *Tonaufnahme*) recording **2.** *eines Films*: shooting, *einzelne*: shot, take **3.** (≈ *Foto*) photo, shot **4.** (≈ *Zulassung*) admission (***in*** to, into) **5.** *in ein Krankenhaus*: admission (***in*** to)
Aufnahmebedingungen terms of admission
Aufnahmeprüfung entrance exam
aufnehmen 1. *auf Band*, *Schallplatte*, *Video*: record [⚠ rɪ'kɔːd] **2.** (≈ *filmen*) shoot* **3.** take* (*Nahrung*) **4.** (≈ *begreifen*) take* in, grasp **5.** (≈ *einbeziehen*, *eingliedern*) include (***in*** in), incorporate (***in*** in); ***haben Sie das ins Protokoll aufgenommen?*** have you put that in the minutes? **6.** *in einen Verein usw.*: admit (***in*** to) **7.** (≈ *empfangen*) receive; ***er wurde freundlich aufgenommen*** he was given a warm welcome **8.** ***wie hat sie die Nachricht vom Tod ihres Mannes*** *usw.* ***aufgenommen?*** *emotional*: how did she take the news that her husband had died *usw.?* **9.** ***Verhandlungen aufnehmen*** start negotiations
aufpassen 1. (≈ *aufmerksam sein*) pay* attention **2.** (≈ *vorsichtig sein*) take* care **3.** ***pass auf!*** look out!, watch out! **4.** ***aufpassen auf*** take* care of, look after **5.** (≈ *im Auge behalten*) keep* an eye on
aufpeppen *umg.* pep up
aufpolieren polish up (*auch übertragen*)
Aufprall impact
aufprallen: ***aufprallen auf*** hit*
Aufpreis extra charge; ***gegen einen Aufpreis von fünfhundert Euro*** for an extra five hundred euros
aufpumpen pump up (*Reifen*, *Ballon*)
aufputschen 1. ***sich aufputschen*** *allg.*: get* oneself going **2.** stir up (*die Massen*)
Aufputschmittel stimulant ['stɪmjʊlənt], *umg.* upper, (≈ *Tablette*) *auch* pep pill
aufräumen 1. tidy up (*Zimmer usw.*) **2.** (≈ *wegräumen*) tidy away, put* away (*Sachen*)
aufrecht 1. upright, erect; ***aufrecht stehen*** stand* erect **2.** *übertragen* upright, honest
aufrechterhalten 1. *allg.*: maintain **2.** keep* up (*Kontakt usw.*) **3.** stand* by (*Angebot*)
aufregen 1. (≈ *ärgern*) annoy **2.** (≈ *beunruhigen*) worry [⚠ 'wʌrɪ], *stärker*: upset* **3.** ***du regst mich auf!*** (≈ *ärgerst mich*) you're getting on my nerves **4.** ***sich aufregen*** get* excited [ɪk'saɪtɪd] (***über*** about), get* worked up (***über*** about)
aufregend 1. exciting [ɪk'saɪtɪŋ] **2.** (≈ *toll*) tremendous [trə'mendəs]
Aufregung 1. excitement [ɪk'saɪtmənt] **2.** ***kein Grund zur Aufregung!*** it's nothing to worry about
aufreißen 1. *wörtlich* tear* [⚠ teər‿] open

2. dig* up (*Straße*) **3.** fling* open (*Tür*) **4.** ***alte Wunden aufreißen*** open up old wounds **5.** *salopp*, *übertragen* pick up (*ein Mädchen*)
aufrichten: ***sich aufrichten*** *aus gebückter Haltung*: straighten up [ˌstreɪtn'ʌp]
aufrichtig **1.** sincere **2.** (≈ *ehrlich*) honest [⚠ 'ɒnɪst] **3.** (≈ *offen*) open, frank
aufrollen **1.** (≈ *zusammenrollen*) roll up **2.** go* into (*ein Thema usw.*)
Aufruf **1.** *öffentlicher*: appeal (***an*** to) **2.** *zum Flug*: call **3.** *beim Computer*: call
aufrufen **1.** ask (*Schüler*) **2.** call (*Zeugen*) **3.** *beim Computer*: call up **4.** ***zum Streik aufrufen*** call a strike
Aufruhr **1.** (≈ *Tumult*) riot ['raɪət] **2.** (≈ *Erregung*) turmoil ['tɜːmɔɪl] (*auch übertragen*)
aufrunden round up (***auf*** to)
aufrüsten **1.** *militärisch*: (re)arm **2.** upgrade (*Computer usw.*)
Aufrüstung armament, rearmament
aufsagen recite [rɪ'saɪt] (*Gedicht*)
Aufsatz **1.** (≈ *Abhandlung*) essay ['eseɪ] **2.** (≈ *Schulaufsatz*) essay, composition, *AE mst.* theme **3.** (≈ *Oberteil*) top (part)
Aufsatzthema essay topic, *AE* theme topic
aufsaugen soak up, absorb (*auch übertragen*)
aufschichten stack up, pile up
aufschieben **1.** (≈ *verschieben*) postpone, put* off (***auf, bis*** until, till) **2.** (≈ *verzögern*) delay **3.** slide* open (*Tür usw.*)
Aufschlag **1.** (≈ *Aufprall*) impact **2.** *Tennis*: service **3.** *an der Hose*: turn-up, *AE* cuff
aufschlagen **1.** ***aufschlagen auf*** (≈ *auftreffen*) hit*; ***er ist mit dem Kopf auf dem Boden aufgeschlagen*** he hit his head on the floor **2.** *Tennis*: serve **3.** crack (*Nuss, Ei*) **4.** ***er hat sich das Knie aufgeschlagen*** he (fell and) cut his knee **5.** open (*Augen, Buch*); ***schlagt Seite 10 auf!*** open your books at page 10, *bei geöffnetem Buch*: turn to page 10 **6.** pitch (*Zelt*)
aufschließen unlock, open
Aufschluss **1.** insight ['ɪnsaɪt], insights (*Pl.*) (***über*** into) **2.** (***jemandem***) ***Aufschluss über etwas geben*** inform someone about something, explain something to someone
aufschlussreich **1.** informative [ɪn'fɔːmətɪv] **2.** ***das war sehr aufschlussreich*** that was very interesting
aufschnappen *übertragen*, *umg.* pick up
aufschneiden **1.** cut* open **2.** carve (*Braten*) **3.** *in Scheiben*: cut*, slice (*Brot, Käse usw.*) **4.** (≈ *angeben*) boast, show* off
Aufschnitt *kalter*: (sliced) cold meat (*oder* meats *Pl.*)
aufschnüren **1.** (≈ *lösen*) untie **2.** untie, undo* (*Knoten*) **3.** unlace (*Schuh*)
aufschrauben (≈ *Schraube lösen*) unscrew
Aufschrei **1.** cry, *stärker*: yell **2.** *schrill*: scream **3.** *hell und kurz*: shriek **4.** *übertragen* outcry (***gegen*** against)
aufschreiben write* down
aufschreien **1.** cry out **2.** *schrill*: scream
Aufschrift **1.** inscription **2.** (≈ *Etikett*) label
Aufschub **1.** (≈ *Vertagung*) postponement **2.** (≈ *Verzögerung*) delay
aufschürfen: ***er hat sich das Knie*** *usw.* ***aufgeschürft*** he's grazed his knee *usw.*
Aufschwung *Wirtschaft*: upturn, (economic) revival
Aufsehen **1.** ***Aufsehen erregen*** cause (quite) a stir, *stärker*: cause a sensation **2.** ***Aufsehen erregend*** sensational
aufsetzen **1.** *allg. und übertragen*: put* on (*Brille, Hut, Miene usw.*) **2.** draft (*Brief, Rede*) **3.** (*Flugzeug*) touch down
Aufsicht **1.** supervision; ***unter ärztlicher Aufsicht*** under medical supervision **2.** (≈ *Person*) supervisor, person in charge **3.** ***Aufsicht haben*** *bei einer Prüfung*: invigilate [ɪn'vɪdʒɪleɪt] (an exam), *AE* monitor an exam
Aufsichtsrat *Wirtschaft*: supervisory board [ˌsuːpə'vaɪzərɪ‿bɔːd]
aufspalten: (***sich***) ***aufspalten*** split* (up)
aufspannen: ***den Schirm aufspannen*** put* up the umbrella
aufspießen **1.** spear [spɪə] (*Fleisch, Fisch usw.*) **2.** *mit Hörnern*: gore
aufspringen **1.** (≈ *hochspringen*) jump up, leap* up **2.** ***auf einen Zug*** *usw.* ***aufspringen*** jump onto a train *usw.* **3.** (*Hände, Lippen*) crack, chap **4.** (*Schloss*) spring* open
aufspüren track down (*auch übertragen*)
Aufstand revolt [rɪ'vəʊlt], uprising
aufstechen **1.** puncture **2.** lance (*Geschwür*)
aufstehen **1.** (≈ *sich erheben*) get* up, stand* up **2.** *aus dem Bett*: get* up **3.** ***vom Tisch aufstehen*** get* up from (*oder* leave*) the table **4.** ***die Tür*** *usw.* ***steht auf*** the door *usw.* is open
aufsteigen **1.** rise* (*auch übertragen*) **2.** ***steig auf dein Rad*** (*bzw.* ***Pferd*** *usw.*) ***auf!*** get on(to) your bicycle (*bzw.* horse *usw.*)! **3.** ***die Mannschaft ist in die erste Bundesliga aufgestiegen*** the team has gone up into the First Division
Aufsteiger **1.** (≈ *Mannschaft*) promoted team **2.** (≈ *Hit*) chart climber [⚠ 'klaɪmə]
aufstellen **1.** set* up **2.** (≈ *errichten*) erect

(*Denkmal usw.*) **3.** (≈ *anordnen*) arrange **4.** install [ɪn'stɔːl] (*Maschine usw.*) **5.** ***ein Zelt aufstellen*** put* up a tent **6.** draw* up (*Liste, Tabelle*) **7.** (≈ *auswählen*) select, pick (*Spieler, Team*) **8.** nominate, put* forward (*Kandidaten*) **9.** ***einen Rekord aufstellen*** set* (up) a record ['rekɔːd] **10.** ***Raketen aufstellen*** deploy missiles

Aufstellung **1.** setting up **2.** (≈ *Anordnung*) arrangement **3.** *einer Maschine usw.*: installation [ˌɪnstə'leɪʃn] **4.** (≈ *Nominierung*) nomination **5.** (≈ *Liste*) list **6.** (≈ *Tabelle*) table **7.** *von Raketen usw.*: deployment; → ***aufstellen***

Aufstieg **1.** ascent [ə'sent] **2.** *übertragen* rise

aufstoßen **1.** push open (*Tür usw.*) **2.** (≈ *rülpsen*) burp

aufstützen: ***sich aufstützen auf*** lean* on

aufsuchen **1.** visit (*Ort*) **2.** see* (*Arzt*)

Auftakt **1.** (≈ *Beginn*) start; ***zum Auftakt des Festivals ...*** to start the festival off ... **2.** *Musik*: upbeat

auftanken **1.** fill up **2.** refuel [ˌriː'fjuːəl] (*Flugzeug*)

auftauchen **1.** (≈ *erscheinen*) appear, turn up **2.** (*Frage, Problem*) come* up, crop up **3.** (*U-Boot*) surface ['sɜːfɪs]

auftauen **1.** thaw [θɔː] **2.** (*Tiefkühlkost*) defrost [ˌdiː'frɒst]

aufteilen **1.** (≈ *verteilen*) distribute [dɪ'strɪbjuːt] (***unter*** to, among) **2.** (≈ *einteilen*) divide (***in*** into)

Auftrag **1.** (≈ *Weisung*) instructions (⚠ *Pl.*) **2.** (≈ *Bestellung*) order **3.** ***im Auftrag von*** on behalf [bɪ'hɑːf] of **4.** (≈ *Aufgabe*) job **5.** *eines Künstlers usw.*: commission

auftragen **1.** apply (*Farbe, Salbe usw.*) **2.** ***dick auftragen*** *übertragen* lay* it on thick

Auftraggeber(in) client ['klaɪənt], customer ['kʌstəmə]

auftreffen: ***auftreffen auf*** hit*

auftreiben: ***Geld auftreiben*** *umg.* get* hold of money

auftrennen undo* (*Naht, Saum usw.*)

auftreten **1.** *mit dem Fuß*: step, tread* [⚠ tred]; ***er kann mit dem verletzten Fuß nicht auftreten*** he can't walk on his injured foot **2.** *im Theater*: appear (on stage) **3.** *als Musiker usw.*: perform **4.** (≈ *vorkommen*) occur **5.** (≈ *sich verhalten*) behave, act

Auftreten **1.** (≈ *Erscheinen*) appearance **2.** (≈ *Vorkommen*) occurrence [ə'kʌrəns] **3.** (≈ *Verhalten*) manner

Auftritt **1.** *als Künstler*: appearance **2.** (≈ *Szene im Theater*) scene [siːn]

aufwachen wake* up (*auch übertragen*)

aufwachsen grow* up

Aufwand **1.** (≈ *Kosten*) cost, expense **2.** (≈ *Anstrengung*) effort ['efət]; ***der Aufwand lohnt sich nicht*** it's not worth the effort **3.** (≈ *Luxus*) extravagance [ɪk'strævəgəns]

aufwändig → ***aufwendig***

aufwärmen **1.** warm up **2.** ***er möchte sich aufwärmen*** he'd like to warm himself up

Aufwärmen *Sport*: warm-up

aufwärts **1.** upward(s) **2.** ***mit ihm geht es aufwärts*** things are looking up for him

Aufwärtsentwicklung upward trend

aufwecken wake* (up)

aufweichen *in Flüssigkeit*: soak

aufweisen **1.** ***sie kann mehrere Erfolge aufweisen*** she's had several successes **2.** ***etwas*** (*bzw.* ***nichts***) ***aufzuweisen haben*** have* something (*bzw.* nothing) to show

aufwenden **1.** spend* (*Zeit*) (***für*** on) **2.** (***viel***) ***Mühe aufwenden*** (***um zu***) take* (great) pains (to + *Inf.*)

aufwendig **1.** (≈ *kostspielig*) costly, expensive **2.** *Lebensweise*: extravagant [ɪk'strævəgənt]

aufwerfen raise, bring* up (*Frage, Problem*)

aufwerten **1.** revalue **2.** *übertragen* upgrade

Aufwertung **1.** *Währung*: revaluation **2.** *übertragen* upgrading

aufwickeln (≈ *aufrollen*) roll up

aufwiegen *übertragen* compensate for, make* 'up for

aufwirbeln **1.** whirl up **2.** ***viel Staub aufwirbeln*** *übertragen* cause quite a stir [stɜː]

aufwischen **1.** wipe up **2.** wipe (*Fußboden*)

aufzählen (≈ *aufführen*) enumerate [ɪ'njuːməreɪt], (≈ *aufsagen*) list

Aufzählung enumeration [ɪˌnjuːmə'reɪʃn], list

aufzeichnen *auf Band*: record [rɪ'kɔːd], tape

Aufzeichnung **1.** (≈ *Aufnahme*) recording **2.** ***sich Aufzeichnungen machen*** (≈ *etwas aufschreiben*) make* (*oder* take*) notes

aufziehen **1.** (≈ *hochziehen*) draw* up, pull up **2.** wind* [waɪnd] up (*Uhr*) **3.** put* on (*Reifen*)

Aufzug **1.** (≈ *Fahrstuhl*) lift, *AE* elevator ['elɪveɪtə] **2.** *Theater*: act **3.** *im negativen Sinn* (≈ *Kleidung*) get-up

aufzwingen: ***jemandem etwas aufzwingen*** force something on someone

Augapfel eyeball

Auge **1.** eye **2.** *Wendungen*: ***gute*** (*bzw.* ***schlechte***) ***Augen haben*** have* good (*bzw.* bad) eyesight; ***ich habs mit eigenen Augen gesehen*** I saw it with my own eyes; ***im Auge behalten*** *übertragen* bear* in mind; ***aus den Augen verlieren*** lose* sight of; ***unter vier Augen*** in private

Augenarzt, **Augenärztin** eye specialist, *AE* eye doctor

Augenblick 1. moment **2.** *Wendungen*: **(*einen*) *Augenblick!*** one moment (*oder* just a minute), please; ***im letzten Augenblick*** at the last minute

augenblicklich 1. (≈ *sofortig*) immediate **2.** (≈ *gegenwärtig*) present; ***die augenblickliche Lage*** the situation at present

Augenbraue eyebrow ['aɪbraʊ]

Augenfarbe: ***ihre*** (*bzw.* ***seine***) ***Augenfarbe*** the colour of her (*bzw.* his) eyes

Augenlid eyelid

Augentropfen *Pl.* eyedrops

Augenzeuge eyewitness; ***er war Augenzeuge bei diesem Terroranschlag*** he was an eyewitness to this terrorist attack

Augenzeugenbericht eyewitness account

Augenzeugin eyewitness

August August ['ɔːgəst]; ***im August*** in August (⚠ *ohne* the)

Auktion auction ['ɔːkʃn]

Aula assembly hall, *AE* auditorium

Aupairmädchen au pair [əʊ'peə] (girl)

aus 1. *räumlich*: out of, from; ***aus dem Fenster*** out of (*AE auch* out) the window; ***aus München*** from Munich **2.** *Material*: ***aus Holz*** made of wood, wooden … **3.** (≈ *ausgeschaltet*) off; ***Licht aus!*** lights out!; ***ein - aus*** on - off **4.** ***aus Angst*** out of fear; ***aus Versehen*** by mistake **5.** ***aus der Zeitung*** from the newspaper **6.** *zeitlich*: from; ***aus dem Mittelalter*** from the Middle Ages (⚠ *Pl.*)

> **aus sein 1.** (≈ *vorbei sein*) be* over; ***damit ist es*** **(*jetzt*)** ***aus*** it's all over now **2.** ***zwischen den beiden ist es aus*** they've split up **3.** ***ich war gestern mit ihr aus*** I was (*oder* went) out with her yesterday **4.** ***der Fernseher ist aus*** the TV is (switched) off; ***das Licht ist aus*** the light is off (*oder* out)

ausarbeiten 1. work out **2.** (≈ *vorbereiten*) prepare **3.** *sorgfältig*: elaborate [ɪ'læbəreɪt] **4.** (≈ *entwickeln*) develop [dɪ'veləp] **5.** (≈ *entwerfen*) draw* up

ausatmen breathe [⚠ briːð] out

Ausbau 1. (≈ *Erweiterung*) extension **2.** (≈ *Verbesserung*) improvement [ɪm'pruːvmənt]

ausbauen 1. (≈ *erweitern*) extend **2.** (≈ *verbessern*) improve [ɪm'pruːv]

ausbessern mend, repair (*Sachen*)

Ausbeute 1. (≈ *Profit*) profit ['prɒfɪt], gain **2.** (≈ *Ertrag*) yield

Ausbeutung exploitation (*auch von Rohstoffen usw.*)

ausbilden (≈ *schulen*) train, instruct

Ausbildung 1. *berufliche*: training **2.** *schulische, akademische*: education

Ausblick view (***auf*** of); ***ein Zimmer mit Ausblick auf den See*** a room overlooking the lake

ausborgen 1. ***sich etwas ausborgen*** borrow something **2.** ***jemandem etwas ausborgen*** lend* someone something, lend* something (out) to someone

ausbrechen 1. (*Feuer, Krieg, Krankheit usw.*) break* out **2.** (*Vulkan*) erupt **3.** (*Gefangener*) break* out (***aus*** of), escape (***aus*** from) **4.** ***in Tränen*** (*bzw.* ***Gelächter***) ***ausbrechen*** burst* out crying (*bzw.* laughing)

ausbreiten 1. spread* (out) **2.** ***sich ausbreiten*** (*Feuer, Krankheit usw.*) spread* (***auf*** to)

Ausbruch 1. *Krieg, Seuche usw.*: outbreak **2.** *Vulkan*: eruption **3.** (≈ *Flucht*) escape

ausbrüten 1. hatch (*Eier*) **2.** *übertragen* hatch (out) (*Pläne, Maßnahmen*)

ausbürgern denaturalize [diː'nætʃrəlaɪz]

Ausbürgerung expatriation [eksˌpætrɪ'eɪʃn]

Ausdauer 1. *im Sport, beim Lernen usw.*: endurance, staying power **2.** (≈ *Beharrlichkeit*) perseverance [ˌpɜːsɪ'vɪərəns]

ausdehnen 1. (≈ *dehnen*) stretch **2.** extend (*Macht, Einfluss usw.*) (***auf*** to) **3.** *zeitlich*: extend, prolong [prə'lɒŋ] **4.** ***Wasser dehnt sich aus, wenn es gefriert*** water expands when it freezes

Ausdehnung 1. (≈ *Vergrößerung*) expansion **2.** *zeitlich und übertragen* extension **3.** (≈ *Bereich, Umfang*) extent, scope, range

ausdenken: ***sich etwas ausdenken*** think* of something, come* up with something

Ausdruck 1. (≈ *Wort*) expression, word, (≈ *Wendung*) expression **2.** (≈ *Gesichtsausdruck, Ausdrucksweise*) expression; ***zum Ausdruck bringen*** express (*seine Meinung, Dank usw.*) **3.** *Computer*: printout

ausdrucken *Computer*: print out

ausdrücken 1. squeeze (*Schwamm, Zitrone, Pickel usw.*) **2.** squeeze out (*Flüssigkeit*) (***aus*** of) **3.** stub out (*Zigarette*) **4.** (≈ *äußern*) express; ***anders ausgedrückt*** in other words **5.** ***drück dich deutlich aus!*** express yourself clearly **6.** (≈ *zeigen*) express, show*

ausdrücklich 1. express, explicit [ɪk'splɪsɪt] **2.** ***etwas ausdrücklich erwähnen*** mention something explicitly
ausdruckslos expressionless
ausdrucksvoll (very) expressive
Ausdrucksweise 1. ***seine*** *usw.* ***Ausdrucksweise*** his *usw.* way of expressing himself *usw.* **2.** (≈ *Sprache*) language ['læŋgwɪdʒ]
auseinander (≈ *getrennt*) apart, separated; ***sie sind drei Jahre auseinander*** they're three years apart

auseinander gehen 1. (*Beziehung, Ehe*) break* up **2.** ***ihre Meinungen gehen auseinander*** they have (very) different opinions
auseinander halten: ***Ursache und Wirkung auseinander halten*** (≈ *unterscheiden*) distinguish between cause and effect
auseinander nehmen take* apart (*auch übertragen*)
auseinander setzen 1. *Schule*: separate (*Kinder*) **2.** ***sich mit jemandem auseinander setzen*** *übertragen* argue with someone

Ausfahrt 1. *aus Grundstück usw., Autobahn*: exit; ***Ausfahrt freihalten!*** keep* (exit) clear **2.** (≈ *Torausfahrt*) gateway **3.** (≈ *Spazierfahrt*) drive, ride
Ausfall 1. (≈ *Verlust*) loss **2.** (≈ *technisches Versagen*) failure ['feɪljə], breakdown
ausfallen 1. (*Zähne, Haare*) fall* out **2.** ***das Konzert fällt aus*** the concert has been cancelled ['kænsld]; ***Englisch*** *usw.* ***fällt morgen aus*** there's no English *usw.* (class) tomorrow **3.** ***wie ist die Prüfung ausgefallen?*** how did you do in the exam?
ausfertigen 1. (≈ *ausstellen*) issue ['ɪʃuː] (*Pass*) **2.** make* out (*Rechnung usw.*)
Ausfertigung: ***ein Formular*** *usw.* ***in doppelter Ausfertigung*** a form *usw.* in duplicate ['djuːplɪkət], two copies of a form *usw.*
ausfindig: ***ausfindig machen*** find*
ausflippen *umg.* freak out, flip (out)
Ausflug excursion, outing; ***einen Ausflug machen*** go* on an outing
ausfragen: ***jemanden über etwas ausfragen*** question someone about something
ausfressen: ***er hat wieder etwas ausgefressen*** *umg.* he's been up to something (*oder* up to no good) again
Ausfuhr 1. (≈ *das Exportieren*) export ['ekspɔːt] **2.** (≈ *Export, Ausfuhrgüter*) exports (⚠ *Pl.*)
ausführen 1. (≈ *durchführen*) carry out **2.** (≈ *gestalten*) execute ['eksɪkjuːt] (*Plan, Entwurf usw.*) **3.** (≈ *darlegen*) explain **4.** *Fußball*: take* (*Strafstoß*)
ausführlich 1. (≈ *detailliert*) detailed **2.** *Brief*: long **3.** ***sie beschrieb die Ereignisse ausführlich*** she described the events at great length
Ausführung 1. (≈ *Durchführung*) implementation **2.** (≈ *Modell*) model ['mɒdl] **3.** ***Ausführungen*** (≈ *Darlegungen*) comments, remarks (***zu, über*** on, about)
ausfüllen 1. complete, fill in, *bes. AE* fill out (*Formular*) **2.** take* up (*Raum, Zeitraum, Freizeit*) **3.** *übertragen* fill (*Lücke*) **4.** ***sein Beruf füllt ihn ganz aus*** *zeitlich*: his job takes up all his time, *geistig*: his job gives him great satisfaction
Ausgabe 1. (≈ *Verteilung*) distribution **2.** *Buch usw.*: edition **3.** *von Briefmarken, Banknoten, einer Zeitschrift usw.*: issue ['ɪʃuː] **4.** ***Ausgaben für*** (≈ *Unkosten*) cost (⚠ *Sg.*) of **5.** *Computer*: output
Ausgang 1. way out, exit **2.** *am Flughafen*: (departure) gate **3.** (≈ *Ende*) end **4.** *einer Geschichte*: ending
Ausgangspunkt starting point (*auch übertragen*)
Ausgangssprache *bei Übersetzung*: source language ['sɔːsˌlæŋgwɪdʒ]
ausgeben 1. spend* (*Geld*) (**für** on) **2.** ***er gab sich als Experte aus*** he passed himself off as an expert **3.** ***ich geb einen aus*** what are you (all) having?, this is my round, this one's on me, I'll get this one
ausgebeult *Hose*: shapeless, baggy
ausgebildet trained, skilled
ausgebrannt burnt-out
ausgebucht: ***das Hotel ist ausgebucht*** the hotel is booked up *oder* fully booked
ausgedehnt 1. *Fläche*: extensive **2.** *übertragen* extensive, long **3.** (≈ *lang*) long (*auch zeitlich*)
ausgefallen *Kleider, Geschmack, Ideen usw.*: unusual [ʌn'juːʒʊəl], *umg.* off-beat
ausgeglichen: ***ein ausgeglichener Mensch*** a well-balanced person
ausgehen 1. go* out (*auch abends*) **2.** (≈ *enden*) end **3.** (*Haare*) fall* out; ***ihm gehen die Haare aus*** he's losing his hair **4.** (*Licht, Feuer usw.*) go* out **5.** (*Geld, Vorräte*) run* out; ***ihm ging das Geld aus*** he ran out of money **6.** *Wendungen*: ***ich gehe davon aus, dass …*** I'm assuming that …; ***leer ausgehen*** *übertragen* end up with nothing; ***alles ging gut aus*** everything turned out well;

das Spiel ging unentschieden aus the game ended in a draw

ausgehungert: ***ich bin völlig ausgehungert*** I'm starving, I'm half-starved

ausgeklügelt ingenious [ɪnˈdʒiːnɪəs], clever

ausgelassen **1.** *Stimmung*: exuberant [ɪɡˈzjuːbrənt], happy **2.** *Person*: lively

ausgenommen **1.** except (for), apart from, with the exception of **2.** ***ausgenommen, dass …*** except that …

ausgeprägt distinct [dɪˈstɪŋkt], marked

ausgerechnet **1.** ***ausgerechnet er*** he (*oder* him) of all people **2.** ***ausgerechnet heute*** today of all days

ausgeschlossen[1] (≈ *unmöglich*) impossible, out of the question

ausgeschlossen[2] (≈ *nicht berücksichtigt*) excluded; → ***ausschließen***

ausgestorben **1.** *Tierart, Pflanzenart*: extinct **2.** *Stadt usw.*: deserted [dɪˈzɜːtɪd]

ausgewachsen fully grown, full-grown

ausgewaschen *Jeans*: faded

ausgezeichnet **1.** excellent **2.** ***er kann ausgezeichnet Klavier spielen*** he's an excellent pianist **3.** ***das passt mir ausgezeichnet*** that suits me very well (indeed)

ausgiebig **1.** ***ein ausgiebiges Essen*** *usw.* a big (*oder* substantial) meal *usw.* **2.** ***ein ausgiebiger Spaziergang*** *usw.* a long walk *usw.* **3.** ***ausgiebig frühstücken*** *usw.* have* a big breakfast *usw.*

ausgießen **1.** *aus einem Behälter*: pour out [ˌpɔːrˈaʊt] **2.** (≈ *leeren*) empty

Ausgleich **1.** (≈ *Entschädigung*) compensation **2.** *Sport*: (≈ *Treffer*) equalizer, *AE* tying point

ausgleichen **1.** balance **2.** level out (*Unterschiede*) **3.** compensate (for), make* up for (*Verlust usw.*) **4.** *Sport*: equalize, *AE* make* the score even

Ausgleichstor, **Ausgleichstreffer** equalizer, *AE* tying point

ausgraben dig* up (*auch übertragen*)

Ausgrabungen excavations [ˌekskəˈveɪʃnz], *umg.* dig (⚠ *Sg.*); ***bei Ausgrabungen mitarbeiten*** work on a dig

ausgrenzen *übertragen* exclude (***aus*** from)

Ausguss **1.** (≈ *Becken*) sink **2.** (≈ *Tülle*) spout

aushaben **1.** ***hast du die Schuhe aus?*** have you taken (*oder* got) your shoes off? **2.** ***hast du das Buch aus?*** have you finished the book? **3.** ***wann hast du heute aus?*** *Schule*: when do you finish school today?

aushalten **1.** put* up with **2.** *bes. bei Verneinung*: stand*, take* **3.** *Wendungen*: ***ich halts nicht mehr aus*** I can't stand (*oder* take) it any longer; ***nicht zum Aushalten*** unbearable [ʌnˈbeərəbl]

aushandeln negotiate [nɪˈɡəʊʃɪeɪt] (*Vertrag usw.*)

aushändigen hand over

Aushang notice

aushängen **1.** put* up (*Anzeige usw.*) **2.** ***die Tür aushängen*** take* the door off its hinges **3.** ***die Listen hängen aus*** the lists are up (on the notice board)

Aushängeschild *übertragen* advertisement [ədˈvɜːtɪsmənt] (***für*** for)

ausheben **1.** dig* up (*Erde, Bäume usw.*) **2.** excavate [ˈekskəveɪt] (*Kanal usw.*)

aushecken: ***er heckt schon wieder etwas aus*** he's up to something again

aushelfen **1.** help out **2.** (***bei***) ***jemandem aushelfen*** help someone out

Aushilfe temporary help, *umg., bes. Sekretärin*: temp; ***als Aushilfe arbeiten*** temp

Aushilfskraft casual [ˈkæʒʊəl] worker, *AE* temporary (worker), *umg.* temp

aushöhlen **1.** hollow out **2.** *übertragen* undermine, erode [ɪˈrəʊd]

ausholen **1.** ***er holte zum Schlag aus*** he raised his hand (ready) to strike **2.** ***weit ausholen*** *übertragen* go* a long way back; ***etwas ausholen*** *übertragen* go* back a bit

aushorchen: ***jemanden aushorchen*** sound someone out

auskehren sweep* (out)

auskennen **1.** ***sie kennt sich in Berlin gut aus*** she knows her way around in Berlin **2.** ***er kennt sich in … gut aus*** *Gebiet, Thema*: he knows a lot about …; ***er kennt sich in Biologie gut aus*** he's (very) good at biology

auskippen **1.** tip out **2.** pour out [ˌpɔːrˈaʊt] (*Flüssigkeit*) **3.** (≈ *leeren*) empty

ausklingen **1.** (*Musik usw.*) die away **2.** *übertragen* come* to an end, end

auskommen **1.** ***mit etwas auskommen*** manage with something; ***ich kann mit so wenig Geld nicht auskommen*** I can't manage on so little money **2.** (***gut***) ***mit jemandem auskommen*** get* on (well) with someone **3.** ***er kommt ohne sie nicht aus*** he can't live without her

auskugeln: ***sie hat sich den Arm ausgekugelt*** she's dislocated her arm

Auskunft **1.** (≈ *Mitteilung*) information (⚠ *nie im Pl.*) (***über*** about) **2.** ***nähere Auskunft*** more information, further details (⚠ *Pl.*) **3.** (≈ *Auskunftsbüro, Auskunftsschalter*) information office, information desk **4.** (≈ *Fernsprechauskunft*) directory enquiries [dəˈrektərɪ‿ɪnˌkwaɪərɪz] (⚠ *Pl.*), *AE* directory assistance (⚠ *beide ohne* the)

auslachen: ***jemanden auslachen*** laugh [lɑːf] at someone

ausladen **1.** unload (*Ware*) **2.** ***jemanden ausladen*** *übertragen* tell* someone not to come

Auslage **1.** *von Ware*: window display **2.** ***Auslagen*** (≈ *Kosten*) expenses

Ausland **1.** ***das Ausland*** foreign [ˈfɒrən] countries (⚠ *Pl.*, *ohne* the) **2.** ***ins Ausland, im Ausland*** abroad [əˈbrɔːd] **3.** ***aus dem Ausland*** from abroad **4.** ***Handel mit dem Ausland*** foreign trade

Ausländer(in) foreigner [ˈfɒrənə]

Ausländerbeauftragte(r) official with special responsibility for foreigners [ˈfɒrənəz]

Ausländerfeindlichkeit hostility to foreigners [ˈfɒrənəz], xenophobia [ˌzenəˈfəʊbɪə]

ausländerfreundlich foreigner-friendly [ˈfɒrənəˌfrendlɪ]; ***sie sind sehr ausländerfreundlich*** they are very friendly to foreigners

ausländisch foreign [ˈfɒrən]

Auslandsaufenthalt stay abroad [əˈbrɔːd]

Auslandskorrespondent(in) foreign correspondent [ˌfɒrənˌkɒrəˈspɒndənt]

auslassen **1.** leave* out, omit [əˈmɪt] (*Wort*) **2.** (≈ *überspringen*) skip

Auslassung omission [əˈmɪʃn]

auslaufen **1.** (*Flüssigkeit*) run* out **2.** (*Schiff*) leave* port **3.** (≈ *enden*) end **4.** (*Vertrag*) run* out, expire **5.** *beim Sport*: warm down

Auslaufmodell discontinued model [ˈmɒdl], discontinued line

auslegen **1.** (≈ *ausbreiten*) lay* out **2.** *mit Teppich(boden)*: carpet **3.** *mit Papier usw.*: line **4.** (≈ *deuten*) explain, interpret [ɪnˈtɜːprɪt] **5.** advance [ədˈvɑːns] (*Geld*)

Auslegung interpretation [ɪnˌtɜːprɪˈteɪʃn]

ausleihen **1.** (≈ *verleihen*) lend* (out), *bes. AE* loan; ***sie hat ihm ihr Wörterbuch ausgeliehen*** she lent him her dictionary, she lent her dictionary to him **2.** (≈ *sich leihen*) borrow; ***er hatte sich das Wörterbuch (von ihr) nur ausgeliehen*** he'd only borrowed the dictionary (from her); ☞ *Info unter* **leihen**

auslernen **1.** (≈ *seine Ausbildung beenden*) finish one's training **2.** *Wendung*: ***man lernt nie aus*** you live and learn

Auslese (≈ *Auswahl*) choice, selection; ***eine strenge Auslese treffen*** make* a careful selection

auslesen select, choose* [tʃuːz], pick out

ausliefern **1.** deliver [dɪˈlɪvə] (*Waren*) **2.** hand over (*politische Gefangene*) (***an*** to) **3.** extradite [⚠ ˈekstrədaɪt] (*ausländische Verbrecher usw.*) (***an*** to)

Auslieferung **1.** *von Waren*: delivery [dɪˈlɪvərɪ] **2.** *von politischen Gefangenen*: handing over **3.** *von ausländischen Verbrechern*: extradition [ˌekstrəˈdɪʃn]

ausloggen: ***sich ausloggen*** *Computer*: log out (*oder* off)

auslöschen put* out (*Licht*, *Feuer usw.*)

auslosen draw* lots for

auslösen **1.** release [rɪˈliːs] (*Mechanismus*) **2.** trigger off (*Alarm*, *Schuss*) **3.** trigger off, spark off (*Streik*, *Krieg usw.*) **4.** cause (*Gefühl*, *Reaktion*) **5.** arouse [əˈraʊz] (*Begeisterung*, *Wut*) **6.** set* off (*chemische Reaktion*)

Auslöser **1.** *allg.*: release [rɪˈliːs] **2.** *Kamera*: shutter release **3.** *Gewehr*: trigger

ausmachen **1.** put* out (*Feuer*, *Licht*) **2.** turn off, switch off (*Radio*) **3.** (≈ *vereinbaren*) agree on (*Honorar*, *Preis usw.*) **4.** *Wendungen*: ***einen Termin ausmachen*** arrange (*oder* fix) a time; ***das macht viel aus*** it makes a big difference, it matters a lot; ***das macht (gar) nichts aus*** it doesn't matter at all; ***macht es Ihnen etwas aus, wenn ich das Fenster öffne?*** do you mind if I open the window?; ***das macht mir nichts aus*** I don't mind, *gleichgültig*: I don't care; ***die Kälte macht ihm nichts aus*** the cold doesn't bother him

ausmalen **1.** colour (in) (*Bild*) **2.** ***sich etwas ausmalen*** imagine [ɪˈmædʒɪn] something

Ausmaß *übertragen* extent [ɪkˈstent]; ***in großem Ausmaß*** to a great extent

ausmerzen **1.** weed out (*Fehler*) **2.** (≈ *ausrotten*) wipe (*oder* stamp) out

ausmessen measure (out) [ˌmeʒə(rˈaʊt)]

Ausnahme exception; ***mit Ausnahme von*** (*oder Gen.*) except (for), with the exception of; ***bei dir mache ich eine Ausnahme*** I'll make an exception in your case

Ausnahmezustand state of emergency

ausnahmslos without exception

ausnahmsweise as an exception; ***„Darf ich mitkommen?" – „Ausnahmsweise."*** 'Can I come too?' – 'Just this once.'

ausnehmen **1.** clean, gut (*Fisch*, *Geflügel*) **2.** (≈ *ausschließen*) except, exclude

ausnutzen, **ausnützen** **1.** (≈ *nützen*) use [juːz], make* use [⚠ juːs] of **2.** *unfair*: take* advantage of

auspacken **1.** unpack (*Koffer*) **2.** unwrap

[ˌʌnˈræp] (*Geschenk usw.*) **3. *pack aus!*** *umg.* (≈ *erzähls*) come* on, out with it
auspfeifen: ***jemanden auspfeifen*** boo (at) someone, *bes. BE, umg.* give* someone the bird
ausprobieren try (out), test; ☞ *Info unter engl.* ***try***
Auspuff exhaust [ɪɡˈzɔːst]
Auspuffgase exhaust [ɪɡˈzɔːst] fumes
ausradieren 1. rub out, erase [ɪˈreɪz] **2.** *übertragen* wipe out, eradicate [ɪˈrædɪkeɪt]
ausrauben 1. rob **2.** (≈ *plündern*) ransack
ausräumen 1. clear out (*Zimmer, Möbel*) **2.** *übertragen* clear up (*Bedenken usw.*)
ausrechnen 1. work out (*auch übertragen*) **2. *ich rechne mir gute Chancen aus*** I reckon (*oder* think) I've got a good chance (*Sg.*)
Ausrede excuse [ɪkˈskjuːs]
ausreden 1. *lass ihn mal ausreden!* let him finish (speaking) **2. *jemandem etwas ausreden*** talk someone out of something
ausreichen be* enough [ɪˈnʌf]; ***seine Kenntnisse reichen nicht aus*** he doesn't know enough
ausreichend 1. enough [ɪˈnʌf], sufficient [səˈfɪʃnt] **2.** *Zensur*: fair
ausreißen 1. pull (*oder* tear* [teər]) out (*Haare, Zahn, Unkraut*) **2. *dafür reiß ich mir kein Bein aus*** *umg.* I'm not going to bust a gut for it **3.** (≈ *weglaufen*) run* away (***von*** from)
ausrenken: ***sie hat sich den Arm*** *usw.* ***ausgerenkt*** she's dislocated [ˈdɪsləkeɪtɪd] her arm *usw.*
ausrichten 1. *könntest du ihm ausrichten, dass ich komme?* could you tell him (that) I'm coming?; ***ich werds ausrichten*** I'll tell him *usw.*, I'll pass it on **2. *richten Sie ihm Grüße* (*von mir*) *aus*** give him my regards **3. *kann ich etwas ausrichten?*** can I take a message?
ausrotten wipe out (*auch übertragen*)
Ausrottung *Tierart, Volk*: extermination
ausrufen 1. cry, shout **2. *den Notstand ausrufen*** declare a state of emergency
Ausruf(e)zeichen exclamation mark
ausruhen: (***sich***) ***ausruhen*** (have* a) rest
Ausrüstung 1. *Sport usw.*: kit, gear **2.** *Militär usw.*: equipment [ɪˈkwɪpmənt]
ausrutschen slip (***auf*** on)
Ausrutscher *übertragen* slip
Aussage 1. statement **2.** *künstlerische*: message **3.** *eines Zeugen*: evidence [ˈevɪdəns] (⚠ *nur Sg. und ohne* an)
aussagen 1. state, declare, say* **2.** *vor Gericht*: give* evidence (***gegen*** against)
aussaugen suck (out)
ausschaffen Ⓒⓗ (≈ *aus dem Land ausweisen*) expel [ɪkˈspel] (*Asylbewerber usw.*)
ausschalten 1. switch off (*Licht, Radio usw.*) **2.** avoid (*Fehler*) **3.** get* rid of (*Rivale*)
ausschauen 1. *ausschauen nach* look out for **2.** → ***aussehen***
ausscheiden 1. *Selbstmord scheidet aus* suicide can be ruled out **2. *er ist in der ersten Runde ausgeschieden*** he was eliminated in the first round **3. *sie scheidet von vornherein aus*** she can't be considered **4. *ausscheiden aus*** *einer Firma, Regierung usw.*: leave*
ausschimpfen: ***schimpf ihn nicht aus, weil er zu spät kommt!*** don't tell him off for being late
ausschlafen 1. (***sich***) ***ausschlafen*** get* a decent night's sleep, *bes. BE, umg.*; *morgens*: have* a lie-in **2. *ich hab noch nicht ausgeschlafen*** I haven't had enough sleep **3. *seinen Rausch ausschlafen*** *umg.* sleep* it off
Ausschlag 1. (***einen***) ***Auschlag bekommen*** break* out in a rash (*oder* in spots) **2. *den Ausschlag geben*** *übertragen* decide (the issue)
ausschlagen: ***etwas ausschlagen*** (≈ *ablehnen*) reject, turn down (*Angebot usw.*)
ausschlaggebend decisive [dɪˈsaɪsɪv]
ausschließen 1. *jemanden ausschließen* (≈ *aussperren*) lock someone out **2. *er wurde aus der Partei*** *usw.* ***ausgeschlossen*** he was expelled from the party *usw.* **3.** (≈ *nicht berücksichtigen*) exclude, rule out **4. *er schließt sich von allem aus*** he won't join in anything **5. *er fühlt sich immer ausgeschlossen*** he always feels left out
ausschließlich exclusively; ***er interessiert sich ausschließlich für Fußball*** all he's interested in is football
Ausschluss 1. exclusion **2.** *Sport*: disqualification **3. *unter Ausschluss der Öffentlichkeit*** behind closed doors
ausschneiden cut* out (*Artikel, Bild usw.*)
Ausschnitt 1. *am Kleid*: neck(line) **2.** *übertragen* (≈ *Teil*) part **3.** *Buch, Rede, Musikstück, Sendung usw.*: excerpt [ˈeksɜːpt] (***aus*** from) **4.** (≈ *Zeitungsausschnitt*) cutting, clipping **5. *Ausschnitte*** (≈ *Höhepunkte*) highlights (***aus*** of, from)
ausschreiben 1. write* [raɪt] out (in full) (*Wort usw.*) **2. *jemandem einen Scheck ausschreiben*** make* (*oder* write*) out a cheque to someone **3. *eine Stelle ausschreiben*** advertise [ˈædvətaɪz] a post
Ausschreitungen riots, violent clashes

Ausschuss 1. (≈ *Komitee*) committee (⚠ *Schreibung*) 2. (≈ *Abfall*) waste
ausschütten 1. pour out [ˌpɔːr'aʊt] (*Flüssigkeit*) 2. empty (*Gefäß, Behälter*) 3. ***er schüttete ihr sein Herz aus*** he poured out ['pɔːd‿aʊt] his heart to her
aussehen 1. look; ***gut aussehen*** be* good-looking; ***du siehst gut*** (*bzw.* ***schlecht***) ***aus*** *gesundheitlich*: you look (*bzw.* don't look very) well; ***wie sieht er aus?*** what does he look like? 2. ***es sieht nach Regen aus*** it looks like rain
Aussehen appearance, looks (⚠ *Pl.*)
außen outside; ***von außen*** from outside
Außenhandel foreign trade [ˌfɒrən'treɪd] (⚠ *ohne* the)
Außenminister(in) 1. foreign minister [ˌfɒrən'mɪnɪstə] (*oder* secretary ['sekrətrɪ]) 2. *in GB*: Foreign Secretary 3. *in den USA*: Secretary of State
Außenministerium 1. foreign ['fɒrən] ministry 2. *in GB mst*: Foreign Office, *offiziell*: Foreign and Commonwealth Office 3. *in den USA*: State Department
Außenpolitik 1. *allg.*: foreign ['fɒrən] affairs (⚠ *Pl. und ohne* the) 2. *bestimmte*: foreign policy
außenpolitisch 1. ***außenpolitische Debatte*** debate (*oder* discussion) on foreign affairs [ˌfɒrən‿ə'feəz] 2. ***außenpolitische Erfahrung*** experience in foreign affairs
Außenseite outside
Außenseiter(in) outsider [ˌaʊt'saɪdə]
Außenspiegel *Auto*: outside mirror, wing mirror
Außenstürmer(in) *Fußball usw.*: winger; ***linker Außenstürmer*** outside left
Außenwelt outside world; ***von der Außenwelt abgeschnitten*** cut* off from the outside world (*oder* from the world around)
Außenwirtschaft foreign trade [ˌfɒrən'treɪd] (⚠ *ohne* the)
außer 1. ***außer Betrieb*** not working, *kaputt*: out of order 2. (≈ *abgesehen von*) except [ɪk'sept] (for), apart from, *bes. AE* aside from 3. (≈ *zusätzlich zu*) besides, in addition to 4. ***außer*** (***wenn***) unless 5. ***außer dass*** except that
außerdem as well, in addition; ***… außerdem gibt es was zu essen*** … and there'll be something to eat too (*oder* as well)
äußere(r, -s) 1. *Verletzung, Umstände, Gefahr*: external 2. *Schicht usw.*: outer
Äußere(s) 1. outside 2. (≈ *Erscheinung*) (outward) appearance
außergewöhnlich 1. unusual [ʌn'juːʒʊəl] 2. *Leistung*: exceptional, outstanding 3. (≈ *sehr*) extremely, exceptionally
außerhalb 1. outside 2. (≈ *jenseits*) beyond 3. ***außerhalb der Arbeitszeit*** out of working hours
außerirdisch extraterrestrial [ˌekstrətə'restrɪəl]; ***außerirdisches Wesen*** alien ['eɪlɪən] (from outer space)
äußerlich 1. external 2. ***rein äußerlich betrachtet*** on the surface ['sɜːfɪs]
äußern 1. express (*Wunsch usw.*) 2. ***sich äußern*** say* something (***über, zu*** about) 3. ***Kritik*** *usw.* ***äußern*** express (some) criticism *usw.*
außerordentlich 1. extraordinary [⚠ ɪk'strɔːdnərɪ] 2. ***ich bedaure das außerordentlich*** I very much regret that
außerschulisch extracurricular [ˌekstrəkə'rɪkjʊlə], private ['praɪvət]
äußerst 1. ***im äußersten Norden*** in the far (*oder* extreme) north 2. ***das ist der äußerste Termin*** that's the absolute deadline 3. (≈ *sehr*) extremely
außerstande 1. ***sie war außerstande zu kommen*** (≈ *nicht in der Lage*) she was unable to come 2. ***sie war außerstande zu sprechen*** (≈ *unfähig*) she was incapable [ɪn'keɪpəbl] of speaking
Äußerung 1. (≈ *Bemerkung*) remark, comment ['kɒment] 2. (≈ *Aussage*) statement, comment
aussetzen 1. offer (*Belohnung, Preis*) 2. (≈ *unterbrechen*) interrupt 3. ***ich habe nichts daran auszusetzen*** I have no objections, I have nothing against it 4. abandon (*Kind, Tier*) 5. (*Motor usw.*) stall 6. ***du musst einmal aussetzen*** *beim Spiel*: you're out for a round, *AE* you lose a turn
Aussetzer *umg., übertragen* (mental) blackout
Aussicht 1. view (***auf*** of); ***ein Zimmer mit Aussicht aufs Meer*** a room overlooking the sea (*oder* with a sea view) 2. *übertragen* prospect ['prɒspekt], prospects (*Pl.*), chance (***auf*** of); ***er hat keine Aussicht zu gewinnen*** *usw.* he hasn't got a chance of winning *usw.* 3. ***etwas in Aussicht haben*** have* something in prospect
aussichtslos hopeless, desperate ['desprət]
Aussichtslosigkeit hopelessness
Aussichtsplattform observation platform (*oder* deck)
aussichtsreich promising ['prɒmɪsɪŋ]
Aussichtsturm observation tower
aussöhnen: ***sie haben sich ausgesöhnt*** they've made it up (again)
Aussöhnung reconciliation [ˌrekənsɪlɪ'eɪʃn]

aussondern, **aussortieren** sort out
ausspannen **1.** *übertragen* take* a rest, relax **2.** ***er hat ihm die Freundin ausgespannt*** *umg.* he's pinched his girlfriend
aussperren: ***jemanden aussperren*** lock someone out (*auch Arbeiter*)
ausspielen **1.** ***sie hat die beiden Freunde gegeneinander ausgespielt*** she played the two friends off against each other **2.** *Kartenspiel*: lead*; ***wer spielt aus?*** whose lead (is it)?
ausspionieren **1.** spy out (*etwas*) **2.** spy on (*jemanden*)
Aussprache **1.** pronunciation [prəˌnʌnsɪ'eɪʃn] **2.** (≈ *Meinungsaustausch*) discussion **3.** (≈ *privates Gespräch*) talk [tɔːk]
aussprechen **1.** pronounce [prə'naʊns] (*Laut, Wort*) **2.** (≈ *äußern*) express (*Hoffnung, Beileid*) **3.** ***sie sprach sich für*** (*bzw.* ***gegen***) ***den Plan aus*** she supported (*bzw.* opposed) the plan **4.** ***sich*** (***mit jemandem***) ***aussprechen*** *zur Klärung eines Problems*: have* it out (with someone) **5.** ***lass ihn doch aussprechen!*** let him finish
Ausspruch **1.** (≈ *Spruch*) saying **2.** (≈ *Bemerkung*) remark
ausspucken **1.** spit* out (*etwas*) **2.** ***spucks aus!*** *übertragen, umg.* spit it out
ausspülen rinse (out) (*Schüssel, Mund*)
Ausstand **1.** (≈ *Streik*) strike, walkout **2.** ***seinen Ausstand geben*** have* a leaving (*oder* going-away) party
ausstatten **1.** (≈ *ausrüsten*) fit out, equip **2.** furnish (*Wohnung*)
Ausstattung **1.** (≈ *Ausrüstung*) equipment **2.** *einer Wohnung*: furnishings (⚠ *Pl.*)
ausstechen **1.** cut* (out) (*Torf, Plätzchen*) **2.** put* out (*Auge*) **3.** cut* out (*Rivalen*)
ausstehen **1.** ***ich kann ihn*** (*bzw.* ***es***) ***nicht ausstehen*** I can't stand him (*bzw.* it) **2.** ***seine Antwort steht noch aus*** we're still waiting for his answer
aussteigen **1.** get* out (***aus*** of) (*auch übertragen*) **2.** ***aus dem Bus*** (*bzw.* ***Zug*** *usw.*) ***aussteigen*** get* off the bus (*bzw.* train *usw.*) **3.** ***aus einem Kurs aussteigen*** drop out of a course **4.** ***aus einem Projekt aussteigen*** back (*oder* pull) out of a project
Aussteiger(in) *umg.* dropout
ausstellen **1.** *zur Schau*: show*, display **2.** (***jemandem***) ***einen Scheck ausstellen*** make* out a cheque [tʃek] (*AE* check) (to someone) **3.** issue ['ɪʃuː] (*Pass, Urkunde*)
Aussteller *auf Messe*: exhibitor [ɪg'zɪbɪtə]
Ausstellung exhibition [ˌeksɪ'bɪʃn], *AE auch* exhibit [ɪg'zɪbɪt]
aussterben die out (*auch übertragen*)
Ausstieg **1.** exit ['egzɪt] **2.** *Projekt, Vertrag usw.*: withdrawal [wɪð'drɔːəl] (***aus*** from)
ausstrahlen **1.** radiate (*auch übertragen*) **2.** *Radio, TV*: broadcast* ['brɔːdkɑːst]
Ausstrahlung **1.** *Radio, TV*: transmission **2.** ***sie hat viel Ausstrahlung*** she's got lots of personality
ausstrecken **1.** (***sich***) ***ausstrecken*** stretch (oneself) out **2.** ***die Hand ausstrecken nach*** reach out for
ausstreichen cross out (*ein Wort usw.*)
ausströmen (*Gas usw.*) escape (***aus*** from)
aussuchen pick, choose*
Austausch exchange; ***im Austausch gegen*** in exchange for
austauschen **1.** exchange (***gegen*** for) **2.** ***A gegen B austauschen*** replace A by B, substitute B for A
Austauschschüler(in) exchange pupil, *AE* exchange student
austeilen **1.** hand out (***an, unter*** to), distribute [dɪ'strɪbjuːt] (***an*** to, ***unter*** among) (*Hefte, Bücher usw.*) **2.** serve (*Essen*) **3.** deal* (*Karten*)
Auster oyster ['ɔɪstə]
austragen **1.** deliver [dɪ'lɪvə] (*Briefe usw.*) **2.** argue out (*Meinungsverschiedenheiten*) **3.** hold* (*Wettkampf usw.*)
Austragungsort venue ['venjuː]
Australien Australia [ɒ'streɪlɪə]; ☞ *Illu S. 296*
Australier Australian [ɒ'streɪlɪən]; ***er ist Australier*** he's (an) Australian; ☞ ***Nationalitäten***
Australierin Australian woman (*oder* lady *bzw.* girl); ***sie ist Australierin*** she's (an) Australian; ☞ ***Nationalitäten***
australisch Australian [ɒ'streɪlɪən]
austreten **1.** stamp out (*Feuer, Glut*) **2.** (*Dampf, Gas*) escape **3.** ***aus einem Verein*** (*bzw.* ***einer Partei*** *usw.*) ***austreten*** leave* a club (*bzw.* a party *usw.*)
austrinken **1.** drink* up, finish (*Getränk*) **2.** (≈ *leeren*) empty (*Glas*) **3.** ***los, trink aus!*** come on, drink up
austrocknen dry up
ausüben **1.** exercise (*Herrschaft, Macht*) **2.** exert [ɪg'zɜːt] (*Druck, Einfluss*) (***auf*** on)
Ausverkauf sale, sales (*Pl.*), clearance sale
ausverkauft sold out (*auch Kino usw.*)
Auswahl **1.** choice, selection (***an*** of); ***eine große Auswahl*** a large (*oder* wide) choice *oder* selection **2.** ***die deutsche Auswahl*** *Sport*: the German team
auswählen choose*, select, pick out (***aus*** from)
Auswanderer emigrant ['emɪgrənt]
auswandern emigrate ['emɪgreɪt]

Auswanderung emigration [ˌemɪ'greɪʃn]
auswärts 1. (≈ *außerhalb der Stadt*) out of town **2. *auswärts essen*** eat* out
Auswärtsspiel *Sport*: away match, *AE* away game
auswechseln 1. exchange (***gegen*** for) **2.** (≈ *ersetzen*) replace (***gegen*** by) **3.** change (*Rad, Reifen, Batterie*) **4. *A gegen B auswechseln*** *Sport*: substitute B for A
Auswechselspieler(in) substitute ['sʌbstɪtjuːt]
Ausweg 1. *übertragen* way out (***aus*** of) **2. *letzter Ausweg*** last resort
ausweglos hopeless
Ausweglosigkeit hopelessness
ausweichen 1. (***jemandem*** *bzw.* ***etwas***) ***ausweichen*** (≈ *Platz machen*) make* way (for someone *bzw.* something) **2. *sie konnte gerade noch ausweichen*** *vor dem Auto*: she just managed to jump out of the way in time **3. *einem Schlag*** *usw.* ***ausweichen*** dodge a blow *usw.* **4. *nach links*** (*bzw.* ***rechts***) ***ausweichen*** swerve to the left (*bzw.* right) **5. *jemandem*** (*bzw.* ***einer Sache***) ***ausweichen*** avoid someone (*bzw.* something); ***einer Entscheidung ausweichen*** avoid making a decision
Ausweis 1. (≈ *Personalausweis*) identity card, ID [ˌaɪ'diː] (card) **2.** (≈ *Mitgliedsausweis usw.*) membership card **3.** (≈ *Pass*) passport ['pɑːspɔːt]
ausweisen *aus dem Land*: expel [ɪk'spel], deport (***aus*** from)
Ausweiskontrolle 1. *allg.*: identity check **2.** *am Flughafen usw.*: passport control
Ausweispapiere (identification) papers
Ausweisung expulsion, deportation
ausweiten 1. *sich ausweiten* expand, spread* (*auch übertragen*) **2. *der Konflikt könnte sich zu einem Krieg ausweiten*** the conflict could grow (*oder* develop *oder* escalate ['eskəleɪt]) into a war
auswendig 1. by heart; ***etwas auswendig lernen*** (*bzw.* ***können***) learn* (*bzw.* know*) something by heart **2. *auswendig spielen*** play from memory
auswerten 1. evaluate [ɪ'væljʊeɪt], analyse, *AE* analyze (*Daten*) **2.** (≈ *nutzen*) make* use [juːs] of
Auswertung evaluation [ɪˌvæljʊ'eɪʃn], analysis [ə'næləsɪs] (*auch von Daten*)
auswickeln: ***etwas auswickeln*** unwrap [ˌʌn'ræp] something
auswirken: ***sich positiv*** (*bzw.* ***negativ***) ***auswirken auf*** have* a positive (*bzw.* negative) effect on
Auswirkung effect (***auf*** on)
auswischen 1. (≈ *reinigen*) wipe (*oder* clean) out **2. *dem werd ich*** (***anständig***) ***eins auswischen*** *umg.*, *aus Rache*: I'll get my own back on him
auswringen wring* [⚠ rɪŋ] out
auszahlen 1. pay* (out) (*Summe*) **2.** pay* off (*eine Person*) **3. *sich auszahlen*** (≈ *lohnen*) pay* (off); ***das zahlt sich nicht aus*** it doesn't pay, it's not worth it
auszählen 1. count (*Stimmen*) **2.** count out (*Boxer*)
Auszahlung payment
auszeichnen 1. (≈ *ehren*) honour [⚠ 'ɒnə]; ***jemanden mit einem Preis*** *usw.* ***auszeichnen*** award [ə'wɔːd] a prize *usw.* to someone **2. *was dieses Buch*** *usw.* ***auszeichnet ...*** what distinguishes this book *usw.* ..., what is so special about this book *usw.* ...
Auszeichnung (≈ *Preis*) award, prize
ausziehen 1. take* off (*Kleidung*) **2. *sich ausziehen*** get* undressed, take* one's clothes [⚠ kləʊ(ð)z] off **3. *er ist ausgezogen*** *aus seiner Wohnung*: he's moved **4.** pull out (*Tisch, Antenne usw.*)
Auszubildende(r) trainee [ˌtreɪ'niː], *bei Handwerk*: apprentice [ə'prentɪs]
Auszug 1. *aus einer Wohnung*: move (***aus*** from) **2.** *aus einem Buch*: extract ['ekstrækt], excerpt ['eksɜːpt] (***aus*** from) **3.** (≈ *Kontoauszug*) (bank) statement
authentisch authentic [ɔː'θentɪk]
Auto car, *bes. AE auch* auto ['ɔːtəʊ], automobile ['ɔːtəməbiːl]; ***Auto fahren*** *selbst*: drive* (a car); ***mit dem Auto fahren*** go* by car; ☞ *Illu S. 686*
Auto... *in Zusammensetzungen*: car ...; ***Autobombe*** car bomb [⚠ bɒm]; ***Autodieb*** car thief; ***Autofriedhof*** car dump; ***Autohändler*** car dealer, *Niederlassung*: car dealership; ***Autoindustrie*** car industry; ***Autoradio*** car radio; ***Autorennen*** car race; ***Autotelefon*** car phone; ***Autounfall*** car accident; ***Autoverleih, Autovermietung*** car hire, *AE* car rental; ***Autowaschanlage*** car wash
Autobahn 1. motorway, *AE* expressway, *AE* freeway **2.** *in Deutschland usw.*: autobahn ['ɔːtəbɑːn]
Autobiografie, Autobiographie autobiography [ˌɔːtəbaɪ'ɒgrəfɪ]
Autobus(...) → ***Bus(...)***
Autodidakt(in) self-taught person [ˌself-tɔːt'pɜːsn], *förmlich*: autodidact ['ɔːtəʊdɪˌdækt]; ***er ist Autodidakt*** he's self--taught
Autodieb(in) car thief
Autofahrer(in) motorist, driver
autogen: ***autogenes Training*** autogenic

[ˌɔːtəʊ'dʒenɪk] training, relaxation [ˌriːlæk'seɪʃn] exercises (⚠ *Pl.*)
Autogramm autograph ['ɔːtəgrɑːf]
Autogrammjäger(in) autograph ['ɔːtəgrɑːf] hunter
Autohändler(in) car dealer
Autokarte road map
Autokino drive-in (cinema, *AE* theater)
Autoknacker(in) *umg.* car burglar
Autokolonne line of cars, *geschlossene*: convoy ['kɒnvɔɪ]
Automat 1. (≈ *Zigarettenautomat*) cigarette machine **2.** (≈ *Spielautomat*) slot machine **3.** (≈ *Maschine*) machine
automatisch automatic
Automobil, **Automobil...** *in Zusammensetzungen* → ***Auto(...)***
autonom autonomous [ɔː'tɒnəməs]
Autonomie autonomy [ɔː'tɒnəmɪ]
Autonummer registration number, *AE* license ['laɪsns] number
Autopilot *Flugzeug*: autopilot ['ɔːtəʊˌpaɪlət]
Autopsie autopsy ['ɔːtɒpsɪ]
Autor author ['ɔːθə], writer
Autoradio car radio
Autorennen car race
Autoreparaturwerkstatt garage ['gærɑːʒ], car repair shop
Autoreifen (car) tyre, *AE* (car) tire
Autorin author ['ɔːθə], writer ['raɪtə]
autoritär authoritarian [ɔːˌθɒrɪ'teərɪən]; ***autoritäre Erziehung*** authoritarian upbringing
Autorität 1. authority [ɔː'θɒrətɪ] **2.** ***eine Autorität auf dem Gebiet der Physik*** an authority (*oder* an expert) on physics
Autoschlüssel car key
Autoskooter dodgem ['dɒdʒəm] (car), bumper car; ***möchtet ihr noch Autoskooter fahren?*** would you like to go on the dodgems?
Autostunde: ***drei Autostunden entfernt*** three hours' (*oder* a three-hour) drive away (*oder* from here), three hours by car
Autounfall car accident ['kɑːˌæksɪdənt], car crash: ***er kam bei einem Autounfall ums Leben*** he died in a car crash
Autoverkehr road traffic
Autoversicherung car insurance
Autowerkstatt garage ['gærɑːʒ], car repair shop
Autowrack wrecked car [⚠ ˌrekt'kɑː]
autsch! ouch! [aʊtʃ]
auweia! oh no!
Aversion aversion (***gegen*** to)
Avocado avocado [ˌævə'kɑːdəʊ]
Axt axe [æks], *AE auch* ax [æks]
Azubi *umg.* trainee [ˌtreɪ'niː], *bei Handwerk*: apprentice [ə'prentɪs]

B

Baby baby *Pl.*: babies; ***sie bekommt ein Baby*** she's expecting (*oder* going to have) a baby

Baby

Achte auf den Unterschied:

baby	Baby, Säugling
toddler	Kleinkind, das schon laufen kann

Babynahrung baby food
Babysitter(in) babysitter
Bach stream, *kleiner auch*: brook
Backbord port (side)
Backe (≈ *Wange*) cheek
backen 1. ***(etwas) backen*** bake (something) **2.** ***etwas backen*** *in der Pfanne*: fry something
Backenzahn molar ['məʊlə]
Bäcker baker; ***beim Bäcker*** at the baker's
Bäckerei 1. (≈ *Laden*) baker's (shop), bakery **2.** *bes.* Ⓐ (≈ *Kleingebäck*) (biscuits ['bɪskɪts] and) pastries (⚠ *Pl.*)
Backform baking tin, *AE* cake pan
Backhendl Ⓐ roast chicken (coated with breadcrumbs ['bredkrʌmz])
Backofen oven [⚠ 'ʌvn]
Backpflaume prune
Backpulver baking powder
Backrohr *bes.* Ⓐ oven [⚠ 'ʌvn]
Backstein brick
Backwaren bread, cakes and pastries
Bad 1. (≈ *Badewanne, Wannenbad*) bath; ***ein Bad nehmen*** have* (*oder* take*) a bath **2.** (≈ *Badezimmer*) bathroom; ☞ *Illu S. 393*
Badeanstalt swimming pool

Badeanzug swimsuit ['swɪmsuːt]
Badehose 1. (swimming) trunks (⚠ *Pl.*); ***diese Badehose ist zu klein*** these trunks are too small **2.** ***eine Badehose*** a pair of trunks
Badekappe bathing [⚠ 'beɪðɪŋ] cap
Badelatschen *mit Zehbefestigung*: flip--flops, *AE auch* thongs
Bademantel bathrobe ['bɑːθrəʊb]
Badematte bath mat
Bademeister(in) pool attendant
Bademütze swimming cap, bathing ['beɪð-ɪŋ] cap
baden 1. *in der Badewanne*: have* (*oder* take*) a bath **2.** (≈ *schwimmen*) swim*; ***baden gehen*** go* swimming, go* for a swim **2.** bath, *AE* bathe [⚠ beɪð] (*ein Kind usw.*)
Badeort 1. seaside resort **2.** (≈ *Kurort*) health resort ['helθ‿rɪˌzɔːt]
Badesachen swimming things
Badetuch bath towel ['bɑːθˌtaʊəl]
Badewanne bath, bathtub
Badezeug *umg.* swimming things (⚠ *Pl.*)
Badezimmer bathroom; ☞ *Illu S. 393*
Badminton badminton
Bafög: ***Bafög erhalten*** get* a grant
Bagatelle trifle ['traɪfl]
Bagger excavator ['ekskəveɪtə], digger
Baggersee flooded gravel ['grævl] pit, flooded quarry ['kwɒrɪ]
Baggy-Pants baggy pants
Baguette baguette [bæ'get]
Bahamas: ***die Bahamas*** the Bahamas
Bahn 1. (≈ *Eisenbahn*) railway, *AE* railroad **2.** (≈ *Zug*) train; ***mit der Bahn (fahren)*** (travel) by train; ***jemanden zur Bahn bringen*** take* someone to the station **3.** (≈ *Weg*) way, path **4.** ***auf die schiefe Bahn geraten*** go* astray
bahnbrechend pioneering
Bahndamm railway (*AE* railroad) embankment
bahnen: ***jemandem*** *bzw.* ***etwas den Weg bahnen*** clear the way for someone *bzw.* something
Bahnfahrt train journey ['dʒɜːnɪ]
Bahnhof 1. (railway) station, *AE* (railroad) station; ***auf dem Bahnhof*** at the station; ☞ *Illu S. 981* **2.** ***ich verstehe nur Bahnhof*** it's all double Dutch to me
Bahnhofsrestaurant station restaurant
Bahnlinie railway (line), *AE* railroad (line)
Bahnstation railway (*AE* railroad) station
Bahnsteig platform
Bahnübergang level (*AE* grade) crossing
Bahnverbindung train connection, rail link
Bahre 1. (≈ *Tragbahre*) stretcher **2.** (≈ *Totenbahre*) bier [⚠ bɪə] **3.** ***von der Wiege bis zur Bahre*** from the cradle to the grave
Bajonett bayonet ['beɪənɪt]
Bakterien germs, bacteria (⚠ *Pl.*)
Balance balance ['bæləns] (*auch übertragen*)
balancieren balance ['bæləns]
bald 1. soon; ***bald darauf*** soon after (-wards); ***bald ist dein Geburtstag*** it's your birthday soon **2.** ***bis bald!*** see you soon! **3.** ***so bald wie möglich*** as soon as possible **4.** (≈ *beinahe*) almost, nearly
baldig 1. speedy **2.** ***auf ein baldiges Wiedersehen*** hope to see you again soon
Balearen: ***die Balearen*** the Balearic Islands [bælɪˌærɪk'aɪləndz], the Balearics [ˌbælɪ'ærɪks]
Balgerei scuffle, *umg.* scrap (**um** for, over)
Balkan: ***der Balkan*** (≈ *die Länder des Balkan*) the Balkans ['bɔːlkənz], the Balkan States
Balken 1. beam **2.** (≈ *Dachbalken*) rafter
Balkendiagramm bar graph
Balkon 1. balcony ['bælkənɪ] **2.** *im Theater*: dress circle, *bes. AE* balcony
Balkontür balcony ['bælkənɪ] door, French windows (⚠ *Pl.*)
Ball[1] 1. ball **2.** ***am Ball bleiben*** *Sport*: hold* onto the ball, *übertragen* keep* at it
Ball[2] (≈ *Tanzball*) ball, dance [dɑːns]; ***auf einen Ball gehen*** go* to a ball
Ballabgabe *Sport*: pass
Ballade ballad ['bæləd]
Ballast ballast ['bæləst]
Ballaststoffe roughage [⚠ 'rʌfɪdʒ], fibre (⚠ *beide Sg.*)
ballaststoffreich: ***ballaststoffreiche Nahrung*** high-fibre food, high-fibre diet
ballen clench (*die Faust*)
Ballett 1. ballet [⚠ 'bæleɪ] **2.** (≈ *Balletttruppe*) ballet company
Balletttänzer(in) ballet [⚠ 'bæleɪ] dancer
Ballon balloon
Ballspiel ball game
Ballung *übertragen* concentration, buildup
Ballungsgebiet, Ballungsraum conurbation [ˌkɒnɜː'beɪʃn], densely populated area
Ballwechsel *Tennis*: rally
Baltikum: ***das Baltikum*** the Baltic ['bɔːltɪk] (States)
Bambus bamboo [ˌbæm'buː]
Bammel: ***ich hab Bammel*** *umg.* I'm scared stiff
banal trite, banal [bə'nɑːl]
Banane banana [bə'nɑːnə]
Bananenrepublik *umg.* banana republic
Band[1] *das* **1.** (≈ *Messband, Tonband, Ziel-*

band) tape; ***auf Band aufnehmen*** tape, record [⚠ rɪˈkɔːd] **2.** (≈ *Farbband, Schmuckband, Ordensband*) ribbon **3.** (≈ *Fließband*) assembly (*oder* production) line **4.** ***am laufenden Band*** *übertragen* one after the other, (≈ *pausenlos*) nonstop
Band[2] *der* (≈ *Buch*) volume [ˈvɒljuːm]; ***das spricht Bände*** that speaks volumes; ***darüber könnte man Bände schreiben*** that would fill volumes
Band[3] *die* (≈ *Musikgruppe*) band
Bandage bandage [ˈbændɪdʒ]; ***jemandem eine Bandage anlegen*** put* a bandage on someone, bandage someone up
Bande (≈ *Verbrecherbande*) gang, ring
Bandenchef gang leader
Bänderriss torn ligament [ˌtɔːnˈlɪgəmənt]
Bänderzerrung stretched (*oder* pulled) ligament [ˈlɪgəmənt]
bändigen 1. tame (*Tier*) **2.** (bring* under) control (*Kinder, Leidenschaften usw.*)
Bandit bandit [ˈbændɪt]
Bandmaß tape measure, measuring tape
Bandscheibenschaden damaged disc (*AE* disk), (≈ *Vorfall*) slipped disc (*AE* disk)
Bandwurm tapeworm [ˈteɪpwɜːm]
bang(e) 1. (≈ *besorgt*) anxious [ˈæŋkʃəs] (***um*** about), worried [ˈwʌrɪd] (***um*** about) **2.** ***ihm ist bange*** (***vor***) he's afraid (*oder* scared *oder* frightened) (of)
Bange: ***keine Bange!*** don't (you) worry
bangen 1. ***um jemanden*** *bzw.* ***etwas bangen*** be* worried about someone *bzw.* something **2.** ***um sein Leben bangen*** fear for one's life
Bank[1] **1.** (≈ *Sitzbank*) bench **2.** (≈ *Schulbank*) desk **3.** *Wendungen*: ***durch die Bank*** *umg.* right down the line, every one of them; ***etwas auf die lange Bank schieben*** shelve something for the time being
Bank[2] **1.** (≈ *Geldinstitut*) bank **2.** *Wendungen*: ***Geld auf der Bank haben*** have* money in the bank; ***auf die*** (*oder* ***zur***) ***Bank gehen*** go* to the bank; ***ein Konto bei der Bank haben*** have* an account at (*oder* with) the bank; ***sie ist bei einer Bank*** (≈ *arbeitet dort*) she works for a bank **3.** *bei Glücksspielen*: bank
Bankangestellte(r) bank employee
Bankautomat cash machine, cashpoint, cash dispenser
Bankett banquet [ˈbæŋkwɪt]
Bankgeheimnis banking secrecy [ˈbæŋkɪŋˌsiːkrəsɪ]
Bankier banker
Bankkauffrau, Bankkaufmann (qualified) bank clerk [⚠ ˈbæŋk‿klɑːk]
Bankkonto bank account
Bankleitzahl (bank) sort code, *AE* A.B.A. [ˌeɪbiːˈeɪ] (*oder* routing [ˈruːtɪŋ, ˈraʊtɪŋ]) number
Banknote bank note, *AE* bill
Bankraub bank robbery
Bankräuber(in) bank robber
Bankrott bankruptcy [ˈbæŋkrʌptsɪ] (*auch übertragen*); ***Bankrott machen*** go* bankrupt, *umg.* go* bust; ***vor dem Bankrott stehen*** face (*oder* be* on the verge of) bankruptcy
bankrott bankrupt [ˈbæŋkrʌpt]; ***jemanden bankrott machen*** drive* someone bankrupt, bankrupt someone
Banküberfall bank raid, bank robbery
Bankverbindung (≈ *Konto*) bank account
Bann 1. (≈ *Zauber*) spell **2.** (≈ *Kirchenbann*) excommunication
bannen ward off (*Gefahr*)
bar 1. ***bares Geld*** (ready) cash; (***in***) ***bar bezahlen*** pay* cash; ***gegen bar*** for cash; ***zahlen Sie bar oder mit Scheck?*** are you paying (in) cash or by cheque (*AE* check)? **2.** ***bares Gold*** pure [pjʊə] gold
Bar 1. bar (*auch Theke*), nightclub; ***an der Bar*** at the bar; ***in eine Bar gehen*** go* to a bar **2.** *im Schrank usw.*: drinks cabinet
Bär bear [⚠ beə]
Baracke hut, *im negativen Sinn* shack
Barbar barbarian [bɑːˈbeərɪən]
Barbarei barbarism [⚠ ˈbɑːbərɪzm]
barbarisch barbaric [bɑːˈbærɪk]
Bardame barmaid
bärenstark 1. (as) strong as an ox **2.** ***das ist bärenstark*** *übertragen, umg.* it's great
barfuß barefoot; ***barfuß herumlaufen*** run* around barefoot
Bargeld cash
bargeldlos cashless; ***bargeldloser Einkauf*** cashless shopping
Barhocker bar stool
bärig *bes.* Ⓐ great
Bariton baritone [ˈbærɪtəʊn]
Barkeeper barman, bartender, *AE auch* barkeeper
barmherzig (≈ *mitleidig*) compassionate
Barmherzigkeit (≈ *Mitleid*) compassion
Barock 1. *Zeitalter*: Baroque [bəˈrɒk] (period) **2.** *Möbel usw.*: baroque (*oder* Baroque) furniture *usw.*
Barometer barometer [⚠ bəˈrɒmɪtə]
Baron baron [ˈbærən]
Baronesse, Baronin baroness [ˈbærənes]
Barren 1. (≈ *Goldbarren usw.*) bar, *Pl. auch*: bullion [⚠ ˈbʊlɪən] (⚠ *Sg.*) **2.** (≈ *Turngerät*) parallel bars (⚠ *Pl.*)
Barriere barrier [ˈbærɪə] (*auch übertragen*)
Barrikade barricade [ˌbærɪˈkeɪd]; ***auf die***

Barrikaden steigen *auch übertragen* mount the barricades (***für*** for)
Barsch perch [pɜːtʃ]
Bart 1. beard [bɪəd]; ***ein Mann mit Bart*** a man with a beard; ***einen Bart tragen*** have* a beard; ***sich einen Bart stehen lassen*** grow* a beard **2.** *Schlüssel*: bit, ward
Bartschneider beard [bɪəd] trimmer
Barzahlung cash payment
Basar bazaar [bəˈzɑː]
Basel Basel [ˈbɑːzl], Basle [⚠ bɑːl]
basieren: ***basieren auf*** be* based on; ***die Angaben basieren auf den Zahlen des Vorjahres*** the data are based on last year's figures; ***worauf basiert seine Meinung?*** what does he base his opinion on?
Basilika basilica [bəˈzɪlɪkə]
Basilikum *Pflanze und Gewürz*: basil [ˈbæzl]
Basis 1. (≈ *Grundlage*) basis [ˈbeɪsɪs] (***für*** of, for); ***auf der Basis von*** on the basis of; ***auf breiter Basis*** on a broad basis **2.** *Mathe, Militär*: base **3.** *in einer Partei*: rank and file
Basislager *Hochgebirgsexpeditionen*: base camp
Basketball basketball [ˈbɑːskɪtbɔːl]
Bass 1. *Stimme, Sänger, Partie*: bass [⚠ beɪs]; ***in unserem Chor ist er der Bass*** he sings bass in our choir [ˈkwaɪə] (⚠ *ohne* the) **2.** (≈ *Kontrabass*) double bass; ***er spielt Bass*** he plays (the) double bass
Bass... *in Zusammensetzungen*: bass ... [⚠ beɪs]; ***Bassgitarre*** bass (guitar); ***Bassregler*** bass control; ***Bassstimme*** bass (voice)
Bast *zum Flechten*: raffia [ˈræfɪə]
basta: ***und damit basta!*** and that's that!
Bastard *vulgär, Mensch*: bastard [ˈbɑːstəd]
basteln 1. make* (*Dinge*) **2.** ***er bastelt gern*** he likes doing things with his hands
Batik batik [⚠ bəˈtiːk]
Batterie battery [ˈbætrɪ]; ***das Fahrzeug wird mit Batterien betrieben*** the vehicle runs on batteries
Batterieladegerät battery charger
Bau 1. (≈ *Vorgang*) construction; ***im Bau*** under construction **2.** (≈ *Gebäude*) building [ˈbɪldɪŋ]
Bauarbeiten 1. *Tätigkeit, Vorgang*: construction work (⚠ *Sg.*) **2.** *Straße*: roadworks, *AE* construction zone (⚠ *Sg.*)
Bauarbeiter(in) building (*oder* construction) worker
Bauch 1. *beim Menschen*: stomach [⚠ ˈstʌmək], *umg.* belly, tummy, *dicker*: paunch [pɔːntʃ], pot-belly; ***mit vollem*** (*bzw.* ***leerem***) ***Bauch*** on a full (*bzw.* an empty) stomach **2.** *beim Tier*: stomach, belly **3.** *Wendungen*: ***ich hab eine Wut im Bauch*** I'm ready to explode; ***aus dem Bauch heraus reagieren*** act on instinct
bauchfrei: ***bauchfreies Shirt*** (*oder* ***Top***) crop(ped) top
Bauchklatscher *umg.* belly flop
Bauchlandung *umg.* belly landing
Bauchmuskeln stomach muscles [⚠ ˈstʌməkˌmʌslz], abdominal muscles, *umg.* abs
Bauchnabel navel, *umg.* belly button
Bauchschmerzen stomachache [⚠ ˈstʌmək‿eɪk] (⚠ *Sg.*); ***Bauchschmerzen haben*** have* (a) stomachache
bauen 1. *allg.*: build* [bɪld] **2.** (≈ *errichten*) build*, erect **3.** (≈ *herstellen*) make*, build* **4.** ***bauen auf*** *übertragen* count on, depend on
Bauer[1] **1.** farmer **2.** *in Entwicklungsländern und historisch*: peasant [⚠ ˈpeznt] **3.** *verächtlich* peasant **4.** *Schach*: pawn
Bauer[2] (≈ *Vogelbauer*) (bird)cage
Bäuerin 1. (≈ *Landwirtin*) (woman) farmer **2.** (≈ *Frau des Bauern*) farmer's wife
bäuerlich 1. rural **2.** *Stil usw.*: rustic
Bauernhaus farmhouse
Bauernhof farm
baufällig dilapidated [dɪˈlæpɪdeɪtɪd]
Baufirma building (*oder* construction) firm
Bauindustrie building [ˈbɪldɪŋ] (*oder* construction) industry
Bauingenieur(in) civil engineer [ˌsɪvlˌendʒɪˈnɪə]
Baujahr 1. year of construction (*bzw.* manufacture) **2.** ***welches Baujahr ist es?*** *Auto*: when was it built?
Baukasten construction set, *mit Holzklötzen*: box of bricks
Baukastensystem modular system [ˌmɒdjʊləˈsɪstəm]
Bauklotz building block: ***da staunt man Bauklötze!*** *umg.* it's mind-boggling!
Baukosten building costs [ˈbɪldɪŋ‿kɒsts]
Baukunst architecture [ˈɑːkɪtektʃə]
Bauleiter(in) site manager
Baum tree

Baumarten

Ahorn	**maple**
Birke	**birch (tree)**
Buche	**beech (tree)**
Eiche	**oak**
Esche	**ash**

Fichte	**spruce,** *meist umg.* **pine (tree)** *oder* **fir (tree)**
Kastanie	**(horse) chestnut**
Lärche	**larch**
Palme	**palm (tree)**
Pappel	**poplar**
Tanne	**fir (tree)**
Ulme	**elm**
Weide	**willow (tree)**

Baumarkt (≈ *Warenhaus*) DIY [ˌdiːaɪ 'waɪ] store (⚠ DIY *ist eine bes. im BE verwendete Abkürzung für* do-it-yourself), *AE* home (improvement) center
Baumeister(in) 1. *auf dem Bau*: master builder **2.** (≈ *Architekt*) architect ['ɑːkɪtekt]
baumeln dangle, swing* (***an*** from); ***mit den Beinen baumeln*** dangle one's legs
Baumschule (tree) nursery
Baumstamm (tree) trunk, *gefällter*: log
Baumsterben 1. dying (off) of trees **2.** (≈ *Waldsterben*) dying (off) of forests, forest deaths (⚠ *Pl.*)
Baumwolle cotton (⚠ *engl.* cotton wool = ***Watte***)
Baumwollhemd (100%) cotton shirt
Bauplatz site, (building) plot
Baustein *übertragen* element, component
Baustelle building site, *auf Straßen*: roadworks (⚠ *Pl.*), *AE* construction zone
Baustil (architectural [ˌɑːkɪ'tektʃrəl]) style
Baustoff building material
Bauteil component [kəm'pəʊnənt] (part)
Bauten 1. buildings ['bɪldɪŋz] **2.** *Film usw.*: set (⚠ *Sg.*)
Bauunternehmen construction company
Bauunternehmer(in) building contractor ['bɪldɪŋ‿kənˌtræktə]
Bauwerk building ['bɪldɪŋ]
Bauwirtschaft building ['bɪldɪŋ] (*oder* construction) industry
Bauzeit construction time
Bayer Bavarian [bə'veərɪən]; ***er ist Bayer*** he's (a) Bavarian; ☞ ***Nationalitäten***
Bayerin Bavarian woman (*oder* lady *bzw.* girl); ***sie ist Bayerin*** she's (a) Bavarian; ☞ ***Nationalitäten***
bayerisch Bavarian [bə'veərɪən]; ***der Bayerische Wald*** the Bavarian Forest
Bayern Bavaria [bə'veərɪə]
Bazi *bes.* Ⓐ scoundrel, rascal ['rɑːskl]
Bazillus 1. germ [dʒɜːm] **2.** ***Bazillen*** germs
beabsichtigen 1. ***sie beabsichtigt zu bleiben*** *usw.* she intends to stay *usw.* **2.** ***das war nicht beabsichtigt*** it wasn't intentional, I *usw.* didn't do *usw.* it on purpose
beabsichtigt 1. intended; ***die beabsichtigte Wirkung*** the desired effect **2.** (≈ *absichtlich*) intentional, deliberate [dɪ'lɪbrət]
beachten 1. (≈ *Aufmerksamkeit schenken*) pay* attention to **2.** ***etwas beachten*** (≈ *zur Kenntnis nehmen*) note something **3.** (≈ *befolgen*) follow (*Anweisungen, Regeln*) **4.** (≈ *berücksichtigen*) bear* [beər] in mind, take* into account **5.** ***man muss dabei beachten, dass ...*** it's important to remember (*oder* bear in mind) that ... **6.** ***nicht beachten*** take* no notice of, ignore
beachtlich 1. (≈ *beträchtlich*) considerable [kən'sɪdərəbl] **2.** (≈ *bemerkenswert*) remarkable **3.** ***das war eine beachtliche Leistung*** that was quite an achievement
Beachtung 1. (≈ *Aufmerksamkeit*) attention; ***jemandem*** *bzw.* ***einer Sache*** (***keine***) ***Beachtung schenken*** pay* (no) attention to someone *bzw.* something **2.** (≈ *Berücksichtigung*) consideration **3.** (≈ *Befolgung*) observance [əb'zɜːvns]
Beamte(r), Beamtin 1. *allg.*: official **2.** (≈ *Polizeibeamter*) officer **3.** (≈ *Staatsbeamter*) civil servant [ˌsɪvl'sɜːvnt]

Beamte

Das Beamtentum in den englischsprachigen Ländern beschränkt sich in erster Linie auf Verwaltungsbeamte. Lehrer, Angestellte der Post, Bahn und ähnlicher Bereiche sind keine Beamten.

beängstigend alarming
beanspruchen 1. claim (*Recht usw.*) **2.** (≈ *erfordern*) demand, require, call for **3.** take* up (*Platz, Zeit*)
beanstanden 1. (≈ *kritisieren*) criticize **2.** (≈ *Einwände erheben gegen*) object [əb'dʒekt] to
Beanstandung 1. (≈ *Beschwerde*) complaint (***an*** about) **2.** (≈ *Einwand*) objection (***an*** to)
beantragen: (***bei jemandem***) ***etwas beantragen*** apply (to someone) for something
beantworten 1. answer ['ɑːnsə] (*auch übertragen*) (***mit*** with), reply to **2.** ***mit Ja*** (*bzw.* ***Nein***) ***beantworten*** answer yes (*bzw.* no)
Beantwortung answer ['ɑːnsə], reply [rɪ'plaɪ]
bearbeiten 1. work (*Werkstoff, Material*) **2.** (≈ *behandeln*) treat **3.** deal* with (*Fall*) **4.**

revise (*Buch*) **5.** *für die Bühne usw.*: adapt (***nach*** from) **6.** *umg.* work on (*jemanden*)

Bearbeitung **1.** (≈ *Behandlung*) treatment **2.** *eines Buchs*: revision **3.** *eines Theaterstücks usw.*: adaptation [ˌædæpˈteɪʃn]

Bearbeitungsgebühr handling charge, *Bank*: (bank) service charge

Bearbeitungszeit *Behörde*: process(ing) [ˈprəʊses(ɪŋ)] time; ***die Bearbeitungszeit beträgt drei Wochen*** processing will take three weeks, it takes three weeks to process

beatmen: ***jemanden beatmen*** give* someone artificial respiration [ˌrespəˈreɪʃn]

Beatmung: (***künstliche***) ***Beatmung*** artificial respiration [ˌrespəˈreɪʃn]

beaufsichtigen **1.** supervise [ˈsuːpəvaɪz] **2.** look after (*Kind*)

beauftragen: ***jemanden beauftragen, etwas zu tun*** give* someone the job (*oder* task) of doing something

bebauen **1.** build* [bɪld] on (*Grundstück usw.*) **2.** cultivate (*Boden usw.*)

beben shake*, tremble

Beben (≈ *Erdbeben*) earthquake

Becher (≈ *Trinkgefäß*) **1.** *aus Plastik usw.*: cup, *BE auch* beaker [ˈbiːkə] **2.** *aus Ton, Porzellan*: mug

Becken **1.** (≈ *Waschbecken*) basin [ˈbeɪsn] **2.** (≈ *Spüle*) sink **3.** (≈ *Schwimmbecken*) pool **4.** *bei Mensch, Tier*: pelvis

Bedacht: ***mit Bedacht*** (≈ *vorsichtig*) carefully, with great care

bedächtig (≈ *langsam*) slowly, deliberately

bedanken **1.** ***sich bedanken*** say* thanks **2.** ***sich bei jemandem bedanken*** thank someone (***für*** for)

Bedarf **1.** need (***an*** for) **2.** (≈ *Nachfrage*) demand (***an*** for); ***den Bedarf decken*** meet* the demand **3.** ***bei Bedarf*** if necessary

bedauerlich regrettable, unfortunate [ʌnˈfɔːtʃənət]

bedauerlicherweise unfortunately [ʌnˈfɔːtʃənətlɪ]

bedauern **1.** ***jemanden bedauern*** feel* sorry for someone **2.** ***etwas bedauern*** regret something; ***ich bedauere sehr, dass …*** I very much regret that …

Bedauern regret

bedecken cover (up)

bedeckt *Himmel*: overcast [ˌəʊvəˈkɑːst]; ***teils bedeckt*** partly cloudy

bedenken **1.** (≈ *erwägen*) consider, think* over **2.** (≈ *beachten*) bear* [beər] in mind

Bedenken **1.** (≈ *Zweifel*) doubts [⚠ daʊts] **2.** (≈ *Einwände*) objections **3.** *moralische*: scruples [ˈskruːplz]

bedenkenlos **1.** (≈ *ohne lange zu überlegen*) without hesitation **2.** (≈ *skrupellos*) thoughtless, unscrupulous [ʌnˈskruːpjʊləs]

bedenklich **1.** (≈ *Besorgnis erregend*) alarming **2.** (≈ *ernst*) critical, serious **3.** (≈ *zweifelhaft*) dubious [ˈdjuːbɪəs]

Bedenkzeit: ***eine Stunde*** *usw.* ***Bedenkzeit*** one hour *usw.* to think it over

bedeuten **1.** mean* **2.** ***es hat nichts zu bedeuten*** it doesn't mean a thing **3.** ***jemandem viel*** (*bzw.* ***nichts***) ***bedeuten*** mean* a lot (*bzw.* nothing) to someone

bedeutend **1.** important, major, significant; ***bedeutende Fortschritte machen*** make* significant progress (⚠ *Sg.*) **2.** (≈ *beträchtlich*) considerable **3.** *Wissenschaftler, Politiker usw.*: leading, prominent **4.** ***bedeutend besser*** *usw.* much better *usw.*

Bedeutung **1.** (≈ *Sinn*) meaning, sense **2.** (≈ *Wichtigkeit*) importance

bedeutungslos **1.** (≈ *unwichtig*) unimportant, insignificant [ˌɪnsɪgˈnɪfɪkənt] **2.** (≈ *ohne Sinn, nichts sagend*) meaningless

bedeutungsvoll **1.** significant [sɪgˈnɪfɪkənt] **2.** (≈ *viel sagend*) meaningful

bedienen **1.** (*Verkäuferin*) serve (*Kunden*) **2.** (*Kellner*) serve (*Gast*) **3.** ***gut bedient werden*** *im Restaurant*: get* good service **4.** *beim Kartenspiel*: follow suit [suːt] **5.** ***bedien dich!*** *am Tisch*: help yourself; ***bedient euch!*** help yourselves

Bedienung **1.** service **2.** (≈ *Kellner*) waiter, (≈ *Kellnerin*) waitress

Bedienungsanleitung **1.** (operating) instructions (⚠ *Pl.*) **2.** (≈ *Buch*) instruction manual [ɪnˈstrʌkʃnˌmænjʊəl]

bedingen **1.** (≈ *verursachen*) cause, give* rise to; ***bedingt durch*** caused by, due to **2.** (≈ *erfordern*) require, call for **3.** (≈ *bestimmen*) determine [dɪˈtɜːmɪn]

Bedingung **1.** condition; ***unter der Bedingung, dass …*** on condition that …, provided (that) … **2.** ***Bedingungen*** (≈ *Verhältnisse, Zustände*) conditions; ***unter diesen Bedingungen*** under these circumstances [ˈsɜːkəmstənsɪz]

Bedingungsform *Grammatik*: conditional

bedingungslos unconditional

Bedingungssatz *Nebensatz*: conditional clause

bedrohen threaten [ˈθretn]; ***ihr Leben ist bedroht*** her life is in danger

bedrohlich threatening [ˈθretnɪŋ], menacing [ˈmenəsɪŋ] **2.** *Lage, Ausmaße usw.*: alarming

Bedrohung threat [θret], menace [ˈmenəs] (*beide* ***für*** *oder + Gen.* to)

bedrücken: ***etwas bedrückt jemanden*** *seelisch*: something depresses someone, something gets someone down
bedrückend *seelisch*: depressing
bedrückt depressed
Bedürfnis need
Beefsteak **1.** steak [⚠ steɪk] **2.** (≈ *deutsches Beefsteak*) *etwa*: meat loaf
beeilen: ***sich beeilen*** hurry [⚠ 'hʌrɪ]; ***beeil dich!*** hurry up!; ***sich mit einer Sache beeilen*** hurry up with something
beeindrucken impress
beeindruckend impressive
beeinflussen **1.** influence **2.** (≈ *sich auswirken auf*) affect, have* an effect on
Beeinflussung influence ['ɪnfluəns]
beeinträchtigen (≈ *negativ beeinflussen*) affect, have* a negative effect on
beend(ig)en **1.** (≈ *zum Abschluss bringen*) end, bring* to an end (*oder* close [⚠ kləʊs]) **2.** (≈ *fertigstellen*) finish, complete (*eine Arbeit*) **3.** close [kləʊz], wind* [waɪnd] up (*Sitzung usw.*)
beerdigen bury [⚠ 'berɪ]
Beerdigung burial [⚠ 'berɪəl], *feierliche*: funeral ['fjuːnrəl]
Beerdigungsinstitut undertaker's, undertakers (⚠ *Pl.*)
Beere berry; ***Beeren sammeln*** pick berries

Beeren

Brombeere	**blackberry**
Erdbeere	**strawberry**
Heidelbeere	**blueberry, bilberry**
Himbeere	**raspberry** ['rɑːzbərɪ]
Preiselbeere	**cranberry**
Rote Johannisbeere	**redcurrant** [ˌred'kʌrənt]
Schwarze Johannisbeere	**blackcurrant** [ˌblæk'kʌrənt]
Stachelbeere	**gooseberry** ['gʊzbərɪ]

Beet **1.** bed **2.** (≈ *Gemüsebeet*) patch
befähigen: ***jemanden dazu befähigen, etwas zu tun*** enable [ɪn'eɪbl] someone to do something
Befähigung **1.** ability **2.** (≈ *Begabung*) aptitude, talent ['tælənt] **3.** (≈ *Qualifikation*) qualifications (⚠ *Pl.*)
befahren[1]: ***eine Straße befahren*** use a road
befahren[2] **1.** ***stark befahren*** *Strecke usw.*: busy ['bɪzɪ] **2.** ***wenig befahren*** *Strecke usw.*: quiet, uncrowded
befangen **1.** (≈ *gehemmt*) inhibited, shy, self-conscious (⚠ ***selbstbewusst*** = self-confident) **2.** (≈ *voreingenommen*) prejudiced ['predʒʊdɪst]
Befangenheit **1.** (≈ *Scheu*) inhibitions (⚠ *Pl.*), shyness, self-consciousness (⚠ ***Selbstbewusstsein*** = self-confidence) **2.** (≈ *Voreingenommenheit*) bias ['baɪəs], prejudice ['predʒʊdɪs]
befassen: ***sich mit einer Frage*** (*bzw.* ***einem Problem***) ***befassen*** deal* with (*bzw.* look into) a question *oder* a problem
Befehl **1.** order; ***auf Befehl von*** on the orders of; ***auf Befehl handeln*** act on orders **2.** ***zu Befehl!*** yes, sir! **3.** (≈ *Befehlsgewalt*) command (***über*** of) **4.** *Computer*: command
befehlen **1.** ***jemandem befehlen, etwas zu tun*** order someone to do something **2.** ***etwas befehlen*** order something
Befehlsform *Grammatik*: imperative [ɪm'perətɪv]
Befehlshaber(in) commander
befestigen **1.** fix, fasten [⚠ fɑːsn] (***an*** to) **2.** *mit Klebstoff*: stick* (***an*** on, onto) **3.** *mit Nadeln, Schrauben*: fasten, fix
befeuchten moisten [⚠ 'mɔɪsn]
befinden: ***sich befinden*** be*; ***wo befinden wir uns jetzt?*** where are we now?
befolgen follow (*Regel, Rat, Vorschrift*)
befördern **1.** carry, transport **2.** *beruflich*: promote (***zu*** to, to the position of)
Beförderung **1.** transportation **2.** *beruflich*: promotion (***zu*** to, to the position of)
befragen **1.** ask (***über*** about; ***nach*** for) **2.** (≈ *ausfragen*) question (***über, zu*** about)
befreien **1.** free (***von*** from), liberate (***von*** from) (*ein Land usw.*) **2.** (≈ *retten*) rescue ['reskjuː] (***von, aus*** from) **3.** *vom Unterricht*: excuse (***von*** from) **4.** *von einer Pflicht, Last, Sorge*: relieve (***von*** from) **5.** ***jemanden aus seinem Autowrack*** *usw.* ***befreien*** free someone from the wreckage of his *usw.* car *usw.* **6.** ***sich befreien von*** free oneself (***von*** of)
Befreier(in) liberator ['lɪbəreɪtə]
Befreiung **1.** setting free, liberation (***von*** from) **2.** (≈ *Rettung*) rescue (***von*** from)
Befreiungskampf fight for independence
befreunden: ***sich*** (***miteinander***) ***befreunden*** become* friends
befreundet **1.** ***sie sind miteinander befreundet*** they're friends **2.** ***ich bin mit ihr befreundet*** she's a friend (of mine), we're friends
befriedigen **1.** satisfy (*Wünsche, Neugierde usw.*) **2.** meet*, come* up to (*Erwartungen*)

befriedigend satisfactory (*auch Schulnote*)
befriedigt satisfied, pleased
Befriedigung satisfaction
befristen: ***etwas auf drei Tage befristen*** limit something to three days, set* a limit of three days on something
befristet limited (***auf*** to), temporary
befruchten **1.** *wörtlich* fertilize **2.** (≈ *anregen*) stimulate ['stɪmjʊleɪt]
Befruchtung **1.** *wörtlich* fertilization **2.** (***die***) ***künstliche Befruchtung*** artificial insemination **3.** (≈ *Anregung*) stimulation
befugt authorized ['ɔːθəraɪzd], entitled (***zu*** to + *Inf.*)
Befund **1.** *allg.*: findings, results (⚠ *beide Pl.*) **2.** ***ohne Befund*** *ärztliche Untersuchung*: negative ['negətɪv]; ***der Befund war negativ*** he *bzw.* she tested negative
befürchten **1.** fear [fɪə]; ***wir befürchten das Schlimmste*** we fear the worst; ***es ist zu befürchten, dass …*** it is feared that … **2.** (≈ *vermuten*) suspect [sə'spekt]
Befürchtung **1.** (≈ *Furcht*) fear; ***ich habe die Befürchtung, dass …*** I fear (that) … **2.** (≈ *Vermutung*) suspicion
befürworten **1.** (≈ *empfehlen*) recommend [ˌrekə'mend] **2.** (≈ *unterstützen*) support
Befürworter(in) supporter (+ *Gen.* of)
begabt talented ['tæləntɪd], gifted; ***er ist musikalisch*** *usw.* ***begabt*** he's musically *usw.* gifted, he's got a gift for music *usw.*
Begabung gift, talent ['tælənt]
begeben: ***sich in Gefahr begeben*** put* oneself in danger, take* a risk
Begebenheit **1.** (≈ *Vorkommnis*) incident ['ɪnsɪdənt] **2.** (≈ *Ereignis*) event [ɪ'vent]
begegnen **1.** ***jemandem begegnen*** *zufällig*: meet* someone, *umg.* bump into someone **2.** ***wir begegneten uns auf der Party*** we met (*oder umg.* bumped into each other) at the party **3.** *förmlich* (≈ *überwinden*) face, confront [kən'frʌnt] (*Schwierigkeiten, einer Gefahr, Widerstand usw.*)
Begegnung **1.** meeting, encounter **2.** *Sport*: match
begehen (≈ *verüben*) commit [kə'mɪt] (*Verbrechen, Selbstmord usw.*)
begehrenswert desirable [dɪ'zaɪərəbl]
begehrt **1.** popular **2.** ***Karten für dieses Konzert sind sehr begehrt*** tickets for this concert are very much in demand
begeistern **1.** inspire (***durch*** with) **2.** ***sich für etwas begeistern*** get* (*oder* be*) enthusiastic [ɪnˌθjuːzɪ'æstɪk] about something
begeistert **1.** enthusiastic [ɪnˌθjuːzɪ'æstɪk] **2.** ***sie waren begeistert*** *Publikum usw.*: they were thrilled (***von*** by)
Begeisterung enthusiasm [ɪn'θjuːzɪæzm]
Begierde desire (***nach*** for)
begierig: ***sie war*** (***ganz***) ***begierig darauf ihn kennen zu lernen*** *usw.* she was (really) keen to get to know him *usw.*
begießen (≈ *feiern*) celebrate ['seləbreɪt] (with a drink)
Beginn beginning, start; (***gleich***) ***zu Beginn*** (right) at the beginning
beginnen **1.** begin*, start **2.** ***die Arbeit*** *oder* ***mit der Arbeit*** *usw.* ***beginnen*** start work *usw.*, get* down to work *usw.* **3.** ***die Schule beginnt um 8.00 Uhr*** school starts at 8.00 am
beglaubigen certify ['sɜːtɪfaɪ]
begleiten **1.** (≈ *mitgehen*) go* with, accompany [⚠ ə'kʌmpənɪ] **2.** *musikalisch und übertragen*: accompany **3.** ***jemanden nach Hause begleiten*** take* (*oder* walk) someone home
Begleiter(in) companion
Begleitung **1.** ***er war in Begleitung seiner Mutter*** he was with his mother, he was accompanied [⚠ ə'kʌmpənɪd] by his mother **2.** *musikalische*: accompaniment [⚠ ə'kʌmpənɪmənt]
beglückwünschen congratulate (***zu*** on); ***wir möchten dich zur bestandenen Prüfung beglückwünschen*** we'd like to congratulate you on passing your exam
begnadigen pardon ['pɑːdn]
Begnadigung pardon, *politische*: amnesty
begnügen **1.** ***sich begnügen mit*** (≈ *zufrieden sein*) be* satisfied (*oder* content [kən'tent]) with **2.** ***sich begnügen mit*** (≈ *auskommen*) make* do with
begraben **1.** (≈ *beerdigen*) bury [⚠ 'berɪ] **2.** (≈ *beenden*) end (*Streit, Feindschaft*)
Begräbnis burial [⚠ 'berɪəl], *feierliches*: burial, funeral
begradigen straighten ['streɪtn]
begreifen **1.** (***etwas***) ***begreifen*** (≈ *verstehen*) understand* (something) **2.** ***etwas begreifen*** *Zusammenhang usw.*: grasp something
begreiflich understandable
begrenzen **1.** (≈ *die Grenze bilden von*) form the boundary of **2.** *übertragen* limit, restrict (***auf*** to)
begrenzt *übertragen* limited, restricted
Begrenzung **1.** *eines Grundstücks usw.*: boundary **2.** *übertragen* limitation, restriction
Begriff **1.** (≈ *Vorstellung, Auffassung*) idea, concept [⚠ 'kɒnsept] **2.** ***sich einen Begriff von etwas machen*** imagine something **3.** ***für meine Begriffe*** in my opinion, as I see it **4.** (≈ *Ausdruck*) term, expression **5.** ***ein Begriff für Qualität*** a by-

word for quality **6. *sie war im Begriff zu gehen*** *usw.* she was on the point of going *usw.*, she was about to go *usw.* **7. *er ist etwas schwer von Begriff*** he's a bit slow on the uptake

begriffsstutzig dense, slow (on the uptake)

begründen 1. (≈ *erklären*) give* reasons for, explain **2.** (≈ *rechtfertigen*) justify, back up **3. *er begründete es damit, dass …*** he explained (*oder* justified) it by the fact that …

begründet (≈ *gerechtfertigt*) justified

Begründung 1. (≈ *Erklärung*) explanation, reason, reasons (*Pl.*) **2.** (≈ *Rechtfertigung*) justification; ***mit der Begründung, dass …*** on the grounds (⚠ *Pl.*) that …

begrüßen 1. *jemanden begrüßen* greet (*oder umg.* say* hello to) someone **2.** (≈ *willkommen heißen*) welcome (*Gäste usw.*)

Begrüßung *offizielle*: welcome

Begrüßungsansprache welcoming speech

begutachten 1. (≈ *prüfen*) examine [ɪgˈzæmɪn] **2. *etwas begutachten lassen*** get* an expert [ˈekspɜːt] opinion on something

behaart hairy

behaglich *Atmosphäre usw.*: comfortable [⚠ ˈkʌmftəbl], cosy

behalten 1. keep* **2. *etwas behalten*** (≈ *sich merken*) remember something **3. *etwas für sich behalten*** keep* something to oneself **4. *die Nerven behalten*** keep* cool

Behälter container; ***hast du dafür irgendeinen Behälter?*** have you got something to put it in?; ☞ *Illu S. 195*

behandeln 1. *in der Schule*: ***in Bio behandeln wir heute den menschlichen Körper*** we're doing the human body in biology today **2.** treat (*Material*; *Patient*, *Krankheit*) **3.** deal* with (*Thema*, *Frage*, *Problem*) **4. *schonend behandeln*** handle with care

Behandlung: ***er befindet sich in (ärztlicher) Behandlung*** he's receiving medical treatment

beharren: ***er beharrte auf seiner Meinung*** he stuck to his opinion

beharrlich (≈ *hartnäckig*) persistent

behaupten 1. claim, maintain, say*; ***es wird behauptet, dass …*** it is said (*oder* claimed) that; ***sie behauptet, nie dort gewesen zu sein*** she says (*oder* claims) (that) she's never been there **2. *sich behaupten*** (≈ *durchsetzen*) assert oneself

Behauptung claim, assertion

beheben repair (*Schaden*)

beheizbar: ***beheizbare Heckscheibe*** *usw.* heated rear window *usw.*

beheizt heated

behelfen: ***sich behelfen mit*** make* do with

beherbergen accommodate

beherrschen 1. *sie beherrscht die englische Sprache* *usw.* she has a good command of English *usw.* **2. *sich beherrschen*** *übertragen* control oneself, restrain oneself **3.** (≈ *dominieren*) dominate, control; ***zwei große Unternehmen*** *usw.* ***beherrschen den Markt*** two big companies *usw.* control (*oder* dominate) the market

Beherrschung 1. *einer Sprache*: command (+*Gen.* of) **2.** *übertragen* control (+*Gen.* of, over) **3. *die Beherrschung verlieren*** lose* control, lose* one's self-control

beherzigen: ***etwas beherzigen*** take* something to heart

behilflich 1. *jemandem behilflich sein* help someone (***bei*** with) **2. *darf ich Ihnen behilflich sein?*** can I help you (at all)?

behindern 1. *jemanden* (*bzw.* ***etwas***) ***behindern*** hinder someone (*bzw.* something) **2.** obstruct (*Verkehr*, *Sicht*; *Sportler*; *Plan*)

behindert handicapped; ***geistig behindert*** mentally handicapped; ***schwer behindert*** severely [sɪˈvɪəlɪ] handicapped (*oder* disabled [dɪsˈeɪbld])

Behinderte(r) 1. handicapped (*oder* disabled) person **2. *die Behinderten*** the handicapped (⚠ *Pl.*), the disabled (⚠ *Pl.*)

behindertengerecht suitable [ˈsuːtəbl] for the disabled [dɪsˈeɪbld], (≈ *rollstuhlgeeignet*) suitable for wheelchairs

Behinderung 1. hindrance [ˈhɪndrəns] **2.** *im Verkehr, Sport usw.*: obstruction **3.** *bei Person*: handicap, disability; ***geistige Behinderung*** mental handicap

Behörde authority [ɔːˈθɒrətɪ] (*mst. im Plural verwendet*: the authorities)

behüten 1. *jemanden behüten* (≈ *beschützen*) look after someone **2. *jemanden vor etwas behüten*** protect someone from something *oder* from doing something

behutsam cautious [ˈkɔːʃəs], careful

bei 1. *räumlich*: ***bei Hamburg*** near Hamburg **2. *bei meinem Onkel*** at my uncle's; ***sie wohnt bei ihren Eltern*** she lives with her parents; ***beim Fleischer*** *oder* ***Metzger*** at the butcher's; ***bei uns (zu Hause)*** at home; ***bei uns*** (≈ *in der Familie*) in our family; ***er arbeitet bei der Post*** *usw.* he works <u>for</u> the post office *usw.* **3.** ***bei Schiller steht …*** *übertragen* Schiller says … **4.** *zeitlich*: ***bei Tag*** <u>by</u> day; ***bei Nacht*** at night; ***bei seiner Geburt*** at his birth; ***er ist beim Essen*** he's having (his) dinner (*bzw.* lunch) **5.** ***bei der Arbeit*** (≈ *am Arbeitsplatz*) at work **6.** ***wir haben Geschichte bei Herrn Frei*** we have Mr Frei <u>for</u> history

beibehalten 1. keep* up (*Tradition usw.*) **2.** stick* to (*Gewohnheit*)

beibringen 1. ***jemandem etwas beibringen*** (≈ *lehren*) teach* someone something; ***kannst du mir Schach beibringen?*** can you teach me how to play chess? **2.** ***wie soll ichs ihm beibringen?*** (≈ *verständlich machen*) how shall I get it across to him?

Beichte confession; ***zur Beichte gehen*** go* to confession (⚠ *ohne* the)

beichten 1. ***(etwas) beichten*** confess (something) **2.** ***ich muss dir etwas beichten*** *übertragen* I've got something to confess (to you)

beide 1. both [bəʊθ], (≈ *die zwei*) the two; ***wir beide*** both of us, the two of us; ***alle beide*** both of them **2.** ***meine beiden Brüder*** my two brothers, *betont*: both my brothers **3.** ***in beiden Fällen*** in both cases **4.** ***keins*** *bzw.* ***keine(r) von beiden*** neither of them **5.** ***30 beide*** *Tennis*: thirty all

beides 1. both [bəʊθ] (of them) **2.** ***ich mag beides nicht*** I don't like either (of them)

beieinander 1. (≈ *zusammen*) together **2.** ***beieinander bleiben*** stay together, *umg.* stick* together **3.** ***sie ist (noch) gut beieinander*** *gesundheitlich*; *umg.*: she's (still) in good shape

Beifahrer(in) *im PKW*: (front-seat) passenger

Beifahrerairbag *im PKW*: passenger airbag

Beifahrersitz (front) passenger seat

Beifall 1. applause [ə'plɔːz]; ***Beifall klatschen*** applaud [ə'plɔːd] **2.** *übertragen* (≈ *Zustimmung*) approval [ə'pruːvl]; ***Beifall ernten*** meet* with approval

Beifügung *Grammatik*: attribute ['ætrɪbjuːt]

beige tan, beige [beɪʒ]

Beiheft 1. supplement **2.** *zu einer CD usw.*: (accompanying) booklet

Beihilfe *staatliche*: subsidy ['sʌbsədɪ], grant

Beil 1. *großes*: axe [æks], *AE auch* ax [æks] **2.** *kleines*: hatchet

Beilage 1. *Zeitung*: supplement **2.** *Essen*: side dish; ***es gibt Reis*** *usw.* ***als Beilage*** there's rice *usw.* with it, it's served with rice *usw.*

beiläufig 1. ***beiläufige Bemerkung*** passing remark **2.** ***etwas beiläufig erwähnen*** mention something <u>in</u> passing

beilegen 1. ***ich lege (diesem Brief) noch ein Foto*** *usw.* ***bei*** I enclose (*oder* I'm enclosing) a photo *usw.* (with this letter) **2.** settle (*Streit usw.*)

Beileid 1. condolences [⚠ kən'dəʊlənsɪz] (*Pl.*), sympathy ['sɪmpəθɪ] **2.** ***herzliches Beileid*** I'm so sorry (to hear about your father *usw.*)

Beileidskarte condolence [kən'dəʊləns] card

beiliegend enclosed; ***beiliegend übersende ich Ihnen …*** enclosed please find …

beim 1. ***beim Arzt*** *usw.* at the doctor's *usw.* **2.** ***beim Sprechen*** while speaking; → ***bei***

Bein 1. leg (*auch eines Tisches*, *einer Hose usw.*) **2.** ***die Beine übereinander schlagen*** cross <u>one's</u> legs **3.** *Wendungen*: ***ich konnte mich kaum mehr auf den Beinen halten*** I could hardly stay on my feet; ***jemandem ein Bein stellen*** *wörtlich und übertragen* trip someone up; ***er hat sich kein Bein ausgerissen*** he didn't exactly strain himself ; ***sie ist wieder auf den Beinen*** (≈ *gesund*) she's on <u>her</u> feet again; ***auf eigenen Beinen stehen*** (≈ *unabhängig sein*) be* independent; ***das geht in die Beine!*** you really feel it in your legs; ***er steht mit einem Bein im Gefängnis*** he's going to end up in jail

beinah(e) almost, nearly

Beinbruch 1. fractured (*oder* broken) leg **2.** ***das ist doch kein Beinbruch!*** *übertragen* it's not the end of the world

Beipackzettel *für Medikamente*: package insert ['pækɪdʒˌɪnsɜːt], instructions (⚠ *Pl.*)

Beiried Ⓐ *etwa*: steamed beef

beirren: ***sie lässt sich durch nichts beirren*** she won't be put off

beisammen together

Beisammensein: ***geselliges Beisammensein*** get-together

Beisein presence ['prezns]; ***im Beisein von*** (*oder +Gen.*) in the presence of

beiseite 1. ***beiseite gehen*** step aside **2.** ***beiseite legen*** put* aside, put* down (*Brille*, *Buch usw.*) **3.** ***etwas beiseite schaffen*** *übertragen* get* rid of something

Beisetzung funeral ['fjuːnrəl]

Beispiel 1. example; ***ein Beispiel für*** an example <u>of</u>; ***zum Beispiel*** for example

(*Abk.* eg, e.g.), for instance ['ɪnstəns] **2.** ***Beispiele anführen*** give* examples **3.** ***alle möglichen Obstsorten, wie zum Beispiel Äpfel, Birnen und Pflaumen*** all kinds of fruit, such as apples, pears and plums **4.** *Wendungen*: ***sich ein Beispiel an jemandem nehmen*** take* someone as an example; ***mit gutem Beispiel vorangehen*** set* an example, set* a good example

Beispielsatz example (sentence)

beispielsweise for example, for instance

beißen **1.** ***Vorsicht, der Hund beißt*** careful, this dog bites **2.** ***sein Hund hat mich ins Bein gebissen*** his dog has bitten my leg, his dog has bitten me in the leg **3.** ***in einen Apfel*** *usw.* ***beißen*** bite* into an apple *usw.* **4.** ***sie hat sich auf die Zunge*** (*bzw.* ***Lippe***) ***gebissen*** she's bitten her tongue (*bzw.* her lip) **5.** ***er wird dich schon nicht beißen*** *humorvoll* he won't bite (*oder* eat) you **6.** ***sich beißen*** (*Farben usw.*) clash

beißend **1.** *Kälte usw.*: biting **2.** *Geruch usw.*: pungent ['pʌndʒənt]

Beistrich (≈ *Komma*) comma

Beitrag **1.** contribution (*auch übertragen*); ***einen Beitrag leisten*** contribute [kən'trɪbjuːt] (***zu*** to), make* a contribution (***zu*** to) **2.** (≈ *Mitgliedsbeitrag*) subscription, fee, *AE* dues (⚠ *Pl.*)

beitragen contribute [kən'trɪbjuːt] (***zu*** to)

beizeiten in good time

bekämpfen fight* (against)

Bekämpfung: ***die Bekämpfung des Terrorismus*** *usw.* the fight against terrorism *usw.*

bekannt **1.** ***mit jemandem bekannt sein*** know* someone **2.** ***jemanden mit jemandem*** (*bzw.* ***etwas***) ***bekannt machen*** introduce someone to someone (*bzw.* something); ***darf ich Sie mit Herrn Fischer bekannt machen?*** may I introduce you to Mr Fischer? **3.** ***etwas bekannt geben*** (≈ *ankündigen*) announce something **4.** (≈ *vertraut*) familiar; ***sie kommt mir bekannt vor*** I'm sure I've seen her before, she looks familiar **5.** ***es kommt mir bekannt vor*** it looks (*bzw.* sounds *usw.*) familiar **6.** (≈ *berühmt*) well-known (***wegen*** for)

Bekannte(r) acquaintance, *gute(r)*: friend; ***ein Bekannter von mir*** a friend of mine

Bekanntgabe announcement

bekanntlich ... as everybody knows ...

Bekanntschaft **1.** ***jemandes Bekanntschaft machen*** make* someone's acquaintance, meet* someone **2.** (≈ *Bekanntenkreis*) circle of friends

Bekehrung conversion (***zu*** to)

bekennen **1.** ***er bekannte sich zu dem Bombenanschlag*** he admitted (*oder* claimed) responsibility for the bomb [⚠ bɒm] attack **2.** ***er hat sich schuldig bekannt*** he admitted (*oder* confessed) his guilt [gɪlt], *vor Gericht*: he pleaded ['pliːdɪd] guilty **3.** ***sich zum Christentum*** (*bzw.* ***zum Islam*** *usw.*) ***bekennen*** be* a professed Christian (*bzw.* Muslim ['mʊzlɪm] *usw.*)

Bekenntnis: ***ein Bekenntnis ablegen*** make* a confession, confess

beklagen **1.** ***sich beklagen*** complain (***über*** about) **2.** ***ich kann mich nicht beklagen*** I can't complain, I have no complaints

beklauen: ***jemanden beklauen*** steal* (something) from someone

bekleben: ***die Wand*** *usw.* ***mit Postern bekleben*** stick* posters on the wall *usw.*

bekleckern **1.** ***du hast deinen Anzug*** (*bzw.* ***dein Hemd, deine Bluse*** *usw.*) ***mit Wein*** (*bzw.* ***Ketschup, Tinte, Farbe*** *usw.*) ***bekleckert*** you've got (*oder* you've spilt) wine (*bzw.* ketchup *bzw.* ink *bzw.* paint *usw.*) on your suit (*bzw.* your shirt *bzw.* your blouse *usw.*) **2.** ***du hast dich mit Tinte*** *usw.* ***bekleckert*** you've got (*oder* you've spilt) ink *usw.* on your shirt *usw.* **3.** ***etwas mit Farbe bekleckern*** splash paint on something

bekleidet dressed; ***bekleidet mit ...*** dressed in ..., wearing [⚠ 'weərɪŋ] ...

Bekleidung clothing [⚠ 'kləʊðɪŋ], clothes [⚠ kləʊ(ð)z] (*Pl.*)

beklemmend: ***ein beklemmendes Gefühl*** an uneasy feeling

bekloppt *salopp* crazy

Bekloppte(r) *salopp* **1.** *BE* nutter **2.** *BE, AE* nut, loony (*Pl.* loonies)

beknackt *salopp* **1.** *Person*: nutty, crazy; ***der ist wirklich beknackt*** he's completely nuts **2.** ***das ist doch beknackt, oder?*** it's stupid ['stjuːpɪd], isn't it?

bekommen **1.** get*, receive (*Geschenk, Brief, Lob usw.*) (⚠ *engl.* become = ***werden***); ***etwas geschenkt bekommen*** get* a present ['preznt], be* given a present **2.** get*, develop (*Schmerzen, Fieber usw.*) **3.** ***Hunger*** *bzw.* ***Durst bekommen*** get* (*oder* become*) hungry *bzw.* thirsty **4.** ***Angst bekommen*** get* (*oder* become*) afraid (***vor*** of) **5.** ***etwas zu essen bekommen*** get* something to eat **6.** ***Ärger bekommen*** get* into trouble **7.** ***den Zug, Bus*** *usw.* ***bekommen*** catch* the train, bus *usw.* **8.** ***jemanden dazu bekommen, etwas zu tun*** get* someone to do something **9. *wir bekommen Regen*** we're going to have rain **10. *sie bekommt ein Baby*** she's going to have a baby **11. *Pilze bekommen ihm nicht*** mushrooms don't agree with him **12. *was bekommen Sie dafür?*** how much is that?

bekräftigen support (*Meinung usw.*)

bekreuzigen: ***sich bekreuzigen*** cross oneself, make* the sign of the cross

bekümmert worried ['wʌrɪd] (***über*** about)

bekunden: ***Interesse bekunden*** show* (some) interest

Belag 1. (≈ *Überzug*) coating **2.** (≈ *Fußbodenbelag*) covering **3.** (≈ *Zahnbelag*) plaque [⚠ plɑːk]

belagern *militärisch*: besiege [bɪ'siːdʒ]

Belagerung *militärische*: siege [siːdʒ]

Belang 1. *Belange* (≈ *Angelegenheiten*) concerns, issues ['ɪʃuːz] **2. *von Belang*** of importance (***für*** to), relevant (***für*** to)

belanglos unimportant, insignificant

belassen: ***wir wollen es dabei belassen*** let's leave it at that

belasten 1. *die Umwelt belasten* pollute the environment **2.** strain (*Organ, Kreislauf*) **3. *jemanden (stark) belasten*** *physisch, psychisch*: put* a (heavy) strain on someone **4. *sich belasten mit*** *übertragen* burden (*oder* saddle) oneself with **5.** *vor Gericht usw.*: incriminate [ɪn'krɪmɪneɪt]

belastet 1. *physisch, psychisch*: under strain; **(*stark*) *belastet mit*** under (great) strain (*oder* pressure) from **2.** *Umwelt usw.*: polluted [pə'luːtɪd], contaminated

belästigen 1. (≈ *zudringlich werden*) pester **2.** *auf der Straße*: molest **3.** *mit einer Frage usw.*: trouble ['trʌbl], bother ['bɒðə]

Belästigung 1. (≈ *Zudringlichkeit*) pestering **2.** *auf der Straße*: molestation **3. *sexuelle Belästigung*** sexual harassment [ˌsekʃʊəl'hærəsmənt]

Belastung 1. *finanzielle*: (financial) burden (+*Gen.* on) **2.** *der Umwelt usw.*: pollution [pə'luːʃn], contamination (***für*** of) **3.** *physische, psychische*: strain (***für*** on)

Belastungsgrenze: ***ich habe meine Belastungsgrenze erreicht*** I've reached the limit of what I can take

belaufen: ***sich belaufen auf*** (*die Kosten usw.*) amount to, total ['təʊtl]

belauschen eavesdrop on

beleben 1. *die Wirtschaft* *usw.* ***beleben*** stimulate the economy *usw.*, get* the economy *usw.* going **2.** (≈ *lebendiger machen*) liven up [ˌlaɪvn'ʌp] (*Zimmer, Bild usw.*)

belebend stimulating, refreshing

belebt 1. *Gespräch*: lively, animated **2.** *Straße, Szene*: busy, bustling [⚠ 'bʌslɪŋ]

Belebung *der Wirtschaft usw.*: stimulation

Beleg 1. *Beleg, Belege* (≈ *Beweis, Beweise*) proof **2.** (≈ *Quittung*) receipt [rɪ'siːt] **3.** (≈ *Beispiel*) example (***für*** of) **4.** (≈ *Quelle*) reference ['refrəns]

belegen 1. (≈ *bedecken*) cover **2.** sign up for, register for (*einen Kurs usw.*) **3. *den ersten (zweiten*** *usw.*) ***Platz belegen*** *Sport*: take* first (second *usw.*) place, come* first (second *usw.*) **4.** (≈ *beweisen*) prove* [pruːv]; ***kannst du es belegen?*** do you have any evidence ['evɪdəns]?

Belegschaft staff (⚠ *Verb mst. im Pl.*), employees (⚠ *Pl.*); ***die Belegschaft ist zu alt*** the staff are too old

belegt 1. *Platz, Zimmer*: taken, occupied **2.** *Hotel*: full **3.** *Telefon*: engaged, *AE* busy **4. *belegtes Brot*** sandwich ['sænwɪdʒ] **5.** *Zunge*: coated, furred **6.** *Stimme*: husky

belehren 1. (≈ *unterweisen*) teach*, instruct **2.** (≈ *aufklären*) inform (***über*** of) **3. *sich belehren lassen*** (≈ *Rat einholen*) take* (some) advice

beleidigen offend, *gröblich*: insult [ɪn'sʌlt]

beleidigend offensive, *grob*: insulting

beleidigt offended

Beleidigung insult ['ɪnsʌlt]

beleuchten 1. light* (up), *auch festlich*: illuminate **2. *etwas von allen Seiten beleuchten*** *übertragen* examine (*oder* look at) something from every angle

Beleuchtung 1. lighting, lights (⚠ *Pl.*) **2.** (≈ *Bestrahlung*) illumination

Belgien Belgium ['beldʒəm]

Belgier Belgian ['beldʒən]; ***er ist Belgier*** he's Belgian; ☞ ***Nationalitäten***

Belgierin Belgian woman (*oder* lady *bzw.* girl); ***sie ist Belgierin*** she's Belgian; ☞ ***Nationalitäten***

belgisch Belgian ['beldʒən]

Belichtung *Foto*: exposure [ɪk'spəʊʒə]

beliebig 1. any; ***jedes beliebige Muster*** any pattern (you like) **2. *beliebig viele*** as many as you like **3. *jeder Beliebige*** anyone

beliebt popular (***bei*** with)

Beliebtheit popularity (***bei*** with, among)

beliefern supply [sə'plaɪ] (***mit*** with)

bellen bark (*auch übertragen*)

Belletristik (poetry and) fiction

belohnen 1. reward [rɪ'wɔːd] (*auch übertragen*) **2. *mit etwas belohnt werden*** get* something as a reward

Belohnung reward [rɪ'wɔːd]; ***als*** (*oder* ***zur***) ***Belohnung*** as a reward (***für*** for)

belügen 1. *jemanden belügen* lie to someone, tell* someone a lie (*bzw.* lies) **2. *sich selbst belügen*** deceive [dɪ'siːv] oneself

Belustigung amusement; ***zur allgemeinen Belustigung*** to everybody's amusement
bemalen paint
bemängeln 1. criticize, find* fault with **2.** ***ich habe nichts zu bemängeln*** I have no criticisms (*oder* complaints)
bemerkbar 1. noticeable [⚠ 'nəʊtɪsəbl] **2.** ***sich bemerkbar machen*** *Person*: draw* (*oder* attract) attention to oneself, *Sache*: begin* to show, become* apparent
bemerken 1. (≈ *wahrnehmen*) notice, become* aware of **2.** (≈ *erkennen*) realize **3.** (≈ *äußern, sagen*) say*, remark **4.** (≈ *erwähnen*) mention **5.** ***nebenbei bemerkt*** by the way, incidentally
bemerkenswert remarkable (***wegen*** for)
Bemerkung 1. remark (***über*** on, about) **2.** ***Bemerkungen machen über*** remark (*oder* comment) on, make* remarks about
bemitleiden feel* sorry for, pity
bemogeln: ***jemanden bemogeln*** *beim Spiel*: cheat someone
bemühen 1. ***er bemüht sich sehr*** he's trying hard **2.** ***er hat sich bemüht, die Beziehungen zu verbessern*** he's been trying to improve relations **3.** ***sich um etwas bemühen*** try to get something **4.** ***sich um jemanden bemühen*** (try to) help someone; ☞ *Info unter engl.* ***try***
Bemühungen effort (⚠ *Sg.*), efforts (*Pl.*)
benachrichtigen inform, notify (***von*** of)
Benachrichtigung 1. notification **2.** ***die Benachrichtigung der Eltern erfolgte unverzüglich*** all parents were immediately notified
benachteiligen: ***jemanden benachteiligen*** put* someone at a disadvantage, *bes. sozial*: discriminate against someone
Benachteiligung 1. discrimination (*+Gen.* against) **2.** (≈ *Nachteil*) handicap, disadvantage
benebelt *umg.* **1.** (be)fuddled **2.** *von Alkohol*: woozy
Benefizkonzert charity concert ['tʃærətɪˌkɒnsət] (*oder* performance)
benehmen 1. ***sich gut benehmen*** behave [bɪ'heɪv] (oneself), behave well **2.** ***sich schlecht benehmen*** behave badly, misbehave **3.** ***benimm dich!*** behave yourself!
Benehmen 1. behaviour [bɪ'heɪvɪə] **2.** ***er hat kein Benehmen*** he has no manners
beneiden 1. ***jemanden um etwas beneiden*** envy ['envɪ] someone something; ***ich beneide dich um deine Geduld*** I envy (you) your patience, I wish I had your patience **2.** ***er ist nicht zu beneiden*** he's not to be envied, *umg.* I wouldn't like to be in his shoes
Benelux-Länder: ***die Benelux-Länder*** the Benelux ['benɪlʌks] Countries

Benelux

Benelux ist eine Abkürzung für **Belgium, the Netherlands** und **Luxembourg.**

benennen name (***nach*** after, *AE* for)
benommen dazed, *umg.* dopey, dopy
benoten mark, *AE* grade
benötigen need, require; ***dringend benötigen*** badly need
Benotung 1. marking, *AE auch* grading **2.** (≈ *Noten*) marks (⚠ *Pl.*), *bes. AE* grades (⚠ *Pl.*)
benutzen, benützen 1. use **2.** take*, go* by (*Taxi, Bus, U-Bahn, Straßenbahn usw.*)
Benutzer(in), Benützer(in) user
benutzerfreundlich user-friendly
Benutzerhandbuch (user) manual ['mænjʊəl]
Benutzeroberfläche *Computer*: user (*oder* system) interface
Benzin petrol, *AE* gas
Benzinpreis: ***Benzinpreis, Benzinpreise*** petrol (*AE* gas) prices (⚠ *Pl.*)
Benzinverbrauch fuel consumption
beobachten 1. watch, *genau*: observe **2.** ***jemanden bei etwas beobachten*** watch someone doing something **3.** *zufällig*: see*; ***ich beobachtete, wie sie das Haus verließ*** I saw her leave (*oder* leaving) the house
Beobachter(in) observer (*auch politisch usw.*)
Beobachtung *allg.*: observation
Beobachtungssatellit observation satellite
bequem 1. *Schuhe, Sessel usw.*: comfortable [⚠ 'kʌmftəbl] **2.** (≈ *gemütlich*) cosy **3.** (≈ *leicht, einfach*) easy **4.** ***fürs Einkaufen*** *usw.* ***ist es sehr bequem*** (≈ *praktisch*) it's very convenient for shopping *usw.* **5.** ***eine bequeme Lösung*** an easy way out **6.** *Person*: (≈ *faul*) lazy **7.** ***machen Sie sichs bequem*** make yourself at home, make yourself comfortable [⚠ 'kʌmftəbl]
Bequemlichkeit 1. (≈ *Behaglichkeit*) comfort [⚠ 'kʌmfət] **2.** (≈ *Faulheit*) laziness
beraten 1. ***jemanden beraten*** advise someone (***bei*** on) **2.** ***etwas beraten*** discuss something **3.** ***sich beraten lassen von*** consult **4.** ***sich mit jemandem über etwas beraten*** discuss something with someone
Berater(in) adviser, *fachlich*: consultant

berauben: ***sie wurde überfallen und beraubt*** she was attacked and robbed, she was (*oder* got) mugged
berechenbar **1.** *Kosten*: calculable ['kælkjʊləbl] **2.** *Verhalten usw.*: predictable [prɪ'dɪktəbl]
berechnen **1.** calculate ['kælkjʊleɪt] (*auch übertragen*) **2.** ***jemandem*** **(*für etwas*)** ***50 Euro*** *usw.* ***berechnen*** charge someone 50 euros *usw.* (for something)
Berechnung calculation
berechtigen: **(*jemanden*)** ***zu etwas berechtigen*** entitle someone to something (*bzw.* to do something); ***ist er überhaupt dazu berechtigt?*** is he entitled to do that?
Berechtigung **1.** right (***zu*** to) **2.** (≈ *Vollmacht*) authority (***zu*** to)
Bereich **1.** area **2.** *übertragen* (≈ *Gebiet*) field, area
bereichern **1.** enrich **2.** expand, increase [ɪn'kriːs] (*sein Wissen usw.*) **3.** ***sich bereichern an*** make* a lot of money out of
Bereicherung **1.** enrichment **2.** *des Wissens usw.*: expansion (+*Gen.* of), increase ['ɪŋkriːs] (+*Gen.* in) **3.** ***es war eine große Bereicherung für mich*** *übertragen* I gained (*oder* learned) a lot from it
bereinigen **1.** settle (*Streit*) **2.** clear up (*Missverständnis*)
bereisen tour, travel around (*Land*)
bereit **1.** ready ['redɪ] (***zu*** to; ***zu etwas*** for something) **2.** (≈ *gewillt*) prepared, willing (***zu*** to) **3.** *Wendungen*: ***bereit zur Abfahrt*** ready to leave; ***sich bereit erklären zu*** (+*Inf.*) agree to (+*Inf.*), *freiwillig*: volunteer [ˌvɒlən'tɪə] to (+*Inf.*)
bereiten **1.** make* (*Tee, Kaffee usw.*); ***das Essen bereiten*** make* lunch (*bzw.* dinner), get* lunch (*bzw.* dinner) ready **2.** (≈ *verursachen*) cause (*Ärger*) **3.** ***es bereitet mir Vergnügen*** it gives me pleasure
bereithalten: ***etwas bereithalten*** have* something ready
bereitmachen: ***sich bereitmachen*** get* ready (***zu*** for)
bereits **1.** already; ***ich habe bereits drei*** I've got three already, I've already got three **2.** ***er schläft bereits seit zwei Stunden*** <u>he's</u> <u>been</u> <u>asleep</u> for two hours (already) **3.** (≈ *nur*) even, just; ***bereits fünf Tropfen können tödlich wirken*** even (*oder* just) five drops can be lethal [⚠ 'liːθl]
Bereitschaft **1.** readiness **2.** ***Bereitschaft haben*** *Arzt usw.*: be* on call
bereitstellen **1.** (≈ *zur Verfügung stellen*) make* available (*Geld usw.*) **2.** (≈ *liefern*) provide, supply
bereitwillig willing
bereuen regret; ***er bereut, dass er ihr nicht die Wahrheit gesagt hat*** he <u>regrets</u> not tell<u>ing</u> (*oder* not having told) her the truth; ***ich bereue gar nichts*** I have no regrets (about anything)
Berg **1.** mountain ['maʊntɪn], *kleiner*: hill **2.** ***Berge von*** *übertragen* piles of, heaps of **3.** *Wendungen*: ***Berge versetzen*** move mountains; ***die Haare standen ihm zu Berge*** <u>his</u> <u>hair</u> (⚠ *Sg.*) stood on end
bergab downhill (*auch übertragen*); ***mit ihm gehts bergab*** things are going downhill with him
Bergarbeiter miner
bergauf **1.** uphill **2.** ***es geht wieder bergauf*** *übertragen* things are looking up (***mit*** for)
Bergbahn mountain railway, *AE* mountain railroad
Bergbau mining (industry)
bergen **1.** (≈ *retten*) rescue ['reskjuː], save (*Personen*) **2.** recover (*Leichen, Güter, Fracht*)
bergig mountainous ['maʊntɪnəs], *schwächer*: hilly
Bergmann miner
Bergspitze mountain peak
Bergsteigen mountaineering, mountain climbing [⚠ 'klaɪmɪŋ]
Bergsteiger(in) (mountain) climber [⚠ 'klaɪmə], mountaineer [ˌmaʊntɪ'nɪə]
Bergtour mountain hike
Bergung **1.** (≈ *Rettung*) rescue ['reskjuː] **2.** *von Toten, Fahrzeugen usw.*: recovery
Bergungsarbeiten rescue ['reskjuː] work (⚠ *Sg.*), salvage ['sælvɪdʒ] operations
Bergwerk mine
Bericht **1.** report (***über*** on); ***Bericht erstatten*** (give* a) report (***über*** on; ***jemandem*** to someone) **2.** (≈ *Beschreibung*) account (***über*** of)
berichten **1.** ***jemandem etwas berichten*** (≈ *melden*) inform someone of something, report something to someone **2.** ***über etwas berichten*** report on (*oder* give* a report on) something **3.** ***du hast mir noch gar nicht über die Party*** *usw.* ***berichtet*** (≈ *erzählt*) you haven't told me about the party *usw.* yet
berichtigen correct (*einen Fehler usw., jemanden, sich selbst*)
Berichtigung correction
Berlin Berlin [bɜː'lɪn]
Berliner: ***die Berliner Mauer*** *historisch*: the Ber<u>lin</u> Wall [⚠ ˌbɜːlɪn'wɔːl]
Berliner(in) Berliner [⚠ bɜː'lɪnə]
Bermudadreieck Bermuda triangle [bəˌmjuːdə'traɪæŋgl]

Bermudainseln: ***die Bermudainseln*** the Bermudas [bə'mjuːdəz]
Bermudashorts bermudas [bə'mjuːdəz]
Bernhardiner *Hund*: St Bernard [snt-'bɜːnəd] (dog)
Bernstein amber ['æmbə]
berüchtigt notorious [nə'tɔːrɪəs] (***wegen*** for)
berücksichtigen **1.** consider (*Vorschlag, Bewerbung usw.*) **2.** (≈ *in Betracht ziehen*) take* into account (*oder* consideration)
Beruf **1.** job, occupation **2.** *bes. Handwerk*: trade **3.** *Wendungen*: ***einen Beruf ergreifen*** take* up a career (*oder* a profession); ***er ist von Beruf Lehrer*** he's a teacher (by profession)
berufen[1]: ***jemanden zum Vorsitzenden*** *usw.* ***berufen*** appoint someone chairman *usw.*
berufen[2] (≈ *befähigt*) qualified, competent ['kɒmpɪtənt]
beruflich **1.** professional **2.** ***berufliche Aussichten*** job (*oder* career) prospects **3.** ***was machen Sie beruflich?*** what do you do?
Berufsausbildung vocational training, *bes. akademisch*: professional training
Berufsberater(in) careers adviser, job counsellor, *AE* guidance counselor
Berufsberatung careers guidance, *AE* vocational guidance
Berufschancen job (*oder* career) prospects
Berufsschule vocational school
berufstätig **1.** working …; ***berufstätige Mütter*** working mothers **2.** ***berufstätig sein*** work, have* a job
Berufsverkehr rush-hour traffic
Berufung **1.** *innere*: calling (***zu etwas*** to (be) something) **2.** ***Berufung einlegen*** appeal (***gegen*** against)
beruhen **1.** ***beruhen auf*** be* based on **2.** ***das beruht auf Gegenseitigkeit*** the feeling is mutual ['mjuːtʃʊəl] **3.** ***lassen wir die Sache auf sich beruhen*** let's leave it at that
beruhigen **1.** (***sich***) ***beruhigen*** calm [⚠ kɑːm] (down) **2.** calm, soothe [suːð] (*die Nerven*) **3.** ***seien Sie beruhigt!*** there's no need to worry [⚠ wʌrɪ]

Bezeichnungen für Berufe

Bei den meisten Berufsbezeichnungen wird im Englischen normalerweise zwischen Mann und Frau nicht unterschieden:

Lehrer, Lehrerin	**teacher**
Arzt, Ärztin	**doctor**
Rechtsanwalt, Rechtsanwältin	**lawyer** ['lɔːjə]

Willst du jedoch besonders deutlich machen, dass es sich um eine Frau handelt, kannst du **female** oder auch **woman** voranstellen:

Politikerin	**female / woman politician**
Architektin	**female / woman architect**
Chirurgin *usw.*	**female / woman surgeon**

⚠ Beachte, dass der Plural **female** bzw. **women** ['wɪmɪn] **politicians** usw. lautet.

Es gibt zwar im Englischen einige weibliche Berufsbezeichnungen, wie z. B. **conductress** (Schaffnerin), **mayoress** [ˌmeər'es] (Bürgermeisterin), **authoress** (Schriftstellerin) und **manageress** (Managerin), jedoch werden diese heutzutage relativ selten benutzt, da sie mitunter einen „negativen Beigeschmack" haben. Am besten verwendest du in diesen Fällen einfach die neutrale Form (**mayor** [meə], **conductor, author** usw.), außer wenn du ausdrücklich klarmachen möchtest, dass es sich um eine Frau handelt.

Einige weibliche Berufsbezeichnungen sind aber dennoch erhalten geblieben:

Kellnerin	**waitress**
Schauspielerin	**actress** (man hört aber inzwischen auch **actor**)

Wichtig ist, dass du der Berufsbezeichnung – im Gegensatz zum Deutschen – grundsätzlich den unbestimmten Artikel (**a** bzw. **an**) voranstellst:

Sie ist Chirurgin.	**She's a surgeon** ['sɜːdʒən].
Sie ist Architektin.	**She's an architect.**

beruhigend 1. *Gedanke usw.*: reassuring **2.** *Medikament usw.*: sedative ['sedətɪv]

Beruhigung: ***zu unserer großen Beruhigung*** much to our relief [rɪ'li:f], to our great relief

Beruhigungsmittel sedative [⚠ 'sedətɪv], tranquillizer ['træŋkwəlaɪzə]

berühmt famous ['feɪməs] (***wegen, für*** for)

Berühmtheit 1. fame; ***Berühmtheit erlangen*** become* famous **2.** *Person*: celebrity [sə'lebrətɪ]

berühren 1. touch (*auch übertragen*) **2.** (≈ *betreffen*) concern

Berührung 1. touch; ***bei der leisesten Berührung*** at the slightest touch **2.** ***in Berührung kommen mit*** come* into contact with

Berührungspunkt point of contact (*auch übertragen*)

besagen: ***das besagt noch gar nichts*** that doesn't mean (*oder* prove) a thing

Besatzung (≈ *Mannschaft*) crew; ***die Besatzung ist schon an Bord*** the crew is *oder* are already on board

Besatzungsmacht occupying power

besaufen: ***sich besaufen*** get* drunk, *BE salopp* get* pissed, *AE salopp* get* bombed [bɒmd]

Besäufnis *salopp* booze-up

beschädigen damage

Beschädigung *auch Pl.*: damage

beschaffen[1]: **(*sich*) *etwas beschaffen*** get* something, *mit Mühe*: get* hold of something

beschaffen[2]: ***gut*** (*bzw.* ***schlecht***) ***beschaffen*** in a good (*bzw.* bad) state

Beschaffenheit state, condition

beschäftigen 1. ***sich beschäftigen mit*** *den Kindern usw.*: be* busy ['bɪzɪ] with, *einem Problem, einem Thema usw.*: deal* with **2.** ***jemanden beschäftigen*** (≈ *anstellen*) employ someone

beschäftigt busy ['bɪzɪ] (***mit*** with); ***sie ist mit den Hausaufgaben*** *usw.* ***beschäftigt*** she's busy with her homework *usw.*, she's busy doing her homework *usw.*

Beschäftigung 1. (≈ *Anstellung*) employment **2.** (≈ *Arbeit*) job; ***sie sucht nach einer Beschäftigung*** she's looking for a job (*oder* for work) **3.** ***er hat keine Beschäftigung*** (≈ *nichts zu tun*) he's got nothing to do **4.** *mit einem Thema*: treatment (***mit*** of)

beschämend shameful

Bescheid 1. (≈ *Antwort*) answer ['ɑ:nsə], reply **2.** ***ich gebe ihm Bescheid*** I'll let him know (about it); ***ich weiß Bescheid!*** I know (all about it)

bescheiden modest ['mɒdɪst] (*auch übertragen*); ***bescheidene Mittel*** modest means

Bescheidenheit modesty; ***falsche Bescheidenheit*** false modesty

bescheinigen certify; ***hiermit wird bescheinigt, dass …*** this is to certify that …

Bescheinigung 1. (≈ *Schein*) certificate [sə'tɪfɪkət] **2.** (≈ *Bestätigung*) (written) confirmation

bescheißen *übertragen* cheat, swindle, *salopp* rip off

Bescherung 1. ***wann findet die Bescherung statt?*** when are we going to open the (Christmas) presents? **2.** ***eine schöne Bescherung!*** *ironisch* a fine mess

beschießen 1. fire at **2.** *mit Granaten, Neutronen usw., mit Fragen*: bombard [bɒm'bɑ:d]

beschimpfen 1. ***jemanden beschimpfen*** *mit Kraftausdrücken*: swear* at someone **2.** ***jemanden als Lügner*** *usw.* ***beschimpfen*** call someone a liar *usw.*

Beschimpfung *auch Pl.*: abuse [⚠ ə'bju:s], (≈ *Beleidigung*) insult ['ɪnsʌlt], insults (*Pl.*)

Beschiss 1. *allg.*: swindle **2.** *umg.*, *in Geldangelegenheiten*: rip-off ['rɪpɒf]

beschissen 1. *umg.* lousy ['laʊzɪ], rotten, *BE salopp* bloody awful **2.** ***mir gehts beschissen*** I feel lousy

beschlagen *Fenster usw.*: steamed up, *bes. im Auto*: misted up

beschlagnahmen seize [si:z], confiscate ['kɒnfɪskeɪt]

beschleunigen 1. (*Auto usw.*) accelerate [ək'seləreɪt]; ***er beschleunigt von 0 auf 160 km/h in 10 Sekunden*** it accelerates from 0 to 100 mph (⚠ *gesprochen* from nought [nɔ:t] *oder AE* zero to a hundred miles per *oder* an hour) in 10 seconds **2.** (≈ *schneller werden lassen*) speed up (*Vorgang*)

Beschleunigung acceleration, speeding up

beschließen 1. decide (***zu*** to+*Inf.*), *endlich*: make* up one's mind (***zu*** to+*Inf.*) **2.** (≈ *beenden*) end, *endgültig auch*: settle

beschlossen: ***es ist beschlossene Sache, dass*** it's definite ['defənət] that …

Beschluss decision, *stärker und politisch*: resolution [ˌrezə'lu:ʃn]

beschmieren 1. ***etwas beschmieren*** (≈ *schmutzig machen*) get* (*oder* make*) something dirty **2.** ***etwas mit Farbe*** *usw.* ***beschmieren*** smear paint *usw.* on something **3.** ***sich beschmieren*** (≈ *schmutzig machen*) get* oneself dirty **4.** ***du hast dein Gesicht*** (*bzw.* ***deine Sachen*** *usw.*) ***mit Farbe*** *usw.* ***beschmiert*** you've smeared (*oder* you've got) paint *usw.* on your face (*bzw.* on your clothes *usw.*) **5.** ***Brot mit Butter*** *usw.* ***beschmieren*** put* (*oder* spread*) butter *usw.* on bread

beschmutzen: ***sein Hemd*** *usw.* ***beschmutzen*** dirty one's shirt *usw.*, get* one's shirt *usw.* dirty

beschönigen gloss over (*Fehler usw.*)

beschränken limit, restrict (***auf*** to+*Inf.*)

beschränkt limited (*auch in Anzahl, Zeit*), restricted (***auf*** to +*Inf.*)

Beschränkung limitation, restriction (***auf*** to)

beschreiben (≈ *schildern*) describe; ***etwas genau beschreiben*** describe something in detail

Beschreibung (≈ *Schilderung*) description

beschriften write* [raɪt] on; ***ich muss die Kiste noch mit meinem Namen beschriften*** I still have to write my name on the box

beschuldigen: ***jemanden einer Sache beschuldigen*** accuse someone of something

Beschuldigung accusation, charge

Beschuss **1.** shelling, bombardment **2.** ***unter Beschuss geraten*** come* under fire (*auch übertragen*), *nur übertragen* come* under attack (***wegen*** for)

beschützen protect (***vor, gegen*** from)

Beschützer(in) protector

beschwatzen **1.** ***sie haben ihn beschwatzt*** they've talked him round **2.** ***sie haben ihn beschwatzt zu kommen*** *usw.* they've talked him into coming *usw.*

Beschwerde **1.** (≈ *Klage*) complaint (***über*** about; ***bei*** to) **2.** ***Beschwerden*** *körperliche*: aches [eɪks] and pains, problems (***mit*** with), trouble (⚠ *Sg.*) (***mit*** with); ***ich hab immer noch Beschwerden mit meinen Beinen*** I'm still having problems (*oder* trouble) with my legs

beschweren **1.** ***sich beschweren*** complain (***über*** about; ***bei*** to) **2.** ***ich möchte mich beschweren*** I'd like to make a complaint

beschwichtigen **1.** appease (*auch politisch*) **2.** calm [⚠ kɑːm] down (*aufgebrachte Menge, Kind*)

beschwindeln: ***jemanden beschwindeln*** lie to someone, tell* someone a lie (*oder* lies), *umg.* tell* someone a fib (*oder* fibs)

beschwipst tipsy, *BE umg. auch* tiddly

beschwören **1.** ***ich könnte*** (***nicht***) ***beschwören, dass …*** I could(n't) swear (that) … **2.** conjure up [⚠ ˌkʌndʒər'ʌp] (*Geister, Erinnerungen usw.*)

beseitigen **1.** *allg.*: remove **2.** dispose of, get* rid of (*Abfälle usw.*) **3.** (≈ *abschaffen*; *ermorden*) get* rid of (*etwas*; *jemanden*)

Beseitigung **1.** *allg.*: removal [rɪ'muːvl] **2.** *von Abfällen usw.*: disposal

Besen **1.** broom, *kleiner*: brush **2.** ***neue Besen kehren gut*** *übertragen* a new broom sweeps clean

besessen **1.** obsessed [əb'sest] (***von*** with) **2.** ***wie besessen*** like mad

besetzen **1.** take*, occupy (*Sitzplatz*) **2.** occupy (*Land usw.*) **3.** cast* (*Stück*, *Rolle*) **4.** ***ein Haus besetzen*** squat [skwɒt] (in a house)

besetzt **1.** *Sitzplatz*: occupied, taken; ***ist da besetzt?*** is anyone sitting there? **2.** *Toilette*: occupied **3.** *Telefon*: engaged, *AE* busy **4.** *von Militär usw.*: occupied

Besetztzeichen *Telefon*: engaged (*AE* busy) signal [ɪn'geɪdʒdˌsɪgnəl ('bɪzɪˌsɪgnəl)]

Besetzung **1.** *eines Landes usw.*: occupation **2.** *Theater*: cast

besichtigen (≈ *ansehen*) visit, see*, have* a look at (*Stadt, Kirche usw.*), tour (*Stadt, Fabrik usw.*)

Besichtigung: ***eine Besichtigung des Schlosses*** *usw.* a tour of the castle *usw.*

besiedeln **1.** (≈ *sich ansiedeln*) settle **2.** (≈ *bevölkern*) populate

besiedelt **1.** ***besiedelte Gebiete*** settled areas **2.** ***dicht*** (*bzw.* ***dünn***) ***besiedelt*** densely (*bzw.* sparsely) populated

Besiedlung settlement

besiegen defeat, *umg.* beat* (*Feind, Konkurrenten, Gegner*)

besinnen **1.** ***sich besinnen*** (≈ *nachdenken*) reflect, think* **2.** ***sich besinnen*** (≈ *zur Vernunft kommen*) come* to one's senses **3.** ***sich besinnen auf*** recall, remember

Besinnung **1.** (≈ *Bewusstsein*) consciousness [⚠ 'kɒnʃəsnəs]; ***die Besinnung verlieren*** lose* [luːz] consciousness; (***wieder***) ***zur Besinnung kommen*** regain consciousness, come* round **2.** (≈ *Nachdenken*) reflection, contemplation **3.** ***jemanden zur Besinnung bringen*** (≈ *Vernunft*) bring* someone to his (*bzw.* her) senses

besinnungslos unconscious [⚠ ʌn'kɒnʃəs]

Besitz **1.** ownership, possession [pə'zeʃn] (***an, von*** *oder+Gen.* of); ***im Besitz sein***

von be* in possession of **2.** (≈ *Eigentum*) property
besitzanzeigend: ***besitzanzeigendes Fürwort*** possessive [pə'zesɪv] pronoun
besitzen 1. (≈ *haben*) have* (got) (*ein gutes Gedächtnis, Talent usw.*), own, have* (got) (*Haus, Hund, Auto usw.*) **2.** (≈ *verfügen über*) possess [pə'zes], own (*Vermögen*)
Besitzer(in) owner
besoffen drunk, *salopp* pissed, stoned
Besoldung 1. *Beamte*: salary ['sæləri] **2.** *Soldaten*: pay
besondere(r, -s) special, (≈ *bestimmt*) particular; ***ein besonderer Fall*** a special case; ***dazu brauchst du eine besondere Ausbildung*** you need special qualifications for that; ***gibt es einen besonderen Grund?*** is there any particular reason?
Besondere(s) 1. *etwas* (*bzw.* ***nichts***) ***Besonderes*** something (*bzw.* nothing) special **2. *das Besondere daran ist*** what's so special about it is
Besonderheit 1. *eines Geräts usw.*: specific feature **2. *es ist eine Besonderheit von ihm*** it's one of his (little) quirks
besonders 1. (≈ *insbesondere*) particularly, in particular, especially; ***besonders viele Fehler*** a particularly high number of mistakes **2.** (≈ *vor allem*) above all
besorgen (≈ *beschaffen, kaufen*) **1. *sich etwas besorgen*** get* (*oder* buy*) something **2. *ich besorge dir die neue CD*** I'll get you the new CD
Besorgnis 1. *es besteht kein Grund zur Besorgnis* there's no cause for concern, there's no need to worry [⚠ 'wʌrɪ] **2. *Besorgnis erregend*** worrying [⚠ 'wʌrɪɪŋ], *stärker*: alarming
besorgt worried ['wʌrɪd], concerned (***um, wegen*** about)
bespitzeln: ***jemanden bespitzeln*** spy on someone
besprechen 1. *etwas besprechen* discuss something, talk something over **2.** review (*Buch, Film usw.*)
Besprechung 1. (≈ *Unterredung*) meeting, discussion, discussions *Pl.*: ***er ist in einer Besprechung*** he's at a meeting, he's having a meeting **2.** (≈ *Buchbesprechung*) review
besser 1. better (***als*** than); ***es besser wissen*** know better (⚠ *ohne* it) **2. *besser gesagt*** or rather **3. *besser werden*** improve [ɪm'pruːv], get* better **4. *es ist besser, wenn wir gehen*** I think we should go, I think (*oder* perhaps) we'd better go **5. *es geht im heute besser*** he's feeling better today
Bessere(s) 1. *ich habe Besseres zu tun* I've got better things to do **2. *sie denkt, sie ist etwas Besseres*** she thinks she's somebody special
bessern: ***sich bessern*** improve [ɪm'pruːv], get* better; ***er hat sich nicht gebessert*** he hasn't changed, he's still the same (as ever)
Besserung 1. improvement **2. *er ist auf dem Wege der Besserung*** *gesundheitlich*: he's recovering, he's on the road to recovery **3. *gute Besserung!*** get well soon!
Besserwisser(in) know-it-all, know-all
Bestand: ***Bestand, Bestände*** (≈ *Vorrat*) stock, supplies (⚠ *Pl.*)
bestanden: ***jemandem zur bestandenen Prüfung gratulieren*** congratulate someone on passing his (*oder* her) exam
beständig 1. (≈ *dauerhaft*) permanent **2.** (≈ *andauernd*) continual, constant **3.** *Wetter*: settled **4.** (≈ *widerstandsfähig*) resistant (***gegen*** to) **5.** (≈ *dauernd, immerzu*) constantly, continually
Bestandsaufnahme stocktaking; ***Bestandsaufnahme machen*** take* stock
Bestandteil component, part
bestärken 1. (≈ *ermuntern, unterstützen*) encourage [ɪn'kʌrɪdʒ] **2. *jemanden in seiner Meinung*** *usw.* ***bestärken*** back someone up
bestätigen 1. confirm **2. *mein Verdacht*** *usw.* ***hat sich bestätigt*** my suspicion *usw.* has proved [pruːvd] (to be) true
Bestätigung confirmation [ˌkɒnfə'meɪʃn]
bestatten bury [⚠ 'berɪ]
Bestattung burial [⚠ 'berɪəl]
bestaunen (≈ *bewundern*) marvel ['mɑːvl] at
beste(r, -s) 1. *der/die/das Beste* the best; ***er ist der Beste*** *bzw.* ***sie ist die Beste*** he's *bzw.* she's the best, *in der Klasse*: he's *bzw.* she's top of the class **2. *das Beste wäre, du*** *usw.* … it would be best for you *usw.* to (*+Inf.*) **3. *das beste Buch*** *usw.* the best book *usw.* **4. *am besten*** best; ***am besten bleibst du hier*** the best thing would be for you to stay here, it would be best if you stayed here **5.** *Wendungen*: ***in bestem Zustand*** in perfect condition; ***bei bester Gesundheit*** in the best of health
Beste(r, -s) → ***beste(r, -s)***
bestechen bribe
bestechlich corruptible [kə'rʌptəbl]
Bestechung bribery ['braɪbərɪ]
Bestechungsgeld bribe (money)
Bestechungsversuch attempted bribery ['braɪbərɪ]

Besteck 1. knife [naɪf], fork and spoon 2. ***Besteck, Bestecke*** cutlery (*Sg.*)
bestehen 1. ***sie hat (die Prüfung) bestanden*** she passed (the exam) 2. ***eine Probe*** *usw.* ***bestehen*** stand* (*oder* pass) the test *usw.* 3. ***die Prüfung*** (*bzw.* ***Probe***) ***nicht bestehen*** fail the exam (*bzw.* the test) 4. ***es besteht die Gefahr, dass ...*** there's a risk that ...; ***es besteht kein Zweifel, dass ...*** there's no doubt that ... 5. ***das Buch*** *usw.* ***besteht aus drei Kapiteln*** the book *usw.* consists of (*oder* comprises) three chapters 6. ***der Unterschied besteht darin, dass ...*** the difference is that ... 7. ***bestehen auf*** insist (up)on; ***darauf bestehen, etwas zu tun*** insist on doing something; ***ich bestehe darauf, dass er kommt*** I insist that he comes

bestehen

eine Prüfung machen	**take an exam**
eine Prüfung bestehen	**pass an exam**
eine Prüfung nicht bestehen	**fail an exam**

Bestehen 1. existence 2. ***das 50-jährige Bestehen feiern*** celebrate the fiftieth anniversary (***von etwas*** of something)
besteigen climb [klaɪm] (up) (*Berg usw.*)
bestellen 1. order (***bei*** from) 2. book, *bes. AE* reserve (*Zimmer usw.*) 3. ***bestell ihr bitte ...*** would you tell her ... 4. ***bestell ihr einen schönen Gruß von mir*** give her my regards (⚠ *Pl.*)
Bestellnummer order number
besteuern tax
Besteuerung taxation
Bestellschein order form
Bestellung 1. (≈ *Auftrag*) order 2. (≈ *Reservierung*) booking, *bes. AE* reservation
Bestellzettel order form (*oder* slip)
bestenfalls at best
bestens extremely (*oder* very) well
Bestform: ***sie ist zur Zeit in Bestform*** she's in top form at the moment
bestimmen 1. (≈ *festsetzen*) determine [dɪ'tɜːmɪn] 2. (≈ *entscheiden*) decide 3. fix (*Preis, Termin usw.*) 4. (≈ *prägen*) characterize
bestimmt 1. *Anzahl, Zeit*: certain 2. *Absicht, Plan usw.*: particular, specific [spə'sɪfɪk] 3. ***bestimmt sein für*** be meant [ment] for 4. ***bestimmter Artikel*** *Grammatik*: definite ['defənət] article 5. (≈ *sicher*) definitely; ***ich komme ganz bestimmt*** I'm definitely coming 6. (≈ *aller Wahrscheinlichkeit nach*) probably; ***er verpasst bestimmt den Zug*** he's bound (*oder* sure) to miss the train
Bestimmte(s): ***etwas Bestimmtes*** something particular (*oder* specific [spə'sɪfɪk])
Bestimmung (≈ *Vorschrift*) regulation, rule
Bestleistung 1. best performance 2. ***die persönliche Bestleistung übertreffen*** beat* one's personal best
bestmöglich best possible, optimum
bestrafen 1. *auch gerichtlich*: punish (***wegen, für*** for) 2. *mit einer Geldstrafe*: fine
Bestrafung punishment
Bestreben endeavour [⚠ ɪn'devə], aim
bestreiten 1. (≈ *anfechten*) contest [kən'test], challenge ['tʃælɪndʒ] 2. (≈ *abstreiten*) deny [dɪ'naɪ]
Bestseller bestseller (⚠ *Betonung auf* sel)
bestürmen *mit Fragen, Bitten usw.*: bombard [bɒm'bɑːd] (***mit*** with)
Bestzeit 1. best time 2. ***persönliche Bestzeit*** personal record ['rekɔːd] *oder* best
Besuch 1. visit (***bei, in*** *oder+Gen.* to) 2. (≈ *Aufenthalt*) stay 3. ***mein Onkel ist bei uns zu Besuch*** my uncle's staying with us 4. ***meine Schwester kommt zu Besuch*** my sister's coming to see me *bzw.* us 5. ***dies ist mein erster Besuch in Rom*** this is my first visit (*oder* trip) to Rome 6. (≈ *Gäste*) guests (*Pl.*)
besuchen 1. *allg.*: visit (*jemanden, Land, Ort usw.*) 2. *bes. kurz*: go* and see*, call on (*jemanden*) 3. *als Schüler, Zuhörer, Teilnehmer usw.*: attend [ə'tend], go* to (*Vortrag, Versammlung usw.*); ***die Schule besuchen*** go* to school (⚠ *ohne* the)
Besucher(in) 1. visitor (*+Gen.* to) 2. (≈ *Gast*) guest [gest]
Besuchszeit visiting hours (⚠ *Pl.*)
betätigen 1. (≈ *bedienen*) operate, work 2. press, push (*Schalter*) 3. apply (*Bremse*)
Betätigung (≈ *Tätigkeit*) activity
betäuben 1. *durch Narkose*: anaesthetize [ə'niːsθətaɪz] 2. *mit einem Schlag*: stun
Betäubung: (***örtliche***) ***Betäubung*** (local) anaesthetic [ˌænəs'θetɪk]
beteiligen 1. ***jemanden beiteiligen*** give* someone a share (***an*** in) 2. ***sich beteiligen an*** take* part (*oder* participate) in
beteiligt: ***beteiligt sein an*** be* involved in
Beteiligte(r) 1. person concerned (*oder* involved) 2. ***die Beteiligten*** those concerned, those involved
Beteiligung 1. participation (***an*** in), involvement (***an*** in) 2. *bei Wahlen*: turnout

beten 1. pray (***um*** for) 2. say* a prayer, say* one's prayers 3. *am Tisch*: say* grace
Beton concrete [⚠ 'kɒŋkriːt]
betonen 1. ***wie wird das Wort betont?*** how is that word stressed? 2. *übertragen* (≈ *unterstreichen*) stress, *nachdrücklich*: emphasize [⚠ 'emfəsaɪz]
Betonsilo *abwertend* concrete ['kɒŋkriːt] pile
Betonung 1. stress, emphasis [⚠ 'emfəsɪs] (*auch übertragen*) 2. ***die Betonung legen auf*** place the emphasis on (*auch übertragen*)
Betracht 1. ***in Betracht ziehen*** take* into consideration (*oder* account) 2. ***in Betracht kommen*** be* a possibility; ***nicht in Betracht kommen*** be* out of the question
betrachten 1. look at (*auch übertragen*) 2. ***betrachten als*** look upon as, consider (to be)
Betrachter(in) *eines Gemäldes usw.*: viewer
beträchtlich 1. considerable, substantial; ***beträchtliche Verluste*** considerable losses, heavy losses; 2. ***die Preise sind beträchtlich gestiegen*** prices have gone up considerably (⚠ *ohne* the)
Betrachtung: ***bei näherer Betrachtung*** on closer inspection (*oder* examination)
Betrag amount, sum
betragen 1. (≈ *sich belaufen auf*) amount to, come* to 2. ***sich anständig betragen*** behave [bɪ'heɪv] (properly *oder* well)
Betragen behaviour, conduct ['kɒndʌkt]
betreffen (≈ *angehen*) concern; ***was mich*** (***dich*** *usw.*) ***betrifft*** as for me (you *usw.*), as far as I'm (you're *usw.*) concerned; ***was das*** *usw.* ***betrifft*** as far as that *usw.* is concerned, as for that *usw.*
betreffend concerning; ***die betreffenden Personen*** *usw.* the people *usw.* concerned
Betreffende(r) person concerned; ***die Betreffenden*** those concerned
betreten 1. step on, walk on 2. set* foot on (*Gebiet*) 2. enter, walk (*oder* come*) into (*Raum*) 3. ***die Bühne betreten*** come* (*oder* walk) onto the stage
Betreten: ***Betreten verboten!*** keep off, *Privatgrundstück oder Privatgebiet*: no trespassing [⚠ 'trespəsɪŋ]
betreuen 1. look after 2. coach (*Sportler*)
Betreuer(in) 1. person in charge, someone who looks after someone (*bzw.* something), minder 2. *Sport*: doctor, physio ['fɪzɪəʊ]
Betreuung 1. ***medizinische Betreuung*** medical care 2. ***soziale Betreuung*** (social) welfare
Betrieb business, firm, company [⚠ 'kʌmpənɪ]
Betriebsanleitung operating instructions (⚠ *Pl.*)
Betriebsrat works council
Betriebssystem *EDV*: operating system
betrinken: ***sich betrinken*** get* drunk
betroffen 1. *von einer Katastrophe usw.*: affected (***von*** by) 2. ***die Betroffenen*** those concerned (*oder* affected)
Betroffenheit dismay, *stärker*: shock
betrübt sad (***über*** about)
Betrug: ***das ist ja Betrug!*** that's a swindle
betrügen 1. *allg.*: cheat, *bes. in Geldsachen usw.*: swindle 2. ***er betrügt sie*** *mit einer anderen Frau*: he's being unfaithful to her 3. ***du betrügst dich*** (***selbst***) *usw.* you're deceiving (*oder* deluding) yourself *usw.* 4. ***er betrügt manchmal beim Kartenspiel*** he sometimes cheats at cards
Betrüger(in) cheat, swindler
betrunken 1. ***er ist betrunken*** he's drunk (⚠ *nicht* drunken); ***er kam betrunken zu Hause an*** he arrived home drunk 2. ***ein betrunkener Motorradfahrer*** a drunk (-en) motorcyclist
Betrunkene(r) drunk
Bett 1. bed; ***im Bett*** in bed 2. ***ins Bett gehen*** go* to bed, *umg.* turn in 3. ***jemanden zu Bett bringen*** put* someone to bed
Bettdecke 1. *wollene*: blanket ['blæŋkɪt] 2. *gesteppte*: quilt [kwɪlt]
betteln 1. beg (***um*** for); ***betteln gehen*** go* begging 2. (≈ *bitten*) beg (***um*** for)
Bettflasche Ⓒⓗ hot-water bottle
Bettlaken sheet
Bettler(in) beggar ['begə]
Bettruhe: ***der Arzt hat mir Bettruhe verordnet*** the doctor told me to stay in bed
Bettwäsche bed linen [⚠ 'bed,lɪnɪn]
Bettzeug bedclothes [⚠ 'bedkləʊ(ð)z] (*Pl.*), bedding
beugen 1. *allg.*: bend* 2. bow [⚠ baʊ] (*den Kopf*) 3. *Grammatik*: inflect, decline (*Substantiv*), conjugate (*Verb*) 4. ***sich über etwas beugen*** bend* over something 5. ***sich nach vorn beugen*** lean* forward
Beule 1. *am Kopf*: bump; ***dicke Beule*** big bump 2. *im Blech*: dent
beunruhigend worrying, *stärker*: alarming
beurlauben: ***jemanden für eine Woche beurlauben*** give* someone a week off
beurteilen 1. ***jemanden*** *bzw.* ***etwas beurteilen*** judge someone *bzw.* something (***nach*** by); ***falsch beurteilen*** misjudge

2. rate, assess [ə'ses] (*Leistung, Wert, Auswirkungen*)
Beurteilung 1. judgment, judgement **2.** (≈ *Einschätzung*) assessment
Beute 1. (≈ *Diebesbeute*) booty, loot **2.** *eines Tieres*: prey **3.** *übertragen* prey
Beutel 1. bag **2.** *bei Tieren*: pouch [paʊtʃ]
bevölkern 1. populate; ***dicht bevölkert*** densely populated **2.** (≈ *bewohnen*) inhabit
Bevölkerung population
Bevölkerungs... *in Zusammensetzungen*: population ...; ***Bevölkerungsdichte*** population density; ***Bevölkerungsexplosion*** population explosion; ***Bevölkerungszunahme*** population growth, increase ['ɪŋkriːs] in population
Bevölkerungsrückgang decline in population
bevollmächtigen: ***jemanden bevollmächtigen, etwas zu tun*** authorize ['ɔːθəraɪz] someone to do something
bevor before; ***nicht bevor*** not before, not until
bevorstehen 1. (*Schwierigkeiten usw.*) lie* ahead **2.** (*Gefahr*) be* imminent **3.** ***jemandem steht etwas bevor*** something is in store for someone **4.** ***das Schlimmste steht noch bevor*** the worst is yet to come
bevorstehend forthcoming, approaching
bevorzugen 1. prefer **2.** favour, give* preference [⚠ 'prefrəns] to (*einen Schüler, einen Bewerber*)
bevorzugt 1. *allg.*: preferred **2.** *Stellung*: privileged ['prɪvəlɪdʒd] **3.** *Gegend*: popular
bewachen guard [gɑːd], watch over
bewacht 1. (***streng***) ***bewacht*** (closely) guarded **2.** ***bewachter Parkplatz*** supervised car park, *AE* guarded parking lot
bewaffnet armed (***mit*** with)
bewahren 1. (≈ *erhalten*) keep*, preserve, retain (*Eigenschaft, Aussehen usw.*) **2.** ***jemanden bewahren vor*** (≈ *behüten*) protect (*oder* keep*) someone from
bewähren 1. ***er hat sich bewährt*** he's proved [pruːvd] himself; ***er hat sich als Lehrer bewährt*** he's proved (to be) a good teacher **2.** ***etwas hat sich bewährt*** something has proved its worth, something has proved successful
bewahrheiten 1. ***sich bewahrheiten*** prove* [pruːv] (to be) true **2.** ***meine Hoffnungen*** (***Befürchtungen*** *usw.*) ***haben sich bewahrheitet*** my hopes (fears *usw.*) have been confirmed
bewährt 1. (≈ *erprobt*) well-tried, tried and tested **2.** (≈ *zuverlässig*) reliable [rɪ'laɪəbl]
3. ***eine bewährte Methode*** a proven method [ˌpruːvn'meθəd]
Bewährung *eines Verurteilten*: probation; ***zwei Jahre Gefängnis mit Bewährung*** a suspended sentence of two years
bewaldet wooded, tree-covered
bewältigen 1. cope with (*Arbeit usw.*) **2.** assimilate, *umg.* digest [daɪ'dʒest] (*Lehrstoff*) **3.** come* to grips with (*Problem*) **4.** cope with, overcome* (*Schwierigkeiten*)
bewässern irrigate
Bewässerung irrigation
Bewässerungsanlage irrigation plant
bewegen 1. (***sich***) ***bewegen*** move; ☞ *Illu S. 783* **2.** ***sich leicht bewegen*** (*Wasser, Blätter, Gardinen usw.*) stir **3.** ***etwas bewegen*** *mechanisch und übertragen*: set* something in motion
beweglich 1. (≈ *bewegbar*) movable ['muːvəbl], mobile ['məʊbaɪl]; ***bewegliche Teile*** moving parts **2.** ***mit einem Auto ist man beweglicher*** you can get around more easily (*oder* you're more mobile) with a car **3.** ***geistig beweglich*** mentally agile ['ædʒaɪl]
Beweglichkeit mobility
bewegt 1. *Meer*: rough [rʌf] **2.** *Zeiten, Leben*: exciting [ɪk'saɪtɪŋ] **3.** (≈ *ergriffen*) moved, touched **4.** ***mit bewegter Stimme*** in a choked (*oder* trembling) voice
Bewegung 1. *allg.*: movement, motion **2.** (***körperliche***) ***Bewegung*** (physical) exercise **3.** *politische usw.*: movement
bewegungslos motionless; ***bewegungslos daliegen*** lie* there motionless (*oder* without moving)
Bewegungsmelder motion sensor ['məʊʃnˌsensə]
Beweis 1. proof (***für*** of), evidence ['evɪdəns] (***für*** of) **2.** ***den Beweis erbringen für*** provide evidence of **3.** ***etwas unter Beweis stellen*** prove* [pruːv] something
beweisen prove* [pruːv]; ***jemandem etwas beweisen*** prove* something to someone
bewenden: ***lassen wirs dabei bewenden*** let's leave it at that
bewerben 1. ***sich bewerben*** *um einen Job usw.*: apply (***um*** for) **2.** ***sich um das Amt des Präsidenten bewerben*** (≈ *kandidieren*) stand* for (*oder bes. AE* run* for) presidency ['prezɪdənsɪ]
Bewerber(in) applicant ['æplɪkənt], candidate ['kændɪdeɪt]
Bewerbung application (***um*** for)
Bewerbungsgespräch (job) interview

Bewerbungsschreiben (letter of) application

Bewerbungsunterlagen application (⚠ *Sg.*), application papers

bewerten 1. assess [ə'ses] (*eine Leistung*) **2.** ***einen Aufsatz mit der Note 2 usw. bewerten*** *etwa*: give* an essay a B *usw.*

Bewertung 1. *einer Leistung*: assessment **2.** *in der Schule*: mark(s *Pl.*), *AE* grade(s *Pl.*)

bewirken 1. ***etwas bewirken*** (≈ *zustande bringen*) bring* something about **2.** (≈ *verursachen*) cause **3.** (≈ *hervorrufen*) give* rise to, result in **4.** (≈ *erreichen*) achieve [ə'tʃiːv]

bewohnen 1. live in (*ein Haus usw.*) **2.** (*Völker, Tiere usw.*) inhabit (*ein Gebiet usw.*)

Bewohner(in) 1. *eines Hauses usw.*: occupant **2.** *eines Gebiets usw.*: inhabitant

bewohnt 1. *Gebäude, Raum*: occupied; ***das Haus ist nicht bewohnt*** the house is empty, there's nobody living in the house **2.** *Land, Gegend*: inhabited (***von*** by)

bewölkt cloudy, *völlig*: overcast

Bewölkung (≈ *Wolken*) clouds (⚠ *Pl.*)

bewundern admire [əd'maɪə] (***wegen*** for)

bewundernswert admirable [⚠ 'ædmərəbl]

Bewunderung admiration [ˌædmə'reɪʃn]

bewusst 1. conscious [⚠ 'kɒnʃəs] **2.** *in Zusammensetzungen mst.*: …-conscious (*z.B.* ***gesundheitsbewusst*** health-conscious) **3.** ***sich einer Sache bewusst sein*** be* aware (*oder* conscious) of something **4.** (≈ *absichtlich*) deliberately, consciously **5.** ***jemandem etwas bewusst machen*** make* someone aware of something, make* someone realize something

bewusstlos unconscious [⚠ ʌn'kɒnʃəs]; ***bewusstlos werden*** lose* consciousness [⚠ ˌluːz'kɒnʃəsnəs], faint, *umg.* black out

Bewusstlosigkeit unconsciousness [⚠ ʌn'kɒnʃəsnəs]

Bewusstsein 1. consciousness [⚠ 'kɒnʃəsnəs] **2.** ***er war bei (vollem) Bewusstsein*** he was fully conscious **3.** ***wieder zu Bewusstsein kommen*** regain consciousness, *umg.* come* round **4.** *übertragen* awareness

bezahlen 1. pay* (*Summe, Rechnung, jemanden*) **2.** pay* for (*Ware, Leistung*)

bezahlen

Wenns im Ausland ans Bezahlen geht, muss man oft erst einmal fragen, wie man bezahlen kann, was akzeptiert wird:

Bargeld	**cash**
Kreditkarte	**credit card**
Reisescheck	**traveller's cheque,** *AE* **traveler's check**
Kann ich bar / mit Kreditkarte … bezahlen?	**Can I pay cash / by credit card …?** *oder* **Do you accept cash / credit cards …?**

Cash zieht man am besten an einem Geldautomaten – **cash machine, cash dispenser** oder **cashpoint**. Häufig sieht man auch die Abkürzung **ATM.** Sie steht für **automated teller machine.** Die Abkürzung wird aber meist nur von Bankangestellten verwendet. Man braucht in der Regel eine persönliche Geheimzahl, die so genannte **PIN** (= **personal identification number**), um an einem Geldautomaten Geld abheben zu können.

Bezahlfernsehen pay TV

bezahlt: ***es hat sich bezahlt gemacht*** it paid off, it was worth it

Bezahlung 1. (≈ *Zahlung*) payment **2.** (≈ *Honorar*) fee **3.** (≈ *Entlohnung*) pay **4.** (≈ *Gehalt*) salary **5.** (≈ *Lohn*) wages (⚠ *Pl.*)

bezaubernd charming, delightful

bezeichnen 1. (≈ *benennen*) call; ***wie bezeichnet man …?*** what do you call …?, what's the name for …?; ***jemanden als etwas bezeichnen*** call someone (a) … **2.** ***dieses Wort bezeichnet …*** (≈ *bedeutet*) this word denotes …

bezeichnend typical ['tɪpɪkl], characteristic (***für*** of)

Bezeichnung 1. (≈ *Benennung*) name **2.** (≈ *Begriff*) term

beziehen 1. put* clean sheets on (*Bett*) **2.** move [muːv] into (*Wohnung*) **3.** get* (*Ware, Informationen usw.*) **4.** ***etwas beziehen auf*** relate something to; ***er bezog es auf sich*** he took it personally **5.** ***sich beziehen auf*** refer to, (≈ *betreffen*) concern

Beziehung 1. *von Dingen*: relation (***zu*** to), relationship (***zu*** with, to) **2.** (≈ *Zusammenhang*) connection (***zu*** with, to) **3.** ***wirtschaftliche Beziehungen*** economic relations **4.** (***gute***) ***Beziehungen*** *zu anderen Leuten*: good (*oder* the right) connections **5.** *intime*: relationship (***zu*** with) **6.** (≈ *innere Beziehung, Verhältnis, Verständnis*) relationship (***zu*** to), understanding (***zu*** of); ***ich habe keine Beziehung zur Musik*** I can't relate to music **7.** *Wendungen*: ***in dieser Beziehung*** (≈ *Hinsicht*) from that point of view, in that respect; ***in jeder Beziehung*** in every way (*oder* respect); ***in mancher Beziehung*** in some ways (*oder* respects)

beziehungsweise → ***bzw.***

Bezirk 1. district ['dɪstrɪkt] **2.** (≈ *Stadtbezirk*) district, borough [⚠ 'bʌrə] **3.** *in den USA*: (≈ *Polizeibezirk*, *Wahlbezirk*) precinct ['priːsɪŋkt]

Bezug 1. (≈ *Überzug*) cover **2.** (≈ *Kopfkissenbezug*) pillowcase, pillow slip **3.** ***in Bezug auf*** (≈ *hinsichtlich*) as far as … goes (*oder* is concerned)

Bezüge (≈ *Einkünfte*) income (⚠ *Sg.*), earnings

bezüglich regarding, concerning

Bezugspunkt reference ['refrəns] point

bezwecken: ***was bezweckst du damit?*** what are you trying to achieve [ə'tʃiːv] by that?

bezweifeln doubt [daʊt]; ***ich bezweifle das*** I doubt it, I have my doubts (about it)

bezwingen 1. (≈ *besiegen*) defeat **2.** conquer ['kɒŋkə] (*Volk*, *Berg usw.*)

BH bra [brɑː]

Biathlon biathlon [⚠ baɪ'æθlən]

Bibel 1. ***die Bibel*** the Bible **2.** *übertragen* bible

Bibeli Ⓒⓗ **1.** (≈ *Pickel*) spot **2.** (≈ *Mitesser*) blackhead

Biber beaver ['biːvə]

Bibliothek library ['laɪbrərɪ]

Bibliothekar(in) librarian [laɪ'breərɪən]

biblisch biblical ['bɪblɪkl]

biegen 1. (***sich***) ***biegen*** bend* **2.** ***um die Ecke biegen*** turn the corner

biegsam pliable ['plaɪəbl], flexible

Biegung bend

Biene 1. bee **2.** ***fleißig wie eine Biene*** *übertragen* busy as a bee

Bienenhonig (real *oder* natural) honey ['hʌnɪ]

Bienenkönigin queen bee

Bienenstich 1. *von Biene*: bee sting **2.** (≈ *Kuchen*) almond-covered ['ɑːmənd-ˌkʌvəd] (cream) cake

Bier 1. *allg.*: beer **2.** ***helles Bier*** *etwa*: lager, *AE auch* light beer; ***dunkles Bier*** *etwa*: brown ale, *AE* dark beer **3.** ***zwei Bier bitte!*** two beers, please

Bier… *in Zusammensetzungen*: beer …; ***Bierdeckel*** beer mat, *bes. AE* (beer) coaster; ***Bierdose*** beer can; ***Bierfass*** beer barrel; ***Bierflasche*** beer bottle; ***Biergarten*** beer garden; ***Bierglas*** beer glass; ***Bierkasten*** beer crate, *AE* beer case; ***Bierzelt*** beer tent

Bierkrug 1. *aus Steingut*: beer mug, stein [staɪn] **2.** *aus Zinn*: tankard ['tæŋkəd]

Biest 1. (≈ *Bestie*) creature ['kriːtʃə] **2.** *Mensch*: beast, *umg. Kind*: brat

bieten 1. ***jemandem etwas bieten*** offer someone something **2.** ***es bot sich keine Gelegenheit*** *usw.* there was no opportunity *usw.* **3.** *bei Auktion*: bid; ***wer bietet mehr?*** any more bids?

biken (≈ *Fahrrad fahren*) bike, cycle

Bikini bikini [bɪ'kiːnɪ]

Bilanz 1. ***traurige Bilanz*** *übertragen* sad outcome **2.** ***Bilanz ziehen*** *aus seinem Leben*: take* stock of one's life

bilateral bilateral [ˌbaɪ'lætrəl]; ***bilaterale Gespräche*** bilateral talks

Bild 1. *allg.*: picture (*auch Fernsehbild und übertragen*) **2.** (≈ *Gemälde*) painting **3.** (≈ *Abbild*, *Ebenbild*, *sprachliches Bild*) image ['ɪmɪdʒ] **4.** (≈ *Foto*) photo, picture **5.** ***ein Bild der Zerstörung*** (*bzw.* ***des Grauens***) a scene [siːn] of destruction (*bzw.* horror) **6.** ***sich ein Bild machen*** form an impression (***von*** of) **7.** ***du machst dir kein Bild*** you have no idea

Bildband illustrated book [ˌɪləstreɪtɪd-'bʊk], *aufwändig illustriert*: coffee-table book

bilden 1. *allg.*: form (⚠ *engl.* build = ***bauen***) **2.** (≈ *gestalten*) form, shape, mould [məʊld] **3.** make* (up) (*Satz*, *Team usw.*) **4.** ***sich eine Meinung bilden*** form an opinion **5.** (≈ *schaffen*) create **6.** (≈ *gründen*) establish, set* up **7.** form (*Regierung*) **8.** (≈ *hervorbringen*) form, develop **9.** form, constitute, make* up (*Bestandteil usw.*) **10.** ***sich bilden*** *geistig*: educate oneself, *allgemeiner*: broaden one's horizons **11.** ***es bildet sich ein Tumor*** *usw.* a tumour *usw.* is growing (*oder* developing)

Bilderbuch picture book

Bilderbuchwetter perfect ['pɜːfɪkt] (*oder* glorious) weather

Bildergalerie picture gallery ['pɪktʃə-ˌgælərɪ]

Bilderrahmen picture frame

Bildfläche: ***von der Bildfläche verschwinden*** *übertragen* disappear from the scene

bildhaft 1. vivid ['vɪvɪd], graphic **2.** ***bildhafter Ausdruck*** figurative ['fɪgərətɪv] expression, image ['ɪmɪdʒ]

Bildhauer(in) sculptor

bildlich pictorial, graphic

Bildmaterial 1. (≈ *Illustrationen*) illustrations (*Pl.*) **2.** (≈ *Fotos*) photos (*Pl.*)

Bildnis portrait [⚠ 'pɔːtrət]

Bildpunkt *Elektronik*: pixel ['pɪksl]

Bildröhre *Fernseher*: tube

Bildschärfe definition, sharpness

Bildschirm **1.** *allg.*: screen **2.** *Computer*: monitor, screen, display [dɪ'spleɪ]
Bildschirmarbeit work at a computer screen, VDU work [ˌviːdiː'juː_wɜːk]
Bildschirmschoner *Computer*: screen saver
bildschön (just) beautiful ['bjuːtəfl]; ***es ist bildschön*** it's a dream
Bildtelefon videophone ['vɪdɪəʊfəʊn]
Bildung **1.** *geistige*: education; ***er hat überhaupt keine Bildung*** he's got no education (*oder* culture) **2.** (≈ *Entstehung*) formation **3.** (≈ *Schaffung*) creation, formation **4.** (≈ *Entwicklung*) development
Bildungschancen educational opportunities
Bildungsgrad level of education, educational level
Bildungslücke gap in one's knowledge
Bildungspolitik educational policy
Billard billiards (⚠ *mit Verb im Sg.*)
Billett Ⓒⓗ **1.** (≈ *Fahrkarte*, *Eintrittskarte*) ticket **2.** *umg.* (≈ *Führerschein*) driving licence, *AE* driver's license
billig **1.** *allg.*: cheap, inexpensive **2.** *Preis*: low **3.** *übertragen* cheap, *Ausrede*: lame, feeble
Billigangebot cut-price offer
Billigflug cheap flight
Billion trillion, *bes. BE* million million (= *1,000,000,000,000*; 10^{12}); ***eine Billion Dollar*** a (*betont*: one) trillion dollars
binär *Mathematik*, *Physik usw.*: binary ['baɪnərɪ]
Binärkode *Computer*: binary code [ˌbaɪnərɪ'kəʊd]
Binärzeichen binary digit [ˌbaɪnərɪ'dɪdʒɪt], bit
Binde **1.** (≈ *Verband*) bandage **2.** ***den Arm in einer Binde tragen*** have* one's arm in a sling **3.** (≈ *Augenbinde*) blindfold **4.** (≈ *Armbinde*) armband **5.** (≈ *Monatsbinde*) sanitary towel, *AE* sanitary napkin
binden **1.** *wörtlich und übertragen* tie (***an*** to) **2.** ***jemanden an sich binden*** *übertragen* tie someone to oneself **3.** (≈ *zusammenbinden*, *zubinden*, *fesseln*) tie (up) **4.** tie (*Knoten*) **5.** bind* [baɪnd] (*Buch*) **6.** (*Zement usw.*) harden **7.** ***sie will sich noch nicht binden*** (≈ *noch nicht verpflichten*) she doesn't want to commit herself yet, (≈ *noch nicht heiraten usw.*) she doesn't want to tie herself down yet
bindend *übertragen* binding
Bindestrich hyphen ['haɪfn]
Bindewort (≈ *Konjunktion*) conjunction
Bindfaden string; ***ein Bindfaden*** a piece of (*oder* some) string
Bindis (≈ *Schmuck*) bindis [⚠ 'bɪndiːz]
Bindung **1.** *zu jemandem*: (close) relationship (***zu*** with, to) **2.** (≈ *Verbundenheit*) bond (***an*** with) **3.** *politisch*: ties (⚠ *Pl.*) **4.** (≈ *Skibindung*) binding ['baɪndɪŋ]
Bingo (≈ *Spiel*) bingo
binnen within; ***binnen einer Woche*** within a week
Binnenhandel domestic trade
Binnenmarkt **1.** home market, domestic market **2.** ***europäischer Binnenmarkt*** Single European Market
Binsenweisheit truism ['truːɪzm], commonplace ['kɒmənpleɪs]
Bio (≈ *Biologie*) biology [baɪ'ɒlədʒɪ]
Bio…, **bio…** *in Zusammensetzungen*: bio… ; ***Biochemie*** biochemistry; ***Biochemiker(in)*** biochemist; ***biochemisch*** biochemical; ***biodynamisch*** biodynamic; ***Biogas*** biogas; ***Biophysik*** biophysics (⚠ *Sg.*); ***Bioprodukte*** bioproducts; ***Biorhythmus*** biorhythms (⚠ *Pl.*); ***Biotechnik*** biotechnology, bioengineering; ***Biowissenschaft*** bioscience
Bioerzeugnis organic product
Biografie, **Biographie** biography [baɪ'ɒgrəfɪ]
Biokost organic food
Bioladen wholefood shop, *bes. AE* health food store
Biologe biologist [baɪ'ɒlədʒɪst]
Biologie biology [baɪ'ɒlədʒɪ]
Biologin biologist [baɪ'ɒlədʒɪst]
biologisch **1.** biological [ˌbaɪə'lɒdʒɪkl]; ***biologische Uhr*** biological clock; ***biologische Waffen*** biological weapons **2.** ***biologischer Anbau*** organic farming (*oder* gardening) **3.** ***biologisch abbaubar*** biodegradable [ˌbaɪəʊdɪ'greɪdəbl]
Biomüll organic waste
Biosphäre biosphere ['baɪəsfɪə]
Biotonne organic waste container, bio-waste container
Biotop biotope ['baɪəutəʊp]
BIP (*Abk. für* **B**rutto**i**nlands**p**rodukt) GDP [ˌdʒiːdiː'piː] (*Abk. für* **g**ross **d**omestic **p**roduct)
Birke birch (tree)
Birnbaum pear [⚠ peə] tree
Birne **1.** *Obst*: pear [⚠ peə] **2.** (≈ *Glühlampe*) bulb
bis **1.** *nur zeitlich*: till, until; ***bis heute*** so far; ***bis jetzt*** up to now, so far; ***ich habe bis jetzt nichts gehört*** I haven't heard anything yet (*oder* so far); ***bis vor einigen Jahren*** (up) until a few years ago; ***(in der Zeit) vom … bis …*** between … and …; ***bis morgen*** (*bzw.* ***bald***)! *Abschied*: see you tomorrow (*bzw.* soon);

bis dann! see you then (*oder* later) **2.** (≈ *bis spätestens*) by; ***es muss bis Ende April fertig sein*** it has to be ready by the end of April; ***bis dahin*** by then, by that time **3.** *räumlich*: to, up to; ***bis hierher*** up to here **4.** *vor Zahlen*: ***10 bis 12 Tage*** 10 to 12 days; ***bis zu 12 Meter hoch*** up to 12 metres high, as high as 12 metres; ***bis 100 zählen*** count (up) to 100 **5.** ***bis auf ...*** except ... **6.** ***es wird eine Weile dauern, bis er es merkt*** it'll be quite a while before he notices it

Bischof bishop

Biscuit ⒸⒽ (≈ *Keks*) biscuit [⚠ 'bɪskɪt], *AE* cookie ['kʊkɪ]

bisexuell bisexual [ˌbaɪ'sekʃʊəl]

bisher 1. up to now, so far; ***das bisher beste Ergebnis*** the best result so far **2.** ***er hat bisher (noch) nicht geantwortet*** he hasn't answered (as) yet **3.** ***wie bisher*** as before

bisherig: ***die bisherigen Ergebnisse*** *usw.* the results (achieved) *usw.* so far *oder* up to now (⚠ *nachgestellt*)

Biskaya: ***der Golf von Biskaya*** the Bay of Biscay ['bɪskeɪ *oder* 'bɪskɪ]

bislang → ***bisher***

Biss bite (*auch Bisswunde und übertragen*)

bisschen 1. ***ein (klein) bisschen*** a (little) bit, a little **2.** ***kein bisschen*** not a bit

Bissen 1. bite (***von*** of) **2.** *winziger*: morsel **3.** *schmackhafter*: titbit **4.** ***ich brachte keinen Bissen hinunter*** I couldn't eat a thing

bissig 1. ***der Hund ist (nicht) bissig*** the dog bites (doesn't bite) **2.** ***Vorsicht, bissiger Hund!*** beware of the dog **3.** *Bemerkung*: cutting

Bisswunde bite (wound)

Bistum diocese [⚠ 'daɪəsɪs]

Bit *Computer*: bit

Bitte 1. request; ***auf meine Bitte*** at my request **2.** ***ich habe eine (große) Bitte an Sie*** I want to ask you a (big) favour

bitte 1. *nur bei Bitten und Aufforderungen*: please; ***bitte, gib mir die Zeitung!*** would you pass me the paper, please **2.** *nach „danke"*: not at all, you're welcome, that's all right **3.** *nach „Entschuldigung"*: it's all right, that's okay, *bes. AE umg.* no problem **4.** ***wie bitte?*** pardon? **5.** *beim Anbieten* (*mst. unübersetzt*): here you are, *umg.* there you go **6.** ***bitte schön?*** (≈ *was wünschen Sie?*) can I help you?

„Bitte" als Antwort auf „danke"

Wenn sich im Deutschen jemand für etwas bedankt, sagt der/die andere oft *bitte*. Im Englischen gibt es dafür unterschiedliche Entsprechungen, aber niemals **please**.

bitten 1. ***jemanden um etwas bitten*** ask someone for something; ***dürfte ich Sie bitten, das Fenster zu schließen?*** would you mind closing the window, please **2.** ***darf ich bitten?*** *Aufforderung zum Tanz*: may I have this dance?

bitter 1. bitter (*auch übertragen*) **2.** ***bitter schmecken*** taste bitter, have* a bitter taste **3.** ***bis zum bitteren Ende*** right to the bitter end **4.** ***das ist bitter*** (≈ *das ist tragisch*) that's hard (*umg.* tough [tʌf]) **5.** ***sich bitter beklagen*** complain bitterly

Bizeps biceps ['baɪseps]

Blackout (mental) blackout

Blähungen wind, flatulence ['flætjʊləns] (⚠ *beide Sg.*)

Blamage 1. disgrace **2.** ***es war eine Blamage*** (≈ *peinlich*) it was embarrassing

blamieren: ***jemanden*** (*bzw.* ***sich***) ***blamieren*** (≈ *lächerlich machen*) make* a fool of someone (*bzw.* oneself)

blank 1. (≈ *glänzend*) shining **2.** (≈ *blank geputzt*) polished, *Schuhe*: shiny **3.** *Unsinn, Neid usw.*: pure, sheer **4.** *umg.* (≈ *pleite*) broke

Blankoscheck blank cheque [tʃek], *AE* blank check

Bläschen *auf der Haut*: blister

Blase 1. (≈ *Luftblase*) bubble **2.** (≈ *Hautblase*) blister; ***sich Blasen laufen*** get* blisters on one's feet from walking **3.** (≈ *Harnblase*) bladder **4.** (≈ *Sprechblase*) balloon, (speech) bubble

blasen 1. *allg.*: blow* **2.** (≈ *spielen*) play

Blasenentzündung cystitis [sɪ'staɪtɪs]

Bläser *Pl.*: ***die Bläser*** *im Orchester*: the wind (section)

Blasinstrument wind instrument ['wɪndˌɪnstrəmənt]

Blaskapelle brass [⚠ brɑːs] band

Blasmusik music for brass [brɑːs]; ***magst du Blasmusik?*** do you like brass bands?

blass 1. pale; ***blasses Gesicht*** pale face **2.** ***blass vor Neid*** green with envy ['envɪ]

Blatt 1. *allg.*: leaf *Pl.*: leaves **2.** (≈ *Blütenblatt*) petal ['petl] **3.** *Buch*: leaf **4.** *Papier*: sheet **5.** (≈ *Zeitung*) (news)paper **6.** *Säge, Ruder usw.*: blade **7.** ***ein gutes Blatt*** *Kar-*

tenspiel: a good hand **8. das Blatt hat sich gewendet** *übertragen* the tide has turned

blättern: **in einem Buch blättern** leaf through a book

Blätterteig flaky (*oder* puff) pastry ['peɪstrɪ], *AE* puff paste

Blattsalat green salad

blau 1. blue **2. blaues Auge** *übertragen* black eye; **mit einem blauen Auge davonkommen** get* off lightly **3.** *umg.* (≈ *betrunken*) drunk, tight **4. jemandem das Blaue vom Himmel versprechen** promise ['prɒmɪs] someone the moon

blauäugig *übertragen* starry-eyed

Blaubeere bilberry ['bɪlbərɪ], *AE* blueberry

blaugrau blue-grey, *AE* blue-gray

Blauhelm UN soldier [ˌjuːen'səʊldʒə]

Blaukraut red cabbage

bläulich bluish ['bluːɪʃ]

blaumachen 1. *Schule*: skip classes, play truant ['truːənt], *umg.* play hooky ['hʊkɪ] **2.** *Arbeit*: skip work, *BE* skive off work **3. einen Tag blaumachen** *umg.* take* a sickie, *Arbeit*: skip (*oder* skive off) work for a day

Blaumeise blue tit

Blech 1. metal ['metl], tin; **ein Eimer** *usw.* **aus Blech** a metal bucket *usw.* **2. red doch nicht son Blech!** don't talk such rubbish (*AE* garbage)

Blechbüchse, **Blechdose** tin (can), *bes. AE* (tin) can

blechen *salopp* cough up [ˌkɒf'ʌp], fork out

Blechlawine endless stream of traffic

Blei lead [⚠ led]

Blei... *in Zusammensetzungen*: lead [⚠ led] ...; **Bleigehalt** lead content; **Bleirohr** lead pipe; **Bleikristall** lead crystal

Bleibe place to stay; **keine Bleibe haben** have* nowhere to stay

bleiben 1. (≈ *sich aufhalten, verweilen*) stay; **zu Hause bleiben** stay in, stay at home; **im Bett bleiben** stay in bed; **zum Essen bleiben** stay for dinner **2. bleiben bei** *einer Sache*: keep* to, stick* to **3.** *in einem Zustand*: remain, stay, keep*; **gesund bleiben** stay (*oder* keep*) healthy **4. das bleibt unter uns** that's (just) between ourselves **5. mir bleibt keine** (**andere**) **Wahl** I have no (other) choice (**als zu** but to *+Inf.*) **6. es bleibt dabei!** that's final **7. lass das bleiben!** stop it!

bleibend lasting, permanent ['pɜːmənənt]

bleich pale (**vor** with)

bleichen bleach (*Stoff, Haare usw.*)

bleifrei 1. *Benzin*: unleaded [ˌʌn'ledɪd] **2. kann man dort bleifrei tanken?** have they got unleaded petrol ['petrəl] (*AE* gas)?

Bleistift pencil ['pensl]

Bleistiftspitzer pencil sharpener

Blende *beim Fotografieren*: aperture [⚠ 'æpətʃə]; **bei Blende 8** (at) f-8 [ˌef'eɪt]

blenden blind [blaɪnd], dazzle (*jemanden, die Augen von jemandem*)

blendend 1. (≈ *großartig, genial*) brilliant, (≈ *prächtig*) dazzling **2. blendend aussehen** look great **3. sich blendend amüsieren** have* a great time **4. blendend miteinander auskommen** get* along brilliantly (*oder umg.* just great)

Blick 1. (≈ *Hinsehen*) look (**auf** at) **2. flüchtiger Blick** glance [glɑːns] **3.** (≈ *Ausdruck in den Augen*) look **4.** *Wendungen*: **einen** (**kurzen**) **Blick werfen auf** have* a (quick) look at; **auf den ersten Blick** at first sight (⚠ *ohne* the) **5.** (≈ *Aussicht*) view (**auf** of); **mit Blick auf ...** with a view of ..., overlooking ... **6. dafür hat er einen Blick** *übertragen* he has an eye for that kind of thing

blicken 1. look (**auf** at; **in** into) **2. das lässt tief blicken** *übertragen* that's very revealing **3. sich blicken lassen** (≈ *auftauchen*) show up, (≈ *vorbeikommen*) drop in (**bei** on), drop by (**bei** at)

Blickpunkt: **sie steht im Blickpunkt** *übertragen* she's in the limelight

Blickwinkel: **aus diesem Blickwinkel** (**betrachtet**) *übertragen* (seen) from this angle, (seen) from this point of view

blind 1. *wörtlich und übertragen* blind [blaɪnd] (**für** to; **vor** with) **2. er ist auf einem Auge blind** he's blind in one eye **3. bist du blind?** *übertragen* are you blind? **4.** *Spiegel*: cloudy **5. jemandem blind glauben** (*bzw.* **vertrauen**) believe (*bzw.* trust) someone blindly

Blindbewerbung speculative ['spekjʊlətɪv] application

Blinddarm appendix [ə'pendɪks]; **mit 14 ist mir der Blinddarm entfernt worden** I had my appendix taken out when I was 14

Blinddarmentzündung: **sie hat eine Blinddarmentzündung** she's got appendicitis [əˌpendə'saɪtɪs] (⚠ *ohne* an)

Blinde(**r**) **1.** *allg.*: blind person **2.** *Mann*: blind man, *Frau*: blind woman **3. die Blinden** the blind (⚠ *Pl.*) **4. das sieht doch ein Blinder** *übertragen* any fool can see that

Blindenhund guide dog

Blindenschrift braille [breɪl] (⚠ *ohne* the)
Blindschleiche *Tier*: blindworm ['blaɪndwɜːm]
blinken 1. (*Sterne, Lichter*) twinkle **2.** (≈ *aufleuchten*) (*Licht*) flash **3.** *beim Auto*: (≈ *Blinkzeichen geben*) flash one's lights
Blinker (≈ *Blinklicht beim Auto*) indicator, *AE* turn signal, *AE umg.* blinker
blinzeln: (***mit den Augen***) ***blinzeln*** blink
Blitz 1. (flash of) lightning; ***der Blitz schlug in den Turm ein*** the tower was struck by lightning **2.** *beim Fotoapparat*: flash **3.** ***wie ein Blitz aus heiterem Himmel*** *übertragen* like a bolt from the blue
Blitzableiter lightning conductor (*AE* rod)
blitzen 1. ***es hat geblitzt!*** that was lightning; ***es blitzte und donnerte*** there was thunder and lightning **2.** *beim Fotografieren*: use the (*oder* a) flash, (*Kamera*) flash
Blitzkarriere lightning career
Blitzlicht *Fotoapparat*: flash; (***etwas***) ***mit Blitzlicht fotografieren*** use a flash (to photograph something)
Blitzschlag lightning (strike)
Block 1. (≈ *Schreibblock*) writing pad **2.** (≈ *Schmierblock*) notepad **3.** (≈ *Wohnblock*) block of flats
Blockade blockade [blɒ'keɪd]
Blockflöte recorder
Blockhaus, **Blockhütte** log cabin
blockieren 1. block (*Straße, Zufahrtsweg, Verhandlungen usw.*) **2.** stop, hold* up (*Verkehr*) **3.** (*Räder*) lock
Blocksatz *Geschriebenes*: justified (*oder* flush) setting
Blockschrift block letters (⚠ *Pl.*)
blöd(e) 1. (≈ *dumm*) stupid, *umg.* thick, *bes. AE umg.* dumb [dʌm]; ***blöde Frage*** stupid (*umg.* dumb) question **2.** ***grins nicht so blöd!*** stop grinning like an idiot
Blödmann *salopp* (dumb [⚠ dʌm]) idiot ['ɪdɪət], thicko ['θɪkəʊ]
Blödsinn rubbish, nonsense, *AE auch* garbage
blödsinnig *salopp* stupid ['stjuːpɪd], *stärker*: idiotic
blond 1. *Haarfarbe*: blond, *Frau*: blonde [blɒnd] **2.** *salopp* (≈ *naiv, dumm*) stupid ['stjuːpɪd], dumb [⚠ dʌm]
Blondine blonde [blɒnd]
bloß[1] **1.** bare, naked ['neɪkɪd] **2.** ***mit bloßem Auge*** with the naked eye **3.** ***das ist bloßes Gerede*** that's just (empty) talk
bloß[2] **1.** (≈ *nur*) just, only; ***es war bloß ein bisschen kalt*** it was just a bit cold **2.** ***wer, wie, was*** *usw.* … ***bloß*** who, how, what *usw.* on earth; ***wie machst du das bloß?*** how on earth do you do it?
Bluff, **bluffen** bluff [blʌf]
blühen 1. blossom, flower (*auch übertragen*); ***der Flieder blüht*** the lilac is blossoming, the lilac is in bloom; ***die Wiese blüht*** the meadow is full of flowers **2.** (≈ *gedeihen*) prosper ['prɒspə], thrive
blühend 1. flowering **2.** (≈ *gedeihend*) flourishing ['flʌrɪʃɪŋ], thriving **3.** *Aussehen*: healthy **4.** *Fantasie*: vivid ['vɪvɪd]
Blume 1. flower **2.** *Wein*: bouquet [bʊ'keɪ] **3.** *Bier*: froth [frɒθ], head
Blumenbeet flowerbed
Blumenerde potting compost ['pɒtɪŋˌkɒmpɒst]
Blumenkohl cauliflower [⚠ 'kɒlɪˌflaʊə]
Blumenladen flower shop, florist's
Blumenstrauß bunch of flowers
Blumentopf flowerpot
Blumenvase vase [⚠ vɑːz]
Blumenzwiebel (flower) bulb
Bluse blouse [⚠ blaʊz]
Blut 1. blood [blʌd]; ***ich kann kein Blut sehen*** I can't stand the sight of blood **2.** ***Blut spenden*** give* (*oder* donate [dəʊ'neɪt]) blood **3.** ***Blut und Wasser schwitzen*** *übertragen* sweat [⚠ swet] blood
Blut…, **blut…** *in Zusammensetzungen*: blood…, blood …; ***Blutalkohol(gehalt)*** blood alcohol level; ***Blutbahn*** bloodstream; ***Blutbank*** blood bank; ***blutbefleckt, blutbeschmiert*** bloodstained; ***Blutbild*** blood count; ***Blutblase*** blood blister; ***Blutfleck*** bloodstain; ***Blutgefäß*** blood vessel; ***Blutkreislauf*** (blood) circulation; ***Blutprobe*** blood test; ***Blutspender(in)*** blood donor ['blʌdˌdəʊnə]; ***Blutübertragung*** blood transfusion; ***Blutuntersuchung*** blood test; ***Blutvergießen*** bloodshed; ***Blutvergiftung*** blood poisoning; ***Blutzucker*** blood sugar
Blutbad bloodbath ['blʌdbɑːθ], massacre ['mæsəkə]; ***ein Blutbad anrichten*** carry out a massacre, cause a bloodbath
Blutdruck blood pressure; ***hohen*** (*bzw.* ***niedrigen***) ***Blutdruck haben*** have* high (*bzw.* low) blood pressure; (***bei jemandem***) ***den Blutdruck messen*** take* someone's blood pressure
Blüte flower, blossom, bloom; ***in voller Blüte stehen*** be* in full bloom
Blutegel leech [liːtʃ]
bluten bleed* (***aus*** from)
Blütenblatt petal ['petl]
Blütenstaub pollen ['pɒlən]
Bluterguss (≈ *blauer Fleck*) bruise [bruːz]

Blutgefäß blood vessel
Blutgerinnsel blood clot
Blutgruppe blood group; ***welche Blutgruppe hast du?*** which blood group are you?
Bluthochdruck high blood pressure
blutig 1. *wörtlich* bloody **2.** *Schlacht, Revolution, Auseinandersetzung, Szene usw.*: bloody **3.** *Wunde*: bleeding **4.** ***blutiger Anfänger*** absolute beginner
Blutorange blood orange ['blʌdˌɒrɪndʒ]
Blutprobe 1. *medizinisch*: blood sample ['blʌdˌsɑːmpl] **2.** *bei Alkoholverdacht*: blood (alcohol) test ['blʌd(ˌælkəhɒl)‿test]
blutrünstig bloodthirsty ['blʌdˌθɜːstɪ]
Blutschande incest ['ɪnsest]
Blutspende blood donation; ***zur Blutspende gehen*** go* to give blood
Blutspender(in) blood donor ['blʌdˌdəʊnə]
Bluttransfusion, **Blutübertragung** blood transfusion ['blʌd‿trænsˌfjuːʒn]
Blutung 1. bleeding (⚠ *ohne* a) **2.** *starke*: haemorrhage [⚠ 'hemərɪdʒ]
Blutuntersuchung blood test
Blutvergießen bloodshed ['blʌdʃed]
Blutwurst *etwa*: black pudding [⚠ 'pʊdɪŋ], *AE* blood sausage
Blutzucker blood sugar
BLZ (*Abk. für* **B**ank**l**eit**z**ahl) (bank) sort code, *AE* A.B.A. [ˌeɪbiː'eɪ] (*oder* routing ['ruːtɪŋ, 'raʊtɪŋ]) number
BMX-Rad BMX [ˌbiːem'eks] (bike)
BND (*Abk. für* **B**undes**n**achrichten**d**ienst) Federal Intelligence Service
Bö squall [skwɔːl], gust
Bob, **Bobschlitten** bob(sled), *BE auch* bob(sleigh) ['bɒb(sleɪ)]
Bock 1. *beim Hasen, Kaninchen, Reh*: buck **2.** (≈ *Ziegenbock*) he-goat, billy goat **3.** *Turngerät*: buck, *BE auch* (vaulting) horse **4.** ***ich hab keinen Bock*** (***drauf***) *salopp* I don't feel like it
Bockspringen 1. *Turnen*: vaulting **2.** *Spiel*: leapfrog
Bockwurst hot sausage
Boden 1. (≈ *Erdboden*) ground **2.** (≈ *Erdreich*) soil **3.** (≈ *Fußboden*) floor **4.** *eines Gefäßes, des Meeres*: bottom **5.** (≈ *Basis*) basis ['beɪsɪs] **6.** (≈ *Dachboden*) loft, attic **7.** *Wendungen*: ***auf britischem*** *usw.* ***Boden*** *übertragen* on British *usw.* soil; ***Boden gewinnen*** (*bzw.* ***verlieren***) *übertragen* gain (*bzw.* lose*) ground; ***Boden zurückgewinnen*** *übertragen* make* up for lost ground; ***auf dem Boden der Tatsachen bleiben*** *übertragen* stick* (*oder* keep*) to the facts

> **Boden**
>
> | | |
> |---|---|
> | Boden draußen | **ground** |
> | Boden drinnen | **floor** |

Bodenfrost ground frost
bodenlos 1. bottomless **2.** *übertragen* incredible [ɪn'kredəbl]
Bodennebel ground fog
Bodenpersonal *Flugwesen*: ground staff; ***das Bodenpersonal streikt*** the ground staff is (*BE mst.* are) on strike
Bodenprobe soil sample ['sɑːmpl]
Bodenreform land reform
Bodenschätze mineral resources; ***Russland*** *usw.* ***ist reich an Bodenschätzen*** Russia *usw.* is rich in mineral resources
Bodensee: ***der Bodensee*** Lake Constance [ˌleɪk'kɒnstəns] (⚠ *ohne* the)
Bodenstation 1. *Flugverkehr*: ground control **2.** *Satellit usw.*: tracking (*oder* earth) station
Bodenturnen floor exercises (⚠ *Pl.*)
Body *Kleidung*: body, *AE* body suit [suːt]
Bodybuilding: ***Bodybuilding machen*** do* (*oder* go*) body-building
Bodyguard bodyguard
Bodypainting body painting, body art
Bogen 1. (≈ *Krümmung*) curve **2.** *einer Straße, eines Flusses usw.*: bend; ***die Straße*** (*bzw.* ***der Fluss***) ***macht einen Bogen*** there's a bend in the road (*bzw.* river) **3.** *Mathe*: arc **4.** *Architektur*: (≈ *Wölbung*) arch [ɑːtʃ] **5.** *Skisport*: turn **6.** (≈ *Geigenbogen usw.*) bow [bəʊ] **7.** (≈ *Bogen Papier*) sheet (of paper), piece of paper **8.** *Wendungen*: ***er hat den Bogen raus*** *übertragen, umg.* he's got the hang of it; ***den Bogen überspannen*** *übertragen* overstep the mark, overdo* it
Bohle plank
Böhmen Bohemia [bəʊ'hiːmɪə]
Bohne 1. bean **2.** ***grüne Bohnen*** green (*BE auch* French) beans; ***weiße Bohnen*** haricot ['hærɪkəʊ] beans **3.** ***nicht die Bohne*** *umg.* (≈ *überhaupt nicht*) not a bit
Bohnenkaffee fresh (*oder* filtered) coffee
Bohnenstange beanpole (*auch übertragen*)
bohren 1. *allg.*: drill; ***ein Loch bohren*** drill a hole (***in*** into) **2.** bore (*Tunnel*) **3.** ***in der Nase bohren*** pick one's nose
bohrend 1. *Blick*: piercing, penetrating ['penətreɪtɪŋ] **2.** *Angst*: gnawing [⚠ 'nɔːɪŋ] **3.** *Frage*: penetrating, probing
Bohrer drill
Bohrinsel oilrig
Bohrmaschine drill
Bohrturm (drilling) derrick

Bohrung drilling
Boiler water heater
Boje buoy [⚠ bɔɪ, *AE* 'buːɪ]
Bolivien Bolivia [bə'lɪvɪə]
Bolschewismus Bolshevism ['bɒlʃəvɪzm]
Bolzen bolt [bəʊlt]
bombardieren 1. bomb [⚠ bɒm], bombard [⚠ bɒm'bɑːd] **2. *mit Fragen bombardieren*** *übertragen* bombard with questions
Bombe bomb [⚠ bɒm]
Bomben... *in Zusammensetzungen*: bomb ... [⚠ bɒm]; ***Bombenalarm*** bomb alert; ***Bombenangriff, Bombenanschlag*** bomb attack; ***Bombendrohung*** bomb threat
Bombenbesetzung *Theater, Film*: star cast, superb cast
Bombenerfolg *umg.* tremendous [trə'mendəs] success, huge [hjuːdʒ] success
Bombenform: ***sie ist in Bombenform*** *umg.* she's in great form
Bombengeschäft: ***ein Bombengeschäft machen*** do* a roaring trade, *salopp* make* a bomb [⚠ bɒm]
Bombensache *umg.* knockout [⚠ 'nɒkaʊt]
Bombenstimmung *umg.* terrific [tə'rɪfɪk] (*oder* tremendous [trə'mendəs]) atmosphere
Bomber bomber [⚠ 'bɒmə]
Bomberjacke bomber jacket [⚠ 'bɒməˌdʒækɪt]
bombig *umg.* great, terrific [tə'rɪfɪk]
Bon 1. coupon ['kuːpɒn], voucher **2.** (≈ *Kassenzettel*) receipt [rɪ'siːt], *AE auch* sales check
Bonbon sweet, *AE* candy
Bonsai(baum) bonsai ['bɒnsaɪ] (tree)
Bonze *umg., abwertend* bigwig, big cheese
Boom boom
boomen boom
Boot 1. boat; ***Boot fahren*** go* out in a boat **2. *wir sitzen alle im gleichen Boot*** *übertragen* we're all in the same boat
booten boot (up) (*Computer*)
Bootsfahrt boat trip, *kürzere*: boat ride
Bootsflüchtlinge boat people
Bootshaus boathouse
Bootsverleih boat hire, *auf Schild*: boats for hire
Bord 1. *an Bord* *eines Flugzeugs, Schiffes*: on board, aboard **2. *an Bord gehen*** *Schiff*: go* aboard, board ship **3. *an Bord gehen*** *Flugzeug*: board (the aircraft) **4. *von Bord gehen*** *Schiff*: disembark, *Flugzeug*: leave* the aircraft
Bordell brothel ['brɒθl]
Bordkarte *Flugzeug*: boarding pass
Bordpersonal flight crew; ***das Bordpersonal wartet auf Anweisungen des Flugkapitäns*** the flight crew <u>are</u> (*seltener* is) waiting for instructions from the flight captain
Bordstein(kante) kerb, *AE* curb
borgen 1. *sich etwas borgen* borrow something **2. *ich habe ihm meinen Füllhalter geborgt*** I've lent him my fountain pen
Borke bark
Börse: (***an der***) ***Börse*** (<u>on</u> the) stock exchange (*oder* stock market)
Börsenbericht stock market report
Börsengeschäft stock market transaction
Börsenmakler(in) stockbroker
Borste bristle [⚠ 'brɪsl]
bösartig 1. nasty ['nɑːstɪ], malicious [mə'lɪʃəs], vicious ['vɪʃəs] **2.** *Tumor*: malignant [mə'lɪgnənt]
Böschung bank, embankment
böse 1. (≈ *moralisch schlecht*) bad (⚠ ***schlimmer*** worse, ***schlimmst-*** worst), evil ['iːvl], wicked [⚠ 'wɪkɪd] **2.** (≈ *ärgerlich*) angry, *bes. AE* mad; ***bist du mir böse?*** are you angry <u>with</u> me?, are you mad <u>at</u> me? **3.** (≈ *unartig*) bad, naughty ['nɔːtɪ] **4.** (≈ *schlimm*) bad, nasty ['nɑːstɪ]; ***eine böse Verletzung*** a nasty cut (*oder* wound [wuːnd]) **5. *ich hab es nicht böse gemeint*** I didn't mean any harm
Böse(r) 1. bad person **2.** *Kind*: bad boy (*bzw.* girl) **3. *die Bösen*** *im Film usw*: the baddies
Böse(s) evil ['iːvl]; ***Böses tun*** do* evil
boshaft nasty ['nɑːstɪ], spiteful
Bosheit nastiness ['nɑːstɪnəs]; ***aus Bosheit*** out of spite
Bosnien Bosnia ['bɒznɪə]
Bosnien-Herzegowina Bosnia-Herzegovina [ˌbɒznɪəˌhɜːtsə'gɒvɪnə]
Boss *umg.* boss
böswillig malicious [mə'lɪʃəs]
Botanik botany [⚠ 'bɒtənɪ]
Botaniker(in) botanist ['bɒtənɪst]
botanisch botanic(al)
Bote messenger ['mesɪndʒə], (≈ *Kurier*) courier [⚠ 'kʊrɪə]
Botschaft message (***an*** to)
Botschafter(in) ambassador; ***unser Botschafter in Spanien*** (*bzw.* ***in Madrid***) our ambassador <u>to</u> Spain (*bzw.* in Madrid)
Bouillon clear soup, consommé [kɒn'sɒmeɪ]
Bouillonwürfel stock cube
Boulevard boulevard [⚠ 'buːləvɑːd]
Boulevardpresse 1. popular press, tabloid press [ˌtæblɔɪd'pres], tabloids (⚠

Pl.) **2.** *im negativen Sinn* gutter press ['gʌtə‿pres]
Boulevardzeitung 1. popular newspaper **2.** *im negativen Sinn etwa*: tabloid ['tæblɔɪd]
Box 1. (≈ *Behälter*) box **2.** (≈ *Pferdebox*) box **3.** (≈ *Lautsprecherbox*) speaker
boxen 1. *Sport*: box **2.** (≈ *schlagen*) hit*, punch; ***sie hat ihm in den Bauch geboxt*** she hit (*oder* punched) him in the stomach
Boxen *Sport*: boxing
Boxer *Hund*: boxer
Boxer(in) *Sport*: boxer, fighter
Boxershorts boxer shorts
Boxkampf boxing match, fight
Boxring boxing ring
Boygroup boy band (⚠ *nicht* boy group)
Boykott boycott ['bɔɪkɒt]
boykottieren boycott ['bɔɪkɒt]
Brainstorming 1. brainstorming **2.** *Sitzung*: brainstorming session
Branche 1. (≈ *Wirtschaftszweig*) (industrial) sector **2.** (≈ *Geschäftszweig*) line of business
Brand 1. fire **2.** (≈ *Großbrand*) fire, blaze **3.** *Wendungen*: ***das Haus*** *usw.* ***steht in Brand*** the house *usw.* is on fire; ***in Brand geraten*** catch* fire; ***in Brand stecken*** set* fire to, set* on fire
brandaktuell *Hit usw.*: the latest …
Brandanschlag arson ['ɑːsn] attack
Brandenburger Tor: ***das Brandenburger Tor*** the Brandenburg Gate [ˌbrændənbɜːg'geɪt]
brandheiß: ***brandheiße Nachrichten*** up-to-the-minute news; ***die Nachricht ist brandheiß*** the news is hot off the press
Brandmal 1. brand **2.** *übertragen* stigma
brandmarken brand (*wörtlich und übertragen*)
Brandnarbe burn scar, scar from a burn
brandneu brand-new
Brandstifter(in) arsonist ['ɑːsnɪst]
Brandstiftung arson ['ɑːsn]
Brandung 1. surf **2.** *übertragen* surge, wave
Brandursache cause of (the) fire
Brandwunde 1. burn **2.** *durch Verbrühen*: scald [⚠ skɔːld]
Brasilianer Brazilian [brə'zɪlɪən]; ***er ist Brasilianer*** he's (a) Brazilian; ☞ ***Nationalitäten***
Brasilianerin Brazilian woman (*oder* lady *bzw.* girl); ***sie ist Brasilianerin*** she's (a) Brazilian; ☞ ***Nationalitäten***
brasilianisch Brazilian [brə'zɪlɪən]
Brasilien Brazil [brə'zɪl]
braten 1. *allg.*: roast **2.** *auf dem Rost*: grill **3.** *in der Pfanne*: fry **4.** *im Ofen*, *außer Fleisch*: bake **5.** ***am Spieß braten*** roast on a spit
Braten 1. roast **2.** ***kalter Braten*** cold meat
Bratensoße gravy ['greɪvɪ]
Brathähnchen, **Brathühnchen** roast (*oder* grilled) chicken
Bratkartoffeln fried potatoes
Bratpfanne frying pan, *AE auch* skillet
Bratröhre oven [⚠ 'ʌvn]
Bratwurst fried (*oder* grilled) sausage
Brauch 1. (≈ *Sitte*) custom **2.** (≈ *Usus*) practice
brauchbar useful ['juːsfl]
brauchen 1. (≈ *nötig haben*) need; ***wozu brauchst du es?*** what do you need it for?; ***du brauchst es mir nicht zu sagen*** you don't have to tell me **2.** (≈ *erfordern*) require **3.** ***welche Größe brauchst du?*** what size do you take? **4.** (≈ *in Anspruch nehmen*) take* (*bes. Zeit*, *Energie*); ***wie lange wird er brauchen?*** how long will it take him?; ***das braucht (seine) Zeit*** it takes time; ***ich brauche eine halbe Stunde, um zur Schule zu kommen*** it takes me half an hour to get to school

brauchen

brauchen, benötigen (*Zeit/Energie usw.*)	**need**
brauchen, in Anspruch nehmen	**take**

Brauerei brewery ['bruːərɪ]
braun 1. brown **2.** ***du bist aber braun geworden!*** you look very brown, you've got quite a tan **3.** ***braun gebrannt*** suntanned, tanned
bräunlich brownish
Brause 1. (≈ *Dusche*) shower; ***sich unter die Brause stellen*** have* (*oder* take*) a shower **2.** (≈ *Limo*) fizzy drink, *BE* lemonade [ˌlemə'neɪd], *AE* soda pop
Braut 1. *bei Hochzeit*: bride **2.** (≈ *Freundin*) girlfriend, *oft frauenfeindlich* bird
Bräutigam *bei Hochzeit*: (bride)groom
Brautkleid wedding dress
Brautpaar bride and (bride)groom, bridal couple [ˌbraɪdl'kʌpl]
brav good, well-behaved; ***sei(d) brav!*** be good(, won't you)! (⚠ *engl.* brave = ***mutig***)
bravo 1. well done **2.** *Theater usw.*: bravo!
brechen 1. *allg.*: break* (*auch Eid*, *Rekord*, *Schweigen*, *Stille*, *Gesetz*, *Vertrag usw.*) **2.** ***sie hat sich den Arm gebrochen*** she's broken her arm **3.** (≈ *sich übergeben*) vomit ['vɒmɪt], *umg.* throw* up, *bes. BE*

be* sick; ***ich muss brechen*** I'm going to be sick

Brei 1. (≈ *Haferbrei*) porridge **2.** (≈ *Breimasse*) mash, *im negativen Sinn* mush **3.** *für Babys*: pudding ['pʊdɪŋ], *AE* baby cereal **4.** ***um den heißen Brei herumreden*** *übertragen* beat* about the bush [⚠ bʊʃ]

breit 1. wide, broad; ***50 cm breit*** 50 centimetres wide (*oder* across) **2.** ***ein breites Angebot von …*** *übertragen* a wide (*oder* broad) range of … **3.** ***die breite Öffentlichkeit*** the public at large

Breite 1. width [wɪdθ], breadth [⚠ bredθ] **2.** *übertragen* scope **3.** ***in diesen Breiten*** *geographisch*: in these latitudes ['lætɪtjuːdz]

Breitengrad (degree of) latitude ['lætɪtjuːd]; ***der 30. Breitengrad*** the 30th parallel ['pærəlel]

breitschlagen 1. ***jemanden breitschlagen*** *übertragen* talk someone into (doing) something **2.** ***sich breitschlagen lassen*** give* in

Breitwandfilm wide-screen film

Brems… *in Zusammensetzungen*: brake …; ***Bremskraftverstärker*** brake booster; ***Bremsleuchte, Bremslicht*** brake light, *AE* stoplight; ***Bremspedal*** brake pedal

Bremse brake; ***auf die Bremse treten*** step on the brake (*oder* brakes *Pl.*), *schlagartig*: slam on the brakes

bremsen 1. *Auto usw.*: brake **2.** *übertragen* check, curb **3.** *übertragen* (≈ *verlangsamen*) slow down; ***jemanden bremsen*** slow someone down (⚠ *Wortfolge*)

Bremsweg braking (*oder* stopping) distance

brennen 1. (*Sonne*, *Licht*, *Augen usw.*) burn*; ***mir brennen die Augen*** my eyes

Brief an britische Freundin

Briefmuster

15. April 2002	**April 15th 2002**
Liebe Clare,	**Dear Clare,**
vielen Dank für deinen Brief, der heute früh eingetroffen ist. Es war toll, dich endlich kennen zu lernen, und es hat uns alle sehr gefreut, dass du hier warst. Ja, ich möchte liebend gerne zum Lake District fahren! Ich hab gehört, es soll ein wunderschönes Gebiet sein. Werden wir campen oder in einer Jugendherberge übernachten? Im Sommer gehe ich oft in die Alpen zum Wandern, also werde ich hoffentlich körperlich fit sein, wenn ich bei euch ankomme!	**Thanks very much for your letter, which arrived this morning. It was great to meet you at last, and we all really enjoyed having you here. Yes, I'd love to go to the Lake District! I've heard it's a beautiful area. Will we be camping or staying in a youth hostel? I often go hiking in the Alps in the summer, so hopefully I'll be in good shape by the time I come!**
In Bayern hat in dieser Woche die Schule wieder begonnen, und nun habe ich ne Menge Hausaufgaben auf. Also mache ich jetzt Schluss. Ich freue mich jetzt schon auf die Ferien und auf meinen Besuch bei euch in England! Liebe Grüße von meinen Eltern. Schreib mal wieder und erzähl mir, wie es mit Steve läuft – jetzt, wo du wieder zurück bist.	**The schools in Bavaria went back this week and I've got loads of homework, so I'll stop here. I'm already looking forward to the holidays and to visiting you in England! My parents send their love. Please write again soon, and let me know how things are going with Steve now that you're back.**
Alles Liebe,	**Lots of love,**
deine Lena (*ein „x" steht für einen Kuss*)	**Lena** **xxx**

Anmerkung: Trotz des Kommas nach der Anrede fängt man Briefe im Englischen im Gegensatz zum Deutschen mit einem Großbuchstaben an.

are burning **2.** ***es brennt!*** fire! **3.** ***das Haus brennt*** the house is on fire **4.** *übertragen* burn*; ***sie brennt vor Ungeduld*** *usw.* she's burning with impatience *usw.* **5.** distil (*Schnaps*); ***Weinbrand wird aus Wein gebrannt*** brandy is distilled from wine **6.** (*Säure*, *Salbe*, *Haut*, *Augen*) sting*; ***mir brennen die Augen vom Rauch*** my eyes are stinging from the smoke **7.** ***das Licht brennen lassen*** leave* the light on

brennend 1. ***eine brennende Zigarette*** a lighted cigarette **2.** ***eine brennende Frage*** *Problem*: an urgent matter

Brennnessel (stinging ['stɪŋɪŋ]) nettle

Brennpunkt focus, focal point (*auch übertragen*)

Brennstab fuel ['fjuːəl] rod

Brennstoff fuel ['fjuːəl]

brenzlig dangerous ['deɪndʒərəs], dicey ['daɪsɪ], dodgy; ***es wird mir zu brenzlig*** *umg.* things are getting too dodgy for me

Bretagne: ***die Bretagne*** Brittany ['brɪtənɪ] (⚠ *ohne* the)

Brett 1. board **2.** ***Bretter*** (≈ *Skier*) skis **3.** ***das schwarze Brett*** the noticeboard

Brettspiel board game

Brettspiele

Dame	**draughts** [drɑːfts], *AE* **checkers**
Halma	**halma** ['hælmə]
Mensch, ärgere dich nicht	**ludo** ['luːdəʊ], *AE* **Parcheesi®** [pɑːˈtʃiːzɪ]
Mühle	**nine men's morris**
Schach	**chess**

Brezel pretzel ['pretsl]

Brief letter

Briefbogen sheet of writing paper

Briefbombe letter bomb [⚠ 'letə bɒm]

Brieffreund(in) penfriend, pen pal

Briefkasten letterbox, postbox, *AE* mailbox

Briefkastenfirma *umg.* letter-box company ['kʌmpənɪ]

Briefkopf letterhead

Briefmarke (postage) stamp

Briefmarkenalbum stamp album

Briefmarkensammler(in) stamp collector, *förmlich* philatelist [fɪ'lætəlɪst]

Briefmarkensammlung stamp collection

Brieföffner paper knife, letter opener

Briefpapier writing paper ['raɪtɪŋ,peɪpə]

Brieftasche wallet, *AE* billfold, *AE auch* pocketbook (⚠ briefcase = ***Aktentasche***)

Brieftaube carrier pigeon [ˌkærɪə'pɪdʒən]

Briefträger postman, *AE auch* mailman

Briefträgerin postwoman

Briefumschlag envelope [⚠ 'envələʊp]

Briefwahl postal vote; ***ich werde Briefwahl machen*** I'm voting by post

brillant brilliant, excellent

Brillant (cut) diamond ['daɪəmənd]

Brillantring diamond ring

Brille 1. glasses, spectacles ['spektəklz], *umg.* specs (⚠ *alle Pl.*); ***meine Brille ist kaputt*** my glasses are broken **2.** ***eine Brille tragen*** wear* glasses (⚠ *Pl.*) **3.** (≈ *Klosettbrille*) toilet seat

bringen 1. (≈ *wegbringen*, *hinbringen*) take*; ***er wurde ins Krankenhaus gebracht*** he was taken to (*AE* to the) hospital; ***er brachte sie nach Hause*** he took (*oder* saw) her home **2.** (≈ *herbringen*) bring*; ***bringen Sie mir noch ein Glas*** could you bring me another glass, please? **3.** (≈ *holen*) get*, fetch **4.** (≈ *setzen*, *legen*, *stellen*) put* **5.** (≈ *verursachen*) cause; ***das bringt nur Ärger*** that'll cause nothing but trouble **6.** ***sie brachte ihn dahin, dass er das Angebot annahm*** she got him to accept the offer **7.** ***das bringt nichts*** that's no use [⚠ juːs]

bringen — bring / take

irgendwohin bringen; vom Standort des Sprechers weg	**take** **He was taken to (*AE* to the) hospital.** Er wurde ins Krankenhaus gebracht.
herbringen; zum Standort des Sprechers oder Entgegennehmenden hin	**bring** **Would you bring me another glass of beer, please.** Bringen Sie mir bitte noch ein Glas Bier.
holen, herbringen	**get, fetch** **Would you fetch me my shoes from the bedroom, please?** Würdest du mir bitte die Schuhe aus dem Schlafzimmer bringen?

Brise breeze
Brite: ***er ist Brite*** he's British; ***die Briten*** the British; ☞ ***Nationalitäten***
Britin British woman (*oder* lady *bzw.* girl); ***sie ist Britin*** she's British; ☞ ***Nationalitäten***
britisch British; ***die Britischen Inseln*** the British Isles [aɪlz]
bröckeln crumble
Brocken 1. piece, bit **2.** (≈ *Bissen*) morsel **3.** (≈ *Klumpen*) lump, chunk **4.** ***ein paar Brocken Englisch*** *usw.* a few words of English **5.** ***das war ein harter Brocken*** *übertragen* that was a tough [tʌf] one
brodeln *allg. und Lava*: bubble
Broker(in) *Börse*: broker
Brokkoli *Pl.* broccoli ['brɒkəlɪ]
Brombeere blackberry ['blækbərɪ]
Bronchitis bronchitis [⚠ brɒŋ'kaɪtɪs]
Bronze bronze [⚠ brɒnz]
Bronzemedaille bronze medal
Brosche brooch [⚠ brəʊtʃ], *AE auch* pin
Broschüre 1. pamphlet **2.** (≈ *Werbebroschüre*) brochure ['brəʊʃə] **3.** *dünne*: leaflet
Brot 1. bread; ***zwei Brote*** two loaves (⚠ *Sg.* loaf) of bread; ***eine Scheibe Brot*** a slice of bread **2.** ***belegtes Brot*** sandwich [⚠ 'sænwɪdʒ]
Brötchen roll [rəʊl]
Brot(schneide)maschine bread slicer
Brotzeit: ***Brotzeit machen*** have* a snack
browsen: ***im Web browsen*** browse (on) the web
Browser *Internet*: browser
Bruch 1. (≈ *Knochenbruch*) fracture **2.** ***zu Bruch gehen*** break* **3.** ***er hat sein Auto zu Bruch gefahren*** he's smashed up his car **4.** ***in die Brüche gehen*** *Ehe, Beziehung usw.*: break* up
brüchig 1. (≈ *zerbrechlich*) fragile [⚠ 'frædʒaɪl] **2.** (≈ *spröde*) brittle **3.** *Leder*: cracked
Bruchlandung crash landing
Bruchrechnen fractions (⚠ *Pl.*)
bruchrechnen do* fractions
Bruchstück fragment ['frægmənt] (*auch übertragen*)
Bruchteil fraction; ***im Bruchteil einer Sekunde*** in a split (*oder* fraction of a) second
Bruchzahl fraction
Brücke 1. *allg.*: bridge (*auch als Zahnersatz*) **2.** (≈ *Teppich*) rug **3.** ***Brücken schlagen*** build* bridges (***zwischen*** between)
Brückenpfeiler (bridge) pier [⚠ pɪə]
Bruder *allg., auch kirchlich*: brother *Pl.*: brothers, ⚠ *Pl. für Ordensbrüder nur*: brethren ['breðrən]
brüderlich 1. brotherly **2.** (***etwas***) ***brüderlich teilen*** share and share alike
Brühe 1. (≈ *Fleischbrühe*) broth [⚠ brɒθ] **2.** *für Suppen usw.*: stock **3.** (≈ *schmutziges Wasser*) dirty water **4.** ***mir läuft die Brühe runter*** *übertragen, salopp* I'm sweating ['swetɪŋ] like a pig
Brühwürfel stock cube
brüllen 1. *allg.*: roar [rɔː] **2.** (*Mensch*) shout, *lauthals*: scream **3.** (≈ *heulen*) scream **4.** (*Rind*) bellow **5.** ***vor Lachen brüllen*** *übertragen* roar with laughter
brummeln mumble, mutter
brummen 1. (*Bär usw.*) growl [⚠ graʊl] **2.** (≈ *summen*) hum, buzz **3.** (*Motor*) drone **4.** (*Lautsprecher usw.*) hum **5.** ***mir brummt der Kopf*** my head's throbbing
Brummi (≈ *Lastwagen*) truck, *BE auch* lorry
brummig *umg.* grumpy
Brunch brunch
Brunftzeit rutting season
Brunnen 1. well **2.** (≈ *Quelle*) spring **3.** (≈ *Springbrunnen*) fountain ['faʊntɪn]
Brüssel Brussels ['brʌslz]
Brust 1. breast [brest] **2.** (≈ *Brustkasten*) chest **3.** (≈ *Busen*) breast, breasts (*Pl.*) **4.** ***einem Baby die Brust geben*** (breast)feed a baby
Brustbeutel money bag (worn around the neck), *AE* neck pouch
brüsten: ***sich brüsten*** boast (***mit*** about)
Brustschwimmen breaststroke ['breststrəʊk]
Brustwarze nipple
brutal 1. brutal ['bruːtl] **2.** *Film*: brutal, violent **3.** (≈ *grausam*) cruel ['kruːəl]
Brutalität brutality, violence
brüten 1. *wörtlich* brood [bruːd] **2.** (≈ *nachdenken*) brood (***über*** over)
Brüter: ***schneller Brüter*** (≈ *Reaktor*) fast breeder (reactor)
Brutkasten incubator ['ɪŋkjʊbeɪtə]
brutto 1. gross [⚠ grəʊs] **2.** ***50.000 Dollar brutto bekommen*** earn (*oder* get*) $50,000 before tax (*gesprochen* fifty thousand dollars)
Bruttogehalt gross salary
Bruttolohn gross pay
Bruttosozialprodukt gross national product (*Abk.* GNP)
Bruttoverdienst gross earnings (⚠ *Pl.*)
BSE *Krankheit*: BSE [ˌbiːes'iː] (*Abk. für* **B**ovine **S**pongiform **E**ncephalopathy); ☞ ***Rinderwahn(sinn)***
BSE-Krise BSE crisis [ˌbiːes'iːˌkraɪsɪs]
Bub *bes.* Ⓐ, Ⓒⓗ boy, lad

Bube *Spielkarte*: jack
Buch 1. book **2. *er redet wie ein Buch*** *übertragen* he never stops talking **3. *ein Buch mit sieben Siegeln*** a closed book
Buch… *in Zusammensetzungen*: book… *bzw.* book …; ***Buchbesprechung*** book review [rɪ'vjuː]; ***Buchhandlung*** bookshop, *bes. AE* bookstore; ***Buchhülle*** (≈ *Schutzhülle*) dust jacket; ***Buchkritik*** book review; ***Buchladen*** bookshop, *bes. AE* bookstore
Buche beech (tree)
buchen 1. book, reserve (*Zimmer, Sitzplatz usw.*) **2.** book (*Flug*)
Bücher… *in Zusammensetzungen*: book… *bzw.* book …; ***Büchergutschein*** book token; ***Bücherregal*** bookshelf; ***Bücherschrank*** bookcase; ***Bücherwurm*** bookworm ['bʊkwɜːm]
Bücherbus mobile library, *AE* bookmobile ['bʊkməʊbiːl]
Bücherei library ['laɪbrərɪ]
Buchhandlung bookshop, *bes. AE* bookstore
Buchhalter(in) accountant
Büchse can, *BE auch* tin
Büchsenfleisch canned (*BE auch* tinned) meat
Büchsenöffner can opener, *BE auch* tin opener
Buchstabe 1. letter **2. *großer Buchstabe*** capital letter **3. *kleiner Buchstabe*** small letter
buchstabieren spell* (out)
buchstäblich literally
Bucht bay, *kleine*: bay, inlet ['ɪnlət]
Buchung booking, reservation [ˌrezə'veɪʃn]
Buckel 1. *am Rücken*: hump **2.** (≈ *buckliger Rücken*) hunchback **3. *die Katze machte einen Buckel*** the cat arched [ɑːtʃt] its back **4. *du kannst mir den Buckel runterrutschen*** *salopp* you know what you can do **5.** (≈ *Unebenheit*) bump
Buckelpiste mogul ['məʊgl] field
bücken: ***sich*** (***nach etwas***) ***bücken*** bend* down *oder* over (to pick something up)
bucklig 1. *Mensch*: hunchbacked **2.** *Weg usw.*: bumpy
Bucklige(r) hunchback
Buddhismus Buddhism ['bʊdɪzm]
Buddhist(in), **buddhistisch** Buddhist ['bʊdɪst]
Bude 1. (≈ *Verkaufsbude*) kiosk ['kiːɒsk], (≈ *Marktbude*) stall [stɔːl] **2.** *salopp* (≈ *Zimmer*) place, pad **3.** *salopp* (≈ *Studentenbude*) digs (⚠ *Pl.*)
Budget budget ['bʌdʒɪt]

Büfett → ***Buffet***
Büffel buffalo ['bʌfələʊ]
büffeln: ***er büffelt schon wieder*** (***Latein***) he's swotting (up his Latin) again
Buffet 1. sideboard, *AE* buffet [⚠ bə'feɪ] **2. *kaltes Buffet*** cold buffet [⚠ 'bʊfeɪ]
Bug 1. *Schiff*: bow [⚠ baʊ] **2.** *Flugzeug*: nose
Bügel 1. (≈ *Kleiderbügel*) hanger **2.** (≈ *Handgriff*) handle
Bügeleisen iron [⚠ 'aɪən]
bügeln iron [⚠ 'aɪən], press (*Hose usw.*)
Buggy 1. (≈ *Kinderwagen*) buggy, *AE* stroller **2.** (≈ *Auto*) beach buggy
buh: ***buh!*** boo!
buhen boo
Buhmann bogeyman ['bəʊgɪmæn]
Bühne 1. *im Theater*: stage; ***auf der Bühne*** on (the) stage; ***hinter der Bühne*** backstage, behind the scenes [siːnz] (*auch übertragen*) **2.** (≈ *Theater*) theatre ['θɪətə]
Bühnenbild (stage) set, stage setting
Bühnenstück play
Buhrufe (loud) booing (⚠ *Sg.*), boos
Bukarest Bucharest [ˌbuːkə'rest]
Bulette meatball
Bulgare Bulgarian [bʌl'geərɪən]; ***er ist Bulgare*** he's (a) Bulgarian; ☞ ***Nationalitäten***
Bulgarien Bulgaria [bʌl'geərɪə]
Bulgarin Bulgarian woman (*oder* lady *bzw.* girl); ***sie ist Bulgarin*** she's (a) Bulgarian; ☞ ***Nationalitäten***
bulgarisch, **Bulgarisch** Bulgarian [bʌl'geərɪən]
Bulimie (≈ *Heißhungeranfälle*) bulimia [bʊ'lɪmɪə]
Bullauge porthole
Bulldogge (≈ *Hund*) bulldog ['bʊldɒg]
Bulldozer bulldozer ['bʊldəʊzə]
Bulle 1. *männliches Tier*: bull [⚠ bʊl] **2.** *umg.* (≈ *bulliger Mann*) gorilla, heavyweight ['hevɪweɪt] **3.** *salopp* (≈ *Polizist*) cop; ***die Bullen*** the cops
Bullenhitze *umg.* scorching heat
Bumerang boomerang (*auch übertragen*); ***sich als Bumerang erweisen*** have* a boomerang effect
Bummel *umg.* (≈ *Spaziergang*) stroll [strəʊl], walk; ***einen Bummel machen*** go* for a walk (*oder* stroll)
bummeln 1. (≈ *schlendern*) stroll, go* for a stroll **2.** (≈ *trödeln*) dawdle ['dɔːdl]
Bummelstreik go-slow, *AE* slowdown
bums: ***bums!*** bang!
bumsen: (***jemanden***) ***bumsen*** *vulgär* screw (someone), *BE* have* it off (with someone)
Bund[1] **1.** (≈ *Verband, Vereinigung*) associa-

tion **2.** (≈ *Bündnis*) alliance [ə'laɪəns] **3.** *umg.* (≈ *Bundeswehr*) army; ***beim Bund*** in the army

Bund[2] *Petersilie, Mohrrüben, Radieschen, Spargel usw.*: bunch

Bund[3] *an der Hose usw.*: waistband

Bündel *allg.*: bundle (*auch übertragen*)

Bundes... *in Zusammensetzungen*: federal, Federal ...; ***Bundesland*** (federal) state; ***Bundesnachrichtendienst*** Federal Intelligence Service; ***Bundesregierung*** Federal Government; ***Bundesrepublik Deutschland*** Federal Republic of Germany; ***Bundesstaat*** *einzelner*: federal state; ***Bundesverfassungsgericht*** Federal Constitutional Court

Bundesbürger German citizen, citizen of the Federal Republic

Bundeskanzler *Regierungschef in Deutschland und Österreich*: (Federal) Chancellor ['tʃɑːnsələ]; ***Bundeskanzler Schröder*** Chancellor Schröder (of Germany)

Bundesland **1.** (federal) state **2.** ***die neuen*** (*bzw.* ***die alten***) ***Bundesländer*** the eastern German (*bzw.* the western German) states

Bundesliga: *Sport*: (**erste, zweite**) ***Bundesliga*** (First, Second) Division

Bundesministerium ministry (***für*** of)

Bundespräsident *Staatsoberhaupt in Deutschland und in Österreich*: (German *bzw.* Austrian) President, Federal President

Bundesrat **1.** *Deutschland und Österreich*: Bundesrat, Upper House of the German (*bzw.* Austrian) Parliament **2.** *Schweiz*: Bundesrat, Swiss government **3.** *Schweiz*: Swiss government minister ['mɪnɪstə] **4.** *Österreich*: member of the Upper House of the Austrian Parliament

Bundestag Bundestag, Lower House (of the German Parliament)

Bundestagsabgeordnete(r) member of the Bundestag

Bundestrainer(in) coach (*oder* manager) of the German (*bzw.* Austrian *usw.*) team

Bundeswehr (German) armed forces (⚠ *Pl.*)

bundesweit nationwide

Bündnis alliance [⚠ ə'laɪəns]

Bündnispartner ally ['ælaɪ, ə'laɪ]

Bundweite waist (size), waist measurement ['weɪstˌmeʒəmənt]

Bungeejumping bungee jumping ['bʌndʒɪˌdʒʌmpɪŋ]

bunt **1.** colourful (*auch übertragen*), multicoloured **2.** ***etwas bunt bemalen*** paint something in all sorts of colours **3.** ***er treibt es zu bunt*** *übertragen* he takes things too far, he overdoes it

Buntpapier coloured paper

Buntstift crayon ['kreɪɒn], coloured pencil

Buntwäsche coloured wash, coloureds ['kʌlədz] (⚠ *Pl.*)

Burg castle [⚠ 'kɑːsl]

Bürger(in) **1.** citizen **2.** (≈ *Einwohner, Einwohnerin*) inhabitant, resident ['rezɪdənt]

Bürgerinitiative citizens' (action) group

Bürgerkrieg civil war [ˌsɪvl'wɔː]

bürgerlich **1.** civil ['sɪvl] **2.** middle-class, *oft abwertend* bourgeois [⚠ 'bʊəʒwɑː]

Bürgerliche(r) commoner ['kɒmənə]

Bürgermeister(in) mayor [⚠ meə]

Bürgerrechte civil rights [ˌsɪvl'raɪts]

Bürgerrechtler(in) civil rights campaigner (*oder* activist)

Bürgersteig pavement, *AE* sidewalk

Bürgertum the middle classes, the bourgeoisie [ˌbʊəʒwɑː'ziː]

Büro office

Büroangestellte(r) office worker, white-collar worker

Büroarbeit office work

Büroklammer paper clip

Bürokratie bureaucracy [⚠ bjʊ'rɒkrəsɪ]

bürokratisch bureaucratic [ˌbjʊərə'krætɪk]; ***bürokratische Verfahrensweise*** bureaucratic procedures [prə'siːdʒəz] (⚠ *Pl.*)

Bürokratismus (≈ *Amtsschimmel*) red tape

Bürozeit office hours (⚠ *Pl.*)

Bürste brush

bürsten brush

Bürstenschnitt crew cut

Bus **1.** bus **2.** (≈ *Reisebus*) bus, *bes. BE* coach **3.** ***mit dem Bus fahren*** go* by bus, take* the bus

Bus... *in Zusammensetzungen*: bus ...; ***Busbahnhof*** (bus) terminal, bus station; ***Busfahrer(in)*** bus driver; ***Busfahrplan*** bus timetable, *AE* bus schedule ['ʃkedʒuːl]; ***Bushaltestelle*** bus stop; ***Busspur*** bus lane; ***Busverbindung*** bus connection (*oder* service)

Bus

Streng genommen unterscheidet man zwischen **bus** (= Nahverkehrsbus) und **coach** (= Reisebus bzw. öffentlicher Bus aus der Stadt hinaus aufs Land oder für Verbindungen zwischen Städten). Jedoch wird **bus** auch allgemein, also auch für Reisebusse, verwendet.

Busch 1. bush [⚠ bʊʃ] **2.** (≈ *Strauch*) shrub **3.** *umg.* (≈ *Urwald*) jungle ['dʒʌŋgl] ***4. da ist etwas im Busch*** there's something going on
Buschfeuer bushfire [⚠ 'bʊʃfaɪə]
Busen 1. (≈ *Brust*) breasts [brests] (⚠ *Pl.*) **2.** *mit Kleidung*: bust, chest [tʃest] **3.** *übertragen* bosom [⚠ 'bʊzm], breast
Business Class business class
Busreise coach tour, coach trip
Bussard buzzard ['bʌzəd]
Buße 1. (≈ *Strafe*) penalty ['penltɪ] **2.** (≈ *Geldbuße*) fine, penalty
busseln *bes.* Ⓐ kiss
büßen: ***das sollst du mir büßen!*** you'll pay for that, I'll make you pay for that
busserln *bes.* Ⓐ kiss
Bußgeld fine; ***er wurde zu einem Bußgeld in Höhe von € 10 verurteilt*** he was fined €10 (*gesprochen* ten euros)
Büste bust
Büstenhalter bra [brɑː]
Butter 1. butter; ***mit Butter bestreichen*** butter **2.** ***alles in Butter*** *übertragen* everything's just fine, *umg.* couldn't be better
Butterbrot (piece *oder* slice of) bread and butter
Buttermilch buttermilk
Button badge, *bes. AE* button
Button-down-Kragen button-down collar ['kɒlə]
Bypass bypass
Bypassoperation bypass operation, *am Herzen auch*: heart bypass
Byte byte
bzw. 1. ***ich schaue vorbei bzw. ich rufe dich an*** either I'll drop by or I'll give you a ring **2.** respectively (*Abk.* resp.); ***zwei Bücher in englischer bzw. in deutscher Sprache*** two books in English and German respectively, two books - one in English and one in German

C

C 1. ***das hohe C*** *Musik*: top C (⚠ *ohne* the) **2.** (≈ *Celsius*) C (*Abk. für* Celsius, centigrade)
ca. (≈ *circa, ungefähr, etwa*) approx. (⚠ *nur schriftlich*), approximately [ə'prɒksɪmətlɪ]
Cabrio(let) *Auto*: convertible, *bes. AE auch* cabriolet ['kæbrɪəleɪ]
Café café ['kæfeɪ, kæ'feɪ]
Cafeteria snack bar, cafeteria [ˌkæfə'tɪərɪə]
Callboy male prostitute ['prɒstɪtjuːt] (⚠ *nicht* call boy)
Callgirl call girl
Call-Center call centre, *bes. AE* call center
Camcorder camcorder
campen camp, go* camping
Camper(in) camper
Camping camping
Campingplatz camping site, campsite, *bes. AE* campground
canceln cancel ['kænsl] (*Flug usw.*)
Cappuccino *Getränk*: cappuccino [ˌkæpʊ'tʃiːnəʊ]
Cargohose cargoes, cargos ['kɑːgəʊz] (⚠ *Pl.*), *BE auch* cargo trousers, *bes. AE auch* cargo pants (⚠ *Pl.*); ***er trug eine Cargohose*** he was wearing (a pair of) cargo(e)s
Carport *Auto*: carport
Cartoon 1. cartoon **2.** (≈ *Geschichte*) comic (*oder* cartoon) strip
Cassette cassette (tape)
Cassettenrecorder cassette recorder
Casting *bei Film, TV*: casting
Catcher(in) all-in wrestler [⚠ 'reslə] (⚠ *engl.* catcher = ***Fänger***)
CD CD [⚠ ˌsiː'diː], compact disc
CD-Brenner CD burner, CD writer [ˌsiː'diːˌraɪtə]
CD-Player CD player
CD-ROM CD-ROM [ˌsiːdiː'rɒm] (ROM = **R**ead **O**nly **M**emory)
CD-ROM-Laufwerk CD-ROM drive [ˌsiːdiː'rɒm draɪv]
CD-Spieler CD player [ˌsiː'diːˌpleɪə]
Cello *Musikinstrument*: cello ['tʃeləʊ]
Celsius Celsius ['selsɪəs]; ***20 Grad Celsius*** 20 degrees Celsius (*oder* centigrade)
Cembalo harpsichord ['hɑːpsɪkɔːd]
Cent cent [sent] (*auch Eurocent*)
Chamäleon *Tier und übertragen*: chameleon [kə'miːlɪən]
Chancengleichheit equal opportunities (⚠ *Pl.*)

Chanson chanson [ˌʃɑ̃ːŋ'sɔ̃ːŋ]
Chalet (Swiss) chalet ['ʃæleɪ], Swiss cottage
Champagner® champagne [ʃæm'peɪn]
Champignon button (*AE* field) mushroom
Chance 1. (≈ *Möglichkeit*, *Gelegenheit*) chance [tʃɑːns], opportunity (***zu*** to + *Inf.*); ***er hat keine Chance zu entkommen*** he has no chance of escaping **2.** ***Chancen*** (≈ *Aussichten*) prospects; ***die Chancen sind*** (*oder* ***stehen***) ***gut*** the prospects are good
chancenlos: ***die Mannschaft ist chancenlos*** the team's got no chance
Chaos chaos ['keɪɒs]; ***hier herrscht ja das reinste Chaos*** it's absolutely chaotic [keɪ'ɒtɪk] in this place
Chaot(in) completely disorganized person
chaotisch: ***chaotische Zustände*** chaos ['keɪɒs], a chaotic [keɪ'ɒtɪk] situation
Charakter 1. *einer Person*: character ['kærəktə], personality; ***vom Charakter her*** as far as his *usw.* character goes **2.** *einer Sache*: character, nature
Charaktereigenschaft personal trait
charakterisieren (≈ *schildern*) describe (***als*** as)
charakteristisch characteristic, typical ['tɪpɪkl] (***für*** of); ***charakteristische Eigenschaft*** characteristic feature
charakterlich in character; ***sich charakterlich verändern*** change in character
charmant charming ['tʃɑːmɪŋ]
Charme charm [tʃɑːm], personality
Charta charter ['tʃɑːtə]; ***die Charta der Vereinten Nationen*** the United Nations Charter
Charterflug charter flight
Chartergesellschaft charter company
Chartermaschine charter plane
chartern charter (*Flugzeug*, *Schiff usw.*)
Charts *umg.* charts [tʃɑːts]; ***in die Charts kommen*** get* into the charts
Chat *Internet*: chat
Chatraum, **Chatroom** *Internet*: chat room
chatten *Internet*: chat
Chauffeur(in) driver, chauffeur [⚠ 'ʃəʊfə]
Chauvi *umg.* male chauvinist [⚠ 'ʃəʊvənɪst] (pig), *Abk.*: MCP [ˌemsiː'piː]
Chauvinismus chauvinism [⚠ 'ʃəʊvənɪzm]
checken 1. (≈ *überprüfen*) check **2.** *umg.* (≈ *verstehen*) get*; ***hast dus endlich gecheckt?*** *umg.* have you got that into your thick head now?
Checkliste check list
Chef(in) head, *umg.* boss (⚠ *engl.* chef = ***Koch, Köchin, Küchenchef(in)***)

Chef

chef boss

Chef

Obwohl man besonders in den USA das Wort **chief** (neben dem sehr geläufigen **boss**) salopp für einen Vorgesetzten, Abteilungsleiter bzw. Firmenchef verwendet, sollte man als „Nicht-Muttersprachler" den Gebrauch dieses Wortes im Sinne von „Chef" vermeiden, denn **chief** bezeichnet in erster Linie einen „Häuptling" (bei den Indianern *usw.*). Nur in bestimmten Amtstiteln ist das Wort üblich, z. B. **Chief of Police** (Polizeipräsident), **Chief of Staff** (Generalstabschef). Ansonsten sollte man **boss** verwenden.

Chefarzt, **Chefärztin** senior consultant, *AE* medical director
Chefsache: ***etwas zur Chefsache erklären*** give* top priority to something
Chefsekretär(in) personal assistant, *Abk.*: PA [ˌpiː'eɪ], *AE* executive [ɪg'zekjətɪv] secretary
Chemie *allg.*: chemistry ['kemɪstrɪ] (*auch als Unterrichtsfach*)
Chemikalien chemicals ['kemɪklz]
Chemiker(in) chemist ['kemɪst]
chemisch 1. chemical ['kemɪkl] **2.** ***che-***

mische Reinigung (≈ *Vorgang*) dry cleaning, (≈ *Geschäft, Unternehmen*) dry cleaner's **3.** ***etwas chemisch reinigen lassen*** have* something dry-cleaned, take* something to the dry cleaner's
Chemotherapie chemotherapy [ˌkiːməʊ'θerəpɪ]
Chicago Chicago [⚠ ʃɪ'kɑːgəʊ]
Chicorée *Pflanze, Gemüse, Salat*: chicory ['tʃɪkərɪ]
Chile Chile
chillen (≈ *entspannen*) chill (out); ***nach der Arbeit erst mal chillen*** chill out after work
China China ['tʃaɪnə]
Chinese Chinese [ˌtʃaɪ'niːz]; ***er ist Chinese*** he's Chinese; ***die Chinesen*** the Chinese; ☞ ***Nationalitäten***
Chinesin Chinese woman (*oder* lady *bzw.* girl); ***sie ist Chinesin*** she's Chinese; ☞ ***Nationalitäten***
chinesisch **1.** Chinese [ˌtʃaɪ'niːz] **2.** ***die Chinesische Mauer*** the Great Wall of China
Chinesisch Chinese [ˌtʃaɪ'niːz]
Chip **1.** *Computer*: chip **2.** ***Chips*** *zum Knabbern*: (potato) crisps, *AE* potato chips (⚠ *BE* chips = ***Pommes frites***) **3.** (≈ *Spielmarke*) chip
Chipkarte *Computer*: chip card, smart card
Chirurg(in) surgeon [⚠ 'sɜːdʒn]
Chirurgie surgery ['sɜːdʒərɪ]
chirurgisch surgical ['sɜːdʒɪkl]; ***bei jemandem einen chirurgischen Eingriff vornehmen*** carry out surgery on someone
Chlor chlorine [⚠ 'klɔːriːn]
Cholera cholera ['kɒlərə]
Chor (≈ *Sängerchor*) choir [⚠ kwaɪə]
Choreograph(in) choreographer [ˌkɒrɪ'ɒgrəfə]
Choreographie choreography [ˌkɒrɪ'ɒgrəfɪ]
Christ(in) Christian ['krɪstʃn] (⚠ *engl.* Christ [kraɪst] = ***Christus***)
Christbaum Christmas tree [⚠ 'krɪsməs‿triː]
Christentum: ***das Christentum*** Christianity [ˌkrɪstɪ'ænətɪ] (⚠ *ohne* the)
Christkind **1.** ***das Christkind*** the infant Jesus, baby Jesus (⚠ *ohne* the) **2.** ***was hat dir das Christkind gebracht?*** what did Santa (Claus) ['sæntə(‿klɔːz)] bring you?
Christkindl *bes.* Ⓐ **1.** ***das Christkindl*** the Christ Child **2.** *Geschenk*: Christmas present ['krɪsməsˌpreznt]
christlich **1.** Christian ['krɪstʃn] **2.** *Wendungen*: ***christlich leben*** live (*oder* lead*) a Christian life; ***christlich handeln*** act like a Christian
Christus **1.** Christ [kraɪst] **2.** ***vor Christi Geburt*** (***v. Chr.***) before Christ, *Abk.*: BC [ˌbiː'siː]; ***nach Christi Geburt*** (***n. Chr.***) Anno Domini [ˌænəʊ'dɒmɪnaɪ], *Abk.*: AD [ˌeɪ'diː]
Chrom **1.** chrome **2.** *chemisches Element*: chromium ['krəʊmɪəm] (*Abk.* Cr)
Chromosom chromosome ['krəʊməsəʊm]
Chronik chronicle ['krɒnɪkl]
chronisch chronic ['krɒnɪk] (*auch übertragen*)
chronologisch chronological [ˌkrɒnə'lɒdʒɪkl]; ***in chronologischer Folge*** in chronological order, chronologically
City town (*oder* city) centre, *AE* downtown (⚠ *engl.* city = ***Stadt, Großstadt***); ***in die City gehen*** go* to the town (*oder* city) centre, *AE* go* downtown (⚠ *ohne* the)

City

City bedeutet ganz allgemein „Großstadt“: **London, Birmingham, Edinburgh, Glasgow, Liverpool, Manchester** *usw.* sind **cities**.
The City (mit großem „C“) *bzw.* mit vollem Namen **the City of London** beschreibt das Londoner Finanzviertel, ein Gebiet von ca. 2,5 km², das tagsüber von Hunderttausenden von Pendlern wimmelt und nachts dagegen fast wie eine Geisterstadt wirkt.
Deutsch City für „Innenstadt“ ist also nicht gleichbedeutend mit englisch **city** oder **City**! Deutsch „City“ bedeutet im britischen Englisch **town centre** oder **city centre** bzw. im amerikanischen Englisch **downtown** [ˌdaʊn'taʊn].

clean *umg.* (≈ *nicht mehr drogenabhängig*) clean, off drugs
clever smart, clever
Clinch: ***mit jemandem im Clinch sein*** be* at loggerheads ['lɒgəhedz] with someone
Clique **1.** (≈ *Freundeskreis*) group; ***wir fahren mit der ganzen Clique nach England*** the whole crowd of us are going to England together; ***Elke und ihre Clique*** Elke and her lot **2.** *abwertend* clique [⚠ kliːk]
Clou **1.** (≈ *Höhepunkt*) climax, highlight **2.** ***jetzt kommt der Clou!*** wait for this
Clown clown
Club club
Cockpit cockpit
Cocktail cocktail

Code code
codieren code, encode
Codierung coding, encoding
Cola cola ['kəʊlə], *umg.* coke®; ***zwei Cola*** two colas (*oder* cokes)
Comeback comeback [⚠ 'kʌmbæk]; ***ein Comeback starten*** (*bzw.* ***erleben***) stage (*oder* make*) a comeback
Comic **1.** (≈ *Comicstrip*) comic (*oder* cartoon) strip **2.** (≈ *Comic-Heft*) comic
Computer computer; ☞ *Illu S. 539*

Rund um den Computer

abbrechen	**abort, cancel**
abspeichern	**save**
abstürzen	**crash**
anklicken	**click (on)**
Ausdruck	**printout**
Befehl	**command**
Bildschirmschoner	**screen saver**
booten	**boot up**
Datei	**file**
entfernen	**delete**
Fenster	**window**
Festplatte	**hard disk**
formatieren	**format**
Laufwerk	**drive**
Menüleiste	**menu bar**
Ordner	**folder**
Pfad	**path**
Schnittstelle	**interface**
Sicherungskopie	**backup (copy)**
Softwarepaket	**software package**
Sonderzeichen	**symbol**
Soundkarte	**sound card**
Speicher	**memory**
speichern	**save** (auf **to**)
Statuszeile	**status bar**
Symbolleiste	**toolbar**
Treiber	**driver**
Zeichen	**character**
Zwischenablage	**clipboard**

Computer... *in Zusammensetzungen*: computer ...; ***Computerarbeitsplatz*** work station; ***Computerausdruck*** computer printout; ***Computerfreak*** computer freak; ***Computerprogramm*** computer program; ***Computerspiel*** computer game; ***Computerzeitschrift*** computer magazine
computergesteuert computer-controlled
Container **1.** *bei Schiffen*: container **2.** (≈ *Müllcontainer*) skip
cool *salopp* (≈ *gefasst*) cool, laid-back [ˌleɪd'bæk]; ***cool bleiben*** stay cool
Cookie *Internet*: cookie ['kʊkɪ]
Copyshop copy shop
Cord cord, corduroy ['kɔːdərɔɪ]
Cordhose ☞ ***Kordhose***
Corner Ⓐ, Ⓒⓗ (≈ *Eckball*) corner (kick)
Cornflakes cornflakes
Côte d'Ivoire *politisch korrekt für Elfenbeinküste*: Côte d'Ivoire [ˌkəʊt‿diː'vwɑː]
Couch sofa, couch [kaʊtʃ]
Couchgarnitur three-piece suite [⚠ swiːt]
Couchtisch coffee table
Countdown countdown
Coup coup [⚠ kuː]; ***einen Coup landen*** pull off a coup
Coupé *Auto*: coupé ['kuːpeɪ]
Coupon coupon ['kuːpɒn], voucher
Cousin(e) cousin ['kʌzn]
Cover **1.** (≈ *Titelseite*) cover, front page [ˌfrʌnt'peɪdʒ] **2.** (≈ *Schallplattenhülle*) cover, *BE auch* sleeve
Creme cream
Cremetorte cream gateau [⚠ 'gætəʊ]
Creutzfeld(t)-Jakob-Krankheit Creutzfeld(t)-Jakob disease; ☞ ***BSE***
cruisen *salopp* (≈ *ohne festes Ziel umherlaufen oder umherfahren*) cruise [kruːz] (around)
Crux: ***die Crux dabei ist*** the crux [krʌks] of the matter is
Cup *Sport*: cup
Cupfinale *Sport*: cup final ['kʌpˌfaɪnl]
Curry curry ['kʌrɪ] powder (⚠ *engl.* curry = ***Curry-Reisgericht***)
Currywurst curried (*oder* grilled) sausage [ˌkʌrɪd'sɒsɪdʒ (ˌgrɪld'sɒsɪdʒ)]
Cursor cursor ['kɜːsə]
Cybercafé *Internet*: cybercafé ['saɪbəˌkæfeɪ]
Cyberspace *Internet*: cyberspace

D

da 1. (≈ *dort*) there; ***da oben*** (*bzw.* ***unten***) up (*bzw.* down) there; ***da drüben, da hinüber*** over there **2. *da!*** (≈ *da hast dus!*) there you are **3.** *als Füllwort oft unübersetzt*: ***es gibt Leute, die da glauben ...*** there are people who believe ... **4.** *Zeit*: (≈ *dann*, *damals*) then, at that time; ***von da an*** from then on, since then; ***hier und da*** now and then **5. *da kann man nichts machen*** what can you do? **6.** *Grund*: (≈ *weil*) as, since, because; ***da schönes Wetter war, haben wir draußen gegessen*** as the weather was fine, we had dinner outside

> **da sein 1.** (≈ *anwesend sein*) be* there; ***ist jemand da?*** is there anybody there?; ***ich bin gleich wieder da*** I'll be right back **2.** (≈ *hier sein*) be* here; ***da bin ich*** here I am **3. *ist noch Brot da?*** is there any bread left? **4. *es ist keine Milch mehr da*** we've run out of milk **5. *so etwas ist noch nie da gewesen*** that's never happened before **6. *sie ist (wieder) voll da*** she's (back) in top form

dabehalten 1. hold* onto (*Unterlagen usw.*) **2. *sie behielten ihn gleich da*** *im Krankenhaus usw.*: they kept him in

dabei 1. (≈ *gleichzeitig*) at the same time; ***sie machte Hausaufgaben und hörte dabei Musik*** she was doing her homework and listening to music at the same time **2.** (≈ *dennoch*, *obwohl*) (even) though, but, yet; ***... und dabei hat er gar keine Ahnung*** ... even though he has no idea; ***dabei hatte ich ihn gewarnt*** (and) yet I warned him **3. *nahe dabei*** nearby **4. *ich finde gar nichts dabei*** I don't see anything wrong with it **5. *dabei fällt mir ein ...*** that reminds me ... **6. *ich dachte mir nichts Schlimmes dabei*** I meant no harm **7. *was hast du dir eigentlich dabei gedacht?*** what on earth made you do (*bzw.* say *usw.*) that? **8. *was ist schon dabei?*** so what? **9. *lassen wir es dabei*** let's leave it at that

> **dabei sein 1. *sie ist dabei gewesen*** she was there, (≈ *hat teilgenommen*) she took part (in it) **2. *darf ich dabei sein?*** can I come too?, (≈ *teilnehmen*) can I join in? **3. *ich bin dabei!*** (you can) count me in **4. *er war gerade dabei zu packen*** he was just packing

dabeibleiben *Tätigkeit usw.*: keep* at it, stick* to it

dabeihaben 1. *er hat keinen Schirm* *usw.* ***dabei*** he didn't bring his umbrella *usw.* (with him) **2. *ich hab kein Geld dabei*** I haven't got any money on me

dabeisitzen: ***bei einer Besprechung dabeisitzen*** sit* in on a discussion

dabeistehen: ***er stand dabei und sagte nichts*** he stood there and said nothing

dableiben 1. *allg.*: stay **2. *er muss noch dableiben*** *Schule*: he's being kept in

Dach 1. roof **2.** *beim Auto*: roof, top **3. *sie wohnen alle unter einem Dach*** *übertragen* they all live under the same roof

Dachdecker roofer

Dachgarten roof garden

Dachgeschoss, Ⓐ **Dachgeschoß** top floor [flɔː]; ***im Dachgeschoss*** in the attic ['ætɪk], on the top floor [ˌtɒp'flɔː]

Dachrinne gutter

Dachterrasse roof terrace

Dachwohnung attic flat, *AE* (converted) loft

Dachziegel (roofing) tile

Dackel dachshund ['dæksnd, 'dækshʊnd]

dadurch 1. *dadurch, dass* (≈ *weil*) because **2. *... dadurch, dass er hart arbeitete*** (≈ *indem*) ... by working hard

dafür 1. (≈ *für diese Sache*, *für diesen Zweck*) for it, for them **2.** (≈ *als Ausgleich*) in return; ***dafür hat er mich zum Essen eingeladen*** in return he invited me to dinner **3. *ich bin dafür*** I'm for it, I'm in favour (of it) **4. *alles spricht dafür, dass ...*** it looks very much as if ... **5. *dafür ist er ja da*** (≈ *zu diesem Zweck*) that's what he's there for, that's his job, isn't it? **6. *er wurde dafür bestraft, dass er ge-***

logen hatte he was punished for telling lies

dagegen 1. against it (*bzw.* them *usw.*) **2.** ***ich bin dagegen*** I'm against it **3.** ***ich habe nichts dagegen*** I don't mind **4.** (≈ *im Vergleich dazu*) in comparison, by contrast ['kɒntrɑːst] **5.** (≈ *andererseits*) on the other hand, however

dagegensprechen: ***was spricht dagegen, dass wir …?*** why shouldn't we …?

daheim (≈ *zu Hause*) at home

daher (≈ *deshalb*) that's why, and so

dahin 1. *räumlich*: there **2.** *zeitlich*: ***bis dahin*** until then, till then; ***hoffentlich bist du bis dahin fertig*** I hope you'll be finished by then

dahinten back there

dahinter 1. behind it (*bzw.* them *usw.*) **2.** ***dahinter kommen*** (≈ *es herausfinden*) find* out (about it) **3.** ***ich komm nicht dahinter*** (≈ *kapiere es nicht*) I don't get it

Dahlie *Blume*: dahlia ['deɪlɪə]

Dakapo encore [⚠ 'ɒŋkɔː]

dalassen leave* there (*oder* behind)

daliegen lie* there

damalig then, of (*oder* at) the time; ***der damalige Besitzer*** the owner at the time, the then owner

damals 1. then, at the time **2.** ***seit damals*** since then, since that time **3.** ***damals, als …*** (at the time) when …

Dame 1. lady **2.** ***meine Damen und Herren*** ladies and gentlemen **3.** *Schach und Kartenspiel*: queen

Damenhose ladies' trousers (⚠ *Pl.*), *AE* ladies' slacks (⚠ *Pl.*); ***eine Damenhose*** a pair of ladies' trousers; ☞ ***Hose***

Damenkleidung ladies' wear [weə]

Damenkleidung

Achte auf die Schreibweise:

Damenkleidung	**ladies' wear** [weə]
Herrenbekleidung	**menswear**
Kinderbekleidung	**children's wear**

Aber wundere dich nicht, wenn in den Geschäften der Apostroph weggelassen wird. Dies ist grammatisch falsch, hat sich aber bei **menswear** längst eingebürgert.

Damenmode ladies' fashions (⚠ *Pl.*)

damit 1. (≈ *mit dieser Sache*) with it (*bzw.* them); ***wie will er damit arbeiten?*** how's he going to work with it (*bzw.* them)?; ***ich bin damit fertig*** I've finished with it (*bzw.* them) **2.** (≈ *mittels*) by it, with it **3.** (≈ *folglich, somit*) (and) so **4.** (≈ *infolgedessen*) as a result **5.** ***ich habe ihm nicht die Wahrheit gesagt, damit er sich nicht ärgert*** I didn't tell him the truth so that he wouldn't get angry **6.** *Wendungen*: ***was willst du damit?*** what do you want it for?; ***was willst du damit sagen?*** what are you trying to say?

Damm 1. (≈ *Staudamm*) dam **2.** (≈ *Eisenbahndamm, Flussdamm*) embankment

Dämmerung 1. (≈ *Morgendämmerung*) dawn; ***bei Anbruch der Dämmerung*** at dawn, at daybreak **2.** (≈ *Abenddämmerung*) twilight ['twaɪlaɪt], dusk; ***bei Einbruch der Dämmerung*** at dusk

Dämon demon [⚠ 'diːmən], evil spirit

Dampf 1. steam; ***Dampf ablassen*** *wörtlich* blow* off steam, *übertragen, umg.* let* off steam **2.** ***jemandem Dampf machen*** *übertragen, umg.* give* someone a kick in the pants

Dampf… *in Zusammensetzungen*: steam…, steam …; ***Dampfbügeleisen*** steam iron; ***Dampflok(omotive), Dampfmaschine*** steam engine; ***Dampfwalze*** steamroller

dampfen steam

Dampfer 1. steamer, steamship **2.** ***da bist du auf dem falschen Dampfer*** *übertragen, umg.* you're on the wrong track

Dämpfer: ***einen Dämpfer bekommen*** *umg.* (≈ *gerügt werden*) get* a rap over the knuckles ['nʌklz]

danach 1. after that (*oder* it) **2.** (≈ *anschließend*) then, afterwards ['ɑːftəwədz]; ***sie geht gern schwimmen, danach fühlt sie sich immer viel besser*** she likes to go swimming – she always feels much better afterwards **3.** (≈ *später*) afterwards, later on; ***eine Stunde danach*** an hour later **4.** (≈ *entsprechend*) accordingly **5.** ***danach fragen*** ask for it **6.** ***mir ist nicht danach*** I don't feel like it

Däne Dane [deɪn]; ***er ist Däne*** he's Danish ['deɪnɪʃ]; ***die Dänen*** the Danish; ☞ ***Nationalitäten***

daneben 1. *räumlich*: beside it (*bzw.* them), next to it (*bzw.* them); ***das Zimmer daneben*** the room next door, the next room **2.** *räumlich*: ***rechts*** (*bzw.* ***links***) ***daneben*** *Sache*: to the right (*bzw.* left) of it, *Person*: on his *usw.* right (*bzw.* left) **3.** (≈ *außerdem*) in addition **4.** (≈ *im Vergleich dazu*) beside it (*bzw.* him *usw.*) (⚠ *mst. am Satzende*), in comparison **5.** (≈ *am Ziel vorbei*) off the mark; ***daneben!*** missed!; ***total daneben!*** *umg.* way out! (*auch übertragen*)

danebenschießen, danebenschlagen, danebentreffen miss

Dänemark Denmark ['denmɑːk]
Dänin Danish ['deɪnɪʃ] woman (*oder* lady *bzw.* girl); ***sie ist Dänin*** she's Danish ['deɪnɪʃ]; ☞ ***Nationalitäten***
dänisch, **Dänisch** Danish ['deɪnɪʃ]
dank thanks to
Dank 1. thanks (⚠ *Pl.*); ***vielen*** (*oder* ***besten*** *oder* ***schönen***) ***Dank!*** many thanks, thank you very much **2.** (≈ *Dankbarkeit*) gratitude
dankbar 1. grateful **2.** *Aufgabe usw.*: rewarding **3.** ***ich wäre Ihnen dankbar, wenn …*** I'd appreciate [ə'priːʃɪeɪt] it if …
Dankbarkeit gratitude ['grætɪtjuːd]; ***aus Dankbarkeit für*** out of gratitude for
danke 1. ***danke*** (***schön***)***!*** (many) thanks, thank you (very much), *BE umg. auch* cheers; ***danke, Kumpel!*** cheers, pal **2.** ***danke!*** (≈ *danke, ja!*) yes, thank you (*oder* yes, thanks) **3.** ***danke!*** (≈ *danke, nein!*) no, thank you (*oder* no, thanks)
danken 1. thank; ***jemandem für etwas danken*** thank someone for something **2.** ***nichts zu danken!*** that's all right, you're welcome
dann 1. (≈ *danach*) then; ***was passierte dann?*** what happened then (*oder* next)? **2.** (≈ *nachher*) then, after that, afterwards **3.** ***wenn er es nicht weiß, wer dann?*** if he doesn't know, who does? **4.** *Wendungen*: ***dann und wann*** now and then; ***bis dann!*** *umg.* see you (later)!; ***dann eben nicht!*** okay, forget it
daran 1. *allg.*: on it, to it; ***etwas daran befestigen*** attach something to it **2.** *betont*: on that, to that; ***stecks daran*** put it on that, put it there **3.** ***daran glauben*** believe in it **4.** ***im Anschluss daran*** following that, after that **5.** ***daran schloss sich eine Rede an*** that was followed by a speech
daransetzen: ***er setzte alles daran zu gewinnen*** he did everything in his power to win
darauf 1. *räumlich*: on it *usw.*, (≈ *ganz oben*) on top of it *usw.* **2.** *zeitlich*: after that, then, next; ***bald darauf*** soon after
daraus 1. from *oder* out of it *usw.*; ***daraus lernen*** (*bzw.* ***vorlesen***) learn* (*bzw.* read*) from it **2.** ***ich mache mir nichts daraus*** (≈ *es ist mir gleichgültig*) it doesn't bother ['bɒðə] me, (≈ *ich mag es nicht besonders*) I'm not very keen on it
darein in(to) it, in(to) that, in(to) them *usw.*
darin 1. *räumlich*: in it *usw.*; ***was ist darin?*** what's inside? **2.** ***die Schwierigkeit liegt darin, dass …*** the difficulty is that … **3.** (≈ *auf diesem Gebiet*) at it (*oder* that); ***darin ist er gut*** he's good at it
darlegen 1. present [prɪ'zent] (*Meinung usw.*) **2.** (≈ *erklären*) explain
Darlehen loan [ləʊn]
Darm 1. intestine [ɪn'testɪn], bowels ['baʊəlz] (⚠ *Pl.*) **2.** (≈ *Wursthülle*) skin
Darmerkrankung intestinal disease [ɪnˌtestɪnl‿dɪ'ziːz]
Darminfektion intestinal (*oder* bowel) infection [ɪnˌtestɪnl‿ɪn'fekʃn ('baʊəl‿ɪnˌfekʃn)]
darstellen 1. (≈ *schildern*) describe **2.** present [prɪ'zent] (*Tatsachen usw.*) **3.** *künstlerisch*: (≈ *zeigen, wiedergeben*) show, depict **4.** ***was stellt dieses Zeichen*** *usw.* ***dar?*** what does this symbol *usw.* stand for (*oder* represent [ˌreprɪ'zent])? **5.** ***etwas in einem Diagramm darstellen*** draw* a graph of something **6.** *Theater*: act *oder* play (the part of)
Darsteller actor, performer
Darstellerin actress, performer
Darstellung 1. (≈ *Schilderung*) description **2.** *von Tatsachen*: presentation **3.** *einer Rolle im Theater usw.*: interpretation, acting **4.** *Computer*: display [dɪ'spleɪ]
darüber 1. *örtlich*: over it (*bzw.* over them), over that **2.** *räumlich*: above it *usw.*; ***das Zimmer darüber*** the room above **3.** (≈ *quer darüber*) across it *usw.* **4.** ***darüber hinaus*** (≈ *außerdem*) in addition, on top of that **5.** ***ich freue mich darüber*** I'm very glad about it
darum (≈ *deshalb*) that's why
darunter 1. *örtlich*: under it (*bzw.* under them), under there, underneath **2.** (≈ *weiter unten*) further down **3.** (≈ *dabei*) among them; ***… darunter zehn Kinder*** … among them ten children **4.** (≈ *weniger*) less; ***Schüler im Alter von 12 Jahren und darunter*** pupils aged 12 and under **5.** ***was verstehst du darunter?*** what do you understand by it? **6.** ***er liegt mit seinen Leistungen weit darunter*** he doesn't come up to this level
das 1. the **2.** ***das Fernsehen*** television (⚠ *ohne* the) **3.** ***zwei Dollar das Kilo*** two dollars a kilo **4.** ***das sind Chinesen*** they're Chinese; → ***der***
Dasein existence [ɪg'zɪstəns], life
dasitzen 1. *wörtlich* sit* there **2.** ***sie sitzt ganz allein da*** *übertragen* she's been left all on her own
dass 1. that; ***so dass*** so that **2.** ***es sei denn, dass*** unless **3.** ***ohne dass er sich verabschiedete*** *usw.* without saying goodbye *usw.* **4.** ***er entschuldigte sich dafür, dass er zu spät kam*** he apolo-

gized for being late **5.** ***es ist lange her, dass ich sie gesehen habe*** it's a long time since I saw her

dasselbe → ***derselbe***

dastehen 1. *wörtlich* stand* there **2.** ***sie steht ganz allein da*** *übertragen* she's been left all on her own **3.** ***er steht gut da*** *übertragen* he's doing all right

Date 1. (≈ *Termin, Treffen*) date; ***ein Date haben*** have* a date, go* (out) on a date; ***sie hat mit dir noch ein Date*** she's going out on a date with you **2.** (≈ *Person, mit der man sich trifft*) date

Datei (data) file

Dateienverzeichnis *Computer*: directory [daɪ'rektərɪ]

Dateiname *Computer*: file name

Daten 1. data ['deɪtə] (⚠ *Sg. und Pl.*), facts **2.** (≈ *Personalangaben*) particulars [pə'tɪkjʊləz], personal data

Daten

Obwohl **data** eine (lateinische) Pluralform ist, steht das dazugehörige Verb meist im Singular, z. B. **the data is incomplete**.

Daten... *in Zusammensetzungen*: data ... ['deɪtə]; ***Datenaufbereitung*** data preparation; ***Datenbank*** data bank, database; ***Datenbasis*** database; ***Datenmissbrauch*** data abuse ['deɪtə‿ə,bjuːs]; ***Datennetz*** data network; ***Datenschutz*** data protection; ***Datensicherheit*** data integrity, data security; ***Datenträger*** data medium; ***Datenübertragung*** data transfer ['deɪtə,trənsfɜː]; ***Datenverarbeitung*** data processing ['deɪtə,prəʊsesɪŋ]

Datenautobahn information (super)highway

Dativ dative ['deɪtɪv] (case)

Dativobjekt indirect object [,ɪndərekt'ɒbdʒɪkt]

Dattel date

Datum date; ***welches Datum haben wir heute?*** what's the date today?

Datumsangabe

Im amerikanischen Englisch wird das Datum in einem Brief auf eine Weise geschrieben, die für Deutschsprachige sehr verwirrend sein kann. Den **11. Oktober 2002** z. B. schreibt man oft folgendermaßen: **10/11/2002**, d. h. der **Monat** wird zuerst genannt, dann der Tag, dann das Jahr. Oft wird auch das **Jahr** zuerst genannt, dann der Monat und dann der Tag: **2002/10/11** oder **2002-10-11**. Das kann leicht zu Verwechslungen führen (11. Oktober oder 10. November?). Deshalb ist es ratsam – besonders bei wichtigen Verabredungen und Terminabsprachen – sich darauf zu einigen, den Monatsnamen auszuschreiben bzw. die übliche Kurzform dafür zu wählen, also: **11 October 2002** oder **11 Oct 2002**.

Datumsgrenze dateline

Dauer 1. duration **2.** (≈ *Zeitspanne*) period ['pɪərɪəd] (of time); ***für die Dauer von*** for a period of **3.** ***auf (die) Dauer*** in the long run

Dauerauftrag *bei der Bank*: standing order

dauerhaft 1. *allg.*: durable ['djʊərəbl] **2.** (≈ *beständig*) durable, permanent, lasting; ***dauerhafter Friede(n)*** lasting peace

dauern 1. *allg.*: last **2.** *Zeitaufwand*: take*; ***wie lange dauert das noch?*** how much longer is that going to take?

dauernd 1. lasting, permanent **2.** ***er lachte dauernd*** he kept laughing **3.** ***unterbrich mich nicht dauernd*** stop interrupting me (all the time)! **4.** ***dauernd ist was los*** there's always something going on

Dauerzustand permanent condition

Daumen 1. thumb [⚠ θʌm] **2.** ***ich halte*** (*oder* ***drücke***) ***dir die Daumen*** I'll keep my fingers crossed (for you)

Daumenregister thumb [⚠ θʌm] index

Daunen *Pl.* down *Sg.*

Daunendecke eiderdown ['aɪdədaʊn]

Daunenjacke quilted jacket [,kwɪltɪd-'dʒækɪt]

davon 1. (≈ *von dieser Sache*) of it (*bzw.* them) **2.** (≈ *weg*) away; ***das Dorf liegt nicht weit davon entfernt*** the village isn't far away (from it) **3.** (≈ *darüber*) about it, of it; ***hast du schon davon gehört?*** have you heard about it yet? **4.** ***davon wird man dick*** it makes you fat

davonkommen 1. get* away, escape **2.** ***mit dem Leben davonkommen*** survive **3.** *mit leichten Verletzungen, mit einer Geldstrafe usw.*: get* away (***mit*** with) **4.** ***wir*** *usw.* ***sind noch einmal davongekommen*** it was a close shave

davonlaufen: ***(jemandem) davonlaufen*** run* away (from someone)

davor 1. *örtlich*: in front of it (*bzw.* them *usw.*) **2.** *zeitlich*: beforehand, *vor einem Zeitpunkt*: before that **3.** ***eine Stunde davor*** an hour earlier

dazu 1. (≈ *zusätzlich*) on top of that **2.** ***möchten Sie Reis*** *usw.* ***dazu?*** would you like rice *usw.* with it? **3.** (≈ *zu diesem*

Zweck) for it, for that, for that purpose; ***dazu ist er ja da!*** that's what he's there for
dazugehören **1.** belong to it *usw.*, be* part of it *usw.* **2.** ***das gehört dazu*** *übertragen* that's part of it
dazukommen **1.** (*Person*) join them (*bzw.* us *usw.*); ***möchtest du nicht dazukommen?*** wouldn't you like to join us? **2.** ***dazu kommt noch, dass ...*** *Sache*: on top of it ...
dazulernen learn* (something new)
dazwischen **1.** *räumlich*: between (them) **2.** *zeitlich*: in between
dazwischenkommen: ***wenn nichts dazwischenkommt*** if all goes well
dazwischenreden interrupt (***jemandem*** someone), *umg.* butt in
Dealer(in) (≈ *Drogenhändler*) dealer, *umg.* pusher
Debatte debate, discussion (***über*** on)
debattieren: (***über***) ***etwas debattieren*** debate (*oder* discuss) something
Deck **1.** *eines Schiffes oder Busses*: deck; ***an Deck*** on deck; **2.** (≈ *Kassettendeck*) deck **3.** (≈ *Parkdeck*) level
Decke **1.** (≈ *Wolldecke*) blanket ['blæŋkɪt] **2.** (≈ *Bettdecke*) (bed)cover **3.** (≈ *Tischdecke*) tablecloth **4.** (≈ *Zimmerdecke*) ceiling ['siːlɪŋ] **5.** ***er steckt mit ihm unter einer Decke*** *umg.* he's in cahoots [kə'huːts] with him
Deckel **1.** *eines Behälters*: lid **2.** *auf Flaschen, Gläsern usw.*: top, cap **3.** *von Kisten, Schachteln usw., bei Büchern*: cover **4.** (≈ *Hut*) hat **5.** ***eins auf den Deckel kriegen*** *umg.* get* a real ticking-off
decken **1.** *allg.*: cover **2.** ***den Tisch decken*** lay* (*oder* set*) the table **3.** *mit Ziegeln*: tile (*Dach*) **4.** *Fußball, Handball usw.*: mark, *bes. AE* cover **5.** *Boxen*: guard **6.** ***den Bedarf decken*** meet* the demand **7.** ***der Scheck war nicht gedeckt*** the cheque wasn't covered **8.** ***die Aussagen*** *usw.* ***decken sich*** the statements *usw.* correspond
Deckname **1.** *bes. eines Kriminellen*: alias ['eɪlɪəs] *Pl.*: aliases **2.** *eines Spions, eines militärischen Programms usw.*: code name
Deckung **1.** (≈ *Schutz*) cover, shelter (*auch militärisch*); ***in Deckung gehen*** take* cover **2.** *Boxen, Fechten usw.*: guard **3.** ***zur Deckung der Unkosten*** to cover the costs
Decoder *TV usw.*: decoder [diː'kəʊdə], set-top box
defekt *Gerät*: faulty
Defekt *an einem Gerät*: fault, defect
defensiv defensive [dɪ'fensɪv]
Defensive defensive [dɪ'fensɪv]; ***in der Defensive*** <u>on</u> the defensive
definieren define; ***neu definieren*** redefine
Definition definition
Defizit deficit ['defəsɪt]
deftig **1.** (***ein***) ***deftiges Essen*** (some) good solid food **2.** *Preise*: steep
Degen **1.** sword [⚠ sɔːd] **2.** *Fechten*: épée ['epeɪ]
degradieren: ***einen Major zum Oberleutnant degradieren*** demote [ˌdiː'məʊt] a major to (the rank of) lieutenant (*ohne* <u>a</u>)
Degradierung **1.** *Dienstgrad*: demotion [ˌdiː'məʊʃn] **2.** *übertragen* degradation [ˌdegrə'deɪʃn]
dehnbar flexible ['fleksəbl], elastic (*auch übertragen*)
dehnen **1.** stretch (*auch übertragen*) **2.** ***sich dehnen*** (*Person*) stretch (oneself), (*Kleidung*) stretch **3.** lengthen (*Vokale*)
Deich dike
Deichsel pole
dein **1.** your; ***dein Buch*** your book; ***eines deiner Bücher*** one of your books; ***einer deiner Freunde*** a friend of yours, one of your friends **2.** ***das ist deiner*** (*bzw.* ***deine***, ***deins***) that's your<u>s</u>
deinetwegen **1.** (≈ *wegen dir*) because of you **2.** (≈ *dir zuliebe*) for you, for your sake
Deka, **Dekagramm** Ⓐ ten gram(me)s; ***10 Deka Käse*** 100 gram(me)s <u>of</u> cheese
Dekan *Kirche und Uni*: dean
Deklination *eines Wortes*: declension
deklinieren decline (*ein Wort*)
Dekoration **1.** *allg.*: decoration **2.** (≈ *Schaufensterdekoration*) window display
Delegation delegation
delegieren delegate ['delɪgeɪt](***an*** to)
Delegierte(r) delegate ['delɪgət]
Delfin *usw.* → ***Delphin*** *usw.*
delikat **1.** (≈ *köstlich*, *lecker*) delicious [dɪ'lɪʃəs], exquisite [ɪk'skwɪzɪt] **2.** (≈ *heikel*) delicate ['delɪkət]; ***eine delikate Angelegenheit*** a delicate matter
Delikatesse (≈ *Leckerbissen*) delicacy ['delɪkəsɪ]
Delikatessengeschäft delicatessen, *umg.* deli ['delɪ]
Delikt offence [ə'fens]
Delle dent
Delphin[1] *Säugetier*: dolphin ['dɒlfɪn]
Delphin[2], **Delphinschwimmen**, **Delphinstil** butterfly (stroke)
Delta delta
dem **1.** ***gib es dem Lehrer*** give it to the teacher **2.** ***wie dem auch sei*** be that as

D

it may **3. *der, dem ich es gegeben habe*** the one (*oder* person) I gave it to
dementieren deny [dɪ'naɪ]
dementsprechend accordingly (⚠ *steht mst. am Satzende*)
demgegenüber 1. compared with this … **2.** on the other hand … (⚠ *stehen beide am Anfang eines Nebensatzes oder neuen Hauptsatzes*)
demnach therefore
demnächst 1. soon, before long **2. *„demnächst im Kino …"*** *usw.* 'coming (to your cinema) shortly …'
Demo *umg.* (≈ *Demonstration*) demo ['deməʊ] *Pl.*: demos
Demodiskette *umg. Computer*: demo disk
Demokrat(in) democrat ['deməkræt]
Demokratie democracy [⚠ dɪ'mɒkrəsɪ]
demokratisch democratic [ˌdemə'krætɪk]
demolieren 1. (≈ *beschädigen*) damage ['dæmɪdʒ] **2.** (≈ *zerstören*) wreck [⚠ rek] (*Auto usw.*), *mutwillig*: vandalize ['vændəlaɪz]
Demonstrant(in) demonstrator ['demənstreɪtə]
Demonstration *allg.*: demonstration (*auch Bekundung, Veranschaulichung usw.*)
demonstrativ: ***demonstrativ den Saal verlassen*** walk out (in protest)
Demonstrativpronomen demonstrative pronoun [dɪˌmɒnstrətɪv'prəʊnaʊn]
demonstrieren demonstrate ['demənstreɪt] (***gegen*** against)
Demoskopie public opinion research
demoskopisch: ***demoskopische Umfrage*** (public) opinion poll
Demoversion *einer Software*: demo version
Demütigung humiliation [⚠ hjuːˌmɪlɪ'eɪʃn]
demzufolge 1. accordingly **2.** (≈ *daher*) consequently ['kɒnsɪkwəntlɪ] (⚠ *stehen beide mst. am Satzanfang*)
den → ***der***
Denkart 1. *konkret*: way of thinking **2.** (≈ *Gesinnung*) mentality
Denkaufgabe (≈ *Rätsel*) brainteaser
denkbar 1. *das ist denkbar* it's possible **2. *das ist denkbar einfach*** it's the easiest thing in the world **3. *in der denkbar kürzesten Zeit*** in the shortest possible time
denken 1. (≈ *nachdenken, überlegen*) think*; ***woran denkst du?*** what are you thinking about?, *umg.* a penny for your thoughts **2.** (≈ *vermuten, meinen*) think*; ***ich denke, sie hat Recht*** I think she's right **3. *denken an*** think* of; ***ich werd an dich denken*** I'll be thinking of you **4. *denken an*** (≈ *sich erinnern an, nicht vergessen*) remember; ***denk an deine Hausaufgaben!*** don't forget your homework **5. *denken an*** (≈ *im Sinne haben*) have* in mind, think* of; ***ans Heiraten denken*** think* of getting married; ***er denkt daran sich selbstständig zu machen*** he's thinking of starting up his own business **6. *sich etwas denken*** (≈ *vorstellen*) imagine [ɪ'mædʒɪn]; ***das kann ich mir denken*** I can well imagine **7.** *Wendungen*: ***ich denke 'schon*** I (should) think so; ***ich dachte schon, du wolltest nicht mitkommen*** I was beginning to think (*oder* for a minute I thought) you didn't want to come; ***wie denkst du darüber?*** what do you think (about *oder* of it)?; ***wer hätte das gedacht!*** who would have thought it; ***es war für dich gedacht*** it was meant for you
Denken: ***das Denken*** thinking, thought [θɔːt] (⚠ *ohne* the)
Denker(in) thinker; ***großer Denker*** *bzw.* ***große Denkerin*** great thinker
Denkfehler logical flaw; ***das ist ein Denkfehler*** that's not logical
Denkmal monument ['mɒnjʊmənt] (+*Gen.* to)
Denkmalschutz: ***unter Denkmalschutz stehen*** be* listed, be* a listed building (*bzw.* monument ['mɒnjʊmənt] *usw.*)
Denkweise way of thinking
Denkzettel: ***jemandem einen Denkzettel geben*** (*oder* ***verpassen***) teach* someone a lesson
denn 1. *begründend*: for, because **2. *mehr denn je*** more than ever **3. *es sei denn*** unless **4. *wo denn?*** where?; ***was denn?*** what?; ***wieso denn?*** why? **5. *was ist denn?*** what's up?, *verärgert*: what (is it)? **6. *ist er denn so arm?*** is he really that poor?
dennoch (yet …) still, nevertheless; ***… (und) er hat sie dennoch geheiratet*** … (and) yet he still married her
Denunziant(in) informer
denunzieren: ***jemanden denunzieren*** inform on someone
Deo (≈ *Deodorant*) deodorant [diː'əʊdərənt]
Deoroller roll-on (deodorant [diː'əʊdərənt])
Deospray deodorant [diː'əʊdərənt] spray, spray deodorant
Deostift deodorant [diː'əʊdərənt] stick
Deponie (refuse [⚠ 'refjuːs]) tip, waste disposal site
Deportation deportation [ˌdiːpɔː'teɪʃn]
Depot 1. (≈ *Aufbewahrungsstelle*) depot

['depəʊ] **2.** Ⓒⓗ (≈ *Pfand*) deposit [dɪ'pɒzɪt]
Depp idiot ['ɪdɪət], *umg.* twit
Depressionen: ***an Depressionen leiden*** suffer from depression (⚠ *Sg.*)
depressiv depressive [dɪ'presɪv], depressed
deprimierend depressing
deprimiert depressed
der 1. the **2. *der arme Peter*** poor Peter; ***der Hyde Park*** Hyde Park (⚠ *beide ohne Artikel*) **3.** that (one), this (one); ***der Mann hier*** this man; ***der mit der Brille*** the one with the glasses; ***nimm den hier*** take this one **4. *jeder, der …*** anyone who …; ***er war der Erste, der es erfuhr*** he was the first to know
derart: ***er hat derart geschrien, dass …*** he screamed so much (*oder* loud) that …
derartig: ***ein derartiger Fehler*** a mistake like that
derb 1. (≈ *rau, grob*) rough [⚠ rʌf], coarse [kɔːs] **2.** *Witz usw.*: crude [kruːd]
dergleichen 1. *und dergleichen (mehr)* (*Abk.* ***u. dgl.***) and the like, and so forth **2. *er tat nichts dergleichen*** he just didn't react, he just didn't do it
derjenige 1. the one **2. *derjenige, der*** (*oder* ***welcher***) the one who
dermaßen → ***derart***
derselbe 1. the same **2.** *Person*: the same person
derzeit at the moment
derzeitige(r, -s) (≈ *jetzig*) present, current
Deserteur(in) deserter [dɪ'zɜːtə]
deshalb 1. that's why **2. *deshalb, weil*** because
Designer… [dɪ'zaɪnə] *in Zusammensetzungen*: designer …; ***Designerdroge*** designer drug; ***Designerklamotten*** *umg.* designer gear (⚠ *Sg.*); ***Designerkleid*** designer dress; ***Designermode*** designer fashion, designer fashions (*Pl.*)
Designer(in) designer [dɪ'zaɪnə]
Desinteresse lack of interest (***an*** in)
desinteressiert uninterested (***an*** in) (⚠ *engl.* disinterested = ***unparteiisch***)
Desktop-Publishing desktop publishing [ˌdesktɒp'pʌblɪʃɪŋ] (*Abk.* DTP [ˌdiːtiː'piː])
dessen 1. *Person*: whose **2.** *Sache*: whose, of which **3. *ich bin mir dessen bewusst, dass …*** I'm aware (of the fact) that … **4. *mein Bruder und dessen Frau*** my brother and his wife
Dessert dessert [⚠ dɪ'zɜːt]; ***als*** (*oder* ***zum***) ***Dessert*** for dessert (⚠ *ohne* the)
desto … the; ***je eher*** *usw.*, ***desto besser*** *usw.* the sooner *usw.* the better *usw.*
deswegen that's why
Detail detail ['diːteɪl]; ***ins Detail gehen*** go* into detail (⚠ *ohne* the)
Detailkenntnisse detailed knowledge (⚠ *Sg.*)
Detektiv(in) detective [dɪ'tektɪv]
Detonation detonation [ˌdetə'neɪʃn]
deuten 1. (≈ *auslegen*) interpret [⚠ ɪn'tɜːprɪt]; ***falsch deuten*** misinterpret **2.** (≈ *erklären*) explain **3. *deuten auf*** *übertragen* indicate, suggest [sə'dʒest]
deutlich 1. clear, distinct **2. *jemandem etwas deutlich machen*** make* something clear to someone, explain something to someone **3. *deutlich besser*** much better
Deutlichkeit clearness, distinctness
deutsch German ['dʒɜːmən]
Deutsch 1. German ['dʒɜːmən], the German language; ***Deutsch sprechen*** speak* German **2. *auf*** (*bzw.* ***in***) ***Deutsch*** in German
Deutsche German ['dʒɜːmən] woman (*oder* lady *bzw.* girl); ***sie ist Deutsche*** she's German; ☞ ***Nationalitäten***
deutsch-englisch German-English; ***ein deutsch-englisches Wörterbuch*** a German-English dictionary ['dɪkʃənrɪ]
Deutscher German ['dʒɜːmən]; ***er ist Deutscher*** he's German; ☞ ***Nationalitäten***
Deutschland Germany ['dʒɜːmənɪ]; ***die Bundesrepublik Deutschland*** the Federal Republic of Germany
Deutschlehrer(in) German teacher
Deutschunterricht German lesson, German lessons (*Pl.*); ***während des Deutschunterrichts*** during our (their *usw.*) German lesson (⚠ *nicht lessons*); ***Deutschunterricht geben*** teach* German
Deutung 1. (≈ *Auslegung*) interpretation **2.** (≈ *Erklärung*) explanation
Devise motto *Pl.*: mottos *oder* mottoes
Devisen foreign currency (⚠ *Sg.*)
Dezember December; ***im Dezember*** in December (⚠ *ohne* the)
dezent 1. discreet **2.** *Farbe, Licht, Musik*: soft **3.** *Kleidung*: tasteful
Dezimalrechnung decimals ['desəmlz] (⚠ *Pl.*)
Dezimalzahl decimal ['desəml]; ☞ *Info S. 626*
d.h. (= *das heißt*) ie, i. e. [ˌaɪ'iː] (*Abk. für lat.* id est, *engl.* that is); ***Senioren, d. h. Personen über 65, können eine Ermäßigung beantragen*** senior citizens, ie (⚠ *gesprochen mst.* that is) people over 65, can apply for a reduction

Dezimalzahlen

Dezimalzahlen werden im Englischen anders geschrieben und gesprochen als im Deutschen. 7,2 (= sieben Komma zwei) wird zu **7.2** (= **seven point two**). Folgerichtig heißt das deutsche Komma bei Dezimalzahlen **decimal point** [ˌdesəml'pɔɪnt].

Dia slide; ***Dias machen*** take* slides
Diabetes diabetes [ˌdaɪə'biːtiːz]
Diabetiker(in) diabetic [ˌdaɪə'betɪk]; ***er ist Diabetiker*** he's (a) diabetic
Diagnose diagnosis [ˌdaɪəg'nəʊsɪs]; ***eine Diagnose stellen*** make* a diagnosis
diagonal, **Diagonale** diagonal [⚠ daɪ'ægənl]
Diagramm graph [grɑːf]
Dialekt dialect ['daɪəlekt]; ***Dialekt sprechen*** speak* (a) dialect
Dialog dialogue ['daɪəlɒg] (*auch übertragen*)
Diamant diamond ['daɪəmənd]
Diaprojektor slide projector
Diät (special) diet ['daɪət]; ***sie macht eine Diät*** she's on a diet; ***er will eine Diät machen*** he wants to go on a diet
Diavortrag slide talk (*oder* show)
dich 1. you; ***ich liebe dich*** I love you **2. *du wirst dich noch verletzen!*** you'll hurt yourself **3. *das ist für dich*** that's for you **4.** *unübersetzt*: ***beruhige dich!*** *usw.* calm down *usw.*
dicht 1. *Nebel, Haar, Gestrüpp usw.*: thick, dense **2.** *Wald*: dense **3.** *Verkehr*: heavy **4. *dicht gedrängt*** *Leute*: squashed together **5. *in dichter Folge*** in quick succession **6.** *umg.* (≈ *geschlossen, zu*) closed, shut **7.** (≈ *luftdicht*) airtight **8.** (≈ *wasserdicht*) watertight **9. *er ist nicht ganz dicht*** *salopp* he's got a screw loose **10. *dicht gefolgt von*** closely followed by **11. *dicht bevölkert*** densely populated
Dichte *physikalische*: density
dichten (≈ *ein Gedicht oder Gedichte schreiben*) write* a poem, write* poems
Dichter(in) 1. poet ['pəʊɪt] **2.** (≈ *Schriftsteller*) author ['ɔːθə], writer ['raɪtə]
dichthalten: ***ich halte dicht*** *umg.* I'll keep my mouth shut
Dichtkunst poetry ['pəʊətrɪ]
Dichtung[1] (≈ *Versdichtung*) poetry ['pəʊətrɪ]; ***die moderne Dichtung*** modern poetry (⚠ *ohne* the)
Dichtung[2] *zum Abdichten*: seal
dick 1. thick **2.** *Person*: fat (⚠ *engl.* he's thick = ***er ist blöd***) **3. *sich dick anziehen*** wrap [⚠ ræp] up well

The **fat** man is eating a **thick** sandwich.

dick

Buch, Stoff, Soße, Lippen usw.	**thick**
Person, Körperteile	**fat**

⚠ **thick** auf eine Person bezogen bedeutet „blöd, schwer von Begriff".

Dickdarm colon ['kəʊlən]
Dicke 1. thickness **2.** (≈ *Durchmesser*) diameter [⚠ daɪ'æmɪtə]
Dicke(r), **Dickerchen** *umg.* fatty, fatso
die 1. the **2. *die Chemie, die Physik*** *usw.* chemistry, physics *usw.* (⚠ *ohne* the) **3. *die mit dem roten Mantel*** the one in the red coat; → ***der***
Dieb(in) 1. thief **2.** (≈ *Einbrecher*) burglar
Diebstahl theft [θeft]
Diele (≈ *Vorraum*) hall, *AE* hall(way)
dienen: ***dienen als …*** (≈ *verwendet werden als*) serve as …, be* used as …; ***das Gebäude*** *usw.* ***dient heute als Museum*** the building *usw.* is now used as a museum
Diener(in) servant (*auch übertragen*)
Dienst 1. service **2.** (≈ *Arbeit*) work
Dienstag Tuesday ['tjuːzdɪ]; ***wir sehen uns dann (am) Dienstag*** see you (on) Tuesday
Dienstagabend: ***(am) Dienstagabend*** (on) Tuesday evening, (on) Tuesday night
dienstagabends (on) Tuesday evenings
Dienstagmorgen: ***(am) Dienstagmorgen*** (on) Tuesday morning

Dienstagnachmittag: (***am***) ***Dienstagnachmittag*** (on) Tuesday afternoon
dienstags on Tuesday ['tju:zdɪ], on Tuesdays; ***dienstags abends*** *usw.* on Tuesday evenings *usw.*
dienstfrei **1.** ***dienstfrei haben*** be* off (duty) **2.** ***dienstfreier Tag*** day off
Dienstgespräch *Telefon*: business call
Dienstgrad rank
Dienstleister service provider
Dienstleistungen services
Dienstleistungsgewerbe service industry ['sɜ:vɪsˌɪndəstrɪ], service industries (*Pl.*), services trade
dienstlich **1.** official **2.** ***er ist dienstlich unterwegs*** he's away on business
Dienstmädchen maid, home help
Dienstreise business trip
Dienststelle (≈ *Amt*, *Behörde*) department
dies **1.** ***dies alles*** all this **2.** ***dies sind meine Schwestern*** these are my sisters
diese **1.** ***diese Bemerkung*** this remark **2.** (≈ *diese hier*) this one, (≈ *diese da*) that one; ***„Welche Schultasche möchtest du haben?" - „Diese."*** 'Which satchel would you like?' -'This one.' *bzw.* 'That one.' **3.** ***... - „Diese."*** *mehrere Dinge*: 'These.' *bzw.* 'Those.' **4.** ***diese sind es*** these are the ones
Diesel *Kraftstoff*: diesel ['di:zl]
dieselbe → ***derselbe***
dieser **1.** ***dieser Baum*** this tree **2.** ***dieser ist es*** this is the one; → ***diese***
dieses **1.** ***dieses Mädchen*** this girl **2.** ***sie muss noch dieses und jenes erledigen*** she still has a few things to do; → ***diese***
diesig *Wetter*: hazy ['heɪzɪ]
diesjährig: ***der*** (*bzw.* ***die, das***) ***diesjährige ...*** this year's ...; ***der diesjährige Filmpreis*** this year's film award
diesmal this time
Differenz **1.** difference ['dɪfrəns] (*auch in der Mathematik*) **2.** ***Differenzen*** (≈ *Meinungsverschiedenheiten*) a difference (*Sg.*) (*oder* differences) of opinion
differenzieren distinguish [dɪ'stɪŋgwɪʃ], make* a distinction, differentiate [ˌdɪfə'renʃɪəɪt] (*alle* ***zwischen*** between)
differieren differ, vary ['veərɪ] (***um*** by)
digital digital [⚠ 'dɪdʒɪtl]
Digital... *in Zusammensetzungen*: digital ... ['dɪdʒɪtl]; ***Digitalanzeige*** digital display [dɪ'spleɪ]; ***Digitalaufnahme*** digital recording; ***Digitalkamera*** digital camera; ***Digitaltechnik*** digital technology [tek'nɒlədʒɪ]; ***Digitaluhr*** digital clock (*bzw.* watch)
digitalisieren digitize ['dɪdʒɪtaɪz] (*Daten*)
Digitalisierung digitization [ˌdɪdʒɪtaɪ'zeɪʃn]
Diktat *allg. und in der Schule*: dictation; ***wir schreiben heute ein Diktat*** *Schüler*: we've got a dictation today
Diktator(in) dictator
Diktatur dictatorship
Dilemma dilemma [dɪ'lemə]
Dimension *Physik*, *Mathe und übertragen*: dimension [daɪ'menʃn]
Dimmer **1.** (≈ *Vorrichtung*) dimmer **2.** (≈ *Schalter*) dimmer switch
DIN A4 A4; ***DIN-A4-Papier*** A4(-sized) paper
Ding **1.** (≈ *Sache*) thing **2.** ***vor allen Dingen*** above all **3.** ***Dinge*** (≈ *Angelegenheiten*) things; ***so, wie die Dinge liegen*** as things stand **4.** ***ein Ding drehen*** *übertragen, umg.* pull a job
Dinosaurier dinosaur [⚠ 'daɪnəsɔ:]
Dioxin dioxin [daɪ'ɒksɪn]
dioxinhaltig dioxinated [daɪ'ɒksɪneɪtɪd]
Diplom diploma, degree
Diplomarbeit (diploma) dissertation
Diplomatenkoffer executive case [ɪg'zekjʊtɪv‿keɪs]
Diplomatie diplomacy [dɪ'pləʊməsɪ] (*auch übertragen*)
Diplomat(in) diplomat ['dɪpləmæt]
dir **1.** you *bzw.* to you; ***wir wünschen dir alles Gute*** we wish you all the best; ***ich werde es dir erklären*** I'll explain it <u>to</u> you **2.** ***wasch dir die Hände*** (go and) wash your hands **3.** ***ein Freund*** *usw.* ***von dir*** one of your friends *usw.*, a friend *usw.* of yours
direkt **1.** *allg.*: direct [də'rekt] **2.** (≈ *unmittelbar*) direct, immediate [ɪ'mi:dɪət] **3.** *Antwort*, *Frage*: (≈ *unumwunden*) straight **4.** ***direkte Rede*** *Grammatik*: direct speech **5.** (≈ *sofort*) straightaway, at once **6.** *Wendungen*: ***direkt am Bahnhof*** <u>right</u> next to the station; ***direkt nach dem Essen*** <u>right</u> (*oder* straight) after dinner (⚠ *ohne* the); ***direkt gegenüber*** right opposite; ***nicht direkt falsch*** not exactly wrong
Direktflug direct [də'rekt] flight
Direktor **1.** (≈ *Schulleiter*) headmaster, *AE* principal **2.** *Wirtschaft*: director [də'rektə], manager
Direktorin **1.** (≈ *Schulleiterin*) headmistress, *AE* principal **2.** *Wirtschaft*: director [də'rektə], manager(ess)
Direktübertragung *Radio*, *TV*: live broadcast
Direktwahl *Telefon*: direct dialling
Dirigent conductor
Dirigentin (woman *oder* female) conductor

dirigieren conduct [kən'dʌkt] (*Orchester*)
Dirndl *bes.* Ⓐ **1.** *Kleid*: dirndl ['dɜːndl] **2.** (≈ *Mädchen*) girl, lass
Discjockey → ***Diskjockey***
Disco *umg.* (≈ *Diskothek*) disco
Diskette diskette [dɪ'sket], floppy (disk)
Diskettenlaufwerk disk drive
Diskjockey disc jockey, *umg.* DJ, deejay ['diːdʒeɪ]
Disko *umg.* (≈ *Diskothek*) disco
Diskontsatz *Bankgeschäfte*: discount ['dɪskaʊnt] rate
Diskrepanz discrepancy [⚠ dɪs'krepənsɪ]
diskret *allg.*: discreet [dɪ'skriːt]
diskriminieren: ***jemanden wegen … diskriminieren*** discriminate [dɪ'skrɪmɪneɪt] against someone because of … (⚠ discriminate *ohne* against = ***unterscheiden***)
Diskriminierung discrimination (*+Gen.* against)
Diskus *Sport*: discus ['dɪskəs]
Diskussion discussion (***um*** on, about)
Diskussionsthema discussion topic
Diskuswerfen discus (throwing)
Diskuswerfer(in) discus thrower
diskutieren 1. discuss (*Thema usw.*) **2.** ***über etwas diskutieren*** discuss something, have* a discussion about something
Display *Computer*, *Waren*: display [dɪ'spleɪ]
Disqualifikation disqualification
disqualifizieren disqualify (***wegen*** for)
Dissertation (doctoral) thesis ['θiːsɪs]
Distanz 1. distance ['dɪstəns] (*auch übertragen*); ***das Rennen geht über eine Distanz von 100 km*** the race covers a distance of 100 km (⚠ *gesprochen* a hundred kilometres) **2.** ***sie geht auf Distanz*** *übertragen* she's backing off
distanzieren: ***sich distanzieren von*** dissociate oneself from
distanziert reserved, *etwas abwertend* aloof [ə'luːf]
Distel *Pflanze*: thistle [⚠ θɪsl]
Disziplin 1. *allg.*: discipline ['dɪsəplɪn] (*auch Fachgebiet*) **2.** (≈ *Sportart*) event [ɪ'vent]
diszipliniert disciplined ['dɪsəplɪnd]; ***sich diszipliniert verhalten*** be* (very) disciplined
Dividende *Börsengeschäfte*: dividend ['dɪvɪdend]
dividieren divide (***durch*** by); ***12 dividiert durch 4 ist …*** 12 divided by 4 is …
Division *Mathe*, *Militär*: division
DM (= *Deutsche Mark*) *historisch*: German mark; ***50 DM*** 50 German marks, 50 Deutschmarks, 50 marks

doch 1. (≈ *aber*) but **2.** (≈ *dennoch*) still, nevertheless; ***er hats doch gemacht*** he still did it, he did it nevertheless **3.** *freundlich auffordernd*: do; ***setzen Sie sich doch*** 'do sit down **4.** ***sei doch mal still!*** *ärgerlich*: be quiet, will you **5.** ***du kommst doch?*** you 'are coming, aren't you? **6.** ***wenn er doch käme*** if only he would come **7.** ***also doch!*** (≈ *ich habs gewusst*) I knew it!
Docht wick
Doktor 1. ***er ist Doktor der Philosophie*** *usw.* he's a doctor of philosophy *usw.* **2.** ***Frau*** (*bzw.* ***Herr***) ***Dr. Kluge*** Dr Kluge (⚠ *BE mst. ohne Punkt*) **3.** *umg.* (≈ *Arzt*) doctor; ***Herr Doktor*** Doctor; ☞ *Info unter* ***Anrede und Titel***
Doktorarbeit (doctoral *oder* PhD [ˌpiːeɪtʃ'diː]) thesis ['θiːsɪs] *Pl.*: theses ['θiːsiːz]
Dokument document (*auch übertragen*)
Dokumentarfilm documentary (film)
Dolch dagger
Dole Ⓒⓗ (≈ *Gully*) drain
Dollar dollar (*Abk.* $); ***zwei Dollar zehn*** $2.10 (*gesprochen* two dollars ten)
Dollarkurs value of the dollar; ***der Dollarkurs ist gestiegen*** the dollar has gone up (in value)
Dolmetsch Ⓐ interpreter [ɪn'tɜːprɪtə]
dolmetschen 1. interpret [ɪn'tɜːprɪt] (***jemandem, für jemanden*** for someone) **2.** ***eine Rede ins Englische*** *usw.* ***dolmetschen*** translate a speech into English *usw.*
Dolmetscher(in) interpreter [ɪn'tɜːprɪtə]
Dolomiten: ***die Dolomiten*** the Dolomites ['dɒləmaɪts]
Dom cathedral [⚠ kə'θiːdrəl] (⚠ *engl.* dome = ***Kuppel***)
dominierend dominant ['dɒmɪnənt], *Person*: dominating, *im negativen Sinn* domineering [ˌdɒmɪ'nɪərɪŋ]
Dominikanische Republik Dominican Republic [⚠ dəˌmɪnɪkən‿rɪ'pʌblɪk]
Dompteur, Dompteuse (animal) trainer
Donau Danube [⚠ 'dænjuːb]
Donner thunder (*auch übertragen*)
donnern 1. thunder **2.** ***gegen eine Mauer donnern*** crash (*oder* smash) into a wall
Donnerstag Thursday; ***wir sehen uns dann (am) Donnerstag*** see you (on) Thursday
Donnerstagabend: ***(am) Donnerstagabend*** (on) Thursday evening, (on) Thursday night
donnerstagabends (on) Thursday evenings
Donnerstagmorgen: ***(am) Donnerstagmorgen*** (on) Thursday morning

Donnerstagnachmittag: **(*am*) *Donnerstagnachmittag*** (on) Thursday afternoon

donnerstags on Thursday, on Thursdays; ***donnerstags abends*** *usw.* on Thursday evenings *usw.*

doof 1. *umg.* (≈ *dumm*) stupid ['stjuːpɪd] **2.** (≈ *langweilig*) boring **3. *dieses doofe Fenster schließt nicht richtig*** I can't get this stupid window to shut properly

dopen 1. dope (*Pferd, Sportler*) **2. *sich dopen*** take* drugs

Doping *bes. Sportler*: drug use [juːs], *bes. Pferd*: doping

Dopingkontrolle *bes. Sportler*: drugs test, *bes. Pferd*: dope test

Doppel 1. (≈ *zweite Ausfertigung*) duplicate ['djuːplɪkət] **2.** *Tennis*: doubles (⚠ *Pl.*); ***gemischtes Doppel*** mixed doubles **3.** *Tennis*: (≈ *Match*) ***das Doppel ist gestrichen worden*** the doubles has been cancelled

Doppel... *in Zusammensetzungen*: double ... [ˌdʌblz]; ***Doppelagent*** double agent [ˌdʌbl'eɪdʒənt]; ***Doppelbelastung*** double load; ***Doppelbett*** double bed; ***Doppeldecker*** double-decker [ˌdʌbl'dekə]; ***Doppelfehler*** *Tennis*: double fault; ***Doppelklick*** *Computer*: double click; ***Doppelmord*** double murder; ***Doppelrolle*** *Theater und übertragen*: double role

doppeldeutig ambiguous [æm'bɪgjuəs]

Doppelgänger(in) double, lookalike

doppelklicken *Computer*: double-click ['dʌblklɪk]; ***auf das Symbol doppelklicken*** double-click (on) the icon ['aɪkɒn]

Doppelleben: ***ein Doppelleben führen*** lead* (*oder* live*) a double life [ˌdʌbl'laɪf]

Doppelpass 1. *Sport*: one-two [ˌwʌn'tuː] **2.** (≈ *zwei Pässe*) two passports **3.** (≈ *doppelte Staatsbürgerschaft*) dual citizenship [ˌdjuːəl'sɪtɪznʃɪp] (*oder* nationality)

Doppelpunkt colon ['kəʊlən]

doppelt 1. double ['dʌbl] (*auch Whisky usw.*) **2. *den doppelten Preis*** *usw.* ***kosten*** cost* double the price *usw.* **3. *etwas doppelt haben*** have* two (copies) of something **4. *doppelt sehen*** see* double **5. *sie ist doppelt so alt wie ich*** she's twice my age **6. *doppelt so viel wie ...*** twice as much as ..., double the amount (*bzw.* price *usw.*) of ...

Doppelverdiener(in) 1. double wage-earner; ***er ist Doppelverdiener*** he has two incomes **2. *Doppelverdiener*** (*Pl.*) dual-income couple (⚠ *Sg.*)

Dorf village; ***auf dem Dorf wohnen*** live in a village

Dorn thorn (*auch übertragen*); ***er ist ihr ein Dorn im Auge*** he's a thorn in her side

Dornröschen Sleeping Beauty

Dorsch *Fisch*: cod, *AE auch* codfish

dort 1. there **2. *dort drüben*** over there **3. *von dort*** from there

dortig: ***die dortigen Verhältnisse*** the conditions there

Dose 1. *allg.*: box **2.** (≈ *Konservendose*) can, *BE auch* tin

dösen doze; ***ein bisschen dösen*** have* a little doze

Dosis dose [dəʊs] (*auch übertragen*)

Dotter (egg) yolk [jəʊk]

Double stuntman *bzw.* stuntwoman, double

downloaden *Computer, Internet*: download

Dozent(in) (university) lecturer, *AE* assistant professor

Dr. (=*Doktor*) Dr, *AE* Dr. (*AE mit Punkt*)

Drache dragon ['drægən]

Drachen 1. (≈ *Papierdrachen*) kite; ***einen Drachen steigen lassen*** fly* a kite **2.** (≈ *Fluggerät*) hang glider

Drachenfliegen hang gliding

Drachenflieger(in) hang glider

Draht 1. *wörtlich* wire **2.** *übertragen* (≈ *Verbindung*) direct line (***zu*** to) **3. *er ist auf Draht*** *übertragen* he's on the ball

Drahtseil 1. wire rope, cable **2.** *im Zirkus*: tightrope, high wire

Drahtseilakt *übertragen* (careful) balancing act ['bælənsɪŋ‿ækt]

Drahtseilbahn cable railway

Drama drama ['drɑːmə] (*auch übertragen*)

Dramatiker(in) dramatist ['dræmətɪst], playwright ['pleɪraɪt]

dramatisch dramatic [drə'mætɪk]

dran 1. *wer ist dran?* *an der Reihe*: whose turn is it?; ***ich bin dran*** it's my turn **2. *es ist etwas dran*** *übertragen* there's something in it; ***es ist nichts dran*** *übertragen* there's nothing to it **3. *er ist übel dran*** he's in a bad way

dranbleiben 1. *bleib dran!* *am Apparat*: hang on a minute **2. *an etwas dranbleiben*** keep* at it **3.** (≈ *kleben bleiben*) stick*

Drang 1. (≈ *Trieb*) urge **2.** (≈ *Wunsch*) wish, desire [dɪ'zaɪə] **3.** (≈ *Bedürfnis*) need (*alle* ***nach, zu*** for; ***zu*** +*Inf.* to + *Inf.*) **4. *der Drang nach Freiheit*** the urge for freedom

Drängelei *umg.* pushing and shoving ['ʃʌvɪŋ], jostling [⚠ 'dʒɒslɪŋ]

drängeln: **(*sich*) *drängeln*** push, *umg.* shove [⚠ ʃʌv]

drängen 1. (≈ *schieben*) push; ***jemanden***

zur Seite drängen push someone aside (*oder* out of the way) **2.** ***sie drängte darauf, dass wir bei ihr bleiben*** she urged us to stay with her **3.** ***ich möchte Sie nicht drängen*** I don't mean to put pressure on you **4.** ***die Menge drängte zum Eingang*** the crowd pushed its (*oder* their) way towards the entrance **5.** ***die Zeit drängt*** time's running short

Drängen: ***auf Drängen der Regierung*** on the government's insistence

drängend *Adj* urgent

Drängler(in) *umg.* **1.** pusher **2.** (≈ *Autofahrer*) tailgater ['teɪl,geɪtə]

drankommen *in der Schule*: **1.** ***ich komm jetzt dran*** it's my turn, I'm next **2.** ***wer kommt dran?*** who's next? **3.** ***das kommt nächste Woche dran*** we'll be doing that next week

drannehmen: ***ich hab mich die ganze Zeit gemeldet, aber die Lehrerin hat mich nicht drangenommen*** I kept putting up my hand, but the teacher never asked me

drastisch drastic

drauf: ***sie ist gut drauf*** she's on the ball, *seelisch*: she's feeling good; → ***darauf***

Draufgänger, **draufgängerisch** daredevil ['deə,devl]

draufgehen **1.** ***das ganze Geld ist draufgegangen*** all the money's gone **2.** ***er ist*** (***dabei***) ***draufgegangen*** *salopp* he snuffed it

draufhaben: ***sie hat was drauf*** she's really good, *fachlich auch*: she knows her stuff

draufkommen: ***ich komm nicht drauf*** I can't think of it

draufkriegen: ***eins draufkriegen*** *umg.* get* a belt round the ears

draufmachen: ***einen draufmachen*** *umg.* have* (*oder* go* on) a binge

draufsetzen: ***eins*** (*bzw.* ***einen***) ***draufsetzen*** go* one better

draufstoßen: ***jemanden draufstoßen*** point it out to someone, *ironisch* spell* it out to someone

draufzahlen pay* extra

draußen **1.** *allg.*: outside **2.** (≈ *im Freien*) outside, (out) in the open **3.** ***da draußen*** out there

Dreck **1.** dirt, *stärker*: muck, filth **2.** (≈ *Schund*) rubbish, *bes. AE* garbage **3.** *Wendungen*: ***er sitzt ganz schön im Dreck*** he's in a real mess; ***Dreck am Stecken haben*** have* a skeleton ['skelɪtən] in the cupboard [⚠ 'kʌbəd] (*AE* closet ['klɒzɪt])

dreckig **1.** dirty, *stärker*: filthy (*beide auch übertragen*) **2.** *Witz usw.*: dirty **3.** ***es geht ihm dreckig*** *gesundheitlich*: he's in a pretty bad state

Dreckloch *abwertend* pigsty ['pɪgstaɪ], *umg.* hole

Drecknest *abwertend*, *salopp* dump, hole

Drecksau *abwertend*, *vulgär* **1.** (dirty) pig **2.** (≈ *Lump*) swine

Dreckschwein *abwertend*, *salopp* (dirty) pig

Dreckskerl *abwertend*, *salopp* swine, bastard ['bɑːstəd]

Dreh **1.** *umg.* (≈ *Trick*) trick **2.** ***jetzt hab ich den Dreh raus*** I've got the hang of it now

Dreharbeiten *Film*: shooting (⚠ *Sg.*)

Drehbank lathe [leɪð]

Drehbuch script, screenplay

Drehbuchautor scriptwriter ['skrɪpt,raɪtə], screenwriter

drehen **1.** turn **2.** *windend*: twist **3.** shoot* (*Film*, *Szene*) **4.** ***sich drehen*** turn, go* round **5.** ***alles drehte sich um ihn*** he was the centre of attraction **6.** ***die Diskussion drehte sich um Geld*** the discussion was about money

Drehpunkt: ***Dreh- und Angelpunkt*** pivot ['pɪvət]

Drehtür revolving door

Drehung **1.** turn **2.** *um eine Achse*: rotation

Drehzahl revolutions (⚠ *Pl.*) per minute (*Abk.* rpm), revs [revz]

Drehzahlmesser rev counter

drei **1.** *Zahl*: three [θriː] **2.** ***in drei Tagen*** in three days; ***vor drei Tagen*** three days ago

Drei **1.** *Zahl*: (number) three **2.** ***eine Drei schreiben*** *etwa*: get* a C **3.** *Bus*, *Straßenbahn usw.*: number three bus, number three tram *usw.*

dreibändig: ***ein dreibändiges Wörterbuch*** *usw.* a three-volume dictionary *usw.*

Dreibettzimmer three-bed(ded) room

Dreieck triangle ['traɪæŋgl]

dreieckig triangular [traɪ'æŋgjʊlə]

dreieinhalb three and a half

dreifach **1.** ***die dreifache Menge*** three times the amount **2.** ***der dreifache deutsche Meister X*** three-times German champion X (⚠ *ohne* the) **3.** ***ein Formular in dreifacher Ausfertigung*** three copies of a form

dreimal three times

dreimalig: ***nach dreimaligem Versuch*** *usw.* after three attempts *usw.*

dreimotorig three-engine(d) [,θriː'endʒɪn(d)]

Dreirad tricycle ['traɪsɪkl]

Dreisprung *Sport*: triple jump ['trɪpl‿dʒʌmp]

dreispurig *Fahrbahn*: three-lane …

dreißig 1. thirty ['θɜːtɪ] 2. ***dreißig beide*** *Tennis*: thirty all
Dreißigerjahre: ***in den Dreißigerjahren*** in the thirties ['θɜːtɪz]
dreißigste(r, -s) thirtieth ['θɜːtɪəθ]
dreistellig: ***dreistellige Ziffer*** three-digit number ['θriːˌdɪdʒɪt'nʌmbə]
Dreitagebart three-day stubble (*oder* beard), designer stubble
dreizehn thirteen [ˌθɜː'tiːn]
dreizehnte(r, -s) thirteenth [ˌθɜː'tiːnθ]
Dreizimmerwohnung two-bedroom flat (*AE* apartment)
dressieren train (*Tier*)
Dressur 1. *Tier*: training 2. (≈ *Dressurreiten*) dressage ['dresɑːʒ]
Dressman male model [ˌmeɪl'mɒdl] (⚠ *das Wort* dressman *existiert im Englischen nicht*)
Drill *militärisch und übertragen*: drill
Drilling triplet ['trɪplət]
drin: ***mehr war nicht drin*** that was the best I *usw.* could do
dringen 1. (*Licht*) penetrate ['penətreɪt] (***in*** into) 2. (*Wasser*) leak (***in*** into, ***durch*** through) 3. ***er drang durch das Dickicht*** he forced his way through the jungle
dringend 1. *allg.*: urgent 2. *Gefahr*: imminent ['ɪmɪnənt] 3. *Verdacht usw.*: strong 4. *Gründe*: compelling 5. ***etwas dringend brauchen*** need something very badly 6. ***dringend empfehlen*** strongly recommend
drinnen 1. *allg.*: inside [ɪn'saɪd] 2. (≈ *im Haus*) inside [ɪn'saɪd], indoors [ˌɪn'dɔːz]
dritt 1. ***wir waren zu dritt*** there were three of us 2. ***sie gingen zu dritt hin*** three of them went
Drittbeste(r) third best
drittbeste(r, -s): ***der drittbeste Schüler*** the third best pupil
dritte(r, -s) third [θɜːd]; ***3. April*** 3(rd) April, April 3(rd) (⚠ *gesprochen* the third of April); ***am 3. April*** on 3(rd) April, on April 3(rd) (⚠ *gesprochen* on the third of April)
Dritte(r) 1. third 2. ***er wurde Dritter*** he was third, *bei Rennen*: he came (in) third 3. ***Heinrich III.*** Henry III (*gesprochen* Henry the Third; III *ohne Punkt!*) 4. ***heute ist der Dritte*** it's the third today 5. ***jeder Dritte*** one (person) in three 6. ***die Dritte Welt*** the Third World
drittel: ***eine drittel Sekunde*** *usw.* a third [θɜːd] of a second *usw.*
Drittel third [θɜːd]; ***zwei Drittel*** two thirds
drittens third(ly)
drittletzte(r, -s) 1. *allg.*: third last 2. ***das drittletzte Haus*** the third house from the end
Droge drug
Drogen... *in Zusammensetzungen*: drug ...; ***Drogenabhängigkeit*** drug addiction; ***Drogenhandel*** drug trafficking; ***Drogenhändler(in)*** drug dealer; ***Drogenmissbrauch*** drug abuse ['drʌg‿əˌbjuːs]; ***Drogenszene*** drug scene ['drʌg‿siːn]
drogenabhängig, **drogensüchtig** addicted [ə'dɪktɪd] to drugs; ***er ist drogenabhängig*** *oder* ***drogensüchtig*** he's a drug addict ['drʌgˌædɪkt]
Drogerie chemist ['kemɪst], chemist's (shop), *AE* drugstore
Drogist chemist['kemɪst], *AE* druggist
Drohbrief threatening ['θretnɪŋ] letter
drohen 1. ***er drohte damit, die Polizei zu verständigen*** *oder* ***er drohte ihm*** *usw.* ***mit der Polizei*** he threatened ['θretnd] to call the police 2. (≈ *bedrohlich bevorstehen*) threaten ['θretn], approach; ***der Wirtschaft droht der Kollaps*** the economy is threatened with (*oder* is on the brink of) collapse [kə'læps] 3. ***er drohte zu ertrinken*** he was in danger of drowning
drohend threatening ['θretnɪŋ], menacing ['menəsɪŋ]
dröhnen 1. ***die Musik dröhnt mir in den Ohren*** the music's ringing in my ears 2. (*Motor*, *Maschine*) drone, *lauter*: roar
Drohung threat [θret]; ***er machte seine Drohung wahr, sie umzubringen*** he carried out his threat to kill her
drollig 1. *allg.*: funny 2. (≈ *niedlich*) cute
Drops: ***saure Drops*** acid ['æsɪd] drops
Drossel *Vogel*: thrush
drüben over there
Druck 1. *allg.*, *Technik*, *Physik*, *Wetter*: pressure 2. (≈ *Zwang*) pressure; ***jemanden unter Druck setzen*** put* someone under pressure 3. (≈ *nervliche Belastung*) stress 4. *im Kopf*: tension 5. *im Magen*: tight feeling
Druckabfall drop in pressure
Druckanstieg increase ['ɪŋkriːs] (*oder* rise) in pressure
Druckbuchstabe 1. block letter 2. ***in Druckbuchstaben schreiben*** print
Drückeberger(in) *umg.* shirker
drucken *allg.*: print; ***wir werden das drucken lassen*** we'll have that printed
drücken 1. *allg.*: press 2. (≈ *zerdrücken*) squash 3. press, push (*Taste*, *Knopf usw.*) 4. ***jemanden (an sich) drücken*** give* someone a hug, *länger*: hold* someone tight 5. (*Schuhe usw.*) pinch 6. ***er drückt sich dauernd*** *übertragen* he al-

ways manages to get out of it (*oder* things)
Drucker **1.** *Gerät*: printer **2.** *Beruf*: printer
Drücker **1.** (≈ *Druckknopf*) button **2.** ***am Drücker sitzen*** *umg., übertragen* be* in the driving seat **3.** ***auf den letzten Drücker*** *umg.* at the last minute
Druckerei printer's, printing press
Druckertreiber *Computer*: printer driver
Druckfehler misprint, printing error
Druckknopf *am Kleid usw.*: press stud, *bes. BE, umg.* popper, *AE* snap fastener
Druckschrift **1.** block letters (⚠ *Pl.*) **2.** ***in Druckschrift schreiben*** print; ***bitte in Druckschrift ausfüllen*** please write in block capitals
Druckstelle tender spot, *stärker*: bruise [bruːz] (*auch auf Obst usw.*)
Drucktaste (push)button
Druckwelle blast, shock wave
Drüse gland [glænd]
Dschungel jungle ['dʒʌŋgl] (*auch übertragen*)
DTP (*Abk. für* **D**esk**t**op-**P**ublishing) DTP [ˌdiːtiː'piː]
du **1.** you; ***bist du es?*** is that you? **2.** *oft unübersetzt, z. B.*: ***du, komm mal her!*** come here a minute, will you?
Dualsystem *Mathematik, Computer*: binary ['baɪnərɪ] system
Dübel plug, dowel ['daʊəl]
dubios dubious ['djuːbɪəs]
ducken: ***sich ducken*** duck
Dudelsack bagpipes (⚠ *Pl.*); ***er spielt Dudelsack*** he plays <u>the</u> bagpipes
Duell duel ['djuːəl]
Duett *Musik*: duet [djuː'et]
Duft **1.** *allg.*: (pleasant) smell **2.** *von Blumen, Parfüm usw.*: smell, scent [sent], fragrance ['freɪgrəns]
duften **1.** ***es duftet nach …*** it smells of … **2.** ***das duftet!*** it smells <u>good</u> (⚠ *nicht* well)
dulden **1.** (≈ *ertragen*) endure [ɪn'djʊə], suffer **2.** (≈ *zulassen*) tolerate
Duldung toleration
dumm **1.** stupid **2.** (≈ *albern*) silly **3.** (≈ *töricht, unklug*) foolish **4.** *Wendungen*: ***es war dumm von mir, das zu tun*** <u>I</u> was stupid (*bzw.* silly *bzw.* foolish) to have done that, <u>it</u> was stupid *usw.* of me to have done that; ***du willst mich wohl für dumm verkaufen*** you must think I'm stupid; ***jetzt wirds mir zu dumm*** I've had enough; ***sich dumm anstellen*** act the fool; ***dummes Zeug!*** rubbish!; ***dummes Zeug reden*** talk nonsense
Dumme(r) **1.** fool **2.** (≈ *leichtgläubiger Mensch*) mug **3.** ***ich bin immer der Dumme*** I'm always left holding the baby
dummerweise **1.** stupidly; ***ich habe dummerweise zugesagt*** I stupidly said yes, I was stupid enough to say yes **2.** (≈ *unglücklicherweise*) unfortunately [ʌn'fɔːtʃnətlɪ]
Dummheit **1.** stupidity **2.** (≈ *Unwissenheit*) ignorance ['ɪgnərəns] **3.** *Handlung*: stupid thing to do
Dummkopf fool, *umg.* blockhead
dumpf **1.** *Geräusch, Schmerz*: dull **2.** *Gefühl, Ahnung usw.*: vague [veɪg]
Düne dune [djuːn]
Dünger **1.** (≈ *Dung*) manure [mə'njʊə], dung **2.** (≈ *Kunstdünger*) fertilizer
dunkel **1.** dark (*auch übertragen*) **2.** ***es wird (langsam) dunkel*** it's getting dark **3.** ***im Dunkeln*** in the dark **4.** ***im Dunkeln tappen*** *übertragen, umg.* grope in the dark
dunkelblau dark blue
dunkelblond light brown
dunkelbraun dark brown
Dunkelheit darkness; ***in der Dunkelheit*** in the dark
Dunkelkammer *zum Entwickeln usw.*: darkroom
dünn **1.** *allg.*: thin **2.** *Kaffee usw.*: weak **3.** ***sie ist dünner geworden*** she's lost weight **4.** ***dünn besiedelt*** sparsely ['spɑːslɪ] populated
Dünndarm small intestine [ˌsmɔːl‿ɪn'testɪn]
Dunst (≈ *Nebel*) haze, mist
dünsten steam; ☞ ***kochen***
Dunstglocke blanket of smog
Duo duo ['djuːəʊ]
Dur major ['meɪdʒə] (key); ***A-Dur*** A major
durch **1.** *allg.*: through [θruː] **2.** (≈ *quer durch*) across **3.** (≈ *mit Hilfe von*) through; ***ich bekam die Stelle durchs Arbeitsamt*** I got the job through the employment office **4.** (≈ *mittels*) by, by means of; ***er verdient seinen Lebensunterhalt durch den Verkauf von Zeitungen*** he earns his living by sell<u>ing</u> newspapers **5.** (≈ *infolge von*) because of **6.** ***das ganze Jahr*** *usw.* ***durch*** the whole year *usw.* long

> **durch sein** **1.** ***ich bin mit dem Buch*** *usw.* ***durch*** I've finished the book *usw.* **2.** ***er ist bei mir unten durch*** I'm through with him **3.** ***es ist drei (Uhr) durch*** it's past three

durchaus **1.** absolutely ['æbsəluːtlɪ]; ***ich bin durchaus Ihrer Meinung*** I absolutely agree **2.** ***durchaus!*** absolutely

[⚠ ˌæbsəˈluːtlɪ] **3. *durchaus nicht*** not at all

durchblättern leaf through, *umg.* flick through

Durchblick 1. (*den nötigen*) *Durchblick haben* know* what's going on **2. *er hat überhaupt keinen Durchblick*** he has no idea what's going on

durchblicken: ***ich blick da nicht durch*** *umg.* I don't get it

Durchblutung circulation (*+Gen.* in)

Durchblutungsstörung circulatory [ˌsɜːkjʊˈleɪtərɪ] problem

durchboxen 1. *etwas durchboxen* push something through **2. *sich durchboxen*** struggle through

durchbrechen[1] 1. *etwas durchbrechen* break* something (in two) **2.** snap (*Zweig usw.*) **3.** (*Sonne*) come* through

durchbrechen[2] 1. run* (*Blockade*) **2.** break* (*Regel usw.*)

durchbrennen 1. (*Birne*) burn* out **2.** *umg.* (≈ *ausreißen*) run* away

Durchbruch *übertragen* breakthrough [ˈbreɪkθruː]; ***ihm ist der Durchbruch gelungen*** he finally made the breakthrough, he finally made it

durchchecken 1. *etwas durchchecken* check through something **2. *sich durchchecken lassen*** *umg.* (≈ *sich untersuchen lassen*) have* a complete check-up

durchdacht: **(*gut*) *durchdacht*** well thought-out

durchdenken: ***etwas durchdenken*** think* something through, (≈ *überlegen*) think* something over

durchdrehen 1. *salopp* (*Person*) crack up **2.** *vor Angst*: (*Person*) panic, *umg.* flip

durchdringen penetrate [ˈpenətreɪt]

durchdürfen 1. *sie* *usw.* ***durfte durch*** she *usw.* was allowed through **2. *darf ich mal durch?*** excuse me, please

Durcheinander muddle, mess, confusion

durcheinander 1. *in seinem Zimmer lag alles durcheinander* his room was (in) a mess **2. *er ist ganz durcheinander*** he's totally confused, *emotional*: he's all mixed up

durcheinander bringen 1. *etwas durcheinander bringen* mix something up, mix up something; ***alles durcheinander bringen*** get* everything mixed up **2. *jemanden durcheinander bringen*** confuse someone, *umg.* get* someone all flustered

durcheinander reden: ***sie redeten alle durcheinander*** they were all talking at the same time

durchfahren 1. *bis München durchfahren* *mit dem Auto*: drive* nonstop to Munich **2. *der Zug fährt in Starnberg durch*** the train doesn't stop at Starnberg

Durchfahrt 1. (≈ *das Durchfahren*) passage [ˈpæsɪdʒ]; ***Durchfahrt verboten!*** no through road [ˈθruː‿rəʊd], no thoroughfare [⚠ ˈθʌrəfeə] **2.** (≈ *Tor*) gate(way)

Durchfall diarrhoea [ˌdaɪəˈrɪə]

durchfallen 1. *in einer Prüfung*: fail, *umg.* flunk **2. *er ist im Examen durchgefallen*** he failed (*oder umg.* flunked) his exam

durchfeiern: ***die Nacht durchfeiern*** celebrate [ˈseləbreɪt] all night (long), make* a night of it

durchfinden 1. *er hat sich nicht durchgefunden* he couldn't find his way through **2. *ich finde mich nicht mehr durch*** I'm lost

durchfragen: ***sich durchfragen*** ask one's way (***nach, zu*** to)

durchführen 1. *übertragen* carry out (*Experiment usw.*) **2.** hold* (*Kurs usw.*)

Durchführung *eines Projekts*: realization

Durchgang passage, passageway

durchgebraten well-done

durchgehen 1. (*Person*) ***durchgehen*** (***durch***) go* (*oder* walk) through **2. *etwas durchgehen lassen*** let* something pass **3.** (≈ *prüfen, lesen*) go* through, go* over

durchgehend 1. *durchgehender Zug* through train **2. *durchgehend geöffnet*** open all day

durchgeknallt *salopp*; *Freund(in), Bemerkung usw.*; *BE* over-the-top …, over the top, *Abk.* OTT [ˌəʊtiːˈtiː]

durchgreifen 1. *durchgreifen* (*durch*) *wörtlich* reach through **2.** *übertragen* take* (tough [tʌf]) action

durchhaben: ***hast du das Buch schon durch?*** have you finished the book?

durchhalten hold* out, *umg.* stick* it out

Durchhänger: ***er hat einen Durchhänger*** he's having (*oder* going through) a low

durchkämpfen: ***sich durchkämpfen durch*** fight* one's way through (*auch übertragen*)

durchkauen: ***etwas durchkauen*** go* over something again and again

durchkommen 1. (≈ *hindurchgelangen*) (manage to) get* through (*auch telefonisch*) **2.** *in einer Prüfung*: pass **3.** (*Sonne*) break* through **4.** (≈ *sein Ziel erreichen*) make* it **5.** (*Kranker*) pull through **6. *damit kommst du nicht durch*** that won't get you anywhere

durchkreuzen thwart [θwɔːt] (*Pläne usw.*)

durchkriechen[1]: ***durchkriechen* (*durch*)** crawl through

durchkriechen[2] crawl through

durchkriegen **1. *etwas durchkriegen* (*durch*)** get* something through (*auch übertragen*) **2. *ich hoffe, wir kriegen ihn durch*** *den Kranken, den Patienten*: I hope we can pull him through

durchlesen: ***etwas durchlesen*** read* something through, read* through something

durchlöchern **1.** *wörtlich* make* holes in **2.** *mit Kugeln*: riddle with bullets ['bʊlɪts]

durchmachen **1.** *allg.*: go* through **2.** undergo* (*Wandlung usw.*) **3. *er hat einiges durchgemacht*** he's been through a lot **4. (*die ganze Nacht*) *durchmachen*** make* a night of it

Durchmesser diameter [⚠ daɪ'æmɪtə]; ***dieser Kreis hat einen Durchmesser von 3 cm*** this circle is 3 cm (*gesprochen* centimetres) in diameter

durchmogeln: ***er hat sich da letztlich durchgemogelt*** he wangled his way through in the end

durchmüssen **1. *durchmüssen* (*durch*)** have* to get (*oder* go) through **2. *da muss ich einfach durch*** I've (just) got to get through it somehow

durchnässt *allg.*: soaked, drenched

durchnehmen go* through, do* (*Lehrstoff*)

durchnummerieren number all the way through

durchorganisiert: **(*gut*) *durchorganisiert*** well-organized

durchqueren cross

durchrasseln, **durchrauschen**: ***in Englisch*** *usw.* ***durchrasseln*** *bzw.* ***durchrauschen*** flunk English *usw.*

durchrechnen **1.** (≈ *berechnen*) calculate **2.** (≈ *nochmals rechnen*) go* over, check

durchregnen: ***hier regnet es durch*** the rain's coming through

Durchreiche hatch

Durchreise: ***auf der Durchreise* (*durch*)** on one's way through, passing through

durchreißen **1. *etwas durchreißen*** tear* [teə] something (in two) (*Papier, Seite, Stoff usw.*) **2.** (*Stoff, Gewebe usw.*) rip, tear*, get* torn **3.** (*Faden, Seil*) break*

durchringen: ***sie hat sich endlich dazu durchgerungen, ihn zu verlassen*** she finally made up her mind to leave him

durchrutschen: ***sie ist bei der Prüfung gerade noch durchgerutscht*** *umg.* she just about scraped through the exam

Durchsage announcement

durchsagen *im Radio*: announce

durchschaubar **1.** *Motiv usw.*: obvious ['ɒbvɪəs] **2. *er ist leicht durchschaubar*** you can read him like a book

durchschauen[1] **1. *durchschauen* (*durch*)** look through **2. *man kann durch die Fenster kaum durchschauen*** you can hardly see through the windows

durchschauen[2] (≈ *begreifen*) understand*

durchscheinen: ***durchscheinen* (*durch*)** shine* through (*auch übertragen*)

durchschlafen sleep* through

Durchschlag (≈ *Kopie*) (carbon) copy

durchschlagen **1. *sich mühsam durchschlagen*** have* a hard time of it **2. *„Wie gehts?" - „Man schlägt sich so durch."*** 'How are you?' - 'Surviving.'

durchschlagend: ***ein durchschlagender Erfolg*** a sweeping success

durchschneiden cut* (in two)

Durchschnitt **1.** average ['ævərɪdʒ]; ***im Durchschnitt*** on average (⚠ *ohne* the) **2. *über* (*bzw.* *unter*) *dem Durchschnitt liegen*** be* above (*bzw.* below) average

durchschnittlich **1.** average **2.** (≈ *mittelmäßig*) average, *abwertend* mediocre [ˌmiːdɪ'əʊkə] **3. *er arbeitet durchschnittlich zehn Stunden am Tag*** he works an average of ten hours a day, he works ten hours a day on average

Durchschnitts... *in Zusammensetzungen*: average ...; ***Durchschnittsalter*** average age; ***Durchschnittsleistung*** average performance; ***Durchschnittsnote*** average mark, *bes. AE* average grade

Durchschrift (carbon) copy

durchschwitzen: ***ich habe mein Hemd durchgeschwitzt*** *oder* ***mein Hemd ist durchgeschwitzt*** my shirt's soaked with sweat [⚠ swet]

durchsehen **1. *durchsehen* (*durch*)** *wörtlich* see* (*oder* look) through **2.** (≈ *prüfen*) look (*oder* go*) through, go* over, check

durchsetzen **1. *etwas durchsetzen*** get* something through (*Plan usw.*) **2. *sie hat sich durchgesetzt*** she got her way **3. *sich durchsetzen gegen*** (≈ *siegen*) assert oneself against **4. *sie kann sich bei den Kindern nicht durchsetzen*** she has no control over the children

Durchsicht (≈ *Überprüfung*) checking; ***bei der Durchsicht der Papiere*** *usw.* while checking the papers *usw.*

durchsichtig **1.** *wörtlich* transparent

[træns'pærənt] **2.** *übertragen* obvious ['ɒbvɪəs], transparent
durchsickern (*Informationen*) filter through, *ungewollt*: leak out
durchspielen *gedanklich*: go* through
durchsprechen: ***etwas durchsprechen*** talk something over, discuss something
durchstarten (*Flugzeug*) reaccelerate [ˌriːək'seləreɪt] *oder* pull up (for a new landing approach)
durchstieren Ⓒⓗ (≈ *durchdrücken, durchsetzen*) push through (*Plan usw.*)
durchstreichen: ***etwas durchstreichen*** cross something out, cross out something
durchsuchen search [sɜːtʃ] (***nach*** for)
Durchsuchung search [sɜːtʃ]
Durchsuchungsbefehl search warrant ['sɜːtʃˌwɒrənt]
durchtrainiert **1.** *Person*: very fit **2.** *Körper*: athletic [æθ'letɪk]
durchtrennen, **durchtrennen** **1.** *allg.*: tear* [teə] (in two) **2.** (≈ *schneiden*) cut* in two
durchwachsen[1]: ***durchwachsen*** (***durch***) (*Pflanze*) grow* through
durchwachsen[2] **1.** *Speck*: streaky **2.** *Befinden* (≈ *leidlich*) so-so ['səʊsəʊ], mixed **3.** *Wetter*: up and down, unsettled
Durchwahl **1.** *Telefon*: direct [də'rekt] dialling **2.** (≈ *Durchwahlnummer*) extension
durchwählen dial direct [də'rekt]; ***du kannst zu mir durchwählen*** you can dial me direct
Durchzug *Luft*: draught [⚠ drɑːft]
durchzwängen **1.** ***durchzwängen*** (***durch***) force (*oder* squeeze) through **2.** ***sich durchzwängen*** (***durch***) squeeze through
dürfen **1.** *bei Erlaubnis bzw.* (*verneint*) *bei Verbot allgemein*: be* allowed to (+*Inf.*); ***ich darf keinen Alkohol trinken*** I'm not allowed (to drink) any alcohol **2.** ***darf ich rausgehen?*** can (*höflich*: may) *I go out?*; ***nein, das darfst du nicht*** no you can't, *bestimmter*: no you may not **3.** *bei Ratschlag, Aufforderung, Warnung usw.*: ***du darfst den Hund nicht anfassen*** you mustn't ['mʌsnt] touch the dog, don't touch the dog; ***wir dürfen den Bus nicht verpassen*** we mustn't miss the bus; ***das hättest du nicht sagen dürfen*** you shouldn't have said that **4.** *bei Annahmen usw.*: must* be, should* be *usw.*; ***das dürfte der Neue sein*** that must be the new teacher *usw.*; ***es dürfte bald zu Ende sein*** it should be finished soon; ***das dürfte die beste Lösung sein*** that's probably (*oder* that seems to be *oder* I think that's) the best solution **5.** *in Höflichkeitsformeln*: may*; ***darf ich?*** may I?
dürftig **1.** (≈ *unzulänglich*) poor **2.** *Verhältnisse*: humble **3.** *Argument*: weak
dürr **1.** *Person*: (≈ *mager*) thin, skinny **2.** (≈ *trocken*) dry
Dürre **1.** dryness, aridity [ə'rɪdətɪ] **2.** (≈ *Regenmangel*) drought [⚠ draʊt]
Dürreperiode period of drought [⚠ draʊt]
Durst **1.** thirst (***nach*** for; *auch übertragen*) **2.** ***ich habe Durst*** I'm thirsty; ***ich kriege Durst*** I'm getting thirsty
durstig thirsty
Duschbad **1.** shower(-bath); ***ein Duschbad nehmen*** have* (*oder* take*) a shower **2.** (≈ *Gel*) shower gel [⚠ 'ʃaʊə‿dʒel]
Dusche **1.** shower; ***unter der Dusche*** in the shower
duschen: (***sich***) ***duschen*** have (*oder* take) a shower
Duschgel shower gel [⚠ 'ʃaʊə‿dʒel]
Duschvorhang shower curtain ['ʃaʊəˌkɜːtn]
Düse **1.** nozzle ['nɒzl] **2.** (≈ *Spritzdüse*) jet
Düsenflugzeug jet (plane *oder* aircraft)
Düsenjäger jet fighter
Düsentriebwerk jet engine [ˌdʒet'endʒɪn]
Dussel *umg.* dope, twit, dumbo
dusslig *salopp* **1.** stupid ['stjuːpɪd], silly, daft [dɑːft] **2.** ***sich dusslig anstellen*** be* stupid **3.** ***ich hab mich bald dusslig geredet*** I talked till I was nearly blue in the face
düster **1.** *allg.*: (≈ *dunkel*) dark, gloomy **2.** *Licht*: dim
Dutzend **1.** dozen ['dʌzn] **2.** ***ein*** (*bzw.* ***zwei***) ***Dutzend Eier*** a (*bzw.* two) dozen eggs **3.** ***Dutzende von Leuten*** dozens of people
duzen **1.** ***jemanden duzen*** say* 'du' to someone **2.** ***sich duzen*** be* on 'du' terms
DV (*Abk. für* **D**aten**v**erarbeitung) DP [ˌdiː'piː] (*Abk. für* **d**ata **p**rocessing)
DVD-Laufwerk DVD drive
DVD-Spieler DVD player
Dynamik **1.** *übertragen* (≈ *Kraft*) dynamic force **2.** *einer Person*: dynamism, drive
dynamisch dynamic [daɪ'næmɪk]
Dynamit dynamite ['daɪnəmaɪt]
Dynamo dynamo ['daɪnəməʊ]
Dynastie dynasty [⚠ 'dɪnəstɪ, *AE* 'daɪnəstɪ]
D-Zug express, fast train

E

Ebbe 1. low tide **2. *Ebbe und Flut*** high tide and low tide
eben 1. *Oberfläche*: even, level **2.** *Landschaft usw.*: flat **3.** (≈ *gerade, soeben*) just (now) **4. *eben!*** exactly
Ebene 1. *geographisch*: plain **2.** *Geometrie*: plane; ***schiefe Ebene*** inclined plane **3.** (≈ *Stufe*) level
ebenfalls 1. *nachgestellt*: too, as well **2. *ebenfalls nicht*** not … either; ***er hat ihn ebenfalls nicht getroffen*** he didn't meet him either
Ebenholz ebony [⚠ 'ebənɪ]
ebenso 1. just as; ***es ist ebenso voll wie gestern*** it's (just) as full as (it was) yesterday **2. *ich habe ebenso reagiert*** I reacted exactly the same
EC (*Abk. für* **E**uro**c**ity) *Zug*: eurocity [ˌjʊərəʊ'sɪtɪ] (train [ˌjʊərəʊsɪtɪ'treɪn])
EC-Karte *etwa*: debit ['debɪt] card
Echo 1. echo [⚠ 'ekəʊ] **2.** *übertragen* response (***auf*** to); ***ein begeistertes Echo finden*** meet* with an overwhelming response
Echse (≈ *Eidechse*) lizard ['lɪzəd]
echt 1. *Gold, Leder usw.*: real **2.** *Gemälde usw.*: genuine [⚠ 'dʒenjʊɪn] **3.** *übertragen* real; ***ein echter Verlust*** a real (*oder* great) loss **4. *das war echt gut*** *umg.* it was really (*AE* real) good
Echtzeit *Computer*: real time
Eckball *Fußball*: corner (kick)
Ecke 1. *allg.*: corner (*auch übertragen*) **2. *an der Ecke*** at the corner, *Haus*: on the corner **3. *gleich um die Ecke*** just (a)round the corner **4. *das ist noch eine ganze Ecke*** *umg.* that's still a fair way to go **5.** (≈ *Eckball*) corner (kick)
eckig 1. *Tisch*: rectangular [⚠ rek'tæŋgjʊlə] **2.** *Gestalt*: angular **3.** *Gesicht, Kinn*: angular, square
Eckzahn eyetooth, canine [⚠ 'keɪnaɪn] (tooth)
E-Commerce (≈ *elektronischer Handel*) e-commerce ['iːˌkɒmɜːs]
Economyclass, **Economyklasse** *Flugverkehr*: economy [ɪ'kɒnəmɪ] class
Ecstasy *Droge*: ecstasy ['ekstəsɪ]
Ecuador Ecuador ['ekwədɔː]
edel 1. noble **2.** *Qualität, Wein usw.*: fine
Edelstein precious stone [ˌpreʃəs'stəʊn]
EDV (*Abk. für* **e**lektronische **D**aten**v**erarbeitung) EDP (*Abk. für* **e**lectronic **d**ata **p**rocessing), *gesagt wird mst.*: data processing
Efeu ivy ['aɪvɪ]
Effekt effect [ɪ'fekt]
effektiv 1. *Mittel, Handlung, Schutz, Arbeit* effective [ɪ'fektɪv] **2.** *Kosten, Gewicht usw.*: actual ['æktʃʊəl] **3.** (≈ *wirklich*) really, (≈ *ganz sicher*) definitely ['defənətlɪ]; ***das geht effektiv zu weit*** *usw.* that's really (*oder* definitely) going too far *usw.*
Effektivität effectiveness
effektvoll effective [ɪ'fektɪv], striking
effizient 1. (≈ *wirtschaftlich*) efficient [ɪ'fɪʃnt] **2.** (≈ *wirksam*) effective [ɪ'fektɪv]
Effizienz efficiency [ɪ'fɪʃnsɪ], effectiveness
EG *veraltet*: (*Abk. für* **E**uropäische **G**emeinschaft) EC (*Abk. für* **E**uropean **C**ommunity); → ***EU***
egal 1. *das ist (ganz) egal* it doesn't matter **2. *das ist mir (ganz) egal*** (≈ *ich hab nichts dagegen*) I don't mind, (≈ *das kümmert mich nicht*) I couldn't care less **3. *ihr ist alles egal*** she doesn't care about anything **4. *ganz egal wo (warum, wer, was)*** it doesn't matter where (why, who, what) **5. *das ist egal*** (≈ *bleibt sich gleich*) it's the same
Ego ego ['iːgəʊ]
Egoismus selfishness, egoism ['iːgəʊɪzm], egotism ['egəʊtɪzm]
Egoist(in) selfish person, egoist ['iːgəʊɪst], egotist
egoistisch selfish, egoistic(al) [ˌiːgəʊ'ɪstɪk(l)]
eh 1. *umg.* (≈ *sowieso*) anyway, anyhow; ***er weiß es eh schon*** he knows already **2. *das ist seit eh und je so*** it's always been like that
ehe before
Ehe 1. marriage ['mærɪdʒ] **2. *sie hat zwei Kinder mit in die Ehe gebracht*** she's got two children from a previous marriage
Ehebruch adultery [ə'dʌltərɪ]; ***Ehebruch begehen*** commit adultery
Ehefrau 1. wife *Pl.*: wives [waɪvz] **2.** (≈ *ver-*

heiratete Frau) married woman ['wʊmən] *Pl.*: married women ['wɪmɪn], wives

Ehegatte, **Ehegattin** *förmlich* spouse [spaʊs]

Ehekrise marital crisis [ˌmærɪtl'kraɪsɪs]

Eheleute 1. married couple (⚠ *Sg.*) **2.** ***die Eheleute Berger*** Mr and Mrs Berger

ehemalige(r, **-s**) **1.** former, ex-…; ***der ehemalige Minister*** the former minister, the ex-minister **2.** ***in meiner ehemaligen Wohnung*** in my old flat, in the flat I used to have

Ehemann 1. husband ['hʌzbənd] **2.** (≈ *verheirateter Mann*) married man *Pl. auch*: husbands

Ehepaar married couple (⚠ *Sg.*)

Ehepartner 1. (≈ *Ehefrau*) wife *Pl.*: wives **2.** (≈ *Ehemann*) husband **3.** *förmlich* spouse [spaʊs]

eher 1. (≈ *früher*, *zeitiger*) earlier, sooner; ***ich konnte leider nicht eher kommen*** I'm afraid I couldn't make it any earlier **2.** ***je eher, desto besser*** the sooner the better (⚠ *ohne Komma*) **3.** (≈ *lieber*) rather; ***eher würde ich …*** I'd rather (*oder* sooner) … **4.** (≈ *wahrscheinlicher*) more likely; ***eher ist sie bei ihrer Mutter*** she's more likely to be with her mother

Ehering wedding ring

Eheschließung marriage ['mærɪdʒ]

ehest- 1. ***am ehesten*** (≈ *am wahrscheinlichsten*) most likely **2.** ***er kann uns am ehesten helfen*** if anyone can help us, it's him **3.** ***so geht es wohl am ehesten*** that's probably the best way

Ehre 1. honour [⚠ 'ɒnə]; ***es ist mir eine (große) Ehre*** it's an (a great) honour for me; ***ihm zu Ehren*** in his honour **2.** ***jemandem die letzte Ehre erweisen*** pay* one's last respects to someone

ehren 1. honour [⚠ 'ɒnə] **2.** (≈ *achten*) respect

ehrenamtlich 1. *Mitarbeiter*: honorary [⚠ 'ɒnrərɪ] **2.** *Helfer*, *Tätigkeit*: voluntary ['vɒlntrɪ] **3.** ***etwas ehrenamtlich tun*** do* something in an honorary capacity

Ehrenbürger(**in**) honorary citizen [⚠ ˌɒnrərɪ'sɪtɪzn]

Ehrendoktor 1. honorary doctor [⚠ ˌɒnrərɪ'dɒktə] **2.** (≈ *Ehrendoktorwürde*) honorary doctorate

Ehrengast guest of honour [⚠ 'ɒnə]

Ehrentag 1. (≈ *Geburtstag*) birthday **2.** (≈ *großer Tag*) big day, great day

Ehrenwort 1. word of honour [⚠ 'ɒnə] **2.** ***Ehrenwort!*** I promise ['prɒmɪs] (you) **3.** ***ich gebe mein Ehrenwort*** I give you my word

Ehrfurcht respect [rɪ'spekt] (***vor*** for)

ehrfürchtig respectful

Ehrgeiz ambition

ehrgeizig ambitious [æm'bɪʃəs]

ehrlich 1. *allg.*: honest [⚠ 'ɒnɪst] **2.** *Spiel*, *Handel usw.*: fair **3.** (≈ *aufrichtig*) sincere [sɪn'sɪə] **4.** (≈ *echt*) genuine ['dʒenjʊɪn] **5.** (≈ *offen*) open, frank **6.** *Wendungen*: ***sei mal ganz ehrlich*** be honest (now); ***ehrlich gesagt, …*** to tell you the truth, …; ***sie haben sich ehrlich bemüht*** they really tried (hard); ***ehrlich währt am längsten*** *Sprichwort*: honesty is the best policy

Ehrlichkeit honesty [⚠ 'ɒnəstɪ], openness

Ei 1. *wörtlich* egg **2.** ***Eier*** *salopp* (≈ *Hoden*) balls **3.** *Wendungen*: ***sie gleichen sich wie ein Ei dem andern*** they're as like as two peas (in a pod); ***das ist ein dickes Ei!*** *umg.* that's a bit thick

ei: ***ei!*** oh!

Eibe *Baum*: yew [juː] (tree)

Eiche *Baum*: oak (tree)

Eichel *Frucht der Eiche*: acorn [⚠ 'eɪkɔːn]

Eichelhäher *Vogel*: jay [dʒeɪ]

Eichenholz oak

Eichhörnchen, **Eichkätzchen** squirrel [⚠ 'skwɪrəl, *AE* 'skwɜːrəl]

Eid oath [əʊθ] *Pl.*: oaths [⚠ əʊðz]; ***einen Eid ablegen*** (*oder* ***leisten***) take* (*oder* swear* [sweə]) an oath

Eidechse lizard [⚠ 'lɪzəd]

Eidgenosse *Schweiz*: Swiss citizen

Eidgenossenschaft: ***die Schweizer Eidgenossenschaft*** the Swiss Confederation, Switzerland ['swɪtsələnd]

Eidgenossin *Schweiz*: Swiss citizen ['sɪtɪzn]

Eidotter (egg) yolk [jəʊk], yolk of an egg

Eier… *in Zusammensetzungen*: egg …, egg…; ***Eierbecher*** egg cup; ***Eiergericht*** egg dish; ***Eierkocher*** egg boiler; ***Eierlöffel*** egg spoon; ***Eiersalat*** egg salad; ***Eierschale*** eggshell; ***Eieruhr*** egg timer

Eierkuchen pancake

Eierschwamm Ⓐ, Ⓒⓗ, **Eierschwammerl** Ⓐ chanterelle [ˌʃɒntə'rel] *Pl.*: chanterelles

Eierspeise 1. *allg.*: egg dish **2.** Ⓐ scrambled eggs (⚠ *Pl.*)

Eierstock *Mensch*, *Tier*: ovary ['əʊvərɪ]

Eifer keenness, eagerness, *stärker*: zeal [ziːl]

Eifersucht jealousy [⚠ 'dʒeləsɪ]

eifersüchtig jealous [⚠ 'dʒeləs] (***auf*** of)

Eiffelturm: ***der Eiffelturm*** the Eiffel tower [ˌaɪfl'taʊə]

eiförmig egg-shaped, oval ['əʊvl]

eifrig 1. *allg.*: keen **2.** (≈ *fleißig*) hard-working, diligent ['dɪlɪdʒənt] **3.** ***eifrig lernen*** study hard **4.** ***der Lehrer war eifrig be-***

müht, ihn zu beruhigen the teacher was anxious to calm him down

Eigelb (egg) yolk [jəʊk], yolk of an egg; ***vier Eigelb*** four egg yolks

eigen 1. ***hast du ein eigenes Zimmer?*** do you have your own room?, do you have a room of your own?; ***er braucht ein eigenes Zimmer*** he needs a room to himself, he needs his own room **2.** ***eigene Ansichten*** personal views **3.** (≈ *genau, wählerisch*) particular [pə'tɪkjʊlə], fussy (***in*** about)

Eigenart 1. *allg.*: peculiarity [pɪˌkjuːlɪ'ærətɪ] **2.** *einer Sache*: characteristic feature, *bes. negativ*: peculiarity

eigenartig strange

eigenartigerweise strangely enough, oddly enough

Eigeninitiative: ***es war Eigeninitiative von ihr*** she did it on her own initiative [ɪ'nɪʃətɪv]

Eigeninteresse: ***aus Eigeninteresse*** out of self-interest

Eigenkapital capital resources ['kæpɪtl‿rɪˌzɔːsɪz] (⚠ *Pl.*)

eigenmächtig (≈ *unbefugt*) unauthorized

Eigenname proper name, proper noun

Eigennutz self-interest, selfishness

eigennützig selfish

Eigenschaft 1. (≈ *Merkmal*) quality **2.** (≈ *Eigenart*) feature, characteristic **3.** *chemische usw.*: property **4.** ***gute*** (*bzw.* ***schlechte***) ***Eigenschaften*** *einer Person*: good (*bzw.* bad) points **5.** ***in seiner Eigenschaft als …*** in his capacity of (*oder* as) …

Eigenschaftswort adjective ['ædʒɪktɪv]

eigenständig independent

Eigenständigkeit independence

eigentlich 1. (≈ *wirklich*) actual ['æktʃʊəl], real **2.** (≈ *genau*) specific [spə'sɪfɪk] **3.** (≈ *wesentlich*) essential **4.** (≈ *genau genommen*) strictly speaking … **5.** ***eigentlich nicht*** not really **6.** ***was ist eigentlich passiert?*** what actually (*oder* exactly) happened?

Eigentor 1. ***ein Eigentor*** *Sport*: an own goal (*auch übertragen*) **2.** ***ein Eigentor schießen*** score an own goal (*auch übertragen*)

Eigentum property

Eigentümer(in) owner

eigentümlich (≈ *seltsam*) peculiar, strange

Eigentumswohnung 1. owner-occupied flat, *AE* condominium, *AE umg.* condo **2.** ***sie haben eine Eigentumswohnung*** they own a flat (*AE* an apartment), they've got a flat (*AE* an apartment) of their own

eigenwillig 1. *Stil usw.*: very individual, unusual **2.** *Person*: self-willed

eignen 1. ***dieses Buch*** *usw.* ***eignet sich gut als Geschenk*** this book *usw.* makes (*oder* would make) a good present ['preznt] **2.** ***er würde sich als Lehrer eignen*** he'd make (*oder* be) a good teacher

Eignung suitability [ˌsuːtə'bɪlətɪ] (***für*** for; ***zu, als*** as, for), aptitude (***für*** for); ***seine Eignung als Lehrer*** his suitability as a teacher

Eignungsprüfung, **Eignungstest** aptitude test

Eilbrief express letter, *AE* special delivery [dɪ'lɪvərɪ] (letter)

Eile hurry ['hʌrɪ, *AE* 'hɜːrɪ], rush; ***sie ist in Eile*** she's in a hurry

eilen: ***es eilt nicht*** there's no hurry

eilig 1. (≈ *dringend*) urgent ['ɜːdʒənt] **2.** ***er hats eilig*** he's in a hurry (*oder* rush)

Eimer 1. bucket, *bes. AE* pail; ***ein Eimer Wasser*** a bucket(ful) of water **2.** ***es gießt wie aus Eimern*** *umg.* it's coming down in buckets **3.** ***meine Uhr*** *usw.* ***ist im Eimer*** my watch *usw.* has had it

eimerweise by the bucket, in bucketfuls

ein[1] **1.** *ein, eine, einer, eines*: one; ***eine von drei Rosen*** one of three roses; ***einer nach dem andern*** one after the other **2.** ***die einen sagen …*** some people say … **3.** ***ein für allemal*** once and for all **4.** ***ein und derselbe*** (***Mann***) one and the same person **5.** *ein, eine, einer, eines*; *vor gesprochenem Konsonant*: a, *vor gesprochenem Vokal*: an; ***eine Maus*** a mouse; ***eine Stunde*** an hour; ***einer meiner Freunde*** a friend of mine; ***ein*** (***gewisser***) ***Herr Meier*** a (certain) Mr Meier

ein[2] **1.** *am Schalter*: on; ***ein - aus*** on - off **2.** ***ich weiß nicht mehr ein noch aus*** I'm at my wits' end

einander: ***sie kennen einander*** they know each other (*oder* one another)

einarbeiten 1. ***jemanden einarbeiten*** (≈ *anlernen*) train someone, *umg.* show someone the ropes **2.** ***etwas einarbeiten in*** (≈ *einfügen*) work something into **3.** ***sich einarbeiten*** get into the work (*bzw.* subject *usw.*)

Einarbeitungszeit 1. *Ausbildung*: training period ['pɪərɪəd] **2.** (≈ *Gewöhnungszeit*) settling-in period

einatmen breathe [⚠ briːð] in; ***tief einatmen*** take* a deep breath [⚠ breθ] (*oder* deep breaths [⚠ breθs])

einäugig one-eyed; ***unter den Blinden ist der Einäugige König*** in the country of the blind, the one-eyed man is king

Einbahnstraße one-way street

Einband binding, cover

einbauen **1.** install (***in*** into) **2.** fit (*Motor*) **3.** (≈ *einfügen*) work in (*Satz usw.*)

Einbauküche fitted kitchen

Einbaumöbel fitted furniture ['fɜːnɪtʃə], built-in furniture

Einbauschrank **1.** built-in cupboard [⚠ 'kʌbəd] **2.** *für Kleider*: fitted wardrobe, *AE* fitted closet

einberufen **1.** call (*Versammlung*) **2.** *zum Militär usw.*: call up (***zu*** for), *AE* draft (***zu*** into)

Einberufung *Militär*: conscription, *AE* draft

Einbettzimmer single room

einbeziehen **1.** include (***in*** in) **2.** (≈ *integrieren*) incorporate (***in*** into)

einbiegen **1.** ***einbiegen in*** turn into (*eine Straße*) **2.** ***rechts*** (*bzw.* ***links***) ***einbiegen*** turn right (*bzw.* left)

einbilden **1.** ***sich einbilden*** (≈ *sich vorstellen*) imagine [ɪ'mædʒɪn]; ***das bildest du dir nur ein*** you're just imagining it **2.** ***sich einbilden*** (≈ *glauben*) think*; ***er bildet sich ein, er ist beliebt*** he thinks he's popular **3.** ***darauf kannst du dir was einbilden*** that's something to be proud of

Einbildung **1.** (≈ *Vorstellung*) imagination **2.** (≈ *Illusion*) illusion

einbinden (≈ *integrieren*) integrate ['ɪntɪgreɪt] (***in*** into)

einblenden **1.** fade in (*Musik usw.*) **2.** superimpose (*Bild usw.*)

Einblick **1.** ***sich*** (***einen***) ***Einblick verschaffen in*** get* (*oder* gain) an insight ['ɪnsaɪt] into **2.** ***jemandem Einblick gewähren in*** *Dokumente usw.*: allow someone access ['ækses] to

einbrechen **1.** (*Dieb*) break* in; ***einbrechen in*** break* into, burgle (*Wohnung*) **2.** ***bei ihm wurde eingebrochen*** his house (*bzw.* flat *usw.*) was burgled (*bes. AE* was burglarized) **3.** *auf dem Eis*: fall* through (the ice)

Einbrecher(in) burglar ['bɜːglə]

einbringen **1.** bring* in (*Ernte*) **2.** bring* in, yield (*Gewinn usw.*) **3.** (≈ *beitragen*) contribute [kən'trɪbjuːt] (*Ideen usw.*) (***in*** to)

einbrocken **1.** ***da hast du dir was eingebrockt*** *übertragen* you've landed yourself in it there **2.** ***das hat er sich selbst eingebrockt!*** *übertragen* it's his own fault, he has only himself to blame

Einbruch **1.** *in ein Haus*: burglary **2.** ***bei Einbruch der Dunkelheit*** at nightfall **3.** (≈ *schwere Niederlage*) severe [sɪ'vɪə] defeat

einbruchsicher burglar-proof

einbuchten: ***jemanden einbuchten*** *salopp* (≈ *einsperren*) clap someone in jail

einbürgern **1.** ***jemanden einbürgern*** naturalize [⚠ 'nætʃrəlaɪz] someone **2.** ***sich einbürgern lassen*** become* naturalized **3.** ***es hat sich so eingebürgert*** it's become a habit (***bei*** with)

Einbürgerung *einer Person*: naturalization

einbüßen (≈ *verlieren*) lose* [⚠ luːz]

einchecken check in

Einchecken checking in, check-in; ***beim Einchecken*** as I was *usw.* checking in

eincremen **1.** (***sich***) ***eincremen*** put* some cream on **2.** ***die Schuhe eincremen*** put* (the) polish on the shoes

eindecken: ***sich*** (***gut***) ***eindecken mit*** stock up <u>on</u> plenty of

eindeutig **1.** (≈ *klar, offensichtlich*) clear, obvious ['ɒbvɪəs] **2.** (≈ *nicht zweideutig*) unambiguous [ˌʌnæm'bɪgjʊəs] **3.** ***es ist eindeutig seine Schuld*** it was clearly his fault

eindringen **1.** get* in; ***eindringen in*** get* into, *gewaltsam*: force one's way into, (≈ *durchbohren*) penetrate ['penətreɪt], pierce (*Haut usw.*)

eindringlich *Warnung, Bitte usw.*: urgent

Eindruck **1.** impression; ***Eindruck machen auf*** impress, make* an impression on **2.** ***er macht einen intelligenten Eindruck*** he seems (to be) quite intelligent **3.** ***ich habe den Eindruck, dass …*** I have (*oder* get) the impression (that) … **4.** ***welchen Eindruck haben Sie von ihm?*** what's your impression of him?

eindrucksvoll impressive

eineiig: ***eineiige Zwillinge*** identical twins

eineinhalb one and a half

einengen: ***jemanden einengen*** hem someone in, restrict someone

einer someone, somebody; → ***ein***[1]

Einer *Boot*: single (sculler)

einerseits on <u>the</u> one hand; ***einerseits …, andererseits*** on the one hand …, on the other hand

einfach **1.** (≈ *nicht schwierig*) easy, simple; ***einfach zu verstehen*** easy to understand (*oder* follow) **2.** ***einfache Fahrkarte*** single (ticket), *AE* one-way ticket **3.** *Wendungen*: ***das ist gar nicht so einfach*** it's not so easy, it's not <u>as</u> easy <u>as</u> it looks; ***nichts einfacher als das!*** no problem at all **4.** (≈ *unkompliziert*) simple **5.** (≈ *bescheiden*) modest ['mɒdɪst] **6.** *Mensch*: ordinary ['ɔːdnərɪ] **7.** ***das ist einfach toll*** that's really great **8.** ***es ist einfach unglaublich*** it's just incredible [ɪn'kredəbl]

einfädeln 1. thread [θred] (*Nadel, Faden, Film usw.*) **2.** *übertragen*; *geschickt*: arrange, fix up **3. *sich einfädeln*** (*Autofahrer*) merge, filter in; ***sich links*** (*bzw.* ***rechts***) ***einfädeln*** filter left (*bzw.* right)
einfahren 1. drive* into (*Garagentor usw.*) **2.** (*Zug*) arrive, come* in **3.** retract (*Fahrgestell usw.*) **4.** bring* in (*die Ernte*)
Einfahrt 1. (≈ *Eingang*) entrance ['entrəns] **2.** (≈ *Auffahrt*) drive **3. *Einfahrt freihalten!*** keep clear **4.** *des Zuges*: arrival; ***Vorsicht bei der Einfahrt!*** stand well back
Einfall 1. (≈ *Gedanke*) idea [aɪ'dɪə] **2.** (≈ *Invasion*) invasion [ɪn'veɪʒn] (***in*** of)
einfallen 1. *mir fällt gerade ein, dass ...* it just occurred [ə'kɜːd] to me that ..., I've just remembered that ... **2. *es fällt mir im Moment nicht ein*** I can't think of it right now **3. *ich werde mir schon was einfallen lassen*** I'll think of something **4. *was fällt dir ein!*** what do you think you're doing? **5. *in ein Land einfallen*** invade a country **6.** (≈ *einstürzen*) collapse **7.** (*Licht*) enter, come* in; ***einfallen in*** (*Licht*) come* into
einfallslos unimaginative [ˌʌnɪ'mædʒɪnətɪv], boring ['bɔːrɪŋ]
einfallsreich full of ideas, original [ə'rɪdʒnl]
Einfamilienhaus detached [dɪ'tætʃt] house
einfangen 1. *wörtlich* catch* **2.** *übertragen* capture (*Stimmung usw.*)
einfarbig 1. solid-coloured, *BE auch* self-coloured **2. *etwas einfarbig gestalten*** *usw.* design *usw.* something in one (basic) colour
einfetten 1. *allg.*: grease [griːs] **2.** *mit Öl*: oil
einfinden: ***sich einfinden*** arrive, *umg.* turn up
Einflugschneise *Flugzeuge*: approach corridor [ə'prəʊtʃˌkɒrɪdɔː]
Einfluss influence (***auf*** on, over); ***er hat schlechten Einfluss auf sie*** he's a bad influence on her
einflussreich influential [ˌɪnflʊ'enʃl]
einfressen: ***sich einfressen in*** eat* into
einfrieren 1. (*Rohre usw.*) freeze* (up) **2.** freeze* (*Lebensmittel*)
Einfügemodus *Computer*: insert mode [ɪn'sɜːt‿məʊd]
einfügen 1. add (***in*** to) **2. *sich einfügen*** *Dinge*: fit in (well) (***in*** with), *Personen auch*: adapt (***in*** to)
Einfügetaste *Computer*: insert key [ɪn'sɜːt‿kiː]
einfühlsam 1. (≈ *sensibel*) sensitive **2.** (≈ *verständnisvoll*) understanding
Einfuhr (≈ *Importe*) imports ['ɪmpɔːts]
einführen 1. (≈ *vorstellen*) introduce [ˌɪntrə'djuːs] (***in*** into) **2. *das wollen wir gar nicht erst einführen*** we're not going to start anything like that **3.** import [ɪm'pɔːt] (*Waren*)
Einfuhrstopp, **Einfuhrverbot** import ['ɪmpɔːt] ban (***für*** on)
Einführung 1. *allg* introduction, *bei Text*: introduction (***in*** to) **2. *die Einführung des Euro*** the introduction (*oder* launching) of the euro
Einfuhrzoll import duty [ɪmpɔːtˌdjuːtɪ]
einfüllen 1. (*Flüssiges*) pour in [ˌpɔːr'ɪn]; ***einfüllen in*** pour into **2.** (≈ *in Flaschen abfüllen*) bottle
Eingabe *Computer*: input
Eingabedaten *Computer*: input data ['ɪnpʊtˌdeɪtə] *Pl.*
Eingabetaste *Computer*: enter key, return key
Eingang entrance ['entrəns], way in; ***kein Eingang!*** no entrance, no entry
Eingangshalle entrance hall, foyer ['fɔɪeɪ], *bes. AE* lobby
Eingangstür entrance ['entrəns]
eingebaut built-in
eingeben 1. *Computer*: enter (*Text, Befehl*) **2. *Daten in den Computer eingeben*** feed* (*oder* enter) data into the computer
eingebildet: ***er ist sehr eingebildet*** he's very arrogant ['ærəgənt], he's very full of himself
Eingeborene(r) 1. native [neɪtɪv] (⚠ *wird oft als abwertend empfunden*); ***die Eingeborenen*** *auch*: the native inhabitants **2.** *bes. Australiens*: aborigine [⚠ ˌæbə'rɪdʒənɪ]
Eingebung 1. (≈ *Einfall*) brainwave **2.** (***eine göttliche***) ***Eingebung*** (divine) inspiration (⚠ *ohne* a)
eingebürgert naturalized ['nætʃrəlaɪzd]
eingedeckt: ***sie ist mit Arbeit gut eingedeckt*** she's got plenty of work to do
eingefallen 1. *Haus*: dilapidated [dɪ'læpɪdeɪtɪd] **2.** *Gesicht*: haggard ['hægəd] **3.** *Wangen, Augen*: hollow, sunken
eingefleischt: ***eingefleischter Junggeselle*** confirmed bachelor ['bætʃlə]
eingefroren *wörtlich und übertragen* frozen
eingehen 1. *eingehen in* *die Sprache usw.*: enter **2. *eingehen auf*** (≈ *sich befassen mit*) deal* with, go* into (*eine Frage usw.*) **3. *auf jemanden eingehen*** respond to someone **4. *näher eingehen auf*** elaborate [ɪ'læbəreɪt] on, expand on; ***überhaupt nicht eingehen auf*** completely ignore **5.** (*Pflanze*) die **6. *ein Risiko eingehen*** take* a chance **7. *eine*** (***che-***

***mische*) Verbindung eingehen** form a (chemical) compound
eingehend **1.** *Diskussion, Bericht usw.*: (≈ *ausführlich*) detailed ['diːteɪld]; ***etwas eingehend diskutieren*** discuss something in detail **2.** (≈ *gründlich*) thorough [⚠ 'θʌrə]
eingehüllt: ***eingehüllt in*** *eine Decke usw.*: wrapped up [ˌræpt'ʌp] in
eingekeilt wedged in
eingeklammert in brackets, *bes. AE* in parentheses [⚠ pə'renθəsiːz] (⚠ *beide hinter dem Subst.*)
eingeklemmt **1.** stuck **2.** *Nerv*: trapped
eingelegt *in Essig*: pickled
Eingemachte(s) **1.** *Obst*: bottled fruit **2.** (≈ *Marmelade*) preserves [prɪ'zɜːvz] (⚠ *Pl.*) **3.** ***jetzt gehts ans Eingemachte*** *übertragen* we're really scraping the barrel now
eingemauert walled in
eingerahmt **1.** *wörtlich* framed **2.** ***eingerahmt von*** *übertragen* framed by
eingerückt *Zeile usw.*: indented [ɪn'dentɪd]
eingeschaltet (switched) on
eingeschlossen locked in
eingeschnappt *umg.* miffed, in a huff; ***er ist leicht eingeschnappt*** you have to watch what you say to him
eingesessen *übertragen* old-established
eingespielt: ***sie sind gut aufeinander eingespielt*** they make a good team
eingestellt **1.** ***ich bin darauf eingestellt*** (≈ *vorbereitet*) I'm prepared for it **2.** ***sozial eingestellt*** socially-minded
Eingeweide **1.** insides [ˌɪn'saɪdz], *umg.* innards ['ɪnədz] **2.** (≈ *Gedärme*) intestines [ɪn'testɪns], *umg.* guts
eingeweiht: ***sie ist eingeweiht*** (≈ *ist Mitwisserin*) she's in the know
Eingeweihte(r) insider [⚠ˌɪn'saɪdə]
eingewöhnen: ***du musst dich noch eingewöhnen*** you need to settle in
eingießen pour in [ˌpɔːr'ɪn]; ***eingießen in*** pour into
eingleisig *Bahnstrecke*: single-track …, *hinter dem Verb* sein: single-tracked
eingliedern **1.** integrate ['ɪntɪgreɪt] (***in*** into) **2.** ***sich in das Team*** *usw.* ***eingliedern*** integrate into the team *usw.*
Eingliederung integration, adaptation (***in*** into)
eingraben drive* in(to the ground) (*Pfahl*)
eingreifen step in, intervene [ˌɪntə'viːn] (***in*** in), *unerlaubt, störend*: interfere [ˌɪntə'fɪə] (***in*** in)
Eingreiftruppe task force
eingrenzen **1.** (≈ *begrenzen*) enclose [ɪn'kləʊz] **2.** *übertragen* limit (***auf*** to)
Eingriff **1.** ***Eingriff, Eingriffe*** intervention (***in*** in), *unerlaubte(r), störende(r)*: interference [ˌɪntə'fɪərəns] (***in*** in) **2.** (***kleiner***) ***Eingriff*** (≈ *Operation*) (minor) operation
einhaken **1.** *wörtlich* hook (***in*** into), fasten [⚠ 'fɑːsn] **2.** ***sie hakte sich bei ihm ein*** she linked arms with him **3.** ***hier möchte ich mal einhaken*** *Gespräch*: if I could just take up that point
einhalten **1.** keep* to (*Vereinbarung usw.*) **2.** stick* to (*Regeln, Versprechen*) **3.** keep* (*Versprechen*)
Einhaltung: ***Einhaltung der Vorschriften*** compliance [kəm'plaɪəns] with the rules
einhämmern: ***jemandem etwas einhämmern*** drum something into someone
einhandeln: ***damit handelst du dir garantiert Ärger*** *usw.* ***ein*** that's asking for trouble ['trʌbl] *usw.*
einhängen **1.** *Telefon*: hang* up **2.** fit (*Tür*)
einheften file (*Akten usw.*)
einheimisch **1.** *Mensch, Tier, Pflanze*: native, indigenous [ɪn'dɪdʒnəs]; ***sie sind hier einheimisch*** *Pflanzen usw.*: they're native to this area **2.** *Produkt, Industrie*: domestic, local
Einheimische(r): ***die Einheimischen*** the people (who live) here (*bzw.* there), *oft abwertend verstanden*: the natives, *einer Stadt*: the locals
Einheit **1.** *allg.*: unity **2.** ***eine Einheit bilden*** form a (unified) whole **3.** (≈ *Maßeinheit, Telefoneinheit*) unit
einheitlich uniform ['juːnɪfɔːm], standardized
Einheitlichkeit uniformity [ˌjuːnɪ'fɔːmətɪ]
einhellig unanimous [⚠ juː'nænɪməs]
Einhelligkeit unanimity [⚠ ˌjuːnə'nɪmətɪ]
einholen **1.** ***jemanden einholen*** *wörtlich und übertragen* catch* up with someone **2.** ***verlorene Zeit einholen*** make* up for lost time **3.** take* down (*Segel*)
einhüllen **1.** wrap [⚠ ræp] up (***in*** in) **2.** ***sich einhüllen*** wrap oneself up (***in*** in)
einhundert a hundred, *betont*: one hundred
einig **1.** (***sich***) ***einig werden*** come* to an agreement (***über*** about) **2.** ***sich nicht einig sein*** disagree (***über*** on) **3.** *Volk usw.*: united
einige → ***einige(r, -s)***
einigen **1.** ***sich einigen*** agree (***über, auf*** on), *bes. politisch*: reach (an) agreement *oder* a settlement (***über, auf*** on) **2.** unite [juː'naɪt] (*ein Volk usw.*)
einige(r, -s) **1.** ***einige*** a few, (≈ *mehrere*)

several ['sevrəl], (≈ *viele*) quite a few; ***einige Mal*** several times **2.** ***einiges*** something, a few things; ***es gibt noch einiges zu tun*** there's (still) a fair bit to do; ***das wird einiges kosten*** that'll cost a fair bit **3.** ***nach einiger Zeit*** after some time

einigermaßen 1. quite, fairly **2.** ***es geht ihm einigermaßen gut*** he's not doing too badly

Einigkeit 1. (≈ *Eintracht*) unity ['juːnətɪ] **2.** (≈ *Übereinstimmung*) agreement (***über*** on, about) **3.** ***es herrscht Übereinstimmung darüber, dass …*** everybody agrees that …

Einigung agreement, settlement; ***Einigung erzielen*** reach (an) agreement (***über*** on)

einjährig 1. (≈ *ein Jahr alt*) one-year-old … **2.** (≈ *ein Jahr dauernd*) year-long …, one-year … **3.** *Pflanze*: annual ['ænjʊəl]

einkalkulieren take* into account

einkapseln: ***sich einkapseln*** withdraw* into one's shell, shut* oneself off

Einkauf 1. ***Einkäufe*** (≈ *Eingekauftes*) shopping; ***Einkäufe machen*** go* shopping **2.** (≈ *das Einkaufen*) buying

einkaufen 1. buy* **2.** ***einkaufen*** (***gehen***) go* shopping

Einkaufs… *in Zusammensetzungen*: shopping …; ***Einkaufskorb*** shopping basket; ***Einkaufspassage*** shopping arcade ['ʃɒpɪŋ‿ɑːˌkeɪd]; ***Einkaufstasche*** shopping bag; ***Einkaufszentrum*** shopping centre; ***Einkaufszettel*** shopping list

Einkaufswagen (supermarket) trolley, *AE* shopping cart

einklammern put* in brackets (*bes. AE* in parentheses [⚠ pəˈrenθəsiːz])

einkleben stick* in; ***einkleben in*** stick* into

einkleiden: ***jemanden neu einkleiden*** buy* someone a whole new set of clothes

einklemmen: ***er klemmte sich den Finger*** (*bzw.* ***den Mantel*** *usw.*) ***ein*** he got <u>his</u> finger (*bzw.* coat *usw.*) caught

Einkommen income, earnings (⚠ *Pl.*)

Einkommens(s)teuer income tax

Einkommens(s)teuererklärung income-tax return

einkriegen catch* up with

Einkünfte income (⚠ *Sg.*), earnings

einladen 1. ***jemanden einladen*** invite (*oder* ask) someone round; ***jemanden zu einer Party einladen*** invite (*oder* ask) someone to a party **2.** ***ich lad dich ein*** (≈ *bezahle*) I'll treat you

Einladung invitation; ***auf seine*** *usw.* ***Einladung*** <u>at</u> his *usw.* invitation

Einlage 1. *in Zeitungen usw.*: insert ['ɪnsɜːt] **2.** (≈ *Zahneinlage*) temporary filling

Einlass admittance (***zu*** to); ***Einlass ab 18 Uhr*** doors open at 6 pm

einlassen 1. run* (*Wasser*) (***in*** into); ***sich ein Bad einlassen*** run* a bath **2.** ***sie ließ sich auf ein Gespräch*** (*bzw.* ***einen Streit***) ***ein*** she got involved <u>in</u> a conversation (*bzw.* in an argument); ***lass dich nicht darauf ein!*** don't get involved **3.** ***sich mit jemandem einlassen*** get* involved with someone

Einlauf *Sport*: finish

einlaufen 1. (≈ *ankommen*) come* in, arrive **2.** (*Wasser*) run* (in); ***einlaufen in*** run* into **3.** (*Stoff, Kleidung*) shrink* **4.** ***sich einlaufen*** *Sport*: warm up

einleben: ***sich einleben*** settle in

einlegen 1. put* in (*Film usw.*) **2.** ***eine Pause einlegen*** have* a break

einleiten 1. (≈ *anfangen*) start, begin* **2.** introduce (*Maßnahmen usw.*) **3.** introduce (*Nebensatz*) **4.** dump (***in*** into) (*Schadstoffe in einen Fluss usw.*)

einleitend 1. ***sie sagte ein paar einleitende Worte*** she made a few introductory remarks **2.** ***einleitend möchte ich sagen …*** may I start by saying …

Einleitung 1. *allg.*: introduction **2.** *eines Buches*: preface [⚠ 'prefəs] (+ *Gen.* to)

einlesen 1. ***Daten einlesen*** *Computer*: read* data ['deɪtə] in **2.** ***sich in einen Roman*** *usw.* ***einlesen*** get* <u>into</u> a novel ['nɒvl] *usw.*

einleuchten: ***das leuchtet mir ein*** that makes sense (to me)

einleuchtend 1. ***es ist einleuchtend*** (***, dass …***) it makes sense (that …), it stands to reason (that …) **2.** ***aus einleuchtenden Gründen*** <u>for</u> obvious ['ɒbvɪəs] reasons

einliefern: ***jemanden ins Krankenhaus einliefern*** <u>take*</u> someone <u>to</u> hospital (⚠ *BE ohne* the); ☞ *Info unter* **Schule**

Einlieferung *ins Krankenhaus*: admission (***in*** to)

einlochen 1. ***jemanden einlochen*** *umg.*; *Gefängnis*: put* someone away, *AE* put* someone in the slammer **2.** *Golf*: putt

einloggen: (***sich***) ***einloggen*** *Internet*: log in (*od* on)

einlösen 1. cash (*Scheck*) **2.** keep* (*Versprechen*)

einmal 1. once; ***einmal eins ist eins*** once one is one; ***einmal im Jahr*** once <u>a</u> year; ***noch einmal*** one more time, again **2.** ***noch einmal so viel*** twice as much **3.** ***auf einmal*** (≈ *plötzlich*) suddenly, (≈ *gleichzeitig*) at the same time **4.** (≈ *zuvor*) before; ***ich war schon einmal da*** I've been there before **5.** *in Fragen*: (≈ *jemals*) ever; ***„Warst du schon einmal in Athen?"*** 'Have you ever been to Athens ['æθɪnz]?' - ***„Ja, da war ich auch schon."*** 'Yes I've been there too.' **6.** (≈ *eines Tages in der Zukunft*) one day **7.** ***es war einmal …*** *im Märchen*: once upon a time there was … **8.** ***nicht einmal*** not even; ***er hat mich nicht einmal angesehen*** he didn't even look at me **9.** ***hör einmal!*** listen [⚠ 'lɪsn] **10.** ***sei endlich einmal ruhig*** be quiet, will you! **11.** ***stell dir einmal vor …*** just imagine …, can you imagine …?

Einmaleins 1. (multiplication) tables (⚠ *Pl.*); ***das kleine*** (*bzw.* ***große***) ***Einmaleins*** (multiplication) tables up to (*bzw.* over) ten **2.** ***kannst du das Einmaleins (aufsagen)?*** do you know your tables?

einmalig 1. ***eine einmalige Gelegenheit*** (≈ *einzigartig*) a unique [juː'niːk] (*oder* one-off) chance **2.** (≈ *hervorragend*) brilliant ['brɪljənt], *umg.* fantastic **3.** ***einmalig schön*** absolutely beautiful

Einmann… *in Zusammensetzungen*: one-man …; ***Einmannbetrieb*** one-man business (*oder umg.* show)

Einmarsch (≈ *Einfall*) invasion [ɪn'veɪʒn]; ***beim Einmarsch der Truppen*** when the troops invaded

einmarschieren: ***einmarschieren (in)*** invade

einmischen 1. ***sich einmischen*** interfere [ˌɪntəfɪə] (***in*** in, with) **2.** ***sich ins Gespräch einmischen*** join in the conversation, *umg.*, *störend*: butt in on the conversation **3.** ***misch dich lieber nicht ein*** don't get involved

Einmischung interference (***in*** in)

einmotorig single-engine(d) [ˌsɪŋgl'endʒɪn(d)]

einmütig unanimous [juː'nænɪməs]

Einnahmen 1. *einer Bank*, *eines Unternehmens*: receipts [⚠ rɪ'siːts] **2.** *des Staates*: revenue ['revənjuː] (*Sg.*), revenues

einnehmen 1. take* (*Arznei*) **2.** have* (*Mahlzeit*) **3.** take* in (*Geld*) **4.** (≈ *verdienen*) earn **5.** occupy (*Land*) **6.** take* up (*Platz*, *Raum*) **7.** take* up, adopt (*Position*, *Haltung*); ***den Standpunkt einnehmen, dass …*** take* the view that …

einordnen 1. (≈ *klassifizieren*) classify **2.** place, *zeitlich auch*: date (*Kunstwerk usw.*) **3.** ***sich rechts*** (*bzw.* ***links***) ***einordnen*** get* into the right (*bzw.* left) lane **4.** ***etwas alphabetisch einordnen*** enter something in alphabetical order

einpacken 1. pack (up) **2.** ***ihr könnt schon einpacken!*** *in der Schule*: you can pack up your things **3.** do* up (*Paket usw.*)

einparken 1. park, get* into a parking space **2.** ***rückwärts einparken*** back into a parking space

einpendeln: ***sich einpendeln*** level out [ˌlevl'aʊt] (***auf, bei*** at)

einpennen *salopp* nod off

einpflanzen 1. *wörtlich* plant **2.** implant [ɪm'plɑːnt] (*Organ usw.*)

einplanen plan, (≈ *berücksichtigen*) allow for

einprägen 1. ***sich etwas einprägen*** (≈ *im Gedächtnis behalten*) remember something, *bei Lernmaterial*: memorize ['meməraɪz] something **2.** ***das prägt sich leicht ein*** that's easy to remember

einprägsam 1. easy to remember, memorable **2.** *Melodie usw.*: catchy

einquetschen: ***sie hat sich den Finger (in der Tür) eingequetscht*** she got her finger stuck (*oder* jammed) (in the door)

einrahmen *wörtlich* frame (*Bild*, *Brief usw.*)

einrasten click into place

einräumen 1. (***das Wohnzimmer*** *usw.*) ***einräumen*** put* the furniture in the living room *usw.* **2.** put* (the) things in (*Schrank usw.*)

einreden 1. ***jemandem*** (*bzw.* ***sich***) ***einreden, dass …*** persuade [pə'sweɪd] someone (*bzw.* oneself) that … **2.** ***wer hat dir das eingeredet?*** who gave you that idea? **3.** ***das redest du dir (doch) nur ein!*** you're imagining it **4.** ***er redete die ganze Zeit auf sie ein*** he kept on at her all the time

einreiben: ***du solltest dir die Haut mit dieser Salbe einreiben*** you should rub this ointment into your skin; ***du solltest dir das Gesicht mit dieser Salbe einreiben*** *vorsichtig*: you should put this ointment on your face

Einreise 1. entry ['entrɪ] (***in, nach*** into) **2.** ***bei der Einreise*** on arrival (⚠ *ohne* the); ***bei der Einreise in …*** on arrival in …, when entering … **3.** ***jemandem die Einreise verweigern*** refuse someone entry (*oder* admission) (⚠ *ohne* the)

Einreiseerlaubnis, Einreisegenehmigung entry permit [⚠ 'pɜːmɪt]

einreisen 1. ***durfte er in*** (*oder* ***nach***) ***China einreisen?*** was he allowed to enter China? **2.** ***durfte er einreisen?*** was he allowed to enter the country (*bzw.* China *usw.*)?

Einreiseverbot: ***er hatte Einreiseverbot*** he wasn't allowed to enter the country *usw.*

Einreisevisum entry visa ['viːzə] *Pl.*: entry visas
einreißen 1. tear* [teə] (*Stoff, Papier usw.*) **2.** pull down (*Zaun, Barrikaden*) **3.** ***das wollen wir gar nicht erst einreißen lassen*** we'd better put a stop to that before it starts
einreiten break* in (*Pferd*)
einrenken 1. set* (*Arm, Bein usw.*) **2.** ***die Sache wird sich schon wieder einrenken*** *übertragen* it'll straighten itself out
einrichten 1. furnish, *umg.* do* up (*Zimmer usw.*); ***er hat sein Zimmer schön eingerichtet*** he's done his room up very nicely **2.** fit out (*Küche, Geschäft*) **3.** ***kannst du es irgendwie einrichten, dass …?*** can you possibly arrange things so that …? **4.** ***sich einrichten auf*** (≈ *sich vorbereiten auf*) prepare for, get* ready for
Einrichtung 1. (≈ *Möbel*) furniture **2.** *einer Küche*: fittings (⚠ *Pl.*) **3.** (≈ *Anlage*) installation [ˌɪnstə'leɪʃn] **4.** (≈ *öffentliche Einrichtung*) institution
einrücken indent [ɪn'dent] (*Zeile*)
Einrückung *einer Zeile*: indentation
eins 1. *Zahl*: one [wʌn] **2.** ***um eins*** at one (o'clock) **3.** ***eins gefällt mir nicht*** there's one thing I don't like about it **4.** ***noch eins*** another one **5.** *Wendungen*: ***eins wollte ich dir noch sagen …*** another thing (I wanted to say) …; ***eins nach dem andern*** one after the other; ***das ist doch alles eins*** it's all the same
Eins 1. *Zahl*: (number) one **2.** ***eine Eins schreiben*** *etwa*: get* an A **3.** *Bus, Straßenbahn usw.*: number one bus, number one tram *usw.*
einsam 1. *Person, Gegend, Haus usw.*: lonely **2.** *Straße, Strand usw.*: lonely, empty **3.** ***sich einsam fühlen*** feel* (very) isolated **4.** ***sie ist einsame Spitze*** she's brilliant
Einsamkeit 1. (≈ *Verlassenheit*) loneliness **2.** (≈ *Isoliertheit*) isolation
einsammeln collect (*Geld, Hefte*)
Einsatz 1. (≈ *Anstrengung*) effort ['efət], hard work **2.** (≈ *Verwendung*) use [juːs] **3.** *von Arbeitskräften*: employment **4.** *polizeilicher*: operation **5.** *militärischer*: action, operation **6.** (≈ *Spieleinsatz*) stake **7.** ***sie halfen den Flüchtlingen unter Einsatz des Lebens*** they risked their lives to help the refugees [ˌrefjʊ'dʒiːz]
Einsatzkommando task force
einscannen: ***etwas einscannen*** scan something in
einschalten 1. switch (*oder* turn) on (*Licht, Gerät usw.*) **2.** start (*Motor*) **3.** put* on, switch on, tune in to (*Sender*)
Einschaltquote *TV, Radio*: ratings (⚠ *Pl.*)
einschärfen: ***jemandem einschärfen, die Wahrheit zu sagen*** *usw.* urge someone to tell the truth *usw.*
einschätzen 1. assess [ə'ses] (*Situation, Bedeutung, Qualität usw.*) **2.** judge (*jemanden*) **3.** ***richtig einschätzen*** be* right about (*Lage, jemanden*); ***falsch einschätzen*** misjudge (*Lage, jemanden*) **4.** ***wie schätzt du die Lage ein?*** how do you see (*oder* view) the situation? **5.** ***das ist schwer einzuschätzen*** it's hard to say
einschenken: ***jemandem ein Glas Wein*** *usw.* ***einschenken*** pour [pɔː] someone a glass of wine *usw.*
einschlafen 1. fall* asleep, go* to sleep, *umg.* drop off **2.** *beschönigend* (≈ *sterben*) pass away **3.** (*Freundschaft*) cool off
einschläfern (≈ *töten*) put* down, put* to sleep (*Tier*)
Einschlag *eines Geschosses usw.*: impact
einschlagen 1. ***einschlagen*** (***in***) hammer in(to) (*Nagel usw.*) **2.** (≈ *zerbrechen*) smash (*Fensterscheibe usw.*) **3.** (*Geschoss*) hit* **4.** (*Blitz*) strike*; ***es hat in der Schule eingeschlagen*** the school was struck by lightning **5.** *Wendungen*: ***jemandem den Schädel einschlagen*** smash someone's head in; ***eine künstlerische*** *usw.* ***Laufbahn einschlagen*** take* up a career as an artist *usw.*
einschlägig 1. *Presse, Geschäfte*: specialist **2.** *Literatur*: relevant ['reləvənt]
einschleichen: ***in deine Übersetzung*** *usw.* ***haben sich ein paar Fehler eingeschlichen*** a few mistakes have crept into your translation *usw.*
einschleusen: ***Flüchtlinge nach Deutschland einschleusen*** smuggle refugees [ˌrefjʊ'dʒiːz] into Germany
einschließen 1. *wörtlich* lock up; ***einschließen in*** lock (up) in, lock into **2.** *übertragen* include
einschließlich including; ***bis einschließlich Seite 7*** (*bzw.* ***Freitag***) up to and including page 7 (*bzw.* Friday, *AE* through till Friday)
einschmeicheln: ***sich bei jemandem einschmeicheln*** ingratiate [⚠ ɪn'greɪʃɪeɪt] oneself with someone
einschmeißen smash (*Fensterscheibe*)
einschmieren: ***sich einschmieren*** *mit Creme*: rub (*oder* put*) some cream on
einschmuggeln: ***Rauschgift nach Deutschland einschmuggeln*** smuggle drugs into Germany

einschnappen (*Schloss*) snap shut; → ***eingeschnappt***
einschneidend *Reformen*: drastic, radical
Einschnitt **1.** (≈ *Schnitt*) cut **2.** (≈ *Kerbe*) notch **3.** (≈ *Wendepunkt*) turning point
einschnitzen carve (***in*** into)
einschränken **1.** (≈ *verringern*) reduce, curb (*Konsum*, *Macht*) **2.** (≈ *einengen*) limit, restrict **3.** ***sich einschränken*** cut* down (on things)
Einschränkung: ***ohne Einschränkung*** (≈ *ohne Vorbehalt*) without reservation [ˌrezəˈveɪʃn]
Einschreibebrief registered letter
Einschreibung *an der Uni*: registration, *AE* enrollment
einschüchtern intimidate [ɪnˈtɪmɪdeɪt], frighten
einschulen: ***eingeschult werden*** start school
Einschulung first day at school
Einschuss (≈ *Loch*) bullet [⚠ ˈbʊlɪt] hole
Einsegnung **1.** (≈ *Konfirmation*) confirmation **2.** (≈ *Einweihung*) consecration
einsehen **1.** (≈ *verstehen*) see*, realize **2.** ***das sehe ich nicht ein*** I don't see why **3.** ***er sah den Fehler ein*** he recognized [ˈrekəgnaɪzd] his mistake
einseifen *wörtlich* soap down (*jemanden*), soap (*Rücken usw.*)
einseitig **1.** one-sided (*auch übertragen*) **2.** *Politik*: unilateral **3.** (≈ *parteiisch*) biased [ˈbaɪəst]; ***einseitige Berichterstattung*** biased reporting **4.** (≈ *unausgeglichen*) one-sided, unbalanced; ***einseitige Ernährung*** unbalanced diet [ˈdaɪət]
einsenden send* in; ***einsenden an*** send* to
Einsender(in) sender
Einsendeschluss closing date (for entries)
Einsendung **1.** sending in **2.** *bei einem Wettbewerb*: entry [ˈentrɪ] **3.** (≈ *Zuschrift*) letter, reply
Einser: ***einen Einser bekommen*** get* an A
einsetzen **1.** (≈ *einfügen*) put* in, insert [ɪnˈsɜːt] **2.** use [juːz] (*Mittel*) **3.** ***sein Leben einsetzen*** risk one's life (***für*** for) **4.** ***sich einsetzen für*** support **5.** ***sich*** (***voll***) ***einsetzen*** do* one's utmost **6.** *beim Wetten*: bet* (*Geld*) **7.** ***sie setzte ihn als Erben ein*** she made him her heir [⚠ eə] **8.** *Musik*: come* in
Einsicht **1.** ***Einsicht nehmen in*** examine [ɪgˈzæmɪn], take* a look at **2.** (≈ *Verständnis*) understanding **3.** (≈ *Erkenntnis*) insight [ˈɪnsaɪt]
einsickern seep in, trickle in; ***einsickern in*** seep into, trickle into
einsitzen (≈ *im Gefängnis sitzen*) serve a sentence [ˈsentəns]
Einsitzer single-seater
einspannen **1.** ***ein Stück Holz*** (***in den Schraubstock***) ***einspannen*** clamp a piece of wood (into the vice) **2.** ***jemanden einspannen*** *übertragen* rope someone in
einsparen save (*Geld usw.*)
Einsparung saving, savings (*Pl.*)
einspeichern *Computer*: store
einsperren **1.** *allg.*: lock up **2.** *ins Gefängnis*: lock up, put* behind bars **3.** *in einen Käfig*: put* in a cage, cage
einspielen **1.** bring* in (*Geld*) **2.** ***sie sind gut aufeinander eingespielt*** they make a good team
Einspielung (≈ *Aufnahme*) recording (***von*** by)
einsprachig monolingual [ˌmɒnəʊˈlɪŋgwəl]
einspringen (≈ *aushelfen*) step in, help out
Einspruch **1.** *allg.*: objection (***gegen*** to) (*auch vor Gericht*); ***Einspruch erheben*** raise an objection (***gegen*** to), object [əbˈdʒekt] (***gegen*** to) **2.** (≈ *Berufung*) appeal (***gegen*** against); ***Einspruch erheben*** (*oder* ***einlegen***) (file an) appeal (***gegen*** against)
einspurig **1.** (≈ *eingleisig*) single-track … **2.** *Straße*: single-lane …
einst **1.** *Zukunft*: one day, some day **2.** (≈ *früher*) once, at one time
Einstand *Tennis*: deuce [djuːs]
einstecken **1.** *wörtlich*: put* in, *umg.* stick* in **2.** *umg.* pop into the letterbox (*Brief*) **3.** take* (*Schlag*) **4.** ***er kann viel einstecken*** *übertragen* he can take a lot (of punishment) **5.** *übertragen* pocket (*Gewinn*)
einstehen: ***einstehen für etwas*** answer [ˈɑːnsə] (*oder* take* responsibility) for something
Einsteigekarte *Flugreise*: boarding pass
einsteigen **1.** *in ein Fahrzeug*: get* in; ***einsteigen in*** get* into **2.** ***einsteigen*** (***in***) *Bus*, *Zug*, *Flugzeug*: get* on **3.** ***in die Politik*** *usw.* ***einsteigen*** go* into politics *usw.*
einstellen **1.** tune in to (*Sender*) **2.** (≈ *beenden*) stop, *förmlicher* discontinue **3.** take* on, hire (*Arbeitskräfte usw.*) **4.** set* (*Uhr*, *Wecker*) **5.** ***sie hat den Weltrekord im Diskuswerfen eingestellt*** she's equalled [ˈiːkwəld] (⚠ *Grundform* equal) the world record [ˈrekɔːd] for discus throwing **6.** ***sich einstellen auf*** *Person*: (≈ *sich anpassen an*) adapt *oder* adjust oneself to, (≈ *sich vorbereiten auf*) prepare (oneself) for, get* ready for **7.** ***du***

musst dich darauf einstellen (≈ *daran gewöhnen*) you'll have to get used to it (*oder* learn to accept it)

einstellig: ***einstellige Ziffer*** single-digit number ['sɪŋgl͵dɪdʒɪt'nʌmbə]

Einstellknopf control (knob [nɒb])

Einstellplatz *für Auto*: parking space

Einstellung **1.** (≈ *Haltung*) attitude ['ætɪtjuːd] (***zu*** to, towards) **2.** *von Arbeitskräften*: employment

Einstellungsgespräch interview; ***ich muss zu einem Einstellungsgespräch gehen*** I've got to go for an interview

Einstieg **1.** ***der Einstieg in den Bus*** *usw.* getting on(to) the bus *usw.* **2.** (≈ *Eingang*) entrance ['entrəns] **3.** ***der Einstieg war schwierig*** *übertragen* it was hard at the start

Einstiegsdroge starter drug

einstimmig (≈ *einmütig*) unanimous [⚠ juː'nænɪməs]

einstöckig *Gebäude*: one-storey …, one--storeyed

einstreichen **1.** *mit Farbe*: paint **2.** *umg.* rake in (*Geld*)

einstudieren **1.** rehearse [rɪ'hɜːs] (*ein Stück*) **2.** learn* (*eine Rolle*)

einstufen **1.** *allg.*: classify (*jemanden*, *etwas*) **2.** ***Kinder nach ihren Fähigkeiten einstufen*** grade children according to their abilities **3.** ***hoch*** (*bzw.* ***niedrig***) ***einstufen*** rate high (*bzw.* low)

Einstufung **1.** *allg.*: classification **2.** *nach Fähigkeiten usw.*: grading

Einsturz collapse [kə'læps]; ***etwas zum Einsturz bringen*** cause something to collapse

einstürzen (*Gebäude*, *Dach*, *Brücke usw.*) collapse [kə'læps]; ***das Haus droht einzustürzen*** the house is in danger of collapsing

Einsturzgefahr danger of collapse; ***das Gebäude wird wegen Einsturzgefahr geschlossen*** the building is going to be closed because it's unsafe

einstweilen (≈ *vorläufig*) for the time being, (≈ *für kurze Zeit*) for the moment

eintägig one-day …

eintauschen exchange (***gegen*** for)

eintausend a thousand, *AE* one thousand, *BE betont*: one thousand

einteilen **1.** *allg.*: (≈ *gruppieren*) divide (up), classify (***in*** into) **2.** (≈ *anordnen*) arrange (***in*** in; ***nach*** according to) **3.** organize (*Zeit*) **4.** (≈ *planen*) plan out, organize (*Arbeit*) **5.** ***du musst*** (***dir***) ***dein Geld*** (***besser***) ***einteilen*** you've got to learn to budget ['bʌdʒɪt]

Einteilung **1.** (≈ *Gruppierung*) division, classification **2.** (≈ *Anordnung*) arrangement **3.** *zeitliche*: plan

eintönig monotonous [⚠ mə'nɒtənəs], dull

Eintönigkeit monotony [⚠ mə'nɒtənɪ]

Eintopf(**gericht**) stew [stjuː]

Eintrag **1.** *allg.*: entry ['entrɪ] **2.** *ins Klassenbuch*: black mark

eintragen **1.** *in eine Liste*: put* down (***in*** on) **2.** ***sich*** (***in die Liste***) ***eintragen*** put* one's name down (on the list)

eintreffen **1.** (≈ *ankommen*) arrive **2.** (≈ *geschehen*) happen **3.** (≈ *sich erfüllen*) prove [pruːv] true

eintreiben collect (*Schulden usw.*)

eintreten **1.** go* in, come* in, enter; ***eintreten in*** go* into, come* into, enter **2.** (***in einen Klub*** *usw.*) ***eintreten*** join (a club *usw.*) **3.** (≈ *sich ereignen*) happen, take* place, occur [ə'kɜː] **4.** ***es ist noch keine Besserung*** *usw.* ***eingetreten*** there has been no improvement *usw.* as yet **5.** ***für etwas eintreten*** support something **6.** ***in ein Kloster eintreten*** enter (*oder* go* into) a monastery *bzw.* convent

Eintritt **1.** (≈ *Beitritt*) entry ['entrɪ] (***in*** into) **2.** ***Eintritt frei*** admission free

Eintrittsgeld **1.** admission fee **2.** *Sport*: gate money

Eintrittskarte ticket

eintrocknen dry up

eintrüben: ***es trübt sich ein*** it's clouding over, it's getting cloudy

einüben **1.** practise [⚠ præktɪs] **2.** rehearse [rɪ'hɜːs] (*Rolle*)

Einvernehmen agreement, understanding; ***im Einvernehmen mit*** in agreement with

einverstanden **1.** (***mit etwas***) ***einverstanden sein*** agree (to something); ***bist du damit einverstanden?*** do you agree?, do you accept that?; (***mit jemandem***) ***einverstanden sein*** accept someone **2.** ***er ist damit einverstanden, dass er bei uns bleibt*** he has agreed to stay with us **3.** ***ich bin damit einverstanden, dass du auf die Fete gehst*** *usw.* you can go to the party *usw.* as far as I'm concerned **4.** ***einverstanden!*** okay, all right

Einverständnis: ***sein Einverständnis geben*** (give* one's) consent [kən'sent] (***zu*** to)

Einwand objection (***gegen*** to); ***einen Einwand vorbringen*** raise an objection

Einwanderer immigrant ['ɪmɪgrənt]

einwandern immigrate ['ɪmɪgreɪt] (***nach***, ***in*** to)

Einwanderung immigration [͵ɪmɪ'greɪʃn] (***nach***, ***in*** to)

Einwanderungsland country open to immigrants ['ɪmɪgrənts]
einwandfrei 1. (≈ *fehlerfrei*) perfect, flawless **2.** ***er spricht einwandfrei Englisch*** his English is perfect; ***einwandfrei funktionieren*** work perfectly **3.** ***es steht einwandfrei fest, dass …*** there's no question that …
Einwegflasche non-returnable bottle

Einwegflasche

Da es in Großbritannien kaum Pfandflaschen (**returnable bottles**) gibt, sondern größtenteils Einwegflaschen, ist entsprechend selten die Rede von **non-returnable bottles**, sondern man sagt ganz einfach **bottles**.

einweichen soak
einweihen 1. (≈ *eröffnen*) open **2.** ***seine Wohnung einweihen*** have* a housewarming (*bzw.* flatwarming) party **3.** ***jemanden in ein Geheimnis einweihen*** let* someone in on a secret
Einweihungsfeier 1. (≈ *Eröffnungsfeier*) opening ceremony ['serəmənɪ] **2.** *für Haus usw.*: housewarming (*bzw.* flatwarming) party
einweisen 1. ***jemanden (in eine Aufgabe) einweisen*** show someone what to do **2.** ***jemanden ins Krankenhaus*** *usw.* ***einweisen*** admit someone to hospital *usw.* (⚠ *BE ohne* the)
Einweisung *in eine Aufgabe*: introduction (***in*** to)
einwenden 1. ***einwenden, dass …*** object [əb'dʒekt] *oder* argue that … **2.** ***ich habe nichts dagegen einzuwenden*** I have no objections **3.** ***wenn niemand etwas einzuwenden hat …*** if there are no objections (from anyone) …
einwerfen 1. throw* in (*Ball*) **2.** post, *AE* mail (*Brief*) **3.** put* in (*Geld*)
einwickeln 1. *wörtlich* wrap up [⚠ ˌræp'ʌp] (***in*** in) **2.** ***lass dich nicht von ihm einwickeln*** *übertragen* don't be taken in by him
Einwickelpapier wrapping [⚠ 'ræpɪŋ] paper
einwilligen agree, consent [kən'sent] (***in*** to)
Einwilligung approval [ə'pruːvl], consent [kən'sent]; ***seine Einwilligung zu etwas geben*** consent to something
einwirken: ***einwirken auf*** (≈ *beeinflussen*) influence
Einwirkung 1. (≈ *Einfluss*) influence (***auf*** on) **2.** (≈ *Wirkung*) effect (***auf*** on)
einwöchig week-long …, one-week …
Einwohner(in) inhabitant [ɪn'hæbɪtənt]
Einwohnermeldeamt residents' ['rezɪdənts] registration office
Einwurf *Fußball*: throw-in
Einzahl *Grammatik*: singular ['sɪŋgjʊlə]
einzahlen: ***ich möchte 50 Pfund auf dieses Konto einzahlen*** I'd like to pay £50 (*gesprochen* fifty pounds) into this account
Einzahlung payment
Einzahlungsschein ⒸⒽ postal money order
einzäunen fence in
Einzel *Tennis*: singles (⚠ *Sg.*)
Einzelbeispiel isolated case
Einzelbett single bed
Einzelfahrschein single-trip ticket
Einzelfall (≈ *Ausnahme*) isolated case
Einzelgänger(in) loner
Einzelhaft solitary ['sɒlətrɪ] confinement
Einzelhandel retail trade ['riːteɪl‿treɪd]
Einzelhaus detached [dɪ'tætʃt] house
Einzelheit detail ['diːteɪl]; ***nähere Einzelheiten*** further ['fɜːðə] details
Einzelkind: ***ein Einzelkind*** an only child
einzeln 1. (≈ *für sich allein*) individual [ˌɪndɪ'vɪdʒʊəl]; ***jedes einzelne Stück*** each individual piece **2.** (≈ *einzig*) single **3.** (≈ *abgetrennt*) separate ['seprət] **4.** (≈ *abgeschieden*) isolated
Einzelne(r, -s) 1. ***der Einzelne*** the individual [ˌɪndɪ'vɪdʒʊəl]; ***jeder Einzelne*** every single person **2.** ***Einzelne*** (≈ *manche*) some, isolated … **3.** ***im Einzelnen*** in detail ['diːteɪl]
Einzelperson individual [ˌɪndɪ'vɪdʒʊəl]
Einzelunterricht private ['praɪvət] lessons (⚠ *Pl.*); ***er bekommt Einzelunterricht*** he has private lessons
Einzelzelle *im Gefängnis*: solitary cell [ˌsɒlətrɪ'sel]
Einzelzimmer single room
einziehen 1. *in eine Wohnung usw.*: move in; ***einziehen in*** move into **2.** draw* in (*Krallen, Fühler*) **3.** thread [⚠ θred] (*Faden, Gummiband*) **4.** ***zieh den Kopf ein!*** duck (your head); ***zieh den Bauch ein!*** *umg.* pull your stomach ['stʌmək] in **5.** (*Flüssigkeit*) soak in **6.** *zum Militär*: call up, *AE* draft (*jemanden*) **7.** put* up (*Wand*)
einzig 1. only; ***mein einziger Freund*** my (one and) only friend **2.** ***ein einziges Buch*** (just) one book; ***kein einziger Fehler*** not one (*oder* a single) mistake **3.** ***ein einziges Mal*** just once **4.** ***das einzig Gute daran ist …*** the only good (*oder* positive) thing about it is …

einzigartig unique [⚠ juːˈniːk]
Einzige(r, -s) 1. ***der Einzige, die Einzige*** the only one, the only person; ***kein Einziger*** *Person*: nobody at all **2.** ***das Einzige*** the only thing
Einzimmerappartement, Einzimmerwohnung one-room flat (*bes. AE* apartment), *BE auch* bedsit(ter) [ˌbedˈsɪt(ə)], studio [ˈstjuːdɪəʊ] flat, *AE auch* studio apartment
Einzugsverfahren *Bankwesen*: direct debit(ing) [ˌdaɪrektˈdebɪt(ɪŋ)]
Eis 1. ice **2.** (≈ *Speiseeis*) ice cream; ***zwei Eis bitte*** two ice creams, please **3.** *Wendungen*: ***auf Eis legen*** put* on ice; ***das Eis brechen*** *übertragen* break* the ice
Eis... *in Zusammensetzungen*: ice…, ice-…, ice …; ***Eisbahn*** ice-skating rink; ***Eisberg*** iceberg [ˈaɪsbɜːg]; ***Eisbeutel*** ice bag, ice pack; ***Eisbrecher*** icebreaker; ***Eishockey*** ice hockey, *AE* hockey; ***Eiskrem*** ice cream; ***Eislauf*** ice-skating [ˈaɪsˌskeɪtɪŋ]; ***Eisrevue*** ice show; ***Eiswürfel*** ice cube; ***Eiszeit*** ice age
Eisbär polar bear [ˌpəʊləˈbeə]
Eisbecher (≈ *Eis mit Früchten usw.*) sundae [⚠ ˈsʌndeɪ]
Eisbein *Essen*: pickled knuckle [⚠ ˈnʌkl] of pork
Eisbergsalat iceberg lettuce [ˌaɪsbɜːgˈletɪs]
Eisbombe bombe glacée [⚠ ˌbɒmˈglæseɪ]
Eiscafé, Eisdiele ice-cream parlour [ˈpɑːlə]
Eischnee (≈ *geschlagenes Eiweiß*) beaten egg white
Eisen *allg.*: iron [ˈaɪən] (⚠ r *ist stumm*)
Eisenbahn railway, *AE* railroad; ***mit der Eisenbahn*** by rail, by train
Eisenerz iron ore [ˌaɪənˈɔː]
eisern 1. *wörtlich und übertragen* iron [ˈaɪən] **2.** ***eiserne Nerven*** nerves of steel
Eisfach freezing compartment
eisfrei free of ice, ice-free …; ***eisfreier Hafen*** ice-free harbour
Eishockey *BE* ice hockey, *AE* hockey
eisig 1. *wörtlich und übertragen* icy [ˈaɪsɪ]; ***eisiges Schweigen*** an icy (*oder* a frosty) silence **2.** ***eisig kalt*** ice-cold, icy cold
Eiskaffee iced coffee
eiskalt 1. *wörtlich* ice-cold **2.** *Blick usw.*: icy
Eiskunstlauf figure skating [ˈfɪgəˌskeɪtɪŋ]
Eiskunstläufer(in) figure skater [ˈfɪgəˌskeɪtə]
Eislauf ice-skating
Eisläufer(in) ice-skater
Eisprung ovulation [ˌɒvjʊˈleɪʃn]
Eisrevue ice show
Eissalat iceberg lettuce [ˌaɪsbɜːgˈletɪs]
Eisschnelllauf speed skating
Eisschnellläufer(in) speed skater
Eisschrank fridge [frɪdʒ], *AE* refrigerator [rɪˈfrɪdʒəreɪtə]
Eistanz(en) ice dancing
Eistee iced tea, ice tea
Eisverkäufer(in) ice-cream seller
Eiswürfel ice cube
Eiszapfen icicle [ˈaɪsɪkl]
Eiszeit ice age, glacial period [ˌgleɪʃlˈpɪərɪəd]
eitel *Mensch*: vain
Eitelkeit vanity [ˈvænətɪ]
Eiter pus [pʌs]
eitern (*Wunde usw.*) fester
Eiweiß 1. ↔ *Eigelb*: white of an egg, egg-white; ***du brauchst vier Eiweiß*** you need four egg-whites **2.** *Biologie, Chemie*: protein [⚠ ˈprəʊtiːn]; ***pflanzliches Eiweiß*** vegetable protein; ***tierisches Eiweiß*** animal protein
eiweißarm low in protein [ˈprəʊtiːn]; ***eiweißarme Kost*** *usw.* low-protein diet [ˈləʊˌprəʊtiːnˈdaɪət] *usw.*
Eiweißbedarf protein [ˈprəʊtiːn] requirement
Eiweißmangel protein deficiency [ˈprəʊtiːn‿dɪˌfɪʃnsɪ]
eiweißreich rich in protein [ˈprəʊtiːn]; ***eiweißreiche Kost*** *usw.* high-protein diet [ˈhaɪˌprəʊtiːnˈdaɪət] *usw.*
Eizelle *Biologie*: egg cell, ovum [ˈəʊvəm] *Pl.*: ova [ˈəʊvə]
Ejakulation ejaculation [ɪˌdʒækjʊˈleɪʃn]
Ekel[1] *Gefühl*: disgust, revulsion (***vor*** at)
Ekel[2] *Person*: obnoxious [əbˈnɒkʃəs] person; ***er ist ein Ekel*** he's disgusting
ekelhaft, ekelig 1. (≈ *Ekel erregend*) revolting, disgusting **2.** *Wetter usw.*: nasty
ekeln: ***es ekelt mich vor ihm*** *umg.* he gives me the creeps
EKG *Medizin*: ECG [ˌiːsiːˈdʒiː], *AE* EKG [ˌiːkeɪˈdʒiː]
Eklat 1. (≈ *Skandal*) scandal [ˈskændl] **2.** (≈ *Krach*) confrontation, row [⚠ raʊ]
eklatant *abwertend*; *Fehler, Unterschied usw.*: blatant [ˈbleɪtnt], glaring
Ekstase ecstasy [ˈekstəsɪ]; ***in Ekstase geraten*** go* into ecstasies (⚠ *Pl.*)
Elan vigour [⚠ ˈvɪgə]
elastisch elastic, (≈ *biegsam*) flexible
Elastizität elasticity [ˌiːlæˈstɪsətɪ], (≈ *Biegsamkeit*) flexibility
Elch 1. *allg.*: elk **2.** *nordamerikanischer*: moose [muːs]
Electronic Banking electronic banking
Elefant 1. elephant [ˈelɪfənt] **2.** *Wendungen*: ***du machst aus einer Mücke einen Elefanten*** you're making a mountain out

of a molehill; ***er benimmt sich wie ein Elefant im Porzellanladen*** he's like a bull [bʊl] in a china shop
elegant 1. elegant ['elɪgənt] (*auch übertragen*), smart **2. *auf elegante Weise*** *übertragen* elegantly **3. *sie hat sich elegant aus der Affäre gezogen*** she got out of it nicely
Eleganz elegance ['elɪgəns]
elektrifizieren electrify [ɪ'lektrɪfaɪ]
Elektrifizierung electrification [ɪˌlektrɪfɪ'keɪʃn]
Elektriker(in) electrician [ɪˌlek'trɪʃn]
elektrisch 1. electric, electrical; ***elektrische Energie*** electrical energy **2. *elektrisch geladen*** electrically charged
Elektrizität electricity [ɪˌlek'trɪsətɪ]
Elektrizitätswerk (electric) power station
Elektroauto electric car
Elektrogerät electrical appliance [ə'plaɪəns]
Elektrogeschäft electrical shop (*AE* store)
Elektromagnet electromagnet [ɪˌlektrəʊ'mægnɪt]
Elektromotor (electric) motor ['məʊtə]
Elektronik 1. *als Fach, Gebiet*: electronics [ɪˌlek'trɒnɪks] (⚠ *mit Sg.*); ***er arbeitet in der Elektronik*** he works in electronics (⚠ *ohne* the) **2.** *in einem Flugzeug usw.*: electronics (⚠ *mit Pl.*)
elektronisch 1. electronic [ɪˌlek'trɒnɪk] **2. *elektronisches Geld*** e-cash ['iːkæʃ], electronic cash
Elektrorasierer electric razor ['reɪzə]
Elektroschock electric shock
Elektrosmog electronic smog
Elektrotechnik electrical engineering
Elektrotechniker(in) electrical engineer
Element 1. *allg.*: element ['elɪmənt] **2. *er ist in seinem Element*** *übertragen* he's in his element
elementar (≈ *grundlegend*) elementary [ˌelɪ'mentərɪ], basic; ***elementarer Fehler*** basic mistake
Elend 1. misery ['mɪzərɪ] **2. *soziales Elend*** social hardship
elend miserable ['mɪzrəbl], wretched [⚠ 'retʃɪd]; ***in elenden Verhältnissen leben*** live in wretched conditions
Elendsviertel slum, slums (*Pl.*)
elf eleven [ɪ'levn]
Elf 1. (number) eleven **2.** *Bus, Straßenbahn usw.*: number eleven bus, number eleven tram *usw.*
Elfenbein ivory ['aɪvərɪ]
Elfenbeinküste: ***die Elfenbeinküste*** (the) Ivory Coast [ˌaɪvərɪ'kəʊst], *politisch korrekt*: Côte d'Ivoire [ˌkəʊt‿diː'vwɑː]
Elfenbeinturm: ***im Elfenbeinturm leben*** *übertragen* live in an ivory ['aɪvərɪ] tower
Elfmeter *Fußball*: penalty ['penltɪ] kick
Elfmeterschießen penalty ['penltɪ] shoot-out
elfte(r, -s) eleventh [ɪ'levnθ]; ***11. Mai*** 11(th) May, May 11(th) (⚠ *gesprochen* the eleventh of May); ***am 11. Mai*** on 11(th) May, on May 11(th) (⚠ *gesprochen* on the eleventh of May)
Elfte(r) 1. (the) eleventh **2. *er war Elfter*** he was (*oder* came in) eleventh **3. *heute ist der Elfte*** it's the eleventh today
Elite elite [⚠ eɪ'liːt]
Eliteeinheit *Militär*: crack troops (⚠ *Pl.*), crack unit
Ellbogen elbow ['elbəʊ]; ***am Ellbogen*** on one's elbow
Ellbogenfreiheit *auch übertragen* elbowroom ['elbəʊruːm], room to move
Ellbogengesellschaft dog-eat-dog society
Ellbogenschoner *Sport*: elbow ['elbəʊ] pad
Ellipse ellipse [ɪ'lɪps]
Elsass Alsace [æl'sæs]; ***im Elsass*** in Alsace (⚠ *ohne* the)
Elsässer(in), elsässisch Alsatian [æl'seɪʃn]; ☞ ***Nationalitäten***
Elster *Vogel*: magpie ['mægpaɪ]
Eltern parents
Elternabend parent-teacher meeting
E-Mail e-mail, E-mail, email; ***du kannst mir auch eine E-Mail schicken*** you can also send me an e-mail, you can also e-mail me; ☞ *Info S. 650*
E-Mail-Adresse e-mail address [ə'dres]
Email enamel [⚠ ɪ'næml]
Emanze *umg., frauenfeindlich* women's libber [ˌwɪmɪnz'lɪbə]
Emanzipation emancipation [ɪˌmænsɪ'peɪʃn]; ***die Emanzipation der Frau*** women's lib, *förmlicher* women's liberation
emanzipiert emancipated [ɪ'mænsɪpeɪtɪd]
Embargo: ***ein Embargo verhängen über*** place (*oder* impose) an embargo on
Embryo embryo ['embrɪəʊ]
Emigrant(in) 1. emigrant ['emɪgrənt] **2.** (≈ *politischer Flüchtling*) refugee [ˌrefjʊ'dʒiː], émigré ['emɪgreɪ]
Emigration: ***in der Emigration*** in exile ['eksaɪl]; ***in die Emigration gehen*** go* into exile (⚠ *beide ohne* the)
emigrieren emigrate ['emɪgreɪt]
Emir emir [e'mɪə]
Emirat emirate ['emərət]
Emission *von Schadstoffen usw.*: emission

E

E-Mail

Von: Vicky Preston ⟨vicp1985@btinternet.com⟩ An: „Laura Buchmann" laura.buchmann@stud.tu-muenchen.de⟩ Subject (*Thema*): Willkommen im Netz! Datum: Mittwoch, 5. Mai 2002 Bytes: 2K	**From: Vicky Preston** ⟨vicp1985@btinternet.com⟩ **To: "Laura Buchmann"** ⟨laura.buchmann@stud.tu-muenchen.de⟩ **Subject: Welcome to the Net!** **Date: Wed, 5 May 2002** **Bytes: 2K**
Hi Laura!	**Hi Laura!**
Also bist du jetzt endlich im Internet – stark! Jetzt können wir stundenlang quatschen, ohne dass es ein Vermögen kostet. :-) (*steht für einen Smiley, also ein Lächeln*) Jetzt aber schreibe ich erst einmal online, deshalb ganz schnell:	**So you're on the Internet at last – cool! Now we can gossip for hours without it costing a fortune. :-) I'm writing on-line now though, so just quickly:**
〉 … nun hab ich das Halbfinale doch nicht erreicht.	〉 **… but I didn't get through to the** 〉 **semi-finals.**
Mist.	**Bummer.**
〉 Ich glaube nicht, dass meine Eltern mich Camping machen lassen.	〉 **I don't think my parents will let me** 〉 **go camping.**
Das weißt du doch gar nicht. Frag sie einfach! Du solltest es wenigstens versuchen.	**You'll never know for sure unless you ask them! There's no harm in trying.**
〉 Noch mit Johnny zusammen?	〉 **Still with Johnny?**
Nein. Wir haben uns letzte Woche getrennt, aber wir bleiben Freunde.	**No. We split up last week but we're going to stay friends.**
Nächstes Mal schreibe ich mehr.	**Will write more next time.**
Bis bald xxxxx Vic (*ein „x" steht für einen Kuss*)	**CU** (= *see you*) **xxxxx Vic**

Emoticon *Computer*: emoticon
Emotion emotion
emotional, **emotionell** emotional
emotionslos unemotional
Empfang 1. (≈ *Erhalt*) receipt [⚠ rɪ'siːt] **2.** (≈ *Begrüßung*) welcome; ***jemandem einen begeisterten Empfang bereiten*** give* someone an enthusiastic reception **3. *einen Empfang geben*** (≈ *Veranstaltung*) give* (*oder* hold*) a reception **4.** *Radio usw.*: reception **5.** *im Hotel usw.*: reception (desk)
empfangen 1. (≈ *erhalten*) receive [rɪ'siːv] **2.** (≈ *begrüßen*) welcome ['welkəm] **3.** *Radio usw.*: receive, get*
Empfänger(in) 1. *allg.*: recipient [rɪ'sɪpɪənt] **2.** *eines Briefes usw.*: addressee [ˌædres'iː]
Empfängnis conception
empfängnisverhütend: ***empfängnisverhütendes Mittel*** contraceptive [ˌkɒntrə'septɪv]
Empfängnisverhütung contraception [ˌkɒntrə'sepʃn]
Empfangshalle reception hall
empfehlen recommend [ˌrekə'mend]
empfehlenswert recommendable [ˌrekə'mendəbl], (≈ *ratsam*) advisable
Empfehlung recommendation [ˌrekəmen'deɪʃn]
empfinden 1. *allg.*: feel* **2. *ich empfinde für ihn nichts*** I don't feel anything for him **3. *was empfindest du dabei?*** how does it make you feel?
empfindlich 1. (≈ *sensibel*, *feinfühlig*) sensitive (***gegen, gegenüber*** to) **2. *er ist ziemlich empfindlich*** (≈ *leicht gekränkt*) he's very sensitive, he's easily offended **3.** (≈ *zart*) delicate ['delɪkət]
empfindsam 1. (≈ *sensibel*, *feinfühlig*)

sensitive ['sensətɪv] **2.** (≈ *gefühlvoll*) sentimental [ˌsentɪ'mentl]
Empfindung *übertragen* feeling
empor 1. up, upwards ['ʌpwədz] **2.** *in Zusammensetzungen* → ***hoch…***, ***hinauf…***
empört (≈ *entrüstet*) indignant [ɪn'dɪgnənt], outraged ['aʊtreɪdʒd]
Empörung indignation, outrage ['aʊtreɪdʒ]
emsig 1. busy ['bɪzɪ] **2.** (≈ *eifrig*) eager, keen
E-Musik serious ['sɪərɪəs] (*oder* classical) music
Ende 1. *allg.*: end **2.** *Film usw.*: ending **3.** (≈ *Ergebnis*) result, outcome **4.** ***Ende Januar*** *usw.* at the end of January *usw.* **5.** ***Ende der Sechzigerjahre*** in the late sixties **6.** ***er ist Ende zwanzig*** he's in his late twenties **7.** ***am Ende*** *zeitlich*: in the end, (≈ *schließlich*) eventually [ɪ'ventʃʊəlɪ]; ***am Ende mussten wir zu Fuß dorthin*** we ended up having to walk there **8.** ***ich bin am Ende*** *übertragen* I'm finished, *umg.* I've had it **9.** ***letzten Endes*** after all, in the end **10.** ***die Party ist zu Ende*** the party's over **11.** ***ich will den Satz nur noch zu Ende schreiben*** let me just finish (writing) this sentence **12.** *Wendungen*: ***das dicke Ende kommt noch*** the worst is yet to come; ***das Ende vom Lied war …*** the end of the story was …; ***er wohnt am Ende der Welt*** *umg.* he lives at the back of beyond
Endeffekt: ***im Endeffekt*** in the final analysis [⚠ ə'næləsɪs]
enden 1. (≈ *zu Ende gehen*) (come* to an) end **2.** (≈ *aufhören*) finish, stop **3.** ***es endete damit, dass sie umzogen*** the result was that they moved, it ended up with them moving
Endergebnis final result (*auch Sport und Mathe*)
endgeil *salopp* wicked [⚠ 'wɪkɪd], *hinter dem Verb* sein: the tops, *AE* phat [fæt]
endgültig 1. *Entscheidung usw.*: final **2.** *Beweis*: conclusive **3.** ***das steht endgültig fest*** that's definite ['defənət] **4.** ***damit ist die Sache endgültig entschieden*** that settles the matter once and for all
Endivie *Pflanze*: endive ['endɪv]
Endlager(stätte) final disposal site
endlagern: ***radioaktive Abfälle endlagern*** permanently ['pɜːmənəntlɪ] dispose of radioactive waste
Endlagerung: ***Endlagerung von radioaktivem Material*** final disposal of nuclear waste
endlich 1. finally, at last **2.** ***hör endlich auf!*** stop it, will you! **3.** (≈ *begrenzt*) limited
endlos 1. endless, never-ending **2.** ***es zog sich endlos hin*** it went on forever
Endrunde, **Endspiel** *Sport*: final, finals (*Pl.*)
Endspurt final spurt [spɜːt] (*auch übertragen*), finish
Endstadium: ***im Endstadium*** in the final stages (⚠ *Pl.*)
Endstation terminus ['tɜːmɪnəs], *AE* end of the line
Endung *Grammatik*: ending
Endziel final objective [əb'dʒektɪv], ultimate goal [ˌʌltɪmət'gəʊl]
Energie 1. *allg.*: energy **2.** *elektrische*: energy, power **3.** *übertragen* energy, drive
Energie… *in Zusammensetzungen*: energy ['enədʒɪ] …; ***Energiebedarf*** energy demand, energy requirement, energy requirements (*Pl.*); ***Energiekrise*** energy crisis; ***Energiepolitik*** energy policy; ***Energiereserven*** energy reserves; ***Energieverbrauch*** energy consumption; ***Energieversorgung*** energy supply
energisch (≈ *entschlossen*) forceful
eng 1. ↔ *breit* narrow (*auch übertragen*) **2.** (≈ *beengt*, *voll*) cramped, crowded **3.** *Kleidung usw.*: tight **4.** *Freund*, *Kontakt usw.*: close [kləʊs]; ***sie sind eng befreundet*** they're close friends **5.** ***das darfst du nicht so eng sehen*** you've got to take a broader view, (≈ *nicht so ernst nehmen*) don't take it so seriously
Engagement 1. *übertragen* commitment **2.** *am Theater usw.*: engagement
engagieren 1. engage (*Künstler*) **2.** ***sie engagiert sich in der Politik*** *usw.* she's very involved in politics *usw.*
engagiert committed, dedicated (⚠ *engl.* engaged = ***verlobt***)
Enge 1. *Zustand*: narrowness (*auch übertragen*) **2.** (≈ *enge Stelle*) narrow passage, *auch übertragen* bottleneck **3.** ***jemanden in die Enge treiben*** drive* someone into a corner
Engel angel ['eɪndʒl] (*auch übertragen*)
England England ['ɪŋglənd]; ☞ *Illu S. 293*
Engländer 1. Englishman ['ɪŋglɪʃmən]; ***er ist Engländer*** he's English, he's an Englishman **2.** ***die Engländer*** the English; ☞ ***Nationalitäten***
Engländerin Englishwoman, English lady (*bzw.* girl); ***sie ist Engländerin*** she's English; ☞ ***Nationalitäten***
englisch 1. English, *auf Großbritannien bezogen*: British **2.** ***englisch reden*** talk (in) English
Englisch English, the English language; ***auf*** (*bzw.* ***in***) ***Englisch*** in English; ☞ *Info S. 652*

E

E

Britisches und amerikanisches Englisch

Die mit einem Sternchen* gekennzeichneten Wörter werden auch im britischen Englisch – besonders in den Medien – verwendet.

Deutsch	**Britisch**	**Amerikanisch**
Abfall	**rubbish**	**garbage***
Apotheke	**chemist's**	**drugstore**
Aufzug	**lift**	**elevator**
Autobahn	**motorway**	**highway, freeway**
Benzin	**petrol**	**gas, gasoline**
Bonbon	**sweet**	**candy**
Briefkasten	**letterbox, postbox**	**mailbox**
Brieftasche	**wallet**	**billfold**
Bürgersteig	**pavement**	**sidewalk**
Chips	**crisps**	**potato chips**
City, Innenstadt	**city centre**	**downtown**
Entschuldigung!	**sorry**	**excuse me**
Fahrplan	**timetable**	**schedule**
Schule: Ferien	**holidays** *Pl.*	**vacation**
Kino: Film	**film**	**movie***
Führerschein	**driving licence**	**driver's license**
Fußball	**football**	**soccer***
Gaspedal	**accelerator**	**gas pedal**
Geldschein	**note**	**bill**
Geschäft	**shop**	**store***
Gleis(e)	**rails**	**tracks***
Handtasche	**handbag**	**purse**
Herbst	**autumn**	**fall**
Hose	**trousers**	**pants**
Keks	**biscuit**	**cookie**
Kinderwagen	**pram**	**baby carriage**
Kino	**cinema**	**movie theater**
Kofferraum	**boot**	**trunk**
Laden	**shop**	**store**
Marmelade	**jam**	**jelly**
Natürlich!	**of course**	**sure***
Pommes frites	**chips**	**(French) fries***
Postleitzahl	**postcode**	**zip code**
Privatschule	**public school**	**private school**

Punkt	**full stop**	**period**, *bei Internet-Adressen*: **dot***
Radiergummi	**rubber**	**eraser***
Restaurant: Rechnung	**bill**	**check**
Reißverschluss	**zip**	**zipper**
Talkshow	**chat show**	**talk show**
Tankstelle	**petrol station**	**gas station**
Taschenlampe	**torch**	**flashlight**
Taxi	**taxi**	**cab***
U-Bahn	**underground**	**subway**
Unterhemd	**vest**	**undershirt**
Urlaub	**holiday**	**vacation**
Watte	**cotton wool**	**cotton**
W.C.	**toilet**	**bathroom, restroom**
Weste	**waistcoat**	**vest**
Wie bitte?	**pardon?, sorry?**	**excuse me?**
Windel	**nappy**	**diaper**
Wohnung	**flat**	**apartment***

englisch-deutsch 1. *politisch*: Anglo-German **2.** *sprachlich*: English-German

Englischunterricht English lesson (*oder* lessons *Pl.*), English class (*oder* classes *Pl.*); ***wann hast du Englischunterricht?*** when's your English class?

Engpass *übertragen* bottleneck (***in*** in)

engstirnig narrow-minded

Enkel grandchild ['græntʃaɪld], (≈ *Enkelsohn*) grandson ['grænsʌn]

Enkelin, **Enkeltochter** granddaughter ['græn͵dɔːtə]

Enklave enclave ['enkleɪv]

enorm 1. (≈ *riesig*) enormous, huge [hjuːdʒ] **2.** *umg.* (≈ *herrlich*) tremendous [trə'mendəs] **3.** ***enorm viel Geld*** a huge amount of money

Ensemble ensemble [ɒn'sɒmbl], (≈ *Besetzung*) cast

entbehren: ***könntest du den Computer*** *usw.* ***ein paar Stunden entbehren?*** could you spare the computer *usw.* for a few hours?

entbehrlich dispensable, (≈ *überflüssig*) superfluous [⚠ suː'pɜːfluəs]

Entbehrung deprivation [͵deprɪ'veɪʃn]

entbinden: ***sie hat gestern entbunden*** she had her baby yesterday

Entbindung *bei einer Frau*: delivery [dɪ'lɪvrɪ]

entdecken 1. discover (*Land*, *Gesuchtes*) **2.** find*, spot (*Fehler usw.*) **3.** (≈ *herausfinden*) discover, find* out

Entdecker(in) discoverer [dɪ'skʌvərə]

Entdeckung: (***meine neueste***) ***Entdeckung*** (my latest) discovery [dɪ'skʌvərɪ]

Ente 1. duck (*auch als Essen*) **2.** (≈ *Zeitungsente*) hoax [həʊks]

enteignen dispossess [͵dɪspə'zes] (*jemanden*)

Enteignung *des Besitzers*: dispossession

enteisen 1. defrost [͵diː'frɒst] (*Autoscheibe*) **2.** *Flugzeug*: de-ice [͵diː'aɪs]

Entenbraten roast duck

enterben disinherit [͵dɪsɪn'herɪt]

entern board (*ein Schiff*)

Enter-Taste *Computer*: enter key, return key

Entertainer(in) entertainer [͵entə'teɪnə]

entfachen 1. kindle [⚠ 'kɪndl] (*Feuer*) **2.** provoke, spark off (*Diskussion usw.*)

entfalten 1. develop [dɪ'veləp] (*Fähigkeiten usw.*) **2.** ***sich entfalten*** *übertragen* develop, unfold

Entfaltungsmöglichkeiten opportunities for development

entfernen 1. remove [rɪ'muːv] (*auch übertragen*), take* away **2.** ***sich entfernen*** go* away, leave* **3.** ***sich*** (***voneinander***) ***entfernen*** *übertragen* drift apart **4.** *Computer*: delete (*Zeichen usw.*)

Entfernentaste *Computer*: delete key

entfernt 1. distant ['dɪstənt] (*auch übertragen*) **2.** (≈ *entlegen*) remote [rɪ'məʊt] **3.** ***20 Meilen entfernt vom nächsten Dorf*** twenty miles away from the next village

Entfernung 1. (≈ *Abstand*) distance ['dɪstəns]; ***in einer Entfernung von*** at a distance of; ***aus der Entfernung*** from (*oder* at) a distance; ***aus kurzer*** (*bzw.* ***großer***) ***Entfernung*** at short (*bzw.* long) range **2.** (≈ *Beseitigung*) removal [rɪ'muːvl]

entflechten disentangle [ˌdɪsɪn'tæŋgl] (*auch übertragen*)

entführen 1. kidnap **2.** hijack (*Flugzeug*)

Entführer(in) 1. kidnapper **2.** *eines Flugzeugs*: hijacker ['haɪdʒækə]

Entführung 1. kidnapping **2.** *eines Flugzeugs*: hijacking ['haɪdʒækɪŋ]

entgegen 1. ***entgegen allen Erwartungen*** *usw.* contrary ['kɒntrərɪ] to all expectations *usw.* **2.** *Richtung*: towards [tə'wɔːdz]

entgegengehen 1. ***du kannst ihr ein Stück entgegengehen*** you can go and meet her on the way **2.** face (*einer Gefahr*) **3.** ***entgegen dem Uhrzeigersinn*** anticlockwise, in an anticlockwise direction **4.** ***der Krieg*** *usw.* ***ging langsam dem Ende entgegen*** the war *usw.* was drawing to a close [kləʊs]

entgegengesetzt 1. *Richtung*, *Ende*: opposite ['ɒpəzɪt] **2.** *Meinungen usw.*: opposing [ə'pəʊzɪŋ], contradictory [ˌkɒntrə'dɪktərɪ]

entgegenkommen 1. ***du könntest mir ein Stück entgegenkommen*** *wörtlich* you could come and meet me on the way **2.** ***jemandem entgegenkommen*** *übertragen* oblige [ə'blaɪdʒ] someone

entgegennehmen accept [ək'sept], take*

entgegensehen 1. await **2.** ***einer Sache mit Freude entgegensehen*** look forward to something (*bzw.* to doing something)

entgegenstehen: ***dem steht nichts entgegen*** I can't see any reason why not

entgegentreten 1. oppose (*einer Sache*) **2.** take* steps against (*Missständen usw.*) **3.** counter (*Vorwürfen*, *Drohungen usw.*)

entgegenwirken counteract [ˌkaʊntə(r)'ækt], *stärker*: fight*

entgegnen reply, *schlagfertig*, *kurz*: retort

entgehen 1. ***einer Strafe*** (*bzw.* ***Gefahr***) ***entgehen*** escape [ɪ'skeɪp] punishment (*bzw.* danger) (⚠ *ohne* a) **2.** ***ihm entging nichts*** he didn't miss a thing **3.** ***er ließ sich die Gelegenheit nicht entgehen*** he seized [siːzd] (*umg.* grabbed) the opportunity

entgeistert 1. aghast [ə'gɑːst], dumbfounded [dʌm'faʊndɪd]; **2.** ***warum siehst du mich so entgeistert an?*** why do you look so surprised [sə'praɪzd] (*oder* shocked)?

entgiften detoxify [ˌdiː'tɒksɪfaɪ], *von Gasen usw.*: decontaminate [ˌdiːkən'tæmɪneɪt]

entgleisen 1. ***gestern ist ein Zug entgleist*** a train was derailed [diː'reɪld] yesterday **2.** *übertragen* commit a faux pas [ˌfəʊ'pɑː]

Entgleisung 1. *Zug*: derailment **2.** *übertragen* faux pas [ˌfəʊ'pɑː]

enthalten 1. (≈ *beinhalten*) contain **2.** (≈ *fassen*) hold* **3.** (≈ *umfassen*) comprise **4.** ***das ist im Preis enthalten*** it's included in the price **5.** ***sich der Stimme enthalten*** abstain [əb'steɪn]

enthaltsam *allg.*: abstinent ['æbstɪnənt], *sexuell auch*: chaste [tʃeɪst]

Enthaltsamkeit *allg.*: abstinence ['æbstɪnəns], *sexuelle auch*: chastity ['tʃæstətɪ]

enthaupten behead [bɪ'hed], decapitate [dɪ'kapɪteɪt]

Enthauptung beheading, decapitation

enthüllen 1. unveil [ˌʌn'veɪl] (*Statue usw.*) **2.** (≈ *zeigen*) show **3.** *übertragen* reveal, (≈ *aufdecken*) bring* to light

Enthüllung 1. *einer Statue usw.*: unveiling [ˌʌn'veɪlɪŋ] **2.** *übertragen* disclosure (+*Gen.* of); ***Enthüllungen*** disclosures (***über*** about) (*auch in der Presse*)

Enthusiasmus enthusiasm [ɪn'θjuːzɪæzm]

enthusiastisch enthusiastic [ɪnˌθjuːzɪ'æstɪk]

entkalken descale [ˌdiː'skeɪl]

Entkalker descaler [ˌdiː'skeɪlə]

entkernen 1. (≈ *entsteinen*) stone **2.** core (*Äpfel*) **3.** seed, *AE* pit (*Trauben usw.*)

entkleiden: (***sich***) ***entkleiden*** undress

entkommen: ***jemandem*** *bzw.* ***einer Sache entkommen*** escape [ɪ'skeɪp] (*oder* get* away) from someone *bzw.* something

Entkommen: ***da gibt es kein Entkommen*** there's no escaping [ɪ'skeɪpɪŋ]

entkorken uncork

entkräften refute [rɪ'fjuːt] (*Behauptung*, *These usw.*)

entladen unload (*Schiff*, *Gewehr*)

entlang 1. ***die Küste*** (*bzw.* ***die Straße*** *usw.*) ***entlang*** along the coast (*bzw.* the street *usw.*) **2.** ***hier entlang, bitte!*** this way, please

entlang… *in Zusammensetzungen*: … along; ***entlanggehen*** (***an***), ***entlanglaufen*** (***an***) go* (*oder* walk) along; ***entlangfahren*** (***an***) drive* along

entlarven unmask, expose
entlassen 1. dismiss, *umg.* fire (*Arbeitskräfte*) **2.** release [rɪ'liːs] (*Gefangene*) **3.** discharge [dɪs'tʃɑːdʒ] (*Patienten*) (***aus*** from)
Entlassung 1. *von Arbeitskräften*: dismissal **2.** *eines Gefangenen*: release **3.** *eines Patienten*: discharge ['dɪstʃɑːdʒ]
entlasten 1. ***jemanden entlasten*** (≈ *Arbeit abnehmen*) relieve someone (***von*** of), take* some of the pressure off someone **2.** ***den Verkehr entlasten*** ease the traffic load
Entlastung *von der Arbeit usw.*: relief; ***das ist für mich eine Entlastung*** that eases my (work)load
Entlastungszug relief train
entlegen remote
entlehnen borrow (*Wort, Idee usw.*) (+ *Dat.*, ***aus, von*** from)
Entlehnung borrowing (***aus*** from)
entlocken: ***jemandem etwas entlocken*** coax [kəʊks] something out of someone
entlohnen pay*
entmachten: ***jemanden entmachten*** strip someone of his (*bzw.* her) political power
entmilitarisieren demilitarize [diː'mɪlɪtəraɪz]
Entmilitarisierung demilitarization
entmutigen discourage [dɪs'kʌrɪdʒ]; ***lass dich nicht entmutigen*** don't be put off
Entnazifizierung denazification [diːˌnɑːtsɪfɪ'keɪʃn]
entnehmen 1. *wörtlich* take* (+ *Dat.* from, out of) **2.** (≈ *folgern*) take* it (+ *Dat.* from), gather (+ *Dat.* from); ***ich entnehme Ihren Worten, dass Sie …*** I take it (from what you say) that you …
entnervt enervated ['enəveɪtɪd]
entpacken *Computer*: unzip [ˌʌn'zɪp] (*Datei*)
entpuppen: ***die Sache hat sich als Schwindel*** *usw.* ***entpuppt*** it turned out to be a swindle *usw.*
entreißen: ***jemandem etwas entreißen*** snatch something from someone (*auch übertragen*)
entriegeln unlock, release [rɪ'liːs]
Entriegelung unlocking, release [rɪ'liːs]
entrollen 1. *allg.*: unroll **2.** unfurl (*Fahne, Segel usw.*)
entrosten remove the rust from
Entsafter juice [dʒuːs] extractor, *bes. AE* juicer
entschädigen compensate ['kɒmpənseɪt] (***für*** for) (*auch übertragen*)
Entschädigung compensation (*auch übertragen*)
entschärfen 1. defuse [ˌdiː'fjuːz] (*Bombe, übertragen Lage*) **2.** tone down (*Diskussion, Kritik*) **3.** ***die Lage entschärft sich*** the situation is easing
entscheiden 1. decide, *endgültig*: settle **2.** ***über etwas entscheiden*** decide (on) something **3.** ***das musst du entscheiden*** that's up to you **4.** ***sich für etwas entscheiden*** decide on something; ***wir haben uns entschieden, nicht hinzugehen*** we('ve) decided not to go (*oder* against going) **5.** ***das wird sich morgen entscheiden*** that'll be decided (*oder* settled) tomorrow
entscheidend 1. (≈ *ausschlaggebend*) decisive [dɪ'saɪsɪv] (***für*** for, in) **2.** (≈ *kritisch*) crucial ['kruːʃl] **3.** *Augenblick*: critical **4.** *Fehler usw.*: fatal ['feɪtl] **5.** *Problem usw.*: vital ['vaɪtl] **6.** *Änderungen*: fundamental **7.** ***entscheidende Stimme*** casting vote **8.** ***das Entscheidende*** the most important thing, the key factor **9.** ***etwas entscheidend ändern*** make* (some) key changes to something
Entscheidung decision [dɪ'sɪʒn] (***über*** on); ***eine Entscheidung treffen*** make* (*oder* come* to) a decision, decide
Entscheidungsfreiheit freedom of choice
Entscheidungsprozess decision-making process ['prəʊses]
entschieden 1. (≈ *entschlossen*) determined [⚠ dɪ'tɜːmɪnd] **2.** ***das geht entschieden zu weit*** that really is going too far **3.** (***ganz***) ***entschieden ablehnen*** flatly refuse [rɪ'fjuːz] **4.** ***sich entschieden aussprechen für*** (*bzw.* ***gegen***) come* out strongly in favour of (*bzw.* against)
Entschiedenheit determination
entschlafen *beschönigend* (≈ *sterben*) pass away (peacefully)
entschließen 1. ***sich zu*** (*bzw.* ***für***) ***etwas entschließen*** decide on something **2.** ***er entschloss sich zu gehen*** *usw.* he decided (*oder* made up his mind) to go *usw.* **3.** ***sich anders entschließen*** change one's mind
entschlossen determined
Entschlossenheit determination
Entschluss 1. decision, resolution [ˌrezə'luːʃn] **2.** ***er kam zu dem Entschluss das Land zu verlassen*** *usw.* he made up his mind (*oder* he decided) to leave the country *usw.* **3.** ***aus eigenem Entschluss*** on one's own initiative
entschlüsseln decipher [dɪ'saɪfə], decode
entschuldigen 1. excuse [ɪk'skjuːz] **2.** ***entschuldige, …, entschuldigen Sie,***

… *vor einer Frage usw.*: excuse me, … **3.** ***entschuldige!, entschuldigen Sie!*** (≈ *Verzeihung!*) (I'm) sorry, *AE* excuse me! **4. *entschuldigen Sie die Störung!*** sorry to bother ['bɒðə] (*oder* disturb) you **5. *sich*** (***bei jemandem***) ***entschuldigen*** apologize [ə'pɒlədʒaɪz] *oder* say* sorry (to someone) (***wegen, für*** for, about)

E

Entschuldigung 1. apology [ə'pɒlədʒɪ] **2.** (≈ *Grund, Vorwand*) excuse [ɪk'skjuːs] **3.** (≈ *schriftliche Mitteilung für den Lehrer*) note (for the teacher) **4. *Entschuldigung!*** (≈ *es tut mir leid*) (I'm) sorry, *AE* excuse me **5. *Entschuldigung, …*** (≈ *darf ich mal stören?*) excuse [⚠ ɪk'skjuːz] me, … **6. *ich bitte Sie vielmals um Entschuldigung*** I do apologize [ə'pɒlədʒaɪz] (***wegen*** for, about)

Entschuldigung

Im englischsprachigen Raum entschuldigt man sich relativ häufig. Wenn man z. B. mit jemanden im Geschäft, auf der Straße usw. aus Versehen in Berührung kommt, passiert es gar nicht so selten, dass sich beide betroffenen Personen gleichzeitig entschuldigen, egal wer an der „leichten Karambolage" schuld war.

So entschuldigt man sich im Allgemeinen auf Englisch:

Sorry.
I'm sorry.
AE **Excuse me.**
etwas formeller:
I'm so sorry.
I (do) beg your pardon.
I do apologize.

bei Schluckauf, Magenknurren *usw.*:

Excuse me.

Als Auftakt zu einer Frage:

Excuse me, *where's the nearest …?*

Pardon?, Pardon me?, *förmlicher* **I beg your pardon?** mit fragender Stimme heißt „Wie bitte?", wenn man etwas nicht verstanden hat.

entschwinden disappear, vanish ['vænɪʃ] (***in*** into)

Entsetzen horror, shock; ***zu meinem Entsetzen*** to my horror

entsetzlich dreadful ['dredfl], terrible

entsetzt appalled [ə'pɔːld], shocked, horrified (*alle* ***über*** at, by)

entseuchen decontaminate [ˌdiːkən'tæmɪneɪt]

Entseuchung decontamination [ˌdiːkəntæmɪ'neɪʃn]

entsinnen: ***sich entsinnen*** remember, recall; → ***erinnern***

entsorgen dispose of (*Abfall, Müll, Atommüll usw.*)

Entsorgung waste disposal

entspannen 1. (***sich***) ***entspannen*** relax **2. *die Lage*** *usw.* ***entspannt sich*** the situation *usw.* is easing (up) *oder* is cooling off

Entspannung 1. relaxation, rest **2.** *politisch*: easing of tension(s), détente [⚠ 'deɪtɒnt]

Entspannungspolitik policy of détente [ˌpɒləsɪ‿əv'deɪtɒnt]

Entspannungsübung relaxation [ˌriːlæk'seɪʃn] exercise

entsperren unlock (*Telefon usw.*)

entsprechen 1. *einer Sache*: correspond to (*oder* with) **2.** (≈ *gleichwertig sein*) be* equivalent [⚠ ɪ'kwɪvələnt] to **3.** *den Anforderungen, Erwartungen*: meet*, come* up to **4.** *einer Bitte*: comply [kəm'plaɪ] with

entsprechend 1. *dem Alter* *usw.* ***entsprechend*** according to age *usw.* **2. *unseren Erwartungen entsprechend*** as we had expected **3.** (≈ *passend*) appropriate [ə'prəʊprɪət] **4.** (≈ *erforderlich*) necessary **5.** (≈ *jeweilig, betreffend*) respective **6. *der entsprechende englische Ausdruck*** the English equivalent [⚠ ɪ'kwɪvələnt]

Entsprechung *sprachliche*: equivalent [⚠ ɪ'kwɪvələnt]

entspringen: ***der Fluss entspringt in …*** the river rises (*oder* has its source [sɔːs]) in …

entstehen 1. (≈ *erwachsen*) emerge (***aus*** from), develop [dɪ'veləp] (***aus*** from) **2.** (*Schwierigkeiten, Streit usw.*) arise* (***aus*** from) **3. *entstehen durch*** result from; ***durch das Feuer entstand großer Schaden*** the fire caused a great deal of damage **4.** (≈ *geschaffen, gebaut, hergestellt werden*) be* created *bzw.* be* built *bzw.* be* produced; ***diese Kirche entstand im 17. Jahrhundert*** this church was built in the 17th century **5.** (≈ *geschrieben, komponiert, gemalt werden*) be* written *bzw.* be* composed *bzw.* be* painted

Entstehung 1. emergence **2.** (≈ *Erwachsen*) development [dɪ'veləpmənt] **3.** (≈ *Ursprung, Anfang*) origin [⚠ 'ɒrɪdʒɪn]

entstellen 1. disfigure [dɪs'fɪgə] (*Gesicht usw.*) **2.** (≈ *verzerren*) distort (*Tatsachen, Wahrheit*)

entstellt 1. *Gesicht usw.*: disfigured [dɪs'fɪgəd] **2.** *Tatsachen, Wahrheit*: distorted
enttarnen unmask (*Spion usw.*)
enttäuschen: ***jemanden enttäuschen*** disappoint someone, let* someone down
enttäuscht disappointed (***über*** at, about; ***von*** with)
Enttäuschung disappointment, letdown ['letdaʊn]; ***es war eine einzige Enttäuschung*** it was one big disappointment (*oder* letdown)
entwaffnen disarm (*auch übertragen*)
Entwarnung all-clear (signal); ***Entwarnung geben*** give* the all-clear
entwässern drain
entweder 1. ***entweder … oder*** either ['aɪðə] … or **2.** ***entweder oder!*** take it or leave it
entweichen escape [ɪ'skeɪp] (***aus*** from)
entwerfen 1. (≈ *skizzieren*) sketch, outline (*ein Modell, ein Schriftstück usw.*) **2.** (≈ *ausarbeiten*) draw* up, draft [drɑːft] (*Plan, Vertrag usw.*) **3.** design (*Kleider, Geräte usw.*) **4.** *übertragen* draw* (*Bild der Zukunft usw.*)
entwerten 1. devalue [ˌdiː'væljuː] (*Geld*) **2.** cancel ['kænsl] (*Fahrschein*)
Entwerter ticket-cancelling machine
Entwertung *des Geldes*: devaluation
entwickeln 1. *allg.*: develop [dɪ'veləp] (*auch Film*) **2.** display [dɪ'spleɪ], show (*Initiative, Tatkraft*) **3.** ***sich entwickeln*** develop (***aus*** from; ***zu*** into)
Entwicklung *allg.*: development, *biologisch auch*: evolution [ˌiːvə'luːʃn, ˌevə'luːʃn]
Entwicklungsgeschichte 1. history ['hɪstrɪ] **2.** ***die Entwicklungsgeschichte des Menschen*** *biologisch*: the history of evolution, (≈ *Zivilisationsprozess*) the history of mankind [⚠ mæn'kɪnd]
Entwicklungshelfer(in) development aid worker (*oder* volunteer [ˌvɒlən'tɪə])
Entwicklungshilfe aid to developing countries, foreign aid
Entwicklungsland developing country
Entwicklungsprozess (process of) development, development process
entwirren disentangle [ˌdɪsɪn'tæŋgl], unravel [ʌn'rævl] (*beide auch übertragen*)
entwischen escape [ɪ'skeɪp] (+ *Dat.* from), slip away (+ *Dat.* from)
entwürdigend degrading
Entwurf 1. (≈ *Skizze*) sketch **2.** (≈ *Modell*) model ['mɒdl] **3.** *schriftlicher*: outline, draft [drɑːft] **4.** *technischer*: design (***für*** *oder* + *Gen.* of)
entziehen 1. ***ihm wurde der Führerschein entzogen*** he had his driving licence (*AE* driver's license) revoked **2.** ***jemandem etwas entziehen*** deprive someone of something (*Rechte usw.*)
Entziehungskur withdrawal [wɪð'drɔːəl] treatment; ***er ist auf Entziehungskur*** he's having withdrawal treatment (⚠ *ohne* a)
entziffern decipher [dɪ'saɪfə], *Handschrift auch*: make* out
entzippen *Computer*: unzip [ˌʌn'zɪp] (*Datei*)
entzückend charming, *umg.* sweet
Entzugserscheinungen withdrawal symptoms [wɪð'drɔːəlˌsɪmptəmz]
entzündbar (in)flammable
entzünden: ***sich entzünden*** (≈ *zu brennen anfangen*) catch* fire
entzündet inflamed, *Augen auch*: red
Entzündung inflammation [ˌɪnflə'meɪʃn]
Enzian (≈ *Pflanze*) gentian [⚠ 'dʒenʃn]
Enzyklopädie encyclopaedia, encyclopedia [ɪnˌsaɪklə'piːdɪə]
Enzym enzyme [⚠ 'enzaɪm]
Epidemie epidemic [ˌepɪ'demɪk]
episch epic ['epɪk]
Episode episode ['epɪsəʊd]
Epizentrum epicentre ['epɪˌsentə]
Epoche era ['ɪərə], age, epoch ['iːpɒk]
Epos epic ['epɪk] (poem)
er 1. ↔ *sie*: he **2.** *von Dingen, kleinen Tieren*: it **3.** ***er ist es*** it's him **4.** ***es ist ein Er*** *auch bei Tieren*: it's a he
Erachten: ***meines Erachtens*** in my opinion
erarbeiten: ***sich Wissen erarbeiten*** acquire (*oder* gather) knowledge ['nɒlɪdʒ]
Erbanlage genes [dʒiːnz] (⚠ *Pl.*), genetic [dʒɪ'netɪk] make-up
Erbarmen 1. (≈ *Mitleid*) pity, compassion; ***Erbarmen mit jemandem haben*** have* pity on someone **2.** (≈ *Gnade*) mercy (***mit*** on)
erbärmlich miserable ['mɪzərəbl], wretched [⚠ 'retʃɪd] (*auch abwertend*); ***in einem erbärmlichen Zustand*** in a wretched state
erbarmungslos merciless
erbauen build [bɪld], construct
Erbauer(in) builder ['bɪldə], constructor
Erbe[1] *der* heir [⚠ eə], successor (*beide auch übertragen*); ***alleiniger Erbe*** sole heir
Erbe[2] *das* **1.** inheritance [ɪn'herɪtəns] **2.** *kulturelles usw.*: heritage ['herɪtɪdʒ]
erben 1. inherit (*auch übertragen*) **2.** (≈ *kriegen*) get*; ***das hat er von der Mutter geerbt*** he's got that from his mother
erbeuten 1. (*Dieb usw.*) get* away with

(*Wertgegenstände, Geld usw.*) **2.** *im Krieg*: capture ['kæptʃə] (*Gewehre, Panzer usw.*)
Erbfaktor gene [dʒiːn]
Erbin 1. heir [⚠ eə] **2.** (≈ *reiche Erbin*) heiress [⚠ 'eəres]
erbittert 1. *Kampf*: fierce [fɪəs]; ***erbitterte Kämpfe*** fierce fighting **2.** *Gegner, Feind usw.*: bitter
Erbkrankheit hereditary disease [həˌredətrɪ‿dɪ'ziːz]
erblassen go* (*oder* turn) pale
erblich hereditary [hə'redətrɪ]
erblicken see*, *plötzlich*: catch* sight of
erblinden 1. ***muss sie erblinden?*** will she lose [luːz] her sight? **2.** ***auf einem Auge erblinden*** go* blind in one eye, lose* the sight of one eye
Erblindung loss of (one's) sight; ***nach seiner Erblindung*** after he went blind
erblühen blossom ['blɒsəm]
erbost angry (***über etwas*** about something; ***über jemanden*** with someone)
Erbrechen vomiting ['vɒmɪtɪŋ]
Erbschaft inheritance [ɪn'herɪtəns]; ***eine Erbschaft machen*** come* into an inheritance
Erbschaftssteuer inheritance tax
Erbse pea
Erbsensuppe pea soup
Erbstück heirloom [⚠ 'eəluːm]
Erbsubstanz genes [dʒiːnz] (⚠ *Pl.*)
Erbteil share of the inheritance [ɪn'herɪtəns]
Erdachse earth's axis (⚠ *engl.* axle = ***Achse beim Auto*** *usw.*)
erdacht imaginary, fictitious [fɪk'tɪʃəs]
Erdanziehung earth's pull
Erdanziehungskraft (earth's) gravity ['grævətɪ]
Erdapfel *bes.* Ⓐ potato *Pl.*: potatoes
Erdatmosphäre (earth's) atmosphere ['ætməsfɪə]
Erdbahn earth's orbit
Erdball globe
Erdbeben earthquake; ***bei einem Erdbeben umkommen*** die in an earthquake
Erdbebengebiet 1. earthquake area **2.** area hit by an earthquake, earthquake disaster area
erdbebensicher earthquake-proof
Erdbeere strawberry ['strɔːbərɪ]
Erdbeertorte strawberry cake (*oder* gateau ['gætəʊ])
Erdboden ground, earth [ɜːθ]
Erde 1. (≈ *Erdreich*) earth [ɜːθ], soil **2.** (≈ *Boden*) ground; ***über der Erde*** above ground (⚠ *ohne* the); ***unter der Erde*** underground; ***auf die*** (*oder* ***zur***) ***Erde fallen*** fall* to the ground **3.** (≈ *Erdball*) (planet) earth; ***auf der ganzen Erde*** all over the world **4.** (≈ *Fußboden*) floor

Erde – was ist gemeint?

Planet	**(planet) earth**; auf der ganzen Erde **all over the world, in the whole world**
Boden	**ground**; 20 m über der Erde **20 m above ground** (⚠ *ohne* **the**); auf die Erde fallen **fall to the ground**

erdenklich 1. ***auf jede erdenkliche Weise*** (in) every possible (*oder* imaginable) way **2.** ***alles Erdenkliche tun*** do* one's utmost
Erderwärmung global warming [ˌgləʊbl'wɔːmɪŋ] (⚠ *ohne* the)
Erdgas natural gas [ˌnætʃrəl'gæs]
Erdgeschoss, Ⓐ **Erdgeschoß**: **(*im*) *Erdgeschoss*** (on the) ground (*AE* first) floor; ☞ *Info unter engl.* ***floor***
erdichten make* up, think* up, invent
erdichtet 1. ***das ist eine erdichtete Geschichte*** that's a made-up story **2.** ***das ist alles erdichtet*** it's all made up
Erdinnere interior of the earth
Erdkern earth's core
Erdklumpen clod of earth
Erdkruste earth's crust
Erdkugel globe
Erdkunde geography [dʒɪ'ɒgrəfɪ]
Erdnuss peanut
Erdoberfläche earth's surface ['sɜːfɪs]
Erdöl (crude) oil, petroleum; *in Zusammensetzungen* → ***Öl...***
erdrosseln strangle
erdrücken crush (to death)
erdrückend overwhelming [ˌəʊvə'welmɪŋ]
Erdrutsch landslide
Erdteil continent ['kɒntɪnənt]
erdulden endure [ɪn'djʊə]
Erdumdrehung earth's rotation, rotation of the earth
Erdumlaufbahn *eines Satelliten*: (earth) orbit
Erdung earthing ['ɜːθɪŋ], *bes. AE* grounding
Erdwärme geothermal [ˌdʒiːəʊ'θɜːml] energy
ereifern: ***sich ereifern*** get* excited [ɪk'saɪtɪd] (***über*** over)
ereignen: ***sich ereignen*** happen, take* place, occur [ə'kɜː]
Ereignis event, (≈ *Vorfall*) incident ['ɪnsɪdənt]
ereignisreich (very) eventful

Erektion erection
Eremit hermit ['hɜːmɪt]
erfahren[1] **1.** ***ich habe erfahren ...*** I've heard ..., I've been told ...; ***ich habe nichts davon erfahren*** nobody told me anything (*oder* about it) **2.** ***sie hat es durch die Zeitung erfahren*** she found out (*oder* read [red]) about it in the newspaper(s) **3.** ***ich habe es nur durch Zufall erfahren*** I only found out by chance **4.** (≈ *erleben*) experience
erfahren[2] **1.** (≈ *reich an Erfahrung*) experienced **2.** (≈ *versiert*) well versed (***in*** in)
Erfahrung 1. (≈ *Kenntnis, Praxis, Gewohnheit*) experience (⚠ *mst. als Sg.*); ***Erfahrung(en) sammeln*** (*oder* ***machen***) gain (*oder* pick up) experience **2.** ***ich habe die Erfahrung gemacht, dass ...*** my experience is that ... **3.** ***wir haben gute Erfahrungen gemacht*** we've had no problems (*oder* trouble) at all (***mit*** with) **4.** (≈ *Erlebnis*) experience
Erfahrungsaustausch exchange of views
erfahrungsgemäß experience has shown (*oder* shows) that
erfassen 1. (≈ *verstehen*) grasp [grɑːsp] **2.** (≈ *erkennen*) realize ['rɪəlaɪz] **3.** *statistisch*: register ['redʒɪstə], record [rɪ'kɔːd] **4.** gather (*Daten*) **5.** (≈ *einschließen*) include, (≈ *abdecken*) cover
erfinden 1. invent (*Gerät usw.*) **2.** (≈ *erdichten*) invent, make* up
Erfinder(in) inventor
erfinderisch 1. inventive **2.** (≈ *schöpferisch*) creative [kriː'eɪtɪv]
Erfindung invention (*auch Erdichtetes*); ***meine neueste Erfindung*** my latest invention
Erfolg 1. success [sək'ses]; ***großer Erfolg*** great success; ***sie hatte Erfolg*** she succeeded, she was successful; ***sie hatte keinen Erfolg*** she was unsuccessful, she failed **2.** (≈ *Ergebnis*) result [rɪ'zʌlt], outcome; ***mit dem Erfolg, dass ...*** with the result that ... **3.** (≈ *Wirkung*) effect **4.** (≈ *Leistung*) achievement [ə'tʃiːvmənt] **5.** ***Erfolg versprechend*** promising ['prɒmɪsɪŋ]
erfolgen (≈ *sich ereignen*) happen, take* place, occur [ə'kɜː]
erfolglos unsuccessful [ˌʌnsək'sesfl]
Erfolglosigkeit lack of success, failure ['feɪljə]
erfolgreich 1. successful **2.** ***eine Prüfung erfolgreich ablegen*** pass an exam
Erfolgserlebnis (feeling of) success, sense of achievement [ə'tʃiːvmənt]
Erfolgsgeheimnis: ***ihr Erfolgsgeheimnis ist ...*** the secret behind her success is ...
Erfolgsrezept recipe [⚠ 'resəpɪ] for success
Erfolgsstory success story, tale of success
erforderlich 1. necessary ['nesəsrɪ], required; ***die erforderlichen Maßnahmen ergreifen*** take* the necessary steps **2.** ***falls erforderlich*** if required
erfordern 1. *allg.*: require, call for **2.** take* (*Zeit*) **3.** take* (*Geduld, Mut usw.*)
Erfordernis requirement, demand
erforschen 1. (≈ *untersuchen*) investigate [ɪn'vestɪgeɪt] **2.** *wissenschaftlich*: study, research [rɪ'sɜːtʃ] (into) **3.** explore (*Gegend, Weltraum*)
Erforschung 1. (≈ *Untersuchung*) investigation (+ *Gen.* into) **2.** *wissenschaftliche*: research [rɪ'sɜːtʃ] (+ *Gen.* into) **3.** *Gegend, Weltraum*: exploration [ˌeksplə'reɪʃn]
erfreuen 1. ***jemanden erfreuen*** please someone **2.** ***sich an etwas erfreuen*** enjoy something
erfreulich 1. pleasing **2.** ***eine erfreuliche Nachricht*** good news (⚠ *ohne* a) **3.** (≈ *ermutigend*) encouraging [ɪn'kʌrɪdʒɪŋ]
erfreulicherweise fortunately ['fɔːtʃənətlɪ]
erfreut pleased (***über*** at, about)
erfrieren 1. freeze* to death **2.** ***alle Pflanzen sind erfroren*** all the plants have been killed by frost **3.** ***ihm sind zwei Finger erfroren*** he lost two fingers through frostbite
Erfrierung: ***Erfrierung, Erfrierungen*** frostbite (*Sg.*) (***an*** on)
erfrischen: ***(sich) erfrischen*** refresh (oneself)
erfrischend refreshing (*auch übertragen*)
Erfrischung refreshment; ***eine Erfrischung*** (*oder* ***Erfrischungen***) ***zu sich nehmen*** have* (*oder* take*) some refreshment
Erfrischungsgetränk cool drink
erfüllen 1. fulfil, *AE* fulfill (*Wunsch, Aufgabe*) **2.** (*Qualität usw.*) meet*, come* up to (*Erwartungen*) **3.** keep* (*Versprechen*) **4.** ***es erfüllt seinen Zweck*** it serves its purpose ['pɜːpəs]
Erfüllung *allg.*: fulfilment, *AE* fulfillment; ***in Erfüllung gehen*** come* true, be* fulfilled
erfunden imaginary [ɪ'mædʒɪnərɪ], fictitious [fɪk'tɪʃəs]; ***das ist alles erfunden*** he's *usw.* made it all up
ergänzen 1. (≈ *hinzufügen*) add **2.** (≈ *vervollständigen*) complete **3.** ***sich*** (*oder* ***ei-***

nander*) *ergänzen complement ['kɒmplɪment] one another
Ergänzung **1.** (≈ *Vervollständigung*) completion **2.** (≈ *Zusatz*) supplement, addition; ***zur Ergänzung*** (+ *Gen.*) to add to … **3.** *Grammatik und Mathe*: complement ['kɒmplɪmənt]
Ergänzungsspieler(in) *Fußball*: squad [skwɒd] player
ergattern: ***etwas ergattern*** *umg.* (manage to) get* hold of something
ergeben **1.** come* to, make* (*Betrag, Summe*) **2.** (≈ *zum Ergebnis haben*) result [rɪ'zʌlt] in **3.** (*Untersuchung, Ermittlung*) show, prove* [pruːv] **4.** ***sich ergeben aus*** result (*oder* arise*) from; ***daraus ergibt sich, dass …*** it follows that … **5.** ***sich (jemandem) ergeben*** (≈ *kapitulieren*) surrender [sə'rendə] (to someone), give* oneself up (to someone)
Ergebnis **1.** *allg.*: result [rɪ'zʌlt], outcome **2.** *Sport*: result, (≈ *Stand*) score **3.** *einer Untersuchung*: findings (⚠ *Pl.*), results (⚠ *Pl.*) **4.** (≈ *Lösung, Antwort*) answer ['ɑːnsə] **5.** ***zu dem Ergebnis kommen, dass …*** come* to the conclusion that …
ergebnislos: ***die Gespräche*** *usw.* ***endeten ergebnislos*** the talks *usw.* failed (*oder* led nowhere)
ergehen **1.** ***etwas über sich ergehen lassen*** (patiently) endure [ɪn'djʊə] something **2.** ***es ist ihm schlecht ergangen*** he had a bad (*oder* rough [rʌf]) time of it
ergiebig **1.** *Gespräch usw.*: productive, useful ['juːsfl] **2.** (≈ *reich*) rich (***an*** in)
ergrauen turn grey
ergreifen **1.** ***Maßnahmen ergreifen*** take* measures ['meʒəz] **2.** ***einen Beruf ergreifen*** take* up a career (*oder* a profession)
ergreifend (very) moving ['muːvɪŋ]
ergriffen *übertragen* (≈ *bewegt*) deeply moved [muːvd] (***von*** by)
ergründen **1.** find* out, determine [dɪ'tɜːmɪn] (*Ursache usw.*) **2.** fathom ['fæðəm] (out) (*Verhalten*)
erhalten[1] **1.** (≈ *bekommen*) get*, receive [rɪ'siːv] **2.** (≈ *erlangen*) get*, obtain **3.** ***sie erhielt einen Preis*** she was awarded (*oder* given) a prize **4.** (≈ *bewahren*) keep* **5.** maintain, preserve [prɪ'zɜːv] (*Frieden*) **6.** keep* up, preserve (*Tradition*)
erhalten[2] **1.** ***etwas ist gut*** (*bzw.* ***schlecht***) ***erhalten*** something is in good (*bzw.* bad) condition **2.** ***ein paar alte Häuser*** *usw.* ***sind noch erhalten*** a few old buildings *usw.* are still standing
erhältlich obtainable, available
Erhaltung preservation [ˌprezə'veɪʃn]
erhängen **1.** (***sich***) ***erhängen*** hang (oneself) **2.** ***er wurde erhängt*** he was hanged (⚠ *engl.* hang - hung - hung = ***aufhängen***)
erheben **1.** impose (*Steuern usw.*) **2.** charge (*Gebühr*)
erheblich **1.** considerable **2.** (≈ *wichtig*) important
erheitern amuse [ə'mjuːz], cheer up
Erheiterung: ***zur allgemeinen Erheiterung*** to everyone's amusement
erhellen **1.** *wörtlich* light* up, illuminate [ɪ'luːmɪneɪt] **2.** *übertragen* shed* (*oder* throw*) light on
erhitzen heat, heat up
erhoffen: ***sich etwas erhoffen (von)*** expect something (of)
erhöhen **1.** *allg.*: raise (***auf*** to, ***um*** by) **2.** (***sich***) ***erhöhen*** (≈ *steigern*) increase [ɪn'kriːs] (***auf*** to, ***um*** by) **3.** (≈ *verstärken*) intensify **4.** raise, put* up (*Preis*) **5.** increase (*Wirkung*)
Erhöhung (≈ *Zunahme*) increase ['ɪŋkriːs]; ***Erhöhung der Löhne*** wage rise, *AE* wage raise; ***Erhöhung der Preise*** increase (*oder* rise) in prices
erholen **1.** ***sich erholen*** *von einer Krankheit, einer Krise usw.*; *auch übertragen*: recover [rɪ'kʌvə] (***von*** from) **2.** ***sich erholen*** (≈ *sich ausruhen*) have* a rest, relax **3.** ***sich erholen*** *im Urlaub*: have* a (good) rest
erholsam restful, relaxing
Erholung **1.** recovery [rɪ'kʌvərɪ] (*auch der Wirtschaft*) **2.** (≈ *Entspannung*) rest, relaxation; ***gute Erholung!*** have a good rest
Erholungsgebiet recreation [ˌrekrɪ'eɪʃn] area
Erholungsort health resort ['helθ‿rɪˌzɔːt], holiday resort
Erholungsurlaub holiday, *AE* vacation [veɪ'keɪʃn]
Erika *Pflanze*: heather [⚠ 'heðə], erica
erinnern **1.** ***sich an jemanden*** (*bzw.* ***etwas***) ***erinnern*** remember someone (*bzw.* something) **2.** ***kannst du dich erinnern, dass du sie gesehen hast?*** can you remember seeing her? **3.** ***jemanden an etwas erinnern*** remind someone of something **4.** ***erinnere mich bitte daran, dass ich dir noch die Karten gebe!*** please remind me to give you the tickets; ☞ *Info unter* ***remember***
Erinnerung **1.** memory; ***zur Erinnerung an*** in memory of **2.** (≈ *Andenken*) souvenir [ˌsuːvə'nɪə], *an jemanden*: keepsake
erkalten (*Speise, Lava usw.*) cool (down)
erkälten: ***sich erkälten*** catch* (a) cold
erkältet: (***stark***) ***erkältet sein*** have* a

(bad *oder* heavy) cold; ***ich bin furchtbar erkältet*** I've got a terrible cold

Erkältung cold; ***leichte*** (*bzw.* ***starke***) ***Erkältung*** slight (*bzw.* bad *oder* heavy) cold

erkennbar recognizable ['rekəgnaɪzəbl]

erkennen 1. (≈ *wieder erkennen*) recognize ['rekəgnaɪz] (***an*** by) **2.** (≈ *optisch wahrnehmen*) make* out, see* **3.** (≈ *einsehen*) realize ['rɪəlaɪz], see*

Erkenntnis 1. ***Erkenntnis, Erkenntnisse*** (≈ *Wissen*) knowledge [⚠ 'nɒlɪdʒ] (*Sg.*) **2.** (≈ *Einsicht*) realization [ˌrɪəlaɪ'zeɪʃn] **3.** (≈ *Entdeckung*) discovery, finding **4.** ***Erkenntnisse*** (≈ *Informationen*) findings; ***neueste Erkenntnisse*** the latest findings

Erkennungswort password

Erker bay, *oben*: oriel ['ɔːrɪəl]

erklären 1. ***jemandem etwas erklären*** explain something to someone **2.** ***kannst du mir erklären, warum?*** can you tell me why? **3.** ***ich kann es mir nicht erklären*** I don't understand it **4.** ***so erklärt es sich, wie …*** that explains how …

Erklärung 1. explanation [ˌekspləˈneɪʃn] (***für*** of, for) **2.** *eines Politikers usw.*: statement; ***eine Erklärung*** (***zu etwas***) ***abgeben*** make* a statement (on *oder* about something)

erklingen sound

erkranken fall* ill, *AE auch* get* sick (***an*** with); ***er ist an Grippe erkrankt*** he's got (the) flu

Erkrankung 1. illness, sickness **2.** *eines Organs*: disease [dɪ'ziːz]

erkunden explore (*Gelände usw.*)

erkundigen 1. ***sich erkundigen*** inquire *oder* enquire (***über*** about, ***nach*** after) **2.** ***ich werde mich erkundigen*** I'll try and find out; ***hast du dich erkundigt, wann …?*** did you find out when …?

Erkundung *von Gelände usw.*: exploration

Erlagschein Ⓐ (≈ *Zahlkarte*) postal money order

erlahmen 1. (≈ *ermüden*) tire, get* tired **2.** (*Kräfte, Interesse*) flag

erlangen 1. (≈ *bekommen, gewinnen*) gain **2.** reach (*Alter, Höhe usw.*)

Erlass 1. (≈ *Verordnung*) decree, edict ['iːdɪkt] **2.** (≈ *Straferlass, Schuldenerlass*) remission

erlassen 1. ***sie haben ihm seine Schulden erlassen*** they waived his debts [dets] **2.** enact [ɪn'ækt] (*Gesetz*)

erlauben 1. ***jemandem erlauben etwas zu tun*** allow someone to do something; ***seine Eltern erlauben es ihm ihr Auto zu benutzen*** his parents allow him to use their car; ***meine Eltern erlauben es nicht, dass ich nachts von zu Hause wegbleibe*** my parents don't (*oder* won't) allow me to spend the night away from home **2.** ***erlauben Sie, dass ich etwas eher gehe?*** would you mind if I left a bit earlier?

Erlaubnis permission; ***jemanden um Erlaubnis bitten*** ask someone for permission (***etwas zu tun*** to do something)

erlaubt 1. allowed; ***das ist nicht erlaubt*** that's not allowed **2.** ***Rauchen ist hier nicht erlaubt*** smoking is not allowed here, there's no smoking here **3.** ***es ist alles erlaubt*** you can do what you like

erläutern 1. (***jemandem***) ***etwas erläutern*** explain something (to someone) **2.** (≈ *veranschaulichen*) illustrate ['ɪləstreɪt] **3.** ***könntest du mir erläutern, wie …?*** could you explain to me (*oder* show me) how …?

Erläuterung 1. explanation [ˌekspləˈneɪʃn] **2.** (≈ *Veranschaulichung*) illustration

Erle alder ['ɔːldə]

erleben 1. *allg.*: experience **2.** have* (*Abenteuer, schöne Zeit, Enttäuschung*) **3.** go* through (*bes. Schlimmes*) **4.** (≈ *noch miterleben*) live to see **5.** (≈ *mit ansehen*) see*, witness **6.** ***ich habe es schon oft erlebt*** (***, dass***) I've often seen it happen (that) **7.** ***das muss man einfach erlebt haben*** (≈ *gesehen haben*) you've got to see it to believe it **8.** ***der kann was erleben*** *umg.* he's in for it

Erlebnis 1. experience; ***das war ein Erlebnis!*** that was quite an experience **2.** (≈ *Abenteuer*) adventure [əd'ventʃə]

erlebnisreich eventful, exciting [ɪk'saɪtɪŋ]

erledigen 1. (≈ *sich kümmern um*) do*, deal* with, take* care of **2.** ***etwas erledigen*** (≈ *hinter sich bringen*) get* something out of the way **3.** settle (*Angelegenheit, Problem*) **4.** ***jemanden erledigen*** *umg.* finish someone off **5.** ***die Sache hat sich inzwischen erledigt*** that's been taken care of already

erledigt 1. (≈ *beendet*) finished **2.** (≈ *getan*) done **3.** (≈ *gelöst*) settled **4.** ***das wäre erledigt*** that's that **5.** ***du bist für mich erledigt*** I'm through with you **6.** *umg.* (≈ *erschöpft*) whacked [wækt]

Erledigung: ***die Erledigung dieser Aufgaben*** *usw.* dealing with these tasks *usw.*

erlegen shoot* (*Tier*)

erleichtern 1. ***etwas erleichtern*** *Aufgabe usw.*: make* something easier **2.** ***jemanden um seine Brieftasche erleichtern*** relieve [rɪ'liːv] someone of his wallet

erleichtert relieved [rɪ'liːvd]

Erleichterung *allg.*: relief [rɪ'liːf]

erleiden suffer, go* through
erlernen learn* [lɜːn]
Erliegen: ***zum Erliegen bringen*** bring* to a standstill, paralyse ['pærəlaɪz]
erlogen: ***das ist erlogen*** that's a lie
Erlös **1.** proceeds ['prəʊsiːdz] (⚠ *Pl.*) **2.** (≈ *Gewinn*) (net) profit ['prɒfɪt], (net) profits (*Pl.*)
erloschen extinct [ɪk'stɪŋkt] (*auch Vulkan*)
erlöschen (*Lichter usw.*) go* out
erlösen release [rɪ'liːs], free (*beide* **von** from)
Erlöser(in) **1.** (≈ *Retter, -in*) rescuer ['reskjʊə], (≈ *Befreier, -in*) liberator **2.** ***der Erlöser*** *kirchlich*: the Redeemer
Erlösung **1.** release **2.** (≈ *Erleichterung*) relief [rɪ'liːf] **3.** *kirchlich*: redemption
ermahnen: ***jemanden ermahnen*** *Schule, Sport*: give* someone a warning
Ermahnung **1.** *Schule, Sport*: warning **2.** (≈ *Rüge*) rebuke [rɪ'bjuːk]
ermäßigt: ***ermäßigte Preise*** reduced prices, discounts ['dɪskaʊnts]
Ermäßigung reduction, discount ['dɪskaʊnt] (***von*** of); ***mit 20% Ermäßigung*** at a 20 per cent (*oder* percent) reduction *oder* discount
Ermessensfrage matter of opinion
ermitteln **1.** *allg.*: find* out **2.** locate [ləʊ'keɪt] (*Ort usw.*) **3.** trace (*Anrufer*) **4.** *polizeilich*: investigate, carry out investigations (***gegen*** concerning); ***in einem Fall ermitteln*** investigate a case
Ermittlungen investigations
ermöglichen **1.** ***etwas ermöglichen*** make* something possible **2.** ***ihre Eltern ermöglichten ihr ein Medizinstudium*** her parents enabled her to study medicine ['medsn]
ermorden murder, *durch Attentat*: assassinate [ə'sæsɪneɪt]
Ermordete(r) (murder) victim
Ermordung **1.** *allg.*: murder **2.** (≈ *Attentat*) assassination [əˌsæsɪ'neɪʃn]
ermüdend tiring ['taɪrɪŋ]
ermuntern **1.** ***jemanden zum Heiraten*** *usw.* ***ermuntern*** encourage [ɪn'kʌrɪdʒ] someone to get married *usw.* **2.** ***jemanden ermuntern*** (≈ *aufmuntern*) cheer someone up
Ermunterung **1.** (≈ *Ermutigung*) encouragement [ɪn'kʌrɪdʒmənt] **2.** (≈ *Aufmunterung*) cheering up
ermutigen: ***jemanden zu etwas ermutigen*** encourage [ɪn'kʌrɪdʒ] someone (*oder stärker* give* someone the courage) to do something
ermutigend encouraging [ɪn'kʌrɪdʒɪŋ]
Ermutigung encouragement [ɪn'kʌrɪdʒmənt]
ernähren **1.** feed* (*ein Kind, ein Junges*) **2.** ***sich ernähren*** (***von***) eat*
Ernährung **1.** (≈ *Nahrung*) food [⚠ fuːd] **2.** (≈ *Nahrungsgabe*) feeding **3.** *spezielle*: diet ['daɪət]; ***gesunde*** (*bzw.* ***ungesunde***) ***Ernährung*** a healthy (*bzw.* an unhealthy) diet
Ernährungsweise (≈ *Essgewohnheiten*) eating habits (⚠ *Pl.*)
ernennen appoint; ***er wurde zum Vorsitzenden ernannt*** he was appointed (*oder* made) chairman ['tʃeəmən] (⚠ *ohne* to *und* the)
Ernennung appointment (***zu*** as *ohne* the)
erneuerbar renewable; ***erneuerbare Energiequellen*** renewable energy resources [rɪˌnjuːəbl'enədʒɪ‿rɪˌzɔːsɪz]
erneuern renew [rɪ'njuː]
Erneuerung renewal [rɪ'njuːəl]
erneut **1.** renewed [rɪ'njuːd], new; ***erneute Kämpfe*** renewed fighting (⚠ *Sg.*) **2.** ***erneut fragen*** *usw.* ask *usw.* once again
erniedrigen (≈ *demütigen*) humiliate [hjuː'mɪlɪeɪt]
Erniedrigung (≈ *Demütigung*) humiliation [hjuːˌmɪlɪ'eɪʃn]
Ernst **1.** seriousness ['sɪərɪəsnəs], earnest ['ɜːnɪst] **2.** *Wendungen*: ***es ist mein voller Ernst*** I'm absolutely serious; ***ist das Ihr Ernst?*** are you serious?, ***im Ernst?*** seriously?, *umg.* you're kidding
ernst **1.** serious ['sɪərɪəs] **2.** ***etwas*** (*bzw.* ***jemanden***) ***ernst nehmen*** take* something (*bzw.* someone) seriously; ***du darfst die Dinge nicht so ernst nehmen*** you mustn't take things so seriously **3.** ***ernst zu nehmend*** serious ['sɪərɪəs] **4.** *Wendungen*: ***ich meine es ernst*** I'm serious (***mit*** about), I'm not joking; ***das war nicht ernst gemeint*** I was *usw.* only joking
Ernstfall emergency [ɪ'mɜːdʒənsɪ]; ***im Ernstfall*** in case of emergency (⚠ *ohne* the), *Krieg*: in the event of a war [wɔː]
ernsthaft **1.** serious ['sɪərɪəs] **2.** ***ich mache mir ernsthaft(e) Sorgen um ihn*** I'm really worried ['wʌrɪd] about him
ernstlich serious ['sɪərɪəs]
Ernte **1.** harvest ['hɑːvɪst] (*auch übertragen*) **2.** (≈ *Ertrag*) crop
ernten **1.** harvest ['hɑːvɪst] (*Getreide*) **2.** dig* (*Kartoffeln*) **3.** pick (*Obst*) **4.** *übertragen* earn [ɜːn], win* (*Ruhm, Applaus*)
Ernüchterung *übertragen* disillusionment [ˌdɪsɪ'luːʒnmənt]
Eroberer conqueror ['kɒŋkərə]

erobern **1.** conquer ['kɒnkə] (*auch übertragen*) **2.** *militärisch*: take* (*Stadt, Gebiet*)
Eroberung conquest ['kɒŋkwest] (*auch übertragen*)
Eroberungskrieg war of conquest
eröffnen **1.** *allg.*: open (*Sitzung, Diskussion, Konto usw.*) **2.** *feierlich*: inaugurate [ɪ'nɔːgjəreɪt], *AE* dedicate ['dedɪkeɪt]
Eröffnung **1.** *allg.*: opening (*auch Schach*) **2.** *feierliche*: inauguration [ɪˌnɔːgjə'reɪʃn], *AE* dedication [ˌdedɪ'keɪʃn]
Eröffnungsfeier opening ceremony ['serəmənɪ]
erörtern discuss (*Thema, Problem usw.*)
Erörterung **1.** (≈ *Diskussion*) discussion **2.** *Aufsatz*: (discursive) essay
Erotik eroticism [ɪ'rɒtɪsɪzm]
erotisch erotic [ɪ'rɒtɪk]
erpicht: ***er ist ganz erpicht auf die neue Stelle*** he's really keen on the new job, he's really keen to get the new job
erpressen **1.** ***jemanden erpressen etwas zu tun*** blackmail someone into doing something **2.** ***von jemandem Geld*** (*bzw.* ***ein Geständnis*** *usw.*) ***erpressen*** extort [ɪk'stɔːt] money (*bzw.* a confession *usw.*) from someone
Erpresser(in) blackmailer
Erpresserbande gang of blackmailers
Erpressung blackmail
erproben try (out), test
erprobt well-tried, tried and tested
erraten guess [ges]; ***du hast es erraten!*** you've guessed (right)
errechnen work out, calculate
erregbar: ***er ist leicht erregbar*** he's very touchy, he easily gets upset (*oder* angry)
erregen **1.** ***jemanden erregen*** *allg.*: excite [ɪk'saɪt] someone, *sexuell auch*: arouse someone, (≈ *ärgern*) annoy [ə'nɔɪ] someone **2.** ***sich über etwas erregen*** (≈ *aufregen*) get* upset [ˌʌp'set] about something
Erreger **1.** *einer Krankheit*: agent ['eɪdʒnt], virus ['vaɪrəs] **2.** (≈ *Keim*) germ [dʒɜːm]
erregt *allg.*: excited [ɪk'saɪtɪd], *sexuell auch*: aroused, (≈ *verärgert*) annoyed
Erregung **1.** *allg.*: excitement [ɪk'saɪtmənt] **2.** *sexuelle*: arousal [ə'raʊzl] **3.** (≈ *Verärgerung*) annoyance
erreichbar **1.** ***das Dorf ist leicht erreichbar*** the village is easy to get to (*oder* is within easy reach) **2.** ***das Stadtzentrum ist zu Fuß*** (*bzw.* ***mit dem Wagen***) ***leicht erreichbar*** the city centre is within easy walking (*bzw.* driving) distance
erreichen **1.** reach (*Ort, Person, Alter, Höhe usw.*) **2.** catch* (*Zug usw.*) **3.** ***unsere Schule ist vom Bahnhof leicht zu erreichen*** our school is within easy reach of the station **4.** ***du kannst ihn unter dieser Telefonnummer erreichen*** you can reach him on (*AE* at) this phone number; ***hast du ihn erreicht?*** *telefonisch*: did you get hold of him? **5.** (≈ *durchsetzen*) achieve [ə'tʃiːv] (*Ziel, Vorhaben*) **6.** ***das Klassenziel erreichen*** complete the school year successfully **7.** ***hast du bei ihm was erreicht?*** did you get anywhere (with him)?; ***ich habe nichts erreicht*** I didn't get anywhere
errichten **1.** put* up (*Barrikaden, Monument, übertragen Barrieren usw.*) **2.** erect [ɪ'rekt], build* (*Gebäude*)
erringen **1.** ***den Sieg erringen*** gain victory (⚠ *ohne* the), win* **2.** ***einen Erfolg erringen*** be* successful [sək'sesfl], *umg.* notch up a success
Errungenschaft **1.** achievement [ə'tʃiːvmənt] **2.** ***meine neueste Errungenschaft*** my latest acquisition [ˌækwɪ'zɪʃn]
Ersatz **1.** substitute ['sʌbstɪtjuːt] (*auch Person*) **2.** *auf Dauer*: replacement **3.** (≈ *Ausgleich*) compensation **4.** (≈ *Schadenersatz*) damages (⚠ *Pl.*)
Ersatzbank *Sport*: substitutes' bench ['sʌbstɪtjuːtsˌbentʃ]
Ersatzmann substitute ['sʌbstɪtjuːt] (*auch Sport*)
Ersatzmine *Kugelschreiber*: refill ['riːfɪl]
Ersatzreifen spare tyre, *AE* spare tire
Ersatzspieler(in) substitute
Ersatzteil spare part, spare
ersaufen (≈ *ertrinken*) drown [draʊn]
erschaffen create [kriː'eɪt], make*
Erschaffung creation [kriː'eɪʃn]
erscheinen **1.** (≈ *kommen*) come* (***zu*** to), turn up (***zu*** at) **2.** (≈ *vorkommen, auftreten*) appear [ə'pɪə] **3.** (*Zeitung, Buch*) come* out; ***das Buch erscheint nächsten Monat*** the book comes out (*oder* will be published) next month
Erscheinung **1.** (≈ *Vorgang*) phenomenon [fə'nɒmɪnən] *Pl.*: phenomena (*auch natürliche und physikalische*) **2.** (≈ *äußere Gestalt*) appearance [ə'pɪərəns] **3.** ***er tritt kaum in Erscheinung*** *übertragen* he keeps very much in the background
erschießen **1.** shoot* (dead); ***drei Geiseln*** *usw.* ***wurden erschossen*** three hostages *usw.* were shot dead; ***sie haben sie erschießen lassen*** they had them shot **2.** ***er hat sich erschossen*** he('s) shot himself
Erschießung **1.** shooting **2.** *als Todesstrafe*: execution (by firing squad [skwɒd])

erschlaffen **1.** (*Glieder*) go* limp **2.** (*Muskeln*) grow* tired, slacken
erschlagen[1] **1.** ***jemanden erschlagen*** kill someone **2.** ***er wurde vom Blitz erschlagen*** he was struck (dead) by lightning
erschlagen[2] *umg.* **1.** (≈ *verblüfft*) flabbergasted ['flæbəgɑːstɪd] **2.** (≈ *erschöpft*) whacked [wækt]
erschließen **1.** open up (*Absatzmarkt*) **2.** develop [dɪ'veləp] (*Baugelände*) **3.** tap (*Rohstoffquellen, Bodenschätze usw.*) **4.** deduce [dɪ'djuːs], reconstruct (*die Bedeutung von etwas*)
erschöpft **1.** (≈ *abgespannt*) exhausted [ɪg'zɔːstɪd] (***von*** by) **2.** ***die Vorräte*** *usw.* ***sind erschöpft*** *Bodenschätze*: the deposits *usw.* are (*oder* have become) depleted
Erschöpfung exhaustion [ɪg'zɔːstʃn]; ***bis zur Erschöpfung*** to the point of exhaustion; ***vor Erschöpfung umfallen*** collapse <u>with</u> (*oder* from) exhaustion
erschossen *umg.* (≈ *erschöpft*) whacked
erschrecken **1.** ***jemanden erschrecken*** frighten (*oder* scare) someone, give* someone a fright (*oder* scare) **2.** ***bin ich erschrocken!*** what a fright I got (*oder* you *usw.* gave me); ***erschrick nicht, …*** don't get a fright, … **3.** ***ich war erschrocken, wie alt er aussah*** I was shocked at how old he looked **4.** ***sich erschrecken*** get* a fright, (≈ *zusammenfahren*) jump; ***er hat sich ganz schön erschreckt*** *oder* ***erschrocken*** he got quite a fright
erschreckend **1.** alarming, frightening **2.** (≈ *furchtbar*) terrible, dreadful ['dredfl] **3.** (≈ *entsetzlich*) appalling [⚠ ə'pɔːlɪŋ]
erschrocken → ***erschrecken***
erschüttern **1.** shock **2.** ***das kann mich nicht erschüttern*** it leaves me cold **3.** ***ihn kann nichts mehr erschüttern*** he's seen (*oder* been through) it all
erschüttert: ***ich bin erschüttert*** I'm shocked
Erschütterung *der Erde*: vibration, *stärker*: tremor ['tremə]
erschweren **1.** ***unsere Arbeit*** *usw.* ***wird dadurch erschwert*** it makes our work *usw.* more difficult **2.** hinder ['hɪndə] (*Fortschritt, Wachstum usw.*)
erschwinglich **1.** ***zu erschwinglichen Preisen*** at reasonable prices **2.** ***es ist für uns nicht erschwinglich*** we can't afford it
ersehen: ***daraus ist zu ersehen, dass …*** this shows (*oder* indicates) that …
ersetzbar replac<u>e</u>able [rɪ'pleɪsəbl]
ersetzen **1.** ***jemanden*** *bzw.* ***etwas ersetzen*** replace someone *bzw.* something (***durch*** by, with) **2.** ***ihm wurde der Schaden ersetzt*** he was compensated for the damage
ersichtlich **1.** apparent [ə'pærənt]; ***ohne ersichtlichen Grund*** <u>for</u> no apparent reason **2.** (≈ *klar*) clear
erspähen catch* sight of, *umg.* spot
ersparen **1.** ***das wird uns nicht erspart bleiben*** there's no getting round it **2.** ***mir bleibt aber auch nichts erspart*** why does everything have to happen to me?
Ersparnisse savings
erst **1.** (≈ *als erstes*) first (of all) **2.** (≈ *anfangs*) at first **3.** (≈ *zuvor*) first; ***ich muss erst*** (***noch***) ***telefonieren*** I've got to make a phone call first **4.** (≈ *nicht früher als*) only, not until (*oder* till); ***erst dann*** only then, not until (*oder* till) then; ***erst jetzt*** only now, not until (*oder* till) now; ***erst jetzt wissen wir …*** only now <u>do we know</u> … (⚠ *Wortfolge*); ***ich habe sie erst letzte Woche gesehen*** it was only last week (that) I saw her **5.** (≈ *nicht später als*) only; ***es ist erst sieben Uhr*** it's only seven o'clock **6.** (≈ *bloß, nicht mehr als*) only, just; ***sie ist erst fünf*** she's only (*oder* just) five (years old); ***ich habe erst zwei Antworten bekommen*** I've only had two replies (so far)
erstarren **1.** *wörtlich* grow* stiff, stiffen **2.** (*Lava usw.*) solidify [sə'lɪdɪfaɪ] **3.** (*Gesicht*) turn to stone
erstarrt **1.** *wörtlich* stiff **2.** *vor Kälte*: stiff, numb [⚠ nʌm] (***vor*** with)
erstatten **1.** ***jemandem seine Auslagen erstatten*** refund [rɪ'fʌnd] (*oder* reimburse [ˌriːɪm'bɜːs]) someone for his (*bzw.* her) expenses **2.** ***gegen ihn wurde Anzeige erstattet*** he was reported to the police
Erstattung **1.** (≈ *Rückzahlung*) refunding [rɪ'fʌndɪŋ] **2.** *konkrete Summe*: refund ['riːfʌnd]
Erstaufführung *Theater, Film*: premiere [⚠ 'premɪeə]
erstaunlich astonishing, *stärker*: amazing
erstaunlicherweise astonishingly [ə'stɒnɪʃɪŋlɪ], to my (his *usw.*) surprise [sə'praɪz]
erstaunt surprised [sə'praɪzd], astonished [ə'stɒnɪʃt], *stärker*: amazed (***über*** at)
Erstausgabe first edition
erstbeste(r, -s) **1.** ***kauf doch nicht einfach den erstbesten Computer!*** don't go and buy <u>just any old</u> computer **2.** ***der*** (*bzw.* ***die***) ***Erstbeste*** just anyone
erste(r, -s) **1.** first; ***1. Mai*** 1(st) May, May 1(st) (⚠ *gesprochen* the first of May); ***am 1. Mai*** on 1(st) May, on May 1(st)

(⚠ *gesprochen* on the first of May) **2.** ***das erste Kapitel*** chapter ['tʃæptə] one **3.** ***das erste Mal*** the first time; ***das erste Mal, als ich ihn sah*** *usw.* the first time I saw him *usw.* **4.** ***zum ersten Mal*** for the first time; ***ich sehe ihn zum ersten Mal*** I've never seen him before
Erste(r) **1.** (the) first **2.** ***er wurde Erster*** he was first, *bei Rennen*: he came in first **3.** ***Karl I.*** Charles I (*gesprochen* Charles the First; I *ohne Punkt!*) **4.** ***heute ist der Erste*** it's the first today
erstechen stab (to death)
erstehen (≈ *kaufen*) buy* (oneself)
ersteigern: ***etwas ersteigern*** buy something at an auction ['ɔːkʃn]
erstens first(ly), first of all
ersticken **1.** suffocate ['sʌfəkeɪt] (***an*** from); ***vor Hitze ersticken*** suffocate from the heat **2.** ***jemanden ersticken*** suffocate someone **3.** ***das Feuer ersticken*** put* the fire out
erstklassig **1.** first-class, first-rate **2.** *Waren*: top-quality
Erstklässler(in) first-year (primary) pupil, *AE* firstgrader
erstmals: ***es erschien erstmals 1997*** it first appeared in 1997
erstrangig **1.** first-rate **2.** *Problem*: top--priority
erstrebenswert desirable, worthwhile
erstrecken **1.** ***sich erstrecken*** *räumlich*: extend, stretch (***bis zu*** to, as far as; ***über*** across, over) **2.** ***sich über Jahrzehnte*** *usw.* ***erstrecken*** cover (*oder* span) several decades ['dekeɪdz] *usw.*
Erstschlag *militärisch*: first strike
ertappen: ***jemanden beim Stehlen*** *usw.* ***ertappen*** catch* someone stealing *usw.*
erteilen give* (*Rat usw.*); ***jemandem einen Rat erteilen*** give* someone some advice
Ertrag **1.** *Landwirtschaft*: yield **2.** (≈ *Einnahmen*) returns (⚠ *Pl.*) (***aus*** from)
ertragen **1.** bear* [beə] (*Schmerzen, Anblick, Gedanken*) **2.** (≈ *dulden*) put* up with
erträglich **1.** *Schmerzen usw.*: bearable ['beərəbl] **2.** *Bedingungen*: tolerable ['tɒlərəbl]
ertränken: (***sich***) ***ertränken*** drown (oneself)
ertrinken **1.** ***er ertrank im Meer*** he drowned in the sea **2.** ***sie ertrank in den Fluten*** she was drowned by the floods
Eruption eruption
erwachen (≈ *aufwachen*) wake* up
erwachsen grown-up, adult ['ædʌlt]
Erwachsene(r) adult ['ædʌlt]; ***nur für Erwachsene*** (for) adults only
erwägen: ***die Vor- und Nachteile erwägen*** weigh [weɪ] up the pros [prəʊz] and cons
Erwägung: ***in Erwägung ziehen*** take* into consideration, consider [kən'sɪdə]
erwähnen mention ['menʃn]
Erwähnung mention (+ *Gen.* of)
erwärmen warm (up), heat (up)
Erwärmung **1.** warming up, heating up **2.** ***die Erwärmung der Erdatmosphäre*** global warming (⚠ *ohne* the)
erwarten **1.** expect; ***so was habe ich gar nicht erwartet*** I wasn't expecting (*oder* I didn't expect) anything like that **2.** (≈ *warten auf*) wait for **3.** ***sie erwartet ein Kind*** she's expecting (a baby)
Erwartung expectation [ˌekspek'teɪʃn]; ***es entsprach ihren Erwartungen nicht*** it didn't come up to her expectations
erwecken **1.** ***etwas wieder zum Leben erwecken*** revive something **2.** arouse [ə'raʊz] (*Interesse, Neugier, Verdacht*) **3.** bring* back (*Erinnerungen*) **4.** raise (*Hoffnung*) **5.** inspire (*Vertrauen*)
erweisen **1.** ***es ist erwiesen, dass …*** it has been proved [pruːvd] (*oder schwächer* shown) that … **2.** ***es erwies sich als falsch*** it turned out to be wrong, it proved (to be) wrong **3.** do* (*Ehre, Dienst, Gefallen usw.*)
erweitern **1.** (≈ *ausdehnen*) widen, enlarge **2.** extend (*Einfluss, Macht*) **3.** broaden (*Kenntnisse, Horizont*); ***sie hat ihre Spanischkenntnisse beträchtlich erweitert*** she's improved her Spanish considerably
Erweiterung **1.** (≈ *Ausdehnung*) widening, enlargement **2.** *Einfluss, Macht*: extension **3.** *seiner Kenntnisse*: broadening ['brɔːdnɪŋ]
Erwerb acquisition [ˌækwɪ'zɪʃn]
erwerben **1.** *allg.*: acquire [ə'kwaɪə] **2.** (≈ *kaufen*) acquire, purchase ['pɜːtʃəs] **3.** acquire (*Kenntnisse, Rechte usw.*)
erwerbslos unemployed
Erwerbstätige(r): ***die Zahl der Erwerbstätigen*** the number of people in work
erwidern **1.** (≈ *antworten*) reply, answer ['ɑːnsə] (***auf*** to) **2.** return (*Besuch, Gefälligkeit*)
erwirtschaften: ***Gewinn*** *usw.* ***erwirtschaften*** make* a profit ['prɒfɪt] *usw.*
erwischen **1.** catch*, get* **2.** ***ihn hats erwischt*** *Krankheit*: he's been laid low, *Tod*: he's snuffed it
erwürgen strangle ['stræŋgl]
Erz ore [ɔː]

E

erzählen 1. *allg.*: tell*; ***man hat mir erzählt …*** I've been told … **2. *er kann gut erzählen*** he's a good storyteller

Erzähler(in) 1. *im Roman usw.*: narrator [nə'reɪtə] **2. *sie ist eine gute Erzählerin*** she's a good story-teller

Erzählung story, *formeller* tale

Erzbischof archbishop [ˌɑːtʃ'bɪʃəp]

Erzengel archangel [⚠ 'ɑːkˌeɪndʒl]

erzeugen 1. *allg.*: produce [prə'djuːs], make* **2.** generate ['dʒenəreɪt] (*Energie*) **3.** create [kriː'eɪt] (*Gefühl, Zustand*)

Erzeugnis product [⚠ 'prɒdʌkt]

Erzeugung *von Energie*: generation

Erzfeind arch-enemy [ˌɑːtʃ'enəmɪ]

erziehen 1. (≈ *aufziehen*) bring* up, raise; ***er wurde streng erzogen*** he had a strict upbringing **2.** *geistig*: educate ['edjʊkeɪt]

Erzieher 1. educator **2.** (≈ *Lehrer*) teacher

Erzieherin 1. *Kindergarten*: kindergarten teacher **2.** (≈ *Lehrerin*) teacher

Erziehung 1. upbringing **2.** *geistige, politische usw.*: education [ˌedjʊ'keɪʃn]

erzielen 1. achieve [ə'tʃiːv] (*Ergebnis, Erfolg*) **2.** score (*Punkt, Treffer*) **3. (*einen*) *Gewinn erzielen*** make* a profit ['prɒfɪt] **4. *Einigung erzielen*** reach (*oder* come* to) an agreement (***über*** on)

erzogen 1. *er ist gut erzogen* he's very well-mannered **2. *er ist schlecht erzogen*** he's got no manners at all

erzwingen 1. *etwas erzwingen* force something, get* something by force **2. *von jemandem ein Geständnis erzwingen*** force a confession out of someone

es 1. *Sache*: it **2.** *Baby, Tier*: it, *emotional und bei bekanntem Geschlecht*: he, she **3. *es ist kalt*** *usw.* it's cold *usw.* **4. *es war keiner da*** there was nobody there **5. *es wurde getanzt*** *usw.* there was dancing *usw.* **6. *ich bins*** it's me **7. *ich nahm es*** I took it **8. *ich hoffe es*** I hope so **9. *es war einmal ein König*** once upon a time there was a king

Escape-Taste *Computer*: escape key

Esche ash, ash tree

Esel 1. *Tier*: donkey ['dɒŋkɪ] **2.** *abwertend* fool, idiot ['ɪdɪət]

Eselsohr *übertragen* dog-ear, turned-down corner; ***ein Buch mit Eselsohren*** a dog-eared book

Eskalation *allg.*: escalation [ˌeskə'leɪʃn]

Eskimo Eskimo ['eskɪməʊ]

Espresso espresso (⚠ *Pl.* espressos)

Essay essay ['eseɪ]

essbar 1. eatable **2.** (≈ *genießbar*) edible ['edəbl]; ***essbarer Pilz*** (edible) mushroom

Essbesteck cutlery (⚠ *ohne* a), cutlery set, knife, fork and spoon

essen 1. *allg.*: eat* **2. *zu Mittag essen*** have* lunch **3. *zu Abend essen*** have* dinner **4. *was gibts zu essen?*** what's for dinner (*bzw.* lunch)? **5. *essen gehen*** eat* out, eat* at a restaurant ['restərɒnt]

Essen 1. (≈ *Kost, Verpflegung*) food [⚠ fuːd] **2.** (≈ *Gericht*) dish **3.** (≈ *Mahlzeit*) meal **4.** (≈ *Abendessen*) dinner, (≈ *Mittagessen*) lunch; ***wir sind gerade beim Essen*** we're just having (our) dinner (*bzw.* lunch *bzw.* tea)

Essen und Trinken

Mahlzeiten – wann?

breakfast	Frühstück	07:00 – 10:00
elevenses	zweites Frühstück	11:00 – 12:00
lunch	Mittagessen	12:00 – 14:00
tea	Nachmittagstee, kleiner Imbiss	16:00 – 17:00
dinner	Abendessen	18:00 – 23:00
supper	spätes Abendessen	21:00 – 23:00

Die Zeiten sind nur Richtwerte, auch gibt es regionale Unterschiede in den Bezeichnungen der Mahlzeiten. Aber **dinner** ist fast immer die Hauptmahlzeit, und meist etwas Warmes. Sie wird in der Regel abends eingenommen.

Essen(s)marke meal ticket

Essenszeit mealtime; ***während der Essenszeit*** during mealtimes; ***es ist Essenszeit*** it's time to eat, it's time for lunch *bzw.* dinner

Essig vinegar ['vɪnɪgə]

Esslöffel tablespoon; ***zwei Esslöffel Honig*** two tablespoons(ful) of honey

Esstisch dining table

Esszimmer dining room

Este, Estin Estonian [e'stəʊnɪən]; ☞ ***Nationalitäten***

Estland Estonia [e'stəʊnɪə]

estnisch, Estnisch Estonian [e'stəʊnɪən]

Estragon *Pflanze, Gewürz*: tarragon ['tærəgən]

Estrich Ⓒⓗ (≈ *Dachboden, Dachraum*) loft, attic

Etage floor [flɔː], storey, *AE* story; ***auf*** (*oder* ***in***) ***der ersten Etage*** on the first (*AE* second) floor; ☞ *Info unter engl.* ***floor***

Etappe 1. *allg.*: stage **2.** *Sport*: stage, leg

etappenweise in stages, step by step

Etat budget ['bʌdʒɪt]

Ethik ethics ['eθɪks] (⚠ *Pl.*; *als Fach mit Sg.*)

ethisch: ***aus ethischen Gründen ablehnen*** *usw.* reject *usw.* on ethical ['eθɪkl] grounds

ethnisch ethnic ['eθnɪk]

Etikett 1. label **2.** (≈ *Preisschild*) price tag

etliche several ['sevrəl], quite a few; ***etliche Millionen Euro*** several million euro

Etui case

etwa 1. about, approximately [ə'prɒksɪmətlɪ], *umg.* around **2.** (≈ *zum Beispiel*) for instance ['ɪnstəns], for example, (let's) say **3.** ***war sie etwa da?*** was she there then?, *stärker*: don't say she was there

etwaig any; ***etwaige Schwierigkeiten*** any difficulties (that might arise)

etwas 1. something; ***etwas anderes*** something else **2.** *verneinend, fragend oder bedingend*: (≈ *irgend etwas*) anything; ***noch etwas?*** anything else?; ***so etwas habe ich noch nie gehört*** I've never heard anything like it **3.** ***so etwas kommt schon vor*** that kind of thing (*oder* it) 'does happen **4.** (≈ *ein bisschen*) some, a little, a bit of; ***ich brauche etwas Geld*** I need some (*oder* a bit of) money; ***etwas mehr*** (*bzw.* ***weniger***) a bit (*oder* a little) more (*bzw.* less)

EU (*Abk. für* **E**uropäische **U**nion) EU [ˌiː'juː] (*Abk. für* **E**uropean **U**nion)

EU- … *in Zusammensetzungen*: EU …; ***EU-Behörde*** EU institution; ***EU-Kommissar(in)*** EU Commissioner; ***EU-Kommission*** EU Commission; ***EU-Ministerrat*** EU Council of Ministers; ***EU-Mitgliedsland*** EU member state

euch 1. (to) you; ***ich habs euch gesagt*** I told you; ***ich habs euch gegeben*** I gave it to you **2.** (≈ *für euch*) for you **3.** ***bei euch*** with you; ***wohnt sie bei euch?*** is she living with you? **4.** ***setzt euch!*** sit down

euer 1. your [jɔː] **2.** ***euer Robert*** *am Briefende*: Yours, Robert

Eule owl [aʊl]; ***Eulen nach Athen tragen*** carry coals to Newcastle

euretwegen 1. (≈ *wegen euch*) because of you **2.** (≈ *euch zuliebe*) for you, for your sake

Euro *Europäische Währungseinheit*: Euro, euro ['jʊərəʊ] (*Symbol* €, *Pl.* euros); ***Sie können in Euro oder in Dollar bezahlen*** you can pay in euros or (in) dollars, *Rechnung, Geldumtausch auch*: we accept euros and dollars

Euro… *in Zusammensetzungen*: Euro…, euro…, Euro …, euro … ['jʊərəʊ]; ***Eurocent*** Eurocent, Euro cent; ***Eurocentmünze, Eurocentstück*** Eurocent coin, Euro cent coin; ***Eurocity(zug)*** eurocity (train); ***Eurogebiet*** eurozone, euro area; ***Eurozone*** eurozone

Euroland 1. (≈ *alle Länder mit Euro*) Euroland ['jʊərəʊlænd] **2.** (≈ *einzelnes Land mit Eurowährung*) euro country (*oder* state)

Europa Europe ['jʊərəp]

Ein bisschen Europa

Europa	**Europe**
Euro (*Währung*)	**euro**
den Euro einführen	**launch/introduce the euro**
Euroland (*alle Länder, die den Euro eingeführt haben*)	**Euroland**
Europäische Union (EU)	**European Union (EU)**
Europäische Währungsunion (EWU)	**European Monetary Union (EMU)**
Europäische Zentralbank (EZB)	**European Central Bank (ECB)**
Europäisches Parlament	**European Parliament (EP)**
Europäische Kommission (EuK)	**European Commission (EC)**
europäischer Binnenmarkt	**single (European) market**

Europäer European [ˌjʊərə'piːən]; ***er ist Europäer*** he's (a) European; ☞ ***Nationalitäten***

Europäerin European woman (*oder* lady *bzw.* girl); ***sie ist Europäerin*** she's (a) European; ☞ ***Nationalitäten***

europäisch European [ˌjʊərə'piːən]; ***Europäisches Parlament*** European Parliament ['pɑːləmənt]; ***Europäische Union*** European Union

Europameister(in) 1. European champion **2.** *Mannschaft*: European champions (⚠ *Pl.*)

Europameisterschaft European championships (⚠ *Pl.*)

Europaparlament European Parliament

Europapokal European Cup
Europapolitik Europolitics (⚠ *Pl.*)
Europarat Council of Europe
Euthanasie euthanasia [ˌjuːθəˈneɪzɪə]
Euter udder [ˈʌdə]
evakuieren evacuate [ɪˈvækjʊeɪt]
Evakuierung evacuation [ɪˌvækjʊˈeɪʃn]
evangelisch Protestant [ˈprɒtɪstənt]
Evangelium Gospel
eventuell 1. possibly (⚠ *engl.* eventually = ***endlich, schließlich***); ***er sagt, er würde eventuell kommen*** he says he might (possibly) come; ***eventuell*** *als Antwort*: possibly, *umg.* maybe, I *usw.* might **2.** (≈ *notfalls*) if necessary [ˈnesəsrɪ]
eventuelle(**r, -s**) **1.** possible (⚠ *nicht* eventual) **2.** ***eventuelle Beschwerden*** any complaints (that might arise)
Evolution evolution [ˌiːvəˈluːʃn]
ewig 1. (≈ *unendlich*) eternal [ɪˈtɜːnl] **2.** *Glück, Frieden usw.*: eternal, everlasting [ˌevəˈlɑːstɪŋ] **3.** (≈ *endlos*) endless **4.** (≈ *ständig*) eternal, constant [ˈkɒnstənt] **5.** (≈ *ewig lange, für immer*) forever **6.** ***sie hat ewig gebraucht*** it took her ages
Ewigkeit 1. ***die Ewigkeit*** eternity [ɪˈtɜːnətɪ] (⚠ *ohne* the) **2.** ***ich warte schon eine Ewigkeit*** I've been waiting for ages
ex 1. ***sie tranken ex*** they emptied their glasses in one go **2.** ***ex!*** *umg.* bottoms up!
Ex… *in Zusammensetzungen*: (≈ *ehemalig*) ex-…, former; ***Exfrau*** ex-wife; ***Exminister*** former (government) minister; ***Expräsident*** former president
exakt precise [prɪˈsaɪs], accurate [ˈækjərət]
Exaktheit precision [prɪˈsɪʒn], accuracy [ˈækjərəsɪ]
Examen examination [ɪgˌzæmɪˈneɪʃn], exam; ***Examen machen*** take* one's exams
Exekutive executive [ɪgˈzekjʊtɪv]
Exempel 1. (≈ *Beispiel*) example [ɪgˈzɑːmpl] **2.** ***die Probe aufs Exempel machen*** put* it to the test
Exemplar 1. *einer Pflanze usw.*: specimen [⚠ ˈspesəmɪn] **2.** *eines Buches*: copy
Exil exile [ˈeksaɪl]; ***im Exil*** in exile; ***ins Exil gehen*** go* into exile (⚠ *beide ohne* the)
Existenz 1. existence [ɪgˈzɪstəns] **2.** (≈ *Unterhalt*) living
Existenzgründer(**in**) founder of a (new) business
Existenzgründung *Unternehmen*: start-up (*oder* setting-up) of a new business, business start-up
Existenzminimum 1. subsistence [səbˈsɪstəns] level **2.** ***knapp über dem Existenzminimum leben*** live on the poverty [ˈpɒvətɪ] line
existieren 1. exist [ɪgˈzɪst], be* **2.** ***davon existieren nur zwei*** there are only two of them (in existence) **3.** (≈ *leben*) exist, live (***von*** on)
exklusiv 1. exclusive [ɪkˈskluːsɪv] **2.** ***exklusiver Kreis*** select circle (*oder* group)
Exkursion excursion [ɪkˈskɜːʃn]
exotisch exotic [ɪgˈzɒtɪk]
Expansion expansion [ɪkˈspænʃn]
Expedition expedition [ˌekspɪˈdɪʃn]
Experiment experiment [ɪkˈsperɪmənt]
experimentieren experiment [ɪkˈsperɪment] (***an*** on; ***mit*** with)
Experte, Expertin expert [ˈekspɜːt]
explodieren explode [ɪkˈspləʊd] (*auch übertragen*)
Explosion explosion [ɪkˈspləʊʒn] (*auch übertragen*)
explosiv explosive [ɪkˈspləʊsɪv] (*auch übertragen*)
Export 1. export [ˈekspɔːt], exporting [ɪkˈspɔːtɪŋ] **2.** (≈ *Waren*) exports (⚠ *Pl.*)
exportieren export [ɪkˈspɔːt] (***nach*** to)
Exportland exporting country
Express (≈ *Expresszug*) express (train)
extra 1. (≈ *zusätzlich*) extra **2.** *Rechnung*: (≈ *getrennt*) separate [ˈseprət] **3.** ***ich schicks dir extra*** I'll send it to you separately **4.** (≈ *eigens*) specially; ***extra für dich*** just (*oder* specially) for you **5.** (≈ *absichtlich*) on purpose [ˈpɜːpəs]
Extrakt extract [ˈekstrækt]
extrem 1. extreme; ***er ist ein bisschen extrem*** he takes things a bit too far **2.** ***extrem kalt*** extremely cold, freezing cold
Extrem extreme; ***von einem Extrem ins andere fallen*** go* from one extreme to the other
Extremfall: (***im***) ***Extremfall*** (in an) extreme case
Extremismus extremism [ɪkˈstriːmɪzm]
Extremist(**in**), **extremistisch** extremist [ɪkˈstriːmɪst]
exzellent excellent [ˈeksələnt]
Exzess 1. excess [ɪkˈses] **2.** ***etwas bis zum Exzess treiben*** take* something to extremes
Eyeliner *Kosmetik*: eyeliner

F

Fabel fable (*auch übertragen*)
fabelhaft 1. fantastic, magnificent [mæg'nɪfɪsnt] **2.** ***du hast fabelhaft gekocht*** it was a wonderful meal
Fabrik 1. factory ['fæktrɪ], *AE auch* shop **2.** (≈ *Werk*) works (*Sg. oder Pl.*)
Fabrikarbeit factory work
Fabrikarbeiter(in) factory worker
Fabrikat 1. make, brand **2.** (≈ *Erzeugnis*) product ['prɒdʌkt]
Fabrikbesitzer(in) factory owner
Fabrikgelände factory site
Facette facet ['fæsɪt] (*auch übertragen*)
Fach 1. (≈ *Schrankfach usw.*) compartment **2.** (≈ *Brieffach*) pigeonhole ['pɪdʒənhəʊl] **3.** (≈ *Schul-, Studienfach*) subject ['sʌbdʒekt] **4.** (≈ *Beruf*) job; ***er versteht sein Fach*** he knows his job
Facharbeiter(in) skilled worker
Facharzt, **Fachärztin** (medical) specialist (***für*** in)
Fachausdruck technical ['teknɪkl] term
Fächer fan
Fachfrau expert ['ekspɜːt], specialist (***in*** in, at; ***für*** on)
Fachgebiet (special) field, subject (area)
Fachgeschäft specialist shop, *AE* specialist store
Fachhochschule advanced technical ['teknɪkl] college
Fachjargon (technical) jargon ['dʒɑːgən]
Fachkenntnis(se) specialized knowledge [⚠ 'nɒlɪdʒ] (*Sg.*)
Fachleute experts ['ekspɜːts]
fachlich *Problem*, *Wissen usw.*: technical ['teknɪkl]
Fachliteratur specialist literature
Fachmann expert ['ekspɜːt], specialist (***in*** in, at; ***für*** on)
fachmännisch expert ['ekspɜːt], specialist …; ***fachmännisches Urteil*** expert opinion
Fachschule *etwa*: technical ['teknɪkl] college
Fachsimpelei shop talk
fachsimpeln talk shop
Fachsprache technical ['teknɪkl] language, technical jargon ['dʒɑːgən]
Fachwerkhaus half-timbered house
Fachwissen specialized knowledge ['nɒlɪdʒ]
Fackel torch [tɔːtʃ]
Fackelträger(in) torchbearer ['tɔːtʃˌbeərə]
Fackelzug: ***einen Fackelzug veranstalten*** hold a torchlight procession
fad *bes.* Ⓐ, ⒸⒽ, **fade 1.** *Essen*: tasteless; ***die Suppe schmeckt fade*** the soup has no taste **2.** *bes.* Ⓐ, ⒸⒽ (≈ *langweilig*) dull, boring
Faden 1. thread [θred] (*auch übertragen*) **2.** *Wendungen*: ***ich hab den Faden verloren*** I've lost the thread; ***er hat die Fäden fest in der Hand*** he's got a tight grip on things
fadenscheinig *Ausrede usw.*: flimsy, weak
fähig 1. ***er ist nicht fähig zu gehen*** *usw.* he isn't capable of walking *usw.*, he isn't able to walk *usw.* **2.** (≈ *begabt*) talented ['tæləntɪd] **3.** ***er ist zu allem fähig*** he's capable of anything
Fähigkeit 1. *allg.*: ability [ə'bɪlətɪ] (*auch geistige*) **2.** (≈ *Tüchtigkeit*) capability **3.** (≈ *Begabung*) talent ['tælənt]
fahl pale
fahnden search [sɜːtʃ] (***nach*** for)
Fahnder(in) investigator
Fahndung search [sɜːtʃ] (***nach*** for)
Fahndungsliste: ***er steht auf der Fahndungsliste*** he's wanted by the police
Fahne 1. flag **2.** ***er hat eine Fahne*** *übertragen* he smells of drink (*oder* alcohol ['ælkəhɒl])
Fahnenmast, **Fahnenstange** flagpole
Fahrausweis ticket ['tɪkɪt]
Fahrbahn 1. road, *AE auch* pavement **2.** (≈ *Fahrspur*) lane
Fahrbahnrand 1. edge of the road **2.** *Autobahn*: hard shoulder, *AE* shoulder
fahrbar mobile ['məʊbaɪl]
Fähre ferry
fahren 1. *allg.*: go* (***mit*** by); ***mit der Bahn*** (*bzw.* ***mit dem Bus*** *usw.*) ***fahren*** go* by train (*bzw.* by bus *usw.*) **2.** *selbstlenkend, im Auto usw.*: drive*; ***sie fährt gut*** (*bzw.* ***schlecht***) she's a good (*bzw.* not a very good) driver **3.** *auf einem Fahrrad usw.*: ride*; ***Fahrrad*** (*bzw.* ***Motorrad***)

fahren ride* a bicycle (*bzw.* a motorbike) **4.** (≈ *verkehren*) run* **5.** (≈ *befördern*) take*, drive* **6.** (≈ *abfahren*) leave*, go* **7. *rechts fahren!*** keep to the right **8. *nach Köln fährt man sieben Stunden*** it's a seven-hour drive to Cologne, *mit dem Zug*: it's a seven-hour train journey to Cologne **9. *50 km/h fahren*** do* 50 kph (*gesprochen* kilometres per *oder* an hour) **10. *über einen Fluss*** *usw.* ***fahren*** cross a river *usw.* **11. *einen fahren lassen*** *vulgär* fart, *BE auch* let* off

F

Fahrer 1. driver **2.** (≈ *Motorradfahrer*) motorcyclist **3.** (≈ *Radfahrer*) cyclist
Fahrerflucht 1. hit-and-run offence **2. *er beging Fahrerflucht*** he failed to stop after an (*bzw.* the) accident ['æksɪdənt], he drove away from an (*bzw.* the) accident
Fahrerin 1. driver **2.** (≈ *Motorradfahrerin*) motorcyclist **3.** (≈ *Radfahrerin*) cyclist
Fahrgast passenger ['pæsɪndʒə]
Fahrgeld fare
Fahrgemeinschaft car pool
Fahrgestell *Auto*: chassis ['ʃæsɪ]
Fahrkarte ticket ['tɪkɪt]; ***eine Fahrkarte lösen*** buy* a ticket (***nach*** to)
Fahrkartenautomat ticket machine
Fahrkartenschalter ticket office
Fahrkartenkontrolle ticket inspection
Fahrkartenkontrolleur(in) ticket inspector
Fahrkosten travelling costs, travel costs
fahrlässig careless, reckless
Fahrlehrer(in) driving instructor
Fahrplan timetable (*auch übertragen*), *bes. AE* schedule ['ʃkedʒuːl]
Fahrplanänderung change in (the) timetable
fahrplanmäßig 1. according to schedule ['ʃedjuːl] **2. *der Zug fährt fahrplanmäßig ab*** (*bzw.* ***kommt an***) ***um 12 Uhr*** the train is scheduled ['ʃedjuːld] to leave (*bzw.* is due) at 12 o'clock
Fahrpraxis driving experience ['draɪvɪŋ‿ɪkˌspɪərɪəns]
Fahrpreis fare
Fahrpreiserhöhung fare increase ['ɪŋkriːs], increase in fares
Fahrpreisermäßigung fare discount ['dɪskaʊnt]
Fahrprüfung driving test
Fahrrad bicycle ['baɪsɪkl], *umg.* bike; ☞ *Illu S. 685*
Fahrschein ticket ['tɪkɪt]
Fahrscheinautomat ticket machine
Fahrscheinentwerter ticket cancelling ['kænslɪŋ] machine
Fahrschule driving school
Fahrschüler(in) learner (driver), *AE* student driver
Fahrspur lane
Fahrstrecke 1. (≈ *Route*) route [ruːt] **2.** (≈ *Länge*) distance ['dɪstəns] (to be covered)
Fahrstreifen lane
Fahrstuhl lift, *AE* elevator ['elɪveɪtə]; ***mit dem Fahrstuhl fahren*** take* the lift (*bzw. AE* elevator)
Fahrstunde driving lesson
Fahrt 1. *im Wagen*: drive*, ride* **2.** (≈ *Reise*) journey ['dʒɜːnɪ], trip **3.** (≈ *Ausflug*) outing **4. *eine Fahrt nach Rom machen*** make* (*oder* go* on) a trip to Rome **5. *gute Fahrt!*** have a good trip **6.** (≈ *Tempo*) speed; ***in voller Fahrt*** (at) full speed
Fährte 1. trail (*auch übertragen*) **2. *du bist auf der richtigen*** (*bzw.* ***falschen***) ***Fährte*** you're on the right (*bzw.* wrong) track
Fahrtenschreiber tachograph ['tækəgrɑːf]
Fahrverbot: ***ihm wurde ein*** (***einjähriges***) ***Fahrverbot erteilt*** he was banned from driving (for a year)
Fahrweise (style of) driving; ***bei deiner Fahrweise*** the way you drive
Fahrwerk *Flugzeug*: landing gear
Fahrzeug 1. vehicle [⚠ 'viːɪkl] **2.** *auf dem Wasser*: vessel ['vesl]
Fahrzeugbrief (vehicle [⚠ 'viːɪkl]) registration document ['dɒkjʊmənt]
Fahrzeughalter(in) registered keeper, (≈ *Besitzer*) car (*oder* vehicle [⚠'viːɪkl]) owner
fair fair; ***fair spielen*** play fair
Fairness fairness, *im Spiel*: fair play
Fakten facts, (≈ *Angaben*) data ['deɪtə]
Faktor *allg.*, *Mathe*: factor
Fakultät *Uni*: faculty ['fækltɪ], *AE auch* department
fakultativ optional
Falke 1. falcon [⚠ 'fɔːlkən] **2.** *Politik*: ↔ *Taube*: hawk [hɔːk]
Fall 1. fall **2.** *im Fallschirm*: descent [dɪ'sent] **3.** *übertragen* downfall **4.** *der Kurse, der Preise*: fall, drop **5. *zu Fall bringen*** bring* down (*Gegner, eine Regierung*) **6.** *allg., Grammatik, Gericht, Medizin*: case; ***in den meisten Fällen*** in most cases; ***der Fall Graf*** the case of Graf **7.** (≈ *Einzelbeispiel*) instance ['ɪnstəns] **8.** *Wendungen*: ***auf jeden Fall*** anyway, (≈ *ganz bestimmt*) definitely ['defənətlɪ]; ***auf keinen Fall*** on no account, (≈ *ganz bestimmt nicht*) definitely not; ***für alle Fälle*** just in case; ***das ist nicht ganz mein Fall*** it's not my kind of thing; ***klarer Fall!*** *umg.* (oh,) sure!

Falle 1. trap (*auch übertragen*) **2. *der Dieb ging ihm in die Falle*** the thief walked right into his trap
fallen 1. *allg.*: fall*, drop **2.** (*Fieber, Preise usw.*) go* down, drop, fall* **3.** (*Blick, Licht*) fall* (***auf*** on) **4. *durch eine Prüfung fallen*** fail an exam **5. *es fielen drei Schüsse*** there were three shots, three shots were fired **6. *es fielen zwei Tore*** there were two goals **7. *fallen lassen*** drop (*Plan, Idee, Freund usw.*)
fällen 1. cut* (*oder* chop) down (*Holz*) **2. *eine Entscheidung fällen*** make* a decision [dɪ'sɪʒn] **3. *ein Urteil fällen*** pass sentence ['sentəns] (⚠ *ohne* a) (***über*** on)
fällig (≈ *zahlbar*) due [djuː], payable; ***fällig zum 31. Mai*** payable by May 31 (*gesprochen* the 31st of May)
Fallobst windfall
Fall-out (radioactive) fallout
Fallrückzieher *Fußball*: overhead kick
falls 1. if; ***falls sie kommt*** if she comes, if she should come **2.** (≈ *für den Fall, dass*) in case
Fallschirm parachute ['pærəʃuːt]
Fallschirmspringen parachuting ['pærəʃuːtɪŋ], parachute jumping
Fallschirmspringer(in) 1. parachutist ['pærəʃuːtɪst] **2.** *Sport*: skydiver
falsch 1. ↔ *richtig*: wrong [⚠ rɒŋ]; ***etwas falsch beantworten*** answer something wrong **2. *etwas falsch verstehen*** misunderstand* something, *umg.* get* something wrong **3.** (≈ *unecht, unehrlich*) false [fɔːls]; ***unter falschem Namen*** under a false name; ***er ist ein ganz falscher Typ*** he's so false **4. *etwas falsch aussprechen*** mispronounce something **5. *falsch verbunden!*** *Telefon*: sorry, wrong number
fälschen 1. fake (*Urkunde, Unterschrift*) **2.** counterfeit ['kaʊntəfɪt], forge (*Geld*)
Fälscher(in) forger, *Geld auch*: counterfeiter ['kaʊntəfɪtə]
Falschfahrer(in) wrong-way driver
Falschgeld counterfeit ['kaʊntəfɪt] money
Falschmeldung (≈ *Ente*) hoax [həʊks]
Falschspieler(in) cheat [tʃiːt]
Fälschung 1. (≈ *das Fälschen*) forging **2.** *Bild usw.*: fake, forgery
fälschungssicher counterfeit-proof [ˌkaʊntəfɪt'pruːf]
Faltblatt leaflet ['liːflət]
Faltboot folding canoe [kə'nuː]
Falte 1. *im Stoff*: fold **2.** *in der Haut*: crease ['kriːs], *stärker*: wrinkle [⚠ 'rɪŋkl] **3.** (≈ *Knitterfalte, Bügelfalte*) crease
falten: ***etwas falten*** fold something
faltig 1. (≈ *zerknittert*) creased ['kriːst] **2.** *Haut*: wrinkled [⚠ 'rɪŋkld]
familiär 1. (≈ *zwanglos*) informal (⚠ *engl.* familiar = ***bekannt, vertraut***) **2. *familiäre Sorgen*** family problems
Familie 1. *allg.*: family **2. (*die*) *Familie Miller*** the Miller family, the Millers (*Pl.*) **3. *eine Familie haben*** have* a family, (≈ *Kinder haben*) have* children **4. *eine sechsköpfige Familie*** a family of six
Familienangehörige(r) member of the family, family member, relative ['relətɪv]
Familienangelegenheit family affair
Familienfeier, Familienfest family celebration ['fæmlɪˌselə'breɪʃn]
Familienleben family life
Familienmitglied member of the family, family member, relative ['relətɪv]
Familienname surname ['sɜːneɪm], family name, *AE mst.* last name
Familienpackung family pack
Familienplanung family planning
Familienverhältnisse family background
Fan fan [fæn]
Fanatiker(in) fanatic [fə'nætɪk]
fanatisch fanatic, fanatical [fə'nætɪk(l)]
Fanatismus fanaticism [fə'nætɪsɪzm]
Fanclub fan club
Fang 1. *allg.*: catch **2. *mit ihm haben wir einen guten Fang gemacht*** *übertragen* he was a good catch
Fangarm tentacle ['tentəkl]
fangen 1. *allg.*: catch* (*auch übertragen*) **2. *Feuer fangen*** catch* fire **3. *ich werd mich schon wieder fangen*** I'll be all right, I'll pull myself together
Fangen: ***Fangen spielen*** play catch, *AE* play tag
Fangfrage trick question
Fantasie 1. (≈ *Vorstellungskraft*) imagination; ***eine blühende Fantasie*** a vivid ['vɪvɪd] imagination **2.** (≈ *Fantasievorstellung*) fantasy ['fæntəsɪ] **3.** *eines Kranken*: hallucination [həˌluːsɪ'neɪʃn]
fantasielos 1. unimaginative [ˌʌnɪ'mædʒɪnətɪv] **2. *sei doch nicht so fantasielos!*** use your imagination
fantasieren 1. (≈ *Unsinn reden*) rave (***von*** about) **2.** *bei Krankheit*: hallucinate [hə'luːsɪneɪt]
fantasievoll imaginative [ɪ'mædʒɪnətɪv]
fantastisch 1. *umg.* (≈ *großartig*) brilliant ['brɪljənt], fantastic **2.** *Film, Geschichte usw.*: fantasy ['fæntəsɪ] (⚠ *nur vor dem Subst.*)
Farbdruck 1. (≈ *Verfahren*) colour ['kʌlə] printing **2.** (≈ *Ergebnis, Produkt*) colour print

F

Farbdrucker colour ['kʌlə] printer
Farbe 1. colour ['kʌlə]; ☞ *Illu S. 786* **2.** (≈ *Anstrich*) paint **3.** *für Haar, Stoffe*: dye [daɪ] **4.** (≈ *Bräune*) tan; ***du hast richtig Farbe bekommen*** you've got yourself a nice tan

Farben und Farbtöne

dunkelblau	**dark blue**, *bes. Kleidung*: **navy**
dunkelgelb	**dark yellow**
dunkelgrün	**dark green**
dunkelrot	**dark red**
hellblau	**light blue**
hellgelb	**light/pale yellow**
hellgrün	**light green**
hellrot	**light red**
knallrot	**bright red**
lila	**lilac**, *dunkler*: **mauve**
orange	**orange**
pink	⚠ **shocking pink**
purpur(rot)	**crimson**
rosa	**pink**
türkis	**turquoise**
violett	**purple**, *heller*: **violet**

Die deutsche Endung -lich bei Farben wird im Englischen meist durch **-ish** bzw. **-y** wiedergegeben. Beachte dabei auch die Schreibweise:

bläulich	**bluish, bluey**
bräunlich	**brownish, browny**
gelblich	**yellowish, yellowy**
gräulich	**greyish**, *AE* **grayish**
grünlich	**greenish, greeny**
rötlich	**reddish, reddy**
weißlich	**whitish**

☞ *Illu S. 786*

farbecht colourfast ['kʌləfɑːst]
färben 1. dye [daɪ] (*Haar, Stoff*); ***sie hat sich die Haare färben lassen*** she's had her hair dyed **2.** stain (*Glas, Papier*)
farbenblind colour-blind ['kʌləblaɪnd]
farbenfroh colourful ['kʌləfl]
Farbfernsehen colour television, colour TV [ˌkʌlə‿tiː'viː]
Farbfernseher colour television (set), colour TV (set) [ˌkʌlə‿tiː'viː(‿set)]
Farbfilm colour film
Farbfoto colour photo, colour print
farbig 1. coloured **2.** *übertragen* colourful ['kʌləfl]
Farbige(r) 1. *allg.*: non-white **2.** (≈ *Schwarzer, Mulatte*) black (⚠ coloured *wird als abwertend empfunden*); ***ein Farbiger*** a black man (*bzw.* boy)
Farbkopie colour copy
Farbkopierer colour copier
farblos 1. colourless (*auch übertragen*) **2.** ***er ist völlig farblos*** he has no personality
Farbmonitor colour monitor, colour screen
Farbstift 1. coloured pencil, crayon ['kreɪɒn]; ***eine Packung Farbstifte*** a packet of crayons **2.** (≈ *Filzstift*) coloured pen
Farbstoff 1. *für Haar, Stoffe*: dye [daɪ] **2.** ***Farbstoffe*** *in Lebensmittel usw.*: colouring (⚠ *Sg.*)
Farbton 1. *Bild, Foto*: tone **2.** *hell oder dunkel*: shade
Färbung colouring (*auch übertragen*)
Farm farm
Farmer(in) farmer
Farn(kraut) fern [fɜːn]
Fasan pheasant ['feznt] (*auch als Essen*)
faschieren Ⓐ mince, *AE* grind* [graɪnd] (*Fleisch usw.*)
Faschiertes Ⓐ (≈ *Hackfleisch*) mince, minced meat, *AE* ground meat
Fasching carnival ['kɑːnɪvl]
Faschismus fascism ['fæʃɪzm]
Faschist(in), **faschistisch** fascist ['fæʃɪst]
Faser fibre ['faɪbə]
faserig fibrous ['faɪbrəs]
fasern (*Stoff usw.*) fray
Fass 1. barrel ['bærəl] **2.** *kleines*: keg **3.** ***ein Fass Bier*** a barrel (*bzw.* keg) of beer **4.** ***Bier vom Fass, kein Flaschenbier*** draught [drɑːft] beer, not bottled beer **5.** ***ein Fass aufmachen*** *übertragen* have* a fling (*umg.* binge)
Fassade facade [fə'sɑːd], front [⚠ frʌnt] (*beide auch übertragen*)
Fassbier draught beer [ˌdrɑːft'bɪə], *AE* draft beer; ***gibt es Fassbier?*** do they have beer on draught?
fassen 1. (≈ *ergreifen*) take* hold of, grasp **2.** catch* (*Verbrecher usw.*) **3.** ***jemanden zu fassen kriegen*** get* hold of someone **4.** (≈ *aufnehmen können*) hold* **5.** (≈ *enthalten*) contain **6.** (≈ *glauben*) believe [bɪ'liːv]; ***das ist nicht zu fassen*** that's unbelievable, that's incredible [ɪn'kredəbl] **7.** ***einen Entschluss fassen*** make* a decision **8.** ***fass dich bitte kurz!*** please be brief
Fassung 1. *einer Brille*: frame **2.** *einer Lampe*: socket **3.** *eines Edelsteins*: setting **4.** (≈ *Version*) version **5.** ***sie verlor die Fassung*** she lost her composure

fassungslos 1. stunned **2.** (≈ *sprachlos*) speechless
Fassungsvermögen capacity
fast 1. almost, nearly **2.** ***fast nichts*** next to nothing **3.** ***fast nie*** hardly ever **4.** ***fast keine*** hardly any
fasten fast, go* on a fast
Fastenzeit: ***die Fastenzeit*** *Religion*: Lent (⚠ *ohne* the)
Fast Food fast food [ˌfɑːst'fuːd]
Fastnacht (≈ *Fasching*) carnival ['kɑːnɪvl]

Fastnacht

Fastnacht *bzw.* Karneval wird in Großbritannien nicht gefeiert. Dafür gibt es in manchen Städten im Mai einen Karneval sowie im August in London den großen, farbenprächtigen **Notting Hill Carnival** mit lauter Tanzmusik aus der Karibik.

Faszination fascination [ˌfæsɪ'neɪʃn]
faszinieren fascinate ['fæsɪneɪt]
fatal 1. (≈ *unangenehm*) awkward ['ɔːkwəd] **2.** (≈ *peinlich*) embarrassing [ɪm'bærəsɪŋ] **3.** (≈ *verhängnisvoll*) disastrous [dɪ'zɑːstrəs] (⚠ *engl.* fatal = *mst.* ***tödlich***)
Fata Morgana fata morgana [ˌfɑːtə‿mɔː'gɑːnə] (*auch übertragen*)
fauchen 1. (*Katze*) hiss **2.** (*Tiger usw.*) snarl **3.** *übertragen* hiss, snarl
faul 1. *Obst, Gemüse, Ei usw.*: rotten, bad **2.** *Fisch, Fleisch*: bad **3.** *Holz*: rotten **4.** (≈ *träge*) lazy, idle **5.** ***an der Sache ist etwas faul*** there's something fishy about it
faulen go* bad, rot
faulenzen 1. laze around **2.** ***er faulenzt*** *abwertend* he's lazy, he does nothing
Faulenzer(in) idler, lazybones (⚠ *Sg.*)
Faulheit laziness ['leɪzɪnəs]
faulig rotten
Faulpelz lazybones (⚠ *Sg.*)
Fauna fauna ['fɔːnə]
Faust 1. fist **2.** ***ich habs auf eigene Faust gemacht*** I did it on my own initiative [ɪ'nɪʃətɪv], *BE umg.* I did it off my own bat
faustdick 1. as big as your fist, the size of your fist **2.** *Wendungen*: ***eine faustdicke Lüge*** a whopping ['wɒpɪŋ] great lie, a whopper ['wɒpə]; ***er hat es faustdick hinter den Ohren*** he's a crafty one
Fausthandschuh mitten
Faustregel: ***(als) Faustregel*** (as a) general rule
Faustschlag punch [pʌntʃ]
Fauteuil Ⓐ, Ⓒⓗ (≈ *Polstersessel*) armchair
Favorit 1. favourite ['feɪvrət] (*auch im Sport*) **2.** ***er ist klarer Favorit für die Stelle*** he's the clear favourite for the job
Fax 1. (≈ *Mitteilung*) fax **2.** (≈ *Gerät*) fax (machine) **3.** ***hast du Fax?*** have you got a fax (machine)?; ☞*Info S. 674*
faxen fax; ***jemandem etwas faxen*** fax something (through) to someone, fax someone something
Faxen (≈ *Unsinn*) nonsense (⚠ *Sg.*)
Faxgerät fax machine
Faxnummer fax number
Fazit 1. result [rɪ'zʌlt], upshot **2.** ***das Fazit aus etwas ziehen*** sum something up
FCKW CFC [ˌsiːef'siː] (*Abk. für* chlorofluorocarbon)
FCKW-frei CFC-free [ˌsiːef'siːfriː]
Februar February ['februərɪ]; ***im Februar*** in February (⚠ *ohne* the)
fechten fence
Fechten fencing
Fechter(in) fencer
Feder 1. *Vogel usw.*: feather ['feðə] **2.** *Technik*: spring **3.** (≈ *Schreibfeder*) nib, *mit Halter*: pen, (≈ *Gänsefeder*) quill
Federball 1. *Spiel*: badminton **2.** (≈ *Ball*) shuttlecock
Federbett duvet [⚠ 'duːveɪ], *AE* comforter ['kʌmfətə]
federleicht (as) light as a feather ['feðə]
Federmappe pencil case
federn: ***das federt*** (≈ *ist elastisch*) it's springy ['sprɪŋɪ], it springs
Federung *Auto*: suspension
Fee fairy ['feərɪ]
fegen 1. sweep* (*auch übertragen*) **2.** Ⓒⓗ (≈ *scheuern, schrubben*) scour ['skaʊə], scrub
Fehlanzeige: ***Fehlanzeige!*** nothing doing
fehlen 1. ***er fehlt oft (in der Schule)*** he's often absent ['æbsənt] (from school); ***er hat eine Woche gefehlt*** he was absent for a week **2.** ***ihm fehlen zwei Zähne*** he has two teeth missing **3.** ***bei dir fehlt ein Knopf*** you've lost a button, there's a button missing from (*oder* on) *your coat usw.* **4.** ***ihm fehlt es an Mut*** he lacks courage ['kʌrɪdʒ], he's lacking in courage **5.** ***mir fehlt …*** I need …, I haven't got (any *bzw.* enough) … **6.** ***es fehlt an …*** there's (*bzw.* there are) no …, (≈ *es mangelt an*) there isn't (*bzw.* there aren't) enough [ɪ'nʌf] … **7.** ***fehlt dir etwas?*** are you all right?
Fehlen absence ['æbsəns] (***bei, in*** from)
Fehlentscheidung 1. mistake **2.** *eines Schiedsrichters usw.*: wrong decision [ˌrɒŋ‿dɪ'sɪʒn] **3.** ***eine Fehlentscheidung treffen*** make* a mistake, make* a wrong decision

F

Fax

AN:	Frau Anne Spencer, Northern Cameras, Liverpool	TO:	Ms Anne Spencer, Northern Cameras, Liverpool
FAX:	00 44 151-7 94 11 99	FAX:	00 44 151-7 94 11 99
VON:	Stephan Ebner	FROM:	Stephan Ebner
FAX:	(00 49) 89-3 22 73 60	FAX:	(00 49) 89-3 22 73 60
BETREFF:	Fuji MX 500 Digitalkamera	RE:	Fuji MX 500 Digital Camera
DATUM:	29. Oktober 2002	DATE:	29 October 2002
SEITEN	(inklusive Deckblatt): 1	PAGES	(including cover sheet): 1

Sehr geehrte Frau Spencer,

vor drei Monaten habe ich während eines Urlaubs in England in Ihrem Geschäft eine Digitalkamera Fuji MX 500 gekauft. Leider hat der Autofocus von Anfang an nicht zufriedenstellend funktioniert, und ich muss ihn jetzt hier in Deutschland reparieren lassen.

Beim Kauf wurde mir gesagt, dass für die Kamera weltweit eine zweijährige Garantie gewährt wird. Ich wäre Ihnen dankbar, wenn Sie mir dies per Fax umgehend bestätigen könnten und mir mitteilen würden, wo ich in München die Kamera auf Garantie reparieren lassen kann.

Vielen Dank für Ihre Hilfe.

Mit freundlichen Grüßen

Stephan Ebner

Dear Ms Spencer

Three months ago, while I was on holiday in England, I bought a Fuji MX 500 Digital Camera from your shop. Unfortunately, right from the beginning the autofocus did not work to my satisfaction and I need now to get it repaired here in Germany.

I was told when I bought the camera that it was under a 2-year worldwide guarantee. I would be grateful if you could confirm this by return fax and let me know where I can get it repaired under guarantee in Munich.

Thank you very much for your help.

Yours sincerely

Stephan Ebner

Fehler 1. (≈ *Versehen, Irrtum, Schreibfehler usw.*) mistake, *bes. schwerer*: error ['erə]; ***einen Fehler machen*** make* a mistake **2.** (≈ *Materialfehler usw.*) fault [fɔːlt], flaw, defect ['diːfekt] **3.** (≈ *Makel*) flaw, blemish ['blemɪʃ] **4.** (≈ *Charakterfehler; Schuld*) fault, weakness; ***dein (eigener) Fehler!*** (it's) your (own) fault! **5.** *Sport*: fault **6.** *Computer*: error

fehlerfrei 1. (≈ *einwandfrei*) perfect ['pɜːfɪkt] **2.** (≈ *richtig*) correct **3.** (≈ *makellos*) flawless

fehlerhaft 1. faulty ['fɔːltɪ] **2.** *schriftliche Arbeit*: full of mistakes

Fehlermeldung *Computer*: error ['erə] message

Fehlerquelle source of error [ˌsɔːsəv'erə], *technisch*: source of trouble ['trʌbl]

Fehlgeburt miscarriage [⚠ ˌmɪs'kærɪdʒ]

Fehlinvestition bad investment

Fehlschlag (≈ *Irrtum*) failure ['feɪljə]

Fehlstart false start [ˌfɔːls'stɑːt]

Fehltritt 1. slip (*auch übertragen*) **2.** *moralischer*: lapse [læps]

Fehlurteil 1. *übertragen* misjudgment, misjudgement **2.** *Gericht*: judicial error [dʒuːˌdɪʃl'erə]

Fehlzündung *Auto usw.*: misfiring [ˌmɪs'faɪərɪŋ]; ***es war eine Fehlzündung*** the car *usw.* backfired [ˌbæk'faɪəd]

Feier 1. celebration [ˌselə'breɪʃn]; ***eine Feier begehen*** have* (*oder* hold*) a celebration **2.** (≈ *Party*) party

Feierabend 1. ***Feierabend machen*** finish (work) **2.** ***nach Feierabend*** after work

feierlich 1. (≈ *ernsthaft, würdig*) solemn ['sɒləm] **2.** (≈ *festlich*) festive **3.** (≈ *förmlich*) ceremonious [ˌserə'məʊnɪəs] **4.** ***feierlich begehen*** celebrate ['seləbreɪt]

Feierlichkeit **1.** *Stimmung*: solemnity [sə'lemnətɪ] **2.** ***Feierlichkeiten*** (≈ *Feier*) ceremony ['serəmənɪ] (⚠ *Sg.*)
feiern **1.** celebrate ['seləbreɪt] (*Geburtstag usw.*) **2.** have* a party
Feiertag **1.** *allg.*: holiday **2.** ***gesetzlicher Feiertag*** public holiday, *BE* bank holiday, *AE auch* legal ['liːgl] holiday; ☞ *Info S. 676*
feiertags: ***sonn- und feiertags*** on Sundays and public (*oder BE* bank) holidays
feig(e) **1.** cowardly ['kaʊədlɪ], *umg.* chicken **2.** ***sei doch nicht so feige!*** don't be such a coward ['kaʊəd]
Feige *Frucht*: fig
Feigenbaum fig tree
Feigheit cowardice ['kaʊədɪs]
Feigling coward ['kaʊəd]
Feile file
feilen **1.** file **2.** ***feilen an*** *übertragen* polish (up) [ˌpɒlɪʃ('ʌp)]
feilschen haggle (**um** over)
fein **1.** *allg.*: fine; ***feiner Unterschied*** fine (*oder* subtle [⚠ 'sʌtl]) distinction **2.** (≈ *dünn*, *zart*) fine, delicate ['delɪkət] **3.** (≈ *elegant*) elegant ['elɪgənt], smart, *umg.* posh **4.** (≈ *genau*) accurate ['ækjərət], precise [prɪ'saɪs] **5.** ***das schmeckt fein*** it tastes delicious [dɪ'lɪʃəs] **6.** ***das Feinste vom Feinen*** the very best **7.** ***das hast du fein gemacht!*** *zum Kind*: good boy (*bzw.* girl) **8.** ***fein!*** good!, splendid!, great!
Feind(in) *allg.*: enemy ['enəmɪ]
feindlich **1.** hostile ['hɒstaɪl] **2.** ***feindliche Übernahme*** *eines Konzerns usw.*: hostile takeover **3.** ***feindliche Truppen*** enemy forces [ˌenəmɪ'fɔːsɪz]
Feindschaft enmity ['enmətɪ], *stärker*: hostility [hɒ'stɪlətɪ]
feindselig hostile ['hɒstaɪl] (***gegen*** to)
Feindseligkeit hostility [hɒ'stɪlətɪ]; ***Feindseligkeiten*** hostility (⚠ *Sg.*)
feinfühlig sensitive ['sensətɪv]
Feingefühl **1.** sensitiveness ['sensətɪvnəs] **2.** (≈ *Taktgefühl*) tact, delicacy ['delɪkəsɪ]
Feinheit **1.** fineness **2.** (≈ *Zartheit*) delicacy ['delɪkəsɪ] **3.** ***die Feinheiten*** the finer points, the niceties [⚠ 'naɪsətɪz] **4.** ***die letzten Feinheiten*** the final touches
Feinkostgeschäft delicatessen [ˌdelɪkə'tesn], *umg.* deli ['delɪ]
Feinmechaniker(in) precision mechanic [prɪˌsɪʒn‿mɪ'kænɪk]
Feinschmecker(in) gourmet ['gʊəmeɪ]
feixen *umg.* smirk [smɜːk]
Feld **1.** *allg.*: field (*auch übertragen*) **2.** (≈ *Schachfeld, Kästchen*) square **3.** ***das Feld anführen*** *Sport*: lead* the field
Feldarbeit **1.** *wörtlich* work in the fields **2.** (≈ *Feldforschung*) fieldwork
Feldherr general ['dʒenrəl]
Feldsalat lamb's lettuce [⚠ ˌlæmz'letɪs], corn salad ['sæləd]
Feldwebel sergeant ['sɑːdʒnt]

Fehler

Bei der Übersetzung des deutschen Worts „Fehler" gibt es eine ganze Reihe möglicher Entsprechungen: **mistake, error, fault** und andere mehr. Wann nimmt man was?

Fehler, Irrtum	**mistake**

Dies ist die häufigste Entsprechung für das deutsche Wort „Fehler". Es gibt verschiedene Arten von **mistakes**:

Rechtschreibfehler	**spelling mistake**
Du hast einen Rechenfehler gemacht.	**You've made a mistake in your calculations.**
Deine Englischübersetzung ist voller Fehler.	**Your English translation is full of mistakes.**

Fehler, Irrtum	**error** ['erə]

Error klingt ein bisschen gehobener als **mistake; error** wird auch in feststehenden Ausdrücken wie **typing error** (Tippfehler) und **printing error** (Druckfehler) verwendet.

Fehler, Defekt	**fault** [fɔːlt]

In der Software ist ein Fehler.	**There's a fault in the software.**
Es ist nicht mein Fehler (= ich bin nicht schuld).	**It's not my fault.**

Fault bezeichnet bei einer Sache oft den qualitativen Fehler im Sinne von Defekt – oder Schuld, wenn sich das Wort auf eine Person bezieht.

Wichtige Feiertage in GB und in den USA

(nicht alle sind arbeitsfreie Tage)

1. Januar	**New Year's Day**	Neujahrstag
25. Januar	**Burns Night** (*Schottland*)	Geburtstag des schottischen Nationaldichters Robert Burns
1. März	**St David's Day** (*Wales*)	
17. März	**St Patrick's Day** (*Irland*)	
23. April	**St George's Day** (*England*)	
	Good Friday	Karfreitag
	Easter Monday	Ostermontag
erster Montag im Mai	**May Day Bank Holiday**	
letzter Montag im Mai	**Spring Bank Holiday**	
letzter Montag im Mai bzw. 30. Mai	**Memorial Day** (*USA*)	zum Gedenken an im Krieg Gefallene
4. Juli	**Independence Day** (*USA*)	Unabhängigkeitstag
letzter Montag im August	**August Bank Holiday**	freier Tag im August
erster Montag im September	**Labor Day** (*USA*)	Tag der Arbeit
12. Oktober	**Columbus Day** (*USA*)	zum Gedenken an die Landung von Kolumbus auf den Westindischen Inseln
31. Oktober	**Halloween** [ˌhæləʊ'iːn]	Tag vor Allerheiligen
5. November	**Guy Fawkes Night** [ˌgaɪ'fɔːks-naɪt]	zur Erinnerung an den versuchten Sprengstoffanschlag auf das Parlamentsgebäude im Jahr 1605
Donnerstag vor dem letzten Sonntag im November	**Thanksgiving Day** (*USA*)	
30. November	**St Andrew's Day** (*Schottland*)	
25. Dezember	**Christmas Day**	1. Weihnachtstag
26. Dezember	**Boxing Day**	2. Weihnachtstag
31. Dezember	**New Year's Eve**	Silvester

Feldzug campaign [kæm'peɪn] (*auch übertragen*); ***einen Feldzug führen gegen*** *übertragen* wage a campaign against, campaign against

Felge 1. *am Rad*: rim **2.** *Turnen*: circle

Felgenbremse *Fahrrad*: calliper brake ['kælɪpə‿breɪk]

Fell 1. (≈ *Haarkleid*) fur [fɜː] **2.** *bei Pferd, Hund, Katze*: coat **3.** *beim Schaf*: fleece **4.** *abgezogene Haut von größeren Tieren*: hide **5.** *abgezogene Haut von kleineren Tieren*: skin **6.** ***ein dickes Fell haben*** *übertragen* have* a thick skin

Fels(en) rock (*auch übertragen*)

felsenfest 1. ***ich bin felsenfest davon überzeugt*** I'm firmly (*oder* absolutely) convinced of it **2.** ***ich kann mich felsenfest auf ihn verlassen*** I can absolutely rely on him

felsig rocky

Felsspalte crevice [⚠ 'krevɪs]
Felswand rockface, wall of rock
feminin feminine ['femənɪn] (*auch grammatisch*)
Feminismus feminism ['femənɪzm]
Feministin feminist ['femənɪst]
feministisch feminist ['femənɪst]
Fenchel fennel ['fenl]
Fenster 1. *allg.*: window (*auch beim Computer*) **2.** ***zum Fenster hinausschauen*** look out of the window **3.** ***er ist weg vom Fenster*** *umg.* he's a goner ['gɒnə], *BE auch* he's had his chips
Fenster... *in Zusammensetzungen*: window..., window ...; ***Fensterbrett*** windowsill; ***Fensterplatz*** window seat; ***Fensterscheibe*** windowpane
Ferien 1. holidays, *AE* vacation (⚠ *Sg.*); ***Ferien machen*** go* on holiday, *AE* go* on vacation (⚠ *beide Sg.*) **2.** *Uni*: vacation, *BE umg. auch* vac (⚠ *beide Sg.*)
Ferien... *in Zusammensetzungen*: holiday ..., *AE* vacation ...; ***Ferienhaus*** holiday (*AE* vacation) home; ***Ferienjob*** holiday (*AE* vacation) job; ***Ferienreise*** holiday (*AE* vacation) trip; ***Ferienzeit*** holiday (*AE* vacation) period ['pɪərɪəd]
Ferienkurs vacation course [veɪ'keɪʃn‿kɔːs], *im Sommer auch*: summer course
Ferienlager 1. holiday camp **2.** *für Kinder im Sommer*: summer camp; ***ins Ferienlager fahren*** go* to summer camp
Ferienort holiday resort
Ferienwohnung holiday flat, *AE* vacation rental
Ferkel 1. young pig, piglet ['pɪglət] **2.** *übertragen* pig
fern 1. far **2.** (≈ *entfernt*) far off, distant ['dɪstənt] **3.** ***der Ferne Osten*** the Far East **4.** ***von fern*** from (*oder* at) a distance ['dɪstəns] **5.** ***in nicht allzu ferner Zukunft*** in the not too distant future **6.** ***fern von*** far (away) from **7.** ***(sich) fern halten von*** keep* away from
Fernabfrage *Telefon*: remote pickup, remote interrogation [rɪˌməʊt‿ɪnˌterə'geɪʃn]
Fernbedienung remote control
Ferne distance ['dɪstəns]; ***aus der Ferne*** from a distance (*auch übertragen*)
ferner 1. further(more) **2.** (≈ *außerdem*) besides
Fernfahrer long-distance lorry driver, *AE* long-haul truck driver, *AE umg.* trucker
Ferngespräch long-distance call [ˌlɒŋdɪstəns'kɒl]
ferngesteuert 1. remote-controlled, remote control ... **2.** ***ferngesteuertes Geschoss*** guided missile [ˌgaɪdɪd'mɪsaɪl]
Fernglas binoculars [baɪ'nɒkjʊləz] (⚠ *Pl.*)
Fernheizung municipal [mjuː'nɪsɪpl] heating system
Fernkurs correspondence course
Fernlicht 1. full beam, *AE* high beam **2.** ***mit Fernlicht fahren*** drive* with (*oder* on) full (*AE* high) beam
Fernmeldesatellit communications satellite ['sætəlaɪt]
Fernost..., fernöstlich Far Eastern
Fernrohr telescope ['telɪskəʊp]
Fernseh... *in Zusammensetzungen*: television ... ['telɪˌvɪʒn], TV ... [ˌtiː'viː, 'tiːviː]; ***Fernsehansager(in)*** television (*oder* TV) presenter (*bes. AE* announcer); ***Fernsehansprache*** television (*oder* TV) address; ***Fernsehantenne*** television (*oder* TV) aerial ['eərɪəl]; ***Fernsehgerät*** television (set), TV (set); ***Fernsehkamera*** television (*oder* TV) camera; ***Fernsehprogramm*** television (*oder* TV) programme; ***Fernsehsatellit*** TV (*oder* television) satellite ['sætəlaɪt]; ***Fernsehschirm*** TV screen; ***Fernsehsendung*** television (*oder* TV) programme; ***Fernsehserie*** television (*oder* TV) series ['sɪəriːz]; ***Fernsehspiel*** television (*oder* TV) play; ***Fernsehturm*** television (*oder* TV) tower; ***Fernsehübertragung*** television (*oder* TV) broadcast; ***Fernsehzuschauer*** (television *oder* TV) viewer
Fernsehen television ['telɪˌvɪʒn], TV [ˌtiː'viː]; ***im Fernsehen*** on television
fernsehen watch television (*oder* TV)
Fernseher TV [ˌtiː'viː] (set)
Fernsehsender 1. (≈ *technische Anlage*) television transmitter **2.** (≈ *Anstalt*) television (*oder* broadcasting ['brɔːdkɑːstɪŋ]) station **3.** (≈ *Kanal*) television channel ['telɪvɪʒnˌtʃænl]
Fernsicht *vom Berg usw.*: visibility [ˌvɪzə'bɪlətɪ]
Fernsprechamt telephone exchange
Fernsteuerung remote control
Fernstraße major road
Fernstudium correspondence course
Fernüberwachung remote monitoring ['mɒnɪtərɪŋ]
Ferse 1. *allg.*: heel **2.** ***sie war ihm dicht auf den Fersen*** she was hard on his heels
fertig 1. (≈ *bereit*) ready ['redɪ]; ***ich bin gleich fertig*** I'll be ready in a minute **2.** ***Auf die Plätze (,fertig, los)!*** On your mark(s) (get set, go)! **3.** (≈ *beendet, abgeschlossen*) finished; ***ich bin mit dem Buch*** (*bzw.* ***Brief*** *usw.*) ***fertig*** I've fin-

F

ished with the book (*bzw.* letter *usw.*) **4.** (≈ *erschöpft*) shattered

fertig / bereit

(mit etwas) fertig sein, (etwas) beendet haben	**have finished (doing something)**
bereit sein (etwas zu tun)	**be ready (to do something)**
Ich bin fertig (= *bereit*) – gehen wir!	**I'm ready – let's go.**
Ich bin für heute fertig.	**I've finished for today.**

fertig bringen 1. *etwas fertig bringen* (≈ *zustande bringen*) manage something; ***sie brachte es fertig, den Tresor zu öffnen*** she managed to open the safe **2. *er brachte es fertig sie rauszuschmeißen*** he actually threw her out **3. *ich brachte es nicht fertig*** I couldn't do it
fertig kriegen 1. (≈ *beenden*) finish (off) **2. *sie kriegt es fertig ihn rauszuschmeißen*** she's capable of throwing him out
fertig machen 1. (≈ *beenden*) finish (off) **2. *sich*** (*bzw.* ***jemanden*** *bzw.* ***etwas***) ***fertig machen*** (≈ *bereitmachen*) get* (someone *bzw.* something) ready ['redı] **3. *jemanden fertig machen*** *körperlich*: take* it out of someone, *seelisch*: finish someone off, *im Sport bes.*: slaughter ['slɔːtə] someone, annihilate [ə'naıəleıt] someone **4. *jemanden fertig machen*** (≈ *umbringen*) finish (*oder* bump) someone off **5.** ruin ['ruːın], *stärker*: wipe out (*die Konkurrenz*)
fertig stellen finish, complete
fertig werden 1. *ich werde mit dieser Hitze nicht fertig* I can't cope with (*oder* take, handle) this heat **2. *mit ihm werd ich schon fertig*** I can (*oder* know how to) handle him

fertigen make*, produce [prə'djuːs], manufacture [ˌmænjʊ'fæktʃə]
Fertiggericht ready-to-serve meal; ***sich von Fertiggerichten ernähren*** live on convenience food [kən'viːnıəns‿fuːd]
Fertighaus prefabricated house [priːˌfæbrıkeıtıd'haʊs], *umg.* prefab ['priːfæb]
Fertigkeit (≈ *Geschick*) skill
Fertigstellung completion
Fertigung manufacture [ˌmænjʊ'fæktʃə], production

Fertigwaren finished products
fesch *bes.* Ⓐ **1.** (≈ *modisch*) smart **2.** (≈ *hübsch*) attractive **3.** *nur* Ⓐ (≈ *nett*) nice; ***sei fesch!*** be* a good boy *bzw.* girl!
Fessel[1] **1.** (≈ *Strick*) rope **2.** (≈ *Kette*) chain; ***jemandem Fesseln anlegen*** put* someone in chains **3.** *übertragen* fetters (⚠ *Pl.*), shackles (⚠ *Pl.*)
Fessel[2] *am Fuß*: ankle
fesseln 1. tie up; ***sie fesselten ihn an Händen und Füßen*** they tied up his hands and feet **2.** *mit Ketten*: put* in chains **3.** *übertragen* fetter
fesselnd 1. captivating ['kæptıveıtıŋ], fascinating ['fæsıneıtıŋ] **2.** *Buch usw.*: absorbing **3.** (≈ *spannend*) gripping
fest 1. *allg.*: firm (*auch Entschluss usw.*) **2.** ↔ *flüssig*: solid ['sɒlıd] (*auch Nahrung*) **3.** (≈ *hart*) hard **4. *feste Schuhe*** sturdy shoes, a good pair of shoes **5.** (≈ *starr*) fixed, rigid ['rıdʒıd] **6.** *Schraube*: tight **7.** *Termin, Wohnsitz, Kosten, Preise, Einkommen, Gehalt*: fixed **8.** *Freund(in)*: steady **9.** *Freundschaft*: close [⚠ kləʊs] **10.** (≈ *ständig*) permanent ['pɜːmənənt] **11.** *Schlaf*: sound **12. *fester Bestandteil*** integral part [ˌıntıgrəl'pɑːt] **13. *fest werden*** harden, (*Pudding, Zement*) set* **14. *fester machen*** (*oder* ***ziehen***) tighten **15. *ich bin fest davon überzeugt, dass …*** I'm absolutely convinced that … **16. *ich bin fest entschlossen zu gewinnen*** *usw.* I'm determined [dı'tɜːmınd] to win *usw.*
Fest 1. (≈ *Feier*) celebration [ˌselə'breıʃn] **2.** (≈ *Party*) party; ***ein Fest geben*** have* (*oder* throw*) a party **3.** *kirchlich*: feast, festival **4. *Frohes Fest!*** Merry Christmas!
Festakt ceremony ['serəmənı]
festbinden 1. *jemanden* (*bzw.* ***etwas***) ***festbinden*** tie someone (*bzw.* something) up **2. *jemanden*** (*bzw.* ***etwas***) ***festbinden an*** tie someone (*bzw.* something) to
festbleiben remain firm
festdrehen tighten ['taıtn]
Festessen dinner, *großes*: banquet ['bæŋkwıt]
festfahren 1. *sich festfahren* get* stuck **2.** (*Verhandlungen*) come* to a standstill, reach (a) deadlock ['dedlɒk]
Festhalle auditorium [ˌɔːdı'tɔːrıəm], *BE auch* (festival) hall
festhalten 1. *wörtlich* hold* onto **2.** (≈ *zurückhalten*) stop **3.** *in Wort, Ton*: record [rı'kɔːd] **4.** *mit der Kamera*: get* a shot of **5. *etwas schriftlich festhalten*** put* something down in writing **6. *sich festhalten*** hold* tight, hold* on **7. *sich fest-***

halten an hold* onto **8.** ***festhalten an*** *übertragen* stick* to, cling* to
festigen 1. *allg.*: strengthen ['streŋθn] **2.** (≈ *sichern*) secure [sɪ'kjʊə]
Festigkeit 1. (≈ *Stärke*) strength [streŋθ] **2.** (≈ *Stabilität*) stability
Festigung strengthening ['streŋθnɪŋ], consolidation [kənˌsɒlɪ'deɪʃn]
Festival festival
festkleben stick* (***an*** to)
Festland 1. mainland ['meɪnlənd] **2.** ↔ *Meer*: land **3.** ***das europäische Festland*** the Continent ['kɒntɪnənt] (⚠ *Großschreibung*)
festlegen 1. fix (*Ort, Zeit, Termin*) **2.** set* (*Termin*) (***auf*** for) **3.** lay* down, define (*Grundsätze usw.*) **4.** ***sich festlegen*** (≈ *sich verpflichten*) commit oneself
festlich 1. festive **2.** (≈ *feierlich*) solemn ['sɒləm] **3.** ***festlich begehen*** celebrate ['seləbreɪt]
Festlichkeit festivity [fe'stɪvətɪ]
festmachen 1. *wörtlich* fix, attach [ə'tætʃ] **2.** *übertragen* fix (*Termin, Treffen usw.*)
Festmahl banquet ['bæŋkwɪt]
festnageln 1. *wörtlich* nail down **2.** ***festnageln an*** nail to **3.** *übertragen* nail down (***auf*** to)
Festnahme, **festnehmen** arrest
Festnetz *Telefon*: fixed line network
Festplatte *Computer*: hard disk
Festplattenlaufwerk *Computer*: hard disk drive
Festpreis fixed price
Festrede (ceremonial) a<u>dd</u>ress [ə'dres, *AE* 'ædres]
Festredner(in) (main) speaker
festschrauben screw on (*bzw.* down)
festsetzen 1. fix, arrange (*Zeit, Ort usw.*) (***auf*** for) **2.** fix (*Gehalt, Preis, Strafe*) (***auf*** at) **3.** ***sich festsetzen*** (*Schmutz usw.*) settle
Festspeicher *Computer*: read-only memory (*Abk.* ROM)
Festspiel 1. festival performance **2.** ***Festspiele*** festival (⚠ *Sg.*)
feststecken 1. *im Schnee usw.*: be* stuck **2.** ***etwas feststecken an*** pin something (on)to
feststehen 1. ***der Termin*** *usw.* ***steht fest*** the date *usw.* is fixed **2.** ***eins steht fest ...*** one thing's <u>for certain</u> …
feststehend *Tatsache*: established
feststellen 1. (≈ *ermitteln*) find* out, discover [dɪ'skʌvə] **2.** establish (*Sachverhalt usw.*) **3.** locate (*Lage, Fehler*) **4.** (≈ *erkennen*) realize, see* **5.** (≈ *bemerken*) notice
Feststellung 1. (≈ *Entdeckung*) discovery **2.** (≈ *Worte*) statement, remark
Feststoffrakete solid fuel rocket [ˌsɒlɪd‿fjuːəl'rɒkɪt]
Festtag 1. holiday ['hɒlədeɪ] **2.** *kirchlich*: religious holiday [rɪˌlɪdʒəs'hɒlədeɪ] **3.** *im Kalender*: red-letter day [ˌred'letə‿deɪ]
festtreten 1. tread* [⚠ tred] down **2.** ***das tritt sich fest*** *humorvoll* it's good for the carpet
Festung fortress ['fɔːtrəs], *kleinere*: fort [fɔːt]
Festungsanlagen fortifications
Festveranstaltung 1. event, festivities (⚠ *Pl.*) **2.** (≈ *Gala*) gala ['gɑːlə] performance
festwachsen: ***festwachsen an*** grow* onto
Festzelt marquee [mɑː'kiː]
festziehen tighten ['taɪtn], pull tight
Festzug procession
Fete party, *umg.* do; ***eine Fete feiern*** have* a party (*oder* do)
Fetischismus fetishism ['fetɪʃɪzm]
Fetischist(in) fetishist ['fetɪʃɪst]
fett 1. (≈ *dick*) fat **2.** *Speisen*: fatty, *ölig*: greasy ['griːsɪ] **3.** *Milch usw.*: rich **4.** *salopp*; *Party, Fete usw.*: fab, cool **5.** ***fett essen*** eat* a lot of fatty food(s) **6.** ***fett gedruckt*** bold-faced, in bold type **7.** ***fette Beute machen*** make* a big haul **8.** ***fette Jahre*** fat years
Fett 1. fat **2.** (≈ *Schmalz*) lard **3.** (≈ *Bratenfett*) dripping **4.** ***Fett ansetzen*** put* on weight [weɪt]
fettarm: ***eine fettarme Kost*** a low-fat diet ['daɪət]
fetten 1. (≈ *mit Fett einreiben*) grease [griːs] **2.** lubricate ['luːbrɪkeɪt] (*Maschine usw.*)
Fettfleck grease [griːs] mark, grease spot
fetthaltig containing fat (⚠ *nur hinter dem Subst.*), fatty
fettig fatty, *schmierig*: greasy ['griːsɪ]
Fettnäpfchen: ***da bist du ins Fettnäpfchen getreten*** you've put your foot in it
fettreich 1. fatty, rich **2.** ***eine fettreiche Kost*** a high-fat diet ['daɪət]
Fettsau *salopp* fat slob
Fettschicht layer of fat
Fettstift *für die Lippen*: chapstick
Fetus *biologisch*: foetus ['fiːtəs], fetus ['fiːtəs]
Fetzen 1. (≈ *Papierfetzen*) scrap **2.** (≈ *Stofffetzen*) rag
fetzen 1. ***in Stücke fetzen*** tear* [teə] <u>to</u> shreds **2.** ***das fetzt!*** it's brilliant ['brɪljənt], *AE* it's awesome **3.** ***... dass es nur so fetzt*** … like crazy
feucht 1. *Gras, Keller, Kleidung, Tuch, Wetter usw.*: damp **2.** *Augen, Lippen, Haut usw.*: moist; ***er hatte feuchte Augen***

his eyes were moist **3.** *Luft*, *Klima*: humid ['hjuːmɪd] **4.** (≈ *nass*) wet
Feuchtigkeit 1. damp(ness), moisture **2.** (≈ *Luftfeuchtigkeit*) humidity [hjuː'mɪdətɪ]
Feuchtigkeitscreme moisturizing cream ['mɔɪstʃəraɪzɪŋˌkriːm], moisturizer
feudal 1. *historisch*: feudal ['fjuːdl] **2.** *umg.* (≈ *luxuriös*) classy, posh
Feudalherrschaft feudalism ['fjuːdlɪzm]
Feuer 1. *allg.*: fire **2.** ***jemandem Feuer geben*** give* someone a light; ***hast du Feuer?*** *für Zigarette usw.*: have you got a light? **3.** ***mit dem Feuer spielen*** play with fire (⚠ *ohne* the)
Feuer... *in Zusammensetzungen*: fire ..., fire..., fire-...; ***Feueralarm*** fire alarm; ***Feuergefahr*** fire risk; ***Feuerleiter*** fire ladder, (≈ *Nottreppe*) fire escape; ***Feuerlöscher*** fire extinguisher [ɪk'stɪŋgwɪʃə]; ***Feuermelder*** fire alarm; ***Feuerschlucker*** fire-eater; ***Feuerwehr*** fire brigade, *AE* fire department; ***Feuerwehrauto*** fire engine, *AE* fire truck; ***Feuerwehrfrau*** firewoman; ***Feuerwehrleute*** fire fighters; ***Feuerwehrmann*** fireman, fire fighter; ***Feuerwerk*** fireworks (⚠ *Pl.*)
Feuerbohne scarlet runner
feuerfest fireproof, fire-resistant ['faɪə‿rɪˌzɪstənt]
feuern 1. (≈ *schießen*) fire (***auf*** at) **2.** (≈ *schleudern*) fling* **3.** (≈ *entlassen*) fire; ***er wurde gefeuert*** he was fired, he got the sack
Feuerzeug (cigarette [ˌsɪgə'ret]) lighter
Feuilleton 1. (≈ *Zeitungsteil*) feature (*oder* arts) pages (⚠ *Pl.*) **2.** (≈ *Artikel*) feature (article)
feurig *übertragen allg.*: fiery ['faɪrɪ]
Fez 1. ***Fez machen*** fool around **2.** ***aus Fez*** for kicks
Fiaker 1. cab **2.** (≈ *Kutscher*) coachman ['kəʊtʃmən]
Fiasko fiasco [fɪ'æskəʊ]; ***mit einem Fiasko enden*** end in fiasco (⚠ *ohne* a)
Fibel primer ['praɪmə]
Fichte spruce [spruːs], *umg. mst.* pine (tree) *oder* fir tree
Fichtennadel pine needle
ficken *vulgär* fuck, screw
Fieber 1. fever ['fiːvə] (*auch übertragen*) **2.** ***sie hat leichtes*** (*bzw.* ***hohes***) ***Fieber*** she's got a slight (*bzw.* a high) temperature
fieberhaft feverish ['fiːvərɪʃ]
Fieberthermometer (clinical) thermometer [θə'mɒmɪtə], *AE* (fever) thermometer
fies nasty ['nɑːstɪ], horrible ['hɒrəbl]
Fiesling *salopp* swine, bastard ['bɑːstəd]
fifty-fifty 1. ***machen wir fifty-fifty*** let's go fifty-fifty **2.** ***es steht fifty-fifty*** it's fifty-fifty
Figur 1. *allg.*: figure ['fɪgə] **2.** *im Buch*, *Film usw.*: figure, character ['kærəktə] **3.** *Schach*: piece
Fiktion 1. (≈ *Einbildung*) myth [mɪθ] **2.** (≈ *Erfindung*) fiction (*auch literarische*)
fiktiv fictitious [fɪk'tɪʃəs]
Filet *Fleisch*, *Fisch*: fillet ['fɪlɪt]
Filetsteak fillet ['fɪlɪt] steak
Filiale (≈ *Niederlassung*) branch [brɑːntʃ] (office), subsidiary [səb'sɪdɪərɪ]
Filialleiter(in) branch manager
Film 1. *Fotografie*: film **2.** *Kino*, *TV*: film, *bes. AE* movie ['muːvɪ] **3.** ***einen Film drehen über*** make* a film about **4.** ***sie ist beim Film*** *als Schauspielerin*: she's a film (*bes. AE* movie) actress **5.** (≈ *Häutchen*, *Überzug*) film
Film... *in Zusammensetzungen*: film ..., screen ..., *bes. AE auch* movie ['muːvɪ] ...; ***Filmausschnitt*** film clip; ***Filmbericht*** film report; ***Filmemacher(in)*** film-maker, *AE* moviemaker; ***Filmfestspiele*** film festival (⚠ *Sg.*); ***Filmkritik*** film review; ***Filmmusik*** film music; ***Filmpreis*** film (*oder* screen, *AE auch* movie) award; ***Filmproduktion*** film production; ***Filmregisseur(in)*** film (*bes. AE auch* movie) director; ***Filmrolle*** film part, film role; ***Filmschauspieler*** film (*oder* screen, *bes. AE auch* movie) actor; ***Filmschauspielerin*** film (*oder* screen, *bes. AE auch* movie) actress; ***Filmstar*** film (*bes. AE auch* movie) star; ***Filmstudio*** film studio, film studios (*Pl.*); ***Filmzeitschrift*** film (*AE auch* movie) magazine [ˌmægə'ziːn]
Filmaufnahme 1. (≈ *Vorgang*) shooting; ***Filmaufnahmen*** shooting (⚠ *Sg.*) **2.** (≈ *Einzelszene*) shot, take
filmen film, shoot (*Szene*, *Vorgang usw.*)
Filmgesellschaft film (*AE* motion picture) company ['kʌmpənɪ]
Filmindustrie film (*AE* motion picture) industry
Filmkamera cine-camera ['sɪnɪˌkæmərə], *AE* motion-picture camera
Filter filter
Filterpapier filter paper
Filterzigarette filter(-tipped) cigarette
Filz felt
filzen 1. (*Wolle*) felt **2.** (≈ *durchsuchen*) frisk
Filzschreiber, **Filzstift** felt pen, felt tip, felt-tip pen
Finale 1. *Sport*: final ['faɪnl], final round, finals (*Pl.*) **2.** *Musik und übertragen*: finale [fɪ'nɑːlɪ]

Finanzamt **1.** *Gebäude*: tax office **2.** *Behörde*: Inland Revenue [ˌɪnlənd'revənjuː], *AE* Internal Revenue
Finanzen **1.** finances ['faɪnænsɪz] **2.** (≈ *Geld*) money ['mʌnɪ] (⚠ *Sg.*), funds
finanziell **1.** financial [faɪ'nænʃl] **2.** ***in finanzieller Hinsicht*** financially
finanzieren **1.** finance [faɪ'næns, 'faɪnæns] **2.** sponsor (*Veranstaltungen*)
Finanzlage financial situation
Finanzminister(in) **1.** minister ['mɪnɪstə] of finance ['faɪnæns], finance minister **2.** *in GB*: Chancellor of the Exchequer **3.** *in den USA*: Secretary of the Treasury ['treʒərɪ]
Finanzministerium **1.** ministry ['mɪnɪstrɪ] of finance ['faɪnæns], finance ministry **2.** *in GB*: Treasury ['treʒərɪ] **3.** *in den USA*: Treasury Department
Finanzpolitik financial (*oder* fiscal ['fɪskl]) policy ['pɒləsɪ]
finden **1.** *allg.*: find* **2.** (≈ *entdecken*) find*, discover [dɪ'skʌvə] **3.** *zufällig*: find*, come* across **4.** ***ich finde es gut*** I like it, I think it's a good idea **5.** ***ich finde es schlecht*** I don't like it, I don't think it's a good idea **6.** ***ich finde, dass …*** I think (that) …, I feel (that) … **7.** ***findest du nicht?*** don't you think so? **8.** ***wie findest du das Buch?*** how do you like the book?, what do you think of the book? **9.** ***ich kann nichts dabei finden*** I don't see any harm in it **10.** ***es fanden sich nur wenige Freiwillige*** there were only a few volunteers [ˌvɒlən'tɪəz]
Finder(in) finder
Finderlohn finder's reward
findig clever
Finger **1.** finger ['fɪŋgə] **2.** ***mit dem Finger auf jemanden zeigen*** point <u>at</u> (*oder* to) someone **3.** ***sie hat sich in den Finger geschnitten*** she('s) cut <u>her</u> finger **4.** *Wendungen*: ***lass die Finger davon!*** *übertragen* keep your hands off!, don't you get involved; ***er macht keinen Finger krumm*** he doesn't lift a finger; ***er hat seine Finger im Spiel*** he's got <u>a</u> hand in it
Fingerabdruck fingerprint; ***die Polizei hat von ihm Fingerabdrücke genommen*** the police have taken <u>his</u> fingerprints
Fingerfertigkeit dexterity [dek'sterətɪ]
Fingerhut thimble ['θɪmbl]
Fingernagel fingernail ['fɪŋgəneɪl]
Fingerspitze fingertip ['fɪŋgətɪp]
Fingerspitzengefühl instinct ['ɪnstɪŋkt], (≈ *Takt*) tact
fingiert **1.** fake …, faked **2.** (≈ *erfunden*) made-up, fictitious [fɪk'tɪʃəs]

Fink **1.** *Vogel*: finch [fɪntʃ] **2.** (CH) (≈ *Taugenichts*) rogue [rəʊg], good-for-nothing **3.** (CH) (≈ *Schmutzfink*, *Schmierfink*) mucky pup
Finne Fi<u>nn</u>; ***er ist Finne*** he's Fi<u>nn</u>ish; ☞ ***Nationalitäten***
Finnin Fi<u>nn</u>ish woman (*oder* lady *bzw.* girl); ***sie ist Finnin*** she's Fi<u>nn</u>ish; ☞ ***Nationalitäten***
finnisch, **Finnisch** Fi<u>nn</u>ish
Finnland Fi<u>n</u>land ['fɪnlənd] (⚠ *nur <u>ein</u>* n)
finster **1.** (≈ *dunkel*) dark; ***es wird finster*** it's getting dark; ***im Finstern*** in the dark **2.** (≈ *trübe*) gloomy **3.** *übertragen* gloomy, dark **4.** *Miene*: (≈ *grimmig*) grim
Finsternis darkness
Firlefanz **1.** (≈ *unnützer Kram*) rubbish **2.** (≈ *Unsinn*) nonsense
firm: ***er ist darin*** (***wirklich***) ***firm*** he's (really) well up in it, he's (really) good at it
Firma firm, company [⚠ 'kʌmpənɪ]
Firmenchef head of the company ['kʌmpənɪ] (*oder* firm)
Firmenleitung management ['mænɪdʒmənt]
Firmenwagen company car [⚠ ˌkʌmpənɪ'kɑː]
Fisch[1] **1.** *Tier*: fish *Pl. mst.*: fish; ***in diesem Teich leben 'ne Menge Fische*** a lot of fish (⚠ *Pl.*) live in this pond **2.** *Essen*: fish **3.** *Wendungen*: ***kleine Fische*** (≈ *Kleinigkeiten*) peanuts; ***weder Fisch noch Fleisch*** neither fish nor fowl [faʊl]

Fisch

Der übliche Plural von **fish** lautet **fish**. Die Form **fishes** wird hauptsächlich dann gebraucht, wenn verschiedene Fisch<u>arten</u> gemeint sind.

Fisch[2]: ***Fische*** *Sternzeichen*: Pisces [⚠ 'paɪsiːz]; ***sie ist*** (***ein***) ***Fisch*** she's (a) Pisces
Fisch… *in Zusammensetzungen*: fish…, fish …; ***Fischfilet*** fish fillet ['fɪlɪt]; ***Fischgericht*** fish (dish); ***Fischgeschäft*** fishmonger('s) ['fɪʃˌmʌŋgə(z)], *AE* fish dealer; ***Fischgräte*** fishbone; ***Fischhändler*** fishmonger, *AE* fish dealer; ***Fischmarkt*** fish market; ***Fischmesser*** fish knife [naɪf]; ***Fischrestaurant*** fish restaurant ['fɪʃˌrestərɒnt]; ***Fischstäbchen*** fish finger, *AE* fish stick; ***Fischsterben*** fish kill; ***Fischsuppe*** fish soup; ***Fischvergiftung*** fish poisoning; ***Fischzucht*** fish farming
fischen **1.** ***fischen nach*** fish for (*auch übertragen*) **2.** ***im Trüben fischen*** *übertragen* fish in troubled waters

Fischen fishing
Fischer fisherman ['fɪʃəmən]
Fischer... *in Zusammensetzungen*: fishing ...; ***Fischerboot*** fishing boat; ***Fischerdorf*** fishing village; ***Fischernetz*** fishing net
Fischerei *Gewerbe*: fishing industry
Fischereihafen fishing port
Fischfang fishing
Fischgeruch fishy smell, smell of fish
Fisolen *Pl.* Ⓐ French beans, runner beans, string beans
fit 1. fit **2. *sie ist fit in Mathe*** *usw.* she's good at maths *usw.*
Fitness (physical) fitness [(ˌfɪzɪkl)'fɪtnəs]
Fitnesscenter fitness centre, gym [dʒɪm]
Fitnesslehrer(in) fitness instructor
Fitnesstraining: ***Fitnesstraining machen*** work out in the gym [dʒɪm]
fix 1. (≈ *schnell*) quick (***in*** at) **2.** (≈ *gewandt*) smart, sharp **3. *fixe Idee*** obsession
fixen 1. shoot*, *gewohnheitsmäßig*: mainline **2. *er fixt*** he's a junkie
Fixer(in) junkie, mainliner
Fixerraum, **Fixerstube** junkies' centre
fixieren 1. focus ['fəʊkəs] on (*einen Punkt usw.*) **2. *schriftlich fixieren*** put* down in writing **3. *sich fixieren auf*** *psychisch*: fixate [fɪk'seɪt] on
FKK-Strand nudist ['njuːdɪst] beach
flach 1. flat **2.** (≈ *eben*) flat, level, even **3.** *Gewässer*: shallow **4.** (≈ *niedrig*) low **5. *sich flach hinlegen*** lie* down flat
Fläche 1. (≈ *Oberfläche*) surface ['sɜːfɪs] **2.** (≈ *Ebene*) plain (*auch mathematisch*) **3.** (≈ *Gebiet*) area ['eərɪə]
flachfallen *übertragen* fall* through
Flachland plain, lowland ['ləʊlənd]
flachliegen: ***er liegt seit einer Woche flach*** *im Bett*: he's been laid up (in bed) for a week
Flachs *Pflanze*: flax
flackern *allg.*: flicker
Flackern *allg.*: flicker(ing)
Fladen(brot) flat bread, flat loaf *Pl.*: loaves
Flädlisuppe Ⓒⓗ (≈ *Pfannkuchensuppe*) pancake soup
Flagge 1. *die Flagge hissen* (*oder* ***aufziehen***) hoist the flag **2. *die Flagge einholen*** lower ['ləʊə] the flag **3. *die britische Flagge*** the Union Jack **4. *die amerikanische Flagge*** the Stars and Stripes **5. *Flagge zeigen*** make* a stand
Flair 1. (≈ *Ausstrahlung*) aura ['ɔːrə] **2.** (≈ *Atmosphäre*) atmosphere ['ætməsfɪə] **3.** (≈ *Reiz*) charm [tʃɑːm]
flambieren *Kochkunst*: flambé ['flɒmbeɪ]
flambiert *Kochkunst*: flambé(ed) ['flɒmbeɪ(d)]; ***flambierte Banane(n)*** banana(s) flambé(s), flambéed banana(s)
Flamingo flamingo [flə'mɪŋgəʊ]
Flamme 1. flame (*auch übertragen*) **2. *in Flammen aufgehen*** go* up in flames
Flanke 1. *allg.*: flank **2.** (≈ *Seite*) side **3.** *Fußball*: side, wing, (≈ *Flankenball*) cross
flanken *Fußball*: cross the ball
flapsig boorish ['bʊərɪʃ], uncouth [⚠ ʌn'kuːθ]
Flasche 1. *allg.*: bottle; ***eine Flasche Wein*** *usw.* a bottle of wine *usw.* **2. *in Flaschen füllen*** bottle **3.** (≈ *Nichtskönner*) twerp
Flaschenbier bottled beer
Flaschenhals neck of the bottle
Flaschenöffner bottle opener
Flaschenzug (block and) tackle, pulley [⚠ 'pʊlɪ]
flattern 1. *allg.*: flutter, flap; ***der Vogel flatterte (mit den Flügeln) ...*** the bird flapped its wings ... **2.** (*Räder*) wobble
Flattersatz *Geschriebenes, linksbündig*: ragged right [⚠ ˌrægɪd'raɪt]
flau 1. (≈ *unwohl*) queasy; ***mir ist*** (*oder* ***wird***) ***ganz flau*** (***im Magen***) I feel queasy **2.** (≈ *schwach*) weak, faint
Flausen 1. (≈ *Unsinn*) nonsense (⚠ *Sg.*); ***er hat nur Flausen im Kopf*** he's got nothing but nonsense in his head **2.** (≈ *Illusionen*) silly ideas
Flaute *Wirtschaft*: slack period, *umg.* lull
Flechte 1. *Pflanze*: lichen [⚠ 'laɪkən] **2.** (≈ *Hautausschlag*) eczema [⚠ 'eksɪmə]
flechten 1. plait [plæt] (*Haar*) **2.** bind* (*Kranz*) **3.** weave* [wiːv]
Fleck 1. (≈ *Schmutzfleck*) spot **2.** *bes. von Flüssigkeiten*: spot, stain **3.** (≈ *kleine Fläche*) patch **4. *blauer Fleck*** bruise [bruːz] **5.** (≈ *Stelle*) spot, place; ***ein schöner Fleck*** a nice (little) spot
Fleckenentferner stain remover
fleckenlos spotless (*auch übertragen*)
fleckig 1. spotted **2.** *Haut*: blotchy **3.** (≈ *schmutzig*) spotted, stained
Fledermaus bat
Flegel (≈ *Lümmel*) lout [laʊt]
flegelhaft loutish ['laʊtɪʃ]
Flegeljahre: ***er ist in den Flegeljahren*** he's at an awkward ['ɔːkwəd] age
flehen 1. beg (***um*** for); ***bei jemandem um Hilfe flehen*** implore (*oder* beg) someone to help **2. *zu Gott flehen*** pray to God
Fleisch 1. *zum Verzehr*: meat **2.** *am Körper*: flesh **3.** (≈ *Fruchtfleisch*) flesh **4. *Fleisch fressend*** carnivorous [⚠ kɑː'nɪvərəs] **5. *das ist ihr in Fleisch und Blut übergegangen*** it's become second nature to her

Fleischbrühe consommé [kɒn'sɒmeɪ]
Fleischer butcher [⚠ 'bʊtʃə]
Fleischerei, **Fleischerladen** butcher's [⚠ 'bʊtʃəz] (shop)
Fleischgericht meat dish
Fleischhauer(in) Ⓐ butcher [⚠ 'bʊtʃə]
Fleischkonserven canned meat, *BE auch* tinned meat
Fleischlaiberl Ⓐ hamburger, burger
fleischlos: ***(eine) fleischlose Kost*** a vegetarian diet [ˌvedʒə'teərɪənˌdaɪət], vegetarian food (⚠ *ohne* a)
Fleischvergiftung meat poisoning
Fleischwaren meat products
Fleischwolf mincer, *AE* grinder ['graɪndə]
Fleischwunde flesh wound [wuːnd]
Fleiß **1.** diligence ['dɪlɪdʒəns] **2.** (≈ *Mühe*) effort ['efət], hard work (*beide auch Schule*) **3.** ***ohne Fleiß kein Preis*** no gain without pain
Fleißarbeit hard work
fleißig **1.** diligent ['dɪlɪdʒənt], hard-working; ***fleißig arbeiten*** work hard (⚠ *engl.* hardly = ***kaum***) **2.** (≈ *emsig*) busy
flennen bawl [bɔːl]
flexibel **1.** flexible ['fleksəbl] **2.** ***flexible Arbeitszeit*** flexitime, flexible working hours (⚠ *Pl.*)
Flexibilität flexibility
Flexion *Grammatik*: inflection
flicken **1.** mend **2.** *übertragen* patch up
Flicken patch
Flickflack *Sport*: backflip
Flickwerk *übertragen* patch-up job
Flickzeug *zum Reifenflicken*: repair kit
Flieder *Pflanze, Farbe*: lilac ['laɪlək]
Fliege **1.** fly **2.** ↔ *Krawatte*: bow tie [ˌbəʊ'taɪ] **3.** *Wendungen*: ***er tut keiner Fliege was zuleide*** he wouldn't hurt a fly; ***zwei Fliegen mit einer Klappe schlagen*** kill two birds with one stone
fliegen **1.** *allg.*: fly* **2.** *mit dem Flugzeug*: fly*, go* by air **3.** ***wie lange fliegt man nach New York?*** how long is the flight to New York? **4.** (≈ *fallen*) fall* (***von*** off, from) **5.** ***sie ist von der Schule geflogen*** she was thrown out of school **6.** ***fliegen auf*** *übertragen* really go* for
Fliegen flying
fliegend **1.** *allg.*: flying **2.** ***fliegendes Personal*** flight crew
Fliegengewicht *Boxen*: flyweight ['flaɪweɪt]
Fliegenpilz fly agaric [⚠ 'flaɪˌægərɪk]
Flieger *umg.* (≈ *Flugzeug*) plane
Flieger(in) (≈ *Pilot, -in*) pilot
Fliegeralarm air-raid warning
fliehen **1.** run* away, flee* (*beide* ***vor, aus*** from) **2.** *aus dem Gefängnis usw.*: escape [ɪ'skeɪp] (***aus*** from)
Fliese tile
Fliesenleger(in) tiler
Fließband **1.** *als Einrichtung*: assembly line, production line; ***am Fließband ar-***

Fleischsorten

Im Englischen werden etliche Fleischsorten ganz anders benannt, als es der Tiername vermuten lässt. Hier die wichtigsten:

Tier	animal	Fleisch	meat
Kuh, Rind	**cow**	Rindfleisch	**beef**
Kalb	**calf** [kɑːf]	Kalbfleisch	**veal**
Schwein	**pig**	Schweinefleisch Schinken Frühstücksspeck	**pork** **ham** **bacon** ['beɪkən]
Schaf	**sheep**	Hammelfleisch	**mutton**
Lamm	**lamb** [læm]	Lammfleisch	**lamb**
Reh, Hirsch	**deer**	Reh(fleisch), Hirsch(fleisch)	**venison** ['venɪsən]

Bei Geflügel ist es viel einfacher. Da verwendest du wie im Deutschen einfach den Tiernamen:

Tier	animal	Fleisch	meat
Huhn	**chicken**	Hühnerfleisch	**chicken**
Pute	**turkey**	Putenfleisch	**turkey**
Ente	**duck**	Entenfleisch	**duck**
Fasan	**pheasant** ['feznt]	Fasanenfleisch	**pheasant** ['feznt]

beiten work on the assembly (*oder* production) line **2.** (≈ *Förderband*) conveyor belt
Fließbandfertigung assembly-line production
Fließheck *Auto*: fastback
Fließtext *Computer*: continuous text
fließen 1. *allg.*: flow (*auch übertragen*) **2.** (*Fluss, Wasser, Schweiß, Blut usw.*) flow, run* (***in*** into)
fließend 1. ***in fließendem Englisch*** in fluent English **2.** ***sie spricht fließend Deutsch*** she speaks fluent German (*oder* German fluently) **3.** ***fließend(es) Wasser*** running water
Fließheck fastback
flimmern 1. shimmer **2.** (*Sterne*) twinkle
flink (≈ *schnell*) quick
Flinte 1. *umg., allg.*: gun **2.** (≈ *Schrotflinte*) shotgun **3.** ***wirf die Flinte nicht ins Korn!*** don't give up, don't throw in the towel
Flipchart *für Präsentationen*: flip chart
Flipper(automat) pinball machine (⚠ *engl.* flipper = ***Flosse***)
flippern play pinball
Flirt flirtation (⚠ *engl.* flirt = *Person, die gern flirtet*)
flirten flirt; ***er flirtet dauernd*** he's a terrible flirt
Flitterwochen: ***sie sind in den Flitterwochen*** they're on their honeymoon
flitzen *umg.* whizz, dash
Flocke *allg.*: flake
flockig fluffy
Floh flea [fliː]
Flohmarkt flea market
Flop flop; ***sich als Flop erweisen*** turn out (to be) a flop
Floppy *Computer*: floppy (disk)
Flora flora ['flɔːrə]; ***Flora und Fauna*** flora and fauna ['fɔːnə]
Florenz Florence ['flɒrəns]
Florett foil
florieren flourish [⚠ 'flʌrɪʃ], prosper ['prɒspə]
florierend: ***ein florierendes Geschäft*** a flourishing ['flʌrɪʃɪŋ] business
Florist(in) florist ['flɒrɪst]
Floskel 1. *bedeutungslos*: meaningless phrase **2.** (≈ *feste Fügung*) set phrase
Floß raft [rɑːft]
Flosse 1. fin **2.** *Wal, Seelöwe usw.*: flipper
Flöte 1. flute [fluːt]; ***Flöte spielen*** play the flute **2.** (≈ *Blockflöte*) recorder
flott 1. (≈ *schnell*) fast **2.** (≈ *schwungvoll*) lively ['laɪvlɪ] **3.** (≈ *schick*) smart
flottbekommen: ***ein Auto wieder flottbekommen*** get* a car going (*oder* up and running) again
Flotte fleet
Flottenstützpunkt naval base [ˌneɪvl'beɪs]
flottmachen: ***ein Auto wieder flottmachen*** get* a car going (*oder* up and running) again
Fluch curse [kɜːs]
fluchen: ***fluchen (auf)*** curse [kɜːs]
Flucht 1. flight (***vor*** from) **2.** *eines Gefangenen*: escape [ɪ'skeɪp] **3.** ***auf der Flucht*** on the run
fluchtartig 1. hasty ['heɪstɪ], hurried ['hʌrɪd] **2.** ***einen Ort fluchtartig verlassen*** leave* a place in a hurry
Fluchtauto getaway car
flüchten 1. flee* (***vor*** from) **2.** (*Gefangener*) escape [ɪ'skeɪp] (*auch übertragen*) **3.** ***sich flüchten*** flee* **4.** ***sich in etwas***

	Bicycle	**Fahrrad**
1	bicycle helmet	Fahrradhelm
2	cycle path, *AE* bikepath	Radweg
3	bicycle bag	Fahrradtasche
4	mountain bike	Mountainbike
5	carrier	Gepäckträger
6	rear light	Rücklicht
7	saddle	Sattel
8	bicycle lock	Schloss
9	chain	Kette
10	touring bike	Trekkingbike
11	pump	Luftpumpe
12	pedal	Pedal
13	gear lever, *AE* gear shift	Gangschaltung
14	handlebars (*Pl.*)	Lenker
15	bell	Klingel
16	front light	Vorderlicht
17	dynamo ['daɪnəməʊ]	Dynamo
18	spoke(s)	Speiche(n)
19	reflector	Strahler
20	valve	Ventil
21	tyre, *AE* tire	Reifen
22	racing bike	Rennrad
23	water bottle	Trinkflasche
24	cycling shorts (*Pl.*)	Radlerhose

Bicycle

Car

Am Flughafen

Ich möchte meinen Flug stornieren.	**I'd like to cancel my flight.**
Letzter Aufruf für Passagier …	**Last call for passenger …**
Ihr Flug wird in Kürze geschlossen.	**The gate is about to be closed.**
Die Passagiere des Fluges 6458 nach Edinburgh werden gebeten, sich zum Flugsteig/Ausgang sechs zu begeben.	**Passengers for flight number 6458 to Edinburgh, please proceed to gate six.**
Bitte halten Sie Ihre Bordkarten bereit!	**Please have your boarding cards ready.**

flüchten *übertragen* resort [rɪ'zɔːt] to something
Fluchthelfer(in) escape agent [ɪ'skeɪp-ˌeɪdʒənt]
flüchtig 1. (≈ *kurz*) brief **2. *ich kenne ihn nur flüchtig*** I vaguely ['veɪglɪ] know him
Flüchtigkeitsfehler careless mistake, slip
Flüchtling refugee [ˌrefjʊ'dʒiː]
Flüchtlingslager refugee [ˌrefjʊ'dʒiː] camp
Fluchtversuch escape [ɪ'skeɪp] (*oder* breakout) attempt; ***einen Fluchtversuch unternehmen*** attempt to escape (*oder* break out)
Fluchtwagen getaway car
Fluchtweg escape route [ɪ'skeɪp‿ruːt]
Flug 1. flight **2. (*wie*) *im Flug*(*e*)** (≈ *schnell*) very quickly
Flugangst fear of flying
Flugbegleiter(in) flight attendant
Flugblatt leaflet ['liːflət]
Flugdatenschreiber flight recorder, black box
Flugdauer flying time
Flügel[1] **1.** *zum Fliegen*: wing **2.** *des Propellers, Ventilators*: blade **3.** *Gebäude*: wing
Flügel[2] (≈ *Klavier*) grand piano [pɪ'ænəʊ]
Fluggast (air) passenger ['pæsɪndʒə]
Fluggesellschaft airline (company)
Flughafen airport; ☞ *Illu S. 982*
Flughafenbus airport bus
Flughafengebäude (air) terminal
Fluglärm aircraft noise
Fluglehrer(in) flying instructor
Fluglotse, **Fluglotsin** air traffic controller
Flugnummer flight number
Flugobjekt: ***unbekanntes Flugobjekt*** unidentified flying object, UFO [⚠ ˌjuː-ef'əʊ, 'juːfəʊ]
Flugplatz airfield, *großer*: airport
Flugschau air show
Flugschreiber flight recorder
Flugsicherheit air safety

	Car	Auto
1	boot, *AE* trunk	Kofferraum
2	rear light, *AE* tail light	Rücklicht
3	indicator, *AE* blinker	Blinker
4	windscreen, *AE* windshield	Windschutzscheibe
5	windscreen (*AE* windshield) wiper	Scheibenwischer
6	bonnet, *AE* hood	Motorhaube
7	wing, *AE* fender	Kotflügel
8	headlight	Scheinwerfer
9	bumper	Stoßstange
10	wing mirror, *AE* side mirror	Außenspiegel
11	hubcap	Radkappe
12	tyre, *AE* tire	Reifen
13	door	Tür
14	clutch	Kupplung(spedal)
15	brake	Bremse, Bremspedal
16	accelerator, *AE* gas pedal	Gas(pedal)
17	speedometer	Tacho(meter)
18	rearview mirror	Rückspiegel
19	aerial, *AE* antenna	Antenne
20	roof	Dach
21	steering wheel	Lenkrad
22	gear lever, *AE* gear shift	Schalthebel
23	handbrake, *AE* emergency brake	Handbremse
24	headrest	Kopfstütze
25	seatbelt	Sicherheitsgurt

Flugsicherung air-traffic control
Flugsteig gate
Flugstrecke 1. (air) route [ruːt] **2.** *zurückgelegte*: distance flown [ˌdɪstəns'fləʊn]
Flugticket (air *oder* flight) ticket
Flugüberwachung air traffic control
Flugverbindung air (*oder* flight) connection, air link; ***gibt es eine Flugverbindung?*** can you fly there?
Flugverbot ban on flying
Flugverbotszone no-fly zone [ˌnəʊflaɪ'zəʊn]
Flugverkehr air traffic
Flugzeit flying time
Flugzeug plane, aircraft ['eəkrɑːft] *Pl.*: aircraft; ***mit dem Flugzeug*** by air, by plane
Flugzeugabsturz air crash, plane crash
Flugzeugbau aircraft construction
Flugzeugentführer hijacker ['haɪdʒækə], *bes. AE auch* skyjacker
Flugzeugentführung hijacking ['haɪdʒækɪŋ], *bes. AE auch* skyjacking
Flugzeughalle hangar [⚠ 'hæŋə]
Flugzeugindustrie aircraft industry [ˌeəkrɑːft'ɪndəstrɪ]
Flugzeugkatastrophe air(line) disaster [dɪ'zɑːstə]
Flugzeugträger aircraft carrier ['eəkrɑːftˌkærɪə]
Flugzeugunglück air crash, plane crash, air(line) disaster [dɪ'zɑːstə]
Flugziel (flight) destination
Flunder flounder ['flaʊndə]
Fluor fluorine ['flʊəriːn]
Flur 1. (≈ *Hausflur*) hall **2.** (≈ *Gang*) corridor ['kɒrɪdɔː]; ***auf dem Flur*** in the corridor
Fluss 1. river **2.** *kleiner*: stream **3.** (≈ *das Fließen*) flow(ing) **4. *im Fluss*** *übertragen* in (a state of) flux
flussabwärts downstream
Flussarm arm of a (*bzw.* the) river
flussaufwärts upstream
Flussbett riverbed
flüssig 1. liquid **2.** (≈ *geschmolzen*) molten ['məʊltən], melted; ***flüssig werden*** melt **3.** *Stil usw.*: fluent ['fluːənt]
Flüssigkeit 1. liquid **2.** *sprachlich*: fluency
Flusslauf course [kɔːs] of a (*bzw.* the) river
Flussmündung mouth of a (*bzw.* the) river, estuary ['estjʊrɪ]
Flusspferd hippopotamus [ˌhɪpə'pɒtəməs], *umg.* hippo ['hɪpəʊ] *Pl.*: hippopotamuses, hippopotami [ˌhɪpə'pɒtəmaɪ], hippos
Flussufer riverbank; ***am Flußufer*** on the riverbank
flüstern whisper; ***ich werd es dir ins Ohr flüstern*** I'll whisper it in your ear
Flut 1. ↔ *Ebbe*: (high) tide **2.** (≈ *Wassermassen*) waters (⚠ *Pl.*) **3.** (≈ *Überschwemmung*) flood [flʌd] **4.** *von Tränen, von Protesten*: flood **5.** *von Worten*: torrent ['tɒrənt] **6. *die Flut kommt*** (*bzw.* ***geht***) the tide is coming in (*bzw.* going out) **7. *es ist Flut*** the tide is in
fluten flood [flʌd] (*Schleuse, Tank usw.*)
Flutkatastrophe flood disaster ['flʌd‿dɪˌzɑːstə]
Flutlicht floodlight ['flʌdlaɪt]; ***bei Flutlicht*** under floodlight
Flutwelle tidal wave [ˌtaɪdl'weɪv]
Föderalismus federalism ['fedərəlɪzm]
Fohlen foal, (≈ *Hengstfohlen*) colt [kəʊlt]
Föhn 1. (≈ *Haarföhn*) hairdrier, hairdryer, *AE* blow-dryer **2. *heute haben wir Föhn*** it's foehn (*oder* föhn) today
föhnen blow-dry, dry
Fokus, fokussieren focus ['fəʊkəs] (⚠ *Vergangenheitsform*: focussed *oder* focused)
Folge 1. (≈ *Aufeinanderfolge*) sequence, succession [sək'seʃn]; ***in rascher Folge*** in rapid succession **2.** (≈ *Reihenfolge*) order **3.** (≈ *Reihe, Serie*) series ['sɪəriːz] **4.** (≈ *Fortsetzung eines Romans usw.*) instalment [ɪn'stɔːlmənt] **5.** (≈ *Fortsetzung einer Fernsehserie*) part **6.** (≈ *Ergebnis*) result [rɪ'zʌlt], consequence ['kɒnsɪkwəns]; ***die Folgen tragen*** bear* the consequences; ***ohne Folgen bleiben*** have* no consequences; ***zur Folge haben*** result in, lead* to; ***als Folge davon*** as a result **7.** (≈ *logische Folge*) consequence **8.** (≈ *negative Nachwirkung*) aftermath ['ɑːftəmæθ]
folgen 1. *allg.*: follow (*auch mit Blicken, auch zuhören, verstehen, sich richten nach*); ***der Rede folgte ein Empfang*** the speech was followed by a reception **2. *ein Unglück folgte dem andern*** it was one disaster after the other **3. … *wie folgt*** … as follows **4. *sie folgte seinem Rat*** she followed (*oder* took) his advice **5. *daraus folgt, dass …*** it follows (from this) that …
folgende(r, -s) 1. following **2.** (≈ *später-*) subsequent ['sʌbsɪkwənt] **3.** (≈ *nächst-*) next; ***am folgenden Tag*** the next (*oder* following) day, the day after **4. *es handelt sich um Folgendes*** the matter is as follows, *umg.* what it's all about is this
folgendermaßen as follows
folgenschwer 1. (≈ *schwerwiegend*) momentous [məʊ'mentəs] **2.** (≈ *sehr ernst*) grave **3.** (≈ *weitreichend*) far-reaching

folgerichtig 1. logical **2.** (≈ *konsequent*) consistent [kən'sɪstənt] **3.** ***folgerichtig denken*** think* logically (*oder* along logical lines)
folgern conclude (***aus*** from)
Folgerung conclusion; ***eine Folgerung ziehen*** draw* a conclusion (***aus*** from)
folglich consequently ['kɒnsɪkwəntlɪ], therefore
Folie 1. *für Projektor*: transparency [træns'pærənsɪ] **2.** (≈ *Plastikfolie*) film **3.** (≈ *Metallfolie*) foil
Folienkartoffel jacket potato [ˌdʒækɪt‿pə'teɪtəʊ], baked potato
Folter 1. torture (*auch übertragen*); ***es war eine Folter*** it was torture (⚠ *ohne* a) **2.** ***jemanden auf die Folter spannen*** keep* someone in suspense [sə'spens] (*oder* on tenterhooks)
foltern torture ['tɔːtʃə]
Folterung torture ['tɔːtʃə] (*auch übertragen*)
Fön → ***Föhn***
Fonds 1. *Wirtschaft*: fund **2.** *zur Geldanlage*: investment package **3.** (≈ *Gelder*) funds (⚠ *Pl.*)
Fondue fondue ['fɒndjuː]
fönen → ***föhnen***
Fontäne 1. (≈ *Strahl*) jet (of water) **2.** (≈ *Springbrunnen*) fountain ['faʊntɪn]
forcieren force (*Entwicklung*, *Tempo*)
Förderband conveyor belt [kən'veɪə‿belt]
fordern 1. ***von jemandem etwas fordern*** demand [dɪ'mɑːnd] something of someone **2.** ***hunderte von Todesopfern*** *usw.* ***fordern*** claim hundreds of lives *usw.* **3.** ***er muss nur richtig gefordert werden*** what he needs is a real challenge ['tʃælɪndʒ]
fördern 1. support (*Kunst*, *Wisssenschaft*, *Entwicklung*, *Nachwuchs*, *Studierende usw.*) **2.** promote (*Handel*, *Projekt*, *Beziehungen*) **3.** (≈ *steigern*) increase [ɪn'kriːs] (*Wachstum*, *Produktion*) **4.** help, provide remedial [rɪ'miːdɪəl] classes for, *bes. AE* tutor ['tjuːtə] (*Schüler*) **5.** *finanziell*: sponsor **6.** foster, promote (*Freundschaft*, *Frieden*) **7.** stimulate ['stɪmjʊleɪt] (*Appetit*) **8.** mine, extract (*Bodenschätze*)
Forderung 1. (≈ *Verlangen*) demand [dɪ'mɑːnd] (***nach*** for; ***an*** on); ***Forderungen stellen*** make* demands; ***die Forderung stellen, dass ...*** demand (*oder* insist) that ... **2.** (≈ *Lohnforderung*) claim (***nach*** for) **3.** *in Aufrufen*: call (***nach*** for)
Förderung 1. (≈ *Unterstützung*) support, promotion **2.** (≈ *Steigerung*) increase ['ɪŋkriːs] **3.** *finanzielle*: sponsorship **4.** *Bagög*: grant **5.** ***zur Förderung des Appetits*** to stimulate ['stɪmjʊleɪt] the appetite **6.** *von Bodenschätzen*: mining, extraction
Förderunterricht special instruction, remedial [rɪ'miːdɪəl] classes, *bes. AE* tutoring
Forelle trout [traʊt]
Form 1. *allg.*: form (*auch sprachliche*, *biologische*, *mathematische und physikalische*) **2.** (≈ *Gestalt*, *Umriss*) form, shape **3.** ***aktive*** (*bzw.* ***passive***) ***Form*** active (*bzw.* passive) voice **4.** (≈ *Art und Weise*) way **5.** ***in*** (***guter***) ***Form*** in good form, *Sport auch*: in good shape (*oder* condition)
formal 1. formal **2.** ***formal und inhaltlich*** in form and content ['kɒntent]
Formalität formality
Format 1. (≈ *Größe*) size **2.** *von Foto*, *Buch usw.*: format ['fɔːmæt] **3.** ***ein Musiker*** *usw.* ***von internationalem Format*** a musician *usw.* of international standing
formatieren *Computer*: format ['fɔːmæt]
Formblatt form
Formel formula ['fɔːmjʊlə]
formell 1. formal **2.** ***formell leitet sie das Projekt*** officially she's in charge of the project ['prɒdʒekt]
formen form, shape
förmlich 1. (≈ *formell*) formal **2.** (≈ *buchstäblich*) literally **3.** ***sie wurde förmlich hysterisch*** she got really hysterical [hɪ'sterɪkl]
formlos (≈ *zwanglos*) informal
Formsache: (***eine reine***) ***Formsache*** (just a) formality
formschön well-designed, very stylish
Formtief *Sport*: ***er hat ein Formtief*** he's off form
Formular form
formulieren 1. formulate (*Regel usw.*) **2.** ***ich weiß nicht, wie ich es formulieren soll*** I don't know how to put it
Formulierung formulation, wording
forsch energetic [ˌenə'dʒetɪk], dynamic [daɪ'næmɪk], *mst. negativ*: forceful
forschen 1. *wissenschaftlich*: do* research [rɪ'sɜːtʃ, 'riːsɜːtʃ] (***auf dem Gebiet*** + *Gen.* on, in the field of) **2.** ***forschen nach*** search [sɜːtʃ] for
Forscher(in) 1. (≈ *Wissenschaftler*) researcher [rɪ'sɜːtʃə] **2.** (≈ *Naturwissenschaftler*) research scientist
Forschung 1. ***Forschung, Forschungen*** research [rɪ'sɜːtʃ, 'riːsɜːtʃ] work; ***die Forschung*** research (⚠ *ohne* the); ***Forschungen betreiben*** do* research (work) **2.** (≈ *Forscher*) researchers [rɪ'sɜːtʃəz] (⚠ *Pl.*)
Forschungs... *in Zusammensetzungen*:

research ... [rɪ'sɜːtʃ, 'riːsɜːtʃ]; ***Forschungsarbeit*** research work; ***Forschungsprogramm*** research programme; ***Forschungsprojekt*** research project; ***Forschungssatellit*** research satellite ['riːsɜːtʃˌsætəlaɪt]; ***Forschungszentrum*** research centre

Forschungsgebiet field of research

Förster(in) forester ['fɒrɪstə]

Forstwirtschaft forestry ['fɒrəstrɪ]

fort 1. (≈ *weg*) away; ***weit fort*** far away **2.** (≈ *verschwunden*) gone [gɒn]; ***das Auto ist fort*** the car is (*oder* has) gone **3.** ***sie ist schon fort*** (≈ *gegangen*) she's already gone, she's already left

fortbestehen continue [kən'tɪnjuː] (to exist), survive [sə'vaɪv]

fortbewegen 1. (≈ *wegbewegen*) move [muːv] (away) **2.** ***sich fortbewegen*** move

fortbewegen

Achte auf die unterschiedlichen Präpositionen:

mit dem Auto	**by car**
mit dem Bus	**by bus**
mit dem Zug	**by train**
mit der U-Bahn	**by underground**
mit dem Flugzeug	**by plane, by air**
mit dem Fahrrad	**by bicycle**

aber:

zu Fuß	**on foot**
zu Pferd	**on horseback**

Fortbildung continuing education; ***berufliche Fortbildung*** further (vocational) training

fortdürfen: ***sie durfte nicht fort*** she wasn't allowed to go (*bzw.* to leave)

fortfahren leave*, go* away, *mit dem Auto auch*: drive* off, drive* away

fortführen 1. (≈ *fortsetzen*) continue [kən'tɪnjuː], go* on with **2.** carry on (*Geschäft*)

fortgehen go* away, leave*

fortgeschritten advanced [əd'vɑːnst]; ***Kurs für Fortgeschrittene*** advanced course [əd'vɑːnst‿kɔːs]

Fortgeschrittenenkurs advanced course [əd'vɑːnst‿kɔːs]

fortkommen 1. get* away **2.** ***mach, dass du fortkommst!*** get out of here

fortlaufen run* away (***jemandem*** from someone; ***vor jemandem*** from someone)

fortmüssen 1. ***ich muss fort*** I've got to go, I must be off **2.** ***das muss fort*** it's got to go

fortpflanzen: ***sich fortpflanzen*** multiply ['mʌltɪplaɪ], reproduce [ˌriːprə'djuːs]

Fortpflanzung reproduction [ˌriːprə'dʌkʃn]

fortschaffen remove [rɪ'muːv]

fortschreiten 1. progress [prə'gres] **2.** (*Zeit*) march on [ˌmɑːtʃ'ɒn]

Fortschritt 1. progress ['prəʊgres], advances (⚠ *Pl.*) **2.** ***Fortschritte machen*** make* progress (⚠ *Sg.*), get* on

fortschrittlich progressive [prə'gresɪv]

fortsetzen: (***sich***) ***fortsetzen*** continue [kən'tɪnjuː]

Fortsetzung 1. (≈ *das Weitermachen*) continuation, *nach Unterbrechung*: resumption **2.** (≈ *Folge*) part, instalment [ɪn'stɔːlmənt] **3.** ***Fortsetzung folgt*** to be continued

forttragen carry away

fortwerfen throw* away

fortziehen (≈ *umziehen*) move [muːv] away

Forum 1. forum (*auch übertragen*) **2.** *für Diskussionen usw.*: platform **3.** (≈ *Podiumsgespräch*) panel ['pænl] discussion

fossil, Fossil fossil ['fɒsl]

Foto photo ['fəʊtəʊ]

Fotoalbum photo album

Fotoapparat camera ['kæmərə]

Fotoausrüstung photographic equipment

fotogen photogenic

Fotograf(in) photographer [fə'tɒgrəfə] (⚠ *engl.* photograph = ***Foto***)

Fotografie 1. ***die Fotografie*** photography (⚠ *ohne* the) [fə'tɒgrəfɪ] **2.** (≈ *Bild*) photograph ['fəʊtəgrɑːf], picture

fotografieren 1. (≈ *ein Foto bzw. Fotos machen*) take* a photo (*bzw.* photos), take* a picture (*bzw.* pictures) **2.** ***jemanden fotografieren*** take* (*oder* get*) a photo *oder* picture of someone **3.** ***ich möchte mich fotografieren lassen*** I'd like to have my (*oder* a) *photo* (*oder* picture) taken

Fotokopie photocopy ['fəʊtəʊˌkɒpɪ]

fotokopieren photocopy ['fəʊtəʊˌkɒpɪ]

Fotokopierer photocopier ['fəʊtəʊˌkɒpɪə]

Fotolabor photo lab

Fotomodell (photographic) model ['mɒdl]

Fotomontage photomontage [ˌfəʊtəmɒn'tɑːʒ]

Fotoreportage photo reportage ['fəʊtəʊ‿repɔːˌtɑːʒ]

fotzen: ***jemanden fotzen*** *bes.* Ⓐ (≈ *ohrfeigen*) give* someone a cuff on the ear

Foul foul

Foulelfmeter penalty ['penltɪ] (kick)

foulen *Sport*: foul

Foyer 1. foyer [⚠ 'fɔɪeɪ] (*auch im Theater*

usw.) **2.** (≈ *Eingangshalle*) entrance hall, *bes. AE* lobby (*auch im Theater usw.*)

Fracht 1. (≈ *Ladung*) load, freight [⚠ freɪt] **2.** (≈ *Schiffsfracht*) cargo

Frachter freighter [⚠ 'freɪtə]

Frack tails (⚠ *Pl.*), tailcoat; ***im Frack*** in tails, in evening dress

Frage 1. *allg.*: question (***zu*** about, on); ***jemandem eine Frage stellen*** ask someone a question; ***ich habe mal eine Frage*** can I ask you something? **2.** (≈ *Rückfrage*) query [⚠ 'kwɪərɪ] **3.** (≈ *Erkundigung*) inquiry, enquiry [ɪn'kwaɪrɪ] **4.** (≈ *Angelegenheit*) matter, question; ***das ist eine Frage der Zeit*** that's a matter (*oder* question) of time **5.** (≈ *Problem*) problem ['prɒbləm], issue ['ɪʃuː] **6.** ***das*** (*bzw.* ***er*** *usw.*) ***kommt nicht in Frage*** that's (*bzw.* he's *usw.*) out of the question **7.** ***etwas in Frage stellen*** question (*oder* query ['kwɪərɪ]) something, *stärker*: challenge ['tʃælɪndʒ] something

Fragebogen questionnaire [ˌkwestʃə'neə]

Fragefürwort interrogative [ˌɪntə'rɒgətɪv] (pronoun)

fragen 1. *allg.*: ask; ***(jemanden) etwas fragen*** ask (someone) a question; ***(jemanden) fragen nach*** ask (someone) for; ***jemanden nach seinem Namen fragen*** ask someone his (*bzw.* her) name; ***jemanden nach dem Weg*** *usw.* ***fragen*** ask someone the way *usw.*; ***jemanden um Rat fragen*** ask someone's advice; ***wenn ich fragen darf*** if I may ask **2.** (≈ *ausfragen*) question, query ['kwɪərɪ] **3.** (≈ *sich erkundigen*) inquire, enquire [ɪn'kwaɪə] (***nach etwas*** about something; ***nach jemandem*** after someone) **4.** ***ich wollte fragen, ob ...*** I was wondering if (*oder* whether) ..., I wanted to ask if (*oder* whether) ... **5.** ***sich fragen*** wonder [⚠ 'wʌndə]; ***ich frage mich, warum*** I (just) wonder why **6.** ***es fragt sich, ob*** (*bzw.* ***wann*** *usw.*) it's a question of whether (*bzw.* when *usw.*), the question is whether (*bzw.* when *usw.*)

Fragesatz interrogative [ˌɪntə'rɒgətɪv] sentence (*oder* clause)

Fragewort interrogative [ˌɪntə'rɒgətɪv]

Fragezeichen 1. question mark **2.** ***etwas mit einem Fragezeichen versehen*** *übertragen* put* a (big) question mark behind something

fraglich 1. (≈ *zweifelhaft*) doubtful ['daʊtfl] **2.** ***an dem fraglichen Tag*** on the day in question

Fragment fragment ['frægmənt]

fragwürdig (≈ *verdächtig*) dubious ['djuːbɪəs]

Fraktion *Parlament*: parliamentary party

Franken 1. *Land*: Franconia [fræŋ'kəʊnɪə] **2.** *Währung*: (Swiss) franc [fræŋk]

frankieren stamp (*Brief usw.*)

Frankreich France [frɑːns]

Franse 1. fringe [frɪndʒ] **2.** (≈ *loser Faden*) (loose [luːs]) thread [θred]

Franzose Frenchman ['frentʃmən]; ***er ist Franzose*** he's French; ***die Franzosen*** the French; ☞ ***Nationalitäten***

Französin Frenchwoman ['frentʃˌwʊmən] (*oder* French lady *bzw.* French girl); ***sie ist Französin*** she's French; ☞ ***Nationalitäten***

französisch, **Französisch** French [frentʃ]; ***sie kann ausgezeichnet Französisch*** she can speak perfect French

Fraß *abwertend* muck, swill

Fratze 1. (≈ *Grimasse*) grimace [grɪ'meɪs, 'grɪməs]; ***Fratzen schneiden*** pull* faces **2.** *Gesicht*: ugly face, grotesque [grəʊ'tesk] face

Frau 1. ↔ *Mann*: woman ['wʊmən] *Pl.*: women [⚠ 'wɪmɪn] **2.** (≈ *Dame*) lady *Pl.*: ladies **3.** (≈ *Ehefrau*) wife [waɪf] *Pl.*: wives [waɪvz] **4.** *Anrede bei verheirateter Frau*: Mrs, *AE* Mrs. ['mɪsɪz], Ms [mɪz], *Anrede bei unverheirateter Frau*: Ms [mɪz]; ☞ *Info unter* ***Anrede und Titel***

> ### Frau
>
> Die neutrale Anrede für eine Frau, ohne einen Unterschied zwischen einer ledigen und einer verheirateten zu machen, ist das vorwiegend schriftlich verwendete **Ms** [mɪz]. Wenn bekannt ist, dass eine Frau verheiratet ist, sollte man **Mrs** verwenden, ansonsten ist **Ms** heutzutage die „politisch korrekte" Form.
>
> In der Schule ist es allerdings noch üblich, die Lehrerin, auch wenn sie verheiratet ist, mit **Miss** anzureden, z. B. **Please Miss, may I go to the toilet?** Es gilt hier als die weibliche Entsprechung von **Sir**.

Frauenarzt, **Frauenärztin** gynaecologist [⚠ ˌgaɪnɪ'kɒlədʒɪst]

Frauenbeauftragte women's representative [⚠ ˌwɪmɪnz‿reprɪ'zentətɪv]

Frauenberuf female profession

Frauenbewegung: ***die Frauenbewegung*** women's [⚠ 'wɪmɪnz] lib(eration) (⚠ *ohne* the), the women's lib(eration) movement

frauenfeindlich sexist ['seksɪst], chauvinistic [ˌʃəʊvə'nɪstɪk]

Frauenfeindlichkeit sexism, male chauvinism ['ʃəʊvənɪzm]
Frauenquote quota of women [⚠ 'wɪmɪn]
Frauenrechte women's rights [⚠ ˌwɪmɪnz'raɪts]
Frauenrechtlerin feminist ['femənɪst]
Frauenzeitschrift women's magazine [⚠ ˌwɪmɪnz‿mægə'ziːn]
Fräulein 1. (≈ *junge Dame*) (young) lady **2.** *Anrede, veraltend*: Miss; ☞ *Info unter* ***Anrede und Titel***
Fraulichkeit femininity [ˌfemɪ'nɪnətɪ], womanliness ['wʊmənlɪnəs]
frech 1. cheeky, *bes. AE* fresh **2.** ***er grinste frech*** *kurz*: he gave a cheeky grin, *länger*: he had a cheeky grin on his face
Frechheit: ***so eine Frechheit!*** what a cheek
frei 1. *allg.*: free; ***frei von*** free from *bzw.* of **2.** *Mensch, Leben, Entscheidung usw.*: (≈ *unabhängig*) free, independent **3.** (≈ *in Freiheit*) free **4.** ***ein freier Tag*** a day off; ***morgen haben wir frei*** *Schule*: there's no school tomorrow **5.** *Straße usw.*: clear **6.** (≈ *moralisch großzügig*) liberal ['lɪbrəl] **7.** (≈ *unentgeltlich*) free (of charge) **8.** *Journalist, Künstler usw.*: freelance ['friːlɑːns] **9.** *Stuhl, Raum usw.*: free **10.** *Stelle*: vacant ['veɪkənt], open; ***freie Stelle*** vacancy ['veɪkənsɪ] **11.** ***„Zimmer frei"*** room(s) to let, *AE* room(s) for rent **12.** ***freier Markt*** open market **13.** ***im Freien, unter freiem Himmel*** in the open (air) **14.** ***frei sprechen*** *ohne Manuskript*: speak* without notes **15.** ***das hat er frei erfunden*** he('s) made that up **16.** ***frei nach (einem Stück von) Shakespeare*** freely adapted from the play by Shakespeare
Freibad outdoor swimming pool
freibekommen: ***einen Tag*** *usw.* ***freibekommen*** get* a day *usw.* off; ***den Vormittag*** *usw.* ***freibekommen*** get* the morning *usw.* off
Freiberufler(in): ***sie ist Freiberuflerin*** she's (a) freelance ['friːlɑːns]
freiberuflich freelance ['friːlɑːns]; ***freiberuflich tätig sein*** work (as a) freelance
Freibier free beer
Freier *einer Prostituierten*: client ['klaɪənt]
Freiexemplar free copy
freigeben 1. ***für den Verkehr freigeben*** open to traffic (⚠ *ohne* the) **2.** ***zur Veröffentlichung freigeben*** release for publication (⚠ *ohne* the) **3.** ***jemandem (einen Tag*** *usw.*) ***freigeben*** give* someone a day *usw.* off
freihaben: ***sie hat heute frei*** it's her day off today
freihalten 1. ***halte bitte für mich einen Platz frei!*** will you save me a seat, please **2.** keep* open (*Angebot, Stelle*)
freihändig *Rad fahren*: with no hands
Freiheit freedom, liberty ['lɪbətɪ]
Freiheitsbewegung freedom movement
Freiheitskampf struggle for freedom
Freiheitskämpfer(in) freedom fighter
Freiheitsstrafe prison ['prɪzn] sentence; ***er wurde zu einer Freiheitsstrafe von drei Jahren verurteilt*** he was sentenced to five years' imprisonment [ɪm'prɪznmənt]
freiheraus openly, straight out [ˌstreɪt'aʊt]
Freikarte free ticket
freikaufen: ***sie wollten ihn freikaufen*** they wanted to pay for his release [rɪ'liːs]
freilassen: ***jemanden (gegen Kaution) freilassen*** release [rɪ'liːs] someone (on bail)
Freilassung release [rɪ'liːs]
freilegen uncover [ʌn'kʌvə] (*Ruinen usw.*)
freilich 1. of course **2.** (≈ *jedoch*) however
Freilicht... *in Zusammensetzungen*: open-air ...; ***Freilichtkino*** open-air cinema; ***Freilichtkonzert*** open-air concert; ***Freilichttheater*** open-air theatre
Freilos free (lottery ['lɒtərɪ]) ticket
freimachen 1. ***einen Tag freimachen*** take* a day off **2.** ***sich freimachen*** (≈ *ausziehen*) undress [ʌn'dres], get* undressed
freimütig candid, open
freinehmen: (***sich***) ***einen Tag freinehmen*** take* a day off
freipressen: ***jemanden freipressen*** obtain someone's release [rɪ'liːs]
Freiraum: ***Freiraum, Freiräume*** (personal) freedom, scope for development
freischaffend 1. freelance ['friːlɑːns] **2.** ***sie ist freischaffend tätig*** she works (as a) freelance
Freisprechanlage *für Handy im Auto*: hands-free car kit
freisprechen *Gericht*: acquit [ə'kwɪt] (***von*** of)
Freispruch 1. acquittal [ə'kwɪtl] **2.** ***auf Freispruch plädieren*** plead [pliːd] not guilty
Freistaat: ***der Freistaat Bayern*** (*bzw.* ***Sachsen***) the Free State of Bavaria [bə'veərɪə] (*bzw.* Saxony ['sæksənɪ])
freistehen: ***die Wohnung*** *usw.* ***steht seit einem Jahr frei*** the flat *usw.* has been empty (*oder* unoccupied [ʌn'ɒkjʊpaɪd]) for a year
Freistellung exemption [ɪg'zempʃn], release [rɪ'liːs]
Freistil *Sport*: freestyle

Freistoß *Fußball*: free kick
Freistunde *Schule*: free period ['pɪərɪəd]
Freitag Friday ['fraɪdeɪ]; ***wir sehen uns dann (am) Freitag*** see you (on) Friday
Freitagabend: ***(am) Freitagabend*** (on) Friday evening, (on) Friday night
freitagabends (on) Friday evenings
Freitagmorgen: ***(am) Freitagmorgen*** (on) Friday morning
Freitagnachmittag: ***(am) Freitagnachmittag*** (on) Friday afternoon
freitags on Friday, on Fridays; ***freitags abends*** *usw.* on Friday evenings *usw.*
freiwillig 1. voluntary ['vɒləntrɪ] **2.** ***er verließ den Betrieb freiwillig*** he left the company ['kʌmpənɪ] voluntarily ['vɒləntrəlɪ] (*oder* of his own free will) **3.** ***sich freiwillig melden*** volunteer [ˌvɒlən'tɪə] (***zu*** for)
Freiwillige(r) volunteer [ˌvɒlən'tɪə]
Freizeit free time, leisure ['leʒə] time
Freizeit... *in Zusammensetzungen*: leisure ['leʒə] ...; ***Freizeitgesellschaft*** leisure (-oriented) ['leʒə(ˌɔːrɪentɪd)] society; ***Freizeitgestaltung*** leisure-time activities (⚠ *Pl.*); ***Freizeitkleidung*** leisurewear ['leʒəweə]; ***Freizeitpark*** leisure park; ***Freizeitzentrum*** leisure centre
freizügig (≈ *großzügig*) generous ['dʒenrəs], liberal ['lɪbrəl]
Freizügigkeit 1. (≈ *Großzügigkeit*) generosity [ˌdʒenə'rɒsətɪ] **2.** *moralische*: permissiveness [pə'mɪsɪvnəs]
fremd 1. *Land, Regierung, Sprache*: foreign [⚠ 'fɒrən] **2.** (≈ *unbekannt*) strange; ***fremde Leute*** strangers **3.** ***ich bin hier (auch) fremd*** I'm a stranger here (myself) **4.** ***fremde Hilfe*** outside help
Fremde: ***in die*** (*bzw.* ***der***) ***Fremde*** abroad [ə'brɔːd]
Fremde(r) 1. (≈ *Unbekannte, -r*) stranger **2.** (≈ *Ausländer, -in*) foreigner [⚠ 'fɒrənə]
fremdenfeindlich xenophobic [⚠ ˌzenə'fəʊbɪk], hostile to foreigners ['fɒrənəz]
Fremdenfeindlichkeit xenophobia [⚠ ˌzenə'fəʊbɪə], hostility [hɒ'stɪlətɪ] towards foreigners ['fɒrənəz]
Fremdenführer(in) (tourist) guide [gaɪd]
Fremdenverkehr tourism ['tʊərɪzm]; ***der Fremdenverkehr*** tourism (⚠ *ohne* the)
fremdgehen: ***er geht fremd*** he's unfaithful, he's going out with another woman
Fremdsprache foreign ['fɒrən] language
Fremdsprachenkenntnisse a knowledge ['nɒlɪdʒ] (⚠ *Sg.*) of foreign ['fɒrən] languages
Fremdsprachensekretärin bilingual secretary [baɪˌlɪŋgwəl'sekrətrɪ]
Fremdsprachenunterricht foreign ['fɒrən] language teaching
fremdsprachig, fremdsprachlich: ***fremdsprachiger*** *bzw.* ***fremdsprachlicher Unterricht*** teaching in the (*bzw.* a) foreign ['fɒrən] language
Fremdwort foreign word [ˌfɒrən'wɜːd]
Frequenz (≈ *Häufigkeit*) frequency ['friːkwənsɪ] (*auch Physik*)
Frequenzbereich frequency ['friːkwənsɪ] range
Freske, Fresko fresco
Fresse *salopp* (≈ *Gesicht*) mug
fressen 1. (≈ *verzehren*) (*Tier*) eat* **2.** (≈ *sich ernähren von*) (*Tier*) feed* on **3.** ***einem Tier (etwas) zu fressen geben*** feed* an animal (on something) **4.** (*Mensch*) scoff, stuff oneself with (*Schokolade usw.*) **5.** ***er isst nicht, er frisst*** he eats like a pig **6.** eat* up, *umg.* guzzle (*Benzin*)
Fressen 1. *für Tiere*: food [fuːd] **2.** *salopp* grub
Freude 1. (≈ *Vergnügen*) pleasure ['pleʒə] **2.** (≈ *Entzücken*) delight [dɪ'laɪt] **3.** ***an etwas Freude haben*** enjoy [ɪn'dʒɔɪ] something; ***es macht mir (keine) Freude*** I (don't) enjoy it; ***es macht mir keine Freude, in die Schule zu gehen*** I dont enjoy going to school **4.** ***er hat viel Freude daran*** it gives him a lot of pleasure
Freudentränen tears [tɪəz] of joy
freudestrahlend beaming with joy
freudig 1. (≈ *froh*) happy; ***ein freudiges Ereignis*** a happy event **2.** (≈ *heiter*) cheerful ['tʃɪəfl] **3.** (≈ *begeistert*) enthusiastic [ɪnˌθjuːzɪ'æstɪk]
freudlos joyless, cheerless ['tʃɪələs]
freuen 1. ***ich freue mich*** I'm glad, I'm pleased (***über*** about) **2.** ***freust du dich über das Geschenk?*** are you pleased with your present ['preznt]?, do you like your present? **3.** ***sie hat sich über deinen Besuch gefreut*** she was pleased that you visited her **4.** ***ich freue mich auf deinen Besuch*** I'm looking forward to your visit (*oder* to seeing you) **5.** ***es würde mich freuen, wenn ...*** I'd be very pleased if ... **6.** ***freut mich!*** *bei Vorstellung*: how d'you do
Freund 1. *allg.*: friend [frend] **2.** *eines Mädchens*: boyfriend **3.** ***Freund und Feind*** friend and foe [fəʊ] **4.** ***jemanden zum Freund haben*** have* a friend in someone
Freundeskreis: ***einen großen Freundeskreis haben*** have* a lot of friends

Freundin 1. *allg.*: friend [frend] **2.** *eines Jungen*: girlfriend

Freund und Freundin

Wenn man mit *Freundin* eine Partnerin meint, mit der man geht, verwendet man im Englischen **girlfriend**, für *Freund* entsprechend **boyfriend**. Handelt es sich um Freund oder Freundin im Sinne von *guter Bekannter / gute Bekannte* bzw. *bester Freund / beste Freundin*, spricht man von **friend** bzw. **best friend**.

Sagt man **This is my friend**. (und nicht **This is a friend of mine**.), dann klingt das so, als ob die Person der / die einzige Bekannte wäre, den / die man hat.

freundlich 1. *allg.*: friendly ['frendlɪ]; ***freundliche Atmosphäre*** friendly atmosphere **2.** ***würden Sie bitte so freundlich sein und mich durchlassen?*** would you be so kind as to let me through? **3.** *Wetter*: pleasant ['pleznt], mild

freundlicherweise (very) kindly ['kaɪndlɪ]

Freundlichkeit friendliness, kindness

Freundschaft 1. friendship **2.** ***Freundschaft schließen mit*** make* friends with **3.** ***aus Freundschaft*** because we're *usw.* friends

freundschaftlich 1. friendly ['frendlɪ] **2.** ***freundschaftlich auseinander gehen*** part as friends

Freundschaftsbesuch *Politik*: goodwill visit

Freundschaftsspiel friendly ['frendlɪ] (game)

Frieden 1. ↔ *Krieg*: peace; ***Frieden schließen*** make* peace; ***den Frieden bewahren*** keep* the peace **2.** (≈ *Einklang*) harmony ['hɑːmənɪ] **3.** ***lass mich in Frieden!*** leave me alone

Friedens... *in Zusammensetzungen*: ... of peace, peace ...; ***Friedensangebot*** peace offer; ***Friedensbedingungen*** peace terms, terms of peace; ***Friedensbewegung*** peace movement; ***Friedensgespräche*** peace talks; ***Friedensinitiative*** peace initiative [ɪ'nɪʃətɪv]; ***Friedenskonferenz*** peace conference; ***Friedensnobelpreis*** Nobel Peace Prize (⚠ *Wortstellung*); ***Friedenspolitik*** policy ['pɒləsɪ] of peace; ***Friedenspreis*** peace prize [praɪz], peace award ['piːs‿ə,wɔːd]; ***Friedenssicherung*** securing (*oder* preservation [,prezə'veɪʃn]) of peace; ***Friedenstaube*** dove [⚠ dʌv] of peace (⚠ *engl.* pigeon = *allg.* **Taube**); ***Friedenstruppe*** peacekeeping force; ***Friedensverhandlungen*** peace negotiations, peace talks; ***Friedensvertrag*** peace treaty

Friedenspfeife peace pipe; ***die Friedenspfeife rauchen*** smoke the pipe of peace

friedfertig peaceable

Friedhof cemetery ['semətrɪ], *an einer Kirche auch*: graveyard; ***auf welchem Friedhof liegt er (begraben)?*** which cemetery is he buried [⚠ 'berɪd] in?

friedlich peaceful ['piːsfl]

frieren 1. ***mich friert, ich friere*** I'm cold, I'm freezing **2.** ***mich friert*** (*oder* ***ich friere***) ***an den Füßen*** I've got cold feet, my feet are cold **3.** ***es friert*** it's freezing

Frikadelle meatball

Frikassee fricassee ['frɪkəseɪ, ,frɪkə'siː]

Frisbee® frisbee® ['frɪzbiː]

Frisbeescheibe® frisbee® (disc) ['frɪzbiː (-‿dɪsk)]

frisch 1. *allg.*: fresh **2.** *Farbe*: bright **3.** (≈ *kühl*) cool, chilly ['tʃɪlɪ] **4.** ***sich frisch machen*** freshen up **5.** ***frisch gestrichen!*** *Schild*: wet (*AE* fresh) paint

Frische 1. *allg.*: freshness **2.** (≈ *Kühle*) coolness, chill [tʃɪl], chilliness

Frischhaltefolie clingfilm, *AE* plastic wrap [⚠ ræp]

Friseur(in) hairdresser, *für Herren auch*: barber ['bɑːbə]

Friseurladen, **Friseursalon** hairdresser's shop, *für Herren auch*: barber's shop, *AE* barbershop

Friseuse hairdresser

Frist 1. ***innerhalb einer Frist von zehn Tagen*** within a ten-day period ['pɪərɪəd] **2.** ***eine Frist einhalten*** meet* a deadline ['dedlaɪn]; ***eine Frist setzen*** fix a deadline **3.** ***die Frist ist abgelaufen*** the deadline has expired, *übertragen* your *usw.* time is up, *umg.* time's up

fristgemäß, **fristgerecht** in time

fristlos 1. ***fristlose Entlassung*** dismissal [dɪs'mɪsl] without notice **2.** ***er wurde fristlos entlassen*** he was dismissed without notice, he was fired on the spot

Frisur hairstyle, hairdo ['heəduː]

Frittatensuppe Ⓐ pancake soup

Fritten chips, *AE* fries

Frittenbude *etwa*: fish-and-chip stand [,fɪʃən'tʃɪp‿stænd], *BE umg.* chippy

Fritteuse deep (fat) fryer, chip pan

froh 1. (≈ *erfreut*) glad (**über** about) **2.** (≈ *fröhlich*) cheerful ['tʃɪəfl] **3.** (≈ *glücklich*) happy **4.** ***sei froh, dass du nicht dabei warst*** be thankful (*oder* glad) that you weren't there **5.** ***Frohe Weihnachten!***

Merry Christmas ['krɪsməs]!; ***Frohe Ostern!*** Happy Easter!
fröhlich cheerful ['tʃɪəfl], happy
Fröhlichkeit, **Frohsinn** cheerfulness
fromm **1.** (≈ *gläubig*) religious [rɪ'lɪdʒəs], pious ['paɪəs]; ***fromme Sprüche*** pious words **2.** *Christ, Moslem usw.*: devout [dɪ'vaʊt]
Fronleichnam Corpus Christi [ˌkɔːpəs'krɪstɪ]
Front **1.** *allg.*: front [⚠ frʌnt] (*auch eines Gebäudes, militärisch, beim Wetter und übertragen*); ***an der Front*** at the front **2.** ***die blaue Mannschaft liegt in Front*** the blue team is (*oder* are) in the lead [liːd]
frontal **1.** *nur vor einem Subst.*: frontal ['frʌntl] ... **2.** ***die Autos stießen frontal zusammen*** the cars crashed head-'on
Frontalzusammenstoß head-on collision
Frontantrieb front-wheel drive
Frosch **1.** frog **2.** *Wendungen*: ***ich hab nen Frosch im Hals*** I've got a frog in my throat; ***sei kein Frosch!*** don't be a spoilsport
Froschmann frogman ['frɒgmən]
Froschperspektive: ***etwas aus der Froschperspektive sehen*** have* a worm's eye view of something
Froschschenkel *Gastronomie*: frog's legs
Frost frost; ***bei Frost*** when there's frost, in frosty weather; ***bei starkem Frost*** in heavy frost
frostig **1.** *wörtlich* frosty **2.** *übertragen* frosty, icy
Frostschutzmittel antifreeze ['æntɪfriːz]
Frottee terry(cloth), towelling
Frotteehandtuch (fleecy) towel
Frotzelei: ***Frotzelei, Frotzeleien*** teasing ['tiːzɪŋ] (*Sg.*); ***hör auf mit der Frotzelei*** stop teasing
frotzeln tease [tiːz], make* fun of
Frucht **1.** fruit [fruːt]; ***Früchte*** fruit (*Sg.*), (≈ *Fruchtarten*) fruits (*Pl.*) **2.** ***Früchte*** *übertragen* fruit (*Sg.*), fruits, result (*Sg.*), results; ***Früchte tragen*** bear* fruit (⚠ *Sg.*)
fruchtbar **1.** *biologisch*: fertile ['fɜːtaɪl]; ***nicht fruchtbar*** infertile **2.** *übertragen* fruitful ['fruːtfl]
Fruchtbarkeit *biologisch*: fertility [fɜː'tɪlətɪ]
Fruchtblase *Embryo*: amniotic sac [ˌæmnɪɒtɪk'sæk]
Früchtetee fruit tea ['fruːt‿tiː], fruit infusion
Fruchtfleisch flesh, pulp
fruchtlos fruitless ['fruːtləs], futile ['fjuːtaɪl]
Fruchtsaft fruit juice ['fruːt‿dʒuːs]
Fruchtsalat fruit salad [ˌfruːt'sæləd]
Fruchtwasser *Embryo*: amniotic fluid [ˌæmnɪɒtɪk'fluːɪd]
früh **1.** *allg.*: early ['ɜːlɪ]; ***am frühen Morgen*** early (*oder* first thing) in the morning **2.** ***früh aufstehen*** get* up early **3.** ***heute früh*** this morning **4.** ***früh um fünf, um fünf Uhr früh*** at five (o'clock) in the morning **5.** ***früh genug*** soon enough **6.** ***von früh bis spät*** from morning till night **7.** (≈ *im frühen Stadium*) early on, at an early stage **8.** ***er kam wieder zu früh*** he was early again
Frühaufsteher(in) early riser, *umg.* early bird
Frühe (early) morning; ***in aller Frühe*** early in the morning, first thing in the morning
früher **1.** (≈ *zeitiger*) earlier; ***frühere Fassung*** earlier version **2.** (≈ *ehemalig*) former **3.** (≈ *vorherig*) former, previous ['priːvɪəs]; ***der frühere Besitzer*** the previous owner **4.** ***in früheren Zeiten*** in the past **5.** ***früher hat sie geraucht*** she used to smoke; ***hast du früher wirklich geraucht?*** did you really use to smoke? **6.** (≈ *eher*) earlier, sooner

früher (= used to)

Beachte, dass die geläufigste Übersetzung von „früher“ mit **used to** gebildet wird:

Sie war früher Innenarchitektin.
She used to be an interior designer.
Früher bin ich viel ins Kino gegangen.
I used to go to the cinema a lot.

⚠ Der Ausdruck **formerly** *bzw.* **in former times** bedeutet nur im historischen Kontext „früher, in früheren Zeiten“.

frühestens **1.** ***frühestens am Sonntag*** *usw.* (on) Sunday *usw.* at the earliest, not before Sunday *usw.* **2.** ***das Haus ist frühestens in einem Jahr fertig*** it will take at least a year to build (*oder* finish) the house
Frühgeburt **1.** *Vorgang*: premature birth [ˌpremətʃə'bɜːθ] **2.** *Baby*: premature baby
Frühjahr spring; ***im Frühjahr*** in spring; ***im Frühjahr 1945*** in the spring of 1945
Frühjahrsmüdigkeit springtime lethargy [⚠ 'leθədʒɪ] (*oder* tiredness)
Frühjahrsputz spring cleaning; ***(den) Frühjahrsputz machen*** do* the spring cleaning
Frühling spring, (≈ *Frühlingszeit*) springtime; ***im Frühling*** in spring

Frühlingsrolle *Gastronomie*: spring roll
Frühlingstag spring day
Frühlingswetter spring weather
frühmorgens early in the morning
frühreif *Kind usw.*: precocious [prɪ'kəʊʃəs]
Frühsport early morning exercises (⚠ *Pl.*)
Frühstück 1. breakfast ['brekfəst]; ☞ *Info unter engl.* ***breakfast*** *und Illu S. 196* **2.** ***zweites Frühstück*** *BE umg.* elevenses [ɪ'levnzɪz] (⚠ *Pl.*) **3.** ***Zimmer mit Frühstück*** bed and breakfast
frühstücken: ***wollen wir frühstücken?*** shall we have (some) breakfast?
Frühstücksbüfett breakfast buffet [⚠ 'brekfəst,bʊfeɪ]
Frühstücksfernsehen breakfast TV
Frühstückspause morning break [breɪk], coffee break; ***wann machen Sie Frühstückspause?*** when do you have your coffee break?
Frühstücksraum breakfast room
Frühwarnsystem early warning system
Frust, **Frustration 1.** frustration **2.** ***das ist der totale Frust, wenn ...*** it's totally frustrating when ...
Fuchs 1. fox (*auch übertragen*) **2.** ***er ist ein alter Fuchs*** he's a cunning old devil ['devl] (*oder* fox); ***schlau wie ein Fuchs*** as cunning as a fox **3.** *Pelz*: fox (fur)
Fuchsie *Pflanze*: fuchsia ['fjuːʃə]
Füchsin vixen ['vɪksn]
Fuchsjagd 1. fox hunting **2.** *eine*: fox hunt
Fuge joint [dʒɔɪnt]
Fügung 1. ***eine Fügung des Schicksals*** a twist (*oder* stroke) of fate (⚠ *ohne* the) **2.** ***durch eine glückliche Fügung*** by a lucky coincidence [⚠ kəʊ'ɪnsɪdəns]
fühlbar 1. (≈ *merklich*) noticeable ['nəʊtɪsəbl] **2.** (≈ *beträchtlich*) considerable **3.** (≈ *wahrnehmbar*) tangible ['tændʒəbl]
fühlen 1. *allg.*: feel* **2.** ***fühlen nach*** (≈ *tasten*) feel* (*oder* grope) for **3.** ***sich glücklich fühlen*** feel* happy
Fühler feeler (*auch übertragen*); ***ich muss mal die Fühler ausstrecken*** *übertragen* I'll have to put out my feelers
führen 1. lead* [liːd] (***nach, zu*** to) **2.** (≈ *führend sein*) lead* **3.** ***jemanden führen*** (≈ *den Weg zeigen*) lead* someone, guide someone **4.** (*Mannschaft*) lead*; ***das gelbe Team führt*** the yellow team is (*oder* are) leading, the yellow team is (*oder* are) in the lead **5.** ***unsere Mannschaft führt mit 3:1*** our team is (*oder* are) 3-1 up (⚠ *gesprochen* three (to) one) **6.** ***diese Straße führt nach Edinburgh*** this road leads to Edinburgh ['edɪnbrə] **7.** manage, run* (*Geschäft*) **8.** ***ein glückliches Leben führen*** lead* (*oder* live) a happy life **9.** ***führen zu*** *übertragen* lead* to, end in, (≈ *zur Folge haben*) result [rɪ'zʌlt] in **10.** ***das führt zu nichts*** that won't get us *usw.* anywhere
führend 1. leading **2.** *Politiker usw.*: leading, senior ['siːnɪə], top-ranking ... **3.** ***führende Position*** senior position **4.** ***eine führende Rolle spielen*** play a key role
Führer(in) 1. leader ['liːdə] **2.** (≈ *Fremdenführer usw.*) guide [gaɪd]
Führerschein 1. driving licence, *AE* driver's license **2.** ***wann machst du deinen Führerschein?*** when do you take (*oder* do) your driving test?
Führung 1. *eines Unternehmens*: management **2.** *militärische*: command [kə'mɑːnd] **3.** *einer Partei*: leadership **4.** ***unter der Führung von*** *bzw.* + *Gen.* under the management *bzw.* command *bzw.* leadership of, managed *bzw.* commanded *bzw.* led by **5.** (≈ *Fremdenführung*) guided tour **6.** ***wir liegen in Führung*** *Mannschaft*: we're in the lead; ***er geht in Führung*** he's going (*bzw.* he goes) into the lead
Führungswechsel change in leadership
Fuhrunternehmen haulage company ['hɔːlɪdʒ,kʌmpənɪ]
Fülle 1. *von Einfällen usw.*: wealth [welθ], abundance [ə'bʌndəns] **2.** (≈ *Gedränge*) crush
füllen 1. *allg.*: fill (*Lücke, Eimer, Zahn usw.*) **2.** stuff (*Gans usw.*)
Füller, **Füll(feder)halter** fountain pen
füllig *Person*: stout
fummeln 1. fumble, fiddle **2.** *salopp*; *erotisch*: grope
Fund 1. (≈ *Gefundenes*) find **2.** *eines Schatzes usw.*: discovery [dɪ'skʌvərɪ]; ***einen Fund machen*** make* a discovery
Fundament 1. *eines Gebäudes*: foundations (⚠ *Pl.*) **2.** *übertragen* (≈ *Basis*) foundation, basis ['beɪsɪs]
fundamental 1. fundamental [,fʌndə'mentl], basic **2.** ***fundamentaler Irrtum*** grave mistake
Fundamentalismus fundamentalism [,fʌndə'mentlɪst]
Fundamentalist(in) fundamentalist [,fʌndə'mentlɪzm]
fundamentalistisch fundamentalist [,fʌndə'mentlɪst]
Fundbüro lost property office, *AE* lost-and-found (office)
Fundi radical ['rædɪkl] Green
fundiert 1. *Wissen*: sound **2.** *Tatsachen*: well-founded **3.** ***wissenschaftlich fun-***

diert well-founded, backed up by research
fünf **1.** *Zahl*: five [faɪv] **2.** ***es ist fünf vor zwölf*** *wörtlich* it's five to twelve, *übertragen* it's almost too late, *übertragen, seltener*: it's five to twelve **3.** ***nimm deine fünf Sinne zusammen!*** you'd better have your wits about you
Fünf **1.** *Zahl*: (number) five **2.** ***eine Fünf schreiben*** *etwa*: get* an E **3.** *Bus, Straßenbahn usw.*: number five bus, number five tram *usw.*
Fünfeck pentagon ['pentəgən]
Fünfer → ***Fünf***
Fünfeuroschein five-euro note, *AE* five-euro bill
fünffach **1.** ***die fünffache Menge*** five times the amount **2.** ***die fünffache deutsche Meisterin X*** five-times German champion X (⚠ *ohne* the) **3.** ***ein Formular in fünffacher Ausfertigung*** five copies of a form
fünfhundert five hundred
Fünfhunderteuroschein five hundred-euro note, *AE* five hundred-euro bill
Fünfkampf pentathlon [⚠ pen'tæθlən]
Fünfkämpfer(in) pentathlete [pen'tæθliːt]
Fünflinge quintuplets [⚠ 'kwɪntjʊpləts, kwɪn'tjuːpləts], *umg.* quins [kwɪnz]
fünfmal five times
Fünfprozenthürde *Parlament*: five per cent (*AE* percent) hurdle [ˌfaɪv‿pə'sentˌhɜːdl]
Fünfprozentklausel *Parlament*: five per cent (*AE* percent) clause [ˌfaɪv‿pə'sent‿klɔːz]
fünfstellig: ***fünfstellige Zahl*** *usw.* five-digit number ['faɪvˌdɪdʒɪt'nʌmbə] *usw.*
fünft: ***wir waren zu fünft*** there were five of us
Fünftagewoche five-day (working) week
fünfte(r, -s) **1.** fifth [fɪfθ]; ***5. Mai*** 5(th) May, May 5(th) (⚠ *gesprochen* the fifth of May); ***am 5. Mai*** on 5(th) May, on May 5(th) (⚠ *gesprochen* on the fifth of May) **2.** ***wir waren zu fünft*** there were five of us
Fünfte(r) **1.** (the) fifth [fɪfθ] **2.** ***er wurde Fünfter*** he was (*bzw.* came in) fifth **3.** ***Georg V.*** George V (*gesprochen* George the Fifth; V *ohne Punkt!*) **4.** ***heute ist der Fünfte*** it's the fifth today
Fünftel fifth [fɪfθ]
fünftens fifth, fifthly, in the fifth place
fünfzehn fifteen [ˌfɪf'tiːn]
fünfzehnte(r, -s) fifteenth [ˌfɪf'tiːnθ]
fünfzig fifty ['fɪftɪ]
Fünfzigerjahre: ***in den Fünfzigerjahren*** in the fifties ['fɪftɪz]
Fünfzigeuroschein fifty-euro note, *AE* fifty-euro bill
fünfzigste(r, -s) fiftieth ['fɪftɪəθ]
Funke spark
funkeln **1.** *allg.*: sparkle, glitter **2.** (*Sterne*) twinkle
funken **1.** send* out, radio (*SOS usw.*) **2.** ***hat es bei ihm endlich gefunkt?*** (≈ *hat er es kapiert?*) has it got through to him at last? **3.** ***es hat bei ihnen gefunkt*** they clicked
Funker(in) radio operator
Funkgerät (two-way) radio set
Funksprechgerät walkie-talkie
Funkspruch radio message
Funkstreife **1.** radio patrol [pə'trəʊl] **2.** (≈ *Funkstreifenwagen*) squad [skwɒd] car
Funktion **1.** function **2.** *eines Organs*: functioning **3.** (≈ *Stellung*) position **4.** ***außer Funktion*** not working, out of operation **5.** ***was hat es für eine Funktion?*** what's it used for?
Funktionär(in) official [ə'fɪʃl]; ***hoher Funktionär, hohe Funktionärin*** top official
funktionieren: ***die Maschine funktioniert nicht*** the machine doesn't work
Funktionstaste function key
Funkturm radio tower
Funkuhr radio-controlled clock
Funkverbindung radio contact ['reɪdɪəʊˌkɒntækt]
Funkverkehr radio communication
für **1.** *allg.*: for **2.** (≈ *als Ersatz*) for, in exchange (*oder* return) for **3.** (≈ *im Namen von*) on behalf [bɪ'hɑːf] of **4.** ***was für (ein)?*** what kind of …? **5.** ***Tag für Tag*** day after day **6.** ***Schritt für Schritt*** step by step **7.** ***fürs Erste*** for the moment **8.** ***ich halte es für unklug*** I don't think it's a good idea
Furche furrow ['fʌrəʊ]
Furcht **1.** fear (***vor*** of), *stärker*: dread [dred] (***vor*** of) **2.** ***sie hat Furcht vorm Fliegen*** *usw.* she's afraid (*oder* scared) of flying *usw.* **3.** ***aus Furcht vorm Fliegen*** *usw.* because she's *usw.* afraid (*oder* scared) of flying *usw.*, for fear of flying **4.** ***Furcht erregend*** frightening, *stärker*: horrific [hɒ'rɪfɪk]
furchtbar **1.** awful ['ɔːfl], terrible ['terəbl], *stärker*: dreadful ['dredfl] **2.** ***furchtbar aufregend*** really ['rɪəlɪ] exciting **3.** ***ich bin furchtbar erschrocken*** I got such a fright, I got a real fright
fürchten **1.** ***wir fürchteten, dass unser Lehrer uns auf die Schliche kommt*** we were afraid (that) our teacher would find out **2.** ***ich fürchte, wir schaffen***

F

es nicht I don't think we're going to make it **3. *sie fürchtet um sein Leben*** she fears for his life **4. *sie fürchtet sich (davor) die Wahrheit zu sagen*** she's afraid of telling the truth

fürchterlich terrible ['terəbl], *stärker*: dreadful ['dredfl]

füreinander for each other, for one another

Fürsorge 1. care (***für*** for) **2. *öffentliche Fürsorge*** public welfare ['welfeə]; ***von der Fürsorge leben*** be* on social security, *AE* be* on welfare (⚠ *beide ohne* the)

Fürsprech(er) (CH) lawyer ['lɔːjə]

Fürsprecher(in) advocate ['ædvəkət]

Fürst prince (*auch Titel und übertragen*)

Fürstentum principality; ***das Fürstentum Monaco*** the Principality of Monaco

Fürstin princess [ˌprɪn'ses; *vor Namen* 'prɪnses]

fürstlich *übertragen* splendid ['splendɪd]

Fürwort (≈ *Pronomen*) pronoun ['prəʊnaʊn]

Furz, **furzen** *salopp* fart

Fusion *von Unternehmen, Organisationen*: merger ['mɜːdʒə]

fusionieren (*Unternehmen, Organisationen*) merge

Fuß 1. *wörtlich und übertragen* foot *Pl.*: feet **2.** *einer Säule*: base [beɪs] **3.** *eines Glases*: stem **4.** *einer Lampe*: stand **5.** *eines Tisches, eines Stuhls*: leg **6. *zu Fuß*** on foot; ***zu Fuß gehen*** walk **7. *zu Fuß (bequem) erreichbar*** within (easy) walking distance ['wɔːkɪŋˌdɪstəns] **8. *Fuß fassen*** *übertragen* get* (*oder* gain) a foothold **9. *jemanden auf freien Fuß setzen*** release [rɪ'liːs] someone, set* someone free **10. *kalte Füße bekommen*** *wörtlich und übertragen* get* cold feet **11.** *Längenmaß*: foot (= *30,48 cm*); ***zehn Fuß lang*** ten feet long; ***ein zehn Fuß langes Brett*** a ten-foot(-long) plank

Fußabdruck footprint

Fußbad footbath

Fußball 1. (≈ *Spiel*) football, *bes. AE* soccer **2.** (≈ *Ball*) football, *AE* soccer ball

Fußball

„Fußball" in der Art, wie wir ihn in Europa kennen, heißt in Großbritannien **football**, während man in den USA damit den **American football** bezeichnet. Unseren traditionellen europäischen Fußball nennt man in den USA **soccer**. Neben **football** wird dieses Wort aber auch in Großbritannien gebraucht. Es stammt von **association football**.

Einige Begriffe aus dem Fußball

Abseits	**offside** [ˌɒf'saɪd]
Abstoß	**goal kick**
Eckball, Ecke	**corner**
Einwurf	**throw-in**
Elfmeter	**penalty** ['penltɪ]
Ergänzungsspieler(in)	**squad player**
Freistoß	**free kick**
Kopfball	**header**
Latte, Querlatte	**crossbar**
Linienrichter(in)	**linesman** bzw. **lineswoman**
Pfosten, Torpfosten	**goalpost**
Schiedsrichter	**referee**
Schiedsrichterassistent(in) (*offizielle Bezeichnung für* Linienrichter[in])	**referee's assistant**
Seitenlinie	**touch line**
Strafraum	**penalty area**
Tor	**goal**
Torlinie	**goal line**
Torraum	**box, goal area**

Fußball... *in Zusammensetzungen*: football ..., soccer ...; ***Fußballfan*** football fan; ***Fußballfeld*** football field; ***Fußballländerspiel*** international (football) match; ***Fußballmannschaft*** football team; ***Fußballplatz*** football field; ***Fußballspiel*** football match, *AE* soccer game; ***Fußballspieler(in)*** football player; ***Fußballstadion*** football stadium ['steɪdɪəm]; ***Fußballstar*** football star; ***Fußballtrainer(in)*** football coach; ***Fußballverein*** football club

Fußballer(in) footballer

Fußballweltmeister World Cup holders (⚠ *Pl.*)

Fußballweltmeisterschaft World Cup

Fußboden floor

Fußbodenbelag floor covering ['flɔːˌkʌvərɪŋ], flooring ['flɔːrɪŋ]

Fußbodenheizung underfloor heating

Fußbremse footbrake

Fussel (piece of) fluff, *AE* (piece of) lint

fusselig covered in fluff, *AE* linty

fusseln shed* a lot of fluff (*AE* lint)

Fußgänger pedestrian [pə'destrɪən]

Fußgänger... *in Zusammensetzungen*: pedestrian [pə'destrɪən] ...; ***Fußgängerampel*** pedestrian lights (⚠ *Pl.*); ***Fußgängerübergang, Fußgänger-***

überweg pedestrian crossing; ***Fußgängerzone*** pedestrian precinct ['pri:sɪŋkt], *AE* (pedestrian) mall [mɔ:l]
Fußgängerbrücke footbridge
Fußgängerunterführung subway, *bes. AE* underpass
Fußgeher(in) Ⓐ pedestrian [pə'destrɪən]
Fußgelenk, **Fußknöchel** ankle
Fußmarsch **1.** long walk **2.** *Militär*: march
Fußnote footnote
Fußpilz athlete's foot [ˌæθli:ts'fʊt]
Fußspur **1.** (≈ *Abdruck*) footprint **2.** (≈ *Fährte*) track
Fußstapfe **1.** *wörtlich* footstep **2.** ***wird er in seine Fußstapfen treten?*** *übertragen* will he follow in his footsteps?
Fußtritt: ***jemandem einen Fußtritt geben*** give* someone a kick, kick someone
Fußvolk *übertragen* rank and file
Fußweg **1.** (≈ *Gehweg*) footpath **2.** ***ein Fußweg von einer Stunde*** an hour's walk
futsch **1.** (≈ *kaputt*) broken **2.** (≈ *zerschlagen*) smashed **3.** (≈ *weg, verloren*) gone [gɒn]
Futter[1] (≈ *Viehfutter*) feed, fodder
Futter[2] *Rock, Mantel usw.*: lining
Futteral **1.** case **2.** (≈ *Hülle*) cover
füttern[1] *allg.*: feed* (*auch Computer*)
füttern[2] line (*Rock, Mantel usw.*)
Futternapf (feeding) bowl [bəʊl]
Fütterung **1.** *Vorgang*: feeding **2.** *Zeitpunkt*: feeding time
Futur *Grammatik*: future ['fju:tʃə] (tense)

G

Gabe **1.** (≈ *Geschenk*) gift, present ['preznt] (***an*** to) **2.** (≈ *Begabung*) gift, talent ['tælənt]
Gabel **1.** ↔ *Messer*: fork **2.** (≈ *Heugabel, Mistgabel*) pitchfork
Gabelstapler forklift truck
gackern cackle (*auch übertragen*)
gaffen gawk, gawp
Gag **1.** *allg.*: gag **2.** *Werbung*: gimmick ['gɪmɪk]
Gage fee
gähnen yawn [jɔ:n]
Gala... *in Zusammensetzungen*: gala ['gɑ:lə]; ***Galaabend*** gala night; ***Galaaufführung*** gala performance; ***Galakonzert*** gala concert; ***Galavorstellung*** gala performance
Galaxie Galaxy ['gæləksɪ], Milky 'Way
Galerie *allg.*: gallery ['gælərɪ]
Galgenhumor gallows humour ['gæləʊzˌhju:mə]
Galle **1.** *Organ*: gall [gɔ:l] bladder **2.** *Sekret und übertragen*: bile
Gallenblase gall [gɔ:l] bladder
Gallenstein gallstone ['gɔ:lstəʊn]
Gallier(in) *historisch*: Gaul [gɔ:l]
Galopp gallop ['gæləp]; ***im Galopp*** *wörtlich und übertragen* at a gallop
galoppieren gallop ['gæləp]
gammeln (≈ *faulenzen*) loaf around, *umg.* bum around, *bes. AE umg.* goof around
Gammler(in) layabout ['leɪəˌbaʊt], *AE* bum
Gämse chamois [⚠ 'ʃæmwɑ:] *Pl.*: chamois
Gang **1.** (≈ *Gangart*) walk; ***seine Gangart*** the way he walks **2.** (≈ *Weg*) way **3.** (≈ *Flur*) corridor **4.** *im Flugzeug usw.*: aisle [⚠ aɪl] **5.** (≈ *Bogengang*) arcade [ɑ:'keɪd] **6.** *beim Essen*: course [kɔ:s]; ***Essen mit drei Gängen*** three-course meal **7.** *beim Auto*: gear [gɪə]; ***zweiter*** *usw.* ***Gang*** second *usw.* gear; ***in den zweiten Gang schalten*** change (*bes. AE* shift) into second (gear) **8.** *anatomisch*: duct, canal [kə'næl] **9.** (≈ *Verlauf*) course; ***der Gang der Dinge*** the course of events **10.** ***etwas in Gang setzen*** (*oder* ***bringen***) *wörtlich und übertragen* get* something going, start something **11.** ***in Gang kommen*** get* going, get* started **12.** ***es ist etwas im Gange*** *übertragen* there's something going on **13.** ***die Feier war in vollem Gange, als ...*** the party was in full swing when ...
gängig **1.** *Ausdruck*: current ['kʌrənt] **2.** *Methode usw.*: (very) common
Gangplatz *Flugzeug, Zug usw.*: aisle [⚠ 'aɪl] seat
Gangschaltung **1.** (≈ *System*) gears (⚠ *Pl.*) **2.** (≈ *Hebel*) gear lever ['gɪəˌli:və], *AE* gear shift
Gangster gangster
Gangsterbande gang of criminals

Gangsterboss gang boss
Gangway **1.** *Flugzeug*: steps (⚠ *Pl.*) **2.** *Schiff*: gangway
Ganove crook, *AE auch* hood
Gans goose [guːs] *Pl.*: geese [giːs]
Gänseblümchen daisy [ˈdeɪzɪ]
Gänsebraten roast goose [ˌrəʊstˈguːs]
Gänsefüßchen quotation marks, inverted commas
Gänsehaut **1.** goose [guːs] pimples (⚠ *Pl.*), goose flesh **2.** ***ich bekam eine Gänsehaut*** (≈ *erschrak zutiefst*) it sent shivers [ˈʃɪvəz] down my spine
Gänseleber goose liver [ˌguːsˈlɪvə]
Gänsemarsch: ***im Gänsemarsch*** in single (*oder bes. AE* Indian) file
Gänserich gander [ˈgændə]
Gänseschmalz goose [guːs] dripping
ganz **1.** (≈ *ungeteilt*) whole, all; ***ganz Deutschland*** the whole (*oder* all) of Germany; ***die ganze Stadt*** the whole town; ***auf der ganzen Welt*** all over the world; ***den ganzen Morgen*** (*bzw.* ***Tag***) all morning (*bzw.* day) (⚠ *ohne* the); ***die ganze Zeit*** all the time, the whole time **2.** (≈ *vollständig*) complete **3.** ***es hat ganze fünf Minuten gedauert*** (≈ *nicht mehr*) it didn't take more than five minutes, it was all over in five minutes **4.** (≈ *unbeschädigt*) whole, undamaged [ʌnˈdæmɪdʒd], intact; ***etwas wieder ganz machen*** mend something; ***die Tasse ist noch ganz*** the cup is still in one piece **5.** (≈ *völlig*) completely, totally [ˈtəʊtəlɪ]; ***ganz nass*** wet through **6.** (≈ *ziemlich*) quite, *umg.* pretty; ***ganz gut*** quite good, not bad; ***es hat mir ganz gut gefallen*** I quite liked it, I quite enjoyed it; ***ganz schön viel*** quite a lot **7.** (≈ *sehr*) very, really [ˈrɪəlɪ] **8.** *Wendungen*: ***ganz und gar nicht*** not at all; ***das ist was ganz anderes*** that's a completely different matter; ***nicht ganz dasselbe*** not quite the same thing; ***ganz gewiss*** certainly [ˈsɜːtnlɪ], (≈ *ohne Zweifel*) definitely [ˈdefənətlɪ]
Ganze(s) **1.** whole; ***einheitliches Ganzes*** integral [ˈɪntɪgrəl] whole **2.** ***das Ganze*** the whole thing **3.** *Wendungen*: ***im Großen und Ganzen*** on the whole, all in all; ***aufs Ganze gehen*** go* all out; ***jetzt gehts ums Ganze*** it's all or nothing now
gänzlich completely, totally [ˈtəʊtəlɪ]
Ganztagsschule **1.** *Prinzip*: all-day schooling **2.** *Einrichtung*: all-day schools (⚠ *Pl.*)
gar[1] **1.** ***gar nicht*** not at all **2.** ***gar nichts*** not a thing, nothing at all, absolutely nothing **3.** ***gar keiner*** nobody at all **4.** ***es besteht gar kein Zweifel*** there's no doubt whatsoever **5.** ***gar nicht schlecht*** not bad at all
gar[2] ↔ *roh*: done, cooked; ***nicht gar*** underdone [ˌʌndəˈdʌn]
Garage garage [⚠ ˈgærɑːʒ]
Garantie **1.** guarantee [ˌgærənˈtiː]; ***darauf gibts ein Jahr Garantie*** there's a year's guarantee on it **2.** ***dafür kann ich keine Garantie übernehmen*** I can't guarantee that (*oder* anything) **3.** ***er fällt unter Garantie durch*** I guarantee you he will fail
garantieren: ***(für etwas) garantieren*** guarantee [ˌgærənˈtiː]
Garantieschein, **Garantiezeit** guarantee [ˌgærənˈtiː]
Gardasee: ***der Gardasee*** Lake Garda (⚠ *ohne* the)
Garderobe **1.** (≈ *Kleidung*) clothes [⚠ kləʊ(ð)z] (⚠ *Pl.*), *formeller*: wardrobe [ˈwɔːdrəʊb] (⚠ *engl.* wardrobe = *mst.* ***Kleiderschrank***) **2.** (≈ *Garderobenraum*) cloakroom, *AE auch* checkroom; ***etwas an der Garderobe abgeben*** leave* something <u>in</u> the cloakroom **3.** (≈ *Flurgarderobe*) coat rack, *freistehend*: coatstand **4.** (≈ *Umkleideraum im Theater*) dressing room
Garderobenfrau cloakroom attend<u>a</u>nt [əˈtendənt], *AE* checkroom attend<u>a</u>nt
Gardine *allg.*: curtain [ˈkɜːtn]
garen: ***garen (lassen)*** cook slowly
gären: ***gären (lassen)*** ferment [fəˈment]
Garn (≈ *Faden*) thread [θred]
Garnele shrimp, *größere*: prawn
garnieren garnish (*Gericht und übertragen*)
Garnison garrison [ˈgærɪsn]
Garnitur (≈ *Satz*) set
garstig nasty [ˈnɑːstɪ]
Garten **1.** *allg.*: garden **2.** ***botanischer Garten*** botanical [bəˈtænɪkl] gardens (⚠ *Pl.*)
Garten... *in Zusammensetzungen*: garden ...; ***Gartenfest*** garden party; ***Gartenschlauch*** garden hose; ***Gartenstuhl*** garden chair; ***Gartenzaun*** garden fence; ***Gartenzwerg*** (garden) gnome [⚠ nəʊm]
Gartenarbeit gardening
Gartenbau horticulture [ˈhɔːtɪkʌltʃə]
Gartengeräte gardening tools
Gärtner(in) gardener
Gärtnerei (≈ *Betrieb*) market garden, *AE* truck garden, *AE* truck farm
Gärung fermentation [ˌfɜːmenˈteɪʃn]
Garzeit cooking time
Gas **1.** *allg.*: gas **2.** ***Gas geben*** (≈ *beschleunigen*) accelerate [əkˈseləreɪt]; ***gib Gas!*** *umg.* ˈstep on it!, *AE* step on the ˈgas!

3. *Gas wegnehmen* (≈ *langsamer werden*) decelerate [ˌdiːˈseləreɪt], throttle down (*AE* back)
Gas... *in Zusammensetzungen*: ***Gasbehälter*** gas tank; ***Gasexplosion*** gas explosion; ***Gasflasche*** gas bottle; ***Gashahn*** gas tap; ***Gasheizung*** gas heating; ***Gasherd*** gas cooker, gas stove [stəʊv]; ***Gaskammer*** gas chamber [ˈgæsˌtʃeɪmbə]; ***Gasmaske*** gas mask [mɑːsk]
gasförmig gaseous [⚠ ˈgæsɪəs]
Gaspedal accelerator [əkˈseləreɪtə], *AE auch* gas pedal [⚠ ˈgæsˌpedl]
Gasse 1. *allg.*: narrow street, (narrow) lane **2.** (≈ *Seitengasse*) backstreet
Gast 1. guest [gest] **2. *Gäste haben*** have* visitors
Gästebuch visitors' book
Gästehaus guest house
Gästezimmer guest room
Gastfamilie host family [ˈhəʊstˌfæmlɪ]
gastfreundlich hospitable [hɒˈspɪtəbl]
Gastfreundschaft hospitality [ˌhɒspɪˈtælətɪ]
Gastgeber host [həʊst]
Gastgeberin hostess [ˈhəʊstɪs]
Gasthaus, Gasthof restaurant [ˈrestərɒnt], *mit Unterkunft*: inn
gastieren give* a guest performance, guest
Gastland host country [ˈhəʊstˌkʌntrɪ]
gastlich hospitable [hɒˈspɪtəbl]
Gastlichkeit hospitality [ˌhɒspɪˈtælətɪ]
Gastritis gastritis [gæˈstraɪtɪs]
Gastronomie (≈ *Gewerbe*) catering [ˈkeɪtərɪŋ] (trade); ***sie arbeitet in der Gastronomie*** she works in catering
Gastspiel 1. *Theater usw.*: guest performance **2.** *Orchester*: concert
Gaststätte, Gastwirtschaft restaurant [ˈrestərɒnt]
Gatte husband [ˈhʌzbənd], *förmlich* spouse [spaʊs]
Gatter 1. (≈ *Tor*) gate **2.** (≈ *Zaun*) fence
Gattin wife, *förmlich* spouse [spaʊs]
Gattung 1. *biologisch*: genus [⚠ ˈdʒiːnəs] *Pl.*: genera [ˈdʒenərə] **2.** *Kunst*: form **3.** *Literatur*: genre [ˈʒɒnrə] **4.** (≈ *Sorte*) kind, type
GAU 1. MCA [ˌemsiːˈeɪ] (*Abk. für* **m**aximum **c**redible **a**ccident), worst-case scenario [səˈnɑːrɪəʊ] **2.** (≈ *Durchschmelzen eines Reaktors*) nuclear meltdown [ˌnjuːklɪəˈmeltdaʊn]
Gaul *abwertend* (≈ *Pferd*) nag
Gaumen palate [ˈpælət] (*auch übertragen*)
Gauner(in) crook, swindler
Gazastreifen Gaza [ˈgɑːzə] Strip
Gazelle gazelle [gəˈzel]
GB (= ***Gigabyte***) GB [ˌdʒiːˈbiː]
geachtet respected
Gebäck 1. (≈ *Kuchensorten*) cakes (⚠ *Pl.*) **2.** (≈ *Kekse*) biscuits [ˈbɪskɪts] (⚠ *Pl.*), *AE* cookies [ˈkʊkɪz] (⚠ *Pl.*)
geballt: ***geballt auftreten*** *Probleme usw.*: come* all at once
gebannt: ***(wie) gebannt*** fascinated [ˈfæsɪneɪtɪd], spellbound
Gebärde gesture [ˈdʒestʃə]
gebärden: ***sich gebärden wie ...*** behave [bɪˈheɪv] (*oder* act) like ...
Gebärdensprache sign [saɪn] language
Gebärmutter uterus [ˈjuːtərəs]
Gebäude 1. *allg.*: building [ˈbɪldɪŋ] **2.** (≈ *Haus*) house [haʊs] *Pl.*: houses [⚠ ˈhaʊzɪz] **3.** *bes. großes, bemerkenswertes, prächtiges*: edifice [ˈedɪfɪs]
Gebeine (≈ *sterbliche Reste*) bones, (mortal) remains [rɪˈmeɪnz]
geben 1. *allg.*: give*; ***jemandem etwas geben*** give* someone something, give* something <u>to</u> someone **2.** (≈ *reichen*) give*, pass, hand **3. *lass dir eine Quittung*** *usw.* ***geben*** ask for a receipt [rɪˈsiːt] *usw.* **4.** have*, give* (*Essen, Party*) **5.** give* (*Konzert usw.*), teach* (*Unterricht, Fach usw.*) **6. *das gibt keinen Sinn*** it doesn't <u>make</u> (any) sense **7. *wer gibt?*** *Kartenspiel*: whose deal is it? **8. *was wird heute Abend gegeben?*** *Theater, Kino, Fernsehen*: what's on tonight? **9. *sich natürlich geben*** act naturally **10. *das gibt sich wieder*** (≈ *das wird wieder gut*) it'll come right, (≈ *das legt sich*) it'll sort itself out **11. *es gibt ...*** there is ..., there are ...; ***es gibt Leute, die ...*** some people ... **12. *der beste Spieler, den es je gab*** the best player of all time **13. *es gab viel zu tun*** there was a lot to do **14. *das gibt Ärger*** there'll be trouble **15. *Rotwein gibt Flecken*** red wine leaves stains **16. *was gibts?*** what's up? **17. *was gibt es zum Mittagessen?*** what's for lunch? **18. *das gibts (bei mir) nicht*** *verbietend*: that's not on **19. *das gibts doch nicht*** (≈ *das darf nicht wahr sein*) you're joking, that can't be true **20. *gibts den noch?*** is he still around? **21. *heut gibts noch was*** *Gewitter*: I think we're in for something
Gebet prayer [⚠ preə]
Gebettel (constant) begging
Gebiet 1. (≈ *Gegend*) area, region **2.** (≈ *Staatsgebiet*) territory [ˈterətrɪ] **3.** (≈ *Fachgebiet*) field **4.** (≈ *Bereich*) field, area, sector; ***auf politischem Gebiet*** <u>in</u> the political field
Gebietsanspruch territorial claim

gebietsweise: ***gebietsweise Regen*** scattered (*oder* local) showers, rain in places
Gebilde 1. (≈ *Ding*) thing, object ['ɒbdʒɪkt] **2.** (≈ *Werk*) work, creation **3.** (≈ *Gefüge*) structure
gebildet educated ['edjʊkeɪtɪd, 'edʒʊkeɪtɪd]
Gebirge mountains ['maʊntɪnz] (⚠ *Pl.*), mountain range
gebirgig mountainous ['maʊntɪnəs]
Gebirgsbewohner(in) mountain dweller
Gebiss 1. teeth (⚠ *Pl.*) **2.** *künstliches*: (set of) false [fɔːls] teeth (⚠ *Pl.*), (set of) dentures ['dentʃəz] (⚠ *Pl.*); ***sie hat*** (*oder* ***trägt***) ***ein Gebiss*** she's got false teeth
Gebläse fan, blower
geblümt: ***geblümte Tapete*** *usw.* floral ['flɔːrəl] wallpaper *usw.*
gebogen 1. bent **2.** (≈ *geschwungen, rund*) curved
gebongt: ***ist gebongt*** will do
geboren 1. born; ***wo bist du geboren?*** where were you born?; ***ich bin in Moskau geboren*** I was born in Moscow **2.** ***geborene Schmidt*** née [neɪ] Schmidt **3.** ***ein geborener Geschäftsmann*** a born businessman
geborgen: ***sie fühlt sich bei ihm geborgen*** she feels very secure [sɪ'kjʊə] with him
Geborgenheit security [sɪ'kjʊərətɪ]
Gebot 1. ***die Zehn Gebote*** the Ten Commandments **2.** ***es ist ein Gebot der Vernunft, dass …*** reason demands that … (⚠ *ohne* the) **3.** ***… ist oberstes Gebot*** … is top priority [praɪ'ɒrətɪ], … is of paramount importance [ˌpærəmaʊnt‿ɪm'pɔːtns]
Gebrauch 1. (≈ *Benutzung*) use [⚠ juːs]; ***von etwas Gebrauch machen*** make* use of something, use [juːz] something **2.** (≈ *Anwendung*) application **3.** *eines Wortes usw.*: usage ['juːsɪdʒ] **4.** (≈ *Sitte*) custom ['kʌstəm]
gebrauchen 1. (≈ *benutzen*) use [juːz]; ***gebrauche deinen Verstand!*** use your head **2.** ***ich könnte einen Schirm*** (*bzw.* ***einen Whisky***) ***gebrauchen*** I could do with an umbrella (*bzw.* a Scotch) **3.** ***dich kann ich jetzt nicht gebrauchen*** I haven't got time for you right now **4.** ***er ist zu nichts zu gebrauchen*** he's absolutely hopeless
gebräuchlich 1. ***das ist absolut gebräuchlich*** (≈ *verbreitet*) it's perfectly common ['kɒmən] **2.** (≈ *üblich*) normal ['nɔːml], usual ['juːʒʊəl] **3.** *Wörter*: common ['kɒmən]
Gebrauchsanleitung, Gebrauchsanweisung 1. *für Medikamente*: directions [də'rekʃnz] (⚠ *Pl.*) for use [⚠ juːs] **2.** *für Geräte*: instructions (⚠ *Pl.*) (for use)
gebrauchsfertig ready for use [⚠ juːs]
gebraucht 1. second-hand, used [juːzd] **2.** ***etwas gebraucht kaufen*** buy* something second-'hand
Gebrauchtwagen used [juːzd] car, second-hand 'car
gebräunt tanned
Gebrechen (physical) disability [ˌfɪzɪkl-ˌdɪsə'bɪlətɪ], handicap
Gebrechlichkeit frailty, weakness
Gebrüll 1. (≈ *Geschrei*) screaming **2.** *von Löwen*: roar, roaring
Gebühr charge, fee
Gebührenerhöhung increase ['ɪŋkriːs] in charges ['tʃɑːdʒɪz]
gebührenfrei free of charge
gebührenpflichtig: ***gebührenpflichtige Verwarnung*** ticket ['tɪkɪt], fine
gebunden 1. *Buch*: bound, ↔ *Paperback*: hardcover **2.** (≈ *verpflichtet*) bound; ***vertraglich gebunden*** bound by contract **3.** ***gebunden an*** tied to (*Ort usw.*) **4.** *Person*: (≈ *vergeben*) no longer free
Geburt 1. birth; ***von Geburt an*** from birth **2.** ***das war eine schwere Geburt*** *übertragen* it was a tough [tʌf] job, it was tough going
Geburtenkontrolle, Geburtenregelung birth control
Geburtenrückgang decline [dɪ'klaɪn] (*oder* drop) in the birthrate
geburtenschwach: ***geburtenschwacher Jahrgang*** low-birthrate year
geburtenstark: ***geburtenstarker Jahrgang*** high-birthrate year
Geburtenüberschuss excess [ɪk'ses] of births (over deaths)
Geburtenziffer birthrate
gebürtig: ***Thomas ist gebürtiger Engländer*** (***und nicht gebürtiger Ire***) Thomas is English by birth (and not Irish)
Geburtsdatum date of birth
Geburtshaus: ***mein*** *usw.* ***Geburtshaus*** the house where I *usw.* was born; ***Shakespeares Geburtshaus*** Shakespeare's birthplace
Geburtsjahr year of birth
Geburtsland native country
Geburtsname birth name, *einer Frau*: maiden name
Geburtsort birthplace
Geburtstag 1. birthday; ***wann hast du Geburtstag?*** when's your birthday?; ***er hat heute Geburtstag*** it's his birthday today; ***alles Gute zum Geburtstag*** happy birthday; ***was hast du zum Geburts-***

tag bekommen? what did you get for your birthday? ***was wünschst du dir zum Geburtstag?*** what would you like for your birthday? **2.** ***ich gratuliere*** (*oder* ***herzlichen Glückwunsch***) ***zum Geburtstag*** happy birthday, many happy returns of the day **3.** ***Geburtstag und Geburtsort*** *amtlich*: place and date of birth (⚠ *Wortstellung*)

Geburtstags... *in Zusammensetzungen*: birthday ...; ***Geburtstagsfeier*** birthday party; ***Geburtstagsgeschenk*** birthday present ['preznt]; ***Geburtstagskarte*** birthday card; ***Geburtstagskind*** birthday boy (*bzw.* girl); ***Geburtstagskuchen*** birthday cake

Geburtsurkunde birth certificate [sə'tɪfɪkət]

Gebüsch **1.** bushes [⚠ 'bʊʃɪz] (⚠ *Pl.*) **2.** (≈ *Unterholz*) undergrowth ['ʌndəgrəʊθ], *AE* underbrush

Geck (≈ *Dandy*) fop

gedacht **1.** (≈ *vorgestellt*) imagined [ɪ'mædʒɪnd], imaginary [ɪ'mædʒɪnrɪ] **2.** (≈ *angenommen*) assumed [ə'sjuːmd] **3.** ***gedacht als*** intended as, meant [ment] to be **4.** ***gedacht für*** intended for, meant for

Gedächtnis **1.** memory **2.** ***aus dem Gedächtnis*** (≈ *auswendig*) by heart [hɑːt]

Gedächtnislücke gap in one's memory; ***er hatte eine Gedächtnislücke*** there was a gap in his memory

Gedächtnistraining memory training

Gedanke **1.** thought [θɔːt] (***an*** of) **2.** (≈ *Vorstellung, Einfall, Plan*) idea [aɪ'dɪə]; ***jemanden auf den Gedanken bringen, etwas zu tun*** give* someone the idea of doing something **3.** (≈ *Gefühl, Ahnung*) notion **4.** (≈ *Gedankengang, Betrachtung*) thought, thoughts (*Pl.*) **5.** ***der Gedanke der Demokratie*** *usw.* the idea (*oder* concept ['kɒnsept]) of democracy [dɪ'mɒkrəsɪ] *usw.* **6.** ***sich Gedanken machen über*** (≈ *nachdenken*) think* about, (≈ *sich sorgen*) worry ['wʌrɪ] about, be* worried about **7.** ***mach dir keine Gedanken (darüber)!*** don't worry about it! **8.** ***ich hab das ganz in Gedanken getan*** I did it without thinking **9.** ***sie kann seine Gedanken lesen*** she can read his mind **10.** ***allein der Gedanke (daran)...*** just to think of it ..., just the thought of it ...

Gedankenaustausch exchange of ideas

gedankenlos (≈ *leichtsinnig*) careless

Gedankenstrich *Grammatik*: dash

Gedankenübertragung telepathy [⚠ tə'lepəθɪ]

gedanklich **1.** intellectual [ˌɪntə'lektʃʊəl] **2.** ***gedanklich verarbeiten*** (mentally) digest [(ˌmentlɪ‿)daɪ'dʒest]

Gedärme bowels ['baʊəlz], intestines [⚠ ɪn'testɪnz]

gedeckt **1.** covered (*auch Scheck*) **2.** *Tisch*: laid, *bes. AE* set

gedeihen **1.** (*Pflanzen, Kinder usw.*) thrive* **2.** (≈ *wachsen*) grow* **3.** *übertragen* flourish [⚠ 'flʌrɪʃ], prosper ['prɒspə], thrive*

gedenken + *Gen.*: think* of, remember

Gedenken: ***zum*** (*oder* ***im***) ***Gedenken an*** in memory of

Gedenkfeier commemoration (ceremony)

Gedenkgottesdienst memorial service [mə'mɔːrɪəlˌsɜːvɪs]

Gedenkminute: ***eine Gedenkminute einlegen für ...*** observe a minute's silence in memory of ...

Gedenkmünze commemorative coin [kəˌmemərətɪv'kɔɪn]

Gedenkstätte memorial [mə'mɔːrɪəl] (site)

Gedenktafel commemorative plaque [kəˌmemərətɪv'plæk]

Gedenktag day of remembrance [rɪ'membrəns]

Gedicht **1.** poem ['pəʊɪm] **2.** ***das Kleid*** *usw.* ***ist ein Gedicht*** the dress *usw.* is a dream

Gedränge, **Gedrängel** **1.** *Aktivität*: pushing (and shoving [⚠ 'ʃʌvɪŋ]) **2.** (≈ *Menge*) crowd

Gedröhne droning, *lauter*: roaring

gedruckt **1.** printed **2.** ***wenn er das zu dir gesagt hat, lügt er wie gedruckt*** if he told you that, he's lying through his teeth

Geduld patience ['peɪʃns]; ***verlier nicht die Geduld*** don't lose [luːz] your patience

gedulden: ***wenn Sie sich noch ein wenig gedulden würden*** if you wouldn't mind waiting a moment

geduldig patient ['peɪʃnt]

Geduldsspiel *übertragen* test of patience ['peɪʃns]

geehrt *in Briefen*: ***Sehr geehrter Herr Smith, ...*** Dear Mr Smith, ... (⚠ Mr *im BE ohne Punkt, im AE mit Punkt*); ***Sehr geehrte Damen und Herren, ...*** Dear Sir or Madam, Dear Sir/Madam, ... (⚠ *erstes Wort des Brieftextes nach all diesen Anreden fängt mit einem Großbuchstaben an*)

geeignet **1.** (≈ *passend*) suitable ['suːtəbl] (***für, zu*** for) **2.** (≈ *richtig*) right **3.** (≈ *befähigt*) qualified; ***er ist nicht dafür geeignet*** he's not the right man (for it)

Gefahr **1.** danger ['deɪndʒə] (***für*** for, to) **2.**

es besteht keine Gefahr there's no danger; ***außer Gefahr*** out of danger **3.** (≈ *Risiko*) risk; ***wenn du mit meinem Fahrrad fährst, dann auf eigene Gefahr*** if you use my bike, it's at your own risk **4.** ***Gefahr laufen, etwas zu tun*** run the risk of doing something

gefährden **1.** endanger [ɪn'deɪndʒə] **2.** ***du darfst deine Gesundheit nicht gefährden*** you mustn't ['mʌsnt] put your health at risk

gefährdet **1.** ***Kinder*** *usw.* ***sind am meisten gefährdet*** children *usw.* run the highest risk **2.** ***Bäume*** *usw.* ***sind am meisten gefährdet*** trees *usw.* are most at risk

Gefährdung danger ['deɪndʒə], threat [θret], menace ['menəs]; ***eine Gefährdung seiner Gesundheit*** a danger (*oder* threat) to his health

Gefahrenherd **1.** (constant) source [sɔːs] of danger **2.** *politisch*: trouble spot

Gefahrenquelle safety hazard ['seɪftɪˌhæzəd]

Gefahrenstelle danger ['deɪndʒə] spot

Gefahrenzone danger zone ['deɪndʒə‿zəʊn]

Gefahrenzulage danger money ['deɪndʒəˌmʌnɪ]

gefährlich **1.** dangerous ['deɪndʒərəs] **2.** (≈ *riskant*) risky

gefahrlos **1.** not dangerous **2.** (≈ *sicher*) safe **3.** (≈ *harmlos*) harmless

Gefährte, **Gefährtin** companion [kəm'pænjən]

Gefälle *Straße*: slope

Gefallen favour ['feɪvə]; ***jemandem einen Gefallen tun*** do* someone a favour; ***jemanden um einen Gefallen bitten*** ask a favour of someone

gefallen[1] **1.** ***es gefällt mir*** I like it; ***es gefällt mir nicht*** I don't like it **2.** ***wie gefällt dir mein Hemd?*** how do you like my shirt? **3.** ***hat dir das Lied gefallen?*** did you enjoy [ɪn'dʒɔɪ] the song? **4.** ***was mir daran*** (*bzw.* ***an ihr***) ***gefällt ...*** what I like about it (*bzw.* her) ... **5.** ***das lasse ich mir nicht gefallen*** I'm not going to put up with it

gefallen[2] *im Krieg usw.*: killed in action, fallen ['fɔːlən]

Gefälligkeit (≈ *Gefallen*) favour ['feɪvə]

gefälligst *grob*: ..., will you!; ***sei gefälligst still!*** be quiet, will you!

gefangen **1.** *im Gefängnis*: imprisoned [ɪm'prɪznd], in prison ['prɪzn] **2.** ***jemanden gefangen nehmen*** *Krieg*: capture someone, take* someone prisoner

Gefangene(r) prisoner ['prɪznə], (≈ *Sträfling*) convict ['kɒnvɪkt]

Gefangenenlager prison ['prɪzn] camp, *im Krieg*: prisoner-of-war (*Abk.* POW [ˌpiːəʊ'dʌbljuː]) camp [ˌprɪznər‿əv'wɔː‿kæmp]

Gefangennahme *Krieg*: capture ['kæptʃə]

Gefangenschaft *allg.*: captivity [kæp'tɪvətɪ]

Gefängnis **1.** prison ['prɪzn], jail [dʒeɪl] **2.** ***jemanden ins Gefängnis stecken*** *umg.* put* someone in prison **3.** ***fünf Jahre Gefängnis bekommen*** get* five years in prison

Gefängnisstrafe prison ['prɪzn] sentence

Gefängniswärter(in) prison officer ['prɪznˌɒfɪsə], *AE* prison guard [gɑːd], *AE* jailer

Gefängniszelle prison cell ['prɪzn‿sel]

gefärbt *Haare*: dyed [daɪd]

Gefäß **1.** *allg.*: container; ☞ *Illu S. 195* **2.** (≈ *Blutgefäß*) vessel

gefasst **1.** (≈ *besonnen*) calm [⚠ kɑːm], composed **2.** ***ich bin darauf gefasst*** I'm prepared for it

Gefecht **1.** battle (*auch übertragen*) **2.** ***jemanden außer Gefecht setzen*** put* someone out of action

Gefechtskopf: (***nuklearer***) ***Gefechtskopf*** (nuclear) warhead [(ˌnjuːklɪə)'wɔːhed]

Gefieder plumage ['pluːmɪdʒ], feathers ['feðəz] (⚠ *Pl.*)

Geflügel poultry ['pəʊltrɪ] (⚠ *ohne Pl.*)

Geflügelsalat chicken salad [ˌtʃɪkɪn'sæləd]

Geflügelschere: (***eine***) ***Geflügelschere*** (a pair of) poultry shears ['pəʊltrɪˌʃɪəz] (⚠ *Pl.*)

Geflüster whispering ['wɪspərɪŋ]

Gefolgschaft, **Gefolgsleute** followers (⚠ *Pl.*), supporters (⚠ *Pl.*)

gefragt in demand [dɪ'mɑːnd], popular

gefräßig greedy, gluttonous ['glʌtnəs]

Gefreite(r) lance corporal, *AE* private ['praɪvət] 1st class (⚠ *gesprochen* first class)

gefreute(r, -s) Ⓒⓗ **1.** (≈ *erfreulich, befriedigend*) pleasant ['pleznt], good **2.** (≈ *sympathisch*) likeable ['laɪkəbl], nice

Gefrierbeutel freezer bag

gefrieren: ***gefrieren*** (***lassen***) freeze*

Gefrierfach freezer, freezing compartment

Gefrierfleisch frozen meat

Gefrierpunkt **1.** freezing point **2.** ***unter dem Gefrierpunkt*** below zero, below freezing

Gefrierschrank, **Gefriertruhe** freezer, deep-freeze

Gefüge structure

Gefühl 1. *allg.*: feeling; ***ich habe das Gefühl, dass ...*** I have a feeling that ...; ***ich habe dabei ein ungutes Gefühl*** I've got a funny feeling about it; ***mit gemischten Gefühlen*** with mixed feelings **2.** (≈ *Sinn, Gespür*) sense [sens], feeling; ***Gefühl für Recht und Unrecht*** *usw.* sense of justice *usw.* **3.** ***ich hab kein Gefühl im Arm*** I can't feel anything in my arm

gefühllos (≈ *hartherzig*) unfeeling

gefühlsmäßig instinctive [ɪn'stɪŋktɪv]

gefühlvoll 1. (≈ *empfindsam*) sensitive ['sensətɪv] **2.** (≈ *gefühlsbetont*) emotional [ɪ'məʊʃnəl]

gefüllt 1. filled (***mit*** with) **2.** ***gefüllte Tomaten*** *usw.* stuffed tomatoes *usw.*

Gefummel *erotisch*: groping

gegeben 1. ***etwas als gegeben voraussetzen*** take* something for granted ['grɑːntɪd] **2.** ***unter den gegebenen Umständen*** under the circumstances ['sɜːkəmstænsɪz]

gegebenenfalls if necessary ['nesəsrɪ]

gegen 1. ↔ *für*: against [ə'genst]; ***gegen Stellenkürzungen protestieren*** protest [prə'test] against job cuts; ***ich hab nichts gegen ihn*** I've nothing against him **2.** ***gegen einen Baum fahren*** drive* (*oder* crash) into a tree **3.** *Mittel*: for; ***haben Sie etwas gegen Husten?*** have you got something for a cough? [kɒf] **4.** ***gegen 8 Uhr*** about (*bes. AE* around) 8 o'clock **5.** (≈ *verglichen mit*) compared with, in comparison [kəm'pærɪsn] with

Gegenangriff counterattack (*auch übertragen*); ***einen Gegenangriff führen gegen*** counterattack, launch a counterattack against

Gegenanzeige *Medizin*: contraindication [ˌkɒntrəˌɪndɪ'keɪʃn]

Gegenargument counterargument ['kaʊntəˌɑːgjʊmənt]

Gegenbewegung countermovement ['kaʊntəˌmuːvmənt] (*auch übertragen*)

Gegenbeweis proof to the contrary ['kɒntrərɪ]; ***den Gegenbeweis antreten*** provide evidence ['evɪdəns] to the contrary

Gegend 1. *allg.*: area ['eərɪə], *innerhalb einer Stadt auch*: part of town (⚠ *mst. ohne* the), *innerhalb eines Landes auch*: part of the country; ***in der Gegend von München*** in the Munich ['mjuːnɪk] area **2.** ***hier in der Gegend*** around here, in this area **3.** (≈ *Wohngegend*) neighbourhood ['neɪbəhʊd]

Gegendarstellung 1. correction, (≈ *Widerlegung*) refutation [ˌrefjʊ'teɪʃn] **2.** (≈ *Version*) version

Gegendemonstration counterdemonstration ['kaʊntədemənˌstreɪʃn]

gegeneinander against [ə'genst] one another (*oder* each other)

Gegenfahrbahn opposite lane [ˌɒpəzɪt'leɪn]

Gegenfrage counterquestion; ***ich will dir mal ne Gegenfrage stellen*** let me ask 'you something (⚠ *Betonung auf* you)

Gegengewicht counterweight [⚠ 'kaʊntəweɪt] (*auch übertragen*); ***ein Gegengewicht bilden zu*** counterbalance

Gegenleistung: ***als Gegenleistung*** in return (***für*** for)

Gegenmaßnahme countermeasure

Gegenmittel *wörtlich und übertragen* remedy ['remədɪ] (***gegen*** for)

Gegenprobe: ***die Gegenprobe (auf etwas) machen*** cross-check (something)

Gegenrichtung opposite ['ɒpəzɪt] direction

Gegensatz 1. ***im Gegensatz zu ...*** in contrast ['kɒntrɑːst] to (*oder* with) ..., unlike ... **2.** ***Gegensätze*** *in den Meinungen usw.*: differences ['dɪfrənsɪz]

gegensätzlich opposing [ə'pəʊzɪŋ], *Meinungen*: conflicting [kən'flɪktɪŋ]

Gegenseite opposite ['ɒpəzɪt] (*oder* other) side

gegenseitig 1. ***gegenseitige Hilfe (Interesse*** *usw.*) mutual ['mjuːtʃʊəl] help (interest *usw.*) **2.** ***sich gegenseitig helfen*** *usw.* help *usw.* one another (*oder* each other)

Gegenspieler(in) *Sport und übertragen*: opponent [ə'pəʊnənt]

Gegenstand 1. (≈ *Ding*) object ['ɒbdʒɪkt], thing **2.** (≈ *Thema*) subject ['sʌbdʒekt], topic ['tɒpɪk]

gegenstandslos irrelevant [ɪ'reləvənt], (≈ *ungültig*) invalid [ɪn'vælɪd]

gegensteuern *übertragen* take* countermeasures ['kaʊntəˌmeʒəz]

Gegenstimme *Parlament*: dissenting [dɪ'sentɪŋ] vote, vote against; ***es gab fünf Gegenstimmen*** there were five noes [nəʊz]

Gegenstück counterpart

Gegenteil 1. opposite ['ɒpəzɪt] (***von*** of) **2.** (***ganz***) ***im Gegenteil*** on the contrary ['kɒntrərɪ], oh no(, not at all) **3.** ***das bewirkt (genau) das Gegenteil*** it has the opposite effect, it's counterproductive

gegenteilig contrary ['kɒntrərɪ], opposite ['ɒpəzɪt]

gegenüber 1. *allg.*: opposite ['ɒpəzɪt]; ***direkt gegenüber*** right opposite **2.** (≈ *auf der anderen Straßenseite*) across the street **3.** (≈ *im Vergleich zu*) compared

G

with **4.** (≈ *im Gegensatz zu*) in contrast ['kɒntrɑːst] to
gegenüberliegen be* opposite ['ɒpəzɪt], face; ***die beiden Parks liegen direkt gegenüber*** the two parks face each other
gegenüberstehen **1.** ***jemandem gegenüberstehen*** face someone **2.** ***einem Problem gegenüberstehen*** be* faced (*oder* confronted [⚠ kən'frʌntɪd]) with a problem ['prɒbləm], be* up against a problem
Gegenüberstellung **1.** confrontation [ˌkɒnfrʌn'teɪʃn] (*auch vor Gericht*) **2.** (≈ *Vergleich*) comparison [kəm'pærɪsn]
Gegenverkehr oncoming traffic
Gegenvorschlag counterproposal ['kaʊntəprəˌpəʊzl]; ***dann mach mir einen Gegenvorschlag*** okay, what would 'you suggest, then?
Gegenwart **1.** (≈ *jetzige Zeit*) present ['preznt] (time) **2.** *Grammatik*: present (tense)
gegenwärtig **1.** (≈ *jetzig*) present ['preznt], current ['kʌrənt] **2.** (≈ *zur Zeit*) at present **3.** (≈ *heutzutage*) nowadays ['naʊədeɪz], these days
Gegenwartsliteratur contemporary literature [kənˌtemprərɪ'lɪtrətʃə]
Gegenwind headwind ['hedwɪnd]; ***wir haben Gegenwind*** there's a headwind (blowing)
Gegner(in) **1.** opponent [ə'pəʊnənt] **2.** (≈ *Rivale*) rival ['raɪvl], competitor [kəm'petɪtə] **3.** (≈ *Feind*) enemy ['enəmɪ]
gegnerisch **1.** opposing **2.** enemy …
gehabt **1.** ***(alles) wie gehabt*** same as ever **2.** ***… wie gehabt*** … as always, … as usual
Gehalt[1] *der* (≈ *Inhalt, Anteil*) content ['kɒntent]
Gehalt[2] *das* (≈ *Einkommen*) salary ['sælərɪ], pay
Gehaltsabrechnung salary ['sælərɪ] statement, *umg.* pay slip
Gehaltsabzug deduction from (one's) salary ['sælərɪ]
Gehaltserhöhung (pay) rise, *AE* raise, salary increase ['sælərɪˌɪŋkriːs]
Gehaltsforderung salary ['sælərɪ] claim
Gehaltskürzung salary ['sælərɪ] cut
gehandikapt handicapped
gehässig spiteful ['spaɪtfl]
Gehässigkeit spitefulness; ***aus reiner Gehässigkeit*** out of sheer spite
Gehäuse **1.** casing, case **2.** *einer Kamera*: body **3.** *eines Apfels*: core
gehbehindert: ***sie ist gehbehindert*** she has difficulty walking, she can't walk properly
Gehege enclosure [ɪn'kləʊʒə], *für Tiere auch*: pen
geheim **1.** secret ['siːkrət]; ***streng geheim*** top secret **2.** ***etwas geheim halten*** keep* something secret
Geheim… *in Zusammensetzungen*: secret [ˌsiːkrət z̦] …; ***Geheimdienst*** secret service; ***Geheimpolizei*** secret police; ***Geheimrezept*** secret recipe ['resəpɪ]; ***Geheimsache*** secret matter; ***Geheimwaffe*** secret weapon
Geheimnis **1.** secret ['siːkrət] **2.** *Wendungen*: ***ein Geheimnis aus etwas machen*** make* a secret out of something; ***kein Geheimnis aus etwas machen*** make* no secret of something; ***ein offenes Geheimis*** an open secret
Geheimnistuerei: ***hör doch auf mit dieser Geheimnistuerei*** stop making such a big secret ['siːkrət] out of it
geheimnisvoll mysterious [mɪ'stɪərɪəs]
Geheimratsecken receding hairline (⚠ *Sg.*); ***er hat Geheimratsecken*** his hair is receding at the temples
Geheimtipp hot tip
Geheimzahl *für EC-Karte, Handy usw.*: PIN number ['pɪnˌnʌmbə], PIN (*PIN = personal identification number*)
gehemmt inhibited [ɪn'hɪbɪtɪd], (≈ *scheu*) *auch*: shy
gehen **1.** ***(zu Fuß) gehen*** walk, go* (on foot) **2.** ***schwimmen*** (*bzw.* ***tanzen*** *usw.*) ***gehen*** go* swimming (*bzw.* dancing *usw.*) **3.** ***zur Post*** *usw.* ***gehen*** go* to the post office **4.** ***zur*** (*oder* ***in die***) ***Schule gehen*** (≈ *schulpflichtig sein*) go* to school (⚠ *ohne* the); ☞ *Info unter* **Schule** **5.** ***über die Straße gehen*** cross the road; ***über die Brücke gehen*** cross the bridge **6.** ***an die Arbeit gehen*** get* down to work **7.** (≈ *fortgehen*) go*, leave*; ***er ist gegangen*** he's gone [gɒn], he's left (⚠ he's = he has) **8.** ***die Straße geht nach Salzburg*** this road goes (*oder* leads) to Salzburg **9.** ***jemanden gehen lassen*** let* someone go, *ungestraft*: let* someone off **10.** (≈ *funktionieren*) work; ***es geht*** it works **11.** ***es geht nicht*** (≈ *funktioniert nicht*) it doesn't (*oder* won't) work, (≈ *ist unmöglich*) it's impossible, *umg.* no way **12.** (≈ *klappen*) work **13.** ***es geht mir gut*** I'm fine; ***es geht mir schlecht*** I'm not feeling too good **14.** ***das Lied geht so*** the song goes like this **15.** ***wie geht es Ihnen?, wie gehts?*** how 'are you? **16.** ***gehen durch*** go* (*oder* pass) through **17.** ***gehen in*** (≈ *hineingehen*) go* into, enter ['entə] **18.** ***gehen in*** (≈ *passen in*) go* (*oder* fit*) in(to);

es gehen 200 Personen in den Saal the hall holds two hundred people **19.** ***der Schaden geht in die Millionen*** the damage runs into millions **20.** ***worum gehts?*** what's the problem? **21.** ***'darum geht es*** that's what it's about; ***darum 'geht es nicht*** that's not the point

Gehen **1.** walking ['wɔːkɪŋ] (*auch Sport*) **2.** ***etwas zum Gehen bringen*** get* something going

Geher(in) *Sport*: walker ['wɔːkə]

Geheul(e) howling ['haʊlɪŋ]

Gehirn **1.** brain **2.** (≈ *Geist*) mind

Gehirnerschütterung concussion; ***sie hat eine Gehirnerschütterung*** she has concussion (⚠ *ohne* a)

Gehirnwäsche brainwashing

gehoben **1.** *Stellung*: high, senior ['siːnɪə] **2.** *Stil*: elevated ['elɪveɪtɪd]

Gehör (sense of) hearing; ***nach dem Gehör*** by ear (⚠ *ohne* the)

gehorchen **1.** ***jemandem gehorchen*** obey [ə'beɪ] someone **2.** ***jemandem nicht gehorchen*** disobey [ˌdɪsə'beɪ] someone

gehören **1.** ***jemandem gehören*** belong to someone (*auch übertragen*); ***der Computer gehört mir*** the computer belongs to me, it's my computer **2.** ***wem gehört das Buch?*** whose book is this?, who does this book belong to? **3.** ***gehört es dir?*** is it yours? **4.** ***sie gehört zu den besten Spielern*** she's one of the best players **5.** ***das Fahrrad gehört nicht in die Wohnung!*** the flat is no place for a bike **6.** ***das gehört zu seiner Arbeit*** it's part of his job

gehörig: ***ich hab ihm gehörig die Meinung gesagt*** I gave him a piece of my mind

gehörlos deaf [def]

gehorsam obedient [ə'biːdɪənt]

Gehorsam obedience [ə'biːdɪəns]

Gehsteig, **Gehweg** pavement, *AE* sidewalk ['saɪdwɔːk]

Geier vulture ['vʌltʃə], *AE auch* buzzard ['bʌzəd]

Geige violin [ˌvaɪə'lɪn]; ***Geige spielen*** play the violin

Geigenbauer(in) violin [ˌvaɪə'lɪn] maker

Geiger(in) violinist [ˌvaɪə'lɪnɪst]

geil **1.** (≈ *toll*) brill, ace [eɪs], *AE* awesome ['ɔːsəm] **2.** *sexuell*: randy, horny

Geisel hostage [⚠ 'hɒstɪdʒ]; ***jemanden als Geisel nehmen*** take* someone hostage

Geiselbefreiung freeing (*oder* release [rɪ'liːs]) of (the) hostages ['hɒstɪdʒɪz]

Geiseldrama hostage drama ['hɒstɪdʒˌdrɑːmə] (*oder* crisis)

Geiselnahme taking of hostages ['hɒstɪdʒɪz], kidnapping

Geiselnehmer hostage-taker ['hɒstɪdʒˌteɪkə], kidnapper

Geist **1.** (≈ *Verstand, Sinn, Gemüt*) mind **2.** (≈ *Seele*) spirit ['spɪrɪt]; ***Körper und Geist*** body and spirit **3.** ***das geht mir auf den Geist*** *umg*. it's driving me mad

Geisterbahn ghost [gəʊst] train, *AE* tunnel ['tʌnl] of horror(s)

Geisterfahrer(in) *bes. AE* wrong-way driver [⚠ ˌrɒŋweɪ'draɪvə]; ***der Unfall wurde von einem Geisterfahrer verursacht*** the accident was caused by a motorist driving on the wrong [rɒŋ] side of the road

Geisterstadt ghost town ['gəʊst‿taʊn]

geistesabwesend absent-minded

geistesgegenwärtig **1.** *Person*: alert [ə'lɜːt], *umg*. on the ball **2.** *Reaktion*: quick

geistesgestört mentally disturbed

geisteskrank mentally ill [ˌmentlɪ'ɪl]

Geisteskranke(r) mental patient ['peɪʃnt]

Geisteskrankheit mental illness

Geistesstörung mental disorder

Geisteswissenschaft **1.** arts subject ['ɑːtsˌsʌbdʒekt] **2.** ***die Geisteswissenschaften*** the arts, the humanities [hjuː'mænətɪz]

Geisteszustand mental state [ˌmentl'steɪt]

geistig **1.** ↔ *körperlich*: spiritual ['spɪrɪtʃʊəl], (≈ *intellektuell*) intellectual [ˌɪntə'lektʃʊəl] **2.** (≈ *mental*) mental ['mentl] **3.** ***geistig behindert*** mentally handicapped

geistlich **1.** (≈ *religiös*) religious [rɪ'lɪdʒəs] **2.** *Lied usw.*: religious, spiritual ['spɪrɪtʃʊəl] **3.** (≈ *kirchlich*) ecclesiastical [ɪˌkliːzɪ'æstɪkl]

Geistliche(r) **1.** clergyman ['klɜːdʒɪmən], *Frau*: clergywoman ['klɜːdʒɪˌwʊmən] **2.** ***die Geistlichen*** the clergy ['klɜːdʒɪ] (⚠ *Pl.*) **3.** *bes. protestantisch*: minister ['mɪnɪstə]

geistlos **1.** (≈ *langweilig*) dull **2.** (≈ *dumm*) stupid ['stjuːpɪd]

geistreich, **geistvoll** witty, clever

Geiz stinginess ['stɪndʒɪnəs], miserliness ['maɪzəlɪnəs]

Geizhals skinflint, (old) miser ['maɪzə]

geizig stingy ['stɪndʒɪ], tight-fisted, miserly ['maɪzəlɪ]

Gejammer moaning, whining

Gejohle *umg*. hooting, howling

Gekicher giggling

G

Gekläff yapping, barking
Geklapper rattling, clatter
Geklimper *Klavier*: tinkling
gekonnt 1. skilful ['skɪlfl], masterly **2.** ***das war gekonnt!*** it was brilliant ['brɪljənt]
gekränkt hurt, offended
Gekritzel 1. (≈ *das Kritzeln*) scrawling, scribbling **2.** *Schrift*: scrawl, scribble
gekünstelt artificial, affected
Gel gel [⚠ dʒel]
Gelaber(e) drivel ['drɪvl]
Gelächter 1. laughing ['lɑːfɪŋ], laughter ['lɑːftə] **2.** ***in schallendes Gelächter ausbrechen*** roar with laughter
geladen 1. *Waffe*: loaded **2.** *elektrisch*: charged [tʃɑːdʒd] **3.** *Gäste*: invited **4.** (≈ *wütend*) fuming ['fjuːmɪŋ], mad
gelähmt 1. *wörtlich und übertragen* paralysed ['pærəlaɪzd] **2.** ***gelähmt vor Angst*** paralysed with (*oder* by) fear
Gelände 1. (≈ *Gebiet*, *Terrain*) ground, terrain [tə'reɪn] **2.** (***offenes***) ***Gelände*** open country **3.** (≈ *Baugelände*) site **4.** *einer Fabrik*, *einer Schule usw.*: grounds (⚠ *Pl.*)
Geländelauf *Wettlauf*: cross-country race
Geländer 1. *einer Treppe*: banisters ['bænɪstəz] (⚠ *Pl.*) **2.** *am Balkon usw.*: railings (⚠ *Pl.*)
Geländewagen off-road vehicle ['viːɪkl], off-roader [ˌɒf'rəʊdə]
gelangen 1. ***an*** (***auf, zu*** *usw.*) ***etwas gelangen*** reach (*oder* get* to) something **2.** ***sie gelangte zum Ziel*** *übertragen* she reached her goal **3.** *Wendungen*: ***zu Macht gelangen*** gain power; ***zu Reichtum gelangen*** acquire [ə'kwaɪə] a fortune ['fɔːtʃən]; ***zu einer Übereinkunft gelangen*** reach (*oder* come* to) an agreement
gelangweilt bored [bɔːd]
gelassen calm [⚠ kɑːm], composed, cool **2.** ***sie blieb gelassen*** she kept (her) cool
Gelassenheit calm [⚠ kɑːm], coolness
Gelatine gelatin ['dʒelətɪn], gelatine ['dʒelətiːn]
geläufig common
gelaunt: ***er ist gut*** (*bzw.* ***schlecht***) ***gelaunt*** he's in a good (*bzw.* bad) mood
gelb 1. *allg.*: yellow **2.** *BE Verkehrsampel*: amber ['æmbə]
Gelb 1. *allg.*: yellow **2.** *BE Verkehrsampel*: amber ['æmbə]; ***bei Gelb sollte man besser anhalten*** you should stop when the lights are at (*oder* on) *amber*
gelblich yellowish
Gelbsucht jaundice ['dʒɔːndɪs]
Geld 1. *allg.*: money [⚠ 'mʌnɪ], *umg.* cash **2.** ***Gelder*** money (⚠ *Sg.*), funds **3.** ***teures Geld*** hard-earned money **4.** ***zu Geld kommen*** get* hold of some money **5.** ***Geld auftreiben*** raise money **6.** *Wendungen*: ***Geld spielt keine Rolle*** money is no object ['ɒbdʒɪkt]; ***das geht ins Geld*** that could run into a lot of money; ***etwas zu Geld machen*** turn something into cash; ***Geld stinkt nicht*** money's money, money talks
Geldangelegenheiten money matters, financial matters (*oder* affairs)
Geldanlage investment
Geldautomat cash machine, *BE auch* cash dispenser, cashpoint, *bes. AE* automated teller (machine), ATM [ˌeɪtiː'em]
Geldbeutel, **Geldbörse** purse (⚠ *AE* purse = ***Handtasche***)
Geldbuße fine; ***er wurde zu einer Geldbuße von 40 Pfund verurteilt*** he was fined £40 (*gesprochen* forty pounds)
Geldgeschäfte money transactions
geldgierig greedy (for money)
Geldhahn: ***jemandem den Geldhahn zudrehen*** cut* off someone's money supply
Geldknappheit, **Geldmangel** lack of money
Geldprämie 1. bonus ['bəʊnəs] **2.** (≈ *Belohnung*) reward [rɪ'wɔːd]
Geldquelle source of money [ˌsɔːs‿əv'mʌnɪ]
Geldschein (bank)note, *AE* bill
Geldschrank safe
Geldschrankknacker *umg.* safecracker
Geldschwierigkeiten financial difficulties ['dɪfɪkltɪz]; ***er hat Geldschwierigkeiten*** he's in financial difficulty (*oder* difficulties)
Geldsorgen money worries [⚠ 'mʌnɪˌwʌrɪz]
Geldspende donation
Geldstrafe fine; ***er wurde zu einer Geldstrafe von 40 Pfund verurteilt*** he was fined £40 (*gesprochen* forty pounds)
Geldstück coin [kɔɪn]
Geldumtausch currency exchange ['kʌrənsɪ‿ɪksˌtʃeɪndʒ]
Geldverschwendung waste of money
Geldwäsche *übertragen* money laundering ['mʌnɪˌlɔːndərɪŋ]
Geldwechsel 1. *Vorgang*: exchange of money, currency ['kʌrənsɪ] exchange **2.** *Schild*: Bureau de Change [ˌbjʊərəʊ‿də'ʃɒndʒ], currency exchange office
geleckt: ***in ihrem Zimmer sieht es immer wie geleckt aus*** her room's always spick and span [ˌspɪkən'spæn]
Gelee jelly ['dʒelɪ]
gelegen 1. (≈ *befindlich*) lying, situated, located **2.** (≈ *passend*) convenient [kən'viːnɪənt], opportune ['ɒpətjuːn] **3.**

das kommt mir ganz gelegen *Termin usw.*: that suits [suːts] me just fine, *Sache*: that's just what I need **4.** ***mir ist sehr daran gelegen, es zu tun*** I'm very keen (*oder* anxious ['æŋkʃəs]) to do it **5.** ***mir ist sehr daran gelegen, dass er es tut*** I'm very anxious (*oder* keen) for him to do it, I'm very anxious (*oder* keen) that he should do it **6.** ***mir ist nichts daran gelegen*** I don't care one way or the other

Gelegenheit 1. *günstige*: opportunity, chance [tʃɑːns]; ***die Gelegenheit haben, etwas zu tun*** have* the opportunity (*oder* chance) to do something; ***die Gelegenheit nutzen*** (*oder* ***wahrnehmen***), ***etwas zu tun*** take* the opportunity to do something **2.** (≈ *Anlass*) occasion [ə'keɪʒn]; ***jemandem Gelegenheit geben, etwas zu tun*** give* someone the opportunity (*oder* chance) to do something **3.** ***bei Gelegenheit*** (≈ *irgendwann einmal*) some time, (≈ *wenn sich die Möglichkeit ergibt*) when I *usw.* get a chance **4.** ***bei der ersten*** (***besten***) ***Gelegenheit*** at the first best opportunity **5.** ***bei dieser Gelegenheit lernte ich ihn kennen*** that's (*oder* that was) when I got to know him

Gelegenheitsjob occasional job [əˌkeɪʒnəl'dʒɒb], (≈ *Tätigkeit*) occasional work

Gelegenheitskauf bargain ['bɑːgɪn]

gelegentlich (≈ *mitunter*) occasionally [ə'keɪʒnəlɪ], (≈ *ab und zu*) now and then, (≈ *von Zeit zu Zeit*) from time to time

gelehrig *Tier*: docile ['dəʊsaɪl]

Gelehrte(r) scholar ['skɒlə]

Gelenk 1. *mechanisch*: joint **2.** (≈ *Handgelenk*) wrist [rɪst] **3.** (≈ *Fußgelenk*) ankle

Gelenkbus articulated bus [ɑːˌtɪkjʊleɪtɪd'bʌs]

Gelenkentzündung arthritis [ɑː'θraɪtɪs]

gelenkig supple

gelernt: ***er ist gelernter Elektriker*** he's a trained electrician

Geliebte(r) lover

gelingen 1. succeed [sək'siːd] **2.** *Wendungen*: ***es ist ihr gelungen*** she succeeded, she was successful; ***es gelang ihr, die Tür aufzubrechen*** she managed to force the door open, she succeeded in forcing the door open; ***es gelang der Polizei nicht, das Verbrechen aufzuklären*** the police failed to solve the crime, the police didn't succeed in solving the crime; ***es gelingt mir einfach nicht, meine Freundin zu vergessen*** I just can't forget my girlfriend; ***die Zeichnung*** *usw.* ***ist ihr gut gelungen*** *umg.* she has made a good job of her (*oder* the) drawing *usw.*; → ***gelungen***

gellend *Schrei*: shrill, piercing ['pɪəsɪŋ]

geloben *eidlich, feierlich*: vow [vaʊ], pledge

Gelöbnis vow, pledge

gelobt: ***das Gelobte Land*** the Promised Land [ˌprɒmɪst'lænd]

gelöst (≈ *erholt, entspannt*) relaxed

gelten 1. (*Ausweis usw.*) be* valid; ***der Pass gilt nicht mehr*** this passport is no longer valid (*oder* has run out) **2.** *Tor usw.*: count **3.** (*Münze usw.*) be* legal tender **4.** (*Regel usw.*) apply **5.** ***Herr Buller gilt als Experte für Fußball*** Mr Buller is considered (to be) an expert on soccer **6.** ***etwas gelten lassen*** (≈ *akzeptieren*) accept something; ***ich kann Ihr Argument nicht gelten lassen*** I can't accept your argument **7.** *Wendungen*: ***das gilt auch für dich!*** the same goes for (*oder* applies to) you too; ***das gilt nicht!*** *bei Spielen*: (≈ *ist nicht erlaubt*) that's not allowed, that's unfair

Geltung 1. (≈ *Gültigkeit*) validity; ***Geltung haben*** *Gesetz usw.*: be valid **2.** (≈ *Achtung*) respect, recognition [ˌrekəg'nɪʃn]; ***sich Geltung verschaffen*** assert oneself **3.** ***das Bild kommt dort nicht zur Geltung*** the picture doesn't look its best there

Gelübde vow [vaʊ]; ***ein Gelübde ablegen*** *oder* ***machen*** take* (*oder* make*) a vow

gelungen 1. very good, successful **2.** ***das war ja gelungen!*** that was brilliant **3.** ***ein gelungener Abend*** a great evening; → ***gelingen***

gemächlich leisurely [⚠ 'leʒəlɪ]

gemahlen *Kaffee usw.*: ground

Gemälde painting, picture

Gemäldegalerie art (*oder* picture) gallery

gemäßigt 1. *allg.*: moderate ['mɒdərət] **2.** *Klima*(*zone*): temperate ['tempərət]

gemein 1. (≈ *boshaft*) mean, nasty ['nɑːstɪ]; ***das ist gemein!*** that's not fair, that's mean **2.** (≈ *gewöhnlich*) common; ***das gemeine Volk*** the common people **3.** ***sie haben nichts miteinander gemein*** they have nothing in common

Gemeinde 1. *Verwaltungseinheit*: municipality [mjuːˌnɪsɪ'pælətɪ] **2.** *Behörde*: local authority **3.** *Gemeinschaft*: community **3.** (≈ *Kirchengemeinde*) parish, *beim Gottesdienst*: congregation

Gemeinderat 1. local council, *AE* city council **2.** *Person*: local councillor, *AE* member of the city council

Gemeinderätin local councillor, *AE* member of the city council

G

gemeingefährlich **1.** ***er ist gemeingefährlich*** he's a public danger ['deɪndʒə], he's a danger to the public **2.** ***ein gemeingefährlicher Verbrecher*** a dangerous criminal [ˌdeɪndʒərəs'krɪmɪnl], *AE auch* a public enemy ['enəmɪ]
Gemeinheit meanness, nastiness ['nɑːstɪnəs]; ***so eine Gemeinheit!*** what a nasty thing to do (*bzw.* say)
gemeinnützig: ***eine gemeinnützige Organisation*** a non-profit(-making) organization, *AE* a nonprofit organization
gemeinsam **1.** *allg.*: common **2.** *Erklärung usw.*: joint, mutual ['mjuːtʃʊəl] **3.** *Freund, -in*: mutual **4.** ***gemeinsame Anstrengung*** combined (*oder* joint) effort **5.** ***wir haben es gemeinsam getan*** we did it together **6.** ***das Haus gehört uns (beiden) gemeinsam*** the house belongs to both of us
Gemeinsamkeit: ***sie haben viele Gemeinsamkeiten*** they have a lot (of things) in common
Gemeinschaft **1.** *allg.*: community (*auch politisch*) **2.** (≈ *Vereinigung*) association **3.** ***in Gemeinschaft mit*** together with
gemessen: ***gemessen an*** compared with
Gemetzel bloodbath, massacre ['mæsəkə]
Gemisch mixture (***aus*** of)
gemischt mixed (*auch Gefühle*)
Gemse → ***Gämse***
Gemurmel murmuring, muttering
Gemüse **1.** vegetables ['vedʒtəblz] (⚠ *Pl.*); ☞ *Illu S. 883* **2.** ***was für ein Gemüse hättest du gern?*** which kind of vegetable would you like? **3.** ***junges Gemüse*** *salopp* (≈ *Jugendliche*) youngsters (*Pl.*)
Gemüsegarten vegetable ['vedʒtəbl] garden, kitchen garden [ˌkɪtʃən'gɑːdn]
Gemüsehändler **1.** ***Gemüsehändler(in)*** greengrocer **2.** *Laden*: greengrocer's; → ***Gemüseladen***
Gemüseladen greengrocer's; ***im Gemüseladen*** at the greengrocer's
gemustert patterned ['pætnd]
Gemüt **1.** (≈ *Gefühlswelt*) mind, feelings (⚠ *Pl.*), emotions (⚠ *Pl.*); ***das geht mir aufs Gemüt*** it's getting me down **2.** (≈ *Wesen, Charakter*) nature, disposition
gemütlich **1.** (≈ *behaglich*) comfortable [⚠ 'kʌmftəbl], cosy; ***es sich gemütlich machen*** make* oneself at home **2.** *Mensch*: easygoing **3.** (≈ *gemächlich*) leisurely ['leʒəlɪ]
Gemütlichkeit **1.** (≈ *Atmosphäre, in der man sich wohl fühlt*) relaxed atmosphere **2.** ***in aller Gemütlichkeit frühstücken*** have* a nice leisurely ['leʒəlɪ] breakfast

Gemütlichkeit

Da der Begriff „Gemütlichkeit" sich durch keinen englischen Ausdruck genau wiedergeben lässt, begegnet man auch im Englischen diesem aus dem Deutschen stammenden Lehnwort. Es wird oft kleingeschrieben und etwa [gə'mjuːt…] ausgesprochen.

Gemütsverfassung, **Gemütszustand** frame (*oder* state) of mind
Gen gene ['dʒiːn]
Genabdruck genetic [dʒɪ'netɪk] fingerprint
genau **1.** (≈ *richtig, korrekt*) exact [ɪg'zækt], accurate ['ækjərət] **2.** (≈ *exakt*) exact, precise [prɪ'saɪs]; ***die genaue (Uhr)Zeit*** the exact time **3.** (≈ *sorgfältig*) careful, thorough [⚠ 'θʌrə] **4.** (≈ *detailliert*) detailed **5.** ***Genaueres*** further details (*Pl.*) **6.** ***genau!*** exactly **7.** ***genau dasselbe*** exactly the same (thing) **8.** ***genau in der Mitte*** right in the middle **9.** ***genau genommen*** strictly speaking **10.** *Wendungen*: ***genau das wollte ich auch sagen*** that's exactly what I was going to say; ***ich weiß es genau*** I know for certain (⚠ *ohne* it); ***ich weiß es noch nicht genau*** I'm not sure yet; ***er nimmt es mit der Wahrheit*** *usw.* ***nicht so genau*** he doesn't worry too much about telling the truth *usw.*
Genauigkeit **1.** *allg.*: accuracy ['ækjərəsɪ] **2.** *bei Maschinen*: precision [prɪ'sɪʒn]
genauso **1.** exactly (*oder* just) the same (way) **2.** *vor Adj.*: just as (*good usw.*) **3.** ***genauso wie ihr Bruder*** just like her brother **4.** ***ich mag ihn genauso gern wie meinen Bruder*** I like him just as much as my brother **5.** ***genauso gut*** (just) as well (***wie*** as) **6.** ***genauso viel*** just as much (***wie*** as); ***genauso viel(e) Leute*** just as many people
Genbank gene [dʒiːn] bank
Gendarm policeman *Pl.*: policemen
Gendarmerie *allg.*: police (⚠ *Pl.*)
Gendatei DNA file [ˌdiːen'eɪ‿faɪl]
genehmigen **1.** approve [⚠ ə'pruːv] (*Antrag, Plan usw.*); ***amtlich genehmigt*** (officially) approved **2.** (≈ *bewilligen*) grant (*Zuschuss usw.*) **3.** *umg.* okay; ***er hat es mir genehmigt*** he's okayed it
Genehmigung **1.** (≈ *Billigung*) approval [⚠ ə'pruːvl] **2.** (≈ *Erlaubnis*) permission **3.** *schriftliche, zum Vorzeigen*: permit ['pɜːmɪt]
geneigt: ***eine geneigte Fläche*** a slope
General general

Generaldirektor(in) managing director [də'rektə], general manager, *AE* president ['prezɪdənt]
Generalkonsulat consulate general
Generalprobe 1. *Theater*: dress rehearsal [rɪ'hɜːsl] **2.** *für Musiker*: final rehearsal
Generalsekretär(in) secretary general
Generalstab *Militär*: general staff
Generalstreik general strike
Generation generation (*auch übertragen*)
Generationsproblem generation gap; ***das ist das Generationsproblem*** it's the generation gap
Generator *zur Stromerzeugung*: generator
genesen recover (**von** from)
Genesung 1. recovery; ***sie ist auf dem Weg der Genesung*** she's on the road to recovery **2.** *allmähliche*: convalescence [ˌkɒnvə'lesns]
Genetik genetics [dʒə'netɪks] (⚠ *mit Sg.*); ***Genetik ist ein Thema, über das sie immer wieder gern spricht*** genetics is a subject she always likes to talk about
Genetiker(in) geneticist [dʒə'netɪsɪst], genetic scientist [dʒəˌnetɪk'saɪəntɪst]
genetisch genetic [dʒə'netɪk]; ***genetischer Fingerabdruck*** genetic fingerprint
Genf Geneva [dʒə'niːvə]
Genfer: ***der Genfer See*** Lake Geneva [ˌleɪk‿dʒə'niːvə] (⚠ *ohne* the *am Anfang*)
Genfood GM food(s *Pl.*) [ˌdʒiːem'fuːd(z)] (*GM = genetically manipulated*)
Genforschung *Fach*: genetics (⚠ *mit Sg.*); ***die Genforschung ist eine relativ neue Fachrichtung*** genetics is a comparatively new field of study (⚠ *ohne* the *am Anfang*)
genial 1. ingenious [ɪn'dʒiːnɪəs], brilliant ['brɪljənt] **2.** ***sie ist genial*** she's a genius
Genialität genius ['dʒiːnɪəs], brilliance
Genick (back of the) neck, nape (of the neck); ***er hat sich das Genick gebrochen*** he broke his neck (⚠ *nicht* the neck)
Genickschuss shot in the back of the neck
Genie genius ['dʒiːnɪəs]
genieren 1. ***sich genieren*** feel* embarrassed [ɪm'bærəst], feel* awkward ['ɔːkwəd] **2.** ***ich geniere mich vor ihm*** he makes me feel embarrassed
genießbar 1. *Essen allg.*: acceptable, (≈ *essbar*) eatable, (≈ *trinkbar*) drinkable **2.** (≈ *unschädlich*) edible ['edəbl]
genießen 1. *allg.*: enjoy (*auch Ruf, Vorteil usw.*); ***er genießt es, im Mittelpunkt zu stehen*** he enjoys being the centre of attention **2.** *sinnlich*: savour ['seɪvə] (*Wein usw.*)
Genießer(in): ***sie ist eine Genießerin*** *des Lebens*: she really enjoys the good things in life, *beim Essen*: she really enjoys her food, she's a real gourmet ['gʊəmeɪ]
Genitalien genitals ['dʒenɪtlz]
Genitiv genitive ['dʒenɪtɪv] (case)
Genmanipulation genetic engineering [dʒəˌnetɪkˌendʒɪ'nɪərɪŋ]
genmanipuliert genetically engineered [dʒəˌnetɪklɪˌendʒɪ'nɪəd], genetically modified ['mɒdɪfaɪd], genetically manipulated [mə'nɪpjʊleɪtɪd]; ***genmanipulierte Nahrungsmittel*** GM food(s *Pl.*) [ˌdʒiːem'fuːd(z)] (⚠ *GM = genetically modified*)
Genom *Biologie*: genome ['dʒiːnəʊm]
genormt standardized
Genosse comrade ['kɒmreɪd]
Genossenschaft (≈ *Erzeugervereinigung*) cooperative [kəʊ'ɒpərətɪv] (society)
genossenschaftlich cooperative [kəʊ'ɒprətɪv]
Genossin comrade ['kɒmreɪd]
Genre genre ['ʒɒnrə]
Gentechnik genetic engineering (⚠ *ohne* the)
gentechnikfrei GM-free [ˌdʒiːem'friː] (⚠ *GM = genetically modified*)
gentechnisch: ***gentechnisch verändert*** genetically modified [dʒəˌnetɪklɪ'mɒdɪfaɪd], genetically engineered [ˌendʒɪ'nɪəd]; ***gentechnisch veränderter Reis*** *usw.* GM rice [ˌdʒiːem'raɪs] *usw.* (⚠ *GM = genetically modified*)
Gentest DNA test [ˌdiːen'eɪ‿test] (⚠ *engl.* DNA = *dt.* DNS)
Genua Genoa ['dʒenəʊə]
genug enough [⚠ ɪ'nʌf]
Genüge: ***das kennen wir zur Genüge*** we know that only too well
genügen: ***das genügt mir*** that's enough (for me); ***das genügt*** that'll do; ***danke, das genügt*** *beim Einschenken usw.*: that's enough, thanks
genügend enough [⚠ ɪ'nʌf], plenty of
genügsam 1. easy to please **2.** undemanding (*auch Pflanze, Tier*)
Genus *Grammatik*: gender ['dʒendə]
Genuss 1. (≈ *Freude*) pleasure [⚠ 'pleʒə], delight **2.** *von Nahrung*: consumption
geöffnet open; ***wie lange haben Sie geöffnet?*** what time do you close?
Geographie geography [dʒɪ'ɒgrəfɪ]
geographisch geographic(al) [ˌdʒiːə'græfɪk(l)]
Geologe, **Geologin** geologist [dʒɪ'ɒlədʒɪst]

Geologie geology [dʒɪ'ɒlədʒɪ]
geologisch geological [ˌdʒiːə'lɒdʒɪkl]
Geometrie geometry [dʒɪ'ɒmətrɪ]
geometrisch geometric(al)
Gepäck luggage ['lʌgɪdʒ], *bes. AE und Luftfahrt*: baggage ['bægɪdʒ]
Gepäckablage luggage (*bes. AE* baggage) rack
Gepäckannahme 1. *Schalter*: luggage (*bes. AE* baggage) counter **2.** *Luftfahrt*: baggage check-in
Gepäckaufbewahrung left luggage (office), *AE* baggage room
Gepäckausgabe 1. *Schalter*: luggage (*bes. AE* baggage) counter **2.** *Luftfahrt*: baggage (re)claim (area)
Gepäckkontrolle luggage (*AE* baggage) check
Gepäckschein luggage ticket, *AE* baggage check
Gepäckstück piece (*oder* item) of luggage (*bes. AE* baggage)
Gepäckträger 1. *am Fahrrad*: rack, carrier **2.** *am Auto*: roof rack **3.** *Person*: porter
Gepäckwagen *Zug*: luggage van, *AE* baggage car
gepanscht: ***dieser Wein ist gepanscht*** there's something funny about this wine
gepanzert armoured ['ɑːməd]; ***gepanzerter Geländewagen*** armoured off-road vehicle
Gepard cheetah ['tʃiːtə]
gepfeffert *umg., Preise, Rechnung usw.*: steep
gepflegt 1. *Person*: well-groomed, neatly dressed **2.** *Sache, Gerät*: well looked after (⚠ *nur hinter dem Verb*); ***das Haus ist sehr gepflegt*** the house is well looked after **3.** *Garten usw.*: well-kept **4.** *Sprache, Stil*: cultivated
Geplapper *umg.* babbling (*auch abwertend*)
gepolstert *Möbel*: upholstered [ʌp'həʊlstəd]
gepresst 1. *allg.*: pressed **2.** ***frisch gepresster Orangensaft*** fresh (*oder* freshly squeezed) orange juice [dʒuːs]
gepunktet 1. *Linie*: dotted **2.** *Muster*: spotted **2.** ***ein gepunktetes Kleid*** a polka-dot dress
Gequassel, **Gequatsche** *salopp* blather ['blæðə], blathering
gerade[1] **1.** *Linie usw.*: straight [streɪt] **2.** *Haltung usw.*: straight, erect [ɪ'rekt] **3.** *Zahl*: even
gerade[2] **1.** (≈ *soeben*) just; ***sie ist gerade angekommen*** she's just arrived **2.** (≈ *eben, genau*) just, exactly; ***gerade zur rechten Zeit, um zu helfen*** just in time to help **3.** *Wendungen*: ***ich habs gerade noch geschafft*** I only just made it; ***das ist nicht gerade viel*** (*bzw.* ***großzügig*** *usw.*) it's not exactly a lot (*bzw.* generous *usw.*)
Gerade 1. (≈ *Linie*) straight [streɪt] line **2.** *auf der Rennbahn*: straight
geradeaus straight ahead, *BE auch* straight on
gerädert: (***wie***) ***gerädert*** absolutely shattered
geradewegs: ***er ging geradewegs auf sie zu*** he went straight [streɪt] up to her
gerammelt: ***gerammelt voll*** *salopp* jam-packed [ˌdʒæm'pækt]
Geranie *Pflanze*: geranium [dʒə'reɪnɪəm]
Gerät 1. (≈ *Vorrichtung*) device [dɪ'vaɪs], gadget ['gædʒɪt] **2.** (≈ *Radio, Fernseher*) set **3.** (≈ *Elektrogerät, Haushaltsgerät*) appliance **4.** (≈ *Maschine*) machine **5.** (≈ *Werkzeug*) tool **6.** (≈ *Ausrüstung*) equipment (⚠ *nur im Sg.*)
geraten 1. ***in Gefahr geraten*** run* into danger; ***in einen Stau geraten*** get* (*oder* run*) into a traffic jam; ***unter ein Auto geraten*** be* (*oder* get*) run over by a car **2.** ***an etwas geraten*** (≈ *zufällig finden*) come* across something **3.** ***wie bist du denn an den geraten?*** *umg.* how did you get involved with him? **4.** ***nach jemandem geraten*** (*Kind usw.*) take* after someone
Geräteturnen (apparatus) gymnastics [(ˌæpə'reɪtəs) dʒɪm'næstɪks] (⚠ *mit Sg.*)
Geräucherte(s) smoked meat
geräumig spacious ['speɪʃəs], roomy, large
Geräusch 1. sound **2.** *unerwünschtes*: noise
geräuschlos 1. *Gerät usw.*: noiseless **2.** *laufen usw.*: without a sound
gerecht 1. just (*auch Strafe*), fair **2.** (≈ *unparteiisch*) impartial **3.** (≈ *berechtigt*) justified **4.** ***gerechte Sache*** good cause **5.** ***jemandem*** (*bzw.* ***einer Sache***) ***gerecht werden*** (≈ *angemessen beurteilen*) do* justice to someone (*bzw.* something)
gerechtfertigt justified, justifiable
Gerechtigkeit justice ['dʒʌstɪs]
Gerede 1. talk **2.** (≈ *Klatsch*) gossip **3.** (≈ *Gerüchte*) rumours
geregelt *Leben, Arbeit, Zeiten usw.*: regular ['regjʊlə]
gereizt 1. (≈ *verärgert, gekränkt*) irritated **2.** *Stimmung*: tense, strained
Gericht[1] **1.** dish, meal **2.** (≈ *Gang*) course
Gericht[2] **1.** *Institution*: (law) court [kɔːt] **2.** *Gebäude*: law court (*oder* courts), *AE* courthouse **3.** (≈ *Richter*) judge *bzw.*

judges **4.** *Wendungen*: ***vor Gericht gehen*** go* to court; ***jemanden*** (*bzw.* ***etwas***) ***vor Gericht bringen*** take* someone (*bzw.* something) to court; ***vor Gericht aussagen*** testify in court

gerichtlich **1.** ***gerichtliche Untersuchung*** judicial inquiry [dʒʊˌdɪʃl-ɪn'kwaɪrɪ] **2.** ***gegen jemanden gerichtlich vorgehen*** take* legal action against someone

gerichtsmedizinisch: ***gerichtsmedizinische Untersuchung*** forensic [fə'rensɪk] tests (⚠ *Pl.*)

Gerichtssaal courtroom

Gerichtsurteil verdict ['vɜːdɪkt]

Gerichtsverfahren legal proceedings (⚠ *Pl.*), lawsuit ['lɔːsuːt]

Gerichtsverhandlung **1.** *zivilrechtlich*: (judicial) hearing **2.** *strafrechtlich*: trial

Gerichtsvollzieher bailiff, *AE* marshal

gering **1.** *Menge, Anzahl*: small **2.** (≈ *minimal*) slight **3.** *Entfernung*: short, small **4.** *Einkommen*: low **5.** *Wert*: little **6.** *Qualität*: low **7.** *Auswahl*: limited **8.** ***geringes Interesse*** little interest **9.** ***von geringer Bedeutung*** of little importance **10.** ***deine Idee hat nur geringe Chancen*** your idea only has a small chance of success (⚠ *Sg.*) **11.** ***gegen eine geringe Gebühr*** for a small charge

geringfügig **1.** slight **2.** *Unterschied, Verletzung*: minor

geringschätzig *Bemerkung usw.*: disparaging [dɪ'spærɪdʒɪŋ]

geringste(r, -s) **1.** least, slightest **2.** *Wendungen*: ***ich habe nicht den geringsten Zweifel*** I haven't the slightest doubt; ***sie hat nicht die geringste Ahnung*** she hasn't the faintest idea; ***beim geringsten Anzeichen von Müdigkeit*** at the first sign of tiredness; ***nicht im Geringsten*** not in the least

gerinnen **1.** *allg.*: coagulate [kəʊ'ægjʊleɪt] **2.** (*Blut*) clot **3.** (*Milch*) curdle

Gerinnsel *Blut*: clot

Gerippe **1.** skeleton ['skelɪtən] **2.** *von Schiff usw.*: frame(work)

gerissen **1.** (≈ *schlau*) cunning, crafty **2.** ***ein gerissener Bursche*** a shrewd operator

Germ *bes.* Ⓐ (≈ *Hefe*) yeast [jiːst]

Germane Teuton ['tjuːtən]; ***die*** (***alten***) ***Germanen*** *auch*: the ancient Germans

Germanin Teuton ['tjuːtən]

germanisch Germanic [dʒɜː'mænɪk] (*auch Sprachen*), Teutonic [tjuː'tɒnɪk]

Germanist(in) Germanist ['dʒɜːmənɪst], (≈ *Student*) *auch* student of German (language and literature ['lɪtrətʃə]), German student

Germanistik German, German studies ['dʒɜːmənˌstʌdɪz] (⚠ *Pl.*); ***Germanistik studieren*** study German, do* German studies

G

Geräusche: einige Verben mit ihren englischen Übersetzungen

bimmeln	**ring**
brummen	*Insekten*: **hum, buzz**; *Motor*: **drone**
brutzeln	*in der Pfanne*: **sizzle**
glucksen	*Wasser usw.*: **gurgle**; *vor Lachen*: **chortle**
hupen	*beim Autofahren*: **honk, hoot, toot**
klimpern	*Schüssel, Geld*: **jingle, jangle**; *auf dem Klavier*: **tinkle**
klirren	*Gläser beim Anstoßen*: **clink**; *brechendes Glas*: **tinkle**; *Ketten, Schlüsselbund*: **jingle, jangle**; *Teller, Fensterscheiben*: **rattle**
knacken	*Gelenke, Nüsse*: **crack**; *brechendes Holz*: **snap**
knallen	*Schuss*: **bang**; *Peitsche*: **crack**; *Sektkorken*: **pop**
knirschen	*Kies, Sand, Schnee*: **crunch**; *mit den Zähnen*: **grind one's teeth**
knistern	*Feuer*: **crackle**; *Papier*: **rustle** ['rʌsl]
krachen	*Becken (= Musikinstrument), Donner usw.*: **crash**; *Schuss*: **bang**; *Tür beim Zufallen*: **bang, slam**; *Eis*: **crack**
läuten	*Wecker*: **ring**
rascheln	*Laub, Papier*: **rustle** ['rʌsl]
rauschen	*Wasser*: **rush**; *Blätter im Wind*: **rustle**; *Brandung, Sturm*: **roar**; *Tonband, Aufnahme*: **hiss**
schwirren	*kleine Insekten*: **buzz**; *Pfeil*: **whiz(z)**; *Flügel*: **whirr**, *AE* **whir**
summen	*Bienen usw.*: **buzz**; *ein Lied*: **hum**
surren	*Insekt*: **buzz**; *Kamera, Motor*: **whirr**, *AE* **whir**, *leiser*: **hum**
ticken	*Uhr*: **tick**
zischen	*Schlange*: **hiss**; *Sprudel*: **fizz**; *aus Reifen usw. entweichende Luft*: **hiss**

Germknödel *bes.* Ⓐ dumpling made of yeast dough [⚠ 'ji:st‿dəʊ]
gern(e) **1.** gladly **2.** (≈ *bereitwillig*) willingly **3.** ***jemanden gern haben*** like someone, be* fond of someone **4.** ***ich schwimme*** *usw.* ***gerne*** I like (*oder* enjoy) swimming *usw.* **5.** ***ich würde gerne Ski fahren können*** I'd like to be able to ski **6.** ***ich hätte gern ein Pfund Butter*** *im Lebensmittelgeschäft*: I'd like a pound of butter
Geröll (a patch of) loose rock, gravel ['grævl]
Gerste barley
Geruch **1.** smell **2.** (≈ *Duft*) scent [sent] **3.** ***übler Geruch*** bad (*oder* nasty) smell

Gerüche

neutral:	**smell**
angenehm:	**scent** [sent] (= Duft) **fragrance** ['freɪgrəns] (= Duft) **aroma** (= Aroma, *bes. von Essen*)
unangenehm:	**smell** (= schlechter Geruch) **odour** ['əʊdə] (= Geruch, Gestank) **stink** (= Gestank) **stench** [stenʃ] (= penetranter Gestank) *umg.* **pong** (= Mief)

Mit **smell** verbindet man – wenn es nicht näher bezeichnet wird – einen neutralen oder auch unangenehmen Geruch. Es kann aber auch näher bestimmt werden:
pleasant / nice / lovely smell *oder auch* **horrible / nasty / bad smell.**

geruchlos **1.** odourless ['əʊdələs] **2.** *Seife usw.*: unscented [ʌn'sentɪd]
Geruchssinn sense of smell
Gerücht rumour ['ru:mə]
gerührt *übertragen* touched, moved; ***zu Tränen gerührt*** moved to tears
Gerümpel junk
Gerund(ium) gerund ['dʒerənd]
Gerüst **1.** *am Bau*: scaffold(ing) ['skæfəʊld (-ɪŋ)] **2.** *übertragen* framework
gerüstet ready, prepared (***für*** for)
gesalzen **1.** salted **2.** ***die Preise waren ganz schön gesalzen*** the prices were a bit steep
gesamt **1.** whole, entire; ***sein gesamtes Geld*** *usw.* all his money *usw.* **2.** (≈ *vollständig*) complete
Gesamtbetrag total (amount), grand total
Gesamteindruck general impression, overall impression
Gesamtgewicht total weight [⚠ ˌtəʊtl'weɪt]
Gesamthöhe total height [⚠ ˌtəʊtl'haɪt]
Gesamtkonzept overall (*oder* master) plan
Gesamtkosten total cost (⚠ *Sg.*)
Gesamtlänge total length [leŋθ]
Gesamtnote overall mark, overall grade
Gesamtschule *etwa*: comprehensive (school) [ˌkɒmprɪ'hensɪv‿sku:l]
Gesamtwerk **1.** *eines Künstlers*: œuvre ['ɜ:vrə] **2.** *eines Schriftstellers*: complete works (⚠ *Pl.*)
Gesamtwertung: ***X führt in der Gesamtwertung*** X has the overall lead [li:d]
Gesamtzahl total number
Gesang (≈ *Singen*) singing
Gesang(s)unterricht singing lessons, singing classes (⚠ *beide mit Pl.*)
Geschäft **1.** *allg.*: business **2.** (≈ *Vereinbarung*) deal; ***ein Geschäft abschließen*** do* (*bes. AE* make*) a deal; ***sie hat ein gutes Geschäft gemacht*** she did very well out of it **3.** ***mit jemandem Geschäfte machen*** do* business with someone; ***mit etwas Geschäfte machen*** deal* in something **4.** ***wie läuft das Geschäft?*** how's business? **5.** (≈ *Laden*) shop, *bes. AE* store **6.** (≈ *Firma*) business, firm, company [⚠ 'kʌmpənɪ]

Geschäfte und Läden

Antiquitätenladen	**antique shop** [æn'ti:kʃɒp]
Apotheke	**chemist's**, *bes. AE* **pharmacy**
Bäckerei	**bakery**
Blumengeschäft	**florist's** ['flɒrɪsts]
Buchhandlung	**bookshop**, *bes. AE* **bookstore**
Drogerie	**chemist's**, *AE* **drugstore**
Fotogeschäft	**photo shop**
Friseur(laden)	**hairdresser's**
Gemüsehändler	**greengrocer's**
Juwelier(laden)	**jeweller's**
Kaufhaus	**department store**
Metzger(ei)	**butcher's** ['bʊtʃəz]
Optiker	**optician**
Reinigung	**dry cleaner's**
Schreibwarengeschäft	**stationery shop**
Schuhgeschäft	**shoe shop**
Supermarkt	**supermarket**
Zeitungshändler	**newsagent**, *AE* **newsdealer**

geschäftig busy ['bɪzɪ], active
geschäftlich: ***er ist geschäftlich unterwegs*** he's away on business
Geschäftsaufgabe: ***Räumungsverkauf wegen Geschäftsaufgabe*** closing-down sale
Geschäftsbrief business letter
Geschäftsessen *kleineres, besonders mittags*: business lunch, *abends*: business dinner
Geschäftsfrau businesswoman
Geschäftsfreund(in) business associate ['bɪznəs‿əˌsəʊʃɪət], colleague ['kɒliːg]
geschäftsführend: ***der geschäftsführende Direktor*** the managing director
Geschäftsführer(in) **1.** manager **2.** *eines Vereins*: secretary ['sekrətrɪ]
Geschäftsleben business (life)
Geschäftsleitung management
Geschäftsleute business people, businessmen and -women
Geschäftsmann businessman
geschäftsmäßig businesslike
Geschäftspartner(in) (business) partner
Geschäftsräume business premises [⚠ 'premɪsɪz]
Geschäftsreise business trip
Geschäftsstelle **1.** office **2.** *Bank*: branch
Geschäftsstraße shopping street
Geschäftsstunden business (*oder* office) hours
geschäftstüchtig businesslike, efficient [ɪ'fɪʃnt]; ***sie ist sehr geschäftstüchtig*** she's a good businesswoman
Geschäftszeit(en) business (*oder* office) hours
geschätzt **1.** (≈ *in etwa berechnet*) estimated **2.** *Mensch*: respected **3.** *Freund*: valued
geschehen **1.** *allg.*: happen **2.** (≈ *sich ereignen*) happen, occur [ə'kɜː] **3.** (≈ *stattfinden*) take* place **4.** *Wendungen*: ***was soll damit geschehen?*** what am I (what are we *usw.*) supposed to do with it?; ***es muss etwas geschehen*** something has got to be done (about it); ***es wird dir nichts geschehen*** you'll be all right; ***es geschieht ihm recht!*** it serves him right; ***gern geschehen!*** you're welcome, don't mention it
gescheit **1.** (≈ *klug*) clever, bright **2.** (≈ *vernünftig*) sensible ['sensəbl] **3.** *umg.* (≈ *ordentlich*) decent ['diːsnt] **4.** *Wendungen*: ***das ist doch nichts Gescheites*** that's no good; ***hier gibts nichts Gescheites zu essen*** there's nothing worth eating here
Geschenk present [⚠ 'preznt], gift
Geschenkgutschein gift voucher ['gɪftˌvaʊtʃə]
Geschenkpackung gift box, gift pack
Geschenkpapier (gift) wrapping [⚠ 'ræpɪŋ] paper
Geschichte **1.** (≈ *Erzählung usw.*) story **2.** ***die Geschichte*** (≈ *vergangene Zeiten*) history ['hɪstrɪ] (⚠ *ohne* the); ***in die Geschichte eingehen*** go* down in history **3.** *umg.* (≈ *Angelegenheit*) affair, business; ***eine schöne Geschichte!*** *im negativen Sinn* a fine mess; ***das ist eine böse Geschichte mit seinem Knie*** that's a nasty business he's got with his knee [niː]
geschichtlich **1.** *Forschung, Roman usw.*: historical **2.** ***ein Ereignis von geschichtlicher Bedeutung*** a historic event
Geschichtsbuch history book
Geschichtslehrer(in) history teacher
Geschichtsunterricht history, history classes (*Pl.*), history lessons (*Pl.*)
Geschicklichkeit **1.** skill **2.** *bes. der Hände*: dexterity [dek'sterətɪ]
geschickt **1.** *allg.*: skilful **2.** ***beim Kochen ist er sehr geschickt*** he's very skilled at cooking **3.** *geistig*: clever, quick
geschieden *allg.*: divorced [dɪ'vɔːst]
Geschiedene(r) divorced [dɪ'vɔːst] man, *Frau*: divorced woman
Geschirr **1.** *zum Abspülen*: dishes (⚠ *Pl.*); ***Geschirr spülen*** do* (*oder* wash) the dishes, do* the washing-up **2.** *Teller usw.*: crockery, *aus Porzellan*: china ['tʃaɪnə] **3.** *zum Kochen*: kitchen utensils [juː'tenslz], pots and pans
Geschirrspüler, **Geschirrspülmaschine** dishwasher
Geschirrspülmittel washing-up liquid [wɒʃɪŋ'ʌpˌlɪkwɪd], *AE* dishwashing liquid
Geschirrtuch tea towel, drying-up towel, *AE* dish towel
Geschlecht **1.** sex; ***das andere Geschlecht*** the opposite sex; ***beiderlei Geschlechts*** of both sexes **2.** (≈ *Fürstengeschlecht*) dynasty ['dɪnəstɪ]; ***das Geschlecht der Habsburger*** the House of Habsburg, the Habsburg dinasty **3.** (≈ *Gattung*) species ['spiːʃiːz] *Pl.*: species; ***das menschliche Geschlecht*** the human race **4.** *eines Substantivs*: gender ['dʒender]
Geschlechtskrankheit sexually transmitted disease
Geschlechtsreife sexual maturity [mə'tʃʊərətɪ]
Geschlechtsumwandlung sex change
Geschlechtsverkehr (sexual) intercourse, sex
geschliffen **1.** *Glas*: cut **2.** *Stil, Sprache usw.*: polished ['pɒlɪʃt]

G

geschlossen 1. *allg.*: closed; ***geschlossener Stromkreis*** closed circuit ['sɜːkɪt] 2. ***geschlossene Ortschaft*** built-up area 3. ***geschlossene Gesellschaft*** private party

Geschmack 1. *allg.*: taste 2. (≈ *Aroma*) flavour, taste 3. *beim Auswählen von Kleidung usw.*: taste; ***(einen guten) Geschmack haben*** have* (good) taste (⚠ *ohne* a); ***keinen Geschmack haben*** have* no (sense of) taste

geschmacklos tasteless (*auch übertragen*)

Geschmacklosigkeit 1. tastelessness (*auch übertragen*) 2. ***das neue Gebäude ist eine echte Geschmacklosigkeit*** the new building is in really bad taste

Geschmackssache: ***das ist Geschmackssache*** that's a matter of taste

Geschmacksverstärker flavour enhancer ['fleɪvər‿ɪnˌhɑːnsə]

geschmackvoll 1. tasteful 2. ***sie kleidet sich sehr geschmackvoll*** she dresses very well

geschmeidig 1. *Leder, Haut*: soft, supple 2. *Körper*: supple

Geschnatter 1. *von Enten*: quacking ['kwækɪŋ] 2. *von Gänsen*: cackling 3. *übertragen* chatter(ing)

Geschöpf creature [⚠ 'kriːtʃə]

Geschoss[1], Ⓐ **Geschoß**[1] (≈ *Stockwerk*) floor [flɔː], storey; ***im ersten Geschoss*** on the first (*AE* second) floor; ☞ *Info unter engl.* **floor**

Geschoss[2], Ⓐ **Geschoß**[2] 1. *auch Wurfgeschoss*: missile ['mɪsaɪl] 2. (≈ *Kugel*) bullet [⚠ 'bʊlɪt] 3. (≈ *Granate*) shell

geschraubt *Rede, Stil usw.*: stilted

Geschrei shouting, *stärker*: screaming

Geschütz gun

geschützt 1. protected (*auch Pflanze, Tierart*) 2. ***geschütztes Warenzeichen*** registered ['redʒɪstəd] trademark

Geschwader squadron ['skwɒdrən]

Geschwafel *umg., abwertend, bes. BE* waffle ['wɒfl]

Geschwätz 1. (≈ *Geplapper*) talk, idle chatter 2. (≈ *Klatsch*) gossip

geschwätzig talkative ['tɔːkətɪv]

Geschwindigkeit speed; ***mit einer Geschwindigkeit von 60 km/h*** at a speed of sixty kilometres per hour (*Abk.* 60 kph [ˌkeɪpiː'eɪtʃ])

Geschwindigkeitsbegrenzung speed limit

Geschwindigkeitsrekord speed record ['spiːdˌrekɔːd]

Geschwister 1. *zwei*: brother and sister 2. *mehr als zwei*: brothers and sisters; ***hast du noch Geschwister?*** have you got any brothers or sisters?

geschwollen 1. (≈ *angeschwollen*) swollen ['swəʊlən] 2. *Stil usw.*: pompous, inflated

Geschworene(r) 1. member of the jury 2. ***die Geschworenen*** the jury (⚠ *mit Sg. oder Pl.*)

Geschwulst growth, tumour ['tjuːmə]

Geschwür 1. ulcer ['ʌlsə] 2. *auf der Haut*: sore 3. (≈ *Furunkel*) boil

Geselchte(s) *bes.* Ⓐ (salted and) smoked meat

Geselle: ***er ist (Schneider-*** *usw.****) Geselle*** he's a qualified tailor *usw.*

gesellen: ***sich zu jemandem gesellen*** join someone

gesellig 1. *Person*: sociable ['səʊʃəbl] 2. ***ein geselliges Beisammensein*** a little get-together

Gesellin: ***sie ist (Friseur-*** *usw.****) Gesellin*** she's a qualified hairdresser *usw.*

Gesellschaft 1. *allg.*: society; ***die (feine) Gesellschaft*** (high) society (⚠ *ohne* the) 2. (≈ *Umgang mit anderen*) company [⚠ 'kʌmpənɪ]; ***jemandem Gesellschaft leisten*** keep* someone company 3. (≈ *geselliges Beisammensein*) social gathering, party 4. (≈ *Vereinigung*) society, association 5. (≈ *Firma*) company, *AE auch* corporation

gesellschaftlich, Gesellschafts... social

Gesellschaftsordnung social order

Gesellschaftswissenschaften social sciences [ˌsəʊʃl'saɪənsɪz]

Gesetz law, *im Parlament auch*: act

Gesetzentwurf *im Parlament*: bill

Gesetzgeber legislator ['ledʒɪsleɪtə], legislative body [ˌledʒɪslətɪv'bɒdɪ]

Gesetzgebung legislation [ˌledʒɪ'sleɪʃn]

gesetzlich 1. *Bestimmungen usw.*: legal ['liːgl] 2. *Erbe, Anspruch usw.*: (≈ *rechtmäßig*) lawful 3. ***gesetzlicher Feiertag*** public holiday, *BE mst.* bank holiday

gesetzlos lawless

gesetzmäßig 1. legal ['liːgl], lawful, *Anspruch*: legitimate [lɪ'dʒɪtəmət] 2. ***eine gesetzmäßige Entwicklung*** a regular development [ˌregjʊlə‿dɪ'veləpmənt]

gesetzwidrig illegal [ɪ'liːgl], unlawful

Gesicht 1. face 2. (≈ *Miene*) expression 3. ***das Gesicht verlieren*** lose* face (⚠ *ohne* the) 4. *Wendungen*: ***ich kann ihm nicht mehr ins Gesicht sehen*** I can't look him in the eye any more; ***was machst du denn für ein Gesicht?*** what are you pulling such a face for?; ***mach doch nicht so ein Gesicht!*** stop pulling such a face, take that look off your face;

er hat sein wahres Gesicht gezeigt he showed his true face
Gesichtsausdruck (facial) expression, look
Gesichtscreme face cream, facial cream
Gesichtsfarbe complexion
Gesichtskontrolle *umg.* face check
Gesichtsmaske *Kosmetik*: (face) mask
Gesichtsmassage facial massage [ˌfeɪʃlˈmæsɑːʒ]
Gesichtspunkt **1.** (≈ *Betrachtungsweise*) point of view **2.** (≈ *ein wichtiger Punkt von mehreren*) point, factor
Gesichtszüge (facial) features
Gesindel rabble, *AE auch* trash
Gesinnung **1.** (≈ *Ansichten*) opinions, views **2.** (≈ *grundsätzliche Einstellung*) basic (*oder* fundamental) attitude *oder* convictions (⚠ *Pl.*) **3.** ***ein Mann von liberaler Gesinnung*** a liberal-minded man
gesittet **1.** civilized **2.** ***auf der Party ging es recht gesittet zu*** everybody at the party was very well-behaved
Gesöff *umg.* brew, *salopp* (god)awful stuff
gesondert **1.** separate [⚠ ˈseprət] **2.** ***etwas gesondert behandeln*** deal* separately with something
gespalten *allg.*: split, *Partei usw. auch*: divided
Gespann (≈ *zwei Menschen*) team; ***die beiden bilden ein ideales Gespann*** those two make a perfect team
gespannt **1.** *Muskel*, *Lage usw.*: tense **2.** *Beziehungen*: strained **3.** ***ich bin gespannt auf*** I'm looking forward to, *stärker*: I can't wait to see ; ***auf das Konzert*** *usw.* ***bin ich schon gespannt*** I wonder what the concert *usw.* is going to be like; ***ich bin gespannt, ob*** I wonder if **4.** (≈ *aufmerksam*) intently [ɪnˈtentlɪ]; ***gespannt zuhören*** listen intently [ˌlɪsn‿ɪnˈtentlɪ]
Gespenst **1.** ghost [gəʊst] **2.** ***das Gespenst der Arbeitslosigkeit*** *übertragen* the spectre [ˈspektər‿] of unemployment
Gespenstergeschichte ghost story
gespenstisch **1.** eerie [ˈɪərɪ] **2.** (≈ *unglaublich*) incredible [ɪnˈkredəbl], mind-boggling [ˈmaɪndbɒglɪŋ]
gesperrt **1.** *allg.*, *auch Straße*: closed (***für*** to); ***für den Verkehr gesperrt*** closed to traffic (⚠ *ohne* the) **2.** ***einige Wörter sind gesperrt gedruckt*** some of the words are spaced (out)
Gespött mockery, ridicule [ˈrɪdɪkjuːl]; ***sich zum Gespött*** (***der Leute***) ***machen*** make* a fool of oneself
Gespräch **1.** talk, conversation (***über*** about, on); ***ein Gespräch führen mit*** have* a talk (*oder* conversation) with; ***ins Gespräch kommen*** get* talking (***mit*** to) **2.** ***Gespräche*** *Politik usw.*: talks; ***Gespräche führen mit*** have* talks with **3.** (≈ *Telefongespräch*) telephone conversation, (≈ *Anruf*) call; ***ein Gespräch für Sie!*** you're wanted on the phone
gesprächig talkative [ˈtɔːkətɪv]; ***er ist nicht sehr gesprächig*** he doesn't say much
Gespür feel, *seltener*: feeling (***für*** for)
Gestalt **1.** (≈ *äußere Form*) shape, form; (***feste***) ***Gestalt annehmen*** take* shape **2.** (≈ *Körperbau*) build **3.** ***eine dunkle Gestalt*** a dark shape (*oder* figure [ˈfɪgə]) **4.** *in Roman usw.*: character [ˈkærəktə]
gestalten **1.** (≈ *formen*) shape, form, *in Ton*: model [ˈmɒdl] **2.** (≈ *entwerfen, künstlerisch gestalten*) design [dɪˈzaɪn] **3.** ***etwas abwechslungsreich***(***er***) ***gestalten*** add (some) variety to something **4.** (≈ *schmücken*) decorate [ˈdekəreɪt] **5.** *schöpferisch*: create, make*; ***etwas interessanter*** *usw.* ***gestalten*** make* something more interesting *usw.*
Gestaltung **1.** *durch Künstler, Architekten usw.*: design **2.** *eines Programms*: artistic direction [dəˈrekʃn] **3.** *einer Veranstaltung*: organization **4.** (≈ *Aussehen*) style, design [dɪˈzaɪn] (*einer Packung usw.*) **5.** (≈ *Dekoration*) decoration [ˌdekəˈreɪʃn]
Geständnis **1.** confession **2.** ***ich muss dir ein Geständnis machen*** I have a confession to make
Gestank stench [stentʃ], stink, *umg.* pong
gestatten **1.** allow, permit [pəˈmɪt]; ***jemandem etwas gestatten*** allow someone to do something **2.** ***gestatten Sie***(***, dass ich …***)***?*** may I (…)?
Geste gesture [ˈdʒestʃə] (*auch übertragen*)
gestehen **1.** confess **2.** (≈ *zugeben*) admit **3.** ***das glaube ich, offen gestanden, nicht*** to be quite honest, I don't believe that
Gestein **1.** *allg.*: rock, rocks (*Pl.*) **2.** *Bergbau*: rock
Gestell **1.** *für Zeitungen, CDs, Flaschen usw.*: rack **2.** (≈ *Regal*) shelves (⚠ *Pl.*) **3.** (≈ *Fassung, Rahmen*) frame **4.** (≈ *Stütze*) support
gestellt **1.** *Bild usw.*: posed **2.** *Szene*: acted; ***es ist gestellt*** they're (*bzw.* he's *usw.*) acting
gestern **1.** *allg.*: yesterday; ***die Zeitung von gestern*** yesterday's paper **2.** ***gestern Abend*** last night, yesterday evening

gestochen: ***gestochen scharfe Fotos*** pin-sharp photos, needle-sharp photos
gestreift *Hemd, Bluse usw.*: striped, stripy
gestrichelt *Linie*: broken
gestrichen 1. ***frisch gestrichen!*** wet paint, *AE* fresh paint **2.** ***zwei gestrichene Teelöffel Zucker*** two level teaspoons(ful) of sugar
Gestrüpp undergrowth ['ʌndəgrəʊθ]
Gestüt stud farm
Gesuch request (***um*** for)
gesucht 1. ***sie ist ein sehr gesuchtes Modell*** she's a (much) sought-after ['sɔːtˌɑːftə] model ['mɒdl] **2.** ***preisgünstige Wohnungen sind zur Zeit sehr gesucht*** inexpensive flats are in great demand these days **3.** *in Inseraten oder polizeilich*: wanted
gesund 1. healthy ['helθɪ] (*auch Appetit, Klima usw.*) **2.** *Instinkt, Ansichten*: sound **3.** ***gesunde Nahrung*** good(, wholesome) food; ***Obst ist gesund*** fruit is good for you **4.** ***der gesunde Menschenverstand*** common sense (⚠ *ohne* the) **5.** (***wieder***) ***gesund werden*** get* well (again), recover; ***werd schnell wieder gesund!*** get well soon!
Gesundheit 1. health [helθ] **2.** ***Gesundheit!*** *beim Niesen*: bless you!

Gesundheit!

Bless you! steht kurz für **God bless you!** und bedeutet „Gott segne dich / Sie!". Früher glaubte man nämlich, dass eine Person beim Niesen einen Dämon loswürde.

gesundheitlich 1. ***ihr gesundheitlicher Zustand*** the state of her health **2.** ***wie geht es Ihnen gesundheitlich?*** how's your health?; ***gesundheitlich geht es ihr gut*** (*bzw.* ***schlecht***) she's in good (*bzw.* she's not in very good) health
gesundheitsbewusst health-conscious ['helθˌkɒnʃəs]
gesundheitsschädlich 1. *Nahrung*: unhealthy **2.** *Gas usw.*: noxious ['nɒkʃəs] **3.** ***Rauchen*** *usw.* ***ist gesundheitsschädlich*** smoking *usw.* is bad for your health
Gesundheitszeugnis health certificate
gesundschreiben: ***jemanden gesundschreiben*** pass someone fit, give* someone a clean bill of health
getönt *Haar, Glas usw.*: tinted
Getöse 1. din, deafening ['defnɪŋ] noise **2.** *umg.* racket
getragen: ***getragene Sachen anhaben*** wear* [weə] second-hand (*oder* old) clothes [kləʊ(ð)z]
Getränk drink, *förmlich* beverage [⚠ 'bevərɪdʒ]
Getränkeautomat drinks machine, *AE* soft drink (*oder* soda) machine
Getränkekarte 1. list of beverages ['bevərɪdʒɪz] **2.** (≈ *Weinkarte*) wine list
Getreide grain, cereals ['sɪərɪəlz] (⚠ *Pl.*), *BE auch* corn
Getreideernte grain harvest ['greɪnˌhɑːvɪst]
getrennt 1. separate [⚠ 'seprət] **2.** ***getrennt zahlen*** pay* separately; ***wir zahlen getrennt*** could we have separate bills? **3.** ***sie leben getrennt*** they're living apart (***von*** from), *bei getrennt lebenden Ehepartnern*: they're separated ['sepəreɪtɪd]
Getriebe *im Auto usw.*: transmission
Getto ghetto ['getəʊ]
Getue *umg.* fuss (***um*** about, over)
Getümmel tumult ['tjuːmʌlt]; ***sich ins Getümmel stürzen*** enter the fray
getüpfelt, **getupft** spotted; ***ein getüpfeltes Hemd*** a polka-dot shirt, a shirt with dots
geübt *in Tätigkeit*: experienced, skilled, trained; ***sie hat ein geübtes Ohr*** she's got a trained (*oder* practised ['præktɪst]) ear
Gewächs 1. plant **2.** ***unser eigenes Gewächs*** our own produce ['prɒdjuːs]
gewachsen: ***er ist ihr nicht gewachsen*** he's no match for her; ***er war der Aufgabe nicht gewachsen*** he wasn't up to the task
Gewächshaus greenhouse, hothouse
gewagt 1. (≈ *gefährlich*) risky **2.** (≈ *kühn*) daring (*auch Ausschnitt eines Kleids usw.*)
gewählt 1. *Sprache usw.*: refined **2.** ***sich gewählt ausdrücken*** choose* one's words carefully
Gewähr guarantee [ˌgærən'tiː]; ***Gewähr bieten*** (*bzw.* ***leisten***) ***für*** guarantee
gewähren (≈ *bewilligen*) grant, give* (*auch Asyl, Kredit*)
Gewalt 1. (≈ *Macht*) power (***über*** over) **2.** *durch Amt*: authority [ɔː'θɒrətɪ] **3.** (≈ *Kontrolle*) control (***über*** of, over); ***die Gewalt verlieren über*** lose* control over (⚠ *ohne* the); ***etwas in seine Gewalt bringen*** gain control of something **4.** (≈ *Gewalttätigkeit*) violence, force; ***mit Gewalt*** by force; ***etwas mit Gewalt öffnen*** force something open **5.** (≈ *Kraft*) strength **6.** *einer Detonation, eines Aufpralls usw.*: force

Gewaltanwendung (use of) force, (use [⚠ juːs] of) violence ['vaɪələns]
gewaltfrei *Protest usw.*: nonviolent [ˌnɒn'vaɪələnt]
Gewaltherrschaft despotism ['despətɪzm], tyranny [⚠ 'tɪrənɪ]
gewaltig **1.** (≈ *leistungsstark*) powerful **2.** (≈ *ungeheuer*) enormous, immense; ***eine gewaltige Leistung*** a tremendous feat *oder* achievement; ***ein gewaltiger Irrtum*** a (big,) big mistake **3.** (≈ *riesengroß*) gigantic [dʒaɪ'gæntɪk], *Gebiet, Anlage*: huge [hjuːdʒ], vast **4.** ***da irrst du dich gewaltig!*** you couldn't be more wrong
gewaltlos **1.** *Politik*: nonviolent **2.** without (using any) violence
Gewaltlosigkeit *als Prinzip*: nonviolence
gewaltsam **1.** violent ['vaɪələnt]; ***gewaltsames Vorgehen*** *der Polizei usw.*: use [juːs] of force **2.** (≈ *mit Gewalt*) violently, by force
Gewalttat act of violence ['vaɪələns]
Gewalttäter(in) violent criminal [ˌvaɪələnt'krɪmɪnl]
gewalttätig violent ['vaɪələnt]
Gewand **1.** *feierliches*: robe, gown **2.** *bes.* Ⓐ, Ⓒⓗ (≈ *Kleidung*) clothes [kləʊ(ð)z]
gewandt **1.** (≈ *flink*) nimble **2.** (≈ *geschickt*) skilful, *AE* skillful **3.** (≈ *raffiniert*) clever **4.** *Redner*: articulate [ɑː'tɪkjʊlət], fluent
Gewäsch *umg., abwertend* twaddle ['twɒdl]
Gewässer **1.** *Pl.*: waters **2.** ***die meisten Gewässer hier sind verschmutzt*** most rivers and lakes here are polluted
Gewebe **1.** (≈ *Stoff*) fabric ['fæbrɪk] **2.** *im Körper*: tissue ['tɪʃuː]
Gewebeprobe *Medizin*: tissue sample ['tɪʃjuːˌsɑːmpl]
Gewehr **1.** rifle **2.** *allgemeiner*: gun (⚠ *mit* gun *werden alle Schusswaffen bezeichnet, von der Pistole bis zur Kanone*)
Geweih antlers ['æntləz] (⚠ *Pl.*)
Gewerbe trade, business
Gewerbegebiet industrial estate [⚠ ɪ'steɪt], *bes. AE* industrial park
gewerblich commercial, industrial [ɪn'dʌstrɪəl]
Gewerkschaft (trade) union, *AE* labor union
Gewicht **1.** weight [⚠ weɪt] (*auch übertragen*) **2.** (≈ *Last*) load, weight **3.** (≈ *Bedeutung*) importance **4.** ***großes Gewicht legen auf*** set* great store by, (≈ *betonen*) place great emphasis ['emfəsɪs] on
Gewichtheben weightlifting [⚠ 'weɪtˌlɪftɪŋ]
Gewichtheber(in) weightlifter [⚠ 'weɪtˌlɪftə]
gewieft **1.** smart **2.** (≈ *gerissen*) shrewd
gewillt willing, prepared
Gewimmel **1.** swarm(ing) **2.** (≈ *Menschenmasse*) mass [mæs] of people, (teeming) crowd
Gewinde *Schraube usw.*: thread [θred]
Gewinn **1.** (≈ *Profit*) profit ['prɒfɪt] (*auch übertragen*); ***Gewinn bringen*** yield a profit (⚠ *mit* a); ***Gewinn bringend*** profitable ['prɒfɪtəbl]; ***Gewinn ziehen aus*** profit from **2.** *Lotterie*: prize [praɪz] (⚠ *mit* z *geschrieben*) **3.** (≈ *Geldgewinn bei Spiel usw.*) winnings (⚠ *Pl.*)
Gewinnbeteiligung **1.** *System*: profit sharing ['prɒfɪtˌʃeərɪŋ] **2.** *Geldbetrag*: bonus
gewinnbringend profitable ['prɒfɪtəbl]
Gewinnchancen chances of winning, odds
gewinnen **1.** *allg.*: win* (*auch Preis usw.*) **2.** gain (*Vorteil, Einfluss, Zeit, Einblick usw.*) **3.** *Bergbau*: mine, extract (*Erz, Kohle usw.*) **4.** (≈ *siegen*) win*, be* the winner(s) **5.** ***gewinnen gegen*** beat*
gewinnend *Wesen, Lächeln*: winning
Gewinner(in) winner
Gewinnspanne profit margin ['prɒfɪtˌmɑːdʒɪn]
Gewinnung **1.** *von Bodenschätzen*: extraction **2.** *von Energie*: production
Gewirr **1.** *von Fäden, Zweigen usw.*; *auch übertragen*: tangle **2.** *von Straßen*: maze
gewiss **1.** (≈ *sicher*) certain, sure **2.** (≈ *nicht näher bestimmt*) certain; ***ein gewisser Herr X*** a certain Mr X; ***in gewissen Fällen*** in certain (*oder* some) cases **3.** ***das weiß ich ganz gewiss!*** I know that for sure (*oder* certain) **4.** (≈ *zweifellos*) no doubt [daʊt]; ***aber gewiss!*** (but) of course!, certainly!
Gewissen conscience ['kɒnʃəns]; ***ein reines*** *oder* ***gutes Gewissen*** a clear conscience; ***ein schlechtes Gewissen*** a bad (*oder* guilty) conscience; ***jemanden*** (*bzw.* ***etwas***) ***auf dem Gewissen haben*** have* someone (*bzw.* something) on one's conscience
gewissenhaft conscientious [ˌkɒnʃɪ'enʃəs]
gewissenlos unscrupulous [ʌn'skruːpjʊləs]
Gewissensbisse pangs (*oder* pricks) of conscience ['kɒnʃəns]
Gewissensfrage matter of conscience ['kɒnʃəns]
Gewissensgründe: ***aus Gewissensgründen*** for reasons of conscience ['kɒnʃəns]

G

Gewissenskonflikt moral conflict [ˌmɒrəl'kɒnflɪkt]
Gewissheit certainty; ***sich Gewissheit verschaffen über*** make* sure about
Gewitter (thunder)storm
Gewitterwolke thundercloud
gewöhnen 1. ***sich an harte Arbeit gewöhnen*** get* used to hard work; ***sich daran gewöhnen, hart zu arbeiten*** get* used to working hard **2.** ***jemanden an etwas gewöhnen*** get* someone used to something **3.** ***ich bin daran gewöhnt, früh aufzustehen*** I'm used to getting up early
Gewohnheit habit ['hæbɪt]; ***ich rauche aus reiner Gewohnheit*** I only smoke out of habit
Gewohnheitssache matter (*oder* question) of habit ['hæbɪt]
gewöhnlich 1. (≈ *üblich*) usual ['juːʒʊəl] **2.** *Leben, Ereignis usw.*: (≈ *alltäglich, normal*) ordinary ['ɔːdnərɪ], everyday **3.** *im negativen Sinn* common **4.** (≈ *normalerweise*) usually; ***gewöhnlich steht sie sehr früh auf*** she usually gets up very early **5.** ***wie gewöhnlich*** as usual
gewohnt 1. (≈ *üblich*) usual ['juːʒʊəl]; ***auf gewohnte Weise*** in the usual way **2.** *Umgebung usw.*: familiar [fə'mɪlɪə] **3.** ***er ist (es) gewohnt, früh aufzustehen*** he's used to getting up early
Gewöhnung 1. ***die Gewöhnung an seine neue Stiefmutter fiel ihm nicht leicht*** getting used to his new stepmother wasn't easy for him **2.** ***die Gewöhnung an harte Drogen endet für viele tödlich*** addiction to hard drugs ends fatally for many people (⚠ *ohne* the *am Anfang*)
Gewölbe vault, *Raum auch*: vaults (*Pl.*)
gewölbt 1. *Zimmerdecke*: vaulted ['vɔːltɪd], arched [ɑːtʃt] **2.** *Oberfläche usw.*: convex [ˌkɒn'veks] **3.** ***gewölbte Stirn*** domed forehead ['fɒrɪd, 'fɔːhed]
Gewühl 1. (≈ *Durcheinander*) turmoil ['tɜːmɔɪl] **2.** (≈ *Menschenmenge*) crowd
gewunden *Weg, Fluss*: winding ['waɪndɪŋ]
Gewürz spice

Gewürze

Basilikum	**basil** ['bæzl]
Chili	**chil(l)i**
Dill	**dill**
Estragon	**tarragon** ['tærəgən]
Ingwer	**ginger**
Knoblauch	**garlic**
Koriander	**coriander** [ˌkɒrɪ'ændə]
Lorbeer(blätter)	**bay (leaves)**
Majoran	**marjoram** ['mɑːdʒərəm]
Minze	**mint**
Muskat	**nutmeg**
Nelke	**clove** [kləʊv]
Oregano	**oregano** [ˌɒrɪ'gɑːnəʊ]
Paprika	**paprika** ['pæprɪkə, pə'priːkə]
Petersilie	**parsley** ['pɑːslɪ]
Pfeffer	**pepper**
Piment	**allspice, pimento** [pɪ'mentəʊ]
Rosmarin	**rosemary** ['rəʊzmərɪ]
Safran	**saffron** ['sæfrən]
Salbei	**sage**
Schnittlauch	**chives** [tʃaɪvz], *AE* **chive**
Thymian	**thyme** [taɪm]
Zimt	**cinnamon** ['sɪnəmən]

Gewürzgurke gherkin ['gɜːkɪn], *AE auch* pickle
Gewürzmischung mixed herbs [hɜːbz], mixed spices (⚠ *beide Pl.*)
gezackt: *Felsen usw.*: jagged [⚠ 'dʒægɪd]
gezeichnet 1. (≈ *unterschrieben*) signed [saɪnd] **2.** *von Strapazen usw.*: marked (**von** by)
Gezeiten tide (⚠ *Sg.*), tides
gezielt 1. *Frage, Maßnahme*: specific [spə'sɪfɪk] **2.** ***ein gezielter Versuch*** a deliberate [dɪ'lɪbərət] attempt (**zu** to + *Inf.*)
gezuckert sugared ['ʃʊgəd]
Gezwitscher chirping, twittering
gezwungen 1. *Lächeln*: forced **2.** ***gezwungen lachen*** force a laugh [lɑːf]
gezwungenermaßen: ***ich habe es gezwungenermaßen getan*** I was forced to do it
Ghana Ghana ['gɑːnə]
Ghetto ghetto ['getəʊ]
Gicht (≈ *Gelenkentzündung*) gout
Giebel gable
Gier 1. greed (**nach** for) **2.** *nach Essen, Macht usw.*: craving (**nach** for)
gierig 1. greedy (**nach, auf** for) **2.** ***gierig essen*** eat* greedily **3.** ***etwas gierig verschlingen*** devour [dɪ'vaʊə] something (*auch Buch usw.*)
gießen 1. pour [⚠ pɔː] (*Wasser usw.*) **2.** ***die Blumen*** (≈ *Topfpflanzen*) ***gießen*** water

the plants (⚠ *nicht* the flowers) **3.** ***es gießt*** (≈ *regnet*) it's pouring **4.** cast* (*Eisen usw.*)

Gießkanne watering can

Gift **1.** poison (*auch übertragen*) **2.** (≈ *Schadstoff*) toxin ['tɒksɪn], toxic agent ['eɪdʒənt] **3.** ***darauf kannst du Gift nehmen!*** *umg.* you can bet your bottom dollar on that

Giftgas poison gas [ˌpɔɪzn'gæs]

giftig **1.** poisonous ['pɔɪznəs] **2.** *Substanz*: toxic ['tɒksɪk]

Giftmüll toxic waste

Giftpilz poisonous mushroom [ˌpɔɪznəs'mʌʃrʊm], toadstool ['təʊdstuːl]

Giftschlange poisonous snake

Giftstoff poisonous (*oder* toxic) substance ['sʌbstəns]

Gigabyte gigabyte, GB [ˌdʒiː'biː]

Gigant giant ['dʒaɪənt]

gigantisch gigantic [dʒaɪ'gæntɪk]

Ginster *Pflanze*: broom

Gipfel **1.** *Berg*: summit, peak **2.** (≈ *Höhepunkt*) peak, height [⚠ haɪt]; ***das ist ja der Gipfel!*** that really is the limit **3.** *Politik*: (≈ *Gipfeltreffen*) summit (meeting)

Gipfelkonferenz *Politik*: summit conference ['sʌmɪtˌkɒnfrəns]

Gipfeltreffen *Politik*: summit (meeting)

Gips **1.** plaster (of Paris) **2.** (≈ *Gipsverband*) plaster (cast); ***in Gips*** in plaster **3.** *Mineral*: gypsum ['dʒɪpsəm]

Gipsabdruck plaster cast

Gipsbein: ***sie hat ein Gipsbein*** she's got her leg in plaster (*oder* in a plaster cast)

gipsen plaster

Gipsverband plaster cast

Giraffe giraffe [dʒə'rɑːf]

Girlande **1.** *aufgehängte*; *förmlich*: festoon [fe'stuːn]; ***mit Girlanden verziert*** festooned **2.** *bes. zum Umhängen*: garland ['gɑːlənd]

Girokonto current account, *AE* checking account, *Post*: giro ['dʒaɪrəʊ] account

Gischt (sea) spray

Gitarre guitar [gɪ'tɑː]; ***Gitarre spielen*** play the guitar (⚠ *mit* the)

Gitter **1.** *im Fußboden, vor Tür usw.*: grating **2.** *aus Eisen*: (iron) bars (⚠ *Pl.*); ***hinter Gittern*** behind bars

Gladiole *Pflanze*: gladiolus [ˌglædɪ'əʊləs] *Pl.*: gladioli [ˌglædɪ'əʊlaɪ]

Glanz **1.** shine **2.** *von Farben*: brilliance

glänzen **1.** shine* **2.** (≈ *funkeln*) glitter, (*Augen, Diamanten*) sparkle

glänzend **1.** gleaming (*auch Haar*) **2.** *Stoff, Nase usw.*: shiny **3.** (≈ *funkelnd*) glittering, sparkling **4.** *übertragen* (≈ *hervorragend*) brilliant, excellent ['eksələnt] **5.** ***ihr gehts glänzend*** she's doing just fine **6.** ***du siehst glänzend aus*** you look dazzling

Glanzleistung brilliant performance

Glas **1.** glass (*auch Gefäß*); ***zwei Glas Wein*** two glasses of wine **2.** (≈ *Einweckglas*) jar **3.** (≈ *Brillenglas*) lens [⚠ lenz]

Gläschen small glass; ***möchtest du ein Gläschen Wein?*** would you like a glass of wine?

Glascontainer bottle bank

Glasdach glass roof [ˌglɑːs'ruːf]

Glaser(in) glazier ['gleɪzɪə]

Glasfaserkabel fibre-optic cable

Glashaus (≈ *Gewächshaus*) greenhouse

glasieren **1.** glaze (*Keramik, Ziegel*) **2.** ice (*Kuchen usw.*)

glasklar crystal-clear [ˌkrɪstl'klɪə] (*auch übertragen*)

Glasmalerei **1.** painting on glass **2.** *konkret*: stained glass

Glasnudeln glass noodles

Glasscheibe *in Fenster usw.*: pane (of glass)

Glassplitter splinter of glass

Glasur **1.** *Kuchen usw.*: icing, *AE* frosting **2.** *Keramik*: glaze

glatt **1.** ↔ *rau*: smooth [⚠ smuːð]; ***eine glatte Landung*** a smooth landing **2.** *Straße usw.*: (≈ *glitschig*) slippery, (≈ *eisglatt*) icy **3.** *Haar*: straight **4.** *Haut*: smooth **5.** *umg.* ***glatter Unsinn*** absolute nonsense; ***eine glatte Lüge*** a complete lie **6.** (≈ *komplikationslos*) smoothly; ***es ist alles glatt gelaufen*** *umg.* everything went (off) smoothly; ***glatt gehen*** *umg.* go* (off) well (*oder* smoothly); ***wird schon glatt gehen!*** *umg.* it'll work out all right **7.** ***glatt rasiert*** clean-shaven **8.** ***er hat glatt abgelehnt*** he flatly refused

Glätte **1.** ↔ *Rauheit*: smoothness **2.** ***wegen Glätte gesperrt*** *Straße*: closed due to icy conditions (*Pl.*)

Glatteis ice, *auf Straße oft*: black (*AE* glare) ice; ***es ist Glatteis*** *umg.* the roads are icy

Glatteisgefahr icy roads, ice on the roads

glätten **1.** smooth out [ˌsmuːð'aʊt] (*Tischtuch usw.*) **2.** smooth (down) (*Haar usw.*) **3.** Ⓒⓗ (≈ *bügeln*) iron ['aɪən]

Glatze **1.** ***er hat eine Glatze*** he's bald [bɔːld] **2.** ***er kriegt eine Glatze*** he's going bald

Glaube **1.** belief (***an*** in) **2.** (≈ *Vertrauen*) faith (***an*** in); ***den Glauben an jemanden*** (*bzw.* ***etwas***) ***verlieren*** lose* (one's) faith in someone (*bzw.* something) **3.** ***jemandem Glauben schenken*** believe someone

glauben **1.** believe; ***es ist kaum zu glau-***

ben, aber … you won't believe it, but …; ***ich glaube dir kein Wort*** I don't believe a word (you're saying) **2.** ***glauben an*** believe in (*Gott usw.*) **3.** ***an jemanden glauben*** (≈ *jemanden für sehr fähig halten*) believe (*oder* have* faith) in someone **4.** (≈ *meinen*) think*, believe; ***ich glaube, ja*** (*oder* ***schon***) I think so; ***ich glaube, nein*** (*oder* ***nicht***) I don't think so; ***ich glaube nicht, dass er Recht hat*** I don't think he's right

Glaubensfreiheit freedom of religion

Glaubenskrieg religious war [rɪˌlɪdʒəs'wɔː]

glaubhaft **1.** *Ausrede usw.*: plausible ['plɔːzəbl] **2.** ***es klingt nicht sehr glaubhaft*** it doesn't sound very convincing

gläubig **1.** religious **2.** (≈ *fromm*) devout

Gläubiger(in) *eines Schuldners*: creditor

glaubwürdig **1.** *Erklärung usw.*: plausible ['plɔːzəbl] **2.** *Person*: trustworthy **3.** (≈ *verlässlich*) reliable

gleich **1.** ***die gleiche Sache*** *usw.* the same thing *usw.* (***wie*** as); ***das gleiche*** the same; ***in gleicher Weise*** in the same way; ***zur gleichen Zeit*** at the same time **2.** ***8 minus 3 ist gleich 5*** eight minus three is five **3.** *Rechte, Bezahlung usw.*: equal **4.** ***es ist mir*** (***völlig***) ***gleich*** *umg.* (≈ *egal*) it's all the same to me, *im negativen Sinn* I couldn't care less; ***ganz gleich wann*** (***wo*** *usw.*) no matter when (where *usw.*) **5.** ***sie behandelt alle Schüler gleich*** she treats all her pupils the same **6.** ***gleich aussehen*** look alike (*oder* the same) **7.** ***sie sind gleich alt*** (***groß*** *usw.*) they're the same age (size *usw.*) **8.** (≈ *unmittelbar*) right; ***gleich nach*** (***neben*** *usw.*) right after (next to *usw.*); ***gleich gegenüber*** right opposite **9.** (≈ *sofort*) straightaway; ***gleich zu Beginn*** right at the outset **10.** ***es ist gleich zehn*** (***Uhr***) it's nearly ten (o'clock) **11.** ***gleich bleibend*** (≈ *unveränderlich*) constant **12.** ***gleich lautend*** *Erklärung usw.*: identical **13.** *Wendungen*: ***bis gleich!*** see you later; (***ich komme***) ***gleich!*** I won't be a minute, just a minute; ***ich bin gleich wieder da*** I won't be long

gleichaltrig: ***zwei gleichaltrige Kinder*** two children (of) the same age; ***gleichaltrig mit*** the same age as; ***die zwei sind gleichaltrig*** they're (both) the same age

gleichberechtigt: ***Frauen sollten*** (***den Männern***) ***gleichberechtigt sein*** women should have equal rights (to men)

Gleichberechtigung: ***die Gleichberechtigung der Frau*** equal rights for women ['wɪmɪn], women's rights

gleichen **1.** ***er gleicht seinem Vater*** *charakterlich*: he's like his father, *äußerlich*: he looks like his father **2.** ***die beiden gleichen sich sehr*** *charakterlich*: the two are very much alike, *äußerlich*: the two look very much alike

gleichfalls **1.** likewise **2.** ***danke, gleichfalls!*** thanks, and (the same to) you

gleichförmig *Bewegungen*: uniform ['juːnɪfɔːm] **2.** *Arbeit*: (≈ *eintönig*) monotonous [mə'nɒtənəs]

Gleichgewicht balance ['bæləns]

gleichgültig **1.** *allg.*: indifferent (***gegenüber*** to) **2.** ***ist dir das wirklich gleichgültig?*** don't you care about it at all?

Gleichgültigkeit indifference (***gegenüber*** to)

Gleichheitszeichen *beim Rechnen*: equals sign ['iːkwəlz‿saɪn]

Gleichmacherei *abwertend* egalitarianism [ɪˌgælɪ'teərɪənɪzm], level(l)ing

gleichmäßig **1.** (≈ *regelmäßig*) regular; ***in gleichmäßigen Abständen*** at regular intervals ['ɪntəvlz] **2.** (≈ *ohne Schwankungen*) steady ['stedɪ] **3.** ***die Farbe*** *usw.* ***gleichmäßig auftragen*** apply the paint *usw.* evenly **4.** ***gleichmäßig gut*** consistently good

Gleichnis *biblisch*: parable [⚠ 'pærəbl]

Gleichschritt: ***im Gleichschritt*** in step (***mit*** with)

gleichsehen: ***das sieht ihr gleich!*** that's just like her

gleichsetzen **1.** *auch mathematisch*: equate [ɪ'kweɪt] (***mit*** with) **2.** (≈ *auf dieselbe Ebene stellen*) put* on a level (***mit*** with)

Gleichstrom direct current (*Abk.* DC [ˌdiː'siː])

Gleichung equation [ɪ'kweɪʒn]

gleichzeitig **1.** ***ich kann nicht fünf verschiedene Dinge gleichzeitig machen!*** I can't do five different things at the same time; ***die beiden Läufer gingen gleichzeitig durchs Ziel*** the two runners crossed the finishing line at (exactly) the same time **2.** ***das Konzert wird gleichzeitig im Fernsehen und im Radio übertragen*** the concert is being broadcast simultaneously [ˌsɪml'teɪnɪəslɪ] on TV and on radio

Gleis **1.** *allg.*: track, rails (⚠ *Pl.*) **2.** ***Gleis 6*** *Bahnhof*: platform 6, *AE auch* gate 6

gleiten glide (***über*** across)

gleitend: ***gleitende Arbeitszeit*** flexible working hours, *bes. BE* flexitime

Gleiter, **Gleitflugzeug** glider

Gleitschirm paraglider

Gleitschirmfliegen paragliding

Gleitsegler hang-glider

Glück, glücklich

Glück haben	**be lucky**
Er hatte Glück und fand seine Schultasche wieder.	**He was lucky to find his schoolbag again.**
Hast du ein Glück!	**You lucky devil** ['devl]**!** (**devil** = Teufel)
Heute ist mein Glückstag.	**It's my lucky day.**
Glückszahl	**lucky number**
Glücksbringer	**lucky charm**
(innerlich) glücklich	**happy**
glücklich sein	**be happy**
Sie scheint in ihrer neuen Klasse ganz glücklich zu sein.	**She seems very happy in her new class.**

G

Gleitzeit flexible working hours, *bes. BE* flexitime
Gletscher glacier ['glæsɪə]
Gletscherspalte crevasse [krə'væs]
Glied 1. *Arm, Bein*: limb [⚠ lɪm]; ***mir tun alle Glieder weh*** every bone in my body is aching ['eɪkɪŋ] **2.** *von Finger usw.*: joint **3.** *einer Kette*: link (*auch übertragen*)
gliedern 1. (≈ *anordnen*) arrange **2.** (≈ *aufbauen*) structure **3.** *in Teile*: divide (***in*** into); ***die schriftliche Prüfung gliedert sich in drei Abschnitte*** the written examination is divided into three sections
Gliederung 1. (≈ *Anordnung*) arrangement **2.** (≈ *Aufbau*) structure **3.** *nach Sachgebieten usw.*: classification **4.** *Aufsatz*: (≈ *kurze Inhaltsübersicht*) plan
Gliedsatz *bes.* Ⓐ subordinate clause
glimmen 1. (*Zigarette usw.*) glow **2.** (≈ *schwelen*) smoulder ['sməʊldə]
glimpflich: ***er ist glimpflich davongekommen*** he got off lightly
glitschig slippery
glitzern 1. glitter, (*Sterne*) *auch*: twinkle **2.** (*Augen, Schnee*) glisten [⚠ 'glɪsn]
global global, worldwide
Globalisierung globalization [ˌgləʊblaɪ'zeɪʃn]
Globus globe
Glocke 1. bell **2.** ***etwas an die große Glocke hängen*** *übertragen* make* a big thing (out) of something
Glockenturm bell tower, belfry ['belfrɪ]
glorreich 1. glorious **2.** ***eine glorreiche Idee*** *ironisch* a bright idea
Glossar glossary ['glɒsərɪ] (of terms)
Glotze *salopp* (≈ *Fernseher*) box, *AE* (boob) tube; ***vor der Glotze sitzen*** be* glued to the box
glotzen 1. stare **2.** *mit offenem Mund*: gape
Glück 1. luck; ***Glück haben*** be* lucky; ***kein Glück haben*** be* unlucky; ***da hast du Glück gehabt!*** you were lucky there; ***jemandem Glück wünschen*** wish someone luck; ***viel Glück!*** good luck!, *umg.* best of luck!; ***zum Glück*** fortunately ['fɔːtʃnətlɪ] **2.** (≈ *Glücksfall*) stroke of (good) luck **3.** (≈ *Glücksgefühl*) happiness
glücken 1. (*Operation, Unternehmen usw.*) be* a success, work (*oder* turn) out well **2.** ***es ist ihr geglückt, das Rennen zu gewinnen*** she succeeded in winning the race
glücklich 1. (≈ *froh*) happy; ***glücklich sein*** be* happy, feel* happy **2.** (≈ *vom Glück begünstigt*) lucky, fortunate ['fɔːtʃnət]; ***ein glücklicher Zufall*** a lucky chance; ***der glückliche Gewinner*** *Lotto usw.*: the lucky winner **3.** ***eine glückliche Hand haben*** have* the right touch (***bei*** for *oder* when it comes to)
glücklicherweise fortunately ['fɔːtʃnətlɪ], luckily
Glücksfall stroke of (good) luck
Glückspilz *umg.* lucky devil ['devl]
Glückssache: ***das ist reine Glückssache!*** it's a matter of luck
Glücksspiel 1. *einzelnes*: game of chance **2.** *übertragen* ***das ist das reinste Glücksspiel!*** it's all a matter of luck
Glückssträhne run (*oder* streak [striːk]) of good luck
Glückwunsch congratulations (⚠ *Pl.*) (***zu*** on); ***herzlichen Glückwunsch!*** congratulations, *zum Geburtstag*: happy birthday
Glückwunschkarte greetings (*AE* greeting) card
Glühbirne (light) bulb
glühen 1. glow (*auch Zigarette, Gesicht*) **2.** *vor Zorn, Leidenschaft*: burn* (***vor*** with)
glühend 1. *Farben, Berge usw.*: glowing **2.** ***glühende Hitze*** scorching heat; ***es war glühend heiß*** it was scorching **3.** *Eisen*: red-hot **4.** *Hass, Verlangen*: burning **5.** *Verehrer, Anhänger*: fervent, ardent
Glühlampe (light) bulb

Glühwein mulled wine
Glühwürmchen glow-worm [⚠ 'gləʊwɜːm]
Glut *im Feuer*: embers (⚠ *Pl.*)
Glyzerin glycerine ['glɪsərɪn], *bes. AE* glycerin ['glɪsərɪn]
GmbH *allg.*: limited liability company, *BE etwa*: plc, PLC [ˌpiːel'siː] (*Abk. für* **p**rivate **l**imited (liability) **c**ompany), *AE etwa*: limited liability corporation, limited partnership
Gnade 1. (≈ *Barmherzigkeit*) mercy; ***um Gnade bitten*** beg for mercy **2.** *Gottes*: grace **3.** (≈ *Gunst*) favour
Gnadengesuch plea for clemency ['klemənsɪ]
gnadenlos merciless, pitiless
gnädig 1. *auch humorvoll* (≈ *gunstvoll*) gracious (***gegen***, ***gegenüber*** to) **2.** (≈ *barmherzig*) merciful **3.** *Urteil*: lenient ['liːnɪənt]
Gnom gnome [⚠ nəʊm]
Gold 1. gold (*auch übertragen*) **2.** ***Gold gewinnen*** *Sport*: win* gold, win* a gold medal
Goldbarren gold ingot ['ɪŋgət], gold bar
goldbraun gold<u>en</u>-brown
golden 1. *vor dem Subst.*: gold, *nach dem Subst. oder Verb*: (made) of gold; ***eine goldene Uhr*** a gold watch **2.** *übertragen* golden; ***goldene Hochzeit*** golden wedding
Goldfisch goldfish
goldgelb yellow(y)-gold
Goldgräber(in) gold digger
Goldgrube (≈ *sehr profitables Geschäft*) goldmine, *BE umg.* moneyspinner
Goldhamster gold<u>en</u> hamster
goldig *Baby, Tier usw.*: lovely, cute, sweet
Goldmedaille gold medal ['medl]
Goldmedaillengewinner(in) gold medallist ['medlɪst]
Goldmünze gold coin
Goldrausch 1. gold fever **2.** *historisches Ereignis in Amerika*: gold rush
goldrichtig 1. exactly right **2.** ***goldrichtig handeln*** do* just the right thing
Goldschmied(in) goldsmith
Golf[1] *der* (≈ *große Meeresbucht*) gulf
Golf[2] *das*; *Sport*: golf [gɒlf]
Golfplatz golf course
Golfschläger golf club
Golfspieler(in) golfer
Golfstaat Gulf state
Golfstrom Gulf Stream ['gʌlf‿striːm]
Gondel gondola [⚠ 'gɒndələ], *einer Seilbahn auch*: cabin ['kæbɪn]
Gong 1. *allg.*: gong **2.** *Boxen*: bell
gönnen 1. ***ich gönne es ihm*** I'm really pleased for him; ***ich gönne ihm seinen beruflichen Erfolg*** I'm pleased he's been so successful in his career **2.** ***er gönnt ihr ihren Erfolg nicht*** he's jealous ['dʒeləs] <u>of</u> her success **3.** ***ich gönne mir jetzt eine kleine Pause*** I'm going to allow myself a little break now
Gorilla gorilla (*auch Leibwächter*)
Gosse 1. gutter (*auch übertragen*) **2.** ***jemanden durch die Gosse ziehen*** drag someone's name through the mud
Gotik 1. *Stil*: Gothic ['gɒθɪk] (style) **2.** *Epoche*: Gothic period [ˌgɒθɪk'pɪərɪəd]
gotisch Gothic ['gɒθɪk]
Gott 1. (≈ *Gottheit*) god, deity [⚠ 'deɪətɪ] **2.** *der Christen, Moslems, Juden*: God (⚠ *immer ohne* the), the Lord (⚠ *immer mit* the, *außer bei Ausrufen*); ***der liebe Gott*** God **3.** *Wendungen*: ***ach du lieber Gott!*** *umg.* oh (my) God!, oh Lord!; ***Gott sei Dank*** thank God, thank goodness; ***um Gottes willen!*** *erschrocken*: for heaven's sake!, *betroffen*: (oh,) goodness!, oh no!; ***grüß Gott!*** *Gruß*: hello
Gottesdienst (church) service
Gotteslästerung blasphemy ['blæsfəmɪ]
Gottheit *bes. heidnische*: deity [⚠ 'deɪətɪ], *männliche auch*: god, *weibliche auch*: goddess ['gɒdes]
Göttin goddess ['gɒdes]
göttlich divine [dɪ'vaɪn] (*auch übertragen*)
gottlos 1. *allg.*: godless **2.** *Leben usw.*: sinful, wicked [⚠ 'wɪkɪd]
Götze, Götzenbild idol ['aɪdl]
Gouverneur(in) governor ['gʌvnə]
Grab 1. grave **2.** (≈ *Grabmal*) tomb [⚠ tuːm] **3.** ***bis ins Grab*** *übertragen* to the end
graben 1. dig* (*ein Loch, eine Grube usw.*) **2.** ***graben nach*** dig* for **3.** (*Kaninchen usw.*) burrow ['bʌrəʊ] (*einen Gang, Bau usw.*)
Graben 1. ditch **2.** (≈ *Schützengraben*) trench **3.** *Geologie*: rift valley
Grabmal 1. tomb [⚠ tuːm] **2.** (≈ *Ehrenmal*) monument ['mɒnjʊmənt]
Grabstein gravestone, tombstone [⚠ 'tuːmstəʊn]
Grabung excavation [ˌekskə'veɪʃn]
Grad 1. degree (*auch Winkelmaß, Temperaturmaß, Breitengrad*) (⚠ *engl.* grade = ***Qualitätsstufe***); ***wir haben*** (*oder* ***es sind***) ***30 Grad Celsius*** it's thirty degrees Celsius ['selsɪəs] (*geschrieben*: 30°C); ***40 Grad nördlicher Breite*** forty degrees north (*geschrieben*: 40°N); ***Verbrennungen zweiten Grades*** second-degree burns **2.** (≈ *militärischer Rang*) rank **3.**

(≈ *Ausmaß*) extent, degree **4.** (≈ *Stufe*) stage **5.** *Wendungen*: ***bis zu einem gewissen Grad*** up to a point; ***in höchstem Grad(e)*** extremely
Graf 1. count, *als Titel*: Count (⚠ *nur außerhalb von GB*) **2.** *in GB*: earl [ɜːl], *als Titel*: Earl
Graffiti graffiti [grəˈfiːtɪ]
Grafik 1. (≈ *einzelne grafische Darstellung*) graphic [ˈgræfɪk], diagram [ˈdaɪəgræm] **2.** *als Kunstwerk*: print **3.** *als Fachrichtung*: graphic arts (⚠ *Pl.*)
Grafiker(in) graphic designer
Grafikkarte *in Computer*: graphics card
Gräfin countess [ˈkaʊntɪs], *als Titel*: Countess
grafisch 1. graphic [ˈgræfɪk] **2.** ***grafische Darstellung*** graphic, diagram [ˈdaɪəgræm] **3.** ***grafische Gestaltung*** *eines Buches, einer Zeitschrift usw.*: layout, (≈ *Bildmaterial*) artwork
Grafschaft (≈ *Verwaltungsbezirk*) county
Gramm gram, *BE auch* gramme
Grammatik grammar; ***die englische Grammatik*** English grammar (⚠ *ohne* the)
grammatikalisch, **grammatisch** grammatical [grəˈmætɪkl]
Granatapfel pomegranate [⚠ ˈpɒmɪˌgrænət]
Granate shell (⚠ *engl.* grenade = ***Handgranate***)
grandios grand, magnificent [mægˈnɪfɪsənt]
Granit granite [⚠ ˈgrænɪt]
Grant *bes.* Ⓐ grumpiness, anger; ***einen Grant haben*** be* in a bad mood, be* grumpy
grantig *bes.* Ⓐ grumpy, grouchy
Grapefruit grapefruit
Grapefruitsaft grapefruit juice [ˈgreɪpfruːt‿dʒuːs]
Graphik *usw.* → ***Grafik*** *usw.*
Gras 1. grass **2.** ***über etwas Gras wachsen lassen*** let* the dust settle (on something)
grasen graze
Grashalm blade of grass
grassieren (*Krankheit, Missstände usw.*) be* rampant [ˈræmpənt], be* rife
grässlich 1. *Verbrechen usw.*: hideous [⚠ ˈhɪdɪəs], atrocious [əˈtrəʊʃəs] **2.** ***schmeckt grässlich!*** it tastes awful (*oder* terrible)
Grat (≈ *Bergrücken*) ridge
Gräte (fish)bone
Gratifikation 1. gratuity [grəˈtjuːətɪ] **2.** (≈ *Weihnachtsgratifikation usw.*) bonus
gratis free (of charge)
Grätsche 1. *Turnen*: straddle **2.** *Sprung*: straddle vault [vɔːlt]
Gratulant(in) well-wisher
Gratulation congratulations (⚠ *Pl.*) (***zu*** on); ***meine Gratulation!*** congratulations!
gratulieren 1. ***jemandem zu etwas gratulieren*** congratulate someone on something **2.** ***jemandem zum Geburtstag gratulieren*** wish someone a happy birthday **3.** ***gratuliere!*** (*bzw.* ***wir gratulieren!***) congratulations!
Gratwanderung *übertragen* tightrope walk [ˈtaɪtrəʊp‿wɔːk]
grau 1. grey, *AE mst.* gray; ***grau werden*** turn (*oder* go*) grey; ***sie hat schon (etliche) graue Haare*** she's going grey already **2.** (≈ *trostlos*) dark, gloomy **3.** ***grau meliert*** *Haar*: greying, *AE mst.* graying
Gräuel 1. (≈ *Gräueltat*) atrocity [əˈtrɒsətɪ] **2.** ***es ist mir ein Gräuel, ihn noch einmal treffen zu müssen*** I hate the idea of having to see him again
Gräueltat atrocity [əˈtrɒsətɪ]
grauen 1. ***mir graut davor*** I shudder at the thought **2.** ***mir graut vor dieser Prüfung*** I'm dreading [ˈdredɪŋ] that exam
Grauen dread [dred], horror (***vor*** of)
grauenhaft, **grauenvoll 1.** horrific, ghastly [ˈgɑːstlɪ] **2.** *Fehler usw.*: dreadful, terrible
grauhaarig grey-haired, *AE mst.* gray-haired
gräulich (≈ *leicht grau*) greyish, *AE mst.* grayish
Graupel(schauer) (soft) hail, sleet (⚠ *ohne* a)
grausam 1. cruel [ˈkruːəl] (***gegen*** to) **2.** (≈ *schlimm*) terrible, awful
Grausamkeit 1. cruelty [ˈkruːəltɪ] **2.** (≈ *Gräueltat*) atrocity [əˈtrɒsətɪ]
grausen 1. ***mir graust (es) vor Spinnen*** I'm terrified of spiders **2.** ***mir graust es davor*** I'm dreading [ˈdredɪŋ] it
Grauzone *übertragen* grey area, *AE* gray area
gravieren engrave [ɪnˈgreɪv]
Gravierung engraving [ɪnˈgreɪvɪŋ]
Gravitation gravitation [ˌgrævɪˈteɪʃn], gravity [ˈgrævətɪ]
Grazie grace, gracefulness
graziös graceful (⚠ *engl.* gracious = ***freundlich, gnädig***)
greifen 1. ***greifen in*** reach into (*Handtasche usw.*) **2.** ***greifen nach*** reach for, *hastig*: snatch at **3.** ***sich etwas greifen*** take* (hold of) something, *fest*: grasp something, (≈ *packen*) grab (hold of) something **4.** ***greifen zu*** *wörtlich* reach for, *übertragen* resort to (*einer Maßnahme*

usw.) **5.** ***um sich greifen*** (*Unsitte usw.*) spread* **6.** (*Maßnahme usw.*) (≈ *zu wirken beginnen*) (begin* to) take* effect **7.** ***zum Äußersten greifen*** go* to extremes

Greis old man

Greisin old woman

grell 1. (≈ *blendend*) dazzling, glaring **2.** *Farbe*: garish ['geərɪʃ], loud **3.** *Ton*: shrill, piercing

Gremium body, committee (⚠ *Schreibung*)

Grenze 1. boundary (*auch von Gemeinde, Grundstücken*) **2.** (≈ *Landesgrenze*) border, frontier ['frʌntɪə] **3.** *übertragen* limit, limits (*Pl.*); ***seine Grenzen kennen*** know* one's limitations; ***sich in Grenzen halten*** keep* within (reasonable) limits; ***alles hat seine Grenzen*** there's a limit to everything

grenzen: **1.** ***grenzen an*** border on **2.** ***das grenzt an Wahnsinn*** *usw.* that verges on madness *usw.*

grenzenlos 1. boundless, unbounded **2.** *Macht*: unlimited

Grenzgebiet border area

Grenzkontrolle border control

Grenzland border area, borderland

Grenzlinie 1. borderline (*auch übertragen*) **2.** *Sport*: line

Grenzübergang border crossing point, checkpoint

Grenzverkehr: ***der Grenzverkehr*** border traffic (⚠ *ohne* the)

Grieche 1. Greek; ***er ist Grieche*** he's Greek; ☞ ***Nationalitäten*** **2.** *umg.* (≈ *griechisches Lokal*) Greek place, Greek restaurant ['restərɒnt]

Griechenland Greece [griːs]

Griechin Greek woman (*oder* lady *bzw.* girl); ***sie ist Griechin*** she's Greek; ☞ ***Nationalitäten***

griechisch, **Griechisch** Greek [griːk]

Grieß(brei) semolina [ˌseməˈliːnə]

Griff 1. *an Messer, Koffer, Tür usw.*: handle **2.** (≈ *festes Halten mit der Hand*) grip, grasp (*beide auch übertragen*) **3.** ***etwas in den Griff bekommen*** come* to grips (⚠ *Pl.*) with something **4.** (≈ *das Greifen*) grasping (***nach*** at) **5.** *Ringen*: hold **6.** *Turnen*: grip **7.** (≈ *Fingerstellung auf Musikinstrument*) fingering; ***das ist ein sehr schwieriger Griff*** the fingering is very difficult here

Grill grill, barbecue ['bɑːbɪkjuː]; ***Hähnchen*** *usw.* ***vom Grill*** grilled chicken *usw.*

Grille *Insekt*: cricket

grillen 1. grill, barbecue ['bɑːbɪkjuː] (*Fleisch usw.*) **2.** (≈ *eine Grillparty haben*) have* a barbecue

Grillfest, **Grillparty** barbecue ['bɑːbɪkjuː]

Grimasse grimace [grɪˈmeɪs]; ***Grimassen schneiden*** pull faces

grimmig 1. fierce (*auch Gesichtsausdruck, Blick*) **2.** *Kälte, Schmerzen*: severe [sɪˈvɪə] **3.** *Lachen, Gesichtsausdruck*: grim

grinsen 1. grin **2.** *spöttisch*: smirk, *stärker*: sneer (***über*** at)

Grinsen 1. grin **2.** *spöttisches*: smirk

Grippe flu [fluː], *förmlich* influenza [ˌɪnfluˈenzə]; ***er hat Grippe*** he's got (the) flu

Grips *umg.* brains (⚠ *Pl.*)

grob 1. *Sand, Gewebe, Wolle usw.*; *auch Person, Benehmen*: coarse **2.** (≈ *unhöflich*) rude **3.** (≈ *unverarbeitet*) raw, crude **4.** (≈ *schlimm*) gross [grəʊs]; ***grobe Fahrlässigkeit*** gross negligence ['neglɪdʒəns]; ***grober Fehler*** bad (*oder* serious) mistake **5.** (≈ *ungefähr*) rough [⚠ rʌf], *Entfernung*: approximate; ***grobe Skizze*** rough sketch **6.** ***grob geschätzt*** at a rough guess

grölen bawl, bellow

Grönland Greenland ['griːnlənd]

Groschen 1. Ⓐ *historisch*: groschen ['grɒʃn] **2.** *historisch, umg.* ten-pfennig piece **3.** *übertragen* penny; ***der Groschen ist gefallen*** the penny has dropped

groß 1. *allg.*: big (*auch Vorteil, Frage, Problem usw.*); ***ein großes Hotel*** a big hotel **2.** large (*etwas sachlicher als* big); ***eine große Zahl von*** a large number of; ***eine große Menge*** a large amount (*oder* quantity) of **3.** *Person*: tall, (≈ *groß und stark*) big **4.** *Gebäude, Baum usw.*: tall, big **5.** (≈ *großflächig*) vast **6.** *Entfernung*: long, great **7.** *Breite, Länge usw.*: great **8.** (≈ *bedeutend*) great, major, important **9.** *Interesse, Mut, Fehler, Schmerz, Hitze, Spaß, Mühe usw.*: great; ***in großer Eile*** in <u>a</u> great hurry; ***die große Mehrheit*** the great (*oder* vast) majority **10.** *Kälte*: severe [sɪˈvɪə] **11.** ***ein großer Verlust*** *bei Kündigung, Todesfall*: a great loss; ***große Verluste*** *an Soldaten*: heavy losses **12.** (≈ *erwachsen*) grown-up **13.** ***ihre große Schwester*** her big sister **14.** ***großer Buchstabe*** capital letter **15.** ***eine große Auswahl*** a wide selection (***an*** of) **16.** ***ein großer Unterschied*** a big (*oder* great) difference **17.** ***große Ferien*** summer holidays, *AE* summer vacation **18.** *Wendungen*: ***der größere Teil*** most of it (*bei Lebewesen*: them); **(*ganz*) *groß in etwas sein*** be* (very) good <u>at</u> something; ***ich bin kein großer Tänzer*** I'm not much of a dancer; ***im Großen und Ganzen*** on the whole; ***Groß und Klein*** young and old

groß

Beachte den Unterschied bei der Beschreibung einer „großen" Person:

groß und kräftig gebaut	**big**
hoch gewachsen	**tall**
groß(artig)	**great**

Großangriff *militärisch*: large-scale attack, major attack [ˌmeɪdʒər‿ə'tæk]
großartig 1. tremendous [trə'mendəs], great [greɪt] **2.** (≈ *ausgezeichnet*) excellent ['eksələnt], brilliant ['brɪljənt] **3.** ***sich großartig amüsieren*** have* a great time
Großaufnahme *Film*: close-up ['kləʊsʌp]
Großbritannien (Great) Britain [(ˌgreɪt-)'brɪtn]; ☞ *Karte S. 293, Info unter engl.* ***Britain***
Großbuchstabe capital ['kæpɪtl] (letter)
Größe 1. size (*auch von Kleidung*); ***welche Größe haben Sie?*** what size do you take?; ***von mittlerer Größe*** *Sache*: medium-sized; ***dieselbe Größe haben*** be* the same size (*Person*: height) (***wie*** as) **2.** (≈ *Körpergröße*) height [⚠ haɪt]; ***sie hat ungefähr deine Größe*** she's about your height **3.** (≈ *Ausdehnung*) size **4.** (≈ *Menge, mathematische Größe*) quantity; ***eine unbekannte Größe*** an unknown quantity **5.** (≈ *Ausmaß*) extent [ɪk'stent] **6.** *einer Person usw.*: (≈ *Bedeutung*) greatness **7.** (≈ *bedeutende Persönlichkeit*) celebrity [sə'lebrətɪ] **8.** ***ein Projekt dieser Größe*** a project on this scale
Großeltern grandparents
großenteils largely, to a great extent
Größenwahn megalomania [ˌmegələʊ'meɪnɪə]
größenwahnsinnig megalomaniac; ***er ist größenwahnsinnig*** he's a megalomaniac
Großfahndung large-scale search (*oder* manhunt)
Großhandel 1. wholesale trade **2.** *Laden*: wholesaler's, wholesale store
Großhändler(in) wholesaler
großkotzig *salopp, abwertend* **1.** (≈ *angeberisch*) arrogant ['ærəgənt] **2.** *Auto, Hotel, Restaurant usw.*: swanky ['swæŋkɪ], *bes. AE auch* swank
Großmacht great power, superpower
Großmarkt 1. *für Einzelhändler*: wholesale market **2.** *für Normalkunden*: hypermarket
Großmaul *umg.* loudmouth, bigmouth
Großmutter grandmother ['grænˌmʌðə]
Großraum (metropolitan) area; ***der Großraum München*** the Greater Munich area
Großraumbüro open-plan office [ˌəʊpən-plæn'ɒfɪs]
Großraumflugzeug widebody jet
Großrechner mainframe (computer)
großschreiben: ***etwas großschreiben*** (≈ *mit großem Anfangsbuchstaben schreiben*) write* something with a capital letter [ˌkæpɪtl'letə]
Großschreibung capitalization [ˌkæpɪtlaɪ'zeɪʃn]
Großstadt big city, *BE auch* city
größtenteils for the most part, mainly
größtmögliche(r, -s) greatest possible (⚠ *nur mit* the *gebräuchlich*)
Großtuer(in) show-off
Großvater grandfather
Großverdiener(in) big earner
Großwild big game
großziehen 1. bring* up, raise [reɪz] (*Kinder*) **2.** raise, rear (*Tiere*)
großzügig 1. generous ['dʒenrəs] (*auch Trinkgeld*) **2.** *Ansichten, Charakter usw.*: liberal **3.** *Anlage, Planung usw.*: large-scale **4.** (≈ *weiträumig*) spacious
Großzügigkeit 1. generosity [ˌdʒenə'rɒsətɪ] **2.** *von Ansichten usw.*: liberality **3.** *einer Anlage, Planung usw.*: (large) scale
grotesk grotesque
Grübchen *in der Wange*: dimple
Grube pit, *Bergbau auch*: mine
grübeln 1. brood (***über*** over, about) **2.** (≈ *nachdenken*) ponder (***über*** over)
grüezi Ⓒⓗ hello, *umg.* hi
Gruft 1. *Grabstätte*: tomb [⚠ tuːm] **2.** (≈ *Krypta*) crypt [krɪpt]
Grufti *salopp* wrinkly [⚠ 'rɪŋklɪ]
grün 1. *allg.*: green (*auch politisch*) **2.** ***grüner Salat*** lettuce ['letɪs] **3.** ***grüne Bohnen*** French beans **4.** ***die Bananen*** *usw.* ***sind noch zu grün*** the bananas *usw.* aren't ripe yet **5.** ***er hat mir grünes Licht gegeben*** *übertragen* he gave me the go-ahead
Grün 1. *Farbe*: green **2.** (≈ *Bäume und andere Grünpflanzen*) greenery **3.** ***die Ampel steht auf Grün*** the lights are green
Grünanlage (public) park, public gardens (⚠ *Pl.*)
Grund[1] **1.** (≈ *Vernunftgrund, Ursache*) reason; ***aus dem einfachen Grund, weil*** *bzw.* ***dass*** for the simple reason that; ***aus gesundheitlichen Gründen*** for health reasons; ***sie hat schon ihre Gründe*** she knows what she's doing; ***ohne jeden Grund*** for no apparent reason **2.** (≈ *Anlass*) cause; ***du hast keinen Grund, dich zu beklagen*** you have no

cause to complain; ***kein Grund zur Besorgnis!*** there's no need to get worried **3. *auf Grund des Lehrermangels*** because of the shortage of teachers; → ***aufgrund***

Grund² **1.** (≈ *Grundbesitz*) land, property ['prɒpətɪ] **2.** (≈ *Baugrundstück*) site, plot **3.** *von Gewässern, Gefäßen usw.*: bottom **4. *von Grund auf*** *übertragen* completely, (≈ *gründlich*) through and through **5. *im Grunde genommen*** basically **6. *auf Grund laufen*** *mit einem Schiff usw.*: run* aground

Grund… *in Zusammensetzungen*: basic; ***Grundausbildung*** basic training; ***Grundausstattung*** basic equipment; ***Grundbedürfnisse*** basic needs; ***Grundgebühr*** basic rate, basic charge; ***Grundgehalt*** *Geld*: basic salary ['sælərɪ]; ***Grundkenntnisse*** basic knowledge [⚠ 'nɒlɪdʒ] (***in*** of); ***Grundkurs*** basic course; ***Grundlagenforschung*** basic research; ***Grundrechte*** basic rights; ***Grundregel*** basic rule; ***Grundwortschatz*** basic vocabulary

Grundbegriffe basics, fundamentals

Grundbesitz property ['prɒpətɪ], *bes. AE* real estate ['rɪəl‿ɪˌsteɪt]

gründen **1.** *allg.*: found **2.** establish, set* up (*Geschäft, Firma*) **3.** start (*Familie*)

Gründer(in) founder

Grundgesetz: ***das Grundgesetz*** (≈ *Verfassung der Bundesrepublik Deutschland*) *amtlich*: the Basic Law; → ***Verfassung***

Grundlage **1.** basis **2. *die Grundlagen schaffen für*** lay* the foundations for

gründlich **1.** thorough [⚠ 'θʌrə], (≈ *sorgfältig*) careful; ***er arbeitet langsam, aber gründlich*** he's slow but thorough; ***ich habe mich gründlich vorbereitet*** I'm well-prepared **2. *da hast du dich gründlich getäuscht*** you're very much mistaken there

Gründonnerstag Maundy Thursday [ˌmɔːndɪ'θɜːzdɪ]

Grundriss **1.** *eines Hauses usw.*: ground plan **2.** (≈ *kurz gefasstes Lehrbuch usw.*) outline

Grundsatz principle ['prɪnsəpl]

grundsätzlich **1.** *Unterschied, Frage usw.*: fundamental, basic **2. *ich bin grundsätzlich gegen das Rauchen*** *aus Überzeugung*: I'm against smoking on principle **3. *sie sind grundsätzlich mit unserem Plan einverstanden*** they agree to our plan in principle **4. *sie kommt grundsätzlich zu spät*** she's always late **5. *Fußball interessiert mich grundsätzlich nicht*** I'm not at all interested in soccer

Grundschule primary school, *AE* elementary (*oder* grade) school; ***auf die Grundschule gehen*** go* to primary school (⚠ *ohne* the)

Grundstück **1.** piece of land, plot, *AE auch* lot **2.** *Besitz*: property **3.** (≈ *Bauplatz*) site

Grundstücksmakler(in) estate [⚠ ɪ'steɪt] agent, *AE* real estate agent ['rɪəl‿ɪˌsteɪt-ˌeɪdʒənt], *AE auch* realtor ['rɪəltə]

Gründung **1.** foundation **2.** *eines Geschäfts usw.*: establishment, opening

Grundwasser groundwater

Grundwasserspiegel water table

Grundzug **1.** characteristic, main feature **2. *Grundzüge der Physik*** *usw.* fundamentals of physics *usw.*, *als Buchtitel*: an outline of physics *usw.*

Grüne: ***ein Häuschen im Grünen*** a house in the country

Grüne(r) *Parteimitglied*: Green; ***die Grünen*** the Greens

Grünfläche **1.** green space **2.** *gepflegte*: lawn

Grüngürtel green belt

grunzen grunt

Grünzeug **1.** *umg.* (≈ *Rohkost*) raw green vegetables ['vedʒtəblz] (⚠ *Pl.*) **2.** (≈ *frische Würzkräuter*) herbs (⚠ *Pl.*) **3.** *humorvoll* rabbit food

Gruppe **1.** *allg.*: group **2.** (≈ *Arbeitsgruppe*) team **3.** (≈ *Kategorie*) category ['kætəgərɪ]

Gruppenarbeit **1.** teamwork **2.** *Schule*: group work

Gruppenreise group tour, organized tour

Gruppensex group sex

Gruppentherapie group therapy [ˌgruːp-'θerəpɪ]

gruppenweise in groups

gruppieren **1.** group, arrange in groups **2. *sich gruppieren*** form a group (***um*** round), (*Häuser usw.*) be* arranged *oder* grouped (***um*** round)

Gruppierung **1.** (≈ *Einteilung*) grouping **2.** (≈ *Gruppe*) group, *politisch auch*: faction

Gruselfilm horror film

gruselig creepy, spooky ['spuːkɪ]

gruseln: ***mich*** (*oder* ***mir***) ***gruselts*** I'm scared, it's giving me the creeps

Gruß **1.** greeting; ***viele Grüße aus Wien*** greetings from Vienna **2.** *am Briefende*: ***mit freundlichen Grüßen*** Yours sincerely; ***herzliche Grüße*** Kind regards, *weniger förmlich*: Best wishes, *bei Freunden*: Love (⚠ *alle Anfangswörter groß geschrieben*) **3. *sag ihm einen schönen Gruß von mir*** give him my regards, *bei*

guten Bekannten, Freunden: say hello to him from me, *intimer, bes. von Frau*: give him my love
grüßen 1. greet, say* hello, *beim Militär usw.*: salute [səˈluːt]; ***jemanden grüßen*** say* hello to someone, *beim Militär*: salute someone; ***sie hat nicht einmal gegrüßt*** she didn't even say hello **2.** ***sie grüßen sich nicht mehr*** they don't even say hello to each other any more **3.** ***grüß dich!*** hello!, hi!; ***grüß Gott!*** *etwa*: hello **4.** ***grüßen Sie Alf von mir*** say hello to Alf from me **5.** ***sie lässt Sie grüßen*** she sends her regards
gschamig *bes.* Ⓐ shy
gucken *umg.* look, *heimlich auch*: peep; ***guck mal!*** look!; ***guck mal, die Frau da!*** look at that woman!; ***nicht gucken!*** *beim Anziehen usw.*: no peeping!
Guerillakämpfer guer(r)illa [gəˈrɪlə] (fighter)
Guerillakrieg guer(r)illa war(fare) [gəˌrɪləˈwɔː(feə)]
Gugelhupf *bes.* Ⓐ *etwa*: ring cake
Güggeli Ⓒⓗ chicken
Gulasch goulash [ˈguːlæʃ]
Gulaschsuppe goulash soup [ˌguːlæʃˈsuːp]
Gülle *bes.* Ⓒⓗ (≈ *Jauche*) liquid manure [⚠ ˌlɪkwɪd‿məˈnjʊə]
gültig 1. *Pass, Fahrkarte usw.*: valid; ***die Fahrkarte ist drei Tage gültig*** the ticket is valid (*umg.* good) for three days **2.** *Bestimmungen usw.*: current **3.** ***ist dieser Geldschein noch gültig?*** is this note still legal tender? **4.** *Gesetz*: in force (⚠ *immer nach dem Verb*) **5.** ***ab wann ist der Winterfahrplan gültig?*** when does the winter timetable come into effect?; ***gültig ab 1. Mai*** valid from 1 May (⚠ *sprich*: from the first of May)
Gültigkeit validity [vəˈlɪdətɪ]
Gummi 1. rubber **2.** *in Kleidung*: elastic **3.** (≈ *Gummiring*) rubber band **4.** *umg.* (≈ *Kondom*) rubber
Gummiband elastic band
Gummibärchen *Pl.*: gummy bears [ˈgʌmɪ‿beəz]
Gummibaum *als Zimmerpflanze*: rubber plant [ˈrʌbə‿plɑːnt]
Gummihandschuhe rubber gloves [⚠ ˌrʌbəˈglʌvz]
Gummiknüppel (rubber) truncheon [(ˌrʌbə)ˈtrʌnʃən]
Gummistiefel wellington [ˈwelɪŋtən] (boot), *AE* rubber boot [ˈrʌbə‿buːt]
Gunst 1. favour [ˈfeɪvə] **2.** ***zu meinen Gunsten*** in my favour
günstig 1. *Antwort, Eindruck, Bedingungen*: favourable [ˈfeɪvrəbl] **2.** (≈ *gut*) good (*auch Preis, Angebot*) **3.** ***auf einen günstigen Augenblick warten*** wait for the right moment [ˈməʊmənt] **4.** ***günstig abschneiden*** do* well, come* off well (***bei*** in)
gurgeln (≈ *den Hals spülen*) gargle
Gurke 1. (≈ *Salatgurke*) cucumber [ˈkjuːkʌmbə] **2.** (≈ *Essiggurke*) gherkin [ˈgɜːkɪn], *AE auch* pickle
Gurt 1. *allg.*: belt **2.** *im Auto und Flugzeug*: seatbelt **3.** (≈ *Tragegurt, Riemen*) strap
Gürtel *allg.*: belt; ***den Gürtel enger schnallen*** *übertragen* tighten one's belt
Gürtellinie waist(line); ***unter der*** (*bzw.* ***die***) ***Gürtellinie*** *Boxen und übertragen*: below the belt; ***das war ein Schlag unter die Gürtellinie*** that was (a punch) below the belt, *übertragen* that was (hitting) below the belt
Gürteltasche bumbag, beltbag, *AE* fanny pack
Guru guru [ˈgʊruː] (*auch übertragen*)
GUS CIS [ˌsiːaɪˈes] (*Abk. für* **C**ommonwealth of **I**ndependent **S**tates)
gut 1. good (⚠ ***besser*** better, ***best-*** best), *Wetter auch*: fine; ***sie ist gut in Englisch*** she's good at English; ***das schmeckt*** (*bzw.* ***riecht***) ***gut*** it tastes (*bzw.* smells) good; ***sie sieht gut aus*** *grundsätzlich*: she's good-looking, *im Moment*: she's looking good, *gesundheitlich*: she's looking well **2.** ***ganz gut*** not bad **3.** ***schon gut!*** it's all right, *verärgert*: okay, okay **4.** ***so gut wie unmöglich*** virtually impossible **5.** ***der Tisch ist so gut wie fertig*** the table is more or less finished **6.** ***eine gute Stunde*** a good hour **7.** ***wozu soll das gut sein?*** what's that in aid of? **8.** ***mir ist nicht gut*** I don't feel well **9.** ***ich finde sie gut*** I like her **10.** ***er ist kein besonders guter Tänzer*** *usw.* he's not much of a dancer *usw.* **11.** ***sei so gut und mach die Tür zu*** do me a favour and close the door, will you? **12.** ***das hast du gut gemacht*** well done!, you did a great job **13.** ***das kann gut ˈsein*** that's quite possible **14.** ***es gefällt mir gut*** I like it **15.** ***mach es so gut du kannst*** do it as best you can **16.** ***ˈdu hasts gut!*** you don't know how lucky you are **17.** ***in Dublin kennt er sich gut aus*** he knows his way around Dublin **18.** ***machs gut!*** take care!, bye!

gut aussehend good-looking, attractive
gut gehen 1. go* well, turn out all right; ***wenn das nur gut geht!*** let's hope for

the best; ***das ist noch einmal gut gegangen*** that was close **2.** ***mir gehts gut*** I'm fine, *geschäftlich*: I'm doing fine **3.** ***gut gehend*** *Geschäft usw.*: flourishing [⚠ 'flʌrɪʃɪŋ], thriving
gut gelaunt cheerful, *nur hinter dem Verb*: in a good mood
gut gemeint: ***ein gut gemeinter Vorschlag*** a well-meant suggestion
gut tun: ***das wird dir gut tun*** that'll do you good; ***das tut gut!*** that's just what I need

Gut 1. (≈ *Landgut*) estate [⚠ ɪ'steɪt], farm **2.** ***Hab und Gut*** possessions (⚠ *Pl.*) **3.** ***Güter*** goods, *zum Transport*: freight [freɪt] (⚠ *Sg.*)
Gutachten 1. expert ['ekspɜːt] opinion, expert('s) report **2.** ***ärztliches Gutachten*** medical certificate [sə'tɪfɪkət] **3.** (≈ *Zeugnis*) reference [⚠ 'refrəns], testimonial
Gutachter(in) expert, *beratend*: consultant
gutartig *Geschwulst usw.*: benign [⚠ bə'naɪn]
Gute(s) 1. ***Gutes tun*** do* good **2.** ***alles Gute!*** all the best!
Güte 1. (≈ *gütiges Wesen*) goodness, kindness **2.** (≈ *Qualität*) quality **3.** ***ach du meine Güte!*** goodness me!, my goodness!
Güterbahnhof goods station, *bes. AE* freight depot ['freɪtˌdiːpəʊ]
Güterwagen goods wagon, *AE* freight car
Güterzug goods train, *AE* freight train
gutgläubig gullible, very trusting
Guthaben *auf Konto*: balance; ***sie hat ein großes Guthaben auf dem Konto*** she's got a large balance in her bank account, she's got a lot of money in her account
guthaben: ***du hast noch 10 Euro gut*** I still owe you 10 euros
gütig good, kind (***gegen*** to)
gutmütig good-natured
Gutschein 1. voucher **2.** (≈ *Geschenkgutschein*) gift token
gutschreiben credit ['kredɪt]; ***sie schreiben den Betrag meinem Konto gut*** they'll credit the amount to my account
Gutschrift *auf Konto*: credit ['kredɪt]
Gutshaus manor house ['mænə‿haʊs]
Gutshof estate [⚠ ɪ'steɪt], farm
Gymnasiast(in) *etwa*: grammar school pupil, *AE* high school student
Gymnasium *etwa*: grammar school, *AE* high school (⚠ *engl.* gymnasium = ***Sport-, Turnhalle***); ***aufs Gymnasium gehen*** go* to grammar school (⚠ *ohne* the)
Gymnastik exercises (⚠ *Pl.*) **2.** *Disziplin*: gymnastics [dʒɪm'næstɪks] (⚠ *Sg.*) **3.** ***sie macht Gymnastik*** *regelmäßig*: she does gymnastics, (≈ *sie übt gerade*) she's doing her exercises
Gymnastikball exercise ball ['eksəsaɪz‿bɔːl], *aus Plastik*: plastic ball [ˌplæstɪk'bɔːl]
Gynäkologe, Gynäkologin gynaecologist [ˌgaɪnɪ'kɒlədʒɪst], *AE* gynecologist

H

Haar 1. (≈ *die Haare*) hair (⚠ *Sg.*); ***sie hat hellblonde Haare*** she's got blonde hair; ***ich glaube, ich muss mir die Haare schneiden lassen*** I think I need a haircut; ***sie hat sich die Haare schneiden lassen*** she's had her hair cut (⚠ *nicht* let); ***sich die Haare kämmen*** comb [⚠ kəʊm] one's hair **2.** ***ein Haar*** a hair; ***zwei Haare*** two hairs
Haarausfall hair loss
Haarbürste hairbrush
Haaresbreite: ***um Haaresbreite*** by a hair's breadth ['heəz‿bredθ]
Haareschneiden haircut

Haare

welliges / lockiges / krauses / gerades Haar	**wavy / curly / frizzy / straight hair**
Bubikopf	**bob**
Bürstenschnitt	**crew cut**
Pony	**fringe,** *AE* **bangs**
Zopf	**pigtail, plait** [plæt], *AE* **braid**
Pferdeschwanz	**ponytail**

Haarewaschen *beim Friseur*: shampoo [ʃæm'puː], wash

Haarfarbe colour of hair; ***was für eine Haarfarbe hat er?*** what colour hair has he got? (⚠ *ohne* of)

Haarfarben

blond	**fair, blond,** *bes. Frau*: **blonde** [ˈblɒnd]
dunkelbraun	**dark brown**
grau	**grey,** *AE* **gray**
hellbraun	**light brown**
kastanienbraun	**chestnut**
mattbraun	**mousy, mousey**
pechschwarz	**jet black**
rot	**red**
rotblond	**sandy**
rotbraun	**auburn** [ˈɔːbən]
rötlich, kupferfarben	**ginger**
schwarz	**black**

Haarfestiger setting lotion
haargenau 1. exact, very precise **2.** ***das stimmt haargenau*** that's exactly right
haarig hairy (*auch Sache, Angelegenheit*)
Haarklammer hair clip, *AE* bobby pin
Haarnadelkurve hairpin bend

Haarpflege

Haarpflege	**hairdressing**
Kamm	**comb**
Föhn	**hairdrier, hairdryer,** *AE* **blow-dryer**
färben (*Haare*)	**dye – she dyes ..., she dyed ..., she is/was dyeing ...**
sie hat sich die Haare schneiden lassen	**she's had her hair cut** (⚠ *nicht* **let**)
sie hat sich die Haare blond färben lassen	**she's had her hair dyed blonde**
ich hab keinen Bock mir die Haare zu kämmen	**I don't feel like combing my hair** (⚠ *nicht* **hairs**)
Dauerwelle	**perm,** *AE* **permanent**
Strähnchen	**streaks**
mein Haar / meine Haare	**my hair** (*Sg.*)

Haarriss1. hairline crack **2.** *Keramik*: craze
Haarschnitt haircut
Haarspange hair slide, *AE* barrette [⚠ bəˈret]
Haarspray hairspray
haarsträubend 1. *Erlebnis, Geschichten usw.*: hair-raising, incredible [ɪnˈkredəbl] **2.** (≈ *skandalös*) outrageous [aʊtˈreɪdʒəs]
Haartrockner hair dryer, blow dryer
Haarwaschmittel shampoo [ʃæmˈpuː]
Haarwasser hair tonic [ˈheəˌtɒnɪk]
haben 1. have*, have* got; ***er hat kein Geld*** he hasn't got any money, *bes. AE* he doesn't have any money **2.** ***ich habe Hunger*** (*bzw.* ***Durst***) I'm hungry (*bzw.* thirsty); ***wir haben Ferien*** (*oder* ***Urlaub***) we're on holiday (*AE* vacation) **3.** ***sie hat Geburtstag*** it's her birthday; ***welches Datum haben wir heute?*** what's the date today?; ***wir haben Juli*** it's July; ***welche Farbe hat das Auto?*** what colour <u>is</u> the car? **4.** ***er will es so haben*** that's the way he wants it **5.** ***ist das Bild noch zu haben?*** is the painting still available? **6.** ***sie hat dreißig Mitarbeiter unter sich*** she's in charge of thirty employees **7.** ***hast du das gehört?*** did you hear that?; ***sie hätte es machen sollen*** she should have done it **8.** *Wendungen*: ***da hast dus!*** there you are; ***das hast du jetzt davon!*** see?; ***ich habs gleich!*** I'm nearly finished; ***das hätten wir!*** well, that's that; ***ich habs !*** *umg.* I've got it!; ***die Sache hat es in sich*** it's not so easy; ***hab dich nicht so!*** don't make such a fuss
Habgier greed
habgierig greedy
Habicht hawk
Hachse *vom Schwein oder Kalb*: knuckle [⚠ ˈnʌkl]
Hackbraten meat loaf
Hacke[1] **1.** hoe [həʊ] **2.** (≈ *Pickel*) pick, pickaxe, *AE auch* pickax **3.** Ⓐ (≈ *Beil, Axt*) axe, *AE auch* ax
Hacke[2] (≈ *Ferse, Absatz*) heel
hacken 1. hack (*ein Loch*) **2.** *im Garten*: hoe [həʊ] (*Erde, den Boden*) **3.** chop (*Holz, Gemüse*) **4.** (*Vogel*) peck (**nach** at)
Hackepeter raw minced meat mixed with onions [⚠ ˈʌnjənz] and spices
Hacker(in) *Computer*: hacker
Hackfleisch minced meat, mince, *AE* ground meat
Hacksteak beefburger, hamburger
Hafen harbour, port
Hafenanlagen docks
Hafenrundfahrt harbour cruise (*oder* tour)
Hafenstadt port, *am Meer auch*: seaport
Hafenviertel docklands (⚠ *Pl.*), *AE* waterfront [ˈwɔːtəfrʌnt]
Hafer oats (⚠ *Pl.*)

Haferbrei porridge, *AE* oatmeal (porridge)
Haferflocken porridge oats, *AE* rolled oats
Haferl, Häferl *bes.* Ⓐ **1.** (≈ *größere Tasse*) mug **2.** (≈ *Töpfchen, auf das man ein Kleinkind setzt*) potty
Haferschleim(suppe) gruel ['gruːəl]
Haft 1. (≈ *Gewahrsam*) custody ['kʌstədɪ]; ***in Haft*** under arrest, in custody; ***sie wurde gestern aus der Haft entlassen*** she was released (from custody) yesterday **2.** *bei politischen Häftlingen*: detention **3.** (≈ *Gefängnishaft*) imprisonment; ***er wurde wegen Mordes zu zwanzig Jahren Haft verurteilt*** he was sentenced to twenty years' imprisonment for murder
Haftbefehl arrest warrant ['wɒrənt]
haften 1. (≈ *kleben*) stick* (***an*** to) **2.** (*Staub, Geruch usw.*) cling* (***an*** to) **3.** ***haften für*** (≈ *bürgen*) be* liable for, answer for
Haftentlassene(r) released prisoner
Häftling 1. prisoner **2.** ***politischer Häftling*** political detainee [⚠ ˌdiːteɪ'niː]
Haftnotiz self-stick (*oder* self-adhesive) note
Haftpflichtversicherung *für Autofahrer usw.*: third party insurance
Haftung *im juristischen Sinn*: liability; ***Gesellschaft mit beschränkter Haftung*** private limited (liability) company, *AE* close (*oder* closed) corporation
Hagebutte rose hip ['rəʊz‿hɪp]
Hagebuttentee rose hip tea [ˌrəʊz‿hɪp'tiː]
Hagel 1. hail **2.** ***ein Hagel von Protesten*** a volley of protest ['prəʊtest] (⚠ *Sg.*)
Hagelschauer hailstorm
hager lean, gaunt [gɔːnt]
Hahn 1. *Vogel*: cock, *bes. AE* rooster **2.** (≈ *Wasserhahn*) tap, *AE* faucet ['fɔːsɪt]
Hähnchen chicken; ***ein halbes Hähnchen*** half a chicken (⚠ *Wortstellung*)
Hai, Haifisch shark
häkeln crochet [⚠ 'krəʊʃeɪ]
Häkchen *beim Abhaken*: tick, *AE* check
Haken 1. hook (*auch beim Boxen*) **2.** *Zeichen*: tick, *AE* check **3.** ***einen Haken schlagen*** *Hase usw.*: double back **4.** *Wendungen*: ***die Sache muss doch einen Haken haben*** there must be a catch to it somewhere; ***der Haken daran ist*** the only problem (*oder* thing) is
Hakenkreuz swastika ['swɒstɪkə]
halb 1. half [⚠ hɑːf]; ***halb vier*** half past three; ***halb Deutschland*** half of Germany (⚠ *mit* of); ***halb so viel*** half as much; ***das Glas ist halb leer*** the glass is half-empty **2.** ***wir sind halb erfroren*** we almost froze to death; ***ich habe mich halb totgelacht*** I nearly killed myself laughing **3.** ***es ist halb so schlimm*** it's not as bad as all that; ***das ist ja halb geschenkt*** that's dirt cheap **4.** ***halb verhungert*** starving, half-starved
Halbbruder half-brother
Halbdunkel semi-darkness [ˌsemɪ'dɑːknəs], twilight
Halbe *Bier*; *etwa*: pint [paɪnt], pint of beer
halbe(r, -s) 1. half [⚠ hɑːf]; ***eine halbes Pfund*** half a pound; ***eine halbe Stunde*** half an hour; ***zum halben Preis*** for half the price, (at) half-price; ***die halbe Summe*** half the amount **2.** ***das ist nur die halbe Wahrheit*** that's only part of the truth
Halbfinale semi-final [ˌsemɪ'faɪnl]; ***das deutsche Team ist ins Halbfinale gekommen*** the German team has reached the semi-finals (⚠ *Pl.*)
halbieren 1. *allg.*: halve [⚠ hɑːv], divide in half [⚠ hɑːf] **2.** *mit Messer*: cut* in half (*Apfel usw.*) **3.** cut* by half (*Kosten usw.*)
Halbinsel peninsula [pə'nɪnsjʊlə]
Halbjahr half-year; ***im zweiten Halbjahr*** in the last six months
halbjährlich 1. half-yearly **2.** ***die Zahlung erfolgt halbjährlich*** payment is made twice yearly (*oder* every six months)
Halbkreis semicircle ['semɪˌsɜːkl]
Halbkugel hemisphere ['hemɪsfɪə]
Halbmond half moon, crescent [⚠ 'kreznt]
Halbpension half board, *AE* room plus one meal
Halbschuh shoe [ʃuː], low shoe
Halbschwester half-sister
halbseitig: ***halbseitig gelähmt*** paralyzed ['pærəlaɪzd] on one side
halbstündlich 1. half-hourly **2.** ***die Züge fahren halbstündlich*** trains leave every half-hour
halbtags: ***halbtags arbeiten*** work half-days, have* a part-time job
Halbton *Musik*: semitone, *AE* half tone
halbwegs (≈ *leidlich*) fairly, reasonably, (≈ *in etwa*) more or less; ***kannst du dich nicht mal halbwegs normal benehmen?*** can't you try and act like a human being for a change?
Halbzeit 1. *Sport*: half [⚠ hɑːf]; ***in der ersten Halbzeit*** in the first half; ***nach der Halbzeit*** in the second half **2.** *Sport*: (≈ *Pause*) half-time; ***zur Halbzeit steht es 3:0*** the half-time score is 3-0 (⚠ *gesprochen* three nil, *AE* three zero)
Halbzeitstand *Sport*: half-time score

Halfpipe *für Skateboard*, *Snowboard*: half-pipe

Hälfte half [⚠ hɑːf] *Pl.* halves [hɑːvz]; ***die Hälfte*** half of it; ***gib mir die Hälfte*** give me half (of it); ***die Hälfte meiner Zeit*** half (of) my time; ***die andere Wohnung ist um die Hälfte teurer*** the other flat costs half as much again

Hall echo [⚠ 'ekəʊ]

Halle 1. hall **2.** (≈ *Vorhalle*) entrance hall **3.** ***in der Halle spielen*** *Sport*: play indoors [ɪn'dɔːz]

hallen echo [⚠ 'ekəʊ], resound (***von*** with)

Hallenbad indoor (swimming) pool

Hallenfußball five-a-sides, five-a-side football

hallo hello, *umg.* hi

Halluzination hallucination [həˌluːsɪ'neɪʃn]

Halm 1. (≈ *Grashalm*) blade **2.** (≈ *Getreidehalm*) stalk [stɔːk]

Halogenlicht halogen ['hælədʒen] light

Halogenscheinwerfer *Auto*: halogen headlight [ˌhælədʒen'hedlaɪt], *BE auch* halogen headlamp [ˌhælədʒen'hedlæmp]

Hals 1. *als Ganzes*, *einschließlich Nacken*: neck (*auch einer Flasche*, *einer Geige*); ***steifer Hals*** stiff neck; ***er hat sich den Hals gebrochen*** he broke his neck **2.** (≈ *Rachen*, *äußere Kehle*) throat **3.** *Wendungen*: ***es hängt mir zum Hals heraus*** *umg.* I'm sick of it; ***sie ist Hals über Kopf abgereist*** she left in a great hurry

Halsband, **Halskette 1.** necklace [⚠ 'nekləs] **2.** *für Hunde usw.*: collar ['kɒlə]

Hals-Nasen-Ohren-Arzt, **Hals-Nasen--Ohren-Ärztin** ear, nose and throat specialist

Halsschmerzen: ***Halsschmerzen haben*** have* a sore throat

Halstuch neckerchief [⚠ 'nekətʃɪf], scarf *Pl.*: scarfs *oder* scarves [skɑːvz], *vornehmer*: cravat [krə'væt], *AE* ascot ['æskət]

Halt 1. (≈ *Anhalten*, *kurzer Aufenthalt*, *Haltestelle*) stop **2.** (≈ *Stand- oder Grifffestigkeit*) hold, *für die Füße*: foothold **3.** ***ein Mensch ohne Halt*** a disoriented [dɪs'ɔːrɪentɪd] (*oder* an unstable) person **4.** ***Halt machen*** stop, make* a stop; ***er macht vor nichts Halt*** *übertragen* he'll stop at nothing

halt[1]: ***halt!*** stop!, (≈ *warte! usw.*) wait!, (≈ *Moment mal!*) wait a minute

halt[2]: ***da kann man halt nichts machen*** there's nothing you can do; ***das ist halt so*** that's the way it is; ***dann gehe ich halt ins Kino*** I'll go and see a film then

haltbar 1. *Material*: durable, *BE auch* hard-wearing [ˌhɑːd'weərɪŋ], *AE auch* long-wearing **2.** *Lebensmittel*: non-perishable, *Milch*: *bes. BE* long-life (⚠ *nur vor dem Subst.*); ***haltbar bis*** best before; ***haltbar machen*** preserve **3.** *Argument*, *Theorie usw.*: tenable [⚠ 'tenəbl] **4.** ***der (Schuss) war haltbar*** *Kritik an Tormann*: he could have saved that one

Haltbarkeitsdatum best-by date [ˌbest-'baɪ‿deɪt], best-before date [ˌbestbɪ'fɔː‿-deɪt], sell-by date ['selbaɪ‿deɪt], *AE* expiration [ˌekspə'reɪʃn] date

halten 1. *allg.*: hold*; ***er hielt sie bei der Hand*** he was holding her hand **2.** (≈ *etwas in eine gewisse Stellung bringen*) hold*; ***den Kopf hoch halten*** hold* one's head up **3.** (≈ *in einem Zustand halten*) keep*; ***Ordnung halten*** keep* things in order; ***etwas frisch (warm*** *usw.*) ***halten*** keep* something fresh (warm *usw.*); ***du musst dich warm halten*** you've got to keep warm **4.** (≈ *abhalten*) hold* (*Versammlung usw.*) **5.** ***sein Wort*** (*bzw.* ***Versprechen***) ***halten*** keep* one's word (*bzw.* promise) **6.** ***der Torwart hat den Elfmeter gehalten*** the keeper saved the penalty **7.** ***sie hält den Weltrekord im 100-Meter-Lauf*** she holds the world record in the hundred metres **8.** ***eine Rede halten*** give* (*oder* make*) a speech; ***einen Vortrag halten*** give* a lecture **9.** ***ich halte sie für begabt*** I think she's talented; ***für wie alt hältst du sie?*** how old do you think she is?; ***ich habe sie zuerst für ihre Schwester gehalten*** at first I mistook her for her sister **10.** ***was hältst du von der neuen Mathelehrerin?*** what do you think of our new maths teacher?; ***sie hält sehr viel von dir*** she thinks you're great; ***sie hält nichts vom Sparen*** she doesn't believe in saving money **11.** (≈ *fest sein*) hold*; ***so, das dürfte halten!*** well, that should hold now **12.** (≈ *Halt machen*) stop, (*Fahrzeug*) stop, draw* up **13.** (≈ *funktionsfähig bleiben*) last; ***ihr billiges Auto wird nicht lange halten*** her cheap car won't last very long **14.** (*Freundschaft usw.*) last **15.** (***sich***) ***halten*** (*Lebensmittel*) keep*, last **16.** (***sich***) ***halten*** (*Wetter usw.*) hold* **17.** ***sie hat sich gut gehalten*** (≈ *ist wenig gealtert*) she looks good for her age **18.** ***zu jemandem halten*** stand* by someone, *umg.* stick* to someone **19.** ***sich an die Vorschriften*** *usw.* ***halten*** keep* (*oder* stick*) to the rules *usw.* **20.** ***sich bereit halten*** be* ready **21.** ***sich links*** (*bzw.* ***rechts***) ***halten*** keep* to the left (*bzw.* right)

Haltestelle stop

H

Halteverbot: ***er hat im Halteverbot geparkt*** he's parked his car in a no stopping zone
Haltung 1. (≈ *Körperhaltung*) posture [⚠ 'pɒstʃə] **2.** (≈ *Einstellung*) attitude (***zu*** towards) **3.** (≈ *inneres Gleichgewicht*) composure; ***Haltung bewahren*** keep* a stiff upper lip, *im Zorn*: keep* one's cool
Halunke 1. *allg.*: crook, rogue [rəʊg] **2.** *Kind*: rascal ['rɑːskl]
hämisch 1. *allg.*: malicious [mə'lɪʃəs] **2.** ***eine hämische Bemerkung*** a snide remark
Hammel 1. wether **2.** *Fleisch*: mutton
Hammer 1. hammer (*auch Sportgerät*) **2.** ***das ist ein Hammer!*** *umg.* (≈ *ist toll*) that's great, (≈ *ist unerhört*) that's incredible, that's a bit thick
hämmern hammer (*auch mit Faust an Tür*)
Hammerwerfen *Sport*: hammer throwing
Hammerwerfer(in) hammer thrower
Hämoglobin haemoglobin, *AE* hemoglobin [ˌhiːmə'gləʊbɪn]
Hämorrhoiden, **Hämorriden** haemorrhoids ['hemərɔɪdz], *bes. AE* hemorrhoids, *umg.* piles
Hampelmann 1. *Mensch*: sucker **2.** *Spielzeug*: jumping jack ['dʒʌmpɪŋ‿dʒæk]
Hamster hamster
Hamsterkäufe (≈ *Panikkäufe*) panic buying ['pænɪkˌbaɪɪŋ] (⚠ *Sg.*); ***Hamsterkäufe machen*** hoard (food *usw.*)
hamstern hoard [hɔːd]
Hand 1. hand; ***jemandem die Hand geben*** shake* hands with someone; ***sie nahm das Kind an die Hand*** she took the child by the hand **2.** ***eine Hand voll Reis*** (*bzw.* ***Leute***) a handful of rice (*bzw.* of people) **3.** *Wendungen*: ***etwas bei der Hand*** (*oder* ***zur Hand***) ***haben*** have* something handy; ***aus erster*** (*bzw.* ***zweiter***) ***Hand*** first-hand (*bzw.* second-hand); ***unter der Hand*** *verkaufen*: secretly, under the counter, *erfahren*: through unofficial channels; ***es liegt in deiner Hand*** it's up to you; ***zu Händen Herrn X*** attention Mr X (*Abk.* att. *oder* attn Mr X); ***an Hand von*** → ***anhand***
Handarbeit 1. *gestrickte usw.*: needlework (*auch Schulfach*) **2.** *fertiges Produkt*: handmade article; ***ich möchte eine Handarbeit kaufen*** I'd like to buy something handmade **3.** ***es ist alles Handarbeit*** it's all handmade
Handball handball
Handballer(in), **Handballspieler(in)** handball player
Handbewegung (≈ *Geste*) gesture ['dʒestʃə]
Handbremse handbrake, *AE* emergency brake, *AE auch* parking brake
Handbuch 1. *für bestimmte Fachrichtung*: textbook **2.** *mit Anweisungen*: manual
Händedruck handshake
Handel 1. *als Wirtschaftszweig*: commerce [⚠ 'kɒmɜːs], trade **2.** (≈ *Handeln, Warenverkehr*) trade, *an der Börse*: trading (***mit*** in) **3.** *mit Waffen, Drogen*: traffic, trafficking (***mit*** in) **4.** ***im Handel sein*** be* on the market; ***etwas in den Handel bringen*** put* something on the market **5.** ***mit jemandem Handel treiben*** do* business with someone
handeln 1. *allg.*: act; ***du hast richtig gehandelt*** you did the right thing **2.** (≈ *etwas unternehmen*) take* action **3.** *um bessere Bedingungen usw.*: bargain ['bɑːgɪn] (***um*** for), *um den Preis*: bargain (***um*** over), haggle (***um*** over) **4.** *mit Waren*: trade (***mit*** in), deal* (***mit*** in) **5.** ***der Film handelt von Liebe und Eifersucht*** the film is about love and jealousy [⚠ 'dʒeləsɪ] **6.** ***es handelt sich um Folgendes*** the thing is this; ***worum handelt es sich?*** what's the problem?
Handelsabkommen trade agreement
Handelsbarriere trade barrier ['treɪdˌbærɪə]
Handelsschule commercial college, business school
handfest 1. *Person*: sturdy **2.** *Beweis*: tangible ['tændʒəbl], solid ['sɒlɪd] **3.** *Grund*: solid **4.** *Drohung*: serious, severe [sɪ'vɪə]
Handfläche palm [⚠ pɑːm]
Handgelenk wrist [⚠ rɪst]
handgemacht handmade
handgemalt handpainted
Handgepäck hand luggage, hand baggage
handgeschrieben *Brief usw.*: handwritten
Handgranate hand grenade ['hænd‿grəˌneɪd]
Handgriff: ***mit 'einem Handgriff*** with a flick of the wrist [rɪst], (≈ *schnell*) in no time
handhaben 1. handle, deal* with (*Vorschrift usw.*) **2.** operate (*Maschine*) **3.** use, go* about with (*Werkzeug usw.*)
Handheld *Computer*: handheld (computer)
Handicap handicap; ***es stellte sich als großes Handicap heraus*** it proved [pruːvd] to be a big handicap; ***das war für ihn überhaupt kein Handicap*** it was no handicap to him whatsoever
Händler(in) 1. *allg.*: trader (*auch auf Märkten*) **2.** (***Wein***)***Händler*** (wine) merchant **3.** (***Auto***)***Händler*** (car) dealer; ***wenden Sie sich an Ihren Händler*** ask at your local

dealer's **4.** (≈ *Einzelhändler*) retailer [⚠ 'riːteɪlə] **5. *fliegender Händler*** hawker

handlich 1. *Kamera, Gerät, Format usw*: handy **2.** *Auto usw.*: easy to handle (⚠ *immer hinter dem Verb*)

Handlung 1. *eines Romans, Films usw.*: action, story, *im Grundriss*: plot (*auch von Theaterstück*); ***Ort der Handlung ist eine Kirche*** the scene is set in a church **2.** (≈ *Tat*) act **3.** (≈ *Handeln, Vorgehen*) action

Handschellen handcuffs

Handschrift 1. handwriting ['hænd,raɪtɪŋ], hand; ***sie hat eine unleserliche Handschrift*** she has an illegible [ɪ'ledʒəbl] hand **2. *der Banküberfall trägt seine Handschrift*** the bank raid carries his signature ['sɪgnətʃə] **3.** *altes Buch*: manuscript ['mænjʊskrɪpt]

handschriftlich handwritten ['hænd,rɪtn]

Handschuh 1. glove [⚠ glʌv] **2.** (≈ *Fausthandschuh*) mitten

Handspiel *Fußball*: hand ball, hands (⚠ *nur mit Sg.*); ***das war Handspiel*** that was hands

Handstand handstand

Handsteuerung manual control [,mænjʊəl‿kən'trəʊl]

Handtasche handbag, *AE auch* purse, *AE auch* pocketbook

Handtasche usw.

	BE	*AE*
Handtasche	**handbag**	*auch* **purse**
Geldbeutel	**purse**	**change purse**
Brieftasche	**wallet**	*auch* **pocketbook**
Aktentasche	**briefcase**	**briefcase**

Handtuch towel ['taʊəl]

Handwerk 1. *ein bestimmtes*: trade, *bes. Kunsthandwerk*: craft; ***ein Handwerk lernen*** learn* a trade **2. *das Handwerk*** *im Gegensatz zur Industrie usw.*: the craft, the trade **3. *er versteht sein Handwerk*** he knows his business

Handwerker 1. workman ['wɜːkmən]; ***morgen kommen die Handwerker*** we're having the workmen in tomorrow **2.** *künstlerischer*: craftsman ['krɑːftsmən]

Handwerker

Im Englischen verwendet man meist nicht den allgemeinen Begriff „Handwerker", sondern konkretisiert, um welchen Handwerksberuf es sich tatsächlich handelt: **plumber** ['plʌmə] (Klempner), **electrician** [ɪ,lek'trɪʃn] (Elektriker), **decorator** ['dekəreɪtə] / **painter** (Maler) *usw.* Dies ist ein Beispiel dafür, wie trotz prinzipiell gleicher Ausdrucksmöglichkeiten zwei Sprachen unterschiedlichen Gebrauch von bestimmten Wörtern machen.

handwerklich: ***ein handwerklicher Beruf*** a skilled trade

Handwerkszeug 1. (≈ *Arbeitsgerät*) tools (⚠ *Pl.*) **2. *Fremdsprachenkenntnisse gehören zum Handwerkszeug eines Wissenschaftlers*** a knowledge of foreign languages is part of a scientist's stock-in-trade ['stɒkɪntreɪd]

Handy mobile (phone), *AE auch* cell(ular) phone (⚠ *engl.* handy = ***handlich***)

Handzettel leaflet, flyer

Hanf hemp

Hang 1. *eines Berges, Hügels*: slope **2.** *übertragen* (≈ *Neigung*) inclination (***zu*** to), tendency (***zu*** towards) **3.** (≈ *Vorliebe*) penchant ['pɑ̃ʃɑ̃] (***zu*** for) **4.** (≈ *Anfälligkeit*) proneness (***zu*** to)

Hang

In der übertragenen Bedeutung wird „Hang" oft durch eine englische Verbkonstruktion ausgedrückt, z. B. „er hat einen Hang zum Übertreiben" **he's inclined** (*oder* **he tends**) **to exaggerate** [ɪg'zædʒəreɪt].

Hangar *für Flugzeuge, Luftschiffe*: hangar [⚠ 'hæŋə]

Hängebrücke suspension bridge [sə'spenʃn‿brɪdʒ]

Hängematte hammock ['hæmək]

hängen 1. hang*; ***das Bild hängt an der Wand*** the picture is hanging on the wall; ***die Lampe hängt an der Decke*** the lamp is hanging from the ceiling; ***in der National Gallery hängen einige Bilder von Constable*** there are a number of Constables (*oder* paintings by Constable ['kɒnstəbl]) (hanging) in the National Gallery **2. *ein Bild an die Wand hängen*** put* a picture on the wall **3. *das Bild hängt schief*** the picture isn't straight **4. *sie hängt dauernd am Telefon*** she's on the phone all day **5. *sie hängt sehr an ihrem Vater*** she's very attached to her father; ***er hängt sehr an der Musik*** he's devoted to music **6. *das hängt jetzt ganz***

an dir it depends entirely on you now **7.** ***jemanden hängen*** (≈ *hinrichten*) hang someone; ***er wurde gehängt*** he was hanged

> **hängen bleiben 1.** ***sie blieb mit dem Rock am Zaun hängen*** she got her skirt caught on the fence **2.** ***wir wollten eigentlich nach Dublin, sind dann aber hier hängen geblieben*** *umg.* we actually wanted to go to Dublin, but we got stuck here **3.** ***von Latein ist bei mir nicht viel hängen geblieben*** I can't remember much of what we learnt in Latin

H

hänseln: ***er hänselt sie immer wegen ihrer O-Beine*** he's always teasing her because of her bandy legs
Hanswurst *umg.* fool, idiot ['ɪdiət]
Hantel dumbbell [⚠ 'dʌmbel]
Happen bite (to eat); ***einen Happen essen*** have* a bite
Happy End happy ending
Hardcover *Buch*: hardcover
Hardliner(in) hardliner
Hardware *Computer*: hardware
Harem harem ['hɑːrəm]
Harfe harp
Harke 1. rake **2.** ***jemandem zeigen, was eine Harke ist*** *übertragen* tell* someone what's what
harmlos 1. *Mensch, Tier, Vergnügen usw.*: harmless **2.** *Miene*: innocent ['ɪnəsənt]
Harmonie harmony ['hɑːmənɪ]
Harn urine ['jʊərɪn]
Harpune harpoon [hɑː'puːn]
hart 1. *Boden, Holz, Käse, Wasser, Winter usw.*: hard (*auch Arbeit, Leben, Droge*); ***zu jemandem hart sein*** be* hard on someone; ***hart arbeiten*** work hard (⚠ *nicht* hardly) **2.** ***ein harter Schlag*** *übertragen* a heavy blow **3.** *Bursche, Kerl usw.*: (≈ *zäh*) tough [⚠ tʌf] **4.** *Arbeit, Verhandeln, Standpunkt*: tough **5.** *Strafe*: severe [sɪ'vɪə], harsh; ***jemanden hart bestrafen*** punish someone hard (⚠ *nicht* hardly) *oder* severely **6.** ***harte Sachen*** (≈ *Alkohol*) the hard stuff **7.** ***ein hartes*** (*oder* ***hart gekochtes***) ***Ei*** a hard-boiled egg **8.** *Währung*: hard, stable **9.** *Licht, Stimme, Aussprache, Realität*: harsh **10.** *Sport, Gegner*: rough [⚠ rʌf]
Härte 1. *des Bodens, von Material*: hardness **2.** (≈ *Zähigkeit, Brutalität*) toughness [⚠ 'tʌfnəs] **3.** (≈ *Strenge*) severity [sɪ'verətɪ] **4.** *des Lebens*: hardship; ***soziale Härte*** social hardship **5.** *im Sport*: tough play **6.** ***mit aller Härte*** *neutral*: extremely hard, (≈ *verbissen*) fiercely, (≈ *erbarmungslos*) relentlessly, (≈ *drastisch*) drastically
Härtefall 1. case of hardship **2.** ***sie ist ein Härtefall*** she's a hardship case
härten 1. ***etwas härten*** harden something **2.** temper (*Stahl*) **3.** (≈ *hart werden*) harden, grow* hard
Härtetest 1. endurance test [ɪn'djʊərəns-test] **2.** *übertragen* acid test [ˌæsɪd'test]
hartherzig hard-hearted, unfeeling
Hartkäse hard cheese
hartnäckig 1. *Mensch, Widerstand*: stubborn ['stʌbən] (*auch Krankheit*) **2.** (≈ *beharrlich*) persistent [pə'sɪstənt]
Hartnäckigkeit 1. (≈ *Eigensinn*) stubbornness ['stʌbənnəs] **2.** (≈ *Ausdauer*) persistence [pə'sɪstəns], doggedness [⚠ 'dɒgɪdnəs]
Hartwurst dry sausage ['sɒsɪdʒ]
Harz resin [⚠ 'rezɪn]
Hascherl: ***armes Hascherl*** *bes.* Ⓐ poor little thing
Haschisch hashish, cannabis, *salopp* pot
Hase 1. *Tier*: hare **2.** ***er ist ein alter Hase*** *übertragen, umg.* he's an old hand
Haselnuss hazelnut ['heɪzlnʌt]
Hass 1. hatred [⚠ 'heɪtrɪd], hate (***auf, gegen*** for); ***aus Hass*** out of hatred **2.** ***einen Hass kriegen*** *umg.* see* red, go* wild
hassen hate, (≈ *verabscheuen*) loathe [⚠ ləʊð], detest [dɪ'test]
hässlich 1. *dem Aussehen nach*: ugly; ***ein hässlicher Anblick*** an ugly sight **2.** *Handlung, Person*: nasty ['nɑːstɪ]; ***sich hässlich benehmen*** be* nasty, behave nastily **3.** *Wetter*: awful ['ɔːfl], nasty
Hast hurry ['hʌrɪ], hurrying; ***ohne Hast*** without hurrying; ***in großer Hast*** in a great hurry
hasten hurry ['hʌrɪ], (≈ *rennen*) rush, race
hastig 1. hurried ['hʌrɪd], (≈ *voreilig*) rash **2.** (≈ *schlampig*) slapdash **3.** ***etwas hastig tun*** do* something quickly (*oder* in a hurry) **4.** ***nicht so hastig!*** hang on a minute!
hatschen *bes.* Ⓐ **1.** (≈ *schleppend gehen*) shuffle **2.** (≈ *hinken*) limp
Haube 1. *eines Babys*: bonnet **2.** *einer Krankenschwester*: cap **3.** (≈ *Kapuze*) hood **4.** (≈ *Motorhaube*) bonnet, *AE* hood
hauchdünn 1. *Schicht, Scheibe*: wafer-thin **2.** *Gewebe*: flimsy **3.** *Strumpf, Kondom*: sheer **4.** *Mehrheit, Vorsprung*: very slim
hauchen breathe [briːð]
Haue: ***Haue kriegen*** get* a spanking
hauen 1. ***jemanden hauen*** hit* someone, *Kindersprache*: smack someone **2.** (≈ *ha-*

cken) chop (*Holz*), chop down (*Bäume*) **3.** carve (*Statue aus einem Stein*) **4.** *mit Werkzeug*: cut*, make* (*Loch usw.*) **5.** ***jemandem ins Gesicht hauen*** hit* (*oder* slap) someone in the face **6.** ***auf den Tisch hauen*** bang the table

Haufen **1.** *von gleichen Dingen, z.B. Bücher, Teller*: pile; ***ein Haufen Zeitungen*** a pile of papers **2.** *größer und ungeordnet*: heap **3.** (≈ *große Menge*) a lot of, lots of, *umg.* loads of, piles of; ***sie hat einen Haufen Freunde*** *umg.* she's got a lot of (*oder* lots of) friends; ***ein Haufen Arbeit*** *umg.* a pile of (*oder* piles of) work; ***ein Haufen Leute*** crowds of people; ***er hat einen Haufen Geld*** *umg.* he's got heaps of money; ***es hat einen Haufen Geld gekostet*** *umg.* it cost a packet **4.** *Wendungen*: ***jemanden über den Haufen fahren*** *umg.* knock someone down; ***sie hat ihre Pläne bald wieder über den Haufen geworfen*** *umg.* she soon threw her plans overboard

häufen: ***die Beschwerden häufen sich*** more and more complaints are coming in; ***die Todesfälle häufen sich*** the number of deaths is going up

haufenweise: ***er hat haufenweise CDs*** *umg.* he's got masses of CDs; ***die Leute kamen haufenweise*** *umg.* masses of people turned up

häufig **1.** frequent ['fri:kwənt], (≈ *weit verbreitet*) widespread; ***ein häufiger Besucher*** a frequent visitor; ***ein häufiger Fehler*** a common mistake; ***häufiger werden*** be* on the increase [⚠ 'ɪŋkri:s] **2.** ***das passiert ziemlich häufig*** that happens quite often (*oder umg.* a lot)

Häufigkeit frequency ['fri:kwənsɪ]

Haupt... *in Zusammensetzungen*: main, chief, principal; ***Hauptaufgabe*** main task; ***Hauptberuf, Hauptbeschäftigung*** main job; ***Hauptbestandteil*** main ingredient; ***Haupteingang*** main entrance; ***Hauptfigur*** main character; ***Hauptfilm*** main feature; ***Hauptgebäude*** main building; ***Hauptgedanke*** main idea; ***Hauptgericht*** *beim Essen*: main course; ***Hauptgewicht*** main emphasis ['emfəsɪs]; ***Hauptgrund*** main reason; ***Hauptmahlzeit*** main meal; ***Hauptmenü*** *Computer*: main menu; ***Hauptmerkmal*** main feature, chief characteristic; ***Hauptproblem*** main problem; ***Hauptpunkt*** main point, main issue; ***Hauptregel*** principal rule; ***Hauptschwierigkeit*** main (*oder* chief) difficulty; ***Hauptsorge*** main (*oder* chief) concern; ***Hauptstraße*** main street; ***Haupttätigkeit*** main job, main duty; ***Hauptthema*** main subject, *Musik*: principal theme; ***Hauptunterschied*** main difference; ***Hauptverkehrsstraße*** main road, *Durchgangsstraße*: main thoroughfare ['θʌrəfeə]; ***Hauptwaschgang*** main wash; ***Hauptwohnsitz*** main residence; ***Hauptzeuge*** chief witness; ***Hauptzweck*** main purpose

Hauptbahnhof main station, central station

Hauptdarsteller leading actor, lead

Hauptdarstellerin leading lady, lead

Häuptelsalat Ⓐ lettuce ['letɪs]

Hauptfach main subject, *AE* major

Hauptgewinn first prize (⚠ *mit* z)

Häuptling *eines Stammes usw.*: chief [tʃi:f]

Hauptmann *Militär*: captain ['kæptɪn]

Hauptperson **1.** main (*oder* central) figure **2.** *Theater, Film usw.*: main character, hero ['hɪərəʊ], *Frau*: heroine [⚠ 'herəʊɪn] **3.** ***sie will immer die Hauptperson sein*** she always wants to be number one (*oder* the centre of attention)

Hauptpostamt main post office, *AE* general post office

Hauptquartier headquarters; ***das Hauptquartier ist in Wien*** the headquarters are (*seltener*: is) in Vienna

Hauptrolle **1.** *Theater, Film*: leading role [ˌli:dɪŋ'rəʊl], main part, lead [li:d]; ***die Hauptrolle spielen*** play the leading role (*oder* the main part *usw.*) **2.** ***von allen Staatsoberhäuptern spielte er die Hauptrolle*** *politisch*: he was the central figure [ˌsentrəl'fɪgə] among all the heads of state **3.** (*Stress, Übergewicht, Alkohol usw.*) ***spielt die Hauptrolle*** (*stress, overweight, alcohol usw.*) is the most important factor

Hauptsatz *Grammatik*: main clause [ˌmeɪn'klɔ:z]

Hauptsache main thing, most important thing; ***das ist die Hauptsache*** that's what matters most; ***Hauptsache, sie gewinnt*** the main thing is that she wins

hauptsächlich: ***sie interessiert sich hauptsächlich für Kleider*** she's mainly interested in clothes [kləʊ(ð)z]

Hauptsaison high season [ˌhaɪ'si:zn], peak season

Hauptschule *etwa*: secondary modern school (⚠ *diesen Schultyp gibt es in GB nicht mehr*), *AE etwa*: junior high school

Hauptspeicher *Computer*: main memory

Hauptstadt capital ['kæpɪtl]

Hauptstraße main street

Hauptverkehrszeit rush hour

Hauptwort noun

H

Häuser und Wohnungen

block of flats, *AE* **apartment house**	Hochhaus
flat, *AE* **apartment**	Wohnung, Apartment
bedsit	möbliertes Zimmer, Einzimmerapartment
terrace(d) house, *AE* **row house**	Reihenhaus
BE **end-of-terrace house**	Reiheneckhaus
semi-detached (house), *umg.* **semi**, *AE* **duplex**, **double**	Doppelhaushälfte
detached house	alleinstehendes Haus, Einzelhaus

Haus 1. house [haʊs] *Pl.*: houses [⚠ 'haʊzɪz]; ***von Haus zu Haus*** from door to door; ***wir wohnen Haus an Haus*** we're next-door neighbours; ***das kommt mir nicht ins Haus!*** I'm not having that in the house **2.** (≈ *Gebäude*) building **3.** (≈ *Heim*) home; ***zu Hause*** at home; ***ist John zu Hause?*** (≈ *daheim*) is John at home?, (≈ *im Haus*) is John in?; ***wir sind wieder zu Hause*** we're back home again; ***nach Hause gehen*** go* home; ***er brachte sie nach Hause*** he took her home; ***sie ist in Genf zu Hause*** she comes from Geneva [dʒə'niːvə]; ***tu, als ob du zu Hause wärst!*** make yourself at home; ***bei uns zu Hause*** (≈ *in meiner bzw. unserer Heimat*) where I (*bzw.* we) come from, (≈ *in meiner bzw. unserer Familie*) in my (*bzw.* our) family, (≈ *in unserem Haus, in unserer Wohnung, unserer Stadt usw.*) at our place **4. *das erste Haus am Platz*** the best hotel (*bzw.* restaurant *bzw.* store) in town **5. *wir haben immer volles Haus*** *Theater usw.*: we're always sold out **6. *sie ist aus gutem Hause*** she comes from a good family

Hausarbeit 1. (≈ *Arbeiten im Haushalt*) housework (⚠ *nur im Sg. und ohne* a) **2.** (≈ *Hausaufgabe*) homework (⚠ *nur im Sg. und ohne* a) **3.** *im Studium*: paper, *AE auch* research [rɪ'sɜːtʃ] paper

Hausarzt, **Hausärztin** family doctor, *BE etwa*: GP [ˌdʒiː'piː]

Hausaufgabe homework; ***ich muss noch meine Hausaufgaben machen*** *wörtlich* I've still got to do my homework (*umg. auch* prep) (⚠ *kein Pl.*)

Hausbesetzer(in) squatter ['skwɒtə]

Hausbesitzer(in) house owner, (≈ *Vermieter*) landlord, (≈ *Vermieterin*) landlady

Hausbewohner(in) occupant ['ɒkjʊpənt], (≈ *Mieter, -in*) tenant ['tenənt]

Häuschen 1. small house, *auf dem Land*: cottage **2. *sie war ganz aus dem Häuschen*** *vor Freude*: she was all excited, *umg.* she was over the moon

Häusel *bes.* Ⓐ (≈ *Toilette*) loo

Häuserblock block (of houses [⚠ 'haʊzɪz])

Hausflur hall, *bes. AE* hallway

Hausfrau housewife, *AE auch* homemaker

Hausgebrauch: ***für den Hausgebrauch reichts*** it's enough to get by on

hausgemacht homemade (*auch Problem*)

Haushalt 1. *allg.*: household **2. *sie führt ihm den Haushalt*** she keeps house for him; ***er hilft mit im Haushalt*** he helps in the house **3.** (≈ *Arbeiten in einem Haushalt*) housekeeping **3.** *eines Staates*: budget ['bʌdʒɪt]

Haushälterin housekeeper

Haushaltsloch budget deficit ['bʌdʒɪtˌdefəsɪt]

Hausherr 1. (≈ *Vermieter*) landlord **2.** (≈ *Eigentümer*) owner **3.** (≈ *Gastgeber*) host

Hausherrin 1. (≈ *Vermieterin*) landlady **2.** (≈ *Eigentümerin*) owner **3.** (≈ *Gastgeberin*) hostess ['həʊstɪs], lady of the house

haushoch very high, huge [hjuːdʒ], *übertragen* vast, enormous [ɪ'nɔːməs]; ***ein haushoher Sieg*** a smashing (*oder* sweeping, crushing) victory; ***eine haushohe Niederlage*** a crushing defeat; ***haushoch gewinnen*** win* hands down; ***haushoch verlieren*** suffer a crushing defeat; ***sie ist ihm haushoch überlegen*** he's no match for her

Hausierer(in) hawker, *BE auch* pedlar, *AE auch* peddler

Häusl *bes.* Ⓐ (≈ *Toilette*) loo

häuslich 1. *allg.*: domestic [də'mestɪk] **2. *er ist ein häuslicher Typ*** he's quite domesticated (*oder* happy to be at home)

Hausmann house husband

Hausmeister(in) caretaker, *bes. AE* janitor

Hausmittel *Medizin*: household remedy

Hausordnung (house) rules (⚠ *Pl.*)

Hausschlüssel doorkey, front-door key

Hausschuhe slippers

Haussuchung house search

Haussuchungsbefehl search warrant ['sɜːtʃˌwɒrənt]
Haustier 1. *von Tierliebhaber(in)*: pet **2.** *Nutztier, Stück Vieh*: domestic animal
Haustür front door
Haut 1. *von Mensch, Tier*: skin (*auch von Wurst und auf der Milch*); ***bis auf die Haut durchnässt*** soaked to the skin **2.** *abgezogene Haut eines größeren Tieres*: hide **3.** *einer Frucht*: skin, *falls entfernt*: peel **4.** (≈ *Gesichtshaut*) complexion
Hautarzt, Hautärztin dermatologist [ˌdɜːmə'tɒlədʒɪst], skin specialist
Hautcreme skin cream
hauteng *Kleidung*: skin-tight
Hautfarbe colour ['kʌlə]
Hautkrankheit skin disease ['skɪn‿dɪˌziːz]
Hautkrebs skin cancer ['skɪnˌkænsə]
hautnah 1. *umg., übertragen* (≈ *anschaulich*) vivid ['vɪvɪd], graphic **2.** ***wir haben es hautnah miterlebt*** it happened right in front [frʌnt] of our eyes
Havarie Ⓐ **1.** (≈ *Unfall auf Straße*) crash **2.** (≈ *Unfallschaden*) damage ['dæmɪdʒ]
Hebamme midwife *Pl.*: midwives
Hebel 1. *Stange zum Heben schwerer Gegenstände*: lever ['liːvə] **2.** *an Maschine usw.*: handle, lever **3.** ***er hat alle Hebel in Bewegung gesetzt*** *übertragen* he did everything in his power
heben 1. lift (*Gegenstand, Arm usw.*) **2.** raise (*Arm usw., Glas, Wrack*) **3.** (≈ *hochwinden*) hoist **4.** (≈ *verbessern*) raise, improve (*Niveau, Qualität*) **5.** ***sich heben*** (*Vorhang usw.*) rise*, go* up **6.** ***sich heben*** (*Nebel usw.*) lift
hebräisch, Hebräisch Hebrew ['hiːbruː]
Hecht *Fisch*: pike
hechten 1. *ins Wasser*: do* a racing dive **2.** *beim Turnen*: do* a long-fly **3.** *als Torwart*: dive (***nach*** for)
Heck 1. *von Schiff*: stern **2.** *von Flugzeug*: tail **3.** *von Auto*: rear
Heckantrieb rear-wheel drive
Hecke hedge, *lange*: hedgerow ['hedʒrəʊ]
Heckklappe *Auto*: tailgate
Heer (≈ *Landtruppen*) army
Hefe yeast [jiːst]
Heft 1. *in Schule*: exercise book **2.** *einer Zeitschrift*: number, issue ['ɪʃuː]
heften 1. (≈ *befestigen*) fix (***an*** on, onto) **2.** *mit Reißzwecken, Stecknadeln*: pin (***an*** on, onto) **3.** *mit Klammer*: clip (***an*** on, onto)
Hefter 1. *zum Zusammenklammern von Seiten*: stapler ['steɪplə] **2.** (≈ *Ordner*) file
heftig 1. *Sturm, Stoß, Angriff usw.*: violent ['vaɪələnt] **2.** *Schlag, Regen usw.*: heavy ['hevɪ] **3.** *Streit, Kritik, Kämpfe usw.*: fierce [fɪəs] **4.** *Schmerz*: severe [sɪ'vɪə] **5.** *salopp* (≈ *super, spitze*) brilliant, *bes. AE* awesome ['ɔːsəm] **6.** ***dann wurde sie ziemlich heftig*** and then she got quite upset [ʌp'set]
Heftklammer 1. (≈ *Büroklammer*) paper clip **2.** *die Papier durchbohrt*: staple
Heftpflaster plaster, *AE* Band-Aid®
Hehler(in) receiver of stolen goods, *umg.* fence
Heide[1] *die* heath [hiːθ], heathland (⚠ *ohne* a)
Heide[2] *der* heathen ['hiːðn]
Heidekraut heather [⚠ 'heðə]
Heidelbeere bilberry ['bɪlbərɪ], *in Amerika und Schottland mst.*: blueberry
heidnisch heathen ['hiːðn]; ***heidnische Bräuche*** pagan ['peɪgən] rites
heikel 1. *Angelegenheit usw.*: awkward ['ɔːkwəd], *Problem*: tricky; ***ein heikles Thema*** a delicate ['delɪkət] subject **2.** ***sie ist sehr heikel*** *beim Essen*: she's very fussy about her food, (≈ *sehr wählerisch*) she's hard to please
heil 1. *Person*: unhurt, unharmed **2.** *Sache*: undamaged, intact
Heilanstalt 1. sanatorium **2.** *für Geisteskranke*: mental (*oder* psychiatric [ˌsaɪkɪ'ætrɪk]) hospital ['hɒspɪtl]
heilbar curable ['kjʊərəbl]; ***nicht heilbar*** incurable
Heilbutt halibut ['hælɪbət]
heilen 1. cure (*jemanden, eine Krankheit*), heal (*eine Wunde*) **2.** ***die Wunde heilt schon*** the wound is already healing (up)
heilfroh: ***ich war heilfroh, als ich den Weg wiedergefunden hatte*** I was really glad (*BE auch* jolly glad) to have found the path again
Heilgymnastik physiotherapy [ˌfɪzɪə'θerəpɪ], *AE* physical therapy
heilig 1. holy; ***der Heilige Vater*** the Holy Father; ***die Heilige Schrift*** the (Holy) Scriptures (⚠ *Pl.*), the Bible; ***der Heilige Geist*** the Holy Spirit, the Holy Ghost **2.** *ein Ort usw.*: (≈ *Gott geweiht*) sacred ['seɪkrɪd] **3.** *vor Eigennamen*: Saint (*Abk.*: St); ***der heilige Martin*** St Martin [⚠ snt'mɑːtɪn]
Heiligabend Christmas Eve [ˌkrɪsməs'iːv]
Heilige(r) saint; → ***heilig***
Heiligtum *Stätte*: (holy) shrine
Heilmittel remedy ['remədɪ], cure (***gegen*** for)
Heilpraktiker(in) non-medical practitioner
heilsam *Erfahrung, Klima*: salutary [⚠ 'sæljʊtərɪ]
Heilung 1. cure **2.** (≈ *das Heilen*) *von*

Krankheiten: curing, *von Wunden*: healing **3.** (≈ *Genesung*) recovery

heim (≈ *nach Hause*) home

Heim 1. home (*auch Anstalt*) **2.** (≈ *Studentenheim*) students' hostel ['hɒstl], *bes. auf Universitätsgelände*: hall of residence ['rezɪdəns], *AE* dormitory **3.** (≈ *Vereinsheim*) club, clubhouse **4.** (≈ *Obdachlosenheim*) shelter **5.** (≈ *Erholungsheim*) recreation centre [ˌrekrɪ'eɪʃnˌsentə]

Heimat 1. *allg.*: home; ***fern der Heimat*** far from home; ***in der Heimat*** back home; ***Bayern ist die Heimat der Weißwurst*** Bavaria is the home of veal sausage **2.** (≈ *Heimatland*) home country **3.** (≈ *Heimatort*) *Stadt*: home town, *Dorf*: home village

Heimat

„Heimat" wird mit **home** nicht optimal wiedergegeben, denn es gibt im Englischen keine genaue Entsprechung. Deshalb wurde z. B. der Titel der Fernsehserie „Heimat" (die in Großbritannien großen Anklang fand) beibehalten.

Heimatland home country, homeland

heimatlos 1. homeless **2.** (≈ *ausgestoßen*) outcast

Heimatort *Stadt*: home town, *Dorf*: home village

Heimatvertriebene(r) displaced person, expellee [⚠ ɪkˌspel'iː]

heimisch 1. *Bevölkerung, Brauchtum, Gewerbe usw.*: local ['ləʊkl] **2.** *Pflanzen, Tiere*: native, indigenous [ɪn'dɪdʒənəs] (***in*** to) **3.** ***sich heimisch fühlen*** feel* at home

Heimkehr return (home)

heimkehren, heimkommen come* (*oder* return) home, come* back

heimlich 1. secret ['siːkrət] **2.** ***sie haben heimlich geheiratet*** they were secretly married; ***er hat es heimlich getan*** *umg.* he did it on the quiet

Heimniederlage *Sport*: home defeat

Heimreise journey ['dʒɜːnɪ] home, return trip

Heimsieg *Sport*: home win [ˌhəʊm'wɪn]

Heimspiel *Sport*: home game [ˌhəʊm'geɪm]

heimtückisch 1. *bes. Krankheit*: insidious [ɪn'sɪdɪəs] **2.** (≈ *boshaft*) malicious **3.** *Mord usw.*: treacherous [⚠ 'tretʃərəs]

Heimvorteil home advantage [ˌhəʊm‿əd'vɑːntɪdʒ] (*auch übertragen*)

heimwärts homeward(s) ['həʊmwəd(z)]

Heimweg way home; ***sich auf den Heimweg machen*** set* off (for) home

Heimweh homesickness; ***sie hat Heimweh*** (***nach Irland***) she's homesick (<u>for</u> Ireland)

Heimwerkermarkt DIY [ˌdiːaɪ'waɪ] store, *AE* home improvement center

Heirat marriage ['mærɪdʒ]

heiraten get* married, *förmlich*: marry; ***sie haben geheiratet*** they got married; ***Anne heiratet Tom*** Anne is getting married to Tom; ***sie hat Tom geheiratet*** she married Tom

Heiratsantrag 1. (marriage ['mærɪdʒ]) proposal **2.** ***er hat ihr einen Heiratsantrag gemacht*** he proposed to her

heiser hoarse [hɔːs], (≈ *belegt*) husky; ***mit heiserer Stimme*** <u>in</u> a hoarse voice

heiß 1. *allg.*: hot; ***mir ist heiß*** I'm hot, I feel hot; ***mir wird heiß*** I'm getting hot; ***glühend heiß*** *Sonne, Klima usw.*: scorching (hot); ***heiße Musik*** hot sounds (*oder* rhythms ['rɪðəmz]); ***ein heißer Tipp*** a hot tip **2.** *Liebesaffäre usw.*: passionate ['pæʃnət] **3.** *Diskussion, Kämpfe usw.*: heated, fierce [fɪəs] **4.** ***ein heißes Thema*** a highly controversial issue **5.** ***echt heiß!*** *salopp* well cool!, *AE* awesome!; ***das ist ein heißer Typ!*** *salopp* what a hunk!; ***eine heiße Frau!*** *salopp* what a woman! **6.** ***das macht mich nicht heiß*** *umg.* that doesn't turn me on **7.** ***sie liebt ihn heiß und innig*** she loves him madly (*oder* dearly)

heißen 1. be* called; ***ich heiße Barbara*** my name's Barbara; ***wie heißen Sie?*** what's your name?; ***wie heißt das?*** what's that called?; ***wie heißt sie mit Nachnamen?*** what's her surname?; ***wie heißt … auf English?*** what's the English for … ?, what's … in English? **2.** ***das heißt*** (*Abk.* ***d.h.***) that is, that is to say (*Abk.* i e) **3.** (≈ *bedeuten*) mean*; ***das soll nicht heißen, dass*** that doesn't mean that; ***was soll das eigentlich heißen?*** what's this all about? **4.** ***es heißt in dem Brief*** it says in the letter

Heißluft hot air

heiter 1. (≈ *fröhlich*) cheerful **2.** *Geschichte usw.*: amusing, funny **3.** (≈ *sonnig*) bright; ***heiter bis wolkig*** *Wetter*: fair to cloudy; ***aus heiterem Himmel*** out of the blue **4.** ***das kann ja*** (***noch***) ***heiter werden*** (it) looks like we're in for some fun and games

Heiterkeit 1. (≈ *Fröhlichkeit*) cheerfulness **2.** ***zur allgemeinen Heiterkeit*** to everybody's amusement

heizen 1. heat (*ein Zimmer usw.*) **2.** fire (*einen Ofen*) **3.** ***wir heizen schon*** we've already got the heating on

Heizkissen electric heating pad [ɪˌlektrɪk'hiːtɪŋ‿pæd]
Heizkörper radiator ['reɪdɪeɪtə]
Heizkosten heating costs
Heizung heating
Hektik hectic atmosphere ['ætməsfɪə]; ***nur keine Hektik!*** *umg.* take it easy
hektisch 1. hectic **2.** *Person*: nervous ['nɜːvəs]
Held hero ['hɪərəʊ] *Pl.*: heroes
heldenhaft heroic [hə'rəʊɪk]
Heldentat heroic deed
Heldin heroine [⚠ 'herəʊɪn]
helfen 1. help; ***jemandem bei etwas helfen*** help someone with something; ***sie hat mir beim Abspülen geholfen*** she helped me with the washing-up; ***kann ich irgendwie helfen?*** is there anything I can do? **2.** ***Vitamin C hilft gegen Schmerzen*** vitamin C is good for pain **3.** ***sie weiß sich zu helfen*** she can manage (*oder* cope) **4.** ***es hilft nichts*** it's no use [juːs]; ***da hilft kein Jammern*** it's no use complaining
Helfer(in) 1. *allg.*: helper **2.** (≈ *Gehilfe*) assistant (⚠ *mit* -ant *geschrieben*)
Helfershelfer(in) *eines Verbrechers*: accomplice [⚠ ə'kʌmplɪs], *umg.* stooge
hell 1. *Licht, Himmel*: bright; ***es wird hell*** *morgens*: it's getting light, *nach Gewitter usw.*: it's brightening up; ***es ist schon hell*** *morgens*: it's light already; ***der Mond leuchtete hell*** the moon was shining bright **2.** *Farbe*: light **3.** *Hautfarbe*: fair, light **4.** *Kleidung*: light-coloured **5.** *Klang*: clear **6.** ***helles Bier*** *etwa*: lager ['lɑːgə], *AE* beer **7.** ***er ist ein heller Kopf*** he's a bright young spark, he's got brains **8.** ***das ist heller Wahnsinn*** that's sheer madness
hellblau light blue
hellblond blond(e), very fair
Helle(s) *Bier*; *etwa*: lager ['lɑːgə], *AE* beer
hellgelb pale yellow, straw yellow
hellgrün light green
hellhörig 1. ***da wurde sie hellhörig*** that made her prick up her ears **2.** *Wand*: wafer-thin **3.** *Haus*: badly sound-proofed; ***das Haus ist sehr hellhörig*** you can hear virtually everything in this house
Helligkeit brightness (*auch von Fernseher*)
hellrot light red
hellsehen: ***sie kann hellsehen*** she's got second sight
Hellseher(in) clairvoyant [kleə'vɔɪənt]
hellwach wide awake, *vor dem Subst.*: wide-awake
Helm helmet ['helmɪt]
Hemd shirt
hemmen 1. (≈ *aufhalten*) check (*auch den Fortschritt*), *ganz*: stop **2.** (≈ *behindern*) impede, hamper **3.** ***sich gegenseitig hemmen*** hold* each other back; → ***gehemmt***
Hemmung 1. (≈ *Scheu*) inhibition; ***er hat Hemmungen*** he's inhibited **2.** *moralische*: scruple; ***sie hatte keine Hemmungen, ihn zu betrügen*** she had no scruples about deceiving him
hemmungslos 1. *Gewalt, Zorn usw.*: unrestrained **2.** *Mensch*: unscrupulous [ʌn'skruːpjʊləs]
Hendl chicken ['tʃɪkɪn]
Hengst stallion ['stæljən]
Henkel handle
Henker executioner [ˌeksɪ'kjuːʃnə]
Henne hen
Hepatitis *Krankheit*: hepatitis [ˌhepə'taɪtɪs]
her 1. (≈ *hierher*) here **2.** ***von oben*** (*bzw.* ***unten***) ***her*** from above (*bzw.* below); ***er ist von weit her gekommen*** he's come a long way **3.** ***vom Inhalt her*** as far as the content ['kɒntent] goes **4.** ***her damit!*** let's have it!, *drohend*: hand it over!

> **her sein 1.** ***das ist lange*** (*bzw.* ***jetzt zehn Jahre***) ***her*** that was a long time ago (*bzw.* ten years ago today); ***es ist lange her, dass wir uns gesehen haben*** it's been a long time since we last met **2.** ***wo ist sie her?*** where is she from? **3.** ***er ist nur hinter ihrem Geld her*** he's only after her money

herab 1. down; ***von oben herab*** from above **2.** ***sie behandelt mich immer von oben herab*** *übertragen* she always patronizes ['pætrənaɪzɪz] me
herablassend 1. *Bemerkung usw.*: condescending [ˌkɒndɪ'sendɪŋ] **2.** (≈ *auf herablassende Art*) condescendingly
herabsehen: ***auf jemanden herabsehen*** look down on someone
herabsetzen reduce [rɪ'djuːs], lower (*Kosten, Preise, Geschwindigkeit*)
heran near, close [kləʊs]; ***heran an*** up to
herangehen 1. ***geh nicht zu nahe heran!*** don't go (*oder* get) too close! **2.** ***du bist falsch an die Sache herangegangen*** you tackled (*oder* approached) it the wrong way
herankommen 1. ***an etwas herankommen*** *mit der Hand*: reach something, get* hold of something **2.** ***an etwas herankommen*** (≈ *Zugang haben zu*) be* able to get (through) to (*eine Stelle, einen*

See usw.) **3.** ***ich komme einfach nicht an sie heran*** (≈ *ich kann sie nie sprechen*) I just can't get hold of her, (≈ *sie gibt sich sehr verschlossen*) she just won't open up **4.** ***an ihn kommt niemand heran*** *leistungsmäßig*: nobody can compare with him

heranlassen: ***sie lässt niemanden an sich heran*** she won't let anyone come near her

heranwachsen grow* up (***zu*** into)

herauf up, upwards ['ʌpwədz]; ***hier herauf*** up here; ***die Treppe herauf*** up the stairs, upstairs; ***von unten herauf*** from below

heraufkommen come* up, *die Treppe*: come* upstairs

heraufziehen 1. ***jemanden*** *bzw.* ***etwas heraufziehen*** pull someone *bzw.* something up **2.** ***ich glaube, ein Gewitter zieht herauf*** I think there's a (thunder)storm coming up

heraus out; ***zum Fenster heraus*** out of the window, *AE mst.* out the window; ***von innen heraus*** from inside; ***er wohnt nach vorn heraus*** he lives at the front

herausbekommen 1. ***etwas aus etwas herausbekommen*** get* something out of something **2.** find* out (*Geheimnis usw.*), solve (*Rätsel usw.*), make* out (*den Sinn usw.*); ***was hast du herausbekommen?*** *bei Rechenaufgabe usw.*: what do you make it (*oder* the answer)? **3.** ***Sie bekommen zwei Euro heraus*** you get two euros change; ***sein Geld wieder herausbekommen*** get* one's money back

herausbringen 1. bring* out (*neues Produkt, Buch*), release (*CD usw.*) **2.** produce, stage (*Theaterstück usw.*) **3.** ***er brachte kein Wort heraus*** he couldn't say a word

herausfinden 1. ***sie versucht herauszufinden, wie es funktioniert*** she's trying to find out how it works **2.** ***er hat nicht herausgefunden*** he couldn't find his way out

Herausforderer, **Herausforderin** challenger ['tʃælɪndʒə]

herausfordern 1. ***jemanden herausfordern*** challenge someone (***zu*** to) **2.** (≈ *provozieren*) provoke (*jemanden, eine Tat*)

Herausforderung challenge ['tʃælɪndʒ]

herausgeben 1. hand over (*etwas Geraubtes, eine Geisel usw.*) **2.** (≈ *zurückgeben*) give* back **3.** ***jemandem zwei Euro herausgeben*** *Wechselgeld*: give* someone two euros change; ***geben Sie mir bitte auf zwanzig Euro heraus*** could you give me change for twenty euros, please? **4.** publish (*ein Buch usw.*), *als Bearbeiter*: edit ['edɪt] **5.** issue ['ɪʃuː] (*Briefmarken usw.*)

Herausgeber(in) 1. *Einzelperson, als Betreuer*: editor ['edɪtə] **2.** *Verlag*: publisher

herauskommen 1. come* out (***aus*** of) **2.** (≈ *wegkommen*) get* out (***aus*** of) **3.** (*Erzeugnis*) come* out, (*Buch*) *auch*: be* published, appear, (*Briefmarken usw.*) be* issued

herausnehmen 1. take* out (***aus*** of) **2.** ***sie hat sich die Mandeln herausnehmen lassen*** she had her tonsils (taken) out **3.** *Fußball usw.*: take* off (*einen Spieler*)

herausreden: ***sich herausreden*** make* excuses, *mit Erfolg*: talk one's way out of it

herausstellen 1. (≈ *betonen*) emphasize ['emfəsaɪz], underline **2.** ***es hat sich herausgestellt, dass er krank war*** it turned out that he was ill; ***sie hat sich als völlig ungeeignet für diese Arbeit herausgestellt*** she turned out to be completely unsuited to this kind of job

herausstrecken stick* out (*Kopf, Zunge usw.*) (***aus*** of)

heraussuchen pick out, choose* [tʃuːz]

herb 1. *Geschmack*: tart, sour ['saʊə] **2.** *Wein*: dry **3.** *Duft*: tangy ['tæŋɪ] **4.** *Enttäuschung, Niederlage usw.*: bitter **5.** *Kritik*: harsh

herbeiführen 1. (≈ *verursachen*) cause, bring* about **2.** (≈ *bewirken*) lead* to

herbekommen get*, get* hold of

Herbergsmutter, **Herbergsvater** warden ['wɔːdn], *AE* (youth hostel) manager

Herbst autumn [⚠ 'ɔːtəm], *AE auch* fall

Herbstferien autumn break (⚠ *Sg.*)

Herd 1. (≈ *Küchenherd*) stove [stəʊv], cooker **2.** *einer Krankheit*: focus **3.** *eines Erdbebens*: epicentre ['epɪˌsentə]

Herde 1. *von Tieren allg.*: herd **2.** *von Schafen*: flock **3.** ***mit der Herde laufen*** *übertragen* (just) follow the herd

Herdplatte hotplate

herein in; ***herein!*** come in!; ***hier herein*** this way, please; ***von draußen herein*** from outside [ˌaʊt'saɪd]

hereinbrechen 1. (*Dämmerung usw.*) fall* **2.** (*Winter*) set* in

hereinfallen 1. (*Licht usw.*) come* in **2.** ***wir sind auf einen Betrüger hereingefallen*** we were taken in by a swindler (*oder* fraud)

hereinkommen come* in, come* inside

hereinlassen: ***jemanden hereinlassen*** let* someone in

hereinlegen: ***jemanden hereinlegen*** take* someone for a ride, (≈ *an der Nase herumführen*) take* the micky out of someone

Herfahrt journey ['dʒɜːnɪ] here, trip here; ***auf der Herfahrt*** on the (*oder* my *usw.*) way here

herfallen: ***über jemanden herfallen*** (≈ *jemanden angreifen*) pounce on someone (*auch übertragen*), (≈ *jemanden heftig kritisieren*) have* a real go at someone

herfinden: ***wie hast du denn hier hergefunden?*** how did you find your way here?

hergeben 1. (≈ *weggeben*) give* away; ***gib es her!*** give it to me!; ***gib mal her!*** (≈ *lass mal sehen*) let me have a look **2.** ***dazu gebe ich mich nicht her*** *umg.* I'm not doing anything like that

Hering 1. *Fisch*: herring [⚠ 'herɪŋ] **2.** *zum Befestigen eines Zeltes*: (tent) peg

herkommen 1. come* (here), (≈ *sich nähern*) approach **2.** ***(von) wo kommt sie her?*** where does she come from?

herkömmlich 1. *Methoden usw.*: customary ['kʌstəmərɪ], usual **2.** *Brauch*: traditional **3.** *Waffen*: conventional

herkriegen *umg.* get* (*Sender, Fernsehkanal usw.*)

Herkunft 1. *allg.*: origin **2.** *einer Person*: origin, descent [dɪ'sent]; ***sie ist ihrer Herkunft nach Schweizerin*** she's of Swiss origin (*oder* descent)

Herkunftsland *von Waren usw.*: country of origin ['ɒrɪdʒɪn]

hermetisch hermetic [hɜː'metɪk]; ***hermetisch verschlossen*** hermetically sealed

Heroin heroin ['herəʊɪn]; ***Heroin spritzen*** shoot* heroin

heroinsüchtig addicted to heroin ['herəʊɪn]

Herpes (≈ *Hautausschlag*) herpes ['hɜːpiːz]

Herr 1. (≈ *Mann*) man, *sehr höflich*: gentleman ['dʒentlmən] **2.** *vor Eigennamen*: Mr ['mɪstə] *Pl.*: Messrs ['mesəz]; ***Herr Müller*** Mr Müller **3.** *vor Titeln*: ***Herr Dr. Schmidt*** Dr Schmidt (⚠ *ohne* Mr); ***ja, Herr Doktor*** yes, doctor **4.** ***meine (Damen und) Herren*** *als Anrede*: (ladies and) gentlemen **5.** ***Sehr geehrter Herr X*** *in Briefen*: Dear Sir, *vertraulicher*: Dear Mr X **6.** (≈ *Gebieter*) master (*auch eines Hundes usw.*) **7.** ***der Herr*** (≈ *Gott*) the Lord; ***Gott, der Herr*** the Lord God **8.** ***aus aller Herren Länder*** from the four corners of the earth

Herrenhose men's trousers (⚠ *Pl.*), *AE* men's pants (⚠ *Pl.*); ***eine Herrenhose*** a pair of men's trousers; ☞ ***Hose***

Herrenkleidung men's clothing ['menzˌkləʊðɪŋ], menswear ['menzweə]

herrenlos 1. *Gepäckstück usw.*: abandoned [ə'bændənd] **2.** ***eine herrenlose Katze*** *usw.* a stray cat [ˌstreɪ'kæt] *usw.*

Herrenmode men's fashion, men's fashions (*Pl.*), *Schild*: menswear, *AE* men's wear

herrichten 1. get* ready (*das Essen, die Betten usw.*) **2.** arrange, set* (*den Tisch*) **3.** (≈ *säubern, in Ordnung bringen*) tidy up (*ein Zimmer usw.*) **3.** ***sie haben das alte Haus wieder hergerichtet*** they've done up the old house **4.** ***sich herrichten*** *umg.* get* ready

herrlich 1. *allg.*: wonderful, marvellous ['mɑːvləs] **2.** *Wetter*: beautiful, glorious, marvellous **3.** *Ausblick, Anblick, Kleid, Urlaub usw.*: splendid

Herrschaft 1. (≈ *Regierungszeit, Art des Regierens*) rule, government, *eines Königs usw.*: reign [⚠ reɪn] **2.** (≈ *Macht, Gewalt*) power (***über*** over) **3.** (≈ *Kontrolle*) control (***über*** of); ***die Herrschaft verlieren über*** lose* control of (⚠ *ohne* the) **4.** ***meine Herrschaften!*** ladies and gentlemen!

herrschen 1. rule (***über*** over), (*König usw.*) reign [⚠ reɪn] (***über*** over) **2.** ***es herrscht Terror*** *usw.* ***im Land*** terror *usw.* is ruling the country **3.** ***es herrschte eine gute Stimmung*** everyone was in good spirits

Herrscher(in) 1. *allg.*: ruler **2.** (≈ *König, -in*) monarch ['mɒnək], sovereign [⚠ 'sɒvrɪn]

herrschsüchtig domineering, power-mad

herstellen 1. (≈ *erzeugen*) make*, *industriell*: produce, manufacture [ˌmænjʊ'fæktʃə] **2.** (≈ *schaffen, zustande bringen*) establish (*Verbindung, Kontakte usw.*)

Hersteller *industriell*: manufacturer, producer, *umg. auch* maker, makers (*Pl.*)

Herstellung 1. *industriell*: production, manufacture [ˌmænjʊ'fæktʃə] **2.** *einer Verbindung usw.*: establishment

Herstellungskosten production costs, production cost (*Sg.*)

herüber over, over here

herum 1. ***du hast den Pulli falsch herum an*** you're wearing your sweater inside-out (*oder* the wrong way round); ***anders herum*** the other way round **2.** ***um ... herum*** *örtlich*: around, round; ***um das Dorf herum waren Felder*** the village was surrounded by fields; → ***herumgehen*** **3.** ***um ... herum*** (≈ *ungefähr*) around; ***um vier Uhr herum*** (at) about four o'clock, (at) around four o'clock; ***um Weihnachten herum*** round about Christmas, around Christmas; ***sie ist um die zwanzig herum*** she's about twenty, she's twentyish

herumführen 1. ***ich würde Sie gerne in***

der Stadt herumführen I'd love to show you around the town **2.** ***diese Straße führt um das Stadtzentrum herum*** this road goes (*oder* runs) around the city centre

herumgehen **1.** (*Person*) walk (a)round, (≈ *die Runde machen*) go* (a)round; ***sie ging um die Kirche herum*** she walked (a)round the church; ***er geht gerne in der Stadt herum*** he loves walking (a)round town **2.** ***die Fotos gingen in der Klasse herum*** the photos were passed round in the class **3.** ***etwas herumgehen lassen*** *zum Ansehen*: pass something round

H

herumhängen *untätig*: hang* (a)round

herumkommandieren: ***jemanden herumkommandieren*** boss someone around (*oder* about)

herumkommen **1.** (≈ *weit reisen*) get* around; ***sie ist viel in der Welt herumgekommen*** she's seen quite a lot of the world **2.** ***du kommst um die Prüfung nicht herum*** (≈ *kannst sie nicht vermeiden*) you can't get out of the exam

herumkriegen **1.** ***sie hat ihn herumgekriegt***(, ***mitzukommen***) she talked him into it, she got him round to coming with her (*bzw.* us, them *usw.*) **2.** ***ich frage mich, wie wir die sechs Stunden noch herumkriegen sollen*** I wonder what we're going to do for the next six hours

herumlaufen **1.** *ziellos, hektisch usw.*: run* (a)round **2.** ***um etwas herumlaufen*** run* (*bzw.* go*) (a)round something **3.** ***seit ein paar Wochen läuft er mit einer Glatze herum*** he's been going around bald-headed for a couple of weeks now

herumreichen: ***etwas herumreichen*** hand (*oder* pass) something round

herumschlagen: ***sich mit einem Problem*** *usw.* ***herumschlagen*** grapple with a problem *usw.*

herumsitzen sit* around, *untätig*: sit* around doing nothing

herumsprechen: ***sich herumsprechen*** get* around; ***bei uns spricht sich alles schnell herum*** in our town (*bzw.* village, school *usw.*) things get (*oder* news gets) around quickly

herumtreiben: ***sich herumtreiben*** *in Lokalen usw.*: hang* out, hang* around (***in*** in); ***wo hast du dich wieder herumgetrieben?*** where have you been (all this time)?

herunter **1.** down; ***hier herunter*** down here; ***die Treppe herunter*** down the stairs, downstairs **2.** ***herunter von der Mauer!*** get off that wall! **3.** ***sie ist völlig mit den Nerven herunter*** she's a nervous wreck [rek]

heruntergehen **1.** go down (*eine Treppe usw.*) **2.** ***geh von der Leiter herunter!*** get off the ladder! **3.** (*Temperatur, Preise*) go* down, fall*, drop (***bis auf*** to) **4.** ***heruntergehen mit*** reduce, lower (*Preis, Geschwindigkeit usw.*)

heruntergekommen **1.** *Gebäude, Gegend, Geschäft usw.*: run-down **2.** *Person*: down-at-heel, scruffy

herunterhängen hang* down (***von*** from)

herunterkommen **1.** come* down **2.** ***kommt von dem Baum herunter!*** get off that tree! **3.** ***das alte Haus ist völlig heruntergekommen*** the old house has gone to rack and ruin; → ***heruntergekommen***

herunterladen *Computer*: download (*Programm usw.*)

herunterlassen let* down, lower (*Jalousie usw.*)

heruntermachen **1.** ***etwas von etwas heruntermachen*** take* something off something **2.** ***jemanden heruntermachen*** run* someone down **3.** ***die Kritiker haben den Film total heruntergemacht*** the film has really been slated by the critics

herunterputzen: ***jemanden herunterputzen*** *umg.* give* someone a dressing down, blow* someone up

herunterspielen: ***etwas herunterspielen*** (≈ *beschönigen*) play something down

hervor out; ***aus … hervor*** out of …; ***hinter … hervor*** from behind …; ***unter … hervor*** from under …

hervorbringen **1.** produce (*auch Nachkommen*) **2.** (≈ *verursachen, schaffen*) create [kriːˈeɪt] **3.** utter (*Worte usw.*)

hervorheben (≈ *besonders betonen*) emphasize [ˈemfəsaɪz], underline, stress

hervorragend **1.** excellent [ˈeksələnt], outstanding [aʊtˈstændɪŋ], first-rate **2.** ***sie hat hervorragend gespielt*** she played extremely well (*oder* outstandingly well)

hervorrufen **1.** (≈ *bewirken*) cause, bring* about **2.** provoke (*Ärger, Proteste usw.*) **3.** create [kriːˈeɪt] (*den Eindruck, Verwirrung usw.*)

Herz **1.** heart [⚠ hɑːt] **2.** (≈ *Mittelpunkt*) heart, core, centre **3.** *Spielkartenfarbe*: hearts (⚠ *Pl.*), *Einzelkarte*: heart **4.** *Wendungen*: ***er hats am Herzen*** he's got heart trouble *oder* (a heart condition); ***von ganzem Herzen*** with all my (*bzw.* her *usw.*) heart; ***sich etwas zu Herzen nehmen*** take* something to heart; ***etwas auf***

dem Herzen haben *übertragen* have* something on one's mind
Herzanfall heart attack
Herzbeschwerden heart trouble (⚠ *Sg.*)
herzeigen show; ***zeig mal her!*** let me see!, let me have a look!
Herzfehler heart defect ['hɑːtˌdiːfekt]
herziehen 1. ***wir sind erst vor kurzem hergezogen*** we only recently moved here **2.** ***als ich John gestern traf, ist er wieder ganz schön über seinen Vater hergezogen*** when I met John yesterday he started pulling his father to pieces as usual **3.** ***etwas näher zu sich herziehen*** draw* (*oder* pull) something closer **4.** ***sie zog etwas hinter sich her*** she was pulling something along (behind her)
herzig sweet, lovely, cute
Herzinfarkt *umg.* heart attack, coronary [⚠ 'kɒrənərɪ], *wissenschaftlich*: cardiac ['kɑːdɪæk] infarction
Herzklopfen: ***ich hatte Herzklopfen*** (***vor Aufregung***) my heart was pounding (with excitement)
herzkrank: ***sie ist herzkrank*** she's got a heart condition
herzlich 1. *Empfang*, *Aufnahme*: warm, hearty [⚠ 'hɑːtɪ]; ***wir wurden sehr herzlich empfangen*** we were given a warm welcome **2.** *Mensch*: warm-hearted **3.** *Lächeln*: friendly, warm **4.** *Worte*: kind **5.** (≈ *liebevoll*) affectionate [ə'fekʃnət] **6.** (≈ *innig empfunden*) sincere [sɪn'sɪə] **7.** ***ich habe eine herzliche Bitte an dich*** I wonder if you could do me a big favour **8.** ***herzlich lachen*** have* a good laugh **9.** ***herzlich wenig*** not very much at all **10.** *Wendungen*: ***herzliche Grüße*** best regards, *vertraulicher*: love; ***herzlichen Dank*** many thanks (indeed); ***herzlichen Glückwunsch!*** congratulations!, *zum Geburtstag*: happy birthday!
Herzlichkeit warmth, kindness
herzlos heartless [⚠ 'hɑːtləs], unfeeling
Herzog duke [djuːk], *als Titel*: Duke
Herzogin duchess ['dʌtʃɪs], *als Titel*: Duchess
Herzoperation heart surgery ['hɑːtˌsɜːdʒərɪ], heart operation; ***er hat eine Herzoperation hinter sich*** he's had heart surgery (*oder* a heart operation)
Herzschlag 1. (≈ *Herzversagen*) heart failure; ***an einem Herzschlag sterben*** die of heart failure (⚠ *ohne* a) **2.** (≈ *Schlagen bzw. einzelner Schlag des Herzens*) heartbeat
Herzschrittmacher pacemaker
Herztransplantation heart transplant [⚠ 'hɑːtˌtrænsplɑːnt]
herzzerreißend heartrending
Hesse, **Hessin** Hessian ['hesɪən]; ***sie ist Hessin*** she's from Hesse [hes]; ☞ ***Nationalitäten***
Hessen *Bundesland*: Hesse [⚠ hes]
hetero *sexuell*: straight [streɪt], hetero
heterosexuell, **Heterosexuelle(r)** heterosexual [ˌhetərəʊ'sekʃʊəl]
Hetz Ⓐ (≈ *Spaß*, *Vergnügen*) fun
Hetze 1. (≈ *Eile*) rush, hurry **2.** (≈ *Stimmungsmache*, *Aufhetzung*) agitation [ˌædʒɪ'teɪʃn] (***gegen*** against) **3.** *gegen einen Politiker usw.*: smear campaign ['smɪə‿kəmˌpeɪn] (***gegen*** against)
hetzen 1. ***jemanden hetzen*** (≈ *verfolgen*, *jagen*) chase (*oder* hunt) someone **2.** ***jemanden hetzen*** (≈ *antreiben*) rush someone **3.** ***einen Hund auf jemanden hetzen*** set* a dog on someone **4.** (***sich***) ***hetzen*** rush; ***du brauchst dich nicht zu hetzen*** there's no rush **5.** ***gegen jemanden hetzen*** stir up hatred against someone
Heu hay [heɪ]
Heuchelei hypocrisy [⚠ hɪ'pɒkrəsɪ]
heucheln 1. (≈ *sich heuchlerisch benehmen*) be* hypocritical [⚠ ˌhɪpə'krɪtɪkl] **2.** (≈ *vortäuschen*) feign [⚠ feɪn] (*Freude*, *Mitleid*, *Reue usw.*)
Heuchler(in) hypocrite [⚠ 'hɪpəkrɪt]
heuer *bes.* Ⓐ, Ⓒⓗ this year
heulen 1. (*Wind usw.*) howl [haʊl] **2.** (≈ *weinen*) cry, *laut*: howl **3.** (*Sirene*) wail **4.** (*Hund*, *Wolf usw.*) *laut*: howl, *leise*: whine **5.** (*Automotor usw.*) roar
Heulen 1. *allg.*: howling (*auch eines Tieres*) **2.** *einer Sirene*: wailing **3.** *eines Automotors usw.*: roaring **4.** ***es ist zum Heulen*** it's enough to make you weep
Heurige(r) Ⓐ **1.** (≈ *der neue Wein*) new wine **2.** (≈ *Heurigenlokal*) *etwa*: Viennese wine tavern [ˌviːəniːz'waɪnˌtævn]
heurige(r, -s) *bes.* Ⓐ, Ⓒⓗ this year's (⚠ *nur vor dem Subst.*)
Heuschnupfen hay fever
Heuschrecke 1. grasshopper **2.** *schädliche*: locust ['ləʊkəst]
heute today [tə'deɪ]; ***heute Abend*** this evening, tonight [tə'naɪt]; ***heute früh, heute Morgen*** this morning; ***heute Nacht*** tonight, (≈ *letzte Nacht*) last night; ***heute Mittag*** at noon (*oder* midday) today; ***heute in acht Tagen*** a week (from) today, *BE auch* today week; ***heute vor einer Woche*** a week ago today; ***von heute an, ab heute*** from today; ***sie hat bis heute nicht bezahlt*** she hasn't paid to this day; ***die Zeitung von heute*** today's paper **2.** ***das Amerika von heute*** pres-

ent-day America (⚠ *ohne* the); ***die Frau von heute*** the woman of today **3.** (≈ *heutzutage*) nowadays, these days, today

heutig 1. ***die heutige Zeitung*** *usw.* today's paper *usw.* **2.** ***das heutige Deutschland*** present-day Germany, Germany today (⚠ *beide ohne* the) **3.** ***bis zum heutigen Tag*** to this day **4.** ***in der heutigen Zeit*** nowadays, these days

heutzutage nowadays, these days, today

Hexe 1. witch **2.** ***alte Hexe*** *umg.* old hag

hexen practise [⚠ 'præktɪs] (*AE* practice) witchcraft; ***ich kann doch nicht hexen!*** I can't work (*oder* perform) miracles [⚠ 'mɪrəklz]

H

Hexenschuss lumbago [lʌm'beɪgəʊ]

Hexerei witchcraft, sorcery ['sɔːsərɪ]

Hieb 1. (≈ *Schlag*) blow (*auch mit einer Waffe*) **2.** *mit der Faust*: punch, blow; ***Hiebe bekommen*** get* a hiding (*oder* beating) **3.** *mit der Peitsche*: lash

hier 1. here, in this place; ***hier draußen*** (*bzw.* ***drinnen***) out (*bzw.* in) here; ***hier entlang*** this way; ***das Haus hier*** this house; ***ich bin auch nicht von hier*** I'm a stranger here myself **2.** (≈ *in diesem Fall*) here, in this case; ***hier ist nichts mehr zu machen*** there's nothing more we can do

> **hier behalten**: ***jemanden*** (*bzw.* ***etwas***) ***hier behalten*** keep* someone (*bzw.* something) here
> **hier bleiben** stay here
> **hier sein**: ***wann sollte sie hier sein?*** when was she supposed to be here (*oder* come)?

Hierarchie hierarchy ['haɪrɑːkɪ]

hierarchisch hierarchical [haɪ'rɑːkɪkl]

hierdurch 1. (≈ *dadurch*) because of this, this way **2.** (≈ *hiermit*) hereby

hierher 1. here, this way, over here; ***komm hierher!*** come here!; ***bis hierher*** up to here, this far **2.** ***das gehört nicht hierher*** (≈ *gehört nicht an diesen Platz*) this doesn't belong here, (≈ *ist hier nicht von Bedeutung*) that's irrelevant here

hiermit 1. *allg.*: with this **2.** ***hiermit ist die Sache erledigt*** that settles that **3.** (≈ *hierdurch*) hereby; ***hiermit wird bescheinigt …*** this is to certify …

hierüber 1. (≈ *über dieses Thema*) about this (*oder* it) **2.** *örtlich*: over here

hiervon 1. of this, from this, of it, from it **2.** (≈ *hierüber*) about it, about this

hierzu 1. (≈ *zu diesem Punkt, Thema usw.*) about this, concerning this (⚠ *mst. am Satzende*) **2.** (≈ *zu diesem Zweck*) for this (purpose) **3.** (≈ *als Ergänzung, Zubehör*) ***hierzu gibt es noch einige Zusatzgeräte*** there are also some additional attachments available

hiesige(r, -s) local ['ləʊkl]

Hiesige(r): ***ein Hiesiger*** one of the locals

Hi-Fi hi-fi ['haɪfaɪ, ˌhaɪ'faɪ]

Hi-Fi-Anlage stereo (system) ['sterɪəʊ(ˌsɪstəm)], hi-fi ['haɪfaɪ] (system)

high *umg.* high; ***wir waren alle echt high*** we were all really high

Highlife *umg.* high life ['haɪ‿laɪf]; ***Highlife machen*** live it up

Hightech *umg.* high tech, hi tech

Hightech…, Hightech-… *umg., in Zusammensetzungen*: high-tech, hi-tech; ***Hightech-Ausrüstung*** high-tech equipment; ***Hightech-Industrie*** high-tech industry; ***Hightech-Unternehmen*** high-tech company; ***Hightech-Waffe*** high-tech weapon

Hilfe 1. *allg.*: help (*auch Person*); ***sie hat mich um Hilfe gebeten*** she asked me to help her, she asked for my help; ***um Hilfe rufen*** call (*lauter*: shout) for help; ***mit Hilfe*** → ***mithilfe*** **2.** (≈ *Beistand*) aid (*auch finanziell*), assistance (*auch medizinisch*); ***erste Hilfe leisten*** give* first aid **3.** *bei Katastrophen usw.*: relief (***für*** to) **4.** (≈ *Unterstützung*) support **5.** (≈ *Mitwirkung*) cooperation **6.** ***etwas zu Hilfe nehmen*** make* use [⚠ juːs] of something

hilflos helpless

Hilfsarbeiter(in) unskilled worker

hilfsbereit helpful, ready to help, *am Arbeitsplatz auch*: cooperative [kəʊ'ɒprətɪv]

Hilfsmittel 1. aid (*auch technisches*) **2.** *übertragen* remedy ['remədɪ]

Hilfsorganisation relief organization

Hilfsverb, Hilfszeitwort auxiliary [ɔːg'zɪlɪərɪ] verb

Himbeere raspberry [⚠ 'rɑːzbərɪ]

Himmel 1. sky; ***am Himmel*** in the sky **2.** *in Wettervorhersage häufig*: skies (⚠ *Pl.*) **3.** *im religiösen Sinn und übertragen*: heaven ['hevn]; ***im Himmel*** in heaven (⚠ *ohne* the); ***in den Himmel kommen*** go* to heaven **4.** *Wendungen*: ***unter freiem Himmel*** in the open (air); ***aus heiterem Himmel*** (completely) out of the blue; ***ach du lieber Himmel!*** goodness me!, good Heavens!

Himmelsrichtung 1. direction; ***aus allen Himmelsrichtungen*** from everywhere **2.** *Kompass*: point of the compass, cardinal point [ˌkɑːdɪnl'pɔɪnt]

himmlisch 1. *allg.*: heavenly **2.** (≈ *herrlich*) (absolutely) wonderful (*auch Wetter*), *Kleid usw.*: gorgeous ['gɔːdʒəs]

hin 1. *allg.*: there **2. *auf*** (*oder* ***nach, gegen, zu***) ***... hin*** *als Richtungsangabe*: towards [tə'wɔːdz] **3. *bis zum Haus hin*** as far as the house **4. *bis Ostern*** *usw.* ***ist noch lange hin*** Easter *usw.* is still a long way off **5. *auf meine Bitte hin*** at my request **6. *sie wurde auf Krebs hin untersucht*** she was tested for cancer **7. *hin und zurück*** there and back; ***zweimal Wien hin und zurück, bitte*** two returns (*AE* round trip tickets) to Vienna, please **8. *hin und her*** *schaukeln usw.*: to and fro, back and forth **9. *hin und wieder*** now and then

hinauf up (there), upwards ['ʌpwədz]; ***die Straße hinauf*** up the street; ***die Treppe hinauf*** upstairs, up the stairs; ***hier hinauf*** up here, this way; ***bis hinauf zu ...*** up to ...

hinaufgehen 1. go* (*oder* walk) up; ***die Treppe hinaufgehen*** go* upstairs; ***einen Berg hinaufgehen*** go* (*oder* walk) up a mountain **2.** (*Preise, Zahl der Arbeitslosen usw.*) go* up, rise* **3. *der Weg geht dort hinauf*** the path goes (*oder* leads) up there

hinaufkommen 1. (≈ *nach oben gehen oder fahren*) come* up, *die Treppe hoch*: come* upstairs **2. *ich komm nicht hinauf*** (≈ *es gelingt mir nicht, hinaufzuklettern usw.*) I can't get up there, I can't make it

hinaufsteigen 1. climb [⚠ klaɪm] up; ***er ist bis ganz oben hinaufgestiegen*** he climbed right (up) to the top **2. *ich muss aufs Dach hinaufsteigen*** I've got to get onto the roof

hinaufziehen 1. *jemanden* (*bzw.* ***etwas***) ***hinaufziehen*** pull someone (*bzw.* something) up **2. *die Felder ziehen sich das ganze Tal hinauf*** the fields stretch along the whole length of the valley **3. *die Schmerzen ziehen sich den Arm hinauf*** the pain spreads up the arm **3. *in den dritten Stock hinaufziehen*** move up to the third (*AE* fourth) floor

hinaus 1. (≈ *nach außen*) out, out there, outside; ***hinaus*** (***mit dir*** *usw.*)! (get) out!; ***hinaus aus ...*** out of ...; ***hier hinaus*** this way, out here; ***sie wohnen nach hinten*** (*bzw.* ***vorn***) ***hinaus*** they live at the back (*bzw.* front); ***bitte kein Zimmer zur Straße hinaus*** I (*bzw.* we *usw.*) don't want a room facing (*oder* overlooking) the street, please **2. *auf Jahre hinaus*** for years (to come) **3. *über etwas hinaus*** beyond something

hinausfinden find* one's way out

hinausgehen 1. go* out (***aus*** of), leave* **2. *das Zimmer geht auf den See hinaus*** the room looks out onto the lake

hinauslaufen 1. run* (*oder* rush) out (***aus*** of) **2. *das läuft auf dasselbe hinaus*** it comes (*oder* amounts) to the same thing

hinausschieben (≈ *aufschieben*) put* off, postpone (*Entscheidung usw.*)

hinausstellen 1. *Fußball usw.*: ***der Schiedsrichter hat zwei Spieler hinausgestellt*** the referee sent two players off **2. *stell den Tisch bitte auf die Terrasse hinaus*** could you put the table out on the terrace ['terəs], please?

hinauswerfen 1. throw* out; ***etwas zum Fenster hinauswerfen*** throw* something out of the window (*AE mst.* out the window) **2. *jemanden hinauswerfen*** *aus Firma usw.*: *umg.* give* someone the sack, fire someone

hinauswollen 1. *er will hinaus* *ins Freie*: he wants to get out **2. *worauf will sie hinaus?*** what is she driving (*oder* getting) at?

hinauszögern 1. put* off, delay (*eine Entscheidung usw.*) **2. *es zögert sich hinaus*** it's taking longer than expected

hinbringen: ***ich bringe Sie hin*** I'll take you there (⚠ *nicht* bring)

hindern 1. *jemanden daran hindern, etwas zu tun* stop (*oder* prevent) someone from doing something **2. *niemand hindert dich daran zu gehen*** you're quite free to go

Hindernis 1. *allg.*: barrier ['bærɪə], obstacle ['ɒbstəkl] (*auch übertragen*) **2.** *Laufsport*: hurdle **3.** *Reitsport*: fence

Hindernislauf, Hindernisrennen steeplechase ['stiːpltʃeɪs]

hindurch 1. *räumlich*: through [θruː] **2.** *zeitlich*: throughout, through, during; ***das ganze Jahr hindurch*** throughout the year, all year round ***die ganze Nacht hindurch*** all night (long)

hinein 1. in, inside; ***ins Haus hinein*** into the house; ***da hinein*** in there, this way; ***hinein mit dir!*** in you go!; ***nur hinein!*** go on in! **2. *bis in den Mai hinein*** well into May; ***bis tief in die Nacht hinein*** well into the night

hineingehen 1. *gehen wir hinein?* shall we go in (*oder* inside)?; ***sie gingen in die Kirche hinein*** they went into the church **2. *in den Saal gehen 600 Personen hinein*** *umg.* the hall seats six hundred (people); ***in den Kanister gehen 30 Liter hinein*** *umg.* the container holds thirty litres

hinfahren 1. go* there **2. *ich fahre dich gerne hin*** I don't mind driving (*oder* taking) you there

Hinfahrt journey ['dʒɜːnɪ] there; ***auf der***

Hinfahrt on the (*bzw.* my *usw.*) way there

hinfallen fall* (down)

Hingabe devotion (***an*** to); ***mit Hingabe*** devotedly, (≈ *begeistert*) passionately

hingehen 1. go* (there); ***zu jemandem hingehen*** go* (up) to someone **2.** ***wo gehst du hin?*** where are you going? **3.** ***wo kann man hier hingehen?*** (≈ *ausgehen*) what sort of places can you go to around here?

hingerissen fascinated [ˈfæsɪneɪtɪd], enthral(l)ed [ɪnˈθrɔːld], carried away (***von*** by)

hinhalten 1. ***jemanden hinhalten*** (≈ *lange warten lassen*) put* someone off, keep* someone hanging **2.** ***jemandem etwas hinhalten*** hold* something out to someone

hinhören listen [⚠ ˈlɪsn]

hinken 1. limp, walk with a limp, *dauernd*: have* a limp **2.** ***der Vergleich hinkt*** the metaphor [ˈmetəfə] doesn't work

hinknien: ***sich hinknien*** kneel* down [⚠ ˌniːlˈdaʊn]

hinkommen 1. get* there **2.** ***weißt du, wo mein Kuli hingekommen ist?*** do you know where my pen has got to? **3.** ***wo kommen die Bücher hin?*** where do the books go (*oder* belong)? **4.** ***das dürfte hinkommen*** (≈ *stimmen*) that should be right, *mengenmäßig*: that should be enough **5.** ***wo kämen wir hin, wenn …*** where would we be if …

hinkriegen 1. ***das hast du gut hingekriegt*** *umg.* you've done a good job of it **2.** ***kriegst du das wieder hin?*** *bei Reparatur*: can you fix it?; ***das werden wir schon wieder hinkriegen*** we'll have that fixed again, no problem

hinlegen 1. ***etwas hinlegen*** lay* (*oder* put*) something down **2.** ***sich hinlegen*** lie* down

hinnehmen put* up with, take* (*Frechheit usw.*)

Hinreise trip (*oder* journey [ˈdʒɜːnɪ]) there; ***auf der Hinreise*** on the (*oder* my *usw.*) way there

hinreißend 1. *Person*, *Sänger(in) usw.*: fascinating [⚠ ˈfæsɪneɪtɪŋ], enchanting [ɪnˈtʃɑːntɪŋ] **2.** *Schönheit*: captivating **3.** ***du siehst hinreißend aus*** you look quite enchanting [ɪnˈtʃɑːntɪŋ]; ***sie hat hinreißend gespielt*** it was a wonderful performance

hinrichten execute [ˈeksɪkjuːt] (*Mörder usw.*)

Hinrichtung execution [ˌeksɪˈkjuːʃn]

hinschmeißen: ***am liebsten würde ich alles hinschmeißen*** *salopp* I feel like chucking it all in

hinsehen look; ***ohne hinzusehen*** without looking

hinsetzen 1. sit* down (*Baby usw.*) **2.** (≈ *Sitzplatz zuteilen*) seat, put*; ***die Oma setzen wir hier drüben hin*** we'll put grandma over here **3.** ***sich hinsetzen*** sit* down

Hinsicht: ***in gewisser Hinsicht*** in a way; ***in jeder Hinsicht*** in every respect

hinsichtlich with regard to, concerning

Hinspiel *Sport*: first leg

hinstellen 1. ***etwas hinstellen*** (≈ *abstellen*) put* something (down) (***auf*** on) **2.** *umg.* put* up (*ein Haus usw.*) **3.** ***er stellt ihn immer als Versager hin*** he always makes him out to be a failure **4.** ***sich hinstellen*** stand* (up) **5.** ***sich vor jemanden hinstellen*** stand* in front of someone

hinten 1. *allg.*: at the back; ***weiter hinten*** further back, *im Buch usw.*: further on; ***nach hinten*** to(wards) the back, *umfallen usw.*: backwards; ***von hinten*** from behind **2.** *im Auto*: in the back **3.** ***stell dich hinten an!*** get to the back of the queue (*AE* line)! **4.** ***das Zimmer geht nach hinten hinaus*** the room's at the back **5.** ***das stimmt hinten und vorne nicht*** *umg.* that's totally wrong

hinter 1. *allg.*: behind; ***hinter meinem Rücken*** behind my back; ***stell das Bild hinter den Schrank*** put the picture behind the cupboard **2.** *zur Angabe der Lage*: behind, at the back of; ***hinter dem Haus*** behind (*oder* at the back of) the house **3.** *Reihenfolge*: after; ***der nächste Halt hinter Bonn ist Köln*** the next stop after Bonn is Cologne [kəˈləʊn] **4.** ***hinter etwas kommen*** (≈ *etwas herausfinden*) find* out about something, (≈ *etwas verstehen*) get* the hang of something **5.** ***sie hat gerade eine schwere Erkältung hinter sich*** she's just got over a bad cold **6.** ***etwas hinter sich bringen*** get* something over (and done) with

Hinterachse *Auto*: rear axle [ˌrɪərˈæksl]

Hinterbein hind leg [⚠ ˈhaɪnd‿leg]

Hinterbliebene(r) 1. *im juristischen Sinn*: (surviving) dependant (*oder* dependent) **2.** ***die Hinterbliebenen*** (≈ *die trauernden Angehörigen*) the bereaved (family)

hintere(r, -s) 1. rear, back; ***die hinteren Wagen*** *Eisenbahn*: the rear coaches; ***das hintere Ende*** the rear (*oder* far) end **2.** ***die hinteren Zimmer*** the rooms at the back; ***das hintere Ende*** the rear (*oder* far) end

hintereinander 1. *in einer Reihe*: one behind the other **2.** (≈ *hintereinander her*) one after the other, one by one **3.** ***dicht hintereinander*** close together **4.** ***drei Tage hintereinander*** three days running, three days in a row [rəʊ]; ***dreimal hintereinander*** three times in a row **5.** ***an fünf Wochenenden hintereinander*** on five consecutive [kən'sekjʊtɪv] weekends
Hintereingang back (*oder* rear) entrance
Hintergedanke (≈ *verborgene Absicht*) ulterior motive; ***ohne Hintergedanken*** quite innocently ['ɪnəsəntlɪ]
hintergehen deceive [dɪ'siːv] (*einen Geschäftspartner, Ehepartner usw.*)
Hintergrund background (*auch übertragen*)
Hintergrundinformation (piece of) background information
hinterhältig underhanded, *Methoden auch*: underhand
hinterher 1. after, behind; ***das Fahrrad hinterher*** the bicycle behind (*oder* after them *bzw.* him *usw.*); ***los, hinterher!*** come on, after him (her *usw.*)! **2.** *zeitlich*: afterwards
Hinterhof backyard [ˌbæk'jɑːd]
Hinterkopf back of the head [hed]; ***sie hat sich am Hinterkopf verletzt*** she's injured the back of her head
hinterlassen 1. leave* (*Nachricht, Eindruck*) **2.** ***jemandem etwas hinterlassen*** leave* something to someone **3.** leave* behind (*Frau und Kinder*; *Fingerabdrücke*)
Hinterlist 1. cunning, deceitfulness [dɪ'siːtflnəs] **2.** (≈ *Trick*) deceit, trick
hinterlistig cunning, deceitful [dɪ'siːtfl], *Methoden auch*: underhand
Hintermann: ***mein Hintermann*** the person (*bzw.* driver *oder* car *usw.*) behind me
Hintern *umg.* backside, bottom, behind
Hinterrad back wheel [ˌbæk'wiːl], rear wheel [ˌrɪə'wiːl]
Hinterradantrieb *Auto*: rear-wheel drive [ˌrɪəwiːl'draɪv]
hinterrücks (≈ *von hinten*) from behind
Hinterseite back, reverse [rɪ'vɜːs]
hinterste(r, -s) back, last; ***die hinterste Reihe*** the back row [rəʊ]
Hinterteil 1. *allg.*: back (part) **2.** (≈ *Hintern*) backside, bottom, behind
Hintertreffen: ***ins Hintertreffen geraten*** fall* behind
Hintertreppe back stairs (⚠ *Pl.*)
Hintertür back door
hinterziehen evade (*Steuern*)
hintun: ***wo soll ich es hintun?*** where shall I put it?; ***tus da hin*** put it there
hinüber 1. over (there) **2.** ***über den See usw. hinüber*** across (*oder* over) the lake *usw.*
hinunter down; ***die Straße hinunter*** down the street; ***die Treppe hinunter*** down the stairs, downstairs; ***da hinunter*** down there, this way
Hinweg: ***auf dem Hinweg*** on the (*bzw.* my *usw.*) way there
hinweg: ***über etwas hinweg*** over (*oder* across) something
hinwegsetzen: ***sich über etwas hinwegsetzen*** ignore something
Hinweis 1. (≈ *Tip, Rat*) tip, some advice (***auf*** as to); ***anonymer Hinweis*** anonymous [ə'nɒnɪməs] tip-off **2.** (≈ *Anhaltspunkt*) clue (***auf*** to), pointer (***auf*** to), evidence ['evɪdəns] (***auf*** of) **3.** (≈ *Anzeichen*) indication (***auf*** of) **4.** (≈ *Verweis*) reference ['refrəns] (***auf*** to)
hinweisen 1. ***jemanden auf etwas hinweisen*** point something out to someone **2.** ***ich möchte dich nochmals auf die Gefahren hinweisen*** I'd like to remind you once again of the dangers **3.** ***hinweisen auf*** point to, (≈ *anspielen*) allude [ə'luːd] to, (≈ *verweisen*) refer to **4.** ***darauf hinweisen, dass …*** point out that …, *nachdrücklich*: stress (*oder* emphasize ['emfəsaɪz]) that … **5.** ***alles weist darauf hin, dass …*** everything indicates that …
Hinweisschild sign [⚠ saɪn]
hinwerfen 1. ***etwas hinwerfen*** throw* something down **2.** ***etwas hinwerfen*** (≈ *aufgeben*) give* up something, *umg.* chuck something (in) **3.** ***er warf ihr die Schlüssel*** *usw.* ***hin*** he threw her the keys *usw.*
hinwollen want to go (there); ***ich will hin!*** I want to go!; ***wo willst du hin?*** where are you going?
hinziehen 1. *bei Umzug*: move there; ***wo zieht ihr hin?*** where are you moving to? **2.** ***sich zu jemandem hingezogen fühlen*** be* drawn to(wards) someone **3.** ***das zieht sich ganz schön hin!*** *entfernungsmäßig*: that's quite a long way to go; ***die Wiesen ziehen sich bis zum Fluss hin*** the meadows stretch as far as the river **4.** ***die Sitzung zog sich bis zum Abend hin*** the meeting dragged [drægd] on into the evening
hinzufügen 1. add (*+Dativ oder* ***zu*** to) **2.** *einem Brief*: (≈ *beilegen*) enclose
hinzukommen 1. ***wir waren zuerst zu zweit, aber dann kam Peter noch hinzu*** *zufällig*: at first there were just the two of us, but then Peter came along too, *in einem Team usw.*: … but then Peter joined

the team **2. *es war sehr kalt*; *hinzu kam, dass es auch noch regnete*** it was very cold, and on top of that it was raining **3. *es kommen noch die Heizkosten hinzu*** you've got to add the heating costs, you mustn't forget (to add) the heating costs **4. *es kamen noch weitere Probleme hinzu*** more problems cropped up

hip *salopp* (≈ *modern, in*) hip

Hipsters (≈ *Hüfthose*) hipsters, *AE* hiphuggers ['hɪpˌhʌɡəz]

Hirn 1. brain **2.** (≈ *Verstand*) brains (⚠ *Pl.*) **3.** *als Speise*: brains (⚠ *Pl.*)

Hirnhautentzündung meningitis [ˌmenɪn'dʒaɪtɪs]

H

Hirntod brain death

Hirsch 1. *Tier*: (red) deer, *männliches Tier*: stag **2.** *als Speise*: venison [⚠ 'venɪsən] **3.** *als Schimpfwort*: clot

Hirschkuh hind [⚠ haɪnd]

Hirse millet ['mɪlɪt]

Hirte 1. *allg.*: herdsman ['hɜːdzmən] **2.** (≈ *Schafhirte*) shepherd [⚠ 'ʃepəd]

hissen hoist (*Segel, Fahne*)

Historiker(in) historian [hɪ'stɔːrɪən]

historisch 1. *Forschung, Studie(n), Verein usw.*: historical **2.** *Augenblick, Ereignis, Ort, Gebäude usw.*: (≈ *von geschichtlicher Bedeutung*) historic

Hit hit

Hitliste, **Hitparade** hit parade

Hitze heat; ***bei dieser Hitze*** <u>in</u> this heat

Hitzeperiode *Wetter*: hot spell

Hitzewelle *Wetter*: heatwave

hitzig 1. *Mensch*: quick-tempered, hot-blooded **2.** *Diskussion usw.*: heated

Hitzschlag heatstroke; ***sie bekam einen Hitzschlag*** she got heatstroke (⚠ *ohne* a)

HIV HIV [ˌeɪtʃaɪ'viː] (*Abk. für* **h**uman **im**munodeficiency **v**irus)

HIV-Test HIV test [ˌeɪtʃaɪ'viː‿test]

H-Milch long-life milk, UHT milk [ˌjuːeɪtʃtiː'mɪlk] (*Abk. für* **u**ltra-**h**eat-**t**reated)

HNO-Arzt ear, nose and throat doctor [ˌɪəˌnəʊz‿ən'θrəʊtˌdɒktə], *bes. AE* ENT specialist [ˌiːentiː'speʃlɪst]

Hobby hobby *Pl.*: hobbies

Hobby... *in Zusammensetzungen*: amateur ['æmətə], Sunday; ***Hobbyfotograf(in)*** amateur photographer; ***Hobbymaler(in)*** Sunday painter

Hobbyraum hobby room

Hobel 1. *Werkzeug*: plane **2.** *Küche*: slicer

hobeln 1. plane (*Holz*) **2.** slice (*Gurke usw.*)

hoch 1. *allg.*: high; ***der Zaun ist drei Meter hoch*** the fence is three metres high **2.** *Baum, Haus usw.*: tall **3.** *Schnee*: deep **4.** *Strafe*: heavy, severe [sɪ'vɪə] **5.** *Einkommen, Gehalt*: big, high **6.** *Summe usw.*: large **7.** *Gast usw.*: distinguished **8.** *Alter*: great, advanced **9.** *Posten*: high, important **10. *ein hoher Beamter*** a senior official, a high-ranking civil servant **11. *ein hoher Offizier*** a high-ranking officer **12. *das ist mir zu hoch*** (≈ *zu schwierig*) that's above my head, that's beyond me **13. *wir fliegen jetzt 11.000 Meter hoch*** we're now flying at a height [haɪt] of 11,000 metre<u>s</u> **14. *hoch oben*** high up; ***hoch oben im Norden*** up in the far North **15. *sie wohnt zwei Etagen höher*** she lives two floors higher up **16. *er ist hoch verschuldet*** he's heavily in debt [⚠ det] **17. *sie haben hoch gewonnen*** they won easily; ***er hat hoch verloren*** he was (completely) trounced **18. *wenn es hoch kommt*** at (the) most **19. *auf dem Fest ging es hoch her*** it was a very lively party **20. *sie lebe hoch!, hoch soll sie leben!*** three cheers (for + *Name*)! **21. *sie hat es hoch und heilig versprochen*** she gave me her solemn ['sɒləm] word **22. *4 hoch 2 ist 16*** four squared is sixteen; ***4 hoch 5*** four to the fifth (power); → ***höchste(r, -s)***

hoch begabt very (*oder* highly) gifted
hoch empfindlich 1. *Gerät, Material usw.*: highly sensitive **2.** *Film*: high-speed (⚠ *nur vor dem Subst.*), fast

Hoch 1. (≈ *hoher Luftdruck*) high **2. *ein dreifaches Hoch auf ...!*** three cheers for ...!

Hochachtung (great) respect (***vor*** for)

hochachtungsvoll *in Brief*: Yours faithfully, *bes. AE* Yours truly

hocharbeiten: ***sich hocharbeiten*** work one's way up

Hochdeutsch 1. *im Gegensatz zu Dialekten*: standard German; ***Hochdeutsch sprechen*** speak* standard German; ***wie heißt das auf Hochdeutsch?*** what's that in standard German? **2.** *im Gegensatz zu Niederdeutsch*: High German

Hochdruck high pressure (*auch hoher Luftdruck und übertragen*); ***mit Hochdruck arbeiten*** work flat out (***an*** on)

Hochdruckgebiet high-pressure area, high

Hochebene plateau ['plætəʊ] *Pl.*: plateaus *oder* plateaux ['plætəʊz]

Hochform: ***in Hochform*** in top form

Hochgebirge high mountains (⚠ *Pl.*); ***im Hochgebirge*** high up in the mountains

hochgehen 1. go* up **2.** (*Preis, Vorhang*) go* up, rise* **3.** *umg.* (≈ *wütend werden*) flare up, hit* the roof **4.** (*Sprengsatz*) *umg.* blow* up, go* off **5.** ***etwas hochgehen lassen*** *umg.* (≈ *explodieren lassen*) blow* something up
Hochgeschwindigkeitszug high-speed train
hochgestochen *Formulierungen, Redeweise usw.*: *umg.* high-falutin [ˌhaɪ‿fəˈluːtɪn]
hochhackig *Schuhe*: high-heeled
hochhalten: ***etwas hochhalten*** (≈ *in die Höhe halten*) hold* something up
Hochhaus 1. high-rise (building), tower block **2.** *höherer Wohnblock*: block of flats
hochheben: ***etwas hochheben*** lift something (up)
hochklappen 1. turn up (*Kragen usw.*) **2.** fold up (*Bett usw.*) **3.** tip up (*Sitz*)
Hochkonjunktur (economic) boom
Hochland uplands [ˈʌpləndz], highlands [ˈhaɪləndz] (⚠ *beide Pl.*)
Hochmut arrogance [ˈærəgəns], pride
hochmütig haughty [ˈhɔːtɪ], arrogant
Hochofen blast furnace [ˈblɑːstˌfɜːnɪs]
Hochsaison peak season, high season; ***es ist Hochsaison*** it's the peak (*oder* high) season
Hochschulabschluss (university *oder* college) degree [(ˌjuːnɪˈvɜːsətɪ‿ *oder* ˈkɒlɪdʒ‿)dɪˌgriː]
Hochschule college, university (⚠ *engl.* high school = ***Gymnasium, Oberschule***); ***technische Hochschule*** technical university, *AE* institute of technology
hochschwanger highly pregnant [ˈpregnənt]
Hochsee high sea (*oder* seas *Pl.*), open sea
Hochseefischerei deep-sea fishing
Hochseejacht ocean yacht [⚠ jɒt]
Hochsommer: ***im Hochsommer*** in the middle (*oder* at the height [haɪt]) of summer
hochsommerlich: ***hochsommerliche Temperaturen*** very summery temperatures, temperatures in the high eighties (*nach der Fahrenheit-Skala*); ***hochsommerliches Wetter*** very summery weather
Hochspannung 1. *elektrisch*: high voltage [ˈvəʊltɪdʒ] **2.** (≈ *sehr gespannte Erwartung*) great suspense; ***es herrschte Hochspannung*** things were very tense
Hochspannungsleitung power line
hochspielen blow* up (*eine Sache usw.*)
Hochspringer(in) high jumper
Hochsprung high jump
höchst (≈ *äußerst*) highly, extremely, most; ***eine höchst interessante Nachricht*** a most interesting piece of news
Hochstapler 1. *umg.* conman **2.** (≈ *Angeber*) braggart [ˈbrægət], *umg.* big mouth
höchste(r, -s) 1. highest; ***der höchste Punkt*** *in Landschaft usw.*: the highest point, *bes. in Bergland*: the peak **2.** *Wichtigkeit, Bedeutung usw.*: (≈ *größte*) greatest, utmost [ˈʌtməʊst] **3.** ***höchste Gefahr*** extreme danger **4.** ***das ist das höchste der Gefühle*** it's the most wonderful feeling **5.** ***es ist höchste Zeit, dass du zu Bett gehst*** it's high time you went to bed **6.** ***zur Sommersonnenwende steht die Sonne am höchsten*** at the summer solstice the sun is at its highest point
höchstens 1. at (the) most, at best **2.** ***sie ist höchstens zwanzig*** she can't be more than twenty **3.** ***das gibt es höchstens noch in einem Antiquariat*** the only place you might find it is in a second-hand bookshop **4.** ***er liest nicht viel, höchstens mal die Zeitung*** he doesn't read much, apart from the newspaper occasionally
Höchstform: ***in Höchstform*** in top form
Höchstgeschwindigkeit 1. maximum (*oder* top) speed **2.** ***zulässige Höchstgeschwindigkeit*** speed limit
Höchstleistung 1. *allg.*: top (*oder* outstanding) performance **2.** ***ihre bisherige Höchstleistung*** her all-time best performance **3.** *wissenschaftliche usw.*: great achievement **4.** *einer Maschine*: maximum performance, *bei Produktion*: maximum output
Höchststrafe maximum penalty [ˈpenltɪ], maximum sentence [ˈsentəns]
höchstwahrscheinlich very probably, most likely
hochtrabend *Worte usw.*: pompous
hochtreiben force up (*die Preise usw.*)
hochverdient *Sieg usw.*: well-deserved, well-earned
Hochverrat high treason [ˈtriːzn]
Hochwasser 1. *eines Flusses usw.*: high water; ***der Fluss hat Hochwasser*** the river is swollen, *mit Überschwemmung*: the river is flooding *oder* in flood **2.** *des Meeres bei Flut*: high tide **3.** (≈ *Überschwemmung*) flood, floods (*Pl.*)
hochwertig 1. *Produkt usw.*: high-grade, high-quality **2.** *Nahrungsmittel*: highly nutritious [njuːˈtrɪʃəs]
Hochzeit (≈ *Heirat*; *Hochzeitsfeier*) wedding
Hochzeitsnacht wedding night
Hochzeitsreise honeymoon [ˈhʌnɪmuːn];

sie sind auf Hochzeitsreise *umg.* they 're on their honeymoon
Hochzeitstag 1. wedding day **2.** *Jahrestag*: wedding anniversary [ˌænɪ'vɜːsərɪ]
hochziehen 1. *wörtlich* pull up **2.** pull up, hitch up (*Hosen*) **3.** raise, lift (*Augenbrauen*) **4.** ***sich hochziehen an*** *wörtlich* pull oneself up by, *übertragen* make* a fuss about
Hocke *Turnen usw.*: crouch [kraʊtʃ], squatting [⚠ 'skwɒtɪŋ] position; ***in die Hocke gehen*** crouch (*oder* squat [skwɒt]) down
hocken 1. *auf dem Boden*: squat [⚠ skwɒt], crouch [kraʊtʃ] **2.** *umg.* (≈ *sitzen*) sit*
Hocker stool
Höcker (≈ *Buckel*) hump (*auch eines Kamels usw.*)
Hockey hockey, *AE* field hockey
Hoden testicle ['testɪkl]
Hof 1. yard, (≈ *Innenhof*) courtyard, (≈ *Hinterhof*) backyard [ˌbæk'jɑːd] **2.** (≈ *Schulhof*) playground, schoolyard **3.** (≈ *Bauernhof*) farm **4.** (≈ *Fürstenhof*) court [⚠ kɔːt]
hoffen hope (***auf*** for); ***auf jemanden hoffen*** set* (*oder* pin) one's hopes on someone; ***ich hoffe es*** I hope so; ***wir hoffen, rechtzeitig da zu sein*** we hope to be (*oder* get) there on time
hoffentlich 1. I hope, let's hope, hopefully **2.** *in Antworten*: I hope so, let's hope so **3.** ***hoffentlich nicht*** I hope not, let's hope not
Hoffnung 1. hope (***auf*** for, of) **2.** (≈ *Erwartung*) hope, expectation [ˌekspek'teɪʃn] **3.** *Wendungen*: ***die Hoffnung aufgeben*** give* up hope (⚠ *ohne* the); ***sich Hoffnungen machen*** be* hopeful; ***mach dir keine zu großen Hoffnungen*** don't expect too much
hoffnungslos 1. hopeless **2.** (≈ *verzweifelt*) desperate ['despərət]
Hoffnungslosigkeit hopelessness, *eines Menschen auch*: despair [dɪ'speə]
höflich polite, courteous [⚠ 'kɜːtɪəs] (***zu*** to)
Höflichkeit politeness, courtesy [⚠ 'kɜːtəsɪ]
Höhe 1. *allg.*: height [⚠ haɪt] **2.** (≈ *Höhe über dem Meeresspiegel*) altitude [⚠ 'æltɪtjuːd]; ***in einer Höhe von 5000 Metern*** at an altitude (*oder* at a height) of 5,000 metres **3.** ***New York liegt auf der Höhe von Neapel*** New York is on the same latitude ['lætɪtjuːd] as Naples **4.** *einer Summe*: size, amount **5.** *der Preise, Mieten, des Einkommens, der Geschwindigkeit, Temperatur, Stromspannung usw.*: level; ***die Preise gingen um 20 Prozent in die Höhe*** prices went up (by) 20 per cent **6.** *eines Schadens usw.*: extent [ɪk'stent], level **7.** (≈ *Tonhöhe*) pitch **8.** ***heb es mal in die Höhe!*** come on, lift it up! **9.** ***das ist ja wohl die Höhe!*** that really is the limit!
Hoheit 1. *über ein Gebiet usw.*: sovereignty [⚠ 'sɒvrəntɪ] (***über*** over) **2.** ***Seine*** (*bzw.* ***Ihre***) ***Königliche Hoheit*** His (*bzw.* Her) Royal Highness
Hoheitsgebiet territory ['terətərɪ]
Hoheitsgewässer *Pl.* territorial waters *Pl.*
Höhenregler *Radio usw.*: treble control
Höhensonne *Lampe*: sun lamp
Höhenunterschied difference in altitude
Höhepunkt 1. *einer Reise usw.*: high point **2.** *einer Veranstaltung*: highlight **3.** *eines Konflikts usw.*: critical stage, height [⚠ haɪt] **4.** *eines Films, Theaterstücks, einer Wahlkampagne; auch sexuell*: climax ['klaɪmæks] **5.** *der Saison, einer Karriere, einer Krise usw.*: height
hohl 1. *allg.*: hollow **2.** *Hand*: cupped **3.** *Linse, Spiegel*: concave [kɒn'keɪv]
Höhle 1. cave **2.** *von Raubtieren*: den, lair **3.** *im negativen Sinn* (≈ *Wohnung, Zimmer*) hole, hovel [⚠ 'hɒvl]
Hohlkörper hollow body [ˌhɒləʊ'bɒdɪ], hollow part [ˌhɒləʊ'pɑːt], hollow
Hohlkreuz hollow back
Hohlraum 1. hollow (space) **2.** *medizinisch, technisch*: cavity ['kævətɪ]
Hohn: ***das ist der reinste Hohn*** that's sheer mockery
höhnisch 1. ***eine höhnische Bemerkung machen*** make* a derisive remark (***über*** about), sneer (***über*** at) **2.** ***höhnisch grinsen*** sneer (***über*** at)
Hokuspokus 1. *Zauberformel*: abracadabra [ˌæbrəkə'dæbrə] **2.** (≈ *Schwindel*) hocus-pocus **3.** (≈ *Aufhebens*) fuss
holen 1. (≈ *herbringen*) get*, go* and get*, go* for, fetch; ***sie holte die Kinder, und ihr Mann holte den Wagen*** she went to get the children while her husband fetched the car **2.** (≈ *abholen*) pick up, *BE auch* call for; ***ich hol dich dann um vier*** I'll (come and) pick you up at four **3.** ***die Polizei*** *usw.* ***holen*** call the police *usw.* **4.** ***jemanden holen lassen*** send* for someone **5.** ***sie hat*** (***sich***) ***den ersten Preis geholt*** *umg.* she got (*oder* won) first prize **6.** ***ich habe mir beim Schwimmen eine Erkältung geholt*** I caught a cold (when I was) swimming
Holland Holland ['hɒlənd]
Holländer Dutchman ['dʌtʃmən]; ***er ist***

Holländer he's Dutch; ***die Holländer*** the Dutch; ☞ ***Nationalitäten***

Holländerin Dutchwoman ['dʌtʃˌwʊmən] (*oder* Dutch lady *bzw.* Dutch girl); ***sie ist Holländerin*** she's Dutch; ☞ ***Nationalitäten***

Holländisch, holländisch Dutch

Hölle hell; ***in der Hölle*** in hell (⚠ *ohne* the); ***in die Hölle kommen*** go* to hell; ***da war die Hölle los*** it was sheer pandemonium

Holler *bes.* Ⓐ **1.** (≈ *Holunder*) elder **2.** (≈ *Holunderbeeren*) elderberries ['eldəˌberɪz]

holpern (*Wagen usw.*) bump (along), jolt (along); ***wir holperten die Straße lang*** *im Auto usw.*: we were bumping along the road

holprig *Weg, Straße*: bumpy, rough [⚠ rʌf]

Holunder elder

Holz 1. wood; ***aus Holz*** made of wood, wooden; ***Holz hacken*** chop wood **2.** (≈ *Bau-, Nutzholz*) timber, *AE auch* lumber

hölzern 1. wooden (*auch Bewegung, Interpretation usw.*) **2.** (≈ *ungeschickt*) awkward ['ɔːkwəd]

Holzfäller woodcutter, *bes. AE* lumberjack

Holzhaus wooden house

holzig *Stängel usw.*: woody

Holzkohle charcoal ['tʃɑːkəʊl]

Holzscheit piece of (fire)wood

Holzschnitzerei woodcarving

Holzschnitt *fertiges Kunstwerk*: woodcut

Holzschuh clog

hören

Susan can't **hear** Jason ringing the bell because she's **listening to** the radio.

Holzspäne wood shavings

Holzstapel, Holzstoß pile of wood

Homebanking *per Computer*: home banking

Homepage *Internet*: home page

Homeshopping home shopping

Hometrainer exercise machine, (≈ *Fahrrad*) exercise bike

Homo *umg.* gay, *abwertend auch* queer

Homoehe *umg.* gay marriage [ˌgeɪ'mærɪdʒ], *förmlicher* same-sex marriage [ˌseɪmseks'mærɪdʒ]

homöopathisch homeopathic, *BE auch* homoeopathic [ˌhəʊmɪə'pæθɪk]

Homosexualität homosexuality [ˌhəʊməˌsekʃʊ'ælətɪ]

homosexuell homosexual [ˌhəʊmə'sekʃʊəl]

Homosexuelle(r) homosexual [ˌhəʊmə'sekʃʊəl]

Honig honey [⚠ 'hʌnɪ]

Honigmelone honeydew melon [ˌhʌnɪdjuː'melən]

Honorar 1. *von Arzt, Rechtsanwalt usw.*: fee **2.** *eines Autors usw.*: royalties (⚠ *Pl.*)

Hopfen 1. *Pflanze*: hop **2.** (≈ *Brauhopfen*) hops (⚠ *Pl.*)

hoppeln (*Hase*) hop

hoppla whoops! [wʊps], oops! [ʊps]

hopsen hop, skip

Hörbuch talking book ['tɔːkɪŋ‿bʊk]

horchen 1. listen [⚠ 'lɪsn] (***auf*** to) **2.** *an der Tür usw.*: eavesdrop ['iːvzdrɒp]

Horde (≈ *laute oder gewalttätige Gruppe*) horde [hɔːd], mob

hören 1. hear*; ***hast du das gehört?*** did you hear that?; ***gut hören*** have* good ears (*oder* hearing); ***schlecht hören*** be* slightly deaf [def], be* hard of hearing **2.** *zufällig*: overhear*; ***ich hab zufällig gehört, wie er sagte, dass er mich nicht mag*** I overheard [ˌəʊvə'hɜːd] him saying he didn't like me **3.** (≈ *zuhören*) listen [⚠ 'lɪsn]; ***hör doch!, hör mal!*** listen!; ***hör mal, Linda*** *bes. vor Zurechtweisung*: look here, Linda; ***also, hör mal!*** *als Einwand*: wait a minute! **4.** ***Radio hören*** listen to the radio **5.** ***sie hört gerade Musik*** she's listening to (some) music **6.** ***auf jemanden hören*** listen to someone *oder* to someone's advice **7.** ***ich höre es an deiner Stimme, dass du lügst*** I can tell by your voice that you're lying **8.** ***ich hab schon viel von Ihnen gehört*** I've heard a lot about you **9.** ***hast du schon von Peter gehört?*** (≈ *das Neueste über ihn erfahren*) have you heard about Peter?, (≈ *hat er sich selbst bei dir gemeldet?*) have you heard from Peter? **10.** ***ich lasse von***

mir hören I'll let you know **11.** ***lasst mal von euch hören!*** keep in touch

hören	
passiv hören, mitbekommen	**hear** (*a strange noise usw.*)
aufmerksam zuhören	**listen** (*to the news usw.*)

Hörer (≈ *Telefonhörer*) receiver [rɪ'siːvə]; ***den Hörer abnehmen*** pick up the receiver

Hörer(in) (≈ *Radiohörer*) listener [⚠ 'lɪsnə]

Hörgerät hearing aid

hörig: ***sie ist ihm hörig*** she's sexually dependent on him

Horizont 1. horizon [⚠ hə'raɪzn] (*auch übertragen*); ***am Horizont*** on the horizon; ***die Sonne sank unter den Horizont*** the sun sank below the horizon **2.** ***das geht über meinen Horizont*** that's beyond me; ***er sollte seinen Horizont erweitern*** he ought to broaden his horizons (⚠ *Pl.*)

horizontal horizontal [⚠ ˌhɒrɪ'zɒntl]

Hormon hormone ['hɔːməʊn]

Horn 1. *eines Tieres usw.*: horn **2.** *Blasinstrument*: (French) horn

Hörnchen 1. *Gebäck*: croissant [⚠ 'kwæsɑ̃] **2.** *Nagetier*: squirrel [⚠ 'skwɪrəl]

Hornisse hornet ['hɔːnɪt]

Horoskop horoscope ['hɒrəskəʊp]

Horror horror (***vor*** of); ***ich habe einen Horror vor dem Test*** I'm terrified of the test

Horrorfilm horror film, horror movie ['hɒrəˌmuːvɪ]

Hörsaal *einer Hochschule*: lecture hall

Hörspiel *im Radio*: radio play

Hortensie *Pflanze*: hydrangea [haɪ'dreɪndʒə]

Höschen 1. (≈ *Damenslip*) panties (⚠ *Pl.*); ***ein Höschen*** a pair of panties **2.** (≈ *Kinderhose*) trousers (⚠ *Pl.*), *bes. AE* pants (⚠ *Pl.*), *kurzes*: shorts (⚠ *Pl.*); ***ein Höschen*** a pair of trousers (*oder* pants *bzw.* shorts)

Hose 1. trousers ['traʊzəz] (⚠ *Pl.*), *bes. AE* pants (⚠ *Pl.*) *oder* slacks (⚠ *Pl.*); ***eine Hose*** (a pair of) trousers (*bes. AE* pants); ***diese Hose ist zu kurz*** these trousers are too short **2.** ***eine kurze Hose*** shorts (⚠ *Pl.*, *ohne* a), a pair of shorts (⚠ *Pl.*)

Hosenanzug trouser suit ['traʊzə‿suːt], *AE* pantsuit ['pæntsuːt]

Hosenträger *Pl.*: (a pair of) braces, *AE* (a pair of) suspenders

Hostie host [həʊst]

Hotel hotel [həʊ'tel]; ***in welchem Hotel seid ihr?*** which hotel are you (staying) at?

Hotelzimmer hotel room [həʊ'tel‿ruːm]

Hotline hotline, *Information, Beratung*: *BE auch* helpline

Hubraum *eines Kfz-Motors*: cubic capacity

hübsch 1. *Mädchen, Kind, Kleid, Melodie usw.*: pretty **2.** (≈ *gut aussehend*) *Frau, Mann*: good-looking, attractive [ə'træktɪv] **3.** *Geschenk, Zimmer, Aussicht usw.*: nice **4.** *umg.* (≈ *beträchtlich*) nice, tidy, pretty; ***ein hübsches Sümmchen*** *umg.* a tidy sum **5.** ***hübsche Aussichten*** *humorvoll* nice prospects **6.** ***hübsch angezogen*** nicely dressed **7.** (≈ *ziemlich*) pretty; ***es ist hübsch kalt draußen*** it's pretty cold outside **8.** ***immer hübsch der Reihe nach!*** one after the other, please

Hubschrauber helicopter ['helɪkɒptə]

Hubschrauberlandeplatz heliport ['helɪpɔːt], helipad ['helɪpæd]

Huf hoof *Pl.*: hoofs *oder* hooves

Hufeisen horseshoe ['hɔːs‿ʃuː]

Hüfte hip; ***mit den Hüften wackeln*** wiggle one's hips (⚠ *ohne* with)

Hügel 1. hill **2.** *kleiner*: hillock ['hɪlək]

hügelig hilly

Huhn 1. chicken (*auch als Essen*) **2.** (≈ *Henne*) hen **3.** ***so ein verrücktes Huhn!*** *übertragen* she's (*bzw.* he's) a real nutcase

Hühnchen 1. chicken **2.** (≈ *Brathühnchen*) roast chicken

Hühnerauge *an einer Zehe*: corn

Hühnerbrühe chicken broth ['tʃɪkɪn‿brɒθ]

Hülle 1. *allg.*: cover [⚠ 'kʌvə] (*auch einer Zeitkarte*) **2.** (≈ *Buchhülle*) cover, jacket **3.** *einer Schallplatte*: cover, *BE auch* sleeve, *AE auch* jacket **4.** *einer CD*: box **5.** (≈ *Futteral, Gehäuse*) case

Hülse 1. *für Thermometer, Füller, Brille; auch von Patrone*: case **2.** *von Bohnen, Erbsen*: pod

human 1. *Vorgesetzte(r), eine Einstellung usw.*: human ['hjuːmən], humane [hjuː'meɪn] **2.** *eine Methode usw.*: humane

Humanismus humanism ['hjuːmənɪzm]

humanistisch humanist ['hjuːmənɪst]; ***humanistische Bildung*** classical education

Humanität 1. humaneness [hjuː'meɪnnəs], humanity [hjuː'mænətɪ] **2.** *als Bildungsideal*: humanitarianism [hjuːˌmænɪ'teərɪənɪzm]

Hummel bumblebee ['bʌmblbiː]

Hummer lobster ['lɒbstə]

Humor humour ['hjuːmə]; ***er hat keinen Humor*** he has no sense of humour, (≈

versteht keinen Spaß) he can't take a joke

humorlos humourless; ***sie ist ziemlich humorlos*** she has no sense of humour; ***sei doch nicht so humorlos!*** don't take everything so seriously

humorvoll *Mensch*, *Art*: humorous ['hju:mərəs]

humpeln 1. *nach Fußverletzung*: hobble **2.** (≈ *ständig hinken*) have* a limp

Humus, **Humuserde** humus ['hju:məs]

Hund 1. dog; ***junger Hund*** puppy *Pl.*: puppies **2.** (≈ *Jagdhund*) hound, dog **3.** *als Schimpfwort*: swine, bastard ['bɑ:stəd]; ***blöder Hund!*** idiot!; ***so ein blöder Hund!*** what a stupid bastard! **4. *er ist ein armer Hund*** *umg.* he's a poor devil **5. *das ist vielleicht ein fauler Hund!*** *umg.* he's a lazy devil! **6. *das ist ein dicker Hund!*** *übertragen*, *umg.* that's a bit thick

hundemüde dog-tired

hundert a hundred, *betont*: one hundred

Hundert[1] *das* **1.** (≈ *Einheit von hundert Stück*, *Menschen usw.*) hundred; ***fünf vom Hundert*** five per cent *oder* percent **2. *Hunderte*** (≈ *einige hundert Menschen*, *Dinge usw.*) hundreds; ***Hunderte von Menschen*** hundreds of people; ***zu Hunderten*** by the (*oder* in their) hundreds

Hundert[2] *die* (≈ *die Zahl 100*) number hundred

Hunderter *umg.*, *Geldschein*: hundred-euro *usw.* note (*AE* bill)

Hunderteuroschein hundred-euro note, *AE* hundred-euro bill

hundertfach: ***in hundertfacher Vergrößerung*** enlarged a hundred times; ***der hundertfache Betrag*** (≈ *das Hundertfache*) a hundred times that (*oder* as much)

Hundertjahrfeier centenary [sen'ti:nərɪ], *AE* centennial [sen'tenɪəl]

hundertmal a hundred times

hundertprozentig 1. one hundred per cent (*AE* percent) [pə'sent] **2.** *Alkohol*, *Wolle usw.*: pure [pjʊə] **3. *das weiß ich hundertprozentig*** I know that for sure [ʃɔ:]

hundertste(**r**, **-s**) hundredth ['hʌndrədθ]

hundertstel: ***drei hundertstel Sekunden*** three hundredths of a second

hunderttausend a (*betont*: one) hundred thousand

Hündin bitch, female (dog)

Hunger 1. hunger; ***Hunger haben*** be* hungry; ***Hunger bekommen*** get* hungry; ***ich bekomme allmählich Hunger*** I'm getting hungry **2. *Millionen von Menschen müssen Hunger leiden*** millions of people are starving **3. *ich sterbe vor Hunger*** *umg.* I'm starving, I'm famished [⚠ 'fæmɪʃt], I'm ravenous ['rævnəs]

hungern 1. go* hungry (⚠ *nicht* be); ***der Kühlschrank ist leer, also muss ich hungern*** the fridge is empty, so I'll have to go hungry **2.** *ernsthaft*, *dauernd*: starve; ***viele Menschen in Afrika hungern*** there are a lot of people starving in Africa

Hungersnot famine [⚠ 'fæmɪn]; ***es herrscht*** (***eine***) ***Hungersnot*** there's a famine, there's widespread famine

hungrig hungry (*übertragen* ***nach*** for)

Hupe horn

hupen hoot, sound (*umg.* toot) one's horn

hüpfen 1. hop **2.** (≈ *springen*) jump **3.** (*Ball usw.*) bounce

Hürde hurdle (*auch übertragen*); ***eine Hürde nehmen*** take* (*oder* clear) a hurdle

Hürdenlauf hurdles (⚠ *mit Sg.*); ***der 100-Meter-Hürdenlauf findet um zwei statt*** the 100-metre hurdles is at two

Hürdenläufer(**in**) hurdler

Hure whore [hɔ:], prostitute ['prɒstɪtju:t]

hurra hooray! [hʊ'reɪ], hurrah! [hə'rɑ:], *BE auch* hurray! [hə'reɪ]

Hurrikan hurricane [⚠ 'hʌrɪkən]

huschen 1. (*Person*, *Tier*) dart **2.** (*Vogel*, *kleines Tier*, *Lächeln usw.*) flit

hüsteln give* a little cough [⚠ kɒf]

husten 1. cough [⚠ kɒf]; ***stark husten*** have* a bad cough **2. *Blut husten*** cough (up) blood

Husten cough [⚠ kɒf]; ***sie hat einen schlimmen Husten*** she's got a bad cough

Hustenbonbon cough sweet [⚠ 'kɒf‿swi:t], cough drop

Hustensaft cough syrup [⚠ 'kɒf,sɪrəp], *BE auch* cough mixture

Hut[1] *der* **1.** hat; ***den Hut aufsetzen*** (*bzw.* ***abnehmen***) put* on (*bzw.* take* off) one's hat **2.** *Wendungen*: ***das ist doch ein alter Hut!*** *übertragen*, *umg.* that's old hat! (⚠ *ohne* an); ***mit Oper*** *usw.* ***hab ich nichts am Hut*** *umg.* opera *usw.* isn't my cup of tea

Hut[2] *die*: ***auf der Hut sein*** be* on one's guard (***vor*** against)

hüten 1. look after (*ein Kind*, *das Haus usw.*) **2.** tend (*Vieh*) **3.** (≈ *bewachen*) watch over, guard [gɑ:d] (*das Haus usw.*) **4. *sich hüten vor*** watch out for, be* careful of; ***hüte dich davor, allzu wörtlich zu übersetzen*** be careful not to translate too literally

Hütte 1. hut **2.** *elende*: hovel [⚠ 'hɒvl],

shack **3.** (≈ *Berghütte*) alpine ['ælpaɪn] hut, mountain lodge, chalet [⚠ 'ʃæleɪ]
Hüttenschuhe slipper socks
Hyäne hyena [haɪ'iːnə]
Hyazinthe *Pflanze*: hyacinth ['haɪəsɪnθ]
Hydrant (fire) hydrant ['haɪdrənt]
Hydrokultur hydroponics [ˌhaɪdrəʊ'pɒnɪks] (⚠ *mit Sg.*)
hygienisch hygienic [⚠ haɪ'dʒiːnɪk]
Hymne 1. hymn [⚠ hɪm] **2.** (≈ *Nationalhymne*) national anthem ['ænθəm]
Hyperbel *Mathe*: hyperbola [⚠ haɪ'pɜːbələ]
Hypnose hypnosis [⚠ hɪp'nəʊsɪs]; ***er steht unter Hypnose*** he's under hypnosis
hypnotisieren hypnotize [⚠ 'hɪpnətaɪz]
Hypothek mortgage [⚠ 'mɔːgɪdʒ]; ***eine Hypothek aufnehmen*** take* out a mortgage
Hypothese hypothesis [⚠ haɪ'pɒθəsɪs] *Pl.*: hypotheses [haɪ'pɒθəsiːz], supposition [ˌsʌpə'zɪʃn]; ***die Hypothese bestätigen*** confirm the hypothesis; ***die Hypothese widerlegen*** refute the hypothesis
hypothetisch hypothetical [ˌhaɪpə'θetɪkl]
Hysterie hysteria [⚠ hɪ'stɪərɪə]
hysterisch hysterical [⚠ hɪ'sterɪkl]; ***werd nicht gleich hysterisch*** don't get hysterical, *umg.* keep your hair on

I

i. A. p. p., pp (*Abk. für* **p**er **p**rocurationem, *englisch* by proxy, *deutsch* im Auftrag)
IC intercity (train)
ICE intercity express (train); ***mit dem ICE fahren*** travel by intercity express, go* intercity express
ich I; ***ich bins*** it's me; ***ich nicht*** not me; ***du und ich*** you and me; ***hier bin ich!*** here I am!; ***ich Idiot!*** what an idiot I am!
Ich 1. self; ***mein zweites Ich*** my other self **2.** *psychologisch usw.*: ego ['iːgəʊ]; ***sie ist mein zweites Ich*** (≈ *meine beste Freundin*) she's my alter ego [ˌɔːltə(r)'iːgəʊ]
ideal ideal [⚠ aɪ'dɪəl], perfect ['pɜːfɪkt]; ***er ist der ideale Ehemann*** he's a model husband [ˌmɒdl'hʌzbənd]
Ideal ideal [⚠ aɪ'dɪəl]; ***das Ideal der Freiheit*** the ideal of liberty
Idealismus idealism [⚠ aɪ'dɪəlɪzm]
Idealist(in) idealist [aɪ'dɪəlɪst]
Idee 1. idea [⚠ aɪ'dɪə]; ***gute Idee*** good idea; ***wie bist du denn auf 'die Idee gekommen?*** *im negativen Sinn* what on earth gave you that idea?; ***wie bist du auf die Idee gekommen, das zu tun?*** what made you think of doing that?; ***sie kam auf die Idee, ihre Wohnung während ihres Urlaubs zu vermieten*** she had the idea to rent her flat while she was on holiday; ***das ist 'die Idee!*** that's it! **2.** ***eine Idee länger*** *usw.* just a bit longer *usw.*
ideenlos lacking in ideas [aɪ'dɪəz], unimaginative [ˌʌnɪ'mædʒɪnətɪv]
ideenreich full of ideas [aɪ'dɪəz], (very) imaginative [ɪ'mædʒɪnətɪv]
identifizieren 1. ***jemanden identifizieren*** identify [aɪ'dentɪfaɪ] someone (***als*** as) **2.** ***sich mit jemandem identifizieren*** identify with someone
Identifizierung identification [aɪˌdentɪfɪ'keɪʃn]
identisch identical [aɪ'dentɪkl] (***mit*** to)
Identität identity [aɪ'dentətɪ]
Ideologie ideology [ˌaɪdɪ'ɒlədʒɪ]
ideologisch ideological [ˌaɪdɪə'lɒdʒɪkl]
idiomatisch idiomatic [ˌɪdɪə'mætɪk]; ***idiomatische Wendung*** idiom ['ɪdɪəm], idiomatic phrase
Idiot idiot ['ɪdɪət]
idiotensicher *umg.* foolproof
idiotisch idiotic [ˌɪdɪ'ɒtɪk], ridiculous [rɪ'dɪkjʊləs]
Idol idol [⚠ 'aɪdl]
idyllisch idyllic [⚠ ɪ'dɪlɪk]; ***ein idyllisches Plätzchen*** an idyllic spot
Igel hedgehog ['hedʒhɒg]
Iglu (≈ *Hütte der Eskimos*) igloo ['ɪgluː]
ignorieren: ***jemanden*** (*bzw.* ***etwas***) ***ignorieren*** ignore someone (*bzw.* something), take* no notice of someone (*bzw.* something)
ihm 1. *bei Personen und männlichen Tieren*: him; ***ich habs ihm gesagt*** I told him; ***wie gehts ihm?*** how is he?; ***gib es ihm!*** give it to him!; ***ein Freund von ihm*** a friend of his, one of his friends **2.** *bei Dingen, Tieren*: it

ihn 1. *bei Personen und männlichen Tieren*: him **2.** *bei Dingen*: it
ihnen them; ***ich habs ihnen gesagt*** I told them; ***wie gehts ihnen?*** how are they?; ***gib es ihnen!*** give it to them!; ***Freunde von ihnen*** friends of theirs, some of their friends; ***bei ihnen*** (≈ *mit ihnen zusammen*) with them, (≈ *in ihrer Wohnung usw.*) at their place
Ihnen you; ***ich habs Ihnen gesagt*** I told you; ***wie gehts Ihnen?*** how are you?; ***ich gebe es Ihnen*** I'll give it to you; ***ein Freund von Ihnen*** a friend of yours
ihr[1] **1.** *bei Personen und weiblichen Tieren*: her; ***ich habs ihr gesagt*** I told her; ***wie gehts ihr?*** how is she?; ***gib es ihr!*** give it to her!; ***ein Freund von ihr*** a friend of hers, one of her friends **2.** *bei Dingen und Tieren mit unbekanntem Geschlecht*: it; ***die Maus blieb in ihrem Käfig*** the mouse stayed in its cage **3.** ***meine Eltern und einige ihrer Freunde*** my parents and some of their friends (*oder* some friends of theirs)
ihr[2] *Pl. von du*: you
Ihr 1. *Höflichkeitsform von dein bzw. euer*: your **2.** ***Ihr(e) XY*** *am Briefende*: Yours, XY (⚠ Yours *wird hier immer großgeschrieben, dahinter Komma*) **3.** ***welches Auto ist Ihres?*** which car is yours?
ihretwegen 1. (≈ *wegen ihr bzw. ihnen*) because of her (*bzw. Pl.* them) **2.** (≈ *ihr bzw. ihnen zuliebe*) for her (*bzw. Pl.* their) sake
Ikone icon ['aɪkɒn]
illegal illegal [ɪ'liːgl]
Illusion 1. illusion **2.** *Wendungen*: ***sich Illusionen machen*** delude [dɪ'luːd] oneself; ***sie macht sich Illusionen über ihn*** she's under an illusion about him; ***mach dir bloß keine Illusionen!*** don't fool yourself!
illusorisch illusory [ɪ'luːsərɪ]; ***das ist doch illusorisch!*** that's an illusion, *umg.* you're fooling yourself
Illustration illustration, picture ['pɪktʃə]
Illustrierte magazine [ˌmægə'ziːn]
im 1. *als Ortsangabe*: in the; ***im Bett*** *beim Schlafen, Ruhen*: in bed (⚠ *ohne* the); ***im Haus*** in (*oder* inside) the house, indoors; ***im Kino (Theater*** *usw.*) at the cinema (theatre *usw.*), *AE* at the movies ['muːvɪz] (theater *usw.*); ***im ersten Stock*** on the first (*AE* second) floor; ***warst du schon im Elsass?*** have you ever been to Alsace [æl'sæs]? (⚠ *ohne* the); ***im Fernsehen*** on television (⚠ *ohne* the); ***im Radio*** on the radio **2.** *zeitlich*: in; ***im nächsten*** (*bzw.* ***letzten***) ***Jahr*** next (*bzw.* last) year; ***im Jahr 1999*** in (the year) 1999; ***im Januar*** in January (⚠ *ohne* the); ***im Herbst*** in (the) autumn (*AE* fall); ***im Alter von 20 Jahren*** at the age of twenty **3.** *zur Angabe eines Zustands*: ***im Stehen schreiben*** write* (while) standing up
Imbiss snack, *umg.* bite to eat
Imker(in) bee-keeper
immer 1. always, (≈ *jedesmal*) every time, (≈ *fortwährend*) constantly ['kɒnstəntlɪ], all the time **2.** ***immer noch, noch immer*** still; ***sie ist immer noch nicht da*** she still hasn't arrived, she still isn't here **3.** ***immer wenn*** every time, whenever **4.** ***es kommt immer wieder vor, dass …*** it happens every now and again that …; ***ich hab dir immer wieder gesagt …*** I've told you time and again … **5.** ***schon immer*** always; ***wir haben schon immer ein Auto gehabt*** we've always had a car **6.** ***immer weiterreden*** keep* on talking, *umg.* go* on and on **7.** ***immer besser*** better and better **8.** ***für immer*** forever, for good
immerhin 1. (≈ *schließlich, ja, dennoch*) after all **2.** (≈ *zumindest, wenigstens*) at least
immerzu all the time; ***sie ärgert mich immerzu*** she keeps on annoying me
Immigrant(in) immigrant ['ɪmɪgrənt]
Immigration immigration [ˌɪmɪ'greɪʃn]
immigrieren immigrate ['ɪmɪgreɪt]
Immobilien real estate [⚠ 'rɪəl‿ɪˌsteɪt] (⚠ *Sg.*), property ['prɒpətɪ] (⚠ *Sg.*)
Immobilienhändler(in), Immobilienmakler(in) estate agent [ɪ'steɪtˌeɪdʒənt], *AE* realtor ['rɪəltə]
Immobilienmarkt property ['prɒpətɪ] market
immun immune [ɪ'mjuːn] (***gegen*** to)
Immunschwäche immunodeficiency [ˌɪmjʊnəʊdɪ'fɪʃnsɪ]
Immunsystem immune system [ɪ'mjuːnˌsɪstəm]
Imperativ imperative [⚠ ɪm'perətɪv]
Imperfekt *Grammatik*: past (tense)
Imperialismus imperialism [ɪm'pɪərɪəlɪzm]; ***der Imperialismus*** imperialism (⚠ *ohne* the)
impfen vaccinate ['væksɪneɪt], inoculate [ɪ'nɒkjʊleɪt]; ***ich muss mich gegen Pocken impfen lassen*** I've got to have a smallpox vaccination, I've got to get myself vaccinated against smallpox (⚠ *Sg.*)
Impfpass vaccination card [ˌvæksɪ'neɪʃn‿kɑːd]
Impfstoff vaccine ['væksiːn]
Impfung vaccination [ˌvæksɪ'neɪʃn], inoculation [ɪˌnɒkjʊ'leɪʃn]
imponieren: ***jemandem imponieren*** impress someone

imponierend impressive
Import **1.** (≈ *Einfuhr von Waren*) import [⚠ 'ɪmpɔːt] **2.** (≈ *die eingeführten Waren*) imports (⚠ *Pl.*)
importieren import [ɪm'pɔːt]
impotent impotent ['ɪmpətənt]
imprägnieren **1.** impregnate ['ɪmpregneɪt] **2.** waterproof (*Stoff usw.*)
improvisieren improvise ['ɪmprəvaɪz], *beim Reden usw. auch*: ad-lib [ˌæd'lɪb]
improvisiert improvised ['ɪmprəvaɪzd], *Rede usw. auch*: off-the-cuff (⚠ *nur vor dem Subst.*)
Impuls impulse [⚠ 'ɪmpʌls]
impulsiv **1.** impulsive [ɪm'pʌlsɪv] **2.** ***impulsiv handeln*** act on impulse
in[1] **1.** *auf die Frage „wo?"*: in, at, (≈ *innerhalb*) within; ***sie ist in der Kirche*** (≈ *im Kircheninneren*) she's in (*oder* inside) the church, (≈ *beim Gottesdienst*) she's at church; ***in der Schule*** (≈ *beim Unterricht*) at school; ***in der Stadt*** in town (⚠ *ohne* the); ***sie lebt in London*** she lives in London; ***wir waren in der Kneipe*** we were at the pub; ***er studiert in Oxford*** he's studying at Oxford; ***waren Sie schon in Irland?*** have you ever been to Ireland? **2.** *auf die Frage „wohin?"*: into, in; ***sie ging in die Kirche*** *ins Innere der Kirche*: she went into the church, (≈ *zum Gottesdienst*) she went to church; ***er geht in die Schule*** *als Schüler*: he goes to school **3.** *zeitlich*: in, (≈ *während*) during, (≈ *innerhalb*) within; ***noch in dieser Woche*** by the end of this week; ***in diesem Jahr*** this year; ***heute in acht Tagen*** a week (from) today; ***in der Nacht*** at night, during the night; ***in diesem Alter*** (*bzw.* ***Augenblick***) at this age (*bzw.* moment) **4.** *zur Angabe eines Zustands usw.*: in, at; ***im Kreis*** in a circle; ***in Reparatur*** under repair; → ***ins, im***
in[2] (≈ *in Mode, aktuell*) in; ***Surfen ist in*** surfing is in, surfing is the fashion now
Inbegriff epitome [⚠ ɪ'pɪtəmɪ], paragon ['pærəgən]; ***die Göttin Venus ist der Inbegriff der Schönheit*** the goddess Venus is the epitome of beauty
inbegriffen: ***Mahlzeiten inbegriffen*** meals included, including meals
indem: ***sie gewann, indem sie mogelte*** she won by cheating
Inder Indian; ***er ist Inder*** he's (an) Indian; ☞ ***Nationalitäten***
Inderin Indian woman (*oder* lady *bzw.* girl); ***sie ist Inderin*** she's (an) Indian; ☞ ***Nationalitäten***
Indianer American Indian, Native American; ☞ ***Nationalitäten***
Indianerin American Indian (*oder* Native American) woman (*oder* lady *bzw.* girl); ***sie ist Indianerin*** she's a Native American; ☞ ***Nationalitäten***
Indien India ['ɪndɪə]
Indikativ indicative [⚠ ɪn'dɪkətɪv]
indirekt indirect [ˌɪndə'rekt]; ***in der indirekten Rede*** *Grammatik*: in indirect (*oder* reported) speech (⚠ *ohne* the)
indisch Indian ['ɪndɪən]
individuell **1.** individual [ˌɪndɪ'vɪdʒʊəl], personal ['pɜːsnəl] **2.** ***individuell gestalten*** personalize ['pɜːsnəlaɪz], individualize [ˌɪndɪ'vɪdʒʊəlaɪz]; ***das ist individuell verschieden*** that varies from person to person
Individuum individual [ˌɪndɪ'vɪdʒʊəl]
Indonesien Indonesia [ˌɪndəʊ'niːzɪə]
Indonesier(in), **indonesisch** Indonesian; ☞ ***Nationalitäten***
industrialisieren industrialize [ɪn'dʌstrɪəlaɪz]
Industrialisierung industrialization [ɪnˌdʌstrɪəlaɪ'zeɪʃn]
Industrie industry ['ɪndəstrɪ], *einzelne*: (branch of) industry
Industriegebiet **1.** industrial area **2.** *in Planung*: industrial estate [⚠ ɪ'steɪt]
Industriezentrum industrial [ɪn'dʌstrɪəl] centre
ineinander **1.** into one another, into each other **2.** ***sie sind ineinander verliebt*** they're in love (with each other)

ineinander fließen **1.** (*Farben, Konturen usw.*) merge (into one another) **2.** (*Farben*) *beim Malen*: run* into one another
ineinander greifen **1.** (*Zahnräder usw.*) interlock [ˌɪntə'lɒk] **2.** (*Maßnahmen usw.*) be* interconnected [ˌɪntəkə'nektɪd]

Infektion infection [ɪn'fekʃn]
Infektionsgefahr risk of infection
Infektionskrankheit infectious disease [ɪnˌfekʃəs dɪ'ziːz]
Infinitiv infinitive [ɪn'fɪnətɪv]
Inflation inflation
Info *umg.* (≈ *Information*) info (*Pl. auch* info, *ohne* s)
Informatik computer science [kəm'pjuːtəˌsaɪəns]
Informatiker(in) computer scientist [kəmˌpjuːtə'saɪəntɪst], information scientist
Information **1.** information (***über*** about, on) (⚠ ***Informationen*** *wird im Englischen ebenfalls mit* information *wiedergegeben*); ***die neuesten Informationen*** the

latest information (⚠ *Sg.*); ***ich brauche Informationen über das neue Textverarbeitungsprogramm*** I need some information on the new word processing program **2.** (≈ *Auskunftsschalter*) information desk

Informationstechnologie information technology [ˌɪnfəˈmeɪʃn‿tekˌnɒlədʒɪ] (*Abk.* IT [ˌaɪˈtiː])

informieren 1. ***das Buch informiert über Radfahren in Holland*** the book offers information on cycling in Holland **2.** ***jemanden informieren*** let* someone know, tell* (*oder* inform) someone (***über*** about) **3.** ***sich informieren*** find* out (***über*** about)

Infostand information stand

Infotainment infotainment

infrage 1. ***das*** (*bzw.* ***er*** *usw.*) ***kommt nicht infrage*** that's (*bzw.* he's *usw.*) out of the question **2.** ***etwas infrage stellen*** question (*oder* query [⚠ ˈkwɪərɪ]) something, *stärker*: challenge something

infrarot infrared

Infrastruktur infrastructure [ˈɪnfrəˌstrʌktʃə]

Ingenieur(in) engineer [ˌendʒɪˈnɪə]

Ingwer ginger [ˈdʒɪndʒə]

Inhaber(in) 1. (≈ *Eigentümer*) owner, proprietor [prəˈpraɪətə], *Frau*: proprietress [prəˈpraɪətrəs] **2.** *eines Amts*, *Titels*, *einer Urkunde usw.*, *auch im Sport*: holder **3.** *eines Schecks*: bearer [ˈbeərə]

Inhalt 1. *eines Pakets usw.*: contents [⚠ ˈkɒntents] (⚠ *Pl.*) **2.** (≈ *Rauminhalt*) capacity, volume [ˈvɒljuːm] **3.** (≈ *gedanklicher Inhalt*) content **4.** *Überschrift in Buch*: contents (⚠ *Pl.*) **5.** ***den Inhalt eines Romans erzählen*** summarize the plot of a novel **6.** (≈ *Sinn*) meaning

Inhaltsangabe 1. *allg.*: summary [ˈsʌmərɪ]; ***eine Inhaltsangabe von einer Kurzgeschichte machen*** summarize a short story **2.** *bes. von Film*, *Drama*, *längerem Roman*: synopsis [sɪˈnɒpsɪs]

Inhaltsverzeichnis 1. *in einem Buch usw.*: table of contents [⚠ ˈkɒntents] **2.** *als beigefügte Liste*: list of contents **3.** *einer Computersoftware*: directory [dəˈrektərɪ]

Initiative 1. initiative [ɪˈnɪʃətɪv]; ***die Initiative ergreifen*** take* the initiative; ***auf seine Initiative hin*** on his initiative; ***aus eigener Initiative*** on one's own initiative, of one's own accord **2.** (≈ *Bürgerinitiative*) action group

Injektion injection [ɪnˈdʒekʃn]

inklusive 1. including, *nachgestellt*: included; ***das Zimmer kostet 40 Euro inklusive Frühstück*** the room costs forty euros, including breakfast *oder* breakfast included; **2.** ***bis zum 3. Mai inklusive*** up to and including May 3rd (*gesprochen* the third of May)

inkompatibel incompatible [ˌɪnkəmˈpætəbl]

inkompetent incompetent [ɪnˈkɒmpɪtənt]

Inkompetenz incompetence [ɪnˈkɒmpɪtəns]

inkonsequent inconsistent [ˌɪnkənˈsɪstənt]

Inkonsequenz inconsistency [ˌɪnkənˈsɪstənsɪ]

Inkubationszeit *Medizin*: incubation period [ˌɪŋkjʊˈbeɪʃnˌpɪərɪəd]

Inland 1. ***im In- und Ausland*** at home and abroad [əˈbrɔːd]; ***im Inland hergestellte Ware(n)*** domestic [dəˈmestɪk] products **2.** (≈ *Landesinnere*) interior [ɪnˈtɪərɪə]; ***weiter ins Inland hinein*** *bzw.* ***weiter im Inland*** further inland [ɪnˈlænd]

inländisch 1. *Waren*, *Handel*: domestic [dəˈmestɪk] **2.** *Markt*: domestic, home

Inlandsflug domestic flight, internal flight

Inlineskaten in-line skating

Inlineskater(in) in-line skater

Inlineskates in-line skates

innen 1. (≈ *drinnen*) inside [ɪnˈsaɪd] **2.** (≈ *auf der Innenseite*) on the inside [ˈɪnsaɪd] **3.** ***nach innen*** inwards [ˈɪnwədz]; ***die Tür geht nach innen auf*** the door opens inwards **4.** ***von innen*** from (the) inside [ɪnˈsaɪd]

Innenarchitekt(in) interior designer

Innenhof (inner) courtyard [ˈkɔːtjɑːd]

Innenminister 1. minister of the interior **2.** *in GB*: Home Secretary [ˌhəʊmˈsekrətərɪ] **3.** *in USA*: Secretary of the Interior

Innenministerium 1. ministry of the interior **2.** *in GB*: Home Office **3.** *in USA*: Department of the Interior

Innenpolitik 1. *allg.*: home affairs (⚠ *Pl.*; *ohne* the) **2.** *bestimmte*: domestic policy [ˈpɒləsɪ]

innenpolitisch domestic [dəˈmestɪk], internal; ***innenpolitische Auseinandersetzung*** dispute over domestic policy

Innenseite inside [ɪnˈsaɪd, *falls Gegensatz zu Außenseite betont werden soll*: ˈɪnsaɪd]

Innenstadt 1. town centre **2.** *in Großstadt*: city centre, *AE auch* downtown [ˌdaʊnˈtaʊn]

Innere 1. *allg.*: interior (*auch eines Gebäudes*, *Landes usw.*) **2.** *eines Hauses*, *einer Frucht usw.*: inside [ɪnˈsaɪd]

innere(r, -s) 1. *allg.*: inner **2.** (≈ *auf der Innenseite*) inside [ˈɪnsaɪd] **3.** *Räume usw.*: interior **4.** *Angelegenheiten usw.*: internal,

domestic [də'mestɪk] **5.** *Verletzungen, Krankheiten usw.*: internal
Innereien 1. *eines Schlachttieres*: innards ['ɪnədz], entrails [⚠ 'entreɪlz] **2.** *als Essen*: offal ['ɒfl] (⚠ *nur im Sg. verwendet*)
innerhalb 1. *örtlich*: inside [ɪn'saɪd], *förmlicher*: within [wɪð'ɪn]; ***innerhalb des Hauses*** inside the house; ***innerhalb Europas*** within Europe **2.** *zeitlich*: within, in; ***innerhalb einer Woche*** within a week
innerlich: ***er wirkt zwar ruhig, aber innerlich ist er sehr nervös*** he seems calm, but inwardly ['ɪnwədlɪ] he's quite nervous
Innerste 1. innermost part **2.** ***in seinem Innersten fühlte er sich tief getroffen*** deep down inside he felt very hurt
innerste(r, -s) innermost
innig 1. *Beziehung usw.*: close [⚠ kləʊs], intimate ['ɪntɪmət] **2.** ***sie lieben sich heiß und innig*** they're madly in love (with each other) **3.** ***ihr innigster Wunsch ist es, einmal um die Welt zu segeln*** her most fervent wish is one day to sail round the world
Innovation innovation
inoffiziell 1. unofficial [ˌʌnə'fɪʃl] **2.** (≈ *zwanglos*) informal [ɪn'fɔːml]; ***inoffizielle Gespräche*** informal talks
ins 1. (≈ *in das*); → ***in*** **2.** ***ins Kino gehen*** go* to the cinema, *AE* go* to the movies **3.** ***ins Bett gehen*** go* to bed **4.** ***ins Englische übersetzen*** translate into English
Insasse, **Insassin 1.** *Bus usw.*: passenger **2.** *Gefängnis usw.*: inmate ['ɪnmeɪt]
Inschrift inscription
Insekt insect ['ɪnsekt], *bes. AE* bug
Insel 1. island [⚠ 'aɪlənd] **2.** ***die Britischen Inseln*** the British Isles [⚠ aɪlz]; ***die Insel Wight*** the Isle of Wight
Inselbewohner(in) islander [⚠ 'aɪləndə]
Inserat advertisement [⚠ əd'vɜːtɪsmənt], *umg.* ad, *BE auch* advert [⚠ 'ædvɜːt]; ***ein Inserat aufgeben*** put* an ad in the paper
insgeheim secretly ['siːkrətlɪ]
insgesamt 1. altogether, in all; ***sie erhielt insgesamt 200 Briefe*** she received a total of 200 letters **2.** (≈ *als Ganzes*) as a whole **3.** (≈ *insgesamt gesehen*) on the whole
insofern 1. (≈ *in dieser Hinsicht*) as far as that goes, from that point of view **2.** ***er hat insofern Glück gehabt, als er sich nur die Hand brach*** he was lucky in so far (*oder* inasmuch) as he only broke his hand
Inspektor(in) inspector
Installateur(in) 1. (≈ *Klempner, -in*) plumber [⚠ 'plʌmə] **2.** (≈ *Elektroinstallateur, -in*) electrician [ɪˌlek'trɪʃn] **3.** *für Gas*: gas fitter
instand 1. ***etwas instand halten*** keep* something in good condition **2.** ***etwas instand setzen*** repair something, (≈ *renovieren*) renovate [⚠ 'renəveɪt] something
Instandhaltung upkeep ['ʌpkiːp], maintenance ['meɪntənəns]
Instandsetzung 1. repair **2.** (≈ *Renovierung*) renovation [⚠ ˌrenə'veɪʃn]
Instinkt instinct ['ɪnstɪŋkt]
instinktiv instinctive [ɪn'stɪŋktɪv]
Institut institute ['ɪnstɪtjuːt]
Instrument 1. instrument ['ɪnstrəmənt] (*auch übertragen*) **2.** (≈ *Werkzeug*) tool
Insulin insulin ['ɪnsjʊlɪn]
inszenieren stage (*ein Theaterstück usw.*)
intakt 1. intact (*auch Verhältnis usw.*) **2.** ***der Motor*** *usw.* ***ist noch intakt*** the engine *usw.* is still in good working order
Integration integration [ˌɪntɪ'greɪʃn]
integrieren 1. integrate ['ɪntɪgreɪt] (***in*** into) **2.** ***sich integrieren*** integrate (oneself), become* integrated (***in*** into)
intellektuell, **Intellektuelle(r)** intellectual [ˌɪntə'lektʃʊəl], *umg.* highbrow ['haɪbraʊ]
intelligent intelligent [ɪn'telɪdʒənt]
Intelligenz intelligence [ɪn'telɪdʒəns]
Intelligenzquotient intelligence quotient [ɪn'telɪdʒənsˌkwəʊʃnt], IQ [ˌaɪ'kjuː]
Intelligenztest intelligence test [ɪn'telɪdʒəns‿test]
intensiv 1. (≈ *gründlich*) intensive [ɪn'tensɪv], thorough [⚠ 'θʌrə] **2.** *Gefühl, Schmerz usw.*: intense [ɪn'tens] **3.** ***sich intensiv vorbereiten*** study hard (***auf*** for)
Intensivkurs crash course
Intensivstation intensive care unit; ***auf der Intensivstation*** in the intensive care unit
interessant interesting ['ɪntrəstɪŋ]
Interessante: ***das Interessante daran ist ...*** the interesting thing about it is ...
Interesse interest (***an, für*** in); ***Interesse haben*** be* interested (***an*** in); ***das Interesse verlieren*** lose* interest (⚠ *ohne* the)
Interessent(in) 1. *an Kauf*: prospective (*oder* potential) buyer; ***drei Interessenten haben angerufen*** three people have rung up **2.** *an einer Mitgliedschaft*: prospective member **3.** ***Interessenten bitte melden bei ...*** anyone (*oder* those) interested please contact ...
interessieren 1. ***sich interessieren für*** be* interested in, take* an interest in; ***er interessiert sich für gar nichts*** he's

not interested in anything **2. *das Thema interessiert mich*** I'm interested in this topic **3. *es wird dich interessieren – Sue und Fred heiraten*** you'll be interested to know that Sue and Fred are getting married

Interface *Computer*: (≈ *Schnittstelle*) interface ['ɪntəfeɪs]

Internat boarding school

international international

Internet *Computer*: Internet, *umg.* net, Net; ***im Internet*** on the (Inter)net; ***im Internet surfen*** surf the (Inter)net (⚠ *ohne* in *oder* on)

Internetcafé Internet café, cybercafé ['saɪbəˌkæfeɪ]

Internetfirma dot-com (company) ['dɒtkɒm (ˌdɒtkɒm'kʌmpənɪ)]

Internethandel e-commerce [ˌiː'kɒmɜːs]

Internetseite Internet site, Web page

Interpretation interpretation [⚠ ɪnˌtɜːprɪ'teɪʃn] (*auch von Gedicht usw.*)

interpretieren 1. interpret [⚠ ɪn'tɜːprɪt] (*auch Musikstück usw.*) (***als*** as) **2.** (≈ *auffassen*) understand* (***als*** as)

Intervall interval ['ɪntəvl]

Interview interview ['ɪntəvjuː]

interviewen interview ['ɪntəvjuː]

intim 1. *Freund, Angelegenheit, Gedanken, Gespräch usw.*: intimate ['ɪntɪmət] **2.** *Freundschaft*: close [kləʊs], intimate

intolerant intolerant [ɪn'tɒlərənt] (***gegenüber, gegen*** towards, *bei Sache auch*: of)

Intoleranz intolerance [ɪn'tɒlərəns] (***gegenüber, gegen*** towards, *bei Sache auch*: of)

intransitiv intransitive [ɪn'trænsətɪv]

intuitiv 1. intuitive [ɪn'tjuːətɪv] **2. *ich habe intuitiv das Richtige getan*** intuitively I did the right thing

Invalide invalid ['ɪnvəliːd], disabled [dɪs'eɪbld] person

investieren invest (***in*** in)

Investition investment; ***die Investitionen haben nachgelassen*** investment has gone down (⚠ *Sg.*; *ohne* the)

inwiefern 1. in what way, how **2.** (≈ *inwieweit*) to what extent

inwieweit to what extent

Inzest incest ['ɪnsest]

Inzucht inbreeding ['ɪnˌbriːdɪŋ]

inzwischen 1. *allg.*: in the meantime, meanwhile **2.** (≈ *bis dahin*) till (*oder* before) then **3.** (≈ *bis spätestens dann*) by then **4. *es ist inzwischen 10 Uhr*** it's now 10 o'clock **5. *ich habe inzwischen hundert CDs*** I've got a hundred CDs so far

i-Punkt 1. dot over the i [aɪ] **2. *bis auf den i-Punkt*** *übertragen* down to the last detail ['diːteɪl]

Irak Iraq [ɪ'rɑːk]

Iran Iran [ɪ'rɑːn]

Ire Irishman ['aɪrɪʃmən]; ***er ist Ire*** he's Irish, he's an Irishman; ***die Iren*** the Irish; ☞ ***Nationalitäten***

irgend 1. *irgend so ein Schauspieler* *auch im negativen Sinn* one of those actors, some actor (or other) **2. *wenn irgend möglich*** if at all possible

irgendein 1. some, *bei Frage, im Bedingungssatz*: any; ***ruf mich an, wenn es irgendein Problem gibt*** if there's any problem, ring me up; ***gib mir bitte irgendeine Tasse*** can you give me a cup - any old cup **2. *irgendein anderer*** someone else, *bei Frage, im Bedingungssatz*: anyone else

irgendeine(r) 1. someone, somebody, *bei Frage, Verneinung*: anyone, anybody **2. *„Welchen Wagen hätten Sie gerne?" – „Irgendeinen."*** 'What car would you like?' - 'Any of them.' *oder* 'I don't mind.'

irgendeines, irgendeins any of them, *bei zweien*: either ['aɪðə] (of them); ***„Welches Zimmer willst du haben?" – „Irgendeines."*** 'Which room would you like?' - 'Any of them.', 'It doesn't matter.', *bei zweien auch*: 'Either (of them).'

irgendetwas 1. something (or other), *bei Fragen meist*: anything; ***aber bring bitte nicht einfach irgendetwas!*** but don't just bring anything! **2.** (≈ *egal was*) anything

irgendjemand 1. someone, somebody, *bei Fragen meist*: anyone, anybody **2. *irgendjemand*** (≈ *egal wer*) anyone, anybody; ***sie ist ja schließlich nicht irgendjemand*** I mean, she isn't just anybody

irgendwann 1. sometime, some time or other **2.** (≈ *egal wann*) any time, whenever you *usw.* like **3. *ruf mich an, falls du irgendwann mal nach Bonn kommst!*** give me a ring if you're ever in Bonn

irgendwas something, *in Fragen, im Bedingungssatz*: anything

irgendwelche any; ***ohne irgendwelche Kosten*** without any expense(s) (at all)

irgendwie 1. somehow (or other) **2. *irgendwie tut sie mir leid*** I can't help feeling sorry for her

irgendwo 1. somewhere (or other), *in Fragen, im Bedingungssatz*: anywhere

Irin Irishwoman (*oder* Irish lady *bzw.* girl); ***sie ist Irin*** she's Irish; ☞ ***Nationalitäten***

Iris 1. (≈ *Schwertlilie*) iris ['aɪrɪs] **2.** (≈ *Regenbogenhaut des Auges*) iris ['aɪrɪs]

irisch, Irisch Irish ['aɪrɪʃ]

Irland Ireland ['aɪələnd]; ☞ *Karte S. 293*
Ironie irony ['aɪrənɪ]
ironisch ironic [aɪ'rɒnɪk]
irre 1. (≈ *geistesgestört*) mad, *umg.* crazy **2.** ***irres Zeug reden*** rave **3.** ***wie irre schuften*** *umg.* work like mad **4.** (≈ *sagenhaft*) terrific [tə'rɪfɪk]; ***ein irrer Typ*** an amazing guy **5.** ***sie ist irre schnell*** she's incredibly quick
Irre (≈ *Verrückte*) madwoman, lunatic ['luːnətɪk]
irremachen: ***lass dich von ihm nicht irremachen!*** don't let him confuse you
irren[1] **1.** ***sich irren*** be* wrong [⚠ rɒŋ], be* mistaken; ***da irrst du dich aber!*** you're wrong; ***ich kann mich auch irren*** I may be wrong; ***wenn ich mich nicht irre*** if I'm not mistaken **2.** ***sich in der Nummer irren*** get* the wrong number; ***ich hab mich in der Tür geirrt*** I went to the wrong door
irren[2] (≈ *ziellos umherschweifen*) wander ['wɒndə], roam [rəʊm]; ***durch die Stadt irren*** wander about in town
Irrenhaus: ***hier gehts zu wie im Irrenhaus*** it's like a madhouse (in) here
Irrer 1. madman, lunatic ['luːnətɪk] **2.** ***wie ein Irrer*** like a maniac ['meɪnɪæk], like mad
irrsinnig 1. (≈ *verrückt*) mad (***vor*** with) **2.** (≈ *unvorstellbar*) incredible; ***ich hab irrsinnig geschuftet*** I worked like mad **3.** *Tempo, Sturm*: terrific **4.** (≈ *äußerst*) incredibly; ***irrsinnig reich*** incredibly rich
Irrtum mistake, error ['erə]
irrtümlich wrong [⚠ rɒŋ]
irrtümlicherweise by mistake
Ischias *Medizin*: sciatica [⚠ saɪ'ætɪkə]
ISDN *Telefon*: ISDN [ˌaɪesdiː'en] (*Abk. für* **i**ntegrated **s**ervices **d**igital **n**etwork)
ISDN-Anschluss ISDN [ˌaɪesdiː'en] connection (*oder* access ['ækses]); ***hast du einen ISDN-Anschluss?*** have you got ISDN access (*oder* an ISDN connection)?
Islam Islam [⚠ 'ɪzlɑːm]
islamisch islamic [ɪz'læmɪk]
Island Iceland ['aɪslənd]
Isländer Icelander ['aɪsləndə]; ***er ist Isländer*** he's from Iceland; ☞ ***Nationalitäten***
Isländerin woman (*oder* lady *bzw.* girl) from Iceland; ***sie ist Isländerin*** she's from Iceland; ***die Isländerinnen sind Kälte gewohnt*** the women of Iceland are used to low temperatures; ☞ ***Nationalitäten***
isländisch, Isländisch Icelandic [aɪs'lændɪk]
Isolation 1. (≈ *Abgeschnittensein*) isolation **2.** *von elektrischen Leitungen usw.*: (≈ *Isolierung*) insulation [ˌɪnsjʊ'leɪʃn]
Isolierband insulating ['ɪnsjʊleɪtɪŋ] tape
isolieren 1. *allg., auch politisch, chemisch*: isolate ['aɪsəleɪt] (*auch Kranken, Häftling usw.*) **2.** *technisch*: insulate ['ɪnsjʊleɪt] (*Stromleitung, eine Wand usw.*)
Isolierung 1. *allg., auch politisch, eines Kranken usw.*: isolation **2.** *von Leitungen usw.*: insulation [ˌɪnsjʊ'leɪʃn]
Isomatte thermomat ['θɜːməʊmæt], *aus Schaumstoff*: foam mattress [ˌfəʊm'mætrəs]
Israel Israel [⚠ 'ɪzreɪl]
Israeli *Mann oder Frau*: Israeli [⚠ ɪz'reɪlɪ]; ***sie ist Israeli*** she's (an) Israeli; ☞ ***Nationalitäten***
israelisch Israeli [⚠ ɪz'reɪlɪ]
israelitisch Israelite [⚠ 'ɪzrɪəlaɪt]
Italien Italy ['ɪtəlɪ]
Italiener 1. Italian [ɪ'tæljən]; ***er ist Italiener*** he's (an) Italian; ☞ ***Nationalitäten*** **2.** *umg.* (≈ *italienisches Lokal*) Italian place, Italian restaurant ['restərɒnt]
Italienerin Italian woman (*oder* lady *bzw.* girl); ***sie ist Italienerin*** she's (an) Italian; ☞ ***Nationalitäten***
italienisch, Italienisch Italian [ɪ'tæljən]; ***die italienische Schweiz*** Italian-speaking Switzerland (⚠ *ohne* the)
i-Tüpfelchen: ***bis aufs i-Tüpfelchen*** *übertragen* down to the last (*oder* tiniest) detail ['diːteɪl]
IWF (*Abk. für* **I**nternationaler **W**ährungsfonds) IMF [ˌaɪem'ef] (*Abk. für* **I**nternational **M**onetary **F**und ['mʌnətrɪˌfʌnd])

J

ja 1. *Antwort, allg.*: yes, *umg.* yeah [⚠ jeə]; ***ja sagen*** → ***Ja* 2. *aber ja!*** *beruhigend*: yes, of course **3.** *beim Nachdenken*: well; ***ja, wissen Sie*** well, you know **4. *du kommst doch, ja?*** you're coming, aren't you? **5. *ich glaube, ja*** I think so **6. *ja?*** (≈ *tatsächlich?*) really?, *umg.* oh yeah? **7. *ja?*** *am Telefon*: hello? **8. *da bist du ja!*** 'there you are! **9. *ich habs dir ja gesagt*** didn't I tell you?, I told you so **10. *das ist ja unglaublich*** that really is incredible **11. *sags ihr ja nicht!*** don't you dare tell her!; ***lass sie ja in Ruhe!*** just leave her alone!; ***vergiss es ja nicht!*** be sure not to forget it! **12. *ja so eine Überraschung!*** well, this really is a surprise **13. *er ist ja schließlich mein Freund*** after all, he's my friend **14. *wenn ja, …*** if so, … **15. *du weißt ja gar nicht …*** you have no idea … **16. *das sag ich ja!*** that's what I'm saying

Ja yes; ***Ja sagen*** say* yes, (≈ *zustimmen*) agree (***zu*** to); ***mit Ja antworten*** answer yes; ***sie haben mit Ja gestimmt*** they voted yes

Jacht yacht [⚠ jɒt]

Jacke 1. jacket ['dʒækɪt], *AE auch* coat **2.** (≈ *Strickjacke*) cardigan ['kɑːdɪgən]

Jackett jacket ['dʒækɪt], *AE auch* coat

Jagd 1. hunt, hunting, *mit Gewehr auch*: shooting; ***auf die Jagd gehen*** go* hunting **2.** (≈ *Verfolgung*) chase, pursuit [pə'sjuːt]; ***die Jagd auf Terroristen*** the hunt for terrorists; ***die Polizei macht Jagd auf Temposünder*** the police are chasing (after) *oder* hunting (for) speeders

Jagdbomber *Militär*: fighter bomber [⚠ 'faɪtə,bɒmə]

Jagdflugzeug *Militär*: fighter (plane *oder* aircraft)

Jagdhund hound

jagen 1. hunt, *mit Gewehr auch*: shoot* (*Rotwild usw.*); ***er jagt (gerade) Hasen*** he's hunting hare **2.** (≈ *verfolgen*) chase (after) (*Flüchtige usw.*) **3.** (≈ *suchen*) hunt (for) (*Mörder usw.*) **4. *eine Brücke*** *usw.* ***in die Luft jagen*** *umg.* blow* up a bridge *usw.* **5. *sie hat sich eine Kugel durch den Kopf gejagt*** she blew her brains out

Jäger hunter, huntsman ['hʌntsmən]

Jaguar jaguar ['dʒægjʊə]

Jahr year; ***ein halbes Jahr*** half [⚠ hɑːf] a year, six months; ***ein dreiviertel Jahr*** nine months; ***anderthalb Jahre*** a year and a half; ***im Jahr 1789*** in (the year) 1789; ***bis 31. Mai dieses Jahres*** until May 31st (of) this year (*gesprochen* the thirty-first of May); ***Anfang*** (*bzw.* ***Ende***) ***der Neunzigerjahre*** (*oder* ***neunziger Jahre***) in the early (*bzw.* late) nineties; ***heute vor einem Jahr*** a year ago today; ***sie ist 10 Jahre alt*** she's ten (years old); ***mit 16 Jahren*** at (the age of) sixteen; ***ein 8 Jahre altes Auto*** an eight-year-old car; ***einmal im Jahr*** once a year; ***Jahr für Jahr*** year after year

Jahr

Beachte bitte, wie man die Jahre im neuen Jahrtausend ausspricht:

2000	**two thousand**
2001	**two thousand and one**
2002	**two thousand and two**
2003	**two thousand and three** usw.
2010	**twenty ten**
2011	**twenty eleven**
2020	**twenty twenty**
2032	**twenty thirty-two**
2055	**twenty fifty-five** usw.

Bei den Jahren 2000 bis 2009 kann man natürlich nicht **twenty …** sagen, denn das wäre irreführend: **twenty four** würde z. B. wie „24" klingen.

jahrelang 1. *wir mussten jahrelang warten* we had to wait (for) years **2. *nach jahrelangem Warten*** after years of waiting

Jahrestag anniversary [,ænɪ'vɜːsərɪ]

Jahreszeit season ['siːzn], time of the year; ***zu jeder Jahreszeit*** (in) any season; ☞ *Info S. 764*

Jahrgang 1. *der Jahrgang 1983* *Personen*: those born in 1983 **2. *was ist das für ein Jahrgang?*** *Wein*: what vintage

Jahreszeiten

(im) Frühling	**(in) spring**
(im) Sommer	**(in) summer**
(im) Herbst	**(in) autumn,** *AE* **(in the) fall**
(im) Winter	**(in) winter**

['vɪntɪdʒ] (*oder* year) is it?; ***ein Portwein Jahrgang 1970*** a 1970 port
Jahrhundert century ['sentʃərɪ]
...jährig 1. ***ein fünfjähriges Kind*** a five--year-old child **2.** ***eine dreijährige Ausbildung*** three years of training; ***mit zweijähriger Verspätung*** two years late
jährlich 1. annual, yearly; ***ein jährliches Gehalt von 50 000 Dollar*** an annual salary of $50,000 (*gesprochen* fifty thousand dollars) **2.** ***einmal jährlich*** once a year
Jahrtausend millennium [mɪ'lenɪəm] *Pl.*: millennia [mɪ'lenɪə]
Jahrzehnt decade [⚠ 'dekeɪd], ten years
jähzornig hot-tempered; ***er ist sehr jähzornig*** he's got a violent temper
Jalousie (venetian) blind [(vəˌniːʃn-)'blaɪnd]
Jamaika Jamaica [⚠ dʒə'meɪkə]
jämmerlich 1. *Leben usw.*: wretched [⚠ 'retʃɪd] **2.** *Anblick*: pitiful **3.** *Zustände usw.*: miserable ['mɪzrəbl] **4.** ***jämmerlich wenig*** *usw.* terribly little *usw.*
jammern 1. moan, *laut*: wail; ***hör auf zu jammern!*** stop moaning! **2.** ***er jammert immer darüber, dass er so allein ist*** he's always moaning that he's so lonely
Jammern moaning, *lautes*: wailing
Janker *bes.* Ⓐ **1.** (≈ *Jackett*) jacket **2.** (≈ *Strickjacke*) cardigan ['kɑːdɪgən]
Jänner Ⓐ January ['dʒænjʊərɪ]
Januar January ['dʒænjʊərɪ]; ***im Januar*** in January (⚠ *ohne* the)
Japan Japan [dʒə'pæn]
Japaner Japanese [ˌdʒæpə'niːz]; ***er ist Japaner*** he's Japanese; ***die Japaner*** the Japanese; ☞ ***Nationalitäten***
Japanerin Japanese woman (*oder* lady *bzw.* girl); ***sie ist Japanerin*** she's Japanese; ☞ ***Nationalitäten***
japanisch, Japanisch Japanese [ˌdʒæpə'niːz]
Jasmin *Zierstrauch*: jasmine ['dʒæzmɪn]
Jastimme yes-vote, *BE auch* aye [⚠ aɪ], *AE auch* yea [⚠ jeɪ]
jäten 1. weed (out) **2.** ***Unkraut jäten*** weed, do* the (*oder* some) weeding
Jauche liquid manure [mə'njʊə]
jaulen 1. (*Hund usw.*) howl **2.** (*bes. Katze*) yowl
Jause Ⓐ (break for a) snack; ***eine Jause machen*** have* a snack, have* a bite to eat
jausnen Ⓐ have* a (break for a) snack
jawohl *beim Militär usw.*: yes, sir, *bei der Marine*: aye aye, sir [aɪ'aɪˌsɜː]
Jazz *Musik*: jazz [dʒæz]
Jazzband jazz band
Jazzsänger(in) jazz singer
je[1] **1.** (≈ *jemals*) ever; ***ohne sie je gesehen zu haben*** without ever having seen her **2.** (≈ *jeweils*) ***sie kosten je ein Pfund*** they cost a pound each **3.** ***je nach Größe*** *usw.* according to size *usw.*; ***je nachdem!*** it (all) depends; ***..., je nachdem, was du willst*** ..., depending on what you want **4.** ***je schneller*** *usw.*, ***desto besser*** *usw.* the quicker *usw.* the better *usw.*
je[2]: ***o je!*** oh no!, oh dear!
Jeans jeans (⚠ *Pl.*); ***ich brauche (eine) Jeans*** I need a pair of jeans
Jeansanzug denim suit [ˌdenɪm'suːt]
Jeansjacke denim jacket [ˌdenɪm'dʒækɪt]
jede(r, -s) 1. *insgesamt gesehen*: every; ***jeden Tag*** every day; ***das Schiff fährt jeden Tag zweimal*** the boat goes twice a day; ***jeden zweiten Tag*** every other day **2.** *einzeln gesehen*: each; ***sie hat an jedem Finger einen Ring*** she's got a ring on each finger; ***hier sind ein paar alte Münzen - jede ist äußerst wertvoll*** here are someold coins - each one is extremely precious **3.** *vor* "of": each; ***jeder von euch*** (*bzw.* ***uns***) each of you (*bzw.* us) **4.** *von zweien*: either ['aɪðə] **5.** (≈ *jede, -er, -es beliebige*) any; ***jeder Computer reicht aus*** any computer will do; ***jeden Moment*** any minute; ***bei jedem Wetter*** in any weather **6.** ***du kannst jeden fragen*** (you can) ask anyone **7.** ***jede(r) von ihnen ist verheiratet*** they're all married **8.** ***jeder weiß das*** everyone *oder* everybody knows (that) **9.** ***jeder hat seine Fehler*** we all have our faults **10.** ***jeder, der*** whoever
jedenfalls 1. ***nun, ich ging jedenfalls nach Hause*** well, anyhow, I walked home; ***ich geh jedenfalls nicht hin*** I'm not going there, anyway **2.** (≈ *wenigstens*) at least; ***ich wars jedenfalls nicht*** it wasn't me, anyway
jederzeit any time, always
jedesmal 1. every time, (≈ *immer*) always **2.** ***jedesmal, wenn ich lesen will*** every time (*oder* whenever) I want to read
jedoch though [ðəʊ] (⚠ *immer nachgestellt*), however (⚠ *meist nachgestellt*); ***sie ist ziemlich frech, ich mag sie jedoch*** she's a bit cheeky - I like her, though

jemals ever; ***wirst du das jemals lernen?*** will you ever learn (that)?
jemand somebody, someone, *fragend, im Bedingungssatz*: anybody, anyone; ***ist jemand da?*** is there anybody here?; ***sonst noch jemand?*** anyone else?
jene(r, -s) **1.** that *Pl.*: those; ***seit jenem Tag*** from that day on **2.** *substantivisch*: that one *Pl.*: those **3.** (≈ *der, die, das vorher bzw. zuerst Erwähnte bzw. Pl.*) the former
jenseits **1.** on the other side of **2.** *weiter weg*: beyond [bɪ'jɒnd]; ***jenseits aller Kritik*** beyond all criticism
Jenseits hereafter; ***er glaubt nicht an ein Jenseits*** he doesn't believe in the hereafter
Jesus Christus Jesus Christ [ˌdʒiːzəs'kraɪst]
Jetlag *Flugreise*: jet lag
jetzige(r, -s) present ['preznt]; ***ihr jetziger Freund*** her present boyfriend
jetzt **1.** now; ***erst jetzt*** only now; ***jetzt gleich*** right now, right away; ***jetzt eben*** just now **2.** (≈ *heutzutage*) nowadays **3.** ***bis jetzt*** so far, up to now, *bei Verneinung auch*: as yet **4.** ***von jetzt an*** from now on
jeweilige(n) **1.** ***wendet euch an die jeweiligen Klassenleiter*** contact the relevant ['reləvənt] form masters **2.** ***die jeweiligen Umstände*** the particular circumstances
jeweils **1.** ***für die Fragen gibt es jeweils drei Punkte*** there are three points for each question; ***Übungen mit jeweils zehn Fragen*** exercises with ten questions each **2.** ***die Miete ist jeweils am Monatsersten zu zahlen*** the rent is due on the first of every month **3.** ***wir nehmen jeweils nur zwei neue Lehrlinge auf*** we only take on two new apprentices at a time
Job *umg.* job
jobben job (around); ***als Kurier jobben*** work (*oder* do* temporary work) as a courier [⚠ 'kʊrɪə]
Jobsharing job sharing
Jod iodine ['aɪədiːn]
jodeln yodel ['jəʊdl]
Jodsalz iodized salt [ˌaɪədaɪzd'sɔːlt]
Joga yoga ['jəʊgə]; ***Joga machen*** do* yoga
joggen jog, go* jogging
Jogger(in) jogger
Jogging jogging
Jogginganzug tracksuit ['træksuːt]
Jogginghose jogging pants, joggers, *AE* sweatpants ['swetpænts] (⚠ *alle Pl.*)
Joghurt yog(h)urt ['jɒgət]
Johannisbeere **1.** ***Rote Johannisbeere*** redcurrant **2.** ***Schwarze Johannisbeere*** blackcurrant
Joker **1.** *Spielkarte*: joker **2.** *übertragen* trump card
Jongleur(in) juggler
jonglieren juggle (***mit*** with)
Jordanien Jordan ['dʒɔːdn]
Journalismus journalism ['dʒɜːnəlɪzm]
Journalist(in) journalist ['dʒɜːnəlɪst]
Joystick *Computerspiele*: joystick
Jubel **1.** cheering, cheers (⚠ *Pl.*) **2.** (≈ *Freude*) (great) joy, rejoicing; ***es herrschte großer Jubel*** there was great rejoicing
jubeln **1.** cheer, shout with joy **2.** ***über etwas jubeln*** rejoice at (*oder* over) something, celebrate ['seləbreɪt] something
Jubiläum **1.** *allg.*: anniversary [ˌænɪ'vɜːsərɪ]; ***heute ist ihr 25-jähriges Jubiläum*** it's her twenty-fifth anniversary today **2.** *einer bedeutenden Person*: jubilee ['dʒuːbɪliː]; ***25-jähriges*** (*bzw.* ***50-jähriges***) ***Jubiläum*** silver (*bzw.* golden) jubilee
jucken **1.** ***mich juckts am Arm*** *usw.* my arm *usw.* is itching; ***mich juckts hier*** I've got an itch here **2.** ***Mückenstiche jucken fürchterlich*** mosquito bites itch terribly
Jude *historisch, politisch*: Jew [dʒuː], *höflicher*: Jewish person; ***die Juden*** *historisch, politisch*: the Jews, *heute auch*: the Jewish people (⚠ the Jews *kann beleidigend wirken*); ***er ist Jude*** he's Jewish (⚠ he's a Jew *wirkt heute oft beleidigend*)
Judenverfolgung persecution [ˌpɜːsɪ'kjuːʃn] of the Jews, Jewish persecution
Jüdin Jewish woman (*oder* lady *bzw.* girl); ***sie ist Jüdin*** she's Jewish (⚠ she's a Jewess ['dʒuːes] *wirkt heute oft beleidigend*)
jüdisch Jewish ['dʒuːɪʃ]
Jugend **1.** (≈ *Jugendzeit*) youth [juːθ]; ***in meiner Jugend*** when I was young [jʌŋ] **2.** ***die Jugend*** (the) young people; ***die heutige Jugend*** young people today, today's youth
Jugendarbeitslosigkeit youth unemployment
Jugendherberge youth hostel ['juːθˌhɒstl]
Jugendkriminalität juvenile crime [ˌdʒuːvənaɪl'kraɪm]
jugendlich **1.** *Aussehen usw.*: youthful ['juːθfl] **2.** *Publikum usw.*: young [jʌŋ] **3.** ***jugendlich aussehen*** look young
Jugendliche(r) young person, *männlicher auch*: youth [juːθ] *Pl.*: youths [⚠ juːðz]; ***die Jugendlichen*** (the) young people, the young ones

Jugendmeisterschaft(en) junior (*oder* youth) championships (⚠ *Pl.*)
Jugendzentrum youth centre (*AE* center)
Jugoslawien Yugoslavia [ˌjuːgəʊˈslɑːvɪə] (⚠ *nur bis 2003*)
Juli July [dʒʊˈlaɪ]; ***im Juli*** in July (⚠ *ohne* the)
jung 1. *allg.*: young [jʌŋ] **2.** *Staat, Firma usw.*: new **3.** ***jung verheiratet*** newly married **4.** ***von jung auf*** from childhood; → ***jünger, jüngste(r, -s)***
Junge[1] *der* **1.** boy **2.** (≈ *junger Mann*) lad
Junge[2] *das* **1.** *umg.* baby; ***Junge bekommen*** have* young (ones) *oder* babies *bzw.* puppies, kittens *usw., je nach Tierart* **2.** *Hund*: puppy; ***unser Hund kriegt Junge*** our dog is going to have puppies **3.** *Katze*: kitten **4.** *Rind, Elefant, Seehund*: calf [⚠ kɑːf] *Pl.*: calves [⚠ kɑːvz] **5.** *Bär, Löwe usw.*: cub **6.** *Reh, Rotwild*: fawn **7.** *Vogel*: nestling [ˈnes(t)lɪŋ]
jünger 1. younger [ˈjʌŋgə]; ***er ist zwei Jahre jünger als ich*** he's two years younger than me; ***sie sieht jünger aus als sie ist*** she looks younger than her age **2.** (≈ *eher jung als alt*) youngish [ˈjʌŋɪʃ] **3.** *Entwicklung*: (more) recent [ˈriːsnt]
Jünger *von Jesus usw.*: disciple [⚠ dɪˈsaɪpl]
Jüngere(r) 1. younger person; ***die Jüngeren (unter euch)*** the younger ones (among you)
Jungfer: ***alte Jungfer*** old maid
Jungfrau 1. virgin [ˈvɜːdʒɪn] **2.** *Sternzeichen*: Virgo [ˈvɜːgəʊ]; ***er ist (eine) Jungfrau*** he's (a) Virgo
Junggeselle bachelor [ˈbætʃələ]
Junggesellin bachelor girl
Jüngste(r, -s) 1. ***unser Jüngster, unsere Jüngste, unser Jüngstes*** our youngest (one *oder* child) **2.** ***sie ist nicht mehr die Jüngste*** she's no spring chicken any more **3.** ***der Jüngste Tag*** the Day of Judg(e)ment
jüngste(r, -s) 1. youngest [ˈjʌŋgɪst] **2.** *zeitlich*: latest; ***die jüngsten Ereignisse*** the latest (*oder* most recent [ˈriːsnt]) events **3.** ***in jüngster Zeit*** lately, recently
Juni June [dʒuːn]; ***im Juni*** in June (⚠ *ohne* the)
Junior 1. *allg.*: junior [ˈdʒuːnɪə] (*auch Sport*) **2.** (≈ *Juniorchef*) son of the boss
junior: ***John F. Kennedy junior*** (*Abk.* ***jun.*** *oder* ***jr.***) John F. Kennedy Junior (*Abk.* Jr *oder* Jnr *oder* Jun.)
Junkmail *Computer, Internet*: junk mail, spam
Jupe Ⓒⓗ (≈ *Rock*) skirt
Jupiter *Planet*: Jupiter [ˈdʒuːpɪtə] (⚠ *ohne* the)
Jura *Fachrichtung an Universität*: law; ***sie studiert Jura*** she's studying law, *AE auch* she goes to law school
Jury jury [ˈdʒʊərɪ] (*auch bei Gericht*)
Justiz: ***die Justiz*** the legal authorities (⚠ *Pl.*), (≈ *die Gerichte*) the courts [kɔːts]
Justizgebäude law courts (⚠ *Pl.*)
Justizminister(in) 1. minister of justice **2.** *in GB etwa*: Lord Chancellor [ˌlɔːdˈtʃɑːnsələ] **3.** *in USA etwa*: Attorney General [əˌtɜːnɪˈdʒenrəl]
Justizministerium 1. ministry of justice **2.** *in USA*: Department of Justice
Juwel jewel [ˈdʒuːəl], gem [dʒem] (*auch Bauwerk, Ortschaft usw.*)
Juwelen jewellery [ˈdʒuːəlrɪ], *AE* jewelry
Juwelier(in) jeweller [ˈdʒuːələ], *AE* jeweler
Juweliergeschäft jeweller's (*AE* jeweler's) [ˈdʒuːələz] shop
Jux *umg.* (practical) joke; ***aus (lauter) Jux*** (just) for fun, (just) for kicks

K

Kabarett (political) revue [rɪˈvjuː]
Kabel (≈ *Stromkabel, Stahlkabel*) cable
Kabelanschluss *TV, Radio*: cable connection; ***haben Sie Kabelanschluss?*** do you get cable?
Kabelfernsehen cable TV
Kabeljau cod
Kabelkanal *TV, Radio*: cable channel
Kabine 1. *Schiff, Flugzeug*: cabin [ˈkæbɪn] **2.** *in Schwimmbad, beim Arzt*: cubicle [ˈkjuːbɪkl] **3.** *Sport*: dressing room
Kabinett 1. *politisch*: cabinet [ˈkæbɪnət] **2.** Ⓐ (≈ *kleines Zimmer*) closet [ˈklɒzɪt], small room
Kabrio *Auto*: convertible [kənˈvɜːtəbl], *bes. AE auch* cabriolet [ˈkæbrɪəleɪ]

Kachel tile
Kachelofen ceramic stove [səˌræmɪk'stəʊv]
Kacke, **kacken** *vulgär, salopp* shit
Käfer beetle, *bes. AE* bug
Kaff *salopp* dump, hole, one-horse town
Kaffee coffee; ***Kaffee kochen*** make* (some *oder* the) coffee; ***eine Tasse*** (*bzw.* ***ein Kännchen***) ***Kaffee*** a cup (*bzw.* a pot) of coffee; ***Kaffee mit Milch*** white coffee, *AE* coffee with milk *oder* cream; ***wir waren bei ihnen zum Kaffee eingeladen*** they had invited us for afternoon coffee
Kaffeeautomat coffee machine
Kaffeehaus Ⓐ coffee house, café ['kæfeɪ]
Kaffeekanne coffee pot
Kaffeemaschine 1. *im Haushalt*: coffeemaker **2.** (≈ *Kaffeeautomat*) coffee machine
Kaffeesatz coffee grounds (⚠ *Pl.*)
Kaffeetasse coffee cup
Käfig cage
kahl 1. (≈ *glatzköpfig*) bald [bɔːld] **2.** *Ast, Baum*: bare, leafless **3.** *Landschaft*: barren [⚠ 'bærən], bleak **4.** *Wand, Felsen*: bare

> **kahl geschoren** *Kopf*: shaven ['ʃeɪvn]
> **kahl rasieren, kahl scheren**: ***er ließ sich kahl rasieren*** he had his head shaved

Kahn 1. *mit Rudern*: rowing boat **2.** (≈ *Lastkahn*) barge
Kai quay [⚠ kiː], wharf [wɔːf] *Pl.*: wharfs *oder* wharves
Kaiser emperor ['empərə]
Kaiserin empress ['emprəs]
Kaiserschmarrn *bes.* Ⓐ cut-up and sugared pancake with raisins
Kajüte *auf Boot, Schiff*: cabin ['kæbɪn]
Kakao 1. cocoa [⚠ 'kəʊkəʊ] (*auch Pulver*) **2.** *Getränk*: (hot) chocolate ['tʃɒklət]
Kakerlake cockroach ['kɒkrəʊtʃ], *AE umg. auch* roach
Kaktee, **Kaktus** cactus ['kæktəs] *Pl.*: cactuses *oder* cacti ['kæktaɪ]
Kalauer 1. (≈ *dummer Witz*) corny joke **2.** (≈ *dummes Wortspiel*) terrible pun
Kalb *lebendes Tier*: calf [⚠ kɑːf] *Pl.*: calves
Kalbfleisch veal [viːl]
Kalbsbraten roast veal
Kalbsschnitzel 1. veal cutlet **2.** *paniertes*: escalope [⚠ 'eskəlɒp] of veal
Kalender calendar ['kæləndə]
Kaliber 1. *einer Kugel, eines Gewehrs usw.*: calibre, *AE* caliber ['kæləbə] **2.** *übertragen* type, sort, kind
Kalifornien California
Kalium potassium [pə'tæsɪəm]
Kalk 1. *Baustoff*: lime **2.** *in Knochen*: calcium ['kælsɪəm] **3.** *zum Tünchen*: whitewash **4.** *Geologie*: (≈ *Kalkstein*) limestone, (≈ *Kreide*) chalk [tʃɔːk]
kalkhaltig 1. *Wasser*: hard **2.** *Boden, Erde*: chalky ['tʃɔːkɪ]
Kalkstein limestone
Kalorie calorie ['kælərɪ]
kalorienarm 1. ***ein kalorienarmer Joghurt*** *usw.* a low-calorie yoghurt *usw.* **2.** ***diese Getränke sind kalorienarm*** these drinks are low in calories
kalt 1. *allg.*: cold; ***mir ist kalt*** I'm cold; ***das lässt mich kalt*** that leaves me cold **2.** ***sie zeigte ihm die kalte Schulter*** *übertragen* she gave him the cold shoulder **3.** ***heute Abend bleibt die Küche kalt*** we're (*bzw.* I'm) having a cold meal this evening **4.** ***den Wein kalt stellen*** chill [tʃɪl] the wine
kaltblütig 1. *Mord usw.*: cold-blooded ['kəʊldˌblʌdɪd] **2.** ***er hat sie kaltblütig umgebracht*** he murdered her in cold blood
Kälte 1. cold; ***vor Kälte zittern*** shiver with cold **2.** *einer Person, Farbe usw.*: coldness
Kälteperiode, **Kältewelle** cold spell ['kəʊld‿spel]
Kaltluft cold air; ***polare Kaltluft*** polar air
kaltmachen: ***jemanden kaltmachen*** *umg.* (≈ *töten*) bump someone off
Kaltstart *Computer*: cold start [ˌkəʊld'stɑːt], cold boot
Kalzium calcium ['kælsɪəm]
Kambodscha Cambodia [kæm'bəʊdɪə]
Kamel 1. *Tier*: camel ['kæml] **2.** *übertragen* (≈ *Dummkopf*) fool, idiot, *BE auch* clot
Kamera camera
Kamerad(in) 1. *als Begleiter(in) usw.*: companion [kəm'pænjən] **2.** *Schule, Sport*: mate **3.** *beim Militär*: comrade ['kɒmreɪd]
Kamerafrau camerawoman ['kæmrəˌwʊmən]
Kameramann cameraman ['kæmrəmæn]
Kamerun Cameroon [ˌkæmə'ruːn]
Kamille *Pflanze*: camomile ['kæməmaɪl]
Kamillentee camomile tea [ˌkæməmaɪl'tiː]
Kamin 1. (≈ *offene Feuerstelle*) fireplace; ***am Kamin sitzen*** sit* by the fireside **2.** (≈ *Schornstein*) chimney ['tʃɪmnɪ]
Kaminfeger, **Kaminkehrer** chimney sweep
Kamm *zum Kämmen*: comb [⚠ kəʊm]
kämmen: ***sich*** (***die Haare***) ***kämmen*** comb [⚠ kəʊm] one's hair
Kammer 1. (≈ *Zimmer*) (small) room **2.** (≈ *Abstellraum*) box room

K

Kampagne campaign [kæm'peɪn]; ***eine Kampagne starten*** launch a campaign

Kampf 1. *allg.* fight [faɪt] (***für, um*** for; ***gegen*** against) **2.** *übertragen* fight, battle, *schwerer*: struggle ['strʌgl] (***für, um*** for; ***gegen*** against) **3.** *im Krieg usw.*: combat ['kɒmbæt], (≈ *Schlacht*) battle; ***die Kämpfe einstellen*** stop fighting **4.** *innerer*: struggle, inner conflict **5.** (≈ *Wettkampf*) contest ['kɒntest]

Kampfeinsatz *Militär*: combat ['kɒmbæt] mission

kämpfen 1. fight* (***für, um*** for); ***gegen jemanden*** *bzw.* ***etwas kämpfen*** fight* (against) someone *bzw.* something (*auch übertragen*); ***mit jemandem*** *bzw.* ***etwas kämpfen*** fight* (with) someone *bzw.* something (*auch übertragen*); ***sie kämpfte mit den Tränen*** she was fighting back her tears **2.** ***sie hat mit großen Schwierigkeiten zu kämpfen*** she's facing tremendous difficulties **3.** (≈ *ringen*) struggle (***mit*** with; ***gegen*** against), wrestle [⚠ 'resl] (***mit*** with) (*auch übertragen*); ***mit dem Schlaf kämpfen*** struggle to keep awake **4.** ***sich durch etwas kämpfen*** fight* one's way through something

Kämpfer(in) fighter (***für*** for)

Kampfflugzeug fighter (*oder* combat ['kɒmbæt]) aircraft

Kampfhubschrauber (helicopter) gunship [(ˌhelɪkɒptə)'gʌnʃɪp]

Kampfhund fighting dog

Kampfrichter(in) 1. *bei Ballsportarten*: referee [ˌrefə'riː] **2.** *beim Tennis*: umpire ['ʌmpaɪə] **3.** *beim Schwimmen, Skilaufen*: judge [dʒʌdʒ]

Kampfsport *Judo, Karate usw.*: martial arts [ˌmɑːʃl'ɑːts] (⚠ *Pl.*)

Kampfsportart martial art [ˌmɑːʃl'ɑːt]; ***Karate ist eine Kampfsportart*** *auch* karate [kə'rɑːtɪ] is one of the martial arts

kampfunfähig 1. *Person, Truppen*: unfit for action (⚠ *nie vor dem Subst.*); ***er ist kampfunfähig*** he's out of action **2.** ***jemanden kampfunfähig machen*** put* someone out of action

Kanada Canada ['kænədə]

Kanadier Canadian [kə'neɪdɪən]; ***er ist Kanadier*** he's (a) Canadian; ☞ ***Nationalitäten***

Kanadierin Canadian woman (*oder* lady *bzw.* girl); ***sie ist Kanadierin*** she's (a) Canadian; ☞ ***Nationalitäten***

kanadisch Canadian [kə'neɪdɪən]

Kanal 1. *für Schifffahrt, zum Wassertransport*: canal [kə'næl] **2.** *zur Be- und Entwässerung*: channel ['tʃænl] **3.** ***der Kanal*** (≈ *Ärmelkanal*) the (English) Channel **4.** *Fernsehen, Radio*: channel; ***auf Kanal fünf*** on channel five **5.** *für Abwässer*: drain, sewer ['suːə]

Kanalinseln: ***die Kanalinseln*** the Channel Islands [⚠ ˌtʃænl'aɪləndz]

Kanalisation 1. *für Abwässer*: sewerage ['suːərɪdʒ] system **2.** *eines Flusses*: canalization [ˌkænəlaɪ'zeɪʃn]

Kanaltunnel *Ärmelkanal*: Channel Tunnel [ˌtʃænl'tʌnl]

Kanaren: ***die Kanaren*** *umg.* the Canaries [kə'neərɪz]

Kanarienvogel canary [kə'neərɪ]

Kanarische Inseln: ***die Kanarischen Inseln*** the Canary Islands [⚠ kəˌneərɪ'aɪləndz]

Kandidat(in) 1. candidate ['kændɪdeɪt] **2.** *in Quizsendung usw.*: contestant [kən'testənt] **3.** *bei Bewerbung*: applicant ['æplɪkənt] **4.** ***jemanden als Kandidaten aufstellen*** *bei Wahl usw.*: nominate ['nɒmɪneɪt] someone

Kandidatur candidacy ['kændɪdəsɪ], *BE auch* candidature ['kændɪdətʃə]

kandidieren run*, stand* (***für*** for); ***für das Amt des Präsidenten kandidieren*** run* for the presidency ['prezɪdənsɪ]; ***für das Amt des Bürgermeisters kandidieren*** run* for mayor ['meɪə] (*oder* the office of mayor)

kandiert *Früchte*: candied ['kændɪd]

Kandis(zucker) rock candy ['rɒkˌkændɪ]

Känguru kangaroo [ˌkæŋgə'ruː]

Kaninchen rabbit

Kanister *für Benzin, Wasser usw.*: (jerry) can

Kanne 1. *für Kaffee, Tee*: pot **2.** *für Milch auf dem Tisch*: jug, (≈ *Milchkanne*) (milk) can **3.** *für Milchtransport zur Molkerei*: churn [tʃɜːn] **4.** *für Öl*: can

Kannibale cannibal ['kænɪbl]

Kanone 1. (big) gun, cannon ['kænən] *Pl.*: cannons *oder* cannon **2.** *salopp* (≈ *Revolver*) gun, iron [⚠ 'aɪən], *AE* rod **3.** *salopp* (≈ *Könner*) wizard [⚠ 'wɪzəd], *bes. Sport*: ace **4.** ***das war unter aller Kanone*** *umg.* that was lousy ['laʊzɪ]

Kante edge

kantig 1. *Stein, Holz*: square-edged **2.** *Fels*: jagged [⚠ 'dʒægɪd] **3.** *Gesicht*: angular ['æŋgjʊlə] **4.** *Kinn*: square

Kantine canteen [kæn'tiːn], *AE* cafeteria [ˌkæfə'tɪərɪə]

Kanton *der Schweiz*: canton ['kæntɒn]

Kanu canoe [⚠ kə'nuː]

Kanzler chancellor ['tʃɑːnsələ]

Kap cape

Kapelle 1. *kleine Kirche*: chapel ['tʃæpl] **2.** (≈ *Musikkapelle*) band

Kaper caper ['keɪpə]
kapern capture ['kæptʃə], seize [si:z] (*Schiff usw.*)
kapieren: ***etwas kapieren*** *umg.* get* something; ***ich kapier das einfach nicht!*** I just don't get it; ***kapiert?*** got it?
Kapital **1.** capital ['kæpɪtl] **2.** *übertragen* (≈ *Vorzug*) asset ['æset]
Kapitalanlage (capital) investment
Kapitalismus capitalism ['kæpɪtəlɪzm]
Kapitalverbrechen capital crime [ˌkæpɪtl'kraɪm]
Kapitän **1.** *Schiff, Flugzeug*: captain ['kæptɪn] **2.** *auf kleinerem Schiff*: skipper **3.** *Sport*: captain, *umg.* skipper
Kapitel **1.** *eines Buches*: chapter ['tʃæptə] **2.** ***das ist ein anderes Kapitel*** *übertragen* that's another story
kapitulieren **1.** (≈ *aufgeben*) give* up; ***vor etwas kapitulieren*** give* up in the face of something **2.** (≈ *sich ergeben*) capitulate [kə'pɪtʃʊleɪt], surrender [sə'rendə]
Kappe **1.** *Kopfbedeckung*: cap **2.** *Verschluss von Flasche, Schreibstift*: cap, top **3.** *eines Schuhs*: toecap ['təʊkæp], cap
kappen **1.** cut* (*ein Tau*) **2.** cut* off (*Verbindungen, Zweige usw.*)
Kapsel **1.** *allg.*: capsule ['kæpsju:l] (*auch Arzneimittel, einer Pflanze*) **2.** (≈ *Raumkapsel*) capsule, module ['mɒdju:l]
kaputt **1.** ***der Fernseher ist kaputt*** *allg.*: there's something wrong with the TV, *umg.* the TV's on the blink, (≈ *funktioniert überhaupt nicht mehr*) the TV doesn't work, the TV's broken **2.** ***die Birne ist kaputt*** (≈ *brennt nicht mehr*) the light bulb's gone **3.** ***der Lift*** (***die Maschine*** *usw.*) ***ist kaputt*** the lift (the machine *usw.*) is out of order (*oder* doesn't work) **4.** ***ich bin kaputt*** *umg.* (≈ *erschöpft*) I'm shattered **5.** ***ein kaputter Typ*** *umg.* a wreck [rek] **6.** ***er hat eine kaputte Leber*** he's got a bad (*oder* ruined) liver **7.** ***eine kaputte Ehe*** a broken marriage; ***ihre Ehe ist kaputt*** their marriage has broken up
kaputtgehen **1.** (*Computer usw.*) break* [breɪk] **2.** (*Maschine, Auto*) break* down **3.** (*Ehe, Freundschaft*) break* up
kaputtlachen: ***sich kaputtlachen*** kill oneself laughing ['lɑ:fɪŋ], die laughing
kaputtmachen **1.** *allg.*: break* [breɪk] (*Gerät, Uhr usw.*) **2.** ruin ['ru:ɪn] (*Hose, Ruf usw.*)
Kapuze hood [⚠ hʊd]
Kapuzenjacke hooded jacket [ˌhʊdɪd'dʒækɪt]
Kapuzenmantel hooded coat [ˌhʊdɪd'kəʊt]
Kapuzenpulli hooded jumper [ˌhʊdɪd'dʒʌmpə], hooded sweater ['swetə]
Karambole *Frucht*: starfruit, carambola [ˌkærəm'bəʊlə]
Karate *Sport*: karate [kə'rɑ:tɪ]
Karawane caravan ['kærəvæn]
Kardamom *Pflanze, Gewürz*: cardamom ['kɑ:dəməm]
Kardinal cardinal ['kɑ:dɪnl]
Karfiol Ⓐ cauliflower [⚠ 'kɒlɪˌflaʊə]
Karfreitag Good Friday; ***am Karfreitag*** on Good Friday
karg **1.** *Mahlzeit, Leben*: frugal ['fru:gl] **2.** *Boden*: poor, barren ['bærən] **3.** *Lohn usw.*: meagre **4.** *Raum*: bare
kärglich **1.** *Leben, Mahlzeit*: frugal ['fru:gl] **2.** *Lohn usw.*: meagre
Karibik: ***die Karibik*** the Caribbean [⚠ ˌkærə'bi:ən]
karibisch Caribbean [⚠ ˌkærə'bi:ən]
kariert **1.** *Hemd, Muster usw.*: checked, chequered, *AE* checkered, *Hemd, Jacke usw. auch*: check (⚠ *nur vor dem Subst.*) **2.** *Heft, Papier*: squared
Karies *der Zähne*: tooth decay, caries ['keəri:z]
Karikatur **1.** caricature ['kærɪkətʃʊə] **2.** (≈ *Witzzeichnung*) cartoon
Karneval carnival ['kɑ:nɪvl]
Kärnten Carinthia [kə'rɪnθɪə]
Karo **1.** *im Stoff*: check, square **2.** *Spielkartenfarbe*: diamonds (⚠ *Pl.*), *Einzelkarte*: diamond
Karosserie (car) body, bodywork
Karotte carrot ['kærət] (⚠ *Schreibung*)
Karpfen carp
Karre **1.** cart **2.** (≈ *Schubkarre*) wheelbarrow **3.** *salopp* (≈ *Auto*) jalopy [dʒə'lɒpɪ]
Karren → ***Karre***
Karriere career; ***sie will Karriere machen*** she wants to get ahead (*oder* to the top)
Karte **1.** *allg.*: card (*auch Post-, Kredit-, Scheck-, Visitenkarte*) **2.** (≈ *Landkarte*) map (⚠ *nicht* card) **3.** (≈ *Fahr-, Eintrittskarte*) ticket **4.** (≈ *Speisekarte*) menu ['menju:] **5.** (≈ *Spielkarte*) (playing) card; ***Karten spielen*** play cards **6.** ***alles auf 'eine Karte setzen*** *übertragen* put* all one's eggs in one basket; ☞ *Illu S. 770*
Kartei card index
Karteikarte file card, index card
Kartenspiel **1.** card game (⚠ *nicht* play) **2.** (≈ *Spielkarten*) pack of cards
Kartentelefon cardphone
Kartenverkauf **1.** *Vorgang*: ticket sales (⚠ *Pl.*); ***der Kartenverkauf beginnt nächste Woche*** ticket sales start next week **2.** *Verkaufsstelle*: box office

K

Karte

tickets

card

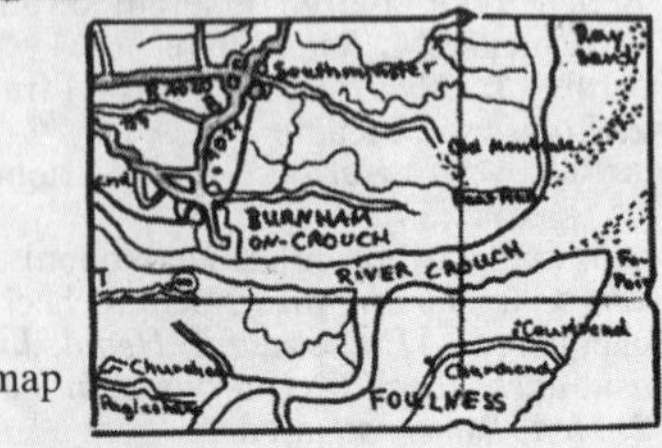

map

Kartenvorverkauf 1. *Vorgang*: advance booking **2.** *Verkaufsstelle*: box office

Kartoffel potato [pə'teɪtəʊ] *Pl.*: potatoes

Kartoffel

Kartoffelbrei, Kartoffelpüree	**mashed potatoes**
Bratkartoffeln	**fried potatoes**
Pommes frites	**chips**, *bes. AE* **(French) fries**
Salzkartoffeln	**boiled potatoes**
Kartoffelsalat	**potato salad**

Kartoffelbrei mashed potatoes (⚠ *Pl.*)

Kartoffelchips potato crisps (*AE* chips)

Kartoffelmus mashed potatoes (⚠ *Pl.*)

Kartoffelpuffer *Pl.*: potato fritters

Kartoffelpüree mashed potatoes (⚠ *Pl.*)

Kartoffelsalat potato salad [pəˌteɪtəʊ'sæləd]

Kartoffelstock Ⓒⓗ mashed potatoes (⚠ *Pl.*)

Kartoffelsuppe potato soup [pə'teɪtəʊ‿suːp]

Karton 1. (≈ *Schachtel*) cardboard box **2.** (≈ *Pappe*) cardboard

Karussell merry-go-round, *BE auch* roundabout, *AE auch* car(r)ousel [ˌkærə'sel]

Karwoche: ***die Karwoche*** Holy Week (⚠ *ohne* the)

Kasachstan Kazakhstan [ˌkæzæk'stɑːn]

Käse 1. *Milchprodukt*: cheese **2.** *umg.* (≈ *Unsinn*) rubbish, *AE* garbage

Käsekuchen cheesecake

Kaserne barracks (⚠ *Pl.*)

Kasino 1. (≈ *Spielkasino*) casino [kə'siːnəʊ] **2.** *in Firma*: canteen, cafeteria [ˌkæfə'tɪərɪə] **3.** *für Offiziere*: officers' mess

Kasper, Kasperl(e) 1. Punch **2.** *übertragen, umg.* clown

Kasperl(e)theater *etwa*: Punch and Judy show [ˌpʌntʃ‿ən'dʒuːdɪ‿ʃəʊ]

Kassa Ⓐ → ***Kasse***[1]

Kasse[1] **1.** *in Laden*: till, *einfache*: cashbox **2.** (≈ *Registrierkasse*) cash register **3.** (≈ *Kassentisch*) cash desk **4.** *im Supermarkt*: checkout (counter) **5.** (≈ *Zahlstelle*) cashier [⚠ kæ'ʃɪə], cashier's office, *einer Bank*: counter **6.** *Theater usw.*: box office **7.** *Sport usw.*: ticket window **8.** ***knapp bei Kasse sein*** *umg.* be* a bit hard up

Kasse[2] (≈ *Krankenkasse*) health insurance scheme [skiːm] (*bzw.* company)

Kassenautomat *im Parkhaus*: (car park) pay machine

Kassenpatient(in) health plan patient

Kassenzettel receipt [rɪ'siːt]

Kassette 1. *mit Tonband*: cassette [kə'set] **2.** *für Bücher*: slipcase **3.** *mit CDs, Schallplatten*: (box<u>ed</u>) set **4.** *für Geld*: cashbox **5.** *für Schmuck*: case, box

Kassettendeck cassette deck

Kassettenrekorder cassette recorder

kassieren 1. *persönlich abholen*: collect (*Miete usw.*) **2.** *umg.* (≈ *kriegen*) get* **3.** (≈ *verdienen*) make* (*Geld*) **4.** (≈ *verlangen*) charge (*viel Geld usw.*) **5.** ***die Polizei hat seinen Führerschein kassiert*** *umg.* the police took away his driving licence **6.** ***dürfte ich jetzt kassieren?*** *im Lokal*: do you mind if I give you the bill now?

Kassierer(in) cashier [⚠ kæ'ʃɪə]

Kastanie 1. chestnut [⚠ 'tʃesnʌt] **2.** *Baum*: chestnut (tree)

Kästchen 1. *Formular*: box **2.** *in Quadratmuster*: square **3.** *aus Holz usw.*: small box

Kasten 1. *Behälter*: box, case **2.** *für Flaschen*: crate **4.** *in Zeitung usw.*: box **5.** *Turngerät*: box **6.** *umg.* (≈ *hässliches Gebäude*) barn, box **7.** *bes.* Ⓐ, Ⓒⓗ (≈ *Schrank*) cupboard [⚠ 'kʌbəd] **8.** (≈ *Schublade*) drawer [⚠ drɔː]

Katalog catalogue ['kætəlɒg], *AE mst.* catalog

Katalysator 1. *Chemie*: catalyst ['kætəlɪst] (*auch übertragen*) **2.** *Auto*: catalytic converter [ˌkætəlɪtɪk‿kən'vɜːtə], catalyst ['kætəlɪst], *umg.* cat

katastrophal disastrous [dɪ'zɑːstrəs]

Katastrophe disaster [dɪ'zɑːstə], catastrophe [⚠ kə'tæstrəfɪ]
Katechismus catechism ['kætəkɪzm]
Kater[1] tomcat, male cat, *umg.* tom
Kater[2] *nach zu viel Alkohol*: hangover
Kathedrale cathedral [kə'θiːdrəl]
Katholik(in) (Roman) Catholic ['kæθlɪk]
katholisch (Roman) Catholic ['kæθlɪk]
Kätzchen 1. (≈ *junge Katze*) kitten **2.** (≈ *Katze*) pussy [⚠ 'pʊsɪ] **3.** *Blütenstand*: (≈ *Weidenkätzchen usw.*) catkin
Katze cat
Kauderwelsch gibberish ['dʒɪbərɪʃ]
kauen 1. chew [tʃuː] **2.** ***hör auf, an den Nägeln zu kauen!*** stop biting your nails!
kauern 1. crouch, squat [skwɒt] (***auf*** on) **2.** ***sich kauern*** crouch (*oder* squat) down (***auf*** on)
Kauf 1. purchase [⚠ 'pɜːtʃəs], *umg.* buy [baɪ] **2.** (≈ *das Kaufen*) purchasing, buying **3.** ***günstiger Kauf*** bargain ['bɑːgɪn], *umg.* good buy **4.** ***etwas in Kauf nehmen*** *übertragen* accept [ək'sept] something
kaufen 1. buy* [baɪ] **2.** ***jemanden kaufen*** *salopp* (≈ *bestechen*) bribe (*oder* buy*) someone **3.** ***den werd ich mir kaufen!*** *umg.* I'll tell him what's what **4.** (≈ *einkaufen*) shop (***bei*** at)
Käufer(in) 1. buyer **2.** (≈ *Kunde*) customer
Kauffrau businesswoman
Kaufhaus department store
Kaufkraft 1. *einer Währung*: purchasing [⚠ 'pɜːtʃəsɪŋ] (*oder* buying) power **2.** *einer Käuferschicht*: spending power
käuflich 1. for sale (⚠ *immer hinter dem Verb*) **2.** ***er ist käuflich*** (≈ *bestechlich*) he's open to bribery
Kaufmann 1. (≈ *Geschäftsmann*) businessman **2.** (≈ *Händler*) trader **3.** (≈ *Einzelhändler*) shopkeeper, *AE* storekeeper
Kaufvertrag contract ['kɒntrækt] of sale, sales contract
Kaugummi chewing gum ['tʃuːɪŋ‿gʌm], *AE mst.* gum
kaum 1. hardly; ***es ist kaum zu sehen*** you can hardly see it; ***sie hatte kaum noch Wasser*** she had hardly any water left **2.** ***ich glaube kaum, dass …*** I hardly think (that) … **3.** ***wohl kaum!*** I doubt it very much **4.** ***er hatte kaum gegessen, da musste er schon wieder arbeiten*** he had hardly finished his meal when he had to start working again
Kaution 1. *für Wohnung, Mietauto usw.*: deposit [dɪ'pɒzɪt] **2.** *für Entlassung aus Untersuchungshaft*: bail; ***er wurde gegen Kaution entlassen*** he was released on bail
Kavalier gentleman ['dʒentlmən]
KB (= ***Kilobyte***) KB [ˌkeɪ'biː]
Kegel 1. *geometrische Figur*: cone **2.** *beim Kegeln*: skittle, *Bowling*: pin
Kegelbahn bowling alley ['bəʊlɪŋˌælɪ]
kegeln play skittles (*oder* ninepins); ***sie sind kegeln gegangen*** *Bowling*: they've gone bowling
Kegeln bowling ['bəʊlɪŋ], *BE auch* skittles, ninepins (⚠ *beide mit Verb im Sg.*)
Kehle throat
Kehlkopf larynx ['lærɪŋks]
Kehre 1. (≈ *Kurve*) sharp bend, bend **2.** (≈ *Richtungsänderung*) turn
kehren[1] (≈ *fegen*) sweep* (up)
kehren[2]: ***jemandem den Rücken kehren*** turn one's back on someone
Kehrmaschine 1. *für Straße*: road sweeper **2.** *für Teppich*: carpet sweeper
Kehrschaufel dust pan
Kehrseite 1. other side, reverse [rɪ'vɜːs], reverse side **2.** ***das ist die Kehrseite der Medaille*** that's the other side of the coin
Keil 1. wedge **2.** *Haltekeil unter Rad*: chock
Keile: ***Keile kriegen*** *umg.* get* a hiding
Keilerei fight, scuffle, *umg.* scrap
Keilriemen *in Automotor*: fan belt
Keim 1. *mst. Pl.*: (≈ *Krankheitserreger*) germ [dʒɜːm] **2.** *von Pflanze*: (≈ *Trieb*) shoot, (≈ *Samen*) seed **3.** *übertragen* bud, seed, seeds (*Pl.*); ***etwas im Keim ersticken*** nip something in the bud
keimen 1. germinate **2.** (≈ *treiben*) sprout
keimfrei sterile ['steraɪl]; ***keimfrei machen*** sterilize ['sterəlaɪz]
kein 1. *vor Subst.*: no, not any; ***ich habe kein Geld*** I haven't got any money **2.** ***du bist kein Kind mehr*** you're not a child any more
keine(r, -s), keins *allein stehend* **1.** *von Personen*: no-one, nobody; ***keiner war da*** there was no-one there **2.** ***keine(r) von ihnen*** *bei zwei Personen bzw. Sachen*: neither of them, *bei mehreren Personen*: none of them, *zur Betonung*: not one of them **3.** ***keiner von uns*** *bei zwei Personen*: neither of us, *bei mehreren Personen*: none of us **4.** *von Sachen*: not any, none; ***ich will keins von beiden*** I don't want either (of them)
keinerlei: ***sie nimmt keinerlei Rücksicht*** she doesn't show any consideration at all
keinesfalls on no account, under no circumstances ['sɜːkəmstənsɪz]
keineswegs by no means, not at all
Keks biscuit [⚠ 'bɪskɪt], *AE* cookie ['kʊkɪ]
Kelch 1. cup, goblet ['gɒblət] **2.** *in der Kirche*: chalice ['tʃælɪs]
Keller cellar ['selə] (*auch Weinkeller*)

K

…ergeschoss, Ⓐ **Kellergeschoß** basement
Kellner waiter
Kellnerin waitress

Kellnerin

Will man eine Kellnerin herbeirufen, so zieht man in Großbritannien üblicherweise die Aufmerksamkeit durch Augenkontakt und Handzeichen auf sich. Wenn sie in der Nähe ist und einen nicht sieht, kann man auch **"Excuse me"** sagen. Gelegentlich wird sie auch mit **"waitress"** angeredet.

Kenia Kenya ['kenjə]
kennen 1. know* [nəʊ] (⚠ *nie in der Verlaufsform*); ***wir kennen uns seit 1990*** we've known each other since 1990; ***das kennen wir!*** we know all about that **2.** ***wir kennen uns schon*** we've already met **3.** ***kennst du mich noch?*** do you remember me? **4.** ***kennst du den (Witz schon)?*** have you heard this one?

kennen lernen 1. get* to know; ***die neue Lehrerin braucht etwas Zeit, um ihre Schüler kennen zu lernen*** the new teacher needs some time to get to know her pupils **2.** (≈ *zum 1. Mal treffen*) meet*; ***als ich ihn kennen lernte*** when I first met him

kennen lernen

Wenn man jemanden zum ersten Mal kennen lernt, sagt man **meet**:

Where did you meet?
Wo habt ihr euch kennen gelernt?

Lernt man jemanden über einen längeren Zeitraum hin besser kennen, sagt man **get to know**:

I got to know him while I was working in London.
Ich lernte ihn (näher) kennen, als ich in London arbeitete.

Kenner(in) 1. *Weinkenner, -in usw.*: connoisseur [ˌkɒnə'sɜː] **2.** (≈ *Experte, Expertin*) expert ['ekspɜːt]
Kenntnis 1. ***gute Kenntnisse in Chemie*** *usw.* ***haben*** have* a good knowledge [⚠ 'nɒlɪdʒ] (⚠ *Sg.*) of chemistry *usw.* **2.** ***etwas zur Kenntnis nehmen*** take* note of something, note something
Kennwort password (*auch beim Computer*)
Kennzeichen 1. mark, sign [saɪn] **2.** ***besondere Kennzeichen*** distinguishing marks **3.** *am Auto*: registration number, *AE* license number
kennzeichnen 1. (≈ *markieren*) mark, identify [aɪ'dentɪfaɪ] **2.** brand (*Tiere*) **3.** (≈ *charakteristisch sein für*) reflect
kentern (*Schiff*) capsize [kæp'saɪz], overturn [ˌəʊvə'tɜːn]
Kerl guy, fellow; ***ein netter Kerl*** a nice guy; ***blöder Kerl!*** idiot!
Kern 1. *Obst*: seed **2.** *Apfel*: pip **3.** *Pfirsich usw.*: (≈ *Stein*) stone **4.** (≈ *Zentrum, Hauptteil*) core **5.** *Zelle, Atom*: nucleus ['njuːklɪəs] *Pl.*: nuclei ['njuːklɪaɪ]
Kernenergie nuclear energy [ˌnjuːklɪər'enədʒɪ]; ***die Kernenergie*** nuclear energy (⚠ *ohne* the)
Kernfusion nuclear fusion [ˌnjuːklɪə'fjuːʒn]
Kerngehäuse *Frucht*: core
kerngesund in perfect health; ***ich bin doch kerngesund!*** (but) I'm as fit as a fiddle
Kernkraft nuclear power[ˌnjuːklɪə'paʊə]; ***die Kernkraft*** nuclear power (⚠ *ohne* the)
Kernkraftgegner(in) opponent of nuclear power, *bei Demonstrationen usw.*: anti-nuclear protester (*oder* campaigner)
Kernkraftwerk nuclear power station [ˌnjuːklɪə'paʊəˌsteɪʃn], *bes. AE* nuclear power plant
Kernpunkt *übertragen* essential point [ɪˌsenʃl'pɔɪnt], central issue ['ɪʃuː]
Kernspaltung nuclear fission [ˌnjuːklɪə'fɪʃn]
Kernwaffe nuclear weapon [ˌnjuːklɪə'wepən]
Kerze 1. candle **2.** *Turnen*: shoulder stand
Kerzenständer candle holder
Kessel 1. (≈ *Teekessel*) kettle **2.** (≈ *Heizkessel*) boiler **3.** *Behälter*: tank
Ketschup ketchup, *bes. BE* tomato sauce
Kette 1. chain (*auch Ladenkette und übertragen*) **2.** (≈ *Halskette*) necklace ['nekləs] **3.** *von Kettenfahrzeug*: track **4.** ***sie bildeten eine Kette*** they formed a line (*oder* a human chain)
Kettenraucher(in) chain smoker
Kettenreaktion chain reaction
keuchen pant [pænt], gasp [gɑːsp]
Keuchhusten whooping cough [⚠ 'huːpɪŋ_kɒf]
Keule 1. *Waffe*: club **2.** *vom Lamm usw.*: leg **3.** *vom Hähnchen usw.*: leg, drumstick
Keyboard keyboard
Kfz (≈ *Kraftfahrzeug*) motor vehicle [⚠ 'məʊtəˌviːɪkl]

KI (*Abk. für* **k**ünstliche **I**ntelligenz) AI [ˌeiˈaɪ] (*Abk. für* **a**rtificial **i**ntelligence [ˌɑːtɪˌfɪʃl‿ɪnˈtelɪdʒəns])
kichern giggle (***über*** at); ***hört auf zu kichern!*** stop giggling!
Kickboard (skate) scooter, kickboard (scooter)
Kiefer[1] *der* jaw
Kiefer[2] *die* **1.** *Baum*: pine **2.** *Holz*: pine, pinewood; ***ein Bücherregal aus Kiefer*** a pine bookshelf
Kiel *am Schiff*: keel
Kieme: ***Kiemen*** *eines Fisches*: gills [⚠ gɪlz]
Kies 1. gravel [⚠ ˈgrævl] **2.** *salopp* (≈ *Geld*) dough [⚠ dəʊ]
Kieselstein pebble
kiffen *umg.* smoke pot (*oder* hash)
Kilo, **Kilogramm** kilo [ˈkiːləʊ], kilogram [ˈkɪləgræm]; ***sie wiegt 50 Kilo*** she weighs 50 kilos *oder* (*bes. AE*) 110 pounds
Kilobyte kilobyte, KB [ˌkeɪˈbiː]
Kilohertz kilohertz [ˈkɪləhɜːts], kilocycle [ˈkɪləˌsaɪkl]
Kilometer kilometre [ˈkɪləˌmiːtə]; ***es sind ungefähr 600 Kilometer von Berlin nach München*** it is (⚠ *Sg.*) about 600 kilometres / 370 miles from Berlin to Munich
Kilometerstand mileage [ˈmaɪlɪdʒ]; ***wie ist der Kilometerstand?*** what's the mileage?
Kilometerzähler mileage indicator, mileometer [⚠ maɪˈlɒmɪtə]
Kilowatt kilowatt [ˈkɪləwɒt]
Kind 1. *auch übertragen*: child *Pl.*: children, *umg.* kid **2.** (≈ *Kleinkind*) baby *Pl.*: babies; ***ein Kind bekommen*** have* a baby; ***sie erwartet*** *oder* ***bekommt ein Kind*** she's expecting (*oder* she's going to have) a baby
Kinderarzt, **Kinderärztin** paediatrician, *bes. AE* pediatrician [ˌpiːdɪəˈtrɪʃn]
Kinderbett, **Kinderbettchen** cot, *AE* crib
Kinderbuch children's book
Kindergarten *für Kinder unter 5 Jahren*: nursery school, *seltener*: kindergarten
Kindergärtnerin nursery school teacher, *seltener*: kindergarten teacher
Kinderkrankheit 1. children's disease **2.** ***Kinderkrankheiten*** *übertragen* teething troubles; ***der neue Drucker hat noch ein paar Kinderkrankheiten*** we're having a few teething troubles with the new printer
Kinderkrippe crèche [kreɪʃ], day nursery
Kinderlähmung polio [ˈpəʊlɪəʊ]; ***er hatte Kinderlähmung*** he had polio
kinderleicht dead easy
kinderlieb very fond of children
Kinderlied 1. children's song **2.** *traditionelles Lied für Kleinkinder*: nursery rhyme
kinderlos childless; ***ein kinderloses Ehepaar*** a married couple with no children
Kindermädchen nurse(maid), *bes. BE* nanny
kinderreich: ***eine kinderreiche Familie*** a large family
kindersicher childproof
Kindersitz *Auto*: child seat
Kinderspiel: ***das ist*** (***für ihn***) ***ein Kinderspiel*** that's child's play (for him) (⚠ *ohne* a)
Kinderspielplatz children's playground
Kindertagesstätte day nursery, *AE* day-care center
Kinderwagen pram, *AE* baby carriage
Kinderzimmer children's room
Kindesmisshandlung child abuse [əˈbjuːs]
kindgerecht suitable [ˈsuːtəbl] for children (*bzw.* for a child)
Kindheit 1. childhood; ***ich habe von Kindheit an Musik gemocht*** I've loved music (ever) since I was a child **2.** *frühe Kindheit*: infancy [ˈɪnfənsɪ]
kindisch childish
kindlich 1. childlike; ***ein kindliches Gesicht*** a childlike face **2.** (≈ *kindisch*) childish
Kinn chin
Kinnhaken hook to the chin
Kino 1. *Gebäude*: cinema [ˈsɪnəmə], *AE* movie theater **2.** *als Ort, wo man hingeht*: cinema, *bes. AE umg.* the movies [ˈmuːvɪz] (⚠ *Pl.*); ***ins Kino gehen*** go* to the cinema *oder AE* the movies
Kiosk 1. kiosk [ˈkiːɒsk] **2.** (≈ *Zeitungsstand*) newsstand
Kipferl *bes.* Ⓐ croissant [ˈkwæsɑ̃]
Kippe[1] (≈ *Zigarettenstummel*) cigarette butt *oder* end, *BE umg.* fag end
Kippe[2] (≈ *Müllkippe*) dump
Kippe[3]: ***es steht auf der Kippe*** (***‚ob …***) *umg., übertragen* it's touch and go (whether …)
kippen 1. tilt (*Fenster*) **2.** (≈ *schütten*) tip (*Sand, Wasser usw.*), *umg. oder um etwas loszuwerden*: dump (*Müll usw.*) **3.** (*Stuhl usw.*) tip over **4.** (*Boot*) capsize [kæpˈsaɪz]
Kirche church; ***in der Kirche*** (≈ *beim Gottesdienst*) at church; ***in die*** *oder* ***zur Kirche gehen*** *zur Messe*: go* to church (⚠ *ohne* the)
Kirchenschiff nave
Kirchensteuer church tax
Kirchentag church congress [ˌtʃɜːtʃˈkɒŋgres]
kirchlich 1. church …, ecclesiastical [ɪˌkliː-

…æstɪkl] **2. *sich kirchlich trauen lassen*** have* a church wedding, get* married in church

Kirchturm 1. *allg.*: church tower **2.** *mit Spitze*: (church) steeple

Kirsch… *in Zusammensetzungen*: cherry …, cherry…; ***Kirschbaum*** cherry tree, *Holz*: cherrywood; ***Kirschblüte*** cherry blossom; ***Kirschkern*** cherry stone; ***Kirschlikör*** cherry brandy [ˌtʃerɪ'brændɪ]; ***Kirschkuchen*** cherry cake; ***Kirschsaft*** cherry juice; ***Kirschtomate*** cherry tomato [ˌtʃerɪ‿tə'mɑːtəʊ]; ***Kirschtorte*** cherry gateau [ˌtʃerɪ'gætəʊ]

Kirsche cherry

Kirtag Ⓐ parish fair

Kissen 1. cushion [⚠ 'kʊʃn] **2.** (≈ *Kopfkissen*) pillow

Kiste 1. (≈ *Lattenkiste*) crate **2.** *kleinere*: box; ***eine Kiste Zigarren*** a box of cigars; ***eine Kiste Tomaten*** a box (*oder* crate) of tomatoes **3.** *für empfindliche Ware*: case **4.** *salopp* (≈ *Auto, Flugzeug*) crate

Kitsch 1. kitsch **2.** (≈ *minderwertige Ware usw.*) trash, junk

kitschig kitschy, trashy

Kittel 1. (≈ *Arbeitskittel*) overall, *bes. AE* workcoat, smock **2.** *von Arzt, im Büro*: (white) coat **3.** Ⓒⓗ (≈ *Jacke, Jackett*) jacket ['dʒækɪt]

kitzeln tickle; ***jemanden an den Zehen kitzeln*** tickle someone's toes; ***mich kitzelts am Fuß*** my foot's tickling

kitzlig 1. ticklish **2.** *Angelegenheit usw.*: ticklish, tricky

Kiwi *Frucht*: kiwi ['kiːwiː] (fruit)

klaffen (*Abgrund, Spalte usw.*) gape; ***eine klaffende Wunde*** a gaping wound

Klage 1. (≈ *Beschwerde*) complaint (***über*** about); (***keinen***) ***Grund zur Klage haben*** have* (no) cause for complaint **2.** *vor Gericht*: lawsuit ['lɔːsuːt], suit [suːt], action

klagen 1. (≈ *sich beschweren*) complain (***über*** about, of; ***bei*** to) **2. *sie klagt seit Jahren über heftige Kopfschmerzen*** *usw.* she's been complaining of terrible headaches *usw.* for years

klamm 1. (≈ *feucht*) clammy **2.** (≈ *steif vor Kälte*) numb [⚠ nʌm] (***vor*** with)

Klammer 1. (≈ *Büroklammer*) paper clip **2.** (≈ *Heftklammer*) staple **3.** (≈ *Wäscheklammer*) (clothes [kləʊ(ð)z]) peg, *AE* (clothes) pin **4.** *in Text*; *beim Rechnen*: bracket; ***in Klammern*** in brackets, *bes. AE* in parentheses [⚠ pə'renθəsiːz]

klammern 1. clip, attach (***an*** to) **2. *sich klammern an*** cling* to (*auch übertragen*)

Klamotten (≈ *Kleider*) *salopp* gear, clobber (⚠ *beide Sg.*)

Klang 1. sound **2.** (≈ *Ton*) tone

Klappe 1. *lose*: flap (*z.B. an Hose oder Tasche*) **2.** *am Lastwagen hinten*: tailboard, *AE* tailgate **3.** *salopp* (≈ *Mund*) trap; ***halt die Klappe!*** shut up

klappen 1. fold; ***der Sitz lässt sich nach hinten klappen*** the seat folds back **2. *es klappt!*** it's working; ***wenn alles klappt*** if all goes well

klappern 1. (*Fenster usw.*) rattle; ***mit etwas klappern*** rattle something **2.** (*Geschirr usw.*) clatter

Klapperschlange rattlesnake

klapprig 1. shaky, *Person auch*: doddery **2.** *Stuhl usw.*: rickety

Klaps 1. (≈ *Schlag*) slap **2. *du hast ja einen Klaps!*** *umg.* you're off your nut

klar 1. clear **2.** *Entscheidung, Ziel usw.*: clear(-cut), definite [⚠ 'defənət] **3.** *Wendungen*: ***es ist klar, dass*** it's obvious (that); ***ich bin mir noch nicht klar*** (***darüber***), ***was ich tun soll*** I'm not quite sure what to do; ***ist dir klar, dass …?*** do you realize (that) …?; ***alles klar?*** everything okay?

Kläranlage sewage [⚠ 'suːɪdʒ] plant

klären 1. *übertragen* clear up, clarify (*Sache*) **2.** (≈ *reinigen*) purify **3. *eine Frage klären*** settle (*oder* resolve) a question **4. *ein Problem klären*** solve a problem

klargehen: ***geht klar!*** *umg.* that's OK (*oder* okay)

Klarheit *allg.*: clarity

Klarinette clarinet [ˌklærə'net]

klarkommen 1. *mit etwas klarkommen* cope with something; ***kommst du klar?*** are you managing all right? **2. *mit jemandem klarkommen*** get* along with someone

klarmachen: ***jemandem etwas klarmachen*** make* something clear to someone

Klarsichtfolie cling film ['klɪŋ‿fɪlm], *AE* plastic wrap [⚠ ˌplæstɪk'ræp]

klarstellen: ***etwas klarstellen*** get* something straight, make* something clear

Klasse 1. *allg.*: class (*auch Schulklasse*); ***die Klasse macht morgen einen Ausflug*** the class is *oder* are *going on an outing tomorrow* **2.** (≈ *Klassenstufe*) form, *AE* grade; ***in welche Klasse gehst du?*** which form (*oder* class) are you in? **3.** (≈ *Klassenzimmer*) classroom **4.** *im Fußball*: division, league [liːg] **5. *erster Klasse reisen*** travel first-class **6. *Klasse!*** great, fantastic

Klassenarbeit (class) test

Klassenbeste(r): ***sie ist Klassenbeste*** she's top of the class
Klassenbuch (class) register ['redʒɪstə]
Klassenfahrt school trip
Klassenkamerad(in) classmate
Klassenlehrer(in), **Klassenleiter(in)** form teacher, *AE* class *oder* homeroom teacher
Klassensprecher(in) form captain, *bes. AE* class president
Klassenzimmer classroom; ☞ *Illu S. 540*
Klassik 1. *Zeitalter*: classical period *oder* age **2.** *Musik*: classical music
klassisch 1. *die Antike und die Musik betreffend*: classical **2.** *übertragen* classic, typical (*auch Fehler, Beispiel usw.*)
Klatsch 1. *Geräusch*: splash **2.** (≈ *Geschwätz*) gossip
klatschen 1. (≈ *Beifall klatschen*) applaud **2.** ***in die Hände klatschen*** clap one's hands **3.** (≈ *schwatzen*) gossip
klatschnass soaking (wet); ***klatschnass werden*** get* soaked (to the skin)
Klaue 1. claw **2.** *umg.* (≈ *schlechte Handschrift*) scrawl
klauen *umg.* pinch, steal*, *salopp* nick (*Geld, Autos usw.*); ***hier wird geklaut*** things get pinched (*oder* nicked) here; ***er hat schon wieder geklaut*** he's been stealing again
Klausur exam [ɪg'zæm], paper; ***eine Klausur schreiben*** sit* an exam
Klavier piano [pɪ'ænəʊ]; ***Klavier spielen*** play the piano (⚠ *mit* the)
Klavierspieler(in) pianist ['piːənɪst]
Klavierunterricht piano lessons (⚠ *Pl.*)
Klebeband adhesive tape, sticky tape
kleben 1. stick*; ***es klebt nicht*** it won't stick **2.** glue (*Holz usw.*), stick* (*Papier usw.*) (***an*** to) **3.** (≈ *klebrig sein*) be* sticky
Kleber glue [gluː], adhesive [əd'hiːsɪv]
Klebestift glue stick
Klebestreifen adhesive tape [əd,hiːsɪv'teɪp]
klebrig sticky
kleckern 1. make* a mess **2.** ***ich hab mir Suppe aufs Hemd gekleckert*** I've spilled (*oder* spilt) soup on my shirt
Klecks 1. *festgetrocknet*: mark, blotch **2.** *von nasser Farbe*: blob
klecksen 1. ***du hast gekleckst*** *mit Tinte*: you've made a blot *bzw.* blots **2.** (*Füller*) smudge
Klee clover [⚠ 'kləʊvə]
Kleeblatt 1. cloverleaf **2.** ***vierblättriges Kleeblatt*** four-leaf(ed) clover [⚠ 'kləʊvə]
Kleid 1. dress **2.** ***Kleider*** (≈ *Kleidung*) clothes [⚠ kləʊ(ð)z]
kleiden 1. ***die gelbe Bluse*** *usw.* ***kleidet dich gut*** that yellow blouse [blaʊz] *usw.* suits [suːts] you **2.** ***sich modern*** *usw.* ***kleiden*** dress fashionably *usw.*
Kleiderbügel hanger, clothes [⚠ kləʊ(ð)z] hanger, coat hanger
Kleiderschrank wardrobe ['wɔːdrəʊb]
Kleidung clothes [⚠ kləʊ(ð)z] (⚠ *Pl.*); ☞ *Illu S. 98*
Kleidungsstück piece (*oder* article) of clothing [⚠ 'kləʊðɪŋ]
klein 1. *allg.*: small **2.** *bes. vor dem Subst. und gefühlsbetont*: little (⚠ ***kleiner*** smaller, ***kleinst-*** smallest) **3.** (≈ *von geringer Körpergröße*) short **4.** (≈ *unbedeutend*) small, little **5.** *Fehler, Vergehen usw.*: little, minor **6.** *Buchstabe*: small **7.** *Finger, Zehe*: little **8.** ***mein kleiner Bruder*** my little (*oder* younger) brother **9.** ***der kleine Mann*** *übertragen* the man in the street **10.** ***als ich noch klein war*** when I was a little boy *bzw.* girl **11.** ***klein gedruckt*** in small print

klein

Small ist sachlich-neutral, **little** eher gefühlsbetont.

Little erscheint oft (ohne Komma) nach einem anderen Adjektiv, wobei es auch das vorangehende Adjektiv betont: **a lovely little café, a horrible little girl.**

Little entspricht auch der Endung „-chen“ bzw. „-lein“ im Deutschen:

ein Hündchen – a little dog
ein Häuslein – a little house.

Little hat die gleichen Steigerungsformen wie **small**:

small – smaller – smallest
little – smaller – smallest.

Kleinanzeige *in Zeitung*: classified ad [,klæsɪfaɪd'æd], small ad ['smɔːl‿æd]
Kleinbuchstabe small letter
Kleingedruckte: ***das Kleingedruckte*** the small print
Kleingeld (small) change
Kleinigkeit 1. little thing **2.** (≈ *unwichtige Sache*) minor detail **3.** ***eine Kleinigkeit*** (≈ *Geschenk*) a little something **4.** *zu essen*: snack, bite (to eat)
Kleinkind toddler, small child
kleinkriegen: ***jemanden kleinkriegen*** *übertragen* cut* someone down to size
kleinlich 1. (≈ *engstirnig*) petty **2.** (≈ *pingelig*) fussy **3.** (≈ *geizig*) stingy ['stɪndʒɪ]
kleinschreiben: ***etwas kleinschreiben***

mit kleinem Anfangsbuchstaben schreiben) write* something with a small letter

Kleinstadt small town

Klementine *Frucht*: clementine ['kleməntaɪn, 'kleməntiːn]

Klemme 1. *zum Befestigen*: clamp **2.** *Wendungen*: ***in der Klemme sein*** (*oder* ***sitzen***) *umg.* be* in a fix; ***jemandem aus der Klemme helfen*** *umg.* help someone out of a fix

klemmen 1. ***die Tür klemmt*** *immer wieder*: the door sticks, (≈ *lässt sich nicht mehr öffnen*) the door is stuck **2.** (≈ *zwängen*) wedge, jam (***hinter*** behind) **3.** ***klemm doch die Bücher einfach unter den Arm*** just tuck the books under your arm

Klempner(**in**) **1.** metal roofer **2.** (≈ *Installateur*) plumber [⚠ 'plʌmə]

Klette 1. *Pflanze*: burr **2.** ***sich wie eine Klette an jemanden hängen*** *übertragen* cling* to someone like a leech

Kletterer, **Kletterin** climber [⚠ 'klaɪmə]

klettern: ***auf einen Baum*** (***Berg*** *usw.*) ***klettern*** climb [⚠ klaɪm] (up) a tree (mountain *usw.*)

Klettverschluss velcro® fastening [⚠ 'fɑːsnɪŋ]

klicken *Computer*: click; ***wenn du auf dieses Symbol klickst, kommst du ins Internet*** if you click (on) that icon ['aɪkɒn] you can get onto the Internet

Klient(**in**) client ['klaɪənt]

Klima 1. climate ['klaɪmət] **2.** *übertragen* atmosphere ['ætməsfɪə], climate

Klimaanlage air conditioning; ***sie haben eine Klimaanlage*** they've got air conditioning (⚠ *ohne* an)

klimatisiert air-conditioned

Klimazone climatic zone [klaɪˌmætɪk'zəʊn]

Klimmzug: ***Klimmzüge machen*** do* pull-ups ['pʊlʌps] (*bes. AE* chin-ups)

Klinge blade

Klingel bell

klingeln ring*; ***es hat geklingelt*** there's somebody at the door, *in der Schule usw.*: the bell has gone

klingen sound; ***das klingt verrückt*** it sounds crazy

Klinik clinic ['klɪnɪk], (≈ *Krankenhaus*) hospital ['hɒspɪtl]

Klinke *Tür*: (door)handle

Klippe 1. cliff **2.** *Fels*: rock **3.** *übertragen* obstacle [⚠ 'ɒbstəkl]

klirren 1. (*Teller, Fensterscheiben usw.*) rattle **2.** (*Gläser*) clink

Klo *umg.* loo, *AE umg.* john

klobig 1. *Nase, Hände usw.*: big **2.** (≈ *unförmig, grob*) bulky **3.** *Schuhe*: heavy

Klon *Pflanzen, Tiere*: clone

klonen clone (*Pflanzen, Tiere*)

Klopapier *umg.* toilet paper, *BE umg. auch* loo paper

klopfen 1. knock [⚠ nɒk] (***an, auf*** at, on); ***es klopft*** there's somebody (knocking) at the door **2.** (*Herz*) beat* **3.** (*Motor*) knock **4.** beat* (*Fleisch, Teppich*) **5.** ***einen Nagel in die Wand klopfen*** knock a nail into the wall

Klosett toilet ['tɔɪlət], *umg.* loo, *umg. AE* john

Kloß 1. *Essen*: dumpling **2.** (≈ *Fleischkloß*) meatball **3.** ***ich hatte einen Kloß im Hals*** I had got a lump in my throat

Kloster 1. (≈ *Mönchskloster*) monastery ['mɒnəstərɪ] **2.** (≈ *Nonnenkloster*) convent ['kɒnvənt] **3.** ***ins Kloster gehen*** (≈ *Mönch bzw. Nonne werden*) enter a monastery (*bei Frauen*: convent)

Klotz 1. (≈ *Holzklotz*) block (of wood) **2.** ***jemandem ein Klotz am Bein sein*** be* a millstone around someone's neck

klotzig *umg.* **1.** (≈ *groß*) huge [hjuːdʒ], massive **2.** *Möbel usw.*: unwieldy [ʌn'wiːldɪ]

Klub club

Kluft[1] **1.** *übertragen* (≈ *Gegensatz*) gap, gulf **2.** *übertragen* (≈ *Feindschaft*) rift **3.** *zwischen Felsen*: (≈ *Spalt*) crevice [⚠ 'krevɪs] **4.** (≈ *Abgrund*) chasm [⚠ 'kæzm], abyss [⚠ ə'bɪs] (*auch übertragen*)

Kluft[2] *salopp* **1.** *Kleidung*: gear [gɪə] **2.** (≈ *Uniform*) uniform ['juːnɪfɔːm]

klug 1. (≈ *intelligent*) clever (*z.B. Verhandlungspartner, Frage*), intelligent [ɪn'telɪdʒənt] (*z.B. Gesicht, Augen*) **2.** (≈ *weise*) wise **3.** ***das Klügste wäre zu ...*** the best idea would be to (*+Inf.*) **4.** *Wendungen*: ***hinterher ist man immer klüger*** it's easy to be wise after the event; ***er ist ein kluger Kopf*** he's clever *oder* bright, he's got brains

Klugheit 1. cleverness, intelligence [ɪn'telɪdʒəns] **2.** (≈ *Weisheit*) wisdom ['wɪzdəm]

Klumpen 1. lump; ***ein Klumpen Erde*** a lump (*oder* clod) of earth **2.** ***ein Klumpen Gold*** a gold nugget ['nʌgɪt]

knabbern 1. nibble (***an*** at) **2.** ***hätten Sie gern was zu knabbern?*** would you like a little something to eat?

Knabe 1. boy **2.** ***alter Knabe*** old chap (*oder* boy)

Knackarsch *salopp* (≈ *Po*) pert [pɜːt] bum

Knäckebrot crispbread

knacken 1. crack (open) (*Nüsse, Geld-*

schrank usw.) **2.** break* into (*Auto*) **3.** break* open (*Schloss*)

knackig 1. *Brötchen, Apfel usw.*: crisp, crunchy **2.** *Po*: firm **3.** *salopp; Mädchen*: gorgeous ['gɔːdʒəs], scrumptious ['skrʌmpʃəs]

Knacks 1. (≈ *knackender Ton; Sprung*) crack **2.** ***ihre Ehe hat einen Knacks*** their marriage is in trouble (*oder* difficulties)

Knall 1. bang **2.** (≈ *Schuss*) shot **3.** ***einen Knall haben*** *salopp* be* nuts, be* crazy

knallen 1. bang; ***plötzlich knallte es*** suddenly there was a loud bang (*bei Schuss*: shot) **2.** ***sie knallte das Buch auf den Tisch*** she banged the book on the table

Knallkörper banger, *bes. AE* firecracker

knapp 1. (≈ *kaum ausreichend*) scarce [skeəs]; ***Lebensmittel*** *usw.* ***sind knapp*** food *usw.* is in short supply (*oder* is scarce) **2.** ***ich bin zur Zeit etwas knapp bei Kasse*** I'm a bit short (of money) at the moment **3.** *Sieg*: narrow **4.** ***eine knappe Mehrheit*** a slim (*oder* small) majority **5.** *Rente usw.*: (≈ *niedrig*) low, meagre **6.** ***knapp zwei Stunden*** just under two hours

knarren (*Tür usw.*) creak

Knast *salopp* (≈ *Gefängnis*) clink, *bes. AE* cooler; ***im Knast*** *salopp* in (the) clink

Knäuel *Wolle*: ball

knauserig stingy ['stɪndʒɪ], mean

Knautschzone *Auto*: crumple zone

knebeln gag (*auch übertragen* ≈ *zum Schweigen bringen*)

Knecht 1. farmhand **2.** *übertragen* slave

kneifen[1] pinch; ***jemanden in den Arm kneifen*** pinch <u>someone's</u> arm

kneifen[2] *umg.* chicken out (***vor etwas*** of something); ***willst du etwa kneifen?*** you're not chickening out, are you?

Kneifzange: ***eine Kneifzange*** pincers (⚠ *Pl.*), a pair of pincers

Kneipe pub, *AE* bar; ☞ *Info unter* **pub**

Knete 1. (≈ *Knetgummi*) plasticine ['plæstəsiːn] **2.** (≈ *Geld*) *salopp* dough [⚠ dəʊ]

kneten knead [⚠ niːd] (*Teig; den Rücken usw. von jemandem*)

Knick 1. *in Schlauch usw.*: kink **2.** (≈ *Falte*) crease **3.** (≈ *Kurve*) (sharp) bend, kink

knickerig, knickrig (≈ *geizig*) *umg.* stingy [⚠ 'stɪndʒɪ], mean, tight-fisted

Knie 1. knee [⚠ niː] **2.** *Rohrstück*: elbow ['elbəʊ], knee **3.** *Wendungen*: ***jemanden übers Knie legen*** *übertragen, umg.* give* someone a good hiding; ***in die Knie gehen*** bend* <u>one's</u> knees, *übertragen* (≈ *nachgeben müssen*) submit [səb'mɪt] (***vor*** to)

Kniebeuge *Sport*: knee bend [⚠ 'niː‿bend]

knien 1. kneel [⚠ niːl] **2.** (≈ *niederknien*) kneel down

Knieschoner, Knieschützer *Sport*: knee pad [⚠ 'niː‿pæd]

Kniestrumpf (knee-length) sock [⚠ (ˌniː‿leŋθ)'sɒk]

Kniff 1. (≈ *Trick*) trick **2.** (≈ *Kneifen*) pinch

knifflig *Problem, Frage usw.*: tricky

knipsen 1. take* snaps *oder* photos; ***sie knipst gern*** she likes to take (*oder* she likes taking) snaps **2.** ***jemanden*** *bzw.* ***etwas knipsen*** take* a snap (*oder* photo) of someone *bzw.* something

Knirps (≈ *kleiner Junge*) little lad, *umg., abwertend* squirt

knirschen 1. (*Sand, Kies usw.*) crunch **2.** ***mit den Zähnen knirschen*** grind* <u>one's</u> teeth

knistern 1. (*Feuer*) crackle **2.** (*Papier usw.*) rustle [⚠ 'rʌsl] **3.** ***mit etwas knistern*** rustle something

knittern 1. crease [kriːs]; ***dieser Stoff knittert leicht*** this material creases easily **2.** ***etwas knittern*** crease something

Knoblauch garlic ['gɑːlɪk]

Knoblauchbrot garlic bread

Knoblauchgeruch smell of garlic

Knoblauchpresse garlic press

Knoblauchzehe clove of garlic [ˌkləʊv‿əv'gɑːlɪk]

Knöchel 1. *am Fuß*: ankle **2.** *am Finger*: knuckle [⚠'nʌkl]

Knochen 1. bone **2.** *Wendungen*: ***mir tun sämtliche Knochen weh*** every bone in my body is aching; ***das sitzt mir noch in den Knochen*** I still haven't (quite) got over it

Knochenarbeit *umg.* hard graft [ˌhɑːd'grɑːft]

Knochenbau bone structure

Knochenbruch fracture

Knochenmark bone marrow ['bəʊnˌmærəʊ]

knochig 1. *Person*: skinny, bony **2.** *Gesicht, Knie usw.*: bony

Knödel dumpling

Knopf 1. button (*auch als Schalter*); ***auf den Knopf drücken*** press the button **2.** *an der Tür*: knob [⚠ nɒb]

Knopfdruck: ***auf Knopfdruck*** at the touch of a button

Knopfloch buttonhole

Knopfzelle (≈ *Batterie*) round cell [ˌraʊnd'sel]

Knospe bud

Knoten 1. knot [⚠ nɒt] (*auch Geschwindigkeitsmaß*) **2.** *Geschwulst*: lump

K

Know-how know-how ['nəʊhaʊ], expertise [⚠ ˌekspɜː'tiːz]
Knüller *umg.* **1.** sensation (*auch Meldung*) **2.** *Film, Buch usw.*: blockbuster
knüpfen 1. tie, make* (*Knoten, Netz*) **2.** (≈ *befestigen*) attach [ə'tætʃ], fasten [⚠ 'fɑːsn] (**an** to) **3.** ***Bedingungen an etwas knüpfen*** attach conditions (to something) **4.** ***Kontakte zu jemandem knüpfen*** make* contact (⚠ *Sg.*) with someone, get* in touch with someone
Knüppel 1. (heavy) stick, club **2.** (≈ *Polizeiknüppel*) truncheon ['trʌnʃn], *AE* billy (club) **3.** (≈ *Steuerknüppel*) control stick, *umg.* joystick
knurren 1. (*Tier*) growl [graʊl] **2.** (*Magen*) rumble
knusprig *Brot, Gebäck usw.*: crunchy, crisp
knutschen *salopp* snog, *bes. AE* smooch
Knutschfleck *umg.* love bite, *AE umg.* hickey
K.o.[1] knockout [⚠ 'nɒkaʊt], k.o. [ˌkeɪ'əʊ]
k.o.[2] **1.** ***ich bin völlig k.o.*** *umg.* I'm whacked [wækt] **2.** ***jemanden k.o. schlagen*** knock [nɒk] someone out, k.o. [ˌkeɪ'əʊ] someone
Koalition coalition [ˌkəʊə'lɪʃn]
Koch cook
Kochbuch cookery book, *bes. AE* cookbook
kochen 1. cook, do* the cooking; ***sie kocht gut*** she's a good cook **2.** make*, cook (*Abendessen usw.*) **3.** boil (*Wasser, Eier*) (⚠ *nicht* cook); ***das Wasser kocht!*** the water's (*oder* kettle's) boiling **4.** make* (*Kaffee, Tee*) (⚠ *nicht* cook) **5.** ***er kocht vor Wut*** he's seething ['siːðɪŋ] with rage
Köchin cook
Kochrezept recipe [⚠ 'resəpɪ]
Kochtopf saucepan ['sɔːspən], pot
Kode code
Köder bait (*auch übertragen*)
kodieren code, encode
Kodierung coding, encoding
Koffein caffeine ['kæfiːn]
Koffer 1. case, suitcase ['suːtkeɪs] **2.** ***seine Koffer packen*** pack (one's bags), *übertragen* pack one's bags (and leave)
Kofferraum boot, *AE* trunk
Kohl cabbage ['kæbɪdʒ]
Kohle 1. coal **2.** *zum Zeichnen*: charcoal ['tʃɑːkəʊl] **3.** *umg.* (≈ *Geld*) cash
Kohlekraftwerk coal-fired power station
Kohlenbergbau: (***der***) ***Kohlenbergbau*** coal-mining (⚠ *ohne* the), the coal-mining industry
Kohlendioxyd carbon dioxide [ˌkɑːbən‿daɪ'ɒksaɪd]
Kohlensäure carbonic acid [kɑːˌbɒnɪk'æsɪd]; ***ohne Kohlensäure*** *Getränk*: still, *AE* non carbonated; ***mit Kohlensäure*** fizzy, *AE* carbonated ['kɑːbəneɪtɪd]
Kohlenstoff carbon ['kɑːbən]
Kohlmeise great tit
Kohlrabi kohlrabi [ˌkəʊl'rɑːbɪ]
Kohlsprossen Ⓐ (≈ *Rosenkohl*) Brussels sprouts [ˌbrʌsl'spraʊts] (*Pl.*)
Kokain cocaine [⚠ kəʊ'keɪn]
Kokosnuss coconut ['kəʊkənʌt]
Kokospalme coconut palm [⚠ 'kəʊkənʌt‿pɑːm], coconut tree
Koks 1. coke **2.** *salopp* (≈ *Kokain*) coke
Kolben 1. *beim Motor*: piston **2.** (≈ *Gewehrkolben*) butt **3.** *salopp* (≈ *Nase*) conk
Kolik colic ['kɒlɪk]
Kollege colleague ['kɒliːg]; ***ein Kollege sagte mir*** someone at work told me
kollegial 1. (≈ *nett*) friendly **2.** (≈ *hilfsbereit*) helpful **3.** (≈ *aufrichtig*) loyal ['lɔɪəl]
Kollegin colleague ['kɒliːg]
Kollegstufe *etwa*: sixth-form college, *AE* junior college
Kollektion collection, (≈ *Sortiment*) *auch* range
Kollision 1. collision [kə'lɪʒn] **2.** *übertragen* conflict ['kɒnflɪkt]
Köln Cologne [kə'ləʊn]
Kolonial… *in Zusammensetzungen*: colonial [kə'ləʊnɪəl]; ***Kolonialherrschaft*** colonial rule; ***Kolonialmacht*** colonial power; ***Kolonialzeit*** colonial age
Kolonialismus: ***der Kolonialismus*** colonialism [kə'ləʊnɪəlɪzm] (⚠ *ohne* the)
Kolonie colony ['kɒlənɪ]
kolossal gigantic [dʒaɪ'gæntɪk]
Koma coma ['kəʊmə]; ***im Koma liegen*** be* in a coma
Kombi *Auto*: estate car [⚠ ɪ'steɪt‿kɑː], *bes. AE* station wagon ['steɪʃnˌwægən]
Kombination 1. combination (*auch beim Schach und eines Schlosses*) **2.** *Anzug*: matching jacket and trousers **3.** (≈ *Folgerung*) deduction
kombinieren 1. (≈ *verbinden*) combine **2.** (≈ *folgern*) deduce [dɪ'djuːs]; ***da hast du falsch kombiniert!*** you thought wrong there
Kombizange: ***eine Kombizange*** (combination) pliers ['plaɪəz] (⚠ *Pl., ohne* a), a pair of pliers
Komet comet ['kɒmɪt]
kometenhaft: ***ein kometenhafter Aufstieg*** a meteoric rise [ˌmiːtɪɒrɪk'raɪz]
Komfort 1. conveniences [kən'viːnɪənsɪz] (⚠ *Pl.*); ***mit allem Komfort*** *Wohnung*: with all (the) conveniences (*BE auch* mod cons) **2.** (≈ *Luxus*) luxury ['lʌkʃərɪ]

komfortabel 1. *Hotel, Wohnung*: well-appointed, *nur hinter dem Subst.*: with all (the) conveniences (*BE auch* mod cons) **2.** (≈ *luxuriös*) luxurious [lʌg'zjʊərɪəs]
Komik humour ['hjuːmə]
Komiker(in) comedian [kə'miːdɪən], comic
komisch 1. funny (*auch im Sinn von* merkwürdig) **2.** ***das Komische daran ist*** the funny thing (about it) is
Komitee committee [kə'mɪtɪ] (⚠ *Schreibung*)
Komma 1. comma; ***hier fehlt ein Komma*** there's a comma missing here **2.** ***drei Komma vier*** (***3,4***) three point four (3.4) (⚠ *mit Punkt geschrieben*) **3.** ***null Komma drei*** (***0,3***) (nought, *AE* O [əʊ]) point three (0.3) (⚠ *mit Punkt geschrieben*; nought *wird mündlich oft weggelassen*)
Kommafehler punctuation mistake
Kommandeur(in) commander [kə'mɑːndə]
kommandieren (≈ *befehlen*) command
Kommando 1. (≈ *Befehl*) command [kə'mɑːnd], order **2.** ***das Kommando haben*** be* in command (***über*** of) **3.** (≈ *Einheit mit Sonderauftrag*) commando [kə'mɑːndəʊ]
kommen 1. *allg.*: come*; ***ich komme!*** (I'm) coming!; ***es kommt jemand*** someone's coming; ***na komm schon!*** come on! **2.** (≈ *ankommen*) arrive **3.** (≈ *hinkommen, gelangen*) get*; ***wie komme ich von hier zum Bahnhof?*** how do I get to the station?; ***er ist nicht weit gekommen*** he didn't get far **4.** ***sie kommt aus Schottland*** she's from Scotland **5.** ***wann kommt der nächste Bus?*** when is the next bus (due)? **6.** ***sie wird bald kommen*** she won't be long **7.** ***jemanden kommen sehen*** see* someone coming **8.** ***ich komme bald aufs Gymnasium*** I'm starting grammar school soon **9.** ***er kommt morgen ins Krankenhaus*** he's going (in)to hospital tomorrow **10.** ***ich glaube, es kommt ein Gewitter*** I think there's a storm coming (up) **11.** ***wie kommt es, dass …?*** how is it that …?, how come …? **12.** ***woher kommt es, dass …?*** why is it that …? **13.** ***sie kommt immer zu spät*** she's always late **14.** ***jemanden kommen lassen*** send* for someone **15.** ***da kommst du nie drauf!*** *umg.* you'll never get it! **16.** ***wie kommst du darauf?*** what gives you that idea? **17.** ***ich bin nicht dazu gekommen, den Brief zu schreiben*** I didn't get round to writing the letter **18.** ***so kommst du nie zu etwas!*** you'll never get anywhere if you go on like that! **19.** ***hinter etwas kommen*** find* something out
Kommen: ***Sneakers sind wieder im Kommen*** sneakers are coming back into fashion
kommend 1. coming, (≈ *zukünftig*) *auch* future ['fjuːtʃə] **2.** *Wendungen*: ***kommende Woche*** next week; ***in den kommenden Jahren*** in the years to come; ***die kommende Generation*** the rising generation
Kommentar 1. (≈ *Stellungnahme*) comment ['kɒment] (***zu*** on) **2.** *zu Fußballspiel im Fernsehen usw.*: commentary ['kɒməntərɪ] **3.** *in Zeitung*: opinion column [⚠ ə'pɪnjən,kɒləm]
Kommissar(in) 1. *Polizei*: superintendent [,suːpərɪn'tendənt], *AE* captain ['kæptən] **2.** (≈ *Bevollmächtigte, -er*) commissioner
Kommode chest of drawers [,tʃest‿əv'drɔːz], *AE auch* bureau ['bjʊərəʊ]
Kommune (≈ *Gemeinde*) community
Kommunikationsmittel: ***ein modernes Kommunikationsmittel*** a modern means of communication
Kommunion *Sakrament*: (Holy) Communion
Kommunismus communism ['kɒmjʊnɪzm]
Kommunist(in) communist ['kɒmjʊnɪst]
kommunistisch communist ['kɒmjʊnɪst]
kommunizieren communicate [kə'mjuːnɪkeɪt]
Komödie 1. comedy ['kɒmədɪ] **2.** *übertragen* farce **3.** ***sie spielt nur Komödie*** *übertragen* she's just play-acting
kompakt compact [kəm'pækt]
Kompanie *Militär*: company [⚠ 'kʌmpənɪ]
Kompass compass [⚠ 'kʌmpəs]
kompatibel compatible [kəm'pætəbl]
komplett complete, *Unsinn usw. auch*: utter
Komplex complex ['kɒmpleks]; ***er hat Komplexe*** he's full of complexes
Kompliment 1. compliment ['kɒmplɪmənt]; ***jemandem ein Kompliment machen*** pay* someone a compliment **2.** ***Kompliment!*** congratulations!
Komplize accomplice [⚠ ə'kʌmplɪs]
kompliziert 1. *Problem*: complicated, complex ['kɒmpleks] **2.** *Gerät usw.*: complicated, intricate ['ɪntrɪkət] **3.** *Mensch*: difficult **4.** ***ein komplizierter Knochenbruch*** a compound fracture [,kɒmpaʊnd'fræktʃə]
Komplott plot, conspiracy [kən'spɪrəsɪ]; ***ein Komplott schmieden*** plot, conspire [kən'spaɪə] (***gegen*** against)

K

…ponente component [kəm'pəʊnənt]
…omposition composition [ˌkɒmpə'zɪʃn] (*auch übertragen*)
komponieren **1.** *allg.*: compose [kəm'pəʊz] **2.** write [raɪt] (*ein Lied usw.*)
Komponist(**in**) composer [kəm'pəʊzə]
Kompott stewed fruit [ˌstjuːd'fruːt]
komprimieren **1.** compress [kəm'pres] (*auch Daten*) **2.** condense [kən'dens] (*Gase, auch Text usw.*)
Kompromiss compromise ['kɒmprəmaɪz]; ***einen Kompromiss schließen*** make* a compromise, compromise (***über*** on, about)
kompromisslos uncompromising [ʌn'kɒmprəmaɪzɪŋ]
kondensieren (*Wasser, Gas usw.*) condense [kən'dens]
Kondensmilch evaporated milk [ɪˌvæpəreɪtɪd'mɪlk] (⚠ condensed milk = ***gezuckerte Dosenmilch***; *zum Kochen*)
Kondition (≈ *Leistungsfähigkeit*) condition, shape, form; ***sie hat eine gute Kondition*** she's very fit, she's in good shape *oder* form; ***er hat keine*** (*oder* ***eine schlechte***) ***Kondition*** he's very unfit
Konditionstraining *Sport*: fitness training
Konditor(**in**) pastry ['peɪstrɪ] cook
Konditorei cake shop
Kondom condom ['kɒndəm]
Kondukteur(**in**) (CH) (≈ *Schaffner, -in*) conductor, *Frau*: conductress, *BE auch* guard [gɑːd]
Konferenz conference ['kɒnfrəns], *in kleinerem Rahmen*: meeting
Konfession religion, denomination
Konfetti confetti [kən'fetɪ]
Konfirmation confirmation [ˌkɒnfə'meɪʃn]
Konfitüre jam
Konflikt conflict ['kɒnflɪkt]
Konfrontation confrontation [ˌkɒnfrʌn'teɪʃn]
konfrontieren: ***jemanden konfrontieren mit*** confront [⚠ kən'frʌnt] someone with
konfus confused, *Gedanken usw. auch*: muddled
Kongress congress ['kɒŋgres], conference ['kɒnfrəns], *bes. AE auch* convention
König **1.** king (*auch Schach, Kartenspiel und übertragen*) **2.** ***die Heiligen Drei Könige*** the Three Wise Men (from the East), the Magi [⚠ 'meɪdʒaɪ]
Königin queen
königlich royal ['rɔɪəl]
Königreich kingdom
Königshaus royal dynasty ['dɪnəstɪ, *AE* 'daɪnəstɪ]
Konjunktiv subjunctive [səb'dʒʌŋktɪv]
Konjunktur **1.** (≈ *Wirtschaftslage*) economic situation **2.** (≈ *Hochkonjunktur*) boom
konkret (*Beispiel, Vorschlag usw.*) concrete ['kɒŋkriːt]
Konkurrent(**in**) rival ['raɪvl], *Wirtschaft, Handel, Sport*: competitor [kəm'petɪtə]
Konkurrenz **1.** competition [ˌkɒmpə'tɪʃn] **2.** ***jemandem Konkurrenz machen*** compete with someone **3.** (≈ *Wettkampf*) event, competition, contest ['kɒntest]
konkurrenzfähig competitive [kəm'petətɪv]
Konkurrenzkampf **1.** *allg.*: competition, *stärker*: rivalry ['raɪvlrɪ] **2.** *bes. beruflich, umg.*: rat race
konkurrenzlos **1.** unrivalled [ʌn'raɪvld] **2.** *Preise*: unmatched
Konkurs bankruptcy ['bæŋkrʌptsɪ]; ***Konkurs machen*** go* bankrupt
können **1.** ***ich kann es*** I can do it; ***ich kann es nicht*** I can't [kɑːnt] do it; ***sie hätte es machen können*** she could have done it **2.** (≈ *die Fähigkeit oder Möglichkeit haben*) be* able to (⚠ be able to *wird im Futur, im Present Perfect sowie im Past Perfect als Ersatz für eine fehlende Form von* can *verwendet*); ***wird sie morgen kommen können?*** will she be able to come tomorrow? **3.** (≈ *fähig sein zu*) be* capable of (+ *Gerund*) (*auch im negativen Sinn*); ***er könnte sie umbringen*** he's capable of killing her, *vor Wut*: he could kill her **4.** (≈ *dürfen*) may, can, be* allowed to (⚠ be allowed to *wird im Futur, im Past Tense, Present Perfect sowie im Past Perfect als Ersatz für eine fehlende Form von* may *verwendet*); ***kann ich mal?*** may I?; ***sie kann gehen*** she can go; ***du kannst es mir glauben*** take my word for it; ***kannst du machen*** go ahead **5.** ***es kann sein*** it may be **6.** ***ich kann nicht mehr*** *beim Essen*: I can't eat any more, *umg.* (≈ *ich bin erschöpft*) I've had it, *nervlich, psychisch*: I can't take any more; ***wir konnten nicht mehr*** *vor Lachen*: we were rolling about **7.** ***heute kann ich nicht*** I can't (manage) today **8.** ***ich kann nichts dafür*** it's not 'my fault, I can't help it **9.** ***es könnte sein, dass …*** it might (*oder* could) be that …; ***es kann etwas länger dauern*** it might (*oder* could) take a while; ***ich kann mich auch täuschen*** I may be wrong, of course; ***das kann schon sein*** it's possible, (≈ *das kann stimmen*) that may be true **10.** ***kannst du schwimmen?*** can you swim?, do you know how to swim?; ***sie kann gut schwimmen*** she's a good swimmer, she can swim well **11.** ***er kann Französisch***

he speaks (*oder* knows) French; ***sie kann gut Englisch*** she speaks good English, she speaks English well **12.** *Wendungen*: ***man kann nie wissen*** you never know; ***der kann mich mal!*** *umg.* he can get stuffed

Könner(in) expert ['ekspɜːt], *salopp* ace

konsequent 1. (≈ *folgerichtig*) consistent [kən'sɪstənt], logical **2.** (≈ *unbeirrbar*) firm, resolute ['rezəluːt]; ***konsequent bleiben*** remain firm **3.** (≈ *kompromisslos*) uncompromising [ʌn'kɒmprəmaɪzɪŋ]

Konsequenz 1. (≈ *Folge*) consequence ['kɒnsɪkwəns] **2.** ***die Konsequenzen ziehen*** take* the necessary steps

konservativ 1. conservative [kən'sɜːvətɪv] **2.** *Parteimitglied in GB*: Tory, Conservative

Konserve 1. can, *BE auch* tin; ***sich von Konserven ernähren*** live on canned (*BE auch* tinned) food(s) **2.** ***Musik aus der Konserve*** canned music

Konservenbüchse, **Konservendose** can, *bes. BE* tin

konservieren 1. *allg.*: preserve (*Blut*, *Gebäude usw.*) **2.** *in Büchsen*: can, *BE auch* tin

Konservierungsmittel preservative [prɪ'zɜːvətɪv]

Konsonant consonant ['kɒnsənənt]

konstant 1. *Geschwindigkeit*, *Größe*: constant ['kɒnstənt] **2.** *Wachstum*, *Anstieg*, *Geschwindigkeit usw.*: steady ['stedɪ] **3.** *Leistung*: steady, consistent [kən'sɪstənt]

konstruieren 1. *allg.*: construct (*auch in der Geometrie*) **2.** (≈ *entwerfen*) design

Konstruktion 1. *allg.*: construction (*auch eines Satzes*) **2.** (≈ *Entwurf*) design

Konsulat consulate ['kɒnsjʊlət]

Konsum consumption

Konsument consumer

Konsumgesellschaft consumer society

Konsumgüter consumer goods

konsumieren consume [kən'sjuːm]

Kontakt 1. *allg.*: contact ['kɒntækt] (*auch elektrisch*) **2.** ***mit jemandem Kontakt aufnehmen*** get* in touch (*oder* contact) with someone, contact someone; ***die Kontakte abbrechen*** break* ties (***mit, zu*** with)

kontaktfreudig sociable ['səʊʃəbl]

Kontaktlinsen contact lenses ['kɒntækt-ˌlenzɪz], *umg.* contacts

Konter, **kontern 1.** *Boxen*: counter (*auch übertragen*) **2.** *Fußball usw.*: counterattack (*auch übertragen*)

Kontinent continent ['kɒntɪnənt]; ***der (europäische) Kontinent*** *bes. BE* the Continent

Konto 1. (≈ *Bankkonto*) account; ***ein Konto eröffnen*** open an account **2.** ***die Getränke gehen auf mein Konto*** *übertragen* the drinks are on me; ***das geht auf 'ihr Konto*** *übertragen* that's 'her doing

Kontoauszug (bank) statement

Kontoinhaber(in) account holder

Kontonummer account number

Kontostand balance (of an account); ***den Kontostand abfragen*** check one's bank balance

kontra against, *bei Gerichtsverfahren und übertragen*: versus ['vɜːsəs] (*Abk.* vs.)

Kontra 1. ***Kontra geben*** *beim Kartenspiel*: double ['dʌbl] **2.** ***jemandem Kontra geben*** *übertragen* hit* back at someone **3.** ***(das) Pro und Kontra*** the pros and cons [ˌprəʊz‿ən'kɒnz] (⚠ *Pl.*)

Kontrabass double bass [ˌdʌbl'beɪs]

Kontrast contrast ['kɒntrɑːst]; ***einen Kontrast bilden zu*** contrast [⚠ kən'trɑːst] with, form a contrast ['kɒntrɑːst] to

Kontrolle 1. (≈ *Überwachung*, *Beherrschung*) control; ***er hat die Kontrolle über seinen Wagen verloren*** he lost control of his car (⚠ *ohne* the); ***etwas unter Kontrolle bringen*** get* ***something under control*** **2.** *von Eintrittskarte*: check **3.** *von Fahrkarte*: inspection, check **4.** *von Gepäck usw.*: check(ing) **5.** *von Maschinen*, *Lebensmitteln usw.*: inspection **6.** (≈ *Aufsicht*) supervision **7.** ***Kontrollen machen*** *oder* ***durchführen*** make* (*oder* carry out) checks

Kontrolleur(in) inspector

kontrollieren 1. (≈ *überprüfen*, *prüfen*) check (*auch Gepäck*) **2.** (≈ *beherrschen*, *überwachen*, *steuern*, *regeln*) control **3.** inspect (*Maschine*, *Lebensmittel*) **4.** (≈ *beaufsichtigen*) supervise, *ab und zu*: check; ***jemanden kontrollieren*** check up on someone

kontrollieren

„Kontrollieren" heißt meistens **check**. Nur im Sinne von „steuern, regeln" verwendet man **control**.

Kontrollpunkt checkpoint

konventionell conventional

Konzentration concentration

Konzentrationslager concentration camp

konzentrieren 1. concentrate (***auf*** upon) (*seine Bemühungen*, *Gedanken usw.*) **2.** focus (***auf*** on) (*seine Aufmerksamkeit usw.*) **3.** ***sich auf etwas konzentrieren*** concentrate on something; ***ich kann mich nur schwer konzentrieren*** I have diffi-

…y concentrating **4.** ***die Fahndung konzentriert sich auf München*** the search is concentrated on the Munich area

Konzept **1.** (≈ *Entwurf*) rough draft [ˌrʌf'drɑːft], *für Rede auch*: notes (⚠ *Pl.*) **2.** (≈ *Plan*) plan, plans (*Pl.*) **3.** *Wendungen*: ***jemanden aus dem Konzept bringen*** put* someone off; ***das passt ihr nicht ins Konzept*** it doesn't fit in with her plans, (≈ *gefällt ihr nicht*) it doesn't suit her

Konzern (≈ *Großunternehmen*) group, combine [⚠ 'kɒmbaɪn], big company

Konzert **1.** *Veranstaltung*: concert ['kɒnsət]; ***ins Konzert gehen*** go* to a concert **2.** (≈ *Musikstück für Soloinstrument und Orchester*) concerto [⚠ kən'tʃeətəʊ]

Konzertsaal concert hall ['kɒnsət‿hɔːl]

Kooperation cooperation [kəʊˌɒpə'reɪʃn], collaboration [kəˌlæbə'reɪʃn]

Kopf **1.** *allg.*: head [hed] (*auch übertragen, Anführer, eines Briefes usw.*); ***von Kopf bis Fuß*** from head to foot, from top to toe [təʊ]; ***es steht auf dem Kopf*** it's upside down **2.** ***ein kluger Kopf*** *übertragen* an intelligent person **3.** ***es gab nur einen Teller Suppe pro Kopf*** we were given only a plateful of soup each (*oder* per person) **4.** *Wendungen*: ***sich den Kopf zerbrechen*** rack one's brains (***wegen, über*** over); ***die Melodie*** *usw.* ***geht mir nicht mehr aus dem Kopf*** I can't get the tune *usw.* out of my head; ***sich etwas durch den Kopf gehen lassen*** think* something over; ***sie hat andere Dinge als die Schule im Kopf*** she's got other things besides school on her mind; ***er hat nur Fußball im Kopf*** all he ever thinks about is football; ***das kannst du dir gleich aus dem Kopf schlagen!*** you can forget (about) that; ***Kopf hoch!*** chin up!

Kopfball *Sport*: header ['hedə]

Köpfchen: ***Köpfchen*** (***muss man haben***)***!*** *umg.* it's brains you need

köpfen **1.** *Fußball*: head (*auch den Ball*); ***und X köpft den Ball ins Tor*** and X heads the ball in **2.** ***er wurde geköpft*** *Hinrichtung*: he was beheaded [bɪ'hedɪd]

Kopfhaut scalp [skælp]

Kopfhörer headphones (⚠ *Pl.*); ***ich hab die Musik mit Kopfhörer gehört*** I listened to the music on headphones

Kopfkissen pillow

Köpfler Ⓐ **1.** ***einen Köpfler machen*** dive headfirst **2.** (≈ *Kopfball*) header ['hedə]

Kopfrechnen mental arithmetic [ˌmentl‿ə'rɪθmətɪk]

Kopfsalat lettuce ['letɪs]

Kopfschmerzen: ***sie hat Kopfschmerzen*** she's got a headache ['hedeɪk] (⚠ *Sg.*)

Kopfsprung: ***einen Kopfsprung machen*** dive in headfirst

Kopfstand headstand; ***einen Kopfstand machen*** stand* on one's head

Kopfstütze headrest

Kopftuch headscarf *Pl.*: headscarfs *oder* headscarves

Kopfweh headache; → ***Kopfschmerzen***

Kopie **1.** *allg.*: copy (*auch übertragen*) **2.** (≈ *Fotokopie*) (photo)copy **3.** *eines Fotos*: print **4.** *eines Gemäldes usw.*: reproduction [ˌriːprə'dʌkʃn], *besonders sorgfältige*: replica [⚠ 'replɪkə]

kopieren **1.** *allg.*: copy **2.** (≈ *fotokopieren*) (photo)copy **3.** (≈ *nachahmen*) imitate

Kopierer (≈ *Kopiergerät*) (photo)copier [('fəʊtəʊˌkɒpɪə) 'kɒpɪə]

Kopilot(in) copilot ['kəʊˌpaɪlət]

Koppel *für Pferde*: paddock ['pædək]

koppeln **1.** ***die Raumfähre an die Raumstation koppeln*** link up the space shuttle with the space station, dock the space shuttle to the space station **2.** ***den Anhänger ans Auto koppeln*** hitch the trailer to the car

Koralle coral ['kɒrəl]

Korallenriff coral reef [ˌkɒrəl'riːf]

Korb **1.** *allg.*: basket **2.** ***sie hat ihm einen Korb gegeben*** *übertragen, umg.* she gave him the brush-off ['brʌʃɒf]

Korbstuhl wicker chair

Kord corduroy [⚠ 'kɔːdərɔɪ]

Verbs of Motion Verben der Bewegung

1	pushing	schieben
2	throwing	werfen
3	running	rennen, laufen
4	pushing	stoßen
5	falling	fallen
6	walking	gehen
7	jumping	springen
8	sitting	sitzen
9	hopping	hüpfen
10	picking (something) up	(etwas) aufheben
11	squatting	hocken
12	standing	stehen
13	kneeling	knien

Verbs of Motion
1
2
3
4
5
6
7
8
9
10
11
12
13

Prepositions Präpositionen

1 There is a lot of activity **at** the halfpipe.
An der Halfpipe ist viel Action.
2 Adrian is jumping **off** the top of the halfpipe.
Adrian springt vom Rand der Halfpipe ab.
3 The bike is **behind** the tree.
Das Fahrrad steht hinter dem Baum.
4 Toby is climbing **up** the tree.
Toby klettert den Baum hinauf.
5 Tim is sitting in the tree **above** the halfpipe.
Tim sitzt im Baum über der Halfpipe.
6 Tina is standing **on top of** the halfpipe.
Tina steht oben auf der Halfpipe.
7 Mike is leaning **against** a post.
Mike lehnt an einem Pfosten.
8 There is a skooter **in front of** the halfpipe.
Vor der Halfpipe liegt ein Roller.
9 Jason is taking his skates **out of** his rucksack and putting his shoes **into** it.
Jason nimmt seine Skates aus dem Rucksack und steckt seine Schuhe hinein.

Prepositions

10 The bench is **near** the halfpipe.
Die Bank steht in der Nähe der Halfpipe.
11 There are three kids sitting **on** the bench.
Drei Jugendliche sitzen auf der Bank.
12 Patricia is sitting **next to** Mike.
Patricia sitzt neben Mike.
13 Mike is sitting **between** Patricia and Nicole.
Mike sitzt zwischen Patricia und Nicole.
14 Pete is skating **down** the slope **towards** his friends.
Pete skatet den Berg zu seinen Freunden hinunter.
15 Nicole's little sister is playing **in** the sandpit.
Nicoles kleine Schwester spielt im Sandkasten.
16 A woman is walking **along** the path **to** the sandpit.
Eine Frau geht den Weg entlang zum Sandkasten.
17 The bridge takes you **across** the stream.
Die Brücke führt über den Bach.
18 The stream runs **under** the bridge.
Der Bach fließt unter der Brücke hindurch.

Shapes and Colours
1
2
3
4
5
6
7
8
10
11
Ice Cre
-99
per Sc
12
13
14
15
16
18
19
20
21
22

Kordhose cords (⚠ *Pl.*), cord (*oder* corduroy ['kɔːdərɔɪ]) trousers (⚠ *Pl.*); ***eine Kordhose*** a pair of cords, a pair of cord (-uroy) trousers
Korea Korea [kə'rɪə]
Koreaner Korean [kə'rɪən]; ***er ist Koreaner*** he's (a) Korean; ☞ ***Nationalitäten***
Koreanerin Korean [kə'rɪən] woman (*oder* lady *bzw.* girl); ***sie ist Koreanerin*** she's (a) Korean; ☞ ***Nationalitäten***
koreanisch, Koreanisch Korean [kə'rɪən]
Kork, Korken cork
Korkenzieher corkscrew
Korn[1] *das* **1.** *von Sand, Getreide usw.*: grain **2.** (≈ *Getreide*) grain, *BE auch* corn **3.** (≈ *Samenkorn*) seed **4.** ***jemanden*** *bzw.* ***etwas aufs Korn nehmen*** *übertragen* keep* tabs on someone *bzw.* something
Korn[2] *der* (≈ *Kornschnaps*) schnapps
Körper 1. body (*auch in Physik*); ☞ *Illu S. 97*; ***sie zitterte am ganzen Körper*** she was trembling all over **2.** *Geometrie*: solid, solid body
Körperbau build [bɪld], physique [fɪ'ziːk]
körperbehindert (physically) disabled [dɪs'eɪbld], (physically) handicapped
Körperbehinderte(r) handicapped person; ***die Körperbehinderten*** the handicapped
Körpergeruch body odour ['bɒdɪˌəʊdə], *umg.* BO [ˌbiː'əʊ]
Körpergröße height [⚠ haɪt]
körperlich physical ['fɪzɪkl]; ***körperliche Arbeit*** physical labour, manual work; ***körperliche Betätigung*** physical exercise
Körperpflege personal hygiene ['haɪdʒiːn]
Körperteil part of the body (*oder* anatomy [ə'nætəmɪ])
korrekt 1. (≈ *richtig*) correct [kə'rekt] **2.** (≈ *angemessen*) proper, correct; ***er ist sehr korrekt*** *im Benehmen*: he's very correct; ***sich korrekt verhalten*** behave correctly
Korrektur correction
Korrekturtaste correction key
Korrekturzeichen *des Lehrers usw.*: correction mark
Korrespondent(in) correspondent [ˌkɒrə'spɒndənt]
Korridor 1. (≈ *Gang*) corridor (*auch übertragen*) **2.** (≈ *Flur*) hall
korrigieren 1. correct **2.** (≈ *benoten*) mark, *AE auch* grade (*einen Aufsatz usw.*) **3.** revise (*seine Meinung usw.*)
korrupt corrupt [kə'rʌpt]
Korruption 1. corruption **2.** (≈ *Bestechung*) bribery
Korsika *Insel*: Corsica ['kɔːsɪkə]
Kosename pet name
Kosmetik 1. (≈ *Kosmetika*) cosmetics [kɒz'metɪks] **2.** (≈ *Schönheitspflege*) beauty treatment
Kosmetikerin beautician [bjuː'tɪʃn]
Kosmos cosmos ['kɒzmɒs], universe ['juːnɪvɜːs]
Kosovo Kosovo ['kɒsəvəʊ]
Kost (≈ *Nahrung, Essen*) food [fuːd]; ***magere Kost*** low-fat diet ['daɪət]; ***leichte Kost*** light food (*oder* foods *Pl.*), *Buch usw.*: light reading
kostbar precious ['preʃəs], valuable ['væljʊbl] (*auch Zeit usw.*)
Kostbarkeit 1. *Sache*: precious object, treasure ['treʒə] **2.** ***der Ring ist eine Kostbarkeit*** the ring is highly valuable
kosten[1] **1.** *allg.*: cost*; ***wie viel kostet es?*** how much is it?, how much does it cost?; ***koste es, was es wolle*** whatever the price **2.** ***es hat mich viel Zeit gekostet*** it took me a lot of time **3.** ***sie hat es sich viel kosten lassen*** she spent a lot of money on it
kosten[2] (≈ *probieren*) taste, try (*Speisen*

Shapes and Colours Formen und Farben

1	square	Quadrat	12	light blue	hellblau
2	rectangle	Rechteck	13	turquoise ['tɜːkwɔɪz]	türkis
3	circle	Kreis	14	white	weiß
4	sphere	Kugel	15	brown	braun
5	triangle	Dreieck	16	green	grün
6	cone	Kegel	17	yellow	gelb
7	cube	Würfel	18	orange	orange
8	grey, *AE* gray	grau	19	pink	rosa, pink
9	black	schwarz	20	purple	violett
10	royal blue	königsblau	21	lilac	lila
11	dark blue	dunkelblau	22	red	rot

K

usw.); ***darf ich mal kosten?*** may I have a taste (*oder* try)?

Kosten 1. *allg.*: cost (⚠ *Sg.*), costs; ***ohne Kosten*** at no cost (***für*** to) **2.** (≈ *Gebühren*) fees, charges **3.** (≈ *Unkosten*) expenses **4.** *Wendungen*: ***auf jemands Kosten*** at someone's expense (⚠ *Sg.*); ***keine Kosten scheuen*** spare no expense (⚠ *Sg.*)

kostenlos 1. ***ein kostenloser Stadtplan*** a free city map **2.** ***ich habs kostenlos bekommen*** I got it for nothing

köstlich 1. *Essen usw.*: delicious [dɪ'lɪʃəs] **2.** (≈ *sehr komisch*) priceless **3.** ***sich köstlich amüsieren*** have* a great time

Kostprobe sample ['sɑːmpl], taster

Kostüm 1. *für Damen*: suit [suːt] **2.** *als Verkleidung*: costume ['kɒstjuːm], *im Karneval usw. auch*: fancy dress [ˌfænsɪ'dres] (⚠ *ohne* a)

Kot excrement ['ekskrɪmənt], faeces [⚠ 'fiːsiːz] (⚠ *Pl.*)

Kotelett 1. *vom Schwein*, *Lamm*: chop **2.** *vom Kalb*, *auch Lamm*: cutlet ['kʌtlət]

Koteletten (≈ *Backenbart*) sideburns

Kotflügel wing, *bei älteren Automodellen*: mudguard ['mʌdgɑːd], *AE* fender

kotzen *vulgär* **1.** puke, *BE auch* throw* up **2.** ***es ist zum Kotzen*** it's absolutely sickening

Krabbe 1. crab **2.** (≈ *Garnele*) shrimp, *größere*: prawn

krabbeln (*Baby*, *Insekt usw.*) crawl

Krach 1. (≈ *Lärm*) noise, *umg.* racket; ***mach nicht so viel Krach!*** stop making such a racket! **2.** (≈ *Knall*, *Schlag*) crash **3.** (≈ *Streit*) row [⚠ raʊ]; ***Krach haben mit*** have* a row with; ***Krach bekommen mit*** get* into trouble with

krachen 1. crash (*auch Donner*) **2.** (*Schuss*) ring* out **3.** (≈ *bersten*) burst*, explode, (*Eis*) crack **4.** ***das Auto krachte gegen die Wand*** the car crashed into the wall **5.** ***da hats gekracht*** *Unfall*: there's been a crash

Kracherl *bes.* Ⓐ (fizzy) pop

krächzen 1. (*Rabe usw.*) caw **2.** ***mit krächzender Stimme*** in a croaking voice

Kraft 1. strength; ***du hast aber nicht viel Kraft!*** you're not very strong, are you? **2.** *Naturkraft*: force **3.** (≈ *Macht*, *Wirksamkeit*) power (*auch Heilkraft*) **4.** (≈ *Tatkraft*) energy ['enədʒɪ] **5.** (≈ *Machtgruppe*) force, power; ***politische Kräfte*** political forces **6.** *Wendungen*: ***sie konnte sich mit letzter Kraft retten*** she just managed to escape with her last ounce of strength; ***mit frischer Kraft*** with renewed strength

Kraftausdruck swear word ['sweə‿wɜːd]

Kraftfahrzeug motor vehicle ['məʊtəˌviːɪkl]

kräftig 1. *allg.*: strong **2.** *Schlag usw.*: heavy ['hevɪ], powerful **3.** (≈ *gesund*) healthy **4.** *Mahlzeit*: nourishing ['nʌrɪʃɪŋ], substantial **5.** *Farben*: bright, strong **6.** *Händedruck*: firm **7.** *Baby*, *Beine usw.*: sturdy **8.** ***kräftig schütteln*** shake* well **9.** ***kräftig zuschlagen*** *mit den Fäusten*: hit* out hard

Kraftverschwendung: ***das ist nur Kraftverschwendung!*** it's a waste of energy

kraftvoll powerful (*auch Sprache*, *Stil*)

Kraftwerk power station

Kragen 1. collar **2.** ***jetzt geht es ihr an den Kragen*** *übertragen* she's in for it now

Krähe 1. crow [krəʊ] **2.** (≈ *Saatkrähe*) rook

krähen crow [krəʊ]

Kralle claw

Kram 1. *umg.* stuff, *BE auch* rubbish, *AE auch* junk **2.** ***den ganzen Kram hinschmeißen*** *umg.* chuck the whole thing

Krampf 1. *von Muskeln*: cramp **2.** (≈ *Zuckungen*) spasms, convulsions **3.** ***so ein Krampf!*** *umg.* (≈ *Unsinn*) (what) nonsense!, (what) rubbish!

Krampfader varicose vein [ˌværɪkəʊs'veɪn]

krampfhaft 1. *Versuch usw.*: desperate ['despərət] **2.** *Lachen*: forced [fɔːst]

Krampus *bes.* Ⓐ; *etwa*: St Nicholas' companion (who punishes bad boys and girls)

Kran 1. *für Lasten*: crane **2.** (≈ *Wasserhahn*) tap, *AE auch* faucet ['fɔːsɪt]

Kranich crane

krank 1. *allg.*: sick, *nach dem Verb auch*: ill (⚠ ill *wird im AE sehr selten gebraucht*); ***ein kranker Mann*** a sick man; ***sie wurde krank*** she fell ill (*AE* sick); ***er ist schwer krank*** he's seriously ill (*AE* sick); ***du siehst krank aus*** you don't look well **2.** *Pflanze*, *Organ*: diseased [dɪ'ziːzd] **3.** ***er macht mich krank!*** *umg.* he's driving me nuts

krank

Achte auf den Unterschied:

Er ist krank.	**He's sick.**
Ich muss mich gleich übergeben.	**I'm going to be sick.**
Mir ist unwohl.	**I feel ill.**
Mir ist übel/schlecht.	**I feel sick.**

Kranke(r) sick person; ***die Kranken*** the sick (⚠ *Pl.*)

kränken 1. ***jemanden kränken*** hurt*

someone's feelings **2.** ***es hat sie schwer gekränkt, dass ...*** it really upset her that ...

Krankengeld **1.** *von Firma*: sick pay **2.** *vom Staat*: sickness benefit

Krankengymnastik physiotherapy [ˌfɪzɪəʊ'θerəpɪ], *AE mst.* physical therapy

Krankenhaus hospital ['hɒspɪtl]; ***sie liegt im Krankenhaus*** she's in (*AE* in the) hospital ; ***er muss ins Krankenhaus*** *als Patient*: he has to go to (*AE* to the) hospital, *im Krankenwagen usw.*: he has to be taken to (*AE* to the) hospital

Krankenkasse **1.** *als Vorsorgeeinrichtung*: health insurance (scheme [skiːm]); ***bei welcher Krankenkasse bist du?*** what kind of health insurance have you got? **2.** *als Firma*: health insurance company [⚠ 'kʌmpənɪ]

Krankenpfleger male nurse [ˌmeɪl'nɜːs]

Krankenschein health insurance certificate ['helθ‿ɪnˌʃʊərəns‿səˌtɪfɪkət]

Krankenschwester nurse

Krankenversicherung **1.** health insurance **2.** *Firma*: health insurance company [⚠ 'kʌmpənɪ]

Krankenwagen ambulance ['æmbjələns]

krankhaft **1.** *Wucherung usw., auch Verhalten usw.*: pathological [ˌpæθə'lɒdʒɪkl] **2.** ***krankhaft eifersüchtig*** chronically jealous

Krankheit **1.** illness, sickness; ***wegen Krankheit*** due to illness **2.** *bestimmte*: disease [dɪ'ziːz] (*auch von Pflanzen*)

krankmelden: ***sich krankmelden*** *telefonisch*: ring* in sick

Kranz **1.** *aus Blumen, Zweigen*: garland ['gɑːlənd], wreath [⚠ riːθ] **2.** *als Grabschmuck*: wreath

krass **1.** ***ein krasser Fall*** a blatant ['bleɪtnt] case **2.** ***ein krasser Gegensatz*** a stark contrast [ˌstɑːk'kɒntrɑːst] **3.** ***krass gesagt*** to put it bluntly **4.** *salopp* (≈ *extrem gut, bemerkenswert*) cool, wicked [⚠ 'wɪkɪd], *AE* phat [fæt], (≈ *extrem schlecht*) gross [grəʊs]; ***die Fete war voll krass*** (≈ *extrem gut*) the party was really cool (*AE* really phat)

Krater crater ['kreɪtə]

kratzen **1.** ***jemanden*** (*bzw.* ***sich***) ***kratzen*** scratch someone (*bzw.* oneself) **2.** ***etwas vom Tisch*** *usw.* ***kratzen*** scrape something off the table

Kratzer (≈ *Kratzspur*) scratch

kraulen[1] **1.** fondle (*Katze usw.*) **2.** ***sie kraulte ihm das Haar*** she ran her fingers through his hair

kraulen[2] *Schwimmstil*: do* the crawl

kraus *Haar*: (very) curly, *stärker*: frizzy ['frɪzɪ]

kräuseln **1.** frizz [frɪz] (*Haar*), *mit Lockenstab*: crimp **2.** ***die Stirn kräuseln*** frown **3.** ***sich kräuseln*** (*Haar*) curl, (*Wasser*) ripple

Kraut **1.** (≈ *Heil-, Würzkraut*) herb **2.** (≈ *Sauerkraut*) sauerkraut ['saʊəkraʊt] **3.** (≈ *Kohl*) cabbage ['kæbɪdʒ]

Kräutertee herb tea [ˌhɜːb'tiː], herbal tea [ˌhɜːbl'tiː]

Krawall **1.** *umg.* (≈ *Krach*) row [⚠ raʊ], racket **2.** ***Krawalle*** riots ['raɪəts], rioting (⚠ *Sg.*)

Krawatte tie (⚠ *engl.* cravat = ***Halstuch***)

kreativ creative [kriː'eɪtɪv]

Kreativität creativity [ˌkriːeɪ'tɪvətɪ]

Krebs[1] *Krankheit*: cancer [⚠ 'kænsə]

Krebs[2] **1.** (≈ *Flusskrebs*) crayfish **2.** (≈ *Krabbe*) crab **3.** *Sternzeichen*: Cancer

K

Krankheiten

Bei manchen Kinderkrankheiten und bei Grippe kannst du den bestimmten Artikel **the** benutzen:

Er hat Grippe.	**He's got (the) flu.**
Er hat Masern.	**He's got (the) measles.**
Er hat Mumps.	**He's got (the) mumps.**

Bei anderen Krankheiten wird **the** nicht benutzt:

Sie hat Röteln.	**She's got German measles.**
Sie hat Windpocken.	**She's got chickenpox.**
Ich habe Scharlach.	**I've got scarlet fever.**
Er hatte Kinderlähmung.	**He had polio.**

Im Zweifelsfall lässt du **the** weg. Das klappt meistens.

Beachte, dass man bei Krankheiten im Englischen eher untertreibt. So wird eine relativ harmlose Grippe im Sinne einer (starken) Erkältung meistens als **a cold** (eine Erkältung) beschrieben. Bei **flu** muss man schon das Bett hüten!

[⚠ 'kænsə]; ***sie ist (ein) Krebs*** she's (a) Cancer

Kredit 1. credit ['kredɪt]; ***auf Kredit*** on credit **2.** *Darlehen*: loan; ***einen Kredit aufnehmen*** take* out a loan

Kreditkarte credit card ['kredɪt‿kɑːd]

Kreditkartennummer credit card number ['kredɪt‿kɑːdˌnʌmbə]

Kreide chalk [tʃɔːk]

Kreis 1. circle (*auch übertragen*); ***einen Kreis bilden*** form a circle; ***im Kreis*** *sitzen usw.*: in a circle **2.** *Bezirk*: district ['dɪstrɪkt]

Kreisbahn *eines Satelliten usw.*: orbit

kreischen 1. screech (*auch Bremsen*), shriek **2.** ***vor Vergnügen kreischen*** squeal with pleasure ['pleʒə]

Kreisel *Spielzeug*: (spinning) top

kreisen 1. (*Vogel*, *Flugzeug*) circle (**um** round) **2.** (*Planet*, *Satellit*) orbit; ***die Erde kreist um die Sonne*** the earth revolves around (*oder* orbits) the sun

kreisförmig 1. circular **2.** ***kreisförmig angeordnet*** arranged in a circle *bzw.* in circles

K

Kreislauf 1. *des Blutes*, *von Geld usw.*: circulation **2.** *des Lebens usw.*: cycle ['saɪkl]

Kreislaufstörungen: ***ich habe Kreislaufstörungen*** I've got problems with my circulation

kreisrund circular

Kreisverkehr 1. *Stelle*: roundabout, *AE* traffic circle, rotary ['rəʊtərɪ] **2.** *Verkehr*: roundabout traffic, *AE* rotary traffic; ***im Kreisverkehr*** on a roundabout

Krematorium crematorium [ˌkremə'tɔːrɪəm], *AE auch* crematory ['kriːmətɔːrɪ]

Kreml: ***der Kreml*** the Kremlin ['kremlɪn] (*auch übertragen für Regierung Russlands*)

Krempel 1. *umg.* stuff, *BE auch* rubbish, *AE auch* junk **2.** ***den ganzen Krempel hinschmeißen*** *umg.* chuck the whole thing

Kren *bes.* Ⓐ horseradish ['hɔːsˌrædɪʃ]

krepieren 1. (*Mensch*) *umg.* kick the bucket, snuff it **2.** (*Tier*) perish **3.** (*Granate usw.*) burst*, explode

Kresse cress

Kreuz 1. cross **2.** (≈ *Kruzifix*) crucifix ['kruːsəfɪks] **3.** ***ein Kreuz machen*** *oder* ***schlagen*** make* the sign [saɪn] of the cross **4.** *Rücken*: lower back, small of the back; ***mir tut das Kreuz weh*** I've got (a) backache ['bækeɪk] **5.** (≈ *Autobahnkreuz*) intersection **6.** *Spielkartenfarbe*: clubs (⚠ *Pl.*), *Einzelkarte*: club **7.** *Musik*: sharp **8.** ***jemanden aufs Kreuz legen*** *umg.* take* someone for a ride

kreuz: ***wir sind kreuz und quer durch Wales gefahren*** we drove all over Wales

kreuzen 1. ***die Straße kreuzt die Bahnlinie*** the road crosses the railway **2.** crossbreed, cross (*Tiere*, *Pflanzen*) **3.** ***sich kreuzen*** cross, (*Interessen usw.*) clash, (*Blicke*) meet*; ***die Straßen kreuzen sich*** the streets intersect *oder* cross **4.** (*Schiff*) cruise [kruːz]

Kreuzer *Kriegsschiff*: cruiser ['kruːzə]

Kreuzfahrt cruise [kruːz]; ***eine Kreuzfahrt machen*** go* on a cruise

kreuzigen crucify ['kruːsɪfaɪ]

Kreuzigung crucifixion [ˌkruːsə'fɪkʃn]

Kreuzung 1. *von Straßen*: crossroads (⚠ *Sg.*), *bes. AE* intersection; ***eine gefährliche Kreuzung*** a dangerous crossroads **2.** *beim Züchten*: cross-breeding, *als Zuchtergebnis*: crossbreed, cross

Kreuzworträtsel crossword (puzzle); ***ein Kreuzworträtsel machen*** do* a crossword

Kreuzworträtsel

Kreuzworträtsel sind in Großbritannien ein sehr beliebter Zeitvertreib, wobei der Schwierigkeitsgrad z. B. der bekannten **Times Crosswords** oder **Daily Telegraph Crosswords** recht hoch ist.

kribbelig nervous ['nɜːvəs], *umg.* jittery; ***das macht mich ganz kribbelig*** *umg.* it gives me the heebie-jeebies [ˌhiːbɪ'dʒiːbɪz]

kribbeln 1. (≈ *prickeln*) tingle **2.** (≈ *jucken*) itch **3.** ***mir kribbelts in den Fingern*** *wörtlich*: my fingers are tingling, *etwas zu tun*: I'm itching to do it

Kricket cricket ['krɪkɪt]

Kricketspieler(in) cricketer ['krɪkɪtə], cricket player

kriechen 1. (*Baby*, *Käfer usw.*) crawl **2.** *verstohlen*, *Schutz suchend*: creep* **3.** (*Schlange*, *Schnecke*) crawl, slither ['slɪðə] **4.** *übertragen* (≈ *sich langsam fortbewegen*) crawl, *im Auto usw. auch*: creep* **5.** ***vor jemandem kriechen*** *übertragen*, *umg.* suck up to someone

Kriecher *verächtlich* toady ['təʊdɪ], crawler

Krieg 1. war [wɔː]; ***im Krieg*** at war (**mit** with); ***Krieg führen gegen*** be* at war with, wage war on (*auch übertragen*); ***einem Land den Krieg erklären*** declare war on a country **2.** ***totaler Krieg*** total warfare

kriegen *umg.* **1.** (≈ *bekommen*) get* **2.** (≈ *erwischen*) catch* (*Zug usw.*, *Kriminellen*) **3.** ***wir kriegen morgen Besuch*** we've

got visitors (*bzw.* a visitor) coming tomorrow **4.** ***sie kriegt ein Baby*** (≈ *sie ist schwanger*) she's having a baby **5.** ***ich krieg noch Geld von dir*** you still owe [əʊ] me some money, don't you?; → ***bekommen***
Krieger(in) warrior ['wɒrɪə]
kriegerisch 1. *Volk usw.*: warlike **2.** *Konflikt*: military ['mɪlɪtrɪ], armed
Kriegsausbruch outbreak of (the) war; ***bei Kriegsausbruch*** when the war broke out
Kriegsdienst military service [ˌmɪlɪtrɪ'sɜːvɪs]
Kriegsdienstverweigerer conscientious objector [⚠ kɒnʃɪˌenʃəs‿əb'dʒektə]
Kriegserklärung declaration [ˌdeklə'reɪʃn] of war
Kriegsfilm war film
Kriegsgefangene(r) prisoner ['prɪznə] of war (*Abk.* POW)
Kriegsgericht court martial [ˌkɔːt'mɑːʃl]; ***er wurde vor ein Kriegsgericht gestellt*** he was tried by court martial
Kriegsschiff warship
Kriegsverbrechen war crime
Kriegsverbrecher war criminal ['wɔːˌkrɪmɪnl]
Krimi 1. *Buch*: (crime) thriller, detective story *oder* novel [dɪ'tektɪvˌstɔːrɪ, dɪ'tektɪvˌnɒvl] **2.** *Film*: crime thriller
Kriminalbeamte(r), Kriminalbeamtin detective [dɪ'tektɪv]
Kriminalkommissar(in) detective superintendent [dɪˌtektɪvˌsuːpərɪn'tendənt]
Kriminalpolizei *bes. BE* CID [ˌsiːaɪ'diː] (*Abk. für* **C**riminal **I**nvestigation **D**epartment *bzw.* **D**ivision), *AE etwa* detective [dɪ'tektɪv] force, Criminal Division ['krɪmɪnl‿dɪˌvɪʒn]
kriminell, Kriminelle(r) criminal ['krɪmɪnl]
Kripo *bes. BE* CID [ˌsiːaɪ'diː], *AE etwa* detective [dɪ'tektɪv] force, Criminal Division ['krɪmɪnl‿dɪˌvɪʒn]
Krippe 1. (≈ *Weihnachtskrippe*) crib, *AE* crèche [kreʃ] **2.** (≈ *Kinderkrippe*) crèche, day nursery, *AE* day-care center
Krise crisis ['kraɪsɪs] *Pl.*: crises ['kraɪsiːz]
Kristall[1] *der* crystal ['krɪstl]
Kristall[2] *das* **1.** *Material*: crystal ['krɪstl]; ***ein Leuchter aus Kristall*** a crystal chandelier [ˌʃændə'lɪə] **2.** (≈ *Glaswaren aus Kristall*) crystal
Kritik 1. (≈ *das Kritisieren*) criticism ['krɪtɪsɪzm] (***an*** of) (⚠ *engl.* critic = ***Kritiker, -in***) **2.** *Buch- oder Filmbesprechung in Zeitung usw.*: review [rɪ'vjuː]; ***der Film*** *usw.* ***hat gute Kritiken*** the film *usw.* got good reviews **3.** ***was sagt die Kritik?*** what do the critics ['krɪtɪks] say?
Kritiker(in) critic ['krɪtɪk], *von Buch, Film auch*: reviewer [rɪ'vjuːə]
kritiklos uncritical [ʌn'krɪtɪkl]
kritisch 1. critical (***gegenüber*** of) **2.** *Publikum usw.*: (≈ *aufmerksam*) discriminating **3.** *Lage usw.*: (≈ *bedenklich*) critical
kritisieren 1. (≈ *Kritik äußern an*) criticize ['krɪtɪsaɪz] **2.** *in Zeitung usw.*: (≈ *rezensieren*) review (*Buch, Film usw.*)
kritzeln scribble, *malend*: doodle
Kroate Croatian [krəʊ'eɪʃn]; ***er ist Kroate*** he's Croatian; ☞ ***Nationalitäten***
Kroatien Croatia [krəʊ'eɪʃə]
Kroatin Croatian woman (*oder* lady *bzw.* girl); ***sie ist Kroatin*** she's Croatian; ☞ ***Nationalitäten***
kroatisch, Kroatisch Croatian [krəʊ'eɪʃn]
Krokant cracknel ['kræknəl]
Kroketten croquettes [krɒ'kets]
Krokodil crocodile ['krɒkədaɪl]
Krone 1. *eines Königs*: crown **2.** (≈ *Baumkrone*) top **3.** (≈ *Zahnkrone*) crown
krönen 1. ***jemanden zum König*** *usw.* ***krönen*** crown someone king *usw.* **2.** (≈ *den Höhepunkt bilden*) crown; ***der krönende Abschluss*** the culmination
Kronprinz 1. crown prince **2.** *in GB*: Prince of Wales
Kronprinzessin 1. crown princess **2.** *in GB*: Princess Royal [ˌprɪnses'rɔɪəl]
Krönung 1. *eines Königs usw.*: coronation [ˌkɒrə'neɪʃn] **2.** *übertragen* (≈ *Höhepunkt*) climax, high point, crowning event
Kropf 1. *krankhafte Wucherung*: goitre ['gɔɪtə] **2.** *bei Vögeln*: crop
Kröte toad
Krücke crutch; ***an Krücken gehen*** walk on crutches **2.** *umg.* (≈ *Versager, -in*) washout
Krug 1. *allg.*: jug, *AE auch* pitcher; ***er hat einen Krug Wein getrunken*** he drank a jug (*oder* jugful) of wine **2.** (≈ *Bierkrug*) (beer) mug, *großer*: stein [staɪn], *aus Metall, mit Deckel*: tankard ['tæŋkəd]
Krümel crumb [⚠ krʌm]
krumm 1. *Zweig, Nase usw.*: crooked [⚠ 'krʊkɪd] **2.** ***krumme Beine*** bandy legs **3.** (≈ *verbogen*) bent **4.** (≈ *verdreht*) twisted
krümmen 1. bend* (*Zweig usw.*) **2.** ***sie hat keinen Finger gekrümmt*** she didn't even lift a finger **3.** ***sich vor Schmerzen krümmen*** be* doubled up with pain
Krümmung 1. *Straße, Fluss usw.*: bend **2.** *Wirbelsäule, Kurve*: curvature ['kɜːvətʃə]
Krüppel 1. cripple **2.** ***zum Krüppel werden*** be* crippled

K

Kruste 1. *am Brot, Gebäck, aus Eis usw.*: crust **2.** *eines Bratens*: crackling
Kruzifix crucifix ['kru:səfɪks]
Kuba Cuba ['kju:bə]
Kübel bucket, *bes. AE* pail, *größer*: tub
Kubikmeter cubic ['kju:bɪk] metre
Küche 1. *Raum*: kitchen ['kɪtʃən] **2.** (≈ *Kochart*) cooking, cuisine [⚠ kwɪ'zi:n]; ***die italienische Küche*** Italian cuisine (⚠ *ohne* the)
Kuchen 1. *allg.*: cake **2.** *mit Obst- oder anderer Füllung*: pie
Küchenmaschine food processor ['fu:d-ˌprəʊsesə]
Kuckuck cuckoo [⚠ 'kʊku:]
Kugel 1. *allg.*: ball (*auch Billard usw.*) **2.** *Kugelstoßen*: shot **3.** *Geschoss*: bullet [⚠ 'bʊlɪt] **4.** ***die Erde ist eine Kugel*** the earth is a sphere [sfɪə]
Kugellager ball bearing [ˌbɔ:l'beərɪŋ]
Kugelschreiber ballpoint (pen), *oft auch*: pen, *BE auch* biro® ['baɪrəʊ]
Kugelstoßen shot-put, putting the shot
Kuh cow
kühl 1. *allg.*: cool (*auch übertragen*), *Wetter, Raum auch*: chilly **2.** ***mir ist kühl*** I feel a bit chilly **3.** ***etwas kühl lagern*** keep* something in a cool place
Kühle 1. coolness (*auch übertragen*) **2.** *der Nacht, des Morgens usw.*: cool
kühlen 1. *allg.*: cool **2.** refrigerate [rɪ'frɪdʒəreɪt] (*Lebensmittel*) **3.** chill (*Getränke*) **4.** ***die Salbe kühlt*** the ointment has a cooling effect
Kühler 1. *Auto*: radiator ['reɪdɪeɪtə] **2.** *umg.* (≈ *Kühlerhaube*) bonnet, *AE* hood
Kühlschrank fridge, refrigerator [rɪ'frɪdʒəreɪtə]
Kühltruhe (deep) freeze, (chest) freezer
Kühlung 1. *Vorgang*: cooling **2.** *Anlage*: cooling system **3.** (≈ *Kühle*) coolness
Kuhmilch cow's milk
kühn 1. bold (*auch Entwurf*) **2.** (≈ *riskant*) daring **3.** ***das übertrifft meine kühnsten Träume*** it's beyond my wildest dreams
Kühnheit 1. boldness (*auch eines Entwurfs*) **2.** (≈ *Gewagtheit*) daring
Kuhstall cowshed ['kaʊʃed]
Küken (≈ *junges Huhn*) chick
Kukuruz Ⓐ maize [meɪz], *AE* corn
Kuli (≈ *Kugelschreiber*) ballpoint (pen), *oft auch*: pen, *BE auch* biro® ['baɪrəʊ]
Kulisse 1. *im Theater, einzelne*: piece of scenery ['si:nərɪ]; ***die Kulissen*** the set, the scenery (⚠ *beide Sg.*) **2.** (≈ *Hintergrund*) backdrop, background **3.** ***hinter den Kulissen*** *übertragen* behind the scenes [si:nz]
Kult cult [kʌlt] (*auch übertragen*); ***einen Kult treiben mit*** make* a cult out of
Kultfigur cult figure [ˌkʌlt'fɪgə]
Kultfilm cult film [ˌkʌlt'fɪlm], *bes. AE* cult movie [ˌkʌlt'mu:vɪ]
kultig (≈ *sehr im Trend, ganz dem Kult entsprechend*) trendy
Kultur 1. (≈ *künstlerische und geistige Werte und Tätigkeiten als Ganzes*) culture ['kʌltʃə] **2.** (≈ *Gesellschafts- und Lebensform*) civilization; ***die abendländische Kultur*** western civilization (⚠ *ohne* the) **3.** (≈ *Anbauen*) cultivation (*von Getreide, Pflanzen*) **4.** *von Bakterien usw.*: culture
Kulturabkommen cultural agreement [ˌkʌltʃrəl‿ə'gri:mənt]
Kulturaustausch cultural exchange [ˌkʌltʃrəl‿ɪks'tʃeɪndʒ]
Kulturbanause *abwertend* philistine ['fɪlɪstaɪn]
kulturell cultural ['kʌltʃrəl]
Kulturgeschichte 1. *des Menschen*: history of civilization **2.** *eines Landes*: cultural history [ˌkʌltʃrəl'hɪstrɪ]
kulturlos uncultured [ˌʌn'kʌltʃəd]
Kulturschock culture ['kʌltʃə] shock
Kulturzentrum *Gebäude*: arts centre
Kultusminister(in) minister (*AE* secretary) for education and cultural affairs
Kümmel caraway ['kærəweɪ] (seeds *Pl.*)
Kummer 1. (≈ *große Sorgen*) grief, sorrow **2.** (≈ *Verdruss*) worry [⚠ 'wʌrɪ], trouble; ***Kummer haben mit*** have* problems with
kümmerlich 1. *Leben usw.*: miserable ['mɪzərəbl], wretched [⚠ 'retʃɪd] **2.** *Lohn, Mahlzeit usw.*: measly ['mi:zlɪ], paltry ['pɔ:ltrɪ] **3.** *Wissen*: scanty, poor
kümmern 1. ***sich um jemanden*** *bzw.* ***etwas kümmern*** take* care of someone *bzw.* something; ***du musst dich um Karten kümmern*** you'll have to see about getting tickets **2.** ***sich darum kümmern, dass*** see* to it that **3.** ***sich nicht kümmern um*** (≈ *nicht beachten*) not bother ['bɒðə] (*oder* care) about, ignore, (≈ *vernachlässigen*) neglect **4.** *Wendungen*: ***kümmere dich um deine eigenen Sachen!*** (just) mind your own business; ***was kümmert das mich?*** it's not 'my problem
Kumpel 1. *umg.* (≈ *Freund*) mate, *AE* buddy **2.** (≈ *Bergmann*) miner
kumpelhaft pally ['pælɪ]
Kumquat *Frucht und Strauch*: kumquat ['kʌmkwɒt]
Kunde 1. *in Geschäft*: customer ['kʌstəmə] **2.** *einer Bank, Versicherung usw.*: client ['klaɪənt]

Kundendienst **1.** *Leistungen*: after-sales service, (customer) service **2.** *Stelle*: service department; ***morgen kommt der Kundendienst*** they're sending someone from the service department tomorrow **3.** *für Auto*: servicing; ***mein Auto muss zum Kundendienst*** my car needs a service

Kundgebung *politische*: rally

kündigen **1.** *als Arbeitnehmer, Mieter*: hand (*oder* give*) in one's notice (***bei*** to; ***zum*** *+Datum* for); ***habt ihr schon gekündigt?*** *als Mieter*: have you already given notice (that you're moving out)? **2.** ***jemandem kündigen*** *als Arbeitgeber oder Vermieter*: give* someone notice; ***mir wurde gekündigt*** I've been given (my) notice **3.** ***er hat uns die Wohnung gekündigt*** he gave us notice to quit our flat **4.** cancel ['kænsl] (*Abo, Mitgliedschaft*) **5.** terminate (*Vertrag usw.*)

Kündigung **1.** notice; ***die Kündigung erhalten*** be* given notice **2.** (≈ *Entlassung*) dismissal **3.** *Schreiben*: written notice (⚠ *ohne* a), *einer Firma*: letter of dismissal **4.** *von Mitgliedschaft, Abo*: cancellation [ˌkænsə'leɪʃn] **5.** *eines Vertrags*: termination

Kundin **1.** *in Geschäft*: customer ['kʌstəmə] **2.** *einer Bank, Versicherung usw.*: client ['klaɪənt]

Kundschaft **1.** *in Geschäft*: customers (⚠ *Pl.*) **2.** *einer Bank usw.*: clients (⚠ *Pl.*)

künftig **1.** *Leben usw.*: future ['fjuːtʃə] **2.** (≈ *von jetzt an*) from now on, in future

Kunst **1.** (≈ *schöne Kunst*) art; ***die Kunst*** art (⚠ *ohne* the); ***die griechische Kunst*** Greek art; ***die schönen Künste*** the fine arts **2.** (≈ *Fertigkeit, Geschicklichkeit*) skill, art; ***die Kunst zu schreiben*** the art of writing

Kunstausstellung art exhibition

Kunstdünger (artificial) fertilizer ['fɜːtəlaɪzə]

Kunsterziehung *Schulfach*: art

Kunstfaser synthetic fibre [sɪnˌθetɪk'faɪbə]

Kunstgalerie art gallery (⚠ *Schreibung*)

Kunstgeschichte history of art, art history

Kunstleder imitation leather [ˌɪmɪteɪʃn'leðə]

Künstler(in) **1.** *allg.*: artist ['ɑːtɪst], *Musik, Theater auch*: performer **2.** *Zirkus usw.*: performer, artiste [⚠ ɑː'tiːst]

künstlerisch artistic; ***künstlerische(r) Leiter(in)*** artistic director [də'rektə]

Künstlername **1.** *eines Schauspielers, Sängers usw.*: stage name **2.** *eines Schriftstellers*: pen name

künstlich **1.** *Licht, Blume, See usw.*: artificial **2.** *Zähne usw.*: false [fɔːls] **3.** ***künstliches Leder*** imitation leather **4.** (≈ *künstlich hergestellt*) synthetic [sɪn'θetɪk] **5.** *Lachen usw.*: forced

Kunstspringen: ***das Kunstspringen*** (springboard) diving (⚠ *ohne* the)

Kunststoff plastic ['plæstɪk]; ***es ist aus Kunststoff*** it's (made of) plastic

Kunststück **1.** *von Zauberer, Akrobat usw.*: trick **2.** ***wie hast du denn 'das Kunststück fertig gebracht?*** *humorvoll* how on earth did you manage that?

Kunststudent(in) art student ['ɑːtˌstjuːdnt]

Kunstwerk work of art

Kupfer copper

Kuppe **1.** (≈ *Bergkuppe*) hilltop **2.** (≈ *Fingerkuppe*) fingertip ['fɪŋgətɪp]

Kuppel dome, *kleine*: cupola [⚠ 'kjuːpələ]

kuppeln **1.** (≈ *die Kupplung betätigen*) operate the clutch **2.** ***einen Anhänger ans Auto kuppeln*** hitch a trailer to the car

Kupplung **1.** *Auto usw.*: clutch; ***die Kupplung treten*** operate the clutch **2.** *von Waggons usw.*: coupling ['kʌplɪŋ]

Kur **1.** *Behandlung*: (course of) treatment **2.** *in Kurort*: (health) cure; ***auf Kur gehen*** go* for a cure

Kür **1.** *Eiskunstlauf*: free skating **2.** *Turnen*: optional exercises **3.** *Tanzen*: free section

Kurbel **1.** *allg.*: crank **2.** *zum Aufziehen, auch für Rollo usw.*: winder [⚠ 'waɪndə]

kurbeln **1.** wind* [waɪnd] **2.** *bei Auto*: crank the engine

Kürbis pumpkin, squash [skwɒʃ]

Kurde, Kurdin Kurd [kɜːd]; ☞ ***Nationalitäten***

Kurier **1.** courier ['kʊrɪə], messenger ['mesndʒə] **2.** *auf Motorrad*: dispatch rider

Kurklinik sanatorium, *AE mst.* sanitarium, *private auch*: health farm

Kurort **1.** health resort **2.** (≈ *Kurbad*) spa [spɑː]

Kurpfuscher(in) quack [kwæk] (doctor)

Kurs[1] **1.** *von Schiff, Flugzeug*: course [kɔːs]; ***Kurs nehmen auf*** head for **2.** *politisch*: course; ***ein harter Kurs*** a hard line **3.** *Aktien usw.*: price **4.** (≈ *Wechselkurs*) exchange rate **5.** ***Fußball steht bei uns hoch im Kurs*** football's very popular here

Kurs[2] (≈ *Lehrgang*) course [kɔːs], class; ***sie macht einen Kurs in Volkstanz*** she's taking a class in folk dance ['fəʊk‿dɑːns] *oder* dancing

Kürschner(in) furrier [⚠ 'fʌrɪə]
Kursteilnehmer(in) (course) participant [pɑː'tɪsɪpənt]
Kurswagen *Eisenbahn*: through coach
Kurve 1. *einer Straße*: bend; ***er ist zu schnell in die Kurve gegangen*** he took the corner too fast **2.** *Mathematik*: curve **3.** *einer Grafik*: graph [grɑːf, græf]
kurven: ***(ziellos) durch die Gegend kurven*** cruise [kruːz] around
kurz 1. short, *zeitlich auch*: brief; ***eine kurze Hose*** shorts (⚠ *Pl.*); ***ein Hemd mit kurzen Ärmeln*** a short-sleeved shirt; ***kurze Zusammenfassung*** brief summary **2.** *Blick*: brief, quick **3.** ***kürzer machen*** shorten (*Hose usw.*) **4.** ***seit kurzem gehts ihr besser*** she's been feeling better lately; ***vor kurzem*** recently ['riːsntlɪ], not long ago **5.** ***kurz vorher*** shortly before (this); ***kurz darauf*** shortly after (this) **6.** ***könntest du kurz kommen?*** could you come here for a minute?; ***kurz weggehen*** go* away for a moment **7.** ***ich werde mich kurz fassen*** I'll try to make it short **8.** ***kurz gesagt*** in short, in a word **9.** ***schreib ihr doch kurz*** why don't you drop her a line? **10.** ***kurz angebunden*** curt
Kurzarbeit short time (work); ***sie macht Kurzarbeit*** she's on short time
kurzarbeiten be* on short time
kurzärmelig *Hemd, Bluse*: short-sleeved
Kürze 1. shortness, *eines Berichts usw. auch*: brevity ['brevətɪ] **2.** ***in Kürze*** shortly
Kürzel 1. (≈ *Abkürzung*) abbreviation (***für*** of) **2.** *Stenografie*: shorthand symbol
kürzen 1. *allg.*: shorten (*auch Hose usw.*) (***um*** by) **2.** abridge [ə'brɪdʒ] (*Buch usw.*) **3.** cut* (*Film, Rolle in Theaterstück*) **4.** reduce, cut* (*Arbeitszeit, Gehälter*) **5.** *Mathematik*: reduce (*Bruch*)
kürzer treten 1. ***dann müssen wir eben etwas kürzer treten*** *finanziell*: we'll have to tighten our belts a bit then **2.** ***er muss etwas kürzer treten*** *aus gesundheitlichen Gründen*: he's got to take things a bit slower (*oder* easier)
Kurzfassung abridged [ə'brɪdʒd] version
Kurzfilm short film
kurzfristig 1. *Lösung, Planung usw.*: (≈ *für eine kurze Zeitspanne*) short-term (⚠ *nur vor dem Subst.*) **2.** *Ersatz usw.*: (≈ *sofortig*) immediate [ɪ'miːdɪət] **3.** (≈ *vorübergehend*) for a short time **4.** ***das Konzert wurde kurzfristig abgesagt*** the concert was called off at short notice
Kurzgeschichte short story
kurzlebig short-lived
kürzlich recently ['riːsntlɪ]; ***erst kürzlich*** just the other day
Kurzschluss short circuit [ˌʃɔːt'sɜːkɪt]
Kurzschrift shorthand
kurzsichtig short-sighted (*auch übertragen*)
Kurzstreckenflugzeug short-haul aircraft [ˌʃɔːthɔːl'eəkrɑːft]
Kurzstreckenläufer(in) sprinter
Kurzstreckenrakete short-range missile [ˌʃɔːtreɪndʒ'mɪsaɪl]
Kürzung 1. ***eine Kürzung der Gehälter*** *usw.* a cut (*oder* cutback) in salaries *usw.* **2.** *von Ausgaben, Löhnen, auch beim Bruchrechnen*: reduction
Kurzwelle short wave
Kurzzeitgedächtnis short-term memory [ˌʃɔːttɜːm'memərɪ]
kuschelig 1. soft and cuddly **2.** *Sessel usw.*: cosy
kuscheln 1. ***sich an jemanden kuscheln*** snuggle (*oder* cuddle) up to someone **2.** ***sich ins Bett*** *usw.* ***kuscheln*** snuggle up in bed *usw.*
kuschen knuckle ['nʌkl] under (***vor*** to)
Kusine cousin [⚠ 'kʌzn]
Kuss kiss
küssen 1. kiss **2.** ***sie küssen sich*** they're kissing (each other) **3.** ***sie hat ihn auf den Mund geküsst*** she kissed him on the lips
Küste 1. coast; ***an der Küste*** on the coast **2.** (≈ *unmittelbarer Uferbereich*) shore; ***an die Küste*** *vom Meer her*: ashore [ə'ʃɔː]
Küstengebiet coastal area ['kəʊstl,eərɪə]
Küstengewässer coastal waters
Küstenwache coastguard ['kəʊstgɑːd]
Küster sacristan ['sækrɪstən], sexton
Kutsche coach, carriage ['kærɪdʒ]
Kutte (monk's *bzw.* nun's) habit
Kutteln *bes.* Ⓐ, Ⓒⓗ tripe (⚠ *Sg.*)
Kuvert envelope ['envələʊp]
Kuwait Kuwait [kʊ'weɪt]
KZ concentration camp
KZ-Häftling concentration camp prisoner ['prɪznə]

L

labil 1. *Lage usw.*: unstable **2.** *Gesundheitszustand*: frail, delicate ['delɪkət] **3.** ***ein labiler Mensch*** an unstable person
Labor laboratory [lə'bɒrətrɪ], *umg.* lab
Labyrinth 1. labyrinth ['læbərɪnθ] **2.** (≈ *Irrgarten*) maze (*auch übertragen*)
Lachanfall laughing ['lɑːfɪŋ] fit; ***sie bekam einen Lachanfall*** she went into fits (of laughter)
Lache[1] (≈ *Lachen*) laugh [lɑːf]
Lache[2] **1.** *nach Regen*: puddle **2.** *von Bier, Blut, Öl usw.*: pool
lächeln 1. smile (***über*** at) **2.** *spitzbübisch*: grin (***über*** at) **3.** *höhnisch*: sneer (***über*** at)
Lächeln 1. smile **2.** *spitzbübisches*: grin **3.** *höhnisches*: sneer
lachen 1. laugh [lɑːf] (***über*** at); ***laut lachen*** laugh out loud **2.** *Wendungen*: ***dass ich nicht lache!*** don't make me laugh; ***was gibts da zu lachen?*** what's so funny about that?; ***bei ihr hat er nichts zu lachen*** she really gives him a hard time; ***wer zuletzt lacht, lacht am besten*** he who laughs last, laughs loudest
Lachen 1. laugh [lɑːf], laughing, laughter ['lɑːftə] **2.** ***das ist ja zum Lachen*** that's ridiculous; ***das ist nicht zum Lachen*** it's no joke **3.** ***vor Lachen brüllen*** shriek with laughter; ***wir haben uns vor Lachen gebogen*** we (nearly) killed ourselves laughing
lächerlich 1. ridiculous [rɪ'dɪkjʊləs] **2.** ***jemanden lächerlich machen*** make* a fool of someone; ***du machst dich nur lächerlich*** you'll only make a fool of yourself **3.** ***lächerlich wenig*** ridiculously little
lachhaft 1. ridiculous [rɪ'dɪkjʊləs], laughable ['lɑːfəbl] **2.** ***das ist doch lachhaft!*** that's ridiculous
Lachs salmon ['sæmən] *Pl.*: salmon
Lack 1. *für Holz, Finger- und Zehennägel*: varnish **2.** *für Metall, Lackarbeiten*: lacquer ['lækə] **3.** *an Autos usw.*: paint, paintwork, *AE* paint job
Lackerl Ⓐ **1.** ***ein Lackerl*** *in Glas*: a little, a drop of (*Wein, Milch usw.*) **2.** (≈ *Pfütze*) small puddle
lackieren 1. varnish (*bes. Holz*) **2.** paint, spray (*Auto usw.*) **2.** ***sie hat sich die Fingernägel lackiert*** she's painted her nails
Lackschuhe patent leather shoes [,peɪtnt-'leðə‿ʃuːz]
laden 1. (≈ *beladen*) load; ***der Lastwagen hat Früchte geladen*** the lorry is loaded up with fruit **2.** *mit Strom*: charge (*Batterie, Akku usw.*) **3.** *mit Munition*: load (*Pistole usw.*) **4.** boot, boot up (*Computer*) **5.** ***der Chef ist ganz schön geladen*** *umg.* (≈ *wütend*) the boss is really fuming
Laden 1. shop, *bes. AE* store **2.** *umg.* (≈ *Unternehmen*) business ['bɪznəs] **3.** (≈ *Fensterladen*) shutter
Ladendieb(in) shoplifter ['ʃɒp,lɪftə]
Ladendiebstahl shoplifting ['ʃɒp,lɪftɪŋ]
Ladenschluss 1. closing time **2.** ***nach Ladenschluss*** after hours
Ladentisch counter; ***unter dem Ladentisch*** *übertragen* under the counter
Ladung 1. (≈ *Fracht*) load, freight [freɪt], *eines Schiffes, Flugzeugs*: cargo, freight **2.** (≈ *Lieferung*) shipment; ***eine Ladung Bananen*** a shipment of bananas **3.** ***eine Ladung Dynamit*** a charge [tʃɑːdʒ] of dynamite **4.** *elektrische*: charge
Lage 1. *räumliche, auch des Körpers*: position **2.** *eines Gebäudes usw.*: site, location **3.** (≈ *Lebenslage usw.*) situation, (≈ *Umstände*) circumstances ['sɜːkəmstənsɪz] (⚠ *Pl.*); ***die wirtschaftliche Lage*** the economic situation **4.** ***in der Lage sein zu*** be* able to, be* in a position to **5.** (≈ *Schicht*) layer **6.** ***eine Lage Bier ausgeben*** buy* a round of beer
Lager 1. (≈ *Militär-, Flüchtlings-, Ferienlager usw.*) camp **2.** (≈ *Lagerhaus*) warehouse, (≈ *Lagerraum*) storeroom **3.** (≈ *Warenbestand*) stock **4.** ***sie hat eine Menge Witze auf Lager*** she's got a huge stock of jokes **5.** (≈ *Partei usw.*) camp; ***ins andere Lager überwechseln*** change sides **6.** *von Bodenschätzen*: deposit [dɪ'pɒzɪt] **7.** *einer Maschine usw.*: bearing ['beərɪŋ]
Lagerfeuer campfire
Lagerhalle, **Lagerhaus** warehouse
lagern 1. (≈ *rasten*) rest, camp, *liegend*: lie* **2.** *Waren*: be* stored **3.** ***etwas lagern***

store (*oder* keep*) something; ***etwas kühl lagern*** keep* something in a cool place **4.** ***du musst das Bein hoch lagern*** you must keep your leg in a raised position **5.** season (*Holz*)

Lagerraum storeroom

Lagerstätte *Bodenschätze*: deposit [dɪ'pɒzɪt]

Lagerung 1. (≈ *Aufbewahrung*) storage **2.** *zur Alterung, bes. von Holz*: seasoning

Lagune lagoon [lə'guːn]

lahm 1. (≈ *gelähmt*) lame **2.** (≈ *langweilig*) dull **3.** (≈ *langsam, träge*) slow, sluggish; ***lahme Ente*** *Mensch*: sluggard ['slʌgəd], *Auto*: crawler **4.** *Witz usw.*: tame, feeble

lahm legen 1. *allg.*: paralyze **2.** bring* to a standstill (*Verkehr*) **3.** (*Stromausfall, Sturm usw.*) put* out of action (*Gerät usw.*)

Lahmarsch *salopp* drip

lahmarschig *salopp* (damn) slow [(⚠ ˌdæm)'sləʊ]

lähmen paralyze ['pærəlaɪz]

Lähmung paralysis [⚠ pə'ræləsɪs] (*auch übertragen, des Handels usw.*)

Laib loaf *Pl.*: loaves [ləʊvz]; ***ein Laib Brot*** a loaf of bread

Laiberl *bes.* Ⓐ **1.** (≈ *Teiggebackenes in runder Form*) round loaf **2.** *aus Fleisch*: burger **3.** ***ein Laiberl Brot*** a loaf of bread

Laich, **laichen** spawn

Laie 1. layman [leɪmən] (*auch als Gegensatz zu Priestern*) **2.** ***da bin ich absoluter Laie*** I don't know the first thing about it

Laken (≈ *Bettlaken*) sheet

Lakritze liquorice ['lɪkərɪs]

lallen 1. ***er konnte nur noch lallen*** he was slurring ['slɜːrɪŋ] his words **2.** (*Baby*) babble

Lametta 1. *etwa*: (silver) tinsel ['tɪnsl] **2.** *ironisch* (≈ *Orden*) fruit salad [ˌfruːt'sæləd], gongs [gɒŋz] (⚠ *Pl.*)

Lamm lamb [⚠ læm] (*auch Fleisch*)

Lampe 1. *als Gegenstand*: lamp **2.** *als Lichtquelle*: light **3.** (≈ *Glühlampe*) bulb

Lampenfieber stage fright

Lampion Chinese lantern [ˌtʃaɪniːz'læntən]

Land 1. *allg.*: land (*auch Festland*); ***an Land gehen*** go* ashore [ə'ʃɔː], disembark [ˌdɪsɪm'bɑːk] **2.** (≈ *Staat*) country [⚠ 'kʌntrɪ] **3.** (≈ *Grundbesitz*) land, property **4.** *Gegensatz zur Stadt*: country, countryside; ***auf dem Land*** in the country; ***aufs Land ziehen*** move to the country(side) **5.** (≈ *Landschaft*) country **6.** (≈ *Bundesland*) federal state, Land

Landbesitzer(in) landowner

Landbevölkerung rural population

Landeanflug landing approach

Landebahn runway, *kleinere*: landing strip

landeinwärts (further) inland [ɪn'lænd]

landen 1. *allg.*: land **2.** *Schiff*: dock **3.** (≈ *ankommen*) arrive **4.** ***schließlich sind wir an der Nordsee gelandet*** *umg.* we finally got to (*oder* ended up on) the North Sea coast **5.** ***im Gefängnis*** *usw.* ***landen*** end (*oder* land) up in prison *usw.* **6.** ***sie ist auf dem dritten Platz gelandet*** *umg., Sport*: she came third **7.** ***bei ihr kannst du damit nicht landen*** *umg.* that won't get you anywhere with her **8.** ***ein Flugzeug landen*** land a plane

Länderspiel international match

Landesgrenze national border, frontier ['frʌntɪə]

Landesinnere interior [ɪn'tɪərɪə]

landesüblich customary ['kʌstəmərɪ]

landesweit nationwide

Landflucht drift to the cities

Landgericht *etwa*: district court [ˌdɪstrɪkt'kɔːt], regional court

Landgewinnung land reclamation [ˌreklə'meɪʃn]

Landkarte map

Landkreis district ['dɪstrɪkt]

Landleben country life, life in the country

ländlich rural, *nur vor dem Subst.*: country

Landrat, **Landrätin** *etwa*: (elected) regional administrator [əd'mɪnɪstreɪtə]

Landschaft 1. *allg.*: landscape **2.** *als hübsch empfundene*: scenery [⚠ 'siːnərɪ] (⚠ *ohne* a) **3.** *als Gegend*: countryside (⚠ *ohne* a)

Landsmann fellow countryman ['kʌntrɪmən], compatriot [kəm'pætrɪət]

Landsmännin fellow countrywoman ['kʌntrɪˌwʊmən], compatriot [kəm'pætrɪət]

Landstraße country road

Landung 1. landing **2.** (≈ *Ankunft*) arrival

Landwirt(in) farmer

Landwirtschaft 1. agriculture ['ægrɪkʌltʃə], farming; ***die Landwirtschaft*** agriculture *oder* farming (⚠ *ohne* the) **2.** ***wir haben eine Landwirtschaft*** we've got a (small) farm

landwirtschaftlich 1. agricultural [ˌægrɪ'kʌltʃrəl] **2.** ***landwirtschaftlicher Betrieb*** farm

lang[1] **1.** long (*auch zeitlich*); ***ein zwei Meter langer Tisch*** a table two metres long (*oder* in length); ***vier Meter lang und zwei Meter breit*** four metres by two;

sie sind gleich lang they're the same length **2.** *Mensch*: tall **3.** ***drei Jahre lang*** for three years; ***den ganzen Tag lang*** all day long; ***seit langem*** for a long time; ***vor langer Zeit*** a long time ago **4.** ***lang ersehnt*** long-awaited; → ***lange***

lang[2]: ***die Straße lang*** along the street

langärmelig long-sleeved

lange 1. ***ich musste lange warten*** I had to wait (for) a long time; ***ich bleib nicht lange weg*** I won't be (away) long; ***es dauert nicht lange*** it won't take long **2.** ***es ist schon lange her, dass wir uns gesehen haben*** it's ages since we last met **3.** ***wie lange noch?*** how much longer? **4.** ***da kannst du lange warten*** *umg.* you can wait till the cows come home **5.** ***ich hab nicht erst lange gefragt*** I didn't want to ask

Länge 1. length (*auch zeitlich*) **2.** (≈ *geographische Länge*) longitude [⚠ 'lɒndʒɪtjuːd] **3.** (≈ *Körpergröße*) height [⚠ haɪt] **4.** ***Bauarbeiten auf einer Länge von vier Kilometern*** roadworks for four kilometres **5.** ***Cambridge hat mit drei Längen Vorsprung gewonnen*** Cambridge won (the boat race) by three lengths

langen[1] **1.** ***nach etwas langen*** reach for something **2.** ***er langte in seine Tasche*** he reached into his pocket

langen[2] **1.** ***das langt*** that's enough [ɪ'nʌf] **2.** ***mir langts*** I've had enough, *stärker*: I'm sick of it

Längengrad degree (*oder* line) of longitude [⚠ 'lɒndʒɪtjuːd]

länger 1. longer **2.** (≈ *ziemlich lang*) fairly long **3.** ***längere Zeit*** for quite a while

Langeweile boredom ['bɔːdəm]; ***aus Langeweile*** out of sheer boredom; ***Langeweile haben*** be* (*oder* feel*) bored

langfristig 1. *Planung, Anleihe usw.*: long-term (⚠ *nur vor dem Subst.*) **2.** ***langfristig (gesehen)*** in the long term

langjährig 1. *Freundschaft usw.*: longstanding **2.** ***langjährige Erfahrung*** many years of experience (***in*** in)

Langlauf cross-country skiing [ˌkrɒsˌkʌntrɪ'skiːɪŋ]

länglich oblong ['ɒblɒŋ]

längs[1]: ***die Bäume längs der Straße*** the trees along (*oder* alongside) the road

längs[2]: ***die Streifen laufen längs über das Hemd*** the stripes run lengthways (*oder* lengthwise) down the shirt

langsam 1. slow (*auch geistig*); ***langsamer werden*** slow down **2.** (≈ *allmählich*) gradually; ***es wird langsam Zeit, dass wir gehen*** we'd better be thinking about going

Langschläfer(in) late riser, *umg.* sleepyhead

Längsschiff *Kirche*: nave

längst 1. ***das hab ich längst gewusst*** I've known that for a long time **2.** ***das ist längst vorbei*** that's long past **3.** ***sie sollte längst da sein*** she should have been here long ago **4.** ***als sie kam, waren wir längst weg*** when she arrived we had long since left **5.** ***es war längst nicht so heiß, wie ich gedacht hatte*** it wasn't nearly as hot as I had expected **6.** ***am längsten*** longest

längstens 1. (≈ *spätestens*) at the latest **2.** (≈ *höchstens*) at (the) most

Langstreckenflugzeug long-haul aircraft [ˌlɒŋhɔːl'eəkrɑːft]

Langstreckenläufer(in) long-distance runner

Langstreckenrakete long-range missile [ˌlɒŋreɪndʒ'mɪsaɪl]

langweilen 1. ***jemanden langweilen*** bore someone **2.** ***sich langweilen*** be* (*oder* feel*) bored (***zu Tode*** to death)

langweilig 1. boring, tedious ['tiːdɪəs] **2.** ***es*** (*bzw.* ***er, sie***) ***war so was von langweilig*** *umg.* it (*bzw.* he, she) was a crushing bore **3.** ***ein langweiliger Mensch*** a bore

langwierig 1. *allg.*: lengthy **2.** (≈ *mühselig*) tedious ['tiːdɪəs]

Lanze 1. lance [lɑːns] **2.** (≈ *Wurflanze*) spear [⚠ spɪə]

Laos Laos [laʊs]

Lappalie trifle, trivial ['trɪvɪəl] matter

Lappen 1. piece of cloth **2.** (≈ *Putzlappen*) cloth

läppern: ***es läppert sich*** it all adds up

läppisch *Summe usw.*: ridiculous [rɪ'dɪkjʊləs]; ***reg dich doch nicht wegen läppischer fünf Euro auf!*** don't make a fuss about a measly ['miːzlɪ] five euros!

Laptop *Computer*: laptop

Lärche *Baum*: larch [lɑːtʃ]

Lärm 1. *allg.*: noise **2.** (≈ *Krach*) racket, din; ***mach nicht so einen Lärm!*** stop that racket (, will you)!

Lärmbelästigung noise pollution ['nɔɪz‿pəˌluːʃn]

lärmen 1. make* a (lot of) noise **2.** (*Radio, Musik*) blare (away)

lärmend noisy

Lärmschutz noise protection

Lärmschutzwall noise barrier ['nɔɪzˌbærɪə]

Larve *von Insekt*: larva *Pl.*: larvae ['lɑːviː]

lasch 1. (≈ *schlaff*) limp **2.** (≈ *lässig, disziplinlos*) slack, lax; ***lascher Typ*** *umg.* wimp

Laser laser

L

Laser... *in Zusammensetzungen*: laser ...; ***Laserdrucker*** laser printer; ***Laserpistole*** laser gun; ***Laserstrahl*** laser beam; ***Lasertechnik*** laser technology ['leɪzə‿tek,nɒlədʒɪ]

lassen 1. (≈ *erlauben, zulassen*) let* (⚠ *Zustand ändert sich*); ***jemanden gehen usw. lassen*** let* someone go *usw.*; ***lass mich mal sehen!*** let me see, let me have a look; ***sie ließ ihn ins Haus*** she let him in **2.** (≈ *an einem Ort, in einem bestimmten Zustand lassen bzw. zurücklassen*) leave* (⚠ *Zustand bleibt unverändert*); ***jemanden*** *bzw.* ***etwas zu Hause lassen*** leave* someone *bzw.* something at home; ***das Licht brennen lassen*** leave* the light(s) on; ***die Tür offen lassen*** leave* the door open; ***ich hab alles so gelassen, wie es war*** I left everything as it was; ***lass mich in Ruhe!*** leave me alone!; *aber*: ***wo hab ich nur meinen Schirm gelassen?*** where did I put my umbrella? **3.** (≈ *veranlassen, dass etwas gemacht wird*) have*; ***sie hat sich die Haare schneiden lassen*** she had her hair cut; ***ich hab es mir schicken lassen*** I had it sent (to me); *aber*: ***sie haben den Arzt kommen lassen*** they sent for the doctor, they called the doctor **4.** (≈ *veranlassen, dass jemand etwas macht*) get*, make*; ***er hat sie alles alleine machen lassen*** he got her to do everything on her own, *stärker*: he made her do everything on her own **5.** *bei Vorschlägen*: let*; ***lass uns gehen!*** let's go **6.** (≈ *mit etwas aufhören*) stop; ***sie kann das Rauchen*** *usw.* ***nicht lassen*** she can't stop smoking *usw.*; ***lass das!*** stop it! **7.** ***etwas fallen lassen*** drop something **8.** ***jemanden warten lassen*** keep* someone waiting **9.** ***X lässt dich grüßen*** X sends his *bzw.* her regards **10.** ***die Kamera lässt sich gut bedienen*** the camera is easy to operate **11.** ***das lässt sich schon machen*** (that's) no problem **12.** ***lass mich nur machen*** just leave it to me

> **lassen**
>
> Wird der Zustand geändert, nimmt man **let**:
> **Let the dog out.**
> **Let them play upstairs.**
>
> Bleibt der Zustand unverändert, nimmt man **leave**:
> **Leave him in the car.**
> **I left my computer switched on.**

lässig 1. *Kleidung usw.*: casual ['kæʒʊəl]; ***lässig gekleidet*** in casual clothes, dressed casually **2.** ***er ist total lässig*** *umg.* he's so laid-back **3.** ***das mache ich lässig*** *umg.* I can do that no problem

Last 1. load (*auch übertragen*) **2.** (≈ *Gewicht*) weight [weɪt] (*auch übertragen*) **3.** (≈ *Bürde*) burden

Laster[1] (≈ *Lastwagen*) lorry, *bes. AE* truck

Laster[2] (≈ *Untugend*) vice

lästern be* nasty ['nɑːstɪ], *umg.* bitch (***über*** about); ***über jemanden lästern*** *auch*: run* someone down

lästig 1. ***ein lästiger Mensch*** a pest **2.** *Aufgabe, Arbeit*: tiresome, irksome ['ɜːksəm] **3.** ***es*** *usw.* ***ist*** (***so***) ***lästig*** it's *usw.* a (real) nuisance ['njuːsns]; ***es*** *usw.* ***wird mir langsam lästig*** it's *usw.* beginning to get on my nerves

Lastwagen lorry, *bes. großer und AE* truck

Latein, lateinisch Latin ['lætɪn]; ***auf Lateinisch*** in Latin

Laterne 1. lantern ['læntən] **2.** (≈ *Straßenlaterne*) streetlamp

Latte 1. *allg.*: slat **2.** ***an die Latte!*** *Fußball usw.*: it's hit the bar **3.** ***eine ganze Latte von Fragen*** *usw.* a whole string of questions *usw.*

Latz, Lätzchen bib

Latzhose dungarees [,dʌŋgə'riːz], overalls (⚠ *beide Pl.*); ***er trug eine Latzhose*** he was wearing overalls *oder* (a pair of) dungarees [,dʌŋgə'riːz]

lau 1. lukewarm [,luːk'wɔːm] (*auch übertragen*) **2.** *Wind, Luft usw.*: mild

Laub leaves (⚠ *Pl.*), *an Baum usw. auch*: foliage ['fəʊlɪɪdʒ]

Laubbaum deciduous tree [dɪ,sɪdjʊəs'triː]

Laubfrosch tree frog

Laubsäge fretsaw

Laubwald deciduous [dɪ'sɪdjʊəs] forest

Lauch leek, *als Beilage*: leeks (⚠ *Pl.*)

Lauchzwiebeln spring onions [⚠ ,sprɪŋ'ʌnjənz]

Lauer: ***auf der Lauer liegen*** be* lying in wait

lauern 1. (≈ *gespannt warten*) lie* in wait (***auf*** for) **2.** *auf eine Gelegenheit usw.*: be* on the lookout (***auf*** for) **3.** (*Gefahr*) lurk

Lauf 1. *Sport*: run, *Durchgang auch*: heat **2.** (≈ *Wettlauf*) race, *über kurze Distanz*: dash, sprint; ***100-Meter-Lauf*** 100-metre dash (*oder* sprint), 100 metres (⚠ *Sg.*) **3.** (≈ *Verlauf*) course [kɔːs]; ***im Lauf der nächsten Woche*** some time next week; ***im Lauf der Zeit*** in (the course of) time, *Vergangenheit*: as time went on; ***sie ließ ihren Gefühlen freien Lauf*** she let her emotions run wild **4.** *Gewehr usw.*: barrel ['bærəl]

laufen 1. *allg.*: run*, *in Eile auch*: rush, race **2.** (≈ *zu Fuß gehen*) walk; ***laufen lernen*** learn* to walk; ***wir laufen viel zu Fuß*** we do a lot of walking **3.** (*Motor usw.*) run*, (≈ *eingeschaltet sein*) be* running, (≈ *funktionieren*) work **4.** (*Linie, Grenze*) run* **5.** ***der Fernseher*** *usw.* ***läuft*** the TV *usw.* is on **6.** ***der Film läuft noch bis Ende der Woche*** the film is on (*oder* runs) till the end of the week **7.** ***Ski laufen*** ski [skiː]; ***wir gehen Ski laufen*** we're going skiing **8.** (*Vertrag usw.*) be* valid, run* **9.** ***wie läufts so?*** *umg.* how are things? **10.** ***sich warm laufen*** warm up

> **laufen lassen** (≈ *in die Freiheit entlassen*) **1.** ***jemanden laufen lassen*** let* someone go, *straffrei*: let* someone off **2.** ***ein Tier laufen lassen*** set* an animal free

laufend 1. *Jahr, Monat, Nummer einer Zeitschrift usw.*: current ['kʌrənt] **2.** *Verhandlungen usw.*: ongoing **3.** ***laufende Kosten*** overheads ['əʊvəhedz] **4.** ***sie beschwert sich laufend*** she's always complaining (***über*** about) **5.** ***jemanden auf dem Laufenden halten*** keep* someone informed (*oder* posted); ***sich auf dem Laufenden halten*** keep* up with things

Läufer 1. *Teppich*: rug **2.** *Schach*: bishop

Läufer(in) *Sport*: runner

Laufmasche ladder, *bes. AE* run

Laufsteg catwalk (*auch bei Modenschau*)

Lauftraining running (workout)

Laufwerk *CD-Spieler, Computer*: (disk) drive

Lauge 1. (≈ *Salzlauge*) brine **2.** (≈ *Seifenlauge*) suds (⚠ *Pl.*), soapy water

Laune 1. (≈ *Stimmung*) mood; ***gute*** (*bzw.* ***schlechte***) ***Laune haben*** be* in a good (*bzw.* bad) mood **2.** *plötzliche*: whim; ***aus einer Laune heraus*** on a whim

launenhaft, launisch 1. *Person*: moody **2.** (≈ *sprunghaft, unbeständig*) fickle, capricious [kə'prɪʃəs]

Laus louse [laʊs] *Pl.*: lice

Lausbub young (*oder* little) rascal ['rɑːskl]

Lauschangriff bugging operation

lauschen 1. *heimlich*: eavesdrop **2.** (≈ *aufmerksam zuhören*) listen ['lɪsn]; ***sie lauschten der Musik*** they were listening to the music

laut[1] **1.** *Musik, Stimme, Gelächter usw.*: loud; ***lautes Geräusch*** loud noise **2.** *Straße, Person, Auto usw.*: (≈ *lärmend*) noisy; ***laute Nachbarn*** noisy neighbours **3.** ***dann wurde er laut*** then he raised his voice, *stärker*: then he started shouting **4.** ***laut vorlesen*** read* (out) aloud **5.** ***lauter, bitte!*** speak up, please

> **laut** — **loud/noisy**
>
> **loud:**
> vom Ton, von der Lautstärke her laut (Gegenteil „leise"):
> **loud music, a loud voice, a loud doorbell, a loud cry/shriek**
> Hier kann man das, was laut ist, theoretisch „leiser stellen".
>
> **noisy:**
> unangenehmen Lärm verursachend, geräuschvoll (Gegenteil „ruhig"):
> **a noisy family / street / pub**
> Hier geht es um etwas „von Natur aus" Lautes/Lärmendes, das man mehr oder weniger so hinnehmen muss, wie es ist.

laut[2]: ***laut Fahrplan*** (***Vertrag*** *usw.*) according to the timetable (contract *usw.*)

Laut sound

lauten 1. (*Text*) read*, run* **2.** (*Satz, Ausspruch usw.*) go* **3.** (*Antwort, Bitte, Meinung usw.*) be*; ***ihre Antwort lautet: „Nein"*** her answer is 'no'

läuten 1. ring* (*auch klingeln*) **2.** ***es hat geläutet*** *an der Tür*: there's somebody at the door, *in der Schule*: the bell has gone **3.** (*Wecker*) go* off **4.** (*Glöckchen*) tinkle **5.** ***eine Glocke läuten*** ring* a bell

lauter (≈ *nichts als*) **1.** ***lauter Probleme*** (***Lügen*** *usw.*) nothing but trouble (lies *usw.*) **2.** ***lauter Unsinn*** *usw.* a lot of nonsense *usw.* **3.** ***aus lauter Bosheit*** out of sheer spite **4.** ***in diesem Haus sind lauter 1-Zimmer-Wohnungen*** there are only one-room apartments in this building

lautlos 1. silent, (≈ *geräuschlos*) *auch*: noiseless **2.** ***lautlose Stille*** complete (*oder* absolute) silence

Lautschrift 1. *alle Zeichen*: phonetic alphabet [fəˌnetɪk'ælfəbet] **2.** (≈ *Text in Lautschrift*) phonetic transcription

Lautsprecher 1. loudspeaker **2.** *in Stereoanlage*: speaker

Lautstärke 1. *allg.*: loudness **2.** *eines Radios, Verstärkers*: volume ['vɒljuːm]

Lautstärkeregler volume control

lauwarm lukewarm [ˌluːk'wɔːm]

Lava lava ['lɑːvə]

Lavabo (CH) washbasin ['wɒʃˌbeɪsn]

Lavendel lavender [⚠ 'lævəndə]

L

Lawine avalanche [⚠ 'ævəlɑːntʃ]
Lazarett military hospital [ˌmɪlɪtərɪ-'hɒspɪtl]
leasen lease [liːs] (*Auto, Bürogeräte usw.*)
leben 1. live (*auch wohnen*); ***wie lange leben Sie schon hier?*** how long have you been living here? **2.** (≈ *am Leben sein*) be* alive [ə'laɪv] **3.** ***sie leben hauptsächlich von Obst und Gemüse*** they mainly live on fruit and vegetables; ***von ihrem Gehalt kann sie kaum leben*** her salary is hardly enough to live on **4.** ***sie lebt vegetarisch*** she's a vegetarian **5.** ***es lebt sich ganz gut hier*** life's not bad (over *oder* around) here
Leben 1. *allg.*: life *Pl.*: lives [⚠ laɪvz]; ***so ist das Leben*** that's life, such is life (⚠ *beide ohne* the); ***das Leben in der Großstadt*** life in a big city, big city life (⚠ *beide ohne* the); ***das Leben genießen*** enjoy life (⚠ *ohne* the) **2.** ***am Leben sein*** be* alive [ə'laɪv]; ***am Leben bleiben*** stay alive **3.** ***er hat sich das Leben genommen*** he took his own life, he committed suicide ['suːɪsaɪd] **4.** ***sie ist bei einem Unfall ums Leben gekommen*** she was killed (*oder* she lost her life) in an accident **5.** ***sie hat ihr Leben lang gearbeitet*** she's worked all her life **6.** ***nie im Leben!*** never!, *umg.* (≈ *auf gar keinen Fall*) not on your life! **7.** ***jetzt bringen wir mal etwas Leben in die Bude*** *salopp* let's hot things up a bit!
lebend 1. *allg.*: living (*auch Sprachen*); ***er ist der größte lebende Schriftsteller*** *usw.* he's the greatest living writer *usw.* **2.** *Tiere, Ziele*: live [⚠ laɪv] (⚠ *nur vor dem Subst.*)
lebendig 1. *übertragen* (≈ *lebhaft*) lively [⚠ 'laɪvlɪ], *Schilderung auch*: vivid ['vɪvɪd] **2.** *Farben*: cheerful **3.** (≈ *lebend*) living **4.** ***immer noch lebendig*** still alive [⚠ ə'laɪv] (*auch Erinnerung usw.*)
Lebensbedingungen living conditions
Lebensdauer *bes. von Menschen*: lifespan, *von Maschinen, Batterien usw. meist*: life
Lebenserwartung life expectancy ['laɪf-ɪkˌspektənsɪ]
Lebensgefahr 1. ***Lebensgefahr!*** danger! ['deɪndʒə] **2.** ***in Lebensgefahr schweben*** *bei Krankheit, Verletzung*: be* in a critical condition **3.** ***außer Lebensgefahr sein*** be* out of danger **4.** ***sie hat ihn unter Lebensgefahr gerettet*** she risked her life to save him
lebensgefährlich 1. *eine Aktion usw.*: extremely dangerous **2.** *Krankheit, Verletzung*: very serious, critical **3.** ***lebensgefährlich verletzt*** very seriously hurt, critically injured [⚠ 'ɪndʒəd]
Lebensgefährte, Lebensgefährtin (lifetime) partner *oder* companion

> ### Lebensgefährte
> Die Bezeichnungen für „Lebensgefährte/Lebensgefährtin" im Englischen reichen von **live-in lover** über **significant other** bis zu **POSSLQ** ['pɒslkjuː] (kurz für **person of opposite sex sharing living quarters**). Am besten beschränkst du dich aber auf die neutralen Übersetzungen, die unter dem Stichwort angegeben sind.

lebenslänglich: ***er hat „lebenslänglich" bekommen*** *umg.* he got life
Lebenslauf 1. *schriftlicher*: curriculum vitae [kəˌrɪkjʊləm'viːtaɪ], *Abk.*: CV [ˌsiː'viː], *AE auch* résumé ['rezjʊmeɪ] **2.** *im Rückblick*: life; ***sein Lebenslauf*** *auch*: the story of his life
lebenslustig: ***sie ist sehr lebenslustig*** she really enjoys life
Lebensmittel *als Plural*: food (⚠ *Sg.*), foodstuffs
Lebensmittelgeschäft food store, grocery (shop *oder AE* store)
Lebensmittelvergiftung food poisoning ['fuːdˌpɔɪznɪŋ]
lebensmüde 1. tired of life (⚠ *nur nach dem Verb*) **2.** ***du bist wohl lebensmüde!*** are you trying to kill yourself?
lebensnotwendig vital ['vaɪtl], essential
Lebensraum 1. *von Tieren, Pflanzen*: habitat ['hæbɪtæt] **2.** *als Platzproblem*: living space
Lebensstandard standard of living
Lebensstil lifestyle
lebenstüchtig: ***sie ist nicht sehr lebenstüchtig*** she just can't cope with life
Lebensunterhalt livelihood [⚠ 'laɪvlɪhʊd]; ***sie verdient ihren Lebensunterhalt als Taxifahrerin*** (*bzw.* ***mit Nachhilfestunden***) she earns (*oder* makes) a living as a taxi driver (*bzw.* by giving private lessons)
Lebensversicherung life insurance (*BE auch* assurance); ***eine Lebensversicherung abschließen*** take* out a life insurance policy, take* out life insurance (⚠ *ohne* a)
Lebensweise way of life
lebenswichtig 1. *allg.*: essential (***für*** to, for) **2.** *Organ, Stoff, auch Frage usw.*: vital ['vaɪtl] (***für*** to, for)
Leber liver ['lɪvə] (*auch als Gericht*)

Leberfleck mole
Lebertran cod-liver oil
Leberwurst liver sausage, *AE* liverwurst ['lɪvəwɜːst]
Lebewesen **1.** *allg.*: living being **2.** (≈ *Kleinstlebewesen*) living organism ['ɔːgənɪzm]
lebhaft **1.** *Interesse, Person usw.*: lively [⚠ 'laɪvlɪ]; ***eine lebhafte Fantasie*** a lively imagination **2.** *Schilderung*: vivid ['vɪvɪd] **3.** *Diskussion*: lively, (≈ *hitzig*) heated **4.** ***sich lebhaft unterhalten*** have* a lively conversation **5.** *Verkehr*: heavy ['hevɪ]
Lebkuchen *etwa*: (piece of) gingerbread ['dʒɪndʒəbred]
leck **1.** leaky **2.** ***das Fass ist leck*** the barrel leaks *oder* is leaking
Leck leak
lecken **1.** lick; ***an etwas lecken*** lick something **2.** ***leck mich doch!*** *vulgär* piss off!
lecker **1.** *Essen usw.*: tasty, *stärker*: delicious [dɪ'lɪʃəs]; ***lecker!*** *umg.* yum!, yummy! **2.** ***riecht lecker!*** smells good
Leckerbissen **1.** *Essen*: tasty titbit (*AE* tidbit) **2.** *übertragen* (real) treat
Leder leather ['leðə]; ***es ist aus Leder*** it's (made of) leather; ***eine Tasche aus Leder*** a leather bag
Lederhose leather trousers [ˌleðə'traʊzəz], lederhosen ['leɪdəˌhəʊzn] (⚠ *beide Pl.*); ***eine Lederhose*** a pair of leather trousers (*oder* lederhosen); ☞ ***Hose***
Lederjacke leather jacket [ˌleðə'dʒækɪt]
ledig **1.** single; ***sie ist ledig*** she's single **2.** ***ledige Mütter*** unmarried mothers
Lee **1.** lee **2.** ***nach Lee*** leeward ['liːwəd]
leer **1.** *allg.*: empty **2.** (≈ *unmöbliert*) unfurnished **3.** ***ein leeres Blatt Papier*** a blank sheet of paper **4.** ***die Batterie ist leer*** the battery has run out, *eines Autos*: the battery is flat (*oder* dead)

leer laufen **1.** (*Fass usw.*) run* dry **2.** ***etwas leer laufen lassen*** drain something
leer stehend *Haus, Wohnung*: unoccupied

Leere emptiness (*auch übertragen*)
leeren empty (*Mülleimer, Glas usw.*)
Leerlauf *eines Autos usw.*: neutral (gear); ***es ist im Leerlauf*** it's in neutral (⚠ *ohne* the)
Leerstelle *beim Tippen*: blank, space
Leertaste space bar, *Computer auch*: space key
Leerung **1.** *allg.*: emptying **2.** *eines Briefkastens*: collection, *AE* mail pick-up
Leerzeichen *Computer*: blank, space
legal legal ['liːgl]
legen **1.** *allg.*: put*; ***leg es auf den Tisch*** put it on the table **2.** *vorsichtig*: lay* (*auch Eier*); ***sie legten ihn aufs Sofa*** they laid him on the sofa **3.** (≈ *verlegen*) lay* (*Leitung, Mine, Teppich usw.*) **4.** ***sich auf den Sand*** *usw.* ***legen*** lie* down on the sand *usw.* **5.** ***sich legen*** (*Sturm, Begeisterung usw.*) die down, (*Spannung*) ease off **6.** ***das legt sich schon wieder*** *humorvoll über jemands Benehmen*: don't worry - it'll blow over
legendär legendary [⚠ 'ledʒəndərɪ]
Legende legend [⚠ 'ledʒənd] (*auch auf Landkarte*)
leger **1.** *Benehmen usw.*: informal, casual ['kæʒʊəl] **2.** *Mensch*: relaxed **3.** ***leger gekleidet*** casually dressed
Legierung alloy [⚠ 'ælɔɪ]
Lehm **1.** loam **2.** (≈ *Ton*) clay
Lehne **1.** (≈ *Rückenlehne*) back, backrest **2.** (≈ *Armlehne*) arm, armrest
lehnen **1.** ***etwas an etwas lehnen*** lean* something against something **2.** **(*sich*) *lehnen*** lean* (***an, gegen*** against; ***auf*** on) **3.** ***sich aus dem Fenster lehnen*** lean* out of (*AE auch* out) the window
Lehrbuch textbook
Lehre **1.** *eines Lehrlings*: apprenticeship [ə'prentɪsʃɪp] **2.** (≈ *abschreckende Erfahrung*) lesson; ***lass dir das eine Lehre sein*** let that be a lesson to you **3.** (≈ *Wissenschaft*) science **4.** (≈ *Theorie*) theory ['θɪərɪ] **5.** *eines Glaubensgründers usw.*: teachings (⚠ *Pl.*) **6.** *der katholischen usw. Kirche*: doctrine ['dɒktrɪn]
lehren **1.** teach*, instruct; ***jemanden etwas lehren*** teach* someone (how to do) something **2.** ***die Erfahrung lehrt*** experience shows (us), experience tells us
Lehrer(in) **1.** *in Schule*: teacher **2.** *für bestimmte Dinge, z. B. Skilaufen*: instructor **3.** *für Privatstunden*: tutor ['tjuːtə]
Lehrerzimmer staff room, *AE* staff lounge
Lehrgang course [kɔːs]
Lehrling apprentice [ə'prentɪs], trainee [treɪ'niː]
Lehrplan **1.** syllabus ['sɪləbəs] **2.** *über mehrere Jahre*: curriculum [kə'rɪkjələm]
lehrreich instructive [ɪn'strʌktɪv]
Lehrstelle **1.** apprenticeship [ə'prentɪsʃɪp] **2.** *offene*: vacancy for an apprentice (*oder* a trainee)
Lehrtochter Ⓒⓗ (≈ *weiblicher Lehrling*) apprentice [ə'prentɪs]
Lehrzeit *eines Lehrlings*: apprenticeship
Leib **1.** (≈ *Körper*) body **2.** ***mit Leib und Seele*** heart [hɑːt] and soul (⚠ *ohne*

with) **3.** ***sich jemanden vom Leib halten*** keep* someone at arm's length; ***halt sie mir bloß vom Leib!*** just don't let her come near me
Leibchen Ⓐ, ⒸⒽ **1.** (≈ *Unterhemd*) vest, *AE* undershirt **2.** *Sport*: (≈ *Trikot*) shirt, jersey ['dʒɜːzɪ]
Leiberl Ⓐ → ***Leibchen***
Leibgarde bodyguard ['bɒdɪgɑːd]
Leibgericht, **Leibspeise** favourite dish [ˌfeɪvrət'dɪʃ]
Leibwächter(**in**) bodyguard ['bɒdɪgɑːd]
Leiche 1. corpse, (dead) body **2.** ***sie geht über Leichen*** she'll stop at nothing
leichenblass deathly pale, as white as a sheet *oder* ghost
Leichenhalle mortuary ['mɔːtjʊərɪ], *AE auch* funeral home ['fjuːnrəl‿həʊm]
Leichenschauhaus mortuary ['mɔːtjʊərɪ], *bes. für unbekannte Tote*: morgue [mɔːg]
Leichenwagen hearse [⚠ hɜːs]
leicht 1. *Essen, Kleidung, Lektüre, Musik, Wein, Zigarette usw.*: light; ***sie hat einen leichten Schlaf*** she's a light sleeper **2.** *an Gewicht*: light, lightweight ['laɪtweɪt] **3.** *Arbeit, Aufgabe usw.*: (≈ *einfach*) easy **4.** (≈ *nicht schlimm*) slight (*auch Erkältung*), *Entzündung usw. auch*: mild; ***sie hat eine leichte Bronchitis*** she's got a mild case of bronchitis **5.** *Verletzung*: minor, slight **6.** *Fehler*: minor, small **7.** ***er hats nicht leicht*** he doesn't have an easy time of it; ***sie hats nicht leicht mit ihm*** she has a hard time with him **8.** (≈ *mühelos, schnell*) easily; ***es geht ganz leicht*** it's easy; ***das ist leicht gesagt*** it's not as easy as that **9.** ***das ist leicht möglich*** that's quite possible **10.** (≈ *geringfügig*) slightly; ***sein Zustand hat sich leicht gebessert*** his condition has improved slightly **11.** ***du kannst dir leicht vorstellen ...*** you can well imagine ...

> **leicht fallen**: ***es fällt ihr nicht leicht, das Rauchen aufzugeben*** it isn't easy for her to give up (*oder* quit) smoking
> **leicht machen 1.** ***es sich leicht machen*** take* the easy way out **2.** ***du machst es dir zu leicht*** *allgemein*: you're taking things too lightly, *in diesem Fall*: it's not as easy as that **3.** ***jemandem etwas leicht machen*** make* something easy for someone
> **leicht nehmen 1.** ***sie nimmt das Leben leicht*** she takes life as it comes **2.** ***er nimmts zu leicht*** he doesn't take it seriously enough **3.** ***nimms leicht!*** *umg.* don't worry ['wʌrɪ] about it

> **leicht tun**: ***sich mit etwas leicht tun*** have* no difficulties with something, have* no difficulty doing something

Leichtathlet(**in**) athlete ['æθliːt]
Leichtathletik athletics [æθ'letɪks] (⚠ *mst. mit Sg.*), *bes. AE* track and field

Die Hauptdisziplinen der Leichtathletik (athletics)

100-Meter-Lauf	**100 metres**
Diskuswerfen	**discus (throwing)**
Dreisprung	**triple jump** ['trɪpldʒʌmp]
Hammerwerfen	**hammer (throwing)**
Hochsprung	**high jump**
Hürdenlauf	**hurdles**
Kugelstoßen	**shot-put**
Speerwerfen	**javelin (throwing)** ['dʒævlɪn]
Stabhochsprung	**pole vault**
Staffellauf	**relay** ['riːleɪ] **(race)**
Weitsprung	**long jump**
Zehnkampf	**decathlon** [dɪ'kæθlɒn]

Leichtgewicht *Sport*: lightweight ['laɪtweɪt]
Leichtgewichtler(**in**) lightweight ['laɪtweɪt]
leichtgläubig gullible ['gʌləbl], credulous ['kredjʊləs]
Leichtigkeit 1. (≈ *Mühelosigkeit*) easiness, ease; ***mit Leichtigkeit*** with ease, effortlessly; ***es ist für sie eine Leichtigkeit*** it's the easiest thing in the world for her **2.** (≈ *Leichtheit*) lightness
Leichtsinn carelessness, *stärker*: recklessness; ***aus purem Leichtsinn*** out of sheer recklessness
leichtsinnig 1. careless, *stärker*: reckless **2.** ***leichtsinnig umgehen mit*** be* careless with
Leid 1. (≈ *Leiden*) suffering **2.** (≈ *Kummer*) sorrow, grief **3.** ***es wird dir kein Leid geschehen*** you won't come to any harm **4.** (***es***) ***tut mir Leid*** (I'm) sorry; ***tut mir Leid, dass ich so spät komme*** sorry for being so late; ***sie tut mir wirklich Leid*** I really feel sorry for her; ***das tut mir aber Leid*** *mitfühlend*: I'm (really) sorry to hear that; ***es wird dir Leid tun*** you'll be sorry, you'll regret it **5.** ***es tut mir Leid, aber ich kann nicht kommen*** I'm afraid I can't come
leiden 1. suffer (***an, unter*** from) **2.** ***Hun-***

ger leiden starve **3.** ***ich kann sie nicht leiden*** I can't stand her

Leiden **1.** *allg.*: suffering **2.** (≈ *Krankheit*) illness, *bestimmte*: disease [dɪ'ziːz]; ***ein Herzleiden*** (***Leberleiden*** *usw.*) a heart (liver *usw.*) condition

Leidenschaft **1.** passion **2.** ***Angeln ist seine Leidenschaft*** he's a passionate angler

leidenschaftlich **1.** *allg.*: passionate ['pæʃnət], *Mensch auch*: very emotional **2.** ***sie ist eine leidenschaftliche Skifahrerin*** she loves skiing **3.** ***ich gehe leidenschaftlich gern ins Kino*** I love going to the cinema

leider **1.** unfortunately [ʌn'fɔːtʃnətlɪ] **2.** ***wir müssen jetzt leider gehen*** I'm afraid we have to go now; ***leider ja*** I'm afraid so; ***leider nein*** I'm afraid not

Leidtragende(**r**): ***sie ist die Leidtragende*** she's the one who suffers

Leierkasten barrel organ

Leihbücherei lending library ['lendɪŋˌlaɪbrərɪ]

leihen **1.** ***jemandem etwas leihen*** lend* (*etwas Wertvolles*: loan) someone something; ***sie hats mir geliehen*** she lent it to me; ***kannst du mir dein Fahrrad leihen?*** could you lend me your bike? **2.** ***sich etwas von jemandem leihen*** borrow something from someone; ***es ist*** (***nur***) ***geliehen*** I (only) borrowed it

Leihgebühr **1.** *für Auto usw.*: rental fee, *BE auch* hire charge **2.** *für Bücher*: lending fee

Leihhaus pawnshop

Leihwagen hire (*AE* rented) car

Leim **1.** *Klebstoff*: glue **2.** ***aus dem Leim gehen*** *umg.* (*auch Beziehung*) fall* apart

leimen: (***etwas***) ***leimen*** glue (something)

Leine **1.** *allg.*: (thin) rope **2.** *für Hund*: lead [liːd], *bes. AE* leash [liːʃ]; ***den Hund an die Leine nehmen*** put* the dog on the lead **3.** *einer Angel, für Wäsche*: line

Leinen *Stoff*: linen [⚠ 'lɪnɪn]

Leinwand **1.** *Film*: screen **2.** *eines Malers*: canvas ['kænvəs]

leise **1.** *allg.*: quiet **2.** *Musik, Ton*: soft **3.** *Stimme*: soft, low; ***mit leiser Stimme*** in a low voice **4.** *Geräusch, Hoffnung, Ahnung*: faint **5.** *Bewegung, Verdacht*: slight **6.** ***die Musik leiser stellen*** turn the music down **7.** *singen, klopfen usw.*: softly **8.** ***leise sprechen*** speak* in a low voice; ***sprich leiser!*** keep your voice down!

Leiste **1.** *aus Holz, Metall usw.*: strip (of wood *bzw.* metal *usw.*) **2.** (≈ *Fußbodenleiste*) skirting board **3.** *Umrandung*: border **4.** *Verzierung*: trim **5.** *zum Aufhängen von Bildern usw.*: rail **6.** *am Unterkörper*: groin

leisten **1.** *allg.*: do*; ***du hast gute Arbeit geleistet*** you've done a good job **2.** (≈ *vollbringen*) achieve [ə'tʃiːv], accomplish [⚠ ə'kʌmplɪʃ] **3.** ***Hilfe leisten*** help **4.** ***das kann ich mir nicht leisten*** *wegen des Preises*: I can't afford that, *wegen meiner Stellung usw.*: I can't afford to do that **5.** ***da hast du dir ja wieder mal was geleistet!*** *abwertend* what have you been up to this time? **6.** ***komm, heute leisten wir uns mal ein gutes Essen*** come on, let's treat ourselves to a decent ['diːsnt] meal today

Leistung **1.** *bei der Arbeit, in der Schule, bei*

L

leihen	**borrow / lend / loan**
sich etwas (von jemandem) leihen	**borrow something (from someone)**
Kann ich mir mal kurz deinen Kuli leihen?	**Could I borrow your pen for a minute?**
Ich hab mir Lindas Fahrrad fürs Wochenende geliehen.	**I've borrowed Linda's bike for the weekend.**
jemandem etwas (aus)leihen	**lend** (*AE* **loan**) **someone something, lend** (*AE* **loan**) **something to someone**
Ich habe ihm meinen Tennisschläger geliehen, aber er hat ihn mir nicht zurückgegeben.	**I lent** (*AE* **loaned**) **him my tennis racket but he hasn't given it back to me.**
Kannst du mir etwas Geld leihen?	**Can you lend** (*AE* **loan**) **me some money?**

Bei **borrow** leiht man sich etwas aus, man bekommt etwas geliehen, bei **lend** bzw. *AE* **loan** verleiht man etwas.

Prüfung, beim Sport usw.: performance; ***schwache Leistung!*** poor show! **2.** *besondere*: achievement [ə'tʃiːvmənt] **3.** (≈ *Großtat*) feat **4.** *Produktionsleistung einer Maschine usw.*: output **5.** *in der Physik, Arbeitsleistung eines Gerätes*: power **6.** *des Gehirns usw.*: capacity **7.** (≈ *Dienstleistung*) service **8.** *als Zahlung*: payment

Leistungsdruck pressure, stress

leistungsfähig 1. efficient (*auch Maschine*) **2.** *körperlich*: fit **3.** *schulisch usw.*: capable

Leistungskurs *in Schule etwa*: special subject, *AE* honors course; ***ich bin im Leistungskurs Geschichte*** I'm taking history as a special subject

Leistungssport competitive sport [kəmˌpetətɪv'spɔːt] (*oder* sports *Pl.*)

Leitartikel *bes. BE* leading article [ˌliːdɪŋ'ɑːtɪkl], leader, *bes. AE* editorial [ˌedɪ'tɔːrɪəl]

leiten 1. (≈ *führen*) lead* [liːd] (*auch Mannschaft, Partei usw.*) **2.** (≈ *anführen*) head [hed] **3.** run*, be* in charge of (*Firma, Abteilung*), manage (*Firma*) **4.** head, be* in charge of (*Projekt usw.*) **5.** chair (*Versammlung, Diskussion usw.*) **6.** conduct [kən'dʌkt] (*Orchester*) **7.** ***eine Band leiten*** be* (the) leader of a band, be* (the) bandleader **8.** referee (*Fußballspiel usw.*) **9.** *als Moderator*: host [həʊst] (*Sendung, Show*) **10.** direct [də'rekt] (*Verkehr*) **11.** pass on (*ein Schreiben usw.*) (***an*** to) **12.** ***sie ließ sich von ihren Gefühlen leiten*** she was guided ['gaɪdɪd] by her emotions

leitend 1. *allg.*: leading **2.** ***leitende Stellung*** managerial [ˌmænə'dʒɪərɪəl] position **3.** ***leitende(r) Angestellte(r)*** executive [ɪg'zekjʊtɪv] **4.** ***leitende(r) Ingenieur(in)*** chief engineer

Leiter[1] *die* **1.** ladder (*auch übertragen*) **2.** *mit Stütze*: (≈ *Trittleiter*) stepladder

Leiter[2] *der*; *Physik*: (≈ *Strom leitender Stoff*) conductor

Leiter(in) 1. *einer Firma*: director [də'rektə], manager, *Frau auch*: manageress **2.** *einer Abteilung*: head of department **3.** *eines Projekts*: head **4.** *einer Versammlung*: chairperson, chair, *Mann auch*: chairman ['tʃeəmən], *Frau auch*: chairwoman **5.** *eines Orchesters*: conductor **6.** *einer Band*: leader **7.** *eines Instituts, Teilbereichs usw.*: director; ***technischer Leiter, technische Leiterin*** technical director

Leitplanke crash barrier ['kræʃˌbærɪə], *AE* guardrail ['gɑːdreɪl]

Leitung 1. *einer Firma*: management (*auch die leitenden Personen*), *Büro*: head office **2.** *eines Projekts, Instituts usw.*: (≈ *Führung*) direction (*auch künstlerische usw.*) **3.** (≈ *Aufsicht*) control, supervision [ˌsuːpə'vɪʒn] **4.** *bei Veranstaltungen*: management committee [kə'mɪtɪ] **5.** (≈ *Vorsitz*) chairmanship **6.** ***die Leitung haben*** be* in charge; ***unter der Leitung von X*** *Orchester*: conducted by X; ***die Leitung hatte X*** *als Dirigent*: the conductor was X **7.** *Hauptleitung für Wasser, Gas oder Strom*: main, *BE auch*: mains (⚠ *mit Sg. oder Pl.*) **8.** *für Telefon, Strom*: line **9.** (≈ *Rohrleitung*) *im Haus*: pipes (⚠ *Pl.*), *Fernleitung*: pipeline **10.** (≈ *Kabel*) lead **11.** (≈ *Draht*) wire **12.** (≈ *Stromkreis*) circuit [⚠ 'sɜːkɪt]

Leitungsmast (electricity) pylon ['paɪlən]

Leitungswasser tap water

Lektion 1. *in Schulbuch*: chapter ['tʃæptə], unit **2.** ***jemandem eine Lektion erteilen*** *übertragen* teach* someone a lesson

Lektüre 1. (≈ *Lesestoff*) reading (matter) (⚠ *ohne* a), something to read **2.** *in der Schule*: reader

Lende 1. *als Speise*: loin, *vom Rind*: sirloin ['sɜːlɔɪn] **2.** ***die Lenden*** *des Menschen*: the lumbar ['lʌmbə] region, the lower back (⚠ *beide Sg.*)

lenken 1. steer (*Auto usw.*) **2.** guide (*Flugzeug, Rakete, auch jemanden*) **3.** *übertragen* control (*den Staat, die Wirtschaft usw.*) **4.** ***jemands Aufmerksamkeit auf etwas lenken*** draw* someone's attention to something

Lenker 1. *Motorrad, Fahrrad*: handlebars (⚠ *Pl.*) **2.** (≈ *Lenkrad*) steering wheel

Lenker(in) (≈ *Fahrer, -in*) driver

Lenkrad steering wheel

Leopard leopard [⚠ 'lepəd]

Lerche lark

lernen 1. (≈ *sein Wissen erweitern*) learn* (***aus*** from); ***Kinder lernen schnell*** children learn quickly *oder* are quick learners **2.** ***lesen*** *bzw.* ***Auto fahren*** *usw.* ***lernen*** learn* (how) to read *bzw.* drive *usw.* **3.** *für die Schule usw.*: study, *für Prüfung auch*: revise; ***fleißig lernen*** work (*oder* study) hard **4.** ***ein Gedicht auswendig lernen*** learn* a poem by heart **5.** ***sie lernt Französisch*** *freiwillig oder in der Schule*: she's learning French, *im Augenblick, für den Unterricht usw.*: she's studying French

lernen **learn / study**

„Lernen" ist nicht unbedingt gleich **learn**. Wenn man für eine Prüfung, einen Abschluss *usw.* lernt, heißt es **study** bzw. bei Wiederholung von Stoff **revise**.

learn	
Kinder lernen schnell.	**Children learn quickly.**
Schlittschuhlaufen lernen	**learn to skate**
ein Gedicht auswendig lernen	**learn a poem by heart**
study	
Was macht Peter? – Er lernt.	**What's Peter doing? – He's studying.**
revise	
Ich muss für die Prüfung morgen lernen.	**I've got to revise for tomorrow's exam.**

lesbar 1. *Buch usw.*: readable; ***das Buch ist gut lesbar*** the book is easy to read **2.** (≈ *leserlich*) legible [⚠ 'ledʒəbl]
Lesbe *umg., oft abwertend* dyke
Lesbierin, lesbisch lesbian ['lezbɪən]
Lesebuch reader
lesen[1] read*; ***viel lesen*** read* a lot, do* a lot of reading
lesen[2] pick (*Beeren, Trauben*)
lesenswert worth reading; ***ein lesenswertes Buch*** a book worth reading
Leser(in) reader
Leserbrief letter to the editor ['edɪtə]
leserlich *Schrift usw.*: legible [⚠ 'ledʒəbl]
Lesespeicher *Computer*: read-only memory (*Abk.*: ROM)
Lesezeichen bookmark
Lesung reading (*auch von Gesetzentwurf*), *von Gedichten auch*: recital [⚠ rɪ'saɪtl]; ***eine Lesung halten*** give* a reading
Lette, Lettin, lettisch, Lettisch Latvian ['lætvɪən]; ☞ ***Nationalitäten***
Lettland Latvia ['lætvɪə]
letzte(r, -s) 1. *in einer Reihe*: last; ***am letzten Mittwoch*** last Wednesday; ***im letzten Augenblick*** at the last minute; ***zum letzten Mal*** for the last time; ***beim letzten Mal*** last time; ***er kam als Letzter*** he arrived last; ***sie kam als Letzte ins Ziel, sie wurde Letzte*** she came in last **2.** (≈ *endgültig*) final; ***das letzte Angebot*** the final offer **3.** (≈ *neuest*) latest; ***die letzten Nachrichten*** the latest news (⚠ *Sg.*) **4.** ***mit letzter Kraft erreichte sie das Auto*** she got to the car with her last ounce of strength **5.** ***letzten Endes*** in the end **6.** ***in letzter Zeit*** lately **7.** ***bis ins Letzte*** down to the last detail **8.** ***das ist ja wohl das Letzte!*** *umg.* that really is the limit **9.** ***sie gab ihr Letztes*** she made an all-out effort, she gave her all
letztere(r, -s) the latter
Leuchte 1. light, lamp **2.** ***sie ist nicht gerade eine Leuchte*** she's not exactly a shining (*oder* leading) light
leuchten 1. *allg.*: shine* **2.** (≈ *glühen*) glow **3.** (*Augen*) glow, gleam **4.** ***die Lampe leuchtet nur schwach*** the lamp doesn't give much light **5.** ***sie leuchtete mit ihrer Taschenlampe ins Zimmer*** she shone [⚠ ʃɒn] her torch into the room
leuchtend 1. *Farben*: vivid ['vɪvɪd], brilliant ['brɪljənt] **2.** ***leuchtende Augen*** gleaming (*oder* shining) eyes **3.** ***ein leuchtendes Vorbild*** a shining example
Leuchter 1. (≈ *Kerzenleuchter*) candlestick **2.** *für viele Glühlampen oder Kerzen*: candelabra [ˌkændə'lɑːbrə] **3.** (≈ *Kronleuchter*) chandelier [⚠ ˌʃændə'lɪə]
Leuchtfarbe luminescent paint [ˌluːmɪnesnt'peɪnt]
Leuchtfeuer beacon ['biːkən]
Leuchtreklame neon lights [ˌniːɒn'laɪts], neon signs [ˌniːɒn'saɪnz] (⚠ *beide Pl.*)
Leuchtstift *zum Textmarkieren*: marker pen, highlighter
Leuchtturm lighthouse
leugnen deny [dɪ'naɪ]
Leukämie leuk(a)emia [luː'kiːmɪə]
Leute 1. people ['piːpl], *einzelne auch*: persons; ***die Leute sagen*** they say, people say (⚠ *ohne* the) **2.** ***meine Leute*** *umg.* (≈ *meine Familie*) my folks [fəʊks] **3.** ***vor allen Leuten*** in front of everyone
Leutnant (second) lieutenant [⚠ lef'tenənt; *AE* luː'tenənt]
Leviten: ***jemandem die Leviten lesen*** *umg.* read* someone the riot act ['raɪət‿ækt]
Lexikon 1. *allg.*: encyclop(a)edia [ɪnˌsaɪklə'piːdɪə] **2.** (≈ *Wörterbuch*) dictionary ['dɪkʃənrɪ]
Libanese Lebanese [ˌlebə'niːz]; ***er ist Libanese*** he's Lebanese; ☞ ***Nationalitäten***
Libanesin Lebanese woman (*oder* lady *bzw.* girl); ***sie ist Libanesin*** she's Lebanese; ☞ ***Nationalitäten***
Libanon: ***der Libanon*** Lebanon ['lebənən] (⚠ *ohne* the)
Libelle dragonfly ['drægənflaɪ]
liberal open-minded, liberal
Liberale(r) *politisch*: Liberal
Liberia Liberia [laɪ'bɪərɪə]
liberianisch Liberian; ***unter liberianischer Flagge*** under a Liberian flag
Libero *Fußball*: sweeper
Libyen Libya ['lɪbɪə]
Libyer(in), libysch Libyan ['lɪbɪən]; ☞ ***Nationalitäten***

L

Licht **1.** *allg., auch elektrisches*: light; ***Licht machen*** switch (*oder* turn) the light *bzw.* lights on; ***das Licht ausmachen*** switch (*oder* turn) the light *bzw.* lights off; ***etwas gegen das Licht halten*** hold* something up to the light **2.** (≈ *Lampe*) lamp
licht *Haar usw.*: sparse [spɑːs], thin
Lichtblick *umg.* ray of hope, bright spot on the horizon [hə'raɪzn]
lichtempfindlich **1.** sensitive to light (⚠ *nur nach dem Verb, mst. am Satzende*) **2.** *Film*: fast
Lichtempfindlichkeit *eines Films*: speed
Lichtgeschwindigkeit speed of light
Lichthupe: ***sie gab uns Zeichen mit der Lichthupe*** *als Warnung*: she flashed her lights to warn us
Lichtjahr light year
Lichtschacht **1.** *über mehrere Etagen*: light shaft [ʃɑːft] **2.** *vor Kellerfenster*: well
Lichtschalter light switch
Lichtschranke light barrier ['laɪtˌbærɪə]
Lichtschutzfaktor sun protection factor, SPF
Lichtung *im Wald*: clearing
Lid eyelid
Lidschatten *Kosmetik*: eye shadow
lieb **1.** (≈ *nett*) nice, *stärker*: sweet; ***das war lieb von dir*** that was nice (*stärker*: sweet) of you; ***etwas Liebes*** *sagen usw.*: something nice; ***sie sieht lieb aus*** she looks sweet; ***jemanden lieb behandeln*** be* nice to someone; ***das hast du lieb gesagt*** you've said (*oder* put) that very nicely **2.** (≈ *brav*) good; ***warst du auch lieb?*** *zu Kind*: have you been a good girl *bzw.* boy? **3.** (≈ *teuer, geliebt*) dear; ***Lieber Herr X*** *in Brief*: Dear Mr X **4.** ***sei so lieb und hol mir ein Glas*** do me a favour and get me a glass, will you? **5.** ***jemanden lieb haben*** love someone; → ***liebste(r, -s)***
Liebe **1.** *allg.*: love (***zu*** *Person mst.* for, *Sache mst.* of); ***aus Liebe*** for love; ***aus Liebe zu*** for the love of (⚠ *mit* the); ***Liebe auf den ersten Blick*** love at first sight; ***Liebe macht blind*** love is blind **2.** (≈ *Zuneigung*) liking (***zu, für*** for) **3.** (≈ *geliebter Mensch*) love, sweetheart
lieben **1.** *allg.*: love **2.** ***er liebt sie*** he loves her, he's in love with her **3.** ***sie lieben sich*** they love each other (*oder* one another), they're in love (with each other) **4.** ***sich lieben*** (≈ *miteinander schlafen*) make* love **5.** ***sie liebt gutes Essen*** she's very fond of (*oder* she loves) good food **6.** ***sie liebt es nicht, wenn jemand zu spät kommt*** she doesn't like people to be late
liebend: ***etwas liebend gern tun*** love doing (*oder* to do) something; ***ich würde es ja liebend gern tun, wenn ich Zeit hätte*** I'd love to do it if I had (the) time
liebenswürdig **1.** (very) kind **2.** (≈ *gewandt und höflich*) charming
lieber **1.** ***ich würde lieber ins Kino gehen*** I'd rather go and see a film; ***ich möchte lieber nicht*** I'd rather not **2.** ***du solltest lieber gehen*** you'd better go **3.** ***lass es lieber*** (you'd) better leave it **4.** ***machen wir es lieber gleich*** I think we should do it now **5.** ***ich mag Englisch lieber als Bio*** I like English better than biology **6.** ***es wäre mir lieber, wenn du nicht mitkommen würdest*** I'd prefer it if you didn't come (with me *bzw.* us) **7.** ***welches*** *usw.* ***ist dir lieber?*** which one do you prefer?
Liebesbrief love letter
Liebeskummer: ***Liebeskummer haben*** (≈ *unglücklich verliebt sein*) be* lovesick
Liebespaar lovers (*Pl.*), couple ['kʌpl]
Liebesszene love scene ['lʌv‿siːn]
liebevoll **1.** ***liebevoll zubereitet*** prepared with loving care **2.** ***sie sah ihn liebevoll an*** she gave him a tender look
Liebhaber **1.** *einer Frau*: lover **2.** (≈ *Kenner*) connoisseur [ˌkɒnə'sɜː]; ***das ist etwas für Liebhaber*** it's something for the connoisseur (⚠ *Sg.*) **3.** ***er ist ein großer Liebhaber der Musik*** he's a great music lover
Liebhaberin lover, enthusiast [ɪn'θjuːzɪæst]; ***sie ist eine große Liebhaberin des Jazz*** she's a great lover of jazz (*oder* jazz lover, jazz enthusiast)
Liebling **1.** darling, *als Anrede auch*: love **2.** (≈ *Günstling*) favourite ['feɪvrət]
Lieblings... *in Zusammensetzungen*: *mst.* favourite ['feɪvrət]; ***Lieblingsstück*** *Musik*: favourite piece of music; ***Lieblingsthema*** favourite subject
Lieblingsschüler(in) teacher's pet [ˌtiːtʃəz'pet]
lieblos **1.** *Benehmen usw.*: unkind **2.** *Eltern usw.*: uncaring **3.** (≈ *sorglos*) careless **4.** ***er geht sehr lieblos mit ihr um*** he doesn't treat her very well
liebste(r, -s) **1.** ***meine liebste Katze*** *usw.* my favourite cat *usw.* **2.** ***am liebsten würde ich bleiben*** I'd really like to stay; ***am liebsten schwimme ich, Schwimmen ist mir am liebsten*** I like swimming best
Lied song
Liedermacher(in) singer-songwriter [ˌsɪŋə'sɒŋˌraɪtə]
lieferbar available; ***nicht lieferbar*** not available, out of stock

liefern 1. *allg.*: deliver [dɪ'lɪvə]; ***jemandem etwas liefern*** deliver something to someone **2.** (≈ *beschaffen*) supply [sə'plaɪ]; ***sie liefern ihnen Waffen*** they supply them with weapons **3.** ***sie haben sich einen harten Kampf geliefert*** *Fußball usw.*: they really went at each other, *Boxen*: it was a tough fight **4.** ***wenn das mein Vater erfährt, bin ich geliefert*** *umg.* if my father finds out I'm done for

Lieferschein delivery note [dɪ'lɪvərɪ‿nəʊt]

Lieferung 1. *als Vorgang*: delivery [dɪ'lɪvərɪ], (≈ *Beschaffung*) supply [sə'plaɪ] **2.** *als Ware*: consignment [kən'saɪnmənt]

Lieferwagen delivery van

Liege 1. *beim Arzt*: couch **2.** *Notbett für Gäste*: campbed **3.** (≈ *Gartenliege*) sunbed, lounger ['laʊndʒə]

liegen 1. *allg.*: lie*; ***auf dem Tisch lag alles Mögliche*** all sorts of things were lying on the table; ***sie muss flach liegen*** she has to lie flat **2.** ***sie liegt im Bett*** she's in bed (⚠ *ohne* the) **3.** ***der Boden lag voller Zeitungen*** the floor was covered with papers **4.** ***Genf liegt in der Schweiz*** Geneva is in Switzerland; ***das Haus liegt auf einem Hügel*** the house is (situated) on a hill **5.** ***mein Zimmer liegt nach Süden*** my room faces south **6.** ***es liegt viel Schnee*** there's a lot of snow **7.** ***an der Spitze liegen*** be* in front **8.** ***die Temperatur liegt bei 30 Grad*** temperatures are around 30 degrees (⚠ *mst. Pl.*) **9.** ***da liegt der Fehler!*** that's where the trouble lies **10.** ***das liegt mir nicht*** I'm not very good at that, *umg.* it's not my thing **11.** ***mir liegt sehr viel daran*** it means a lot to me **12.** ***woran liegt es wohl?*** I wonder what the reason is; ***es liegt daran, dass ...*** it's because ... **13.** ***es liegt an dir*** *es zu tun*: it's up to you, *Schuld*: it's your fault **14.** ***an mir solls nicht liegen*** (≈ *ich werde aktiv mitarbeiten*) I'll certainly do all I can, (≈ *ich werde keine Schwierigkeiten machen*) I won't stand in the way

liegen bleiben 1. (≈ *nicht aufstehen*) just lie* there **2.** *im Bett*: stay in bed **3.** (*Sachen*) be* left (***auf*** on), (≈ *vergessen werden*) be* left behind **4.** (*Arbeit*) be* left unfinished **5.** (*Fahrzeug*) break* down

liegen lassen 1. (≈ *vergessen*) leave* behind, forget* (*Schirm usw.*) **2.** ***lass das liegen!*** leave it alone! **3.** ***jemanden links liegen lassen*** give* someone the cold shoulder ['ʃəʊldə] **4.** ***er lässt immer alles einfach liegen*** he always just leaves things lying around

Liegen: ***etwas im Liegen tun*** do* something lying down

Liegestuhl deckchair, *AE* beachchair

Liegestütz press-up, *bes. AE* push-up; ***20 Liegestütze machen*** do* twenty press-ups

Liegewagen *Bahn*: couchette [kuː'ʃet] car

Lift 1. *allg.*: lift, *AE* elevator ['elɪveɪtə] **2.** (≈ *Skilift*) (ski) lift

Liga league [liːg], *Sport auch*: division

Likör liqueur [⚠ lɪ'kjʊə] (⚠ *AE* liquor ['lɪkə] = ***Spirituosen***)

Lila, lila lilac ['laɪlək], *dunkler*: mauve [məʊv]

Lilie lily [⚠ 'lɪlɪ]

Liliputaner(in) midget ['mɪdʒɪt], dwarf [⚠ dwɔːf] *Pl.*: dwarfs *oder* dwarves

Limo, Limonade 1. *allg.*: lemonade **2.** (≈ *Orangenlimonade*) orangeade [ˌɒrɪndʒ'eɪd] **3.** (≈ *Zitronenlimonade*) lemonade

Limousine 1. saloon (car), *AE* sedan [sɪ'dæn] **2.** *luxuriöse*: limousine [ˌlɪmə'ziːn], *umg.* limo ['lɪməʊ]

Linde 1. *Baum*: lime (tree) **2.** *Holz*: limewood

lindern 1. relieve [rɪ'liːv], ease (*Schmerzen*) **2.** relieve (*Not, Armut*)

Lineal ruler

Linie 1. *allg.*: line **2.** *Route eines Linienbusses usw.*: route [ruːt], *von Eisenbahn, Tram mst.*: line **3.** ***nehmen Sie die Linie 5*** *Bus, Tram*: take the number 5 (bus *bzw.* tram), *U-Bahn, S-Bahn*: take the number 5 (train) **4.** ***ich muss auf meine Linie achten*** I've got to watch my weight [weɪt] **5.** ***in erster Linie*** first of all, first and foremost

Linienbus public service bus [ˌpʌblɪk'sɜːvɪs‿bʌs], regular bus [ˌregjʊlə'bʌs]

Linienflug scheduled flight [ˌʃedjuːld'flaɪt]

Linienrichter *Sport*: linesman ['laɪnzmən]

liniert, liniiert *Heft usw.*: ruled, lined

Linke 1. *Hand*: left hand, *beim Boxen*: left **2.** *politisch*: left, *einer Partei*: left wing

Linke(r) *politisch*: leftist, left-winger

linke(r, -s) 1. ↔ *rechte(r, -s)*: left; ***am linken Ufer*** on the left bank **2.** ***auf der linken Seite*** on the left, on the left-hand side **3.** *Partei usw.*: left-wing

links 1. on the left (*auch politisch*), on the left-hand side **2.** ***nach links*** left, to the left; ***links abbiegen*** turn left **3.** ***links von*** to the left of; ***links von ihr*** to her left **4.** ***links oben*** on the top left (***in*** of); ***links***

unten on the bottom left (***in*** of) **5.** ***sich links halten*** keep* to the left **6.** ***links der Themse*** on the left bank of the Thames [temz]

Linksaußen *Fußball*: left wing(er)

Linkshänder(in) left-hander; ***sie ist Linkshänderin*** she's left-handed

linksherum *drehen usw.*: to the left, anticlockwise [ˌæntɪ'klɒkwaɪz]

Linksverkehr: ***in Irland ist Linksverkehr*** in Ireland they drive on the left(-hand side)

Linse 1. *Nahrungsmittel*: lentil ['lentɪl] **2.** *im Auge, im Fotoapparat usw.*: lens [⚠ lenz]

Lippe lip

Lippenstift lipstick

lispeln: ***er lispelt*** he's got a lisp, he lisps

Lissabon Lisbon ['lɪzbən]

List 1. (≈ *Trick*) trick **2.** ***mit List und Tücke*** with a great deal of cunning

Liste 1. *allg.*: list **2.** ***schwarze Liste*** blacklist

listig cunning, crafty ['krɑːftɪ]

Litauen Lithuania [ˌlɪθjuː'eɪnɪə]

Litauer(in), **litauisch**, **Litauisch** Lithuanian [ˌlɪθjuː'eɪnɪən]; ☞ ***Nationalitäten***

Liter litre ['liːtə]; ***3 Liter Wein*** 3 litres of wine

Literatur literature ['lɪtrətʃə]; ***die moderne Literatur*** modern literature (⚠ *ohne* the)

Literaturverzeichnis bibliography [ˌbɪblɪ'ɒgrəfɪ]

Litfaßsäule advertising column ['ædvətaɪzɪŋˌkɒləm]

Litschi *Frucht und Baum*: lychee ['laɪtʃiː]

live live [laɪv]

Live... *in Zusammensetzungen*: live ...; ***Live-Aufnahme*** live recording [ˌlaɪv‿rɪ'kɔːdɪŋ]; ***Live-Berichterstattung*** live coverage [ˌlaɪv'kʌvərɪdʒ]; ***Live-Sendung*** live broadcast [ˌlaɪv'brɔːdkɑːst]; ***Live-Übertragung*** live transmission

Lizenz licence ['laɪsns]

Lkw lorry, *bes. großer und AE*: truck

Lob praise; ***großes Lob ernten*** earn a lot of praise; ***sie hat viel Lob bekommen*** she was highly praised (***für*** for); ***dafür hast du wirklich ein Lob verdient*** you really deserve praise for that (⚠ *ohne* a)

loben: ***jemanden*** (*bzw.* ***etwas***) ***loben*** praise someone (*bzw.* something), *gegenüber anderen*: speak* very highly of someone (*bzw.* something)

Loch 1. *allg.*: hole (*auch übertragen*) **2.** *im Reifen*: puncture **3.** (≈ *Öffnung*) opening **4.** (≈ *Lücke*) gap

lochen, **Locher** punch

löcherig full of holes

Lochkarte punchcard

Locke 1. *im Haar*: curl **2.** *abgeschnittene*: lock **3.** ***sie hat blonde Locken*** she's got curly blonde hair (⚠ *Sg.*)

locken 1. ***jemanden*** (*bzw.* ***ein Tier***) ***in eine Falle locken*** lure someone (*bzw.* an animal) into a trap **2.** ***es lockt mich sehr*** (*Angebot usw.*) I feel very tempted

Lockenwickler curler

locker 1. *Schraube, Knopf, Zahn usw.*: loose [luːs] **2.** *Seil usw.*: slack **3.** *Teig, Schaum*: light **4.** *Haltung, Regelung*: relaxed **5.** *Person*: easygoing **6.** *Beziehung*: (very) casual ['kæʒʊəl] **7.** ***lockerer werden*** *Person, Muskeln*: loosen up **8.** ***sie macht das ganz locker*** she does it just like that **9.** ***das schaffe ich locker*** *umg.* I'll manage it no problem **10.** ***dort geht es sehr locker zu*** it's all very relaxed (there)

lockerlassen: ***sie ließ nicht locker, bis*** she wouldn't give up until

lockern 1. *allg.*: loosen ['luːsn] **2.** slacken (*Seil usw.*) **3.** loosen up, relax (*Muskeln*) **4.** relax (*Regeln usw.*) **5.** ***sich lockern*** *allg.*: loosen, (*Zahn, Schraube usw.*) come* loose, *körperlich*: loosen up, *beim Sport auch*: limber up

Lockerung 1. *allg.*: loosening **2.** *von Muskeln*: loosening-up, relaxation [ˌriːlæk'seɪʃn] **3.** *von Vorschriften*: relaxation

Lockerungsübung: ***Lockerungsübungen machen*** do* some loosening-up (*Sport auch*: limbering-up) exercises

Löffel 1. spoon **2.** ***einen Löffel Mehl zugeben*** add a spoonful of flour **3.** *eines Baggers*: scoop

Loge 1. *Oper usw.*: box **2.** (≈ *Pförtnerloge, Freimaurerloge*) lodge

Logik logic ['lɒdʒɪk] (⚠ *ohne* the)

logisch 1. logical **2.** ***ist doch logisch!*** logical, isn't it?, *salopp* (≈ *na klar!*) you bet!

logischerweise 1. (≈ *selbstverständlich*) naturally **2.** *als offensichtliche Folge*: obviously ['ɒbvɪəslɪ]

logo *salopp* sure thing!, (≈ *klar!*) you bet!

Logopäde, **Logopädin** speech therapist ['spiːtʃˌθerəpɪst]

Lohn 1. *für Arbeit*: wage, wages (*Pl.*), pay **2.** (≈ *Belohnung*) reward; ***als Lohn*** as a reward (***für*** for), *übertragen* in return (***für*** for)

lohnen 1. ***das lohnt sich wirklich*** it's really worth it **2.** ***die Mühe lohnt sich*** it's worth the trouble **3.** ***das lange Warten hat sich gelohnt*** it was worth waiting all that time; ***es lohnt sich nicht zu warten*** (≈ *es ist zwecklos*) it's no use waiting;

der Film lohnt sich the film's worth seeing

lohnend 1. *Tätigkeit, Erfahrung, Aufgabe*: rewarding **2.** *Umweg usw.*: worthwhile **3.** (≈ *rentabel*) profitable ['prɒfɪtəbl]

Lohnerhöhung wage increase ['ɪŋkriːs], pay rise (*AE* raise)

Lohnforderung wage claim

Lohnkürzung pay cut

Lohnsteuer income tax

Lohnsteuerkarte tax card

Lohnstopp wage freeze

Loipe 1. *Piste*: trail, course [kɔːs] **2.** *Rundkurs*: circuit ['sɜːkɪt]

Lokal 1. (≈ *Gaststätte*) restaurant ['restərɒnt]; ***kennst du ein gutes Lokal?*** do you know a good place to eat? **2.** (≈ *Kneipe*) pub, *bes. AE* bar

Lokalteil *Zeitung*: local pages (⚠ *Pl.*)

Lokomotive engine ['endʒɪn]

Lokomotivführer engine driver, *AE* engineer [ˌendʒɪ'nɪə]

London London [⚠ 'lʌndən]

Looping: ***einen Looping drehen*** do* a loop

Lorbeer 1. *Baum*: laurel [⚠ 'lɒrəl] **2.** *als Gewürz*: bay leaf (*bzw.* leaves)

Los 1. (≈ *Lotterielos*) lottery ticket **2.** ***sie hat das große Los gezogen*** *übertragen* she's hit the jackpot **3.** ***durch Los*** (***entscheiden***) (decide) by drawing lots

los[1] **1.** ***der Knopf ist los*** the button has come off **2.** ***was ist los?*** what's up?, what's the matter?, *hier*: what's going on here?; ***was ist los mit ihr?*** what's wrong with her? **3.** ***den wären wir endlich los*** thank goodness he's gone; ***ich bin den alten Fernseher immer noch nicht los*** I still haven't got rid of my old TV **4.** ***hier ist nicht viel los*** there's nothing much going on here **5.** ***als ich mit dem Zeugnis nach Hause kam, war vielleicht was los!*** when I brought my report home, they gave me merry hell

los[2] **1.** ***los!*** go on!, *bei Wettkampf usw.*: go! **2.** ***los jetzt!*** (≈ *mach schnell!*) let's go!, come on! **3.** ***also los!*** okay, let's go!

losbinden 1. untie [ˌʌn'taɪ] (*Gefangenen usw.*) **2.** set* free (*Tier*)

Löschblatt: ***ein Löschblatt*** a piece of blotting paper

löschen 1. put* out (*Feuer, Brand*) **2.** put* out, switch off, turn off (*oder* out) (*Licht*) **3.** ***den Durst löschen*** quench one's thirst **4.** *Computer*: delete (*Zeile, Daten usw.*) **5.** *Tonband*: erase [ɪ'reɪz] **6.** delete (*Eintragung*) **7.** wipe out (*Erinnerungen, Spuren*) (***aus*** of)

Löschpapier blotting paper

Löschtaste *Computer*: delete key [dɪ'liːt‿kiː]

lose 1. (≈ *locker, unbefestigt*) loose [luːs]; ***ein loses Blatt*** *aus Buch usw.*: a loose leaf; ***ein loses Mundwerk*** a loose tongue [tʌŋ] **2.** ***lose Teile*** separate ['seprət] parts

Lösegeld ransom ['rænsəm]

losen 1. draw* lots (***um*** for) **2.** *mit Münze*: toss (***um*** for)

lösen 1. solve (*Problem, Aufgabe, Rätsel usw.*) **2.** break* off (*Verbindung, auch Verlobung*) **3.** cancel ['kænsl] (*Vertrag*) **4.** resolve, settle (*Konflikt usw.*) **5.** buy* (*Fahrkarte usw.*) **6.** ***etwas von etwas lösen*** take* something off something **7.** (≈ *lockern*) loosen ['luːsn] (*Schraube usw.*) **8.** release (*Bremse*) **9.** undo* (*Knoten*) **10.** ***sich lösen*** (*Tapete usw.*) come* off, (*Schraube usw.*) come* loose [luːs], (*Spannung*) ease **11.** ***sich von etwas lösen*** *von Vorstellung usw.*: free oneself from something

losfahren 1. (≈ *abfahren*) leave* (*auch Zug usw.*) **2.** *mit Auto usw.*: drive* off

losgehen 1. (≈ *aufbrechen*) leave*; ***ich geh jetzt los*** I'm off now **2.** (*Schuss*) go* off **3.** ***auf jemanden losgehen*** go* for someone **4.** (≈ *beginnen*) start; ***jetzt gehts los*** here we go; ***wann gehts endlich los?*** *Film, Aufführung usw.*: when is it going to start?

loskommen 1. (≈ *fortkommen*) get* away **2.** ***er kommt nicht vom Alkohol los*** he can't get off alcohol **3.** ***ich komm nicht los davon*** *von Angewohnheit*: I can't stop doing it, *von einem Gedanken, einer Erinnerung*: I can't get it out of my mind

loskriegen: ***sie kriegt ihr altes Auto nicht los*** she can't get rid of her old car

loslassen 1. ***lass bloß nicht los!*** don't let go! **2.** ***lass mich los!*** let (me) go! **3.** ***er ließ den Hund auf mich los*** he set his dog on me

loslegen 1. *umg.* (≈ *anfangen*) get* cracking **2.** ***dann legte sie richtig los*** (≈ *redete, schimpfte*) then she really got going

löslich *in Wasser usw.*: soluble ['sɒljʊbl]

losmachen 1. ***den Hund von der Leine losmachen*** take* (*oder* let*) the dog off the lead [liːd] **2.** unmoor (*Boot usw.*); ***das Boot losmachen*** *und gleichzeitig ablegen*: cast* [kɑːst] off

losreißen 1. ***sich losreißen*** (*Tier*) break* loose [luːs], (*Mensch*) break* away (***von*** from) **2.** ***sie kann sich von dem Buch gar nicht mehr losreißen*** she can't tear [teə] herself away from that book

losschlagen: ***auf jemanden losschlagen*** let* fly at someone, hit* out at someone

L

losstürzen **1.** (≈ *loslaufen*) tear* off [ˌteər'ɒf] **2.** ***auf jemanden losstürzen*** fly* at someone

Lösung **1.** *allg.*: solution (*auch chemische*); ***die Lösung des Problems*** the solution to the problem **2.** (≈ *Antwort*) answer ['ɑːnsə] **3.** *eines Konflikts usw.*: settlement

loswerden **1.** get* rid of (*lästigen Menschen usw.*) **2.** *umg.* (≈ *ausgeben*) spend* (*Geld*) **3.** *umg.* (≈ *verlieren*) lose* [⚠ luːz] (*Geld*)

losziehen **1.** (≈ *aufbrechen*) set* off **2.** ***sie sind ganz schön gegen mich losgezogen*** *umg.* they had a real go at me

löten solder [⚠ 'sɒlder]

Lothringen Lorraine [lə'reɪn]

Lötkolben soldering iron [⚠ 'sɒldərɪŋˌaɪən]

Lotse, **Lotsin**, **lotsen** **1.** *Schifffahrt*: pilot **2.** *übertragen* guide [gaɪd]

Lotterie lottery

Lotto **1.** *in GB*: national lottery **2.** *in deutschsprachigen Ländern*: lotto; ***Lotto spielen*** do the lotto; ***sie hat nie (etwas) im Lotto gewonnen*** she's never won (anything) in the lotto

Lottozahlen winning (lottery) numbers

Löwe **1.** *Tier*: lion **2.** *Sternzeichen*: Leo ['liːəʊ]; ***sie ist (ein) Löwe*** she's (a) Leo

Löwenzahn dandelion ['dændɪlaɪən]

Löwin lioness ['laɪənes]

Luchs lynx [lɪŋks]

Lücke **1.** *allg.*: gap **2.** *in Gesetz usw.*: loophole **3.** (≈ *leere Stelle*) empty space

lückenhaft **1.** *allg.*: full of gaps (⚠ *nur hinter dem Subst. bzw. Verb*) **2.** *Bericht*: incomplete **3.** *Wissen, Gedächtnis*: sketchy

lückenlos **1.** *allg.*: complete **2.** ***ein lückenloses Gebiss*** a full set of teeth **3.** *Wissen*: perfect ['pɜːfɪkt] **4.** *Alibi*: watertight

Luft **1.** air; ***frische Luft schnappen*** *umg.* get* some fresh air **2.** ***tief Luft holen*** *wörtlich* take* a deep breath [breθ], *vor Erstaunen usw.*: swallow hard; ***ich musste die Luft anhalten*** I had to hold my breath **3.** ***ich bekam keine Luft mehr*** I could hardly breathe [briːð] **4.** ***die Tankstelle flog in die Luft*** the filling station blew up **5.** ***sich in Luft auflösen*** disappear into thin air **6.** ***mir blieb die Luft weg*** it took my breath away

Luftangriff air raid, air strike

Luftballon balloon [bə'luːn]

Luftblase (air) bubble

Luftbrücke *als Hilfsmaßnahme*: airlift

luftdicht **1.** airtight **2.** ***luftdicht verschlossen*** airtight

Luftdruck **1.** *Wetterkunde*: atmospheric [ˌætmə'sferɪk] pressure **2.** *in Reifen usw.*: air pressure **3.** (≈ *Explosionsdruck*) blast [blɑːst]

lüften **1.** air (*Raum usw.*) **2.** ***hier muss mal gelüftet werden*** this place needs airing

Luftfahrt: ***die Luftfahrt*** aviation [ˌeɪvɪ'eɪʃn] (⚠ *ohne* the)

Luftfahrtgesellschaft airline

Luftfeuchtigkeit humidity [hjuː'mɪdətɪ]

Luftfilter air filter

Luftfracht air freight [⚠ 'eəfreɪt]

Luftgewehr airgun

luftig **1.** *Raum usw.*: airy **2.** *Platz*: breezy **3.** *Kleidung*: light; ***luftig gekleidet sein*** be* wearing light clothes

Luftkissenfahrzeug hovercraft [⚠ 'hɒvəkrɑːft]

Luftkurort health resort

luftleer **1.** completely airless **2.** ***ein luftleerer Raum*** a vacuum ['vækjʊəm]

Luftlinie: ***es sind 500 km Luftlinie*** it's 500 kilometres as the crow [krəʊ] flies

Luftloch **1.** *Öffnung*: air hole, vent **2.** *beim Fliegen*: air pocket

Luftmatratze airbed, *BE auch* Lilo®, *umg.* lilo ['laɪləʊ]

Luftpost airmail; ***mit Luftpost*** (by) airmail

Luftpumpe *für Fahrrad*: (bicycle) pump

Luftraum air space

Luftröhre windpipe

Einige Luftsportarten

Luftsportart	**air sport**
Ballonfahren	**ballooning**
Drachenfliegen	**hang gliding**
Fallschirmspringen	**parachuting** ['pærəʃuːtɪŋ], **skydiving** ['skaɪˌdaɪvɪŋ]
Fallschirmspringen mit freiem Fall	**freefalling** ['friːˌfɔːlɪŋ]
Gleitschirmfliegen	**paragliding**
Kunstfliegen	**aerobatics** [ˌeərə'bætɪks]
Segelfliegen	**gliding**

Lüftung **1.** *als Vorgang*: airing, *künstliche*: ventilation **2.** (≈ *Lüftungsanlage*) ventilation, ventilation system

Luftveränderung change of air

Luftverschmutzung air pollution ['eəpəˌluːʃn]; ***die Luftverschmutzung*** air pollution (⚠ *ohne* the)

Luftwaffe air force

Luftzug draught [⚠ drɑːft], *AE* draft

Lüge **1.** lie; ***alles Lüge*** all lies (⚠ *Pl.*) **2.** ***jemanden bei einer Lüge ertappen*** catch* someone lying

lügen 1. lie, tell* a lie (*oder* lies); ***sie lügt*** she's lying **2. *das ist gelogen!*** that's a lie
Lügner(in) liar ['laɪə]
Luke 1. (≈ *Einstiegsluke*, *Ladeluke*) hatch **2.** (≈ *Dachluke*) skylight
Lümmel 1. (≈ *Flegel*) lout **2.** (≈ *Schlingel*) rascal ['rɑːskl]
Lump rogue [rəʊg], *umg.* louse [laʊs]
Lumpen rag; ***in Lumpen*** *gekleidet*: in rags
lumpig: ***wegen lumpiger fünf Euro*** *umg.* because of a measly ['miːzlɪ] five euros
Lunchpaket packed lunch, *AE* box lunch
Lunge 1. *als Organ*: lungs (⚠ *Pl.*) **2.** (≈ *Lungenflügel*) lung **3. *er hats auf der Lunge*** he's got lung trouble
Lungenbraten Ⓐ *etwa*: fillet ['fɪlɪt] of beef
Lungenentzündung pneumonia [⚠ njuː'məʊnɪə]; ***sie hat (eine) Lungenentzündung*** she's got pneumonia (⚠ *ohne* a)
Lungenkrebs lung cancer ['lʌŋˌkænsə]
Lupe 1. magnifying glass ['mægnɪfaɪɪŋ‿glɑːs] **2. *etwas unter die Lupe nehmen*** have* a close look [ˌkləʊs'lʊk] at something
Lust 1. (≈ *Verlangen*) desire (***auf*** for) (⚠ *engl.* lust = ***Begierde***) **2.** (≈ *starkes Verlangen*) appetite (***auf*** for) **3. *ich hab Lust auf ein Stück Kuchen*** I feel like a piece of cake; ***ich hab keine Lust*** I don't feel like it; ***sie hat keine Lust, die Hausfrau zu spielen*** she doesn't feel like playing housewife; ***ich hätte Lust auf ein Bier*** I wouldn't mind a beer **4. *hast du Lust, bei uns mitzumachen?*** would you like to join us? **5. *ich hab keine Lust mehr*** I've had enough **6. *die Lust verlieren*** lose* interest (***an*** in) **7. *mir ist die Lust vergangen*** I don't feel like it any more **8. *du kannst schlafen, solange du Lust hast*** you can sleep as long as you like
lustig 1. (≈ *komisch*) funny; ***ein lustiger Film*** a funny film **2.** *Person*: jolly; ***er ist ein lustiger Typ*** he's good fun **3. *es war sehr lustig*** it was great fun **4. *sich lustig machen über*** laugh [lɑːf] at, *offen*: make* fun of **5. *das ist ja lustig!*** (≈ *merkwürdig*) that's funny *oder* strange **6. *das kann ja lustig werden!*** *im negativen Sinn* looks like we're in for some fun and games; ***du bist lustig!*** *im negativen Sinn* you're a right one
lustlos 1. *allg.*: listless **2.** (≈ *gleichgültig*) indifferent
lutschen 1. *etwas lutschen* suck (away at) something (*Bonbon usw.*) **2. *an etwas lutschen*** suck something
Lutscher lollipop, *umg.* lolly
Luv 1. windward ['wɪndwəd] **2. *nach Luv*** windward
Luxemburg Luxemb(o)urg ['lʌksəmbɜːg]
Luxemburger[1] *Person*: Luxemb(o)urger; ***er ist Luxemburger*** he's from Luxemb(o)urg; ☞ ***Nationalitäten***
Luxemburger[2] (≈ *luxemburgisch*) Luxemb(o)urgian, *nachgestellt*: from Luxemb(o)urg
Luxemburgerin woman (*oder* lady *bzw.* girl) from Luxemb(o)urg; ***sie ist Luxemburgerin*** she's from Luxemb(o)urg; ☞ ***Nationalitäten***
luxemburgisch Luxemb(o)urgian, *nachgestellt*: from Luxemb(o)urg
luxuriös 1. luxurious [lʌg'zjʊərɪəs] **2. *ein luxuriöses Leben*** a life of luxury ['lʌkʃərɪ]
Luxus 1. *allg.*: luxury ['lʌkʃərɪ] **2. *das ist reiner Luxus*** that's sheer extravagance [ɪk'strævəgəns], that's pure luxury
Luxusausführung de luxe model [də'lʌksˌmɒdl]
Lymphdrüse lymph(atic) gland ['lɪmf‿glænd (lɪmˌfætɪk'glænd)]
Lymphknoten lymph node ['lɪmf‿nəʊd]
Lyrik poetry ['pəʊətrɪ]; ***die Lyrik*** poetry (⚠ *ohne* the)

M

machbar doable ['duːəbl]
machen 1. (≈ *tun*, *erledigen*) do*; ***was machst du?*** *gerade*: what are you doing?, *beruflich*: what do you do?; ***sie macht ihre Hausaufgaben*** she's doing her homework **2.** (≈ *herstellen*, *verursachen*) make*; ***das Essen machen*** make* dinner (*bzw.* lunch *usw.*) (⚠ *mst. ohne* the); ***einen Fehler machen*** make* a mistake **3. *das Bett machen*** make* the bed; ***das Zimmer machen*** do* (*oder* tidy up) the room **4. *ein Foto machen*** take*

a photo; ***eine Prüfung machen*** take* an exam **5.** ***einen Kurs machen*** do* (*oder* take*) a course **6.** ***einen Spaziergang machen*** go* for a walk; ***eine Reise machen*** go* on a trip (***nach*** to) **7.** ***Pause machen*** have* (*oder* take*) a break; ***eine unangenehme Erfahrung machen*** have* an unpleasant experience **8.** ***wir haben Peter zu unserem Klassensprecher gemacht*** we've made Peter our form captain (*AE* class president) **9.** ***was macht das?*** (≈ *wie viel kostet das?*) how much is that?; ***das macht zwei Pfund fünfzig*** that's (*oder* that'll be) £2.50 (*gesprochen* two pounds fifty) **10.** ***das macht nichts*** it doesn't matter, never mind; ***das macht mir nichts (aus)*** I don't mind; ***mach dir nichts draus!*** don't worry about it **11.** ***da kann man nichts machen*** it's just one of those things **12.** ***mach, was du willst*** do what you like **13.** ***machs gut!*** *als Gruß*: see you, take care (of yourself)! **14.** ***machts euch bequem*** make yourselves at home **15.** ***lass mich nur machen*** just leave it to me **16.** ***Wandern macht hungrig*** hiking makes you hungry **17.** ***das lässt sich schon machen*** that can be arranged, that's no problem **18.** ***unsere neue Mitschülerin macht sich gut*** our new classmate is doing fine (*oder* is coming along well) **19.** ***wir machten uns an die Arbeit*** we got down to work **20.** ***sie machten sich früh auf den Weg*** they set out (*oder* off) early **21.** ***mach schon!*** hurry up!, *umg.* get a move on! **22.** ***er macht auf Künstler*** he's acting the artist **23.** ***gut gemacht!*** well done!

Macho macho ['mætʃəʊ]

Macht power; ***die Macht ergreifen*** seize [si:z] power; ***an die Macht kommen*** come* into (*oder* to) power (⚠ *beide ohne* the)

Machthaber(in) ruler

mächtig 1. *allg.*: powerful **2.** (≈ *gewaltig groß*) massive, huge, enormous **3.** ***sie hat sich mächtig angestrengt*** *umg.* she worked like mad

Machtkampf power struggle

machtlos: ***da ist man machtlos*** there's nothing you can do (about it)

machtvoll powerful (*auch übertragen*)

Macke 1. ***er hat ne Macke*** he's got a screw loose **2.** (≈ *Fehler*) fault

M

machen — do/make/take

Das deutsche Verb „machen" wird häufig mit **do** oder **make** übersetzt. Wann nimmt man was? Bei **do** wird das „Tun" betont, d. h. die Aktivität, der Prozess:

die Hausaufgaben machen	**do one's homework**
Einkäufe machen	**do the shopping**
sich die Haare machen	**do one's hair**
den Abwasch machen	**do the washing-up**

Bei **make** dagegen handelt es sich oft um etwas, das produziert / hergestellt, begangen oder unternommen wird. Es steht das „Endprodukt" im Vordergrund, nicht so sehr die Aktivität oder Anstrengung:

Kaffee machen (= kochen)	**make some coffee**
einen Fehler machen	**make a mistake**
einen Versuch machen	**make an attempt**
einen Vorschlag machen	**make a suggestion**

Der Unterschied lässt sich an folgendem Beispiel gut veranschaulichen:

kochen	**do the cooking**
das Essen machen	**make dinner**

Bei **do the cooking** geht es um den Vorgang des Kochens, während man bei **make dinner** an das Endprodukt, nämlich das Gericht denkt.
Diese Unterschiede sind aber nur Anhaltspunkte für dich. Am besten du merkst dir, welches Substantiv mit **make** und welches mit **do** kombiniert werden kann. Zu allem „Übel" gibt es auch noch **take** als Entsprechung von „machen". Und da werden die meisten Fehler gemacht:

eine Pause machen	**take a break**
ein Foto von jemandem machen	**take a photo of someone**
eine Prüfung machen	**take an exam**

Macker **1.** *umg.* (≈ *Freund, Typ*) fella, *bes. BE* bloke **2.** ***er spielt den großen Macker*** he's acting the tough [tʌf] guy
Mädchen **1.** *allg.*: girl **2.** (≈ *Dienstmädchen*) maid
Mädchenname **1.** girl's name **2.** *einer Frau vor der Ehe*: maiden name
Made *in Käse, Fleisch usw.*: maggot ['mægət], *in Obst auch*: worm [⚠ wɜːm]
Madrid Madrid [mə'drɪd]
Maf(f)ia mafia ['mæfɪə]
Magazin **1.** (≈ *Zeitschrift*) magazine [ˌmægə'ziːn] **2.** *TV, Radio*: magazine program(me) **3.** *für Patronen, Dias usw.*: magazine **4.** (≈ *Lager*) depot ['depəʊ], *Raum*: storeroom **5.** *einer Bibliothek*: stacks (⚠ *Pl.*)
Magen stomach [⚠ 'stʌmək]; ***ich hab mir den Magen verdorben*** I've got an upset stomach; ***auf nüchternen Magen*** on an empty stomach
Magenbeschwerden: ***er hat Magenbeschwerden*** he's got stomach trouble
Magengeschwür stomach ulcer ['stʌməkˌʌlsə]
Magenschmerzen: ***er hat Magenschmerzen*** he's got (a) stomachache ['stʌmək‿eɪk]; ☞ *Info unter* **Schmerzen**
Magenverstimmung: ***er hat eine Magenverstimmung*** he's got an upset stomache ['stʌmək]
mager **1.** *Person*: thin, *umg.* skinny **2.** *Fleisch, Wurst*: lean **3.** *Essen, Joghurt, Wurst usw.*: low-fat **4.** *Ergebnis, Leistung usw.*: poor
Magermilch skimmed milk
Magerquark low-fat curd (*AE* cottage) cheese, low-fat quark [⚠ kwɑːk]
Magersucht anorexia [ˌænə'reksɪə]
magersüchtig anorexic [ˌænə'reksɪk]
Magie magic ['mædʒɪk]
magisch **1.** *Künste, Kräfte*: magic **2.** *Anziehungskraft, Atmosphäre*: magical
Magister *als Titel etwa*: MA [ˌem'eɪ] (⚠ *ansonsten unübersetzbar*)
Magnesium magnesium
Magnet magnet ['mægnɪt]
magnetisch magnetic (*auch übertragen*)
Magnetstreifen magnetic stripe (*oder* strip)
Magnetstreifenkarte *für elektronisch gesicherte Türen usw.*: swipe card ['swaɪp‿kɑːd]
Mahagoni *Holz*: mahogany [⚠ mə'hɒgənɪ]
Mähdrescher combine ['kɒmbaɪn], combined harvester
mähen **1.** mow* [məʊ] (*Rasen*) **2.** cut* (*Gras, Getreide*)
mahlen **1.** grind* [graɪnd], mill (*Getreide*) **2.** grind* (*Kaffee*)
Mahlzeit **1.** meal **2.** ***Mahlzeit!*** *als Spruch beim Essen*: enjoy your meal

> **Mahlzeit!**
>
> Meistens sagt man im Englischen vor dem Essen gar nichts. Das gilt nicht als unhöflich.

Mähne mane (*auch humorvoll für Haare*)
mahnen **1.** (≈ *auffordern*) urge **2.** ***jemanden (schriftlich) mahnen*** send* someone a reminder
Mahnung **1.** *allg.*: warning **2.** *schriftliche*: reminder
Mai May; ***im Mai*** in May (⚠ *ohne* the); ***der Erste Mai*** May Day (⚠ *ohne* the), the first of May
Mailand *in Italien*: Milan [⚠ mɪ'læn]
Mailbox mailbox
mailen e-mail, mail; ***jemandem (etwas) mailen*** e-mail *oder* mail (something to) someone
Mais maize [meɪz], *bes. AE* corn
Maiskolben **1.** *an der Pflanze*: corncob, cob **2.** *als Gericht*: corn on the cob
Majestät: Majesty; ***Eure (Ihre*** *usw.*) ***Majestät*** Your (*bzw.* Her, His *usw.*) Majesty
Majonäse mayonnaise [ˌmeɪə'neɪz], *AE umg.* mayo ['meɪəʊ]
Major major ['meɪdʒə]
Majoran marjoram ['mɑːdʒərəm]
Makedonien Macedonia [ˌmæsɪ'dəʊnɪə]
Make-up makeup ['meɪkʌp] (⚠ *Betonung*)
Makler(in) (≈ *Grundstücksmakler, -in*) estate agent [ɪ'steɪtˌeɪdʒənt], *AE* real estate agent ['rɪəl‿ɪˌsteɪtˌeɪdʒənt], realtor ['rɪəltə]
Makrele mackerel ['mækrəl]
Makro *Computer*: macro ['mækrəʊ]
mal **1.** *beim Rechnen*: times; ***vier mal fünf ist zwanzig*** four times five is twenty, four fives are twenty **2.** ***das Zimmer ist vier mal fünf Meter groß*** the room is four metres by five **3.** *Wendungen*: ***komm mal her*** come here a minute(, will you?); ***guck mal!*** look, have a look at this; ***hör mal*** listen; ***sag mal*** tell me; → ***einmal***
Mal[1] **1.** ***zum ersten (bzw. letzten) Mal*** for the first (*bzw.* last) time; ***letztes Mal*** (the) last time; ***ein anderes Mal*** some other time; ***nur das eine Mal*** just this once; ***das einzige Mal*** the only time; ***ein einziges Mal*** just once; ***kein einziges Mal*** not once; ***das nächste Mal*** next time;

beim ersten Mal the first time **2.** ***für dieses Mal*** for now
Mal[2] *auf der Haut*: mark, *braunes*: mole
Malaria malaria [mə'leərɪə]
Malaysia Malaysia [mə'leɪzɪə]
malen 1. paint (*Bild usw.*), *mit Stiften*: draw* **2.** ***sich malen lassen*** have* one's portrait [⚠ 'pɔːtrət] done
Maler(in) painter (*auch Handwerker*)
Malerei *Kunst*: painting
Malkasten paintbox
Mallorca Majorca [mə'jɔːkə]
malnehmen multiply (*Zahl usw.*) (**mit** by)
Malstift crayon ['kreɪɒn]
Malta Malta ['mɔːltə]
Malz malt [mɔːlt]
Mama mummy, mum, *AE* mommy, mom
man 1. you, *förmlicher*: one; ***man kann nicht alles haben*** you can't 'have your cake and eat it; ***wie schreibt man das?*** how do you spell it?; ***man kann nie wissen*** you can never tell **2.** ***man trägt jetzt wieder kurze Röcke*** miniskirts are in again **3.** ***man hat mir gesagt*** I've been told; ***hat man dir das denn nicht gesagt?*** didn't anybody tell you?; ***man sagt*** they say
managen *umg.* **1.** *allg.*: manage **2.** (≈ *deichseln*) wangle
Manager(in) manager ['mænɪdʒə], *Frau auch*: manageress [ˌmænɪdʒə'res]
manch(e, -er, -es) 1. ***manche sind eben unbelehrbar*** some people just won't learn **2.** ***an manchen Tagen kann ich mich einfach nicht konzentrieren*** on 'some days I just can't concentrate **3.** ***in manchem hat er Recht*** he's right about 'some things **4.** ***sie hat so manches zu erzählen*** she's got a few things to tell us; ***ich hab schon so manches erlebt*** I've seen a fair bit, *mitgemacht*: I've been through a fair bit
manchmal sometimes, occasionally
Mandarine tangerine [ˌtændʒə'riːn], mandarin ['mændərɪn]
Mandatar(in) Ⓐ (≈ *Abgeordnete*) elected representative [ɪˌlektɪdˌreprɪ'zentətɪv]
Mandel 1. *Frucht*: almond [⚠ 'ɑːmənd] **2.** ***die Mandeln*** *im Hals*: the tonsils ['tɒnslz]
Mandelentzündung tonsillitis [ˌtɒnsə'laɪtɪs]; ***sie hat (eine) Mandelentzündung*** she's got tonsillitis (⚠ *ohne* a)
Manege *im Zirkus*: ring
Mangan manganese ['mæŋgəniːz]
Mangel 1. (≈ *Knappheit*) lack, shortage (**an** of); ***ein Mangel an Vitaminen*** a lack of vitamins; ***aus Mangel an*** for lack of **2.** (≈ *Fehler*) defect ['diːfekt], fault, *inhaltlicher, charakterlicher*: flaw; ***einen Mangel beseitigen*** correct a fault **3.** (≈ *Unzulänglichkeit*) weakness
Mangelerscheinung deficiency symptom [dɪ'fɪʃnsɪˌsɪmptəm]
mangelhaft 1. *Waren*: faulty **2.** *Qualität, Gedächtnis, Leistung*: poor **3.** *Wissen*: inadequate [ɪn'ædɪkwət] **4.** *im Zeugnis*: unsatisfactory
mangelnd: ***wegen mangelnder Nachfrage*** due to lack of demand; ***mangelndes Selbstvertrauen*** lack of self-confidence
mangels *allg.*: for lack of
Mangelware: ***gute Lehrer sind Mangelware*** good teachers are scarce [⚠ skeəs] (*oder* are in short supply)
Manieren manners; ***er hat keine Manieren*** he has no manners
Maniküre manicure ['mænɪkjʊə]
Manipulation manipulation [məˌnɪpjʊ'leɪʃn]
manipulieren manipulate [mə'nɪpjʊleɪt]
Mann 1. man *Pl.*: men; ***drei Mann*** three men *oder* people **2.** (≈ *Ehemann*) husband ['hʌzbənd] **3.** ***wir brauchen noch einen vierten Mann*** *für ein (Karten)Spiel*: we need a fourth player **4.** ***wir kriegten 10 Euro pro Mann*** we got ten euros each (*oder* a head) **5.** (***Mann o***) ***Mann!*** *überrascht oder bewundernd*: wow!, *verärgert*: hey! [heɪ] **6.** ***typisch Mann!*** *abwertend* typical male!

Mann und Frau

Mann im Sinne von „erwachsene männliche Person" und *Frau* im Sinne von „erwachsene weibliche Person" werden im Englischen mit **man** (*Pl.* **men**) bzw. **woman** (*Pl.* **women**) wiedergegeben, *Mann* in der Bedeutung *Ehemann* und *Frau* in der Bedeutung *Ehefrau* dagegen mit **husband** bzw. **wife** (*Pl.* **wives**).

Also:

Ihr Mann ist Bäcker	**Her husband** (⚠ *nicht* **her man**) **is a baker.**

Männchen 1. (≈ *kleiner Mann*) little man **2.** ***es ist ein Männchen*** *Tier*: it's a he **3.** ***Männchen machen*** *Tier*: stand* on its hind [haɪnd] legs, *Hund auch*: sit* up and beg
Mannequin model ['mɒdl]
männerfeindlich anti-male; ***sie ist männerfeindlich*** she hates men
männlich 1. *biologisches Geschlecht*: male **2.** *Wesen, Auftreten, Aussehen, auch einer*

Frau: masculine ['mæskjʊlɪn] **3.** *Grammatik*: masculine **4.** *Verhalten*: (≈ *mannhaft*) manly, (≈ *für Männer typisch*) male
Männlichkeit manliness, masculinity [ˌmæskjʊ'lɪnətɪ]
Mannschaft 1. *Sport, bei der Arbeit*: team **2.** (≈ *Besatzung*) crew **3.** ***vor versammelter Mannschaft*** *umg.* in front of everyone
Mannschaftsaufstellung *Sport*: lineup ['laɪnʌp]
Mannschaftsgeist *Sport*: team spirit [ˌtiːm'spɪrɪt]
Mannschaftskapitän (team) captain ['kæptɪn], *umg.* skipper
Mannschaftskamerad(in) *Sport*: teammate ['tiːm‿meɪt]
Mannschaftsspiel *Sport*: team game
mannshoch head-high
Manöver 1. *des Militärs*: exercise, manoeuvres [mə'nuːvəz], *AE* maneuvers [mə'nuːvəz] (⚠ *Pl.*) **2.** ***ein geschicktes Manöver*** a clever move
manövrierbar manoeuvrable [mə'nuːvrəbl], *AE* maneuverable [mə'nuːvrəbl]
manövrieren manoeuvre [mə'nuːvə], *AE* maneuver [mə'nuːvə]
manövrierfähig manoeuvrable [mə'nuːvrəbl], *AE* maneuverable [mə'nuːvrəbl]
manövrierunfähig *Fahrzeug*: disabled
Mansarde 1. attic **2.** *Zimmer*: attic room
Mansardenfenster dormer window
Mansardenwohnung attic flat, *AE* attic apartment
Manschette *an Hemd, Bluse*: cuff
Manschettenknopf cufflink
Mantel 1. *Kleidungsstück*: coat **2.** *eines Autoreifens*: casing **3.** *von Fahrradreifen*: tyre
Manuskript 1. manuscript ['mænjʊskrɪpt] **2.** ***ohne Manuskript sprechen*** speak* without notes
Mäppchen (≈ *Federmäppchen*) pencil case
Mappe 1. *für Dokumente*: folder **2.** *für Zeichnungen usw.*: portfolio **3.** (≈ *Aktentasche*) briefcase (⚠ *engl.* map = ***Landkarte, Stadtplan***)
Marathonlauf marathon ['mærəθn]
Märchen 1. *für Kinder*: fairytale **2.** *umg.* (≈ *Lüge*) story; ***erzähl doch keine Märchen!*** don't tell me stories
Märchenprinz Prince Charming (⚠ *ohne* the *bzw.* a)
Marder marten [⚠ 'mɑːtɪn]
Margarine margarine [ˌmɑːdʒə'riːn]
Marienkäfer ladybird, *AE* lady bug
Marihuana marijuana [⚠ ˌmærə'wɑːnə], *salopp* grass
Marille *bes.* Ⓐ apricot [⚠ 'eɪprɪkɒt]
Marine navy (⚠ *engl.* marine [mə'riːn] = ***Marineinfanterist***)
Marionette 1. *wörtlich* puppet, marionette [ˌmærɪə'net] **2.** *übertragen; Person*: puppet
Mark[1] *historisch, Münze und Währung*: mark; ***die Deutsche Mark*** the German mark, the deutschmark; ***zehn Mark*** ten marks
Mark[2] 1. (≈ *Knochenmark*) marrow **2.** *von Früchten*: pulp **3.** *im Stängel von Pflanzen*: pith [pɪθ] **4.** ***ihr Schreien ging mir durch Mark und Bein*** her screams set my teeth on edge
Marke[1] 1. *Auto, Gerät usw.*: (≈ *Fabrikat*) make; ***was ist das für eine Marke?*** what make is it? **2.** *Lebensmittel, Zigaretten usw.*: (≈ *Warenname*) brand
Marke[2] (≈ *Briefmarke*) stamp
Marke[3] (≈ *Messmarke, Messpunkt*) mark
Markenzeichen trademark
Marker *Stift*: marker pen
markieren 1. (≈ *kennzeichnen*) mark **2.** (≈ *vortäuschen*) act, play; ***sie markiert eine Grippe*** *usw.* she's pretending she's got flu *usw.*; ***sie markiert nur*** she's just putting it on
Markierung 1. (≈ *das Markieren*) marking **2.** *Zeichen*: mark
Markise *als Sonnenschutz*: awning ['ɔːnɪŋ]
Markt 1. *allg.*: market; ***etwas auf den Markt bringen*** put* something on the market **2.** (≈ *Marktplatz*) marketplace
Markthalle, Markthallen covered market
Marktlücke gap in the market
Marktnische market niche: ***eine Marktnische besetzen*** fill a gap in the market
Marktplatz marketplace, market square
Marktwirtschaft market economy; ***die freie Marktwirtschaft*** free enterprise (⚠ *ohne* the); ***soziale Marktwirtschaft*** social market economy
Marmelade 1. *allg.*: jam **2.** *aus Orangen, Zitronen*: marmalade ['mɑːməleɪd]
Marmor marble ['mɑːbl]
Marokkaner Moroccan [mə'rɒkən]; ***er ist Marokkaner*** he's (a) Moroccan; ☞ ***Nationalitäten***
Marokkanerin Moroccan woman (*oder* lady *bzw.* girl); ***sie ist Marokkanerin*** she's (a) Moroccan; ☞ ***Nationalitäten***
marokkanisch Moroccan [mə'rɒkən]
Marokko Morocco [mə'rɒkəʊ]
Marone (sweet) chestnut [⚠ 'tʃesnʌt]
Marotte (≈ *Eigenart*) funny habit, quirk, *vorübergehende*: fad
Mars *Planet*: Mars [⚠ mɑːz] (⚠ *ohne* the)
Marsch[1] 1. march (*auch Musikstück*) **2.** (≈ *Wanderung*) walk, *längere*: trek
Marsch[2] *fruchtbares Küstengebiet*: marsh
marschieren 1. *Militär*: march **2.** (≈ *laufen*) walk, *über längere Strecke*: trek

Marschland *an der Küste*: marshes (⚠ *Pl.*)
Marschmusik military marches (⚠ *Pl.*)
Marsmensch Martian ['mɑːʃn]
Marterpfahl stake
Märtyrer(in) martyr [⚠ 'mɑːtə]
Marxist(in), **marxistisch** Marxist ['mɑːksɪst]
März March; ***im März*** in March (⚠ *ohne* the)
Marzipan marzipan ['mɑːzɪpæn]
Masche **1.** *beim Stricken*: stitch **2.** *eines Netzes*: mesh **3.** (≈ *Trick*) trick; ***komm mir nicht mit der Masche!*** don't try that one on me **4.** (≈ *Modeerscheinung*) fad, craze; ***das ist die neueste Masche*** it's the latest fad
Maschine **1.** *allg.*: machine [mə'ʃiːn] **2.** (≈ *Motor*) engine ['endʒɪn] **3.** (≈ *Flugzeug*) plane; ***ich fliege mit der nächsten Maschine*** I'm catching the next plane **4.** *umg.* (≈ *Motorrad*) bike **5.** ***etwas mit der Maschine schreiben*** type something; ***mit der Maschine geschrieben*** typewritten, typed
maschinell **1.** machine-… [mə'ʃiːn], mechanical [mɪ'kænɪkl], mechanized ['mekənaɪzd] **2.** by machine, machine-…; ***maschinell bearbeiten*** machine; ***maschinell betrieben*** machine-driven, machine-operated; ***maschinell hergestellt*** machine-made
Maschinenbau mechanical engineering [mɪˌkænɪkl‿endʒɪ'nɪərɪŋ]
Maschinengewehr machine gun
Maschinenpistole submachine gun
Maschinenschaden: ***sie haben einen Maschinenschaden*** they've got engine trouble (⚠ *ohne* an)
Masern measles ['miːzlz] (⚠ *Sg.*); ***sie hat Masern*** she's got (the) measles; ☞ *Info unter* **Krankheiten**
Maserung *im Holz*: grain
Maske **1.** *allg.*: mask [mɑːsk] (*auch Computer und übertragen*) **2.** (≈ *Gesichtsschminke von Schauspielern*) makeup ['meɪkʌp]
Maskenball fancy-dress ball
maskieren **1.** ***sich maskieren*** (≈ *eine Maske aufsetzen*) put* on a mask; ***zwei maskierte Männer*** two masked men **2.** ***sich maskieren*** (≈ *sich verkleiden*) dress up
Maskottchen mascot ['mæskət]
maskiert masked [mɑːskt]
maskulin, **Maskulinum** masculine ['mæskjʊlɪn]
Maß[1] *das* **1.** (≈ *Maßeinheit*) unit of measurement ['meʒəmənt] (***für*** of); ***Maße und Gewichte*** weights [⚠ weɪts] and measures **2.** (≈ *Ausmaß*) extent, degree; ***ein gewisses Maß an*** a certain degree of, some **3.** ***Maße*** (≈ *Körpermaße*) measurements, *eines Zimmers, Kartons usw.*: dimensions
Maß[2] *die* (≈ *Maß Bier*) litre of beer
Massage massage ['mæsɑːʒ]
Massaker massacre ['mæsəkə]; ***ein Massaker anrichten*** carry out a massacre
Maßanzug tailor-made suit [suːt], *AE* custom-made suit
Maßarbeit precision work [prɪ'sɪʒn‿wɜːk]
Maßband tape measure ['teɪpˌmeʒə]
Masse **1.** (≈ *ungeformter Stoff*) mass [mæs] **2.** (≈ *Brei, Mischung*) mixture (***aus*** of) **3.** (≈ *Menschenmasse*) crowd, crowds (*Pl.*); ***die breite Masse*** the masses (⚠ *Pl.*) **4.** *umg.* (≈ *große Menge*) masses (⚠ *Pl.*), loads (⚠ *Pl.*) (***an, von*** of); ***eine Masse Geld*** loads of money **5.** (≈ *Großteil*) majority [mə'dʒɒrətɪ]; ***die Masse der Fernsehzuschauer will synchronisierte Filme*** the majority of TV viewers prefer(s) dubbed films
massenhaft **1.** ***am See gibt es massenhaft Mücken*** there are masses ['mæsɪz] of mosquitos at the lake; ***sie hat massenhaft CDs*** she's got masses (*oder* piles) of CDs **2.** ***es gab massenhaft Entlassungen*** a huge number of people lost their jobs
Massenhaltung *von Tieren*: large-scale (animal) husbandry ['hʌzbəndrɪ]
Massenkarambolage *umg.* pileup ['paɪlʌp]
Massenproduktion mass [mæs] production
Massentierhaltung battery farming
massenweise → ***massenhaft***
Masseur masseur [mæ'sɜː]
Masseurin masseur, masseuse [mæ'sɜːz]
maßgeschneidert **1.** *Lösung usw.*: tailor-made **2.** *Kleid usw.*: made-to-measure
massieren: ***jemanden massieren*** give* someone a massage ['mæsɑːʒ]
mäßig **1.** *Tempo, Ansprüche, Preise usw.*: moderate ['mɒdərət] **2.** (≈ *ziemlich schlecht*) fairly poor; ***es war mäßig*** *auch*: it wasn't very good
mäßigen **1.** *allg* moderate **2.** curb, control (*Zorn usw.*) **3.** tone down (*Kritik usw.*); **4.** ***du musst dich mäßigen*** you've got to restrain (*oder* control) yourself; ***sich beim Trinken*** *usw.* ***mäßigen*** cut* down on drinking *usw.*
massiv **1.** *Eisen, Holz usw.*: solid ['sɒlɪd] **2.** *Widerstand, Angriff*: massive ['mæsɪv], heavy **3.** *Drohung, Kritik, Druck*: severe [sɪ'vɪə]
Massiv (≈ *Bergmassiv*) massif ['mæsiːf]

M

Maßkrug 1. litre beer mug **2.** *aus Ton*: stein [⚠ staɪn]
maßlos: ***das ist maßlos übertrieben*** that's a gross exaggeration ['grəʊs‿ɪg-ˌzædʒə'reɪʃn]
Maßlosigkeit lack of restraint [rɪ'streɪnt], excess [ɪk'ses]
Maßnahme measure ['meʒə], step; ***Maßnahmen ergreifen gegen*** take* steps (*oder* action *Sg.*) against
Maßstab 1. *von Karten, Plänen usw.*: scale; ***im Maßstab 1:5*** on a scale of 1:5 (*gesprochen* one to five) **2. *einen Maßstab setzen*** set* a (*oder* the) standard
maßstabgerecht (true) to scale
maßvoll moderate ['mɒdərət]
Mast[1] *der* **1.** *auf Schiffen, für Antenne*: mast [mɑːst] **2.** (≈ *Stange, Flaggenmast*) pole **3.** (≈ *Stromleitungsmast*) pylon ['paɪlən]
Mast[2] *die* (≈ *Gänsemast usw.*) fattening
mästen 1. fatten (*Gänse, Hühner usw.*) **2. *jemanden mästen*** *umg.* stuff someone
masturbieren masturbate ['mæstəbeɪt]
Match match, *bes. AE* game
Matchball *Tennis*: match point
Material 1. *allg.*: material [mə'tɪərɪəl] (*auch für Buch, Referat usw.*) **2.** (≈ *Arbeitsmittel, Material zum Bauen, Schreiben usw.*) materials (⚠ *Pl.*)
Materie matter (*auch übertragen*)
Mathe maths (⚠ *Sg.*), *AE* math; ***Mathe ist mein Lieblingsfach*** maths is my favourite subject
Mathematik mathematics [ˌmæθə'mætɪks] (⚠ *Sg.*); ***Mathematik ist ein Fach, das ich hasse*** mathematics is a subject I hate
Mathematiker(in) mathematician [ˌmæθ-mə'tɪʃn]
Matinee (≈ *Morgenvorstellung*) morning performance
mathematisch mathematical
Matjeshering soused herring [ˌsaʊst-'herɪŋ]
Matratze mattress ['mætrəs]
Matrose sailor, seaman ['siːmən] *Pl.*: seamen ['siːmən]
Matsch 1. (≈ *aufgeweichter Boden*) mud **2.** (≈ *Schneematsch*) slush
matschig 1. *Boden*: muddy, sludgy **2.** *Schnee*: slushy
matt 1. *sich matt fühlen* feel* weak, feel* worn out **2.** *Oberfläche, Farbe, Augen*: dull **3.** *Foto, Lack*: matt **4.** *Glühbirne*: pearl [pɜːl] (⚠ *nur vor dem Subst.*) **5.** *Glas*: frosted **6.** *Licht*: dim **7.** *Stimme, Lächeln*: faint, weak **8.** *Schachspiel*: checkmate; ***jemanden matt setzen*** checkmate someone
Matte mat
Matura: ***Matura machen*** Ⓐ, Ⓒⓗ *etwa*: take* one's school-leaving exam (*oder* A levels), *AE* graduate ['grædʒʊeɪt] from high school
Maturand Ⓒⓗ, **Maturant(in)** Ⓐ *etwa*: sixth former, *AE* high-school graduate
maturieren Ⓐ, Ⓒⓗ *etwa*: take* one's A levels, *AE* graduate from high school
Mätzchen *Pl.* **1.** (≈ *Unsinn*) nonsense (⚠ *Sg.*) **2.** tricks (*Pl.*); ***keine Mätzchen!*** none of your tricks!
Mauer wall (*auch übertragen und im Sport*)
mauern 1. *Fußball usw.*: play defensively **2.** *mit Steinen und Mörtel*: build* [bɪld]
Maul 1. *bei Tieren*: mouth **2.** *umg.*; *eines Menschen*: trap, gob; ***er hat ein großes Maul*** he's a big-mouth; ***halts Maul!*** *salopp* shut up!, shut your trap!
Maulesel mule [mjuːl]
Maulkorb 1. muzzle **2. *jemandem einen Maulkorb verpassen*** muzzle someone
Maultier mule [mjuːl]
Maul-und-Klauenseuche foot-and-mouth disease, *umg.* foot-and-mouth
Maulwurf mole
Maulwurfshügel molehill
Maurer(in) bricklayer, *umg.* brickie
Maurermeister(in) master bricklayer
Mauritius Mauritius [mə'rɪʃəs]
Maus mouse [maʊs] *Pl.*: mice (⚠ *Pl. für „Computermäuse" mst.* mouses)
Mausefalle mousetrap
mausern 1. *sich mausern zu* (≈ *sich entwickeln zu*) develop into; **2. *die Vögel mausern sich gerade*** the birds are moulting ['məʊltɪŋ]
Mausklick mouse click; ***per Mausklick*** by clicking the mouse
Mauspad mouse pad (*oder* mat)
Maustaste mouse key (*oder* button)
Mauszeiger mouse pointer
Maut, Mautgebühr toll [təʊl]
Mautstelle toll gate
maximal 1. *ihr habt maximal zwei Stunden Zeit* you've got two hours at (the) most **2. *in den Lift passen maximal sechs Leute*** a maximum of six people fit into the lift
Maximum maximum *Pl.*: maxima *oder* maximums (***an*** of)
Mayonnaise mayonnaise [ˌmeɪə'neɪz], *AE umg.* mayo ['meɪəʊ]
Mazedonien Macedonia [ˌmæsɪ'dəʊnɪə]
MB (= ***Megabyte***) MB [ˌem'biː]
Mechaniker(in) mechanic [mɪ'kænɪk]
mechanisch 1. *allg.*: mechanical (⚠ *engl.* mechanic = ***Mechaniker***) **2. *etwas mechanisch herunterleiern*** reel (*oder* rattle) something off

M

Mechanismus mechanism ['mekənɪzm]
Meckerer *umg.* grumbler
Meckerin *umg.* grumbler
meckern 1. (≈ *sich aufregen*) moan (**über** about), *AE auch* bitch (**über** at) **2.** (*Ziege*) bleat (*auch übertragen*)
Mecklenburg-Vorpommern Mecklenburg-Western Pomerania ['meklənbɜːg-ˌwestən,pɒmə'reɪnɪə]
Medaille medal ['medl]
Medaillengewinner(in) medallist ['medlɪst]
Medaillon 1. *als Gericht oder Kunstform*: medallion [mə'dælɪən] **2.** *Schmuckstück*: locket
Medien 1. *Fernsehen, Presse usw.*: media ['miːdɪə] (⚠ *mit Sg. oder Pl.*) **2.** (≈ *Unterrichtsmittel*) teaching aids, audio-visual aids ['ɔːdɪəʊˌvɪʒʊəl'eɪdz]
Medikament medicine ['medsn], drug, *bes. AE* medication; ***er nimmt Medikamente*** he's taking medicine (⚠ *Sg.*)
Mediothek media library ['miːdɪəˌlaɪbrərɪ]
Meditation meditation [ˌmedɪ'teɪʃn]
meditieren meditate (**über** on)
Medium 1. (≈ *Person mit übersinnlichen Fähigkeiten*) medium *Pl.*: mediums **2.** → ***Medien***
Medizin medicine ['medsn] (⚠ *mst. ohne* a), *Heilmittel auch*: remedy ['remədɪ] (**gegen** for)
medizinisch 1. *Behandlung, Versorgung*: medical ['medɪkl] **2.** (≈ *arzneilich*) medicinal [mə'dɪsnəl]
medizinisch-technische(r) Assistent (-in) medical laboratory assistant, *AE* medical technologist [tek'nɒlədʒɪst]
Medizinmann 1. *allg.*: witchdoctor **2.** *bei Indianern*: medicine man ['medsn‿mæn]
Meer 1. *allg.*: sea, ocean ['əʊʃn]; ***am Meer*** <u>by</u> the sea, *Urlaub auch*: at the seaside; ***auf dem Meer*** (out) at sea (⚠ *ohne* the) **2.** ***ans Meer fahren*** go* to the seaside
Meerenge strait, *häufig*: straits (*Pl.*)
Meeresboden, **Meeresgrund** sea bed, seafloor, bottom of the sea
Meereshöhe, Meeresspiegel: ***10 m über Meereshöhe*** *oder* ***über dem Meeresspiegel*** ten metre<u>s</u> <u>above</u> sea level (⚠ *ohne* the)
Meerrettich horseradish ['hɔːsˌrædɪʃ]
Meersalz sea salt
Meerschweinchen guinea pig ['gɪnɪ‿pɪg]
Megabyte megabyte, MB [ˌem'biː]
Megafon megaphone
Megahertz megahertz ['megəhɜːts], megacycle ['megəˌsaɪkl]
Megaphon megaphone
megatrendy *umg.* really trendy, hypertrendy [ˌhaɪpə'trendɪ]
Mehl flour ['flaʊə]
mehlig *Apfel, Kartoffel*: mealy
Mehlspeise Ⓐ **1.** (≈ *Süßspeise*) sweet dish **2.** (≈ *Kuchen*) cake
mehr 1. *allg.*: more; ***immer mehr*** more and more; ***mehr als zehn Leute*** more than [ðən] ten people; ***je mehr ..., desto besser*** *usw.* <u>the</u> more ..., <u>the</u> better *usw.*; ***noch mehr*** even more; ***umso mehr*** all the more; ***ich kann nicht mehr stehen*** I can't stand any more (*oder* any longer); ***ich hab keins*** (*bzw.* ***keine***) ***mehr*** I haven't got any more; ***was will er mehr?*** <u>what more</u> does he want? **2.** ***nie mehr*** never again **3.** ***es ist kein Brot mehr da*** there's no bread left; ***es ist niemand mehr da*** there's no one left; ***ich hab nichts mehr*** I've got nothing left **4.** ***ich kann nicht mehr*** *vor Erschöpfung*: I've had it, *beim Essen*: I couldn't eat another thing, (≈ *ich ertrage es nicht mehr*) I can't take it any more **5.** ***er ist mehr ein praktischer Mensch*** he's <u>more</u> <u>of</u> a practical man
Mehrbettzimmer multi-bedded room
mehrdeutig ambiguous [æm'bɪgjʊəs]
mehren 1. increase [ɪn'kriːs], augment [ɔːg'ment] (*Besitz usw.*) **2.** ***sich mehren*** (*Beschwerden usw.*) increase, rise*, go* up
mehrere 1. *Dinge, Personen, Stunden usw.*: several ['sevrəl] **2.** ***es war nicht nur einer, es waren mehrere*** it wasn't just one person - it <u>was</u> several
mehrfach 1. ***sie ist mehrfache deutsche Meisterin*** she's been German champion several times; ***B. B., mehrfacher deutscher Meister*** B. B., several times German champion **2.** ***ein mehrfacher Millionär*** a multimillionaire [ˌmʌltɪmɪljə'neə]
mehrfarbig multicolour ['mʌltɪˌkʌlə], multicoloured [ˌmʌltɪ'kʌləd]
Mehrheit majority [mə'dʒɒrətɪ]; ***mit zehn Stimmen Mehrheit*** <u>by</u> a majority of ten; ***mit knapper*** (*bzw.* ***großer***) ***Mehrheit gewinnen*** win <u>by</u> a narrow (*bzw.* large) majority
Mehrkosten additional (*oder* extra) cost (*Sg.*) *oder* costs (*Pl.*)
mehrmals several times
mehrsprachig 1. multilingual **2.** ***sie ist mehrsprachig aufgewachsen*** she grew up speaking several languages
mehrstöckig *Gebäude*: multistor(e)y ... ['mʌltɪˌstɔːrɪ], multistoried [ˌmʌltɪ'stɔːrɪd]
Mehrwegflasche returnable bottle

Mehrwertsteuer value-added tax, VAT [ˌviːeɪ'tiː]
Mehrzahl **1.** *eines Wortes*: plural **2.** (≈ *Mehrheit*) majority [mə'dʒɒrətɪ]
Mehrzweck... *in Zusammensetzungen*: multipurpose ... ['mʌltɪˌpɜːpəs]
meiden: ***jemanden*** (*bzw.* ***etwas***) ***meiden*** avoid someone (*bzw.* something)
Meile mile
Meilenstein milestone (*auch übertragen*)
mein **1.** *allg.*: my **2.** ***meine Damen und Herren*** ladies and gentlemen **3.** ***das ist meine(r, -s)*** that's mine **4.** ***ich hab das Meine*** (*oder* ***Meinige***) ***getan*** I've done my share (*umg.* my bit), *mein Möglichstes*: I've done my best, I've done all I can
Meineid perjury [⚠ 'pɜːdʒərɪ]; ***er hat einen Meineid geschworen*** he swore a false oath
meinen **1.** (≈ *glauben, der Ansicht sein*) think*; ***was meinst 'du dazu?*** what do 'you think (*oder* say)?; ***meinst du?*** do you 'think so? **2.** (≈ *sagen wollen, beabsichtigen*) mean*; ***wie meinst du das?*** how do you mean?, *stärker*: what do you mean by that?; ***meinst du das im Ernst?*** do you really mean that?; ***es war nicht so gemeint*** I *usw.* didn't mean it (like that); ***er meint es gut mit dir*** he's only thinking of your own good **3.** ***meinst du ihn?*** do you mean him?; ***sie hat dich gemeint*** she meant you **4.** ***'was meinen Sie?*** 'what did you say?, *höflicher*: I beg your pardon? **5.** ***wenn du meinst*** if you say so **6.** ***ich meine ja nur*** it was just a thought
meinetwegen **1.** (≈ *wegen mir*) because of me, (≈ *mir zuliebe*) for my sake, (≈ *für mich*) for me **2.** ***meinetwegen!*** (≈ *von mir aus*) I don't mind; ***meinetwegen kann er gehen*** he can go as far as I'm concerned, I don't mind if he goes
Meinung opinion [ə'pɪnjən] (***zu*** about, on; ***über*** about; ***von*** of) (⚠ *engl.* meaning = ***Bedeutung***); ***meiner Meinung nach*** in my opinion; ***ich bin der Meinung, dass er gehen sollte*** I think he should go; ***ich bin anderer Meinung*** I disagree; ***sie hat ihre Meinung geändert*** (≈ *sie hat es sich anders überlegt*) she's changed her mind, (≈ *sie ist jetzt anderer Meinung*) she's changed her views (*Pl.*) *oder* opinion
Meinungsforscher(in) opinion pollster [ə'pɪnjənˌpəʊlstə]
Meinungsfreiheit freedom of opinion (*oder* speech)
Meinungsmacher *bes. Politik*: opinion-maker, *im negativen Sinn* spin doctor
Meinungsumfrage opinion poll
Meise **1.** ***du hast wohl ne Meise!*** *salopp* you must be off your nut **2.** *Vogel*: tit, titmouse
Meißel chisel [⚠ 'tʃɪzl]
meißeln **1.** *allg.*: chisel [⚠ 'tʃɪzl] **2.** carve (*Statue usw.*)
meist (≈ *gewöhnlich*) usually, mostly
meiste(n) **1.** most (⚠ *meist ohne* the); ***die meisten (Leute)*** most people; ***die meiste Zeit*** most of the time; ***die meisten von ihnen*** most of them; ***das meiste*** most of it; ***sie ist schneller als die meisten*** she's quicker than most; ***wer die meisten Punkte hat, gewinnt*** whoever has the most points wins **2.** ***am meisten*** (the) most; ***sie hat am meisten*** *Geld usw.*: she's got (the) most; ***sie spricht am meisten*** she's the one that speaks (the) most; ***das hat mich am meisten geärgert*** that annoyed me most of all
meistens (≈ *gewöhnlich*) usually, mostly
Meister **1.** (≈ *großer Könner oder Künstler*) master **2.** (≈ *Handwerksmeister*) master craftsman, *in Zusammensetzungen*: master; ***Bäckermeister*** *usw.* master baker *usw.* **3.** *Sport*: champion
Meisterin **1.** (≈ *große Könnerin oder Künstlerin*) master **2.** (≈ *Handwerksmeisterin*) master craftswoman, *in Zusammensetzungen*: master; ***Schneidermeisterin*** *usw.* master tailor *usw.* **3.** *Sport*: (women's) champion
meistern master (*eine Aufgabe usw.*), cope with (*das Leben usw.*)
Meisterschaft *Sport*: championship
Meisterwerk masterpiece
melancholisch melancholy ['melənkəlɪ]
Melanzani *Pl.* Ⓐ aubergines ['əʊbəʒiːnz], *AE* eggplants
melden **1.** (≈ *berichten*) report; ***etwas bei jemandem melden*** report something to someone **2.** ***sich bei jemandem melden*** get* in touch with someone, contact ['kɒntækt] someone; ***ich werd mich melden!*** I'll be in touch **3.** ***es meldet sich niemand*** *am Telefon*: nobody's answering, there's no answer (*oder* reply) **4.** ***sich melden*** *im Unterricht*: put* one's hand up **5.** ***sich melden*** *zu einer Prüfung usw.*: sign up (***zu, für*** for) **6.** ***sich freiwillig melden*** volunteer [ˌvɒlən'tɪə] (***zu, für*** for) **7.** ***sich auf ein Inserat (hin) melden*** answer an ad
Meldung **1.** *in Presse usw.*: report, (≈ *Nachricht*) news (⚠ *Sg., ohne* a); ***es gab eine Meldung über das Erdbeben*** there was news of (*oder* a report on) the earthquake **2.** (≈ *Mitteilung*) announcement

M

melken milk (*Kuh usw.*)
Melodie melody ['melədɪ], tune
Melone 1. *Frucht*: melon ['melən] **2.** *Hut*: bowler [⚠ 'bəʊlə], bowler hat, *AE* derby ['dɜːbɪ, *BE* 'dɑːbɪ]
Membran 1. *allg.*: membrane ['membreɪn] **2.** *technisch auch*: diaphragm [⚠ 'daɪəfræm]
Memoiren memoirs ['memwɑːz]
Menge 1. *bestimmte*: quantity ['kwɒntətɪ], amount **2.** (≈ *große Menge*) a lot (of), *umg.* lots (of); ***eine Menge Autos*** lots of cars; ***eine Menge zu essen*** a lot (*oder* lots) to eat; ***er hat eine Menge gegessen*** he ate [⚠ et] a lot, *umg.* he ate lots **3.** (≈ *Menschenmenge*) crowd **4.** *Mengenlehre*: set
Mengenlehre: ***die Mengenlehre*** *Mathematik*: set theory (⚠ *ohne* the)
Mensa *einer Universität usw.*: refectory [rɪ'fektərɪ], *bes. AE* cafeteria [ˌkæfə'tɪərɪə]
Mensch 1. *als Lebewesen*: human being; ***ich bin auch nur ein Mensch*** I'm only human **2.** ***der Mensch*** (≈ *die Menschheit*) man, mankind [mæn'kaɪnd] (⚠ *ohne* the) **3.** ***die Menschen*** people (⚠ *ohne* the) **4.** ***als Mensch ist sie in Ordnung*** from a personal point of view she's okay **5.** ***kein Mensch*** nobody, not a soul **6.** ***Mensch!*** *umg.*; *erstaunt*: goodness!, *BE auch* crumbs [krʌmz]!, *positiv*: wow!, *vorwurfsvoll*: hey!
Mensch, ärgere dich nicht *Spiel*: ludo, *AE* Parcheesi® [pɑː'tʃiːzɪ]
Menschenaffe ape
Menschenfresser(in) cannibal ['kænɪbl]
Menschenhändler(in) body trader
Menschenkenntnis: ***sie hat eine gute Menschenkenntnis*** she's a good judge of character
menschenleer deserted [⚠ dɪ'zɜːtɪd]
Menschenmenge crowd
Menschenrechte human rights
Menschenseele: ***keine Menschenseele war zu sehen*** there wasn't a living soul to be seen
Menschenverstand: ***das sagt einem doch der gesunde Menschenverstand*** common sense tells you that
Menschenwürde: ***die Menschenwürde*** human dignity (⚠ *ohne* the)
menschenwürdig 1. *Behandlung*: humane [hjuː'meɪn] **2.** *Zustände*: fit for human beings [ˌhjuːmən'biːɪŋz]
Menschheit: ***die Menschheit*** mankind [mæn'kaɪnd], the human race, humanity
menschlich 1. human; ***die menschliche Natur*** human nature (⚠ *ohne* the); ***menschliches Versagen*** human error **2.** (≈ *human*) humane [hjuː'meɪn]; ***jemanden menschlich behandeln*** treat someone humanely (*oder* like a human being)
Menschlichkeit humanity [hjuː'mænətɪ]; ***ein Verbrechen gegen die Menschlichkeit*** a crime against humanity (⚠ *ohne* the)
Mentalität mentality, way of thinking
Menü 1. *Essen*: fixed(-price) menu ['menjuː], *BE auch* set meal, *mittags auch*: set lunch (⚠ *engl.* menu = ***Speisekarte***) **2.** *Computer*: menu
menügesteuert *Computerprogramm*: menu-driven ['menjuːˌdrɪvən]
Menüleiste *Computer*: menu bar ['menjuː‿bɑː]
Merkblatt 1. leaflet ['liːflət] **2.** *mit Erläuterungen*: instructions (⚠ *Pl.*)
merken 1. (≈ *bemerken*) notice; ***ich hab nichts gemerkt*** I didn't notice a thing **2.** (≈ *spüren*) feel*, sense; ***sie hat was gemerkt*** *umg.* she smelled a rat **3.** (≈ *erkennen*) realize, see* **4.** ***merkt man es?*** can you tell? (⚠ *ohne* it), does it show? **5.** ***sich etwas merken*** remember something **6.** ***das merke ich mir!*** I won't forget that
merklich 1. *Veränderung, Besserung usw.*: noticeable ['nəʊtɪsəbl] **2.** ***ihr Zustand hat sich merklich gebessert*** her condition has improved a lot
Merkmal 1. *allg.*: (characteristic) feature **2.** ***besondere Merkmale*** distinguishing marks (*oder* features)
Merkur *Planet*: Mercury ['mɜːkjʊrɪ] (⚠ *ohne* the)
merkwürdig strange, odd, *stärker*: curious ['kjʊərɪəs]
merkwürdigerweise strangely enough
messbar measurable ['meʒərəbl]
Messe[1] (≈ *Gottesdienst*) Mass, mass [⚠ mæs]; ***zur Messe gehen*** go* to Mass (⚠ *ohne* the)
Messe[2] (≈ *Ausstellung*) trade fair
Messegelände exhibition site [ˌeksɪ'bɪʃn‿saɪt] (*oder* centre, grounds *Pl.*)
messen 1. measure ['meʒə] (*Höhe, Breite usw.*) **2.** take* (*Blutdruck, Puls usw.*); ***hast du schon Fieber gemessen?*** have you taken your temperature yet? **3.** ***gemessen an*** compared with **4.** ***er kann sich nicht mit ihr messen*** he's no match for her
Messer knife [naɪf] *Pl.*: knives [naɪvz]
Messerstich 1. *Vorgang*: stab **2.** *Wunde*: stab wound ['stæb‿wuːnd]
Messing brass [brɑːs]

M

Messung measurement ['meʒəmənt]
Metall metal ['metl]
metallisch metallic [me'tælɪk]
Metallverarbeitung metal processing ['metl,prəʊsesɪŋ]
Meteor meteor ['miːtɪə]
Meteorit meteorite ['miːtɪəraɪt]
Meteorologe meteorologist [,miːtɪə'rɒlədʒɪst], *umg.* weatherman ['weðəmæn]
Meteorologie meteorology [,miːtɪə'rɒlədʒɪ]
Meteorologin meteorologist [,miːtɪə'rɒlədʒɪst], *umg.* weather lady
Meter metre; ***es ist zwei Meter lang*** it's two metres long
meterhoch **1.** ***meterhohe Wellen*** metre-high waves **2.** ***meterhoher Schnee*** waist-deep snow; ***in den Bergen liegt der Schnee meterhoch*** there are several metres of snow (up) in the mountains
Metermaß **1.** *Band*: tape measure ['teɪp,meʒə] **2.** *Stab*: metre rule
Meterstab metre rule
Methadon methadone ['meθədəʊn]
Methode method ['meθəd]
Mettwurst smoked sausage ['sɒsɪdʒ] spread
Metzger butcher [⚠ 'bʊtʃə]; ***zum Metzger gehen*** go* to the butcher's
Metzgerei butcher's shop [⚠ 'bʊtʃəz‿ʃɒp], butcher's
Meuterei **1.** *in Gefängnis usw.*: revolt [rɪ'vəʊlt] **2.** *auf Schiff*: mutiny ['mjuːtənɪ]
Mexikaner Mexican ['meksɪkən]; ***er ist Mexikaner*** he's (a) Mexican; ☞ ***Nationalitäten***
Mexikanerin Mexican woman (*oder* lady *bzw.* girl); ***sie ist Mexikanerin*** she's (a) Mexican; ☞ ***Nationalitäten***
mexikanisch Mexican
Mexiko Mexico ['meksɪkəʊ]
MEZ CET [,siːiː'tiː] (*Abk. für* **C**entral **E**uropean **T**ime)
miau *Katze*: miaow [miː'aʊ], meow [miː'aʊ]

miau: einige Tierlaute

kikeriki!	**cock-a-doodle-doo!** [,kɒkəduːdl'duː]
miau!	**miaow** [miː'aʊ]
quak!	**quack** [kwæk]
wau wau!	**woof, woof!** [,wʊf'wʊf]

miauen miaow [miː'aʊ]
mich **1.** me; ***meinst du mich?*** do you mean me? **2.** myself, *nach Präposition*: me; ***ich habe mich gefragt*** I asked myself; ***stell dich hinter mich*** stand behind me **3.** *ohne Übersetzung*: ***ich setzte mich*** I sat down
mickrig *Sache*: measly ['miːzlɪ], *stärker*: lousy ['laʊzɪ]
Mief *umg.* **1.** fug, *BE auch* pong, *stärker*: stink **2.** *übertragen* stuffy atmosphere
Miene **1.** *allg.*: expression, look **2.** (≈ *Gesicht*) face **3.** ***gute Miene zum bösen Spiel machen*** *umg.* grin and bear* it
mies **1.** *umg.* lousy ['laʊzɪ], rotten **2.** ***du musst aber auch alles mies machen!*** you're always running things down **3.** ***von dir lass ich mir den Urlaub nicht mies machen!*** I'm not going to let you spoil my holiday
Miete **1.** *für Wohnung usw.*: rent **2.** *für Auto usw.*: hire charge, *AE* rental fee
Mieteinnahmen *Pl.* rental income (⚠ *Sg.*)
mieten **1.** rent (*Wohnung, Haus usw.*) **2.** hire, *bes. AE* rent (*Auto, Boot usw.*)
Mieter(in) tenant ['tenənt]
Mieterhöhung rent increase ['rent,ɪŋkriːs]
Mietshaus block of flats, *AE* apartment house
Mietvertrag **1.** *für Wohnung usw.*: lease [liːs] **2.** *für Sachen*: hire (*AE* rental) contract
Mietwagen **1.** hire car, *AE* rental car **2.** ***sich einen Mietwagen nehmen*** hire (*AE* rent) a car
Migräne migraine ['miːgreɪn]
Mikrochip microchip ['maɪkrətʃɪp]
Mikrofon microphone ['maɪkrəfəʊn]
Mikrofilm microfilm ['maɪkrəfɪlm]
mikroskopisch: *auch* ***mikroskopisch klein*** microscopic(al) [,maɪkrə'skɒpɪk(l)]
Mikrowelle microwave ['maɪkrəweɪv]
Mikrowellenherd microwave (oven ['ʌvn])
Milbe mite
Milch milk
Milchglas (≈ *dickes, trübes Glas*) frosted glass
milchig milky
Milchkaffee milky coffee, *AE* coffee with cream
Milchpulver powdered milk, milk powder
Milchreis rice pudding [,raɪs'pʊdɪŋ]
Milchstraße Milky Way [,mɪlkɪ'weɪ]
mild **1.** *allg.*: mild (*auch Klima*) **2.** *Strafe, Richter*: mild, lenient ['liːnɪənt] **3.** *Licht*: soft
milde: ***milde gesagt*** to put it mildly
mildern **1.** soothe [suːð], ease (*Schmerzen*) **2.** reduce, soften (*Wirkung*) **3.** ***er hat mildernde Umstände bekommen*** he was given mitigating ['mɪtɪgeɪtɪŋ] circumstances

Milieu **1.** *allg.*: environment [ɪn'vaɪrənmənt] **2.** *Herkunft*: social background
Militär **1.** *allg.*: armed forces (⚠ *Pl.*), military ['mɪlɪtərɪ] (⚠ *mit Pl. oder Sg.*); ***er ist beim Militär*** he's in the army **2.** (≈ *Soldaten*) soldiers (*Pl.*)
militärisch military ['mɪlɪtərɪ]
Milliardär(in) multimillionaire [ˌmʌltɪmɪljə'neə], *AE* billionaire [ˌbɪljə'neə]
Milliarde billion ['bɪljən] (*geschriebene Abk. BE* bn); ***zwei Milliarden Pfund*** two billion pounds (*£2bn*)

Milliarde

Obwohl „Milliarde" im Allgemeinen mit **billion** übersetzt wird, sagen noch einige Briten **a thousand million**. In der veraltenden Bedeutung ist **billion** nämlich 1.000.000.000.000 und entspricht damit der Billion bei uns (= 10^{12}, eine Million Millionen *oder* tausend Milliarden).

Milligramm milligram(me)
Millimeter millimetre; ***es ist vierzehn Millimeter hoch*** it's fourteen millimetres high
Millimeterarbeit: ***das war Millimeterarbeit*** that was a precision job [prɪˌsɪʒn'dʒɒb]
Millimeterpapier graph [grɑːf] paper
Million million ['mɪljən]; ***fünf Millionen Dollar*** five million dollars; ***der Schaden geht in die Millionen*** the damage runs into millions (of dollars *usw.*)
Millionär(in) millionaire [ˌmɪljə'neə], *Frau auch*: millionairess [ˌmɪljə'neərɪs]
Millionenhöhe: ***ein Schaden in Millionenhöhe*** damage amounting to millions of euros *usw.* (⚠ *ohne* a)
millionstel, Millionstel millionth
Milz spleen
Minarett minaret [ˌmɪnə'ret]
Minderheit minority [maɪ'nɒrətɪ]
minderjährig: ***sie ist noch minderjährig*** she's still underage [ˌʌndər'eɪdʒ]
Minderjährige(r) minor ['maɪnə]
minderwertig **1.** *allg.*: inferior [ɪn'fɪərɪə] **2.** *Ware, Material*: low-quality, low-grade, *nachgestellt*: of inferior quality **3.** *Qualität*: low, inferior
Minderwertigkeitskomplex inferiority complex [ɪnˌfɪərɪ'ɒrətɪˌkɒmpleks]
Mindest... *in Zusammensetzungen*: minimum ['mɪnɪməm]; ***Mindestgehalt*** *an Früchten usw.*: minimum content ['kɒntent]; ***Mindestlohn*** minimum wage;
Mindestwortschatz minimum vocabulary
mindeste(n) **1.** ***er hat nicht die mindeste Ahnung von Musik*** he doesn't know the first thing about music **2.** ***das ist doch wohl das Mindeste, das man von dir erwarten kann*** that's the very least that can be expected of you **3.** ***nicht im Mindesten*** not in the least, not at all
mindestens at least
Mindestmaß minimum (***an*** of)
Mine **1.** *Bergwerk*: mine **2.** *Sprengkörper*: mine **3.** *Bleistift*: lead [led] **4.** *Kugelschreiber*: cartridge, *als Ersatz*: refill ['riːfɪl]
Minenfeld minefield
Mineralwasser mineral water
Minibus minibus
Minigolf crazy golf ['kreɪzɪ‿gɒlf], *AE* miniature golf [ˌmɪnətʃə'gɒlf]
Minikleid minidress
minimal **1.** *Schaden, Unterschied usw.*: minimal **2.** ***ein minimaler Vorsprung*** a marginal lead [ˌmɑːdʒɪnl'liːd] (***gegenüber, vor*** over)
Minimum minimum ['mɪnɪməm] *Pl.*: minima *oder* minimums (***an*** of)
Minirock miniskirt ['mɪnɪskɜːt]
Minister(in) **1.** *allg.*: minister ['mɪnɪstə] **2.** *in GB*: Secretary ['sekrətrɪ] of State (***für*** *oder + Gen.* for) **3.** *in USA*: Secretary (***für*** *oder + Gen.* of)
Ministerium **1.** ministry ['mɪnɪstrɪ], *in GB in Zusammensetzungen auch*: Office **2.** *in USA*: department
Ministerpräsident(in) prime minister (*auch eines Bundeslandes*), premier ['premɪə]
Ministrant(in) server, *bes. AE* acolyte ['ækəlaɪt]
minus **1.** minus ['maɪnəs]; ***acht minus zwei ist sechs*** eight minus two is six **2.** ***bei zehn Grad minus*** at ten (degrees) below zero
Minus **1.** (≈ *Fehlbetrag*) deficit ['defəsɪt] **2.** *auf dem Konto*: overdraft **3.** ***im Minus sein*** be* in the red; ***Minus machen*** make* a loss
Minuspunkt **1.** *Sport*: penalty point ['penltɪ‿pɔɪnt] **2.** *übertragen* minus ['maɪnəs], drawback
Minuszeichen *Rechnen*: minus sign ['maɪnəs‿saɪn]
Minute **1.** *allg.*: minute ['mɪnɪt]; ***in letzter Minute*** at the last minute **2.** ***sie kam auf die Minute genau*** she came on the dot
mir **1.** *allg.*: (to) me; ***sie gab es mir*** she gave it to me **2.** (≈ *mir selbst*) myself; ***ich genehmigte mir eine Pizza*** I treated myself to a pizza **3.** *nach Präposition*: me;

über mir above me **4.** ***ein Freund von mir*** a friend of mine **5.** ***mir ist kalt*** I feel cold **6.** ***bei mir*** (***zu Hause***) at my place **7.** ***von mir aus*** it's fine with 'me; ***von mir aus könnt ihr bleiben*** you can stay as far as I'm concerned
Mirabelle *Obst*: yellow plum, mirabelle plum [ˌmɪrəˈbel‿plʌm]
Mischehe mixed marriage
mischen 1. *allg.*: mix **2.** shuffle (*Karten*) **3.** blend (*Tabak, Tee*) **4.** ***sich mischen*** mix, (*Geruch usw.*) blend (***mit*** with) **5.** ***sich unter die Leute mischen*** mingle (with the crowd) **6.** ***misch dich nicht in meine Angelegenheiten!*** keep (your nose) out of my business
Mischling 1. *Mensch*; *mst. abwertend*: half-caste [⚠ ˈhɑːfkɑːst] **2.** *Hund*: mongrel [ˈmʌŋgrəl]
Mischmasch *umg.* hotchpotch [ˈhɒtʃpɒtʃ], mishmash
Mischpult mixer
Mischung 1. *allg.*: mixture; ***eine Mischung aus ...*** a mixture of ... **2.** *von Tabak, Tee usw.*: blend (***aus*** of) **3.** *von Pralinen usw.*: assortment (***aus*** of)
Mischwald mixed forest [ˈfɒrɪst]
miserabel 1. terrible [ˈterəbl], dreadful [ˈdredfl], *umg.* lousy [ˈlaʊzɪ] **2.** ***eine miserable Leistung*** a pathetic performance [pəˌθetɪk‿pəˈfɔːməns]
Missbildung deformity
Missbrauch abuse [⚠ əˈbjuːs]; ***der Missbrauch von Medikamenten*** drug abuse (⚠ *ohne* the)
missbrauchen *sexuell*: abuse [əˈbjuːz] (*Kind*)
missen: ***das möchte ich nicht*** (***mehr***) ***missen*** I wouldn't like to be without it
Misserfolg failure, *eines Buchs usw.*: flop
Missernte crop failure [ˈkrɒpˌfeɪljə]
Missgeburt 1. *Kind*: deformed child **2.** *als Schimpfwort*: scab **3.** *Tier*: freak
missglücken 1. *allg.*: fail, be* a failure **2.** ***der Kuchen ist mir missglückt*** the cake didn't turn out **3.** ***ein missglückter Versuch*** an unsuccessful (*oder* a failed) attempt
misshandeln 1. ***jemanden misshandeln*** mistreat [ˌmɪsˈtriːt] someone **2.** ***eine misshandelte Frau*** a battered wife
Mission mission (*auch übertragen*)
Missionar(in) missionary [ˈmɪʃnərɪ]
missionieren 1. (≈ *als Missionar*[*in*] *tätig sein*) do* missionary work **2.** (≈ *bekehren*) convert
misslingen 1. *allg.*: fail, turn out a failure **2.** ***es ist mir misslungen*** I didn't manage it
misstrauen *allg.*: distrust, mistrust; ***meine Oma misstraut der Computertechnik*** *auch*: my grandma has no confidence in computers
Misstrauen 1. distrust, mistrust (***gegen*** of) **2.** ***sie ist voller Misstrauen*** she's very distrustful (*oder* suspicious) (***gegen*** of)
misstrauisch 1. distrustful (***gegen*** of) **2.** ***misstrauisch werden*** become* (*oder* get*) suspicious [səˈspɪʃəs]
missverständlich unclear, misleading; ***das ist etwas missverständlich formuliert*** it's a bit misleading
Missverständnis misunderstanding, (≈ *Streit*) *auch*: disagreement
missverstehen misunderstand*; ***du hast mich missverstanden*** *umg.*; *auch*: you've got me wrong [rɒŋ]
Misswahl beauty contest [ˈbjuːtɪˌkɒntest]
Misswirtschaft mismanagement [ˌmɪsˈmænɪdʒmənt]
Mist 1. *umg.* (≈ *Unsinn*) rubbish, *bes. AE* trash **2.** ***sie hat Mist gebaut*** *umg.* she's botched it up; ***mach keinen Mist!*** don't do anything stupid **3.** (***so ein***) ***Mist!*** damn it! [ˈdæm‿ɪt] **4.** *von Kühen usw.*: dung, *zum Düngen*: manure [⚠ məˈnjʊə], (≈ *Tierkot*) droppings (⚠ *Pl.*) **5.** *umg.* (≈ *Plunder*) rubbish, junk
Mistel mistletoe [⚠ ˈmɪsltəʊ]
Mistelzweig *Weihnachsschmuck*: (sprig of) mistletoe [⚠ ˈmɪsltəʊ]; ***ein Mistelzweig*** a sprig of mistletoe
Misthaufen manure [⚠ məˈnjʊə] heap, dung heap
Mistkerl *umg.* bastard [ˈbɑːstəd]
Mistkübel Ⓐ rubbish bin, *AE* trashcan
Miststück *umg.*; *Frau*: bitch
mit 1. *allg.*: with; ***ein Mann mit Hund*** a man with a dog **2.** ***ein Korb mit Obst*** a basket of fruit **3.** ***mit der Bahn fahren*** go* by train; ***mit dem Auto kommen*** come* by car **4.** ***es ist mit Bleistift geschrieben*** it's written in pencil **5.** ***mit Bargeld*** (*bzw.* ***Kreditkarte*** *bzw.* ***Scheck***) ***bezahlen*** pay* in cash (*bzw.* by cheque *bzw.* by credit card) **6.** ***mit Gewalt*** by force **7.** ***mit dem nächsten Bus fahren*** (*bzw.* ***kommen***) take* the next bus (*bzw.* arrive on the next bus) **8.** ***mit Verlust*** *verkaufen usw.*: at a loss **9.** ***mit einer Mehrheit von*** by a majority of **10.** ***wie wärs mit einer Partie Schach?*** how about a game of chess? **11.** ***was ist mit ihr?*** what's the matter with her?, (≈ *wie stehts mit 'ihr?*) what about her? **12.** ***mit 15*** (***Jahren***) at (the age of) fifteen **13.** ***sie war mit die Beste*** she was one of the very best

Mitarbeit cooperation, collaboration, (≈ *Hilfe*) *auch*: assistance [əˈsɪstəns] (***bei*** in); ***unter Mitarbeit von*** (*oder* + *Gen.*) in collaboration with

mitarbeiten 1. ***sie arbeitet im Geschäft mit*** she works in the shop too **2.** ***er arbeitet an einem neuen Wörterbuch mit*** he's involved in a new dictionary project

Mitarbeiter(in) 1. *einer Firma*: employee [ɪmˈplɔiː] **2.** *einer Zeitung usw. für einzelne Artikel*: contributor [kənˈtrɪbjʊtə] (***bei*** *oder* + *Gen.* to); ***sie ist Mitarbeiterin beim „Spiegel"*** *usw.* she writes for 'Spiegel' magazine *usw.* **3.** ***freier Mitarbeiter, freie Mitarbeiterin*** *einer Firma*: freelance [ˈfriːlɑːns], *bei Projekt*: collaborator [kəˈlæbəreɪtə] **4.** ***einer seiner Mitarbeiter*** one of his assistants [əˈsɪstənts]

mitbekommen *umg.* **1.** (≈ *aufschnappen*) catch* **2.** (≈ *hören*) hear* **3.** (≈ *bemerken*) realize **4.** (≈ *verstehen, kapieren*) get*

mitbenutzen: ***er benutzt das Bad mit*** he shares the bathroom with me *bzw.* us *bzw.* them *usw.*

mitbestimmen: ***bei etwas mitbestimmen*** have* a say in something

Mitbewerber(in) competitor [kəmˈpetɪtə]; *um Stelle*: fellow applicant [ˈæplɪkənt]

Mitbewohner(in) fellow occupant [ˌfeləʊˈɒkjʊpənt]

mitbringen 1. ***ich hab dir etwas mitgebracht*** I've brought something for you, *Geschenk*: I've brought you a little something **2.** *übertragen* have* (*Fähigkeit usw.*)

Mitbringsel 1. *Geschenk*: little present [ˈpreznt] **2.** *von Reise*: souvenir [ˌsuːvəˈnɪə]

Mitbürger(in) *allg.*: fellow citizen [ˈsɪtɪzn]; ***ausländische Mitbürger(innen)*** immigrant-residents [ˌɪmɪgrəntˈrezɪdənts]

mitdürfen: ***der Hund darf nicht mit*** the dog can't come (*oder* go); ***darf ich mit?*** can I come (*oder* go) too?

miteinander 1. *allg.*: with each other, with one another **2.** (≈ *zusammen*) together **3.** ***alle miteinander*** everyone **4.** ***sie sind miteinander bekannt*** they know each other

miterleben: ***sie hat den Krieg noch miterlebt*** *in ihrer Jugend*: she was a young girl during the war, *im Alter*: she was still alive during the war

Mitesser *in der Haut*: blackhead

mitfahren: (***mit jemandem***) ***mitfahren*** go* (*oder* drive*) with someone; ***fährst du mit?*** are you coming with me (*bzw.* us)?, are you going with him (*bzw.* her *bzw.* them)?

Mitfahrgelegenheit lift, *AE* ride; ***suche Mitfahrgelegenheit nach Köln*** seeking lift (*AE* ride) to Cologne [kəˈləʊn]

mitfühlen: ***ich kann mit dir mitfühlen*** I (can) sympathize [ˈsɪmpəθaɪz] with you

mitgeben: ***kann ich dir das Buch für Thomas mitgeben?*** can I give you this book to give to Thomas?

Mitgefühl sympathy [ˈsɪmpəθɪ]

mitgehen go* (*oder* come*) along (***mit*** with); ***ich geh mit*** I'll come with you

mitgenommen 1. *umg., übertragen* worn out, exhausted [ɪgˈzɔːstɪd] **2.** ***mitgenommen aussehen*** *auch Person*: look the worse for wear [weə]

Mitgift dowry [ˈdaʊrɪ]

Mitglied member; ***ich bin Mitglied beim Sportverein*** I'm a member of the sports club

Mitgliedsbeitrag (membership) fee (*AE* dues ⚠ *Pl.*)

mithaben: ***ich hab den Ausweis nicht mit*** I haven't got my ID [ˌaɪˈdiː] (card) with me

mithalten *mit jemandem, Tempo usw.*: keep* up (***mit*** with)

mithelfen help; ***ich muss zu Hause mithelfen*** *im Haushalt*: I've got to help with the housework, *bei anderer Aufgabe*: I've got to help out at home

mithilfe *einer Person, eines Werkzeugs usw.*: with the help of, *einer Sache, Handlung usw.*: by means of

mithören 1. *absichtlich*: listen in on, listen to (*Gespräch usw.*) **2.** ***ich habs zufällig mitgehört*** I overheard [ˌəʊvəˈhɜːd] it **3.** ***man hört von oben alles mit*** you can hear everything that goes on from upstairs

mitkommen 1. *wörtlich* come* along; ***kommt ihr mit?*** are you coming (too)? **2.** ***da komm ich nicht mehr mit*** (≈ *das kapier ich nicht*) I don't get it, it's beyond me **3.** ***sie kommt in der Schule gut*** (*bzw.* ***schlecht***) ***mit*** she's doing well (*bzw.* badly) at school

mitlaufen 1. *allg.*: run* (along) with **2.** *Sport, bei Rennen*: run* (in the race)

Mitlaut consonant [ˈkɒnsənənt]

Mitleid pity; ***aus Mitleid für*** out of pity for; ***Mitleid mit jemandem haben*** have* (*oder* take*) pity on someone

mitleidig 1. (≈ *mitfühlend*) compassionate [kəmˈpæʃənət], sympathetic [ˌsɪmpəˈθetɪk] **2.** ***ein mitleidiges Lächeln*** a contemptuous [kənˈtemptjʊəs] smile

mitlesen: ***ich spiele euch den Text vor und ihr lest mit*** I'll play the text to you, and you can read along with it

mitmachen 1. ***willst du mitmachen?*** do

you want to join in? **2.** ***bei etwas mitmachen*** take* part in something **3.** ***da mach ich nicht mit!*** (≈ *damit bin ich nicht einverstanden*) I can't go along with that **4.** ***sie hat schon einiges mitgemacht*** *umg.* she's been through a lot

Mitmensch 1. *allg.*: fellow human being **2.** ***die lieben Mitmenschen*** *ironisch* people!

mitmischen *salopp* be* in on the action; ***sie will überall mitmischen*** she wants to be in on everything, she wants to be involved in everything

mitnehmen 1. ***ich nehm es*** (*bzw.* ***ihn*** *usw.*) ***mit*** I'll take it (*bzw.* him *usw.*) with me **2.** ***er hat mich mitgenommen*** he took me along, *im Auto*: he gave me a lift (***nach*** to) **3.** ***das hat sie ziemlich mitgenommen*** it's really got to her **4.** ***Essen zum Mitnehmen*** takeaway (*AE* carryout) food

mitreißen 1. ***er wurde von einer Lawine mitgerissen*** he was swept away by an avalanche ['ævəlɑːntʃ] **2.** ***wir wurden alle mitgerissen*** (≈ *waren begeistert*) we were all carried away (by it)

mitreißend 1. *Rede usw.*: rousing ['raʊzɪŋ] **2.** *Rhythmus*: infectious **3.** *Spiel*: exciting

mitsamt together with, along with

mitschicken: (***jemandem***) ***etwas mitschicken*** *in Brief usw.*: enclose something

mitschleifen: ***sie wurde 100 Meter weit von dem Auto mitgeschleift*** she was dragged along by the car for a hundred metres

mitschleppen drag along (with one) (*Koffer usw., Person, Kind*)

mitschneiden *auf Tonband usw.*: record [rɪ'kɔːd]

mitschreiben 1. make* notes **2.** ***etwas mitschreiben*** write* (*oder* take*) something down **3.** ***eine Schularbeit mitschreiben*** do* (*oder* take*) a test

mitschuldig: ***mitschuldig sein*** be* partly to blame (***an*** for)

Mitschüler(in) schoolmate, classmate

mitsingen 1. *allg.*: join in (the singing), sing* along **2.** ***er singt beim Kirchenchor mit*** he sings in the church choir [⚠ 'kwaɪə]

mitspielen 1. ***willst du mitspielen?*** *bei Spiel*: do you want to join in? **2.** *Sport*: play (***bei*** for), be* on the team **3.** *bei Theaterstück*: play (***bei*** in); ***spielt sie mit?*** is she in it? **4.** *in Orchester*: play (***in*** in)

Mitspieler(in) 1. *allg.*: player, *Sport auch*: team-mate **2.** *Theater*: member of the cast

Mittag 1. midday, noon, lunchtime; ***heute Mittag*** at noon today; ***sie haben über Mittag geschlossen*** they're closed at lunchtime (*oder* for lunch) **2.** ***zu Mittag essen*** have* lunch; ***was esst ihr zu Mittag?*** what are you having for lunch?

Mittagessen lunch; ***was gibts heute zum Mittagessen?*** what's for lunch today?

mittagessen: ***mittagessen gehen*** go* to have lunch, go* for lunch

mittags 1. at midday, at noon, at lunchtime **2.** (***um***) ***12 Uhr mittags*** (at) 12 noon

Mittagspause lunchbreak, lunchhour; ***wir haben Mittagspause*** it's our lunchbreak

Mittagsschlaf afternoon nap; (***einen***) ***Mittagsschlaf halten*** have* an afternoon nap

Mittagszeit: ***zur Mittagszeit*** at lunchtime

Mitte 1. *allg.*: middle **2.** (≈ *Mittelpunkt*) centre **3.** ***Mitte Juni*** in the middle of June, (in) mid-June **4.** ***sie ist Mitte zwanzig*** she's in her mid-twenties

mitteilen: ***jemandem etwas mitteilen*** inform someone of (*oder* about) something

Mitteilung 1. (≈ *Benachrichtigung*) notification **2.** (≈ *Bekanntgabe*) announcement

Mittel 1. (≈ *Hilfsmittel*) means (⚠ *Sg.*) *Pl.*: means (***zu, um zu*** of + *-ing-Form*) **2.** (≈ *Weg, Methode*) method ['meθəd] (***zu, um zu*** for + *-ing-Form*), way (***zu, um zu*** of + *-ing-Form*) **3.** ***als letztes Mittel*** as a last resort **4.** ***ihr ist jedes Mittel recht*** she'll stop at nothing **5.** (≈ *Heilmittel*) cure, remedy ['remədɪ] (***gegen*** for); ***ein Mittel gegen Kopfschmerzen*** *usw.* something for a headache *usw.* **6.** ***ein starkes Mittel*** (≈ *Medizin*) strong medicine ['medsn] (⚠ *ohne* a), (≈ *Putzmittel*) a powerful cleaner **7.** (≈ *Geldmittel*) means (⚠ *Pl.*), *öffentliche, einer Stiftung usw.*: funds (⚠ *Pl.*) **8.** (≈ *Durchschnitt*) average ['ævərɪdʒ]

Mittelalter: ***im Mittelalter*** in the Middle Ages (⚠ *Pl.*), in medi(a)eval times (⚠ *Pl.*)

mittelalterlich medi(a)eval, [ˌmedɪ'iːvl]

Mittelamerika Central America

Mitteleuropa Central Europe ['jʊərəp]

Mitteleuropäer(in) Central European; ☞ ***Nationalitäten***

mitteleuropäisch Central European; ***mitteleuropäische Zeit*** (*Abk.* MEZ) Central European Time (*Abk.* CET)

mitteleuropäisch Central European; ***mitteleuropäische Zeit*** (*Abk.* MEZ) Central European Time (*Abk.* CET)

Mittelfeld *Fußball*: midfield ['mɪdfiːld]

Mittelfeldspieler(in) *Fußball*: midfielder

Mittelgang *in Flugzeug usw.*: aisle [⚠ aɪl]

Mittelgebirge highlands (⚠ *Pl.*), low mountain range

Mittelgewicht middleweight ['mɪdlweɪt]
mittelgroß 1. *allg.*: medium-sized **2.** ***sie ist mittelgroß*** *Person*: she's (of) medium height [⚠ haɪt]
Mittelklassewagen *Auto*: mid-range (*oder* medium-range) car, *AE* middle-sized car
Mittellinie 1. *Fußball*: halfway line **2.** *allg.*: centre line
mittelmäßig 1. *Leistung*: mediocre [ˌmiːdɪ'əʊkə] **2.** (≈ *durchschnittlich*) average ['ævərɪdʒ] **3.** (≈ *so la la*) middling
Mittelmeer Mediterranean (Sea) [ˌmedɪtə'reɪnɪən('siː)]
Mittelpunkt 1. *allg.*: centre **2.** ***sie will immer im Mittelpunkt stehen*** she always wants to be at the centre of attention
Mittelschicht middle classes (⚠ *Pl.*)
Mittelschiff *Kirche*: nave [neɪv]
Mittelstreckenflugzeug medium-haul aircraft
Mittelstreckenrakete medium-range missile
Mittelstreifen *Autobahn usw.*: central reservation, *AE* median ['miːdɪən] strip
Mittelstufe 1. *Kurs usw.*: intermediate [ˌɪntə'miːdɪət] stage **2.** *Schule*; *etwa*: middle school, *AE auch* junior high school
Mittelstürmer(in) *Fußball*: striker, centre-forward [ˌsentə'fɔːwəd]
Mittelweg middle course
Mittelwelle *Radio*: medium wave, AM [ˌeɪ'em]
Mittelwert mean (value ['væljuː])
Mittelwort participle ['pɑːtɪsɪpl]
mitten 1. ***mitten in*** (*bzw.* ***auf*** *bzw.* ***unter***) in the middle of; ***mitten in der Nacht*** in the middle of the night **2.** ***mitten in etwas hinein*** right into something
mittendrin right in the middle (of it)
mittendurch right through (the middle)
Mitternacht midnight; ***um Mitternacht*** at midnight
mittlere(r, -s) 1. *allg.*: middle; ***sie ist im mittleren Alter*** she's middle-aged; ***der Mittlere Osten*** the Middle East **2.** (≈ *durchschnittlich*) average ['ævərɪdʒ]; ***mittlere Leistungen*** an average performance (⚠ *Sg.*) **3.** *Größe*, *Qualität*: medium **4.** ***mittlere Reife*** *Schulabschluss*: intermediate secondary school certificate, *in GB etwa*: GCSEs [ˌdʒiːsiːes'iːz] (⚠ *Pl.*)
Mitwirkende(r) *im Theater*: actor ['æktə], player (*auch in Orchester*); ***Mitwirkende*** *Pl.* cast (⚠ *Sg.*); ***Mitwirkende sind ...*** the cast includes ...
Mittwoch Wednesday ['wenzdeɪ]; ***wir sehen uns dann (am) Mittwoch*** see you (on) Wednesday
Mittwochabend: ***(am) Mittwochabend*** (on) Wednesday evening, (on) Wednesday night
mittwochabends (on) Wednesday evenings
Mittwochmorgen: ***(am) Mittwochmorgen*** (on) Wednesday morning
Mittwochnachmittag: ***(am) Mittwochnachmittag*** (on) Wednesday afternoon
mittwochs on Wednesday, on Wednesdays; ***mittwochs abends*** *usw.* (on) Wednesday evenings *usw.*
mitverdienen: ***meine Mutter muss mitverdienen*** my mother has to work as well
mitwirken 1. (≈ *teilnehmen*) take* part (***bei*** in) **2.** *bei Projekt*: be* involved (***bei, an*** in)
mitzählen 1. ***ich hab nicht mitgezählt*** I wasn't counting **2.** ***das zählt nicht mit*** (≈ *gilt nicht*) that doesn't count
mixen mix (*Getränk usw.*)
Mixer (≈ *Mixgerät*) blender, liquidizer
mobben bully [⚠ 'bʊlɪ], harass ['hærəs]
Mobbing harassment ['hærəsmənt] in the workplace, *umg.* bullying ['bʊlɪɪŋ] (⚠ *das Wort* mobbing *wird in der englischen Alltagssprache nicht verwendet!*)
Möbel 1. *einzelnes*: piece of furniture ['fɜːnɪtʃə] **2.** ***die Möbel sollen morgen geliefert werden*** the furniture is to be delivered tomorrow (⚠ furniture *steht nie im Pl.*)
Möbelgeschäft furniture ['fɜːnɪtʃə] shop
Möbelwagen furniture van, *bei Umzug*: removal van, *AE* moving van
mobil 1. *allg.*: mobile ['məʊbaɪl] **2.** ***mobil machen*** mobilize ['məʊbəlaɪz] (*Truppen*)
Mobilfunk *Telefon*: mobile (*oder* wireless) communications *Pl.*, cellular radio
Mobilfunknetz *Telefon*: cellular radio network [ˌseljʊlə'reɪdɪəʊˌnetwɜːk]
mobilisieren mobilize ['məʊbəlaɪz] (*Truppen, übertragen auch Kräfte usw.*)
Mobiltelefon mobile phone [ˌməʊbaɪl'fəʊn]
möblieren 1. furnish (*Zimmer usw.*); ***möbliertes Zimmer*** furnished room **2.** ***neu möblieren*** refurnish [riː'fɜːnɪʃ] (*Zimmer*)
möchte(n) → ***mögen***
Mode fashion; ***die neueste Mode*** the latest fashion; ***sie geht mit der Mode*** she follows (*oder* keeps up with) the fashions (⚠ *Pl.*); ***aus der Mode kommen*** go* out of fashion; ***(in) Mode sein*** *umg.* be* 'in
modebewusst fashion-conscious, trendy
Modell 1. (≈ *Muster, Nachbildung*) model ['mɒdl] **2.** *Kunst*: model; ***jemandem Modell stehen*** sit* (*oder* pose) for someone **3.** *Auto usw.*: model

Modelleisenbahn model railway [ˌmɒdl-ˈreɪlweɪ], *AE* model railroad
Modellflugzeug model aircraft [ˌmɒdlˈeə-krɑːft] (*oder* aeroplane [ˈeərəpleɪn]), *AE* model airplane [ˌmɒdlˈeəpleɪn]
Modem *Computer*: modem [ˈməʊdem]
Modenschau fashion show
Moderator(in) presenter [prɪˈzentə], host [həʊst], *AE auch* anchorman, *Frau*: anchorwoman
moderig *Keller, Geruch usw.*: mouldy [ˈməʊldɪ], musty
modern[1] **1.** *allg.*: modern [ˈmɒdn]; ***die moderne Kunst*** (***Musik*** *usw.*) modern art (music *usw.*) (⚠ *ohne* the) **2.** (≈ *modisch*) fashionable; ***Hosenträger sind wieder modern*** braces are in again
modern[2] (≈ *faulen*) rot (away)
modernisieren modernize [ˈmɒdənaɪz] (*Firma usw.*)
Modernisierung modernization [ˌmɒdən-aɪˈzeɪʃn]
Modeschöpfer(in) fashion designer
modisch fashionable, stylish
Modul *Technik, Computer usw.*: module [ˈmɒdjuːl]
Mofa moped [ˈməʊped]
mogeln cheat
mögen 1. (≈ *wollen*) want; ***ich mag nicht*** I don't want to, (≈ *ich hab keine Lust*) I don't feel like it; ***ich möchte, dass dus weißt*** I'd like you to know **2.** (≈ *wünschen*) want; ***was möchten Sie*** (***bitte***)***?*** what would you like? **3.** (≈ *gern mögen*) like, be* fond of; ***sie mag ihn nicht*** she doesn't like him; ***wir mögen ihn sehr*** we're very fond of him; ***ich mag Spinnen*** (***überhaupt***) ***nicht*** I don't like spiders (at all) **4.** ***ich möchte wissen*** I'd like to know, (≈ *ich frage mich*) I wonder [ˈwʌndə] **5.** ***etwas lieber mögen*** like something better, prefer [prɪˈfɜː] something; ***sie mag dich lieber als mich*** she likes you better than me, she prefers you to me; ***ich möchte lieber bleiben*** I'd rather stay; ***möchtest du lieber Kaffee*** (***als Tee***)***?*** would you prefer coffee (to tea)?
möglich 1. *allg.*: possible **2.** (≈ *durchführbar*) doable [ˈduːəbl] **3.** *Folgen usw.*: potential **4.** ***es ist möglich, dass sie kommt*** she may (*oder* might) come **5.** *Wendungen*: ***so bald*** (***schnell*** *usw.*) ***wie möglich*** as soon (quickly *usw.*) as possible; ***nicht möglich!*** *überrascht*: no kidding!; ***alles Mögliche*** all sorts of things; ***alles Mögliche tun*** do everything possible; ***ich hab mein Möglichstes getan*** I've done my best
möglicherweise 1. *allg*: possibly **2.** ***möglicherweise ist sie schon da*** she may (*oder* might) be here already
Möglichkeit 1. *allg.*: possibility **2.** (≈ *Gelegenheit*) opportunity **3.** (≈ *Aussicht, Chance*) chance, possibility **4.** ***nach Möglichkeit*** as far as possible
möglichst 1. ***möglichst bald*** (***wenig*** *usw.*) as soon (little *usw.*) as possible **2.** ***ein möglichst billiges Zimmer*** the cheapest possible room
Mohn 1. *Pflanze, Blume*: poppy **2.** *Körner*: poppy seed, *in Kuchen auch*: poppy seeds
Möhre carrot [ˈkærət]
Mohrenkopf (≈ *Negerkuss*) *etwa*: cream-filled chocolate cake
Mokka *Kaffee*: mocha [ˈmɒkə]
Molch *Tier*: newt [njuːt]
Mole mole, jetty
Molekül molecule [ˈmɒlɪkjuːl]
Molke whey [weɪ]
Molkerei dairy [ˈdeərɪ]
Moll 1. minor, minor key; ***die Melodie geht in Moll über*** the tune changes into minor **2.** ***a-Moll*** A minor (⚠ A *usw. wird hier großgeschrieben*); ☞ ***Dur***
mollig 1. (≈ *dicklich*) plump **2.** ***mollig warm*** warm and cosy [ˈkəʊzɪ]
Moment moment, instant; (***einen***) ***Moment bitte!*** just a minute!; ***Moment mal!*** just a moment (*oder* minute)!; ***im Moment*** at the moment; ***sie kann jeden Moment kommen*** she could be here any minute (now)
momentan: ***ich hab momentan sehr viel zu tun*** I'm very busy at the moment
Monaco Monaco [⚠ ˈmɒnəkəʊ]
Monarchie monarchy [ˈmɒnəkɪ]
Monat 1. *allg.*: month [mʌnθ] **2.** ***sie verdient 2500 Euro im Monat*** she earns 2,500 euros a month **3.** ***sie ist im dritten Monat*** *schwanger*: she's three months pregnant
monatelang 1. ***monatelange Diskussionen*** months of discussion (⚠ *Sg.*) **2.** ***monatelang warten*** wait for months
monatlich 1. *Raten, Zahlung usw.*: monthly **2.** ***monatlich 100 Euro zahlen*** pay* a hundred euros a month (*oder* every month)
Monatskarte monthly (season) ticket
Mönch monk [mʌŋk]
Mond 1. moon **2.** ***du lebst wohl hinter dem Mond!?*** where have you been all your life?
Mondfinsternis eclipse [ɪˈklɪps] of the moon, lunar eclipse [ˌluːnər‿ɪˈklɪps]
Mondlandefähre lunar module [ˌluːnə-ˈmɒdjuːl]

M

Mondlandschaft lunar ['luːnə] landscape

Mondschein moonlight

Moneten *salopp* cash, *BE auch* lolly (⚠ *beide Sg.*)

Mongolei Mongolia [mɒŋ'gəʊlɪə]

Monitor *Computer usw.*: monitor ['mɒnɪtə]

Monoaufnahme mono ['mɒnəʊ] recording

Monolog monologue ['mɒnəlɒg]

Monopol monopoly [mə'nɒpəlɪ] (***auf*** on, of)

monoton monotonous [⚠ mə'nɒtənəs]

Monster monster

Monsun *Wind*: monsoon [mɒn'suːn]

Monsunzeit monsoon season [mɒn'suːn-ˌsiːzn]

Montag Monday; ***wir sehen uns dann (am) Montag*** see you (on) Monday

Montagabend: ***(am) Montagabend*** (on) Monday evening, (on) Monday night

montagabends (on) Monday evenings

Montage 1. (≈ *Aufstellung, Anbringen*) installation [ˌɪnstə'leɪʃn] **2.** (≈ *Zusammenbau*) assembly **3.** ***er ist auf Montage*** he's away on a (building) job

Montagmorgen: ***(am) Montagmorgen*** (on) Monday morning

Montagnachmittag: ***(am) Montagnachmittag*** (on) Monday afternoon

montags on Monday, on Mondays; ***montags abends*** *usw.* (on) Monday evenings *usw.*

Montenegro Montenegro [ˌmɒntɪ'niːgrəʊ]

Monteur(in) 1. *allg.*: fitter **2.** *bei Autos, Flugzeugen usw.*: mechanic [mɪ'kænɪk]

montieren 1. (≈ *zusammenbauen*) assemble **2.** (≈ *anbringen*) fit, attach (***an*** to) **3.** (≈ *aufstellen*) set* up **4.** (≈ *einrichten, einbauen*) install [ɪn'stɔːl] (*Heizung usw.*)

Moor 1. *allg.*: bog **2.** (≈ *Hochmoor*) moor [mʊə]

moorig marshy, boggy

Moorpackung mudpack

Moos 1. *Pflanze*: moss **2.** (≈ *Moorgebiet*) moorland ['mʊələnd] (⚠ *ohne* a), moorlands (*Pl.*), bog **3.** *salopp* (≈ *Geld*) cash, *BE auch* brass [brɑːs]

Moped moped ['məʊped]

Mops *Hund*: pug, pug dog

Moral 1. (≈ *sittliche Werte*) morals ['mɒrəlz] (⚠ *Pl.*), moral standards (⚠ *Pl.*) **2.** ***Moral predigen*** moralize **3.** *einer Geschichte*: moral **4.** (≈ *Stimmung*) morale [⚠ mə'rɑːl]; ***die Moral der Mannschaft ist gut*** (the) morale in the team is high

moralisch 1. *allg.*: moral ['mɒrəl] **2.** ***er hat heute einen Moralischen*** *umg.* he's feeling down (*oder* low) today

Moralpredigt: ***deine Moralpredigten kannst du dir sparen!*** none of your sermons please!

Mord 1. murder (***an*** of); ***einen Mord begehen*** commit (a) murder **2.** *durch Attentat*: assassination [əˌsæsɪ'neɪʃn]

Mörder(in) 1. *allg.*: murderer, killer **2.** (≈ *Attentäter, -in*) assassin [ə'sæsɪn]

mörderisch 1. *allg.*: murderous ['mɜːdərəs] **2.** *Kampf usw.*: deadly **3.** *Hitze usw.*: terrible, scorching ['skɔːtʃɪŋ] **4.** *Rennen*: gruel(l)ing, *Tempo*: breakneck **5.** *Konkurrenz usw.*: cutthroat

Mordfall murder case

Mordshunger: ***ich hab einen Mordshunger*** I'm famished ['fæmɪʃt]

Mordskerl *umg.* **1.** (≈ *riesenhafter Mann*) great hulk **2.** *bewundernd*: great guy

Mordversuch attempted murder (⚠ *ohne* an)

Morgen 1. morning; ***guten Morgen!*** good morning!; ***am Morgen*** in the morning, (≈ *jeden Morgen*) *auch*: in the mornings (*Pl.*); ***heute Morgen*** this morning; ***gestern Morgen*** yesterday morning; ***am nächsten Morgen*** the next morning **2.** ***es wird Morgen*** it's getting light

morgen tomorrow; ***morgen Abend*** tomorrow evening (*bzw.* night); ***morgen früh*** tomorrow morning; ***morgen in acht Tagen*** a week (from) tomorrow, tomorrow week; ***morgen um diese Zeit*** this time tomorrow

Morgenessen Ⓒⓗ breakfast [⚠ 'brekfəst]

Morgengrauen: ***bei*** (*bzw.* ***im***) ***Morgengrauen*** at dawn, at daybreak ['deɪbreɪk]

Morgenmuffel: ***sie ist ein Morgenmuffel*** she's not a morning person

Morgenrock dressing gown

Morgenrot red sky, dawn (*Letzteres auch übertragen*)

morgens in the morning, (≈ *jeden Morgen*) *auch*: in the mornings; ***um 4 Uhr morgens*** at 4 (o'clock) in the morning, at 4 am

Mormone, **Mormonin** Mormon ['mɔːmən]

Morphium morphine ['mɔːfiːn]

morsch 1. rotten **2.** ***morsch werden*** (start to) rot

morsen morse

Morsezeichen Morse signal ['mɔːsˌsɪgnəl]

Mörtel mortar ['mɔːtə]

Mosaik mosaic [⚠ məʊ'zeɪɪk]

Moschee mosque [mɒsk]

Mosel *Fluss*: Moselle [məʊ'zel]

mosern *umg.* grumble, gripe (***über*** about)

Moskau Moscow [⚠ 'mɒskəʊ]

Moskito mosquito [mə'skiːtəʊ]

Moskitonetz mosquito net [mə'skiːtəʊ‿net]

Moslem, **Moslemin**, **moslemisch** Moslem [⚠ 'mɒzləm]
Most 1. (≈ *Traubenmost*) grape juice [dʒuːs] **2.** (≈ *Apfelmost*) cider, (≈ *unvergorener Apfel- bzw. Birnensaft*) apple (*bzw.* pear) juice **3.** *vergorener*: fruit wine
Motiv 1. (≈ *Grund*) motive ['məʊtɪv] **2.** *Kunst usw.*: motif [⚠ məʊ'tiːf], *Musik auch*: theme [θiːm]
Motivation motivation
motivieren 1. ***jemanden motivieren*** motivate someone (***zu*** to + *Inf.*) **2.** ***sehr motiviert*** highly motivated
Motor 1. *eines Autos, Flugzeugs usw.*: engine ['endʒɪn] **2.** (≈ *Elektromotor, Außenbordmotor usw.*) motor ['məʊtə]
Motorboot motorboat
Motorhaube bonnet ['bɒnɪt], *AE* hood [hʊd]
Motorrad motorbike, motorcycle ['məʊtə-ˌsaɪkl]; ***Motorrad fahren*** ride* a motorbike
Motorradfahrer(in) motorcyclist ['məʊtə-ˌsaɪklɪst], *umg.* biker
Motorroller scooter, motor scooter
Motorsäge power saw
Motorschaden engine trouble ['endʒɪn-ˌtrʌbl]; ***wir hatten einen Motorschaden*** we had (some) engine trouble
Motte moth [mɒθ]
Motto 1. *allg.*: motto; ***… steht unter dem Motto …*** … has as its motto … **2.** ***nach dem Motto …*** according to the principle (that)
Mountainbike mountain bike
Möwe gull, seagull
Mücke midge, mosquito [mə'skiːtəʊ]
mucken *umg.* grumble; ***ohne zu mucken*** without a peep
Mückenstich mosquito bite, midge bite
mucksmäuschenstill: ***es war mucksmäuschenstill*** you couldn't hear a sound
müde 1. *allg.*: tired; ***Schwimmen macht müde*** swimming makes you tired **2.** *Lächeln*: weary ['wɪərɪ]; ***müde lächeln*** give* a weary smile **3.** (≈ *schläfrig*) sleepy **4.** ***keine müde Mark*** *umg.* not a penny
Müdigkeit tiredness
muffelig (≈ *unfreundlich*) grumpy, sullen
muffig 1. *Keller, Luft*: musty **2.** (≈ *mürrisch*) grumpy
Mühe 1. *allg.*: trouble **2.** (≈ *Anstrengung*) effort ['efət] **3.** ***mit Müh(e) und Not*** with great difficulty, (only) just **4.** ***sie hat sich große Mühe gegeben*** she's gone to a lot of trouble (***mit*** over)
mühelos 1. *allg.*: easy **2.** ***sie hats mühelos geschafft*** she managed it without any difficulty
mühevoll difficult ['dɪfɪklt], hard
Mühle 1. *Gebäude*: mill **2.** *für Kaffee*: grinder ['graɪndə] **3.** *für Pfeffer*: mill **4.** *Spiel*: nine men's morris
mühsam 1. (≈ *anstrengend*) strenuous ['strenjʊəs] **2.** (≈ *ermüdend*) tiring
Mulde *im Boden, Gelände*: hollow
Muli mule
Müll 1. (≈ *bes. Hausmüll*) rubbish, *bes. AE* garbage ['gɑːbɪdʒ], trash (*alle auch übertragen*) **2.** *in Massen*: waste
Müllabfuhr 1. refuse [⚠ 'refjuːs] disposal (*oder* collection), *AE* garbage ['gɑːbɪdʒ] disposal **2.** *als Dienstleistung*: refuse (*AE* garbage) collection service
Müllabladeplatz rubbish tip (*oder* dump), *AE* (garbage) dump
Müllberg mountain of rubbish (*AE* garbage)
Müllbeutel (dust)bin liner, *AE* garbage bag
Mullbinde gauze bandage [ˌgɔːz'bændɪdʒ]
Müllcontainer rubbish skip, *AE* garbage skip (*oder* container)
Mülldeponie rubbish tip (*oder* dump), *AE* (garbage) dump, landfill
Mülleimer rubbish bin, *AE* garbage can
Müller(in) miller
Mülltonne dustbin, *AE* trashcan, garbage can
Müllschlucker rubbish chute [ʃuːt]
Mülltrennung waste separation
Müllwagen dustcart, *AE* garbage truck
mulmig: ***beim Fliegen wird mir immer mulmig*** I always feel uneasy when I'm flying
multikulturell multicultural [ˌmʌltɪ'kʌltʃərəl]
multilateral multiteral [ˌmʌltɪ'lætrəl]; ***multilaterale Gespräche*** multiateral talks
Multimedia… *in Zusammensetzungen*: multimedia … [ˌmʌltɪ'miːdɪə]
Multimillionär(in) multimillionaire [ˌmʌltɪˌmɪljə'neə]
Multiplikation multiplication [mʌltɪplɪ'keɪʃn]
multiplizieren multiply (***mit*** by)
Mumie mummy
Mumm *umg.* (≈ *Mut*) guts (⚠ *Pl.*); ***dazu fehlt ihm der Mumm*** he hasn't got the guts for it (*oder* to do it)
Mumps mumps [mʌmps] (⚠ *mit Sg.*); ***sie hat Mumps*** she's got (the) mumps
München Munich ['mjuːnɪk]
Mund 1. *allg.*: mouth **2.** ***halt den Mund!*** shut up!; ***halt bloß deinen Mund!*** (≈ *verrate bloß nichts*) just make sure you keep your mouth shut **3.** ***sie ist nicht auf den***

Mund gefallen *übertragen* she's got the gift of the gab **4.** ***er hat sie auf den Mund geküsst*** he kissed her on the lips
Mundart dialect ['daɪəlekt]
Munddusche dental water jet, *bes. AE* waterpick
münden: ***der Rhein mündet in die Nordsee*** the Rhine flows into the North Sea
Mundgeruch bad breath [breθ]
Mundharmonika mouth organ, harmonica
mündig: ***ein mündiger Bürger*** a responsible citizen
mündlich **1.** *Schilderung, Aussage usw.*: verbal ['vɜːbl] **2.** ***mündliche Prüfung*** oral ['ɒrəl] (exam) **3.** ***alles Weitere mündlich*** I'll tell you the rest when I see you
Mundschutz **1.** *eines Arztes usw.*: mask **2.** *Boxen*: gumshield
Mundstück **1.** *eines Instrumentes*: mouthpiece **2.** *einer Zigarette usw.*: tip
Mündung **1.** *eines Flusses*: mouth, *den Gezeiten ausgesetzte*: estuary [⚠ 'estjʊrɪ] **2.** *eines Gewehrs usw.*: muzzle
Mundwasser mouthwash, gargle
Mund-zu-Mund-Beatmung mouth-to--mouth resuscitation [⚠ rɪˌsʌsɪ'teɪʃn], the kiss of life
Munition ammunition [ˌæmjʊ'nɪʃn]
Münster *Kirche*: minster, cathedral [kə'θiːdrəl]
munter **1.** *Baby usw.*: happy **2.** (≈ *lebhaft*) lively ['laɪvlɪ] **3.** ***sie ist schon wieder munter*** (≈ *aufgestanden*) she's up and about again **4.** (≈ *wach*) awake; ***das macht dich wieder munter*** *Kaffee usw.*: that'll wake (*oder* perk) you up
Münze coin
Münztelefon pay phone
mürbe *Kuchen, Gebäck*: crumbly
Mure (≈ *Schlammlawine*) mudflow
Murks *umg.* botch-up; ***er hat Murks gemacht*** he's botched it (up)
Murmel marble
murmeln murmur ['mɜːmə], mutter
Murmeltier **1.** marmot ['mɑːmət], *AE auch* woodchuck **2.** *übertragen, umg.* ***schlafen wie ein Murmeltier*** sleep* like a top (*oder* log)
mürrisch sullen, grumpy
Mus **1.** (≈ *Brei*) mush **2.** *aus Früchten*: puree ['pjʊəreɪ]
Muschel **1.** *Tier*: mussel **2.** (≈ *Muschelschale*) shell, seashell
Museum museum [mjuː'ziːəm]
Musical musical
Musik **1.** *allg.*: music **2.** (≈ *Kapelle*) band
musikalisch musical; ***er ist sehr musikalisch*** *auch*: he's got musical talent
Musikant(in) musician
Musikbox jukebox (⚠ *engl.* music box *oder* musical box = ***Spieldose***)
Musiker(in) musician [mjuː'zɪʃn]
Musikinstrument musical instrument
Musikkapelle band
Musikstunde *Unterricht*: music lesson; ***ich hab heute Musikstunde*** I've got my (*oder* a) music lesson today
musizieren play music
Muskatnuss nutmeg ['nʌtmeg]
Muskel muscle [⚠ 'mʌsl]; ***Muskeln kriegen*** develop [dɪ'veləp] muscles
Muskelkater sore (*oder* stiff) muscles (*Pl.*); ***ich hab nen Muskelkater in den Beinen*** my legs are sore (*oder* stiff)
Muskelriss muscle rupture [⚠ 'mʌslˌrʌptʃə], *umg.* torn muscle; ***sich einen Muskelriss zuziehen*** tear* [teər] a muscle
Muskelzerrung pulled muscle; ***sie hat eine Muskelzerrung*** she's pulled a muscle
muskulös muscular ['mʌskjʊlə]
Müsli muesli [⚠ 'mjuːzlɪ], *AE* granola
Muslim, Muslimin, muslimisch Muslim [⚠ 'mʊzləm]
müssen **1.** *bei Verpflichtung, Notwendigkeit*: have* to, have* got to; ***du musst nicht hingehen*** *weil kein Zwang besteht*: you don't have to go, *weil ich es dir sage*: you needn't go (⚠ you mustn't go = ***du darfst nicht hingehen***); ***ich muss jetzt meine Hausaufgaben machen*** I've got to do my homework now **2.** *bei innerer Überzeugung, sicherer Annahme*: must (⚠ have to *wird im Futur und im Past Tense als Ersatz für die fehlenden Formen von* must *verwendet*); ***du musst den Film sehen!*** you must see this film; ***ich muss es gesehen haben*** I must have seen it; ***er muss es gewesen sein*** it must have been him **3.** ***sie hätte nicht gehen müssen*** (≈ *brauchen*) she needn't have gone **4.** ***es müsste sofort gemacht werden*** it ought to be done straightaway; ***das müsstest du doch wissen*** you ought to know that; ***sie hätte hier sein müssen*** she ought to have been here **5.** ***sie müssen bald kommen*** they should be here any minute (now); ***der Zug müsste längst hier sein*** the train should have arrived long ago **6.** ***ich musste lachen*** I couldn't help laughing **7.** ***ich muss!*** I've got no choice; ***ich muss nach Hause*** I have to (*oder* I've got to) go home; ***sie muss zur Schule*** she has to (*oder* she's got to) go to school; ***er muss***

müssen/sollten	**must/should**
Ich muss bis 10 Uhr zu Hause sein.	**I must be home by ten o'clock.**
Wir müssen morgens in die Schule.	**We have to go to school in the morning.**
Ich muss meinen Eltern schreiben.	**I've got to write to my parents.**
Du solltest jemandem sagen, dass du erst später kommst.	**You should let someone know that you're going to be late.**

schnell ins Krankenhaus *zur Behandlung*: he has to (*oder* he's got to) be taken to hospital straightaway **8.** ***ich muss mal aufs Klo***: I must (*oder* need to) go to the loo, *AE* I have to go to the bathroom (*oder umg.* to the john); ☞ *Info unter* **Toilette** **9.** *Wendungen*: ***muss das sein?*** is that really necessary?, do we (you *usw.*) really have to?, *verärgert*: (≈ *hör auf damit!*) stop it!; ***wenn es unbedingt sein muss*** (≈ *wenn es getan werden muss*) if there's no other way, (≈ *wenn du es für richtig hältst*) if you insist

Muster 1. *in Stoff usw.*: pattern ['pætn], *bes. unregelmäßiges*: design **2.** (≈ *Probe, Warenmuster*) sample ['sɑːmpl], specimen [⚠ 'spesəmɪn] **3.** (≈ *Schema*) pattern **4.** *eines Formulars, eines Geschäftsbriefs usw.*: specimen **5.** *zum Stricken usw.*: (≈ *Vorlage*) pattern **6.** (≈ *Beispiel*) example **7.** (≈ *Vorbild*) model ['mɒdl] (***an*** of)

Musterbeispiel classic example (***für*** of)

mustern 1. ***jemanden mustern*** (≈ *genau betrachten*) look someone up and down **2.** ***etwas mustern*** (≈ *genau betrachten*) have* a close look at something **3.** ***jemanden mustern*** *vor dem Wehrdienst*: give* someone a medical ['medɪkl]

Musterschüler(in) 1. model pupil [ˌmɒdl'pjuːpl] **2.** *abwertend* swot, teacher's pet

Musterung *vor dem Wehrdienst*: medical ['medɪkl], *AE auch* physical ['fɪzɪkl]

Mut 1. (≈ *Tapferkeit*) courage ['kʌrɪdʒ], bravery (⚠ *beide ohne* the); ***den Mut verlieren*** lose* courage (*oder* heart) (⚠ *ohne* the); ***es gehört schon Mut dazu*** it takes a fair bit of courage **2.** ***er hat mir Mut gemacht*** he bucked up my courage

mutig brave, courageous [⚠ kə'reɪdʒəs]

mutlos disheartened [dɪs'hɑːtnd]

Mutprobe test of courage ['kʌrɪdʒ]

Mutter[1] *von Kind(ern)*: mother; ***sie wird Mutter*** she's expecting a baby; ***sie ist Mutter von zwei Kindern*** she's a (*oder* the) mother of two (children)

Mutter[2] (≈ *Schraubenmutter*) nut

Mütterchen: ***ein altes Mütterchen*** a little old lady

Muttergottes Virgin Mary, Madonna

mütterlich 1. *Gefühle, Liebe*: maternal **2.** *Fürsorge, Frau, Kuss, Liebe*: motherly

mütterlicherseits: ***mein Großvater mütterlicherseits*** my maternal grandfather, my grandfather on my mother's side

Muttermal birthmark

mutterseelenallein all alone

Muttersöhnchen: ***er ist ein Muttersöhnchen*** he's (a) mummy's boy, *AE* he's mama's boy, (≈ *ein Weichling*) he's a sissy

Muttersprache mother tongue [⚠ tʌŋ]

Muttersprachler(in) native speaker

Muttertag Mother's Day; ***am Muttertag*** on Mother's Day

Mutti mum(my), *AE* mom [mɑːm], mommy

Mütze 1. *allg.*: cap **2.** (≈ *Wollmütze*) woolly hat [ˌwʊlɪ'hæt]

mysteriös mysterious [mɪ'stɪərɪəs]

mystisch 1. *Symbol, Lehre usw.*: mystic ['mɪstɪk] **2.** *Handlung usw.*: mystical

Mythologie mythology [⚠ mɪ'θɒlədʒɪ]

Mythos 1. (≈ *Sage*) myth [mɪθ] (*auch übertragen*) **2.** *Sache, Person*: (≈ *Legende*) legend ['ledʒənd]

M

N

na 1. well!; ***na, Peter …*** well, Peter … **2.** *überrascht, verärgert*: hey! [heɪ] **3.** ***na, na!*** come on now **4.** ***na also!, na bitte!*** see?, what did I tell you? **5.** ***na ja*** well, *verlegen*: well, you know **6.** ***na gut*** all right, OK **7.** ***na, ich weiß nicht*** I'm not so sure **8.** ***na warte!*** just you wait **9.** ***na und?*** so (what)? **10.** ***na endlich!*** about time too **11.** ***na so was!*** well, I'm blowed [bləʊd]!

Nabe hub

Nabel *am Körper*: navel ['neɪvl]

nach 1. *räumlich*: to, *als Richtungsangabe auch*: towards; ***nach rechts*** to the right; ***nach vorn*** (*bzw.* ***hinten***) ***gehen*** go* to the front (*bzw.* to the back); ***nach oben*** up, *im Haus*: upstairs; ***nach Süden*** *usw.* ***fahren*** go* south *usw.*; ***nach Hause*** home **2.** (≈ *mit dem Ziel*) for, bound for; ***der Zug nach London*** the train for (*oder* to) London, the London train; ***das Schiff fährt nach Genua*** the ship is sailing for Genoa ['dʒenəʊə] **3.** *zeitlich*: after, *bei Uhrzeit*: past, *AE* after; ***nach zwei Stunden*** *zurückliegend*: after two hours, two hours later, *von jetzt an*: in two hours, in two hours' time; ***es ist fünf (Minuten) nach sechs*** it's five (minutes) past six (*AE* after six) **4.** *bei Reihenfolge*: after; ***(immer) der Reihe nach*** one after the other **5.** (≈ *entsprechend*) according to; ***nach dem, was sie sagt*** going by what she says; ***seinem Namen*** *usw.* ***nach*** judging by his name *usw.*; ***nach Bedarf*** as required; ***nach Gewicht verkaufen*** sell* by weight; ***nach 'meiner Uhr ist es zehn*** it's ten o'clock by my watch **6.** ***hier riechts nach Rauch*** it smells of smoke (*in Zimmer usw.*: in here); ***es schmeckt nach Zitrone*** it tastes of lemon **7.** ***nach jemandem fragen*** (*bzw.* ***suchen***) ask (*bzw.* look) for someone **8.** *Wendungen*: ***mir nach!*** follow me!; ***nach und nach*** gradually ['grædʒʊəlɪ]; ***ihr gehts nach wie vor gut*** she's still doing fine

nachäffen: ***jemanden nachäffen*** ape someone

nachahmen 1. imitate (*Person, Stimme usw.*) **2.** *auf komische Weise*: mimic ['mɪmɪk], take* off; ***sie kann ihre Lehrerin sehr gut nachahmen*** she does a good impression of her teacher **3.** copy (*Mode, Verhalten*)

Nachahmung 1. *einer Person usw.*: imitation, mimicking ['mɪmɪkɪŋ] **2.** (≈ *Kopie*) imitation, copy ['kɒpɪ]

Nachbar(in) 1. *allg.*: neighbour [⚠ 'neɪbə] **2.** *direkt nebenan*: next-door neighbour **3.** ***mein Nachbar*** (*bzw.* ***meine Nachbarin***) *auf Sitzplatz*: the man (boy *usw.*) *bzw.* woman (girl *usw.*) sitting next to me

Nachbarhaus house next door

nachbauen copy (*Gebäude, Gerät usw.*)

nachbestellen 1. *allg.*: order some more **2.** (*Firma*) place a repeat order for

nachbeten parrot ['pærət]

Nachbildung *allg.*: copy, reproduction, *genaue auch*: replica [⚠ 'replɪkə]

nachblicken: ***jemandem nachblicken*** watch someone go *usw.*

nachdem 1. *zeitlich*: after, when; ***nachdem sie das gesagt hatte*** having said that, after saying that, when she had said that **2.** *begründend*: since, as; ***nachdem du es nicht gewollt hast*** since (*oder* as) you didn't want it **3.** ***je nachdem!*** it (all) depends; ***je nachdem, was er sagt*** depending on what he says

nachdenken 1. think* (***über*** about); ***ich hab darüber nachgedacht, wie …*** I was thinking about how … **2.** ***denk mal scharf nach*** think hard **3.** ***ich brauche Zeit zum Nachdenken*** I need time to think it (*oder* things) over

nachdenklich 1. ***jemanden nachdenklich machen*** set* someone thinking **2.** ***sie machte ein sehr nachdenkliches Gesicht*** she was looking very thoughtful

nachdrücklich 1. *allg.*: emphatic **2.** (≈ *ausdrücklich*) explicit [ɪk'splɪsɪt] **3.** ***ich habe ihn nachdrücklich davor gewarnt*** I expressly warned him not to do it *usw.*

nacheifern: ***jemandem nacheifern*** try to emulate [⚠ 'emjʊleɪt] someone

nacheinander 1. *allg.*: one after the other **2.** ***kurz nacheinander*** in quick succession, at short intervals **3.** ***drei Tage nach-***

N

einander three days running, three days in a row

nacherzählen: ***etwas nacherzählen*** *in der Schule*: give* a summary of something

Nacherzählung *schriftliche*: reproduction

Nachfahr(e) descendant [dɪ'sendənt]

nachfahren: ***jemandem nachfahren*** go* after someone, *mit Auto auch*: drive* after someone

Nachfolger(in) successor [sək'sesə]

nachforschen investigate, try to find out

Nachforschungen investigations, inquiries, enquiries [⚠ ɪn'kwaɪərɪz]

Nachfrage *nach Waren*: demand (***nach*** for); ***eine starke Nachfrage*** a great demand; ***eine geringe Nachfrage*** little demand (⚠ *ohne* a)

nachfragen inquire [ɪn'kwaɪə] (***wegen*** about), ask (***bei jemandem*** someone; ***bei*** *einem Amt usw.*: at; ***wegen*** about)

nachfühlen: ***das kann ich dir nachfühlen*** I know exactly how you feel

nachfüllen 1. refill (*etwas Leeres*) **2.** top up (*etwas halb Leeres usw.*); ***darf ich nachfüllen?*** may I top up your glass?

Nachfüllpack *Waschmittel usw.*: refill ['riːfɪl]

nachgeben 1. (*Person*) give* in (***jemandem*** to someone); ***du gibst immer zu schnell nach*** you always give in too easily **2.** (*Material*) give*; ***das Brett gab unter dem Gewicht nach*** the board began to give under the weight

Nachgebühr *für Brief usw.*: excess postage

nachgehen[1]: ***die Uhr geht (zehn Minuten) nach*** this watch (*bzw.* clock) is (ten minutes) slow

nachgehen[2] **1.** ***jemandem nachgehen*** follow someone **2.** ***etwas nachgehen*** *einem Vorfall usw.*: look into (*oder* investigate) something

nachgemacht 1. (≈ *gefälscht*) forged [fɔːdʒd] **2.** (≈ *unecht*) fake **3.** (≈ *künstlich*) artificial [ˌɑːtɪ'fɪʃl], imitation (*leather usw.*)

nachgeraten: ***er gerät (ganz) seinem Vater nach*** he takes after his father (completely)

Nachgeschmack aftertaste

nachgießen top up (*etwas halb Leeres usw.*); ***darf ich nachgießen?*** may I top up your glass?, may I top you up?

nachhängen: ***hängst du immer noch deiner Freundin nach?*** are you still wishing your girlfriend back?

nachhause Ⓐ, Ⓒⓗ home; ***nachhause gehen*** go* home; ***er brachte sie nachhause*** he took her home

Nachhauseweg way home; ***auf dem Nachhauseweg*** on the way home

nachhelfen 1. ***jemands Gedächtnis etwas nachhelfen*** jog someone's memory **2.** ***dem Zufall*** (*bzw.* ***Glück***) ***etwas nachhelfen*** give* fate (*bzw.* fortune) a helping hand

nachher 1. *allg.*: afterwards ['ɑːftəwədz] **2.** (≈ *später*) later (on); ***bis nachher!*** see you later

Nachhilfe 1. ***sie bekommt Nachhilfe in Englisch*** she gets private lessons in English, she's being coached [kəʊtʃt] in English **2.** ***sie gibt ihm Nachhilfe in Physik*** she coaches him in physics, she helps him with his physics

Nachhilfelehrer(in) coach, private tutor

Nachhilfestunde private lesson

Nachholbedarf: ***großen Nachholbedarf haben*** have* a lot of catching up to do

nachholen 1. catch* up on (*Lernstoff usw.*); ***nachholen, was in der Schule durchgenommen wurde*** catch* up on what was done at school **2.** ***sie hat das Abitur mit 30 nachgeholt*** she did her A-levels at thirty

nachjagen *jemandem*: chase after (*auch übertragen, dem Glück usw.*)

Nachkomme 1. *allg.*: descendant [dɪ'sendənt], offspring (⚠ *das ist auch Pl.*) **2.** ***ohne Nachkommen sterben*** *förmlich* die without issue ['ɪʃuː]

nachkommen (≈ *später kommen*) follow (on) later

Nachlass[1] (≈ *Preisermäßigung*) discount ['dɪskaʊnt] (***auf*** on), reduction (***auf*** on)

Nachlass[2] *bei Todesfall*: estate [ɪ'steɪt]

nachlassen 1. (*Wirkung*) wear* off [ˌweər'ɒf] **2.** (*Schmerz*) ease, wear* off **3.** (*Gehör, Augen*) get* bad **4.** ***sein Interesse lässt nach*** he's beginning to lose interest **5.** (*Konzentration, Leistung, Qualität*) drop (off) **6.** (*Regen, Sturm*) let* up **7.** ***sie hat in letzter Zeit nachgelassen*** *in der Schule*: she's not been doing so well in school recently **8.** ***allmählich lässt er ganz schön nach*** *aus Altersgründen*: he's slowing down quite a bit now **9.** ***sie hat mir zwanzig Pfund (vom Preis) nachgelassen*** she gave me £20 off (*gesprochen* twenty pounds)

nachlässig 1. *allg.*: careless **2.** ***nachlässig gekleidet*** untidily dressed

Nachlässigkeit *allg.*: carelessness

nachlaufen: ***jemandem*** (*bzw.* ***etwas***) ***nachlaufen*** run* after someone (*bzw.* something)

nachlesen: ***das kannst du im Brockhaus nachlesen*** you can read (*oder*

N

look) it up in the Brockhaus (Encyclopaedia [ɪnˌsaɪkləˈpiːdɪə])
nachlösen: ***(eine Fahrkarte) nachlösen*** buy* a (*oder* the) ticket on the bus (*oder* train *usw.*) *bzw.* at the other end (*nach Ankunft*)
nachmachen **1.** ***etwas nachmachen*** copy something (*auch Verhalten*) **2.** ***jemanden nachmachen*** (≈ *nachahmen*) imitate someone, *auf komische Art*: mimic someone, take* someone off **3.** (≈ *fälschen*) forge (*Unterschrift usw.*) **4.** ***das soll mir erst mal einer nachmachen!*** I'd like to see anyone do better **5.** ***ich muss die Prüfung nachmachen*** I've got to do the exam later
Nachmieter(in) **1.** *allg.*: new (*oder* next) tenant [ˈtenənt] **2.** ***mein Nachmieter*** the person taking over my flat (*AE* apartment)
Nachmittag afternoon [ˌɑːftəˈnuːn]; ***am Nachmittag*** in the afternoon; ***heute Nachmittag*** this afternoon; ***morgen Nachmittag*** tomorrow afternoon
nachmittags **1.** *bestimmter Tag*: in the afternoon **2.** *regelmäßig*: in the afternoons **3.** ***um 3 Uhr nachmittags*** at 3 (o'clock) in the afternoon, at 3 pm [ˌpiːˈem]
Nachmittagsvorstellung *Kino usw.*: matinée [ˈmætɪneɪ] (performance)
Nachnahme cash (*AE* collect) on delivery, COD [ˌsiːəʊˈdiː]; ***per Nachnahme*** COD
Nachname surname, last name
nachplappern parrot [ˈpærət]
nachprüfen: ***etwas nachprüfen*** check something
Nachprüfung *in Schule*: re-examination
nachreichen hand in later (*Papiere usw.*)
Nachricht **1.** news [njuːz] (⚠ *Sg.*) (***von*** of, about); ***eine Nachricht*** a piece of news; ***ich hab eine gute Nachricht für dich*** I've got good news for you (⚠ *ohne* a) **2.** ***Nachrichten*** *Radio*, *Fernsehen*: news (⚠ *Sg.*); ***Nachrichten hören*** (*bzw.* ***sehen***) listen to (*bzw.* watch) the news; ***Sie hören jetzt Nachrichten*** *Radio*: here is the news **3.** (≈ *Botschaft*) message
Nachrichtensatellit communications satellite [ˈsætəlaɪt]
Nachrichtensprecher(in) newsreader, *AE* newscaster
Nachruf obituary [əˈbɪtʃʊərɪ] (***auf*** on)
nachrufen: ***ich hab ihr nachgerufen, dass sie Brot bringen soll*** I shouted after her to bring some bread
nachrüsten **1.** *militärisch*: close the armament gap **2.** *technisch*: retrofit [ˈretrəʊfɪt] **3.** upgrade (*Computer usw.*)
nachsagen (≈ *nachsprechen*) repeat
Nachsaison end of the season
nachschauen **1.** ***jemandem*** (*bzw.* ***etwas***) ***nachschauen*** gaze after someone (*bzw.* something), *jemandem beim Weggehen*: watch someone go **2.** ***ich schau mal nach*** I'll (go and) have a look, *zur Sicherheit*: I'll go and check (***ob*** whether)
nachschenken **1.** ***darf ich (dir) nachschenken?*** can I pour you some more coffee (*bzw.* wine *usw.*)? **2.** ***er hat uns immer wieder nachgeschenkt*** he kept on topping us up (*AE* filling up our glasses)
nachschicken: ***ich schicks dir nach*** I'll send it on to you, I'll forward [ˈfɔːwəd] it to you
nachsitzen: ***sie muss nachsitzen*** *in Schule*: she's being kept in, she's got detention
nachschlagen **1.** look up (*Wort*, *Stelle*) **2.** ***ich hab in einem Buch nachgeschlagen*** I looked it up (*oder* I checked it) in a book
Nachschlagewerk reference book
nachschreiben: ***eine Arbeit (später) nachschreiben*** do* (*oder* sit*) a test later
Nachschub **1.** *Material für Militär*: supplies (⚠ *Pl.*) **2.** *übertragen* supply (***an*** of)
Nachschuss *Fußball*: follow-up shot
nachsehen **1.** ***jemandem*** (*bzw.* ***etwas***) ***nachsehen*** gaze after someone (*bzw.* something), *jemandem beim Weggehen*: watch someone go **2.** ***ich seh mal nach*** I'll (go and) have a look, *zur Sicherheit*: I'll go and check (***ob*** whether) **3.** ***du hättest ja in einem Wörterbuch nachsehen können*** you could have looked it up (*oder* have checked it) in a dictionary
nachsenden **1.** ***bitte nachsenden!*** *auf Brief usw.*: please forward [ˈfɔːwəd] **2.** ***wir senden es Ihnen nach*** we'll forward it to you
Nachsilbe suffix [ˈsʌfɪks]
Nachspeise dessert [⚠ dɪˈzɜːt], sweet
nachspielen **1.** ***der Schiedsrichter lässt schon fünf Minuten nachspielen*** the referee has already added on five minutes for injuries and stoppages **2.** *auf Instrument*: play; ***ich musste es nachspielen*** (then) I had to play it (myself)
nachspionieren: ***jemandem nachspionieren*** spy on someone
nachsprechen: ***sprecht es mir nach!*** repeat (it) after me
nachspülen **1.** rinse [rɪns] (*Gläser usw.*) **2.** *im Abfluss*: run* some water (to wash it down)
nächstbeste(r, -s) **1.** ***wir gingen ins***

nächstbeste Hotel we went into the first hotel we could find **2.** ***bei der nächstbesten Gelegenheit*** as soon as I (you *usw.*) get a chance
nächste(r, -s) 1. *zeitlich*: next; **(*am*) *nächsten Sonntag*** next Sunday; ***am nächsten Tag*** the next (*oder* following) day; ***in den nächsten Tagen*** in the next few days; ***nächstes Mal, das nächste Mal*** next time **2.** (≈ *nächstgelegen, nächststehend*) nearest; ***wo ist das nächste Postamt?*** where's the nearest post office?; ***meine nächsten Verwandten*** my nearest relatives ['relətɪvz] **3.** *in der Reihenfolge*: next; ***was kommt als Nächstes?*** what's next?; ***der Nächste, bitte!*** next, please!; ***du bist als Nächste(r) dran*** it's your turn next
nachstellen (re)adjust (*Uhr, Bremsen usw.*)
Nächstenliebe charity ['tʃærətɪ]
Nacht night; ***in der Nacht*** at night (⚠ *ohne* the); ***heute Nacht*** *vergangene*: last night, *kommende*: tonight; ***gestern Nacht*** last night; ***über Nacht*** overnight; ***Tag und Nacht*** night and day (⚠ *Wortstellung*); ***die ganze Nacht*** all night (long); ***bis tief in die Nacht hinein*** till late at night
Nachtdienst night duty; ***Nachtdienst haben*** *bei Schichtarbeit*: be* on night duty, *Apotheke usw.*: be* open all night
Nachteil 1. *allg.*: disadvantage [ˌdɪsəd'vɑːntɪdʒ]; ***sie ist (ihm gegenüber) im Nachteil*** she's at a disadvantage (compared with him); ***zum Nachteil von*** to the disadvantage of **2.** ***er hat sich zu seinem Nachteil verändert*** he's changed for the worse
nachteilig 1. disadvantageous [⚠ ˌdɪsædvən'teɪdʒəs] **2.** ***nachteilige Folgen*** negative consequences ['kɒnsɪkwənsɪz]
Nachtessen Ⓒⓗ supper
Nachtflug night flight
Nachthemd 1. *für Frauen*: nightdress, *umg.* nightie, *AE* nightgown ['naɪtgaʊn] **2.** *für Männer*: nightshirt
Nachtigall nightingale
nächtigen spend* the night (***in*** *Hotel*: at)
Nachtisch 1. dessert [⚠ dɪ'zɜːt], sweet **2.** ***was gibts zum Nachtisch?*** what's for afters (*AE* dessert), *BE auch* what's for pudding [⚠ 'pʊdɪŋ]?

Nachtisch

Der Gebrauch von **dessert, sweet** bzw. **pudding** ['pʊdɪŋ] ist regional unterschiedlich – aber alle drei Varianten werden überall verstanden!

Nachtleben nightlife
Nachtlokal night club, *AE auch* nightspot
Nachtmahl Ⓐ supper
nachtragen 1. ***jemandem etwas nachtragen*** (≈ *übel nehmen*) hold* something against someone **2.** ***etwas nachtragen*** *schriftlich*: add something (later)
nachtragend unforgiving
nachträglich 1. *Änderung usw.*: later (⚠ *nur vor dem Subst.*) **2.** ***etwas nachträglich ändern*** change something later (on) **3.** ***nachträglich herzlichen Glückwunsch!*** belated [bɪ'leɪtɪd] best wishes
nachtrauern: ***dem*** (***der*** *usw.*) ***trauert keiner nach!*** nobody'll be sorry to see him (her *usw.*) go
nachts 1. at night, during the night **2.** (***um***) ***11 Uhr nachts*** at 11 (o'clock) at night, at 11 pm [ˌpiː'em]; ***um zwei Uhr nachts*** at two o'clock in the morning, at 2 am [ˌeɪ'em]
Nachtschicht night shift; ***Nachtschicht haben*** be* on night shift
Nachttarif *für Telefon, Strom usw.*: off-peak rate(s *Pl.*)
Nachttisch bedside table, bedside locker
Nachttopf chamber pot ['tʃeɪmbə‿pɒt]
Nachtwächter 1. *Wachperson*: night watchman **2.** *übertragen, umg.* (≈ *träger Mensch*) dope
Nachtzug night train
Nachuntersuchung follow-up check
nachvollziehen understand, comprehend [ˌkɒmprɪ'hend]
nachwachsen grow* (back) again
Nachweis 1. (≈ *Beweis*) proof, evidence ['evɪdəns] (***für*** of) **2.** (≈ *Beleg*) certificate
nachweisbar 1. demonstrable [dɪ'mɒnstrəbl], detectable **2.** ***... sind nicht nachweisbar*** ... cannot be proved
nachweisen 1. prove [⚠ pruːv]; ***sie konnten ihr nichts nachweisen*** they couldn't prove anything (against her) **2.** *chemisch usw.*: detect
Nachwirkung 1. *einer Medizin usw.*: aftereffect, aftereffects (*Pl.*) **2.** ***Nachwirkungen*** *einer Krise usw.*: aftermath ['ɑːftəmæθ] (⚠ *Sg.*) **3.** ***Nachwirkungen*** (≈ *Folgen*) consequences ['kɒnsɪkwənsɪz]
Nachwort epilogue ['epɪlɒg]
Nachwuchs 1. *einer Familie*: offspring (⚠ *mit Sg. oder Pl.*); ***sie bekommen Nachwuchs*** they're expecting a baby **2.** *beruflicher*: new recruits [rɪ'kruːts] (⚠ *Pl.*) **3.** ***der ärztliche*** (*bzw.* ***wissenschaftliche***) ***Nachwuchs*** the new generation of doctors (*bzw.* academics)
Nachwuchs... *in Zusammensetzungen*: talented ['tæləntɪd], young, up-and-coming, junior

N

Nachwuchstalent promising ['prɒmɪsɪŋ] young talent
nachzahlen pay* extra
nachzählen *allg.*: check
Nachzahlung additional payment
nachziehen 1. trace (*Strich, Linie*) **2.** pencil ['pensl] (*Augenbrauen*) **3.** tighten up (*Schraube*) **4.** *mit Preiserhöhung, neuen Produkten usw.*: follow suit [suːt]
Nachzügler(in) straggler, latecomer
Nackedei *umg.* nudie ['njuːdɪ]
Nacken neck, nape (*oder* back) of the neck
Nackenstütze headrest
nackt 1. *allg.*: naked [⚠ 'neɪkɪd], *bes. in der Kunst*: nude [njuːd]; ***völlig nackt*** stark naked **2.** *Arme usw.*: bare **3.** *Wand, Boden usw.*: bare **4.** *Wahrheit*: plain **5.** ***nackt baden*** swim* (*oder* bathe [⚠ beɪð]) in the nude, *AE umg.* skinnydip **6.** ***mit nacktem Oberkörper*** stripped to the waist
Nacktbadestrand nudist ['njuːdɪst] beach
Nadel 1. needle (*auch von Spritze, Nadelbaum*) **2.** (≈ *Steck-, Haar-, Hutnadel*) pin **3.** *eines Plattenspielers*: stylus, needle
Nadelbaum conifer [⚠ 'kɒnɪfə], coniferous [⚠ kə'nɪfərəs] tree
Nadelöhr 1. eye of a (*bzw.* the) needle **2.** (≈ *Engpass*) bottleneck
Nadelstich 1. *beim Nähen*: stitch **2.** *Stich, als Schmerz*: (pin)prick
Nadelwald coniferous [⚠ kə'nɪfərəs] forest
Nagel *allg.*: nail (*auch an Finger, Zehe*); ***sie kaut immer an den Nägeln*** she's always biting her nails
Nagelfeile nail file
Nagellack nail varnish, *bes. AE* nail polish
Nagellackentferner nail-varnish remover
nageln nail (***an, auf*** to)
nagelneu brand-new
Nagelschere (pair of) nail scissors ['sɪzəz]; ***wo ist meine Nagelschere?*** where are my nail scissors?
nagen gnaw [⚠ nɔː] (***an*** at)
nah 1. *hinter dem Verb*: near, close [⚠ kləʊs]; ***es ist ganz nah*** *Entfernungsangabe*: it's quite near (*oder* close), it's not very far; ***nah bei*** (*oder* ***an***) near (to), close to; ***von nahem*** from close up **2.** *vor dem Subst.*: nearby ['nɪəbaɪ]; ***der nahe Park*** the nearby park; ***der Nahe Osten*** the Middle East **3.** *zeitlich*: near **4.** *Verwandte*: close; ***nah verwandt*** closely related **5.** ***den Tränen nah*** close to tears
Nahaufnahme close-up (shot)
nahe 1. → ***nah*** **2.** ***nahe liegend*** *Grund usw.*: obvious ['ɒbvɪəs]
Nähe 1. ***in der Nähe*** nearby [ˌnɪə'baɪ] **2.** ***in der Nähe von*** near (to) (⚠ *nicht* nearby), close [⚠ kləʊs] to **3.** ***der Park in der Nähe*** the nearby park **4.** ***bei uns in der Nähe*** near (to) where we live **5.** ***es muss hier in der Nähe sein*** it must be somewhere around here **6.** ***bleib in meiner Nähe*** stay near me **7.** ***sich etwas aus der Nähe ansehen*** take* a closer look at something

Nähe

Beachte:

in der Nähe	**nearby**
He lives nearby.	
in der Nähe von	**near**
It's near the park.	

nähen 1. *allg.*: sew [⚠ səʊ] **2.** make* (*Kleid*) **3.** stitch up (*Wunde*); ***ich musste genäht werden*** *bei Fleischwunde*: I had to have stitches
näher 1. ***es ist näher, als du denkst*** it's closer (*oder* nearer) than you might think **2.** ***nähere Informationen*** further information (⚠ *Sg.*) **3.** ***es gibt einen näheren Weg*** there's a shorter way (*oder* route) **4.** ***die nähere Umgebung*** the immediate [ɪ'miːdɪət] area **5.** ***näher herankommen*** (≈ *herantreten*) come* closer, (≈ *sich nähern*) get* closer **6.** ***sich etwas näher ansehen*** have* a closer look at something **7.** ***Ostern rückt immer näher*** Easter is getting closer and closer **8.** ***kennst du sie näher?*** do you know her well? **9.** ***auf dem Ausflug sind sie sich näher gekommen*** they were brought together by the outing
Nähere(s) details, particulars (⚠ *beide Pl.*)
Naherholungsgebiet local (*oder* nearby) recreational area [rekrɪˌeɪʃnəl'eərɪə]
Näherin seamstress ['semstrəs, 'siːmstrəs]
nähern: ***sich jemandem*** (*bzw.* ***etwas***) ***nähern*** approach someone (*bzw.* something)
nahezu virtually ['vɜːtʃʊəlɪ], almost; ***nahezu unmöglich*** virtually impossible
Nahkampf 1. *Militär*: close combat [ˌkləʊs'kɒmbæt] **2.** *Boxen, Fechten*: infighting
Nähmaschine sewing [⚠ 'səʊɪŋ] machine
nahrhaft 1. nutritious [njuː'trɪʃəs], nourishing [⚠ 'nʌrɪʃɪŋ] **2.** ***eine nahrhafte Mahlzeit*** a good square meal
Nährstoff nutrient ['njuːtrɪənt]
Nahrung food [fuːd]
Nahrungskette *bis zum menschlichen Verzehr*: food chain ['fuːd‿tʃeɪn]

Nahrungsmittel food [fuːd] *Pl.*: food (⚠ *mit Sg.*), *bestimmte auch*: foods
Nährwert nutritional [njuːˈtrɪʃnəl] value
Naht 1. *allg.*: seam **2.** *einer Wunde*: stitches (⚠ *Pl.*)
nahtlos 1. (≈ *ohne Naht*) seamless (*auch technisch*) **2.** ***ein nahtloser Übergang*** *übertragen* a smooth transition **3.** ***eine nahtlose Bräune*** *übertragen* an all-over tan **4.** ***nahtlos ineinander übergehen*** merge into one another
Nahverkehr local traffic
Nahverkehrszug local train
Nähseide sewing [⚠ ˈsəʊɪŋ] silk
Nähzeug sewing [⚠ ˈsəʊɪŋ] kit
naiv naive [naɪˈiːv] (*auch Kunst, Maler*)
Name 1. *allg.*: name; ***eine Frau mit Namen Liz*** a woman by the name of Liz; ***ich musste ihm meinen Namen sagen*** I had to give him my name; ***ich möchte jetzt keine Namen nennen*** I wouldn't like to mention any names; ***ich kenne sie*** *usw.* ***nur dem Namen nach*** I only know her *usw.* by name **2.** ***in Gottes Namen*** for heaven's sake, for God's sake
namenlos 1. nameless, (≈ *unbekannt*) *auch*: anonymous [əˈnɒnɪməs] **2.** *übertragen Freude, Elend*: unspeakable
Namensschild 1. *an Tür, Eingang*: nameplate **2.** *an Kleidung*: name tag
Namenstag name day; ***ich hab morgen Namenstag*** tomorrow's my name day
Namensvetter namesake
nämlich 1. ***der Fahrer, nämlich Herr X*** the driver, namely (*oder* that is) Mr X **2.** ***sie war nämlich krank*** she was ill, you see
nanu: ***nanu, wer kommt denn da?*** well, look who's here!; ***nanu, wo ist denn mein Schirm geblieben?*** well, I wonder what's happened to my umbrella
Narbe scar [skɑː]
Narkose 1. *Mittel*: anaesthetic [ˌænəsˈθetɪk]; ***in Narkose*** under anaesthetic; ***eine Narkose bekommen*** be* given an anaesthetic **2.** *als Zustand*: anaesthesia [ˌænəsˈθiːzɪə]; ***aus der Narkose aufwachen*** come* round
Narr 1. *allg.*: fool; ***ich lass mich von dir nicht zum Narren halten*** I'm not going to let you make a fool of me **2.** (≈ *Hofnarr*) jester
Narrenfreiheit fool's licence (*AE* license); ***hier hat er Narrenfreiheit*** here he can do just as he pleases
narrensicher foolproof
Närrin fool
närrisch 1. *umg.* crazy (***auf*** about) **2.** ***närrisch vor Freude*** mad with joy **3.** ***närrisches Treiben*** carnival celebrations (⚠ *Pl.*)
Narzisse 1. *allg.*: narcissus *Pl.*: narcissi [nɑːˈsɪsaɪ] **2.** *gelbe*: daffodil [ˈdæfədɪl]
nasalieren nasalize [ˈneɪzəlaɪz]
naschen 1. nibble (between meals) (***an, von*** at), snack; ***gern naschen*** like to nibble things, *Süßes*: have* a sweet tooth **2.** ***wer hat von dem Kuchen genascht?*** who's been at the cake?
Nase 1. *allg.*: nose; ***ich muss mir die Nase putzen*** I've got to blow my nose; ***auf die Nase fallen*** *auch übertragen* fall* flat on one's face **2.** ***die Nase voll haben*** *übertragen* be* fed up (***von*** with) **3.** ***die Amerikaner haben bei Computersoftware meist die Nase vorn*** the Americans are usually one step ahead when it comes to computer software
näseln: ***er näselt*** he speaks through his nose (*oder* with a nasal twang)
näselnd 1. *Stimme usw.*: nasal **2.** ***er spricht näselnd*** he speaks through his nose (*oder* with a nasal twang)
Nasenbluten nosebleed, nosebleeds (*Pl.*); ***sie hat Nasenbluten*** she's got a nosebleed
Nasenbohren: ***hör auf mit dem Nasenbohren!*** stop picking your nose!
Nasenloch nostril [ˈnɒstrəl]
Nasenring nose ring
Nasenspitze tip of the (*oder* one's) nose
Nasenspray nose spray
Nashorn rhinoceros [raɪˈnɒsərəs], *umg.* rhino [ˈraɪnəʊ]
nass 1. wet; ***triefend nass*** dripping wet, soaking; ***ich bin ganz nass geworden*** I got all wet **2.** ***sich nass rasieren*** wet-shave
Nässe 1. wet, wetness **2.** ***vor Nässe schützen!*** keep dry, keep in a dry place
nässen (*Wunde*) weep*
nasskalt cold and damp
Nastuch (CH) (≈ *Taschentuch*) handkerchief [⚠ ˈhæŋkətʃɪf], *umg.* hankie
Nation nation [ˈneɪʃn]
national national [ˈnæʃnəl]
Nationalfeiertag national holiday
Nationalhymne national anthem [ˈænθəm]
Nationalität nationality [ˌnæʃəˈnælətɪ]; ☞ *Info S. 838*
Nationalmannschaft national team, *BE auch* national side
Nationalpark national park
Nationalrat (A), (CH) **1.** (≈ *gewählte Volksvertretung*) Austrian *bzw.* Swiss Parliament **2.** (≈ *Abgeordneter*) mem-

Nationalitäten

Englische Nationalitätenbezeichnungen, die mit dem unbestimmten Artikel **a, an** verwendet werden, beziehen sich in der Regel ausschließlich auf männliche Personen. Ist nichts Näheres über die Person bekannt, nimmt man in einem Satz wie dem folgenden an, dass ein Mann gemeint ist:

An American asked me the way to the station.	Ein Amerikaner fragte mich nach dem Weg zum Bahnhof.

Wenn es sich um eine Frau gehandelt hätte, hätte es im Englischen geheißen:

An American woman asked me the way to the station.	Eine Amerikanerin fragte mich nach dem Weg zum Bahnhof.

Wird durch das Personalpronomen he *bzw.* she klar, dass es sich um einen Mann *bzw.* eine Frau handelt, genügt die Bezeichnung American, German, *usw.* Du kannst dann sagen:

She's an American (a German).	Sie ist Amerikanerin (Deutsche).
	oder
She's American (German).	Sie ist Amerikanerin (Deutsche).

Wenn du selbst englisch schreibst oder sprichst, solltest du an diese Möglichkeit denken. Willst du betonen, dass es sich z. B. um eine Amerikanerin und nicht um einen Amerikaner handelt, dann kannst du das im Englischen durch die Bezeichnungen woman *oder* lady *bzw.* girl ausdrücken. „Eine Amerikanerin" ist also im Englischen **an American woman** *oder* **an American lady** *bzw.* – wenn sie jünger ist – **an American girl**, „eine Polin" **a Polish woman, a Polish lady, a Polish girl**, „eine Griechin" **a Greek woman, a Greek lady, a Greek girl** *usw.*

Verschiedene Nationalitätenbezeichnungen gelten im Englischen als unschön, wenn sie nur mit dem unbestimmten Artikel **a, an** verwendet werden. Das gilt insbesondere für solche Wörter, die auf **-ese** enden. So würde man heute statt **a Japanese** *oder* **a Chinese** *oder* **a Dane** eher **a Japanese man** *bzw.* **woman, a Chinese man** *bzw.* **woman, a Danish man** *bzw.* **woman** sagen.
Andererseits sagt man auch heute im modernen Englisch **the Chinese** für „die Chinesen", **the Japanese** für „die Japaner" *usw.*
Insgesamt geht die Tendenz in Richtung *Adjektiv + Personenbezeichnung*. Für die Person kann z. B. *neutral* **woman – man, girl – boy,** *gehoben* **lady – gentleman** oder *umg.* **guy, bloke** *usw.* stehen:

an Italian lady	*statt*	an Italian
a Spanish guy	*statt*	a Spaniard
a Greek bloke	*statt*	a Greek

Solltest du einmal nicht wissen, wie das von einem Ländernamen abgeleitete Adjektiv auf Englisch heißt, kannst du immer auch sagen **he's from China (Portugal, Hong Kong** *usw.*).

ber of the Austrian *bzw.* Swiss Parliament

Nationalrätin Ⓐ, ⒸⒽ (≈ *Abgeordnete*) member of the Austrian *bzw.* Swiss Parliament

Nationalsozialismus National Socialism (⚠ *ohne* the)

Nationalsozialist(in), nationalsozialistisch National Socialist, Nazi ['nɑːtsɪ]

Nationalspieler(in) international (player)

NATO, Nato: ***die NATO*** (*oder* ***Nato***) NATO, Nato ['neɪtəʊ] (⚠ *ohne* the)

Natrium sodium ['səʊdɪəm]

Natter adder, viper ['vaɪpə] (*Letzteres auch übertragen*)

Natur 1. ***die Natur*** nature ['neɪtʃə] (⚠ *ohne* the) **2.** (≈ *naturbelassene Umgebung*) natural surroundings (⚠ *Pl.*) **3.** ***in der freien Natur*** out in the open, *Tiere*: in their natural habitat ['hæbɪtæt] **4.** ***Eiche usw.*** ***Natur*** *bei Möbeln*: natural oak *usw.*

naturbelassen 1. (≈ *im Naturzustand*) natural (*auch Lebensmittel*) **2.** (≈ *unbehandelt*) untreated **3.** *Landschaft*: unspoilt

Naturfreund nature lover
naturgetreu 1. true to nature (⚠ *nur am Satzende*), realistic, lifelike **2.** ***sie hat es naturgetreu nachgebaut*** she made a true-to-life copy of it
Naturheilkunde naturopathy [⚠ ˌneɪtʃə'rɒpəθɪ]
Naturkatastrophe natural disaster
Naturkost health food, health foods (*Pl.*)
Naturkostladen health food shop (*oder* store)
Naturlehrpfad nature trail
natürlich 1. *allg.*: natural ['nætʃrəl] **2.** ***natürliche Größe*** actual (*oder* full) size **3.** ***sich natürlich verhalten*** act natural(ly) **4.** ***aber natürlich!*** but of course! **5.** ***er kam natürlich nicht*** (≈ *wie zu erwarten*) of course (*oder* needless to say) he didn't come
Natürlichkeit *allg.*: naturalness ['nætʃrəlnəs]
Naturschutz 1. conservation (⚠ *ohne* the) **2.** ***es steht unter Naturschutz*** it's protected by law, *Gebiet*: it's a nature reserve
Naturschützer(in) conservationist
Naturschutzgebiet nature reserve, *AE* nature preserve
Naturtalent 1. ***er ist ein Naturtalent*** he's a natural ['nætʃrəl] **2.** *Begabung*: natural talent (*oder* gift)
Naturwissenschaft *einzelne*: (natural) science ['saɪəns]; ***die Naturwissenschaften*** science (⚠ *Sg.*; *ohne* the), the (natural) sciences
Naturwissenschaftler(in) scientist ['saɪəntɪst]
naturwissenschaftlich 1. scientific [ˌsaɪən'tɪfɪk] **2.** ***die naturwissenschaftlichen Fächer*** the science subjects
Navigation navigation
Navigationsfehler navigational error
n. Chr. AD [ˌeɪ'diː] (*Abk. für* **A**nno **D**omini), in the year of our Lord; ***100 n. Chr.*** 100 AD (⚠ *gesprochen* a hundred AD)
Neapel *in Italien*: Naples ['neɪplz]
Nebel 1. *allg.*: fog; ***bei dichtem Nebel*** <u>in</u> thick fog **2.** *leichter*: mist
nebelig foggy, misty
Nebelscheinwerfer fog lamp
neben 1. *örtlich*: next to, beside; ***setz dich neben mich*** (come and) sit next to me; ***ich saß neben ihr*** I was sitting beside (*oder* next to) her; ***neben dem Fenster*** <u>by</u> (*oder* next to) the window; ***dicht neben ihr*** (*bzw.* ***sie***) right next to her **2.** (≈ *verglichen mit*) compared with (*oder* to) **3.** (≈ *zusätzlich zu*) besides, apart (*bes. AE* aside) from; ***neben anderen Dingen*** among [ə'mʌŋ] other things
nebenan 1. (≈ *im Haus, Zimmer usw. nebenan*) next door **2.** ***bei uns nebenan*** next-door <u>to</u> us
nebenbei 1. (≈ *beiläufig*) in passing; ***nebenbei bemerkt*** by the way **2.** (≈ *außerdem*) besides **3.** *verdienen*: on the side
Nebenbemerkung aside
Nebenberuf job on the side
nebenberuflich: ***nebenberuflich ist er Bauer*** he works as a farmer on the side
Nebenbeschäftigung job on the side
Nebeneffekt side effect
nebeneinander 1. next to each other, *existieren usw.*: side by side; ***nebeneinander sitzen*** sit* next to each other **2.** *zeitlich*: at the same time
Nebenfach subsidiary (subject), *AE* minor
Nebenfluss tributary ['trɪbjʊtərɪ], branch
Nebengebäude annexe ['æneks]
Nebengeräusch 1. *allg.*: background noise **2.** *Radio, Telefon*: interference [ˌɪntə'fɪərəns]; ***Nebengeräusche*** interference (⚠ *Sg.*)
nebenher 1. *verdienen, arbeiten*: on the side **2.** (≈ *gleichzeitig*) at the same time
nebenherlaufen: ***sie fährt Rad und ihr Hund läuft nebenher*** she cycles and her dog runs along beside her
Nebenjob job on the side, sideline
Nebenkosten *einer Wohnung usw.*: extra costs, extras
Nebenrolle *Theater usw.*: minor part
Nebensache 1. minor consideration, minor point **2.** ***das ist Nebensache*** that's not so important
Nebensächlichkeit triviality [ˌtrɪvɪ'ælətɪ]
Nebensaison low season, off-peak season
Nebensatz subordinate [sə'bɔːdɪnət] clause
Nebenstelle 1. *eines Geschäftes usw.*: branch [brɑːntʃ] (office) **2.** *Telefon*: extension
Nebenstraße 1. *in einem Ort*: side street **2.** *auf dem Land*: minor road
Nebentisch next table; ***am Nebentisch*** at the next table
Nebenverdienst extra earnings (⚠ *Pl.*) (*oder* income)
Nebenwirkung side effect
Nebenzimmer *in Lokal*: side room
neblig foggy, *schwächer*: misty
nee (≈ *nein*) no, *umg.* nope
Neffe nephew ['nefjuː]
negativ 1. *allg.*: negative ['negətɪv] **2.** ***sie sieht alles nur negativ*** she always looks on the negative side of things
Negativ *Foto*: negative ['negətɪv]
Neger *oft abwertend*: Negro ['niːgrəʊ] *Pl.*: Negroes; → ***Schwarzer***

Negerin *oft abwertend*: Negro ['niːgrəʊ], Negress ['niːgres]; → **Schwarze**

nehmen 1. *allg.*: take* **2. sich etwas nehmen, etwas an sich nehmen** take* something **3. nimm dir bitte** *beim Essen usw.*: please help yourself **4. jemandem etwas nehmen** take* something away from someone **5. man nehme** *Rezept*: take **6. das nehme ich auf mich** I'll take responsibility (for that) **7. sie ließ es sich nicht nehmen, persönlich zu kommen** she insisted on coming herself **8. wir haben Oma zu uns genommen** we took Granny into our house **9. wie mans nimmt** it depends

Nehrung spit (of land), sand bar

Neid envy [⚠ 'envɪ] (**auf jemanden** of someone, **auf etwas** at something)

neiden: **sie neidet ihm seinen Erfolg** she envies him his success

neidisch envious [⚠ 'envɪəs], jealous [⚠ 'dʒeləs] (**auf** of)

neigen 1. bend* (*Kopf*) **2. sich neigen** (*Gebäude, Person usw.*) lean*, (*Boden*) slope, (*Ebene*) slant [slɑːnt]; **sich nach vorne** (*bzw.* **hinten**) **neigen** lean* forward (*bzw.* backward)

Neigung 1. *allg.*: inclination **2.** *Straße*: gradient ['greɪdɪənt] **3.** *übertragen* (≈ *Hang*) inclination (**zu** to, towards) **4.** *übertragen* (≈ *Veranlagung*) disposition (**zu** for)

N

nein 1. no **2. aber nein!** of course not **3. „Hast du gerufen?" - „Nein!"** 'Did you call?' - 'No(, I didn't).'

Nein no; **ein klares Nein** a straight no

Neinstimme no *Pl.*: noes, *AE* nay

Nektar *Blüte*: nectar ['nektə]

Nektarine nectarine ['nektəriːn]

Nelke 1. *Blume*: carnation, *rosafarbene auch*: pink **2.** *Gewürz*: clove [kləʊv]

nennen 1. sie hat mich eine Ratte genannt she called me a rat; **er nennt sich Dagi** he calls himself Dagi **2. ich musste ihr meinen Namen nennen** I had to <u>give</u> her my name **3. kannst du mir den höchsten Berg der Welt nennen?** can you name (me) the world's highest mountain? **4. ich möchte jetzt keine Namen nennen** I wouldn't like to <u>mention</u> any names **5. das nenne ich eine Überraschung!** that's what I call a surprise **6. und so etwas nennt sich Lehrer!** and he (*bzw.* she) calls himself (*bzw.* herself) a teacher

nennenswert worth mentioning (⚠ *nur <u>hinter</u> dem Subst.*)

Neonlicht neon ['niːɒn] light

Neonazi neo-Nazi ['niːəʊˌnɑːtsɪ]

Nepal Nepal [nɪ'pɔːl]

Nepp daylight robbery; **das ist der reinste Nepp** it's a complete rip-off

Nepplokal clip (*AE* gyp) joint

Neptun *Planet*: <u>N</u>eptun<u>e</u> ['neptjuːn] (⚠ *ohne* the)

Nerv 1. *allg.*: nerve **2. du gehst mir auf die Nerven** you're getting on <u>my</u> nerves **3. sie hat die Nerven verloren** she lost her nerve (⚠ *Sg.*) *oder* head, *im Zorn*: she lost her temper **4. es kostet Nerven** it's nerve-racking **5. die hat vielleicht Nerven!** she's got a nerve (*oder* cheek)!

nerven 1. der nervt mich vielleicht! he's really getting on my nerves **2. das nervt** it's a pain in the neck

Nervenarzt, **Nervenärztin** neurologist [njʊ'rɒlədʒɪst]

Nervenbelastung (nervous ['nɜːvəs]) strain

Nervenklinik psychiatric [⚠ ˌsaɪkɪ'ætrɪk] hospital, *bes. AE* mental ['mentl] hospital

nervenkrank 1. nervenkrank sein have* a nervous disease [ˌnɜːvəs‿dɪ'ziːz] **2.** (≈ *geisteskrank*) mentally ill

Nervensache: **das ist reine Nervensache** it's just a question of nerve (⚠ *Sg.*)

Nervensäge *Person*: pain in the neck

Nervenzusammenbruch nervous breakdown

nervig *umg.* (≈ *lästig*) pesky

nervlich 1. nervliche Belastung strain on the (*bzw.* his, her, their) nerves **2. sie ist nervlich am Ende** she's a nervous wreck [⚠ rek]

nervös 1. *allg.*: nervous ['nɜːvəs], twitchy **2.** (≈ *aufgeregt*) tense, on edge (⚠ *nur nach dem Verb*) **3.** (≈ *unruhig*) fidgety ['fɪdʒətɪ] **4.** (≈ *ängstlich*) nervous

Nervosität 1. *allg.*: nervousness **2.** (≈ *Aufgeregtheit*) tenseness, edginess **3.** (≈ *Ängstlichkeit*) nervousness

nervtötend 1. *Arbeit*: mindless **2.** *Lärm usw.*: nerve-racking

Nerzmantel mink (coat)

Nest 1. *eines Vogels usw.*: nest **2.** *umg.* (≈ *kleiner Ort*) little place, *elendes*: dump

nett 1. *allg.*: nice (*auch ironisch*); **das war sehr nett von dir** that was very nice <u>of</u> you **2.** (≈ *niedlich, hübsch*) sweet, cute **3.** (≈ *freundlich*) kind, nice **4. sei so nett und hol mir den Hammer** do me a favour and fetch me the hammer, will you?

netto net; **wie viel verdienst du netto?** what's your take-home salary (*oder* pay)?

Nettogehalt net (*oder* take-home) salary

Nettolohn take-home pay

Netz 1. *allg.*: net (*auch übertragen*) **2.** (≈ *Streckennetz, Telefonnetz usw.*) network

3. (≈ *Stromnetz*) mains (⚠ *Pl.*), *bes. AE* power **4.** (≈ *Einkaufsnetz*) string bag

Netzkarte *für Bahn usw.*: runaround ticket, *AE* (unlimited) rail pass

Netzprovider *Internet*: Internet service provider, ISP

Netzstrumpf net (*oder* mesh) stocking

Netzteil *für Batteriegerät*: mains adapter

Netzwerk *allg.*: network (*auch Computernetzwerk*)

neu 1. *allg.*: new; ***das ist neu für mich*** that's new to me; ***das ist mir neu*** that's new (*oder* news) to me **2.** *Entwicklung usw.*: (≈ *vor kurzem geschehen*) new, recent ['riːsnt] **3.** *Hemd usw.*: (≈ *frisch*) clean **4.** (≈ *neuzeitlich*) modern ['mɒdn]; ***die neuere Literatur*** modern literature (⚠ *ohne* the) **5.** ***ganz neu*** brand-new **6.** ***ein neuer Anfang*** a fresh start **7.** ***die neueste Mode*** the latest fashion; ***die neuesten Nachrichten*** the latest news (⚠ *Sg.*) **8.** ***neue Schwierigkeiten*** more difficulties **9.** ***die Skier sind noch so gut wie neu*** the skis are as good as new **10.** ***seit neuestem gibt es Computer, die sprechen können*** the latest thing is computers that can speak **11.** ***neu anfangen*** make* a fresh start **12.** ***wir haben die Diele neu tapeziert*** we've redecorated the hall **13.** ***was gibts Neues?*** what's new?; ***das Neue daran ist ...*** what's new about it is ... **14.** ***der Neue*** *in der Klasse*: the new boy (*umg.* guy) **15.** ***das Neueste*** the latest thing; ***weißt du schon das Neueste?*** have you heard the latest?

Neuankömmling newcomer

neuartig new; ***ein neuartiger Treibstoff*** a new type (*oder* kind) of fuel

Neubau 1. *Gebäude*: new building **2.** *Vorgang*: reconstruction

Neubaugebiet new housing estate ['haʊzɪŋ‿ɪˌsteɪt]

Neubearbeitung 1. *Vorgang*: revision [rɪ'vɪʒn] **2.** *Endprodukt*: revised [rɪ'vaɪzd] version, *Buch auch*: revised edition

neuerdings 1. ***neuerdings raucht er wieder*** he's recently ['riːsntlɪ] started smoking again **2.** ***neuerdings gibt es Direktflüge zum Nordkap*** the latest thing is you can fly direct [də'rekt] to the North Cape

Neuerscheinung 1. *Buch*: new publication **2.** *CD usw.*: new release [rɪ'liːs]

Neuerung innovation

neugeboren 1. *Kind*: new-born **2.** ***ich fühle mich wie neugeboren*** I feel a different person

Neugeborene(s) newborn child (*oder* baby)

Neugier, Neugierde curiosity [ˌkjʊərɪ'ɒsətɪ]; ***aus reiner Neugier*** out of sheer curiosity

neugierig 1. *allg.*: curious ['kjʊərɪəs] (***auf*** about) **2.** *Kind usw.*: inquisitive [ɪn'kwɪzətɪv]; ***sei nicht so neugierig!*** don't be so nosy! **3.** ***ich bin wahnsinnig neugierig auf den neuen Wagen*** I can't wait to see the new car **4.** ***ich bin neugierig, ob ...*** I wonder whether (*oder* if) ... **5.** ***ich bin neugierig, was du dazu sagst*** I'll be interested to hear what you have to say about it

Neugierige *Plural*; *umg.* rubberneckers

Neugriechisch, neugriechisch modern Greek

Neuguinea New Guinea [⚠ ˌnjuː'gɪnɪ]

Neuheit 1. *allg.*: newness, novelty ['nɒvltɪ] **2.** *konkret*: innovation

Neuigkeit piece of news [njuːz]; ***Neuigkeiten*** news (⚠ *Sg.*); ***ich hab eine Neuigkeit für dich*** I've got some news for you

Neujahr 1. *Tag*: New Year's Day **2.** ***prosit Neujahr!*** happy New Year!

Neujahrstag New Year's Day

neulich the other day, recently ['riːsntlɪ]

Neuling beginner

Neumond new moon

neun nine

Neun 1. *Zahl*: (number) nine **2.** *Bus, Straßenbahn usw.*: number nine bus, number nine tram *usw.*

neunfach 1. ***die neunfache Menge*** nine times the amount **2.** ***der neunfache deutsche Meister X*** nine times German champion X (⚠ *ohne* the)

neunmal nine times

neunte(r, -s) ninth [naɪnθ]; ***9. April*** 9(th) April, April 9(th) (*gesprochen* the ninth of April); ***am neunten April*** on 9(th) April, on April 9(th) (*gesprochen* on the ninth of April)

Neunte(r) 1. (the) ninth **2.** ***er war Neunter*** he was ninth **3.** ***Papst Johannes IX.*** Pope John IX (*gesprochen* John the Ninth; IX *ohne Punkt!*) **4.** ***heute ist der Neunte*** it's the ninth today

Neuntel ninth [naɪnθ]

neunzehn nineteen [ˌnaɪn'tiːn]

neunzehnte(r) nineteenth [ˌnaɪn'tiːnθ]

neunzig ninety ['naɪntɪ]

Neunzigerjahre: ***in den Neunzigerjahren*** in the nineties

neunzigjährig: ***eine neunzigjährige Frau*** a ninety-year-old woman

neunzigste(r, -s) ninetieth ['naɪntɪəθ]

N

Neuregelung *von Bestimmung, der Verkehrsführung*: new scheme [skiːm]
Neurose neurosis [njʊ'rəʊsɪs]
neurotisch neurotic [njʊ'rɒtɪk]
Neuschnee fresh snow(fall[s *Pl.*])
Neuseeland New Zealand [ˌnjuː'ziːlənd]; ☞ *Karte S. 296*
Neuseeländer New Zealander [ˌnjuː'ziːləndə]; ***er ist Neuseeländer*** he's from New Zealand; ☞ ***Nationalitäten***
Neuseeländerin New Zealander [ˌnjuː'ziːləndə], woman (*oder* lady *bzw.* girl) from New Zealand; ***sie ist Neuseeländerin*** she's from New Zealand; ☞ ***Nationalitäten***
neusprachlich: ***ich bin auf einem neusprachlichen Gymnasium*** I'm at a grammar school (*AE* high school) which specializes in modern languages
neutral 1. *allg.*: neutral ['njuːtrəl]; ***sich neutral verhalten*** remain neutral **2.** (≈ *unparteiisch*) impartial [ɪm'pɑːʃl]
Neutralität neutrality [njuː'trælətɪ]
Neutron neutron ['njuːtrɒn]
Neutronenbombe neutron bomb ['njuːtrɒn‿bɒm]
Neutrum *Grammatik*: neuter ['njuːtə]
Neuverfilmung remake ['riːmeɪk]
neuwertig as new, as good as new
Neuzeit *Geschichte*: modern age
nicht 1. *allg.*: not; ***sie kommt nicht*** *überhaupt nicht*: she doesn't come, *diesmal*: she isn't coming; ***sie wohnen nicht mehr hier*** they don't live here any more; ***es ist gar nicht schwer*** it isn't difficult at all; ***überhaupt nicht*** not at all; ***nicht einmal*** not even; ***ich kenne sie auch nicht*** I don't know her either **2.** ***„Ich kenne ihn nicht." - „Ich auch nicht."*** 'I don't know him.' - 'Nor (*oder* Neither) do I.' **3.** ***er ist noch nicht da*** he hasn't come (*oder* arrived) yet **4.** ***du bist nicht besser als die anderen!*** you're no better than the others! **5.** ***ich glaube nicht*** I don't think so **6.** ***bitte nicht!*** please don't! **7.** ***was du nicht sagst!*** you don't say! **8.** ***du kennst ihn doch, nicht (wahr)?*** you know him, don't you?

nicht rostend 1. *allg.*: rustproof **2.** *Stahl*: stainless

Nichte niece [niːs]
Nichtraucher... *in Zusammensetzungen*: non-smoking ..., no-smoking ...
Nichtraucher(in) 1. nonsmoker (*auch Abteil*) **2.** ***ich bin Nichtraucher*** I don't smoke
Nichtraucherabteil non-smoking compartment, *umg.* non-smoker
nichts 1. *allg.*: nothing; ***nichts (anderes) als*** nothing but; ***überhaupt nichts*** nothing at all **2.** *mit verneintem englischem Verb*: not anything; ***du hast ja gar nichts gekauft!*** but you didn't buy anything; ***haben Sie nichts anderes?*** haven't you got anything else? **3.** ***das ist nichts für mich*** that's not my kind of thing **4.** *Wendungen*: ***macht nichts!*** never mind; ***nichts wie weg!*** let's get out of here!; ***nichts wie hin!*** what are we waiting for?

nichts ahnend 1. *Person usw.*: unsuspecting **2.** ***sie ging nichts ahnend die Treppe hoch*** she went upstairs not suspecting a thing
nichts sagend 1. *Worte usw.*: empty, meaningless **2.** *Antwort*: vague [veɪg]

Nichts: ***aus dem Nichts*** from nowhere
Nichtschwimmer non-swimmer; ***ich bin Nichtschwimmer*** I'm a non-swimmer
Nichtstun: ***wir haben die meiste Zeit mit Nichtstun verbracht*** we spent most of our (*oder* the) time doing nothing
Nickel nickel
Nickelbrille: ***eine Nickelbrille*** (a pair of) steel-rimmed glasses; ***diese Nickelbrille ist schön*** these steel-rimmed glasses are nice
nicken nod; ***sie nickte mit dem Kopf*** she nodded (her head) (⚠ *ohne* with)
Nidel Ⓒⓗ (≈ *Rahm, Sahne*) cream
nie 1. never; ***nie wieder*** never again; ***noch nie*** never (before) **2.** ***fast nie*** hardly ever
nieder down; ***auf und nieder*** up and down
niederbrüllen: ***wir wurden niedergebrüllt*** we were shouted down
niedere(r, -s) 1. *Klasse usw.*: lower **2.** *Wert, Rang*: low **3.** *Instinkte, Lebensformen*: primitive ['prɪmətɪv]
niederdrücken press down (*Taste, Hebel*)
Niedergang 1. *allg.*: decline **2.** *eines Reiches usw.*: (decline and) fall
niedergehen 1. *Lawine, Steinschlag usw.*: come* down **2.** *Theatervorhang*: drop, fall*
niedergeschlagen depressed
niederholen haul down, lower (*Flagge, Segel*)
niederknien kneel* [⚠ niːl] down
Niederlage defeat; ***eine Niederlage einstecken müssen*** be* defeate[illegible] ***eine 0:1-Niederlage*** a 1-0 defeat ([illegible]en one-nil defeat)

Niederlande: ***die Niederlande*** the Netherlands ['neðələndz]
Niederländer Dutchman ['dʌtʃmən]; ***er ist Niederländer*** he's Dutch; ***die Niederländer*** the Dutch; ☞ ***Nationalitäten***
Niederländerin Dutchwoman, Dutch lady (*bzw.* girl); ***sie ist Niederländerin*** she's Dutch; ☞ ***Nationalitäten***
niederländisch, **Niederländisch** Dutch
niederlassen **1.** ***sich niederlassen*** *um dort zu leben*: settle (down) **2.** ***sich als Arzt*** *usw.* ***niederlassen*** set* up as a doctor *usw.*
niedermachen: ***jemanden niedermachen*** *mit Worten*: give* someone a roasting
niedermetzeln slaughter [⚠ 'slɔːtə]
Niederösterreich Lower Austria ['ɒstrɪə]
niederreißen pull down (*Gebäude usw.*)
Niedersachsen Lower Saxony ['sæksənɪ]
niederschießen: ***jemanden niederschießen*** shoot* someone down
Niederschlag **1.** (≈ *Regen*) rain(fall), (≈ *Schnee*) snow(fall) **2.** ***radioaktiver Niederschlag*** (nuclear) fallout
niederschlagen **1.** ***jemanden niederschlagen*** knock [⚠ nɒk] someone down **2.** put* down, crush (*Aufstand usw.*)
niederschmetternd *Ergebnis*: shattering
niedertrampeln: ***die Pferde haben alles niedergetrampelt*** the horses (have) trampled everything down
Niederung *in der Landschaft*: depression
niederwalzen flatten
niedlich sweet, cute
niedrig **1.** *allg.*: low (*auch Preis*, *Gehalt*), *Qualität auch*: inferior **2.** ***etwas niedrig halten*** keep* something down
Niedrigwasser **1.** *des Meeres bei Ebbe*: low tide **2.** *eines Flusses usw.*: low water
niemals **1.** *allg.*: never **2.** *als Ausruf*: never!, not on your life!
niemand **1.** nobody, no one, no-one; ***es war niemand da*** there was nobody (*oder* no one) there **2.** *mit Verneinung beim englischen Verb*: not anybody, not anyone; ***es war niemand da*** there wasn't anybody there **3.** ***sie hat niemanden gehört*** she didn't hear anybody **4.** ***das kann niemand anderer als John*** nobody but John can do that
Niemandsland no-man's-land (⚠ *ohne* the)
Niere **1.** *Organ*: kidney ['kɪdnɪ] **2.** ***künstliche Niere*** kidney machine
nierenförmig kidney-shaped
nierenkrank: ***sie ist nierenkrank*** she's got kidney trouble, she's got a kidney disease
nieseln: ***es nieselt*** it's drizzling
Nieselregen drizzle
niesen sneeze
Niespulver sneezing powder
Niete[1] **1.** *umg.* (≈ *Versager, -in*) dead loss **2.** (≈ *Los ohne Gewinn*) blank
Niete[2] *zum Befestigen von Metallteilen*: rivet ['rɪvɪt], *an Kleidungsstücken auch*: stud
Nigeria Nigeria [naɪ'dʒɪərɪə]
Nikolaustag St Nicholas' [snt'nɪkləs] Day

Nikolaustag

Der Nikolaustag wird in den englischsprachigen Ländern nicht gefeiert.

Nikotin nicotine ['nɪkətiːn]
nikotinarm *vor dem Subst.*: low-nicotine, *hinter dem Verb*: low in nicotine ['nɪkətiːn]
Nilpferd hippopotamus [ˌhɪpə'pɒtəməs] *Pl.*: hippopotamuses *oder* hippopotami [ˌhɪpə'pɒtəmaɪ], *umg.* hippo ['hɪpəʊ]
nimmer **1.** no longer; ***ich werds nimmer tun*** I won't do it any more **2.** ***nie und nimmer*** never ever
nippen sip (***an*** at)
nirgends, **nirgendwo** nowhere ['nəʊweə]
nirgendwohin nowhere; ***ein Lehrer kann nirgendwohin gehen, ohne erkannt zu werden*** a teacher can't go anywhere without being recognized
Nische **1.** *Wand*: niche [niːʃ] (*auch übertragen*) **2.** *eines Raums*: recess [rɪ'ses, 'riːses]
nisten nest
Nitrat nitrate ['naɪtreɪt]
Nitroglyzerin nitroglycerine [ˌnaɪtrəʊ'glɪsərɪn]
Niveau **1.** *allg.*: level (*auch von Preisen*) **2.** (≈ *Bildungsniveau*) level, standard **3.** ***sie hat Niveau*** she's got class (*oder* style)
Nixe water nymph [nɪmf], mermaid ['mɜːmeɪd]
nobel **1.** (≈ *großzügig*) generous ['dʒenrəs] **2.** *umg.* (≈ *luxuriös*) classy ['klɑːsɪ], posh
Nobelpreis Nobel Prize [nəʊˌbel'praɪz]
Nobelpreisträger(in) Nobel prize winner [ˌnəʊbel‿praɪz'wɪnə], Nobel laureate [ˌnəʊbel'lɔːrɪət]
noch **1.** still; ***immer noch, noch immer*** still **2.** ***noch nicht*** not yet; ***sie ist noch nicht da*** she hasn't arrived yet **3.** ***noch nie*** never (before) **4.** ***noch besser*** even better; ***noch mehr*** even more; ***noch jetzt*** even now **5.** ***noch gestern*** only yesterday **6.** ***ich hab nur noch 10 Dollar*** I've only got 10 dollars left **7.** ***ich hol nur noch (schnell) meine Tasche*** I'll just go and get my bag **8.** ***wie heißt sie noch?*** what's her name again? **9.** ***da haben wir ja noch***

N

Glück gehabt we were lucky there **10.** ***noch am selben Tag*** that (very) same day; ***ich werd das noch heute erledigen*** I'll do it today **11.** ***nur noch zwei Tage*** only two more days **12.** ***noch einer*** one more, another one; ***noch ein Bier, bitte*** another beer (*oder* the same again), please **13.** ***nimmst du noch Tee*** *usw.?* would you like some more tea *usw.?* **14.** ***noch dazu*** on top of it **15.** ***noch (ein)mal*** once more, one more time; ***noch einmal so viel*** as much again **16.** ***noch etwas?*** anything else?; ***wer kommt noch?*** who else is coming? **17.** ***sie ist noch schlauer als du*** she's even smarter than you **18.** ***nur noch eine Minute*** only a minute to go, only another minute

nochmals once more, once again, again

Nockerl *bes.* Ⓐ; *Pl.*; *etwa*: pieces of dough [⚠ dəʊ] with pointed ends

Nomade, Nomadin nomad ['nəʊmæd]

Nomen (≈ *Substantiv*) noun

Nominativ nominative ['nɒmənətɪv] (case)

Nonne nun

Non-Stop-Flug nonstop flight

Nord 1. north; ***aus Nord*** from the north; ***Duisburg Nord*** North Duisburg **2.** ***nach Nord*** north, northwards ['nɔːθwədz]

Nordafrika North Africa

Nordamerika North America

norddeutsch, Norddeutsche(r) North German; ☞ ***Nationalitäten***

Norddeutschland North (*oder* Northern ['nɔːðn]) Germany

Norden 1. *Himmelsrichtung*: north; ***von Norden*** from the north **2.** *Landesteil*: North **3.** ***nach Norden*** north, northwards ['nɔːθwədz], *Verkehr usw.*: northbound

Nordeuropa North (*oder* Northern) Europe ['jʊərəp]

Nordeuropäer(in) North (*oder* Northern) European; ☞ ***Nationalitäten***

nordeuropäisch North (*oder* Northern) European

Nordirland Northern Ireland [ˌnɔːðn'aɪələnd]; ☞ *Karte S. 293*

nordisch 1. (≈ *skandinavisch*) Nordic **2.** ***die nordische Kombination*** *Skisport*: the Nordic combined

Nordkorea North Korea [kə'rɪə]

nördlich 1. *allg.*: northern ['nɔːðn] (⚠ *nur vor dem Subst.*) **2.** *Wind, Richtung*: northerly ['nɔːðəlɪ] **3.** ***in nördlicher Richtung*** north, northwards ['nɔːθwədz], *Verkehr usw.*: northbound **4.** ***nördlich von*** (to the) north of **5.** ***weiter nördlich*** further (to the) north

nördlichste(r, -s): ***der nördlichste Punkt Irlands*** Ireland's northernmost ['nɔːðnməʊst] point

Nordlicht 1. ***das Nordlicht*** the northern lights (⚠ *Pl.*) **2.** *salopp* (≈ *Person aus Norddeutschland*) Northerner

Nordost, Nordosten northeast

nordöstlich northeast (***von*** of)

Nord-Ostsee-Kanal Kiel Canal [kə'næl]

Nordpol North Pole [ˌnɔːθ'pəʊl]

Nordrhein-Westfalen North-Rhine/Westphalia [ˌnɔːθraɪn‿west'feɪlɪə]

Nordsee: ***die Nordsee*** the North Sea [ˌnɔːθ'siː]

Nordstaaten: ***die Nordstaaten*** *der USA*: the Northern ['nɔːðn] States, the North

nordwärts north, northwards ['nɔːθwədz]

Nordwest, Nordwesten northwest

nordwestlich northwest (***von*** of)

Nordwind north(erly) wind

nörgeln grumble, moan (***über*** about)

Nörgler(in) grumbler, niggler

Norm 1. *allg.*: norm, standard **2.** ***technische Normen*** technical standards (*oder* specifications) **3.** (≈ *Leistungssoll*) quota

normal 1. *allg.*: normal; ***das ist doch ganz normal*** that's perfectly normal (*oder* natural) **2.** (≈ *gewöhnlich*) ordinary ['ɔːdnərɪ] **3.** ***er ist nicht ganz normal*** he's not quite right in the head

Normalbenzin regular (petrol), *AE* regular (gas)

normalerweise normally

normalisieren 1. ***sich (wieder) normalisieren*** return to normal **2.** normalize (*Beziehungen, Situation usw.*)

Normalität normality [nɔː'mælɪtɪ]

normen standardize ['stændədaɪz]

Norwegen Norway ['nɔːweɪ]

Norweger Norwegian [nɔː'wiːdʒn]; ***er ist Norweger*** he's Norwegian; ☞ ***Nationalitäten***

Norwegerin Norwegian woman (*oder* lady *bzw.* girl); ***sie ist Norwegerin*** she's Norwegian; ☞ ***Nationalitäten***

norwegisch, Norwegisch Norwegian [nɔː'wiːdʒn]

Nostalgie nostalgia [nɒ'stældʒə]

Not 1. (≈ *Armut*) poverty [⚠ 'pɒvətɪ] **2.** (≈ *Notlage*) plight; ***in Zeiten der Not*** in times of need **3.** (≈ *Schwierigkeiten*) difficulties, trouble (⚠ *Sg.*); ***in Not sein*** be* in trouble; ***in Not geraten*** run* into difficulties **4.** ***seine liebe Not haben mit*** have* a hard time with **5.** ***zur Not*** if necessary ['nesəsrɪ], if need be

Notar(in) notary ['nəʊtərɪ]

notariell 1. *allg., Aufgaben usw.*: notarial [nəʊ'tærɪəl] **2.** ***notariell beglaubigt*** attested by a notary ['nəʊtərɪ]

Notarzt **1.** doctor on call **2.** ***wir haben den Notarzt holen müssen*** we had to call an ambulance ['æmbjələns]
Notärztin doctor on call
Notarztwagen emergency ambulance [ɪˌmɜːdʒənsɪ'æmbjələns]
Notausgang emergency [ɪ'mɜːdʒənsɪ] exit
Notbremse emergency [ɪ'mɜːdʒənsɪ] brake
notdürftig: ***etwas notdürftig reparieren*** patch something up
Note **1.** (≈ *Schulnote*) mark, *AE* grade (⚠ *BE* note = ***Geldschein***) **2.** *Musik*: note; ***er kann keine Noten lesen*** he can't read music

Noten

Im Gegensatz zum deutschen Schulnotensystem wird im englischsprachigen Raum nicht mit Nummern, sondern mit Buchstaben benotet:

A	*etwa* **1**
B	*etwa* **2**
C	*etwa* **3**
D	*etwa* **4**
E	*etwa* **5**
F	*etwa* **6**

Ähnlich wie im Deutschen werden die Noten mit + und – näher bestimmt, z. B. **B+** oder **A–**.

Notebook *Computer*: notebook
Notendurchschnitt average mark [ˌævərɪdʒ'mɑːk], *AE* average (grade)
Notepad *Computer*: notepad
Notfall **1.** emergency [ɪ'mɜːdʒənsɪ] **2.** ***für den Notfall*** just in case
notfalls if necessary ['nesəsrɪ], if need be
notgedrungen: ***etwas notgedrungen tun*** be* forced to do something
notieren: ***(sich) etwas notieren*** make* a note of something
nötig **1.** *Dinge, Personen usw.*: necessary ['nesəsrɪ]; ***wenn nötig*** if necessary, if need be **2.** ***etwas dringend nötig haben*** badly need something
Nötigste **1.** ***das Nötigste*** the essentials [ɪ'senʃlz] (⚠ *Pl.*) **2.** ***nimm nur das Nötigste mit*** take only what you absolutely need
Notiz **1.** note; ***sich Notizen machen*** make* notes **2.** *in Zeitung*: item ['aɪtəm]
Notizblock notepad, *AE* memo ['meməʊ] pad
Notizbuch notebook
Notlage *allg.*: crisis ['kraɪsɪs] (situation)
notlanden make* a forced landing, force-land
Notlandung emergency [ɪ'mɜːdʒənsɪ] (*oder* forced) landing
Notlösung stopgap (solution)
Notlüge white lie
Notruf **1.** emergency [ɪ'mɜːdʒənsɪ] call **2.** (≈ *Notrufnummer*) emergency number
Notrufnummer emergency [ɪ'mɜːdʒənsɪ] number

Notrufnummer

Die Notrufnummer in Großbritannien lässt sich leicht merken: **999 (nine, nine, nine)**. Wählt man sie, wird man nach der gewünschten Notdienststelle gefragt: **police** (Polizei), **ambulance** (Krankenwagen/Notarzt) oder **fire brigade** (Feuerwehr).

Die entsprechende einheitliche Notrufnummer in den USA ist **911 (nine, one, one)**.

Notrufsäule emergency [ɪ'mɜːdʒənsɪ] telephone
Notunterkunft **1.** emergency accommodation (⚠ *ohne* an) **2.** *für Obdachlose*: emergency shelter
Notwehr: ***aus*** (*oder* ***in***) ***Notwehr handeln*** act in self-defence
notwendig **1.** *allg.*: necessary ['nesəsrɪ] **2.** (≈ *unausbleiblich*) inevitable [ɪn'evɪtəbl]
Notwendigkeit necessity [nə'sesɪtɪ]
Novelle *Erzählung*: novella [nə'velə]
November November; ***im November*** in November (⚠ *ohne* the)
Nr. No., no. *Pl.* Nos., nos. (*Abk. für* number; *oft auch ohne Punkt geschrieben*)
Nu: ***im Nu*** in no time
nüchtern **1.** ↔ *betrunken*: sober; ***wieder nüchtern werden*** sober up **2.** ***auf nüchternen Magen*** on an empty stomach **3.** *Urteil usw.*: sober, rational ['ræʃnəl] **4.** *Bau, Einrichtung*: functional **5.** *Tatsachen*: plain, bare
nuckeln suck (***an*** at); ***er nuckelt immer am Daumen*** he's always sucking his thumb
Nudel **1.** *zum Essen*: noodle **2.** ***Nudeln*** pasta ['pæstə] (⚠ *Sg.*), *bes. in Suppe*: noodles **3.** ***eine ulkige Nudel*** *umg.* a funny character
Nudelsuppe noodle soup
Nugat chocolate nut cream [ˌtʃɒklət'nʌtkriːm]
null **1.** *Zahl*: nought [nɔːt], *AE* zero, *nach Dezimalkomma*: 0 [əʊ]; ***fünf Komma null*** five point 0 **2.** ***null Komma fünf*** (nought)

point five **3.** *beim Wählen am Telefon*: 0 [əʊ], *AE auch* zero **4.** *Spielstand*: nil, *AE* zero, *Tennis*: love [lʌv]; ***zwei zu null*** two-nil, *AE* two-zero **5. *null Fehler*** no mistakes **6. *null Grad*** zero degrees (*auch im BE*) **7. *um null Uhr zehn*** at ten past (*AE auch* after) midnight **8. *sie hat null Bock auf Schule*** she has absolutely no interest in school

Null 1. *Ziffer*: nought [nɔːt], *AE* zero; ***wie viele Nullen hat 1000?*** how many noughts (*AE* zeros) are there in 1,000 (*gesprochen* a thousand)? **2.** *Telefon, beim Wählen*: 0 [əʊ], *bes. AE* zero **3. *zehn Grad unter*** (*bzw.* ***über***) ***Null*** ten degrees below (*bzw.* above) zero **4. *der Zeiger steht auf Null*** *Messinstrument*: the needle is at zero **5. *die Chancen sind gleich Null*** the chances are nil **6.** (***wieder***) ***bei Null anfangen*** start from scratch **7.** (≈ *Versager*) dead loss

Null

„Null" wird im Englischen so ausgedrückt:

beim Rechnen:	**nought** [nɔːt], *bes. AE* **zero**
beim Sport:	**nil,** *AE* **zero**; *Tennis*: **love**
in Telefonnummern:	**0** [əʊ], *bes. AE* **zero**

Nullpunkt 1. *allg.*: zero **2.** (≈ *Gefrierpunkt*) freezing point

Nummer 1. *Zahl*: number (*Abk.* No., no. *Pl.* Nos., nos.; *oft auch ohne Punkt geschrieben*); ***sie ist die Nummer eins*** she's number one (⚠ *ohne* the) **2.** (≈ *Größe*) size **3.** *einer Zeitung usw.*: number, issue [ˈɪʃuː] **4.** *in Show usw.*: number, routine [ruːˈtiːn] **5. *du erreichst ihn unter der Nummer 15189*** you can ring (*oder* call) him on 15189 **6. *auf Nummer Sicher gehen*** play it safe

nummerieren number

Nummerierung numbering

Nummernblock *auf Tastatur*: number (*oder* numeric [njuːˈmerɪk]) keypad [ˈkiːpæd]

Nummernschild *Auto usw.*: number plate, *AE* license plate

nun 1. now; ***von nun an*** from now on, (≈ *seitdem*) from that time on; ***was nun?*** what now?, what next? **2.** *vor einer Äußerung*: (≈ *also*) well **3. *nun gut!*** all right, then **4. *wenn sie nun nicht kommt?*** (and) what if she doesn't come? **5. *was sagst du nun?*** what do you say to that? **6. *es ist nun mal so*** that's the way it is

nur 1. *allg.*: only; ***nur wenn*** only if; ***nicht nur ..., sondern auch ...*** not only ..., but also ... **2.** (≈ *bloß*) just; ***nur einmal*** just once; ***nur weil*** just because **3.** (≈ *nichts als*) nothing but **4. *nur Anna nicht*** except Anna **5. *nur so zum Spaß*** just for fun; ***„Warum hast du das gemacht?" - „Nur so."*** 'Why did you do that?' - 'I don't know.', 'I just felt like it.' **6. *sie tut nur so*** she's just pretending **7. *mach nur!, nur zu!*** go on! **8. *nur für Erwachsene*** (for) adults only

Nürnberg Nuremberg [ˈnjʊərəmbɜːg]

nuscheln mumble

Nuss 1. *Frucht*: nut **2. *das ist eine harte Nuss*** *übertragen* that's a tough [tʌf] one

Nussbaum 1. walnut [ˈwɔːlnʌt] tree **2.** *Holz*: walnut

Nussknacker nutcracker

Nut *Technik*: groove

Nutte *umg., abwertend* tart, *AE* hooker

nutzbar 1. *allg.*: usable [ˈjuːzəbl] **2.** *Bodenschätze usw.*: exploitable **3. *etwas nutzbar machen*** utilize something **4. *den Boden nutzbar machen*** cultivate the land

nütze: ***er ist zu nichts nütze*** he's a dead loss

Nutzen 1. (≈ *Wert, Nützlichkeit*) use [⚠ juːs]; ***praktischer Nutzen*** practical use **2.** (≈ *Vorteil*) advantage [ədˈvɑːntɪdʒ], benefit [ˈbenɪfɪt]; ***zum Nutzen von*** for the benefit of **3.** (≈ *Gewinn*) profit [ˈprɒfɪt], gain

nutzen, nützen 1. *nützt dir das?* is that (of) any use [juːs] to you? **2. *das nützt nichts*** that's no use, that's no good **3. *Heulen nützt nichts*** it's no use crying **4. *das nützt nicht viel*** that doesn't help much, that's not much help **5. *etwas nutzen*** use [juːz] something, make* use [juːs] of something **6. *die Gelegenheit nutzen*** take* (advantage of) the opportunity

Nutzer(in) *Internet, Computer usw.*: user

nützlich 1. *allg.*: useful [⚠ ˈjuːsfl]; ***sich nützlich machen*** make* oneself useful **2.** *Rat, Person*: helpful **3. *es*** (***er*** *usw.*) ***könnte dir nützlich sein*** it (he *usw.*) might be of some use [juːs] to you

nutzlos 1. *allg.*: useless [⚠ ˈjuːsləs] **2. *es ist nutzlos, ihr einen Rat zu geben*** it's no use [juːs] (*oder* useless) giving her advice

Nutzung 1. (≈ *Verwendung*) use [⚠ juːs] **2.** *des Bodens usw.*: cultivation **3.** *von Bodenschätzen*: exploitation **4. *die Nutzung der Sonnenenergie*** *usw.* the utilization of solar energy *usw.* (⚠ *ohne* the)

Nymphe nymph [nɪmf]

O

o *als Ausruf*: oh! [əʊ]
Oase oasis [⚠ əʊ'eɪsɪs]
ob 1. whether ['weðə], if **2.** ***(so) als ob*** as if, as though [ðəʊ] **3.** ***er tut so, als ob er krank wäre*** he's pretending to be sick **4.** ***und ob!*** *umg.* you bet!
obdachlos homeless
Obdachlose(r) homeless person; ***die Obdachlosen*** the homeless, homeless people
Obdachlosenasyl shelter for the homeless
O-Beine bandy legs, bow [bəʊ] legs
oben 1. at the top **2.** (≈ *obenauf*) on (the) top; ***oben links*** on the top left **3.** ***da oben*** up there; ***hier oben*** up here; ***weiter oben*** further up, *in einem Text*: above **4.** *im Haus*: upstairs **5.** ***nach oben*** up, upwards, *im Haus*: upstairs **6.** ***von oben*** from above, *im Haus*: from upstairs **7.** ***von unten bis oben*** from top to bottom **8.** ***mit dem Gesicht nach oben*** face up **9.** ***jetzt ist sie ganz oben*** *beruflich*: she's made it to the top now **10.** ***oben ohne*** *umg.* topless **11.** ***siehe oben*** (*Abk.* s. o.) *in Büchern usw.*: see above [ə'bʌv] **12.** ***von oben herab*** (≈ *überheblich*) condescendingly [ˌkɒndɪ'sendɪŋlɪ]
obenauf 1. (≈ *ganz oben*) on top, uppermost, on the surface ['sɜːfɪs] **2.** *übertragen, umg.* ***wieder obenauf sein*** *nach Krankheit usw.*: be* fit and well again, be* fighting fit again
obendrein on top of that, to top it all
Oben-ohne-... *in Zusammensetzungen*: topless (*dress, bar usw.*)
Ober 1. *Bedienung*: waiter; ***Herr Ober!*** waiter! **2.** *Spielkarte*: queen
Oberarm upper arm; ***sie hat eine Tätowierung am Oberarm*** she's got a tattoo <u>on</u> <u>her</u> upper arm
Oberarzt, Oberärztin assistant medical director
Oberbefehlshaber(in) supreme [sʊ'priːm] commander, commander-in-chief
Oberbürgermeister(in) mayor ['meɪə], *in GB* Lord Mayor
obere(r, -s) 1. *Ränge, Sitzreihen, Stockwerk, Flussabschnitt usw.*: upper **2.** *ganz oben*: top **3.** ***die oberen Zehntausend*** the upper crust; → ***oberste(r, -s)***
Oberfläche 1. surface ['sɜːfɪs]; ***an*** (*bzw.* ***unter***) ***der Oberfläche*** <u>on</u> (*bzw.* below) the surface **2.** ***an die Oberfläche steigen*** (*Gase, Grundwasser usw.*) surface
oberflächlich 1. superficial, *Mensch auch*: shallow **2.** ***ich kenne ihn nur sehr oberflächlich*** I don't know him very well at all
Obergeschoss, Ⓐ **Obergeschoß**: ***(im) Obergeschoss*** (<u>on</u> the) upper floor [ˌʌpə'flɔː]
oberhalb 1. above [ə'bʌv] **2.** ***oberhalb von*** (*oder* + *Gen.*) above, *Fluss*: upstream from
Oberhaupt 1. *der Familie usw.*: head **2.** (≈ *Anführer*) leader
Oberhaus *in GB*: House of Lords
Oberhemd shirt
Oberin 1. *im Kloster*: Mother Superior [sʊ'pɪərɪə] **2.** *im Krankenhaus usw.*: matron ['meɪtrən], *AE* head nurse
oberirdisch 1. *Leitungen*: surface ['sɜːfɪs] (⚠ *nur vor dem Subst.*); ***oberirdische Stromleitung*** overhead line **2.** ***das Kabel verläuft oberirdisch*** the cable runs above ground
Oberkellner(in) head [hed] waiter (waitress)
Oberkiefer upper jaw
Oberkörper 1. upper part of the body, chest **2.** ***den Oberkörper freimachen*** strip to the waist
Oberleitung *Bahn, O-Bus usw.*: overhead wires (⚠ *Pl.*)
Oberlicht 1. (≈ *Dach-, Deckenfenster*) skylight **2.** (≈ *kleines Zusatzfenster über großem Fenster*) transom ['trænsəm] window **3.** (≈ *halbkreisförmiges Fenster über einer Tür*) fanlight
Oberliga *Sport*: top amateur league ['tɒpˌæmətə'liːg]
Oberlippe upper lip
Oberösterreich Upper Austria ['ɒstrɪə]
Obers Ⓐ **1.** (≈ *Sahne, Rahm*) cream **2.** (≈ *Schlagsahne*) whipped cream
Oberschenkel thigh [θaɪ]
Oberschicht *der Gesellschaft*: upper class, upper classes (*Pl.*)

Oberschule secondary school, *AE* high school
Oberschwester senior nurse
Oberseite top (*oder* upper) surface ['sɜː-fɪs], top
Oberst colonel [⚠ 'kɜːnl]
oberste(r, -s) **1.** *Teil usw.*: uppermost **2.** (≈ *ganz oben befindlich*) top, topmost **3.** (≈ *höchstgelegen*) highest **4.** *Behörde usw.*: highest; ***das Oberste Gericht*** the High (*AE* Supreme [sʊ'priːm]) Court **5.** *einer Rangordnung*: chief [tʃiːf]
Oberstudiendirektor *etwa*: headmaster [ˌhed'mɑːstə], *AE* principal ['prɪnsəpl]
Oberstudiendirektorin *etwa*: headmistress [ˌhed'mɪstrəs], *AE* principal ['prɪnsəpl]
Oberstufe **1.** *in Schule*: upper school, *AE* higher grades (⚠ *Pl.*) **2.** *Kurs*: advanced level
Oberteil *das* top (*auch von Bikini usw.*)
Oberweite bust (measurement)
obige(r, -s) **1.** (≈ *weiter oben*) above(-mentioned) **2.** ***die obige Karte*** the above map
Objekt object ['ɒbdʒɪkt] (*auch Satzobjekt*)
Objektiv *einer Kamera*: lens [⚠ lenz]
objektiv **1.** *allg.*: objective [əb'dʒektɪv] **2.** *Bericht usw.*: (≈ *unparteiisch*) impartial **3.** *Urteil usw.*: unbias(s)ed [ˌʌn'baɪəst]
Oblate wafer
Obmann, **Obmännin** **1.** (≈ *Vorsitzende*) chairman, *Frau*: chairwoman, *neutral*: chair, chairperson **2.** *der Gewerkschaft*: union representative [ˌreprɪ'zentətɪv]
Oboe *Instrument*: oboe ['əʊbəʊ]
Observatorium observatory [əb'zɜːvətrɪ]
Obst fruit [fruːt]; ☞ *Illu S. 883*
Obstbaum fruit tree
Obstgarten orchard ['ɔːtʃəd]
Obsthändler(in) fruiterer, *bes. AE* fruit seller
Obstkuchen fruit flan, *AE* fruit pie
Obstsalat fruit salad
O-Bus trolley bus
obwohl although [ɔːl'ðəʊ], though [ðəʊ]
Occasion Ⓒⓗ **1.** (≈ *Gebrauchtartikel*) second-hand article **2.** (≈ *Gebrauchtfahrzeug*) second-hand car (*bzw.* motorbike *usw.*) **3.** (≈ *Gelegenheitskauf*) second-hand bargain ['bɑːgɪn]
Ochse **1.** *Tier*: bullock [⚠ 'bʊlək], ox *Pl.*: oxen **2.** *als Schimpfwort*: oaf, dope
Ocker, **ockerfarben** ochre ['əʊkə], *AE* ocher
öde **1.** *Gegend*: desolate ['desələt], deserted [⚠ dɪ'zɜːtɪd] **2.** (≈ *kahl*) barren [⚠ 'bærən] **3.** (≈ *eintönig*) dull [dʌl]
oder **1.** *allg.*: or; ***oder auch*** or even; ***oder so*** or something like that **2.** ***oder aber*** or else **3.** ***du bleibst doch, oder?*** you're staying, aren't you?; ***sie kommt doch, oder?*** she's coming, isn't she?
Ofen **1.** *für Holz, Kohle usw.*: stove [stəʊv] **2.** (≈ *Backofen*) oven [⚠ 'ʌvn] **3.** (≈ *Brenn-, Dörrofen*) kiln **4.** ***heißer Ofen*** *Motorrad*: hot rod
Ofenrohr stovepipe ['stəʊvpaɪp]
offen **1.** *allg.*: open (*auch Gesicht, Frage, Brief usw.*); ***bei offenem Fenster*** with the window open **2.** ***sie ist für alles offen*** (≈ *aufgeschlossen*) she's open to anything **3.** ***es ist noch alles offen*** nothing has been decided yet **4.** ***ich will ganz offen mit dir sein*** I'll be quite frank with you **5.** ***offen zugeben*** openly admit **6.** ***er hat ganz offen seine Meinung gesagt*** he said exactly what he thought; ***offen gesagt*** to be perfectly honest (*oder* frank)

> **offen bleiben** **1.** (*Fenster, Tür usw.*) stay open **2.** (*Frage usw.*) remain open
> **offen lassen**: ***etwas offen lassen*** leave* something open (*auch Frage usw.*)

offenbar **1.** *Lüge, Absicht usw.*: obvious [⚠ 'ɒbvɪəs] **2.** ***sie ist offenbar krank*** she seems to be sick, it seems she's sick
Offenbarung revelation [ˌrevə'leɪʃn]
Offenheit **1.** frankness **2.** (≈ *Ehrlichkeit*) honesty [⚠ 'ɒnəstɪ]
offensichtlich **1.** *allg.*: obvious ['ɒbvɪəs] **2.** (≈ *klar*) clear, plain **3.** ***sie ist offensichtlich krank*** she's obviously sick
offensiv offensive [ə'fensɪv]
Offensive offensive [ə'fensɪv]; ***die Offensive ergreifen, in die Offensive gehen*** take* the offensive
Offensivspieler(in) *Fußball usw.*: attacker
offenstehen be* open
öffentlich **1.** *allg.*: public **2.** ***öffentliche Schule*** state school, *AE* public school (⚠ *BE* public school = ***private Internatsschule***) **3.** ***der öffentliche Dienst*** the public sector **4.** ***öffentlich auftreten*** appear in public
Öffentlichkeit (general) public; ***an die Öffentlichkeit treten*** appear (*oder* go*) before the public; ***etwas an die Öffentlichkeit bringen*** bring* something before the public, make* something public; ***in aller Öffentlichkeit*** publicly, openly
Öffentlichkeitsarbeit public relations (*Pl.*)
offiziell official [ə'fɪʃl]
Offizier officer ['ɒfɪsə]; ***ein hoher Offizier*** a high-ranking (*oder* senior) officer

offline *Computer*: offline; ***offline arbeiten*** work offline
Offlinebetrieb *Computer*: offline operation (*oder* mode)
öffnen 1. (***sich***) ***öffnen*** open **2.** ***niemand hat geöffnet*** nobody answered (*oder* came to) the door
Öffner opener
Öffnung *allg.*: opening (*auch übertragen*)
Öffnungszeiten *allg.*: opening hours, business hours, *Bank auch*: banking hours
oft 1. often ['ɒfn, 'ɒftn]; ***ziemlich oft*** quite often **2.** ***schon oft*** many times **3.** ***das ist mir schon so oft passiert*** I don't know how many times that's happened to me
öfter 1. more often ['ɒfn] **2.** (≈ *des Öfteren, schon öfter*) quite often
öfters quite often ['ɒfn]
oftmals often ['ɒfn], frequently ['friːkwəntlɪ]
ohne 1. without; ***ohne ein Wort zu sagen*** without saying a word **2.** ***ohne mich!*** count me out! **3.** ***ohne weiteres*** just like that, (≈ *mühelos*) easily, *umg.* no problem; ***das geht nicht so ohne weiteres*** that's not so easy
Ohnmacht 1. (≈ *Ohnmachtsanfall*) faint, fainting fit **2.** ***in Ohnmacht fallen*** faint, pass out **3.** (≈ *Machtlosigkeit*) total helplessness (***gegenüber*** in the face of)
ohnmächtig 1. (≈ *bewusstlos*) unconscious [ʌn'kɒnʃəs]; ***ohnmächtig werden*** faint, pass out **2.** (≈ *machtlos*) totally helpless (***gegenüber*** in the face of)
Ohr 1. ear **2.** ***die Ohren aufmachen*** *übertragen* listen ['lɪsn] carefully **3.** ***jemanden übers Ohr hauen*** *umg.* rip someone off
ohrenbetäubend deafening ['defnɪŋ]
Ohrenschmerzen: ***ich hab Ohrenschmerzen*** I've got (an) earache ['ɪəreɪk] (⚠ *Sg.*)
Ohrenschützer *gegen Kälte*: earmuffs
Ohrfeige 1. clip round the ear, slap in the face **2.** ***jemandem eine Ohrfeige geben*** box someone's ear, slap someone's face
ohrfeigen: ***er hat sie geohrfeigt*** he slapped her (face)
Ohrhörer earphone
Ohrläppchen earlobe
Ohropax® *etwa*: earplugs (⚠ *Pl.*)
Ohrring earring ['ɪərɪŋ]
Ohrwurm 1. *Tier*: earwig **2.** *umg.* (≈ *eingängige Melodie*) catchy tune
oje: ***oje!*** oh dear!
okay OK, okay
Ökobauer, Ökobäuerin organic farmer
ökologisch ecological [ˌiːkə'lɒdʒɪkl]; ***das ökologische Gleichgewicht*** the ecological balance ['bæləns]
ökonomisch 1. economic [ˌiːkə'nɒmɪk] **2.** (≈ *sparsam*) economical
Ökosystem ecosystem ['iːkəʊˌsɪstəm]
Ökotourismus ecotourism ['iːkəʊˌtʊərɪzm]
Oktav(e) *Musik*: octave [⚠ 'ɒktɪv]
Oktober October; ***im Oktober*** in October (⚠ *ohne* the)
ökumenisch *Gottesdienst usw.*: ecumenical [ˌiːkjʊ'menɪkl]
Öl 1. *allg.*: oil **2.** (≈ *Erdöl*) petroleum **3.** ***in Öl malen*** paint in oils (⚠ *Pl.*)
Ölbaum (≈ *Olivenbaum*) olive ['ɒlɪv] tree
Oldtimer *Auto*: classic (car), *zwischen 1919 und 1930 gebaut*: vintage car [ˌvɪntɪdʒ'kɑː], *vor 1905 gebaut*: *BE* veteran car [ˌvetrən'kɑː] (⚠ *engl.* oldtimer = ***„alter Hase"***)
ölen 1. oil (*Fahrrad usw.*) **2.** lubricate ['luːbrɪkeɪt] (*Maschine usw.*)
Ölfarbe oil paint; ***Ölfarben*** oils, oil paints
Ölfeld oilfield
Ölförderland oil-producing country
Ölgemälde oil painting
Ölheizung oil heating
ölig oily (*auch Wein usw.*)
Olive 1. *Frucht*: olive ['ɒlɪv] **2.** *Baum*: olive (tree)
Olivenbaum olive ['ɒlɪv] tree
Olivenöl olive ['ɒlɪv] oil
olivgrün olive ['ɒlɪv], olive-green
Ölkonzern oil company ['ɔɪlˌkʌmpənɪ]
Ölleitung oil pipeline
Ölofen oil stove [stəʊv], oil heater
Ölpest oil catastrophe [⚠ 'ɔɪl‿kəˌtæstrəfɪ]
Ölquelle oil well
Ölsardinen canned sardines [sɑː'diːnz], *BE auch* tinned sardines
Öltank oil tank
Öltanker (oil) tanker
Ölteppich *im Meer usw.*: oil slick
Ölverschmutzung oil pollution ['ɔɪl‿pəˌluːʃn]
Ölvorkommen *einzelnes*: oil deposit ['ɔɪl‿dɪˌpɒzɪt], *mehrere*: oil resources ['ɔɪl‿rɪˌzɔːsɪz] (*Pl.*)
Ölwechsel *Auto usw.*: oil change
Olympiade Olympic Games [əˌlɪmpɪk'geɪmz] (⚠ *Pl.*), Olympics (⚠ *Pl.*)
Olympiamannschaft Olympic team
olympisch *Sport*: Olympic [ə'lɪmpɪk]; ***Olympische Spiele*** Olympic Games, Olympics
Oma grandma ['grænmɑː], granny (⚠ *als Anrede mit Großschreibung*)
Omelett(e) omelette ['ɒmlət]
Omi granny, *als Anrede*: Granny
Omnibus 1. bus **2.** *BE* (≈ *Reisebus*) coach

onanieren masturbate ['mæstəbeɪt]
Onkel 1. uncle **2.** ***der Onkel Doktor*** the (nice) doctor **3.** ***sag danke zu dem Onkel*** *zu Kind*: say thank you to the nice man
online *Computer*: online; ***online ordern*** order *something* online; ***online arbeiten*** work online
Onlinebetrieb *Computer*: online operation (*oder* mode)
Onlinedienst *Internet*: online service
Opa grandpa ['grænpɑː], grandad ['grændæd] (⚠ *als Anrede großgeschrieben*)
Oper 1. opera [⚠ 'ɒprə]; ***in die Oper gehen*** go* to the opera **2.** *Gebäude*: opera (house)
Operation 1. *medizinische*: operation, surgery ['sɜːdʒərɪ]; ***eine größere Operation*** a major operation, major surgery (⚠ *ohne* a) **2.** *militärische*: operation
Operationssaal operating theatre (*AE* room)
Operette operetta [⚠ ˌɒpə'retə]
operieren 1. ***jemanden operieren*** operate on someone (***wegen*** for) **2.** ***sie ist am Herzen*** *usw.* ***operiert worden*** she had a heart *usw.* operation **3.** ***er muss sofort operiert werden*** he needs immediate surgery (⚠ *ohne* an) **4.** ***ich muss mich operieren lassen*** I've got to have an operation
Opernglas: ***ein Opernglas*** (a pair of) opera glasses (⚠ *Pl.*)
Opernsänger(in) opera singer
Opfer 1. sacrifice ['sækrɪfaɪs]; ***ein Opfer bringen*** make* a sacrifice **2.** *eines Unfalls, Verbrechens, Betrugs usw.*: victim, (≈ *Unfall-, Kriegsopfer*) *auch*: casualty ['kæʒʊəltɪ]
opfern 1. sacrifice ['sækrɪfaɪs] (*Dinge, Tier, seine Gesundheit usw.*) **2.** ***er hat sich geopfert und das Geschirr gespült*** he nobly volunteered [ˌvɒlən'tɪəd] to do the dishes
Opferstock *in Kirche usw.*: offertory ['ɒfətrɪ]
Opium opium ['əʊpɪəm]
Opportunist(in) opportunist [ˌɒpə'tjuːnɪst]
opportunistisch opportunist [ˌɒpə'tjuːnɪst], opportunistic [ˌɒpətjuː'nɪstɪk]
Opposition opposition
Optiker(in) optician [ɒp'tɪʃn]
optimal 1. best possible, optimum (⚠ *beide nur vor dem Subst.*) **2.** ***die Mannschaft hat heute optimal gespielt*** the team played brilliantly today
Optimismus optimism ['ɒptɪmɪzm]
Optimist(in) optimist ['ɒptɪmɪst]
optimistisch optimistic [ˌɒptɪ'mɪstɪk]
optisch 1. optical; ***eine optische Täuschung*** an optical illusion **2.** ***ein optisches Signal*** a visual sign [ˌvɪʒʊəl'saɪn]
Orakel oracle ['ɒrəkl]
oral oral ['ɒrəl]
Orange orange ['ɒrɪndʒ]
orange, orangefarben orange ['ɒrɪndʒ]
Orangenbaum orange tree ['ɒrɪndʒ‿triː]
Orangensaft orange juice
Orang-Utan orang-utan [ɔː'ræŋətæn, ɔːˌræŋuː'tæn]
Orchester orchestra ['ɔːkɪstrə]
Orchidee orchid [⚠ 'ɔːkɪd]
Orden 1. *Auszeichnung*: medal ['medl]; ***einen Orden bekommen*** receive (*oder* be* given) a medal **2.** *Gemeinschaft*: order
ordentlich 1. *Mensch, Zimmer usw.*: neat, tidy **2.** ***das war recht ordentlich*** that was pretty good; ***seine Sache ordentlich machen*** do* a good job (of it) **3.** *Leben usw.*: (≈ *geregelt*) ordered **4.** ***eine ordentliche Tracht Prügel*** a good old thrashing **5.** ***ich mags ordentlich*** I like everything neat and tidy **6.** ***sich ordentlich benehmen*** behave properly **7.** ***ich hab erst mal ordentlich gegessen*** the first thing I did was have a proper meal **8.** ***sie hats ihm ordentlich gegeben*** *umg.* she really let him have it
ordinär 1. *Person, Verhalten*: common **2.** *Witz, Lachen*: dirty
Ordination Ⓐ **1.** (≈ *Arztpraxis*) surgery **2.** (≈ *Sprechstunde*) surgery hours (⚠ *Pl.*)
ordnen 1. (≈ *sortieren*) sort out, arrange (*Bücher usw.*) **2.** ***etwas alphabetisch ordnen*** arrange something alphabetically
Ordner 1. *bei Veranstaltung*: steward **2.** *für Akten usw.*: file **3.** *Computer*: folder
Ordnung 1. order; ***Ordnung halten*** keep* things (neat and) tidy **2.** ***mit dem Drucker ist was nicht in Ordnung*** there's something wrong with the printer **3.** ***etwas in Ordnung bringen*** (≈ *reparieren*) fix something; ***das bring ich schon wieder in Ordnung*** *nach Streit usw.*: don't worry, I'll sort it out **4.** (***geht***) ***in Ordnung!*** (that's) all right, (that's) okay; ***sie ist in Ordnung*** she's okay, she's all right **5.** ***das finde ich nicht in Ordnung*** I don't think that's right **6.** ***Ordnung schaffen*** sort things out, *in Zimmer*: tidy up
ordnungsgemäß 1. *allg.*: proper, orderly **2.** ***sie hat es ordnungsgemäß erledigt*** she settled it in accordance with the regulations
ordnungswidrig 1. against the regulations (⚠ *nur hinter dem Verb*) **2.** *Parken, Verhal-*

ten: illegal [ɪ'liːgl] **3. *sich ordnungswidrig verhalten*** act in breach [briːtʃ] of the regulations (*oder* rules)
Ordnungszahl ordinal ['ɔːdɪnl] (number)
ORF Austrian Broadcasting Corporation
Organ *im Körper*: organ ['ɔːgən]
Organbank *für Transplantationen*: organ ['ɔːgən] bank
Organisation organization [ˌɔːgənaɪ'zeɪʃn]
Organisationstalent: ***er hat*** (*oder* ***ist ein***) ***Organisationstalent*** he's got organizational talent ['tælənt] (⚠ *ohne* an), he's a great organizer ['ɔːgənaɪzə]
organisatorisch 1. *allg.*: organizational **2. *organisatorische Fähigkeit(en)*** organizational ability [ɔːgənaɪˌzeɪʃnəl‿ə'bɪlətɪ]
organisieren 1. organize, arrange (*Veranstaltung*) **2. *etwas organisieren*** *umg.* (≈ *beschaffen*) rustle [⚠ 'rʌsl] something up
Organismus organism ['ɔːgənɪzm]
Organspender(in) organ donor ['ɔːgənˌdəʊnə]
Organverpflanzung *Operation*: organ transplant ['ɔːgənˌtrænsplɑːnt] (*oder* transplantation)
Orgasmus orgasm ['ɔːgæzm]
Orgel organ ['ɔːgən]
Orgelkonzert organ recital ['ɔːgən‿rɪˌsaɪtl]
Orgie orgy [⚠ 'ɔːdʒɪ]; ***Orgien feiern*** have* orgies
orientalisch oriental [ˌɔːrɪ'entl]
Orient *im weiteren Sinn*: East, *umg.* Middle East; ***der Vordere Orient*** the Middle East
orientieren 1. *sich orientieren* *in Stadt usw.*: find* one's way around **2. *sich an den Straßennummern orientieren*** follow the street numbers
Orientierung 1. orientation **2. *sie haben im Wald die Orientierung verloren*** they lost their bearings (*oder* way) in the forest
Orientierungssinn sense of direction
Original 1. *Bild usw.*: original [ə'rɪdʒnəl] **2. *sie ist ein Original*** *Person*: she's a real character ['kærəktə], she's quite a character
original: ***original Schweizer Käse*** genuine ['dʒenjʊɪn] Swiss cheese
Originalfassung original [ə'rɪdʒnəl] version; ***in der deutschen Originalfassung*** in the original German (version)
originalgetreu 1. *eine originalgetreue Nachbildung* a faithful copy **2. *er hat das Flugzeug originalgetreu nachgebaut*** he built an exact replica ['replɪkə] of the plane
originell 1. *Idee, Erfindung usw.*: original [ə'rɪdʒnəl] **2.** (≈ *geistreich*) witty
Orkan hurricane ['hʌrɪkən]
Ort 1. (≈ *Ortschaft*) place, (≈ *Dorf*) *auch*: village **2.** (≈ *Platz*, *Stelle*) place **3. *der Ort der Handlung*** (*bzw.* ***des Verbrechens***) the scene [siːn] of the action (*bzw.* of the crime) **4. *an Ort und Stelle*** on the spot
orten locate [ləʊ'keɪt] (*Flugzeug usw.*)
orthodox orthodox ['ɔːθədɒks]
Orthografie, **Orthographie** orthography [ɔː'θɒgrəfɪ]
Orthopäde, **Orthopädin** orthopaedist [ˌɔːθə'piːdɪst]
orthopädisch orthop(a)edic [ˌɔːθə'piːdɪk]
örtlich 1. *allg.*: local **2. *ich bin nur örtlich betäubt worden*** I was only given a local anaesthetic [ˌænəs'θetɪk]
ortsansässig local ['ləʊkl]
Ortsansässige(r) local resident ['rezɪdənt]
Ortschaft 1. place **2.** (≈ *Dorf*) village **3. *geschlossene Ortschaft*** built-up area
Ortsgespräch *Telefon*: local call
Ortsname place name
Ortsnetz *Telefon*: local exchange network
Ortsschild town sign [saɪn], place-name sign
Ortstarif local rate; ***zum Ortstarif*** at the local rate, at local rates (*Pl.*)
Ortszeit local time
Ortung *von Schiff usw.*: location
Öse 1. *allg.*: eye **2.** *am Schuh*: eyelet
Ossi *salopp* Easterner, East German, Ossi
Ost 1. east; ***aus Ost*** from the east; ***München Ost*** East Munich **2. *nach Ost*** east, eastwards ['iːstwədz]
ostdeutsch, **Ostdeutsche(r) 1.** *geographisch*: Eastern German **2.** *politisch*: East German; ☞ ***Nationalitäten***
Ostdeutschland 1. *als Landesteil*: Eastern Germany **2.** *politisch*: East Germany
Osten 1. *Himmelsrichtung*: east; ***von Osten*** from the east; → ***fern***, ***mittlere(r, -s)*** **2.** *Landesteil*: East **3. *nach Osten*** east, eastwards ['iːstwədz], *Verkehr usw.*: eastbound
Osterei Easter egg
Osterhase Easter bunny
Ostern Easter; ***an*** (*oder* ***zu***) ***Ostern*** at Easter; ***frohe Ostern!*** Happy Easter!
Österreich Austria ['ɒstrɪə]
Österreicher Austrian ['ɒstrɪən]; ***er ist Österreicher*** he's Austrian, he's from Austria; ☞ ***Nationalitäten***
Österreicherin Austrian woman (*oder* lady *bzw.* girl); ***sie ist Österreicherin*** she's

O

Austrian, she's from Austria; ☞ ***Nationalitäten***
österreichisch Austrian ['ɒstrɪən]
Ostermontag Easter Monday
Ostersonntag Easter Sunday
Osteuropa East (*oder* Eastern) Europe ['jʊərəp]
Osteuropäer(in) East(ern) European; ☞ ***Nationalitäten***
osteuropäisch East(ern) European
östlich 1. *allg.*: eastern (⚠ *nur vor dem Subst.*) **2.** *Wind, Richtung*: easterly **3.** ***in östlicher Richtung*** east, eastwards ['iːstwədz], *Verkehr usw.*: eastbound **4.** ***östlich von*** (to the) east of **5.** ***weiter östlich*** further (to the) east
östlichste(r, -s): ***der östlichste Punkt von Italien*** Italy's easternmost point
Ostsee: ***die Ostsee*** the Baltic ['bɔːltɪk], the Baltic Sea [ˌbɔːltɪk'siː]
ostwärts east, eastwards ['iːstwədz]
Ostwind east(erly) wind
Otter[1] *die* viper ['vaɪpə], adder
Otter[2] *der* (≈ *Fischotter*) otter
out: ***das ist out*** *Mode usw.*: that's out
outen out (*prominente Person usw.*)
outsourcen outsource ['aʊtsɔːs] (*Arbeiten, Aufträge*)
Ouvertüre *zu Oper*: overture ['əʊvətjʊə]
oval, Oval oval ['əʊvl]
Ovation ovation [əʊ'veɪʃn]; ***jemandem eine stehende Ovation bereiten*** give* someone a standing ovation
Overall 1. *normales Kleidungsstück*: jumpsuit ['dʒʌmpsuːt] **2.** *als Arbeitshose*: overalls (⚠ *Pl.*), *AE* overall
Overheadprojektor overhead projector [ˌəʊvəhed‿prə'dʒektə]
oxidieren, oxydieren oxidize ['ɒksɪdaɪz]
Ozean 1. *allg.*: ocean ['əʊʃn] **2.** ***der Stille Ozean*** the Pacific [pə'sɪfɪk]
Ozeandampfer ocean liner
Ozon ozone ['əʊzəʊn]
Ozonalarm ozone alert ['əʊzəʊn‿əˌlɜːt]
Ozonbelastung ozone ['əʊzəʊn] level(s *Pl.*); ***eine hohe Ozonbelastung*** high ozone levels (⚠ *Pl.*)
ozonhaltig ozonic [əʊ'zɒnɪk]
Ozonloch hole in the ozone ['əʊzəʊn] layer, ozone hole
Ozonschicht ozone ['əʊzəʊn] layer
Ozonwerte ozone ['əʊzəʊn] levels

P

paar 1. ***ein paar hundert Leute*** a few (*umg.* a couple of) hundred people; ***ein paar Äpfel*** *usw.* some [⚠ sm'æplz] *usw.*, a few (*oder* a couple ['kʌpl] of) apples *usw.*; ***die paar Euro wirst du wohl noch ausgeben können*** surely you can spare a couple of euros **2.** ***alle paar Minuten*** every few minutes **3.** ***ein paar Mal*** a couple ['kʌpl] of times
Paar 1. (≈ *zwei Leute, Tiere oder Dinge*) pair; ***ein Paar Socken*** a pair of socks **2.** (≈ *Ehepaar, Liebespaar*) couple ['kʌpl] **3.** ***ein Paar Frankfurter*** *Würstchen*: two frankfurters **4.** *beim Tanzen*: pair **5.** *bei engerer Zusammengehörigkeit*: Couple
paaren: ***sich paaren*** *Tiere*: mate
Paarlaufen *Eiskunstlauf*: pair skating
paarweise in pairs, in twos
Pacht *Geld*: rent
pachten lease [liːs]
Pächter(in) 1. *allg.*: leaseholder **2.** *eines Bauernhofs*: tenant ['tenənt] (farmer) **3.** *einer Gaststätte*: tenant
Päckchen 1. *zum Verschicken*: parcel ['pɑːsl], *bes. AE auch* package, *kleines*: packet **2.** ***ein Päckchen Zigaretten*** *usw.* a packet (*bes. AE* pack) of cigarettes *usw.*
Paarlaufen *Eiskunstlauf*: pair skating
Packeis pack ice
packen[1] **1.** pack (*Koffer, Sachen*) **2.** wrap [ræp] up (*Paket usw.*) **3.** ***pack es in den Koffer!*** pack (*oder* put) it into the suitcase
packen[2] **1.** ***jemanden*** (*bzw.* ***etwas***) ***packen*** grab (hold of) someone (*bzw.* something) **2.** ***der Film hat mich wirklich gepackt*** I was totally gripped by the film **3.** ***jemanden am Arm packen*** grab someone by the arm, grab someone's arm
packen[3]: ***es packen*** (≈ *es schaffen*) make* it, do* it; ***wir haben es gerade noch gepackt*** *zeitlich*: we just made it (in time)
packen[4] **1.** ***packen wirs?*** (≈ *sollen wir gehen?*) shall we go?, shall we push off? **2.** ***los, packen wirs!*** come on, let's go!
Packpapier wrapping ['ræpɪŋ] paper

Packung 1. (≈ *Schachtel*) packet; ***eine Packung Zigaretten*** a packet (*bes. AE* pack) of cigarettes 2. ***große Packung*** large pack 3. *Kosmetik, Fango usw.*: pack
Packungsbeilage package insert ['pækɪdʒˌɪnsɜːt], patient information leaflet [ˌpeɪʃnt‿ɪnfə'meɪʃnˌliːflət]
Paddel paddle
Paddelboot canoe [kə'nuː]
paddeln paddle
paffen *umg.* (≈ *rauchen*) puff away, smoke
Page 1. *eines Königs usw.*: page [peɪdʒ] 2. (≈ *Hotelpage*) page (boy), bellboy, *AE* bellhop
Pagenkopf *Frisur*: pageboy cut
Pager *für kurze Textnachrichten*: pager
Paket 1. *zum Verschicken*: parcel ['pɑːsl], *bes. AE auch* package 2. (≈ *große Packung*) large pack 3. *Maßnahmen*: package
Paketschalter parcel(s) counter
Pakistan Pakistan [ˌpɑːkɪ'stɑːn]
Pakistani, pakistanisch Pakistani [ˌpɑːkɪ'stɑːnɪ]; ☞ ***Nationalitäten***
Pakt pact; ***einen Pakt schließen*** make* a deal (*oder* pact) (***mit*** with)
Palast palace ['pæləs]
Palästinenser Palestinian [ˌpælə'stɪnɪən]; ***er ist Palästinenser*** he's (a) Palestinian; ☞ ***Nationalitäten***
Palästinenserin Palestinian woman (*oder* lady *bzw.* girl); ***sie ist Palästinenserin*** she's (a) Palestinian; ☞ ***Nationalitäten***
palästinensisch Palestinian [ˌpælə'stɪnɪən], *nur vor Subst.*: Palestine ['pæləstaɪn]
Palatschinke Ⓐ; *mst. Pl.*: filled pancake
paletti: ***(es ist) alles paletti*** *umg.* everything's just fine (*bes. AE* hunky dory)
Palme 1. *Baum*: palm [⚠ pɑːm] (tree) 2. ***das bringt mich auf die Palme*** it drives me mad
Palmtop *Computer*: palmtop [⚠ 'pɑːmtɒp]
Pampa: ***mitten in der Pampa*** *salopp* out in the sticks
Pampe *umg., abwertend* stodge
pampig 1. (≈ *frech*) shirty, stroppy, *AE* fresh 2. (≈ *breiig*) mushy ['mʌʃɪ], *BE auch* stodgy ['stɒdʒɪ]
päng bang!, pow! [paʊ]
paniert *Schnitzel usw.*: breaded ['bredɪd]
Panik 1. panic 2. ***in Panik geraten*** start panicking 3. ***keine Panik!*** don't panic!
Panikmache 1. scaremongering ['skeəˌmʌŋgərɪŋ] 2. ***das ist die reinste Panikmache!*** that's just scare tactics
panisch: ***er hat (eine) panische Angst vor großen Hunden*** he's terrified of big dogs
Panne 1. *technische*: breakdown; ***wir haben eine Panne gehabt*** *mit dem Auto*: our car broke down 2. (≈ *Reifenpanne*) puncture (*auch bei Fahrrad*), flat tyre, *bes. AE* flat 3. (≈ *Problem*) hitch
Pannendienst *für Autos*: breakdown service
Panorama panorama [ˌpænə'rɑːmə]
panschen water down, adulterate [ə'dʌltəreɪt] (*Wein usw.*)
Panter, Panther panther [⚠ 'pænθə]
Pantoffel 1. *Schuh*: slipper 2. ***er steht unter dem Pantoffel*** he's a henpecked husband
Pantomime *Theater*: mime, *AE* pantomime ['pæntəmaɪm]
pantschen water down, adulterate [ə'dʌltəreɪt] (*Wein usw.*)
Panzer 1. *Kettenfahrzeug*: tank 2. (≈ *Panzerung*) armour ['ɑːmə] (plating) 3. *von Schildkröte, Krabbe usw.*: shell
Panzerglas bulletproof ['bʊlɪtpruːf] glass
Panzerschrank safe
Papa dad, daddy, *AE auch* pa [pɑː] (⚠ *als Anrede mit Großschreibung*: Dad *usw.*)
Papagei parrot ['pærət]
Papaya *Frucht*: papaya [pə'paɪə]
Papier 1. *allg.*: paper 2. ***Papiere*** (≈ *Ausweispapiere*) papers 3. ***Papiere*** (≈ *Urkunden*) papers, documents
Papierkorb wastepaper basket, *AE auch* wastebasket
Papierkram *umg.* (annoying) paperwork
Papierschnipsel *Pl.* scraps of paper
Papierschnitzel *Pl.*: scraps of paper
Papiertaschentuch paper tissue ['tɪʃuː]
Pappbecher paper cup
Pappdeckel pasteboard
Pappe cardboard
Pappel poplar ['pɒplə]
pappen 1. ***etwas auf etwas pappen*** stick* something to (*oder* onto) something 2. ***der Schnee*** *usw.* ***pappt*** the snow *usw.* is sticking
Pappenstiel: ***das ist kein Pappenstiel*** it's no chickenfeed
pappig sticky
Pappkarton cardboard box, *kleiner*: carton ['kɑːtn]
Pappnase false nose [ˌfɔːls'nəʊz]
Pappteller paper plate
Paprika 1. (≈ *Paprikaschote*) (sweet) pepper 2. *Pulver*: paprika ['pæprɪkə]
Paprikaschote (sweet) pepper
Papst pope
päpstlich papal ['peɪpl]
Parabolantenne parabolic aerial [pærəˌbɒlɪk'eərɪəl] (*bes. AE* antenna), satellite ['sætəlaɪt] dish, *umg.* dish

P

Parade 1. *Militär usw.*: parade [pə'reɪd] **2.** *von Torhüter*: save **3.** *Fechten usw.*: parry
Paradeiser Ⓐ tomato *Pl.*: tomatoes
Paradies 1. *allg.*: paradise ['pærədaɪs] **2.** ***das Paradies auf Erden*** heaven on earth
paradiesisch 1. paradisiac(al) [ˌpærə'dɪzɪæk (ˌpærədɪ'saɪækl)], heavenly **2.** ***hier ist es paradiesisch schön*** it's like paradise ['pærədaɪs] here
Paragraph *Vertrag usw.*: article ['ɑːtɪkl], section
parallel 1. parallel ['pærəlel] (***zu*** to, with) **2.** ***die Bahnlinie läuft parallel zur Straße*** the railway runs parallel to the road
Parallele parallel ['pærəlel]
Parasit parasite ['pærəsaɪt] (*auch übertragen: Mensch*)
Pärchen couple ['kʌpl]
Parfüm perfume ['pɜːfjuːm]
parfümieren 1. ***sich parfümieren*** put* (some) perfume on **2.** ***eine parfümierte Seife*** a piece of scented ['sentɪd] soap
parieren[1] (≈ *gehorchen*) knuckle ['nʌkl] under, do* what one is told
parieren[2] (≈ *abwehren*) parry (*Schlag, Stoß, auch Frage usw.*)
Paris Paris ['pærɪs]
Pariser *umg.* (≈ *Kondom*) rubber
Pariser(in) *Person*: Parisian [pə'rɪzɪən]
Park park
Park-and-ride-System park-and-ride; ***das Park-and-ride-System*** park-and--ride (⚠ *ohne* the)
Parkbank park bench
parken 1. park (*Auto usw.*) **2.** ***Parken verboten!*** no parking
Parkett 1. *Fußboden*: parquet [⚠ 'pɑːkeɪ] floor **2.** (≈ *Tanzparkett*) dance floor **3.** *im Theater usw.*: stalls (⚠ *Pl.*), *AE* orchestra ['ɔːkɪstrə], parquet [⚠ pɑː'keɪ]

Parkett

Parkett	**stalls**
1. Rang	**dress circle**
2. Rang	**upper circle**
oberster Rang	**balcony** ['bælkənɪ]
Loge	**box**

Parkhaus multi-storey car park, *AE* parking garage ['gærɑːʒ]
Parklücke parking space
Parkplatz 1. *größerer*: car park, *AE* parking lot **2.** (≈ *freier Platz zum Parken eines Autos usw.*) parking space
Parkscheibe parking disc (*AE* disk)
Parksünder(in) parking offender
Parkuhr parking metre
Parkverbot 1. ***hier ist Parkverbot*** there's no parking here **2.** ***mein Wagen steht im Parkverbot*** my car's on a double yellow line, *AE* I parked my car in a no-parking zone
Parlament parliament ['pɑːləmənt] (⚠ *Schreibung mit i, Aussprache ohne*)
Parole 1. (≈ *Motto*) motto **2.** *beim Militär*: password
Partei 1. *politisch, vor Gericht, bei Vertragsabschluss*: party **2.** *bei Debatte, Streitgespräch*: side; ***für jemanden Partei ergreifen*** side with someone **3.** (≈ *Mietpartei*) tenant ['tenənt], *bei mehreren Personen pro Wohnung*: tenants (*Pl.*), party; ***hier wohnen acht Parteien*** there are eight (different) tenants living in this house
Parteifreund(in) fellow party member
parteiisch partial, biased ['baɪəst]
parteilos independent
Parteimitglied party member
Parterre *eines Gebäudes*: ground floor, *AE* first floor; ***im Parterre → parterre***
parterre on the ground floor (*AE* first floor)
Partikel particle ['pɑːtɪkl]
Partisan(in) partisan [ˌpɑːtɪ'zæn]
Partitur *Musik*: score
Partizip participle ['pɑːtɪsɪpl]; ***Partizip Präsens*** present ['preznt] participle; ***Partizip Perfekt*** past participle
Partner(in) partner
Partnerlook matching clothes [kləʊ(ð)z] (⚠ *Pl.*); ***sie tragen Partnerlook*** they're wearing matching clothes
Partnerstadt 1. twin town, *AE* sister city **2.** ***Glasgow ist die Partnerstadt von Nürnberg*** Glasgow is twinned with Nuremberg
Party party; ***auf eine Party gehen*** go* to a party
Partyraum party room
Partyservice catering ['keɪtərɪŋ] service
Partyzelt party tent, *bes. BE* marquee [mɑː'kiː]
Pass[1] (≈ *Reisepass*) passport ['pɑːspɔːt]
Pass[2] (≈ *Gebirgspass*) pass [pɑːs]
Pass[3] **1.** *bei Ballspielen*: pass [pɑːs] **2.** ***ein langer Pass*** a long ball
passabel 1. ***das Hotel war ganz passabel*** the hotel wasn't too bad **2.** ***sie hat es ganz passabel gemacht*** she did a reasonably good job of it
Passage 1. (≈ *Einkaufspassage*) shopping arcade [ɑː'keɪd] **2.** (≈ *Durchgang*) passageway ['pæsɪdʒweɪ]
Passagier(in) 1. *allg.*: passenger ['pæsɪn-

dʒə] **2. *blinder Passagier*** stowaway ['stəʊəweɪ]

Passant(in) passerby [ˌpɑːsə'baɪ] *Pl.*: passersby

Passat(wind) trade wind

Passbild passport photo(graph)

passen 1. *größenmäßig*: fit; ***es passt genau*** it fits perfectly; ***zu*** (*bzw.* ***auf, für***) ***etwas passen*** fit something **2. *die Hose passt gut zu dir*** the trousers suit [suːt] you **3.** *farblich, im Stil usw.*: match, go* with; ***die Krawatte passt nicht zur Jacke*** the tie doesn't go with the jacket **4. *der Schlüssel passt nicht*** the key doesn't fit **5. *der Schrank passt nicht ins Zimmer*** (≈ *ist zu groß*) the cupboard won't fit into the room, (≈ *sieht nicht gut aus*) the cupboard doesn't look right in this room **6. *die beiden passen gut zueinander*** they suit each other **7. *seine Frage hat überhaupt nicht gepasst*** his question was totally out of place **8. *das passt zu ihr*** *Verhalten, Reaktion usw.*: that's just like her **9. *passt (es) dir morgen Abend?*** does tomorrow evening suit you?; ***das passt mir gut*** that suits me fine **10. *das passt ihrem Vater überhaupt nicht*** her father doesn't like it at all; ***das könnte dir so passen!*** you'd like that, wouldn't you?

passend 1. *Bemerkung*: apt, fitting **2.** *Worte, Moment*: right **3.** *Frau usw.*: suitable ['suːtəbl] **4. *haben Sies nicht passend?*** *Geld*: have you got the right change at all?

passieren 1. *was ist passiert?* what's happened? **2. *das kann jedem mal passieren*** it happens to the best of us **3. *mir ist nichts passiert*** I'm fine **4. *hör bloß auf (damit), sonst passiert was!*** just stop it, or else!

Passierschein pass [pɑːs], permit ['pɜːmɪt]

passiv 1. *allg.*: passive ['pæsɪv] **2. *sich passiv verhalten*** remain passive

Passiv *Grammatik*: passive, passive voice

Passkontrolle 1. *Stelle*: passport ['pɑːspɔːt] control; ***durch die Passkontrolle gehen*** go* through passport control (⚠ *ohne* the) **2.** *das Kontrollieren*: passport check

Passwort *Computer usw.*: password

Paste paste

Pastellfarbe pastel [⚠ 'pæstl] colour (*oder* shade)

Pastellstift crayon ['kreɪən]

Pastete 1. *aus Teig, gefüllt*: pie **2.** *aus fein geriebenem Fleisch usw.*: pâté [⚠ 'pæteɪ]

pasteurisieren pasteurize ['pɑːstʃəraɪz] (*Milch usw.*)

Pastor(in) pastor ['pɑːstə], minister ['mɪnɪstə], *anglikanische Kirche*: vicar ['vɪkə]

Pate godfather ['gɒdˌfɑːðə]

Patenkind godchild ['gɒd‿tʃaɪld]

Patenonkel godfather ['gɒdˌfɑːðə]

Patenschaft 1. *finanzielle, auch für Kind*: sponsorship **2. *die Patenschaft für ein Kind übernehmen*** sponsor a child

Patent 1. *für Erfindung*: patent ['peɪtnt, 'pætnt]; ***etwas zum Patent anmelden*** apply for a patent on something **2.** *für Kapitän, Offizierslaufbahn usw.*: commission

Patentante godmother ['gɒdˌmʌðə]

patentieren: (***sich***) ***etwas patentieren lassen*** take* a patent out on something

Patentlösung ready-made solution

Pater father; ***Pater Paul*** Father Paul

Patient(in) patient ['peɪʃnt]

Patin godmother ['gɒdˌmʌðə]

Patriot(in) patriot [⚠ 'pætrɪət]

patriotisch 1. patriotic [ˌpætrɪ'ɒtɪk] **2. *patriotisch gesinnt*** patriotic

Patrone cartridge (*auch für Film*)

Patronenhülse cartridge case

Patsche: ***sie sitzt ganz schön in der Patsche*** she's in a real mess

patschnass 1. *Person usw.*: soaked to the skin, drenched [drentʃt] **2.** *Kleidungsstück usw.*: soaking (wet), drenched

Patt *Schach*: stalemate ['steɪlmeɪt] (*auch übertragen, politisch*), *übertragen auch* deadlock ['dedlɒk]

patzen fluff it, *BE auch* make* a boob

Patzer boob, *AE* blooper

patzig (≈ *frech*) snotty

Pauke kettledrum *Pl. auch*: timpani ['tɪmpənɪ]

pauken 1. *für Schule*: cram, *BE auch* swot, *AE auch* grind* **2. *Englisch*** *usw.* ***pauken*** swot up on one's English *usw.*

Pauker(in) 1. *Musik*: drummer **2.** *umg.* (≈ *Lehrer*) teacher

pausbackig, pausbäckig chubby-cheeked

Pauschale 1. (≈ *Einmalzahlung*) lump sum **2.** (≈ *Pauschalgebühr*) flat rate **3.** *in Hotel usw.*: all-inclusive price

Pauschalreise package tour

Pause 1. *allg.*: break [breɪk]; ***in der Pause*** *Schule*: during break (⚠ *mst. ohne* the); ***eine Pause machen*** take* (*oder* have*) a break **2.** *Theater, Sport*: interval ['ɪntəvl], *AE* intermission **3.** *beim Reden usw.*: pause [pɔːz]; ***eine Pause machen*** pause (for a moment) **4.** *Musik*: rest

pausenlos 1. *pausenlos auf jemanden einreden* keep* on and on at someone **2. *pausenlos arbeiten*** work nonstop

pausieren 1. take* a break **2. *pausieren***

müssen *Sport*: be* out of action, be* laid up
Pauspapier tracing paper
Pavian baboon [bə'buːn]
Pavillon pavilion [pə'vɪlɪən] (*auch Messepavillon*)
Pay-TV pay TV
Pazifik: ***der Pazifik*** the Pacific [pə'sɪfɪk] (Ocean)
pazifisch Pacific [pə'sɪfɪk]; ***der Pazifische Ozean*** the Pacific (Ocean)
Pazifist(in), **pazifistisch** pacifist ['pæsɪfɪst]
PC PC [ˌpiː'siː] (*Abk. für* **p**ersonal **c**omputer)
PC-Arbeitsplatz computer workplace
Pech[1] (≈ *Missgeschick*) bad luck; ***Pech gehabt!*** bad luck; ***sie hat Pech gehabt*** she was unlucky (***mit, bei*** with); ***so ein Pech!*** that's too bad
Pech[2] *schwarze Masse*: pitch
pechschwarz 1. *Haare*: jet-black **2.** *Nacht*: pitch-dark
Pechsträhne run (*oder* streak [striːk]) of bad luck
Pechvogel unlucky person; ***sie*** (*bzw.* ***er***) ***ist ein richtiger Pechvogel*** some people are just born unlucky
Pedal pedal ['pedl] (*auch eines Klaviers*)
pedantisch pedantic [pɪ'dæntɪk]
Pegel 1. *allg., auch von Lärm usw.*: level **2.** (≈ *Wasserstand*) water level **3.** (≈ *Wasserstandsmesser*) water gauge [⚠ geɪdʒ]
Pegelstand *von Wasser*: water level
peilen: ***die Lage peilen*** see* how the land lies
peinlich 1. (≈ *unangenehm*) embarrassing, *Situation, Fragen auch*: awkward ['ɔːkwəd] **2.** ***es war mir sehr peinlich*** I was (*oder* felt) really embarrassed **3.** ***peinlich genau*** very exact (***bei*** about)
Peinlichkeit 1. *allg.*: awkwardness ['ɔːkwədnəs] **2.** *bestimmte Situation, Handlung*: awkward situation (*oder* remark *usw.*)
Peitsche whip
Pelikan pelican ['pelɪkən]
Pelle 1. *von Kartoffeln, Orangen, Zitronen, Äpfeln, bes. abgeschält*: peel, *ungeschält auch*: skin **2.** *von Tomaten, Bananen, Zwiebeln und bei den meisten Früchten mit sehr dünner Haut*: skin (*auch von Wurst*) **3.** ***jemandem auf die Pelle rücken*** hassle someone
pellen 1. peel (*bes. Kartoffeln, Apfel, Ei*) **2.** skin (*bes. Tomaten*) **3.** ***sich pellen*** (*Haut, Rücken usw.*) peel
Pellkartoffeln *Pl.* potatoes [pə'teɪtəʊz] boiled in their skins

Pelz 1. fur [fɜː] **2.** *unbearbeitet*: skin
pelzig 1. *allg.*: furry ['fɜːrɪ] **2.** *Zunge*: furred, *AE* coated
Pelzmantel fur coat [ˌfɜː'kəʊt]
Pelzmütze fur cap, fur hat
Pelztier fur-bearing animal ['fɜːˌbeərɪŋ 'ænɪml], *umg.* furry animal
Penalty Ⓐ, Ⓒⓗ (≈ *Strafstoß, Elfmeter*) penalty ['penltɪ] (kick)
Pendel pendulum ['pendjʊləm]
pendeln 1. (≈ *langsam hin und her schwingen*) swing* to and fro [frəʊ] **2.** *zwischen Wohnung und Arbeitsplatz*: commute [kə'mjuːt] (***zwischen X und Y*** from X to Y)
Pendler(in) commuter [kə'mjuːtə]
peng: ***peng!*** bang!, pow! [paʊ]
penibel *Mensch*: fussy
Penis penis ['piːnɪs] *Pl.*: penises ['piːnɪsɪz]
Penizillin penicillin [ˌpenə'sɪlɪn]
pennen *umg.* (≈ *schlafen*) kip, have* a kip
Penner(in) 1. (≈ *obdachlose Person*) tramp, dosser, *AE* hobo, bum **2.** *umg.* (≈ *träger Mensch*) dreamer
Pension[1] (≈ *Gästehaus*) boarding house
Pension[2] **1.** (≈ *Ruhegehalt für ehemalige Beamte*) pension ['penʃn] **2.** ***in Pension gehen*** retire; ***in Pension sein*** be* retired
Pensionär(in) pensioner ['penʃnə]
pensionieren 1. ***sich pensionieren lassen*** *vorzeitig*: take* early retirement **2.** ***er wurde mit 57 pensioniert*** he was pensioned off at 57
pensioniert retired [rɪ'taɪəd], *nachgestellt*: in retirement
Pensionierung retirement
Pensum quota; ***schaffst du dein Pensum?*** are you managing your (daily) quota?
Peperoni chilli *Pl.*: chillies (⚠ *engl.* pepperoni = ***Paprikasalami***)
per 1. by; ***per Bahn*** by train, by rail **2.** ***per Luftpost*** airmail **3.** ***sie sind per du*** they're on first-name terms (with each other)
perfekt 1. *allg.*: perfect ['pɜːfɪkt] **2.** ***sie spricht perfekt Englisch*** she speaks perfect English
Perfekt *Grammatik*: present perfect [ˌpreznt'pɜːfɪkt]
Perfektionist(in) perfectionist [pə'fekʃənɪst]
Pergamentpapier greaseproof paper
Periode period ['pɪərɪəd] (*auch einer Frau*)
Peripherie 1. *von Stadt*: outskirts (⚠ *Pl.*) **2.** *Computer*: peripherals [pə'rɪfrəlz] (⚠ *Pl.*)
Periskop *U-Boot*: periscope ['perɪskəʊp]

Perle **1.** *echte*: pearl [pɜːl] (*auch übertragen*) **2.** *aus Glas, Holz usw.*: bead [biːd]
Perlenkette pearl necklace [ˌpɜːl'nekləs]
Perlmutt mother-of-pearl
Perser **1.** (≈ *Bewohner Persiens*) Persian ['pɜːʃn]; ***er ist Perser*** he's Persian; ☞ ***Nationalitäten*** **2.** *Teppich*: Persian carpet
Perserin Persian ['pɜːʃn] woman (*oder* lady *bzw.* girl); ***sie ist Perserin*** she's Persian; ☞ ***Nationalitäten***
Persien Persia ['pɜːʃə]
persisch, **Persisch** Persian ['pɜːʃn]
Person **1.** *allg.*: person ['pɜːsn] **2.** ***zwei*** *usw.* ***Personen*** two *usw.* people **3.** *in Theaterstück usw.*: character ['kærəktə] **4.** ***ich möchte einen Tisch für drei Personen reservieren lassen*** I'd like to book a table for three **5.** ***wir sind vier Personen*** there are four of us
Personal **1.** staff [stɑːf] (⚠ *mst. mit Pl.*); ***das Personal war sehr freundlich*** the staff were very nice **2.** *in größeren Firmen*: personnel [ˌpɜːsə'nel] **3.** ***sie haben viel zu wenig*** (*bzw.* ***zu viel***) ***Personal*** they're totally understaffed (*bzw.* overstaffed)
Personalausweis identity card, ID [ˌaɪ'diː] (card)
Personalien *Pl.* particulars [pə'tɪkjʊləz], personal data ['pɜːsnəlˌdeɪtə] (*Pl.*)
Personalpronomen personal pronoun [ˌpɜːsnəl'prəʊnaʊn]
Personenzug ↔ *Güterzug*: passenger train
persönlich **1.** *allg.*: personal ['pɜːsnəl] **2.** ***nimm das bitte nicht persönlich*** please don't take it personally
Persönlichkeit personality
Peru Peru [pə'ruː]
Peruaner(in), **peruanisch** Peruvian [pə'ruːvɪən]; ☞ ***Nationalitäten***
Perücke wig; ***sie trägt eine Perücke*** *momentan*: she's wearing a wig, *immer*: she wears a wig
pervers **1.** *Verhalten, Idee*: perverse [pə'vɜːs] **2.** *sexuell*: perverted, *umg.* kinky
Pessimist(in) pessimist ['pesɪmɪst]
pessimistisch pessimistic
Pest: ***die Pest*** the plague [pleɪg] (⚠ *engl.* pest = ***Schädling, Quälgeist***)
Petersilie parsley ['pɑːslɪ]
Petroleum paraffin ['pærəfɪn], *AE* kerosene ['kerəsiːn] (⚠ *engl.* petroleum = ***Erdöl***)
Petroleumlampe paraffin ['pærəfɪn] (*oder* kerosene ['kerəsiːn]) lamp
petzen tell* tales; ***er petzt immer alles dem Lehrer*** he's always telling things to the teacher
Pfad path (*auch Computer*), track
Pfadfinder boy scout
Pfadfinderin girl guide, *AE* girl scout
Pfahl **1.** *allg.*: stake **2.** (≈ *Pfosten*) post **3.** *von Pfahlbauten, einer Brücke*: pile
Pfahlbau pile dwelling (*oder* structure)
Pfalz: ***die Pfalz*** the Palatinate [pə'lætɪnət]
Pfand **1.** *für Flasche*: deposit [dɪ'pɒzɪt]; ***ist auf der Flasche Pfand drauf?*** is there a deposit on the bottle? **2.** *als Sicherheit für Ausgeliehenes*: security
pfänden seize [⚠ siːz] (*Möbel usw.*)
Pfandflasche deposit [dɪ'pɒzɪt] (*oder* returnable) bottle
Pfanne **1.** *zum Braten*: (frying) pan, *AE* skillet **2.** ***jemanden in die Pfanne hauen*** *übertragen* (≈ *absichtlich Schaden zufügen*) give* someone hell, (≈ *vernichtend kritisieren*) tear* [teə] someone to shreds
Pfannkuchen pancake
Pfarrei (≈ *Pfarrbezirk*) parish ['pærɪʃ]
Pfarrer **1.** *katholisch, evangelisch*: (parish) priest **2.** *anglikanisch*: vicar [⚠ 'vɪkə] **3.** *andere Kirchen und AE*: minister [⚠ 'mɪnɪstə]
Pfarrerin **1.** *evangelisch*: (woman) parish priest **2.** *anglikanisch*: (woman) vicar **3.** *andere Kirchen und AE*: (woman) minister
Pfarrhaus **1.** *katholisch*: presbytery ['prezbɪtrɪ] **2.** *bes. anglikanisch*: rectory, vicarage [⚠ 'vɪkərɪdʒ] **3.** *in Schottland*: manse
Pfarrkirche parish church
Pfau peacock
Pfeffer pepper
Pfefferminze peppermint ['pepəmɪnt]
Pfefferminztee (pepper)mint tea
pfeffern pepper, put pepper in (*bzw.* on)
Pfeife **1.** *zum Rauchen*: pipe **2.** (≈ *Trillerpfeife*) whistle [⚠ 'wɪsl] **3.** *Orgel*: pipe **4.** *umg.* (≈ *Versager, -in*) dead loss
pfeifen **1.** *allg.*: whistle [⚠ 'wɪsl] (*auch Lied*) **2.** *ein Spiel als Schiedsrichter*: referee [ˌrefə'riː]; ***wer pfeift das Spiel?*** who's refereeing? **3.** ***der Schiedsrichter hat gepfiffen*** the referee has blown the whistle **4.** *Wendungen*: ***ich pfeif drauf!*** I don't give a damn [dæm]; ***ich pfeif aufs Geld!*** to hell with the money
Pfeifenraucher(in) pipe smoker
Pfeil **1.** *allg.*: arrow **2.** ***Pfeil und Bogen*** bow [bəʊ] and arrow (⚠ *Wortstellung*)
Pfeiler **1.** (≈ *Säule*) pillar (*auch übertragen*) **2.** *einer Brücke*: pier [⚠ pɪə]
pfeilförmig V-shaped ['viː‿ʃeɪpt], arrow-shaped ['ærəʊ‿ʃeɪpt]
Pfennig **1.** *historisch, Münze*: pfennig **2.** ***sie müssen jeden Pfennig umdrehen*** *umg., übertragen* they have to count every

penny **3.** ***bis auf den letzten Pfennig*** *umg., übertragen* down to the last penny
Pfennigabsatz *an Schuh*: stiletto heel [stɪˌletəʊ'hiːl]
Pferch pen, fold
pferchen: ***dreißig Leute in ein Zimmer pferchen*** cram thirty people into a room
Pferd 1. horse (*auch Turngerät*) **2.** ***auf ein Pferd steigen*** mount a horse; ***vom Pferd steigen*** dismount **3.** ***da bringen mich keine zehn Pferde hin*** wild horses couldn't drag me there
Pferdeäpfel horse droppings
Pferderennbahn racecourse ['reɪskɔːs], racetrack
Pferderennen 1. *einzelnes*: horserace **2.** ***sie liebt Pferderennen*** she loves horse-racing
Pferdeschwanz *Frisur*: ponytail
Pferdestall stable
Pferdestärke horsepower (*Abk.* HP, hp), brake horsepower (*Abk.* bhp)
Pferdezucht 1. (≈ *Aufzucht*) horse breeding **2.** (≈ *Gestüt*) stud (farm)
Pfiff 1. *wörtlich* whistle [⚠ 'wɪsl] **2.** ***es gab viele Pfiffe*** there was a lot of whistling **3.** ***ein Mantel mit Pfiff*** a very stylish coat
Pfifferling *Pilz*: chanterelle [⚠ ˌʃɒntə'rel]
pfiffig smart
Pfingsten 1. Whitsun ['wɪtsn], *AE* Pentecost ['pentɪkɒst]; ***zu*** (*oder* ***an***) ***Pfingsten*** at Whitsun, *AE* at Pentecost **2.** *als kirchlicher Feiertag*: Pentecost
Pfingstmontag Whit Monday
Pfingstsonntag 1. Whit Sunday, *AE* Pentecost ['pentɪkɒst] **2.** *als kirchlicher Feiertag*: Pentecost
Pfirsich peach
Pflanz Ⓐ (≈ *Schwindel*) cheat, fake
Pflanze plant
pflanzen 1. plant (*Baum, Salat usw.*) **2.** ***Blumen*** *usw.* ***in Töpfe pflanzen*** pot flowers *usw.* **3.** ***jemanden pflanzen*** Ⓐ (≈ *auf den Arm nehmen*) take* the mickey out of someone
Pflanzenfett vegetable fat [ˌvedʒtəbl'fæt]
Pflanzenfresser *Tier*: herbivore ['hɜːbɪvɔː]
Pflanzenkunde botany ['bɒtənɪ]
Pflanzenschutzmittel pesticide ['pestɪsaɪd]
pflanzlich *Fette, Öle usw.*: vegetable ['vedʒtəbl] (⚠ *nur vor dem Subst.*)
Pflaster[1] *für Wunden*: plaster ['plɑːstə], *AE* Band-Aid®
Pflaster[2] 1. (≈ *Straßenpflaster*) road surface, *AE* pavement **2.** *auf Bürgersteig usw.*: pavement **3.** ***Venedig ist ein teures Pflaster*** Venice ['venɪs] is an expensive place
pflastern 1. *mit durchgehender Decke*: surface ['sɜːfɪs] **2.** *mit einzelnen Platten oder Kopfsteinen*: pave
Pflasterstein paving stone
Pflaume 1. *allg.*: plum **2.** *gedörrte*: prune **3.** *umg.* (≈ *Dummkopf, Versager, -in*) twit
Pflaumenbaum plum tree
Pflaumenmus plum jam
Pflege 1. *der Haut usw.*: care **2.** *von Kranken*: nursing care **3.** *eines Kindes*: care **4.** *eines Autos, von Maschinen usw.*: maintenance ['meɪntənəns] **5.** ***Haustiere brauchen viel Pflege*** pets need a lot of care and attention
pflegebedürftig in need of (*oder* needing) care (⚠ *immer hinter dem Subst.*)
Pflegeeltern foster parents
Pflegefall person in need of permanent ['pɜːmənənt] care, invalid ['ɪnvəliːd]; ***ein Pflegefall sein*** need permanent care; ***zum Pflegefall werden*** end up needing permanent care, become* an invalid
Pflegeheim nursing home
pflegeleicht 1. *Kleidung*: easy-care (⚠ *immer vor dem Subst.*) **2.** ***er ist sehr pflegeleicht*** *übertragen, umg.* he's easy to get along with
pflegen 1. ***jemanden pflegen*** look after someone (*auch Kind*), nurse someone (*Kranken usw.*) **2.** take* care of (*Fingernägel, Gesicht usw.*) **3.** cultivate (*Beziehungen usw.*) **4.** ***er pflegt sich nicht besonders*** he doesn't bother ['bɒðə] much about his appearance
Pfleger(in) 1. (≈ *Krankenpfleger, -in*) orderly, *staatlich geprüft*; *Frau*: nurse, *Mann*: male nurse **2.** (≈ *Tierpfleger, -in*) keeper
Pflicht 1. (≈ *Verpflichtung*) duty; ***die Pflicht ruft*** duty calls (⚠ *ohne* the) **2.** *Sport* ↔ *Kür*: compulsory exercises (⚠ *Pl.*)
pflichtbewusst conscientious [ˌkɒnʃɪ'enʃəs]
Pflichtbewusstsein sense of duty
Pflichtfach *in Schule*: compulsory subject
Pflock 1. (≈ *Pfahl*) post, stake **2.** (≈ *Zeltpflock*) peg
pflücken pick (*Blumen, Obst usw.*)
Pflug plough [plaʊ], *AE* plow [plaʊ]
pflügen plough [plaʊ], *AE* plow [plaʊ]
Pforte 1. (≈ *Eingang*) entrance ['entrəns] **2.** (≈ *Tür*) door
Pförtner(in) 1. doorkeeper, *bes. BE auch* porter **2.** *eines Fabriktors usw.*: gatekeeper
Pfosten 1. *allg.*: post (*auch von Tor bei Ballspielen*) **2.** *schmaler*: pole
Pfote 1. *Hund usw.*: paw **2.** *humorvoll oder*

abwertend (≈ *Hand*) mitt, paw; ***Pfoten weg!*** hands off!, get your dirty mitts off!

Pfropf **1.** *in Blutader*: clot **2.** *aus Watte*: plug

Pfropfen **1.** *auf Flasche*: stopper, cork **2.** (≈ *Stöpsel, Wattepfropfen usw.*) plug

pfui **1.** ***pfui!*** *weil man sich ekelt*: ugh! [ɜːə]; ***pfui Teufel!*** ugh!, *entrüstet*: that's disgusting! **2.** ***pfui!*** *zu Hund, Kind*: no! **3.** *im Sport usw.*: boo! [buː]

Pfund[1] *Gewicht*: pound (*Abk.* lb *Pl.*: lbs); ***drei Pfund Kirschen*** three pounds of cherries; ***ein halbes Pfund Butter*** half a pound of butter (⚠ *Wortstellung*)

Pfund[2] *Geld*: pound (*Abk.* £); ***zwei Pfund zehn*** £2.10 (*gesprochen* two pounds ten)

Pfund

Das Pfundzeichen erscheint im Englischen immer vor der Zahl, und zwar ohne Zwischenraum: **£5, £344** *usw.*

Pfusch Ⓐ (≈ *Schwarzarbeit*) illicit [ɪ'lɪsɪt] work, *umg.* moonlighting

pfuschen **1.** ***er hat gepfuscht*** (≈ *schlecht gearbeitet*) he bungled it, *salopp* he cocked it up **2.** Ⓐ *umg.* (≈ *schwarzarbeiten*) moonlight

Pfuscher(in) *umg.* bungler

Pfuscherei *umg.* **1.** *Vorgehensweise*: bungling **2.** *Ergebnis*: bad job, *umg.* botch-up

Pfütze puddle

Phantasie *usw.* → ***Fantasie*** *usw.*

phantastisch → ***fantastisch***

Pharmaindustrie pharmaceutical industry [fɑːmə,sjuːtɪkl'ɪndəstrɪ]

Phase **1.** phase (*auch des Mondes, in Stromleitung*); ***in dieser Phase*** during this phase **2.** *einer Entwicklung, eines Vorgangs*: stage; ***in dieser Phase*** at this stage

Philippinen: ***die Philippinen*** the Philippines ['fɪlɪpiːnz]

Philippiner(in) Filipino [,fɪlɪ'piːnəʊ]; ***sie ist Philippinerin*** she's a Filipino; ☞ ***Nationalitäten***

philippinisch Philippine ['fɪlɪpiːn], *bes. bei Menschen*: Filipino [,fɪlɪ'piːnəʊ]

Philologe, Philologin language and literature teacher (*bzw.* student *bzw.* expert)

Philosoph philosopher [fɪ'lɒsəfə]

Philosophie philosophy [fɪ'lɒsəfɪ]

Philosophin philosopher [fɪ'lɒsəfə]

philosophisch philosophical [,fɪlə'sɒfɪkl]

pH-neutral pH-balanced [,piː'eɪtʃ,bælənst]

Phosphat phosphate ['fɒsfeɪt]

phosphatfrei phosphate-free

Phosphor phosphorus ['fɒsfərəs]

Photo *usw.* → ***Foto*** *usw.*

Phrase **1.** *allg.*: phrase **2.** *abgedroschene*: cliché ['kliːʃeɪ] **3.** ***leere Phrasen*** claptrap (⚠ *Sg.*)

pH-Wert pH factor [,piː'eɪtʃ,fæktə], pH value

Physik physics ['fɪzɪks] (⚠ *mit Sg.*); ***Physik ist mein Lieblingsfach*** physics is my favourite subject

physikalisch **1.** *Vorgang usw.*: physical **2.** ***physikalische Therapie*** physiotherapy, *AE* physical therapy **3.** ***physikalisches Institut*** department of physics

Physiker(in) physicist ['fɪzɪsɪst] (⚠ *engl.* physician = ***Arzt***)

physisch (≈ *körperlich*) physical

Pianist(in) pianist ['piːənɪst]

Piano **1.** *Klavier*: piano [pɪ'ænəʊ] **2.** (≈ *leise Stelle in Musikstück*) piano ['pjɑːnəʊ]

picheln **1.** booze **2.** ***wir haben ganz schön gepichelt*** we had a bit of a booze-up

Pick Ⓐ (≈ *Klebstoff*) glue [gluː]

Pickel[1] (≈ *Pustel*) pimple

Pickel[2] **1.** (≈ *Spitzhacke*) pickaxe, pick, *AE* pickax, pick **2.** (≈ *Eispickel*) ice pick

pickelig *Gesicht usw.*: spotty, pimply

picken **1.** (*Vogel*) peck **2.** ***etwas aus etwas picken*** pick something out of something **3.** Ⓐ (≈ *haften*) stick* **4.** ***etwas auf etwas picken*** Ⓐ stick something on something

Pickerl Ⓐ (≈ *Aufkleber*) sticker

Picknick picnic; ***ein Picknick machen*** have* (*oder* go* for) a picnic

picobello **1.** perfect ['pɜːfɪkt] **2.** ***es war alles picobello aufgeräumt*** everything was perfectly neat and tidy

Piefke Ⓐ *etwa*: arrogant German

pieken *umg.* prick

piekfein **1.** smart, *umg.* posh, *bes. Restaurant*: swish **2.** ***sie war piekfein angezogen*** she'd put some smart gear on

piepen **1.** (*bes. Vögel*) chirp, cheep **2.** (*Maus*) squeak **3.** ***bei dir piepts wohl!*** have you gone mad?

piepsen **1.** (*bes. Vögel*) chirp, cheep **2.** (*Maus*) squeak

Pier jetty ['dʒetɪ], pier [pɪə]

Piercing body piercing

pieseln *umg.* **1.** have* a pee **2.** ***pieseln gehen*** go* for a pee **3.** ***ich muss pieseln*** I need a pee

Pik *Spielkartenfarbe*: spades (⚠ *Pl.*), *Einzelkarte*: spade

pikant *Essen, Soße usw.*: spicy ['spaɪsɪ]

Pikkolo (≈ *kleine Flasche Sekt*) champagne miniature [ʃæm,peɪn'mɪnətʃə]

Pilger(in) pilgrim

Pilgerfahrt pilgrimage ['pɪlgrɪmɪdʒ]

pilgern **1.** *wörtlich* go* on a pilgrimage

(***nach, zu*** to) **2. *pilgern nach*** (*oder* ***zu***) *übertragen* (≈ *gehen usw.*) trek off to
Pille pill (*auch Antibabypille*); ***sie nimmt die Pille*** she's on the pill
Pilot(in) pilot ['paɪlət]
Pilz 1. *essbarer*: mushroom; ***Pilze suchen gehen*** go* mushrooming **2.** *giftiger*: toadstool **3.** *als Pilzerkrankung*: fungus *Pl.*: fungi ['fʌŋgiː] (*auch bei Pflanzen*)
Pimmel *umg.* willy, *AE* weenie
PIN (≈ *Geheimzahl*) PIN (*Abk. für* **P**ersonal **I**dentification **N**umber)
pingelig fussy
Pinguin penguin ['peŋgwɪn]
Pinie pine
pink, Pink shocking pink (⚠ *engl.* pink = ***rosa***)
pinkeln 1. *umg.* have* a pee **2. *pinkeln gehen*** go* for a pee **3. *ich muss pinkeln*** I need a pee
Pinnwand pinboard
Pinscher *Hund*: pinscher ['pɪnʃə]
Pinsel paintbrush, brush
pinseln 1. paint **2. *Farbe auf etwas pinseln*** paint on something
Pinzette: ***eine Pinzette*** (a pair of) tweezers; ***wo ist die Pinzette?*** where are the tweezers?
Pionier(in) 1. *bei etwas Neuem*: pioneer [ˌpaɪə'nɪə] **2.** *Militär*: engineer [ˌendʒɪ'nɪə], *BE auch* sapper
Pipi *umg.*, *Kindersprache* wee-wee(s *Pl.*) ['wiːwiː(z)]; ***Pipi machen*** do* a wee (-wee)
Pirat(in) pirate ['paɪrət]
Piratensender pirate station
Pistazie pistachio [pɪ'stɑːʃɪəʊ]
Piste 1. *bei Rennen*: track **2.** *Skisport*: piste [piːst], ski run **3.** *für Flugzeuge*: runway
Pistole pistol ['pɪstl], gun
Pizza pizza [⚠ 'piːtsə]
Pizzeria pizza house, *umg.* pizza place
Pkw car, *AE auch* auto ['ɔːtəʊ]
Plädoyer *vor Gericht*: (final) speech
Plafond 1. *bes.* Ⓐ (≈ *Zimmerdecke*) ceiling ['siːlɪŋ] **2.** Ⓒⓗ *übertragen* (≈ *Obergrenze*) upper limit, ceiling
Plage 1. (≈ *Ärgernis*) (real) nuisance ['njuːsns] **2.** (≈ *harte Arbeit*) (real) grind
plagen 1. (*Sorgen usw.*) bother ['bɒðə], worry [⚠ 'wʌrɪ] **2. *sich mit etwas plagen*** *Arbeit usw.*: slave away at something **3. *jemanden mit Fragen*** *usw.* ***plagen*** pester someone with questions *usw.* **4. *sie muss sich mit ihren Schülern ganz schön plagen*** her pupils give her a pretty hard time
Plakat 1. *angeklebtes*: poster **2.** *bei Demonstrationen usw.*: placard [⚠ 'plækɑːd]
Plakette 1. (≈ *Abzeichen*) badge **2.** (≈ *Aufkleber*) sticker
Plan 1. *allg.*: plan; ***Pläne schmieden*** make* plans **2.** (≈ *Entwurf*) plan, (≈ *Zeichnung*) draft **3.** (≈ *Lage-*, *Stadtplan*) map
Plane 1. tarpaulin [tɑː'pɔːlɪn] **2.** *als Überdachung*: awning
planen 1. *allg.*: plan **2. *ich hab nichts geplant*** I haven't made any plans
Planet planet ['plænɪt]

Planeten

Die *Reihenfolge* der Planeten entspricht der Entfernung zur Sonne vom kleinsten zum größten Abstand.

Merkur	**Mercury**
Venus	**Venus**
Erde	*the* **earth**
Mars	**Mars**
Jupiter	**Jupiter**
Saturn	**Saturn**
Uranus	**Uranus**
Neptun	**Neptune**
Pluto	**Pluto**

planieren level (*Straße, Gelände usw.*)
Planierraupe *Fahrzeug*: bulldozer ['bʊldəʊzə]
Planke plank, board
Plankton plankton ['plæŋktən]
planlos aimless, haphazard [hæp'hæzəd]
planmäßig 1. *planmäßige Ankunft* scheduled ['ʃedjuːld] time of arrival; ***planmäßige Abfahrt*** (*bzw.* ***planmäßiger Abflug***) scheduled time of departure **2.** (≈ *nach Plan*) as planned, according to plan **3. *planmäßig ankommen*** arrive on schedule
Planschbecken paddling pool
planschen splash (around)
Plantage plantation [plɑːn'teɪʃn]
Plantschbecken paddling pool
Planung 1. *allg.*: planning **2.** *zeitliche*: timing
plappern babble
plärren 1. (*Person*) bawl **2.** (*Radio usw.*) blare
Plastik[1] *Material*: plastic ['plæstɪk]
Plastik[2] *Kunstwerk*: sculpture ['skʌlptʃə]
Plastikbeutel plastic bag
Plastikfolie polythene sheet ['pɒlɪθiːnʃiːt]
Plastiktüte plastic bag
plastisch 1. (≈ *räumlich*) three-dimensional **2.** *Schilderung usw.*: vivid ['vɪvɪd], graphic
Platane *Baum*: plane tree

Platin platinum ['plætɪnəm]
plätschern **1.** (*Regen*) patter (***gegen*** against) **2.** (*Wellen*) lap (***gegen*** against) **3.** (*Bach*) gurgle **4.** (*Brunnen*) splash
platt **1.** (≈ *flach*) flat **2.** (≈ *eben*) level **3.** (≈ *nichts sagend*) boring **4.** *vor Staunen*: flabbergasted ['flæbə,gɑːstɪd]; ***na, da bist du platt!*** I thought that would surprise you
Platt, **Plattdeutsch** Low German
Platte **1.** (≈ *Schallplatte*) record ['rekɔːd] **2.** (≈ *großer Teller usw.*) dish **3.** ***kalte Platte*** *mit Wurst usw.*: cold cuts (⚠ *Pl.*) **4.** *aus Glas, dünnem Kunststoff usw*: sheet **5.** *aus dickerem Glas, Stahl, Metall usw.*: plate **6.** *aus Stein, Beton*: slab **7.** *aus Holz*: board **8.** (≈ *Herdplatte*) hotplate **9.** (≈ *Tischplatte*) tabletop **10.** ***er hat ne Platte*** (≈ *Glatze*) he's bald [bɔːld] **11.** ***die Platte kenn ich!*** *übertragen* I've heard that one before
Platten: ***einen Platten haben*** have* a flat
Plattenspieler record player ['rekɔːd,pleɪə]
Plattform platform
Plättli Ⓒⓗ (≈ *Kachel*; *Fliese*) tile
Platz **1.** (≈ *freier Raum*) room, space; ***Platz machen*** make* room (***für*** for), (≈ *jemanden vorbeilassen, den Platz räumen*) make* way (***für*** for); ***es ist kein Platz mehr*** there's no room left; ***Platz sparen*** save space; ***hier ist noch Platz für den Koffer*** here's a space for the case **2.** ***in dem Saal ist Platz für 300 Leute*** the hall seats 300 people **3.** (≈ *Sitzplatz*) seat; ***nehmen Sie doch Platz*** please sit down, have (*oder* take) a seat (⚠ *engl.* take place = ***stattfinden***); ***ist der Platz frei?*** is this seat taken?; ***sind hier noch zwei Plätze frei?*** are there two seats free here? **4.** (≈ *richtige oder bestimmte Stelle*) place; ***sind die Gläser an ihrem richtigen Platz?*** are the glasses in the right place? **5.** *für Picknick, Urlaub usw.*: spot, place **6.** (≈ *Ort, Stadt*) place **7.** (≈ *Lage, Bau-, Zeltplatz usw.*) site **8.** ***ein freier Platz*** (≈ *eine unbebaute Fläche*) an open space **9.** *großer Platz in Stadt*: square **10.** (≈ *Spielfeld*) field, *BE auch* pitch, *beim Tennis*: court **11.** ***jemanden vom Platz stellen*** *Sport*: send* someone off **12.** (≈ *Rangfolge bei Wettkampf*) place; ***sie ist auf Platz drei*** *während eines Rennens usw.*: she's in third place; ***sie landete auf Platz drei*** she came in third **13.** ***auf die Plätze (- fertig - los)!*** on your marks (- get set - go)! **14.** (≈ *Rang, Stellung*) position

Platz (≈ *Sitzplatz*)

Unterschiedliche Sichtweisen und Formulierungskonventionen in verwandten Sprachen: Im Englischen fragt man eher, ob ein Sitzplatz schon besetzt ist (**taken**), statt ob er noch frei ist (**free**).

Platzangst **1.** (≈ *Engegefühl*) claustrophobia [,klɔːstrə'fəʊbɪə] **2.** *auf der Straße, auf Plätzen usw.*: agoraphobia [,ægərə'fəʊbɪə]
Platzanweiser *Kino usw.*: usher
Platzanweiserin usherette [,ʌʃə'ret]
Plätzchen[1] *Gebäck*: biscuit [⚠ 'bɪskɪt], *AE* cookie ['kʊkɪ]
Plätzchen[2] **1.** *wörtlich*: little place, spot **2.** ***ist hier noch ein Plätzchen frei?*** is there room for me here?
platzen **1.** (*Naht, Reifen usw.*) burst*; ***mir ist eine Ader geplatzt*** I burst a blood vessel **2.** (≈ *reißen*) crack, split **3.** ***platzen vor*** *Ungeduld, Neugier*: be* bursting with **4.** *umg.* (*Vorhaben, Plan*) fall* through **5.** ***ich platze fast*** (≈ *bin total satt*) I'm ready to burst **6.** ***das Konzert*** *usw.* ***ist geplatzt*** (≈ *kann nicht stattfinden*) the concert *usw.* is off **7.** ***vor Wut platzen*** *umg.* be* about to explode
platzieren **1.** *allg.*: place **2.** ***sich als Dritter*** *usw.* ***platzieren*** *Sport*: be* placed third *usw.*
Platzierung *Sport*: placing, *konkret*: place
Platzkarte *im Zug*: reservation (ticket)
Platzpatrone blank (cartridge)
Platzreservierung reservation [,rezə'veɪʃn]
Platzverweis: ***X erhielt einen Platzverweis*** X was sent off
Platzwunde laceration [,læsə'reɪʃn], *umg.* cut
plaudern chat [tʃæt], have* a chat
plausibel **1.** *allg.*: plausible ['plɔːzəbl] **2.** ***jemandem etwas plausibel machen*** make* something clear to someone
Playback miming; ***es ist Playback*** he's (she's *usw.*) just miming
Pleite **1.** (≈ *totaler Misserfolg*) failure, *umg.* flop **2.** (≈ *Bankrott*) bankruptcy; ***Pleite machen*** go* bankrupt, *umg.* go* bust
pleite **1.** ***ich bin pleite*** I'm broke **2.** ***er ist total pleite*** he's stone broke
Plombe *Zahn*: filling; ***mir ist eine Plombe rausgefallen*** I've lost a filling
plombieren fill (*Zahn*)
plötzlich **1.** *Entschluss usw.*: sudden **2.** ***plötzlich ging die Tür auf*** suddenly the door opened **3.** ***das kommt mir alles zu plötzlich*** it's all happening too fast for

me **4.** ***aber ein bisschen plötzlich!*** *umg.* and make it snappy!
plump 1. (≈ *unbeholfen, schwerfällig*) clumsy, awkward ['ɔːkwəd] (⚠ *engl.* plump = ***rundlich, mollig***) **2.** *Person*: (≈ *taktlos*) very direct [də'rekt], blunt
Plumps 1. thud **2.** *in Flüssigkeit*: plop
plumpsen (≈ *fallen*) fall* (***auf*** on), *ins Wasser auch*: plop (***in*** into)
Plunder rubbish, junk, *AE auch* trash
Plünderer looter
plündern 1. *allg.*: loot **2.** *humorvoll* raid (*Kühlschrank, Konto usw.*)
Plural plural
Plus 1. plus; ***ein Plus von zehn Stunden*** ten hours plus **2.** (≈ *Überschuss*) surplus ['sɜːpləs] **3.** (≈ *Gewinn*) profit ['prɒfɪt] **4.** (≈ *Vorteil*) advantage [əd'vɑːntɪdʒ]
plus 1. *allg.*: plus; ***fünf plus sieben ist zwölf*** five plus seven is (*oder* are) twelve **2.** ***bei zehn Grad plus*** at ten degrees above zero
Plüschtier soft (*oder* cuddly) toy
Pluspunkt 1. *für Leistung*: credit point **2.** (≈ *Vorteil*) plus, advantage [əd'vɑːntɪdʒ]
Plusquamperfekt past perfect, pluperfect
Pluszeichen *Mathematik*: plus sign ['plʌs‿saɪn]
Pluto *Planet*: Pluto ['pluːtəʊ] (⚠ *ohne* the)
Plutonium plutonium [pluː'təʊnɪəm]
Pneu Ⓒⓗ (≈ *Reifen*) tyre, *AE* tire
Po 1. bottom, backside **2.** *zum Kind*: botty
Pöbel rabble, mob
Podest platform, *bes. übertragen* pedestal ['pedɪstl]
Podium platform, podium ['pəʊdɪəm]
poetisch poetic(al), lyrical ['lɪrɪkl]
Pokal 1. *Sport*: cup **2.** *Becher*: goblet
Pokalendspiel *Fußball*: cup final
Pokalsieger(in) cup winner
Pokalspiel *Fußball*: cup tie, cup match
pökeln pickle
pokern 1. play poker **2.** *übertragen* gamble (***um*** over)
Pol *allg.*: pole
polar polar ['pəʊlə], *Kaltluft usw.*: *auch* arctic
Polargebiet polar region *oder* regions (*Pl.*)
Polarkreis 1. ***der nördliche Polarkreis*** the Arctic Circle **2.** ***der südliche Polarkreis*** the Antarctic [ˌænt'ɑːktɪk] Circle
Polarlicht: ***nördliches*** (***südliches***) ***Polarlicht*** northern (southern) lights (⚠ *Pl.*), aurora borealis [əˌrɔːrə‿bɔːrɪ'eɪlɪs] (australis [ɒ'streɪlɪs])
Polarstern Pole Star
Pole Pole; ***er ist Pole*** he's Polish; ***die Polen*** the Polish; ☞ ***Nationalitäten***
Polen Poland ['pəʊlənd]
polieren polish ['pɒlɪʃ] (*Auto, Spiegel usw.*)
Polin Pole, Polish ['pəʊlɪʃ] woman (*oder* lady *bzw.* girl); ***sie ist Polin*** she's Polish; ☞ ***Nationalitäten***
Politesse traffic warden, *AE* meter maid
Politik 1. *allg.*: politics (⚠ *mst. mit Sg.*); ***ich finde Politik langweilig*** I think politics is boring **2.** *bestimmte Linie*: policy ['pɒləsɪ] (***gegenüber*** towards)
Politiker(in) politician [ˌpɒlə'tɪʃn]
politisch political [pə'lɪtɪkl]
Polizei 1. police [pə'liːs] (⚠ *mit Pl.*); ***die Polizei hat ihn gefasst*** the police have caught him **2.** ***er ist bei der Polizei*** he's in the police force
Polizeiauto police car, patrol [pə'trəʊl] car
Polizeibeamte(r), **Polizeibeamtin** police officer
Polizeifunk police radio
polizeilich 1. *allg.*: police …, by the police; ***polizeiliche Ermittlungen*** police investigations **2.** ***sie wird polizeilich gesucht*** the police are looking for her **3.** ***sich polizeilich anmelden*** register ['redʒɪstə] with the authorities; ***sich polizeilich abmelden*** inform the authorities that one is moving
Polizeipräsidium police headquarters (⚠ *mit Sg. oder Pl.*)
Polizeirevier 1. *Dienststelle*: police station **2.** *Bezirk*: district, *AE* precinct ['priːsɪŋkt]
Polizeistunde closing time
Polizist policeman [pə'liːsmən]
Polizistin policewoman [pə'liːsˌwʊmən]
Pollen (≈ *Blütenpollen*)pollen ['pɒlən]
polnisch, **Polnisch** Polish ['pəʊlɪʃ]
Polo *Sport*: polo
Polster 1. (≈ *Kissen*) cushion ['kʊʃn] **2.** *in Kleidung*: padding, *für Schultern*: pad **3.** *auf Sessel usw.*: upholstery [ʌp'həʊlstərɪ] **4.** *finanzielles*: reserves (⚠ *Pl.*)
Polstergarnitur living room suite [swiːt]
Polstermöbel *Pl.* upholstered furniture (⚠ *nur im Sg. verwendet*)
polstern 1. *neu*: reupholster [ˌriːʌp'həʊlstə] (*Möbel usw.*) **2.** pad (*Kleidung, Rückenlehne usw.*)
Polterabend *vor Hochzeit*: eve-of-the-wedding party
poltern 1. (≈ *herumlärmen*) make* a racket **2.** ***zu Boden poltern*** crash to the floor **3.** ***es hat gepoltert*** *gerade*: something's fallen down **4.** (≈ *schimpfen*) rant [rænt] and rave
Polyester polyester [ˌpɒlɪ'estə]
Polyp *Wucherung*: polyp ['pɒlɪp]; ***Polypen*** *Pl. in der Nase*: adenoids ['ædɪnɔɪdz]
Pomade pomade [pə'meɪd]
Pommern Pomerania [ˌpɒmə'reɪnɪə]

Pommes frites chips, *AE* (French) fries
Ponton pontoon [pɒn'tuːn]
Pony[1] *Pferd*: pony ['pəʊnɪ]
Pony[2] *Frisur*: fringe, *AE* bangs (⚠ *Pl.*)
Popcorn popcorn
Popel *umg.* bog(e)y, *AE* booger
popelig *umg.* **1.** (≈ *armselig, lausig*) miserable ['mɪzrəbl], lousy ['laʊzɪ] **2.** (≈ *ganz gewöhnlich*) *Kleinigkeit, Erkältung usw.*: lousy, piffling
popeln: ***hör auf, in der Nase zu popeln*** stop picking your nose
Popmusik pop music
Popo **1.** *allg.*: bottom **2.** *zum Kind*: botty
populär popular ['pɒpjʊlə]
Pop-Up-Fenster *Computer*: pop-up window
Pop-Up-Menü *Computer*: pop-up menu [ˌpɒpʌp'menjuː]
Pore pore
Porno **1.** *Heft*: porn magazine **2.** *Film*: porn film
Pornoheft porn (*oder* girlie) magazine
porös porous ['pɔːrəs]
Porree **1.** leek **2.** *als Essen*: leeks (⚠ *Pl.*)
Portal *im Internet*: portal ['pɔːtl], *von Gebäude auch*: main entrance
Portemonnaie purse, *AE* change purse
Portier porter, doorman
Portion **1.** *Essen*: helping **2.** *im Restaurant*: portion ['pɔːʃn] **3.** ***eine Portion Kaffee*** a pot of coffee **4.** ***dazu gehört eine gehörige Portion Mut*** (***Frechheit*** *usw.*) it takes some courage ['kʌrɪdʒ] (cheek *usw.*)
Portmonee purse, *AE* change purse
Porto postage (***für*** on, for)
Porträt portrait ['pɔːtrət]
porträtieren: ***jemanden porträtieren*** paint someone's portrait ['pɔːtrət], *übertragen* portray [pɔː'treɪ] someone
Portugal Portugal ['pɔːtʃʊgl]
Portugiese Portuguese [ˌpɔːtʃʊ'giːz]; ***er ist Portugiese*** he's Portuguese; ☞ ***Nationalitäten***
Portugiesin Portuguese woman (*oder* lady *bzw.* girl); ***sie ist Portugiesin*** she's Portuguese; ☞ ***Nationalitäten***
portugiesisch, **Portugiesisch** Portuguese [ˌpɔːtʃʊ'giːz]
Porzellan **1.** *Material*: porcelain ['pɔːslɪn], china ['tʃaɪnə] **2.** *Geschirr*: china
Posaune trombone [trɒm'bəʊn]
Position position [pə'zɪʃn] (*auch berufliche*)
positiv **1.** *allg.*: positive ['pɒzətɪv] **2.** ***sie hat nur Positives über dich erzählt*** she only had nice things to say about you **3.** ***sich positiv auf etwas auswirken*** have* a positive effect on something
Possessivpronomen possessive pronoun [pəˌzesɪv'prəʊnaʊn]
Post **1.** *als Organisation*: postal system, post, *AE* mail **2.** (≈ *Postamt*) post office **3.** (≈ *Postdienst*) postal service **4.** ***mit der Post*** by mail, by post **5.** ***jemandem etwas mit der Post schicken*** post (*oder* mail) something to someone **6.** ***ist Post für mich da?*** is there any mail for me?; ***ich warte auf die Post*** I'm waiting for the mail to come; ***ich lese gerade meine Post*** I'm just going through my mail **7.** ***elektronische Post*** e-mail **8.** ***sie arbeitet bei der Post*** she works for the post office
Postamt post office; ☞ *Illu S. 884*
Postanweisung postal ['pəʊstl] (*oder* money) order
Postbank post office girobank ['dʒaɪrəʊbæŋk]
Postbote postman ['pəʊstmən] *Pl.*: postmen, *AE mst.* mailman, mail carrier
Postbotin postwoman ['pəʊstˌwʊmən] *Pl.*: postwomen ['pəʊstˌwɪmɪn], *AE* mail carrier
Posten[1] (≈ *Arbeitsstelle*) post, job
Posten[2] (≈ *Wache*) guard [gɑːd]
Poster poster
Postfach post office box, PO box ['piːəʊbɒks]
postieren **1.** *allg.*: position [pə'zɪʃn], place, station **2.** ***sie hatten sich auf dem Dach postiert*** they had positioned themselves (*oder* taken up their positions) on the roof
Postkarte postcard
Postkasten letterbox, postbox, *AE* mailbox
Postkutsche *in Western usw.*: stagecoach
postlagernd *schicken*: poste restante [⚠ ˌpəʊst'restɒnt], *AE* general delivery
Postleitzahl postcode, *AE* zip code
postmodern postmodern(ist) [ˌpəʊst'mɒdn(ɪst)]
Poststempel postmark
Potenz **1.** *eines Mannes*: potency ['pəʊtnsɪ] **2.** *Mathematik*: power; ***zweite Potenz*** square; ***dritte Potenz*** cube; ***acht in die zweite*** (*bzw.* ***dritte***) ***Potenz erheben*** square (*bzw.* cube) eight; ***die zweite*** (*bzw.* ***dritte***) ***Potenz zu vier*** four squared (*bzw.* cubed)
potenzieren: ***acht mit zwei*** (*bzw.* ***drei***) ***potenzieren*** square (*bzw.* cube) eight; ***acht mit vier*** (***fünf*** *usw.*) ***potenzieren*** raise eight to the power of four (five *usw.*)
Potpourri *Musik*: potpourri [⚠ 'pəʊˌpʊrɪ], medley
Power **1.** *allg.*: power ['paʊə] **2.** ***ihm fehlt***

P

(***die richtige***) ***Power*** *umg.* he's got no oomph [ʊmf]
Powidl Ⓐ plum jam
Pracht 1. *allg.*: splendour ['splendə] **2.** *von Farben*: richness
Prachtexemplar (real) beauty
prächtig 1. *allg.*: splendid (*auch Wetter*) **2.** (≈ *großartig*) brilliant, great (*beide auch Wetter, Leistung usw.*) **3.** *Person*: great **4.** ***sie verstehen sich prächtig*** *umg.* they get on like a 'house on fire
Prädikat *Grammatik*: predicate ['predɪkət]
Präfekt(in) *Internat usw.*: prefect ['priːfekt]
Prag Prague [prɑːg]
prägen 1. ***Indien hat ihn sehr stark geprägt*** India had a deep influence on him **2.** mint (*Münzen*) **3.** emboss (*Leder, Metall usw.*)
pragmatisch 1. pragmatic **2.** ***wir müssen hier ganz pragmatisch vorgehen*** we've got to be pragmatic here
prähistorisch prehistoric [ˌpriːhɪ'stɒrɪk]
prahlen boast, brag (***mit*** about)
Prahler(in) boaster
Prahlerei showing-off, boasting ['bəʊstɪŋ], *konkrete Äußerung*: boast(s *Pl.*)
Praktikant(in) trainee [ˌtreɪ'niː], *AE mst.* intern ['ɪntɜːn]
Praktiker(in) practical person, expert ['ekspɜːt]
Praktikum practical training, *AE mst.* internship ['ɪntɜːnʃɪp]; ***sie macht ein Praktikum an unserer Schule*** she's doing (her) practical training at our school
praktisch 1. *allg.*: practical (*auch*: *praktisch veranlagt*); ***diese Schuhe sind sehr praktisch zum Wandern*** these shoes are very practical for hiking **2.** *Tipps, Gerät usw.*: handy **3.** ***praktischer Arzt, praktische Ärztin*** general practitioner **4.** ***praktisches Beispiel*** concrete ['kɒŋkriːt] example **5.** ***praktische Ausbildung*** on-the-job training **6.** (≈ *so gut wie*) practically, virtually; ***praktisch nichts*** *auch*: next to nothing; ***praktisch nie*** very rarely, hardly ever
Praline 1. chocolate ['tʃɒklət] **2.** ***Pralinen*** chocolates, a box of chocolates
prall 1. *Schenkel usw.*: firm **2.** *Brüste*: full **3.** *Hintern*: well-rounded **4.** ***in der prallen Sonne*** in the blazing sun **5.** ***prall gefüllt*** bulging (***mit*** with)
prallen 1. ***gegen*** (*oder* ***auf***) ***etwas prallen*** bang (*stärker*: crash) into something **2.** ***gegen die Wand prallen*** hit* the wall
Prämie 1. *für Leistung*: bonus (*auch für Sparer*) **2.** *für Werbung eines neuen Lesers usw.*: reward [rɪ'wɔːd] **3.** (≈ *Versicherungsprämie*) premium **4.** *Lotterie*: prize
prämieren 1. award [ə'wɔːd] a prize to (*Film usw.*) **2.** ***der Film wurde prämiert*** the film won an award
Pranke paw (*auch übertragen für Hand*)
Präparat 1. *Medikament*: preparation **2.** *für Mikroskop*: slide preparation
Präposition preposition [ˌprepə'zɪʃn]; ☞ *Illu S. 784, 785*
Prärie prairie ['preərɪ]
Präsens present ['preznt], present tense
Präsenzdiener Ⓐ military service recruit
Präsenzdienst Ⓐ military service
Präser, **Präservativ** condom ['kɒndəm] (⚠ *engl.* preservative = ***Konservierungsmittel***)
Präsident(in) 1. *eines Staates*: president ['prezɪdənt] **2.** (≈ *Vorsitzender*) chairman ['tʃeəmən], *Frau*: chairwoman, *neutral*: chairperson, chair **3.** *eines Gerichts*: presiding [prɪ'zaɪdɪŋ] judge
Präsidium *Polizei*: police headquarters (⚠ *mit Sg. oder Pl.*)
prasseln 1. (*Regen*) patter, *stärker*: hammer (***auf*** on; ***gegen*** against) **2.** (*Feuer*) crackle
prassen: ***sie prassen ganz schön*** *allg.*: they're really living it up
Präteritum *Grammatik*: past tense
Praxis[1] **1.** ↔ *Theorie*: practice; ***in der Praxis*** in practice (⚠ *ohne* the) **2.** (≈ *Erfahrung*) experience; ***die Praxis zeigt …*** experience shows … (⚠ *ohne* the)
Praxis[2] **1.** *eines Arztes, Rechtsanwalts usw.*: practice **2.** (≈ *Behandlungsräume eines Arztes*) surgery, *AE* (doctor's) office
präzise precise [prɪ'saɪs], exact [ɪg'zækt]
Präzision precision [prɪ'sɪʒn], accuracy ['ækjərəsɪ]
predigen *in Kirche*: preach, give* a sermon
Predigt sermon ['sɜːmən]; ***eine Predigt halten*** give* a sermon (***über*** on)
Preis[1] **1.** *zu zahlender*: price (***für*** of); ***die Preise vergleichen*** compare prices (⚠ *ohne* the) **2.** ***ich mach dir einen guten Preis*** I'll make you a good offer **3.** ***zum halben Preis verkaufen*** sell* (at) half-price **4.** ***weit unter Preis verkaufen*** sell* (at) cut-price **5.** ***um keinen Preis*** *übertragen* not for anything in the world **6.** ***um jeden Preis*** *übertragen* at all costs, come what may
Preis[2] **1.** *in Wettbewerb*: prize [praɪz] (⚠ *Schreibung mit* z); ***den ersten Preis gewinnen*** win* first prize (⚠ *ohne* the) **2.** *für Film usw.*: award [ə'wɔːd] **3.** (≈ *Belohnung*) reward [rɪ'wɔːd]
Preisangabe price quote; ***ohne Preisangabe*** not priced, not marked

Preisanstieg rise in prices
Preisausschreiben competition
Preiselbeere cranberry ['krænbərı]
preisen **1.** praise (*auch Gott*) **2.** ***etwas in den höchsten Tönen preisen*** praise something to the skies
Preiserhöhung price increase ['ıŋkriːs]
preisgekrönt prize-winning (⚠ *immer vor dem Subst.*)
preisgünstig **1.** very reasonable **2.** ***sie kauft immer sehr preisgünstig ein*** she always manages to find bargains
Preis-Leistungs-Verhältnis price-performance ratio ['reıʃıəʊ], *umg.* value for money
Preisliste price list
Preisnachlass discount ['dıskaʊnt]
Preisrichter(in) **1.** judge **2.** ***die Preisrichter*** the jury (⚠ *mit Sg. oder Pl.*)
Preisschild price tag
Preissenkung price cut
Preissteigerung rise in prices; ***Preissteigerungen*** rising prices; ***es gab Preissteigerungen von zehn Prozent*** there was a ten per cent increase ['ıŋkriːs] in prices
Preisträger(in) prize [praız] winner
Preisverteilung presentation (of prizes) [ˌprezn'teıʃn(‿əv'praızız)]
preiswert **1.** very reasonable **2.** ***das ist preiswert*** that's good value (for money) **3.** ***dort kann man preiswert übernachten*** (*bzw.* ***essen***) they have rooms (*bzw.* you can eat) at reasonable prices there
Prellbock **1.** *Eisenbahn*: buffers (*Pl.*), buffer stop **2.** *übertragen* buffer
prellen **1.** ***jemanden um etwas prellen*** cheat someone out of something **2.** ***die Zeche prellen*** go* off without paying
Prellung *Verletzung*: bruise [bruːz]
Premiere first night [ˌfɜːst'naıt], opening night ['əʊpənıŋ‿naıt]; ***der Film hat im Juli Premiere*** the film will be released (*oder* is opening) in July
Premierminister(in) prime minister
Presse[1] (≈ *Zeitungen usw.*) press (⚠ *im BE auch mit Pl.*)
Presse[2] *für Obst, Säfte usw.*: squeezer
Pressefreiheit freedom of the press
Pressekonferenz press conference ['kɒnfrəns]
Pressemitteilung press release ['pres‿rıˌliːs]
pressen **1.** *allg.*: press (*auch CDs, Blumen, Trauben*) **2.** ***etwas an sich pressen*** hold* something tightly **3.** ***sie presste sich an die Wand*** she pressed herself against the wall **4.** ***Luft durch etwas pressen*** force air through something
Pressesprecher(in) press spokesman (spokeswoman)
pressieren *bes.* Ⓐ, ⒸⒽ **1.** ***es pressiert*** it's urgent **2.** ***mir pressierts*** I'm in a hurry
Pressluftbohrer pneumatic [⚠ njuː'mætık] drill
Presslufthammer pneumatic [⚠ njuː'mætık] hammer
Pressung *CD usw.*: pressing
Preuße Prussian ['prʌʃn]
Preußen Prussia ['prʌʃə]
Preußin Prussian ['prʌʃn] (woman)
preußisch Prussian ['prʌʃn]
prickeln **1.** (*Haut usw.*) tingle **2.** (*Sekt usw.*) sparkle **3.** ***ein prickelndes Gefühl*** *bei Erregung*: a tingling, a tingle down the (*bzw.* my, your *usw.*) spine
Priester priest
Priesterin (woman) priest, priestess
prima **1.** *umg.* super, great **2.** ***„Wie gehts?" - „Prima!"*** 'How are things?' - 'Really good.' **3.** ***man kann dort prima essen*** they have great food there
Primararzt, Primarärztin, Primaria, Primarius Ⓐ (senior) consultant, *AE* medical director
primitiv primitive ['prımətıv]
Primzahl *Mathematik*: prime number
Prinz prince; ***Prinz Albert*** Prince Albert
Prinzessin princess [ˌprın'ses]; ***Prinzessin Anne*** Princess Anne [⚠ ˌprınses'æn]
Prinzip **1.** principle ['prınsəpl] **2.** *Wendungen*: ***im Prinzip*** basically ['beısıklı], in principle; ***aus Prinzip*** on principle
Priorität priority [praı'ɒrətı] (***über, vor*** over); ***Prioritäten setzen*** establish priorities
Prise: ***eine Prise Salz*** a pinch of salt
Prisma prism ['prızm]
Pritsche *zum Liegen*: wooden bed
privat **1.** *allg.*: private ['praıvət] **2.** *Meinung usw.*: personal ['pɜːsnəl] **3.** (≈ *in Privatbesitz*) privately owned **4.** ***wir sind privat versichert*** we're privately insured **5.** ***privat ist unser Lehrer ja ganz nett*** our teacher seems quite a nice person in private
Privatangelegenheit **1.** private matter **2.** ***das ist meine Privatangelegenheit*** that's my affair, that's my own business
Privatbesitz, Privateigentum private property
Privatgespräch *Telefon*: private call
privatisieren privatize ['praıvətaız] (*Firma usw.*)
Privatleben private life
Privatlehrer(in) private tutor
Privatpatient(in) private patient

P

Privatschule private ['praɪvət] school, *BE* (≈ *Eliteschule*) *auch* public school
Privileg privilege ['prɪvəlɪdʒ]
pro 1. *allg.*: per **2. *pro Tag*** (***Woche*** *usw.*) a (*oder* per) day (week *usw.*); ***pro Jahr*** a year, *förmlicher* per annum; ***10 Euro pro Stunde*** ten euros an hour **3. *100 Euro pro Stück*** a hundred euros each **4. *5 Euro pro Person*** five euros each (*oder* per person)
Pro: ***das Pro und Kontra*** the pros and cons (⚠ *Pl.*)
Probe 1. *Theater, Musik usw.*: rehearsal [rɪ'hɜːsl]; ***zur Probe gehen*** go* to rehearsals **2.** *Chor*: choir [⚠ 'kwaɪə] practice **3.** (≈ *Test*) test, trial; ***eine Probe machen*** do* a test, *mit Maschine usw.*: do* a trial run; ***die Probe bestehen*** pass the test **4.** (≈ *Muster, Beispiel, auch Blutprobe usw.*) sample ['sɑːmpl] **5.** (≈ *Kostprobe*) taste
Probefahrt *Auto usw.*: test drive; ***eine Probefahrt machen*** go* for a test drive
Probelauf *Technik*: test run
proben 1. rehearse [rɪ'hɜːs] (*Theater-, Musikstück*) **2.** practise [⚠ 'præktɪs], *AE* practice (*Einsatz, Notfall usw.*)
Probezeit 1. trial period **2. *in der Probezeit sein*** be* on probation
probieren 1. *etwas probieren* *allg.*: try something; ***probiers noch mal*** try again (⚠ *ohne* it); ***ich probiers noch mal*** I'll try again **2. *ich probiers mal*** (≈ *versuche es zu tun*) I'll have a try **3. *probiers mal mit einem Hammer*** (*bzw.* ***Trick***) try a hammer (*bzw.* try using a trick) **4.** (≈ *kosten*) try, taste (*Speise, Getränk*); ***kann ich mal probieren?*** can I have a taste?
Problem problem; ***kein Problem!*** no problem
problematisch problematic
problemlos 1. *allg.*: unproblematic [ˌʌnprɒblə'mætɪk] **2. *das lässt sich problemlos erledigen*** it can be done without difficulty ['dɪfɪkltɪ]
Produkt product ['prɒdʌkt]
Produktion 1. *allg.*: production [prə'dʌkʃn] **2.** (≈ *produzierte Menge*) output
produktiv *allg.*: productive [prə'dʌktɪv]
Produzent(in) producer [prə'djuːsə]
produzieren produce [prə'djuːs]
professionell professional [prə'feʃnəl]
Professor(in) professor; ***sie ist Professorin für Geographie*** she's Professor of Geography, she's a geography professor
Profi *umg.* pro [prəʊ]
Profi... *in Zusammensetzungen*: ... pro, professional ...; ***Profiboxer(in)*** professional boxer, boxing pro; ***Profifußballer(in)*** professional footballer, football pro
...profi *in Zusammensetzungen*: ..., pro, professional ...; ***Boxprofi*** professional boxer, boxing pro; ***Fußballprofi*** professional footballer, football pro; ***Tennisprofi*** professional tennis player, tennis pro
Profil 1. (≈ *Seitenansicht*) profile ['prəʊfaɪl] **2.** *Reifen, auch Schuhsole*: tread [tred]
profilieren: ***sie muss sich noch profilieren*** she's still got to make her mark
Profit profit ['prɒfɪt]; ***Profit machen*** make* a profit
profitieren profit ['prɒfɪt] (***von*** from)
pro forma as a matter of form
Prognose 1. *allg.*: prediction **2.** *bes. Wetter*: forecast ['fɔːkɑːst]
Programm 1. *allg.*: programme ['prəʊgræm], *AE* program **2.** *Computer*: program **3.** (≈ *Fernsehkanal*) channel ['tʃænl]; ***der Film kommt im ersten Programm*** the film's on (channel) one

Programm

Im Computerbereich hat sich die amerikanische Schreibweise **program** eingebürgert. Dies gilt auch für das Verb **to program**. Im britischen Englisch verdoppelt man jedoch (im Gegensatz zum Amerikanischen) nach wie vor in bestimmten Wortformen das **m**:

BE	*AE*
programmer	**programer**
programmed	**programed**
programmable	**programable**
programming	**programing**

Programmänderung change of program(me *BE*)
Programmheft progra m(me *BE*)
programmieren program ['prəʊgræm] (*Computer*)
Programmierer(in) program(m)er
Programmierfehler bug
Programmiersprache programming language ['prəʊgræmɪŋˌlæŋgwɪdʒ]
progressiv progressive [prəʊ'gresɪv]
Projekt project ['prɒdʒekt]
Projektor (slide) projector [prə'dʒektə]
Prolet(in) *abwertend* pleb, prole
Proletarier(in) proletarian [ˌprəʊlə'teərɪən]
Promenadenmischung *Hund*: mongrel [⚠ 'mʌŋgrəl]
Promille: ***er ist mit zu viel Promille er-***

wischt worden *umg.* he was done for drink-driving

prominent prominent ['prɒmɪnənt]; ***prominente Persönlichkeit*** well-known personality, prominent figure

Prominente(r) 1. public figure, VIP [ˌviː-aɪ'piː] **2.** *bes. Film usw.*: celebrity [sə'lebrətɪ]

Prominenz VIPs [ˌviːaɪ'piːz], big names, *umg.* top nobs (*alle Pl.*); ***die gesamte Prominenz*** *auch*: all the important people

prompt 1. prompt, *Antwort auch*: quick **2.** ***er ist prompt darauf hereingefallen*** of course he fell for it straightaway **3.** ***sie hats prompt vergessen*** she went and forgot (⚠ *ohne* it)

Pronomen pronoun ['prəʊnaʊn]

Propaganda propaganda [ˌprɒpə'gændə]

Propan(gas) propane ['prəʊpeɪn]

Propeller propeller [prə'pelə], *umg.* prop

Prophet(in) 1. prophet ['prɒfɪt] **2.** ***ich bin doch kein Prophet!*** I can't see into the future

Prosa prose

prosit 1. *beim Anstoßen*: your health!, *umg.* cheers! **2.** ***prosit Neujahr!*** happy New Year!; → ***prost***

Prospekt brochure ['brəʊʃə], (≈ *Faltblatt*) *auch*: leaflet (⚠ *engl.* prospect = ***Aussicht, Zukunftsaussichten***)

prost 1. *beim Anstoßen*: cheers! **2.** ***na denn prost!*** *ironisch* that's just great; → ***prosit***

Prostituierte prostitute ['prɒstɪtjuːt]

Prostitution prostitution [ˌprɒstɪ'tjuːʃn]

Protein protein ['prəʊtiːn]

Protest protest ['prəʊtest]; ***aus Protest*** <u>in</u> (*oder* as a) protest (***gegen*** against)

Protestant(in) Protestant ['prɒtɪstənt]

protestantisch Protestant ['prɒtɪstənt]

protestieren protest [prə'test]; ***sie protestieren dagegen, dass die Fahrpreise erhöht werden*** they're protesting against an increase in fares

Prothese 1. *an Arm, Bein*: artificial arm (*bzw.* leg) **2.** *Gebiss*: dentures (⚠ *Pl.*)

Protokoll 1. *einer Sitzung usw.*: minutes ['mɪnɪts] (⚠ *Pl.*); ***wer macht Protokoll?*** who's taking the minutes?; ***etwas ins Protokoll aufnehmen*** put* something into the minutes **2.** *bei Gericht*: record ['rekɔːd], transcript ['trænskrɪpt]

Protz *umg.* show-off

protzen *umg.* show off; ***er protzt immer mit seinem Wissen*** *usw.* he's always showing off (with) his knowledge *usw.*

protzig 1. *Auto*: flash(y) **2.** *Haus usw.*: posh

Proviant food

Provider *Internet*: (access ['ækses]) provider

Provinz 1. ***die Provinz*** ↔ *Hauptstadt*: the provinces ['prɒvɪnsɪz] (⚠ *Pl.*); ***das ist hier (ja) tiefste Provinz*** *umg.* we're really out in the sticks here **2.** *Verwaltungsgebiet*: province ['prɒvɪns]

provinziell provincial [prə'vɪnʃl]

Provinzler(in) *abwertend* provincial

Provision commission (⚠ *engl.* provision = ***Vorkehrung, Bereitstellung***; *engl.* provisions = ***Nahrungsmittelvorräte***)

provisorisch 1. *Regierung usw.*: provisional **2.** (≈ *vorübergehend*) temporary **3.** (≈ *behelfsmäßig*) makeshift **4.** ***ich habs provisorisch repariert*** I've just patched it up

provozieren provoke [prə'vəʊk]

Prozedur procedure [prə'siːdʒə]; ***das war vielleicht eine Prozedur!*** *umg.* what a rigmarole ['rɪgmərəʊl] (that was)

Prozent 1. ***zehn Prozent*** ten per cent [pə'sent] (*AE* percent) **2.** ***ich kriege sechs Prozent Zinsen*** I get six per cent interes<u>t</u> **3.** (≈ *prozentualer Anteil*) percentage; ***wie viel Prozent der Bevölkerung haben ein Auto?*** what percentage of the population has (*oder* have) a car? **4.** ***der Wein hat zwölf Prozent*** this wine contains twelve per cent alcohol **5.** ***ich krieg Prozente*** (≈ *einen Preisnachlass*) I get a discount; ***er hat mir zehn Prozent nachgelassen*** he gave me a ten per cent discount **6.** ***die Verkäufer kriegen Prozente*** (≈ *eine Gewinnbeteiligung*) the salespeople get a share of the profits

Prozess[1] 1. (≈ *Rechtsstreit*) lawsuit ['lɔːsuːt] **2.** (≈ *Strafverfahren*) trial **3.** ***einen Prozess gegen jemanden führen*** take* legal action against someone, sue [suː] someone **4.** ***sie hat den Prozess gewonnen*** (*bzw.* ***verloren***) she won (*bzw.* lost) her case

Prozess[2] (≈ *Vorgang*) process ['prəʊses]

prozessieren 1. go* to court [kɔːt] **2.** ***gegen jemanden prozessieren*** take* someone to court; → ***Prozess[1] 3.***

Prozession procession [prə'seʃn]

Prozessor *Computer*: processor ['prəʊsesə]

prüde 1. *allg.*: prudish ['pruːdɪʃ] **2.** ***tu doch nicht so prüde*** don't be such a prude

prüfen 1. examine [⚠ ɪg'zæmɪn], test (*Bewerber, Schüler usw.*) **2.** (≈ *kontrollieren*) check (*Ölstand usw.*) **3.** ***etwas prüfen*** (≈ *erproben*) test something, (≈ *untersuchen, genau betrachten*) examine (*oder* study) something **4.** consider (*Vorschlag, Angebot*) **5.** investigate, look into (*Be-

schwerde usw.) **6.** *auf Richtigkeit*: check (*Behauptung, Angaben usw.*)
Prüfer(in) 1. *bei Examen*: examiner [ɪg'zæmɪnə] **2.** *technisch*: tester **3.** (≈ *Buchprüfer*) auditor ['ɔːdɪtə]
Prüfling examinee [ɪgˌzæmɪ'niː], exam candidate [ɪg'zæmˌkændɪdət, -deɪt]
Prüfung 1. *von Kenntnissen*: exam [⚠ ɪg'zæm], test, *förmlich* examination; ***schriftliche*** (*bzw.* ***mündliche***) ***Prüfung*** written (*bzw.* oral) exam; ***eine Prüfung machen*** take* an exam; ***eine Prüfung bestehen*** (*bzw.* ***nicht bestehen***) pass (*bzw.* fail) an exam **2.** (≈ *Untersuchung*) examination, investigation **3.** (≈ *Überprüfung*) checking **4.** (≈ *Erprobung*) trial, test
Prüfungsaufgabe examination (*oder* test) paper
Prügel 1. ***Prügel bekommen*** get* a thrashing **2.** (≈ *Knüppel*) club
Prügelei fight
prügeln 1. ***jemanden prügeln*** beat* someone up **2.** ***sich*** (***mit jemandem***) ***prügeln*** have* a fight (with someone) (***um*** over)
Prunk 1. splendour **2.** *bei Feier usw.*: pomp
Prunkstück showpiece
prusten snort (***vor*** with)
PS[1] (≈ *Pferdestärke, -n*) HP, hp (*Abk. für* **h**orse**p**ower), bhp (*Abk. für* **b**rake **h**orse**p**ower)
PS[2] *am Briefende*: PS (*Abk. für* **p**ostscript)
Pseudonym pseudonym [⚠ 'sjuːdənɪm], *von Schriftsteller*: pen name
Psychiater(in) psychiatrist [⚠ saɪ'kaɪətrɪst]
psychisch 1. *Belastung, Krankheit*: mental ['mentl] (⚠ *engl.* psychic = ***übersinnlich***) **2.** *Probleme usw.*: (≈ *psychisch bedingt*) psychological [⚠ ˌsaɪkə'lɒdʒɪkl] **3.** ***psychisch krank*** mentally disturbed
Psychologe, Psychologin psychologist [⚠ saɪ'kɒlədʒɪst]
Psychologie psychology [⚠ saɪ'kɒlədʒɪ]
psychologisch psychological [⚠ ˌsaɪkə'lɒdʒɪkl]
Psychopath(in) psychopath ['saɪkəpæθ]
Psychoterror psychological blackmail
Psychotherapeut(in) psychotherapist [ˌsaɪkəʊ'θerəpɪst]
Pubertät puberty ['pjuːbətɪ]; ***in die Pubertät kommen*** reach puberty (⚠ *ohne* the)
Publikum 1. (≈ *Zuschauer, Zuhörer*) audience ['ɔːdɪəns] (⚠ *mit Sg. oder Pl.*), *Fernsehen auch*: viewers (⚠ *Pl.*), *Radio auch*: listeners [⚠ 'lɪsnəz] (⚠ *Pl.*) **2.** *Sport*: spectators [spek'teɪtəz] (⚠ *Pl.*), crowd **3.** *in Gaststätte usw.*: clientele [⚠ ˌkliːɒn'tel] **4.** (≈ *Interessenten usw.*) public (⚠ *mit Sg. oder Pl.*)
Publikumsliebling everybody's darling; ***sie ist ein Publikumsliebling*** she's everybody's darling (⚠ *ohne* an)
Pudding *etwa*: blancmange [⚠ blə'mɒndʒ], *AE* pudding ['pʊdɪŋ] (⚠ *BE* pudding = ***süße Nachspeise*** - *auch Mehlspeise oder mit Brot, Reis, Obst usw.*)
Pudel poodle
Puder powder
Puderdose powder compact ['kɒmpækt]
pudern 1. powder (*Nase, Wunde usw.*) **2.** ***sich pudern*** powder one's face (*oder* nose)
Puderzucker icing sugar, *AE* confectioner's sugar
Puff[1] (≈ *Bordell*) brothel ['brɒθl]
Puff[2] **1.** (≈ *Stoß*) thump **2.** *in die Rippen*: poke, dig, *vertraulicher*: nudge
Puffärmel puffed sleeve
Puffer 1. *allg.*: buffer **2.** (≈ *Kartoffelpuffer*) potato fritter
Pull-down-Menü *Computer*: pull-down menu [ˌpʊldaʊn'menjuː]
Pulle 1. *umg.* (≈ *Flasche*) bottle **2.** ***volle Pulle fahren*** *umg.* drive flat out; (***die Anlage***) ***volle Pulle aufdrehen*** *umg.* turn the stereo ['sterɪəʊ] up full blast
Pulli, Pullover sweater [⚠ 'swetə], pullover ['pʊlˌəʊvə], *BE auch* jumper
Puls 1. pulse; ***der Doktor hat mir den Puls gefühlt*** the doctor felt (*oder* took) my pulse **2.** ***ein hoher*** (*bzw.* ***niedriger***) ***Puls*** a high (*bzw.* low) pulse rate
Pulsader artery ['ɑːtərɪ]
Pult 1. *allg.*: desk **2.** (≈ *Lese-, Rednerpult*) lectern ['lektən]
Pulver 1. powder **2.** *umg.* (≈ *Geld*) cash, dough [⚠ dəʊ]
pulverig powdery
Pulverschnee powder snow
Puma puma ['pjuːmə], *AE* cougar ['kuːgə]
pummelig *umg.* dumpy, chubby
Pump: ***auf Pump kaufen*** buy* on credit, *BE umg.* buy* on tick
Pumpe pump
pumpen[1] pump (***in*** into)
pumpen[2] (≈ *leihen*) lend*, *bes. AE* loan; ***kannst du mir etwas Geld pumpen?*** can you lend me a bit of cash?
Pumps *Pl.* (≈ *Stöckelschuhe*) court shoes ['kɔːt‿ʃuːz]
Punker(in) punk (⚠ *engl. ohne* -er)
Punkt 1. (≈ *runder Fleck*) dot, spot **2.** *am Satzende*: full stop, *AE* period; ***einen Punkt machen*** (*oder* ***setzen***) put* (*oder* add) a full stop **3.** *in Internetadressen*: dot **4.** (≈ *Ort, Stelle*) point, place, spot **5.** (≈

Stelle in einer Entwicklung, einem Vorgang usw.) point **6.** (≈ *Thema*) point, subject **7.** *Wettbewerb, Sport*: point; ***nach Punkten siegen*** (*bzw.* ***verlieren***) win* (*bzw.* lose*) on points **8. *nun mach aber nen Punkt!*** *umg.* give it a break
Pünktchen 1. *allg.*: little dot (*bzw. Pl.* dots) **2.** *auf Buchstaben wie i usw. oder hinter einem Wort oder Wortteil*: dot; ***Pünktchen*** *Pl.; als Anweisung beim Diktat usw.*: three dots, *umg.* dot, dot, dot
punkten *Sport*: score (points)
punktieren 1. puncture (*Rückenmark usw.*) **2.** dot; ***eine punktierte Linie*** a dotted line
pünktlich 1. *Mensch, Beginn usw.*: punctual **2. *pünktlich ankommen*** arrive on time; ***er war pünktlich*** he was on time; ***sie ist nicht pünktlich*** she's late **3. *pünktlich um 10 Uhr*** at ten o'clock sharp
Punktrichter(in) *Sport*: judge [dʒʌdʒ]
Punktzahl *Sport, Wettbewerb*: score
Punsch punch
Pupille pupil [⚠ 'pjuːpl]
Puppe 1. *zum Spielen*: doll **2.** (≈ *Marionette*) puppet ['pʌpɪt] **3.** *umg.* (≈ *Mädchen*) doll **4.** *von Insekten*: pupa ['pjuːpə] *Pl.*: pupae ['pjuːpiː], *von Schmetterling usw.*: chrysalis ['krɪsəlɪs] *Pl.*: chrysalises
pur 1. *purer Zufall* sheer (*oder* pure) coincidence [kəʊ'ɪnsɪdəns] **2. *aus purer Bosheit*** out of sheer nastiness **3. *ein Whisky pur*** a neat (*bes. AE* straight) whisk(e)y
Püree puree [⚠ 'pjʊəreɪ], mash
Purpur, **purpurrot** *etwa*: crimson ['krɪmzn]
Purzelbaum somersault ['sʌməsɔːlt]; ***einen Purzelbaum machen*** do* a somersault
purzeln fall*, tumble (*auch Preise*)
Puste breath [⚠ breθ], *umg.* puff; ***außer Puste sein*** be* out of breath, *umg.* be* puffed; ***mir ging die Puste aus*** I ran out of breath
Pustel pimple
pusten 1. (≈ *blasen*) blow* **2.** (≈ *keuchen*) puff **3. *er musste pusten*** *bei Alkoholtest*: he was breathalyzed [⚠ 'breθəlaɪzd]
Pute 1. *allg.*: turkey **2.** *weibliches Tier*: turkey hen
Puter turkey (cock)
Putsch (≈ *politischer Umsturz*) putsch [pʊtʃ], coup [kuː]
putschen stage a coup [kuː]
Putz 1. *einer Wand*: plaster **2. *auf den Putz hauen*** (≈ *sich beschweren*) kick up a row [⚠ raʊ], (≈ *ausgelassen feiern*) have* a fling
putzen 1. *allg.*: clean (*auch Fenster, Gemüse usw.*) **2.** clean, polish, *AE* shine (*Schuhe*) **3. *ich muss mir die Zähne putzen*** I've got to brush my teeth **4. *du solltest dir die Nase putzen*** you should blow (*oder* wipe) your nose **5. *er putzt gerade*** he's doing the cleaning **6. *sie geht putzen*** *regelmäßig*: she works as a cleaner
Putzfrau cleaning lady, *BE auch* cleaner
putzig *Tier*: cute, funny
Putzlappen, **Putzlumpen** cloth, rag, *AE* cleaning rag
Putzmittel 1. *allg.*: cleaning agent ['eɪdʒnt] **2.** (≈ *Poliermittel*) polish ['pɒlɪʃ]
Putzzeug cleaning things (*Pl.*)
Puzzle jigsaw ['dʒɪgsɔː] (puzzle) (⚠ *engl.* puzzle = ***Rätsel***); ***ein Puzzle machen*** do* a jigsaw
Pyjama pyjamas [pə'dʒɑːməz] (⚠ *Pl.*), *AE* pajamas (⚠ *Pl.*); ***ein Pyjama*** a pair of pyjamas; ***wo ist mein Pyjama?*** where are my pyjamas
Pyramide pyramid ['pɪrəmɪd]
Pyrenäen *Pl.*: ***die Pyrenäen*** the Pyrenees [ˌpɪrə'niːz]

Q

Quadrat, **quadratisch** square
Quadratkilometer square kilometre
Quadratmeter square metre
Quadratzentimeter square centimetre
Quai Ⓒⓗ (≈ *Uferstraße*) riverside (*bzw. an See*: lakeside) road
quaken 1. (*Ente*) quack **2.** (*Frosch*) croak
quäken 1. (*Lautsprecher usw.*) squawk **2.** (*Kind*) whine
Qual 1. *allg., auch seelische*: torture ['tɔːtʃə], agony ['ægənɪ]; ***es ist eine Qual*** it's torture (*oder* agony) (⚠ *ohne* a *bzw.* an) **2. *ihr Leben war eine einzige Qual*** life was unbearable [ʌn'beərəbl] for her **3.**

wir haben die Qual der Wahl we're spoilt for choice

quälen 1. ***jemanden quälen*** torment [tɔː'ment] someone, *mit Fragen, etwas Unangenehmem*: pester (*oder* plague [⚠ pleɪg]) someone (***mit*** with); ***quäl sie nicht so!*** stop tormenting her **2.** ***jemanden zu Tode quälen*** torture someone to death **3.** ***sich mit etwas quälen*** (≈ *abmühen*) struggle with something

quälend 1. *Schmerz*: excruciating [ɪk'skruːʃɪeɪtɪŋ] **2.** *Hitze*: unbearable [ʌn'beərəbl] **3.** *Gedanke*: agonizing ['ægənaɪzɪŋ]

Quälerei 1. ***das Halten von Tieren in Käfigen ist für mich eine Quälerei*** I think keeping animals in cages is really cruel **2.** ***Radrennen sind eine echte Quälerei*** cycle races are absolute torture

Qualifikation 1. (≈ *erworbene Fähigkeiten*) qualifications (⚠ *Pl.*) **2.** ***sie haben die Qualifikation für die WM geschafft*** *Fußball*: they've made it into (*oder* they've qualified for) the World Cup

qualifizieren: ***sie haben sich für die Europameisterschaft qualifiziert*** they've qualified for the European championship

Qualität 1. *allg.*: quality; ***schlechte Qualität*** poor quality **2.** ***sie hat auch ihre Qualitäten*** she's got her good points

Qualle jellyfish

Qualm (thick) smoke

qualmen 1. (*Schornstein, Feuer, Motor usw.*) smoke, give* off smoke **2.** ***aus dem Auspuff qualmt es!*** there's thick smoke coming out of the exhaust! [ɪg'zɔːst] **3.** *umg.* (≈ *Zigaretten usw. rauchen*) smoke

Quarantäne quarantine [⚠ 'kwɒrəntiːn]; ***der Hund kommt ein halbes Jahr in Quarantäne*** the dog will be put into quarantine for half a year

Quark 1. *Milchprodukt*: curd, curds (*Pl.*), *BE auch* quark [kwɑːk] **2.** *umg.* (≈ *Unsinn*) rubbish, *bes. AE* garbage

Quartal (≈ *Vierteljahr*) quarter

Quartett 1. *Musik*: quartet [ˌkwɔː'tet] **2.** *übertragen* (≈ *vier Personen*) group of four, foursome ['fɔːsəm] **3.** *Kartenspiel*: happy families (⚠ *nur im Sg. verwendet*)

Quartier 1. (≈ *Unterkunft*) accommodation (⚠ *BE nur im Sg.*) **2.** Ⓒⓗ (≈ *Stadtviertel*) quarter

Quarz quartz [kwɔːts]

quasseln 1. *umg.* yak; ***hör auf zu quasseln!*** stop yakking **2.** ***er quasselt nur dummes Zeug*** *immer*: he talks a lot of drivel ['drɪvl]

Quaste (≈ *Troddel*) tassel

Quatsch 1. *umg.* rubbish, *bes. AE* garbage, trash **2.** *Wendungen*: ***so ein Quatsch!*** what a load of rubbish (*AE* garbage); ***lass den Quatsch!*** stop it!, cut it out!; ***mach bloß keinen Quatsch!*** don't try anything silly!

quatschen 1. (≈ *dumm daherreden*) talk rubbish; ***quatsch doch keinen Blödsinn!*** stop talking rubbish **2.** (≈ *über Unwichtiges plaudern*) chat, *BE auch* natter **3.** (≈ *klatschen, tratschen*) gossip **4.** (≈ *etwas ausplaudern*) talk; ***er hat wieder mal gequatscht*** he's been talking again

Quatschkopf *umg., abwertend* waffler ['wɒflə], windbag

Quecksilber mercury ['mɜːkjʊrɪ]

Quelldatei *Computer*: source file ['sɔːs‿faɪl]

Quelle 1. *kleine*: spring **2.** *eines Flusses*: source [sɔːs] **3.** (≈ *Ursprung, Informationsquelle*) source **4.** *eines Zitats*: source **5.** ***du sitzt doch an der Quelle*** you're in the right place (for that)

quellen 1. pour [pɔː], (*Blut*) *auch*: gush (***aus*** out of, from) **2.** (*Rauch*) billow (***aus*** from, out from) **3.** (≈ *anschwellen*) swell **4.** ***quellen lassen*** soak (*Bohnen, Erbsen*)

Quelltext source text

Quengelei *umg.* whing(e)ing ['wɪndʒɪŋ], *eines Kindes*: whining, niggling

quengelig *Kind*: whining, niggly

quengeln 1. (≈ *klagen*) whine, *bes. BE auch* whinge [wɪndʒ] (***über*** about) **2.** (*Kleinkind*) whine

quer 1. ***quer durch den Garten*** straight [streɪt] through the garden; ***quer über den Rasen*** straight across the lawn **2.** ***die Balken laufen quer über die Decke*** the beams run at right angles across the ceiling **3.** ***kreuz und quer durch die Stadt*** all over town (⚠ *ohne* the)

Quere: ***jemandem in die Quere kommen*** get* in someone's way

querfeldein across country

Querflöte flute; ***Querflöte spielen*** play the flute

Querlatte *Fußball usw.*: crossbar

Querpass *Fußball*: cross pass

Querschiff *Kirche*: transept ['trænsept]

Querschnitt 1. *allg.*: cross-section (***durch*** of) (*auch übertragen*) **2.** *eines Musicals usw.*: highlights (⚠ *Pl.*)

querschnittsgelähmt paraplegic [ˌpærə'pliːdʒɪk], *umg.* paralyzed ['pærəlaɪzd] from the waist (*oder* neck) down

Querstraße 1. side-street; ***eine Querstraße zur Bahnhofstraße*** a road (*oder* side-street) off Station Road **2.** ***zweite***

Querstraße rechts second turning right
Quertreiber(in) *umg.* obstructionist [əb-'strʌkʃnɪst]
quetschen 1. ***ich hab mir den Finger gequetscht*** I squashed my finger **2.** ***wir haben uns zu acht ins Auto gequetscht*** eight of us squeezed into the car
Quetschung *Verletzung*: bruise [bruːz], *förmlich* contusion [kən'tjuːʒn]
quieken, quieksen (*Schwein*) squeal (*auch vor Vergnügen*), (*Maus*) squeak
quietschen 1. (*Tür usw.*) squeak **2.** (*Reifen, Bremsen*) squeal **3.** *vor Freude, Vergnügen usw.*: squeal (***vor*** with)
quietschvergnügt *umg.* happy as Larry
Quinte *Tonintervall*: fifth
Quintett *Musik*: quintet [kwɪn'tet]
Quirl *Küchengerät*: whisk
quirlen *v/t* whisk, beat* (*Eier usw.*)
quirlig 1. *Mensch*: bubbly **2.** *Kind*: very lively
quitt: ***jetzt sind wir quitt*** now we're even (*oder* quits)
Quittung *Bescheinigung*: receipt [rɪ'siːt] (***über*** for)
Quiz quiz [kwɪz] *Pl.*: quizzes
Quizsendung 1. quiz show **2.** *mit Spielen*: game show
Quote 1. (≈ *zulässige bzw. zu erzielende Menge*) quota **2.** (≈ *Anteil*) share **3.** (≈ *verhältnismäßiger Anteil*) proportion
Quotient *Mathematik*: quotient ['kwəʊʃnt]

R

Rabatt discount ['dɪskaʊnt] (***auf*** on); ***Rabatt kriegen*** get* a discount; ***mit 10 Prozent Rabatt*** at ten per cent (*AE* percent) discount
Rabattmarke trading stamp
Rabbi, Rabbiner rabbi [⚠ 'ræbaɪ]
Rabe raven ['reɪvn]
rabiat 1. (≈ *grob*) rough [rʌf], brutal ['bruːtl] **2.** ***rabiat werden*** go* wild
Rache revenge [rɪ'vendʒ]; ***Rache nehmen*** take* revenge (***an*** on); ***aus Rache*** out of (*oder* in) revenge
Rachen 1. *Mensch*: throat **2.** *Tier*: mouth, jaws (⚠ *Pl.*)
rächen 1. ***sich rächen*** get* one's revenge [rɪ'vendʒ] (***an jemandem*** on someone) **2.** ***sich an jemandem für etwas rächen*** take* one's revenge on someone for something **3.** ***jemanden rächen*** avenge [ə'vendʒ] someone
Rächer(in) avenger [ə'vendʒə]
Rachitis (≈ *Knochenverformung*) rickets (⚠ *mst. als Sg. verwendet*)
rachsüchtig revengeful [rɪ'vendʒfʊl]
Rad 1. *allg.*: wheel (*auch übertragen*) **2.** (≈ *Fahrrad*) bicycle ['baɪsɪkl], *umg.* bike; ***Rad fahren*** cycle; ***sie fährt gern Rad*** she likes to go cycling; ***ich fahr mit dem Rad*** I'll go by bike (⚠ *ohne* the) **3.** ***ein Rad machen*** *Turnen*: do* a cartwheel
Radar, Radargerät radar [⚠ 'reɪdɑː]
Radarkontrolle radar ['reɪdɑː] speed check
Radarschirm radar ['reɪdɑː] screen
Radau row [⚠ raʊ], racket; ***Radau machen*** make* a racket (*oder* row)
Raddampfer paddle steamer, *AE* side-wheeler
radeln cycle; ***wir radeln gern*** we like to go cycling
Radeln cycling
Radfahrer(in) 1. cyclist **2.** (≈ *Speichellecker, -in*) toady, *AE* apple polisher
Radfahrweg cycle track, cycle path, cycleway, *AE* bikepath, bikeway
radieren rub out, erase [ɪ'reɪz]
Radiergummi rubber, *bes. AE* eraser [ɪ'reɪzə] (⚠ *AE* rubber = ***Präservativ***)
Radierung *Kunst*: etching ['etʃɪŋ]
Radieschen radish ['rædɪsh]; ***ein Bund Radieschen*** a bunch of radishes
radikal 1. *allg.*: radical **2.** ***radikal vorgehen gegen*** take* radical steps against
Radikalismus radicalism ['rædɪkəlɪzm]
Radio 1. *Gerät*: radio **2.** (≈ *Rundfunk*) radio, broadcasting ['brɔːdkɑːstɪŋ]; ***im Radio*** on the radio; ***Radio hören*** listen to the radio **3.** ***es wird im Radio übertragen*** it's going to be (*gerade*: it's being) broadcast on the radio
radioaktiv 1. *allg.*: radioactive **2.** ***radioaktive Strahlung*** radiation [ˌreɪdɪ'eɪʃn] **3.** ***radioaktiver Müll*** radioactive waste **4.** ***radioaktiver Niederschlag*** fallout
Radioaktivität radioactivity
Radiowecker radio alarm

Radius radius ['reɪdɪəs] (*auch übertragen*)
Radkappe hubcap
Radler *Getränk*: shandy
Radler(in) cyclist ['saɪklɪst]
Radrennbahn cycling track
Radrennen cycle race
Radrennfahrer(in) racing cyclist
Radtour cycling tour ['saɪklɪŋ‿tʊə]
Radweg cycle track, cycle path, *AE* bikepath, bikeway
raffen: ***etwas an sich raffen*** snatch (*oder* grab) something
raffgierig greedy
Raffinerie refinery [rɪ'faɪnərɪ]
raffiniert 1. (≈ *geschickt*) clever; ***raffiniert!*** very clever **2.** (≈ *schlau*) crafty ['krɑːftɪ]
ragen 1. tower (***über*** above) **2.** rise* (***aus*** from), *horizontal, z.B. Latte*: jut [dʒʌt] (***aus*** from, out of)
Rahm cream
rahmen 1. frame (*Bild*) **2.** mount (*Dias*)
Rahmen 1. *Bild, Spiegel, Tür, Bett, Fahrrad usw.*: frame **2.** *Auto*: chassis ['ʃæsɪ] *Pl.*: chassis ['ʃæsɪz, 'ʃæsɪ] **3. *im Rahmen der Fimfestspiele*** *usw.* as part of the film festival *usw.* **4. *aus dem Rahmen fallen*** *übertragen* (≈ *sehr ungewöhnlich sein*) be* unusual, (≈ *sich schlecht benehmen*) step out of line
Rahmkäse cream cheese
Rakete 1. *Raumfahrt*: rocket **2.** *Militär* (≈ *Lenkflugkörper*) missile ['mɪsaɪl] **3. *wie eine Rakete*** *davonrasen usw.*: like a shot
Rallye *Sport*: (motor *oder* car) rally
RAM RAM (*Abk. für* **r**andom **a**ccess **m**emory)
rammen 1. ram (*Auto, Schiff usw.*) **2. *er hat ein Verkehrsschild gerammt*** he hit (*oder* drove into) a road sign **2. *Pfähle*** *usw.* ***in den Boden rammen*** ram (*oder* drive*) stakes *usw.* into the ground
Rampe 1. *schräge*: ramp **2.** (≈ *Laderampe*) loading ramp
ramponiert 1. *allg.*: battered **2.** *Haus, Wohnung*: run-down **3. *er hat ziemlich ramponiert ausgesehen*** he looked pretty rough
Ramsch junk, trash
ran 1. *ran an* up (*oder* close) to **2. *mehr links ran*** more (*oder* closer) to the left **3. *ran!*** let's go!
Rand 1. *eines Tisches, des Wassers, einer Schlucht, des Waldes, eines Feldes usw.*: edge **2.** *auf Blatt Papier*: margin ['mɑːdʒɪn]; ***einen Rand lassen*** leave* a margin; ***sie hat es an den Rand geschrieben*** she wrote it <u>in</u> the margin **3.** *eines runden Gegenstands, z.B. Brille, Teller, Tasse*: rim; ***am Rand*** <u>on</u> the rim **4. *das Glas war bis an den Rand gefüllt*** the glass was filled <u>to</u> the top (*oder* brim) **5.** *Straße usw.*: side, verge; ***am Rand*** <u>on</u> the side (*oder* verge) **6.** *einer Stadt*: outskirts (⚠ *Pl.*); ***am Rand der Stadt*** <u>on</u> the outskirts of town (⚠ *ohne* the) **7. *am Rand des Ruins*** *usw.* <u>on</u> the verge (*oder* brink) of ruin *usw.* **8. *Briefpapier mit Rand*** edged notepaper **9. *ohne Rand*** *Fotos*: without borders (⚠ *Pl.*)
randalieren riot ['raɪət], go* on the rampage ['ræmpeɪdʒ]
Randalierer(in) hooligan ['huːlɪgən], rioter ['raɪətə]
Randgebiet 1. *eines Staates, einer Region*: borderland, border region (*auch übertragen*) **2.** *einer Stadt*: outskirts ['aʊtskɜːts] (*Pl.*) **3.** *übertragen* fringe area, *eines Fachgebiets, einer Wissenschaft*: fringe subject ['sʌbdʒekt]
Randgruppe *soziale*: fringe group
Randstein kerb, *AE* curb
Rang 1. *allg.*: rank **2.** (≈ *gesellschaftliche Stellung*) status ['steɪtəs] **3.** *Theater usw.*: circle, *bes. AE* balcony ['bælkənɪ]; ***auf dem obersten Rang*** <u>in</u> the <u>gallery</u> **4. *auf den Rängen*** *Sportstadion*: on the stands (*BE auch* terraces ['terəsɪz])
rangehen 1. *der geht aber ran!* *bei Frau*: he's a fast worker **2. *gehst du mal ran?*** *ans Telefon*: can you get that?
Rangelei wrangling ['ræŋglɪŋ] (***um*** over)
Rangierbahnhof shunting yard, *AE* switchyard
rangieren 1. manoeuvre, *AE* maneuver [⚠ mə'nuːvə] (*Auto in Parklücke usw.*) **2.** shunt, *AE* switch (*Waggons, Züge*) **3. *der Urlaub rangiert bei uns ganz oben*** holidays have top priority <u>with</u> us
Rangordnung hierarchy ['haɪrɑːkɪ]
ranhalten 1. *sich ranhalten* *zeitlich*: get* a move on, (≈ *nicht nachlassen, etwas zu erreichen*) keep* at it **2. *haltet euch ordentlich ran!*** *beim Essen*: dig in!, tuck in!
ranklotzen *beim Arbeiten*: work like mad
ranlassen *umg.* **1. *er lässt niemanden an sein Auto*** *usw.* ***ran*** he won't let anybody toch (*oder* get at) his car *usw.* **2. *lass mich mal ran!*** let me have a go! **3. *sie lässt ihn nicht an sich ran*** she won't let him (come) near her
rannehmen: ***unser Trainer nimmt uns ganz schön hart ran*** our coach makes us work really hard
Ranzen 1. (≈ *Schulranzen*) schoolbag, satchel ['sætʃl] **2.** (≈ *Bauch*) paunch [pɔːntʃ]
ranzig *Butter, Öl*: rancid ['rænsɪd]
rappelvoll *umg.* jampacked [ˌdʒæm'pækt]

Rap *Popmusik*: rap
rappen *Popmusik*: rap
Rappen ⓒⓗ *Geldstück*: centime ['sɒntiːm]
Raps **1.** *Pflanze*: rape **2.** *Samen*: rapeseed
rar rare, scarce [⚠ skeəs]
rasant *Entwicklung usw.*: rapid ['ræpɪd]
rasch **1.** *Fortschritte*, *Entscheidung usw.*: quick **2.** *Antwort*: swift, prompt **3.** ***ich geh nur rasch zum Bäcker*** I'm just going to pop round to the baker's **4.** ***rasch!*** quick!
rascheln rustle [⚠ 'rʌsl]
Rascheln *kurzes*: rustle [⚠ 'rʌsl], *anhaltendes*: rustling [⚠ 'rʌslɪŋ]
rasen **1.** *mit Auto*, *Fahrrad usw.*: race (along), speed* (along) **2.** *zu Fuß*: dash (along), rush (along) **3.** ***gegen einen Baum rasen*** *mit Auto usw.*: crash into a tree **4.** *vor Zorn usw.*: rave
Rasen lawn
rasend **1.** ***mit rasender Geschwindigkeit*** at breakneck speed, at a terrific speed **2.** ***rasende Kopfschmerzen*** a splitting headache ['hedeɪk] (⚠ *Sg.*) **3.** ***sie war rasend*** *vor Wut*: she was wild with rage
Rasenmäher lawnmower ['lɔːnˌməʊə]
Raser(in) *mit Auto usw.*: speeder
Raserei *umg.* **1.** *mit Auto usw.*: speeding **2.** (≈ *Wut*) fury ['fjʊərɪ] **3.** (≈ *Wahnsinn*) frenzy ['frenzɪ], madness
Rasierapparat (electric) shaver (*oder* razor)
rasieren **1.** ***sich rasieren*** shave; ***rasierst du dich nass oder trocken?*** do you shave wet or do you use an electric shaver? **2.** ***sich rasieren lassen*** have* a shave **3.** ***sie rasiert sich die Beine*** (*bzw.* ***unter den Armen***) she shaves her legs (*bzw.* armpits)
Rasierklinge razor blade
Rasiermesser (cutthroat ['kʌtθrəʊt]) razor, *AE* (straight) razor
Rasierschaum shaving foam
Rasierwasser **1.** *vor Rasur*: pre-shave lotion **2.** *nach Rasur*: aftershave (lotion)
raspeln grate (*Äpfel*, *Käse*, *Nüsse usw.*)
Rasse **1.** *bei Menschen*: race **2.** *bei Tieren*: breed
Rassehund pedigree dog [ˌpedɪgriː'dɒg]
Rassel rattle
rasseln **1.** (*Kette usw.*) rattle **2.** ***er rasselt mit dem Schlüsselbund*** he's rattling his bunch of keys **3.** ***er ist durch die Prüfung gerasselt*** he flunked the exam
Rassenhass racial hatred ['heɪtrɪd]
Rassismus racism ['reɪsɪzm]
Rassist(in), **rassistisch** racist ['reɪsɪst]
Rast **1.** rest; ***Rast machen*** *beim Wandern usw.*: have* a rest **2.** (≈ *Pause*) break; ***Rast machen*** *beim Autofahren usw.*: stop for (*oder* have*) a break
Rastalocken *Pl. Frisur*: dreadlocks ['dredlɒks]
rasten rest, take* (*oder* have*) a break
Raster **1.** *Foto*, *Buchdruck*: screen **2.** *TV*, *Computer*: raster ['ræstə] **3.** *übertragen* (≈ *Muster*) pattern [⚠ 'pætn], scheme [⚠ 'skiːm]
Rasthaus motorway restaurant
Rastplatz *an Straße*: lay-by, *AE* rest area
Raststätte **1.** *allg.*: service area **2.** *Gaststätte*: motorway restaurant, *AE* highway (*oder* expressway) restaurant

Raststätte

An britischen Autobahnen gibt es keine Rastplätze, sondern große Raststätten, die manchmal sehr weit voneinander entfernt sind.

Rasur shave
Rat (≈ *Ratschlag*) advice (⚠ *immer im Sg.*, *niemals mit* an); ***sie hat mir einen Rat gegeben*** she gave me some (*oder* a piece of) advice; ***ich möchte dir einen guten Rat geben*** let me give you some (good) advice; ***er hat mich um Rat gefragt*** he asked me for advice
Rate[1] *bei Teilzahlung*: instalment; ***etwas auf Raten kaufen*** buy* something in instalments (*oder* on hire purchase ['pɜːtʃəs] *oder AE* on the installment plan)
Rate[2] *Wachstum*, *Inflation usw.*: rate
raten[1] **1.** ***jemandem raten, etwas zu tun*** advise someone to do something **2.** ***er hat mir zu einer Diät geraten*** he recommended [ˌrekə'mendɪd] a diet ['daɪət], he advised me to go on a diet
raten[2] (≈ *erraten*) guess [ges]; ***da muss ich raten*** I'd have to guess; ***rate mal!*** (have a) guess!; ***dreimal darfst du raten*** I'll give you three guesses
Ratespiel guessing ['gesɪŋ] game
Rathaus town hall, *AE* city hall
Ration ration [⚠ 'ræʃn]
rational rational ['ræʃnəl]
rationalisieren rationalize ['ræʃnəlaɪz]
rationell *Arbeitsweise*, *Methode usw.*: efficient [ɪ'fɪʃnt], economical [ˌiːkə'nɒmɪkl]
rationieren ration [⚠ 'ræʃn] (*Benzin usw.*)
ratlos **1.** *allg.*, *auch Blick*: helpless **2.** ***ziemlich ratlos dastehen*** be* at a complete loss
ratsam **1.** *allg.*: advisable [əd'vaɪzəbl] **2.** ***das halte ich nicht für ratsam*** I don't think that would be a good idea
ratschen (≈ *sich unterhalten*) have* a chat

Rätsel 1. (≈ *unerklärliche Sache*) mystery ['mɪstrɪ]; ***es ist mir ein Rätsel, wie sie sich so ein Auto leisten kann*** it's a mystery to me how she can afford a car like that **2.** (≈ *Kreuzworträtsel*) crossword (puzzle ['pʌzl]) **3.** (≈ *Bilderrätsel*) (picture) puzzle **4.** *Denkaufgabe*: riddle
rätselhaft (≈ *geheimnisvoll*) mysterious [mɪ'stɪərɪəs]
rätseln puzzle ['pʌzl] (***über*** over), speculate ['spekjʊleɪt] (***über*** about, on)
Ratte rat (*auch übertragen*)
rattern rattle, clatter
rau 1. *allg., auch Haut, See, Wetter, Ton, Sitten usw.*: rough [rʌf] **2.** *Klima*: harsh **3.** *Stimme*: harsh, (≈ *heiser*) hoarse [hɔːs] **4.** ***ein rauer Hals*** a sore throat **5.** *Hände*: chapped **6.** ***es gab Steaks*** (*bzw.* ***Wein***) ***in rauen Mengen*** there were masses of steaks (*bzw.* there was masses of wine)
Raub 1. *Tat*: robbery **2.** *Beute*: booty, loot
rauben 1. steal* (*Geld usw.*) **2.** ***jemandem etwas rauben*** rob someone of something **3.** kidnap (*Kind usw.*)
Räuber(in) robber
Raubfisch predatory [⚠ 'predətrɪ] fish
Raubkopie pirate ['paɪrət] copy, bootleg ['buːtleg]
Raubtier predator [⚠ 'predətə]
Raubüberfall 1. *in Bank usw.*: armed robbery, holdup **2.** *auf Einzelperson*: mugging
Raubvogel bird of prey [preɪ]
Rauch 1. *allg.*: smoke **2.** *von Abgasen*: fumes (⚠ *Pl.*)
rauchen 1. *allg.*: smoke **2.** ***er raucht Zigaretten*** he smokes cigarettes **3.** ***zu rauchen anfangen*** start smoking; ***sie raucht viel*** she's a heavy smoker; ***ich rauche wenig*** I don't smoke very much **4.** ***das Rauchen aufgeben*** stop (*oder* quit*) smoking **5.** ***Rauchen verboten!*** no smoking
Raucher(abteil) *im Zug*: smoking compartment, *umg.* smoker
Raucher(in) smoker; ***eine starke Raucherin*** a heavy smoker
Raucherabteil smoking compartment
Räucherlachs smoked salmon [⚠ 'sæmən]
räuchern smoke (*Fleisch, Fisch*)
rauchig 1. *allg.*: smoky **2.** *Stimme*: husky
Rauchverbot ban on smoking; ***hier ist Rauchverbot!*** there's no smoking here
Rauchwolke cloud of smoke
rauf *allg.*: up; ***da rauf*** up there, up here; ***bis rauf zu*** up to; ***den Berg rauf*** up the hill; ***die Treppe rauf*** up the stairs, upstairs
rauf... *umg.* → ***herauf..., hinauf...***

raufen: (***sich***) ***raufen*** scuffle, fight* (***um*** over)
Rauferei fight, scuffle
Raum 1. (≈ *Zimmer*) room **2.** (≈ *Platz für Gepäck usw.*) space, room **3.** (≈ *Gebiet*) area ['eərɪə], region ['riːdʒən]; ***im Raum Zürich*** in the Zurich ['zʊərɪk] area **4.** *als Dimension*: space **5.** *als Fläche*: space; ***ein freier*** (*oder* ***offener***) ***Raum*** an open space
Raumanzug spacesuit ['speɪs‿suːt]
räumen 1. ***etwas vom Tisch*** *usw.* ***räumen*** clear something off the table *usw.* **2.** ***sie räumt ihre Wäsche in den Schrank*** she's putting her underwear away in the cupboard **3.** clear (*Saal, Straße usw., auch Lager*) (***von*** of) **4.** move out of (*Wohnung usw.*) **5.** check out of (*Hotelzimmer*) **6.** evacuate [ɪ'vækjʊeɪt] (*Gebiet*) **7.** (*Militär*) leave*, retreat from (*Stellung usw.*) **8.** clear (*Minen*)
Raumfähre space shuttle
Raumfahrt: ***die Raumfahrt*** space travel (⚠ *ohne* the)
Räumfahrzeug 1. *für Erdmassen*: bulldozer ['bʊldəʊzə] **2.** *für Schnee*: snow clearer
Raumkapsel space capsule ['speɪsˌkæpsjuːl]
Raumlabor space lab
räumlich 1. ***etwas räumlich sehen*** see* something three-dimensionally **2.** ***das Bild hat eine räumliche Wirkung*** the picture has a three-dimensional effect
Raumschiff spacecraft ['speɪskrɑːft] *Pl.*: spacecraft, *bes. im Roman usw.*: spaceship
Raumsonde space probe
Raumstation space station
Raumtemperatur room temperature
Räumung 1. (≈ *Leermachen*) clearing **2.** *von Wohnung, Haus*: vacating [və'keɪtɪŋ], *zwangsweise*: eviction **3.** *von Lagerbeständen*: clearance **4.** *eines Gebiets*: evacuation
Räumungsverkauf *bei Geschäftsaufgabe*: clearance sale, closing-down sale
raunzen *bes.* Ⓐ (≈ *nörgeln*) grouch
Raupe 1. *Schmetterling*: caterpillar ['kætəpɪlə] **2.** (≈ *Planierraupe*) caterpillar®
Raureif white frost, hoarfrost
raus 1. ***raus!*** (get) out! **2.** (***so,***) ***raus mit euch!*** *in den Garten usw.*: out you go!, *aus dem Auto usw.*: out you get!
raus... *umg.* → ***heraus..., hinaus...***
Rausch 1. *von Alkohol*: (state of) drunkenness **2.** ***einen Rausch haben*** (*bzw.* ***kriegen***) be* (*bzw.* get*) drunk
rauscharm low-noise (⚠ *nur vor dem Subst.*)
rauschen 1. (*Blätter, Seide usw.*) rustle

R

[⚠ 'rʌsl] **2.** (*Wasser*) rush **3.** (*Bach*) murmur ['mɜːmə] **4.** (*Brandung, Wind*) roar

Rauschgift 1. *allg.*: drugs (⚠ *Pl.*); ***Rauschgift nehmen*** take* drugs, be* on drugs **2.** *einzelne Droge*: drug

Rauschgiftsüchtige(r) drug addict ['ædɪkt]

rausfliegen *umg.* be* kicked (*oder salopp* booted, chucked) out, *bes. aus einer Stellung*: get* the sack (*oder* boot)

raushalten: ***du hältst dich da raus!*** *drohend*: you (just) keep out of it!

rauskriegen 1. (≈ *herausbekommen*) find* out **2.** ***ich krieg die Aufgabe nicht raus*** *Mathe usw.*: I can't do this problem

räuspern: ***er räusperte sich*** he cleared his throat

rausschmeißen 1. ***jemanden rausschmeißen*** *aus Restaurant usw.*: throw* (*umg.* chuck) someone out (***aus*** of) **2.** ***jemanden rausschmeißen*** (≈ *entlassen*) kick someone out (***aus*** of), give* someone the sack

Raute 1. *als Teil eines Musters, auch auf Spielkarten*: diamond ['daɪəmənd] **2.** *geometrische Figur*: rhombus ['rɒmbəs] *Pl.*: rhombi ['rɒmbaɪ], rhombuses

Razzia (police) raid, police roundup; ***hier gibts oft Razzien*** the police often raid this place

Reagenzglas test tube ['test,tjuːb]

reagieren 1. react (***auf*** to); ***sie hat blitzschnell reagiert*** she reacted instantly **2.** ***sie haben überhaupt nicht reagiert*** there was no reaction (from them) **3.** *auf Behandlung, Medizin*: respond (***auf*** to)

Reaktion 1. reaction (***auf*** to) **2.** *auf Behandlung, Medizin*: response [rɪ'spɒns] (***auf*** to), *negative*: reaction (***auf*** to)

Reaktionsfähigkeit 1. *allg.*: reactions (*Pl.*) **2.** *Chemie*: reactivity [,riːæk'tɪvətɪ]

Reaktor reactor [rɪ'æktə]

Realist(in) realist ['rɪəlɪst]

realistisch *Schilderung usw.*: realistic

Realität reality [rɪ'ælətɪ], (≈ *Tatsachen*) facts (*Pl.*); ***in der Realität*** in real life

Realschule *etwa*: secondary school, *AE etwa*: junior high school (⚠ *eine Entsprechung zur Realschule gibt es weder in GB noch in den USA*)

Rebe 1. (≈ *Weinranke*) shoot **2.** (≈ *Weinstock*) vine [vaɪn]

rebellieren rebel [rɪ'bel] (***gegen*** against)

rebellisch 1. ***sie wurden rebellisch*** (≈ *haben sich lautstark aufgeregt*) they were up in arms **2.** ***die Leute*** *usw.* ***rebellisch machen*** cause an uproar ['ʌprɔː]

Rebhuhn partridge

Rechen, rechen rake

Rechenaufgabe *einfache*: sum, *schwierigere*: problem ['prɒbləm]; ***eine Rechenaufgabe machen*** do* a sum (*bzw.* solve a problem)

rechnen 1. *mit Zahlen*: calculate ['kælkjʊleɪt] **2.** *in der Schule*: do* sums, *schwierigere Aufgaben*: do* arithmetic [ə'rɪθmətɪk] **3.** ***er kann gut rechnen*** he's good at figures ['fɪgəz] **4.** ***wir rechnen mit 20 Leuten*** *als Gäste*: we're expecting twenty people; ***damit hab ich nicht gerechnet*** I wasn't expecting that **5.** ***mit mir brauchst du nicht zu rechnen!*** count me out

Rechnen *Schulfach*: arithmetic [ə'rɪθmətɪk]

Rechner 1. *Gerät*: calculator **2.** (≈ *Computer*) computer

Rechnung 1. *in Restaurant*: bill, *AE* check; ***die Rechnung, bitte!*** can I (*bzw.* we) have the bill, please?; ***das geht auf meine Rechnung*** that's on me **2.** *bei Kauf, von Handwerker usw.*: invoice ['ɪnvɔɪs] **3.** (≈ *Rechnen, Berechnung*) calculation

recht[1] **1.** *Ort, Zeitpunkt usw.*: (≈ *richtig, passend*) right; ***am rechten Ort*** in the right place **2.** ***ist es dir recht, wenn er kommt?*** do you mind if he comes?; ***mir ists recht*** it's all right with me, I don't mind; ***es war ihr nicht recht*** she didn't seem very pleased **3.** ***schon recht!*** it's all right **4.** ***nach dem Rechten sehen*** look after things

recht[2] **1.** (≈ *sehr*) very **2.** (≈ *ziemlich*) quite; ***es gefällt mir recht gut*** I quite like it **3.** ***dem kann man nichts recht machen*** you can't do anything right for him **4.** ***du kommst mir gerade recht*** (you're) just the person I want; ***der kommt mir gerade recht!*** *ironisch* he's the last person I wanted (to see) **5.** ***das geschieht dir recht!*** it serves you right **6.** *Wendungen*: ***ich weiß nicht recht*** I'm not sure; ***ich seh wohl nicht recht!*** am I seeing things?; ***dann war sie erst recht sauer*** then she really 'did get angry; ***dann macht sies erst recht nicht*** then she really 'won't do it

Recht 1. (≈ *Rechtsanspruch, Berechtigung*) right; ***im Recht sein*** be* in the right; ***ich hab doch wohl ein Recht darauf, meine Meinung zu äußern*** don't I have the right to express my opinion? **2.** ***Recht haben*** be* right **3.** ***da muss ich ihr Recht geben*** I agree with her there **4.** ***gleiches Recht für alle*** equal ['iːkwəl] rights for all **5.** (≈ *die Gesetze*) law;

nach deutschem Recht under ***German law***

Rechte 1. *Hand*: right hand, *Boxen*: right **2.** *politisch*: right, *einer Partei*: right wing

Rechteck rectangle ['rektæŋgl]

rechteckig rectangular [rek'tæŋgjʊlə]

Rechte(r) *politisch*: rightist, right-winger

rechte(r, -s) 1. ↔ *linke(r, -s)*: right; ***am rechten Ufer*** on the right bank **2.** ***auf der rechten Seite*** on the right, on the right-hand side **3.** *Partei usw.*: right-wing **4.** (≈ *richtig, passend*) right, proper ['prɒpə], suitable ['suːtəbl]

rechtfertigen 1. justify (*Verhalten, Tat usw.*) (***vor*** to) **2.** ***sich rechtfertigen*** justify oneself; ***du brauchst dich nicht dafür zu rechtfertigen, dass du einen behinderten Bruder hast*** you don't have to justify the fact that you've got a disabled brother

rechthaberisch: ***er ist sehr rechthaberisch*** he thinks he knows it all

rechtlich *Folgen usw.*: legal ['liːgl]

rechtlos without rights (⚠ *nur hinter dem Subst. oder Verb*)

rechtmäßig *Erbe, Erbin, Besitzer, -in*: legitimate [⚠ lɪ'dʒɪtəmət], rightful

rechts 1. on the right (*auch politisch*), on the right-hand side **2.** ***nach rechts*** right, to the right; ***rechts abbiegen*** turn right **3.** ***rechts von*** to the right of; ***rechts von ihr*** to her right **4.** ***rechts oben*** on the top right (***in*** of); ***rechts unten*** on the bottom right (***in*** of) **5.** ***sich rechts halten*** keep* to the right **6.** ***rechts der Donau*** on the right bank of the Danube

Rechtsanwalt, **Rechtsanwältin 1.** *allg.*: lawyer, *BE auch* solicitor [sə'lɪsɪtə], *AE auch* attorney [⚠ ə'tɜːnɪ] **2.** *bei Gericht*: barrister ['bærɪstə], *AE* attorney

Rechtsaußen *Fußball*: right wing(er)

rechtsbündig *Textverarbeitung*: flush right

Rechtschreiben spelling

Rechtschreibfehler spelling mistake

Rechtschreibprogramm *Computer*: spellchecker

Rechtschreibreform spelling reform

Rechtschreibung spelling, orthography [⚠ ɔː'θɒgrəfɪ]; ***sie ist gut*** (*bzw.* ***schlecht***) ***in Rechtschreibung*** she's good (*bzw.* bad) at spelling

Rechtshänder(in) right-hander; ***sie ist Rechtshänderin*** she's right-handed

rechtsherum *drehen usw.*: to the right, clockwise

rechtsradikal 1. extreme right-wing (⚠ *nur vor dem Subst.*) **2.** ***er ist rechtsradikal*** he's a right-wing extremist [ɪk'striːmɪst]

Rechtsradikale(r) right-wing extremist

Rechtsverkehr: ***in der Schweiz ist Rechtsverkehr*** in Switzerland they drive on the right(-hand side)

rechtswidrig illegal [ɪ'liːgl], unlawful

rechtwinklig right-angled ['raɪtˌæŋgld]

rechtzeitig 1. *zu bestimmtem Ereignis*: in time; ***gerade rechtzeitig zu Ostern*** just in time for Easter **2.** ***wir sollten rechtzeitig dort sein*** (≈ *früh genug*) we should try to get there in good time **3.** (≈ *pünktlich*) on time, punctually

Reck *Turnen*: horizontal ['hɒrɪzɒntl] bar

recken: ***sich recken und strecken*** have* a good stretch

recycelbar recyclable [ˌriː'saɪkləbl]

recyceln recycle [ˌriː'saɪkl]

Recycling recycling [ˌriː'saɪklɪŋ]

Redakteur(in) editor ['edɪtə]

Redaktion 1. *Personen*: editorial staff (⚠ *mst. mit Pl.*) **2.** *Büroräume*: editorial office (*oder* department) **3.** ***die politische Redaktion*** *Abteilung*: the politics department **4.** *Tätigkeit*: editing, editorial work

Rede 1. (≈ *Ansprache*) speech; ***eine Rede halten*** make* a speech **2.** ***das ist doch nicht der Rede wert*** it's not worth mentioning **3.** ***in der direkten*** (*bzw.* ***indirekten***) ***Rede*** *Grammatik*: in direct ['daɪrekt] (*bzw.* indirect ['ɪndərekt] *oder* reported) speech (⚠ *ohne* the)

reden 1. *allg.*: speak* (***mit*** to, with) **2.** (≈ *sich unterhalten*) talk (***mit*** to, with; ***über*** about); ***er möchte mit dir reden*** he'd like to talk to you; ***über Fußball reden*** talk (about) football **3.** ***sie hat kein Wort geredet*** she didn't say a word **4.** ***sie reden nicht miteinander*** they're not on speaking terms **5.** ***sie lässt nicht mit sich reden*** she won't listen ['lɪsn] **6.** ***kannst 'du mal mit ihr reden?*** can 'you have a word with her? **7.** ***er kann gut reden*** he's a good speaker **8.** ***du hast gut reden!*** 'you can talk

Reden talking; ***sie haben ihn zum Reden gebracht*** they made him talk

Redensart saying

Redewendung *idiomatische*: idiom ['ɪdɪəm]

Redner(in) speaker

Rednerpult lectern ['lektən]

redselig talkative ['tɔːkətɪv]

reduzieren 1. reduce (***auf*** to) **2.** ***sich reduzieren*** decrease [ˌdiː'kriːs] (***auf*** to)

Reeder(in) shipowner

Reederei shipping company ['kʌmpənɪ]

Reetdach (≈ *Schilfdach*) thatched [θætʃt] roof

Referat paper; ***ein Referat halten*** give* a paper (***über*** on)

Referendar(in) *in Schule*: trainee teacher [ˌtreɪniː'tiːtʃə], *AE auch* intern ['ɪntɜːn]
Referent(in) (≈ *Sprecher, -in*) speaker
reflektieren 1. reflect (*Licht, Strahlen usw.*) **2.** ***ein reflektierendes Nummernschild*** a light-reflecting number plate
Reflektor reflector [rɪ'flektə]
Reflex 1. *körperlich, psychisch*: reflex [⚠ 'riːfleks] **2.** *von Licht*: reflection
Reflexivpronomen reflexive (pronoun)
Reform reform
Reformator(in) reformer
Reformhaus health food shop
Reformkost health food(s *Pl.*)
reformieren reform
Refrain refrain [rɪ'freɪn], chorus ['kɔːrəs]
Regal 1. shelves (⚠ *Pl.*) **2.** ***etwas ins Regal stellen*** put* something on the shelf (⚠ *Sg.*)
Regatta regatta, boat race
rege 1. *Fantasie*: vivid ['vɪvɪd] **2.** *Interesse*: lively ['laɪvlɪ], keen **3.** *Verkehr*: busy ['bɪzɪ]
Regel 1. (≈ *Vorschrift*) rule **2.** (≈ *Normalfall*) rule; ***in der Regel*** as a rule **3.** (≈ *Monatsblutung*) period; ***wann kriegst du deine Regel?*** when's your period (due)?
regelbar adjustable [ə'dʒʌstəbl]
regelmäßig 1. regular; ***in regelmäßigen Abständen*** at regular intervals (*zeitlich und räumlich*); ***wir treffen uns regelmäßig*** we meet regularly **2.** (≈ *immer*) always; ***der Bus kommt regelmäßig zu spät*** the bus is always late
regeln 1. regulate (*Temperatur usw.*) **2.** control (*Verkehr*) **3.** settle (*Angelegenheit*) **4.** ***das wird sich schon regeln*** it'll sort itself out
Regelung 1. (≈ *Regulierung*) regulation **2.** (≈ *Vereinbarung*) arrangement **3.** (≈ *Richtlinie*) rule
regelwidrig *Sport*: against the rules; ***sich regelwidrig verhalten*** *Sport*: act (*oder* play *usw.*) against the rules, *im Verkehr*: break* the traffic regulations, *BE auch* breach [briːtʃ] the Highway Code
regen: ***sich regen*** *allg.*: move [muːv], stir, (*Gefühle usw.*) stir, arise
Regen 1. rain; ***bei strömendem Regen*** in (the) pouring rain **2.** ***es wird heute noch Regen geben*** it's going to rain today **3.** ***ein warmer Regen*** *übertragen* a windfall **4.** ***vom Regen in die Traufe kommen*** jump out of the frying pan into the fire
Regenbogen rainbow ['reɪnbəʊ]
regenerieren: ***sich regenerieren*** *allg.*: regenerate [rɪ'dʒenəreɪt], (≈ *sich erholen*) recover [rɪ'kʌvə]
Regenfälle *Pl.*: ***starke Regenfälle*** heavy rain(fall) (⚠ *Sg.*)
Regenhaut waterproof(s *Pl.*)
Regenmantel raincoat, *BE umg.* mac
Regenrinne gutter
Regenschauer shower
Regenschirm umbrella
Regentag rainy day
Regentropfen raindrop
Regenwald rainforest
Regenwurm earthworm ['ɜːθwɜːm]
Regenzeit rainy season, *tropische auch*: *the* rains (*Pl.*)
Reggae *Musik*: reggae [⚠ 'regeɪ]
Regie 1. *Film, Theater usw.*: direction [də'rekʃn] **2.** ***unter der Regie von …*** directed by …; ***Regie: …*** *im Vorspann usw.*: Directed by …
regieren 1. (≈ *herrschen*) rule **2.** govern ['gʌvn], rule over (*Staat*)
Regierung 1. *eines Staates*: government ['gʌvnmənt]; ***die Regierung plant neue Steuererhöhungen*** the Government is (*oder* are) planning new tax increases **2.** (≈ *Amtszeit*) term of office **3.** ***an der Regierung sein*** be* in government (*oder* office)
Regierungsbezirk administrative district [ədˌmɪnɪstrətɪv'dɪstrɪkt]
Regierungserklärung 1. statement of government policy **2.** *GB*: Queen's (*bzw.* King's) Speech
Regierungssprecher government spokesman (*oder* spokesperson)
Regierungssprecherin government spokeswoman (*oder* spokesperson)
Regierungswechsel change of government
Regime regime [reɪ'ʒiːm]
Regiment 1. (≈ *Herrschaft*) rule, government **2.** ***das Regiment führen*** *übertragen* be* the boss **3.** *Truppenverband*: regiment
Region region ['riːdʒən]
regional regional ['riːdʒnəl]
Regional… *in Zusammensetzungen*: regional ['riːdʒnəl]
Regionalliga *Sport*: regional league [ˌriːdʒnəl'liːg]
Regisseur(in) 1. *beim Film*: director [də'rektə] **2.** *im Theater, Fernsehen*: director, producer
Register 1. *eines Buchs*: index **2.** (≈ *Verzeichnis*) register ['redʒɪstə] **3.** *bei Musikinstrument*: register
registrieren 1. *allg.*: register ['redʒɪstə] **2.** (≈ *bemerken*) notice
Regler *Technik*: regulator, *Elektrotechnik*: control (knob [⚠ nɒb])
reglos motionless, (completely) still
regnen rain; ***es regnet in Strömen*** it's pouring ['pɔːrɪŋ] (with rain)

R

regnerisch rainy
regulär 1. *allg.*: regular **2.** (≈ *üblich*) usual ['juːʒʊəl], normal
regulieren 1. (≈ *regeln*) regulate **2.** settle (*Schaden usw.*)
regungslos motionless, (completely) still
Reh 1. *Tier*: deer **2.** *Fleisch*: venison ['venɪsən]
Rehabilitation *allg.*: rehabilitation [ˌriː-(h)əbɪlɪ'teɪʃn]
Rehbraten roast venison ['venɪsən]
Rehkeule leg of venison ['venɪsən]
Rehkitz fawn
Reibach: ***einen*** (***kräftigen***) ***Reibach machen*** *umg.* make* a killing
Reibeisen grater
reiben 1. rub; ***sich die Augen reiben*** rub one's eyes **2.** grate (*Käse, Obst, Gemüse*)
Reibereien *Pl.* (constant) friction (⚠ *Sg.*)
Reibung 1. rubbing **2.** *Physik*: friction
reibungslos smooth [smuːð]; ***alles ist reibungslos verlaufen*** everything went off smoothly
reich 1. (≈ *vermögend*) rich, wealthy ['welθɪ] **2.** ***reich heiraten*** *umg.* marry into money **3.** ***in reichem Maße*** in abundance **4.** ***das Land ist reich an Bodenschätzen*** the country is rich in minerals
Reich 1. empire (*auch übertragen*) **2.** *eines Königs*: kingdom **3.** *Wendungen*: ***das Arbeitszimmer ist 'mein Reich*** the study is 'my place; ***das gehört ins Reich der Fantasie*** that belongs to the realm [⚠ relm] of fantasy
Reiche rich woman
reichen 1. *räumlich*: reach (***bis*** to); ***sie reicht mir gerade bis an die Schulter*** she just about comes up to my shoulder **2.** *zeitlich*: last (***von ... bis*** from … till) **3.** (≈ *ausreichen*) be* enough; ***es reicht für alle*** there's enough for everyone **4.** ***das reicht!*** that'll do!, *ärgerlich*: that's enough! **5.** ***mir reichts!*** *umg.* I've had enough **6.** (≈ *geben*) give*, hand; ***reichst du mir bitte das Salz*** could you pass (me) the salt, please
Reicher 1. rich man **2.** ***die Reichen*** the rich
reichlich 1. (≈ *sehr viel, genügend*) plenty of; ***es gab reichlich Kuchen*** there was plenty of cake **2.** ***ein reichliches Trinkgeld*** a generous tip **3.** ***du kommst reichlich spät!*** *umg.* you're rather late(, aren't you?)
Reichtum 1. (≈ *Vermögen*) wealth [welθ]; ***zu Reichtum kommen*** become* rich **2.** ***Reichtümer*** riches **3.** (≈ *Überfluss*) abundance [ə'bʌndəns] (***an*** of)
Reichweite 1. ***in Reichweite*** within reach; ***außer Reichweite*** out of reach **2.** *eines Senders*: range
reif 1. *Obst, Getreide*: ripe **2.** *Käse*: ripe, mature [mə'tʃʊə] **3.** *Mensch*: mature **4.** ***reif sein für*** *übertragen* be* ready for **5.** ***reife Leistung!*** *umg.* good show!
Reife 1. *von Obst usw.*: ripeness **2.** *eines Menschen, Plans usw.*: maturity [mə'tʃʊərətɪ] **3.** ***mittlere Reife*** intermediate [ˌɪntə'miːdɪət] high school certificate [sə'tɪfɪkət], *in GB etwa* GCSEs [ˌdʒiːsiː-es'iːz] (⚠ *Pl.*)
reifen 1. (*Obst usw.*) ripen **2.** (*Mensch, Plan usw.*) mature [mə'tʃʊə]
Reifen *beim Fahrrad usw.*: tyre, *AE* tire
Reifenpanne flat tyre (*AE* tire), *umg.* flat
Reifeprüfung school leaving exam(s *Pl.*)
Reifglätte *auf Straßen*: slippery frost
Reihe 1. *allg.*: row [rəʊ], line; ***sich in einer Reihe aufstellen*** stand* in a line, line up; ***in der ersten*** (*bzw.* ***letzten***) ***Reihe*** in the front (*bzw.* back) row **2.** (≈ *Reihenfolge*) series ['sɪəriːz]; ***wer ist an der Reihe?*** whose turn is it?; ***immer der Reihe nach*** one after the other **3.** (≈ *Anzahl*) number; ***eine ganze Reihe von jungen Leuten*** a whole lot of young people **4.** ***etwas auf die Reihe kriegen*** *umg.* get* something sorted out
Reihenfolge order; ***in alphabetischer Reihenfolge*** in alphabetical order
Reihenhaus terrace(d) house, *AE* row [rəʊ] house
reihenweise 1. *allg.*: in rows [rəʊz] **2.** *umg.* (≈ *in großer Zahl*) by the dozen
Reiher *Vogel*: heron ['herən]
Reim 1. rhyme [raɪm] **2.** ***kannst du dir darauf einen Reim machen?*** *übertragen* does it make any sense to you?
reimen (*auch* ***sich reimen***) rhyme [raɪm]
rein 1. (≈ *pur, unverfälscht*) pure **2.** ***reine Baumwolle*** pure cotton **3.** *Wäsche usw.* (≈ *sauber*) clean **4.** *verstärkend*: pure, sheer; ***das ist die reine Wahrheit*** that's the plain truth; ***es war der reinste Wahnsinn*** *umg.* it was sheer madness; ***reiner Zufall*** pure coincidence [kəʊ'ɪnsɪdəns]; ***rein zufällig*** purely by chance; ***rein gar nichts*** absolutely nothing **5.** ***etwas ins Reine bringen*** sort something out; ***mit jemandem ins Reine kommen*** get* things straightened ['streɪtnd] out with someone
rein... *umg.* → ***herein..., hinein...***
Rein Ⓐ (≈ *flacher Topf*) casserole ['kæsərəʊl]
Reindl Ⓐ small casserole ['kæsərəʊl]
Reinfall *umg.* flop, washout

R

reinfallen *umg.*: ***wir sind darauf reingefallen*** we fell for it
reinhängen *umg.*: ***sich*** (***voll***) ***reinhängen*** go* flat out
reinhauen *umg.* **1.** *bei Essen, Arbeit*: get* stuck in **2.** ***ich hab ihm eine reingehauen*** I hit (*oder* punched) him in the face
Reinheit 1. *der Luft usw.*: purity **2.** (≈ *Unverfälschtheit*) pureness, purity **3.** (≈ *Sauberkeit*) cleanness
reinigen 1. *allg.*: clean **2.** (≈ *waschen*) clean, wash
Reiniger cleaner, cleaning agent
Reinigung 1. cleaning **2.** *Firma*: (dry) cleaners (⚠ *mit Sg.*)
Reinigungsmittel detergent [dɪˈtɜːdʒənt]
reinlegen *umg.*: ***sie hat mich ganz schön reingelegt*** (≈ *an der Nase herumgeführt*) she's really taken me for a ride, *finanziell*: she's really taken me to the cleaner's
reinlich 1. (≈ *sauber*) clean (*auch Person, Haustier*) **2.** (≈ *schmuck, ordentlich*) neat, tidy
reinrassig 1. *Hund usw.*: pedigree [ˈpedɪgriː] **2.** *Pferd*: thoroughbred [⚠ ˈθʌrəbred]
Reis rice
Reisbrei rice pudding [ˈpʊdɪŋ]
Reise 1. journey [ˈdʒɜːnɪ], *AE mst.* trip **2.** *kürzere Urlaubs- oder Geschäftsreise*: trip **3.** *mit dem Schiff*: voyage [ˈvɔɪɪdʒ] **4.** ***gute Reise!*** have a good trip! **5.** ***wohin geht die Reise?*** where are you off to? **6.** ***er ist auf Reisen*** he's travelling, *abwesend*: he's away
Reiseandenken souvenir [ˌsuːvəˈnɪə]
Reiseapotheke first-aid kit
Reisebericht *Buch, Film, Vortrag*: travelog(ue *BE*) [ˈtrævəlɒg]
Reisebüro travel agency, travel agent('s)
Reiseführer *Buch*: guide [gaɪd], guidebook
Reisegepäck luggage, *bes. AE* baggage
Reisegeschwindigkeit *bes. Flugzeug, Schiff*: cruising [ˈkruːzɪŋ] speed
Reiseleiter(in) courier [⚠ ˈkʊrɪə], *AE* tour guide (*oder* manager)
reisen 1. travel (***nach*** to) **2.** ***ins Ausland reisen*** go* abroad [əˈbrɔːd]
Reisen 1. *als konkrete Reise*: travel [ˈtrævl] **2.** *als Vorgang*: travelling, *AE* traveling
Reisende(r) 1. (≈ *Person auf Reisen*) traveller, AE traveler, *im weiteren Sinn*: tourist [ˈtʊərɪst] **2.** (≈ *Fahrgast*) passenger [ˈpæsɪndʒə]
Reisepass passport [ˈpɑːspɔːt]
Reiseroute route [ruːt], itinerary [aɪˈtɪnərərɪ]
Reisescheck traveller's cheque [tʃek], *AE* traveler's check
Reiseveranstalter(in) tour operator [ˈtʊərˌɒpəreɪtə]
Reiseziel destination [ˌdestɪˈneɪʃn]
reißen 1. (≈ *zerreißen*) tear* [teə], rip; ***eine Seite aus einem Buch reißen*** tear (*oder* rip) a page out of a book; ***sich die Kleider vom Leibe reißen*** tear* (*oder* rip) one's clothes off **2.** (*Seil, Kette, Saite*) break* **3.** ***wenn alle Stricke reißen*** *übertragen* if the worst comes to the worst **4.** (≈ *ziehen, zerren*) pull, drag; ***jemanden zu Boden reißen*** pull (*oder* drag) someone to the ground **5.** kill (*Tier*) **6.** ***sich um etwas reißen*** *übertragen* fight* over something **7.** ***sie hat die 2,02 Meter gerissen*** *Hochsprung*: she failed to clear 2.02 metres
reißend 1. *Fluss usw.*: torrential [təˈrenʃl] **2.** ***reißenden Absatz finden*** sell* like hot cakes
Reißer *umg.* **1.** *Film usw.*: thriller **2.** (≈ *Verkaufsschlager*) big (*oder* top) seller, *BE auch* money-spinner
reißerisch 1. *Schlagzeilen*: sensational **2.** ***reißerische Werbung*** hype
Reißnagel drawing pin, *AE* thumbtack [⚠ ˈθʌmtæk]
Reißverschluss zip, *AE* zipper; ***mach den Reißverschluss an deiner Jacke zu*** (*bzw.* ***auf***) zip up (*bzw.* unzip) your jacket [ˈdʒækɪt]
Reißzwecke drawing pin, *AE* thumbtack [⚠ ˈθʌmtæk]
reiten ride*; ***gut*** (*bzw.* ***schlecht***) ***reiten*** be* a good (*bzw.* bad) rider
Reiten: (***das***) ***Reiten*** riding (⚠ *ohne* the)
Reiter rider, horseman [ˈhɔːsmən]
Reiterin rider, horsewoman [ˈhɔːsˌwʊmən]
Reithose: ***eine Reithose*** (riding) breeches [⚠ ˈbrɪtʃɪz] (⚠ *Pl., ohne* a)
Reitpferd saddle (*oder* riding) horse
Reitschule riding school
Reitsport riding
Reitturnier horse show
Reitunterricht riding lessons (⚠ *Pl.*)
Reiz 1. *körperlicher, optischer*: stimulus *Pl.*: stimuli [ˈstɪmjʊlaɪ] (*auch übertragen*) **2.** (≈ *Anziehungskraft*) appeal, attraction, charm; ***ihre weiblichen Reize*** her female charms **3.** ***der Reiz des Neuen*** the novelty (appeal)
reizbar irritable [ˈɪrɪtəbl], touchy [ˈtʌtʃɪ]
reizen 1. (≈ *ärgern*) annoy [əˈnɔɪ], tease **2.** (≈ *provozieren*) provoke **3.** ***jemanden bis aufs Blut*** (*oder* ***bis zur Weißglut***) ***reizen*** make* somebody's blood boil **4.** (≈ *verlocken*) tempt, appeal to; ***reizt es dich,***

im Ausland zu arbeiten? does the idea of working abroad appeal to you?; ***es reizt mich, was ganz Neues zu machen*** I'm tempted to do something completely different
reizend 1. charming **2. *das ist ja reizend!*** *ironisch* charming!
reizlos uninteresting, boring
Reizung 1. *allg. und medizinisch*: (≈ *Verärgerung, Irritation*; *leichte Beeinträchtigung*) irritation **2.** (≈ *Anregung*) stimulation
reizvoll 1. (≈ *hübsch*) charming **2.** (≈ *interessant*) attractive; ***eine reizvolle Aufgabe*** a challenging ['tʃæləndʒɪŋ] task
Reizwäsche sexy underwear ['ʌndəweə]
rekeln: ***sich rekeln*** (≈ *sich strecken*) stretch, have* a stretch
Reklame 1. (≈ *Werbung*) advertising ['ædvətaɪzɪŋ]; ***für etwas Reklame machen*** advertise something **2.** (≈ *Anzeige*) advertisement [əd'vɜːtɪsmənt], *umg.* ad, *BE auch* advert ['ædvɜːt] **3.** *im Fernsehen*: commercials (*Pl.*), *einzelne*: commercial
reklamieren 1. complain **2. *ich habs reklamiert*** (*Ware*) I took (*bzw.* sent) it back and complained
rekonstruieren reconstruct [ˌriːkən'strʌkt]
Rekord record ['rekɔːd]; ***einen Rekord aufstellen*** (*bzw.* ***brechen***) set* up (*bzw.* break*) a record
Rekordzeit record time [ˌrekɔːd'taɪm]
Rekrut(in) recruit [rɪ'kruːt]
Rektor(in) 1. *an Schule*: headmaster [ˌhed'mɑːstə], *Frau*: headmistress [ˌhed'mɪstrəs], *AE für Mann und Frau*: principal ['prɪnsəpl] **2.** *an Universität*: vice-chancellor, principal, *AE* president
Relais *Elektrotechnik*: relay ['riːleɪ]
relativ 1. *allg.*: relative ['relətɪv] **2. *es ging*** (*oder* ***verlief***) ***relativ gut*** it went reasonably (*oder* relatively) well
Relativitätstheorie *von Einstein*: theory of relativity ['θɪərɪ‿əvˌrelə'tɪvətɪ]
Relativsatz relative clause [ˌrelətɪv'klɔːz]
relaxen relax, take* it easy, *bei Party, Rave auch*: chill (out)
Relief relief [rɪ'liːf]
Religion 1. *allg.*: religion [rɪ'lɪdʒən] **2.** *Glaube*: faith **3.** *Schulfach*: religious instruction, religious education
Religionsunterricht religious [rɪ'lɪdʒəs] instruction
religiös religious [rɪ'lɪdʒəs]
Reling (≈ *Schiffsgeländer*) railing
Reliquie relic ['relɪk]
Remis *Schach*: (≈ *Unentschieden*) draw
Remoulade tartar sauce [ˌtɑːtə'sɔːs]
rempeln 1. (≈ *schubsen*) jostle [⚠ 'dʒɒsl] **2.** *Sport*: push
Renaissance 1. *historisch*: Renaissance [rɪ'neɪsns] **2.** *übertragen* renaissance, revival
Rendezvous 1. date, rendezvous [⚠ 'rɒndɪvuː] **2.** *Raumfahrt*: docking
Rendite (≈ *Ertrag*) (net) yield
Rennbahn 1. (≈ *Pferderennbahn*) racecourse, turf, *AE* racetrack **2.** (≈ *Radrennbahn*) (cycling) track **3.** *Laufsport*: track **4.** (≈ *Autorennbahn*) racetrack, circuit ['sɜːkɪt], *bes. für Motorräder*: speedway
Rennboot speedboat
rennen 1. (≈ *schnell laufen*) run* **2. *gegen etwas rennen*** run* (*oder* bump) into something **3. *um die Wette rennen*** have* a race **4. *er rennt wegen jeder Kleinigkeit zum Chef*** he goes running to the boss for every little thing **5. *jemanden über den Haufen rennen*** knock someone over
Rennen 1. *allg.*: running **2.** *Sport*: race **3. *totes Rennen*** dead heat **4.** *Wendungen*: ***das Rennen machen*** *übertragen* come* out on top; ***das Rennen ist gelaufen*** *übertragen* it's all over; ***er ist aus dem Rennen*** *übertragen* he's out of the running
Renner *umg.* (≈ *Erfolg*) hit, winner
Rennpferd racehorse
Rennfahrer(in) racing driver
Rennrad racing bike
Rennsport racing
renommiert famous ['feɪməs], noted (***wegen, für*** for)
renovieren 1. renovate ['renəveɪt], *umg.* do* up (*Gebäude*) **2.** (≈ *streichen, tapezieren*) redecorate [riː'dekəreɪt] (*Zimmer*)
Renovierung 1. renovation [ˌrenə'veɪʃn] **2.** *von Zimmer*: redecorating [riː'dekəreɪtɪŋ]; ***die Renovierung des Zimmers war teuer*** redecorating the room was expensive
rentabel *Geschäft usw.*: profitable ['prɒfɪtəbl]
Rente 1. pension ['penʃn] (⚠ *engl.* rent = ***Miete***) **2. *in Rente gehen*** retire
Rentenversicherung pension scheme ['penʃn‿skiːm]
Rentier reindeer ['reɪndɪə]
rentieren: ***sich rentieren*** be* profitable ['prɒfɪtəbl], *auch im weiteren Sinn*: pay*, be* worthwhile [ˌwɜːθ'waɪl]
Rentner(in) pensioner, senior citizen
Reparatur repair (*oft Pl.*); ***etwas in Reparatur geben*** have* something repaired
Reparaturwerkstatt 1. *für Autos*: garage

['gærɑːʒ] **2.** *für Fahrräder usw.*: workshop, *AE* repair shop
reparieren repair, mend, *umg.* fix
Reportage report
Reporter(in) reporter
repräsentativ 1. (≈ *typisch*) representative [ˌreprɪ'zentətɪv] (***für*** of) **2.** *Auto, Haus usw.*: prestige … [pre'stiːʒ] (⚠ *nur* <u>*vor*</u> *dem Subst.*)
reprivatisieren denationalize [ˌdiː'næʃnəlaɪz]
Reproduktion 1. *allg.*: (≈ *Nachbildung*) reproduction [ˌriːprə'dʌkʃn] **2.** (≈ *Bild*) *auch* print
Reptil reptile ['reptaɪl]
Republik republic [rɪ'pʌblɪk]
Republikaner(in) 1. *allg.*: republican [rɪ'pʌblɪkən] **2.** ***die Republikaner*** *Pl., als Partei*: the Republicans
republikanisch republican
resch *bes.* Ⓐ (≈ *knusprig*) crunchy, crisp
Reservat 1. (≈ *Naturschutzgebiet*) nature reserve (*AE* preserve) **2.** *für Ureinwohner*: reservation
Reserve 1. (≈ *Vorrat*) reserve supply; ***etwas in Reserve haben*** have* something in reserve **2.** *Sport*: reserve team, reserves (⚠ *Pl.*) **3.** (≈ *Zurückhaltung*) reserve; ***jemanden aus der Reserve locken*** bring* someone out of his (*bzw.* her) shell
Reservebank *Sport*: substitutes' bench
Reservekanister spare (*BE auch* jerry) can
Reserverad spare wheel
Reservespieler(in) *Sport*: reserve, substitute
reservieren reserve
reserviert reserved (*auch übertragen*)
Residenz (≈ *Wohnsitz eines Staatsoberhauptes usw.*) residence ['rezɪdəns]
Resignation resignation [ˌrezɪg'neɪʃn]
resignieren give* up
resolut resolute ['rezəluːt], determined [dɪ'tɜːmɪnd], *Persönlichkeit*: forceful
Resonanz 1. *Musik usw.*: resonance ['rezənəns] **2.** *übertragen* response [rɪ'spɒns]
resozialisieren rehabilitate [ˌriː(h)ə'bɪlɪteɪt] (*einen Straffälligen, Alkoholiker usw.*)
Respekt 1. respect (***vor*** for) **2.** ***vor jemandem Respekt haben*** respect someone **3.** ***jemandem Respekt einflößen*** teach* someone a bit of respect **4.** ***bei allem Respekt*** with all due respect
respektabel respectable [rɪ'spektəbl]
respektieren respect
respektlos disrespectful [ˌdɪsrɪ'spektfl]
Respektsperson figure of authority
respektvoll respectful [rɪ'spektfl]
Rest 1. rest **2.** ***der letzte Rest*** the last bit *bzw.* bits (*Pl.*) **3.** ***der Rest ist für Sie*** *zu Bedienung*: keep the change **4.** ***das gab ihm den Rest*** *umg.* that finished him off **5.** ***Reste*** *von Bauwerk, Kultur usw.*: remains [rɪ'meɪnz] **6.** ***Reste*** *von Essen*: leftovers ['leftˌəʊvəz] **7.** *Mathematik*: remainder
Restaurant restaurant ['restərɒnt]
restaurieren restore
Restaurierung restoration [ˌrestə'reɪʃn]
restlich 1. remaining **2.** ***der restliche Zucker*** (*bzw.* ***Abend*** *usw.*) the rest of the sugar (*bzw.* evening *usw.*)
restlos 1. complete, total **2.** ***restlos zufrieden*** completely (*oder* perfectly) satisfied **3.** ***restlos ausverkauft*** completely sold out **4.** ***restlos erledigt*** *umg.* done for, *körperlich*: absolutely whacked [wækt]
Resultat result
resultieren result (***aus*** from)
Retortenbaby test-tube baby
retour: ***einmal Wien und retour*** a return to Vienna, *AE* a round trip to Vienna
retten 1. save, *bes. aus Gefahr*: rescue ['reskjuː] (*beide* ***aus, vor*** from) **2.** ***jemandem das Leben retten*** save someone's life; ***jemanden vor dem Ertrinken retten*** save someone from drowning **3.** ***sich retten*** escape (***vor*** from) **4.** ***ich kann mich vor Arbeit nicht mehr retten*** I'm snowed under with work
Rettich radish ['rædɪʃ]
Rettung 1. *aus Gefahr*: rescue ['reskjuː] **2.** Ⓐ (≈ *Rettungsdienst*) ambulance service **3.** Ⓐ (≈ *Rettungswagen*) ambulance
Rettungsaktion rescue ['reskjuː] operation (*auch übertragen*)
Rettungsboot lifeboat
Rettungshubschrauber rescue helicopter ['reskjuː‿helɪˌkɒptə]
rettungslos hopeless; ***er ist rettungslos in sie verliebt*** he's hopelessly in love <u>with</u> her
Rettungsmannschaft rescue ['reskjuː] party (*oder* team)
Rettungsring lifebelt, *AE* life preserver
Rettungsschwimmer(in) lifeguard
Rettungswagen ambulance ['æmbjələns]
Return-Taste *Computer*: return key
retuschieren touch up [ˌtʌtʃ'ʌp] (*Foto usw.*)
Reue 1. remorse [rɪ'mɔːs] (***über*** for) **2.** *religiös*: repentance [rɪ'pentəns] (***über*** for)
reuen 1. ***seine Tat*** (***das Geld***) ***reute ihn*** he regretted what he had done (the money wasted) **2.** ***es reut mich, dass ich es nicht getan habe*** I'm sorry (that) I didn't do it

R

reuevoll, reumütig repentant [rɪ'pentənt]
Revanche revenge [rɪ'vendʒ]
revanchieren 1. ***sich revanchieren*** *als Rache*: take* revenge **2.** ***ich werde mich revanchieren*** *als Dank*: I'll pay you back
Revier 1. (≈ *Polizeibezirk*) district ['dɪstrɪkt] **2.** (≈ *Polizeiwache*) police station **3.** *eines Tiers*: territory **4.** (≈ *Waldgebiet*) district, range
Revolution revolution [ˌrevə'luːʃn]
revolutionär revolutionary [ˌrevə'luːʃənrɪ]
Revolutionär(in) revolutionary [ˌrevə'luːʃənrɪ]
revolutionieren (≈ *grundlegend umgestalten*) revolutionize [ˌrevə'luːʃnaɪz]
Revolver revolver, *umg.* gun
Revue 1. *im Theater*: revue [rɪ'vjuː] **2.** (≈ *Zeitschrift*) review [rɪ'vjuː]
Rezept 1. *vom Arzt*: prescription [prɪ'skrɪpʃn] (⚠ *engl.* receipt = ***Quittung***); ***das gibts nur auf Rezept*** you can only get that on prescription **2.** (≈ *Kochrezept*) recipe [⚠ 'resəpɪ] **3.** *übertragen* remedy ['remədɪ], cure

Rezept

recipe

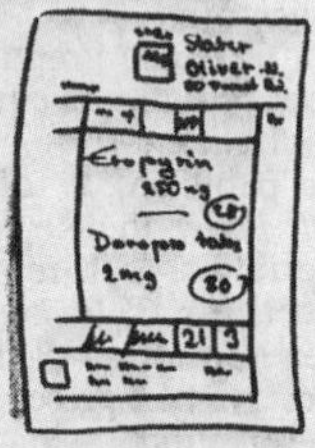

prescription

Rezept **recipe/ prescription**

Mach bitte nicht den Fehler, „Rezept" mit **receipt** gleichzusetzen: Letzteres ist die Quittung bzw. der Kassenbon.

Die richtigen Übersetzungen für Rezept sind:

1. **recipe**

ein Rezept für einen Kuchen	**a recipe for a cake**

2. **prescription**

Der Arzt stellte ein Rezept aus.	**The doctor wrote out a prescription.**

rezeptfrei 1. ***rezeptfreies Medikament*** over-the-counter (*oder* non-prescription) medicine ['medsn] **2.** ***es ist rezeptfrei*** you can get it without a prescription
Rezeption *in Hotel usw.*: reception (desk)
rezeptpflichtig prescription-only (⚠ *mst. vor dem Subst.*); ***es ist rezeptpflichtig*** *auch* it's only available on prescription
Rezession (≈ *Konjunkturabschwung*) recession, economic downturn; ***das Land steckt in einer Rezession*** the country is in recession (⚠ *ohne* a)
Rhabarber rhubarb ['ruːbɑːb]
Rhein: ***der Rhein*** the Rhine [raɪn]
Rheinländer(in) Rhinelander
Rheinland-Pfalz Rhineland-Palatinate [ˌraɪnlænd‿pə'lætɪnət]
Rheuma rheumatism ['ruːmətɪzm]

Fruit and Vegetables Obst und Gemüse

1	pineapples	Ananas	9	cucumbers	Gurken
2	apples	Äpfel	10	courgettes, *AE* zucchini	Zucchini
3	cherries	Kirschen	11	tomatoes	Tomaten
4	plums	Pflaumen	12	carrots	Karotten
5	grapes	Trauben	13	potatoes	Kartoffeln
6	bananas	Bananen	14	celery	Sellerie
7	oranges	Orangen	15	cabbages	Kohlköpfe
8	kiwi fruit	Kiwis			

How much **are** these apples? 85p **a** kilo.	Wie viel kosten diese Äpfel? 85 Pence das Kilo.

Fruit and Vegetables

At the Post Office

Rhinozeros *Tier*: rhinoceros [raɪ'nɒsərəs], *umg.* rhino ['raɪnəʊ]

rhythmisch rhythmic(al) ['rɪðmɪk(l)]; ***rhythmische Gymnastik*** rhythmic gymnastics [dʒɪm'næstɪks] (⚠ *nur im Sg. verwendet*); ***rhythmische Bewegungen*** rhythmic(al) movements

Rhythmus rhythm ['rɪðəm]

Ribisel Ⓐ (≈ *Johannisbeere*) redcurrant [ˌred'kʌrənt] *bzw.* blackcurrant

richten[1] **1.** (≈ *lenken*) direct [də'rekt] (***auf*** at, towards); ***eine Frage an jemanden richten*** put* a question to someone **2.** point (*Waffe, Kamera*) (***auf*** at) **3.** (≈ *adressieren*) address (*Brief, Anfrage usw.*) (***an*** to) **4.** *umg.* (≈ *reparieren*) repair, fix **5.** ***sich richten nach*** (*Regel, Bestimmungen usw.*) keep* to; ***sich nach der Mode richten*** follow the fashion(s); ***ich richte mich ganz nach dir*** whatever suits you best **6.** ***sich nach etwas richten*** (≈ *abhängen von etwas*) depend on **7.** ***sich an jemanden richten*** (≈ *wenden*) turn to someone

richten[2] (≈ *ein Urteil fällen*) judge [dʒʌdʒ] (***über*** on); ***über jemanden richten*** *auch* pass judgment on someone

Richter(in) judge [dʒʌdʒ]

Richter-Skala Richter scale; ***das Beben erreichte Stärke acht auf der Richter-Skala*** the earthquake registered eight on the Richter scale

Richtgeschwindigkeit *im Verkehr*: recommended speed [ˌrekəmendɪd'spiːd]

richtig 1. *allg.*: right; ***sehe ich das richtig?*** am I right?; ***du kommst gerade richtig*** (≈ *zum richtigen Zeitpunkt*) you've come just at the right moment, *ironisch* you're the last thing I need **2.** (≈ *fehlerfrei*) correct **3.** ***mach es richtig!*** do it properly! **4.** (≈ *echt, wirklich*) genuine ['dʒenjʊɪn], true **5.** ***er ist richtig nett*** he's really nice **6.** (≈ *gerecht*) fair; ***ich finde das nicht richtig*** I don't think it's right **7.** ***etwas richtig stellen*** put something right, correct something

Richtige(r, -s) 1. ***er ist der Richtige*** he's the right man **2.** ***du bist mir der Richtige!*** you're a fine one! **3.** ***ich habe seit Tagen nichts Richtiges gegessen*** I haven't eaten properly for days

Richtlinie guideline ['gaɪdlaɪn]

Richtung 1. direction [də'rekʃn]; ***aus allen Richtungen*** from all directions; ***in Richtung auf*** in the direction of, towards; ***ich ging in südlicher Richtung*** I was walking south **2.** (≈ *Trend, Tendenz*) trend, tendency ['tendənsɪ]; ***ein Schritt in die richtige Richtung*** a step in the right direction

Richtwert 1. *allg.*: index, *Zahlenwert*: guide [gaɪd] number(s *Pl.*) **2.** *übertragen* guideline

riechen 1. smell* (***nach*** of); ***es riecht nach Brathähnchen*** *auch*: I can smell roast chicken; ***du riechst aus dem Mund*** your breath smells **2.** ***an etwas riechen*** smell* (*oder* sniff) at something **3.** ***riech mal!*** smell this **4.** ***ich kann ihn nicht riechen*** *übertragen* I can't stand him **5.** ***das konnte ich nicht riechen*** how was I to know?

Riecher *umg.* nose; ***einen guten Riecher für etwas haben*** have* a good nose for something

Riege *beim Turnen*: squad [skwɒd] (*auch übertragen*)

Riegel 1. *an Tür*: bolt; ***den Riegel vorlegen*** bolt the door **2.** ***einer Sache einen***

At the Post Office Auf dem Postamt

1	letterbox, *AE* mailbox	Briefkasten
2	stamp(s)	Briefmarke(n)
3	post office clerk	Postangestellte(r)
4	(parcels) counter	(Paket)Schalter
5	customer	Kundin, Kunde
6	telephone directory	Telefonbuch
7	form(s)	Formular(e)
8	phone box, *AE* phone booth	Telefon(zelle)

How much is a letter to Germany? — Wie viel kostet ein Brief nach Deutschland?

Die Bearbeitung von Postsendungen erfolgt in Großbritannien **first class** oder **second class**. **First class** ist etwas teurer als **second class**, aber dafür erreichen 95% dieser Sendungen am nächsten Morgen ihren Zielort. Im Unterschied zu **second class** gibt es bei **first class** auch zwei Postzustellungen (**two deliveries**) am Vormittag.

Riegel vorschieben *übertragen* put* a stop to something **3.** *Schokoriegel usw.*: bar
Riemen **1.** *aus Leder usw.*: strap **2.** *in Motor, Maschine*: belt
Riese giant ['dʒaɪənt] (*auch übertragen*)
rieseln **1.** (*Wasser, Sand*) trickle **2.** (*Schnee*) fall* softly
Riesen... *in Zusammensetzungen*: giant ['dʒaɪənt] …, gigantic [dʒaɪ'gæntɪk] …, huge [hjuːdʒ] …, tremendous [trə'mendəs] …; ***Riesenappetit*** huge appetite; ***Riesenerfolg*** huge success; ***Riesenfehler*** huge blunder; ***Riesenslalom*** giant slalom
riesengroß gigantic [dʒaɪ'gæntɪk], enormous [ɪ'nɔːməs], huge [hjuːdʒ] (*alle auch übertragen*)
Riesenrad Ferris wheel ['ferɪs‿wiːl], big wheel
Riesenschlange boa (constrictor) ['bəʊə (ˌbəʊə‿kən'strɪktə)]
riesig **1.** gigantic [dʒaɪ'gæntɪk], enormous, huge [hjuːdʒ] (*alle auch übertragen*) **2.** ***sich riesig freuen*** be* delighted **3.** ***das ist ja riesig!*** *umg.* that's tremendous [trə'mendəs]!, *BE auch* that's brilliant!
Riff *im Meer*: reef
Rille groove
Rind **1.** *Kuh*: cow **2.** *Stier*: bull [⚠ bʊl] **3.** *Fleisch*: beef **4.** ***Rinder*** cattle (⚠ *mit Pl.*)
Rinde **1.** (≈ *Baumrinde*) bark **2.** (≈ *Brotrinde*) crust **3.** (≈ *Käserinde*) rind [raɪnd]
Rinderbraten roast beef [ˌrəʊst'biːf]
Rinderwahn(sinn) *Krankheit*: mad cow disease [ˌmæd'kaʊ‿dɪˌziːz]; ☞ ***BSE***
Rindfleisch beef
Rindsuppe Ⓐ (≈ *Fleischbrühe*) broth, consommé [kɒn'sɒmeɪ]
Rindvieh **1.** cattle (⚠ *mit Pl.*) **2.** *umg.* (≈ *Idiot*) blockhead, stupid ass
Ring **1.** *allg.*: ring **2.** *Straße*: ring road
Ringbuch ring binder ['rɪŋˌbaɪndə]
ringeln **1.** curl (*Haare, Schwanz*) **2.** coil, twine (***um*** around) **3.** ***sich ringeln*** curl, coil oneself, (≈ *sich schlängeln*) wind [waɪnd], meander [mɪ'ændə]
Ringelspiel Ⓐ (≈ *Karussell*) merry-go-round ['merɪgəʊˌraʊnd], *BE auch* roundabout, *AE auch* carousel [ˌkærə'sel]
ringen **1.** *Sport*: wrestle [⚠ 'resl] **2.** ***ringen mit*** *übertragen* wrestle with, grapple with; ***mit sich ringen*** wrestle with oneself; ***nach Atem ringen*** gasp [gɑːsp] for breath [breθ]; ***nach Worten ringen*** struggle for words **3.** ***sie rang verzweifelt die Hände*** she was wringing her hands in despair
Ringen *Sport*: wrestling [⚠ 'reslɪŋ]
Ringer(in) *Sport*: wrestler [⚠ 'reslə]
ringförmig ring-shaped, *förmlich* annular ['ænjʊlə]
Ringkampf wrestling [⚠ 'reslɪŋ] (match)
Ringrichter(in) *Boxen*: referee [ˌrefə'riː]
rings: ***rings um*** all around, all the way round
ringsum **1.** round about; ***ein Tümpel mit einem Zaun ringsum*** a pond surrounded by a fence **2.** (≈ *überall*) everywhere
rinnen **1.** *allg.*: run*, flow **2.** (≈ *tröpfeln*) drip, trickle **3.** (≈ *lecken*) leak
Rippe rib
Rippenfellentzündung *Krankheit*: pleurisy ['plʊərəsɪ]
Risiko risk; ***ein Risiko eingehen*** take* a risk; ***auf dein eigenes Risiko*** at your own risk
risikofreudig venturesome, prepared to take a risk (*oder* risks) (⚠ *Letzteres immer hinter dem Subst.*)
Risikogruppe high-risk group
riskant risky
riskieren risk; ***etwas riskieren*** take* a risk; ***riskiers!*** go on, risk it!; ***er riskiert seinen Job*** he risks losing his job
Riss **1.** *in Papier, Stoff usw.*: tear [⚠ teə] **2.** (≈ *Sprung*) crack **3.** *übertragen*; *in Freundschaft usw.*: rift
rissig *allg.*: cracked, *Haut*: chapped [tʃæpt]; ***rissig werden*** crack, *Haut*: chap; ***rissige Hände*** chapped hands
Ritt ride (on horseback)
Ritter knight [⚠ naɪt]
ritterlich **1.** knightly [⚠ 'naɪtlɪ] **2.** *übertragen* chivalrous ['ʃɪvlrəs]
Ritual ritual ['rɪtʃʊəl]
Ritze crack, gap, chink
Ritzel (≈ *Zahnkranz in Fahrradschaltung*) sprocket wheel ['sprɒkɪt‿wiːl]
ritzen carve (*Buchstaben in Baum usw.*)
Rivale, Rivalin rival ['raɪvl]
rivalisieren: ***mit jemandem rivalisieren*** compete with someone
Rivalität rivalry ['raɪvlrɪ]
Robbe seal
Roboter robot ['rəʊbɒt]
robust **1.** *allg.*: robust [rəʊ'bʌst], *Person auch*: sturdy **2.** *Schuhe*: stout, sturdy **3.** *Gerät, Maschine, Fahrzeug, Flugzeug usw.*: rugged [⚠ 'rʌgɪd]
röcheln **1.** *allg.*: breathe [briːð] noisily (*förmlich* stertorously ['stɜːtərəslɪ]) **2.** *Sterbender*: give* the death rattle
Rochen *Fisch*: ray
Rock[1] *Kleidungsstück*: skirt [skɜːt]
Rock[2] *Musikrichtung*: rock, rock music
Rodel toboggan [tə'bɒgən], sledge
Rodelbahn toboggan run [tə'bɒgən‿rʌn]

R

rodeln toboggan [tə'bɒgən], go* tobogganing, go* sledging
roden clear (*Wald, Land*)
Rogen *eines Fisches*: roe [rəʊ]
Roggen rye [raɪ]
Roggenbrot rye bread ['raɪ‿bred]
roh **1.** *Lebensmittel*: raw [rɔː]; ***roher Schinken*** uncooked ham **2.** *Entwurf usw.*: rough [rʌf] **3.** *Person*: rough, coarse [kɔːs]; ***mit roher Gewalt*** with brute force
Rohbau *von Gebäude*: shell; ***im Rohbau fertig*** structurally complete
Rohentwurf, **Rohfassung** rough draft [ˌrʌf'drɑːft]
Rohheit **1.** *Art, Charakter*: roughness ['rʌfnəs], *stärker*: brutality [brʊ'tælətɪ] **2.** *Tat*: brutal act [ˌbruːtl'ækt]
Rohkost raw vegetables and fruit (⚠ *Pl.*)
Rohling **1.** *aus Holz oder Metall*: blank **2.** *CD*: blank CD [ˌblæŋk‿siː'diː]
Rohmaterial raw material
Rohöl crude oil
Rohr **1.** (≈ *Leitungsrohr*) pipe **2.** *bes.* Ⓐ (≈ *Backofen*) oven ['ʌvn]
Röhrchen: ***ins Röhrchen blasen*** (***müssen***) *umg.* be* breathalyzed [⚠ 'breθəlaɪzd]
Röhre **1.** tube **2.** (≈ *Leitungsröhre*) pipe **3.** (≈ *Bratröhre*) oven [⚠ 'ʌvn] **4.** ***in die Röhre gucken*** *umg.* (≈ *fernsehen*) sit* in front of the box **5.** ***in die Röhre gucken*** *umg.* (≈ *leer ausgehen*) be* left high and dry
Rohrzange pipe wrench [⚠ 'paɪp‿rentʃ]
Rohstoff raw [rɔː] material
Rollbahn *auf Flughafen*: taxiway
Rolle **1.** *in Film, Theaterstück*: role, part; ***er lernt seine Rolle*** he's learning his lines (*Pl.*) *oder* part **2.** ***eine Rolle spielen*** *übertragen* play a part (*oder* role) (***bei, in*** in); ***das spielt keine Rolle*** it doesn't matter, it doesn't make any difference; ***aus der Rolle fallen*** forget* oneself **3.** (≈ *Walze*) roller, cylinder ['sɪlɪndə] **4.** *etwas Zusammengerolltes*: roll **5.** *Turnen*: roll; ***eine Rolle rückwärts*** a backward roll
rollen **1.** *allg.*: roll; ***sie rollte die Augen*** she rolled her eyes **2.** (*Flugzeug zum Start usw.*) taxi **3.** (*Donner*) rumble
Rollen **1.** *allg.*: rolling **2.** ***die Sache ins Rollen bringen*** *übertragen* get* the ball rolling
Rollenspiel *im Unterricht usw.* **1.** *konkretes Spiel*: role play **2.** ***das Rollenspiel*** *als Methode*: role playing (⚠ *ohne* the)
Roller scooter; ***Roller fahren*** ride* a scooter
Rollkragenpullover polo neck, polo-neck sweater (*oder* pullover), *AE* turtleneck
Rollladen shutters (⚠ *Pl.*)
Rollo blind, *AE* shade
Rollschuh roller skate; ***Rollschuh laufen*** roller-skate, go* roller-skating
Rollschuhläufer(in) roller-skater
Rollstuhl wheelchair
Rollstuhlfahrer(in) wheelchair user; ***er ist Rollstuhlfahrer*** he's in a wheelchair
Rolltreppe escalator ['eskəleɪtə]
Rom *in Italien*: Rome [rəʊm]
ROM *Computer*: ROM, read only memory
Roman novel ['nɒvl]
romanisch **1.** *Sprache, Literatur*: Romance [rəʊ'mæns] **2.** *Stil*: Romanesque [ˌrəʊmə'nesk]
Romantik **1.** *Kunstepoche*: Romanticism [rəʊ'mæntɪsɪzm] **2.** *Stimmung usw.*: romantic atmosphere, romance [rəʊ'mæns]
romantisch **1.** *Kunst*: Romantic **2.** *Stimmung, Person usw.*: romantic
Römer *historisch*: Roman ['rəʊmən]
Römerin Roman (woman *bzw.* girl)
römisch Roman ['rəʊmən]; ***römische Ziffer*** Roman numeral ['njuːmrəl]
Rommé, **Rommee** *Kartenspiel*: rummy
röntgen X-ray ['eksreɪ]
Röntgenaufnahme, **Röntgenbild** X-ray
Röntgenstrahlen X-rays ['eksreɪz]
Rosa pink (⚠ *deutsch* ***Pink*** = shocking pink)
rosa, **rosafarben**, **rosarot** **1.** pink **2.** ***die Dinge durch eine rosarote Brille sehen*** see* the world through rose-tinted spectacles ['spektəklz]
Rose rose
Rosenkohl Brussels sprouts (⚠ *Pl.*)
rosig **1.** *Wangen usw.*: rosy **2.** *übertragen* rosy; ***es sieht nicht gerade rosig aus*** things look pretty grim
Rosine **1.** raisin **2.** ***sich die Rosinen herauspicken*** *umg.* take* the pick of the bunch
Rosmarin *Gewürzpflanze*: rosemary ['rəʊzmərɪ]
Rost[1] *an Metall*: rust; ***Rost ansetzen*** *auch übertragen* get* rusty
Rost[2] **1.** (≈ *Feuerrost*) grate **2.** (≈ *Gitterrost*) grille, grating **3.** (≈ *Bratrost*) grill
Rostbraten *bes.* Ⓐ side of beef
rosten **1.** rust, go* (*oder* get*) rusty **2.** *übertragen* get* rusty
rösten **1.** roast, grill (*Fleisch*) **2.** toast (*Brot*) **3.** fry (*Kartoffeln*)
rostfrei **1.** rustproof **2.** *Stahl*: stainless
Rösti *Pl.* Ⓒⓗ fried shredded potatoes with onion ['ʌnjən], roesti potatoes
rostig rusty
Röstkartoffeln fried potatoes
rot **1.** red; ***rot werden*** *vor Verlegenheit*

R

blush, go* red **2. *rote Karte*** *Sport*: red card **3. *das Rote Kreuz*** the Red Cross

Rot 1. *allg.*: red **2.** *an Verkehrsampel*: red, red light; ***bei Rot über die Ampel fahren*** jump the lights, *AE* jump a red light

Rotation rotation

Rote(r) *politisch*: Red, *umg.* commie

Röteln *Pl.* German measles ['miːzlz] (⚠ *mit Verb im Singular*); ***sie hat Röteln*** she's got German measles

röten 1. (≈ *rot machen*) redden **2. *sich röten*** redden, turn red

rothaarig red-haired

Rothaarige(r) redhead

rotieren 1. (≈ *sich drehen*) rotate, revolve **2.** *umg.* (≈ *durchdrehen*) get* into a flap; ***ich bin voll am Rotieren*** *umg.* I don't know whether I'm coming or going

Rotkohl, Rotkraut red cabbage ['kæbɪdʒ]

rötlich reddish

rotsehen *umg.* see* red

Rotstift 1. *Malstift*: red pencil **2.** *Kugelschreiber usw.*: red pen **3.** *Wendungen*: ***den Rotstift ansetzen*** make* cuts

Rötung reddening

Rotwein red wine

Rotz 1. *vulgär* snot **2. *er hat Rotz und Wasser geheult*** *umg.* he bawled his eyes out

rotzfrech *umg.* cheeky, cocky

Rouge rouge [ruːʒ]

Roulade (≈ *Fleischrolle*) *etwa* beef (pork *usw.*) olive ['ɒlɪv]

Route route [ruːt]; ***wir nehmen immer die Route über den Brenner*** we always go via the Brenner Pass

Routine 1. routine (*auch in der EDV*) **2.** (≈ *Erfahrung, Übung*) practice, experience

routiniert experienced

Rowdy lout [laʊt], hooligan, *BE auch* yob

Rubbellos scratchcard

rubbeln 1. (≈ *reiben*) rub **2.** *Lotterie*: scratch, buy* scratchcards

Rübe 1. *Pflanze*: turnip **2. *Rote Rübe*** beetroot **3. *Gelbe Rübe*** carrot ['kærət] **4.** *umg.* (≈ *Kopf*) nut; ***eins auf die Rübe kriegen*** get* bashed on the nut

Rubel 1. rouble ['ruːbl] **2. *der Rubel rollt*** *umg.* the money's rolling in

rüber *umg.* **1.** → ***herüber*** **2.** → ***hinüber***

rüberkommen *umg.* **1.** (≈ *herüberkommen*) come* over **2.** *übertragen* (≈ *verstanden werden*) come* across

Rubin ruby ['ruːbɪ]

Rubrik 1. *in Zeitung*: heading ['hedɪŋ], (≈ *Spalte*) column [⚠ 'kɒləm] **2.** (≈ *Klasse, Kategorie*) category ['kætəgərɪ]

Ruck 1. jerk [dʒɜːk] **2. *sich einen Ruck geben*** *übertragen* pull oneself together

ruckartig 1. jerky ['dʒɜːkɪ] **2. *er blieb ruckartig stehen*** he stopped with a jerk

Rückblende *Film usw.*: flashback (***auf*** to)

rücken 1. move [muːv], shift (*Tisch, Stuhl usw.*); ***das Bett an die Wand rücken*** move the bed against the wall **2.** (≈ *Platz machen*) move over; ***könntest du bitte ein bisschen rücken?*** could you move over a bit, please? **3. *er ist nicht von der Stelle gerückt*** he wouldn't budge

Rücken 1. back **2. *jemandem in den Rücken fallen*** *übertragen* stab someone in the back **3. *es lief ihr (heiß und) kalt über den Rücken*** it sent shivers down her spine

Rückendeckung *übertragen* backing, support [sə'pɔːt]

rückenfrei *Shirt usw.*: backless, halterneck ['hɔːltənek]

Rückenlehne back, backrest

Rückenmark spinal cord [ˌspaɪnl'kɔːd] (*oder* marrow)

Rückenschmerzen backache ['bækeɪk] (⚠ *Sg.*); ***ich habe Rückenschmerzen*** I've got (a) backache

Rückenschwimmen backstroke

Rückenwind tailwind; ***wir hatten Rückenwind*** we had the wind behind us

Rückfahrkarte return ticket, *AE* round-trip ticket

Rückfahrt return journey, *bes. AE* return trip; ***auf der Rückfahrt*** on the way back

rückfällig relapsing [rɪ'læpsɪŋ], *förmlich* recidivist [rɪ'sɪdɪvɪst] (⚠ *beide nur vor dem Subst.*); ***rückfällig werden*** relapse [rɪ'læps]

Rückfenster rear window

Rückflug return flight

Rückfrage further inquiry [ɪn'kwaɪrɪ]; ***bitte wenden Sie sich bei Rückfragen an ...*** if you have any queries, please contact ...

Rückgabe 1. (≈ *das Zurückgeben*) return **2.** *Fußball*: back pass

Rückgang decline, drop; ***ein Rückgang der Arbeitslosenzahlen*** a drop in unemployment figures (⚠ *ohne* the)

Rückgrat 1. (≈ *Wirbelsäule*) spine, vertebral column [ˌvɜːtɪbrəl'kɒləm] **2. *er hat kein Rückgrat*** *übertragen* he's got no backbone

Rückhand *im Tennis usw.*: backhand

Rückkehr return; ***bei ihrer Rückkehr*** on her return, when she got back (*Vergangenheit*), when she gets back (*Zukunft*)

Rückkopp(e)lung *zwischen Mikro und Lautsprecher*: feedback (*auch übertragen*)

rückläufig falling, declining; ***rückläufige Tendenz*** downward tendency ['tendənsɪ]

Rücklicht *bei Auto usw.*: rear light, tail light

rücklings 1. (≈ *auf dem Rücken*) on one's back **2.** (≈ *mit dem Gesicht nach hinten*) facing backwards ['bækwədz] **3.** (≈ *nach hinten*) backwards **4.** (≈ *von hinten*) from behind

Rückporto return postage ['pəʊstɪdʒ]

Rückreise return journey, return trip; ***auf der Rückreise*** on the way back

Rucksack rucksack [⚠ 'rʌksæk], *bes. AE* backpack

Rucksacktourist(in) backpacker

Rückschlag 1. (≈ *Misserfolg*) setback **2.** *nach Krankheit*: relapse [rɪ'læps] **3.** *im Tennis usw.*: return

Rückschritt step back(ward ['bækwəd])

Rückseite 1. ↔ *Vorderseite*: back; ***bitte unterschreiben Sie auf der Rückseite des Schecks*** please sign (on) the back of the cheque **2.** *hinterer Teil eines Autos usw.*: rear ['rɪə] **3.** ***siehe Rückseite!*** see overleaf (⚠ *engl.* backside = *umg.* ***Hintern***)

Rücksicht consideration; ***aus*** (*oder* ***mit***) ***Rücksicht auf*** out of consideration for; ***auf jemanden Rücksicht nehmen*** show consideration for someone

rücksichtslos 1. inconsiderate [ˌɪnkən'sɪdərət], thoughtless **2.** ***ein rücksichtsloser Autofahrer*** a reckless driver

Rücksichtslosigkeit lack of consideration

rücksichtsvoll considerate [kən'sɪdərət] (***gegen*** to, towards)

Rücksitz 1. *im Auto*: back seat **2.** *von Motorrad*: pillion ['pɪljən] (seat)

Rückspiegel 1. *innen*: (rear-view) mirror **2.** *außen*: (wing) mirror

Rückspiel *Sport*: return match

Rückstand 1. *von chemischen Stoffen*: residue ['rezɪdjuː] **2.** ***sie sind zwei Tore im Rückstand*** they're two goals down **3.** ***im Rückstand sein mit*** (*Arbeit, Miete usw.*) be* behind with **4.** ***einen Rückstand wieder aufholen*** *Sport*: catch* up (with someone)

rückständig *allg.*: backward ['bækwəd], *Land auch*: underdeveloped

Rückstoß *einer Schusswaffe*: recoil ['riːkɔɪl]

Rückstrahler *an Fahrzeug*: reflector [rɪ'flektə]

Rücktaste 1. *Computer*: backspace key, backspacer **2.** *Tonbandgerät usw.*: rewind key ['riːwaɪnd‿kiː]

Rücktritt *vom Amt*: resignation [ˌrezɪg'neɪʃn]; ***er erklärte seinen Rücktritt*** he handed in his resignation

Rücktrittbremse *am Fahrrad*: backpedal ['bækˌpedl] brake, *AE* coaster brake

rückwärts 1. backwards ['bækwədz] **2.** ***rückwärts einparken*** reverse (*oder* back) into a parking space

Rückwärtsgang *im Auto*: reverse [rɪ'vɜːs], reverse gear; ***im Rückwärtsgang*** in reverse (⚠ *ohne* the)

Rückweg way back (*oder* home); ***auf dem Rückweg*** on the way back (*oder* home)

rückwirkend 1. *Steuererhöhung usw.*: retrospective [ˌretrəʊ'spektɪv] **2.** ***… gilt rückwirkend ab*** will be (*bzw.* has been) backdated to …

Rückzieher 1. *im Fußball*: overhead kick **2.** ***er hatte versprochen zu helfen, doch dann machte er einen Rückzieher*** he had promised to help, but then he backed out

Rückzug retreat [rɪ'triːt] (*auch übertragen*)

Rüde 1. *Hund*: dog **2.** *Wolf, Fuchs*: male (wolf [wʊlf] *bzw.* fox)

Rudel 1. *Hirsche*: herd [hɜːd] **2.** *Wölfe*: pack **3.** *übertragen* swarm [swɔːm], horde [hɔːd]

Ruder 1. (≈ *Paddel*) oar [ɔː] **2.** (≈ *Steuerruder*) helm, wheel

Ruderboot rowing boat, *AE* rowboat

Ruderer rower, oarsman ['ɔːzmən]

Ruderin rower, oarswoman ['ɔːzˌwʊmən]

rudern row [rəʊ]

Rudern rowing ['rəʊɪŋ]

Ruderregatta boat race, (rowing) regatta [rɪ'gætə ('rəʊɪŋ‿rɪˌgætə)]

Ruf 1. (≈ *Schrei*) shout, cry **2.** *von Tier*: call **3.** *übertragen* call; ***der Ruf nach Frieden*** the call for peace **4.** (≈ *Ansehen*) reputation; ***er ist besser als sein Ruf*** he's better than people make him out to be

rufen 1. shout; ***um Hilfe rufen*** call (*oder* cry) for help **2.** (*Vögel usw.*) call **3.** ***die Pflicht*** (*bzw.* ***die Arbeit***) ***ruft*** duty calls (⚠ *ohne* the) **4.** ***jemanden rufen lassen*** send* for, call (*Arzt usw.*)

Rufnummer telephone number

Rufzeichen Ⓐ exclamation mark

rügen 1. (≈ *tadeln*) reprimand ['reprɪmɑːnd], rebuke [rɪ'bjuːk] (***wegen*** for) **2.** (≈ *kritisieren*) criticize ['krɪtɪsaɪz], *öffentlich*: censure ['senʃə]

Ruhe 1. (≈ *Stille*) silence ['saɪləns]; ***Ruhe, bitte!*** quiet, please!; ***im Klassenzimmer herrschte absolute Ruhe*** there was total silence in the classroom **2.** (≈ *wohltuende Ruhe*) peace and quiet **3.** (≈ *Frieden, Beschaulichkeit*) peace, quiet, peacefulness **4.** ***Ruhe und Ordnung*** law and order **5.** (≈ *Gelassenheit*) calm [kɑːm], composure; ***Ruhe bewahren*** keep* calm; ***im-***

mer mit der Ruhe! relax!, *umg.* (take it) easy! **6.** ***lass mich in Ruhe!*** leave me alone! **7.** (≈ *Erholung*) rest; ***er gönnt mir keine Ruhe*** he doesn't give me a minute's rest

ruhelos restless

ruhen **1.** *allg.*: rest **2.** ***die Arbeit ruht*** work has come to a standstill

Ruhepause rest, *umg.* breather ['bri:ðə]; ***eine Ruhepause einlegen*** have* (*oder* take*) a break

Ruhestand: ***der Ruhestand*** retirement (⚠ *ohne* the); ***sie sind im Ruhestand*** they've retired; ***in den Ruhestand treten*** retire

Ruhestörung disturbance of the peace

Ruhetag: ***Dienstag Ruhetag*** closed (on) Tuesdays

ruhig[1] **1.** (≈ *leise*) quiet; ***ruhig werden*** quieten down; ***wir wohnen sehr ruhig*** we live in a very quiet area **2.** *Wetter, Meer*: calm [kɑ:m] **3.** (≈ *gelassen*) calm; ***sei ganz ruhig*** (≈ *unbesorgt*) there's no need to worry ['wʌrɪ] **3.** (≈ *friedlich*) quiet, peaceful **4.** ***ein ruhiges Gewissen*** a clear conscience

ruhig[2] *verstärkend*: ***das kannst du mir ruhig glauben*** you can take my word for it; ***du kannst ruhig dableiben*** you can stay if you like

Ruhm **1.** (≈ *Glanz, Ehre*) glory **2.** (≈ *Ansehen*) fame

rühmen **1.** praise (***wegen*** for), *stärker*: extol [ɪk'stəʊl] **2.** ***sich rühmen*** (+ *Gen.*) pride oneself (on), boast (*something*)

Ruhr *Krankheit*: dysentery [⚠ 'dɪsntrɪ]

Rühreier scrambled eggs

rühren **1.** (≈ *umrühren*) stir [stɜ:] **2.** ***sich rühren*** (≈ *sich bewegen*) stir, move; ***er rührte sich nicht vom Fleck*** he didn't budge **3.** ***sich rühren*** (≈ *sich bemerkbar machen*) say* (*oder* do*) something; ***wenn du was willst, musst du dich rühren*** if you want anything, let me know; ***sie hat sich seit einem Jahr nicht mehr gerührt*** *umg.* I haven't heard from her for a year **4.** *gefühlsmäßig*: touch, move; ***der Film rührte mich zu Tränen*** the film moved me to tears

rührend **1.** *Film, Buch, Szene*: touching, moving **2.** ***das ist ja rührend!*** that's really nice (of you, them *usw.*), *auch ironisch* that's absolutely charming!

rührig *Person*: active ['æktɪv], busy ['bɪzɪ], (≈ *engagiert*) enterprising ['entəpraɪzɪŋ]

rührselig sentimental [ˌsentɪ'mentəl], maudlin ['mɔ:dlɪn]; ***rührselige Geschichte*** *umg.* sob story

Rührung emotion; ***vor Rührung konnte er nichts sagen*** he was choked (with emotion)

Ruin ruin ['ru:ɪn]; ***du bist noch mein Ruin*** you'll be the ruin of me

Ruine ruin ['ru:ɪn], ruins (*Pl.*)

ruinieren ruin ['ru:ɪn]

ruinös *Wettbewerb usw.*: ruinous ['ru:ɪnəs]

rülpsen, **Rülpser** *umg.* burp

Rum *Branntwein*: rum

rum(...) *umg.* → ***herum(...)***

Rumäne Romanian [⚠ ru:'meɪnɪən]; ***er ist Rumäne*** he's Romanian; ☞ ***Nationalitäten***

Rumänien Romania [⚠ ru:'meɪnɪə]

Rumänin Romanian [⚠ ru:'meɪnɪən] woman (*oder* lady *bzw.* girl); ***sie ist Rumänin*** she's Romanian; ☞ ***Nationalitäten***

rumänisch, **Rumänisch** Romanian [⚠ ru:'meɪnɪən]

Rummel **1.** (≈ *Trubel*) hustle and bustle [ˌhʌsl‿ən'bʌsl] **2.** (≈ *Aufheben*) fuss, *umg.* to-do [tə'du:]; ***einen großen Rummel um etwas machen*** make* a big fuss (*oder* to-do) about something **3.** (≈ *Jahrmarkt*) fair

Rummelplatz fairground, amusement park [ə'mju:zmənt‿pɑ:k]

rumoren **1.** *Person*: bang (around) **2.** ***es rumort in meinem Bauch*** (***Kopf***) my stomach ['stʌmək] is rumbling (my head is spinning)

rumpeln rumble

Rumpf **1.** *des Körpers*: trunk **2.** *einer Statue und übertragen*: torso **3.** (≈ *Schiffsrumpf*) hull **4.** (≈ *Flugzeugrumpf*) fuselage ['fju:zəlɑ:ʒ], body

rümpfen: ***die Nase rümpfen*** turn one's nose up (***über*** at)

Run *salopp* run (***auf*** on)

rund **1.** *Summe, Zahl, Form*: round **2.** ***ein rundes Dutzend*** a dozen ['dʌzn] or so **3.** (≈ *ungefähr*) about, around; ***es kostete rund 50 Euro*** it cost about 50 euros **4.** ***rund um*** round, around; ***rund um die Welt*** round (*oder* around) the world

Runde **1.** *Sport*: lap (*eines Rennens*) **2.** *Sport*: round (*eines Boxkampfs*) **3.** *Getränke*: round; ***die Runde geht auf mich*** this round's on me **4.** (≈ *Rundgang*) walk, *dienstlich*: round; ***eine Runde ums Haus machen*** go* for a walk round the house **5.** ***wir kommen gerade über die Runden*** *übertragen* we're just about surviving

Rundfahrt tour (***durch*** of)

Rundfunk **1.** radio, broadcasting ['brɔ:dkɑ:stɪŋ]; ***im Rundfunk*** on the radio **2.** ***im Rundfunk übertragen*** broadcast*

Rundfunksender radio station

R

Rundgang round, tour (***durch*** of)
rundgehen *umg.* **1.** ***heute gehts wieder rund*** it's all go again today **2.** ***auf der Party gings rund*** it was some party!
rundherum round about, all around
rundlich *Figur*: plump [plʌmp], chubby
Rundreise tour (***durch*** of)
rundum **1.** (≈ *ringsum*) all (a)round **2.** (≈ *vollkommen, ganz*) completely; ***rundum glücklich*** perfectly ['pɜːfɪktlɪ] happy, happy as can be
runter *umg.* (≈ *herunter, hinunter*) down
runter... *umg.* → ***herunter..., hinunter...***
runterhauen: ***jemandem eine runterhauen*** *umg.* give* someone a clip round the ear
runz(e)lig *Gesicht*: wrinkled [⚠ 'rɪŋkld], wrinkly
Rüpel lout, *umg.* yob
ruppig (≈ *grob*) gruff
Rüsche *an Kleid*: frill
Ruß soot [⚠ sʊt]
Russe Russian ['rʌʃn]; ***er ist Russe*** he's Russian; ☞ ***Nationalitäten***
Rüssel **1.** *von Elefant*: trunk **2.** *umg.* (≈ *Nase*) conk, hooter
rußig sooty [⚠ 'sʊtɪ]
Russin Russian ['rʌʃn] woman (*oder* lady *bzw.* girl); ***sie ist Russin*** she's Russian; ☞ ***Nationalitäten***
russisch, Russisch Russian ['rʌʃn]
Russland Russia ['rʌʃə]
rüstig *alter Mensch*: sprightly, fit
Rüstung **1.** *eines Ritters*: armour ['ɑːmə] **2.** *Vorgang*: arming **3.** *Waffen usw.*: armaments (⚠ *Pl.*)
Rüstungswettlauf arms race
Rute **1.** (≈ *Stock*) switch, rod **2.** (≈ *Angelrute*) fishing rod **3.** *Jägersprache*: (≈ *Schwanz*) tail, *bes. des Fuchses*: brush
Rutsch: ***guten Rutsch (ins neue Jahr)!*** Happy New Year!
rutschen **1.** (≈ *gleiten*) slide* **2.** (≈ *ausrutschen*) slip **3.** (*Hose, Rock*) be* slipping **4.** ***rutsch mal ein Stück!*** *umg.* can you move up a bit?
Rutscher Ⓐ **1.** (≈ *kurzer Ausflug, Abstecher*) short trip; ***einen Rutscher zu jemandem machen*** pop over to someone's (house) **2.** ***zu euch ist es ja nur ein Rutscher*** you're just a stone's throw away
rutschig slippery
rütteln **1.** shake* **2.** ***an der Tür rütteln*** rattle at the door **3.** ***daran ist nicht zu rütteln*** *übertragen* that's the way it is

S

Saal **1.** *allg.*: hall **2.** *für Konferenz*: room **3.** ***der Saal tobte*** *umg.* the audience went wild
Saarland: ***das Saarland*** the Saarland ['sɑːlænd]
Saat **1.** (≈ *Säen*) sowing ['səʊɪŋ] **2.** (≈ *Samen*) seed, seeds (*Pl.*) **3.** *von Getreide*: crops (⚠ *Pl.*)
Sabbat Sabbath ['sæbəθ]
Säbel sabre, *AE* saber ['seɪbə]
sabbern *umg.* dribble
Sabotage sabotage ['sæbətɑːʒ]
Sachbuch non-fiction book
Sache **1.** (≈ *Gegenstand*) thing; ***sind das deine Sachen?*** are these your things? **2.** ***Sachen gibts, die gibts gar nicht*** *umg.* would you credit it **3.** (≈ *Angelegenheit*) affair, matter **4.** ***für eine gute Sache*** for a good cause **5.** ***bei der Sache bleiben*** keep* to the point **6.** ***das ist nicht jedermanns Sache*** it's not everybody's cup of tea **7.** (≈ *Aufgabe*) job; ***seine Sache gut*** (*bzw.* ***schlecht***) ***machen*** do* a good (*bzw.* bad) job; ***er versteht seine Sache*** he knows his stuff **8.** ***was machst du denn für Sachen?*** *umg.* what have you been up to then? **9.** ***mach keine Sachen!*** *umg.* you're kidding!, *warnend*: no funny business now! **10.** ***mit 200 Sachen*** *umg.* at 125 (miles an hour)
Sachgebiet subject ['sʌbdʒekt], field
Sachkenntnis expert ['ekspɜːt] knowledge
sachkundig **1.** *Person*: competent ['kɒmpɪtənt], well-informed **2.** ***sich sachkundig machen*** inform oneself **3.** ***sachkundiges Urteil*** expert ['ekspɜːt] opinion
sachlich **1.** (≈ *objektiv*) objective [əb'dʒektɪv] **2.** (≈ *nüchtern*) matter-of-fact, down-to-earth; ***nun bleib mal sachlich!*** don't

get carried away! **3.** ***aus sachlichen Gründen*** for practical reasons **4.** ***das ist sachlich falsch*** that's factually wrong
sächlich *Sprache*: neuter ['njuːtə]
Sachregister *eines Buchs*: (subject) index
Sachschaden material damage; ***es entstand nur geringer Sachschaden*** only slight damage (to property) was caused
Sachse Saxon ['sæksn]; ***er ist Sachse*** he's (a) Saxon; ☞ ***Nationalitäten***
Sachsen Saxony ['sæksənɪ]
Sachsen-Anhalt Saxony-Anhalt [ˌsæksənɪ'ænhælt]
Sächsin Saxon ['sæksn]; ***sie ist Sächsin*** she's (a) Saxon; ☞ ***Nationalitäten***
sächsisch, **Sächsisch** Saxon ['sæksn]
sacht 1. (≈ *behutsam*) gently **2.** ***immer sachte!*** *umg.* easy does it!
Sachverhalt facts (⚠ *Pl.*), circumstances ['sɜːkəmstənsɪz] (⚠ *Pl.*)
Sachverständige(r) 1. expert ['ekspɜːt] **2.** *vor Gericht*: expert witness
Sack 1. sack **2.** ***mit Sack und Pack*** bag and baggage (⚠ *ohne* with) **3.** ***etwas im Sack haben*** *übertragen, umg.* have* something in the bag
Sackgasse 1. dead-end street, cul-de-sac ['kʌldəsæk] **2.** ***in eine Sackgasse geraten*** *übertragen* reach a dead end, (*Gespräche*) reach deadlock (⚠ *ohne* the)
Sadist(in) sadist ['seɪdɪst]
sadistisch sadistic [sə'dɪstɪk]
säen 1. sow* [səʊ] **2.** ***dünn gesät sein*** *übertragen* be* few and far between
Safari safari [sə'fɑːrɪ]
Safe (≈ *Geldschrank*) safe
Saft *allg.*: juice [dʒuːs] (*auch übertragen*); ***jemanden im eigenen Saft schmoren lassen*** *übertragen* let* someone stew in his (*bzw.* her) own juice
saftig 1. *Obst*: juicy **2.** *umg.*; *Rechnung, Preise*: steep **3.** ***eine saftige Niederlage*** *umg.* a crushing defeat **4.** ***eine saftige Ohrfeige*** *umg.* a real thump on the ear
Saftladen *umg.* hopeless setup; ***das ist ja ein Saftladen hier!*** *auch*: what a (hopeless) place this is
Sage legend ['ledʒənd]
Säge saw [sɔː]
Sägemehl sawdust
sägen 1. saw* [sɔː] **2.** *umg.* (≈ *schnarchen*) saw* wood
sagen 1. (≈ *äußern*) say*; ***jemandem etwas sagen*** say* something to someone; ***da sage ich nicht Nein*** I won't say no; ***das kann man wohl sagen*** you can say that again; ***du sagst es*** you said it; ***wie sagt man … auf Englisch?*** what's … in English?, how do you say … in English?; ***sag bloß!*** you don't say! **2.** (≈ *ausrichten, mitteilen*) ***jemandem etwas sagen*** tell* someone something; ***sag mir die Wahrheit*** tell me the truth; ***ich will dir mal was sagen*** let me tell you something; ***das sag ich deinem Lehrer*** I'll tell your teacher; ***ich habe mir sagen lassen, …*** I've been told …; ***ich habs dir ja gleich gesagt*** I told you so **3.** *eine Meinung äußern*: say*; ***was sagst du dazu?*** what do you say?, what do you think about it? **4.** (≈ *befehlen*) ***du hast mir nichts zu sagen*** you can't tell me what to do; ***hat er hier etwas zu sagen?*** does he have a say around here? **5.** ***aber dann hab ich mir gesagt …*** but then I said to myself … **6.** ***das sagt sich so leicht*** it's easier said than done
Sagen: ***das Sagen haben*** have* the (final) say (***bei, in*** in)
sagenhaft 1. legendary ['ledʒəndrɪ], mythical ['mɪθɪkl] **2.** *umg.* incredible, fantastic **3.** ***sagenhaft teuer*** incredibly expensive
Sägespäne wood shavings
Sägewerk sawmill
Sahara: ***die Sahara*** the Sahara [sə'hɑːrə]
Sahne cream
Sahnetorte cream gateau [ˌkriːm'gætəʊ]
Saison season; ***außerhalb der Saison*** out of season (⚠ *ohne* the)
Saite 1. *von Geige usw.*: string **2.** ***andere Saiten aufziehen*** *umg.* take* a tougher line
Saiteninstrument string(ed [strɪŋd]) instrument ['ɪnstrəmənt]; ***die Saiteninstrumente*** *im Orchester*: the strings, the string section
Sakko (*sportlich*: sports) jacket ['dʒækɪt]
Sakrament *religiös*: sacrament ['sækrəmənt]
Sakristei vestry ['vestrɪ]
Salami salami [sə'lɑːmɪ]
Salär *bes.* Ⓐ, Ⓒⓗ (≈ *Gehalt*) salary
Salat 1. *Gericht*: salad ['sæləd] **2.** (≈ *Kopfsalat*) lettuce ['letɪs] **3.** ***da haben wir den Salat*** *umg.* we're in a right mess now

Salat

als Speise:

mixed salad, fruit salad, tomato salad, potato salad, chicken salad

aber:

I've planted some lettuce in the garden. Don't forget to put some lettuce in the salad.

Salatsoße salad dressing
Salbe ointment
Salbei *Gewürzpflanze*: sage [seɪdʒ]
Saline saltworks (*Pl.*) (*auch als Sg. verwendet*)
Salmonellen salmonellae [ˌsælmə'neliː, ˌsælmə'nelaɪ]
Salmonellenvergiftung salmonella [ˌsælmə'nelə] (poisoning)
Salon 1. (≈ *Raum für Empfänge*) drawing room, *AE* parlor ['pɑːlə] **2.** *auf Schiff*: saloon [sə'luːn] **3.** (≈ *Kosmetiksalon usw.*) salon ['sælɒn]
salopp 1. *Kleidung*: casual ['kæʒʊəl] **2.** *Ausdrucksweise*: very colloquial, slangy
Salsa *Musik*: salsa ['sælsə]
Salto somersault [⚠ 'sʌməsɔːlt]
salü Ⓒⓗ **1.** *Begrüßung*: hi, hello **2.** *Abschied*: bye, see you
Salve 1. (≈ *Gewehrsalve*) volley ['vɒlɪ] (*auch übertragen*) **2.** (≈ *Geschützsalve*) salvo ['sælvəʊ] **3.** (≈ *Ehrensalve*) salute [sə'luːt]
Salz salt [sɔːlt]
salzarm: ***salzarme Kost*** low-salt diet ['daɪət]
salzen salt [sɔːlt]
salzig salty ['sɔːltɪ]
Salzkartoffeln boiled potatoes
Salzstreuer salt cellar ['sɔːltˌselə], *AE* salt shaker
Salzwasser 1. (≈ *Meerwasser*) salt [sɔːlt] water **2.** *zum Kochen*: salted water
Samariter: ***barmherziger Samariter*** good Samaritan [sə'mærɪtən]
Samba *Musik*: samba
Samen 1. *von Pflanzen*: seed **2.** *von Mensch, Tier*: sperm [spɜːm], semen ['siːmən]
Samenerguss ejaculation [ɪˌdʒækjʊ'leɪʃn]
Sammelband *Buch*: anthology [æn'θɒlədʒɪ]
sammeln 1. collect (*Briefmarken usw.*) **2.** gather (*Erfahrungen, Informationen*) **3.** pick (*Beeren, Pilze*) **4.** ***sich sammeln*** (≈ *konzentrieren*) collect one's thoughts **5.** ***für wohltätige Zwecke sammeln*** collect for charity
Sammler(in) collector
Sammlung collection
Samstag 1. Saturday ['sætədeɪ]; ***wir sehen uns dann (am) Samstag*** see you (on) Saturday **2.** ***diese Woche ist langer Samstag*** the shops are open all day this Saturday
Samstagabend: ***(am) Samstagabend*** (on) Saturday evening, (on) Saturday night
samstagabends (on) Saturday evenings
Samstagmorgen: ***(am) Samstagmorgen*** (on) Saturday morning
Samstagnachmittag: ***(am) Samstagnachmittag*** (on) Saturday afternoon
samstags on Saturday, on Saturdays; ***samstags abends*** *usw.* on Saturday evenings *usw.*
Samt velvet ['velvɪt]
samt 1. (≈ *zusammen mit*) together with, along with; ***300 Schüler samt Eltern kamen zum Schulfest*** 300 students along with their parents turned up for the school fete [feɪt] **2.** ***samt und sonders*** each and every one of them, *umg.* the whole lot
Samthandschuh: ***jemanden mit Samthandschuhen anfassen*** *übertragen* handle someone with kid gloves [⚠ glʌvz]
sämtlich all; ***sämtliche Dateien waren zerstört*** all the files were destroyed
Sanatorium sanatorium [ˌsænə'tɔːrɪəm], *AE* sanitarium [ˌsænə'teərɪəm]
Sand 1. sand **2.** ***er hat CDs wie Sand am Meer*** he's got masses of CDs **3.** ***jemandem Sand in die Augen streuen*** *übertragen* throw* dust in someone's eyes
Sandale sandal ['sændl]
Sandalette (high-heeled) sandal ['sændl]
Sandbank sandbank
sandig sandy
Sandkasten sandpit, *AE* sandbox
Sandpapier *zum Schleifen*: sandpaper
Sandplatz *Tennis*: clay court
Sandsack 1. sandbag **2.** *zum Boxtraining*: punching bag
Sandstein sandstone
Sandstrand sandy beach
sanft 1. *allg.* gentle; ***mit sanfter Gewalt*** gently but firmly **2.** *Stimme, Musik*: soft; ***mit sanfter Stimme*** softly, in a soft voice **3.** ***dann versuchte ich es auf die sanfte Tour*** *umg.* then I tried a more gentle approach
Sänger(in) singer
sang- und klanglos quietly, without any fuss; ***er ist sang- und klanglos verschwunden*** he disappeared without a word
sanieren 1. redevelop [ˌriːdɪ'veləp] (*Stadtteil*) **2.** renovate ['renəveɪt], *umg.* do* up (*Gebäude*) **3.** clean up (*Umwelt*)
Sanierung 1. *eines Stadtteils*: redevelopment **2.** *eines Gebäudes*: renovation [ˌrenə'veɪʃn] **3.** *der Umwelt*: cleaning up
Sanierungsgebiet redevelopment area [ˌriːdɪ'veləpməntˌeərɪə]

sanitär sanitary ['sænətrɪ]; ***sanitäre Anlagen*** sanitary facilities
Sanitäter ambulance man, *bes. AE* paramedic [ˌpærə'medɪk]
Sanitäterin ambulance woman, *bes. AE* paramedic [ˌpærə'medɪk]
Sankt Saint [seɪnt] (*Abk.* St); ***Sankt Petrus*** Saint [snt] Peter
Sardelle anchovy [⚠ 'æntʃəvɪ]
Sardine sardine [sɑː'diːn]
Sardinien *Insel*: Sardinia [sɑː'dɪnɪə]
Sarg coffin
sarkastisch sarcastic
Satan Satan ['seɪtn]; ***der Satan*** Satan (⚠ *ohne* the)
Satellit satellite ['sætəlaɪt]; ***über Satellit*** by (*oder* via) satellite
Satellitenbild satellite ['sætəlaɪt] picture
Satellitenfernsehen satellite TV
Satellitenschüssel satellite dish
Satire satire ['sætaɪə] (***auf*** on)
satirisch satirical [sə'tɪrɪkl]
satt 1. (≈ *gesättigt*) full; ***bist du satt geworden?*** have you had enough?; ***ich bin davon nicht satt geworden*** that wasn't enough for me; ***das macht satt*** it's very filling **2.** ***ich habe es satt!*** *umg.* I'm sick and tired of it **3.** *Farben*: rich **4.** ***das war eine satte Leistung*** that was quite a feat **5.** ***satte Preise*** *umg.* steep prices
Sattel saddle
satteln saddle (*Pferd usw.*)
Sattelschlepper 1. (≈ *Zugfahrzeug*) (road) tractor **2.** (≈ *Sattelzug*) articulated [ɑː'tɪkjʊleɪtɪd] lorry, *umg.* artic [ɑː'tɪk], *AE* tractor-trailer, semitrailer (truck), *umg.* semi ['semɪ]
Satteltasche *für Fahrrad usw.*: saddlebag
sättigen 1. (*Nahrung*, *Essen*) be* filling **2.** *Chemie*, *Wirtschaft*: saturate ['sætʃəreɪt]; ***gesättigt sein*** (*Markt*, *chemische Lösung usw.*) be* saturated
sättigend filling
Saturn *Planet*: Saturn ['sætɜːn] (⚠ *ohne* the)
Satz 1. *Sprache*: sentence; ***in einem Satz*** *zusammenfassen usw.*: in one sentence, briefly **2.** *Tennis usw.*: set; ***Graf gewinnt mit 2:1 Sätzen*** Graf wins 2 sets to 1 **3.** (≈ *Sprung*) leap; ***einen Satz machen*** take* a (*oder* one) leap **4.** *Briefmarken usw.*: set
Satzball 1. *Tennis*, *Volleyball*: set point **2.** *Tischtennis*, *Badminton*: game point
Satzbau syntax
Satzung statute ['stætʃuːt]; ***Satzungen*** *eines Vereins usw.*: statutes and articles [ˌstætʃuːts‿ənd'ɑːtɪklz]
Satzzeichen punctuation mark
Sau 1. *Tier*: sow [saʊ] **2.** *umg. als Schimpfwort*: swine, *Frau*: bitch **3.** *Wendungen*: ***unter aller Sau*** lousy ['laʊzɪ]; ***jemanden zur Sau machen*** tear* a strip off someone; ***die Sau rauslassen*** let* one's hair down; ***keine Sau war da*** not one lousy person was there; ***er fährt wie eine gesengte Sau*** he drives like a maniac ['meɪnɪæk]
sauber 1. *allg.* clean **2.** *Luft,Wasser*: clean, unpolluted [ˌʌnpə'luːtɪd] **3.** ***er ist nicht ganz sauber*** *umg.* he isn't quite kosher ['kəʊʃə], *BE auch* he's a bit dodgy

> **sauber halten** keep* clean (*auch Umwelt*)
> **sauber machen** clean, clean up

Sauberkeit cleanliness [⚠ 'klenlɪnəs]
säuberlich neatly; ***alles fein säuberlich ordnen*** put* everything in its right place
säubern clean
saublöd *umg.* **1.** ***er ist saublöd*** he's really (*oder* incredibly) stupid **2.** ***es war saublöd*** it was really stupid
Sauce → ***Soße***
Saudi-Arabien Saudi Arabia [ˌsaʊdɪ‿ə'reɪbɪə]
sauer 1. sour ['saʊə]; ***sauer werden*** turn sour **2.** *Chemie*: acid ['æsɪd]; ***saurer Regen*** acid rain **3.** *umg.* (≈ *verärgert*) mad (***auf*** at, with); ***sauer werden*** get* annoyed (*oder* cross) **4.** ***sauer verdientes Geld*** hard-earned money
Sauerei → ***Schweinerei***
Sauerkirsche sour cherry [ˌsaʊə'tʃerɪ]
Sauerkraut sauerkraut ['saʊəkraʊt]
säuerlich (a bit *oder* slightly) sour (*auch übertragen*) *oder* acidic [ə'sɪdɪk]
Sauerstoff oxygen ['ɒksɪdʒən]
Sauerstoffflasche oxygen cylinder ['ɒksɪdʒən,sɪlɪndə]
saufen 1. (*Tier*) drink* **2.** *umg.* (*Person*) drink*, booze; ***sie säuft wie ein Loch*** she drinks like a fish
Säufer(in) (heavy) drinker, *umg.* boozer
Sauferei *umg.* **1.** *Gewohnheit*, *Sucht*: boozing **2.** (≈ *Saufgelage*) booze-up
saugen 1. suck; ***saugen an*** suck **2.** *mit Staubsauger*: vacuum ['vækjʊəm], *umg.* hoover®
säugen breastfeed ['brestfiːd]
Säugetier mammal ['mæml]
saugfähig absorbent [əb'zɔːbənt]
Säugling baby, infant ['ɪnfənt]
Säuglingsnahrung baby food
Sauhaufen *umg.*; *Personen*: bunch of no-goods

saukalt *umg.* damn [dæm] (*BE auch* bloody ['blʌdɪ]) cold
Saukerl *umg.* swine, bastard ['bɑːstəd]
Säule column [⚠ 'kɒləm], pillar
Saum **1.** *allg.*: hem(line) **2.** (≈ *Naht*) seam **3.** *auch übertragen* (≈ *Rand*) border, edge
saumäßig *umg.* **1.** (≈ *sehr schlecht*) lousy ['laʊzɪ] **2.** ***saumäßiges Glück haben*** be* damn [dæm] lucky **3.** ***es tut saumäßig weh*** it hurts like hell
säumen **1.** *durch Nähen*: hem **2.** *übertragen* line, (≈ *umgeben*) skirt
Sauna sauna ['sɔːnə]
Säure *Chemie*: acid ['æsɪd]
Saure-Gurken-Zeit **1.** *allg.*: off season **2.** *Journalismus*: silly season
Saurier dinosaur [⚠ 'daɪnəsɔː]
sausen **1.** (≈ *sich schnell bewegen*) rush, *umg.* whizz; ***ich saus mal schnell zum Supermarkt!*** I'll just pop down to the supermarket **2.** ***durch eine Prüfung sausen*** fail (*oder umg.* flunk) an exam
Saustall **1.** pigsty ['pɪgstaɪ] (*auch umg. für Zimmer*) **2.** (≈ *Unordnung*) absolute mess
Sauwetter: ***so ein Sauwetter!*** *umg.* what lousy weather! (⚠ *ohne* a)
sauwohl: ***ich fühl mich sauwohl*** *umg.* I feel really great
Saxofon, **Saxophon** saxophone ['sæksəfəʊn]
S-Bahn **1.** *System*: suburban railway **2.** *Zug*: suburban train
S-Bahnhof, **S-Bahn-Station** suburban (train) station
scannen *Computer*: scan
Scanner **1.** *Computer*: scanner **2.** *von Strichkodes auch*: bar-code reader
schaben scrape
schäbig **1.** (≈ *abgenutzt*) shabby **2.** (≈ *geizig*) mean, stingy ['stɪndʒɪ] **3.** (≈ *gemein*) mean **4.** ***sich schäbig verhalten*** act shamefully (*oder* shabbily)
Schach **1.** *Spiel*: chess **2.** *Spielsituation*: check; ***Schach!*** check!; ***Schach und matt!*** checkmate! **3.** ***jemanden in Schach halten*** *übertragen* hold* someone in check
Schachfigur **1.** chess piece, chessman **2.** *übertragen* pawn

Schachfiguren

Bauer	**pawn**
Springer, Pferd	**knight**
Läufer	**bishop**
Turm	**castle / rook**
König	**king**
Dame	**queen**

schachmatt **1.** checkmate; ***jemanden schachmatt setzen*** checkmate someone (*auch übertragen*) **2.** (≈ *erschöpft*) exhausted [ɪg'zɔːstɪd], shattered
Schacht **1.** *allg.*: shaft [ʃɑːft] (*auch im Bergbau*) **2.** *Kopierer, Drucker*: (≈ *Papierschacht*) (paper) tray
Schachtel **1.** box; ***eine Schachtel Zigaretten*** a packet of cigarettes **2.** ***alte Schachtel*** *umg.* old bag
Schachzug: ***ein geschickter Schachzug*** *übertragen* a clever move
schade **1.** ***es ist sehr schade*** it's a real pity (*oder* shame) **2.** ***wie schade!*** what a pity! **3.** ***schade, dass du schon gehen musst*** (it's a) pity you have to go so soon
Schädel **1.** *von Skelett*: skull **2.** *umg.* (≈ *Kopf*) head; ***jemandem eins über den Schädel geben*** hit* someone over the head; ***geht das nicht in deinen Schädel hinein?*** can't you get it into your head?
schaden **1.** damage, harm **2.** ***das schadet deiner Gesundheit*** it's bad for your health **3.** ***ein Versuch kann nicht schaden*** there's no harm in trying **4.** ***das schadet nichts*** (≈ *macht nichts*) it doesn't matter
Schaden **1.** *allg.*: damage (***an*** to); ***einen Schaden verursachen*** cause damage (⚠ *ohne* a) **2.** *körperlich*: injury ['ɪndʒərɪ], harm; ***zu Schaden kommen*** be* injured, be* hurt **3.** ***aus Schaden wird man klug*** you learn from your mistakes
Schadenersatz **1.** compensation **2.** *Geldbetrag*: damages (⚠ *Pl.*)
Schadenfreude **1.** malicious glee, gloating **2.** ***voller Schadenfreude*** gloatingly
schadenfroh: ***sie lachte schadenfroh*** she laughed with malicious glee
schadhaft **1.** *allg.*: (≈ *beschädigt*) damaged ['dæmɪdʒd], faulty, defective [dɪ'fektɪv] **2.** *Zähne*: decayed [dɪ'keɪd] **3.** *Rohr usw.*: leaking
schädigen **1.** *allg.*: damage (*Gesundheit, Ruf usw.*), *gesundheitlich auch*: harm, injure ['ɪndʒə] **2.** ***jemanden schädigen wollen*** try to harm (*oder* hurt) someone **3.** cause losses to (*Firma usw.*); ***wir sind schwer geschädigt worden*** we have suffered heavy losses **4.** impair [ɪm'peə] (*Ruf, Ohren, Augen usw.*)
Schädigung (+ *Gen.*) **1.** *der Gesundheit, des guten Rufes usw.*: damage (to) **2.** *des Gehörs usw.*: impairment (of) **3.** *gesundheitliche*: injury (to), harm (to)
schädlich harmful; ***es ist schädlich für die Gesundheit*** it's harmful to your health
Schädling *bes. von Pflanzen*: pest

S

Schädlingsbekämpfung *in der Landwirtschaft*: pest control
Schadstoff harmful substance ['sʌbstəns], pollutant [pə'luːtnt]
schadstoffarm *Auto*: low-emission (⚠ *nur vor dem Subst.*), clean
Schadstoffbelastung level of pollution
schadstofffrei emission-free
Schaf sheep *Pl.*: sheep
Schäfer(in) shepherd [⚠ 'ʃepəd]
Schäferhund Alsatian [æl'seɪʃn], German shepherd [⚠ 'ʃepəd]
schaffen 1. create (*Arbeitsplätze usw.*) **2.** ***er ist für den Posten wie geschaffen*** he's perfect for the job **3.** (≈ *verursachen*) cause (*Ärger, Probleme*) **4.** (≈ *bringen*) take*; ***ich schaff den Koffer auf den Dachboden*** I'll take the suitcase up into the loft; ***schaff die Katze aus dem Zimmer!*** get that cat out of the room! **5.** (≈ *bewältigen*) manage; ***eine Prüfung schaffen*** pass an exam; ***wir haben es geschafft!*** we made it!; ***das ist nicht zu schaffen*** it can't be done **6.** *Wendungen*: ***jemandem zu schaffen machen*** give* someone a hard time; ***was hast du hier zu schaffen?*** what d'you think you're doing here?; ***er schafft mich*** *umg.* he's getting me down; ***damit habe ich nichts zu schaffen*** I've got nothing to do with it
Schaffner(in) 1. *im Bus*: conductor **2.** *im Zug*: guard [gɑːd], *AE* conductor
Schafherde flock of sheep
Schafskäse feta (cheese), sheep's milk cheese
Schaft 1. *allg.*: shaft [ʃɑːft] **2.** *eines Gewehrs*: stock **3.** *eines Stiefels*: leg
Schafwolle sheep's wool [⚠ 'ʃiːps‿wʊl]
Schakal jackal [⚠ 'dʒækɔːl, 'dʒækl]
schal 1. *Getränk*: flat **2.** *Gerede, Witz*: stale
Schal scarf *Pl.*: scarfs *oder* scarves
Schale 1. *von Eiern, Nüssen*: shell **2.** *von Obst*: skin, *abgeschält*: peel **3.** *Gefäß*: bowl [bəʊl], *flacher*: dish **4.** ***sich in Schale werfen*** *umg.* dress up, *Frau auch*: doll oneself up
schälen 1. peel (*Obst, Kartoffeln, Eier usw.*) **2.** ***sich schälen*** (*Haut, Lack*) peel, peel off

Einige wichtige Schalentiere

Schalentier	**crustacean** [krʌ'steɪʃn]
Auster	**oyster**
Garnele	**prawn, shrimp**
Hummer	**lobster**
Jakobsmuschel	**scallop** ['skɒləp]
(Klaff)Muschel	**clam**
Krabbe	**crab**
Languste	**crayfish**, *AE* **crawfish**
(Mies)Muschel	**mussel**

Schall sound
Schalldämpfer 1. *an Waffe*: silencer **2.** *am Auto*: silencer, *AE* muffler
schalldicht soundproof
schallend 1. ***schallend lachen*** roar with laughter; ***schallendes Gelächter*** loud laughter **2.** ***eine schallende Ohrfeige*** *übertragen* a slap in the face
Schallgeschwindigkeit speed of sound
Schallmauer: ***die Schallmauer durchbrechen*** break* the sound barrier ['saʊnd,bærɪə]
Schallplatte record ['rekɔːd]
schalten 1. *mit einem Schalter*: switch **2.** ***die Ampel schaltete auf Rot*** the traffic lights changed to red **3.** *beim Autofahren*: change gears, *AE auch* shift gears; ***in den 3. Gang schalten*** change (*oder* shift) into third gear **4.** *umg.* (≈ *begreifen*) catch* on; ***ich hab zu spät geschaltet*** I didn't react quickly enough; ***er schaltet schnell*** he's quick on the uptake
Schalter 1. *Hebel, Knopf*: switch **2.** *in Post, Bank*: counter
Schalterhalle *Post, Bank usw.*: main hall, *Bahnhof auch*: booking hall
Schalterstunden *in Bank usw.*: business hours
Schalthebel *im Auto*: gear lever ['gɪə,liːvə], *AE* gear shift
Schaltjahr leap year
Schaltknüppel *im Auto*: gear lever ['gɪə,liːvə], *AE* gear shift
Schaltkreis *elektrischer*: circuit [⚠ 'sɜːkɪt]
Schalttag leap day
Schaltung *im Auto*: gearchange, gearshift
Scham 1. shame; ***vor Scham erröten*** blush (*oder* go* red) with shame **2.** (≈ *Genitalien*) genitals ['dʒenɪtlz] (⚠ *Pl.*), private parts (⚠ *Pl.*)
schämen 1. ***sich schämen*** be* ashamed, feel* ashamed (***wegen*** of) **2.** ***schäm dich!*** shame on you!
Schamgefühl sense of shame
Schamhaare pubic ['pjuːbɪk] hair (⚠ *Sg.*); ☞ ***Haare***
schamlos (≈ *frech, dreist*) shameless
schamponieren shampoo [ʃæm'puː] (*Haare*)
Schande 1. disgrace; ***mach uns keine Schande*** *umg.* try not to disgrace us **2.** ***zu meiner Schande muss ich geste-***

hen, dass ... I'm ashamed to admit that ...

Schandfleck *Gebäude usw.*: eyesore

schändlich 1. (≈ *niederträchtig*) shameful, disgraceful **2.** *Lüge*: scandalous ['skændləs]

Schandtat: ***er ist zu jeder Schandtat bereit*** *umg.*, *humorvoll* he's game for anything

Schanze (≈ *Sprungschanze*) ski jump

Schar 1. *Menschenmenge*: crowd [kraʊd], horde **2.** ***die Fans kamen in Scharen*** thousands of fans flocked there **3.** *Vögel*: flock

scharf 1. *allg.*: sharp (*auch übertragen Kritik*, *Protest usw.*) **2.** (≈ *genau*, *deutlich*) sharp; ***scharf sehen*** have* sharp eyes **3.** ***scharf einstellen*** focus (*Bild*, *Kamera*) **4.** ***denk mal scharf nach!*** put your thinking cap on! **5.** (≈ *hart*, *schonungslos*) fierce [fɪəs], tough [tʌf]; ***jemanden scharf anfassen*** be* strict with someone; ***der neue Lehrer ist ein ganz scharfer*** *umg.* (≈ *ist sehr streng*) the new teacher is a really tough sort **6.** *Gewürz*: hot; ***das ist ja ein scharfes Zeug*** that really burns your throat; ***etwas scharf würzen*** make* something hot **7.** ***scharfe Sachen*** *Alkohol*: hard stuff ['hɑːd‿stʌf] (⚠ *Sg.*) **8.** *umg.* (≈ *großartig*) great; ***das ist ja scharf*** get a load of that! **9.** *umg.* (≈ *geil*) randy, horny; ***auf jemanden scharf sein*** be* keen on (*oder* hot for) someone; ***er macht mich richtig scharf*** he really turns me on **10.** *umg.*; *Bilder*, *Film*, *Video*: sexy, hot

Schärfe 1. *eines Messers usw.*: sharpness **2.** (≈ *Genauigkeit*, *Klarheit*) sharpness, clarity **3.** (≈ *Härte*) toughness ['tʌfnəs], strictness **4.** *von Gewürz*: hotness

Scharfeinstellung *bei optischem Gerät* **1.** *Vorgang*: focus(s)ing ['fəʊkəsɪŋ] **2.** *Vorrichtung*: focus(s)ing ring (*oder* control)

schärfen sharpen (*Messer*, *Blick usw.*)

Schärfentiefe *bei Foto usw.*: depth of focus

Scharfmacher(in) *umg.* (≈ *Demagoge*, *Demagogin*) rabble-rouser

Scharfschütze sharpshooter, marksman, sniper

Scharfsinn astuteness, shrewdness

scharfsinnig astute [ə'stjuːt], shrewd

Scharlach *Krankheit*: scarlet fever; ***ich habe Scharlach*** I've got scarlet fever

Scharnier hinge

scharren 1. scrape; ***mit den Füßen scharren*** scrape one's feet (⚠ *ohne* with) **2.** (*Huhn*) scratch **3.** (*Hund*, *Pferd usw.*) paw the ground

Schaschlik shish kebab ['ʃɪʃ‿kəˌbæb]

Schatten 1. *schattige Stelle*: shade; ***30 Grad im Schatten*** 30 degrees in the shade **2.** *Wendungen*: ***Licht und Schatten*** light and shade; ***das stellt alles bisher Dagewesene in den Schatten*** that puts everything in the shade **3.** *Schattenbild*: shadow; ***einen Schatten auf etwas werfen*** *auch übertragen* cast* a shadow on something **4.** *Wendungen*: ***in jemandes Schatten stehen*** live in someone's shadow; ***über seinen eigenen Schatten springen*** overcome* oneself

Schattenkabinett *Politik*: shadow cabinet [ˌʃædəʊ'kæbɪnət]

Schattenseite 1. shady side **2.** (≈ *Nachteil*) drawback **3.** ***die Schattenseiten des Lebens*** the dark side of life

schattig shady

Schatz 1. (≈ *Kostbarkeiten*) treasure ['treʒə] **2.** ***ein Schatz an Erfahrungen*** a wealth [welθ] of experience (⚠ *Sg.*) **3.** (≈ *Liebling*) sweetheart **3.** *Anrede*: love, darling

schätzen 1. (≈ *grob berechnen*) estimate ['estɪmeɪt], guess [ges]; ***wie alt schätzt du sie?*** how old do you think she is? ***ich hätte sie älter geschätzt*** I'd have said she's older; ***grob geschätzt*** at a rough guess **2.** (≈ *vermuten*) reckon, think*; ***ich schätze, es dauert zwei Tage*** I reckon (*oder* I'd say) it's going to take two days **3.** (≈ *mögen*) think* highly of **4.** ***ich weiß es zu schätzen*** I appre-

S

ciate [ə'priːʃɪeɪt] it **5.** ***du kannst dich glücklich schätzen*** you can think yourself lucky **6.** value ['væljuː], assess [ə'ses] (*Schmuck*, *Auto usw.*) (***auf*** at)

Schätzung **1.** (≈ *grobe Berechnung*) estimate ['estɪmət], guess [ges] **2.** ***nach meiner Schätzung …*** I reckon (that) … **3.** *eines Wertgegenstands*, *Gebäudes*: valuation **4.** (≈ *Hochachtung*) esteem [ɪ'stiːm]

schätzungweise **1.** roughly ['rʌflɪ], approximately [ə'prɒksɪmətlɪ] **2.** ***schätzungsweise zwei Millionen Deutsche*** an estimated two million Germans **3.** ***sie hat schätzungsweise 300 CDs*** I reckon she's got about 300 CDs

Schau **1.** (≈ *Ausstellung*) exhibition [⚠ ˌeksɪ'bɪʃn] **2.** *zur Unterhaltung*: show **3.** *Wendungen*: ***nur zur Schau*** just for show; ***eine Schau abziehen*** *umg.* put* on a show; ***er macht nur auf Schau*** *umg.* he's just out to pull off a show; ***er hat mir die Schau gestohlen*** *umg.* he stole the show from me

schauen **1.** (≈ *blicken*) look (***auf*** at); ***was schaust du so?*** why are you looking like that? **2.** (≈ *nachsehen*) have* a look; ***ich schau mal, ob …*** I'll go and have a look whether … **3.** ***schau, dass …*** see (to it) that

Schauer shower ['ʃaʊə]; ***vereinzelt(e) Schauer*** scattered showers

Schauermärchen horror story

Schaufel **1.** shovel [⚠ 'ʃʌvl] **2.** *für Zucker usw.*: scoop **3.** ***Schaufel und Besen*** dustpan and brush

schaufeln **1.** *allg.*: shovel [⚠ 'ʃʌvl] **2.** ***Schnee schaufeln*** clear the snow away **3.** dig* (*Loch*, *Grube usw.*)

Schaufenster shop window

Schaufensterbummel: ***einen Schaufensterbummel machen*** go* window--shopping

Schaufensterpuppe shop-window dummy

Schaukasten showcase

Schaukel **1.** swing **2.** (≈ *Wippe*) seesaw

schaukeln **1.** *mit Schaukel*: swing* **2.** *Schiff*, (*mit*) *Schaukelstuhl*: rock **3.** ***wir werden die Sache*** (*oder* ***das Kind***) ***schon schaukeln*** *umg.* we'll manage it somehow

Schaukelstuhl rocking chair

Schaulaufen exhibition [⚠ ˌeksɪ'bɪʃn] skating

Schaulustige(r) gawper ['gɔːpə], *bes. AE* rubbernecker

Schaum **1.** *allg.*: foam **2.** *von Seife usw.*: lather ['lɑːðə] **3.** *von Bier usw.*: froth

Schaumbad bubble bath

schäumen **1.** foam, froth **2.** (*Seife*) lather ['lɑːðə] **3.** (*Bier usw.*) froth (up) **4.** ***er schäumte vor Wut*** *umg.* he was foaming

Schaumgummi foam rubber

schaumig **1.** *allg.*: frothy ['frɒθɪ] (*auch Bier*) **2.** *Seife etc.*: lathery ['lɑːðərɪ] **3.** *nach Quirlen usw.*: fluffy

Schaumstoff foam (rubber)

Schauplatz scene [⚠ siːn]; ***am Schauplatz*** at the scene

Schauspiel **1.** *im Theater*: drama, play **2.** *übertragen* spectacle ['spektəkl], sight

Schauspieler actor

Schauspielerin actress

schauspielern *übertragen* put* on an act

Schausteller(in) *auf Jahrmärkten usw.*: (fairground) showman (showwoman)

Scheck cheque [tʃek], *AE* check; ***einen Scheck auf jemanden ausstellen*** make* a cheque out to someone

scheckig **1.** *Pferd*: piebald ['paɪbɔːld], dappled **2.** *Kuh*: spotted **3.** *Haut*: blotchy

Scheckkarte cheque [tʃek] card, *AE* check cashing card

Scheibe **1.** disc (*auch CD*, *Schallplatte*) **2.** *aus Glas*: pane **3.** *von Wurst*, *Käse usw.*: slice **4.** ***von ihm kannst du dir eine Scheibe abschneiden*** *umg.* you could learn a thing or two from him

Scheibenbremse *Auto usw.*: disc brake ['dɪsk‿breɪk]

Scheibenwaschanlage *Auto*: windscreen (*AE* windshield) washer system *oder* washers (*Pl.*)

Scheibenwischer windscreen wiper, *AE* windshield wiper

Scheich sheik(h) [⚠ ʃeɪk]

Scheide **1.** *einer Waffe*: sheath [ʃiːθ] *Pl.*: sheaths [⚠ ʃiːðz] **2.** *der Frau*: vagina [⚠ və'dʒaɪnə]

scheiden **1.** ***sich scheiden lassen*** get* a divorce [dɪ'vɔːs], get* divorced; ***sie will sich scheiden lassen*** she wants a divorce; ***sie hat sich von ihm scheiden lassen*** she divorced him **2.** ***hier scheiden sich die Geister*** opinions are divided on that

Scheidung divorce [dɪ'vɔːs]; ***wir leben in Scheidung*** we're getting a divorce

Schein[1] (≈ *Geldschein*) note, *AE* bill

Schein[2] (≈ *Anschein*) appearance [ə'pɪərəns]; ***dem Schein nach*** to all appearances; ***er hat es zum Schein getan*** he pretended to do it; ***der Schein trügt*** appearances are deceptive [dɪ'septɪv]

Schein[3] (≈ *Lichtschein*) light

scheinbar **1.** *Widerspruch usw.*: seeming, apparent **2.** ***es hat ihn scheinbar nicht berührt*** it didn't seem to bother him **3.** ***er***

gab nur scheinbar nach he only pretended to give in

scheinen 1. (*Sonne*) shine* **2.** (≈ *den Anschein haben*) seem, appear; ***es scheint nur so*** it only seems like it; ***er scheint da zu sein*** it looks as if he's there

scheinheilig hypocritical [ˌhɪpə'krɪtɪkl]; ***scheinheilig tun*** act the innocent

scheintot seemingly dead

Scheinwerfer 1. *allg.*: floodlight ['flʌdlaɪt] **2.** *am Auto*: headlight

Scheinwerferlicht 1. spotlight **2.** ***im Scheinwerferlicht der Öffentlichkeit stehen*** be* very much in the public eye

Scheiß... *vulgär*; *in Zusammensetzungen*: bloody … ['blʌdɪ], fucking …

Scheiße *vulgär* **1.** (≈ *Kot*) shit **2.** (≈ *Mist*) crap **3.** ***Scheiße!*** shit!, *BE auch* bloody hell!

scheißegal: ***das ist mir scheißegal!*** *umg.* I don't give a damn [⚠ dæm]!

scheißen *vulgär* shit*

Scheitel *von Frisur*: parting, *AE* part

Scheiterhaufen (funeral ['fjuːnrəl]) pyre; ***auf dem Scheiterhaufen verbrannt werden*** be* burnt at the stake

scheitern 1. fail (***an*** because of) **2.** (*Ehe, Verhandlungen*) break* down **3.** (*Plan, Projekt*) fail, fall* through **4.** ***es war zum Scheitern verurteilt*** it was doomed to fail; ***zum Scheitern bringen*** frustrate [frʌ'streɪt], thwart [θwɔːt] (*Plan, Vorhaben*)

Scheitern failure ['feɪljə], breakdown

schellen 1. ring* (the bell) **2.** ***es hat geschellt*** there's someone at the door

Schellfisch haddock ['hædək]

Schelm rogue [rəʊg], *bes. Kind*: rascal ['rɑːskl]

schelten *allg.*: scold (***wegen*** for)

Schema 1. (≈ *System*) pattern ['pætn], system; ***er lässt sich in kein Schema pressen*** he doesn't fit into any pattern **2.** ***nach Schema F*** without putting any real thought into it **3.** (≈ *Entwurf*) sketch, plan **4.** (≈ *Grafik*) diagram

schematisch 1. *Zeichnung*: schematic [skɪ'mætɪk] **2.** ***etwas schematisch darstellen*** illustrate something in a diagram **3.** *Arbeit usw.*: mechanical **4.** ***schematisch arbeiten*** work by rote

Schemel (foot)stool

Schenkel 1. (≈ *Oberschenkel*) thigh [θaɪ]; ***er schlug sich vor Vergnügen auf die Schenkel*** he slapped his thighs with delight **2.** *eines Winkels*: side

schenken 1. (≈ *geben*) give*; ***er hats mir geschenkt*** he gave it to me (as a present ['preznt]); ***ich muss ihr was zum Geburtstag schenken*** I've got to get her a birthday present; ***wir schenken uns nichts zu Weihnachten*** we don't give each other Christmas presents **2.** ***jemandem Aufmerksamkeit schenken*** pay* attention to someone **3.** *umg.* ***das können wir uns schenken*** (≈ *weglassen*) we can give that a miss; ***den Film kannst du dir schenken*** you can forget that film; ***deine Ausreden kannst du dir schenken*** you can keep your excuses **4.** ***geschenkt!*** *nach Entschuldigung usw.*: forget it!

Schenkung donation (***an*** to)

scheppern *umg.* **1.** *allg.*: rattle **2.** ***da hats gescheppert*** (*Auto*)*Unfall*: there's been a bit of a smash (*umg.* prang) there

Scherbe *Glas*: piece of (broken) glass, *Porzellan*: piece of (broken) china ['tʃaɪnə]; ***in Scherben schlagen*** smash to pieces; ***in Scherben gehen*** get* smashed, *übertragen* (*Beziehung, Ehe*) break* up

Schere scissors ['sɪzəz] (⚠ *Pl.*); ***ist das deine Schere?*** are those your scissors?

Scherereien *umg.* trouble (⚠ *Sg.*); ***jemandem Scherereien machen*** give* someone trouble

Schermaus Ⓒⓗ, Ⓐ (≈ *Maulwurf*) mole

Scherz 1. joke **2.** *Wendungen*: ***mach keine Scherze!*** you're kidding!; ***Scherz beiseite*** seriously though; ***ich habs doch nur als Scherz gemeint*** I was only joking

scherzen joke, make* jokes; ***ich scherze nicht*** I'm not joking, I'm not kidding

scheu 1. (≈ *schüchtern*) shy **2.** *Tier*: timid ['tɪmɪd] **3.** ***mach mir nicht die Pferde scheu!*** *übertragen* keep your shirt on!

Scheu shyness, timidity [tɪ'mɪdətɪ]

scheuen 1. (*Pferd usw.*) shy, take* fright (***vor*** at) **2.** shun, avoid, shy away from (*etwas Unangenehmes*); ***keine Kosten*** (***Mühe***) ***scheuen*** spare no expense (⚠ *Sg.*) (pains *Pl.*) **3.** ***sich scheuen etwas zu tun*** be* afraid of (*oder* shrink* from) doing something; ***sie scheut sich nicht davor zu*** (+ *Inf.*) she's not afraid to (+ *Inf.*), *abwertend, umg.* she has the nerve to (+ *Inf.*)

scheuern 1. scrub (*Topf, Boden usw.*) **2.** ***sie hat ihm eine gescheuert*** *umg.* she socked him one

Scheune barn

Scheunendrescher: ***er isst wie ein Scheunendrescher*** *umg.* he eats like a horse

Scheusal 1. monster (*auch übertragen*) **2.** *übertragen* (≈ *Ekel*) beast, *bes. Kind*: horror ['hɒrə], little beast

S

scheußlich *allg.*: horrible ['hɒrəbl]
Schi → ***Ski***
Schicht 1. (≈ *Lage*) layer **2.** *der Gesellschaft*: class **3.** *bei der Arbeit*: shift; ***Schicht arbeiten*** work shifts (⚠ *Pl.*); ***er hat Schicht*** he's on shift
Schichtarbeit, **Schichtdienst** shift work
schick 1. (≈ *elegant*) smart; ***sich schick anziehen*** dress smartly **2.** (≈ *modisch*, *beliebt*) trendy
schicken 1. (≈ *versenden*) send* (***an, nach*** to) **2.** ***jemanden ins Bett schicken*** send* someone to bed **3.** ***sich schicken*** *umg.* hurry up; ***schick dich!*** get a move on!
Schickimicki *umg.*; *Person*: trendy
Schicksal fate, destiny ['destənɪ]; ***das Schicksal herausfordern*** tempt fate; (***das ist***) ***Schicksal*** that's the luck of the draw
Schicksalsschlag (bad *oder* tragic *oder* terrible) blow, stroke of fate
Schiebedach *Auto*: sliding roof, sunroof
Schiebefenster sliding (*nach oben verschiebbar*: sash) window
schieben 1. push (*Auto*, *Fahrrad usw.*); ***wir mussten den Wagen schieben*** we had to push the car, we had to give the car a push **2.** ***kannst du mal schieben?*** will you have a push? **3.** ***den Ball ins Tor schieben*** slip the ball into the net **4.** ***etwas auf jemanden schieben*** *übertragen* (try to) blame someone for something **5.** ***sich nach vorn schieben*** *in Menschenmenge*: push (one's way) to the front, *in Tabelle*: move to the top **6.** push (*Drogen usw.*)
Schieber 1. *Vorrichtung*: slide **2.** *Tanz*: one-step **3.** (≈ *Schwarzhändler*) black marketeer [ˌmɑːkɪ'tɪə] **4.** (≈ *Drogenhändler*) pusher
Schiebetür sliding door
Schiebung: ***das war Schiebung*** it was all rigged [rɪgd], *Sport*: it was a fix
schiech *bes.* Ⓐ (≈ *hässlich*) ugly
Schiedsgericht 1. court of arbitration [ˌkɔːt‿əvˌɑːbɪ'treɪʃn] **2.** ***internationales Schiedsgericht*** international tribunal [traɪ'bjuːnl] **2.** *Sport usw.*: jury ['dʒʊərɪ]
Schiedsrichter(in) 1. *Fußball*, *Basketball usw.*: referee [ˌrefə'riː] **2.** *Tennis*, *Tischtennis usw.*: umpire ['ʌmpaɪə] **3.** (≈ *Preisrichter, -in*) judge
Schiedsspruch (arbitral ['ɑːbɪtrəl]) award [ə'wɔːd], arbitration; ***einen Schiedsspruch fällen*** make* an award
schief 1. ↔ *gerade*: crooked [⚠ 'krʊkɪd], not straight [streɪt]; ***schiefe Absätze*** worn-down heels; ***das Bild hängt schief*** the picture isn't hanging straight **2.** ***der Schiefe Turm von Pisa*** the Leaning Tower of Pisa **3.** *übertragen* (≈ *verzerrt*) distorted; ***schiefes Bild*** false [fɔːls] impression; ***schiefer Vergleich*** false comparison **4.** ***jemanden schief ansehen*** *umg.* look askance [ə'skæns] at someone

> **schief gehen** go* wrong [⚠ rɒŋ]; ***wird schon schief gehen!*** you'll be all right

Schiefer 1. *Gestein*: slate **2.** *Dialekt*: (≈ *Splitter*) splinter
schieflachen: ***ich habe mich schiefgelacht*** *umg.* I was laughing my head off
schielen 1. squint, have* a squint **2.** ***schielen auf*** (≈ *heimlich blicken*) squint at **3.** ***auf diesen Job schielt er schon lange*** he's had his eye on this job for some time
Schienbein shin(bone)
Schiene 1. *Eisenbahn usw.*: rail; ***aus den Schienen springen*** come* off the rails **2.** *bei Knochenbruch usw.*: splint
schienen put* in a splint (*oder* in splints) (*Bein*, *Arm*)
schier 1. ***es ist schier unmöglich*** it's virtually impossible **2.** ***es ist schierer Wahnsinn*** (*bzw.* ***Unsinn*** *usw.*) it's sheer madness (*bzw.* nonsense *usw.*)
Schießbude shooting gallery ['gælərɪ]
schießen 1. *mit Schusswaffe*: shoot*, fire (***auf*** at); ***gut*** (*bzw.* ***schlecht***) ***schießen*** be* a good (*bzw.* bad) shot; ***er hat sich eine Kugel durch den Kopf geschossen*** he put a bullet through his head **2.** *Fußball usw.*: shoot* **3.** ***den Ball ins Netz schießen*** put* the ball in the net **4.** ***gegen jemanden schießen*** *übertragen* have* a go at someone **5.** *umg.* (≈ *fotografieren*) shoot* **6.** ***eine Aufnahme schießen*** take* a shot **7.** ***ein Gedanke schoss mir durch den Kopf*** a thought suddenly occurred to me **8.** ***in die Höhe schießen*** (*Pflanze*, *Kind*) shoot* up
Schießen 1. shooting **2.** ***es ist zum Schießen*** *umg.* it's a real scream
Schießerei 1. (≈ *das Schießen*) shooting **2.** *Kampf*: shootout, *bes. AE auch* gunfight
Schiff ship; ***auf dem Schiff*** on board ship (⚠ *ohne* of the)
schiffbar *Fluss usw.*: navigable ['nævɪgəbl]
Schiffbau shipbuilding
Schiffbruch shipwreck [⚠ 'ʃɪprek]; ***sie haben Schiffbruch erlitten*** they were shipwrecked
Schiffbrüchige(r) shipwrecked [⚠ 'ʃɪp-

rekt] person, *auf einsamer Insel auch*: castaway ['kɑːstəweɪ]
Schifferklavier accordion [ə'kɔːdɪən]
Schifffahrt: ***die Schifffahrt*** shipping (⚠ *ohne* the)
Schikane 1. harassment ['hærəsmənt] **2.** ***aus reiner Schikane*** out of sheer spite **3.** ***mit allen Schikanen*** *übertragen* with all the trimmings, *Haus, Küche*: with all the mod cons **4.** *Motorsport*: chicane [ʃɪ'keɪn]
schikanieren 1. ***jemanden schikanieren*** mess someone about, bully [⚠ 'bʊlɪ] someone about (*Schüler usw.*)
Schikoree chicory ['tʃɪkərɪ], *AE* endive(s *Pl.*) ['endaɪv(z), 'ɑːndiːv(z)]
Schild[1] *das* **1.** *allg.*: sign [saɪn]; ***was steht auf dem Schild?*** what does the sign say? **2.** (≈ *Wegweiser*) signpost **3.** (≈ *Verkehrsschild*) road (*oder* traffic) sign **4.** (≈ *Namensschild*) nameplate
Schild[2] *der* **1.** shield [ʃiːld] **2.** ***etwas im Schilde führen*** be* up to something
Schilddrüse thyroid gland ['θaɪrɔɪd‿glænd]
schildern 1. (≈ *beschreiben*) describe; ***etwas detailliert schildern*** give* a detailed description of something **2.** (≈ *skizzieren*) outline, sketch **3.** (≈ *erzählen*) tell*; ***er schilderte sein Erlebnis*** he told us *usw.* about his experience
Schilderung 1. description **2.** (≈ *Bericht*) account
Schildkröte 1. (≈ *Landschildkröte*) tortoise [⚠ 'tɔːtəs], *AE auch* (land) turtle **2.** (≈ *Meeresschildkröte*) turtle, *AE auch* sea turtle (*oder* tortoise)
Schilf 1. *einzelne Pflanze*: reed **2.** *als Gürtel am Wasser*: reeds (*Pl.*)
Schilfgürtel reeds (⚠ *Pl.*)
Schilfmatte rush mat
Schilling Ⓐ *ehemalige Währung*: schilling
Schimmel[1] *Pferd*: white horse
Schimmel[2] *Belag*: mould [məʊld]
schimm(e)lig 1. *Lebensmittel, Wand*: mouldy ['məʊldɪ] **2.** *Leder, Bucheinband, Papier usw.*: mildewy ['mɪldjuːɪ]
schimmeln go* mouldy ['məʊldɪ]
Schimmelpilz mould [məʊld]
Schimmer 1. (≈ *Glanz*) gleam **2.** ***ich habe keinen blassen Schimmer*** *umg.* I haven't got a clue
Schimpanse chimpanzee [ˌtʃɪmpæn'ziː], *umg.* chimp
schimpfen 1. ***jemanden*** (*oder* ***mit jemandem***) ***schimpfen*** tell* someone off **2.** (≈ *sich beklagen*) moan, grumble; ***über etwas schimpfen*** complain about something **3.** ***und so was schimpft sich Lehrer*** *umg.* and he calls himself a teacher
Schimpfwort (≈ *Fluch*) swearword ['sweəwɜːd]
Schindeldach shingle roof
schinden 1. drive* *someone* hard **2.** (≈ *quälen*) maltreat [ˌmæl'triːt] *someone* **3.** (≈ *herausschinden*) *umg.*, *übertragen* wangle; ***Eindruck schinden*** (***wollen***) try* to impress, show off; ***Zeit schinden*** *Sport*: play for time **4.** ***sich schinden*** slave away
Schinken 1. *Wurstart*: ham **2.** *umg.* (≈ *dickes Buch*) fat tome
Schiri *umg.* (≈ *Schiedsrichter*) ref
Schirm 1. (≈ *Regenschirm*) umbrella **2.** (≈ *Bildschirm*) screen **3.** (≈ *Fallschirm*) parachute ['pærəʃuːt], *umg.* chute [ʃuːt]
Schirmherr(in) patron(ess) ['peɪtrən (ˌpeɪtrə'nes)]
Schiss: ***Schiss haben*** *umg.* be* scared stiff
schizophren 1. *Person*: (≈ *geisteskrank*) schizophrenic [ˌskɪtsə'frenɪk] **2.** *Sache*: (≈ *absurd, total verrückt*) absurd [əb'sɜːd], *umg.* crazy
schlabbern slobber
Schlacht battle (***bei*** of)
schlachten 1. slaughter ['slɔːtə] (*Kuh, Schwein*) **2.** kill (*Huhn, Hase*) **3.** (≈ *niedermetzeln*) massacre ['mæsəkə], slaughter
Schlachtenbummler(in) *Sport*: fan, supporter
Schlächterei (≈ *Metzgerei, Fleischerei*) butcher's [⚠ 'bʊtʃəz] (shop)
Schlachthof abattoir [⚠ 'æbətwɑː], slaughterhouse ['slɔːtəhaʊs]
Schlachtfeld 1. battlefield **2.** ***hier siehts ja aus wie auf einem Schlachtfeld*** this place looks as if it's been hit by a bomb
Schlachtschiff battleship
Schlacke 1. *von Erzen, Vulkangestein*: slag **2.** *von Kohle*: cinders (⚠ *Pl.*), *größer*: clinker **3.** ***Schlacken*** *Pl.* (≈ *Ballaststoffe*) roughage ['rʌfɪdʒ] (⚠ *Sg.*), fibre, *AE* fiber ['faɪbə] (⚠ *Sg.*) **4.** ***Schlacken*** *Pl.* (≈ *Abfallstoffe des Körpers*) waste products
Schlaf 1. sleep; ***einen leichten*** (*bzw.* ***festen***) ***Schlaf haben*** be* a light (*bzw.* sound) sleeper; ***aus dem Schlaf gerissen werden*** be* rudely awakened **2.** ***das mach ich doch im Schlaf*** *umg.* I can do that with my eyes closed
Schlafanzug pyjamas [pə'dʒɑːməz] (⚠ *Pl.*); ***wo ist mein Schlafanzug?*** where are my pyjamas?
Schlafcouch bed settee ['bed‿seˌtiː]
Schläfe temple
schlafen 1. sleep*, be* asleep; ***schlaf gut!***

S

sleep well!; ***hast du gut geschlafen?*** did you sleep all right?; ***sie schläft fest*** she's fast asleep **2.** ***schlafen gehen*** go* to bed (⚠ *engl.* go to sleep = ***einschlafen***) **3.** ***in der Schule schläft er immer*** he never pays attention at school **4.** ***mit offenen Augen schlafen*** daydream* **5.** ***Entschuldigung, jetzt habe ich geschlafen*** sorry, I was miles away **6.** ***mit jemandem schlafen*** sleep* with someone

Schläfer **1.** (≈ *Schlafender*) sleeper **2.** *übertragen* (≈ *Agent, Terrorist, der auf seinen Einsatz wartet*) sleeper

schlaff **1.** *Haut, Muskeln*: flabby **2.** *Körper, Händedruck*: weak, limp **3.** *Moral, Disziplin*: lax **4.** (≈ *träge*) sluggish **5.** ***so ein schlaffer Typ!*** what a wimp!

schlaflos *Nächte*: sleepless

Schlaflosigkeit sleeplessness

Schlafmittel sleeping pill

Schlafmütze *umg.* **1.** *allg.*: sleepyhead **2.** (≈ *träger Typ*) dope; ***he, du Schlafmütze!*** hey, dozy!

schläfrig sleepy, drowsy ['draʊzɪ]

Schlafsack sleeping bag

Schlafstörungen *Pl.* disturbed sleep (*Sg.*), sleep disorder(s *Pl.*) *Sg.*; ***an Schlafstörungen leiden*** suffer from disturbed sleep, *umg.* have* trouble sleeping

Schlaftablette sleeping pill

Schlafwagen sleeper, sleeping car

schlafwandeln sleepwalk

Schlafwandler(in) sleepwalker, *förmlich* somnambulist [sɒm'næmbjʊlɪst]

Schlafzimmer bedroom

Schlag[1] **1.** (≈ *Faustschlag*) punch, blow; ***Schläge bekommen*** get* a good hiding **2.** (≈ *Klaps*) smack **3.** (≈ *Stromschlag*) electric shock **4.** *Tennis usw.*: shot **5.** (≈ *Unglück*) blow; ***das war ein schwerer Schlag für sie*** it was a real blow to her **6.** (≈ *Schlaganfall*) stroke; ***mich trifft der Schlag!*** *umg.* don't give me a heart attack! **7.** *Wendungen*: ***sie hat einen Schlag*** *umg.* she's got a screw loose somewhere; ***dann ging es Schlag auf Schlag*** then things really got moving; ***auf einen Schlag*** (≈ *plötzlich*) suddenly, from one minute to the next; ***es war ein Schlag ins Wasser*** it was a flop (*oder* washout)

Schlag[2] Ⓐ (≈ *Schlagsahne*) whipped cream [ˌwɪpt'kriːm]

Schlaganfall (≈ *Gehirnschlag*) stroke

schlagartig from one minute to the next

Schlagbohrer (≈ *Bohrgerät*) percussion drill

schlagen **1.** *allg.*: hit* **2.** ***gegen die Tür schlagen*** hammer at the door; ***einen Nagel in die Wand schlagen*** hammer a nail into the wall **3.** (≈ *verprügeln*) beat*; ***sie schlugen sich*** they had a fight **4.** *mit der Faust*: hit*, punch **5.** ***jemanden zu Boden schlagen*** knock [nɒk] someone down **6.** (≈ *besiegen*) beat*, defeat; ***sich geschlagen geben*** admit defeat; ***ich gebe mich geschlagen*** okay, you win **7.** (*Herz, Puls*) beat* **8.** *Wendungen*: ***schlag dir das aus dem Kopf!*** forget it!; ***Stress schlägt mir auf den Magen*** stress is making me ill; ***du hast dich gut geschlagen*** you did well

Schlager **1.** *Lied*: pop song **2.** (≈ *Hit*) hit **3.** *Buch*: bestseller **4.** *Ware*: winner, sales hit

Schläger **1.** *Tennis, Squash*: racket **2.** *Golf*: club **3.** *Tischtennis, Baseball, Cricket*: bat

Schläger(in) (≈ *Raufbold*) thug

Schlägerei fight

Schlagersänger(in) pop singer

schlagfertig **1.** *Person*: quick off the mark **2.** ***schlagfertige Antwort*** good answer

Schlagfertigkeit quick wit

Schlaginstrument percussion instrument ['ɪnstrəmənt], *Pl. auch* percussion (*anschließendes Verb auch im Pl.*)

Schlagloch *in Straße*: pothole

Schlagobers Ⓐ, **Schlagsahne** (whipped) cream

Schlagwort **1.** *in Katalog, für Suchmaschine usw.*: catchword **2.** (≈ *Parole*) slogan

Schlagzeile headline ['hedlaɪn]; ***Schlagzeilen machen*** make* (*oder* hit*) the headlines

Schlagzeug **1.** *in einer Band*: drums (⚠ *Pl.*); ***Schlagzeug spielen*** play (the) drums **2.** *im Orchester*: percussion [pə'kʌʃn]; ***Schlagzeug spielen*** play percussion

Schlagzeuger(in) **1.** *in einer Band*: drummer **2.** *in einem Orchester*: percussionist

Schlamm mud

schlammig muddy

Schlammschlacht *Fußballspiel*: mudbath

schlampen **1.** be* sloppy **2.** ***du hast bei den Hausaufgaben geschlampt*** you've done a sloppy job of your homework

Schlamperei **1.** (≈ *das Schlampen*) sloppiness **2.** (≈ *schlechte Arbeit*) mess

schlampert Ⓐ, **schlampig** sloppy

Schlange **1.** *Tier*: snake **2.** (≈ *Menschenschlange*) line, *BE auch* queue [kjuː]; ***Schlange stehen*** line up, *BE auch* queue (up) (***um, nach*** for)

schlängeln: ***sich schlängeln*** **1.** (*Schlange usw.*) snake (its *usw.* way), wriggle [⚠ 'rɪgl] **2.** (*Weg, Fluss usw.*) wind [waɪnd], (*Fluss*) *auch*: meander [mɪ'ændə]

S

Schlangenlinie wavy line; ***in Schlangenlinien fahren*** zigzag (along the road)
schlank **1.** *allg.*: slim; ***das Kleid macht dich schlank*** that dress makes you look slim **2.** ***ich muss auf meine schlanke Linie achten*** I've got to watch what I eat
schlapp **1.** (≈ *erschöpft*) washed out **2.** *ohne Schwung*: listless
Schlappe setback; ***eine Schlappe erleiden*** (*oder* ***einstecken***) suffer a setback
schlappmachen **1.** *körperlich*: flake out **2.** (≈ *aufgeben*) give* up
Schlappschwanz *umg.* wimp, drip
schlau **1.** (≈ *klug*) clever, smart; ***das hast du dir schlau ausgedacht*** very clever indeed **2.** ***ich werde aus ihm nicht schlau*** I can't make him out **3.** (≈ *raffiniert*) crafty
Schlauberger *umg.* smart aleck ['ælɪk], *BE auch* clever dick
Schlauch **1.** *von Autoreifen usw.*: tube **2.** (≈ *Gartenschlauch*) hose **3.** *umg.* (≈ *Strapaze*) hard slog; ***das war ein Schlauch!*** that was tough going! **4.** ***auf dem Schlauch stehen*** *umg.* be* completely clueless
Schlauchboot rubber dinghy ['dɪŋɪ]
schlauchen: ***das hat mich ganz schön geschlaucht*** that really took it out of me, that was tough [tʌf] going; ***das schlaucht*** (***ganz schön***) it's tough going
Schlaukopf, **Schlaumeier** → ***Schlauberger***
schlecht **1.** *allg.*: bad (⚠ ***schlechter*** worse, ***schlechtest-*** worst); ***nicht schlecht!*** not bad!; ***ich habe eine schlechte Nachricht*** I've got bad news (⚠ *Sg.*) **2.** ***schlechte Zeiten*** <u>hard</u> times **3.** *Leistung*, *Qualität*: bad, poor; ***in Sport ist sie schlechter als ich*** she's worse at sports than I am **4.** *Luft*: stale **5.** (≈ *böse*) bad, wicked [⚠ 'wɪkɪd]; ***er ist kein schlechter Kerl*** he's not a bad sort; ***das war schlecht von dir*** *umg.* that was rotten of you **6.** *Lebensmittel*: bad, *BE auch* off; ***schlecht werden*** go* bad (*BE auch* off); ***die Milch ist schlecht*** the milk has gone off **7.** ***mir ist schlecht*** I feel sick; ***mir wird schlecht*** I think I'm going to be sick **8.** ***du siehst schlecht aus*** you don't look too good **9.** *Wendungen*: ***ich kann schlecht Nein sagen*** I can't really say no; ***das kann ich schlecht sagen*** I can't really say; ***ich habe nicht schlecht gestaunt*** I wasn't half surprised; ***im Moment geht es schlecht*** (≈ *passt es nicht*) it's a bit awkward at the moment

> **schlecht gehen** **1.** ***es geht ihm schlecht*** he's having a hard time, *gesundheitlich*: he's in a bad way, *finanziell*: he's pretty hard up **2.** ***wenn er das erfährt, gehts dir schlecht*** if he finds out, you'll be 'in for it
> **schlecht gelaunt** grumpy; ***ich bin schlecht gelaunt*** I'm in a bad mood
> **schlecht machen**: ***mach ihn nicht dauernd schlecht!*** stop knocking him!

schlecken lick (*Eis usw.*); ***schlecken an*** lick
schleichen **1.** creep*, sneak **2.** (≈ *langsam fahren*) crawl **3.** ***schleich dich!*** *umg.* get lost!, get out of here!
Schleichwerbung surreptitious advertising [sʌrəpˌtɪʃəs'ædvətaɪzɪŋ], product ['prɒdʌkt] placement, *umg.* plug(ging); ***Schleichwerbung machen für*** *ein Produkt usw.* plug
Schleier *aus Stoff*: veil [veɪl]
schleierhaft **1.** (≈ *rätselhaft*) mysterious [mɪ'stɪərɪəs]; ***das ist mir völlig schleierhaft*** it's a complete mystery to me **2.** (≈ *unbegreiflich*) incomprehensible
Schleife **1.** *im Haar*: ribbon **2.** *von Band*: bow [bəʊ] **3.** (≈ *Kurve*) loop
schleifen[1] **1.** (≈ *schärfen*) sharpen **2.** (≈ *glätten*) grind* [graɪnd] **3.** *mit Sandpapier*: sand, sandpaper
schleifen[2] **1.** (≈ *ziehen*) drag **2.** ***sie schleifte mich ins Kino*** she dragged me along to the cinema
Schleim **1.** *von Schnecken usw.*: slime **2.** *im Hals*: phlegm [⚠ flem]
Schleimer(in) *umg.* toady ['təʊdɪ]
Schleimhaut mucous membrane [ˌmjuːkəs'membreɪn]
schleimig *auch übertragen* slimy ['slaɪmɪ]
Schlemmer(in) (≈ *Feinschmecker, -in*) gourmet ['gʊəmeɪ]
schlendern stroll [strəʊl]
Schlendrian **1.** (***das ist***) ***der alte Schlendrian*** it's back to the the same old ways (⚠ *Pl.*) **2.** (≈ *Bummelei*) dawdling
Schlenker **1.** *von Auto usw.*: swerve **2.** *umg.* (≈ *Abstecher*) detour ['diːtʊə]
schlenkern swing*, dangle ['dæŋgl]; ***sie schlenkerte mit den Armen*** (*bzw.* ***Beinen***) she swung <u>her</u> arms (*bzw.* legs)
schlenzen *Sport*: scoop (*den Ball*, *Puck*)
schleppen **1.** drag (*Last*) **2.** (≈ *mühsam tragen*) lug (*Koffer usw.*) **3.** ***sie schleppte mich mit ins Kino*** *übertragen* she dragged me along to the cinema **4.** (≈ *abschleppen*) tow [təʊ] **5.** ***sich schleppen*** (*Person*) drag oneself along

schleppend **1.** *Gang*, *Tempo*: sluggish, slow **2.** *Sprache*: slow, drawling **3.** ***die Arbeit geht nur schleppend voran*** work is making very slow progress
Schlepper **1.** *Schiff*: tug **2.** (≈ *Traktor*) tractor
Schlepper(in) **1.** (≈ *Flüchtlingsschleuser* [*-in*]) people smuggler **2.** (≈ *Kundenwerber*[*in*]) tout [taʊt]
Schlepplift T-bar lift, ski tow ['skiː‿təʊ]
Schlesier(in), **schlesisch** Silesian [saɪ'liːzɪən]
Schleswig-Holstein Schleswig-Holstein [ˌʃlezvɪg'hɒlstaɪn]
Schleuder **1.** (≈ *Wäscheschleuder*) spin-dryer [ˌspɪn'draɪə] **2.** *mit Gummizug*: catapult ['kætəpʌlt], *AE* slingshot
schleudern **1.** (*Fahrzeug*) skid, swerve [swɜːv]; ***ins Schleudern kommen*** go* into a skid, start skidding **2.** ***sie gerieten ins Schleudern*** *übertragen* they ran into trouble **3.** spin-dry (*Wäsche*) **4.** (≈ *werfen*) sling*; ***er schleuderte es in die Ecke*** he slung it into the corner
Schleuderpreis give-away price; ***sie verkaufen es zu Schleuderpreisen*** *umg.* they're selling it dirt cheap
Schleudersitz **1.** *in Flugzeug*: ejection [ɪ'dʒekʃn] (*oder* ejector) seat **2.** *umg.*, *übertragen* (≈ *unsichere Arbeitsstelle*) hot seat
schleunigst **1.** at once **2.** ***aber schleunigst!*** and be quick about it!
Schleuse **1.** *in kleinerem Fluss*: sluice [sluːs], floodgate ['flʌdgeɪt] (*auch übertragen*) **2.** (≈ *Kanalschleuse*) lock
schleusen **1.** ***Flüchtlinge über die Grenze schleusen*** smuggle refugees [ˌrefjʊ'dʒiːz] across the border **2.** ***eine Reisegruppe durch den Zoll schleusen*** *langsam*: filter a tour group through customs (*Pl.*)
schlicht **1.** (≈ *einfach*) simple, plain **2.** (≈ *bescheiden*) modest ['mɒdɪst] **3.** ***schlicht und einfach*** (*oder* ***ergreifend***) purely and simply
schlichten **1.** settle (*Streit*) **2.** mediate ['miːdɪeɪt] (***zwischen*** between)
Schlichter(in) mediator ['miːdɪeɪtə]
Schlick sludge
Schließe **1.** *von Gürtel usw.*: fastening [⚠ 'fɑːsnɪŋ] **2.** *von Kleid*, *Handtasche*, *altem Buch usw.*: clasp [klɑːsp]
schließen **1.** close [kləʊz], shut* (*Tür*, *Fenster usw.*) **2.** (≈ *zumachen*) close; ***das Büro schließt um 16 Uhr*** the office closes at 4 p.m. **3.** (≈ *stilllegen*) close down, shut* down (*Firma*) **4.** end (*Brief*, *Rede*) **5.** (≈ *folgern*) conclude (***aus*** from); ***von sich auf andere schließen*** judge others by oneself **6.** ***Frieden schließen*** make* peace **7.** ***sich schließen*** (*Tür*, *Fenster*) close, shut*
Schließfach locker
schließlich **1.** (≈ *zuletzt*) finally ['faɪnəlɪ], in the end **2.** (≈ *immerhin*) after all
Schließung *eines Betriebs usw.*: closure ['kləʊʒə], shutdown
Schliff: ***einem Aufsatz den letzten Schliff geben*** put* the finishing touches (⚠ *Pl.*) to an essay
schlimm **1.** *allg.*: bad (⚠ ***schlimmer*** worse, ***schlimmst-*** worst) **2.** (≈ *böse*) evil ['iːvl], wicked [⚠ 'wɪkɪd]; ***er ist ein ganz Schlimmer*** he's really wicked (*auch scherzhaft*) **3.** (≈ *schwer wiegend*) bad, serious ['sɪərɪəs]; ***das ist ja eine schlimme Sache*** that's awful (*oder* terrible ['terəbl]) **4.** ***es wird immer schlimmer*** things are going from bad to worse **5.** ***auf das Schlimmste gefasst sein*** be* prepared for the worst **6.** *Wunde*, *Krankheit*: bad, nasty; ***schlimmer Husten*** bad (*oder* nasty) cough [kɒf]; ☞ ***schlecht***
Schlinge **1.** (≈ *Schlaufe*) loop **2.** *am Galgen*: noose [nuːs] **3.** (≈ *Armbinde*) sling; ***er trägt den rechten Arm in einer Schlinge*** he's got his right arm in a sling
Schlingel rascal ['rɑːskl]
schlingen **1.** ***sich einen Schal um den Hals schlingen*** wrap [⚠ ræp] a scarf around one's neck **2.** ***sich um etwas schlingen*** (*Schlange usw.*) wind* [waɪnd] (*oder* coil) itself round something **3.** (≈ *gierig essen*) bolt one's food, gobble **4.** gobble (*Essen*)
schlingern (*Schiff*) roll, lurch ['lɜːtʃ]
Schlips **1.** tie **2.** ***jemandem auf den Schlips treten*** *umg.* tread* [tred] on someone's toes
schlitteln Ⓒⓗ (≈ *rodeln*) toboggan [tə'bɒgən], go* sledging (*oder* tobogganing), *AE* go* sledding
Schlitten **1.** sledge, sled **2.** (≈ *Rodelschlitten*) sledge, toboggan [tə'bɒgən], *AE auch* sled; ***Schlitten fahren*** go* sledging, go* tobogganing, *AE* go* sledding **3.** (≈ *Pferdeschlitten*) sleigh [⚠ sleɪ] **4.** ***toller Schlitten*** *umg.* (≈ *Auto*) (really) flash car
schlittern **1.** slide (***in*** into *auch übertragen*) **2.** (≈ *ausgleiten*) *auch* slip, (*Auto*) skid; ***ins Schlittern kommen*** start to slip, (*Auto*) start skidding, go* into a skid
Schlittschuh ice skate; ***Schlittschuh laufen*** ice-skate, go* (ice-)skating
Schlittschuhlaufen (ice) skating
Schlittschuhläufer(in) (ice) skater
Schlitz **1.** *in Kleid usw.*: slit **2.** (≈ *Hosen-*

S

schlitz) flies (⚠ *Pl.*), *bes. AE* fly; ***dein Schlitz ist offen*** your flies are undone, *bes. AE* your fly is open **3.** (≈ *Münzeinwurf*) slot
Schlitzohr *umg.* **1.** sly dog **2.** (≈ *Betrüger, -in*) crook [krʊk]
Schloss[1] **1.** *an Tür usw.*: lock **2.** ***hinter Schloss und Riegel sitzen*** be* (sitting) behind bars
Schloss[2] **1.** castle [⚠ 'kɑːsl] **2.** (≈ *Palast*) palace ['pæləs]
Schlosser(in) mechanic, fitter
Schlot 1. chimney ['tʃɪmnɪ], smokestack **2.** ***rauchen wie ein Schlot*** *umg.* smoke like a chimney
schlottern 1. (≈ *zittern*) shake*, tremble; ***vor Angst schlottern*** tremble with fear **2.** *vor Kälte*: shake*, shiver
schlotternd *Hose usw.*: loose-hanging
Schlucht 1. gorge [gɔːdʒ], ravine [⚠ rə'viːn] **2.** *große*: canyon
schluchzen 1. sob **2.** ***schluchz!*** *umg.* sniff!
Schluchzen sobbing, sobs (*Pl.*)
Schluck 1. gulp [gʌlp], mouthful **2.** ***ich möchte einen Schluck trinken*** I'd like something to drink
Schluckauf: ***ich hab Schluckauf*** I've got (the) hiccups ['hɪkʌps] (⚠ *Pl.*)
schlucken 1. swallow ['swɒləʊ] (*auch umg. glauben*) **2.** absorb (*Schall, Licht*)
schlud(e)rig 1. (≈ *nachlässig*) sloppy, *Arbeit auch*: slipshod ['slɪpʃɒd] **2.** *dem Aussehen nach*: slovenly ['slʌvnlɪ], scruffy; **3.** ***schludrig arbeiten*** work sloppily, *ständig*: be* a sloppy worker
schlüpfen 1. slip (***aus*** out of, ***in*** into) **2.** (*Vögel*) hatch, hatch out
Schlüpfer (≈ *Damenunterhose*) briefs (⚠ *Pl.*), panties ['pæntɪz] (⚠ *Pl.*)
Schlupfloch 1. *in Mauer usw.*: gap **2.** (≈ *Versteck*) hideout **3.** *übertragen* loophole
schlüpfrig 1. *Straße usw.*: slippery **2.** *Witz usw.*: risqué ['rɪskeɪ]
schlurfen (≈ *schlurfend gehen*) shuffle along, drag one's feet
schlürfen slurp
Schluss 1. (≈ *Ende*) end; ***am Schluss*** at the end; ***zum Schluss*** finally, in the end **2.** ***Schluss machen*** *mit der Arbeit*: finish work; ***machen wir Schluss für heute*** let's call it a day; ***mit dem Rauchen Schluss machen*** stop smoking; ***mit jemandem Schluss machen*** finish with someone; ***ich muss jetzt Schluss machen*** *am Telefon*: I'll have to go now **3.** (≈ *Folgerung*) conclusion; ***einen Schluss ziehen*** draw* a conclusion, conclude (***aus*** from); ***zu dem Schluss kommen, dass ...*** come* to the conclusion that ...

Schluss in Briefen

Schreibt man in der Anrede **Dear Sir**, **Dear Madam** usw., so endet der Brief mit:	**Yours faithfully**, *häufig auch*: **Yours sincerely** + *Unterschrift*
Redet man die Person im Brief mit Namen an, z. B. **Dear Mr Smith**, so endet der Brief mit:	**Yours sincerely** + *Unterschrift*
Im amerikanischen Englisch findet man für beide Fälle aber auch oft:	**Sincerely yours** oder **Yours (very) truly**

Schluss in E-Mails

Der Schluss kann in einer E-Mail durchaus lockerer sein als in einem Brief, z. B.:	**Regards** **Best regards** **Kind regards**
Folgende Floskeln sollten aber nur verwendet werden, wenn man sich schon gut kennt:	**Warm regards** **All the best** **(Best) Wishes** **With best wishes** **Rgds** (Kurzform für **Regards**)

Diese Grüße sind jedoch nur Freunden vorbehalten: **Take care**, **All for now**, **Cheers**, **Enjoy**, **Love**, **Ciao** und **TTFN** **(ta-ta for now)**.

Schlüssel key (*auch übertragen*); ***der Schlüssel zum Erfolg*** the key to success
Schlüsselbein collarbone
Schlüsselbund bunch of keys
Schlüsselloch keyhole; ***durchs Schlüsselloch gucken*** peep through the keyhole
Schlussfolgerung conclusion
schlüssig 1. *Argument*, *Folgerung*: logical ['lɒdʒɪkl] **2.** *Beweis*: conclusive **3.** ***sich schlüssig werden*** make* up one's mind (***über*** about); ***ich bin mir noch nicht schlüssig*** I haven't made up my mind yet
Schlusslicht 1. *an Fahrzeug*: tail-light **2.** *umg. Sport*: tail-ender, *Mannschaft*: bottom-of-the-table team
Schlusspfiff *Sport*: final whistle [ˌfaɪnl'wɪsl]

Schlussverkauf (end-of-season) sale; ***es ist Schlussverkauf*** the sales (⚠ *Pl.*) are on
schmächtig frail
schmackhaft **1.** tasty **2.** ***wir müssen ihm die Idee schmackhaft machen*** we've got to make the idea sound appealing to him
Schmäh Ⓐ **1.** (≈ *Trick*) con **2.** ***Wiener Schmäh*** Viennese patter
schmal **1.** *allg.*: narrow **2.** (≈ *dünn*) thin, slim; ***er ist schmal geworden*** he's lost weight [weɪt], he's gone thin
schmälern **1.** (≈ *einschränken, verringern*) curtail [kɜː'teɪl], cut* (*Gewinne usw.*) **2.** (≈ *beeinträchtigen*) impair [ɪm'peə] (*Rechte usw.*) **3.** detract from, belittle (*Verdienste usw.*)
Schmalspurbahn narrow gauge [⚠ geɪdʒ] railway (*AE* railroad)
Schmalz **1.** (≈ *Fett*) lard **2.** ***Schmalz in den Knochen haben*** *umg.* (≈ *kräftig sein*) have* plenty of brawn [brɔːn] **3.** *umg.* (≈ *Sentimentalitäten*) schmaltz [⚠ ʃmɒlts]
schmalzig *umg., übertragen* schmaltzy ['ʃmɔːltsɪ]
schmarotzen scrounge (***von jemandem etwas*** something off *oder* from someone), sponge [spʌndʒ] (***bei*** off)
Schmarotzer(in) **1.** *Tier, Pflanze*: parasite ['pærəsaɪt] **2.** *umg.*; *Person*: scrounger ['skraʊndʒə], sponger [⚠ 'spʌndʒə]
Schmarren, Schmarrn **1.** *bes.* Ⓐ *etwa*: scrambled pancake **2.** *umg.* (≈ *Unsinn*) rubbish; ***so ein Schmarrn!*** what a load of rubbish! **3.** ***das geht dich einen Schmarrn an!*** *umg.* that's none of your business
schmatzen: ***er schmatzt*** he's a noisy eater; ***schmatz nicht so!*** close your mouth when you're eating
schmecken **1.** ***schmecken nach*** taste of; ***gut schmecken*** taste good **2.** ***lass es dir schmecken*** enjoy it; ***schmeckt es dir?*** do you like it?; ***also dann - lassen wirs uns schmecken!*** right then - let's tuck in! **3.** (≈ *kosten*) taste, try **4.** ***ich schmecke gar nichts*** I can't taste a thing
Schmeichelei flattery
schmeichelhaft flattering
schmeicheln **1.** ***jemandem schmeicheln*** flatter someone **2.** ***das Foto ist aber geschmeichelt*** that's a very flattering photo
Schmeichler(in) flatterer
schmeißen *umg.* **1.** (≈ *werfen*) throw*; ***mit Steinen nach jemandem schmeißen*** throw* stones at someone; ***mit Geld um sich schmeißen*** throw* one's money around **2.** ***eine Runde schmeißen*** *umg.* (≈ *spendieren*) stand* a round **3.** ***den Laden schmeißen*** *umg.* run* the show
schmelzen **1.** (*Eis, Metall usw.*) melt **2.** melt, smelt (*Erz, Metalle*)
Schmelzkäse cheese spread [spred], soft cheese
Schmelzpunkt melting point
Schmerz **1.** pain; ***Schmerzen haben*** be* in pain; ***Schmerzen im Rücken haben*** have* a pain in one's back, have* (a) backache **2.** (≈ *Kummer*) pain, grief; ***jemandem Schmerzen bereiten*** cause someone pain
schmerzen **1.** hurt* **2.** (*Magen, Kopf*) ache [eɪk]; ***mir schmerzen alle Glieder*** all my limbs [lɪmz] are aching **3.** *seelisch*: hurt*; ***es schmerzt mich, das zu hören*** it hurts (me) to hear that
Schmerzensgeld compensation (for injuries ['ɪndʒərɪz] suffered), *AE* smart money
schmerzhaft painful ['peɪnfl]
schmerzlich painful; ***ein schmerzlicher***

Schmerzen

Bezeichnungen für Schmerzen stehen im Englischen meistens im Singular:

Ich habe Kopfschmerzen.	**I've got a headache.**
Ich habe Magenschmerzen.	**I've got (a) stomachache** ['stʌmək‿eɪk].
Ich habe Zahnschmerzen.	**I've got (a) toothache.**
Ich habe Rückenschmerzen.	**I've got (a) backache.**
Ich habe Ohrenschmerzen.	**I've got (an) earache.**

Beachte, dass man bei Kopfschmerzen immer **a headache** sagt, während der unbestimmte Artikel **a** *bzw.* **an** in den anderen Fällen nicht notwendig ist. Im britischen Englisch lässt man ihn meistens weg.
Wenn man Schmerzen an einer bestimmten, eingegrenzten Stelle hat, sagt man z. B. **I've got a pain in my right knee** (= ich habe Schmerzen im rechten Knie).

Verlust a sad loss; ***jemanden schmerzlich vermissen*** miss someone badly
schmerzlos 1. painless **2.** ***mach es kurz und schmerzlos*** get it over and done with
Schmerzmittel painkiller
Schmerztablette painkiller
Schmetterling butterfly (*auch Schwimmstil*)
schmettern 1. ***etwas in Stücke schmettern*** smash something to pieces **2.** *Tennis, Volleyball usw.*: smash **3.** *umg.* belt out (*Lied*)
Schmied(in) (black)smith
Schmiedeeisen *als Geländer, Gitter, Tor*: wrought iron [⚠ ˌrɔːt'aɪən]
schmiegen: ***sich an jemanden schmiegen*** cling* (*zärtlich*: cuddle up) to someone
schmieren 1. *mit Schmiermittel*: lubricate ['luːbrɪkeɪt], grease; ***das läuft ja wie geschmiert*** *umg.* it's going like clockwork **2.** (≈ *verstreichen*) spread* [spred] (*Brotaufstrich*); ***Butterbrote schmieren*** butter slices of bread **3.** (≈ *unsauber schreiben*) scribble, scrawl [skrɔːl] **4.** ***jemanden schmieren*** *umg.* (≈ *bestechen*) grease someone's palm [pɑːm] **5.** ***soll ich dir eine schmieren?*** *umg.* do you want my fist in your face?
Schmiererei (≈ *Gekritzel*) scribble, scrawl
Schmierereien *an Wänden usw.*: graffiti [grə'fiːtɪ] (⚠ *Pl.*)
Schmiergeld bribe money
schmierig 1. (≈ *fettig*) greasy ['griːsɪ] **2.** (≈ *schmutzig*) grubby, *Küche usw.*: grimy **3.** *übertragen* (≈ *unanständig*) smutty **4.** *übertragen*; *Typ, Charakter*: smarmy
Schmierpapier scrap paper
Schmierzettel piece of scrap paper
Schminke makeup ['meɪkʌp]
schminken 1. ***sich schminken*** put* one's makeup on; ***sie schminkt sich nie*** she never wears makeup **2.** make* up (*Gesicht*)
Schmirgelpapier sandpaper
Schmöker: ***ein dicker Schmöker*** *umg.* a thick tome
schmökern: ***in einem Buch schmökern*** browse [braʊz] through a book
schmollen sulk
schmoren 1. braise, stew (*Bratenfleisch*) **2.** ***in der Sonne schmoren*** roast in the sun **3.** ***jemanden schmoren lassen*** *umg.* let* someone stew in his (*oder* her) own juice
Schmuck 1. *allg.* jewellery ['dʒuːəlrɪ], *bes. AE* jewelry **2.** *Verzierung*: ornamentation, decoration
schmücken 1. decorate ['dekəreɪt] (*Wohnung, Weihnachtsbaum usw.*) **2.** ***sich schmücken*** (≈ *fein anziehen*) dress up
Schmuckstück 1. (≈ *Schmuck*) piece of jewellery (*AE* jewelry) ['dʒuːəlrɪ] **2.** *übertragen* gem [dʒem]
schmuddelig *umg.* grubby
Schmuggel smuggling
schmuggeln smuggle
Schmuggler(in) smuggler
schmunzeln smile (to oneself)
schmusen 1. (≈ *zärtlich sein*) cuddle **2.** (*Liebespaar*) kiss and cuddle, smooch
Schmutz 1. *allg.*: dirt **2.** ***in den Schmutz ziehen*** *übertragen* drag through the mud
schmutzig 1. (≈ *unsauber*) dirty; ***sich schmutzig machen*** get* dirty **2.** (≈ *unanständig*) dirty, smutty; ***er hat eine schmutzige Fantasie*** he's got a dirty mind
Schnabel 1. *eines Vogels*: beak **2.** *umg.* (≈ *Mund*) mouth; ***halt den Schnabel!*** shut up!; ***sie spricht, wie ihr der Schnabel gewachsen ist*** she says whatever comes into her head
Schnake mosquito [mə'skiːtəʊ]
Schnalle 1. *am Gürtel*: buckle **2.** Ⓐ (≈ *Türklinke*) door-handle
schnallen[1] **1.** *mit einem Riemen*: strap (***auf*** onto) **2.** ***enger schnallen*** tighten
schnallen[2] *umg.* (≈ *begreifen*) get*; ***hast dus immer noch nicht geschnallt?*** you still don't get it?
schnalzen 1. ***sie schnalzte mit der Zunge*** she clicked her tongue **2.** ***er schnalzte mit den Fingern*** he snapped his fingers
Schnäppchen snip, (real)bargain ['bɑːgɪn]; ***ein Schnäppchen machen*** get* a real snip (*oder* bargain)
schnappen 1. (≈ *erwischen*) catch* **2.** ***der Hund schnappte nach ihr*** the dog snapped at her **3.** ***nach etwas schnappen*** (≈ *greifen*) grab at something **3.** ***nach Luft schnappen*** gasp for breath [breθ] **4.** ***gehen wir ein bisschen frische Luft schnappen*** let's go and get some fresh air
Schnappschuss (≈ *Foto*) snapshot
Schnaps 1. *als Sammelbegriff*: spirits (*Pl.*) **2.** *einzelner*: (≈ *Klarer*) schnapps [ʃnæps]; ***ich nehme einen Schnaps*** *BE umg.* I'll have a short
Schnapsidee *umg.* crazy idea
schnarchen snore
schnattern 1. (*Gans*) cackle **2.** (*Ente*) quack [kwæk] **3.** *umg.* (≈ *reden*) gabble (away)

schnaufen **1.** *umg.* (≈ *atmen*) breathe [briːð] **2.** *vor Anstrengung*: pant, puff

Schnauz *bes.* Ⓒⓗ, **Schnauzbart** → ***Schnauzer***

Schnauze **1.** *eines Tiers*: snout [snaʊt], *von Hund, Katze auch*: nose **2.** *vulgär* (≈ *Mund*) snout, trap; ***halt die Schnauze!*** shut your trap!; ***auf die Schnauze fallen*** fall* flat on one's face (*auch übertragen*)

schnäuzen: ***sich schnäuzen*** blow* one's nose

Schnauzer *umg.* (≈ *Schnurrbart*) moustache [⚠ məˈstɑːʃ], *AE auch* mustache [ˈmʌstæʃ]

Schnecke **1.** *mit Haus*: snail (⚠ *engl.* snake = ***Schlange***) **2.** *ohne Haus*: slug **3.** ***jemanden zur Schnecke machen*** *umg.* have* a real go at someone

Schneckenpost *humorvoll, im Gegensatz zu E-Mail*: snail mail [ˈsneɪl‿meɪl]

Schneckentempo: ***im Schneckentempo fahren*** crawl [krɔːl] along

Schnee **1.** snow **2.** ***das ist Schnee von gestern*** *umg.* that's ancient [ˈeɪnʃənt] history

Schneeball snowball

Schneeballschlacht snowball fight

Schneeflocke snowflake

schneefrei free (*oder* clear) of snow (⚠ *immer hinter dem Subst.*)

Schneegestöber snow flurry [ˈsnəʊˌflʌrɪ]

Schneekette snow chain

Schneemann snowman

Schneematsch slush

Schneepflug snowplough [ˈsnəʊplaʊ], *AE* snowplow

Schneeregen sleet

Schneeschmelze thaw [θɔː]

Schneesturm snowstorm, blizzard [ˈblɪzəd]

schneeweiß **1.** *allg.*: snow-white **2.** *im Gesicht*: (as) white as a sheet

Schneide (cutting) edge, blade

schneiden **1.** cut*; ***in Stücke schneiden*** cut* up; ***ich habe mich in den Finger geschnitten*** I've cut my finger **2.** ***jemanden schneiden*** (≈ *nicht beachten*) cut* someone dead **3.** ***da hast du dich geschnitten*** *umg.* you're very much mistaken there

schneidend **1.** *Schmerz*: sharp **2.** *Kälte, Wind*: biting **3.** *Stimme, Ton*: shrill

Schneider **1.** tailor **2.** *für Damenmode*: dressmaker **3.** ***aus dem Schneider sein*** *umg.* be* out of the wood(s)

Schneiderin dressmaker

Schneidezahn incisor [ɪnˈsaɪzə]

schneien snow

Schneise **1.** *im Wald*: open strip **2.** (≈ *Flugschneise*) approach corridor

schnell **1.** *allg.*: quick; ***auf schnellstem Weg*** as quickly as possible; ***das ging ja schnell*** that was quick **2.** ***mach schnell!*** hurry up! [ˌhʌrɪˈʌp] **3.** *Auto, Läufer*: fast [fɑːst] **4.** ***schneller werden*** speed* up **5.** *Erwiderung, Erledigung*: prompt; ***danke für Ihre schnelle Antwort*** thanks for replying so promptly; ***das habe ich schnell erledigt*** I'll have that done in no time **6.** (≈ *plötzlich*) sudden, abrupt **7.** ***die Lage kann sich sehr schnell ändern*** things could suddenly change **8.** (≈ *hastig*) rushed; ***auf die schnelle Tour*** in a rush

Schnellboot speedboat

Schnelle: ***etwas auf die Schnelle machen*** (≈ *hastig*) do* something in a hurry [ˈhʌrɪ]; ***das geht nicht auf die Schnelle*** it takes time

Schnellhefter folder, ring binder

Schnelligkeit **1.** *allg.*: speed **2.** *von Antwort usw.*: promptness

Schnellimbiss snack bar, fast-food place

Schnellkochtopf pressure cooker [ˈpreʃəˌkʊkə]

schnelllebig **1.** *Zeit*: fast-moving **2.** (≈ *kurzlebig*) *Mode usw.*: short-lived

schnellstens as quickly (*oder* as soon) as possible

schniefen *umg.* sniff, sniffle

Schnippchen: ***jemandem ein Schnippchen schlagen*** *umg.* get* the better of someone

schnippisch pert, saucy [ˈsɔːsɪ]; ***schnippisch antworten*** give* a saucy reply

Schnipsel **1.** *allg.*: piece, bit **2.** (≈ *Papierschnipsel*) bit, scrap

Schnitt **1.** *Wunde*: cut **2.** *eines Kleides*: style **3.** (≈ *Durchschnitt*) average [ˈævərɪdʒ]; ***im Schnitt*** on average **4.** *Film, TV*: editing, cutting **5.** *umg.* (≈ *Gewinn*) profit; ***einen guten Schnitt machen*** make* a packet

Schnitte **1.** *Brot, Fleisch, Kuchen usw.*: slice **2.** (≈ *belegtes Brot*) open sandwich

Schnittkäse cheese slices *Pl.*

Schnittlauch chives [tʃaɪvz] (⚠ *Pl.*)

Schnittpunkt (point of) intersection

Schnittstelle *Computer*: interface

Schnittwunde **1.** cut **2.** *größere*: gash

Schnitzel **1.** *vom Schwein*: pork cutlet **2.** *vom Kalb*: veal cutlet **3.** ***Wiener Schnitzel*** Wiener schnitzel [ˌwiːnəˈʃnɪtsl]

schnitzen carve

Schnitzer **1.** *Künstler*: wood carver **2.** *umg.* (≈ *Fehler*) howler [ˈhaʊlə]

Schnitzerin wood carver

S

schnodd(e)rig *umg.* snotty
Schnösel *umg.* prig, snot-nose
Schnorchel snorkel
schnorcheln snorkel, go* snorkelling
schnorren *umg.* scrounge (***bei*** off, from), sponge [⚠ spʌndʒ] (***bei*** on, off)
Schnorrer(in) *umg.*, *abwertend* scrounger ['skraʊndʒə], sponger [⚠ 'spʌndʒə]
schnuckelig *umg.* **1.** *Person*: cute, sweet **2.** (≈ *gemütlich*) cosy ['kəʊzɪ]
Schnüffelei *umg.* snooping
schnüffeln 1. (≈ *riechen*) sniff **2.** *umg.* (≈ *spionieren*) snoop around
Schnüffler(in) *umg.* snoop, snooper
Schnuller dummy, *AE* pacifier ['pæsɪfaɪə]
Schnulze 1. *Film*, *Buch*: tearjerker ['tɪəˌdʒɜːkə] **2.** *Lied*: soppy song
Schnupfen cold
schnuppe: ***das ist mir schnuppe*** *umg.* I couldn't care less
schnuppern sniff (***an*** at)
Schnur 1. *zum Binden*: (piece of) string; ***eine Schnur*** some string, a piece of string **3.** *umg.* (≈ *Kabel*) lead [liːd]
schnüren 1. tie up (*Paket*) **2.** lace (up) (*Schuhe*)
schnurgerade straight [streɪt] as a die, dead straight
Schnürl Ⓐ (piece of) string
schnurlos: ***schnurloses Telefon*** cordless phone
Schnürlregen *bes.* Ⓐ pouring ['pɔːrɪŋ] rain
Schnürlsamt Ⓐ (≈ *Cord*) corduroy ['kɔːdərɔɪ]
Schnurrbart moustache [⚠ mə'stɑːʃ], *AE auch* mustache ['mʌstæʃ]
schnurren (*Katze*, *Motor usw.*) purr, (≈ *surren*) *auch* whirr
Schnürsenkel 1. *für Schuhe*: shoelace **2.** *für Stiefel*: bootlace
Schock shock; ***einen Schock bekommen*** get* a shock; ***unter Schock stehen*** be* in a state of shock
schocken *umg.* → ***schockieren***
schockieren shock; ***über etwas schockiert sein*** be* shocked at something
Schöffe, **Schöffin** *bei Gericht*: lay assessor [ˌleɪ‿ə'sesə]
Schokolade chocolate ['tʃɒklət]; ***eine Tafel Schokolade*** a bar of chocolate

Schokolade

Bei Schokolade wird grundsätzlich nur zwischen **milk chocolate** (Vollmilchschokolade) und **dark** *bzw.* **plain chocolate** ((Halb)Bitterschokolade) unterschieden.

Schokoriegel chocolate ['tʃɒklət] bar
Scholle[1] **1.** (≈ *Erdscholle*) clod (of earth) **2.** (≈ *Eisscholle*) (ice) floe [fləʊ]
Scholle[2] *Fisch*: plaice [pleɪs] (*auch als Pl. verwendet*)
schon 1. (≈ *bereits*) already [ɔːl'redɪ]; ***ich hab schon eins*** I've already got one; ***es ist schon 1 Uhr*** it's one o'clock already; *oft unübersetzt*: ***werden Sie schon bedient?*** are you being served?; ***da du schon mal da bist*** since you're here; ***wartest du schon lange?*** have you been waiting long? **2.** (≈ *jemals*) ever; ***bist du schon einmal in England gewesen?*** have you ever been to England? **3.** *in Fragen oft*: yet; ***ist er schon da?*** is he here yet? **4.** (≈ *sogar*) even; ***schon damals*** even then **5.** *positiv verstärkend*: ***sie wird es schon schaffen*** she'll make it all right; ***das ist schon möglich*** that's quite possible **6.** *auffordernd*: ***mach schon!*** *umg.* get a move on!; ***nun sag schon!*** come on, tell me! **7.** (≈ *allein*) ***schon der Anblick*** just to see it; ***schon der Gedanke*** the very idea **8.** *als rhetorische Floskel*: ***na wenn schon!*** so what?; ***was macht das schon?*** what does it matter? **9.** ***wenn schon, denn schon*** *umg.* in for a penny, in for a pound

schön 1. (≈ *ansehnlich*) nice [naɪs], *stärker*: lovely ['lʌvlɪ]; ***eine schöne Jacke*** a nice (*oder* lovely) jacket **2.** *Mädchen*, *Frau*: pretty ['prɪtɪ], beautiful ['bjuːtəfl]; ***das schöne Geschlecht*** the fair sex **3.** *Junge*, *Mann*: handsome ['hænsəm], good-look-

S

ing **4.** (≈ *angenehm*) nice; ***schönes Wochenende!*** have a nice weekend!; ***schöner, heißer Tee*** nice hot tea, a nice hot cup of tea; ***schön warm*** nice and warm **5.** *Wetter*: fine; ***bei schönem Wetter frühstücken wir draußen*** if the weather's fine, we'll have breakfast outside **6.** *umg.* (≈ *beträchtlich*) ***wir sind ein schönes Stück gelaufen*** we walked quite a way; ***wir sind ein schönes Stück vorangekommen*** we've made a fair bit of progress; ***es kostet eine schöne Stange Geld*** it costs a fair bit **7.** ***es kommt noch schöner*** *umg.* there's more to come **8.** *umg.*; *verstärkend*: ***das sind mir schöne Sachen!*** that's a fine kettle of fish!; ***du bist mir ein schöner Freund!*** a fine friend you are!; ***der Test war ganz schön schwer*** the test was pretty tough [tʌf]; ***ich hab mich schön gelangweilt*** I was bored stiff **9.** *umg.* ***wie man so schön sagt*** as they say; ***wie es so schön heißt*** as the saying goes

schonen **1.** (≈ *pfleglich behandeln*) look after (*Bücher*, *Kleider*, *Gesundheit*, *Augen usw.*) **2.** ***jemanden schonen*** (≈ *nachsichtig behandeln*) be* easy on someone; ***ich wollte dich schonen*** I didn't want you to get upset **3.** ***sich schonen*** take* it easy; ***du musst dich schonen*** you must look after yourself

schönen dress up (*Bericht*, *Tatsachen*, *Zahlen*)

schonend **1.** ***etwas schonend behandeln*** treat something with care **2.** ***jemanden schonend auf etwas vorbereiten*** prepare someone gently for something

Schönheit beauty ['bjuːtɪ]

Schönheitsfleck beauty spot

Schönheitskönigin beauty queen, Miss *America usw.*

Schonkost **1.** *als Essen*: light food (*oder* diet ['daɪət]) **2.** *als Diät*: special diet

schönmachen **1.** ***sich schönmachen*** (≈ *feinmachen*) dress up, get* done up **2.** ***sich schönmachen*** (≈ *schminken*) put* one's makeup on

Schonung **1.** *von Sachen*: care, careful treatment **2.** (≈ *Ruhe*) rest; ***er braucht Schonung*** he needs to take things easy

schonungslos **1.** *Kritik usw.*: merciless **2.** ***jemandem schonungslos die Wahrheit sagen*** tell* someone the truth straight out

Schonzeit *Jagd*: close season ['kləʊsˌsiːzn]

Schopf **1.** *Haare*: mop of hair **2.** ***die Gelegenheit beim Schopf packen*** seize [siːz] the opportunity, jump at the chance

schöpfen **1.** *allg.*: scoop, *mit einer Kelle*: ladle **2.** draw* (*Wasser*), *aus dem Boot*: bale out **3.** *übertragen* draw*, derive (*Kraft*, *Mut*) (**aus** from); ***neue Kräfte schöpfen*** build* up one's strength again **4.** ***Verdacht schöpfen*** become* suspicious [sə'spɪʃəs] (***gegen*** of)

Schöpfer **1.** (≈ *Kelle*) ladle **2.** (≈ *Erschaffer*) creator [kriː'eɪtə] **3.** ***der Schöpfer*** (≈ *Gott*) the Creator (⚠ *Großschreibung*)

Schöpferin creator [kriː'eɪtə]

schöpferisch **1.** *allg.*: creative [kriː'eɪtɪv] **2.** ***schöpferisch tätig sein*** do* creative work

Schöpflöffel ladle ['leɪdl]

Schöpfung **1.** *Kunstwerk usw.*: creation, work (***von*** by) **2.** ***die Schöpfung*** *biblisch*: the Creation (⚠ *Großschreibung*)

Schorf *auf Wunde*: scab, crust

Schornstein chimney ['tʃɪmnɪ], *einer Fabrik auch*: smokestack

Schornsteinfeger(in) chimney ['tʃɪmnɪ] sweep

Schoß **1.** lap; ***auf jemandes Schoß sitzen*** sit* on someone's knee (*oder* lap) **2.** ***die Hände in den Schoß legen*** *übertragen* sit* back and take* things easy

Schotte Scot, Scotsman; ***er ist Schotte*** he's Scots, he's a Scot; ***die Schotten*** the Scots; ☞ ***Nationalitäten***

Schotter **1.** *allg.*: gravel ['grævl], (≈ *Straßenschotter*) *auch* (road) metal ['metl] **2.** *Geologie*: detritus [dɪ'traɪtəs]

Schottin Scotswoman, Scottish lady (*bzw.* girl); ***sie ist Schottin*** she's Scots, she's a Scot; ☞ ***Nationalitäten***

schottisch Scottish, Scots (⚠ *engl.* Scotch *meint den Whisky*)

Schottland Scotland ['skɒtlənd]; ☞ *Karte S. 293*

schräg **1.** *Dach*: sloping **2.** *Linie*: diagonal [daɪ'ægnəl] **3.** ***jemanden schräg ansehen*** *übertragen* look askance [ə'skæns] at someone

Schrägstrich slash

Schramme scratch (*auch an Möbelstück*, *Auto usw.*)

Schrank **1.** *allg.*, *bes. für Sachen*, *Geschirr und Lebensmittel*: cupboard [⚠ 'kʌbəd] **2.** (≈ *Kleiderschrank*) wardrobe ['wɔːdrəʊb], *AE* closet [⚠ 'klɒzɪt] **3.** *umg.*; *Person*: great hulk

Schranke *auch übertragen* barrier ['bærɪə]

Schrankwand (large) wall unit ['wɔːlˌjuːnɪt]

Schraube **1.** screw **2.** ***die Schrauben anziehen*** *übertragen* put* the screws on **3.** ***bei ihm ist eine Schraube locker*** *umg.* he's got a screw loose somewhere **4.** *am Schiff*: propeller

schrauben **1.** screw **2.** ***die Preise höher schrauben*** push prices up (⚠ *ohne* the)
Schraubendreher screwdriver
Schraubenschlüssel spanner, *AE* wrench
Schraubenzieher *umg.* screwdriver
Schreck fright [fraɪt]; ***er hat einen Schreck bekommen*** he got (*oder* it gave him) a fright; ***jemandem einen Schreck einjagen*** give* someone a fright
Schrecken **1.** *plötzlicher*: fright; ***ich bin mit dem Schrecken davongekommen*** I got a fright, that was all **2.** ***zu meinem Schrecken hörte ich …*** I was shocked to hear … **3.** ***der Hund ist der Schrecken der ganzen Nachbarschaft*** that dog terrorizes the whole neighbourhood
schreckhaft nervous, jumpy
schrecklich **1.** *allg.*: terrible **2.** ***es tut mir schrecklich Leid*** I'm really sorry
Schrei **1.** *freudig, warnend*: shout, cry **2.** *brüllend*: yell **3.** *durchdringend*: scream **4.** *von Vögeln, wilden Tieren*: cry, call **5.** ***es ist der letzte Schrei*** *Mode*: it's all the rage
Schreibblock writing pad ['raɪtɪŋ‿pæd]
schreiben **1.** write* [raɪt] (***über*** on, about); ***jemandem schreiben*** write* to someone, drop someone a line; ***wir schreiben uns seit Jahren*** we've been writing to each other for years **2.** write* out (*Rechnung, Scheck*) **3.** ***richtig schreiben*** *ein Wort*: spell* right; ***falsch schreiben*** misspell*; ***wie schreibt er sich?*** how do you (*oder* does he) spell his name? **4.** ***eine Klassenarbeit schreiben*** do* a class test **5.** ***einen Aufsatz ins Reine schreiben*** write* an essay out in neat
Schreiben **1.** writing ['raɪtɪŋ] **2.** (≈ *Brief*) letter; ***Ihr Schreiben vom …*** your letter of … **3.** (≈ *kurze Notiz*) note
Schreibfehler spelling mistake
schreibgeschützt *Computer*: write-protected, read-only …
Schreibmaschine typewriter ['taɪpˌraɪtə]; ***mit der Schreibmaschine schreiben*** type; ***mit der Schreibmaschine geschrieben*** typewritten (⚠ *mst. vor dem Subst.*), typed
Schreibschutz *Computer*: write protection
Schreibtisch desk; ☞ *Illu S. 539*
Schreibung *eines Wortes*: spelling; ***falsche Schreibung*** misspelling [ˌmɪs'spelɪŋ]
Schreibwarengeschäft stationery shop ['steɪʃnərɪ‿ʃɒp]
schreien **1.** shout; ***sich heiser schreien*** shout oneself hoarse [hɔːs]; ***schrei nicht so, ich bin nicht taub*** no need to shout, I'm not deaf **2.** *gellend*: yell **3.** *kreischend*: scream, shriek [ʃriːk] **4.** (*kleines Kind*) howl [haʊl], *stärker*: scream **5.** (≈ *brüllen*) roar **6.** (*Vögel usw.*) call
Schreiner(in) joiner, carpenter
Schreinerei joiner's workshop, carpenter's workshop
Schrift **1.** (≈ *Handschrift*) writing ['raɪtɪŋ], handwriting; ***eine miserable Schrift*** awful handwriting (⚠ *ohne* an) **2.** ***in lateinischer Schrift*** in Roman characters **3.** (≈ *Veröffentlichung*) publication **4.** ***die Heilige Schrift*** the Bible
schriftlich **1.** written ['rɪtn]; ***eine schriftliche Prüfung*** a written exam **2.** ***würden Sie uns das bitte schriftlich geben?*** could we have that in writing, please? **3.** ***das kann ich dir schriftlich geben*** *übertragen, umg.* I'll tell you that for nothing
Schriftsprache **1.** written language [⚠ 'rɪtnˌlæŋgwɪdʒ] **2.** (≈ *Hochsprache*) standard ['stændəd] language
Schriftsteller(in) author ['ɔːθə], writer [⚠ 'raɪtə]
schrill **1.** *Stimme*: shrill **2.** *Farbe*: garish ['geərɪʃ] **3.** *salopp* (≈ *ausgefallen, aber gut*) wiz, ace
Schritt **1.** *allg.*: step **2.** ***als er 12 Monate alt war, machte er die ersten Schritte*** he first started walking at the age of 12 months **3.** ***es sind nur ein paar Schritte*** it's not far, it's just a few steps from here **4.** *in Maßangaben*: pace, step **5.** ***Schritt für Schritt*** step by step; ***der erste Schritt zum Erfolg*** the first step to success (⚠ *ohne* the) **6.** ***Schritte gegen etwas unternehmen*** take* measures ['meʒəz] against something
schroff **1.** *Felsen*: jagged [⚠ 'dʒægɪd] **2.** *Person, Verhalten*: gruff, brusque [⚠ bruːsk] **3.** ***eine schroffe Ablehnung*** a flat refusal [rɪ'fjuːzl]
schröpfen: ***jemanden schröpfen*** *übertragen* fleece (*oder* milk) someone (***um*** for)
Schrott **1.** scrap metal **2.** ***ein Auto zu Schrott fahren*** wreck [⚠ rek] a car **3.** *umg.* (≈ *Ramsch*) junk **4.** *umg.* (≈ *Blödsinn*) rubbish, *bes. AE* garbage ['gɑːbɪdʒ]; ***red keinen Schrott!*** don't talk rubbish (*oder* garbage)!
Schrotthändler(in) scrap dealer (*oder* merchant ['mɜːtʃnt])
schrottreif: ***ihr Auto ist schrottreif*** her car's ready for the scrapheap
schrubben scrub
Schrubber scrubbing brush

S

schrumpfen shrink*; ***es ist geschrumpft*** it's (= it has) shrunk
Schub 1. *eines Triebwerks usw.*: (≈ *Schubkraft*) thrust [θrʌst] **2.** *einer Krankheit*: phase, (≈ *Anfall*) attack **3.** *von Adrenalin usw.*: rush **4.** ***in Schüben*** intermittent(ly) [ˌɪntə'mɪtnt(lɪ)] (*auch übertragen*)
Schubkarre(n) wheelbarrow ['wiːlˌbærəʊ]
Schublade drawer [⚠ drɔː]
Schubs push [pʊʃ]
schubsen *umg.* push [pʊʃ], shove [⚠ ʃʌv]
schüchtern 1. shy **2.** (≈ *zaghaft*) timid ['tɪmɪd]
Schüchternheit shyness
schuften *umg.* slave away, sweat [swet] away
Schuh 1. shoe [ʃuː] **2.** ***er versuchte es mir in die Schuhe zu schieben*** *übertragen* he tried to put the blame on me **3.** ***wo drückt der Schuh?*** *übertragen* what's the trouble?
Schuhcreme shoe cream, shoe polish
Schuhgröße shoe size
Schuhmacher(in) shoemaker, cobbler
Schulabgänger(in) school leaver
Schulabschluss school-leaving qualifications (⚠ *Pl.*)
Schularbeit 1. ***Schularbeiten*** homework (⚠ *Sg.*); ***sie macht gerade Schularbeiten*** she's doing her homework **2.** *bes.* Ⓐ (≈ *Klassenarbeit*) (class) test
Schulaufgabe 1. ***Schulaufgaben*** (≈ *Hausaufgaben*) homework **2.** (≈ *Klassenarbeit*) (class) test
Schulausflug school outing
Schulbank desk
Schulbuch (school) textbook
Schulbus school bus
schuld: ***du bist schuld*** it's your fault [fɔːlt]; ***wer ist daran schuld?*** whose fault is it?
Schuld 1. (≈ *Verantwortung*) blame; ***sie gibt mir die Schuld an dem Unfall*** she blames me for the accident **2.** ***es ist deine Schuld*** it's your fault
schuldbewusst *Miene, Blick usw.*: guilty ['gɪltɪ]
Schuldgefühle *Pl.*: ***Schuldgefühle haben*** have* a guilty conscience [ˌgɪltɪ'kɒnʃəns] (⚠ *Sg.*), have* a feeling (⚠ *Sg.*) of guilt
Schulden debts [⚠ dets]; ***Schulden haben*** be* in debt (⚠ *Sg.*); ***Schulden machen*** run* into debt (⚠ *Sg.*); ***seine Schulden bezahlen*** pay* (off) one's debts
schulden owe [əʊ]; ***wie viel schuld ich dir?*** how much do I owe you?
Schuldienst: ***der Schuldienst*** teaching; ***sie ist im Schuldienst*** she's a teacher
schuldig 1. *moralisch, juristisch*: guilty ['gɪltɪ]; ***jemanden schuldig sprechen*** pronounce someone guilty; ***sich schuldig bekennen*** plead* guilty **2.** ***das bis du ihr schuldig*** you owe it to her; ***du bist mir noch eine Antwort schuldig*** I'm still waiting for an answer **3.** ***was bin ich Ihnen schuldig?*** *beim Bezahlen*: how much do I owe you?
Schule school [skuːl]; ***auf*** (*oder* ***in***) ***der Schule*** at school (⚠ *ohne* the); ***zur Schule gehen*** go* to school (⚠ *ohne* the); ***in welche Schule gehst du?*** which school do you go to?; ***die höhere Schule*** secondary school, *AE* senior high school (⚠ *beide ohne* the)

Schule, Kirche, Universität usw.

Wenn du mit **school** die **Schule als Gebäude** meinst, dann sage oder schreibe **the school**:

Wir treffen uns vor der Schule.	**We'll meet in front of the school.**

Meinst du mit **school** den **Schulunterricht**, darfst du den bestimmten Artikel **the** nicht verwenden.

Macht dir die Schule Spaß?	**Do you like school?**
in die Schule (= zum Unterricht) gehen	**go to school**
in die Schule (= das Gebäude) (hinein)gehen	**go into the school**
in der Schule (= beim Unterricht)	**at school**
in der Schule (= in dem Gebäude)	**in the school**

So ähnlich wie bei **school** ist es – zumindest im britischen Englisch – mit einer Reihe anderer Ausdrücke, z. B. **church, college, university, hospital, prison**: Gebäude – **mit Artikel**, Funktion der Einrichtung – **ohne Artikel**.

S

schulen train (*auch Auge, Gedächtnis usw.*); ***wir wurden in WORD geschult*** we were taught (*oder* trained) to use WORD
Schulenglisch school English; ***dazu reicht mein Schulenglisch*** the English I learnt at school is good enough for that
Schüler pupil ['pjuːpl], schoolboy, *AE mst.* student ['stjuːdnt]
Schüleraustausch school exchange, student exchange
Schülerin pupil ['pjuːpl], schoolgirl, *AE mst.* student ['stjuːdnt]
Schülerzeitung school magazine
Schulfach subject ['sʌbdʒekt]
Schulferien school holidays, *AE* vacation [veɪ'keɪʃn] (⚠ *Sg.*)
schulfrei: ***schulfrei haben*** have* the (*oder* a) day off; ***morgen ist schulfrei*** there's no school tomorrow
Schulfreund(in) schoolmate, friend from school
Schulheft exercise book, *AE* notebook
schulisch: ***ihre schulischen Leistungen*** her performance (⚠ *Sg.*) at school
Schuljahr school year
Schulkamerad(in) schoolmate, schoolfriend ['skuːlfrend]
Schulkenntnisse *Pl.*: ***Schulkenntnisse in Französisch*** *usw.* school(-level) French (*Sg.*) *usw.*
Schulklasse class, form
Schulleiter headmaster [ˌhed'mɑːstə], *AE* principal ['prɪnsəpl]
Schulleiterin headmistress [ˌhed'mɪstrəs], *AE* principal ['prɪnsəpl]
Schulranzen satchel ['sætʃl], schoolbag
Schulsachen school things; ***pack deine Schulsachen*** get your things ready for school
Schulschluss *allg.*: end of school (*vor den Ferien*: of term); ***nach Schulschluss*** after school; ***wann ist heute Schulschluss?*** when does school finish today?
Schulstress school stress, pressures (⚠ *Pl.*) of school
Schultasche 1. *allg.*: schoolbag **2.** *Schultertasche*: satchel ['sætʃl]
Schulter shoulder ['ʃəʊldə]; ***sie zuckte mit den Schultern*** she shrugged her shoulders
schulterlang *Haar*: shoulder-length ['ʃəʊldəleŋθ]
Schulung 1. (≈ *Lehrgang*) training **2.** (≈ *Übung*) practice ['præktɪs] **3.** *politische*: indoctrination [ɪnˌdɒktrɪ'neɪʃn]
Schulweg: ***auf dem Schulweg*** on the way to school; ***er hat einen langen Schulweg*** he's got a long way to school
Schulwörterbuch school dictionary
Schulzeugnis school report, *AE* report card
schummeln 1. cheat **2.** ***das ist geschummelt!*** that's cheating; ***es wird nicht geschummelt!*** no cheating!
schunkeln *zur Musik*: sway to the music (with arms linked)
Schuppe 1. *von Fisch usw.*: scale **2.** ***Schuppen*** *auf der Kopfhaut* dandruff ['dændrʌf] (⚠ *Sg.*); ***ein Shampoo gegen Schuppen*** a shampoo for dandruff
Schuppen 1. *Gebäude*: shed, *AE auch* shack **2.** *umg.* (≈ *Lokal*) joint; ***ein vornehmer Schuppen*** *umg.* a fancy joint **3.** ***ein hässlicher Schuppen*** *umg.* a real eyesore
schüren stir up (*Unruhe, Hass usw.*)
schürfen 1. (≈ *graben*) dig* (***nach*** for) **2.** ***ich hab mir das Knie geschürft*** I've scraped (*oder* grazed) my knee
Schurke *bes. im Film usw.*: villain [⚠ 'vɪlən]
Schürze apron ['eɪprən]
Schuss 1. *allg.*: shot; ***einen Schuss abgeben*** fire (a shot), shoot*; ***ein Schuss vor den Bug*** *übertragen* a warning shot **2.** *im Fußball*: shot, strike **3.** (≈ *Drogeninjektion*) shot, fix **4.** ***mit einem Schuss Wodka*** with a dash of vodka **5.** ***gut in Schuss sein*** be* in good shape
Schüssel 1. bowl [⚠ bəʊl] **2.** *zum Servieren*: dish, bowl
Schuster(in) shoemaker, cobbler
Schutt rubble, debris [⚠ 'debriː]
schütteln 1. shake*; ***sie schüttelte den Kopf*** she shook her head; ***er schüttelte ihr die Hand*** he shook her hand, he shook hands with her **2.** ***sich vor Kälte schütteln*** shiver with cold
schütten 1. (≈ *gießen*) pour [pɔː] **2.** ***es schüttet*** it's pouring
Schüttstein Ⓒⓗ (≈ *Ausguss*) sink
Schutz 1. protection (***gegen, vor*** against, from) **2.** ***in Schutz nehmen*** protect; ***da muss ich ihn in Schutz nehmen*** I have to take his side there **3.** *Obdach, Zuflucht*: shelter, refuge [⚠ 'refjuːdʒ]; ***Schutz suchen*** *vor Regen*: look for shelter
Schutzanzug protective suit [suːt]
Schutzbrille (safety) goggles (⚠ *Pl.*)
Schütze 1. ***ein guter Schütze*** a good shot **2.** *Fußball usw.*: scorer **3.** *Sternzeichen*: Sagittarius [ˌsædʒɪ'teərɪəs]; ***sie ist (ein) Schütze*** she's (a) Sagittarius
schützen 1. ***jemanden gegen*** (*oder* ***vor***) ***etwas schützen*** protect (someone) against (*oder* from) something; ***sich vor etwas schützen*** protect oneself from

S

something **2. *ein Sturzhelm schützt vor schwereren Verletzungen*** a crash helmet protects (you) against serious injuries; ***diese Vitamintabletten schützen vor Erkältungen*** these vitamin pills will protect you against colds **3.** protect, preserve (*Umwelt*) **4. *geschützte Tiere*** protected animals

Schutzengel guardian angel [ˌgɑːdɪən-ˈeɪndʒəl]

Schutzimpfung 1. inoculation [ɪˌnɒkjʊˈleɪʃn] **2.** *bes. gegen Pocken, Kinderlähmung*: vaccination [ˌvæksɪˈneɪʃn]

schutzlos 1. defenceless; ***ich war ihm schutzlos ausgeliefert*** I was completely at his mercy **2.** *der Witterung gegenüber*: without shelter

Schutzumschlag *von Buch*: dust cover [ˈkʌvə]

schwabb(e)lig 1. *Person, Körperteil*: flabby **2.** *Pudding usw.*: wobbly

Schwabe Swabian [ˈsweɪbɪən]

Schwaben Swabia [ˈsweɪbɪə]

Schwäbin Swabian [ˈsweɪbɪən] (girl *bzw.* woman)

schwäbisch Swabian [ˈsweɪbɪən]

schwach 1. *allg.*: weak; ***das schwache Geschlecht*** the weaker sex; ***schwächer werden*** grow* weaker; ***die Zahl der Geburten wird schwächer*** the birthrate is decreasing **2. *schwache Augen*** poor eyesight (*Sg.*) **3.** (≈ *nachgiebig*) soft; ***sie hat einen schwachen Willen*** she's weak-willed; ***bei dem Anblick wurde ich schwach*** *umg.* I melted at the sight; ***Schokolade ist eine meiner schwachen Seiten*** chocolate is one of my weaknesses **4. *schwach in*** *einem Fach usw.*: poor in; ***er ist in Englisch sehr schwach*** *auch*: he's very bad at English **5. *die Mannschaft spielte schwach*** the team played badly **6. *das ist ein schwaches Bild*** that's a poor show **7.** *Wendungen*: ***mach mich nicht schwach!*** *umg.* don't say things like that!; ***mir wird ganz schwach, wenn ich daran denke*** I go weak in the knees just at the thought of it; ***etwas schwach auf der Brust*** *umg.* a bit short

Schwäche *allg.* weakness

schwächen weaken

Schwachheit 1. weakness **2. *bilde dir bloß keine Schwachheiten ein*** *umg.* don't kid yourself

Schwachkopf *umg.* idiot [ˈɪdɪət], twit

Schwächling weakling

Schwachsinn 1. *umg.* (≈ *Blödsinn*) nonsense **2.** *Krankheit*: feeble-mindedness

schwachsinnig 1. *umg.* (≈ *blödsinnig*) idiotic, crazy **2.** *geisteskrank*: feeble-minded

Schwachstelle weak spot

schwafeln waffle [ˈwɒfl], go on (**von, über** about)

Schwager brother-in-law *Pl.*: brothers-in--law

Schwägerin sister-in-law *Pl.*: sisters-in--law

Schwalbe 1. *Vogel*: swallow [ˈswɒləʊ]; ***eine Schwalbe macht noch keinen Sommer*** one swallow doesn't make a summer **2.** *Fußball*: dive

Schwalbennest swallow's [ˈswɒləʊz] nest

Schwamm 1. sponge [⚠ spʌndʒ] **2. *Schwamm drüber!*** *umg.* let's forget it

Schwammerl *bes.* Ⓐ (≈ *Pilz*) mushroom

Schwan swan [swɒn]

schwanger pregnant [ˈpregnənt]; ***im dritten Monat schwanger*** three months pregnant

schwängern: ***er hat sie geschwängert*** he made (*oder* got) her pregnant

Schwangerschaft pregnancy [ˈpregnənsɪ]

Schwangerschaftsabbruch abortion

Schwangerschaftstest pregnancy [ˈpregnənsɪ] test

schwanken 1. (*Boden*) sway, shake* **2.** (*Boot, Schiff*) rock; ***das Schiff geriet ins Schwanken*** the ship started to rock **3.** (≈ *unsicher gehen*) stagger, totter; ***ein Betrunkener schwankte um die Ecke*** a drunk staggered round the corner **4.** (≈ *zögern*) hesitate [ˈhezɪteɪt]; ***ich schwanke noch*** I'm still undecided **5.** (*Temperatur usw.*) fluctuate [ˈflʌktʃʊeɪt]

Schwankung fluctuation [ˌflʌktʃʊˈeɪʃn] (*auch im Ertrag, der Konjunktur, des Klimas*), variation (*beide +Gen.* **in**)

Schwanz 1. *von Tier, Flugzeug usw.*: tail **2.** *vulgär* (≈ *Penis*) prick, cock **3. *kein Schwanz war da*** *salopp* not one lousy person was there

schwänzen 1. (**die Schule**) **schwänzen** play truant [ˈtruːənt], *AE auch* play hooky **2. *die Sportstunde schwänzen*** skip sports

Schwarm 1. *Insekten*: swarm [swɔːm] **2.** *Vögel*: flock **3.** *Fische*: shoal **4.** *umg.* (≈ *angehimmelte Person*) heartthrob [ˈhɑːtθrɒb]

schwärmen 1. (*Insekten, Menschen*) swarm [swɔːm] **2. *schwärmen von*** (≈ *begeistert sein*) rave about **3. *für etwas schwärmen*** be* mad (*oder* crazy) about something **4. *für jemanden schwärmen*** *umg.* (≈ *verliebt sein*) have* a crush on someone

schwarz 1. *Farbe, Kaffee, Tee usw.*: black **2.**

mir wurde es schwarz vor den Augen everything went black **3.** ***da hast dus schwarz auf weiß*** there it is in black and white **4.** ***da kannst du warten, bis du schwarz bist*** *umg.* you can wait till the cows come home **5.** ***es steht auf dem schwarzen Brett*** it's up on the notice board **6.** ***schwarzer Humor*** black humour **7.** (≈ *ungesetzlich*) illegal [ɪ'liːgl]; ***der schwarze Markt*** the black market **8.** ***in ein Land schwarz einreisen*** enter a country illegally **9.** *umg.* (≈ *konservativ*) conservative [kən'sɜːvətɪv] **10.** ***schwarz sehen*** (≈ *pessimistisch sein*) be* pessimistic (***für*** about); ***sie sieht immer schwarz*** she always looks on the dark side of things

Schwarzarbeit illicit [ɪ'lɪsɪt] work, *umg.* moonlighting

Schwarze *das*: ***ins Schwarze treffen*** hit* the bull's eye (*auch übertragen*)

Schwarze(r) **1.** black, black man (*bzw.* boy), *Frau*: black, black woman (*oder* lady *bzw.* girl); ***die Schwarzen*** the Blacks **2.** *umg.* (≈ *konservativer Mensch*) conservative [kən'sɜːvətɪv] **3.** Ⓐ black coffee

schwarzfahren **1.** *im Bus usw.*: travel without a ticket, dodge the fare; ***sie haben mich beim Schwarzfahren erwischt*** I was caught fare-dodging **2.** *ohne Führerschein*: drive* without a licence

Schwarzfahrer(in) fare-dodger

schwarzhaarig black-haired

Schwarzmarkt black market

schwarzweiß black and white

Schwarzweiß... *in Zusammensetzungen*: black-and-white (*Film usw.*)

schwatzen **1.** (≈ *plaudern*) chat **2.** (≈ *klatschen*) gossip **3.** *im Unterricht*: talk; ***hört auf zu schwatzen!*** stop talking!

schwätzen → ***schwatzen***

Schwätzer(in) **1.** *umg.* gasbag **2.** (≈ *Klatschtante*) gossip

schweben **1.** *an Seil*: hang*, be* suspended (***an*** on) **2.** *frei in Luft oder Wasser*: float **3.** *über etwas*: hover [⚠ 'hɒvə] **4.** ***in Gefahr schweben*** be* in danger **5.** ***zwischen Leben und Tod schweben*** hover between life and death **6.** ***er schwebt in höheren Sphären*** he's got his head in the clouds

Schwede Swede [swiːd]; ***er ist Schwede*** he's a Swede, he's Swedish; ***die Schweden*** the Swedish; ☞ ***Nationalitäten***

Schweden Sweden ['swiːdn]

Schwedin Swedish woman (*oder* lady *bzw.* girl); ***sie ist Schwedin*** she's a Swede, she's Swedish; ☞ ***Nationalitäten***

schwedisch **1.** Swedish ['swiːdɪʃ] **2.** ***hinter schwedischen Gardinen*** behind bars

Schwefel sulphur ['sʌlfə], *AE* sulfur

Schwefeldioxid sulphur (*AE* sulfur) dioxide [ˌsʌlfə‿daɪ'ɒksaɪd]

Schweigeminute: ***eine Schweigeminute*** one (*oder* a) minute's silence

schweigen **1.** (≈ *still sein*) be* silent ['saɪlənt]; ***schweig!*** be quiet! **2.** (≈ *nicht antworten*) say* nothing; ***sie schwieg auf die Frage*** she didn't answer **3.** (≈ *etwas für sich behalten*) keep* mum; ***darüber sollten wir lieber schweigen*** we'd better keep quiet about it

Schweigen silence ['saɪləns]; ***jemanden zum Schweigen bringen*** silence someone

schweigend **1.** silent ['saɪlənt] **2.** ***sie hörte schweigend zu*** she listened in silence **3.** ***schweigende Mehrheit*** silent majority

schweigsam **1.** *allg.*: quiet; ***du bist heute aber schweigsam*** you're not saying much today **2.** (≈ *nicht gesprächig*) quiet, uncommunicative [ˌʌnkə'mjuːnɪkətɪv]

Schwein **1.** *Tier*: pig; ***bluten wie ein Schwein*** *umg.* bleed* like a stuck pig **2.** (≈ *Schweinefleisch*) pork **3.** *umg.* (≈ *Schmutzfink*) (filthy) pig **4.** (≈ *Lump*) swine, bastard ['bɑːstəd] **5.** *Wendungen*: ***kein Schwein war da*** not one lousy person was there; ***das glaubt dir kein Schwein*** you don't think anyone's going to buy that, do you?; ***Schwein gehabt!*** that was a stroke of luck

Schweinebraten roast pork

Schweinefleisch pork

Schweinerei **1.** (≈ *Unordnung*) mess **2.** ***so eine Schweinerei!*** (≈ *Gemeinheit*) that's really rotten

Schweineschmalz lard, dripping

schweinisch **1.** (≈ *schmutzig*) filthy **2.** *Witz usw.*: dirty **3.** *Benehmen*: disgusting

Schweiß sweat [⚠ swet]; ***ihm stand der Schweiß auf der Stirn*** there were beads of sweat on his forehead [⚠ 'fɒrɪd]; ***nach Schweiß riechen*** smell* of sweat, have* BO [ˌbiː'əʊ] (*Abk. für* **b**ody **o**dour)

Schweißbrenner *Gerät*: welding torch [tɔːtʃ]

Schweißfüße sweaty ['swetɪ] (*oder* smelly) feet

Schweiz: ***die Schweiz*** Switzerland ['swɪtsələnd] (⚠ *ohne* the)

Schweizer Swiss; ***er ist Schweizer*** he's Swiss; ***die Schweizer*** the Swiss; ☞ ***Nationalitäten***

Schweizerdeutsch Swiss German

Schweizerin Swiss woman (*oder* lady *bzw.*

S

girl); ***sie ist Schweizerin*** she's Swiss; ☞ ***Nationalitäten***
schweizerisch Swiss
schwelen smoulder (*auch übertragen*)
Schwelle threshold ['θreʃhəʊld]; ***an der Schwelle des neuen Jahrtausends*** on the threshold of the new millennium
schwellen (*Hand, Wange usw.*) swell* (up)
Schwellung swelling
Schwemme (≈ *Überangebot*) glut (***an*** of)
schwenken 1. wave (*Fahne, Taschentuch, Hut*) **2.** *beim Kochen*: toss **3.** ***nach links*** (*bzw.* ***rechts***) ***schwenken*** (*Auto usw.*) turn left (*bzw.* right)
schwer 1. *gewichtsmäßig*: heavy ['hevɪ] (*auch übertragen Musik, Parfüm usw.*); ***wie schwer bist du?*** how much do you weigh [⚠ weɪ]? **2.** (≈ *anstrengend*) hard, tough [⚠ tʌf]; ***es war ein schwerer Tag*** it was hard going today **3.** (≈ *schwierig*) difficult, hard, tough; ***schwer zu sagen*** it's hard to say; ***er ist schwer zu verstehen*** it's difficult to hear what he's saying **4.** (≈ *ernst*) *Unfall, Verletzung, Problem usw.*: serious ['sɪərɪəs] **5.** ***schwer krank sein*** be* seriously ill **6.** *umg.*; *verstärkend*: ***ich bin schwer erkältet*** I've got a bad cold; ***ich bin schwer enttäuscht*** I'm really (*oder* deeply) disappointed; ***das will ich schwer hoffen!*** I jolly well hope so!

schwer behindert severely [sɪ'vɪəlɪ] handicapped (*oder* disabled [dɪs'eɪbld])
schwer fallen 1. ***es fällt ihm schwer*** he finds it difficult, it isn't easy for him **2.** ***es fällt mir schwer, das zu glauben*** I find it hard to believe that **3.** ***auch wenns dir schwer fällt*** whether you like it or not
schwer krank seriously ill, very ill
schwer machen: ***jemandem das Leben schwer machen*** give* someone a hard time
schwer nehmen: ***nimms nicht so schwer*** don't take it to heart [hɑːt]
schwer tun: ***sich mit etwas schwer tun*** have* a hard time with something, find* something difficult; ***mit Latein tu ich mich schwer*** *auch*: I'm not very good at Latin

Schwerbehinderte(r) disabled (*oder* severely [sɪ'vɪəlɪ] handicapped) person
Schwere 1. (≈ *Gewicht*) weight [weɪt] **2.** *von Verletzung, Straftat usw.*: seriousness ['sɪərɪəsnəs] **3.** *von Strafe, Unwetter usw.*: severity [sɪ'verətɪ]
schwerelos weightless ['weɪtləs]
Schwerelosigkeit weightlessness ['weɪtləsnəs]
schwerfällig 1. (≈ *langsam*) slow, lumbering (⚠ *nur vor dem Subst.*) **2.** (≈ *unbeholfen*) clumsy ['klʌmzɪ], awkward ['ɔːkwəd]
Schwergewicht, **Schwergewichtler** heavyweight [⚠ 'hevɪweɪt]
schwerhörig 1. hard of hearing **2.** ***auf dem Ohr ist er schwerhörig*** *übertragen* he doesn't want to know about it
Schwerkraft (force of) gravity ['grævətɪ]
Schwerpunkt 1. *Physik*: centre of gravity ['grævətɪ] **2.** ***der Schwerpunkt ihrer Arbeit liegt auf …*** the main focus of her work is …
Schwert sword [⚠ sɔːd]
Schwerverletzte(r) seriously injured person [ˌsɪərɪəslɪˌɪndʒəd'pɜːsn], serious casualty ['kæʃʊəltɪ]
schwerwiegend 1. *Angelegenheit, Problem*: serious ['sɪərɪəs] **2.** *Entscheidung*: momentous [məʊ'mentəs]
Schwester 1. sister **2.** (≈ *Krankenschwester*) nurse **3.** (≈ *Nonne*) nun, *in Anrede*: Sister
Schwiegereltern parents-in-law
Schwiegermutter mother-in-law *Pl.*: mothers-in-law
Schwiegersohn son-in-law *Pl.*: sons-in-law
Schwiegertochter daughter-in-law *Pl.*: daughters-in-law
Schwiegervater father-in-law *Pl.*: fathers-in-law
schwierig 1. *allg.*: difficult (*auch Person*) **2.** *Problem, Aufgabe*: difficult, hard, tough [⚠ tʌf] **3.** (≈ *unangenehm*) difficult, awkward ['ɔːkwəd]
Schwierigkeit 1. difficulty **2.** ***in Schwierigkeiten kommen*** run* into trouble (⚠ *Sg.*) **3.** ***jemandem Schwierigkeiten machen*** (*Person*) make* things difficult for someone
Schwimmbad (swimming) pool
Schwimmbecken (swimming) pool
schwimmen 1. swim*; ***schwimmen gehen*** go* swimming, go* for a swim **2.** (≈ *treiben*) float **3.** ***im Geld schwimmen*** *umg.* be* rolling in money
Schwimmen 1. *allg.*: swimming **2.** ***ins Schwimmen kommen*** *übertragen* (begin* to) flounder
Schwimmer(in) swimmer
Schwimmflosse *Sportgerät*: flipper, *AE* swimfin
Schwimmreifen 1. rubber ring **2.** *umg.* (≈ *Hüftspeck*) spare tyre

S

Schwimmstile

Schwimmstil	**(swimming) style**
Brustschwimmen	**breaststroke**
Delphin	**butterfly**
Kraulen	**crawl**
Rückenschwimmen	**backstroke**

Schwimmweste life jacket
Schwindel 1. (≈ *Schwindelgefühl*) dizziness **2.** (≈ *Schwindelanfall*) dizzy spell **3.** *umg.* (≈ *Betrug*) swindle **4.** *umg.* (≈ *Lüge*) lie, fib
schwindelfrei: ***schwindelfrei sein*** have* a good head for heights [⚠ haɪts], *AE* have* no fear of heights; ***nicht schwindelfrei sein*** be* afraid of heights
schwindeln 1. (≈ *lügen*) fib, lie, tell* a fib (*oder* lie) **2. *das ist geschwindelt*** that's a lie **3. *sich durch eine Prüfung schwindeln*** bluff one's way through an exam
Schwindler(in) 1. swindler, *umg.* con man (woman) **2.** (≈ *Lügner*) liar ['laɪə]
schwindlig dizzy; ***mir wird*** (*bzw.* ***ist***) ***schwindlig*** I feel dizzy
schwingen 1. wave (*Fahne*, *Tuch*, *Axt usw.*) **2.** (≈ *pendeln*) swing* **3.** (*Ton*) vibrate [vaɪ'breɪt] **4. *sie schwang sich aufs Fahrrad*** she jumped onto her bicycle
Schwingung 1. *Technik*, *Akustik*: vibration; ***etwas in Schwingungen versetzen*** set* something vibrating **2.** *Physik*, *Elektrotechnik*: oscillation [⚠ ˌɒsɪ'leɪʃn]
Schwips: ***einen Schwips haben*** *umg.* be* tipsy
schwirren 1. (*Insekten*) buzz **2. *in der Schule schwirrt es nur so von Gerüchten*** the school's buzzing with rumours **3. *mir schwirrte der Kopf*** my head was spinning
schwitzen 1. sweat [⚠ swet]; ***ich schwitze am ganzen Körper*** I'm sweating all over; ***ins Schwitzen kommen*** start sweating, *übertragen* get* into a sweat **2. *er schwitzt über seinen Hausaufgaben*** *übertragen* he's sweating over his homework
schwören 1. swear* [sweə] (*Freundschaft*, *Treue*, *Rache*); ***ich habe mir geschworen, ihm nie wieder zu glauben*** I've sworn never to believe him again **2.** *vor Gericht*: take* the oath [əʊθ]; ***einen Eid schwören*** take* an oath
schwul *umg.* gay, *abwertend* queer
schwül *Klima*: close [kləʊs], muggy, sticky
Schwuler *umg.* gay, *abwertend* queer; ***zwei Schwule*** two gay men
Schwung 1. *Bewegung*: swing (*auch beim Turnen*, *Skifahren usw.*) **2.** (≈ *Elan*, *Energie*) energy ['enədʒɪ], drive; ***in Schwung kommen*** get* going; ***eine Tasse Tee bringt dich wieder in Schwung*** a cup of tea will get you going again; ***jetzt bringen wir den Laden in Schwung!*** let's get things going! **3. *ein Schwung neuer CDs*** *usw.* a batch of new CDs *usw.*
schwungvoll 1. (≈ *lebhaft*) lively ['laɪvlɪ] **2.** (≈ *energisch*) full of drive (*oder* go); ***schwungvoll sein*** have* plenty of drive
Schwur oath [əʊθ]; ***einen Schwur leisten*** take* an oath
scrollen *Computer*: scroll
sechs six [sɪks]
Sechs 1. *Zahl*: (number) six **2. *eine Sechs schreiben*** *etwa*: get* an F **3.** *Bus*, *Straßenbahn usw.*: number six bus, number six tram *usw.*
Sechseck hexagon ['heksəgən]
sechsfach 1. *die sechsfache Menge* six times the amount **2. *der sechsfache deutsche Meister X*** six times German champion X (⚠ *ohne* the) **3. *ein Formular in sechsfacher Ausfertigung*** six copies of a form
Sechstel sixth [sɪksθ]
sechste(r, -s) sixth [sɪksθ]; ***6. April*** 6(th) April, April 6(th) (*gesprochen* the sixth of April); ***am 6. April*** on 6(th) April, on April 6(th) (*gesprochen* on the sixth of April)
Sechste(r, -s) 1. (the) sixth; ***sie war Sechste*** she was sixth **2. *Heinrich VI.*** Henry VI (*gesprochen* Henry the Sixth; VI *ohne Punkt!*) **3. *heute ist der Sechste*** it's the sixth today
sechzehn sixteen [ˌsɪks'tiːn]
sechzehnte(r, -s) sixteenth [ˌsɪks'tiːnθ]
sechzig sixty
Sechzigerjahre: ***in den Sechzigerjahren*** in the sixties
sechzigste(r, -s) sixtieth ['sɪkstɪəθ]
See[1] *die* (≈ *Meer*) sea; ***an die See fahren*** go* to the seaside; ***die Stadt liegt an der See*** the town is on the sea
See[2] *der* lake; ***ein Haus am See*** a house by the lake; ***wir haben ein Ferienhaus am See*** we've got a lakeside cottage
Seefahrt 1. (≈ *einzelne Seereise*) sea journey ['dʒɜːnɪ] (*oder* voyage ['vɔɪɪdʒ]), (≈ *Kreuzfahrt*) cruise **2. *die Seefahrt*** *als Beruf usw.*: seafaring (⚠ *ohne* the)
Seegang waves (⚠ *Pl.*); ***hoher Seegang*** rough seas (⚠ *Pl.*); ***schwerer Seegang*** heavy seas (⚠ *Pl.*); ***leichter Seegang*** light seas (⚠ *Pl.*)
Seehafen seaport
Seehund 1. *Tier*: seal **2.** *Fell*: sealskin
Seeigel sea urchin ['siːˌɜːtʃɪn]

seekrank seasick; ***ich werde leicht seekrank*** I get seasick easily, I'm a bad sailor
Seekrankheit seasickness
Seele 1. *allg.*: soul [səʊl] (*auch im religiösen Sinn*) **2. *du sprichst mir aus der Seele*** that's exactly how I feel (about it) **3.** (≈ *Mensch*) soul; ***sie ist eine Seele von Mensch*** she's a good soul; ***er ist die Seele der Mannschaft*** he's the life and soul of the team
Seelenruhe: ***in aller Seelenruhe*** → ***seelenruhig***
seelenruhig 1. *positiv*: calmly [⚠ 'kɑːmlɪ] **2.** (≈ *ungerührt*) without batting an eyelid
Seeleute seamen ['siːmən], sailors
seelisch 1. (≈ *psychisch*) mental, psychological [⚠ ˌsaɪkə'lɒdʒɪkl]; ***eine seelische Belastung*** a mental strain; ***ich bin gerade an einem seelischen Tiefpunkt*** I'm feeling very low at the moment **2.** *im religiösen Sinn*: spiritual ['spɪrɪtʃʊəl]
Seelöwe sea lion
Seemann sailor, seaman ['siːmən] *Pl.*: seamen
Seemeile nautical mile
Seemöwe seagull ['siːgʌl]
Seepferdchen sea horse
Seeräuber(in) pirate ['paɪrət]
Seestern *Tier*: starfish
Seerose water lily ['wɔːtəˌlɪlɪ]
Seetang seaweed
seetüchtig seaworthy ['siːˌwɜːðɪ]
Seeufer: ***am Seeufer*** on the lakeside
Seevogel sea bird
Segel 1. sail **2. *jemandem den Wind aus den Segeln nehmen*** take* the wind out of someone's sails
Segelboot sailing boat, *AE* sailboat, *größer*: yacht [⚠ jɒt]
Segelfliegen gliding
Segelflugzeug glider
segeln 1. (*Schiff, Boot*) sail **2.** (*Flugzeug*) glide **3.** (*Vogel*) glide, soar [sɔː] **4. *er ist durch die Fahrprüfung gesegelt*** *umg.* he flunked his driving test
Segelohren *umg.* bat ears
Segelschiff sailing ship
Segen 1. *religiös*: blessing **2. *er hat seinen Segen zu dem Projekt gegeben*** *umg.* (≈ *Zustimmung*) he's given the project his blessing; ***meinen Segen hast du!*** I've got no objections **3.** (≈ *Wohltat*) blessing; ***ein wahrer Segen*** a real blessing
segnen 1. bless; ***Gott segne dich*** God bless you **2. *mein Fernseher hat das Zeitliche gesegnet*** *ironisch* my TV has given up the ghost
Segnung *allg.* blessing

S

sehbehindert partially sighted, visually handicapped
sehen 1. *allg.*: see*; ***wenn ich recht gesehen habe, …*** if I saw right …; ***siehe oben*** (*bzw.* ***unten***) see above (*bzw.* below) **2. *gut*** (*bzw.* ***schlecht***) ***sehen*** have* good (*bzw.* bad) eyesight; ***ich sehe nicht gut*** I can't see very well **3.** (≈ *hinsehen*) look; ***auf die Uhr sehen*** look at one's watch; ***sieh mal!*** look! **4. *kann ich das mal sehen?*** can I have a look at it? **5.** (≈ *sich ansehen, zuschauen bei*) watch; ***hast du gestern den Film gesehen?*** did you watch (*oder* see) the film yesterday? **6.** (≈ *beurteilen*) see*; ***das sehe ich anders*** I see it differently; ***du siehst es falsch*** you've got it wrong; ***wie ich die Sache sehe*** as I see it **7.** (≈ *treffen*) ***wir sehen uns morgen!*** see you tomorrow!; ***wir sehen uns zum ersten Mal*** we've never met before **8. *lass dich mal wieder sehen*** come and see me again some time **9.** *Wendungen*: ***sieh mal einer an!*** well, what do you know!; ***das werden wir schon sehen*** let's wait and see; ***wie seh ich denn das!*** what's that supposed to mean!; ***na siehst du!*** there you are!, what did I tell you?; ***da sieht mans mal wieder!*** it's the same old story; ☞ ***Sehen***
Sehen: ***ich kenne sie nur vom Sehen*** I only know her by sight, I've never actually spoken to her
sehenswert, **sehenwürdig** worth seeing, *Stadt usw.*: worth a visit
Sehenswürdigkeit sight; ***(die) Sehenswürdigkeiten besichtigen*** go* sightseeing
sehnen: ***sich sehnen nach*** long for, *stärker*: yearn [jɜːn] for
Sehnsucht longing, yearning ['jɜːnɪŋ]; ***Sehnsucht haben nach jemandem*** long (*oder* yearn) to see someone
sehnsüchtig *Blick usw.*: longing, yearning
sehr 1. *allg.*: very; ***sehr bald*** very soon; ***er ist sehr beliebt*** he's very popular **2. *sehr viel*** a lot; ***nicht sehr viel*** not very much **3.** *mit Verben*: ***ich liebe sie sehr*** I love her very much; ***ich freue mich sehr*** I'm very glad; ***ich habe mich sehr geärgert*** I was very annoyed; ***danke sehr!*** thank you very much, thanks very much
Sehtest eye test
seicht shallow
Seide silk; ***reine Seide*** pure silk
Seidenstrümpfe silk stockings
Seife soap
Seifenoper soap opera, soap
Seil 1. rope **2.** *aus Draht*: cable **3. *in den***

Seilen hängen *übertragen, umg.* be* knackered [⚠ 'nækəd], *AE* be* pooped

Seilbahn **1.** cable-car system, *bes. auf Schienen*: cable railway **2.** ***mit der Seilbahn fahren*** go* by cable-car

Seilspringen skipping, *AE* jumping rope

sein[1] **1.** be*; ***ich bin müde*** I'm (*oder* I am) tired; ***du bist doof*** you're (*oder* you are) stupid; ***er ist alt*** he's (*oder* he is) old; ***sie ist krank*** she's (*oder* she is) ill; ***es ist kalt*** it's (*oder* it is) cold; ***wir sind zu Hause*** we're (*oder* we are) at home; ***ihr seid eingeladen*** you're (*oder* you are) invited; ***sie sind hier*** they're (*oder* they are) here **2.** ***wie ist es mit dir?*** what about you? **3.** ***was ist mit ihr?*** what's the matter with her? **4.** ***lass das sein!*** stop it! **5.** ***was soll das sein?*** what's that supposed to be? **6.** ***das kann sein*** that's possible **7.** ***5 und 3 ist 8*** five and three are (*oder* is *oder* make *oder* makes) eight **8.** *mit Vergangenheitsform anderer Verben*: ***er ist gegangen*** he's (*oder* he has) gone; ***ich bin ihm schon begegnet*** I've (*oder* I have) met him before; ***die Sonne ist untergegangen*** the sun's (*oder* sun has) gone down

sein[2] *besitzanzeigend* **1.** *bei Männern*: his **2.** *bei Mädchen*: her **3.** *bei Sachen*: its **4.** *bei Tieren*: its, *oft auch* her *bzw.* his **5.** *bei Schiffen oft*: her **6.** *unbestimmt*: one's (⚠ *mit Apostroph*), *auch*: their; ***sein Glück machen*** make* one's fortune; ***jeder hat seine Sorgen*** everybody's got their (*oder* his or her) problems (⚠ *trotz Verb im Sg. wird oft Pl.* their *verwendet*)

seinetwegen **1.** (≈ *wegen ihm*) because of him **2.** (≈ *ihm zuliebe*) for his sake

seit **1.** *bei Zeitpunkt*: since; ***seit 1990*** since 1990; ***seit sie wegging*** since she left **2.** *bei Zeitraum*: for; ***ich warte seit zwei Stunden*** I've been waiting for two hours **3.** (≈ *seitdem*) since; ***es ist ein Jahr her, seit er gegangen ist*** it's (been) a year since he left

seit	**since/for**
seit = for	bei Zeitdauer; meist Konstruktion mit **a/an** bzw. mit Zeitangabe im Plural (**-s**):
seit einem Monat	**for a month**
seit anderthalb Stunden	**for an hour and a half**
seit einigen Wochen	**for several weeks**
seit Jahren	**for years**

seit = since	bei Zeitpunkt; genaue Angabe der Zeit, des Tages *usw.* oder eines Ereignisses *usw.*:
seit gestern	**since yesterday**
seit 8 Uhr	**since 8 o'clock**
seit ich aus Irland weg bin	**since I left Ireland**
seit 1999	**since 1999**

seitdem **1.** since then; ***seitdem hab ich ihn nicht gesehen*** I haven't seen him since **2.** ***seitdem ich jogge, gehts mir besser*** since I've been jogging (⚠ *Zeitform beachten*) I feel better

Seite **1.** *im Buch usw.*: page **2.** *Aspekt, Eigenschaft usw.*: side; ***er hat eine großzügige Seite*** he's got a generous side (to him) **3.** ***die Seiten wechseln*** *Sport*: change ends, *übertragen* change sides (⚠ *ohne* the) **4.** ***zur Seite gehen*** step aside **5.** ***von meiner Seite gibt es keine Bedenken*** there are no objections on my part

Seitenfenster side window

seitenlang *Bericht usw.*: long; ***sie schreibt seitenlange Briefe*** she writes pages and pages

Seitenlinie *Sport*: sideline

Seitenschiff *Kirche*: (side) aisle [⚠ aɪl]

Seitensprung *eines Ehepartners*: extramarital affair [ˌekstrəˌmærɪtl‿ə'feə], *salopp* bit on the side; ***einen Seitensprung machen*** have* a bit on the side

Seitenstraße side street; ***eine Seitenstraße der Manzostraße*** a side street off Manzostraße

Seitenstreifen *einer Straße*: (hard) shoulder, *BE auch* verge

seitenverkehrt the wrong way round (⚠ *nur hinter dem Subst.*)

Seitenzahl **1.** *einzelne*: page number **2.** *Gesamtzahl*: number of pages

seither since then, since that time (⚠ *meist am Satzanfang*); ***ich habe ihn seither nicht gesehen*** I haven't seen him since; ***seither geht es mir besser*** since that time I've been feeling better

Sekretär **1.** male secretary **2.** (≈ *Schreibtisch*) bureau ['bjʊərəʊ] *Pl.*: bureaux ['bjʊərəʊz]

Sekretariat (secretary's) office

Sekretärin secretary ['sekrətrɪ]

Sekt **1.** (≈ *Schaumwein*) sparkling wine, *umg.* champagne [ˌʃæm'peɪn] **2.** (≈ *Champagner*) champagne

Sekte sect

Sektor 1. *allg.*: sector **2.** *übertragen* area, field
Sekunde 1. second ['sekənd] (*auch Tonintervall*) **2.** (***eine***) ***Sekunde!*** *umg.* just a sec! **3.** ***zehn Uhr auf die Sekunde*** ten o'clock on the dot
Sekundenkleber superglue® ['su:pəglu:]
Sekundenschnelle: ***es geschah alles in Sekundenschnelle*** it was all over in a matter of seconds
Sekundenzeiger second hand
selbe same; ***zur selben Zeit*** at the same time
selber → ***selbst***[1]
selbst[1] **1.** ***ich selbst*** I myself [maɪ'self]; ***er selbst*** he himself; ***sie selbst*** she herself; ***wir möchten es selbst machen*** we want to do it ourselves; ***mach es selbst!*** do it yourself!; ***selbst gemacht*** homemade; ***das muss ich mir selbst ansehen*** I'll have to see that for myself; ***sie spricht oft mit sich selbst*** she often talks to herself; ***ich habe ihn nicht selbst gesprochen*** I didn't talk to him personally **2.** *Wendungen*: ***das versteht sich von selbst*** that goes without saying; ***er ist die Ruhe selbst*** he's unflappable; ***selbst ist der Mann*** (*bzw.* ***die Frau***) there's nothing like doing it yourself
selbst[2] (≈ *sogar*) even; ***selbst meinen Eltern gefiel der Film*** even my parents enjoyed the film
selbständig → ***selbstständig***
Selbstbedienung self-service
Selbstbedienungsrestaurant cafeteria [ˌkæfə'tɪərɪə]
Selbstbefriedigung masturbation [ˌmæstə'beɪʃn]
Selbstbeherrschung self-control; ***sie verlor die Selbstbeherrschung*** *auch* she lost her temper (*umg.* cool)
selbstbewusst self-confident [ˌself'kɒnfɪdənt]
Selbstbewusstsein self-confidence [ˌself'kɒnfɪdəns]
Selbstdisziplin self-discipline [ˌself'dɪsəplɪn]
Selbsterhaltungstrieb survival instinct
Selbstgespräch: ***sie führt Selbstgespräche*** she talks to herself
Selbstkritik self-criticism [ˌself'krɪtɪsɪzm]
selbstkritisch self-critical
Selbstlaut vowel ['vaʊəl]
selbstlos selfless
Selbstmitleid self-pity [ˌself'pɪtɪ]
Selbstmord suicide ['su:ɪsaɪd]; ***Selbstmord begehen*** commit suicide; ***Rauchen ist Selbstmord auf Raten*** smoking is a form of slow suicide
Selbstmordanschlag, **Selbstmordattentat** suicide attack ['su:ɪsaɪd‿əˌtæk]
Selbstmordattentäter(in) suicide bomber [⚠ ˌsu:ɪsaɪd'bɒmə], suicide attacker
Selbstmörder(in) suicide (victim)
Selbstmordversuch suicide attempt
selbstsicher self-confident [ˌself'kɒnfɪdənt]; ***sie wirkt sehr selbstsicher*** she seems very sure of herself
Selbstsicherheit self-confidence [ˌself-'kɒnfɪdəns]
selbstständig 1. (≈ *unabhängig*) independent; ***sie ist an selbstständiges Arbeiten gewöhnt*** she's used to working on her own **2.** *beruflich*: self-employed; ***er will sich selbstständig machen*** he wants to start up his own business **3.** *Journalist, -in usw.*: (≈ *freiberuflich*) freelance ['fri:lɑ:ns]; ***er ist selbstständig*** he's a freelance(r)
Selbstständigkeit independence, *eines Landes auch*: autonomy [ɔ:'tɒnəmɪ]
Selbststudium self-study; ***sie hats im Selbststudium gelernt*** she taught herself
selbsttätig 1. automatic **2.** ***die Tür schließt selbsttätig*** the door closes automatically
Selbstverpflegung *im Urlaub*: self-catering
selbstverständlich 1. (≈ *natürlich*) (perfectly) natural ['nætʃrəl] **2.** ***das ist doch selbstverständlich*** (≈ *nicht der Rede wert*) that goes without saying
Selbstverständlichkeit: ***das war doch eine Selbstverständlichkeit!*** not at all!
Selbstverteidigung self-defence
Selbstvertrauen self-confidence [ˌself-'kɒnfɪdəns]
Selbstwertgefühl self-esteem [ˌself-‿ɪ'sti:m], ego ['i:gəʊ]
selig 1. *im religiösen Sinn*: blessed [⚠ 'blesɪd] **2.** ***wers glaubt, wird selig!*** tell me another! **3.** (≈ *überglücklich*) overjoyed **4.** ***sie lächelte selig*** she smiled happily
Sellerie 1. *als Staude*: celery ['selərɪ] **2.** *als Knolle*: celeriac [sə'lerɪæk]
selten 1. *Pflanzen, Tiere usw.*: rare **2.** ***in den seltensten Fällen*** very rarely **3.** ***wir sehen uns nur noch selten*** we hardly ever see each other these days; ***zum Frühstück esse ich nur sehr selten etwas*** I rarely have any breakfast
Seltenheit 1. *Eigenschaft*: rareness; ***es ist eine Seltenheit, dass …*** it's rare that … **2.** *Sache*: rarity ['reərətɪ]
Selters, **Selterswasser** mineral water
seltsam 1. strange, peculiar [pɪ'kju:lɪə]; ***es ist schon seltsam*** it's very strange **2.**

S

das Fleisch schmeckt irgendwie seltsam somehow this meat tastes peculiar (⚠ *nicht* peculiarly)

seltsamerweise strangely enough [ɪ'nʌf]

Semester semester; ***er ist im dritten Semester*** he's in his third semester; ***während des Semesters*** during term-time

Semesterferien vacation (⚠ *Sg.*)

Semifinale *Sport*: semifinal [ˌsemɪ'faɪnl]

Semikolon semicolon [ˌsemɪ'kəʊlən]

Seminar 1. *Lehrveranstaltung*: seminar ['semɪnɑː], *zur Fortbildung*: workshop **2.** *Institut*: department, institute ['ɪnstɪtjuːt]

Semmel 1. (≈ *Brötchen*) roll [rəʊl] **2.** ***das Buch ging weg wie warme Semmeln*** the book sold like hot cakes

Semmelbrösel *Pl.* breadcrumbs [⚠ 'bredkrʌmz]

sempern Ⓐ (≈ *nörgeln*) moan, grumble

senden 1. *Radio*, *TV*: broadcast* ['brɔːdkɑːst] **2.** *über Funk*: transmit [trænz'mɪt] **3.** (≈ *übermitteln*) send*, forward ['fɔːwəd] (*Brief usw.*)

Sendepause 1. *Radio*, *TV*: intermission **2.** ***du hast jetzt mal Sendepause!*** *umg.* put a sock in it, will you?

Sender 1. *Anlage*, *Gerät*: transmitter [trænz'mɪtə] **2.** (≈ *Radiosender*) radio station **3.** (≈ *Fernsehsender*) television station

Sendung 1. (≈ *Programm*) programme ['prəʊgræm], *AE* program **2.** ***auf Sendung sein*** be* on the air **3.** (≈ *Paket*) parcel ['pɑːsl], *AE auch* package

Senf 1. mustard ['mʌstəd] **2.** ***er muss immer seinen Senf dazugeben*** *umg.* he always has to have his say

senil senile ['siːnaɪl]

Senior 1. ***Senioren*** (≈ *Rentner*) senior ['siːnɪə] citizens **2.** *im Sport*: senior ['siːnɪə]

senior: ***John F. Kennedy senior*** (*Abk.* ***sen.*** *oder* ***sr.***) John F. Kennedy Senior (*Abk.* Sr *oder* Snr *oder* Sen.)

Seniorenheim home for the elderly, retirement home

senken 1. lower ['ləʊə] (*Stimme*, *Blutdruck usw.*) **2.** lower, reduce, cut* (*Preise*, *Steuern*) **3.** ***sich senken*** (*Stimme*, *Temperatur*) drop

senkrecht 1. vertical ['vɜːtɪkl] **2.** *im Kreuzworträtsel*: down

Senkrechtstarter 1. *Flugzeug*: vertical takeoff plane **2.** *umg.*, *übertragen* whizz-kid ['wɪzkɪd]

Senkung *von Blutdruck*, *Preisen*, *Stimme usw.*: lowering ['ləʊərɪŋ]

Sensation sensation [sen'seɪʃn]

sensationell sensational [sen'seɪʃnəl]

Sense *Gerät*: scythe [⚠ saɪð]

sensibel sensitive (⚠ *engl.* sensible = ***vernünftig***)

sentimental sentimental; ***nun werd nicht gleich sentimental!*** don't get soppy!

September September; ***im September*** in September (⚠ *ohne* the)

Serbe Serbian ['sɜːbɪən]; ***er ist Serbe*** he's (a) Serbian; ☞ ***Nationalitäten***

Serbien Serbia ['sɜːbɪə]

Serbin Serbian woman (*oder* lady *bzw.* girl); ***sie ist Serbin*** she's (a) Serbian; ☞ ***Nationalitäten***

serbisch, **Serbisch** Serbian ['sɜːbɪən]

Serie 1. *allg.*: series ['sɪəriːz] (⚠ *Sg. und Pl. gleiche Form*) **2.** ***in Serie hergestellt werden*** be* mass-produced **3.** *Radio*, *TV*: series, serial ['sɪərɪəl] **4.** *Briefmarken*, *Münzen usw.*: set

Serienbrief standard letter

seriös 1. (≈ *ernsthaft*) serious ['sɪərɪəs] **2.** (≈ *anständig*) respectable **3.** *Firma*: reputable [⚠ 'repjʊtəbl]

Serpentine (≈ *scharfe Kurve*) double bend, hairpin bend

Server *für Computernetzwerk*: server

Service[1] *das* (≈ *Satz Geschirr*) dinner (*bzw.* tea *bzw.* coffee) service ['sɜːvɪs]

Service[2] *der*, *das* **1.** (≈ *Bedienung*) service **2.** (≈ *Kundendienst*) after-sales service **3.** *Tennis usw.*: service, serve

servieren 1. serve; ***etwas zum Frühstück servieren*** serve something for breakfast; ***Wein zum Essen servieren*** serve wine with the meal **2.** *Tennis usw.*: serve

Serviertochter Ⓒⓗ (≈ *Kellnerin*) waitress

Serviette napkin, *BE auch* serviette [ˌsɜːvɪ'et]

Servolenkung power steering

servus *bes.* Ⓐ **1.** *Begrüßung*: hello, *umg.* hi **2.** *Abschied*: bye, see you, *BE auch* cheers

Sesam: ***Sesam öffne dich!*** open sesame [⚠ 'sesəmɪ]

Sessel 1. easy chair **2.** *mit Armlehne*: armchair **3.** Ⓐ (≈ *Stuhl*) chair

Sessellift chair lift

sesshaft 1. *Bauern*, *Völker usw.*: settled **2.** (≈ *ansässig*) resident ['rezɪdənt] **3.** ***sesshaft werden*** settle (down)

setzen 1. ***sich setzen*** sit* down; ***setz dich!*** sit down!, have a seat!; ***sich ans Fenster setzen*** sit* down at (*oder* next to) the window; ***komm, setz dich zu mir*** come and sit next to me **2.** ***sich setzen auf*** get* on, *förmlicher*: mount (*Pferd*, *Rad*); ***sich setzen in*** get* into (*Auto usw.*) **3.** ***sich setzen*** (≈ *einen Bodensatz bilden*) settle **4.** (≈ *legen*, *hintun*) put*; ***er setzte es auf den Tisch*** he put it on the table **5.** ***setzen Sie mich bitte auf die Liste*** could you put me (*oder* my name) down on the list, please; ***etwas in die Zeitung setzen*** put* something in the paper **6.** (≈ *einpflanzen*) plant [plɑːnt] (*Tomaten, Zwiebeln usw.*) **7.** (≈ *wetten*) bet* (***auf*** on); ***Geld auf ein Pferd setzen*** bet* on a horse; ***wir setzen auf dich!*** *übertragen* we're relying on you **8.** ***jemandem ein Denkmal setzen*** set* up a monument to someone **9.** ***seinen Namen unter einen Brief setzen*** sign a letter

Seuche epidemic [ˌepɪ'demɪk]

seufzen sigh [saɪ] (***über*** at, over)

Seufzer sigh [saɪ]; ***einen Seufzer der Erleichterung ausstoßen*** heave a sigh of relief

Sex sex; ***Sex haben*** (*oder* ***machen***) have* sex

Sexualität sexuality [ˌsekʃʊ'ælətɪ]

Sexualkunde sex education

sexuell sexual ['sekʃʊəl]

Shorts (a pair of) shorts (*Pl.*)

Showmaster(in) *im Fernsehen*: compere ['kɒmpeə], host, *AE* emcee [ˌem'siː]

Sibirien Siberia [saɪ'bɪərɪə]

sich **1.** *je nach Geschlecht und Zahl*: oneself, yourself, *männlich*: himself, *weiblich*: herself, *sächlich*: itself, *Mehrzahl*: themselves; ***er*** (*bzw.* ***sie***) ***nahm die Schuld auf sich*** he (*bzw.* she) took the blame (on himself *bzw.* herself); ***er denkt nur an sich*** he only thinks of himself **2.** him, her, it, *Mehrzahl* them; ***sie blickte um sich*** she looked around (her); ***hat er die Tür hinter sich zugemacht?*** did he shut the door behind him? **3.** (≈ *einander*) each other, one another; ***sie kennen sich*** they know each other

sich

Es gibt eine Reihe von Verben im Deutschen mit „sich", die im Englischen ohne Reflexivpronomen (**himself, myself, ourselves** *usw.*) wiedergegeben werden. Hier eine Auswahl der wichtigsten Verben in alphabetischer Reihenfolge:

sich ändern	**change**
sich anziehen	**get dressed**
sich ärgern	**be annoyed, get annoyed**
sich ausziehen	**get undressed**
sich beeilen	**hurry up**
sich beschweren	**complain**
sich (ver)bessern	**improve**
sich bewegen	**move**
sich entspannen	**relax**
sich entwickeln	**develop**
sich erinnern (an)	**remember**
sich freuen	**be pleased**
sich freuen auf	**look forward to**
sich hinlegen	**lie down**
sich hinsetzen	**sit down**
sich interessieren für	**be interested in**
sich konzentrieren	**concentrate**
sich rasieren	**shave, get shaved**
sich treffen (mit)	**meet**
sich trennen	**split up, separate**
sich verlaufen	**get lost**
sich verstecken	**hide**
sich waschen	**wash, get washed**

sicher **1.** (≈ *geschützt, geborgen*) safe, secure (***vor*** from); ***sich sicher fühlen*** feel* safe **2.** (≈ *gewiss*) certain, sure; ***so viel ist sicher*** one thing is certain; ***ein sicherer Sieg*** certain victory (⚠ *ohne* a) **3.** ***sicher ist sicher!*** better safe than sorry **4.** (≈ *überzeugt, wissend*) sure, certain; ***einer Sache sicher sein*** be* sure of something; ***„Bist du sicher?" - „Ganz sicher!"*** 'Are you sure?' - 'I'm positive!' **5.** (≈ *gesichert*) secure (*auch Einkommen, Existenz usw.*) **6.** (≈ *geübt*) good; ***ein sicherer Fahrer*** a good (*oder* safe) driver **7.** ***aber sicher!*** of course!, *bes. AE* sure!

sichergehen: ***um sicherzugehen*** to be on the safe side, to make sure

Sicherheit **1.** (≈ *Sichersein, Schutz*) safety; ***die öffentliche Sicherheit*** public safety (⚠ *ohne* the) **2.** ***sich in Sicherheit bringen*** get* out of danger **3.** ***in Sicherheit sein*** be* safe (and sound) **4.** ***die innere Sicherheit*** *politisch*: internal security (⚠ *ohne* the) **5.** (≈ *Gewissheit*) certainty ['sɜːtntɪ]; ***mit Sicherheit*** definitely; ***ich weiß es mit Sicherheit*** I know it for sure (*oder* for a fact); ***mit ziemlicher Sicherheit*** almost certainly **6.** (≈ *Selbstvertrauen*) (self-) confidence [(ˌself-)'kɒnfɪdəns] **7.** (≈ *Bürgschaft, Pfand*) security

Sicherheitsabstand safe distance; ***den Sicherheitsabstand einhalten*** keep* a safe distance

Sicherheitsgurt seat belt

sicherheitshalber (≈ *um sicherzugehen*) just to be on the safe side

Sicherheitsnadel safety pin

sicherlich: ***sie wird sicherlich kommen*** I'm sure she'll come; ***„Schaffst dus?" -***

S

„Sicherlich!" 'Can you manage?' - 'Of course (I can).'

sichern **1.** secure [sɪ'kjʊə] (*Tür, Auto usw.*) (***gegen*** against) **2.** save (*Daten*) **3.** ***sich vor*** (*oder* ***gegen***) ***etwas sichern*** protect oneself against something **4.** lock, put* the safety catch on (*Schusswaffe*)

Sicherung **1.** *Strom*: fuse [fjuːz]; ***die Sicherung ist durchgebrannt*** the fuse has blown **2.** ***bei ihr ist die Sicherung durchgebrannt*** *umg*. she blew a fuse **3.** *von Daten*: saving

Sicherungskopie *Computer*: backup, backup copy

Sicht **1.** visibility [ˌvɪzə'bɪlətɪ]; ***die Sicht war schlecht*** visibility was bad (*oder* poor) (⚠ *ohne* the) **2.** ***in Sicht kommen*** come* into view **3.** ***außer Sicht*** out of sight **4.** ***auf lange Sicht*** (≈ *auf Dauer*) in the long run

sichtbar visible ['vɪzəbl] (*auch übertragen*); ***sichtbar werden*** *übertragen* become* apparent

sichtlich **1.** *Freude, Trauer*: visible ['vɪzəbl] **2.** ***er war sichtlich nervös*** he was clearly (*oder* obviously) nervous

sie[1] **1.** *für eine Frau*: she, *als Objekt*: her; ***da ist sie*** there she is; ***wir müssen sie finden*** we've got to find her; ***er weiß mehr als sie*** he knows more than she does, he knows more than her **2.** *für eine Sache*: it, *für englische Pluralformen wie* glasses *usw.*: them; ***da ist sie*** there it is (*die Uhr usw.*), there they are (*die Brille, Badehose usw.*); ***wir müssen sie finden*** we've got to find it (*die Uhr usw.*), we've got to find them (*die Brille, Badehose usw.*)

sie[2] **1.** *für mehrere Personen*: they, *als Objekt*: them; ***da sind sie*** there they are; ***wir müssen sie finden*** we've got to find them; ***wir arbeiten länger als sie*** we work longer than they do, we work longer than them **2.** *für Sachen*: they, *als Objekt*: them; ***da sind sie*** there they are; ***wir müssen sie finden*** we've got to find them **3.** (≈ *man*) they; ***sie haben ihn gefragt, ob …*** they asked him whether …

Sie **1.** *Anrede*: you; ***was glauben Sie?*** what do you think? **2.** ⚠ *in der Befehlsform unübersetzt*: ***hören Sie!*** listen!; ***machen Sie schnell!*** hurry up!

Sieb sieve [⚠ sɪv]; ***ein Gedächtnis wie ein Sieb*** a memory like a sieve

sieben[1] *Zahl*: seven ['sevn]

sieben[2] sieve [⚠ sɪv], pass through a sieve

Sieben **1.** *Zahl*: (number) seven ['sevn] **2.** *Bus, Straßenbahn usw.*: number seven bus, number seven tram *usw.*

siebenfach **1.** ***die siebenfache Menge*** seven times the amount **2.** ***die siebenfache deutsche Meisterin X*** seven-times German champion X (⚠ *ohne* the)

siebente(r, -s) → ***siebte(r, -s)***

Siebente(r, -s) → ***Siebte(r, -s)***

Siebentel seventh ['sevnθ]

siebte(r, -s) seventh ['sevnθ]; ***7. April*** 7(th) April, April 7(th) (⚠ *gesprochen* the seventh of April); ***am 7. April*** on 7(th) April, on April 7(th) (⚠ *gesprochen* on the seventh of April)

Siebte(r, -s) **1.** (the) seventh ['sevnθ]; ***er war Siebter*** he was seventh **2.** ***Heinrich VII.*** Henry VII (*gesprochen* Henry the Seventh; VII *ohne Punkt!*) **3.** ***heute ist der Siebte*** it's the seventh today

Siebtel seventh ['sevnθ]

siebzehn seventeen [ˌsevn'tiːn]

siebzehnte(r, -s) seventeenth [ˌsevn'tiːnθ]

siebzig seventy ['sevntɪ]

Siebzigerjahre: ***in den Siebzigerjahren*** in the seventies

siebzigste(r, -s) seventieth ['sevntɪəθ]

Siedepunkt boiling point (*auch übertragen*)

Siedler(in) settler

Siedlung **1.** (≈ *Wohngebiet*) housing estate ['haʊzɪŋ‿ɪˌsteɪt], *bes. AE* development **2.** (≈ *Niederlassung*) settlement

Sieg **1.** *auch übertragen* victory; ***ein Sieg der Vernunft*** a victory for common sense **2.** *Sport*: win, victory; ***ein leichter Sieg*** a walkover, *AE auch* a walkaway

siegen **1.** *allg.*: win*; ***Hamburg siegte mit 3:1*** Hamburg won by three goals to one **2.** ***siegen über*** defeat, *bes. im Sport*: beat*

Sieger(in) **1.** *in einem Kampf usw.*: victor **2.** *Sport*: winner; ***Sieger nach Punkten*** winner on points **3.** ***zweiter Sieger*** runner-up

Siegerehrung *Sport*: presentation ceremony ['serəmənɪ]

siegessicher **1.** confident ['kɒnfɪdənt] of victory **2.** *übertragen* sure of one's success

siegreich: ***die siegreiche Mannschaft*** *usw.* the winning team *usw.*

siezen **1.** ***jemanden siezen*** use the formal 'Sie' with someone **2.** ***sie siezen sich*** they are on 'Sie' terms

Signal **1.** (≈ *Alarmsignal usw.*) signal ['sɪgnəl]; ***das Signal stand auf „Halt"*** the signal was at 'stop' **2.** *übertragen* sign [saɪn]; ***das war das Signal zum Aufbruch*** that was the sign to leave

Silbe **1.** syllable ['sɪləbl] **2.** ***er sagte keine Silbe*** he didn't say a word; ***sie erwähnte ihn mit keiner Silbe*** she didn't even mention him

Silbentrennung *am Zeilenende*: word division, hyphenation [ˌhaɪfə'neɪʃn]

Silber **1.** *Metall*: silver **2.** *Sport*: (≈ *Silber-*

S

medaille) silver, silver medal; ***er hat Silber geholt*** he won the silver medal

Silberhochzeit silver wedding

Silbermedaille silver medal [ˌsɪlvə'medl]

Silbermedaillengewinner(in) silver-medallist [ˌsɪlvə'medlɪst]

Silberstreifen: ***ein Silberstreifen am Horizont*** *übertragen* a ray of hope

Silikon silicone ['sɪlɪkəʊn]

Silizium silicon ['sɪlɪkən]

Silvester New Year's Eve; ***an*** (*oder* ***zu***) ***Silvester*** on New Year's Eve

Silvester

Silvester wird in Schottland mit besonderer Begeisterung gefeiert und dort **Hogmanay** [ˌhɒgmə'neɪ] genannt.

simpel 1. (≈ *einfach*) simple **2.** *in Wendungen*: ***es fehlt an den simpelsten Dingen*** some of the most basic things are missing; ***er ist nur ein simpler Angestellter*** *abwertend* he's just a lowly clerk [ˌləʊlɪ'klɑːk]

simsen *Handy*: text; ***ich werd dir simsen*** I'll text you

Simsen statt Telefonieren

Angeblich benutzen schon mehr Handybesitzer ihre Geräte, um SMS-Nachrichten zu versenden als zum Telefonieren. „SMS" ist eine Abkürzung aus dem Englischen und bedeutet **short message service** oder **short messaging system**. Im Deutschen werden für den Vorgang, eine Textnachricht per Handy zu verschicken, „eine SMS schicken", „SiMSen" oder „simsen" verwendet. Im Englischen dagegen spricht man von **to text**:

I'll text you the exact title of the novel. (Ich schicke dir den genauen Titel des Romans als SMS.)

Simulant(in) malingerer [mə'lɪŋgərə]

simulieren 1. sham, feign [⚠ feɪn] (*Krankheit*) **2.** simulate (*Vorgang, Situation, Ablauf*) **3.** (≈ *Krankheit vortäuschen*) malinger [mə'lɪŋgə], sham, *umg.* put* it on; ***sie simuliert nur*** she's just putting it on

Sinfonie symphony ['sɪmfənɪ]

Singapur Singapore [ˌsɪŋə'pɔː]

singen 1. sing*; ***richtig singen*** sing* in tune; ***falsch singen*** sing* out of tune **2.** *umg.* (≈ *bei der Polizei auspacken*) squeal [skwiːl]

Single (≈ *einzeln lebende Person*) single (person)

Singular singular ['sɪŋgjʊlə]

Singvogel songbird

sinken 1. *allg.*: sink*; ***zu Boden sinken*** sink* (*oder* drop) to the ground; **2.** (*Schiff*) sink*, go* down **3.** (*Aktien, Temperatur usw.*) fall*, drop, go* down; ***das Thermometer sinkt*** the temperature is falling **4.** ***er ist tief gesunken*** *moralisch*: he has sunk very low

Sinn 1. *zur Wahrnehmung*: sense; ***die fünf Sinne*** the five senses; ***den*** (*oder* ***einen***) ***sechsten Sinn haben*** have* a sixth sense **2.** (≈ *Denken, Gemüt*) mind; ***aus den Augen, aus dem Sinn*** out of sight, out of mind **3.** (≈ *Verständnis, Empfänglichkeit*) sense (***für*** of), feeling (***für*** for); ***Sinn für Humor*** a sense of humour; ***sie hat keinen Sinn für gute Musik*** she can't appreciate [ə'priːʃɪeɪt] good music **4.** (≈ *Bedeutung*) meaning; ***das ergibt keinen Sinn*** it doesn't make sense; ***im wahrsten Sinne des Wortes*** in the true sense of the word, (≈ *buchstäblich*) literally **5.** (≈ *Zweck*) point; ***das ist nicht der Sinn der Sache*** that's not the point; ***das hat keinen Sinn*** it's no use [juːs] **6.** (≈ *tiefere Bedeutung*) meaning; ***der Sinn des Lebens*** the meaning of life **7.** ***in diesem Sinne, tschüs!*** *umg.* on that note I'll be off

Sinnestäuschung hallucination [həˌluːsɪ'neɪʃn]

Sinneswandel change of heart

sinngemäß 1. ***eine sinngemäße Wiedergabe des Romans*** a rough [rʌf] summary of the novel **2.** ***sinngemäß übersetzt*** roughly translated **3.** ***sinngemäß schreibt er: …*** the gist [dʒɪst] of what he writes is: …

sinnlich 1. ***die sinnliche Wahrnehmung*** sensory ['sensərɪ] perception (⚠ *ohne* the) **2.** (≈ *sinnenfroh*) sensuous ['senʃʊəs] **3.** (≈ *erotisch*) sensual ['senʃʊəl]

sinnlos 1. (≈ *zwecklos*) pointless, useless ['juːsləs]; ***es ist sinnlos, länger zu warten*** *auch*: there's no point in waiting any longer **2.** (≈ *unsinnig*) stupid **3.** ***sinnlose Gewalt*** mindless violence **3.** ***es ist alles so sinnlos*** (≈ *bedeutungslos*) it's all so meaningless **4.** ***sinnlos betrunken*** blind drunk

sinnvoll 1. (≈ *vernünftig*) sensible ['sensəbl]; ***es wäre sinnvoll, jetzt aufzupassen*** it would be a good idea to pay attention now **2.** (≈ *nützlich*) useful

S

Singular im Englischen – Plural im Deutschen

Im Englischen gibt es einige Ausdrücke, die du nicht im Plural gebrauchen kannst, obwohl sie im Deutschen auch im Plural vorkommen. Das heißt, du darfst sie auch nicht mit dem unbestimmten Artikel **a** bzw. **an** benutzen. Statt dessen kannst du, wo angebracht, **some** oder **any** einfügen. Hier die wichtigsten Beispiele:

advice	Rat(schlag), Ratschläge
He gave me some very useful advice.	Er gab mir einen guten Rat / einige gute Ratschläge.
information	Information, Informationen
Have you got any information on the Edinburgh Festival?	Haben Sie Informationen zum „Edinburgh Festival"?
knowledge	Kenntnis, Kenntnisse, Wissen
My knowledge of Latin isn't very good.	Meine Lateinkenntnisse sind nicht sehr gut.
news	Nachricht, Nachrichten (trotz **-s** am Ende verlangt **news** den Singular)
The news is on in two minutes.	In zwei Minuten kommen die Nachrichten.
I've got some good news for you.	Ich habe eine gute Nachricht für dich.
progress	Fortschritt, Fortschritte
She's making (some) progress.	Sie macht Fortschritte.
furniture	Möbel
My parents gave me this furniture.	Diese Möbel stammen von meinen Eltern.

Einigen dieser Substantive kann man auch **a piece of** voranstellen, um den Singular auszudrücken:

a piece of advice	ein Ratschlag
a piece of information	eine Information
a piece of news	eine Nachricht
a piece of furniture	ein Möbelstück

['juːsfl] **3.** *Satz, Aussage*: meaningful; ***diese Übersetzung ist nur sinnvoll, wenn …*** this translation only makes sense if …

Sintflut 1. ***die Sintflut*** *biblisch*: the Flood [flʌd] **2.** (≈ *starke Regenfälle*) torrential [tə'renʃl] rain(fall) (⚠ *ohne* a)

sintflutartig: ***sintflutartige Regenfälle*** torrential [tə'renʃl] rain(fall) (⚠ *Sg.*)

Sinuskurve *Mathematik*: sine [saɪn] curve

Siphon *unter Waschbecken*: siphon ['saɪfn]

Sirene siren ['saɪrən]

Sirup treacle ['triːkl], *AE* molasses (⚠ *Sg.*), (≈ *Fruchtsirup*) syrup ['sɪrəp]

Sitte 1. (≈ *Brauch*) custom ['kʌstəm]; ***das ist bei uns nicht Sitte*** we don't do that around here **2.** ***was sind das für neue Sitten?*** who taught you that? **3.** ***Sitten*** (≈ *Moral*) morals ['mɒrəlz]; ***lockere Sitten*** loose [luːs] morals

Situation *allg.*: situation [ˌsɪtʃʊ'eɪʃn]

Sitz 1. *allg.*: seat (*auch übertragen Amtssitz, Parlamentssitz usw.*) **2.** ***es hat die Zuschauer von den Sitzen gerissen*** the audience were swept off their feet **3.** *eines Unternehmens*: seat, head office; ***der Sitz der Firma ist in München*** *auch*: the company is (*oder* are) based in Munich

sitzen 1. (≈ *dasitzen*) sit*; ***bleib sitzen!*** don't get up; ***wir sitzen gerade beim Frühstück*** we're just having breakfast **2.** ***die Bank sitzt in Luxemburg*** the bank has its head office in Luxembourg **3.** *umg.*; *im Gefängnis*: do* time; ***er saß sechs Monate*** he did six months **4.** ***sie***

sitzt im Parlament she has a seat in Parliament (⚠ *ohne* the) **5.** (*Kleidung*) fit; ***der Rock sitzt gut*** the skirt is a good fit **6.** *in Wendungen*: ***er hat einen sitzen*** *umg.* he's had one too many; ***das hat gesessen!*** that hit home; ***das lasse ich nicht auf mir sitzen*** I'm not just going to sit here and take that

> **sitzen bleiben**: ***er ist sitzen geblieben*** *Schule*: he's got to repeat a year
> **sitzen lassen**: ***sie hat ihn sitzen lassen*** (≈ *verlassen*) she walked out on him

Sitzgelegenheit seat, place to sit
Sitzordnung seating plan
Sitzplatz seat; ***das Stadion hat 10 000 Sitzplätze*** the stadium seats 10,000
Sitzung 1. (≈ *Besprechung*) meeting; ***bei*** (*oder* ***auf***) ***einer Sitzung*** at a meeting **2.** *des Parlaments*: session
Sizilien Sicily ['sɪsəlɪ]
Skala *allg.*: scale [skeɪl]
Skandal scandal ['skændl]
skandalös scandalous ['skændləs]
Skandalpresse gutter press
Skandinavien Scandinavia [ˌskændɪ'neɪvɪə]
Skateboard skateboard
Skateboardanlage skatepark ['skeɪtpɑːk]
Skateboarder(in) skateboarder
Skelett skeleton ['skelɪtən]
skeptisch sceptical ['skeptɪkl]; ***ich bin da skeptisch*** *auch*: I'm not so sure (about it)
Ski ski [skiː]; ***Ski laufen*** (*oder* ***fahren***) ski, go* skiing
Skianzug ski suit ['skiː‿suːt]
Skifahren skiing ['skiːɪŋ]

Rund ums Skifahren

Bindung	**(safety) binding**
Buckel	**mogul** ['məʊgl]
Idiotenhügel	**nursery slope**
Kehre	**turn**
Langlauf	**cross-country skiing**
Loipe	**course, trail**
Sessellift	**chair lift**
Skianzug	**ski suit**
Skibrille	**(ski) goggles**
Skier	**skis**
Skilift	**ski lift**
Skimütze	**skiing hat**
Skistiefel	**ski boots**
Skistöcke	**(ski) poles**
Tiefschnee	**deep powder snow**
Tiefschneefahren	**deep snow skiing, deep powder skiing**
Wedeln	**wedel** ['wedl, 'veɪdl]

Skifahrer(in) skier ['skiːə]
Skigebiet skiing area ['skiːɪŋˌeərɪə]
Skihang ski [skiː] slope
Skikurs skiing course ['skiːɪŋ‿kɔːs]
Skilanglauf cross-country skiing ['skiːɪŋ]
Skilehrer(in) skiing ['skiːɪŋ] instructor
Skilift ski lift ['skiː‿lɪft]
Skischanze ski jump ['skiː‿dʒʌmp]
Skispringen ski [skiː] jumping
Skistiefel ski [skiː] boot
Skizze 1. (≈ *Zeichnung*) sketch **2.** (≈ *Entwurf*) outline
skizzieren 1. (≈ *zeichnen*) sketch **2.** (≈ *kurz darstellen*) outline; ***könnten Sie das kurz skizzieren?*** could you give me a brief outline (of it)?
Sklave slave (*auch übertragen*)
Sklaventreiber(in) *auch übertragen* slave-driver
Sklavin slave
Skorpion 1. *Tier*: scorpion ['skɔːpɪən] **2.** *Sternzeichen*: Scorpio ['skɔːpɪəʊ]; ***ich bin*** (***ein***) ***Skorpion*** I'm (a) Scorpio
Skrupel scruple ['skruːpl]; ***ich habe Skrupel, es zu tun*** I have scruples about doing it; ***er hat*** (*oder* ***kennt***) ***keine Skrupel*** he has no scruples
skrupellos unscrupulous [ʌn'skruːpjʊləs]
Slalom *Skisport*: slalom ['slɑːləm]
Slawe Slav [slɑːv]
Slawin Slav [slɑːv]
slawisch Slav [slɑːv], Slavic ['slɑːvɪk]
Slip 1. (≈ *Unterhose*) briefs (⚠ *Pl.*) **2.** *für Frauen*: panties ['pæntɪz] (⚠ *Pl.*); ***ist das dein Slip?*** are those your panties? (⚠ *engl.* slip = ***Unterrock***)
Slipeinlage panty ['pæntɪ] liner
Slowake Slovak ['sləʊvæk]; ☞ ***Nationalitäten***
Slowakei Slovakia [sləʊ'vækɪə]
Slowakin, slowakisch, Slowakisch Slovak ['sləʊvæk]; ☞ ***Nationalitäten***
Slowene Slovene ['sləʊviːn]; ☞ ***Nationalitäten***
Slowenien Slovenia [sləʊ'viːnɪə]
Slowenin, slowenisch, Slowenisch Slovene ['sləʊviːn]; ☞ ***Nationalitäten***
Small Talk (≈ *unverbindliche Unterhaltung*) small talk

Small Talk

Beim **Small Talk** macht man oft Komplimente. Hier ein paar Hilfsmittel, die du öfter mal einsetzen kannst:

angenehm	**pleasant**
unglaublich, toll	**amazing**
das ist geil	**it's fab, really hot,** *AE* **awesome,** *AE auch* **the bomb**
gut	**good,** *Wetter auch:* **fine**
hübsch	*Ding:* **pretty,** *Frau:* **pretty, good-looking,** *Mann:* **good-looking, handsome**
interessant	**interesting**
sympathisch	**nice, pleasant**
toll	**great**
fantastisch	**brilliant, fantastic**
spitze!	**great,** *BE auch* **brilliant, fab**
echt cool!	**really** (*AE* **real**) **cool**

Smiley *Internet, E-Mail:* smiley ['smaɪlɪ]
Smog smog [smɒg]

Smog

Das aus dem Englischen übernommene „Smog" ist eine Zusammensetzung aus **smoke** (Rauch) und **fog** (Nebel).

Smogalarm smog alert ['smɒg‿əˌlɜːt]
Smogwarnung smog warning
Smoking dinner jacket, *AE* tuxedo [tʌk'siːdəʊ], tux
SMS 1. *System:* text messaging, SMS (*Abk. für* **S**hort **M**essage **S**ervice) **2.** *Nachricht:* SMS, text message; ***ich schicke dir eine SMS*** I'll text you (something)
SMS-Nachricht SMS (message), text message; ***ich schicke dir eine SMS-Nachricht*** I'll text you (something)
Snowboard snowboard
Snowboarder(in) snowboarder
so 1. *allg.:* so; ***und so weiter*** and 'so on **2.** (≈ *auf diese Weise*) like this, like that; ***nun sei doch nicht so!*** don't be like 'that!; ***so geht es nicht*** it doesn't work like that, *übertragen; als Tadel:* that's just not on **3.** ***so (et)was*** something like that; ***sie ist einkaufen oder so (was)*** *umg.* she's gone shopping or something (like that); ***so etwas hatte ich noch nie gesehen*** I'd never seen anything like it **4.** ***oder so*** *bei Mengenangaben usw.:* or so; ***fünf Euro oder so*** five euros or so **5.** *vergleichend:* ***so … wie*** as … as; ***es ist nicht so kalt wie gestern*** it's not as cold as yesterday **6.** *verstärkend:* ***es ist so kalt!*** it's so cold!; ***er ist so was von blöd!*** he's so stupid! **7.** ***so ein Idiot!*** what an idiot!; ***so ein schönes Geschenk!*** what a lovely present! **8.** ***so ein …*** such a(n) …; ***er ist so ein strenger Lehrer*** he's such a strict teacher **9.** ***er ist nicht so dumm, das öffentlich zu sagen*** he's not so stupid as to say that in public **10.** (≈ *ungefähr*) about, around; ***sie kommt so in einer Stunde*** she'll be here in an hour or so (*oder* in about an hour) **11.** *Wendungen:* ***so ist das Leben*** that's life; ***wie du mir, so ich dir*** tit for tat; ***was treibst du denn so?*** what are you up to these days?

so genannt so-called
so viel 1. so much; ***red nicht so viel*** don't talk so much **2.** ***so viel wie*** as much as; ***doppelt*** (*bzw.* ***halb***) ***so viel*** twice (*bzw.* half) as much **3.** ***so viel für heute*** that's it for today; → ***soviel***
so weit 1. (≈ *bis jetzt, bis hierher*) so far; ***so weit ging alles gut*** *auch:* up to now everything's gone well **2.** ***es geht mir so weit gut*** I'm doing all right on the whole **3.** ***wir sind so weit*** (≈ *bereit*) we're ready ['redɪ]; ***es ist so weit, wir können reingehen*** they're *usw.* ready now, so we can go in; ***es ist so weit, wir können essen*** dinner's (*bzw.* lunch is) ready; → ***soweit***

sobald: ***ich komme, sobald ich kann*** I'll come as soon as I can (⚠ *Zukunftsform im Hauptsatz bei* as soon as)
Socke 1. sock **2.** ***ich muss mich auf die Socken machen*** *umg.* I'd better get a move on
Sofa sofa, *BE auch* settee [se'tiː]
sofort 1. straightaway [ˌstreɪtə'weɪ], immediately [ɪ'miːdɪətlɪ], at once [ət'wʌns]; ***er ging sofort ins Bett*** *auch:* he went straight to bed **2.** ***ich komme sofort!*** I'll be with you right away
Software software
Softwarepaket software package
sogar 1. even; ***sogar (der) Peter war da*** even Peter was there **2.** ***das ist billig, sogar sehr billig*** it's cheap - very cheap, in fact
sogenannt → *neu:* ***so genannt***
Sohle sole

S

Sohn son [sʌn]
Soja soy, soya ['sɔɪə]
solang(e) **1.** as long as; ***das vergesse ich nicht solange ich lebe*** I won't forget that for the rest of my life **2.** (≈ *während*) as long as, while; ***solange er schläft, ist es ruhig*** it's quiet as long as (*oder* while) he's asleep **3.** (≈ *vorausgesetzt*) as long as; ***ich machs, solange du mir dabei hilfst*** I'll do it as long as you help me
Solarenergie solar energy [ˌsəʊlər'enədʒɪ]
Solarzelle solar cell [ˌsəʊlə'sel]
solch **1.** that kind of; ***ich mag solchen Käse nicht*** I don't like that kind of cheese **2.** *Plural*: those kind of (⚠ *mst. im gesprochenen Englisch*); ***solche Leute*** *auch*: people like that, people of that kind **3.** *verstärkend*: ***solch ein(e)*** such a, such an; ***es war solch ein schönes Fest*** it was such a nice party **4.** *Plural*: such; ***es sind solch nette Leute*** they're such nice people; ***ich habe solche Kopfschmerzen*** I've got such a headache (⚠ *Sg.*) **5.** ***ich habe solchen Hunger*** I'm so hungry
Soldat **1.** soldier ['səʊldʒə], serviceman ['sɜːvɪsmən] **2.** ***er ist Soldat*** he's in the army **3.** ***Soldat werden*** join the army
Soldatin (woman) soldier
Solidarität solidarity
solide **1.** *Haus, Bauweise, Möbel*: solid **2.** ***solide gebaut*** well-built [ˌwel'bɪlt] **3.** *Person, Firma*: respectable [rɪ'spektəbl]; ***er ist solide geworden*** he's settled down **4.** ***solide Kenntnisse in Wirtschaft*** a sound knowledge of economics **5.** ***eine solide Arbeit*** a sound piece of work
sollen **1.** *bei Anordnung, Anweisung, Auftrag*: be* to, be* supposed to; ***du sollst nach Hause kommen*** you're to come home; ***du solltest längst im Bett sein*** you're supposed to be in bed, you should have been in bed long ago; ***ich soll dir ausrichten, dass …*** I'm to tell you that … **2.** ***soll ich mitkommen?*** shall I come?, do you want me to come? **3.** *bei Absicht, Vorhaben*: ***hier soll eine Straße gebaut werden*** they're planning to build a street here; ***was soll das sein?*** what's that supposed to be?; ***das sollte ein Witz sein*** it was meant as a joke; ***das sollst du mir büßen!*** you'll pay for that! **4.** *bei Ratschlag, Vorwurf usw.*: should, ought [ɔːt] to; ***du solltest das Buch mal lesen*** you should (*oder* ought to) read the book; ***man hätte es ihm sagen sollen*** he ought to (*oder* should) have been told; ***ich hätte es wissen sollen*** I should have known; ***du solltest lieber nach Hause gehen*** I think you'd better go home **5.** *bei Unentschlossenheit*: ***was soll ich tun?*** what shall (*oder* should) I do?; ***was soll ich sagen?*** what can I say?, *ratlos*: what am I supposed to say? **6.** *bei Gerüchten*: be* supposed to, be* said to; ***sie soll sehr reich sein*** she's said (*oder* supposed) to be very rich, they say she's very rich **7.** *bei Schicksal, Bestimmung*: ***sie sollte einmal eine berühmte Sängerin werden*** she was to become a famous singer; ***es hat nicht sein sollen*** it wasn't meant to be **8.** *in Fragen*: ***was soll das?*** what's all this about?, *verärgert*: what's the idea?; ***was soll ich damit?*** what am I supposed to do with it?; ***was solls*** *umg.* who cares
Solo **1.** *Musik*: solo **2.** *Sport*: solo run
solo **1.** *Musik*: solo **2.** ***ich lebe solo*** *umg.* I live alone
somit **1.** (≈ *also*) therefore; ***sie ist älter und somit vernünftiger*** she's older and therefore more sensible **2.** (≈ *hiermit*) so; ***…, und somit komme ich zum Ende*** … and that brings me to the end
Sommer summer; ***der Sommer*** summer (⚠ *ohne* the); ***im Sommer*** in (the) summer
Sommerferien summer holidays, *AE* summer vacation [veɪ'keɪʃn] (⚠ *Sg.*)
sommerlich **1.** summery **2.** ***sich sommerlich anziehen*** put* on one's summer clothes [kləʊ(ð)z]
Sommerloch *in der Presse usw.*: silly season
Sommermode summer fashions (⚠ *Pl.*)
Sommersachen *Kleidung*: summer clothes [kləʊ(ð)z]
Sommerschlussverkauf summer sales (⚠ *Pl.*), July sales (⚠ *Pl.*); ***es ist Sommerschlussverkauf*** the July sales are on
Sommerspiele: ***die Olympischen Sommerspiele*** the Summer Olympics [ə'lɪmpɪks]
Sommersprossen freckles
Sommerzeit **1.** *Jahreszeit*: summertime (⚠ *ohne* the) **2.** *Uhrzeit*: daylight saving time, *BE auch* summer time (⚠ *zwei Wörter*)
Sonderangebot special offer
sonderbar strange, odd
Sondermüll hazardous [⚠ 'hæzədəs] waste, toxic waste
sondern but; ***nicht nur …, sondern auch …*** not only …, but also …
Sonderpreis special price; ***ich habs zum Sonderpreis bekommen*** I got it on special offer

S

Sonderschule special school (***für Behinderte*** *usw.* for the handicapped *usw.*)
Sondersendung special broadcast
Sonderzeichen *für Computer*: special character ['kærəktə], symbol ['sɪmbl]
Sonnabend Saturday ['sætədeɪ]; ***am Sonnabend*** (on) Saturday; → ***Samstag***
sonnabends on Saturday, on Saturdays; → ***samstags***
Sonne 1. sun; ***an der Sonne*** in the sun **2.** (≈ *Sonnenlicht*) sun, sunlight; ***die Wohnung hat wenig Sonne*** the flat doesn't get much sun (*oder* sunlight)
sonnen: ***sich sonnen*** lie* in the sun, sunbathe ['sʌnbeɪð]
Sonnenanbeter(in) *umg.* sun-worshipper
Sonnenaufgang sunrise; ***bei Sonnenaufgang*** at sunrise, when the sun comes up
Sonnenblume sunflower
Sonnenbrand 1. sunburn; ***sie hat einen Sonnenbrand*** she's got sunburn (⚠ *ohne* a) **2. *einen Sonnenbrand bekommen, sich einen Sonnenbrand holen*** get* sunburnt
Sonnenbrille sunglasses (⚠ *Pl.*); ***wo ist meine Sonnenbrille?*** where are my sunglasses?
Sonnencreme suncream
Sonnenenergie solar energy [ˌsəʊlər'enədʒɪ]
Sonnenfinsternis eclipse [ɪ'klɪps] of the sun, solar eclipse
sonnenklar *umg.* crystal-clear [ˌkrɪstl-'klɪə]
Sonnenlicht sunlight
Sonnenmilch suntan lotion
Sonnenöl suntan oil
Sonnenschein sunshine
Sonnenschirm sunshade
Sonnenschutzmittel suntan lotion (*bzw.* cream), sun cream
Sonnenstich sunstroke; ***sie hat einen Sonnenstich*** she's got (*oder* she's suffering from) sunstroke (⚠ *ohne* a)
Sonnensystem solar ['səʊlə] system
Sonnenuhr sundial ['sʌndaɪəl]
Sonnenuntergang sunset; ***bei Sonnenuntergang*** at sunset, when the sun goes down
sonnig sunny
Sonntag Sunday; ***wir sehen uns dann (am) Sonntag*** see you (on) Sunday
Sonntagabend: ***(am) Sonntagabend*** (on) Sunday evening, (on) Sunday night
sonntagabends (on) Sunday evenings
Sonntagmorgen: ***(am) Sonntagmorgen*** (on) Sunday morning
Sonntagnachmittag: ***(am) Sonntagnachmittag*** (on) Sunday afternoon
sonntags on Sunday, on Sundays; ***sonntags abends*** *usw.* (on) Sunday evenings *usw.*
Sonntagsfahrer(in) *im negativen Sinn* Sunday driver
sonst 1. (≈ *andernfalls*) otherwise, or (else); ***beeil dich, sonst kommen wir zu spät*** hurry up or we'll be late; ***benimm dich, sonst setzt es was!*** behave yourself, or else! **2. *sonst noch etwas?*** anything else?; ***war außer dir sonst noch jemand da?*** was there anyone (else) there apart from you?; ***sonst noch Fragen?*** any more questions? **3.** (≈ *für gewöhnlich*) usually ['juːʒʊəlɪ], normally; ***sonst ist er nicht so*** he isn't usually like that
sooft 1. (≈ *jedesmal wenn*) whenever **2.** (≈ *wann auch immer*) whenever, as often as; ***sooft du willst*** as often as you like
Sopran 1. *Stimmlage, Sängerin*: sopran<u>o</u> [sə'prɑːnəʊ] **2.** *Teil eines Chors*: sopran<u>o</u> section, sopranos (⚠ *Pl.*)
Sorge 1. (≈ *Besorgnis, innere Unruhe*) worry [⚠ 'wʌrɪ], concern (***um*** about, over); ***sich um jemanden Sorgen machen*** be* worried about someone; ***er macht mir Sorgen*** I'm worried about him; ***das lass mal meine Sorge sein*** leave that to me **2. *Sorgen*** (≈ *Probleme*) worries, problems; ***finanzielle Sorgen*** financial worries, money problems **3.** *Wendungen*: ***keine Sorge!*** don't worry!; ***deine Sorgen möchte ich haben!*** if that's all you've got to worry about
sorgen 1. *sich sorgen* be* worried [⚠ 'wʌrɪd], worry (***um, wegen*** about) **2. *für jemanden sorgen*** look after someone, take* care of someone **3. *ich sorge für die Getränke*** I'll see to the drinks **4. *dafür sorgen, dass*** make* sure that, see* to it that; ***dafür werd ich sorgen*** I'll see to it, *drohend*: I'll make sure of that
Sorgenkind problem child
Sorgfalt care; ***mit der größten Sorgfalt*** with the utmost ['ʌtməʊst] care
sorgfältig 1. *allg.*: careful ['keəfl] **2.** (≈ *gründlich*) thorough [⚠ 'θʌrə]
sorglos 1. (≈ *sorgenfrei*) free from worries, carefree **2.** (≈ *nachlässig*) careless
Sorte sort, kind; ***welche Sorten Käse haben Sie?*** what kinds of cheese have you got?
sortieren 1. *allg.*: sort (***nach*** according to) (*auch Computer*) **2.** *nach Qualität*: grade **3.** (≈ *ordnen*) arrange

S

Soße 1. *allg.*: sauce [sɔːs] 2. *zum Braten*: gravy ['greɪvɪ] 3. *zum Salat*: dressing
Soundkarte *Computer*: sound card
Souvenir souvenir [ˌsuːvə'nɪə]
souverän 1. (≈ *überlegen*) superior [suː'pɪərɪə]; ***ein souveräner Sieg*** a convincing victory 2. *Staat*: sovereign [⚠ 'sɒvrɪn]
soviel 1. ***soviel ich weiß*** as far as I know 2. ***soviel ich gehört habe*** from what I've heard; → ***so***
soweit: ***soweit ich es beurteilen kann*** as far as I can judge; → ***so***
sowie 1. (≈ *wie auch*) as well as 2. (≈ *sobald*) as soon as
sowieso anyway; ***sie kommt sowieso nicht*** she isn't coming anyway
sowohl: ***er kann sowohl Englisch als auch Russisch*** he knows English as well as Russian, he can speak both English and Russian
sozial social ['səʊʃl]
Sozialabbau social cuts (⚠ *Pl.*)
Sozialamt social security office, welfare office
Sozialdemokrat(in) social democrat ['deməkræt]
sozialdemokratisch social democratic
Sozialhilfe social security, income support, *AE* welfare; ***Sozialhilfe beziehen*** be* on social security, *AE* be* on welfare
Sozialismus socialism ['səʊʃəlɪzm]
Sozialist(in) socialist ['səʊʃəlɪst]
sozialistisch socialist
Sozialkunde social studies (⚠ *Pl.*)
Sozialstaat welfare state
Sozialwohnung *BE etwa*: council flat, *AE* public housing unit
sozusagen so to speak
Spachtel *zum Gipsen usw.*: spatula ['spætʃʊlə]
Spagetti, **Spaghetti** spaghetti (⚠ *Sg.*); ***meine Spaghetti werden kalt*** my spaghetti's getting cold
Spalt 1. (≈ *Öffnung*) gap, opening 2. ***die Tür einen Spalt offen lassen*** leave* the door open slightly
Spalte *in der Zeitung*: column [⚠ 'kɒləm]
spalten 1. split* (*auch Atome*) 2. ***sich spalten*** (*Gruppe, Partei usw.*) split*, split* up
Spaltung 1. *allg.*: splitting 2. *von Atomen*: splitting, fission 3. *von Partei usw.*: split
Spange (≈ *Haarspange*) slide
Spanien Spain [speɪn]
Spanier 1. Spaniard ['spænjəd]; ***er ist Spanier*** he's Spanish; ***die Spanier*** the Spanish; ☞ ***Nationalitäten*** 2. *umg.* (≈ *spanisches Lokal*) Spanish place, Spanish restaurant ['restərɒnt]
Spanierin Spanish woman (*oder* lady *bzw.* girl); ***sie ist Spanierin*** she's Spanish; ☞ ***Nationalitäten***
spanisch 1. Spanish ['spænɪʃ] 2. ***das kommt mir spanisch vor*** that's (very) strange
Spanisch Spanish ['spænɪʃ]
spannen 1. stretch (*Stoff, Plane usw.*) 2. tighten (*Saite, Seil*) 3. draw* (*Bogen*) 4. ***das Hemd spannt*** the shirt's too tight 5. *umg.* (≈ *verstehen*) ***er hats endlich gespannt*** the penny's dropped at last
spannend 1. exciting [ɪk'saɪtɪŋ] 2. ***das Buch ist spannend geschrieben*** it's an exciting book 3. ***machs nicht so spannend!*** *umg.* come on, get on with it!
Spanner *umg.* (≈ *Voyeur*) peeping Tom
Spannung 1. (≈ *gespannte Stimmung*) excitement, tension 2. *nervlich*: tension 3. *in Film, Roman*: suspense [sə'spens] 4. ***Spannungen*** (≈ *Konflikt*) tension (⚠ *Sg.*) 5. *elektrisch*: voltage ['vəʊltɪdʒ]; ***unter Spannung stehen*** (*Leitung*) be* live
Sparbuch savings book
Sparbüchse moneybox
sparen 1. save (*Geld, Kosten, Zeit usw.*); ***ich habe mir einiges gespart*** I've managed to save (up) a bit 2. ***spar dir deine Worte!*** save your breath; ***das hättest du dir sparen können*** you could have saved yourself the trouble 3. ***für*** (*oder* ***auf***) ***etwas sparen*** save up for something 4. (≈ *sich einschränken*) economize [ɪ'kɒnəmaɪz] (***mit*** on); ***wir müssen sehr sparen*** we have to save hard
Spargel asparagus [⚠ ə'spærəgəs]
Sparkasse savings bank
Sparkonto savings account
spärlich 1. *Beleuchtung, Mahlzeit, Vorrat usw.*: scanty ['skæntɪ] 2. ***spärliche Kenntnisse*** scant [skænt] knowledge (⚠ *Sg.*) (***in*** of) 3. ***er hat einen spärlichen Haarwuchs*** he's got thin hair 4. ***spärlich bekleidet*** scantily dressed
sparsam 1. *Person*: thrifty ['θrɪftɪ]; ***er ist sehr sparsam*** *meist* he's very careful ['keəfl] with his money 2. ***sparsam leben*** live economically [ˌiːkə'nɒmɪklɪ] 3. *Auto, Motor, Verbrauch*: economical 4. ***sparsam mit etwas umgehen*** go* easy on something
Sparsamkeit 1. *einer Person*: thrift [θrɪft], thriftiness 2. *eines Autos usw.*: economy [ɪ'kɒnəmɪ]
Sparschwein piggy bank
Spaß 1. (≈ *Scherz*) joke; ***ich mach nur Spaß*** I'm only joking; ***sie versteht keinen Spaß*** she can't take a joke 2. (≈ *Vergnügen*) fun; ***das hat Spaß gemacht*** that

was fun; ***es macht mir keinen Spaß mehr*** I'm fed up with it; ***viel Spaß!*** have fun!, enjoy yourself (*bzw.* yourselves)! **3.** ***was kostet der Spaß?*** *umg.* how much is that going to set me back? **4.** ***ein teurer Spaß*** *umg.* an expensive business

spaßen **1.** joke **2.** ***damit ist nicht zu spaßen*** it's no joking matter **3.** ***mit ihm ist nicht zu spaßen*** he won't stand for any nonsense

Spaßverderber(in) spoilsport

spät **1.** late; ***spät am Abend*** late in the evening; ***es wird spät*** it's getting late **2.** ***zu spät kommen*** be* late; ***sie kam fünf Minuten zu spät*** she was five minutes late (⚠ *ohne* too) **3.** ***von früh bis spät*** from morning till night **4.** ***wie spät ist es?*** what time is it?

Spaten spade

später **1.** later; ***früher oder später*** sooner or later; ***bis später!*** see you later; ***ich habs erst später gemerkt*** I only realized later (on) **2.** (≈ *zukünftig*) future ['fjuːtʃə]; ***ihr späterer Mann*** her future husband **3.** ***an später denken*** think* of the future

spätestens at the latest (⚠ *am Satzende*); ***der Aufsatz muss bis spätestens Freitag fertig sein*** the essay has to be ready by Friday at the latest

Spätsommer late summer, Indian summer

Spätvorstellung late-night performance

Spatz **1.** *Vogel*: sparrow **2.** ***das pfeifen die Spatzen von den Dächern*** it's all over town, everybody knows about it **3.** *Kosewort*: darling

spazieren **1.** walk **2.** ***spazieren gehen*** go* for a walk; ***ich war spazieren*** I went for a walk

Spaziergang **1.** walk, stroll [strəʊl]; ***einen Spaziergang machen*** go* for a walk **2.** ***die Matheprüfung war der reinste Spaziergang*** *umg.* the maths exam was a pushover (*oder* cinch [sɪntʃ])

Specht woodpecker

Speck **1.** *vom Schwein*: bacon ['beɪkən] fat **2.** *durchwachsener Schinkenspeck*: bacon ['beɪkən] **3.** *beim Menschen*: fat, flab; ***Speck ansetzen*** *umg.* put* it on, get* fat

Spedition **1.** (≈ *Transportfirma*) forwarding (*oder* shipping) agency, haulage company ['hɔːlɪdʒˌkʌmpənɪ] **2.** (≈ *Möbelspedition*) removal firm [rɪ'muːvl_fɜːm]

Speer **1.** *Waffe*: spear [⚠ spɪə] **2.** *Sportgerät*: javelin ['dʒævəlɪn]

Speerwerfen *Sport*: (throwing the) javelin ['dʒævəlɪn], the javelin; ***er wurde Zweiter beim Speerwerfen*** he came second in the javelin

Speiche *am Fahrrad usw.*: spoke

Speichel saliva [sə'laɪvə]

Speicher[1] *Computer*: memory

Speicher[2] (≈ *Dachboden*) attic ['ætɪk], loft

Speicherkapazität *Computer*: memory; ***was hat dein PC für eine Speicherkapazität?*** how much memory has your PC got?

speichern **1.** store (*Ware usw.*) **2.** *Computer*: save (***auf*** onto, to)

Speise: ***Speisen und Getränke*** food and drink (⚠ *beide Sg.*); ***warme und kalte Speisen*** hot and cold dishes

Speisekammer pantry ['pæntrɪ]

Speisekarte menu ['menjuː] (⚠ ***Menü*** = set meal)

Speisesaal **1.** *allg.*: dining hall **2.** *im Hotel*: dining room **3.** *auf Schiff*: dining saloon **4.** *in College, Kloster*: refectory [rɪ'fektərɪ]

Speisewagen dining car, *BE auch* restaurant ['restərɒnt] car

spektakulär spectacular [spek'tækjʊlə]

Spekulation (≈ *Vermutung*) speculation [ˌspekjʊ'leɪʃn]; ***das ist reine Spekulation, das sind reine Spekulationen*** that's pure speculation (⚠ *Sg.*)

spekulieren **1.** speculate ['spekjʊleɪt] (***über*** on) **2.** *an der Börse*: play the stock market

spendabel *umg.* generous ['dʒenrəs]

Spende **1.** (≈ *Gabe*) donation [dəʊ'neɪʃn]; ***bitte eine kleine Spende!*** would you like to give something to charity? **2.** (≈ *Beitrag*) contribution [ˌkɒntrɪ'bjuːʃn]

spenden **1.** give*, donate [dəʊ'neɪt] (*Lebensmittel, Geld usw.*); ***großzügig spenden*** give* generously **2.** ***Blut spenden*** give* blood **3.** give* (*Licht usw.*) (⚠ *engl.* spend = ***ausgeben***)

Spender(in) **1.** (≈ *Blut-, Organspender, -in*) donor ['dəʊnə] **2.** (≈ *Wohltäter, -in*) donator [dəʊ'neɪtə]

Spenderausweis donor card

spendieren: ***jemandem ein Bier spendieren*** buy* someone a beer

sperrangelweit: ***sperrangelweit offen*** wide open

Sperre **1.** (≈ *Schranke*) barrier ['bærɪə] **2.** (≈ *Straßensperre*) road block **3.** *Sport*: suspension; ***er erhielt eine dreiwöchige Sperre*** he was suspended for three weeks

sperren **1.** cut* off (*Gas, Strom, Telefon*) **2.** block, freeze* (*Konto*) **3.** stop (*Scheck*) **4.** *Sport*: suspend [sə'spend] (*Spieler*) **5.** close [kləʊz] (*Straße*)

Sperrholz plywood

Sperrmüll bulk(y) waste, *AE* heavy trash

Sperrstunde closing time

Sperrung *einer Straße*: closing (off)

S

Spesen expenses
Spezi 1. *bes.* Ⓐ (≈ *Freund*) pal, *AE* buddy **2.** *Getränk*: cola and lemonade mix
spezialisieren: ***sich auf etwas spezialisieren*** specialize ['speʃəlaɪz] in something; ***wir sind auf Wörterbücher spezialisiert*** we specialize in dictionaries
Spezialist(in) specialist ['speʃlɪst]
Spezialität speciality [ˌspeʃɪ'ælətɪ], *AE* specialty ['speʃltɪ]
speziell 1. *allg.*: special **2.** *Frage, Problem*: specific [spə'sɪfɪk]; ***in diesem speziellen Fall*** in this particular case **3.** ***speziell angefertigt*** *Anzug usw.*: made-to-measure
spicken *umg.* (≈ *abschreiben*) cheat
Spicker, **Spickzettel** *umg.*; *etwa*: crib
Spiegel mirror ['mɪrə] (*auch übertragen*)
Spiegelbild 1. mirror image [ˌmɪrə'ɪmɪdʒ] **2.** *übertragen* mirror, reflection
Spiegelei fried egg [ˌfraɪd'eg]
spiegelglatt *Straße, Fußboden*: very slippery
spiegeln 1. (≈ *reflektieren*) reflect (*auch übertragen*) **2.** ***sich spiegeln*** be* reflected
Spiel 1. (≈ *das Spielen*) play, playing; ***den Kindern bei ihrem Spiel zuschauen*** watch the children play(ing) **2.** *Schach, Dame, Mühle usw.*: game **3.** *Sport*: (≈ *Partie*) game, match; ***wie steht das Spiel?*** what's the score? **4.** *Wendungen*: ***auf dem Spiel stehen*** be* at stake; ***etwas aufs Spiel setzen*** risk something; ***lass mich aus dem Spiel*** count me out; ***die Hand im Spiel haben*** have* a finger in the pie
Spielautomat 1. *ohne Geldgewinn*: gaming (*oder* amusement) machine **2.** *mit Geldgewinn*: slot machine, *umg.* one-armed bandit ['bændɪt]
Spielball 1. *Ball*: ball [bɔːl] **2.** *Billardkugel*: cue ball ['kjuː‿bɔːl] **3.** *beim Tennis*: game point **4.** *beim Volleyball*: match ball
spielen 1. *allg.*: play (*Schach, Karten, Fußball usw.*) **2.** *um Geld*: gamble; ***falsch spielen*** cheat **3.** *Sport*: ***gut*** (*bzw.* ***schlecht***) ***spielen*** play well (*bzw.* badly); ***wir haben unentschieden gespielt*** the match ended in a draw **4.** *Musik*: ***Klavier spielen*** play the piano; ***sie spielt hervorragend Geige*** she's an outstanding violinist **5.** *Theater*: play, act; ***er spielt den Hamlet*** he plays (the part of) Hamlet; ***den Beleidigten spielen*** *übertragen* act offended **6.** ***der Roman spielt um die Jahrhundertwende*** the novel is set at the turn of the century **7.** *Wendungen*: ***mit dem Feuer spielen*** play with fire (⚠ *ohne* the); ***seine Beziehungen spielen lassen*** pull a few strings; ***seinen Charme spielen lassen*** turn on the charm
spielend 1. ***wir haben es spielend leicht geschafft*** we managed it very easily **2.** ***es ist spielend leicht*** it's child's play
Spieler(in) 1. *Sport*: player **2.** *Glücksspiel*: gambler
Spielfeld 1. *Fußball, Hockey usw.*: field, pitch **2.** *Basketball, Tennis, Squash usw.*: court [kɔːt]
Spielfilm feature ['fiːtʃə] film
Spielkamerad(in) playmate
Spielkasino casino, gambling casino
Spielmacher(in) *Sport*: key player
Spielplatz playground
Spielregel rule; ***sich an die Spielregeln halten*** *auch übertragen* stick* to the rules
Spielsachen toys
Spielsalon amusement arcade [ə'mjuːzmənt‿ɑːˌkeɪd], gaming room
Spielverderber(in) spoilsport
Spielverlängerung *Sport*: extra time
Spielzeit 1. *Sport, Theater*: (≈ *Saison*) season ['siːzn] **2.** *eines einzelnen Spiels*: playing time **3.** *eines Films usw.*: (≈ *Laufzeit*) run, (≈ *zeitliche Länge*) duration [djʊ'reɪʃn]
Spielzeug 1. toy; ***die Fernbedienung ist kein Spielzeug!*** the remote control isn't meant for playing with **2.** (≈ *Spielsachen*) toys (⚠ *Pl.*)
Spieß 1. (≈ *Bratspieß*) spit; ***am Spieß braten*** roast on the spit **2.** (≈ *Fleischspieß*) skewer ['skjuːə] **3.** *umg., übertragen* ***den Spieß umdrehen*** turn the tables (⚠ *Pl.*) (***gegen*** on) **4.** *umg.* ***schreien wie am Spieß*** scream blue murder
Spießer(in) 1. petty bourgeois [⚠ ˌpetɪ'bʊəʒwɑː]; ***mein Vater ist ein Spießer*** my father is very middle-class **2.** ***die Spießer*** the petty bourgeoisie [ˌbʊəʒwɑː'ziː]
spießig petty bourgeois [⚠ ˌpetɪ'bʊəʒwɑː], very middle-class
Spikes *Pl.* **1.** *Sport*: (≈ *Metallstifte in Laufschuh*) spikes **2.** *in Autoreifen*: studs **3.** (≈ *Autoreifen Pl. mit Spikes*) studded tyres (*AE* tires)
Spinat spinach [⚠ 'spɪnɪdʒ]
Spinne spider
spinnen[1] **1.** *umg.* (≈ *verrückt sein*) be* mad, be* crazy; ***du spinnst wohl!*** have you gone mad? **2.** *umg.* (≈ *Unsinn reden*) talk rubbish, *AE* talk garbage ['gɑːbɪdʒ]; ***hör auf zu spinnen!*** stop talking rubbish (*oder AE* garbage)!
spinnen[2] spin* (*Garn, Netz*)

S

Spinner(in) *umg., im negativen Sinn* nutcase, loony, *BE auch* nutter
Spinnwebe cobweb
Spion 1. (≈ *Spitzel*) spy **2.** (≈ *Guckloch*) spyhole, peephole
Spionage spying, espionage [⚠ 'espɪənɑːʒ]
spionieren 1. *als Spion*: spy **2.** *übertragen* snoop around
Spionin spy
Spirale 1. *Linie, Form*: spiral ['spaɪrəl] **2.** *zur Empfängnisverhütung*: coil, IUD [ˌaɪjuː'diː] (*Abk. für* **i**ntra**u**terine **d**evice)
Spirituosen spirits, *AE* liquor ['lɪkə] (⚠ *Sg.*)
Spiritus spirit
Spital Ⓐ, Ⓒⓗ hospital ['hɒspɪtl]
spitz 1. *Nase, Kinn usw.*: pointed **2.** *Bleistift*: sharp **3.** ***spitze Bemerkung*** cutting remark **4.** ***sie hat eine spitze Zunge*** she's got a sharp tongue **5.** ***er ist spitz drauf*** *umg.* he's got his eye on it **6.** ***er ist spitz wie Nachbars Lumpi*** *umg.* he's a randy old goat
spitzbekommen → ***spitzkriegen***
Spitze 1. *eines Pfeils, Messers usw.*: point **2.** *eines Berges*: peak, top, summit **3.** ***die Spitze des Eisbergs*** *auch übertragen* the tip of the iceberg **4.** *eines Turms*: spire **5.** *Sport*: (≈ *Führung*) lead; ***sich an die Spitze setzen*** take* the lead **6.** *Fußball*: (≈ *Stürmer, -in*) striker **7.** *eines Unternehmens usw.*: top position; ***an der Spitze*** in top position (⚠ *ohne* the) **8.** (≈ *Höchstwert*) maximum, peak **9.** ***das Auto macht 160 Spitze*** the car has a top speed of 100 miles per hour **10.** ***das ist einsame Spitze*** *umg.* that's absolutely brilliant **11.** (≈ *Stichelei*) dig (***gegen*** at) **12.** *Gewebe*: lace
spitze *umg.* great, *BE auch* magic, ace
Spitzel 1. (≈ *Informant, -in*) informer **2.** (≈ *Spion, -in*) spy
spitzen 1. sharpen (*Bleistift*) **2.** ***die Ohren spitzen*** prick up one's ears
Spitzengeschwindigkeit top speed
Spitzenpolitiker(in) leading (*oder* top) politician
Spitzenposition top position
Spitzenreiter(in) *Sport*: front runner
Spitzer pencil sharpener ['ʃɑːpnə]
spitzfindig 1. (≈ *kleinlich*) pedantic **2.** (≈ *haarspalterisch*) hair-splitting
Spitzhacke pickaxe ['pɪkæks], *AE* pickax
Spitzkehre 1. *Kurve*: hairpin bend **2.** *Skisport*: kick turn
spitzkriegen: ***spitzkriegen, dass …*** *umg.* get* wise to the fact that …
Spitzname nickname
Spleen 1. *umg.*; *Idee*: cranky idea **2.** *Gewohnheit*: strange habit **3.** ***du hast wohl einen Spleen!*** you must be off your nut! (⚠ *engl.* spleen = ***Milz***)
Splitter 1. *aus Holz*: splinter **2.** *aus Glas, Porzellan*: fragment ['frægmənt], splinter
splitternackt *umg.* stark naked
sponsern sponsor ['spɒnsə]
Sponsor(in) sponsor ['spɒnsə]
spontan spontaneous [spɒn'teɪnɪəs]
Spontaneität spontaneity [ˌspɒntə'neɪətɪ]
sporadisch 1. sporadic **2.** ***ich sehe ihn nur sporadisch*** I only see him once in a while
Sport 1. *allg.*: sport; ***ich treibe viel Sport*** I do a lot of sport (*oder* sports) **2.** *als Schulfach*: physical education, PE [ˌpiː'iː] (*Abk. für* **p**hysical **e**ducation), *BE auch* sport, *umg.* gym [dʒɪm], games (⚠ *mit Verb im Sg.*)
Sportart sport; ***er hat alle möglichen Sportarten betrieben*** he did all kinds of sports
sportbegeistert keen on sports, *stärker*: sports-mad
Sportbekleidung sportswear ['spɔːtsweə]
Sportfest 1. *einer Schule*: sports day **2.** *eines Vereins*: sports (*oder* athletics) meet
Sporthalle gymnasium [dʒɪm'neɪzɪəm], gym [dʒɪm] (⚠ ***Gymnasium*** = *etwa*: grammar school, *AE* high school)
Sportlehrer(in) 1. *Schule*: PE [ˌpiː'iː] teacher (*Abk. für* **p**hysical **e**ducation), games teacher **2.** *im Verein*: sports instructor
Sportler athlete ['æθliːt], *BE auch* sportsman ['spɔːtsmən]
Sportlerin athlete ['æθliːt], *BE auch* sportswoman ['spɔːtsˌwʊmən]
sportlich 1. *Erfolg, Leistung usw.*: sporting **2.** ***auf sportlichem Gebiet*** in the field of sport **3.** ***sportlich sein*** do* a lot of sports, be* keen on sports; ***sich sportlich betätigen*** do* sport(s) **4.** *Verhalten*: sportsmanlike, sporting **5.** *Figur*: athletic [æθ'letɪk]
Sportplatz sports grounds (⚠ *Pl.*), sports field
Sportreporter(in) sports reporter, *AE auch* sportscaster
Sportverein sports club
Sportzentrum sports centre
Spott 1. ridicule ['rɪdɪkjuːl] **2.** *bes. in der Schule*: teasing ['tiːzɪŋ]
spottbillig *umg.* dirt cheap
spotten 1. laugh [⚠ lɑːf] (***über*** at) **2.** (≈ *sich lustig machen*) make* fun (***über*** of) **3.** ***es spottet jeder Beschreibung*** I can't find words to describe it

S

spöttisch 1. *Bemerkung usw.*: mocking **2.** (≈ *höhnisch*) sneering
Sprachausgabe *Computer*: speech output, voice output
Sprache 1. *eines Volkes*: language ['læŋgwɪdʒ]; ***die gleiche Sprache sprechen*** speak* the same language (*auch übertragen*) **2. *in englischer Sprache*** in English **3.** *Sprechfähigkeit, Sprechen*: speech; ***die Sprache verlieren*** lose* one's speech **4. *mir blieb die Sprache weg*** I was speechless
Sprachenschule language school
Sprachfehler speech defect ['spiːtʃ‿dɪˌfekt]
Sprachführer phrasebook
Sprachgefühl feel(ing) for (the) language, linguistic instinct [lɪŋˌgwɪstɪk'ɪnstɪŋkt]
Sprachgemeinschaft speech community
Sprachkenntnisse 1. knowledge [⚠ 'nɒlɪdʒ] (⚠ *Sg.*) of languages **2. *er hat gute englische Sprachkenntnisse*** he has a good knowledge (*oder* command) of English
Sprachkurs language course
Sprachlabor language laboratory [lə'bɒrətrɪ], language lab
sprachlich 1. *sprachlicher Fehler* language mistake **2.** (≈ *stilistisch*) stylistic; ***sprachlich ist der Aufsatz gut*** the essay is written in good style
sprachlos 1. speechless (***vor*** *Wut, Überraschung* with) **2. *ich bin sprachlos!*** I don't know what to say
Sprachunterricht language teaching
Spray spray
Spraydose spray can, aerosol ['eərəsɒl]
Sprayer(in) spray artist ['spreɪˌɑːtɪst], graffiti [grə'fiːtɪ] artist
sprechen 1. *allg.*: speak* (***mit*** to,with; ***über*** about); ***sprechen Sie Englisch?*** do you speak English?; ***das spricht für sich selbst*** it speaks for itself **2.** (≈ *sich unterhalten*) talk; ***sie sprechen nicht miteinander*** they're not talking (*oder* speaking) to each other **3.** (≈ *sagen*) say*; ***er spricht nicht viel*** he doesn't say much **4.** (≈ *eine Rede halten*) speak*, give* a talk (***über*** on); ***im Fernsehen sprechen*** speak* on television **5.** (≈ *sprechen mit*) see*, talk to; ***kann ich bitte Herrn X sprechen?*** may I speak to Mr X, please?; ***kann ich dich kurz sprechen?*** can I have a quick word with you? **6. *wir sprechen uns noch*** *drohend*: you haven't heard the last of this **7. *schlecht auf jemanden zu sprechen sein*** be* on bad terms with someone
Sprechen 1. speaking, talking **2. *jemanden zum Sprechen bringen*** get* someone to talk, *mit Zwang*: make* someone talk
Sprecher(in) 1. (≈ *Redner, -in*) speaker **2.** (≈ *Ansager, -in*) announcer **3.** (≈ *Nachrichtensprecher, -in*) newsreader **4.** *einer Gruppe, Partei usw.*: spokesman ['spəʊksmən], *Frau*: spokeswoman ['spəʊksˌwʊmən], *Mann oder Frau*: spokesperson
Sprechstunde 1. *einer Behörde usw.*: office hours (⚠ *Pl.*) **2.** *beim Arzt*: surgery ['sɜːdʒərɪ] hours (⚠ *Pl.*), *AE* office hours
Sprechzimmer surgery ['sɜːdʒərɪ], *AE* (doctor's) office
sprengen 1. *mit Sprengstoff*: blow* up; ***etwas in die Luft sprengen*** blow* something up **2.** blast (*Fels, Gestein*) **3. *die Spielbank sprengen*** break* the bank **4.** break* up (*Versammlung*) **5.** sprinkle (*Wäsche*) **6.** water (*Rasen, Beet*)
Sprengkopf *an Rakete*: warhead ['wɔːhed]
Sprengladung explosive charge [ɪkˌspləʊsɪv'tʃɑːdʒ]
Sprengstoff 1. explosive [ɪk'spləʊsɪv] **2.** *übertragen* dynamite ['daɪnəmaɪt]
Sprengung 1. blowing up **2. *die Terroristen drohten mit der Sprengung des Flugzeugs*** the terrorists threatened to blow up the aircraft **3.** *im Steinbruch*: blasting **4.** *einer Versammlung*: breaking up
Sprichwort proverb [⚠ 'prɒvɜːb]
Springbrunnen fountain ['faʊntɪn]
springen 1. *allg.* jump (*auch im Sport, bei Brettspielen usw.*); *Schwimmsport*: dive*; ***er sprang einen Salto*** he did (*oder* performed) a somersault ['sʌməsɔːlt] **2.** (*Glas, Porzellan*) crack **3.** (*Saite*) break* **4.** (*Ball*) bounce; ***der Ball sprang ins Aus*** the ball went out **5. *wenn sie ruft, springt er*** *übertragen* he's at her beck and call **6. *eine Runde springen lassen*** *umg.* stand* a round **7. *er ließ tausend Euro springen*** *umg.* he coughed [kɒft] up a thousand euros
Springer *Schach*: knight [⚠ naɪt]
Springer(in) *Sport*: jumper
Springreiten show jumping
sprinten sprint
Sprinter(in) sprinter
Sprit *umg.* (≈ *Benzin*) petrol ['petrəl], *salopp* juice [dʒuːs], *AE* gas
Spritze 1. *zum Spritzen einer Medizin*: syringe [sɪ'rɪndʒ] **2.** (≈ *Injektion*) injection [ɪn'dʒekʃn], *umg.* shot; ***eine Spritze bekommen*** get* (*oder* have*) an injection
spritzen 1. squirt [skwɜːt], spray (*Flüssigkeit*) (***auf*** at, on) **2.** spray (*Parfüm, Pflanzenmittel usw.*) **3.** water (*Garten*) **4.** *Medi-*

zin: inject [ɪn'dʒekt] (*Mittel*); ***jemanden spritzen*** give* someone an injection **5.** (*Wasser, Fett*) splash, spray
Spritzer 1. splash **2.** *kleiner*: drop
Spritzmittel *Landwirtschaft*: spray
Spritztour *umg.* spin, jaunt; ***eine Spritztour machen*** go* for a spin
spröde 1. *allg.*: brittle **2.** *Haut*: rough [⚠ rʌf], chapped **3.** *Mädchen*: demure [dɪ'mjʊə], standoffish [ˌstænd'ɒfɪʃ]
Spross (≈ *Nachkomme*) offspring; ***das ist unser jüngster Spross*** he's our youngest
Spruch 1. saying **2.** ***alles Sprüche!*** it's all talk; ***Sprüche machen*** talk big
Sprudel 1. (mineral) water **2.** *gesüßt*: lemonade, *AE* (lemon) soda
sprudeln 1. bubble; (*Getränk*) fizz **2.** ***vor Begeisterung sprudeln*** *übertragen* bubble (over) with enthusiasm [ɪn'θjuːzɪæzm]
Sprühdose spray can, aerosol ['eərəsɒl]
sprühen 1. spray **2.** (*Funken*) fly* **3.** ***er sprüht vor Witz*** he's incredibly witty
Sprühregen drizzle
Sprung 1. jump; *Wendungen*: ***es ist nur ein Sprung*** it's only a stone's throw away; ***komm doch (mal) auf einen Sprung vorbei*** why don't you drop by (some time)?; ***jemandem auf die Sprünge helfen*** give* someone a helping hand; ***damit kann ich keine großen Sprünge machen*** I won't get very far on that **2.** (≈ *Riss*) crack
Sprungbecken diving pool
Sprungbrett diving board
Sprungschanze ski jump ['skiː dʒʌmp]
Sprungturm diving platforms (⚠ *Pl.*)
Spucke *umg.* spit; ***da blieb ihm die Spucke weg*** *umg.* he was flabbergasted ['flæbəgɑːstɪd] (*BE auch* gobsmacked)
spucken 1. spit* (***nach*** at); ***große Töne spucken*** *übertragen* talk big; ***ich spuck drauf!*** *übertragen* to hell with it! **2.** cough up [⚠ ˌkɒf'ʌp] (*Blut*) **3.** *umg.* (≈ *sich erbrechen*) throw* up
Spucktüte sick bag
Spuk 1. (≈ *Geistererscheinung*) apparition [ˌæpə'rɪʃn], ghost **2.** ***nächtlicher Spuk*** *humorvoll* things that go bump in the night
spuken 1. ***hier spukt es*** this place is haunted **2.** ***der Gedanke spukt ihr immer noch im Kopf*** she's still obsessed with it
Spukgeschichte ghost story
Spülbecken sink
Spule 1. spool, reel **2.** *elektrische*: coil
Spüle sink unit
spulen spool, wind* [waɪnd] (***auf*** onto)
spülen 1. rinse [rɪns] (*Wäsche usw.*) **2.** (≈ *abwaschen*) do* the dishes **3.** *Toilette*: flush the toilet
Spülkasten cistern ['sɪstən]
Spülmaschine dishwasher
Spülmittel washing-up liquid
Spülung *WC allg.*: flush, *Spülkasten*: cistern ['sɪstən]
Spülwasser 1. *für Geschirr*: washing-up water **2.** *schmutziges*: dishwater
Spur 1. *im Schnee usw.*: track, tracks (*Pl.*) **2.** (≈ *Fährte, Blutspur usw.*) trail **3.** (≈ *Fahrspur*) lane; ***in der Spur bleiben*** keep* in lane; ***die Spur wechseln*** switch lanes (⚠ *Pl.*) **4.** *Magnetband, EDV*: track **5.** (≈ *kleine Menge*) trace (*auch übertragen Anzeichen*) **6.** *Wendungen*: ***jemandem auf der Spur sein*** be* after someone; ***auf der falschen Spur sein*** be* on the wrong track; ***keine Spur!*** *umg.* not a bit!
spürbar 1. (≈ *merklich*) noticeable ['nəʊtɪsəbl]; **2.** (≈ *deutlich*) distinct [dɪ'stɪŋkt] **3.** ***es wird spürbar kälter*** it's definitely getting colder
spüren 1. feel*; ***ich spüre nichts*** I can't feel a thing; ***ich spürs wieder im Rücken*** my back's playing me up again **2.** (≈ *merken*) notice ['nəʊtɪs], *intuitiv*: sense; ***von Begeisterung war nichts zu spüren*** there was no sign of enthusiasm [ɪn'θjuːzɪæzm]
Spürhund sniffer dog
spurlos: ***spurlos verschwinden*** disappear without (a) trace
Spürsinn 1. *eines Tiers*: sense of smell **2.** *übertragen* nose, instinct ['ɪnstɪŋkt]
Spurt 1. sprint **2.** ***zum Spurt ansetzen*** make* a dash for it
spurten 1. *Sport*: sprint **2.** (≈ *schnell laufen*) run*, dash; ***ich bin ganz schön gespurtet*** you should have seen me run*
Squash *Sport*: squash
Squashschläger squash racket
SRG Swiss Broadcasting Corporation
Sri Lanka Sri Lanka [ˌsriː'læŋkə]
st! 1. psst! **2.** (≈ *Ruhe!*) ssh! [ʃ]
Staat 1. (≈ *Institution*) state **2.** (≈ *Land*) country ['kʌntrɪ], nation **3.** (≈ *Regierung*) government ['gʌvnmənt] **4.** ***großen Staat machen*** lay* on the whole works
staatlich 1. state …, government …, national ['næʃnəl] **2.** *Industrie usw.*: nationalized **3.** ***staatlich geprüft*** certified, qualified
Staatsangehörige(r) citizen ['sɪtɪzn]
Staatsangehörigkeit nationality [ˌnæʃə'nælətɪ], citizenship ['sɪtɪznʃɪp]
Staatsanwalt, Staatsanwältin public pro-

S

secutor ['prɒsɪkjuːtə], *AE* district attorney [ˌdɪstrɪkt‿ə'tɜːnɪ]
Staatsbesuch state visit
Staatsbürger(in) citizen ['sɪtɪzn]
Staatsbürgerkunde civics ['sɪvɪks] (⚠ *Sg.*)
Staatsdienst civil ['sɪvl] (*AE auch* public) service
Staatseigentum state property ['prɒpətɪ]
Staatsexamen state exam, state exams (*Pl.*); ***er macht im Mai sein Staatsexamen*** *auch*: he's taking his finals in May
Staatsgeheimnis 1. state secret **2.** ***das ist kein Staatsgeheimnis*** *übertragen* it's no secret
Staatsgrenze border, *BE auch* frontier [⚠ 'frʌntɪə]
Staatshoheit sovereignty [⚠ 'sɒvrəntɪ]
Staatsmann statesman ['steɪtsmən]
Staatsoberhaupt head of state
Staatszugehörigkeit nationality [ˌnæʃə'nælətɪ]
Stab 1. (≈ *Stange*) rod **2.** (≈ *Gitterstab*) bar **3.** (≈ *Hirtenstab*) staff [stɑːf] **4.** *des Dirigenten und beim Staffellauf*: baton ['bætɒn] **5.** *Stabhochsprung*: pole **6.** (≈ *Mitarbeiterstab*) staff (⚠ *mit Sg. oder Pl.*)
Stäbchen (≈ *Essstäbchen*) chopstick
Stabhochsprung pole vault ['pəʊl‿vɔːlt]
Stabhochspringer(in) pole vaulter
stabil 1. *allg.*: stable **2.** (≈ *robust*) sturdy **3.** ***stabil gebaut*** solidly built [ˌsɒlɪdlɪ'bɪlt]
stabilisieren 1. stabilize ['steɪbəlaɪz] (*Gerüst, die Preise usw.*) **2.** ***ihr Gesundheitszustand hat sich stabilisiert*** her condition has stabilized
Stabilität stability [stə'bɪlətɪ]
Stachel 1. *einer Pflanze*: prickle **2.** (≈ *Dorn*) thorn **3.** *eines Insekts*: sting **4.** *eines Tiers*: spine
Stachelbart prickly beard [bɪəd]
Stachelbeere gooseberry ['gʊzbərɪ]
Stacheldraht barbed wire
stachelig prickly
Stachelschwein porcupine ['pɔːkjʊpaɪn]
Stadel *bes.* Ⓐ, Ⓒⓗ (≈ *Scheune*) barn
Stadion stadium ['steɪdɪəm] *Pl.*: stadiums *oder* stadia ['steɪdɪə]
Stadium stage, phase; ***in diesem Stadium*** at this stage, during this phase (⚠ *engl.* stadium = ***Stadion***)
Stadt 1. town; ***in der Stadt*** in town (⚠ *ohne* the) **2.** (≈ *größere Stadt, Großstadt*) city; ***die Stadt Dresden*** the city of Dresden **3.** ***bei der Stadt arbeiten*** work for the (city) council (*bzw. bei Großstadt*: the corporation)

Städte

Manche europäische Städtenamen lauten im Englischen ganz anders als im Deutschen. Hier einige Beispiele:

Athen	**Athens** ['æθɪnz]
Brügge	**Bruges** [bruːʒ]
Brüssel	**Brussels** ['brʌslz]
Den Haag	**The Hague** [ðə'heɪg]
Lissabon	**Lisbon** ['lɪzbən]
Genf	**Geneva** [dʒɪ'niːvə]
Lüttich	**Liège** [lɪ'eɪʒ]
Mailand	**Milan** [mɪ'læn]
Moskau	**Moscow** ['mɒskəʊ]
München	**Munich** ['mjuːnɪk]
Nürnberg	**Nuremberg** ['njʊərəmbɜːg]
Sevilla	**Seville** [sə'vɪl]
Venedig	**Venice** ['venɪs]
Warschau	**Warsaw** ['wɔːsɔː]
Wien	**Vienna** [vɪ'enə]

Stadtbevölkerung: ***die Stadtbevölkerung*** the city's (*oder* town's) inhabitants (*Pl.*)
Städtebau 1. urban development **2.** *Planung*: town planning
Städtepartnerschaft town twinning; ***zwischen München und Edinburgh besteht eine Städtepartnerschaft*** Munich ['mjuːnɪk] and Edinburgh [⚠ 'edɪnbrə] are twinned (*oder* twin towns)
Städter(in) city dweller, *umg.* city slicker, *BE auch* townie
Stadtflucht exodus ['eksədəs] to the country
Stadtführer *Buch*: city guide
städtisch town …, city … (⚠ *beide nur vor dem Subst.*)
Stadtmauer city wall
Stadtmitte city centre, town centre, *AE auch* downtown; ***es liegt in der Stadtmitte*** it's in the city centre, *AE* it's downtown
Stadtplan (city) map, map of the city
Stadtplanung town (*oder* urban) planning
Stadtrand outskirts (⚠ *Pl.*) of town (*oder* of the city); ***am Stadtrand leben*** live on the outskirts of town *oder* of the city, live in the suburbs ['sʌbɜːbz]
Stadtrat[1] *gesamte Ratsversammlung*: municipal council [mjuːˌnɪsɪpl'kaʊnsl]
Stadtrat[2] *einzelnes Mitglied*: town councillor, *AE* city council(l)or
Stadträtin town councillor, *AE* city council(l)or
Stadtrundfahrt city sightseeing tour

Stadtteil **1.** *allg.*: part of town **2.** *Verwaltungsbezirk*: district ['dɪstrɪkt]
Stadtviertel → ***Stadtteil***
Stadtwerke utilities [juː'tɪlətɪz]
Stadtzentrum → ***Stadtmitte***
Staffelei easel ['iːzl]
Staffellauf relay ['riːleɪ] (race)
Staffelläufer(in) relay ['riːleɪ] runner
Staffelmiete staggered rent
staffeln **1.** scale (*Löhne, Steuern*) **2.** stagger (*Miete, Arbeitszeit*)
Stahl steel; ***Nerven aus Stahl*** nerves of steel
Stahlbeton reinforced concrete [ˌriːɪnfɔːst'kɒŋkriːt]
staksen **1.** walk like a stork **2.** *unsicher*: totter
staksig gawky ['gɔːkɪ]
Stalagmit stalagmite ['stæləgmaɪt]
Stalaktit stalactite ['stæləktaɪt]
Stall **1.** (≈ *Pferdestall*) stable **2.** (≈ *Kuhstall*) cowshed ['kaʊʃed] **3.** (≈ *Schweinestall*) pigsty ['pɪgstaɪ] **4.** ***ein ganzer Stall voll Kinder*** a house full of kids
Stamm **1.** (≈ *Volksstamm*) tribe **2.** (≈ *Baumstamm*) trunk **3.** (≈ *Wortstamm*) root
Stammbaum **1.** *eines Menschen*: family tree **2.** *eines Tieres*: pedigree ['pedɪgriː]
stammeln stammer
stammen **1.** ***stammen von*** (*bzw.* ***aus***) come* from **2.** *zeitlich*: date (*oder* go*) back to **3.** ***das Bild stammt von Picasso*** the picture is by Picasso **4.** ***das stammt nicht von mir!*** I'm innocent ['ɪnəsnt]!, don't look at me!
stämmig **1.** *Person*: stocky **2.** *Beine*: sturdy
Stammkneipe favourite haunt [hɔːnt], *BE auch* local ['ləʊkl]
Stammkunde, Stammkundin regular customer ['kʌstəmə]
Stammplatz: ***das ist sein Stammplatz*** that's his seat, that's where he always sits
Stammtisch **1.** table reserved for regulars **2.** ***freitags ist Stammtisch*** we all meet at the pub on Fridays
Stammzelle *Biologie*: stem cell
Stammzellenforschung *Biologie*: stem-cell research
stampfen **1.** stamp (*Erde, Lehm usw.*) **2.** ***mit dem Fuß auf den Boden stampfen*** stamp one's foot **3.** mash (*Kartoffeln usw.*) **4.** (*Maschine*) pound **5.** (*Schiff*) pitch **6.** ***ich kanns doch nicht aus dem Boden stampfen*** I can't just produce it out of thin air
Stand **1.** (≈ *Verkaufsstand*) stand, (≈ *Bude*) stall [stɔːl] **2.** (≈ *Entwicklungsstufe*) stage; ***was ist der neueste Stand der Dinge?*** what's the latest?; ***etwas auf den neuesten Stand bringen*** bring* something up to date **3.** *eines Wettkampfs*: score; ***beim Stand von 3:1 wurde das Spiel abgebrochen*** the game was abandoned with X leading 3-1 (*gesprochen*: three-one) **4.** (≈ *das Stehen*) standing position; ***aus dem Stand*** from standing, *übertragen* off the cuff **5.** (≈ *soziale Stellung*) social standing, status ['steɪtəs] **6.** ***einen schweren Stand haben*** be* in a difficult position
Standard standard, (≈ *Niveau*) *auch*: level ['levl]; ***einen hohen Standard aufweisen*** be* of a high standard
Standardausführung basic model ['mɒdl]
standardisieren standardize
Standardwerk standard textbook
Standbein standing leg
Ständer **1.** *Gestell*: stand **2.** *vulgär* (≈ *Erektion*) hard-on
Ständerat Ⓒⓗ *etwa*: Federal Cantonal Chamber [ˌfedərəlˌkæntənl'tʃeɪmbə]
Standesamt registry ['redʒɪstrɪ] office, *AE* marriage license bureau ['bjʊərəʊ]
standesamtlich: ***standesamtliche Trauung*** civil ['sɪvl] marriage, *BE auch* registry-office wedding
Standfußball: ***Standfußball spielen*** play at a walking pace
standhalten **1.** *einer Kritik, schwierigen Situation usw.*: stand* up to **2.** *einer Versuchung*: resist [rɪ'zɪst]
ständig **1.** (≈ *fortwährend*) constant **2.** ***er macht ständig irgendwas kaputt*** he's always (*oder* constantly) breaking things **3.** (≈ *dauerhaft, fest*) permanent ['pɜːmənənt]
Standl Ⓐ (≈ *Verkaufsstand*) stand
Standlicht parking light
Standort position, location
Standpauke: ***jemandem eine Standpauke halten*** give* someone a lecture
Standplatz **1.** *allg.*: stand **2.** *für Taxis*: *BE auch* (taxi) rank
Standpunkt point of view [vjuː], standpoint
Standspur hard shoulder ['ʃəʊldə]
Standuhr grandfather clock
Stange **1.** pole **2.** (≈ *Leiste*) rod **3.** (≈ *langes Stück Lakritz usw.*) stick **4.** ***eine Stange Zigaretten*** a carton ['kɑːtn] of cigarettes **5.** ***eine Stange Geld*** *umg.* a fair bit of money **6.** ***von der Stange*** *Kleidung*: off the peg, *AE* off the rack
Stängel stem, stalk [stɔːk]
Stangenbrot French stick
stänkern stir [stɜː] things up, make* trouble

Stanniol tin foil
stanzen punch, stamp
Stapel 1. stack, pile **2.** ***vom Stapel lassen*** *Bemerkung usw.*: come* out with
stapeln 1. stack, pile up **2.** ***sich stapeln*** pile up
stapelweise: ***sie hat stapelweise CDs*** *umg.* she's got piles (*oder* stacks) of CDs
stapfen: ***durch den Schnee stapfen*** trudge through the snow
Star 1. (≈ *Filmstar usw.*) star **2.** *Vogel*: starling **3.** ***grauer Star*** *Augenkrankheit*: cataract, cataracts (*Pl.*) **4.** ***grüner Star*** *Augenkrankheit*: glaucoma [glɔː'kəʊmə]
Starautor(in) best-selling author ['ɔːθə]
Starbesetzung star cast [kɑːst]
Stargast celebrity guest [səˌlebrətɪ'gest]
stark 1. *allg.*: strong (*auch Kaffee, Tabak usw.*) **2.** (≈ *mächtig*) powerful **3.** *Mauer usw.*: (≈ *dick*) thick **4.** *Frost, Regen, Sturm, Verkehr, Raucher, -in usw.*: heavy ['hevɪ] **5.** *umg.* (≈ *großartig*) great, *salopp* cool, *AE* neat
Stärke 1. (≈ *Kraft*) strength **2.** *einer Truppe usw.*: strength, size **3.** (≈ *starke Seite*) strong point, strength; ***es gehört nicht zu ihren Stärken*** it's not one of her strong points **4.** (≈ *Wäschestärke, Speisestärke*) starch [stɑːtʃ]
stärken 1. strengthen ['streŋθn] **2.** ***ich muss mich unbedingt stärken*** I'm desperate ['desprət] for something to eat
Starkstrom high-voltage [ˌhaɪ'vəʊltɪdʒ] (*oder* heavy) current ['kʌrənt]
starr 1. (≈ *steif*) stiff **2.** ***starrer Blick*** fixed gaze
starren stare (***auf*** at)
starrsinnig stubborn ['stʌbən]
Start 1. *allg.*: start (*auch im Sport, beim Autofahren usw.*); ***einen guten Start haben*** get* off to a good start **2.** *eines Flugzeugs*: takeoff ['teɪkɒf] **3.** *einer Rakete*: lift-off ['lɪftɒf] **4.** ***ein guter Start ins Leben*** a good start in life (⚠ *ohne* the)
Startbahn runway
startbereit 1. *Flugzeug*: ready ['redɪ] for takeoff ['teɪkɒf] **2.** ***ich bin startbereit*** *übertragen* I'm ready to go
starten 1. (*Flugzeug*) take* off **2.** (*Rakete*) lift off **3.** launch [lɔːntʃ] (*Rakete, Satelliten*) **4.** *im Sport*: (≈ *teilnehmen*) take* part (***bei*** in); ***drei Läufer starten für China*** there are three runners competing [kəm'piːtɪŋ] for China **5.** (*Motor, Auto*) start; ***der Motor startet nicht*** the engine won't start **6.** ***morgen starten wir nach Nairobi*** tomorrow we set off for Nairobi **7.** start (*Veranstaltung usw.*)
Starterlaubnis 1. *im Sport*: permission to enter the race (⚠ permission *immer ohne* the) **2.** *zum Fliegen*: takeoff clearance
Startlinie starting line
Startpistole starting pistol ['pɪstl]
Startschuss 1. starting signal ['sɪgnl] **2.** ***den Startschuss geben*** fire the gun, *übertragen* give* the green light
Start-up-Unternehmen *Wirtschaft*: start-up business, (≈ *Firma*) start-up company, *umg.* start-up ['stɑːtʌp]
Stasi *DDR*: Stasi, (East German) secret police (⚠ *beide mit Pl.*)
Stasi-Mitarbeiter(in) member of the Stasi
Station 1. (≈ *Haltestelle*) stop; ***das ist drei Stationen von hier*** that's three stops further on **2.** (≈ *kleiner Bahnhof*) station **3.** (≈ *Krankenhausstation*) ward [wɔːd]; ***auf welcher Station liegt er?*** which ward is he in? **4.** ***wir machen in Rom Station*** we're stopping over in Rome
stationär 1. *allg.*: stationary **2.** *Medizin*: ***stationäre Behandlung*** in-patient treatment; ***stationärer Patient*** in-patient; ***jemanden stationär behandeln*** treat someone as an in-patient
stationieren 1. *allg.*: station (*auch Soldaten*) **2.** deploy [dɪ'plɔɪ] (*Raketen, Waffen usw.*)
Statist(in) *im Film usw.*: extra
Statistik statistics (⚠ *Pl.*)
statistisch 1. *allg.*: statistical **2.** ***statistische Erhebung*** survey ['sɜːveɪ]
Stativ tripod ['traɪpɒd]
statt instead of [ɪn'sted‿əv]; ***statt zu schreiben, rief er an*** instead of writing, he rang up
stattfinden 1. ***das Konzert findet am 13. statt*** the concert will be (*oder* will take place *oder* will be held) on the 13th **2.** ***das Spiel gegen Irland findet nicht statt*** the game with Ireland has been cancelled
Statue statue ['stætʃuː]
Statur (≈ *Körperbau*) build [bɪld]
Status status ['steɪtəs]
Statussymbol status symbol ['steɪtəsˌsɪmbl]
Statuszeile *Computer*: status bar ['steɪtəs‿bɑː]
Stau traffic jam; ***ein zehn Kilometer langer Stau*** a ten-kilometre tailback; ***im Stau stehen*** be* stuck in a traffic jam
Staub 1. dust; ***Staub wischen*** dust, do* the dusting; ***Staub saugen*** → ***staubsaugen*** **2.** ***sich aus dem Staub machen*** *umg.* run* for it
staubig dusty
staubsaugen hoover®, do* the hoovering, vacuum ['vækjʊəm], do* the vacuuming

S

Staubsauger hoover®, vacuum ['vækjʊəm] cleaner
Staubtuch duster
Staubwolke cloud of dust
Staudamm dam
stauen **1.** ***sich stauen*** (*Wasser*, *Verkehr*, *usw.*) build* up [ˌbɪld'ʌp] **2.** ***die Fans stauten sich am Eingang*** the fans were crowding the entrance **3.** dam up (*Wasser*)
staunen **1.** be* amazed (***über*** at) **2.** ***da kann man nur noch staunen*** it's absolutely amazing **3.** ***da staunst du, was?*** what do you say to that, then?
Staunen **1.** amazement **2.** ***sie sind aus dem Staunen nicht mehr herausgekommen*** they couldn't believe their eyes (*bzw.* ears)
Stausee reservoir ['rezəvwɑː], artificial lake
stechen **1.** (*Nadel*, *Dorn usw.*) prick **2.** (*Wespe usw.*) sting*, (*Mücke*) bite* **3.** *mit einem Messer*: stab **4.** ***ich hab mich in den Finger gestochen*** I've pricked my finger **5.** ***mich stichts im Arm*** I've got a sharp (*oder* stabbing) pain in my arm **6.** *Kartenspiel*: trump, play a trump; ***mit dem König den Buben stechen*** take* (*oder* trump) the jack with the king
Stechen sharp pain, stabbing pain
Stechmücke midge, mosquito [mə'skiːtəʊ]
Stechpalme holly
Stechzirkel dividers [dɪ'vaɪdəz] (⚠ *Pl.*)
Steckbrief **1.** 'wanted' poster **2.** (≈ *Beschreibung*) description
Steckdose socket ['sɒkɪt]
stecken **1.** *in die Hose, durch eine Öffnung usw.*: put*; ***er hat sich eine Feder ins Haar gesteckt*** he put a feather in his hair; ***den Kopf aus dem Fenster stecken*** pop one's head out of the window **2.** (≈ *festsitzen*) be* stuck **3.** ***mitten in den Hausaufgaben stecken*** be* in the middle of (doing) one's homework **4.** ***wo steckst du denn wieder?*** where have you been hiding away again? **5.** ***dahinter steckt etwas*** there's something behind it **6.** ***es steckt viel Arbeit darin*** a lot of work has gone into it **7.** ***der Schlüssel steckt*** the key's in the door **8.** ***stecken bleiben*** get* stuck
Stecken (≈ *Stock*) stick
Stecker plug
Stecknadel pin
Steg **1.** (≈ *Brücke*) bridge **2.** (≈ *Brett*) plank **3.** (≈ *Landesteg*) jetty ['dʒetɪ] **4.** (≈ *Brillensteg*) bridge **4.** *am Musikinstrument*: bridge
Stegreif **1.** ***aus dem Stegreif*** off the cuff **2.** ***aus dem Stegreif spielen*** (*bzw.* ***dichten*** *usw.*) improvise ['ɪmprəvaɪz] **3.** ***aus dem Stegreif reden*** ad-lib [ˌæd'lɪb]
stehen **1.** *allg.*: stand*, (≈ *sich befinden*) *auch*: be* **2.** (≈ *aufrecht stehen*) stand* up **3.** ***was steht im Brief?*** what does it say in the letter? **4.** ***da muss ein Komma stehen*** there should be a comma there **5.** ***die Küche steht voll Wasser*** the kitchen has flooded ['flʌdɪd] **6.** ***hier steht die Luft*** it's very stuffy in here **7.** ***wie steht es?*** *in Spiel*: what's the score?; ***es steht drei zu eins für Italien*** Italy are (*oder* is) leading three-one **8.** ***er steht auf Null*** *Zähler usw.*: it's on zero **9.** ***stehen auf*** (≈ *mögen*) like, fancy ['fænsɪ] (*jemanden*), be* into (*Techno*, *moderne Kunst usw.*) **10.** ***stehen für*** stand* for **11.** ***hinter etwas*** (*bzw.* ***jemandem***) ***stehen*** *übertragen* be* behind something (*bzw.* someone) **12.** ***ich stehe zu ihm*** I'm standing by him **13.** ***wie stehst du dazu?*** what do you think? **14.** ***ich stehe dazu*** I'm sticking by it **15.** ***sie steht über solchen Dingen*** she's above [ə'bʌv] that kind of thing **16.** ***die Sache steht gut*** it's looking good **17.** ***sich gut mit jemandem stehen*** get* on well with someone **18.** (*Kleidung usw.*) suit [suːt]; ***die Jacke steht dir*** that jacket suits you; ***die Farbe steht dir nicht*** that colour doesn't suit you, it's not your colour

stehen bleiben **1.** *allg.*: stop **2.** (*Herz*) stop beating; ***mir ist das Herz fast stehen geblieben*** my heart [hɑːt] skipped a beat **3.** ***es ist, als ob die Zeit stehen geblieben wäre*** it's as if time (⚠ *ohne* the) had stood still **4.** ***soll das so stehen bleiben?*** is it supposed to stay like that? **5.** ***wo war ich stehen geblieben?*** where was I?, what was I saying?
stehen lassen **1.** (≈ *nicht wegnehmen*) leave* (*das Geschirr usw.*) **2.** *ohne es anzurühren*: leave* (*Essen usw.*) **3.** (≈ *vergessen*) leave* (*Schirm usw.*) **4.** ***alles stehen und liegen lassen*** drop everything **5.** ***sie hat ihn einfach stehen lassen*** she just left him standing **6.** (≈ *übersehen*) miss, overlook (*Fehler usw.*) **7.** ***sich einen Bart stehen lassen*** grow* a beard [bɪəd]

Stehen **1.** ***etwas im Stehen machen*** do* something standing (up) **2.** ***zum Stehen bringen*** bring* to a standstill
Stehimbiss stand-up snack bar

S

Stehlampe standard lamp (⚠ *nicht* standing), *AE* floor lamp

stehlen 1. steal*; ***sie haben mir meine Uhr gestohlen*** they stole my watch **2.** ***sich aus dem Haus stehlen*** sneak out of the house

Stehplatz *im Konzert usw.*: standing ticket; (***nur noch***) ***Stehplätze*** *auch im Bus usw.*: standing room (only) (⚠ *nicht* place; room *im Sg.*)

Steiermark: ***die Steiermark*** Styria ['stɪrɪə] (⚠ *ohne* the)

steif 1. *allg.*: stiff; **2.** ***steif gefroren*** frozen stiff **3.** ***er behauptet steif und fest, dass*** he swears [sweəz] that

Steigeisen 1. *für Baumklettern, Gletscherwandern*: climbing iron [⚠ 'klaɪmɪŋ,aɪən] **2.** *für Bergsteiger*: crampon ['kræmpɒn]

steigen 1. ***auf etwas steigen*** climb [klaɪm] onto something; ***auf einen Baum steigen*** climb (up) a tree **2.** ***auf ein Motorrad*** (*bzw.* ***Pferd***) ***steigen*** get* on a motorbike (*bzw.* horse) **3.** ***aus dem Bett steigen*** *umg.* get* out of bed **4.** ***auf die Bremse steigen*** slam on the brakes (⚠ *Pl.*) **5.** ***Treppen steigen*** climb stairs **6.** *in die Luft*: go* up, (*Flugzeug*) climb (***auf*** to) **7.** ***einen Ballon steigen lassen*** send* a balloon up **8.** (*Preise, Temperatur usw.*) go* up, rise* **9.** ***die Spannung steigt*** (the) tension is mounting

steigend *Preise, Inflation usw.*: rising

steigern 1. *allg.*: increase [ɪn'kriːs] **2.** give* the comparative and superlative (forms) of (*Adjektiv, Adverb*) **3.** ***sich steigern*** increase, (*Spannung*) mount **4.** ***er kann sich noch steigern*** there's room for improvement yet

Steigerung 1. (≈ *Zunahme*) rise, increase ['ɪŋkriːs] (+ *Gen.* in) **2.** (≈ *Verbesserung, Leistungssteigerung*) improvement (+ *Gen.* in) **3.** *eines Adjektivs*: comparison [kəm'pærɪsn]

Steigung 1. *allg.*: rise, ascent [ə'sent] **2.** *einer Bahnstrecke, Strasse*: gradient ['greɪdɪənt] **3.** *eines Hanges*: slope

steil 1. steep; ***steiler Hang*** steep slope **2.** ***steil abfallen*** drop sharply

Steilpass *Fußball*: through pass ['θruː‿pɑːs]

Stein 1. stone **2.** *kleiner, glatter*: pebble **3.** *im Obst*: stone **4.** *beim Brettspiel*: piece **5.** ***mir fällt ein Stein vom Herzen*** that's a load off my mind **6.** ***den Stein ins Rollen bringen*** get* the ball rolling

Steinbock 1. *Sternzeichen*: Capricorn ['kæprɪkɔːn]; ***ich bin*** (***ein***) ***Steinbock*** I'm (a) Capricorn **2.** *Tier*: ibex ['aɪbeks]

Steinbruch quarry ['kwɒrɪ]

steinhart (as) hard as rock

steinreich *umg.* filthy rich, loaded (⚠ *nur hinter dem Verb*)

Steinschlag falling rocks (⚠ *Pl.*)

Steinzeit Stone Age

Steinzeitmensch: ***der Steinzeitmensch*** Stone Age man (⚠ *ohne* the)

Steißbein coccyx [⚠ 'kɒksɪks]

Stellage *bes.* Ⓐ (≈ *Regal, Gestell*) shelves [ʃelvz] (⚠ *Pl.*), shelving

Stelle 1. place, *genauer*: spot; ***an dieser Stelle*** right here, at this spot, *zeitlich*: at this point **2.** *schmutzige usw.*: patch **3.** ***wunde Stelle*** sore, (≈ *Schnitt*) cut **4.** *im Buch usw.*: place, (≈ *Passage*) passage ['pæsɪdʒ] **5.** *in einer Rangordnung*: position, place **6.** (≈ *Arbeitsstelle*) job; ***freie Stelle*** vacancy ['veɪkənsɪ] **7.** (≈ *Dienststelle, Beratungsstelle usw.*) office, department; ***an welche Stelle soll ich mich wenden?*** where should I go? **8.** *in einer Zahl*: place; ***bis auf drei Stellen nach dem Komma ausrechnen*** work out to three decimal places **9.** *Wendungen*: ***an erster Stelle*** firstly; ***an Stelle von*** instead of; ***ich an deiner Stelle*** if I were you; ***auf der Stelle*** straightaway; ***sie war auf der Stelle tot*** she died on the spot; ***er war sofort zur Stelle*** he was there like a shot; ***ich komm nicht von der Stelle*** I'm getting nowhere

stellen 1. *irgendwohin*: put*, place, set* **2.** (≈ *einstellen*) set* (***auf*** to); ***den Wecker auf sieben stellen*** set* the alarm for seven; ***leiser*** (*bzw.* ***lauter***) ***stellen*** turn down (*bzw.* up) **3.** ***kalt stellen*** put* in the fridge (*Getränk usw.*) **4.** ***sich in die Ecke*** *usw.* ***stellen*** (go* and) stand* in the corner *usw.* **5.** ***er hat sich der Polizei gestellt*** he's given himself up to the police **6.** ***sich gut mit jemandem stellen*** keep* (*BE auch* get*) in with someone **7.** ***sich krank*** (*bzw.* ***tot***) ***stellen*** pretend to be ill (*bzw.* dead); ***stell dich nicht so dumm!*** stop pretending you don't know

Stellenabbau *in Firma*: reduction in staff, staff reductions (⚠ *Pl.*), downsizing

Stellenangebot 1. *allg.*: job offer **2.** ***Stellenangebote*** *Pl., als Überschrift in der Zeitung*: vacancies ['veɪkənsɪz], situations vacant

Stellenanzeige job ad

Stellensuche: ***auf Stellensuche sein*** be* looking for a job, be* job-hunting

stellenweise in places, in parts; ***stellenweise Regen*** rain in places

Stellenwert 1. (relative) importance **2.** ***es nimmt einen hohen Stellenwert ein*** it plays an important role

Stellplatz parking space
Stellung 1. *allg.*: position; ***eine Stellung einnehmen*** take* up a position **2.** ***soziale Stellung*** social standing **3.** (≈ *berufliche Stelle, Posten*) position, post, job **4.** ***möchtest du dazu Stellung nehmen?*** would you like to comment ['kɒment] on that?
Stellungnahme (≈ *Meinung*) opinion [ə'pɪnjən], (≈ *Erklärung*) comment ['kɒment], statement; ***eine Stellungnahme abgeben*** make* a statement (***über*** on)
stellvertretend 1. acting …, deputy … ['depjʊtɪ] (⚠ *beide nur vor dem Subst.*) **2.** ***stellvertretend für*** (≈ *anstelle von*) in place of, (≈ *im Namen von*) on behalf [bɪ'hɑːf] of
Stellvertreter(in) 1. representative [ˌreprɪ'zentətɪv] **2.** *amtliche(r)*: deputy ['depjʊtɪ]
Stelzen 1. stilts **2.** *umg.* (≈ *Beine*) pins
Stemmeisen crowbar ['krəʊbɑː]
stemmen: ***sich gegen etwas stemmen*** brace oneself against something, *übertragen* oppose something
Stempel 1. *allg.*: stamp **2.** (≈ *Poststempel*) postmark
stempeln 1. *allg.*: stamp **2.** cancel ['kænsl] (*Fahrkarte*) **3.** ***stempeln gehen*** (≈ *arbeitslos sein*) be* on the dole
Steno *umg.* (≈ *Stenografie*) shorthand
Stenotypistin shorthand typist
Steppdecke duvet [⚠ 'duːveɪ], quilt [kwɪlt]
Steppe (≈ *Trockenlandschaft*) steppe [⚠ step]
steppen[1] *beim Nähen*: backstitch
steppen[2] (≈ *Stepp tanzen*) tap-dance
Stepptanz tap dancing
Sterbehilfe euthanasia [ˌjuːθə'neɪzɪə]; ***bei jemandem Sterbehilfe leisten*** carry out euthanasia on someone
sterben 1. die (***an*** of) **2.** *Wendungen*: ***vor Neugier*** *usw.* ***sterben*** die of curiosity *usw.*; ***ich bin vor Langeweile fast gestorben*** I was bored to tears [tɪəz]; ***davon wirst du nicht gleich sterben!*** it won't kill you; ***der ist für mich gestorben*** I just don't want to know about him
Sterben 1. *allg.*: dying, death [deθ] **2.** ***im Sterben liegen*** be* dying
sterbenskrank: ***ich fühl mich sterbenskrank*** I feel like death warmed up
Sterbeurkunde death certificate [sə'tɪfɪkət]
sterblich mortal ['mɔːtl]; ***seine sterblichen Überreste*** his mortal remains
Sterbliche(r) mortal ['mɔːtl]; ***wir gewöhnlichen Sterblichen*** we lesser mortals
Sterblichkeit mortality (⚠ *immer ohne* the)
Sterblichkeitsrate mortality rate
Stereo stereo ['sterɪəʊ]
Stereoanlage hi-fi ['haɪfaɪ] (system), stereo ['sterɪəʊ] (system)
steril sterile ['steraɪl] (*auch übertragen*)
sterilisieren sterilize ['sterəlaɪz]
Stern 1. *allg.*: star; ***mein guter Stern*** my lucky star; ***das steht noch in den Sternen*** that's still (written) in the stars; ***Sterne sehen*** *umg.* see* stars **2.** ***ein Hotel mit vier Sternen*** a four-star hotel
Sternbild 1. constellation **2.** → ***Sternzeichen***
Sternchen *im Text*: asterisk ['æstərɪsk]
Sternenbanner *der USA*: Star-Spangled Banner, Stars and Stripes (⚠ *mit Sg.*)
sternförmig star-shaped
sternhagelvoll *umg.* plastered ['plɑːstəd], *BE auch* paralytic [ˌpærə'lɪtɪk]
sternklar: ***sternklarer Himmel*** starry ['stɑːrɪ] (*oder* starlit) sky
Sternmarsch protest ['prəʊtest] march
Sternschnuppe shooting star
Sternsingen carol ['kærəl] singing (at Epiphany [ɪ'pɪfənɪ])
Sternstunde 1. ***eine Sternstunde der Menschheit*** a turning point in the history of mankind [mæn'kaɪnd] **2.** ***das war ihre Sternstunde*** that was her great moment (in life)
Sternwarte observatory [əb'zɜːvətrɪ]
Sternzeichen 1. (star) sign, sign of the zodiac ['zəʊdɪæk]; ***was hast du für ein Sternzeichen*** what's your star sign? **2.** ***er ist im Sternzeichen der Waage geboren*** he was born under Libra [⚠ 'liːbrə]

Sternzeichen

Widder	**Aries** ['eəriːz], **Ram**
Stier	**Taurus, Bull** [bʊl]
Zwillinge	**Gemini** ['dʒemɪnaɪ, 'dʒemɪniː], **Twins**
Krebs	**Cancer, Crab**
Löwe	**Leo** ['liːəʊ], **Lion**
Jungfrau	**Virgo, Virgin**
Waage	**Libra** ['liːbrə, 'laɪbrə], **Scales**
Skorpion	**Scorpio, Scorpion**
Schütze	**Sagittarius** [ˌsædʒɪ'teərɪəs], **Archer** ['ɑːtʃə]
Steinbock	**Capricorn** ['kæprɪkɔːn], **Goat**

S

Wassermann	**Aquarius** [ə'kweərɪəs], **Water Bearer**
Fische	**Pisces** ['paɪsiːz, 'pɪsiːz], **Fish**

Stethoskop stethoscope ['steθəskəʊp]
stets always
Steuer[1] *das* **1.** *im Auto*: (steering) wheel, *im Flugzeug*: controls (⚠ *Pl.*); ***am Steuer sitzen*** be* at (*oder* behind) the wheel **2.** ***das Steuer fest in der Hand haben*** *übertragen* be* firmly in control
Steuer[2] *die* tax; ***Steuern zahlen*** pay* tax (⚠ *mst. Sg.*)
Steuerberater(in) tax adviser (*oder* consultant)
Steuererklärung tax return
Steuerhinterziehung tax evasion
Steuerklasse *bei Einkommensteuer*: tax bracket
Steuermann 1. helmsman ['helmzmən] **2.** *beim Rudern*: cox
steuern 1. *allg.*: steer **2.** drive*, steer (*Auto*) **3.** (≈ *leiten*) control, run*
Steueroase, **Steuerparadies** tax haven ['heɪvn]
Steuerung *Vorrichtung*: controls (⚠ *Pl.*)
Steuerungstaste *Computer*: control key
Steuerzahler(in) tax payer
stibitzen *umg.* pinch, snitch
Stich 1. (≈ *Wespenstich usw.*) sting **2.** (≈ *Mückenstich*) bite **3.** (≈ *Nadelstich*) prick **4.** (≈ *Messerstich*) stab **5.** (≈ *Stichwunde*) stab wound [wuːnd] **6.** (≈ *Nähstich*) stitch **7.** *Schmerz*: sharp (*oder* stabbing) pain; ***Stiche in der Seite haben*** have* a stitch **8.** ***ein Stich ins Grüne*** *usw.* a tinge [tɪndʒ] of green *usw.* **9.** ***jemanden im Stich lassen*** leave* someone in the lurch [lɜːtʃ] **10.** ***du hast wohl einen Stich!*** have you gone mad?
sticheln: ***gegen jemanden sticheln*** make* digs at someone
Stichfrage tiebraker
stichhaltig 1. *allg.*: sound **2.** ***die Theorie ist nicht stichhaltig*** that theory doesn't hold water
Stichprobe: ***eine Stichprobe machen*** take* a sample, *bei Kontrolle*: do* a spot check
Stichtag 1. date **2.** (≈ *Termin*) deadline
Stichwahl runoff, deciding ballot [dɪˌsaɪdɪŋ'bælət]
Stichwort 1. *im Wörterbuch*: entry **2.** ***sich ein paar Stichworte aufschreiben*** jot down a few notes
Stichwunde stab wound [wuːnd]
sticken embroider [ɪm'brɔɪdə]
Sticker (≈ *Aufkleber*) sticker
stickig stuffy, *Außenluft*: sticky, close [⚠ kləʊs]
Stickstoff nitrogen ['naɪtrədʒən]
Stiefbruder stepbrother
Stiefel 1. boot **2.** ***das sind doch zwei Paar Stiefel*** *übertragen* they're two completely different things
Stiefelette ankle boot
stiefeln *umg.* foot it; ***zuerst bin ich in die falsche Richtung gestiefelt*** first I walked the wrong direction
Stiefeltern stepparents ['stepˌpeərənts]
Stiefkind stepchild
Stiefmutter stepmother
Stiefmütterchen *Blume*: pansy ['pænzɪ]
Stiefschwester stepsister
Stiefsohn stepson
Stieftochter stepdaughter ['stepˌdɔːtə]
Stiefvater stepfather
Stiege 1. *allg.*: steps (⚠ *Pl.*) **2.** *mst. im Freien*: stairs (⚠ *Pl.*), staircase
Stiel 1. (≈ *Griff*) handle **2.** *eines Glases*: stem **3.** *einer Blume*: stalk [stɔːk] **4.** ***ein Eis am Stiel*** an ice lolly, *AE* a Popsicle® ['pɒpsɪkl]
Stielaugen: ***die hat vielleicht Stielaugen gemacht!*** *umg.* she just goggled, her eyes nearly popped out of her head
Stier 1. *Tier*: bull [⚠ bʊl] **2.** *Sternzeichen*: Taurus ['tɔːrəs]; ***ich bin (ein) Stier*** I'm (a) Taurus
stieren stare (***auf*** at)
Stierkampf bullfight [⚠ 'bʊlfaɪt]
Stierkämpfer(in) bullfighter [⚠ 'bʊlˌfaɪtə]
Stift 1. *zum Schreiben*: pen; ***hast du einen Stift?*** *auch*: have you got something to write with? **2.** *längliches Metallstück*: pin **3.** *längliches Holzstück*: peg **4.** (≈ *Malstift*) crayon ['kreɪən]
stiften 1. donate [dəʊ'neɪt] (*Geld*) **2.** found (*Kirche*)
Stifter(in) *einer Kirche usw.*: founder
Stil style
stilistisch 1. stylistic **2.** ***es ist stilistisch gut*** *Aufsatz usw.*: it's written in good style
still 1. (≈ *ruhig*) quiet ['kwaɪət] **2.** (≈ *bewegungslos*) still **3.** ***der Stille Ozean*** the Pacific [pə'sɪfɪk] (Ocean)
stillbleiben 1. *ruhig*: keep* quiet ['kwaɪət] **2.** *bewegungslos*: keep* still
Stille 1. (≈ *Ruhe*) peace **2.** *absolute*: silence ['saɪləns] **2.** ***in aller Stille*** (≈ *heimlich*) on the quiet ['kwaɪət]
stillen 1. breastfeed* ['brestfiːd] (*Baby*) **2.** quench [kwentʃ] (*Durst*) **3.** satisfy (*Hunger, Neugier, Verlangen usw.*)

S

stillhalten 1. *wörtlich*: keep* still **2.** *übertragen* (≈ *nicht reagieren*) keep* quiet
Stillleben still life *Pl.*: still lifes
stilllegen close down (*Fabrik usw.*)
Stilllegung closure ['kləʊʒə], shutdown
stillsitzen sit* still
Stillstand standstill; ***zum Stillstand bringen*** bring* to a halt, stop (*auch Blutung*), bring* to a standstill (*Verkehr, Produktion usw.*)
stillstehen 1. (≈ *stehen bleiben*) stop **2.** (*Verkehr usw.*) be* at a standstill **3.** ***die Zeit schien stillzustehen*** time seemed to be standing still
Stimmbänder vocal chords [ˌvəʊkl'kɔːdz]
Stimmbruch: ***er ist im Stimmbruch*** his voice is breaking
Stimme 1. *allg.*: voice **2.** (≈ *Wahlstimme*) vote; ***seine Stimme abgeben*** cast* one's vote
stimmen 1. (≈ *richtig sein*) be* right; ***stimmts?*** is that right? ***stimmt!*** that's right; ***stimmts, oder hab ich Recht?*** am I right or am I right? **2.** (≈ *wahr sein*) be* true **3.** ***hier stimmt was nicht*** there's something wrong [rɒŋ] here **4.** ***das stimmt ja hinten und vorne nicht!*** *umg.* it's completely up the creek, (≈ *ist gelogen*) it's a pack of lies **5.** ***stimmt so!*** *beim Bezahlen*: keep the change **6.** ***bei dir stimmts wohl nicht!*** *umg.* have you gone completely mad? **7.** (≈ *wählen*) vote (***für*** for; ***gegen*** against); ***mit Ja*** (*bzw.* ***Nein***) ***stimmen*** vote for (*bzw.* against) **8.** tune (*Instrument*)
Stimmenmehrheit: ***die Stimmenmehrheit erzielen*** gain a majority of votes
Stimmgabel tuning fork
stimmhaft *Konsonant*: voiced [vɔɪst]
stimmlos *Konsonant*: voiceless
Stimmung 1. (≈ *Atmosphäre*) atmosphere ['ætməsfɪə], mood; ***es herrschte eine gute Stimmung*** it was a good atmosphere; ***Stimmung machen*** *auf einer Feier*: get* things going **2.** (≈ *Laune*) mood; ***in guter*** (*bzw.* ***schlechter***) ***Stimmung*** in a good (*bzw.* bad) mood; ***ich bin nicht so in Stimmung*** I'm not really in the mood (for it) **3.** *von Truppen usw.*: morale [⚠ mə'rɑːl]
Stimmungskanone: ***sie ist eine richtige Stimmungskanone*** she's always the life and soul of the party
Stimmzettel ballot (paper)
stinkbesoffen *umg.* (absolutely) sloshed, plastered ['plɑːstəd]
Stinkbombe stink bomb [⚠ bɒm]
stinken 1. *allg.*: stink*, smell* (***nach*** of); ***das stinkt aber!*** *umg.* what a stink (*BE auch* pong)! **2.** ***mir stinkts!*** *salopp* I'm pissed off with it; ***was mir am meisten stinkt*** *umg.* what really gets up my nose **3.** ***irgendwas stinkt an der Sache*** there's something fishy about it
stinkfaul *umg.* bone-idle, bone-lazy
stinkig smelly
stinklangweilig *umg.* dead boring
stinknormal *umg.* dead ordinary ['ɔːdnrɪ]
stinkreich *umg.* stinking rich
stinksauer *umg.* fuming
Stinktier skunk
stinkvornehm *umg.* dead posh
Stinkwut: ***eine Stinkwut haben*** *umg.* be* really mad (***auf*** at)
Stipendium 1. *allg.*: grant [grɑːnt] **2.** *für Begabte*: scholarship ['skɒləʃɪp]
Stirn 1. forehead [⚠ 'fɒrɪd, *auch*: 'fɔːhed] **2.** ***die Stirn über etwas runzeln*** frown [fraʊn] at something
Stirnband headband
stöbern rummage ['rʌmɪdʒ] around (***nach*** for)
stochern 1. ***im Essen stochern*** pick at one's food **2.** ***in den Zähnen stochern*** pick one's teeth **3.** ***im Feuer stochern*** poke the fire
Stock 1. stick; ***er geht am Stock*** he walks with a stick, *übertragen* (≈ *ist am Ende*) he's on his last legs **2.** (≈ *Stockwerk*) floor, storey, *AE* story; ***im ersten*** (*bzw.* ***zweiten*** *usw.*) ***Stock*** on the first (*bzw.* second *usw.*) floor, *AE* on the second (*bzw.* third *usw.*) floor *oder* story
Stockbett bunk bed
stockblind (as) blind as a bat
stockdunkel *umg.* pitch dark
stockduster *umg.* pitch dark
Stöckelschuhe high-heeled shoes
stocken 1. (≈ *zögern*) hesitate ['hezɪteɪt] **2.** (≈ *innehalten*) stop short **3.** ***der Verkehr stockte*** there was congestion on the roads; ***stockender Verkehr*** stop-go traffic **4.** ***mir stockte das Herz*** my heart skipped a beat
Stockerl Ⓐ (≈ *Hocker*) stool
stockfinster pitch dark
Stockfisch dried cod
stockkonservativ ultra-conservative
stocknüchtern *umg.* stone-cold sober
stocksauer fuming, furious ['fjʊərɪəs]
Stockwerk → ***Stock 2***
Stockzahn *bes.* Ⓐ, Ⓒⓗ molar ['məʊlə], back tooth
Stoff 1. (≈ *Textilstoff*) material, fabric ['fæbrɪk] **2.** *in der Schule*: subject ['sʌbdʒekt] matter, (≈ *Thema*) topic **3.** (≈ *Substanz*) substance ['sʌbstəns]
Stoffwechsel metabolism [mə'tæbəlɪzm]

S

stöhnen 1. *allg.*: groan (***vor*** with) **2.** *lustvoll*: moan **3.** (≈ *sich beklagen*) moan (***über*** about)

Stöhnen 1. *allg.*: groaning **2.** *vor Lust*: moaning **3.** *als Klage*: moaning, complaining

Stollen 1. *Bergbau*: tunnel ['tʌnl], gallery ['gælərɪ] **2.** *am Schuh*: stud **3.** *Gebäck*: stollen ['stɒlən], fruit loaf

stolpern 1. trip; ***über etwas stolpern*** trip over something **2.** ***über etwas stolpern*** *übertragen* (≈ *etwas entdecken*) stumble across something

stolz proud (***auf*** of)

Stolz 1. *allg.*: pride **2.** ***es ist ihr ganzer Stolz*** it's her pride and joy

stopfen 1. darn (*Strümpfe usw.*) **2.** fill, plug (*Loch, Lücke*) **3.** (≈ *hineinstopfen*) stuff (***in*** into) **4.** ***das stopft*** (≈ *verstopft*) that gives you constipation **5.** ***jemandem den Mund stopfen*** *umg.* shut* someone up

Stopp 1. (≈ *Anhalten*) stop **2.** (≈ *Pause*) stop **3.** (≈ *Verbot*) ban, freeze (***für*** on) **4.** (≈ *Stoppball*) drop shot

stopp! 1. (≈ *halt!*) hold it! **2.** (≈ *Moment mal!*) hang on a minute!

Stoppelbart stubbly beard [bɪəd]

stoppelig stubbly

stoppen 1. *allg.*: stop **2.** *mit der Stoppuhr*: time, do* the timing; ***kannst du (für) mich stoppen?*** could you time me?

Stopplicht *am Auto*: brake light, *AE* stoplight

Stoppschild stop sign

Stopptaste stop button

Stoppuhr stopwatch

Stöpsel 1. *allg.*: stopper **2.** *im Waschbecken usw.*: plug **3.** (≈ *Stecker*) plug

Storch stork

stören 1. *allg.*: disturb [dɪ'stɜːb], (≈ *ablenken*) distract, bother ['bɒðə]; ***stört es dich, wenn ich fernsehe?*** will it disturb (*oder* bother) you if I watch TV?; ***das stört mich nicht*** that doesn't bother me, I don't mind; ***(bitte) nicht stören!*** *auf Schild*: (please) do not disturb **2.** (≈ *unterbrechen*) interrupt; ***darf ich kurz stören?*** can I interrupt (*oder* can I bother you) for a minute? **3.** disrupt (*den Unterricht usw.*) **4.** spoil* (*den Effekt usw.*) **5.** ***was stört dich daran?*** what don't you like about it?

Störenfried troublemaker

Störfall 1. *technischer*: fault [fɔːlt] **2.** (≈ *Zwischenfall*) incident ['ɪnsɪdənt]

stornieren cancel ['kænsl]

Störung 1. (≈ *Ruhestörung usw.*) disturbance [dɪ'stɜːbəns] **2.** (≈ *Unterbrechung*) interruption; ***entschuldigen Sie die Störung!*** (I'm) sorry to bother ['bɒðə] you **3.** *des Unterrichts usw.*: disruption **4.** *im Radio usw.*: interference [ˌɪntə'fɪərəns] **5.** *in Gerät usw.*: (≈ *Fehler*) fault [fɔːlt]

Stoß 1. (≈ *Schubser*) push **2.** *in die Rippen*: dig **3.** (≈ *Stich*) stab **4.** (≈ *Stapel*) pile, (≈ *größere Menge*) *auch*: stack

Stoßdämpfer shock absorber

stoßen 1. *allg.*: push **2.** ***jemanden in die Rippen stoßen*** dig* someone in the ribs **3.** ***gegen etwas stoßen*** bump into something **4.** ***sich stoßen*** knock [⚠ nɒk] oneself; ***er hat sich am Kopf gestoßen*** he knocked (*oder* bumped) his head **5.** ***stoßen auf*** *zufällig*: come* across

Stoßgebet quick prayer

stoßsicher shockproof

Stoßstange bumper

Stoßverkehr rush-hour traffic

Stoßzahn *von Elefant usw.*: tusk

Stoßzeit 1. *allg.*: peak period ['pɪərɪəd] (*oder* hours *Pl.*) **2.** *Verkehr*: rush hour

Stövchen *zum Warmhalten*: warmer

stottern 1. stutter, stammer **2.** ***sie stottert*** *immer*: she's got a stutter

Strafarbeit 1. extra work **2.** *als Hausaufgabe*: extra homework (⚠ *ohne* a *und nur im Sg.*)

Strafbank 1. *Fußball usw.*: penalty ['penltɪ] bench **2.** *Eishockey*: penalty box **3.** ***er muss zwei Minuten auf die Strafbank*** he's been sent off for two minutes

strafbar 1. ***strafbare Handlung*** (criminal *oder* punishable) offence [ə'fens] **2.** ***sich strafbar machen*** commit an offence

Strafe 1. *allg.*: punishment; ***zur Strafe*** as a punishment **2.** ***das ist die Strafe dafür*** that's what you get **3.** ***Strafe muss sein!*** there's nothing like a bit of discipline ['dɪsəplɪn] **4.** ***das ist für mich eine Strafe*** *übertragen* it's a real pain **5.** (≈ *Geldstrafe*) fine; ***Strafe zahlen*** pay* a fine **6.** *Sport*: penalty ['penltɪ]

strafen 1. punish **2.** ***mit dieser Klasse ist sie wirklich gestraft*** she couldn't have picked a worse class

Strafentlassene(r) ex-convict [ˌeks'kɒnvɪkt], ex-prisoner [ˌeks'prɪznə]

straff 1. *allg.*: (≈ *gespannt*) tight **2.** *Seil, Muskel*: taut [tɔːt] **3.** *Haut*: firm, taut **4.** *Disziplin, Kontrolle usw.*: tight

straffällig: ***straffällig werden*** commit an offence [ə'fens]

straffen 1. tighten, pull tight (*Seil usw.*) **2.** streamline (*Organisation usw.*) **3.** ***sich die Gesichtshaut straffen lassen*** have* a facelift

S

Strafgefangene(r) prisoner ['prɪznə]
sträflich: ***sträflich vernachlässigt werden*** be* badly neglected
Sträfling prisoner ['prɪznə], convict ['kɒnvɪkt]
Strafminute: ***er erhielt zwei Strafminuten*** he was sent off for two minutes
Strafpredigt: ***jemandem eine Strafpredigt halten*** give* someone a lecture
Strafprozess trial, criminal case
Strafpunkt *Sport*: penalty ['penltɪ] point
Strafraum *Sport*: penalty ['penltɪ] area
Strafstoß *Fußball*: penalty ['penltɪ] kick
Straftat (criminal) offence [ə'fens]
Straftäter(in) offender
Strafverfahren criminal proceedings (⚠ *Pl.*)
Strafzettel ticket ['tɪkɪt]
Strahl **1.** (≈ *Lichtstrahl*) beam **2.** (≈ *Sonnenstrahl*) ray **3.** *von Flüssigkeit oder Gas*: jet **4.** ***kosmische Strahlen*** cosmic rays *oder* radiation (⚠ *Sg.*)
Strahlemann *umg.* smiley ['smaɪlɪ]
strahlen **1.** (≈ *glänzen*) gleam **2.** (*Person*) beam; ***er strahlte übers ganze Gesicht*** he was beaming from ear to ear **3.** (*Uran usw.*) be* radioactive **4.** ***strahlender Sonnenschein*** bright sunshine **5.** ***strahlendes Wetter*** glorious weather **6.** ***strahlend weiße Zähne*** pearly ['pɜːlɪ] white teeth
Strahlenbelastung **1.** *als Messgröße*: radiation level **2.** *als Vorgang*: exposure to radiation **3.** ***die natürliche Strahlenbelastung*** natural (background) radiation (⚠ *ohne* the)
Strahlung radiation
Strähne **1.** (≈ *Haarsträhne*) strand (of hair) **2.** ***blonde Strähne*** blond streak [striːk] **3.** ***sich Strähnen ins Haar machen lassen*** have* highlights put in(to one's hair)
stramm **1.** *Figur, Beine usw.*: sturdy **2.** *Disziplin usw.*: strict **3.** ***stramm sitzen*** *Kleidung*: fit tightly **4.** ***stramm ziehen*** pull tight
Strampelhose rompers (⚠ *Pl.*), stretchsuit ['stretʃsuːt]
strampeln **1.** (*Baby*) kick its legs, *auf dem Schoß*: jump up and down **2.** *mit dem Fahrrad*: pedal ['pedl]
Strand beach; ***am Strand*** on the beach
Strandcafé seaside café ['kæfeɪ]
stranden (*Schiff*) run* aground
Strandwächter(in) lifeguard ['laɪfgɑːd]
Strapaze strain; ***Strapazen*** strain (⚠ *Sg.*)
strapazieren **1.** strain (*Augen, Nerven usw.*); ***du strapazierst allmählich meine Geduld*** you're testing my patience to the limit **2.** be* hard on (*Haare, Haut usw.*) **3.** ***der Tisch ist arg strapaziert worden*** that table has had some rough [rʌf] treatment
strapazierfähig **1.** *allg.*: tough [tʌf] **2.** *Kleidung*: hardwearing [ˌhɑːd'weərɪŋ]
strapaziert **1.** *Haar, Haut*: mistreated (⚠ *nur vor dem Subst.*) **2.** *Nerven, Beziehung usw.*: strained **3.** *Kleidung, Teppich usw.*: worn **4.** ***er ist ganz schön strapaziert*** he's pretty worn out
Straps suspender belt, *AE* garter belt
Straße[1] **1.** *mit Betonung auf dem Verkehr*: road **2.** *mit Bürgersteig und Gebäuden, Betonung auf dem Straßenleben*: street **3.** ***jemanden auf die Straße setzen*** throw* someone out onto the street **4.** ***auf offener Straße*** in broad daylight; ☞ *Info S. 946*
Straße[2] (≈ *Meeresenge*) strait, straits (*Pl.*); ***die Straße von Dover*** the Straits of Dover
Straßenarbeiten roadworks, *AE* road construction (⚠ *Sg.*) *oder* repairs
Straßenarbeiter(in) roadworker
Straßenbahn tram, *AE* streetcar
Straßencafé pavement café ['kæfeɪ], *AE* sidewalk café
Straßenecke **1.** street corner **2.** ***wir wohnen drei Straßenecken weiter*** we live three blocks further up
Straßenfeger(in) street cleaner
Straßengraben (roadside) ditch
Straßenkarte road map
Straßenkehrer(in) street cleaner
Straßenrand: ***am Straßenrand*** at the roadside, on the kerb, *AE* on the curb
Straßenräuber(in) mugger
Straßenschlacht street riot
Straßenverhältnisse road conditions
Straßenverkehrsordnung traffic regulations (⚠ *Pl.*)
Strategie strategy ['strætədʒɪ]
sträuben **1.** ***sich sträuben*** (≈ *sich widersetzen*) resist [rɪ'zɪst]; ***sich sträuben gegen*** resist, fight* (against) **2.** ***sich sträuben, etwas zu tun*** refuse to do something **3.** ***sich sträuben*** (*Haare, Fell usw.*) stand* on end
Strauch shrub, bush [bʊʃ]
straucheln (≈ *stolpern*) stumble
Strauß[1] *Blumen*: bunch of flowers
Strauß[2] *Vogel*: ostrich ['ɒstrɪtʃ]
strawanzen *bes.* Ⓐ hang* around, bum around
streben: ***streben nach*** strive* for
Streber(in) swot, *AE* grind [graɪnd]
strebsam hardworking, ambitious
Strecke **1.** (≈ *Route*) route [ruːt]; ***die Strecke Brüssel-Paris*** the Brussels-Par-

Straße

Achte auf den unterschiedlichen Gebrauch von **road** und **street**:

road

1. Straße mit Betonung auf der Fahrbahn und was sich dort abspielt. Im Vordergrund stehen der Verkehr, das Fahren, die Straßenverhältnisse, die Straßenverkehrsordnung usw.

eine verkehrsreiche Straße	**a busy road**
eine holperige Straße	**a bumpy road**
Straßenverhältnisse	**road conditions**
Straßenarbeiten	**roadworks**
Glatteis auf der Straße	**ice on the road**

2. Straße als Verbindung zwischen zwei Punkten, egal ob innerhalb oder außerhalb einer Ortschaft. Der Weg nach/zum/zur …

die Straße zum Bahnhof	**the road to the station**
die wichtigste Straße nach Köln	**the main road to Cologne**

street

Nur in einer geschlossenen Ortschaft, mit Betonung auf den Gebäuden, dem Bürgersteig, den Fußgängern, dem menschlichen Treiben auf der Straße:

auf der Straße spielen	**to play in the streets**
Er wohnt in der nächsten Straße.	**He lives in the next street.**
die Straßen von San Francisco	**the streets of San Francisco**
durch die Straßen fahren (*Betonung liegt auf der Ortschaft*)	**to drive through the streets**

is route **2.** (≈ *Entfernung*) distance ['dɪstəns]; ***es ist noch eine ganze Strecke*** it's still quite a way (*oder* distance) **3.** *einer Bahnlinie*: section; ***auf freier Strecke stehen bleiben*** stop between stations **4.** *Geometrie*: line **5.** ***auf der Strecke bleiben*** *übertragen* come* to grief, *BE auch* come* a cropper

strecken 1. *allg.*: stretch **2.** ***er streckte die Beine*** he stretched his legs **3.** ***sich strecken*** stretch, have* a stretch

streckenweise 1. (≈ *teilweise*) in parts **2.** (≈ *zeitweise*) at times

Streetworker(in) community worker

Streich 1. trick, practical joke; ***sie spielten ihr einen Streich*** they played a trick on her **3.** ***das Wetter spielte uns einen Streich*** *übertragen* the weather let us down **4.** ***auf einen Streich*** in one go

Streicheleinheit stroke, (≈ *Lob*) pat on the back; ***jeder braucht seine Streicheleinheiten*** everyone needs a little stroke (*bzw.* a pat on the back) once in a while

streicheln stroke; ***sie streichelte ihm über den Kopf*** she stroked his head

streichen 1. *mit Farbe*: paint; → ***gestrichen*** **2.** spread* (*Butter usw.*) **3.** ***die Salbe auf die Wunde streichen*** rub the ointment gently into the wound [wuːnd] **4.** ***er strich sich die Haare aus der Stirn*** he brushed his hair out of his face **5.** (≈ *ausstreichen*) cross out; ***von der Liste streichen*** cross off the list **6.** cut* (*Gelder usw.*) **7.** cancel ['kænsl] (*Flug, Programm usw.*)

Streicher *Pl.*: ***die Streicher*** *im Orchester*: the strings

Streichholz match

Streichholzschachtel matchbox

Streichinstrument string(ed) instrument ['ɪnstrəmənt]

Streifen 1. *allg.*: stripe **2.** (≈ *schmales Stück*) strip **3.** ***weißer Streifen*** white line

streifen 1. (≈ *leicht berühren*) brush against **2.** *mit dem Auto*: scrape (*Mauer usw.*) **3.** touch (*Person*) **4.** ***die Kugel hat sie am Kopf gestreift*** the bullet ['bʊlɪt] grazed her head **5.** touch on (*Thema*)

Streifendienst patrol [pə'trəʊl] duty

Streifenwagen patrol [pə'trəʊl] car, *BE umg. auch* panda car

Streik strike; ***wilder Streik*** wildcat strike

streiken 1. strike (⚠ *die Vergangenheitsform* struck *ist hier nicht gebräuchlich, stattdessen weicht man auf Umschreibungen wie* they went on strike *aus*), go* on strike (***über*** over) **2.** ***der CD-Spieler streikt mal wieder*** *umg.* the CD player

S

has gone wrong again **3.** ***ich streike!*** *umg.* I'm going on strike!

Streit 1. *allg.*: argument ['ɑːgjʊmənt](***um, wegen*** about, over); ***ich hab mit meinem Vater Streit*** *umg.* I'm having a row [raʊ] with my dad **2.** *heftiger, auch handgreiflich*: fight **3.** ***suchst du Streit?*** are you looking for trouble?

streiten 1. ***streiten, sich streiten*** argue ['ɑːgjuː] (***über, wegen*** about, over) **2.** ***sich um etwas streiten*** fight* for (*oder* over) something **3.** ***die zwei streiten sich andauernd*** those two are always arguing (*oder* fighting) **4.** ***hört auf zu streiten!*** stop arguing!

Streitigkeiten quarrelling ['kwɒrəlɪŋ] (⚠ *nur im Sg.*)

streitsüchtig 1. aggressive [ə'gresɪv] **2.** ***sie ist sehr streitsüchtig*** she's always looking for trouble

streng 1. *Eltern, Lehrer, Regeln, Disziplin usw.*: strict **2.** *Blick, Aussehen, Haarschnitt usw.*: severe [sɪ'vɪə] **3.** *Winter*: severe, harsh **4.** ***er bekam eine strenge Strafe*** he was severely punished **5.** ***strenge Worte*** harsh words **6.** ***streng(stens) verboten*** strictly forbidden **7.** ***streng geheim*** top secret ['siːkrət] **8.** ***streng genommen*** strictly speaking

streng

strict strenge Disziplin verlangend:
a strict teacher, strict parents, strict rules, a strict diet

severe hart:
a severe look, a severe winter, severe punishment, severe criticism

strenggläubig (very) orthodox ['ɔːθədɒks]; ***ein strenggläubiger Muslim*** a strict (*oder* orthodox) Muslim ['mʊzlɪm]

Stress 1. stress **2.** ***es ist ein furchtbarer Stress*** it's really stressful **3.** ***sie ist schwer im Stress*** she's under real pressure ['preʃə]

stressen: ***die Schule stresst mich zur Zeit*** school is stressing me out (*oder* is getting to me) at the moment

stressig stressful ['stresfl]

streuen 1. *allg.*: scatter **2.** sprinkle (*Zucker, Salz usw.*) **3.** (≈ *die Straßen streuen*) sand (*BE auch* grit) the roads, *mit Salz*: put* salt down on the roads

Streufahrzeug gritter lorry, *AE* salt truck

streunend: ***streunender Hund*** stray dog

Strich 1. (≈ *Linie*) line **2.** *auf einer Waage usw.*: mark **3.** ***er macht keinen Strich*** *umg.* he doesn't lift a finger **4.** ***das geht mir gegen den Strich*** it goes against the grain (for me) **5.** ***unter dem Strich*** *übertragen* all in all **6.** ***auf den Strich gehen*** *umg.* be* on the game, *AE* hustle [hʌsl]

Strichcode bar code

Strichmännchen stick figure ['stɪkˌfɪgə]

Strichpunkt semicolon [ˌsemɪ'kəʊlən]

Strick 1. rope; ***wir brauchen einen Strick*** we need some rope (*oder* a piece of rope) **2.** *dünner*: cord **3.** ***wenn alle Stricke reißen*** if the worst comes to the worst

stricken knit [⚠ nɪt]

Strickjacke cardigan ['kɑːdɪgən]

Strickleiter rope ladder

Stricknadel knitting [⚠ 'nɪtɪŋ] needle

Strickzeug knitting [⚠ 'nɪtɪŋ] things (⚠ *Pl.*)

Striemen *auf der Haut*: weal [wiːl], welt

strikt 1. *allg.*: strict **2.** ***die Regeln*** *usw.* ***strikt befolgen*** stick* closely to the rules *usw.*

Strippe 1. (≈ *Kabel*) cord **2.** (≈ *Schnur*) (piece of) string **3.** ***er hängt dauernd an der Strippe*** *umg.* he's never off the phone

strippen strip, do* a strip

Stripper(in) stripper

Stripteaselokal *umg.* strip club

Stroh 1. straw **2.** ***er hat nur Stroh im Kopf*** *umg.* he's got sawdust between his ears

strohblond *Haar*: straw-coloured

Strohdach thatched roof

strohdumm *umg.* as thick as two short planks, *AE* as dumb [⚠ dʌm] as a box of rocks

Strohhalm straw

Strohhut straw hat

Strolch (≈ *Schlingel*) rascal ['rɑːskl]

Strolchenfahrt Ⓒⓗ *mit gestohlenem Auto usw.*: joyride

Strom[1] 1. (≈ *Elektrizität*) electricity [ɪˌlek'trɪsətɪ] **2.** ***es steht unter Strom*** it's live [laɪv]

Strom[2] 1. (≈ *Fluss*) river (⚠ *engl.* stream = ***Bach***) **2.** (≈ *Strömung*) current ['kʌrənt] **3.** ***ein endloser Strom von Touristen*** *usw.* an endless stream of tourists *usw.* **4.** ***es gießt in Strömen*** it's pouring ['pɔːrɪŋ] (with rain) **5.** ***mit dem*** (*bzw.* ***gegen den***) ***Strom schwimmen*** *übertragen* swim* with (*bzw.* against) the tide [taɪd]

Stromausfall power cut, blackout

strömen 1. (*Flüssigkeit, Blut, Tränen, Gas usw.*) stream, pour [pɔː] (***aus*** out of, from); ***das Blut strömte ihr übers Gesicht*** the blood was streaming down her face **2.** ***die Leute strömten ins*** (*bzw.* ***aus dem***) ***Stadion*** people were

streaming *oder* pouring into (*bzw.* out of) the stadium
strömend: ***strömender Regen*** pouring rain
stromlinienförmig streamlined
Strömung **1.** *im Wasser, in der Luft*: current ['kʌrənt] **2.** *politische usw.*: movement
Stromverbrauch power consumption
Stromversorgung power supply [sə'plaɪ]
strotzen **1.** ***sein Aufsatz*** *usw.* ***strotzt vor Fehlern*** his essay *usw.* is full of mistakes **2.** ***du strotzt ja vor Dreck!*** you're covered in muck!
strubbelig *Haar, Fell*: tousled ['taʊzld]
Strudel **1.** *in Fluss usw.*: whirlpool, *größerer*: maelstrom [⚠ 'meɪlstrɒm] **2.** *Gebäck*: strudel ['struːdl]
Struktur structure ['strʌktʃə]
Strumpf **1.** (≈ *Socke*) sock; ***sie läuft in Strümpfen herum*** she walks around in socks **2.** (≈ *Damenstrumpf*) stocking
Strumpfhose tights (⚠ *Pl.*), *AE auch* pantyhose (⚠ *Pl.*); ***eine Strumpfhose*** a pair of tights, *AE* a pair of pantyhose
Stube (≈ *Wohnzimmer*) living room
Stubenarrest: ***ich hab Stubenarrest*** I'm not allowed [ə'laʊd] out
Stubenhocker(in) stay-at-home ['steɪ‿ət-ˌhəʊm]
stubenrein *Hund usw.*: house-trained
Stück[1] **1.** *allg.*: piece; ***ein Stück Käse*** a piece of cheese; ***zwei Stück Kuchen*** two pieces of cake **2.** ***ein Stück Zucker*** a lump of sugar **3.** ***ein Stück Seife*** a bar of soap **4.** ***ich nehme zehn Stück*** I'll have ten (of them); ***sie kosten 5 Euro das Stück*** they're 5 euros each **5.** *in einer Sammlung*: piece; ***ein seltenes Stück*** a rare specimen ['spesəmɪn] **6.** (≈ *Teil*) part, *eines Textes auch*: passage ['pæsɪdʒ] **7.** ***in Stücke schlagen*** smash to pieces **8.** ***ein ganzes Stück größer*** *usw.* quite a bit bigger *usw.* **9.** ***er hält große Stücke auf seinen Bruder*** he thinks the world of his brother
Stück[2] **1.** (≈ *Theaterstück*) (stage) play **2.** (≈ *Musikstück*) piece; ***ein Stück von Mozart*** a piece by Mozart
Stückchen **1.** little piece (*oder* bit) **2.** ***ich begleite dich ein Stückchen*** I'll walk part of the way with you
Student student ['stjuːdnt]
Studentenfutter nuts and raisins ['reɪznz] (*Pl.*)
Studentenheim **1.** *allg.*: student(s') hostel ['hɒstl] **2.** *auf dem Universitätsgelände*: hall of residence ['rezɪdəns], *AE* dormitory ['dɔːmətrɪ]
Studentin (female) student ['stjuːdnt]
Studienabschluss degree [dɪ'griː]
Studienfach subject ['sʌbdʒekt]

Studienfächer

Architektur	**architecture**
Betriebswirtschaft	**business administration**
Biochemie	**biochemistry**
Biologie	**biology**
Chemie	**chemistry**
Erdkunde	**geography**
Geisteswissenschaften	**arts, humanities**
Geowissenschaften	**earth sciences**
Geschichte	**history**
Grafik	**graphic design**
Informatik	**computer science**
Jura	**law**
Kunst	**art**
Kunstgeschichte	**art history**
Maschinenbau	**engineering**
Mathematik	**mathematics, maths**, *AE* **math**
Medienwissenschaften	**media studies**
Medizin	**medicine** ['medsn]
Musikwissenschaft	**musicology**
Naturwissenschaften	**science** *Sg.*
Pädagogik	**education**
Physik	**physics** ['fɪzɪks]
Sportwissenschaft	**sports science**
Theaterwissenschaften	**theory of drama, theatre studies**
Wirtschaft(swissenschaften)	**economics**

Studienplatz place at university, *AE* admission (as a student in college *usw.*)
Studienrat, Studienrätin *etwa*: secondary school teacher, *AE* high school teacher
studieren **1.** (≈ *an der Uni usw. sein*) study; ***sie studiert an der Uni Köln*** she's (studying) at Cologne University **2.** study (*Fach, Thema usw., auch Fahrplan usw.*)
Studio studio ['stjuːdɪəʊ]
Studium **1.** *allg.*: studies (⚠ *Pl.*) **2.** ***während seines Studiums*** *Gegenwart*: while he's studying, *Vergangenheit*: while he was studying (*oder* a student) **3.** ***er hat sein Studium der Biologie im vorigen Jahr abgeschlossen*** he finished (*oder* got) his degree in biology last year **4.** ***was macht***

dein Studium? how are you getting on at university *bzw.* college? **5.** ***das Studium der Pflanzen*** *usw.* the study of plants *usw.*

Stufe **1.** *einer Treppe*: step **2.** (≈ *Ebene im Gelände usw.*) level **3.** (≈ *Niveau*) level **4.** *einer Entwicklung*: stage **5.** (≈ *Schritt*) step; ***die nächste Stufe*** the next step

stufenlos: ***stufenlos verstellbar*** infinitely variable [ˌɪnfɪnətlɪ'veərɪəbl]

stufenweise step by step

Stuhl[1] **1.** chair **2.** ***der elektrische Stuhl*** the electric chair **3.** ***mich hats fast vom Stuhl gehauen*** *umg.* I nearly fell over backwards **4.** ***es hat uns nicht gerade vom Stuhl gerissen*** it wasn't exactly scintillating ['sɪntɪleɪtɪŋ]

Stuhl[2] (≈ *Kot*) stool, stools (*Pl.*) (⚠ *mst. wird die Pluralform verwendet*)

Stuhlgang bowel ['baʊəl] movement; ***Stuhlgang haben*** have* a bowel movement

Stulle piece of bread and butter (*oder* cheese *usw.*), sandwich [⚠ 'sænwɪdʒ]

stülpen **1.** ***ein Glas*** *usw.* ***über etwas stülpen*** put* a glass *usw.* over something **2.** ***eine Tasche*** *usw.* ***nach außen stülpen*** turn a pocket *usw.* inside out

stumm **1.** (≈ *unfähig zu sprechen*) dumb [⚠ dʌm] **2.** ***sie blieb stumm*** she remained silent ['saɪlənt] **3.** ***stumm dasitzen*** sit* in silence ['saɪləns]

Stummel **1.** *von Zigarette*, *Bleistift*: stub **2.** *von Zahn*: stump

Stumme(r) mute [mjuːt]

Stummfilm silent ['saɪlənt] movie

Stümper(in) bungler ['bʌŋglə]

stümperhaft **1.** bungling, incompetent [ɪn'kɒmpɪtənt] **2.** ***stümperhafte Arbeit*** *umg.* botch(-up), botched(-up) job **3.** ***etwas stümperhaft erledigen*** *umg.* botch something up

stumpf *Bleistift*, *Messer usw.*: blunt

Stumpfsinn: ***das ist der reinste Stumpfsinn*** *Arbeit*: it's completely mindless ['maɪndləs] work

stumpfsinnig dull, mindless ['maɪndləs]

Stunde **1.** (≈ *60 Minuten*) hour [⚠ 'aʊə]; ***eine halbe Stunde*** half an hour (⚠ *Wortstellung*); ***wir verdienen 15 Euro die Stunde*** we earn [ɜːn] 15 euros an hour **2.** (≈ *Unterrichtsstunde*) lesson; ***was habt ihr in der ersten Stunde?*** what's your first lesson? **3.** ***die Stunde der Wahrheit ist gekommen*** the moment of truth has come

Stundenkilometer: ***80 Stundenkilometer*** (*besser*: *80 Kilometer pro Stunde*) 80 kilometres an hour, *umg.* 80 k [keɪ]

Stundenkilometer

Bei Geschwindigkeiten wird noch vorwiegend in „Meilen pro Stunde" gerechnet. Hier eine Übersicht als grobe Orientierung:

50 km/h =	**30 mph** [ˌempiː'eɪtʃ] **(miles per hour)**
80 km/h =	**50 mph**
100 km/h =	**62 mph** usw.

stundenlang: ***sie sitzt stundenlang am Computer*** she sits in front of the computer for hours (on end)

Stundenplan timetable, *AE* schedule ['skedʒuːl]; ***ein voller Stundenplan*** a heavy timetable; ***wie sieht dein Stundenplan aus?*** what's your timetable like?

Stundenzeiger hour hand

stündlich: ***der Bus fährt stündlich*** the bus runs every hour

Stunk: ***Stunk machen*** kick up a row [⚠ raʊ] *oder* stink; ***es gab großen Stunk*** there was a big row [raʊ] *oder* a real stink

stupid, **stupide** **1.** *Arbeit*: mindless ['maɪndləs] **2.** *Person*: very dull

stupsen nudge

Stupsnase snub nose

stur **1.** stubborn ['stʌbən], *stärker*: pigheaded [ˌpɪg'hedɪd] **2.** ***das ist ein sturer Bock*** he's so pigheaded

Sturheit stubbornness ['stʌbənnəs]

Sturm **1.** (≈ *starker Wind*) gale, gale-force wind; ***starker Sturm*** heavy gale **2.** ***ein Sturm der Begeisterung*** a wave of enthusiasm [ɪn'θjuːzɪæzm] **3.** ***ein Sturm des Protests*** a storm of protest ['prəʊtest]

stürmen **1.** ***die Bühne stürmen*** storm the stage **2.** ***die Geschäfte stürmen*** invade the shops **3.** storm (*eine Stellung usw.*) **4.** *Sport*: attack

Stürmer(in) *Fußball usw.*: striker, forward

sturmfrei: ***heute Abend hab ich sturmfreie Bude*** I've got the place to myself tonight

stürmisch **1.** *Wetter*, *Überfahrt*: stormy **2.** ***ein stürmischer Liebhaber*** a passionate ['pæʃnət] lover

Sturmschaden storm damage ['dæmɪdʒ]

Sturz **1.** *allg.*: fall **2.** *eines Politikers usw.*: downfall, *gewaltsamer*: overthrow **3.** ***der Sturz des Dollars*** the collapse [kə'læps] of the dollar

stürzen **1.** *allg.*: fall* [fɔːl]; ***er ist schwer gestürzt*** he had a bad fall **2.** ***das Flugzeug ist ins Meer gestürzt*** the aircraft

S

crashed into the sea **3.** ***er kam ins Zimmer gestürzt*** he burst into the room **4.** ***sich aufs Essen stürzen*** attack the food **5.** ***sie stürzte sich in die Arbeit*** she threw herself into the (*oder* her) work

Sturzhelm crash helmet

Stuss *umg.* rubbish; ***so ein Stuss!*** what a load of rubbish!

Stute mare

Stutz ⒸⒽ (≈ *steiler Hang*) steep slope

Stütze **1.** *allg.*: support **2.** *umg.* (≈ *Arbeitslosengeld*) dole money, *AE* welfare; ***er lebt von der Stütze*** he's on the dole

stutzen **1.** (≈ *zögern*) hesitate ['hezɪteɪt] **2.** *vor Schreck usw.*: stop short **3.** (≈ *zweimal hingucken*) do* a double take

stützen **1.** *allg.*: support **2.** ***er stützte die Arme auf den Tisch*** he rested his arms on the table **3.** ***sie stützte sich auf ihren Stock*** she leaned on her stick **4.** ***sich auf etwas stützen*** *Verdacht*, *Theorie usw*: be* based on something

stutzig: ***ich wurde ganz stutzig*** I couldn't figure it out [ˌfɪgər‿ɪt'aʊt]

Stützpunkt *militärisch usw.*: base (*auch übertragen*)

Styropor® polystyrene [ˌpɒlɪ'staɪriːn], *AE* styrofoam® ['staɪrəfəʊm]

Subjekt subject ['sʌbdʒekt]

subjektiv subjective [səb'dʒektɪv]

subpolar subpolar [ˌsʌb'pəʊlə]

Substantiv noun

Substanz **1.** *allg.*: substance ['sʌbstəns] **2.** ***es geht allmählich an die Substanz*** it's beginning to get to me (him, her, us *usw.*)

subtrahieren *Mathematik*: subtract [səb'trækt]

Subtraktion *Mathematik*: subtraction [səb'trækʃn]

subtropisch subtropical [ˌsʌb'trɒpɪkl]

subventionieren subsidize ['sʌbsɪdaɪz]

Suchaktion search [sɜːtʃ]; ***eine Suchaktion durchführen*** carry out a search

Suche search [sɜːtʃ] (***nach*** for); ***auf der Suche nach etwas sein*** be* in search of something, be* looking for something; ***sich auf die Suche nach etwas machen*** start looking for something

suchen **1.** *auch*: ***suchen nach*** look for **2.** ***er sucht Streit*** he's looking for trouble **3.** ***du wirst gesucht*** you're wanted **4.** ***da kannst du lange suchen*** you won't find it (in) there **5.** ***was hast du hier zu suchen?*** what are you after?; ***du hast hier nichts zu suchen*** you've got no business ['bɪznəs] being here **6.** ***suche und ersetze*** *Computer*: find and replace

Sucher *einer Kamera*: viewfinder

Suchlauf *Video usw.*: search (function)

Suchmaschine *Internet*: search engine ['sɜːtʃˌendʒɪn]

Sucht **1.** addiction (***nach*** to) **2.** ***es wird bei ihr zur Sucht*** *übertragen* it's becoming an obsession [əb'seʃn] with her

süchtig addicted [ə'dɪktɪd]; ***nach etwas süchtig werden*** become* addicted to something, *umg.* get* hooked on something; ***das macht süchtig*** it's addictive (*auch übertragen*)

Süchtige(r) addict ['ædɪkt]

Suchtklinik drug abuse [ə'bjuːs] clinic

Suchtmittel addictive substance ['sʌbstəns]

Süd **1.** south; ***aus Süd*** from the south; ***München Süd*** South Munich **2.** ***nach Süd*** south, southwards ['saʊθwədz]

Südafrika **1.** *die Republik*: South Africa **2.** *das Gebiet*: southern [⚠ 'sʌðn] Africa

Südafrikaner South African; ***er ist Südafrikaner*** he's South African; ☞ ***Nationalitäten***

Südafrikanerin South African woman (*oder* lady *bzw.* girl); ***sie ist Südafrikanerin*** she's South African; ☞ ***Nationalitäten***

südafrikanisch South African

Südamerika South America

südamerikanisch South American

süddeutsch, **Süddeutsche(r)** South German; ☞ ***Nationalitäten***

Süddeutschland South (*oder* Southern [⚠ 'sʌðn]) Germany

Süden **1.** *Himmelsrichtung*: south; ***von Süden*** from the south **2.** *Landesteil*: South **3.** ***nach Süden*** south, southwards ['saʊθwədz], *Verkehr usw.*: southbound

Südeuropa South (*oder* Southern [⚠ 'sʌðn]) Europe ['jʊərəp]

Südeuropäer(in) South (*oder* Southern [⚠ 'sʌðn]) European; ☞ ***Nationalitäten***

südeuropäisch South (*oder* Southern [⚠ 'sʌðn]) European

Südkorea South Korea [kə'rɪə]

Südküste south coast

südlich **1.** *allg.*: southern [⚠ 'sʌðn] (⚠ *nur vor dem Subst.*) **2.** *Wind*, *Richtung*: southerly [⚠ 'sʌðəlɪ] **3.** ***in südlicher Richtung*** south, southwards ['saʊθwədz], *Verkehr usw.*: southbound **4.** ***südlich von*** (to the) south of **5.** ***weiter südlich*** further (to the) south

südlichste(r, -s): ***der südlichste Punkt Europas*** Europe's southernmost ['sʌðnməʊst] point

Südost southeast

Südostasien Southeast Asia

Südosten southeast

südöstlich southeast (***von*** of)

Südpol South Pole [ˌsaʊθ'pəʊl]
Südsee South Pacific [pə'sɪfɪk]
Südstaaten: ***die Südstaaten*** *der USA*: the Southern [⚠ 'sʌðn] States, the South (*Sg.*)
Südtirol South Tyrol [tɪ'rəʊl]
Südtiroler(in) man (*bzw.* woman *oder* lady *bzw.* girl) from South Tyrol [tɪ'rəʊl], South Tyrolean [ˌtɪrə'liːən]; ***sie ist Südtirolerin*** she's from South Tyrol; ☞ ***Nationalitäten***
südwärts south, southwards ['saʊθwədz]
Südwest, **Südwesten** southwest
südwestlich southwest (***von*** of)
Südwind south wind, southerly ['sʌðəlɪ] wind
Suff *umg.* **1.** boozing **2.** ***er hat es im Suff gesagt*** he was drunk when he said it
süffeln **1.** *allg.*: sip **2.** *umg.* tipple (*Alkohol*)
Sülze **1.** jellied ['dʒelɪd] meat **2.** (≈ *Aspik*) meat in aspic ['æspɪk]
Sümmchen: ***ein hübsches Sümmchen*** *umg.* a tidy little sum
Summe **1.** *beim Rechnen*: sum, (≈ *Gesamtsumme*) *auch*: total ['təʊtl] **2.** (≈ *Betrag*) amount
summen **1.** (*Person*) hum; ***er summte vor sich hin*** he was humming (away) to himself **2.** (*Insekt*) buzz **3.** (*Gerät usw.*) hum
summieren: ***es summiert sich*** it all adds up
Sumpf **1.** *allg.*: marsh **2.** *subtropischer*: swamp [swɒmp]
sumpfig **1.** *allg.*: marshy **2.** *weitläufiger*: swampy ['swɒmpɪ]
Sünde **1.** sin; ***eine schwere Sünde*** a serious ['sɪərɪəs] sin **2.** ***das ist doch keine Sünde*** *übertragen* it's no crime
Sündenbock scapegoat ['skeɪpgəʊt]; ***sie wurde zum Sündenbock gemacht*** she was used as a scapegoat
Sünder(in) sinner
sündhaft **1.** sinful, wicked [⚠ 'wɪkɪd] **2.** ***sündhaft teuer*** incredibly expensive
sündigen **1.** *allg.*: sin (***gegen*** against) **2.** *humorvoll* (≈ *zu viel essen usw.*) indulge, *umg.* sin
super *umg.* great, fantastic, *BE auch* ace, *AE auch* neat
Super *Benzin*: four-star, *AE* premium
Superding: ***es ist ein Superding*** *umg.* it's really amazing
Supergescheite(r): ***das ist so 'n Supergescheiter*** *umg.* he's a real know-all
superleicht *umg.* (≈ *sehr einfach*) dead easy
Supermann *umg.* superman; ***ich bin doch kein Supermann*** I'm not Superman (⚠ *ohne* a)
Supermarkt supermarket ['suːpəˌmɑːkɪt]; ***er kauft gerade im Supermarkt ein*** he's shopping at the supermarket
superschick *umg.* dead smart
superschnell *umg.* incredibly fast
Suppe **1.** *allg.*: soup **2.** (≈ *dicker Nebel*) *umg.* peasouper [ˌpiː'suːpə], *AE* peasoup **3.** ***da hast du dir eine schöne Suppe eingebrockt*** you've got yourself into a nice little mess there **4.** ***du musst jetzt die Suppe auslöffeln*** you'll have to face the music **5.** ***er hat mir die Suppe versalzen*** he's spoilt things for me
Surfbrett surfboard
surfen **1.** *mit Segel*: go* windsurfing **2.** *ohne Segel*: go* surfing
Surfer(in) surfer (*auch im Internet*)
suspekt **1.** *mst. von Dingen*: suspect ['sʌspekt]; ***das ist mir etwas suspekt*** it seems a bit suspect to me **2.** ***er kam mir etwas suspekt vor*** he seemed a bit suspicious [sə'spɪʃəs] to me
suspendieren suspend [sə'spend]
süß **1.** *allg.* sweet **2.** *übertragen*; *Baby*, *Kleid usw.*: sweet, *AE auch* cute [kjuːt]; ***oh wie süß!*** oh, isn't it sweet! **3.** ***ich esse gern süße Sachen*** I've got a sweet tooth **4.** ***ein süßes Lächeln*** *im negativen Sinn* a sugary smile **5.** ***träum süß!*** sweet dreams!
Süße(r) *umg.* sweetie(-pie)
süßen sweeten, put* sugar (*oder* sweetener ['swiːtnə]) in
Süßigkeiten sweets, *AE* candy (*mst. Sg.*)
süßlich **1.** sweet, (≈ *unangenehm süß*) sickly (sweet) **2.** (≈ *kitschig*) sickly (sweet) **3.** *Lächeln usw.*: sugary ['ʃʊgərɪ]
süßsauer **1.** *Gericht*: sweet-and-sour **2.** ***süßsaure Gurken*** pickled cucumbers ['kjuːkʌmbəz] **3.** ***süßsaures Lächeln*** forced smile
Süßspeise dessert [⚠ dɪ'zɜːt], sweet
Süßstoff sweetener ['swiːtnə]
Süßwasser fresh (*oder* sweet) water
Sweatshirt sweatshirt ['swetʃɜːt]
Swimmingpool (swimming) pool; ***am Swimmingpool*** by the pool
Symbol symbol ['sɪmbl] (***für*** of)
symbolisch symbolic [sɪm'bɒlɪk] (***für*** of)
Symbolleiste *Computer*: toolbar
Symmetrie symmetry ['sɪmətrɪ]
symmetrisch symmetrical [sɪ'metrɪkl]
sympathisch **1.** pleasant ['pleznt], nice **2.** ***er ist mir sehr sympathisch*** I really like him, I think he's really nice; ***er ist mir überhaupt nicht sympathisch*** I just don't like him (⚠ *engl.* sympathetic = ***mitleidsvoll***)
Symptom symptom ['sɪmptəm] (***für*** of)

Synagoge synagogue ['sɪnəgɒg]
synchronisiert *Film*: dubbed
Synchronsprecher(in) dubber
Synchronstimme dubbing voice
Synonym synonym ['sɪnənɪm]
Synthese synthesis ['sɪnθəsɪs] *Pl.*: syntheses ['sɪnθəsiːz]
Synthetik synthetic (fibre ['faɪbə])
synthetisch synthetic [sɪn'θetɪk]
Syrien Syria ['sɪrɪə]
System 1. system ['sɪstəm] **2.** (≈ *Methode*) method ['meθəd] **3. *es steckt überhaupt kein System drin*** there's no system to it
systematisch 1. systematic **2. *systematisch zerstören*** systematically destroy
Systemsteuerung *Computer*: system control ['sɪstəm‿kən,trəʊl]
Szene 1. *allg., auch politische usw.*: scene [siːn] **2. *sich in der Szene auskennen*** know* the scene **3. *jemandem eine Szene machen*** make* a scene (⚠ *ohne* someone) **4. *sie hat sich wieder in Szene gesetzt*** she had to be the centre of attention again
Szenenwechsel 1. *im Theater*: scene change **2.** *übertragen* change of scene

T

Tabak tobacco [tə'bækəʊ]
Tabakladen tobacconist's [tə'bækənɪsts], *AE* cigar [sɪ'gɑː] store
Tabelle 1. *allg.*: table **2.** (≈ *Diagramm*) chart [tʃɑːt] **3.** *Sport*: league [liːg] table, *AE* standings (⚠ *Pl.*)
Tabellenerster: ***sie sind Tabellenerster*** they're top of the league [liːg]
Tabellenletzter: ***sie sind Tabellenletzter*** they're bottom of the league [liːg]
Tablett tray
Tablette tablet ['tæblət], pill
tabu 1. taboo [tə'buː]; ***das ist tabu*** it's a taboo **2. *das Thema ist für ihn tabu*** it's a taboo topic with him
Tabu taboo [tə'buː]; ***ein Tabu brechen*** break* a taboo
Tabulator tabulator ['tæbjʊleɪtə], *umg.* tab stop
Tabuwort taboo word (*oder* expression)
Tacho(meter) speedo, speedometer [spɪ'dɒmɪtə]
tadellos 1. perfect ['pɜːfɪkt] **2. *das ist doch tadellos*** *umg.* what's wrong [rɒŋ] with it?
Tafel 1. (≈ *Schultafel*) board, *schwarze*: board, blackboard ['blækbɔːd]; ***etwas an die Tafel schreiben*** write* [⚠ raɪt] something (up) on the board **2. *eine Tafel Schokolade*** a bar of chocolate ['tʃɒklət]
Tafeldienst: ***wer hat Tafeldienst?*** who's the blackboard monitor?
Tafellappen duster, *AE* (blackboard) eraser [ɪ'reɪzə]
Tafelrunde: ***König Artus und die Tafelrunde*** King Arthur and the Knights [naɪts] of the Round Table
Tag 1. day; ***dreimal am Tag*** three times a day; ***am Tag*** (≈ *tagsüber*) during the day; ***den ganzen Tag*** all day long; ***was haben wir heute für einen Tag?*** what day is it today?; ***von einem Tag auf den andern*** from one day to the next; ***auf den Tag genau*** to the day; ***es müsste jeden Tag da sein*** it should be here any day; ***heute in acht Tagen*** a week from today **2.** (***guten***) ***Tag!*** hello!, *umg.* hi!, *morgens auch*: (good) morning!, *nachmittags auch*: (good) afternoon!; ***jemandem Guten Tag sagen*** say* hello to someone **3. *er hat seinen guten*** (*bzw.* ***schlechten***) ***Tag*** he's in a good (*bzw.* bad) mood today; ***heute habe ich keinen guten Tag*** it's not my day today **4. *sie hat ihre Tage*** she's got her period ['pɪərɪəd] **5. *Tag der offenen Tür*** open day, *AE* open house **6. *Tag der deutschen Einheit*** German Unity Day **7. *eines Tages*** one day **8. *es ist ein Unterschied wie Tag und Nacht*** there's no comparison **9. *man soll den Tag nicht vor dem Abend loben*** don't count your chickens before they're hatched
tagaus: ***tagaus, tagein*** day in, day out
Tagebau *Bergbau*: opencast mining, *AE* strip mining
Tagebuch diary ['daɪərɪ]
tagelang for days (on end)
Tagesablauf daily routine [ˌruː'tiːn]
Tagesausflug day trip
Tageskarte 1. (≈ *Fahrkarte*) day ticket **2.**

die Tageskarte *im Restaurant*: today's menu ['menju:]

Tageslicht 1. daylight; ***bei Tageslicht*** in the daylight **2.** ***etwas ans Tageslicht bringen*** *übertragen* bring* something to light

Tagesmutter childminder ['tʃaɪld,maɪndə], *AE* child care worker

Tagesordnung agenda [ə'dʒendə]

Tagesschau (television) news (⚠ *Sg.*)

Tagesstätte day-care centre

Tagestemperatur daytime temperature ['temprətʃə]

Tagestour 1. day trip **2.** *bei Betonung der Länge*: day's journey ['dʒɜːnɪ]

Tageszeit time of (the) day; ***zu jeder Tageszeit*** any time of the day; ***um diese Tageszeit*** at this time of day (⚠ *ohne* the)

Tageszeitung daily (news)paper

täglich 1. (≈ *jeden Tag*) every day; ***zweimal täglich*** twice [twaɪs] a day **2.** ***die täglichen Pflichten*** *usw.* the daily chores [⚠ tʃɔːz] *usw.*

tags, tagsüber during the day

tagtäglich (≈ *jeden Tag*) every day

Tagung conference ['kɒnfrəns], convention

Taifun typhoon [taɪ'fuːn]

Taille waist

tailliert *Hemd usw.*: waisted

Takt[1] **1.** (≈ *Rhythmus*) beat **2.** *eines Walzers usw.*: time; ***im Takt bleiben*** keep* in time (⚠ *ohne* the); ***im 3/4-Takt*** in 3-4 (*gesprochen* three-four) time **3.** (≈ *Takteinheit*) bar; ***ein paar Takte spielen*** play a couple ['kʌpl] of bars

Takt[2], **Taktgefühl** tact, tactfulness

Taktik tactics (⚠ *Pl.*); ***das war eine gute Taktik*** that was good tactics

Taktiker(in) *auch im Sport*: tactician [tæk'tɪʃn]

taktisch 1. tactical **2.** ***du musst taktisch vorgehen*** you've got to use tactics

taktlos tactless; ***er ist total taktlos*** he's got no sense of tact

Taktlosigkeit 1. *allg.*: tactlessness **2.** ***das war aber eine Taktlosigkeit*** that was a tactless thing to say (*bzw.* do)

Taktstock baton [⚠ 'bætɒn]

taktvoll tactful ['tæktfl]

Tal valley ['vælɪ]

Talent 1. (≈ *Begabung*) talent ['tælənt] **2.** *Person*: talented person; ***er ist ein echtes Talent*** he's got real talent

talentiert talented ['tæləntɪd]

Talfahrt *Skifahren*: descent [dɪ'sent]

Talisman lucky charm

Talkmaster chat-show host [həʊst], *AE* talk-show host (⚠ *das Wort* ***Talkmaster*** *gibt es im Englischen nicht*)

Talkshow chat show, *AE* talk show

Tandem tandem; ***Tandem fahren*** ride* tandem

Tandler(in) *bes.* Ⓐ (≈ *Trödler, -in*) junk dealer

tangieren: ***das tangiert mich nicht*** that's got nothing to do with me

Tank *allg.*: tank

tanken 1. (≈ *Benzin tanken*) get* some petrol ['petrəl] (*AE* gas) **2.** ***er hat ganz schön getankt*** *umg.* (≈ *zu viel getrunken*) he's had too much to drink

Tanker *Schiff*: (oil) tanker

Tanklastzug tanker (lorry, *AE* truck)

Tankstelle petrol ['petrəl] station, *AE* gas station

Tankwart(in) petrol ['petrəl] pump (*AE* gas station) attendant

Tanne fir [fɜː] tree

Tannenbaum 1. fir [fɜː] tree **2.** (≈ *Weihnachtsbaum*) Christmas ['krɪsməs] tree

Tannenbaum

Der Tannenbaum wurde von Prince Albert, dem Gemahl Königin Victorias, im 19. Jahrhundert in Großbritannien eingeführt.

Tante 1. aunt [ɑːnt], *umg.* auntie **2.** ***was wollte die Tante?*** *umg.* what did 'she want?

Tante-Emma-Laden corner shop, *AE* grocery store

Tanz dance [dɑːns]

tanzen dance; ***tanzen gehen*** go* dancing

Tänzer(in) dancer ['dɑːnsə]

Tanzkurs: ***einen Tanzkurs machen*** do* a dancing ['dɑːnsɪŋ] course

Tanzmusik dance [dɑːns] music

Tanzpartner(in) (dancing) partner

Tanzschule dance [dɑːns] school

Tanzstunde dancing ['dɑːnsɪŋ] lesson; ***ich muss zur Tanzstunde gehen*** I've got to go to my dancing ['dɑːnsɪŋ] class

Tapete wallpaper

Tapetenwechsel change of scenery ['siːnərɪ]

tapezieren wallpaper (*Wände*)

tapfer 1. *allg.*: brave **2.** ***er hat es tapfer ertragen*** he put on a brave front [frʌnt]

Tapferkeit (≈ *Mut*) courage ['kʌrɪdʒ]

tappen 1. ***nach etwas tappen*** grope around for something **2.** ***im Dunkeln tappen*** *übertragen* grope in the dark

tapsig clumsy

Tarantel tarantula [tə'ræntjʊlə]

Tarif 1. *allg.*: rate **2. *über Tarif*** above the standard rate
tarnen *bes. militärisch*: camouflage ['kæməflɑːʒ]; ***sich tarnen*** camouflage oneself
Tasche 1. *allg.*: bag **2.** (≈ *Hosentasche usw.*) pocket; ***sie hat es in die Tasche gesteckt*** she put it in her pocket **3. *ich habs aus eigener Tasche bezahlt*** I paid for it out of my own pocket **4. *er musste tief in die Tasche greifen*** he had to dig deep into his pockets (⚠ *Pl.*) **5. *sie steckt alle in die Tasche*** she's head and shoulders ['ʃəʊldəz] above [ə'bʌv] everyone else **6. *du lügst dir in die eigene Tasche*** *umg.* stop kidding yourself
Taschenbuch paperback
Taschendieb(in) pickpocket ['pɪkˌpɒkɪt]
Taschengeld pocket money; ***ich krieg dreißig Euro Taschengeld*** I get thirty euros pocket money
Taschenlampe torch [tɔːtʃ], *AE* flashlight
Taschenmesser pocketknife ['pɒkɪtnaɪf], penknife ['pennaɪf]
Taschenrechner (pocket) calculator ['kælkjʊleɪtə]
Taschentuch handkerchief [⚠ 'hæŋkətʃɪf], *umg.* hankie
Taschenuhr fob watch
Taschenwörterbuch pocket dictionary ['dɪkʃənrɪ]
Tasse 1. *allg.*: cup; ***eine Tasse Kaffee*** a cup of coffee **2. *sie hat nicht alle Tassen im Schrank*** *umg.* she's got a screw [skruː] loose [luːs]
Tastatur *allg.*: keyboard
Taste *allg.*: key; ***eine Taste drücken*** press a key
tasten 1. grope (***nach*** for) **2. *sich tasten*** feel* (*oder* grope) one's way
Tasteninstrument keyboard instrument ['ɪnstrəmənt]
Tastentelefon pushbutton (tele)phone
Tat: ***eine gute Tat vollbringen*** do* a good deed
Täter(in) 1. *allg.*: culprit ['kʌlprɪt] **2.** (≈ *Straftäter, -in*) offender [ə'fendə]
tätig 1. *als Schauspieler* *usw.* ***tätig sein*** work as an actor *usw.* **2.** *Vulkan*: active
Tätigkeit 1. (≈ *Arbeit*) job **2.** (≈ *Beschäftigung*) occupation
Tatort scene [siːn] of the crime
tätowieren: ***sie hat sich am Arm tätowieren lassen*** she's had her arm tattooed
Tätowierung tattoo [tæ'tuː] (***an*** on)
Tatsache fact; ***Tatsache ist, dass*** the fact is (that)
tatsächlich 1. *er schläft tatsächlich* he really is asleep **3. *tatsächlich?*** really?
tätscheln pat
tatt(e)rig *umg.*; *Greis*: doddery
Tattoo (≈ *Tätowierung*) tattoo [tæ'tuː]
Tatze *allg.*: paw [pɔː]
Tau[1] (≈ *Morgentau*) dew [djuː]
Tau[2] (≈ *Strick*) rope
taub 1. deaf [def]; ***taub werden*** go* deaf; ***sie ist auf dem linken Ohr taub*** she's deaf in her left ear **2. *er stellt sich einfach taub*** he just pretends not to hear **3.** *Füße usw.*: numb [⚠ nʌm] (***vor Kälte*** with cold)
Taube 1. pigeon ['pɪdʒən] **2.** *als Symbol des Friedens usw.*: dove [⚠ dʌv]
Taubenschlag 1. dovecote [⚠ 'dʌvkəʊt, 'dʌvkɒt] **2. *hier gehts zu wie im Taubenschlag*** it's like Piccadilly Circus (*AE* Times Square) around (*bzw.* in) here
Taubheit deafness ['defnəs]
taubstumm deaf and dumb [⚠ ˌdef‿ən'dʌm]
Taubstumme(r) deaf-mute [ˌdef'mjuːt]
tauchen 1. *allg.*: dive* (***in*** into; ***nach*** for), *als Sport auch*: skin-dive* **2.** *mit Gerät*: scuba-dive* ['skuːbədaɪv] **3. *sie tauchte den Fuß in den Eimer*** she dipped her foot in the bucket
Taucher(in) (skin) diver
Taucheranzug diving suit [suːt], wetsuit
Taucherbrille diving goggles (⚠ *Pl.*)
Tauchsieder immersion heater
tauen thaw [θɔː], melt; ***es taut*** it's thawing
Taufe 1. *allg.*: baptism **2.** (≈ *christliche Namenstaufe*) christening [⚠ 'krɪsnɪŋ]
taufen 1. *in Kirche*: baptize [bæp'taɪz], christen [⚠ 'krɪsn] (*auch Schiff usw.*) **2.** (≈ *nennen*) call
Taufpate 1. godfather **2. *meine Taufpaten*** my godparents
Taufpatin godmother
taugen 1. *es taugt nichts* it's no good *oder* use [juːs] **2. *taugt es was?*** is it any use? **3. *es taugt nicht für Kinder*** it isn't meant for children **4. *wenns dir nicht taugt*** *bes.* Ⓐ if you don't like it
Taugenichts good-for-nothing
tauglich 1. *allg.*: suitable ['suːtəbl] (***für, zu*** for) **2.** *fürs Militär*: fit (for service)
taumeln reel, stagger
Tausch 1. *allg.*: exchange, *umg.* swap [swɒp] **2. *das war ein guter Tausch*** that was a good deal
tauschen 1. *allg.*: exchange, *umg.* swap [swɒp] **2.** exchange (*Worte, Blicke*) **3. *mit ihr möchte ich nicht tauschen*** I wouldn't like to be in her shoes
täuschen 1. (≈ *irreführen*) deceive [dɪ'siːv] **2. *es täuscht*** it's deceptive [dɪ'septɪv] **3. *wenn mich nicht alles täuscht*** if I'm

not very much mistaken **4.** ***da täuschst du dich*** you're wrong [rɒŋ] there
täuschend: ***er sieht ihm täuschend ähnlich*** he looks just like him
Täuschung 1. *allg.*: deception [dɪ'sepʃn] **2.** (≈ *bes. Selbsttäuschung*) delusion [dɪ'luːʒn] **3.** (≈ *Irrtum*) mistake **4.** ***optische Täuschung*** optical illusion
tausend 1. *allg.*: a thousand, *betont*: one thousand; ***tausend Euro*** a thousand euros (⚠ *Pl.*) **2.** (≈ *sehr viele*) thousands of **3.** ***tausend Dank!*** thanks a million!
tausendmal a thousand times
tausendste(r, -s) thousandth ['θaʊznθ]
tausendstel thousandth; ***eine tausendstel Sekunde*** a thousandth of a second
Tausendstel thousandth ['θaʊznθ]
Tauwetter thaw [θɔː]
Tauziehen tug-of-war [ˌtʌgəv'wɔː]
Taxi taxi; ***mit dem Taxi fahren*** go* by taxi

Taxi

Die großen schwarzen Taxis, die man in London und anderen Großstädten sieht, heißen **black cabs**. Sie dürfen nur von ausgebildeten Taxifahrern (umgangssprachlich **cabbies** genannt) gefahren werden, die besonders in London für ihre Fahrkunst und detaillierten Kenntnisse der Hauptstadt bekannt sind.

Taxifahrer taxi (*oder* cab) driver
Taxistand taxi rank, *bes. AE* taxi stand
Team team; ***im Team arbeiten*** work in a team, work as part of a team
Teamarbeit teamwork
Technik[1] **1.** ***die Technik*** technology [tek'nɒlədʒɪ] (⚠ *ohne* the) **2.** *als Fach mst*: engineering [ˌendʒɪ'nɪərɪŋ] **3.** (≈ *Maschinen, Geräte*) technology, equipment [ɪ'kwɪpmənt] **4.** *eines Geräts usw.*: mechanics [mɪ'kænɪks] (⚠ *Pl.*) **5.** ***ich verstehe nichts von der Technik*** I'm hopeless when it comes to technical matters **6.** (≈ *Verfahren, Methode*) technique [tek'niːk]

Technik

„Technik" übersetzt man mit **technique**, wenn es um ein Verfahren oder eine Methode/Vorgehensweise geht, mit der etwas ausgeführt wird:

a good skiing / singing / selling technique

Technik[2] *im Sport, in der Kunst usw.*: technique [tek'niːk]
Techniker(in) technician [tek'nɪʃn]
technisch 1. *allg.*: technical ['teknɪkl] **2.** *Fortschritt, Wandel usw.*: technological
Techno *Musikstil*: techno ['teknəʊ]
Technologie technology [tek'nɒlədʒɪ]
technologisch technological [ˌteknə'lɒdʒɪkl]
Tee tea; ***möchtest du einen Tee trinken?*** would you like a cup of tea?

Tee oder Kaffee?

Ob in Krisenzeiten oder in der Hochkonjunktur – Tee ist und bleibt das Nationalgetränk Nr. 1 Großbritanniens, das in allen Lebenslagen getrunken wird, und zwar mit Milch und eventuell mit Zucker. Im Vergleich zum Tee auf dem europäischen Festland ist der britische Tee relativ stark. Tee mit Zitrone ist in Großbritannien nicht sehr üblich. Und falls du mal Briten zu Besuch haben solltest: In den Tee gehört auf keinen Fall Kondensmilch oder Kaffeesahne, sondern Frischmilch!

Kaffee ist längst auch sehr beliebt. Der Kaffee, wie man ihn in Großbritannien und in den USA kennt, ist meist nicht so stark wie in den deutschsprachigen Ländern. Wenn du im Restaurant einen Kaffee bestellst, wird man dich fragen: **„Black or white"** (**black** = ohne Milch; **white** = mit Milch). Zum Frühstück bekommst du in den meisten amerikanischen Restaurants für einen bezahlten Kaffee so viel nachgeschenkt wie du willst.

Teebeutel teabag
Teekanne teapot
Teelöffel teaspoon; ***zwei Teelöffel Honig*** two teaspoons of honey
Teepause tea break
Teer tar
teeren tar (*Straße usw.*)
Teetasse teacup
Teich pond
Teig dough [⚠ dəʊ]
Teil[1] **1.** *eines Ganzen*: part; ***ein Teil davon*** part of it (⚠ *ohne* a), some of it **2.** (≈ *Stück*) piece **3.** ***zum Teil*** partly; ***er war zum Teil schuld*** it was partly his fault; ***es war zum Teil langweilig*** there were some boring bits **4.** ***der größte Teil des Films*** most of the film **5.** ***ich habs zum größten Teil gelesen*** I've read most of it; ***es war zum größten Teil gut*** it was mostly good

T

Teil[2] *einer Maschine usw.*: part
Teil[3] **1.** (≈ *Anteil*) share **2.** ***ich hab meinen Teil beigetragen*** I've done my bit
Teilchen 1. *allg.* particle (*auch Physik*) **2.** *bes. norddeutsch* (≈ *Gebäckstück*) pastry ['peɪstrɪ], tart
teilen 1. *in Teile*: divide (up) (***in*** into) **2.** ***sich etwas mit jemandem teilen*** share something with someone **3.** ***er teilt nicht gern*** he doesn't like sharing **4.** share (*eine Meinung, Gefühle*) **5.** ***20 durch 4 teilen*** divide 20 by 4 **6.** ***sich teilen*** divide, (*Straße*) fork
Teilnahme participation [pɑːˌtɪsɪ'peɪʃn] (***an*** in)
teilnehmen 1. *allg.*: take* part (***an*** in) **2.** ***am Unterricht teilnehmen*** attend class (-es)
Teilnehmer(in) participant [pɑː'tɪsɪpənt]
teils 1. ***es war teils gut, teils schlecht*** it was partly good, partly bad **2.** ***„Hat es dir gefallen?" - „Teils, teils."*** 'Did you like it?' - 'It was all right in parts.'
Teilstück section
Teilung division [dɪ'vɪʒn]
teilweise partly
Teilzeit part-time: ***Teilzeit arbeiten*** work part-time, do* part-time work
Teilzeitarbeit part-time work
Teint complexion, skin
Tele telephoto [ˌtelɪ'fəʊtəʊ], telephoto lens [⚠ ˌtelɪfəʊtəʊ'lenz]
Telearbeit teleworking, telecommuting [ˌtelɪkə'mjuːtɪŋ]
Telefon telephone, phone; ***er ist am Telefon*** he's on the phone; ***ans Telefon gehen*** answer the phone
Telefonauskunft directory enquiries [də'rektərɪ ɪnˌkwaɪərɪz] (⚠ *Pl.*), *AE* directory assistance (⚠ *beide ohne* the)
Telefonbuch phone book, telephone directory [də'rektrɪ]
Telefongebühren telephone charges (*oder* rates)
Telefongespräch: ***ein Telefongespräch führen*** make* a (tele)phone call
telefonieren 1. ***ich telefoniere gerade*** I'm on the phone **2.** ***sie telefoniert mit Martin*** she's on the phone to Martin **3.** ***ich geh eben telefonieren*** I'm just going to make a phone call
Telefonkarte phonecard, *in Irland auch*: callcard
Telefonleitung telephone line
Telefonnummer phone number
Telefonrechnung phone bill
Telefonseelsorge crisis ['kraɪsɪs] line, *in GB auch*: Samaritans [sə'mærɪtənz] (⚠ *Pl.*)
Telefonterror malicious [mə'lɪʃəs] phone calls (⚠ *Pl.*), telephone harassment ['hærəsmənt]
Telefonzelle phone box, *AE* phone booth
Telefonzentrale switchboard; ***über die Telefonzentrale*** through the switchboard
Telegramm telegram ['telɪgræm]
Teleobjektiv telephoto lens [⚠ ˌtelɪfəʊtəʊ'lenz]
Telepathie telepathy [tə'lepəθɪ]
Teleprompter® *TV, bes. BE*: Autocue® ['ɔːtəʊkjuː]
Teleshopping teleshopping ['telɪˌshɒpɪŋ]
Teleskop telescope ['telɪskəʊp]
Teller 1. plate **2.** ***zwei Teller Suppe*** two plates of soup **3.** ***drei Teller voll Spaghetti*** three platefuls of spaghetti!

Rund ums Telefon

(den Hörer) abnehmen	**lift / pick up (the receiver)**
Auslandsgespräch	**international call**
Ferngespräch	**long-distance call**
Gespräch auf Kreditkarte	**credit card call**
Hörer	**receiver**
Kartentelefon	**cardphone**
Landeskennzahl	**country code**
Ortsgespräch	**local call**
R-Gespräch	**reverse charge call**, *AE* **collect call**
Rufnummer	**phone number**
Telefon	**telephone, phone**
Telefonbuch	**phone book, telephone directory**
Telefonkarte	**phonecard**
Telefonnummer	**phone number**
Vorwahl/Ortsnetzkennzahl	*BE* **dialling code**, *AE* **area code**
(eine Nummer) wählen	**dial (a number)**
Weckruf (für morgen früh 6.30 Uhr)	**alarm call (for 6.30 tomorrow morning)**

T

Telefonieren

Wenn du mal mit deinem Freund oder deiner Freundin in Großbritannien telefonierst, wird er/sie sich vielleicht so melden:

Hello? (mit Betonung auf der zweiten Silbe)

Erwachsene melden sich entweder auch so oder mit der Telefonnummer, z. B. 72814 (gesprochen **seven two / eight one / four**) bzw. mit dem Ortsnamen und der Telefonnummer, z. B. **Wheatley 54132**.

Ähnlich wie in Deutschland, ist es auch möglich, dass jemand nur seinen Namen sagt:

Thomas Miller. *oder* **Thomas Miller speaking.**

Antworten könntest du so:

Hi, it's Martin. *bzw.* **Hello, it's Martin.**

Möchtest du mit jemand anderem sprechen, dann sagst du:

Could I speak to Julie / Mr Bradshaw, please?

Beenden kannst du dann dein Telefongespräch etwa so:

I'll have to go now / I must go now, I'm meeting Peter in town / There's somebody at the door *usw.*
I'll ring you on Monday / I'll talk to you soon / See you tomorrow *usw.*

Ganz zum Schluss sagt man einfach **Bye!** Es gibt im Englischen keine Entsprechung für *auf Wiederhören*!

Übrigens: Vom Rhythmus der Aussprache her werden die Ziffern meist in Zweiergruppen zusammengefasst. Die „Null" heißt **oh** (in Amerika **zero**) und zwei gleiche Ziffern werden **double-two, double-three** *usw.* ausgesprochen.

01976 54197 gesprochen **oh one / nine seven / six // five four / one nine / seven**
01228 36641 gesprochen **oh one / double-two / eight // three / double-six / four one**

Tempel temple
Temperament 1. (≈ *Wesensart*) temperament ['temprəmənt] **2.** ***sie hat kein Temperament*** there's no life in her **3.** ***er hat Temperament*** he's very lively **4.** ***sein Temperament ging mit ihm durch*** he lost control
temperamentvoll lively ['laɪvlɪ]
Temperatur temperature ['temprətʃə]; ***bei Temperaturen von 30 Grad*** at a temperature of 30 degrees
Tempo[1] **1.** (≈ *Geschwindigkeit*) speed **2.** *in der Musik*: tempo
Tempo®[2] *umg.* (paper) tissue ['tɪʃuː]
Tempolimit speed limit
Tendenz 1. (≈ *Neigung*) tendency ['tendənsɪ]; ***die Tendenz haben zu*** have* a tendency to; ***die Tendenz zur Übertreibung*** a tendency to exaggerate **2.** *wirtschaftliche usw.*: trend (***zu*** towards)
tendieren tend (***zu*** towards)
Teneriffa Tenerife [ˌtenə'riːf]
Tennis tennis
Tennisplatz tennis court
Tennisschläger tennis racket
Tenor tenor [⚠ 'tenə]
Teppich 1. carpet **2.** ***fliegender Teppich*** magic carpet **3.** ***bleib auf dem Teppich!*** keep your feet on the ground
Teppichboden fitted carpet (*oder* carpets *Pl.*), wall-to-wall carpeting
Termin 1. (≈ *vereinbarter Tag*) date **2.** ***ich habe einen Termin beim Arzt*** I've got an appointment with the doctor, I've got a doctor's appointment **3.** (≈ *Abgabetermin usw.*) deadline ['dedlaɪn]
Terminkalender diary ['daɪərɪ]
Terminplaner 1. *in Buchform*: personal organizer, Filofax® ['faɪləfæks] **2.** *Computer*: personal digital assistant [ə'sɪstənt] (*Abk.* PDA [ˌpiːdiː'eɪ])
Terpentin turpentine ['tɜːpəntaɪn]
Terrasse patio [⚠ 'pætɪəʊ], terrace ['terəs]
Terror 1. *allg.*: terror **2.** (≈ *Terrorismus*) terrorism **3.** ***mach keinen Terror!*** *umg.* don't make such a fuss
Terroranschlag terrorist attack
terrorisieren terrorize
Terrorismus terrorism
Terrorist(in) terrorist

T

Tesafilm® *etwa*: Sellotape®, *bes. AE etwa*: Scotch tape®
Test test, *AE Schule*: test, quiz *Pl.*: quizzes
Testament 1. will; ***sein Testament machen*** make* a will **2. *da kannst du gleich dein Testament machen!*** *umg.* you may as well sign your own death certificate ['deθ‿səˌtɪfɪkət] **3. *Altes*** (*bzw.* ***Neues***) ***Testament*** Old (*bzw.* New) Testament ['testəmənt]
Testbild *TV*: test card, *AE* test pattern
testen test; ***eine Uhr auf Wasserfestigkeit testen*** test whether a watch is waterproof
Testergebnis test results (⚠ *Pl.*)
Tetanusschutzimpfung tetanus injection
teuer 1. *Preis*: expensive; ***wie teuer ist es?*** how much 'is it?; ***ganz schön teuer!*** pretty expensive **2. *es kam ihn teuer zu stehen*** *übertragen* he had to pay dearly for it
Teufel 1. devil ['devl] **2. *der Teufel*** the Devil, Satan ['seɪtn] **3. *du kleiner Teufel!*** you little devil **4.** *Wendungen*: ***was*** (*bzw.* ***wo*** *usw.*) ***zum Teufel*** what (*bzw.* where *usw.*) the devil (*oder* hell); ***weiß der Teufel*** God knows; ***den Teufel werd ich tun*** the hell I will; ***dort ist der Teufel los*** it's like all hell let loose there; ***er übt auf Teufel komm raus*** he's practising ['præktɪsɪŋ] like mad; ***wenn man vom Teufel spricht*** speak of the devil
Teufelskreis vicious circle [ˌvɪʃəs'sɜːkl]
teuflisch 1. *es ist teuflisch kalt* it's bitterly cold; ***es tut teuflisch weh*** it hurts like hell **2.** *Plan usw.*: devilish ['devlɪʃ]
Text 1. *allg.*: text **2.** (≈ *Liedertext*) lyrics ['lɪrɪks], words (⚠ *beide Pl.*) **3.** *eines Schauspielers*: part, lines (⚠ *Pl.*) **4. *weiter im Text!*** go on!
Textbaustein *Computer*: text module ['tekstˌmɒdjuːl]
Texter(in) (≈ *Schlagertexter, -in*) lyricist ['lɪrɪsɪst]; ***er ist der Texter*** he writes the lyrics
Textilien textiles ['tekstaɪlz]
Textverarbeitung *Computer*: word processing ['wɜːdˌprəʊsesɪŋ]
Thailand Thailand ['taɪlænd]
Thailänder(in) Thai [taɪ]; ☞ ***Nationalitäten***
thailändisch, Thailändisch Thai [taɪ]
Theater 1. *allg.*: theatre ['θɪətə]; ***ins Theater gehen*** go* to the theatre; ***im Theater*** at the theatre **2. *er ist beim Theater*** he works for the theatre **3. *mach kein Theater!*** don't make (such) a fuss!; ***es ist immer das gleiche Theater*** it's always the same carry-on
Theaterstück (stage) play
Theke 1. *in einer Gaststätte usw.*: bar **2.** *im Laden*: counter
Thema 1. *allg.*: subject ['sʌbdʒekt] **2.** (≈ *Gesprächsthema*) subject, topic; ***wechseln wir das Thema*** let's change the subject; ***er kommt nie zum Thema*** he never gets to the point **2. *Thema Nummer eins*** the number one topic **3. *das ist für mich kein Thema mehr*** I don't want to hear any more about it **4.** *Musik*: theme [θiːm]
Thematik subject ['sʌbdʒekt] (matter)
Themaverfehlung: ***er fiel wegen Themaverfehlung durch*** he was failed for not answering the question
Themse: ***die Themse*** the Thames [⚠ temz]
Theologie theology [θɪ'ɒlədʒɪ]
theoretisch 1. theoretically [ˌθɪə'retɪklɪ] **2. *theoretisch stimmt das*** that's right in theory ['θɪərɪ]
Theorie theory ['θɪərɪ] (***über*** on); ***in der Theorie*** in theory (⚠ *ohne* the)
Therapeut(in) therapist ['θerəpɪst]
Therapie therapy ['θerəpɪ]
Thermalquelle thermal spring [ˌθɜːml'sprɪŋ]
Therme 1. (≈ *Thermalquelle*) thermal spring [ˌθɜːml'sprɪŋ] **2.** *für Heizung und Warmwasser*: gas heater, *BE auch* geyser ['giːzə]
Thermometer thermometer [θə'mɒmɪtə]
Thermosflasche® thermos® flask ['θɜːməs‿flɑːsk], *AE* thermos® bottle
Thermoskanne® thermos® jug (*oder* can)
Thermostat thermostat ['θɜːməstæt]
These thesis ['θiːsɪs] *Pl.*: theses [⚠ 'θiːsiːz]
Thon Ⓒⓗ (≈ *Thunfisch*) tuna ['tuːnə] (fish)
Thron throne
Thronfolger(in) successor to the throne
Thunfisch tuna ['tjuːnə] (fish)
Thüringen Thuringia [θjʊ'rɪndʒɪə]
Thymian *Gewürzpflanze*: thyme [⚠ taɪm]
Tibet Tibet [tɪ'bet]
Tick 1. (≈ *Angewohnheit*) (strange) quirk [kwɜːk] **2. *er hat einen Tick*** *umg.* he's (a bit) mad **3. *sie hat einen Tick mit Vitaminen*** she's got a thing about vitamins ['vɪtəmɪnz]
ticken 1. tick **2. *bei dir tickts nicht richtig*** you've got a screw loose (somewhere)
Tide tide [taɪd]
Tiebreak *Tennis*: tiebreak ['taɪbreɪk], tiebreaker
tief 1. *allg.*: deep; ***2 Meter tief*** 2 metres (⚠ *Pl.*) deep **2.** *auch Ton, Sonne*: (≈ *niedrig*) low **3.** *Stimme*: deep **4. *ein Stockwerk tiefer*** one floor (lower) down **5. *tief atmen*** take* a deep breath [breθ] **6. *bis tief***

in die Nacht till the small hours **7.** ***tief in Gedanken*** deep in thought (⚠ *Sg.*) **8.** ***das lässt tief blicken*** that's very revealing

Tief 1. *im Wetter*: low, low-pressure area **2.** ***sie hat ein seelisches Tief*** she's feeling pretty low (at the moment)

tiefblau deep blue

Tiefe *allg.*: depth [depθ]; ***in hundert Meter Tiefe*** at a depth of a hundred metres

Tiefenregler *Radio usw.*: bass [⚠ beɪs] control

Tiefenschärfe *Fotografie*: depth of field (*oder* focus)

Tiefgarage underground car park, *AE* underground garage

Tiefkühlkost frozen foods (⚠ *Pl.*)

Tiefkühltruhe freezer

Tiefpunkt low; ***wir sind zur Zeit auf einem Tiefpunkt*** we've reached a low

Tiefschnee deep (powder) snow

Tiefschneefahren deep powder skiing, off-piste skiing [ˌɒfpiːst'skiːɪŋ]

tiefschwarz deep black, jet-black

Tiefsee deep sea

Tiefsttemperatur lowest temperature ['temprətʃə] (***um*** around)

Tier 1. animal ['ænɪml], (≈ *wildes Tier*) animal, beast **2.** ***er ist ein Tier*** *übertragen* he's a real brute

Tierart animal species [⚠ 'spiːʃiːz]

Tierarzt, **Tierärztin** vet

Tierasyl animal shelter

Tierfreund(in) animal lover; ***bist du ein Tierfreund?*** *auch*: do you like animals?

Tierhandlung pet shop

Tierheim animal shelter

tierisch[1] *umg.* **1.** ***tierisch ernst*** deadly serious **2.** ***ich hatte tierisch Angst*** I was dead scared **3.** ***es hat tierisch weh getan*** it hurt like hell **4.** ***echt tierisch*** brilliant, *AE* awesome ['ɔːsəm]

tierisch[2] *allg.*: animal (*nur vor dem Subst.*); ***tierische Fette*** animal fats

Tierklinik veterinary ['vetrənərɪ] clinic

Tierkreiszeichen sign of the zodiac ['zəʊdɪæk]

Tierkunde zoology [zəʊ'ɒlədʒɪ]

tierlieb (very) fond of animals

Tiermedizin veterinary medicine [ˌvetrənərɪ'medsn]

Tierpark zoo [zuː]

Tierquälerei cruelty to animals

Tierschützer(in) animal rights activist

Tierschutzverein society for the prevention of cruelty to animals, *in GB*: RSPCA [ˌɑːrespiːsiː'eɪ] (R *steht für* Royal)

Tierversuch animal experiment

Tiger tiger ['taɪgə]

Tigerbaby baby tiger

Tigerin tigress ['taɪgrəs]

tigern: ***durch die Straßen tigern*** *ziellos*: mooch around town

timen time: ***gut*** (***schlecht***) ***getimt*** well-timed (badly timed)

Tinte 1. ink **2.** ***jetzt sitzt du aber in der Tinte*** now you're in the soup

Tintenfisch 1. *kleiner*: squid **2.** (≈ *Krake*) octopus ['ɒktəpəs]

Tintenfleck 1. *auf Papier*: ink blot **2.** *auf Kleidung usw.*: ink stain

Tintenkiller correction pen, *AE* ink eradicator [ɪ'rædɪkeɪtə]

Tipp 1. (≈ *Rat*) tip **2.** *an die Polizei*: tip-off **3.** *Lotto usw.*: bet; ***ein sicherer Tipp*** a sure bet

Tippelbruder tramp

tippen 1. type (*Brief usw.*) **2.** ***tippen an*** (*oder* ***auf***) (≈ *berühren*) tap (on) **3.** *Lotto*: do* (*oder* play) the lotto, *in GB*: do* (*oder* play) the national lottery **4.** *Toto*: do* the pools **5.** ***ich tippe auf Italien*** I fancy Italy

Tippfehler typing error, typo ['taɪpəʊ]

tipptopp 1. (≈ *ausgezeichnet*) first-rate **2.** ***tipptopp sauber*** spotless

Tipse *abwertend* typist

Tirol Tyrol [tɪ'rəʊl]

Tiroler(in) Tyrolean [ˌtɪrə'liːən]; ☞ ***Nationalitäten***

Tisch 1. table; ***sich an den Tisch setzen*** sit* down at the table **2.** ***vom Tisch aufstehen*** leave* the table **3.** ***den Tisch decken*** lay* (*AE* set*) the table **4.** ***du isst, was auf den Tisch kommt!*** you'll eat what's on your plate **5.** ***unter den Tisch fallen*** *übertragen* go* by the board

Tischdecke tablecloth ['teɪblklɒθ]

Tischgebet grace; ***das Tischgebet sprechen*** say* grace

Tischlampe table lamp

Tischler(in) carpenter

Tischtennis table tennis

Tischtennisschläger table tennis bat

Tischtuch tablecloth ['teɪblklɒθ]

Titel *allg.*: title; ☞ *Info unter* ***Anrede***

Titelbild cover picture (*oder* photo)

Titelblatt cover ['kʌvə]

Titelmusik theme ['θiːm] music

Titelrolle title role

Titelsong title song, title track

Titelstory cover story

Titelverteidiger(in) defending champion, *Team*: defending champions (⚠ *Pl.*)

Titten *vulgär* tits, boobs

tja hm, well

Toast *allg.*: toast

toasten *allg.*: toast

Toaster toaster

T

Tobel *bes.* Ⓐ, ⒸⒽ (≈ *enge Waldschlucht*) ravine [⚠ rə'viːn]
toben 1. (*Kinder*) jump around, *wild*: run* wild **2.** *vor Wut, Freude usw.*: go* wild
tobsüchtig raving mad
Tobsuchtsanfall tantrum ['tæntrəm]; ***einen Tobsuchtsanfall bekommen*** throw* a tantrum
Tochter daughter ['dɔːtə]
Tod 1. *allg.*: death [deθ] **2.** ***bei einem Unfall*** *usw.* ***zu Tode kommen*** die (*oder* be* killed) in an accident *usw.* **3.** ***ich hab mich zu Tode erschrocken*** I got the fright of my life
todernst 1. dead serious ['sɪərɪəs] **2.** ***ich meine es todernst*** I'm dead serious (about it)
Todesangst 1. fear of death **2.** ***ich hab Todesängste ausgestanden*** I was frightened out of my mind (*oder* wits)
Todesfall death [deθ]
Todesgefahr: ***sie hat sich in Todesgefahr begeben*** she put her life at risk
Todesopfer 1. casualty ['kæʒʊəltɪ] **2.** ***Zahl der Todesopfer*** death toll ['deθ‿təʊl]
Todesstrafe capital punishment (⚠ *immer ohne* the), *bes. als Urteil*: death penalty
Todesurteil death sentence
Todfeind(in) deadly (*oder* mortal) enemy ['enəmɪ]
todkrank seriously ill, terminally ill
todlangweilig deadly ['dedlɪ] boring
tödlich 1. *Krankheit, Unfall, Verletzung*: fatal ['feɪtl] **2.** *Waffe, Gift, Wirkung*: lethal ['liːθl], deadly ['dedlɪ] **3.** ***er ist tödlich verunglückt*** he was killed in an accident **4.** ***es war tödlich*** *übertragen* it was deadly
todmüde shattered, dog-tired
todsicher 1. dead certain ['sɜːtn] **2.** ***todsichere Sache*** dead certainty, *BE umg. auch* dead cert
Todsünde deadly ['dedlɪ] sin, mortal sin
todtraurig really unhappy
Töff ⒸⒽ (≈ *Motorrad*) motorbike, motorcycle ['məʊtə,saɪkl]
Toilette 1. toilet ['tɔɪlət], bathroom, *BE auch* lavatory ['lævətrɪ], *BE umg.* loo, *AE umg.* john; ***er ist auf der Toilette*** he's gone to the toilet *usw.* **2.** *BE*; *öffentliche*: public convenience [kən'viːnɪəns], *AE*; *öffentliche*: restroom
Toilettenpapier toilet paper ['tɔɪlət,peɪpə]
toi-toi-toi 1. ***toi-toi-toi!*** (≈ *viel Glück*) good luck! **2.** (≈ *hoffen wirs*) touch wood, let's hope so
tolerant tolerant ['tɒlərənt] (***gegen*** towards, about)
Toleranz tolerance (***gegen*** towards, of)
toll 1. great, fantastic **2.** ***es war nicht so toll*** it wasn't all that good
tollpatschig clumsy ['klʌmzɪ]
Tollwut rabies [⚠ 'reɪbiːz]
Tölpel silly oaf [əʊf]
Tomate 1. tomato [tə'mɑːtəʊ] *Pl.*: tomatoes **2.** ***er wurde rot wie eine Tomate*** he went red as a beetroot
Tomatenmark tomato purée [tə,mɑːtəʊ'pjʊəreɪ] (*AE* paste)
Tomatensaft tomato juice [tə'mɑːtəʊ‿dʒuːs]
Tombola raffle ['ræfl]
Ton[1] **1.** *allg.*: sound **2.** *in der Musik*: note **3.** (≈ *Sprechweise*) tone **4.** ***er hat keinen Ton rausgebracht*** he didn't say a word **5.** ***er hat in den höchsten Tönen von dir geredet*** he praised you to the skies
Ton[2] (≈ *Farbton*) shade, tone
Ton[3] (≈ *Erde*) clay
Tonart key [kiː]
Tonbandgerät tape recorder
tönen (≈ *färben*) tint
Tonleiter scale
Tonne[1] **1.** (≈ *Fass*) barrel ['bærəl] **2.** (≈ *Mülltonne*) dustbin, *AE* trashcan
Tonne[2] *Gewicht*: tonne [tʌn], metric ton [,metrɪk'tʌn]
Tonregler tone control
Tontechniker(in) sound engineer ['saʊnd‿endʒɪ,nɪə], sound technician ['saʊnd‿tek,nɪʃn]
Tönung 1. (≈ *Farbton*) hue [hjuː], shade, tint **2.** (≈ *Tönungsmittel*) *für Haar*: rinse **3.** *Vorgang*: tinting
Topf 1. pot, *zum Kochen auch*: saucepan ['sɔːspən] **2.** ***alles in einen Topf werfen*** *übertragen* lump everything together
Topfen *bes.* Ⓐ (≈ *Quark*) curd, curds (*Pl.*), *BE auch* quark [kwɑːk]
Töpferei 1. *Handwerk*: pottery **2.** (≈ *Töpferwerkstatt*) potter's workshop
töpfern do* pottery
topfit: ***ich bin topfit*** I'm in top form
Topfpflanze potted plant
Tor[1] **1.** *Sport*: goal [gəʊl] **2.** ***im Tor stehen*** be* in goal (⚠ *ohne* the) **3.** ***ein Tor schießen*** score a goal **4.** ***immer noch kein Tor*** no score yet
Tor[2] **1.** *allg.*: gate **2.** *einer Garage*: door **3.** (≈ *Torbogen*) archway ['ɑːtʃweɪ]
Torchance chance [tʃɑːns] to score
Torf peat; ***Torf stechen*** cut* peat
Torhüter(in) goalkeeper, goalie ['gəʊlɪ]
Torjäger(in) striker, goalscorer
torkeln stagger, reel
Torlatte crossbar
Torlinie goal line

T

torlos: ***das Spiel endete torlos*** the game ended in a goalless draw
Tornado tornado [⚠ tɔːˈneɪdəʊ], *AE umg.* twister
Torpfosten goalpost
Torraum goal area
Torschlusspanik: ***er heiratete sie aus Torschlusspanik*** he married her because he was afraid of being left on the shelf
Torschuss shot (at goal)
Torschütze, **Torschützin** (goal)scorer
Torte cake, (≈ *Sahnetorte*) *auch*: gateau [ˈgætəʊ], (≈ *Obsttorte*) *auch*: (fruit) flan
Torverhältnis *Sport*: goal difference
Torwart(**in**) goalkeeper, *umg.* goalie [ˈgəʊlɪ]
tot **1.** *allg.*: dead [ded] (*auch Telefonleitung*, *Sprache*, *Saison*, *Vulkan*) **2.** ***er war sofort tot*** he died instantly [ˈɪnstəntlɪ] **3.** ***tot umfallen*** drop dead **4.** ***toter Winkel*** blind spot **5.** ***tot geboren*** stillborn
total **1.** complete, total [ˈtəʊtl] **2.** ***ich war total überrascht*** it came as a complete surprise **3.** ***du machst es total falsch*** you're doing it all wrong **4.** ***total besoffen*** *umg.* plastered, *BE auch* completely pissed **5.** ***total pleite*** *umg.* completely broke

Toilette

In den Tabubereichen der Sprache gibt es traditionell eine große Auswahl an Ausdrücken, aber es gilt den richtigen Ton zu treffen! Dies trifft auch für den Bereich Toilette / WC zu. Da solltest du dir im britischen Englisch folgender Unterscheidungen bewusst sein. (Zum amerikanischen Englisch kommen wir am Schluss.)

neutral:	**toilet** [ˈtɔɪlət]
umgangssprachlich:	**loo** [luː]
förmlich:	**lavatory** [ˈlævətrɪ]

Dies sind grobe Unterscheidungen der Stilebene, denn manche Leute empfinden **toilet** als salopp, für andere dagegen ist **loo** durchaus „salonfähig".

Wenn du bei einer britischen Familie zu Besuch bist und mal verschwinden möchtest, sagst du am besten:

Could I use your toilet, please?	Dürfte ich bitte Ihre Toilette benutzen?

Falls die Familie eine andere Beschreibung bevorzugt (etwa **loo**), wirst du das ohnehin bald erfahren.

Wenn du schon weißt, wo sich die Toilette befindet, kannst du dein Vorhaben so ankündigen:

Excuse me, I've just got to disappear for a minute.	Entschuldigung, ich muss mal kurz verschwinden.

oder etwas humorvoller:

Excuse me, I've got to spend a penny.	Entschuldigung, ich muss mal „einen Penny ausgeben".

(*Früher kostete die Benutzung einer öffentlichen Toilette einen Penny.*)

In einem Lokal usw. fragt man so:

Where's the gents?	Wo ist die Herrentoilette?
bzw.	
Where's the ladies?	Wo ist die Damentoilette?

Wenn man draußen unterwegs ist, fragt man etwa:

Could you tell me where the nearest public toilets (*bzw.* **public lavatories) are?**	Können Sie mir sagen, wo die nächste öffentliche Toilette ist?

Im amerikanischen Englisch drückt man sich bei diesem Thema etwas indirekter aus. Da heißt das WC **bathroom** *oder* **rest room** *bzw.* bei Frauen oft **powder room** *oder* **cloakroom**.

Totalschaden: ***er hatte Totalschaden*** his car was a (complete) write-off ['raɪtɒf]
totarbeiten: ***sich totarbeiten*** work oneself to death [deθ]
totärgern: ***ich hab mich totgeärgert*** I was hopping mad, *über mich selbst*: I could have kicked myself
Tote(r) **1.** dead man (*bzw.* woman) **2.** (≈ *Leiche*) corpse [kɔːps], dead body **3.** ***es gab 7 Tote*** 7 people were killed **4.** ***die Toten*** the dead (⚠ *Pl.*, *ohne* -s)
töten kill
Totenkopf **1.** skull [skʌl] **2.** *als Giftzeichen usw.*: skull and crossbones (⚠ *Sg.*)
totkriegen: ***er ist nicht totzukriegen*** *umg.* you can't keep him down
totlachen: ***wir haben uns totgelacht*** we (nearly) killed ourselves laughing
Toto (football) pools (⚠ *Pl.*); ***im Toto gewinnen*** win* the pools
totschießen: ***jemanden totschießen*** shoot* someone dead
totschlagen **1.** ***jemanden totschlagen*** beat* someone to death **2.** ***die Zeit totschlagen*** kill time (⚠ *ohne* the)
totschweigen: ***etwas totschweigen*** hush something up
Touch: ***er hat einen philosophischen Touch*** he's got a philosophical touch
Toupet toupee ['tuːpeɪ]
toupieren backcomb [⚠ 'bæk‿kəʊm]
Tour[1] **1.** trip, *längere*: tour; ***eine Tour nach York machen*** go* on a trip to York; ***eine Tour durch Italien machen*** tour (around) Italy **3.** ***auf Tour*** on the road
Tour[2]: ***komm mir nicht auf diese Tour!*** *umg.* don't try that one on me
Tour[3] **1.** ***auf vollen Touren laufen*** *übertragen* be* in full swing **2.** ***jemanden*** (*bzw.* ***etwas***) ***auf Touren bringen*** get* someone (*bzw.* something) going **3.** ***in einer Tour*** incessantly [ɪn'sesntlɪ]
Tourismus tourism ['tʊərɪzm]
Tourist tourist ['tʊərɪst]
Touristenstrom **1.** stream of tourists **2.** ***abseits vom Touristenstrom*** off the tourist track
Touristin (female) tourist ['tʊərɪst]
Tournee tour; ***auf Tournee sein*** be* on tour
Trab **1.** ***jemanden auf Trab bringen*** get* someone moving **2.** ***sie ist immer auf Trab*** she's always on the go
Tracht[1] national (*oder* traditional) costume ['kɒstjuːm]
Tracht[2]: ***eine Tracht Prügel*** a good hiding
trächtig *Tier*: pregnant ['pregnənt]
Trackball *Computer*: trackball
Tradition tradition
traditionell traditional [trə'dɪʃnəl]
Trafik Ⓐ tobacconist's [tə'bækənɪsts] shop
Trafikant(in) Ⓐ tobacconist [tə'bækənɪst]
Tragbahre stretcher
tragbar portable ['pɔːtəbl]
träge *Person*: lethargic [lə'θɑːdʒɪk]
tragen **1.** *allg.*: carry; ***sie trug es in der Hand*** (*bzw.* ***auf dem Rücken*** *usw.*) she carried it in her hand (*bzw.* on her back *usw.*) **2.** ***ich trage meinen Ausweis immer bei mir*** I always have my ID [ˌaɪ'diː] on me **3.** ***das trägt sich leicht*** it's very light (to carry) **4.** wear* [weə] (*Kleidung, Schmuck, Brille usw.*); ***sie trägt die Haare lang*** she wears her hair (⚠ *Sg.*) long **5.** ***er trägt einen Bart*** he's got a beard **6.** ***die Verantwortung tragen*** take* responsibility (⚠ *ohne* the)

tragen

wear	carry
a ring	an umbrella
a skirt	a case
glasses	a child
a beard	a laptop

Tragetasche carrier ['kærɪə] bag
Tragfläche wing
Tragflächenboot hydrofoil ['haɪdrəfɔɪl]
tragisch **1.** tragic ['trædʒɪk] **2.** ***nimms nicht so tragisch!*** don't take it to heart [hɑːt]
Tragödie **1.** *allg.*: tragedy ['trædʒədɪ] **2.** ***mach nicht gleich eine Tragödie draus*** no need to make a major drama out of it
Trainer(in) **1.** coach, trainer **2.** *Fußball*: manager
trainieren **1.** train (***auf*** for), *AE auch* practice **2.** coach (*jemanden*) (***auf*** for) **3.** ***Diskuswerfen*** *usw.* ***trainieren*** practise ['præktɪs] the discus *usw.*
Training **1.** training, *AE* practise ['præktɪs] **2.** ***er ist beim Training*** he's gone training
Trainingsanzug tracksuit ['træksuːt]
Trainingshose tracksuit trousers (⚠ *Pl.*)
Trainingsjacke tracksuit top
Traktor tractor
Tram, Trambahn tram, *AE* streetcar
trampeln **1.** *allg.*: trample **2.** ***er trampelte*** *vor Wut usw.*: he stamped (his feet)
Trampeltier: ***pass auf, du Trampeltier!*** look out, clumsy ['klʌmzɪ]!
trampen hitchhike ['hɪtʃhaɪk], hitch it
Tramper(in) hitchhiker
Trampolin trampoline ['træmpəliːn]
Trance trance [trɑːns]; ***in Trance fallen*** go* into a trance
Träne **1.** tear [tɪə]; ***in Tränen ausbrechen***

T

burst* into tears; ***den Tränen nah*** on the verge of tears **2.** ***ich hab Tränen gelacht*** I laughed till I cried **3.** ***mir kommen die Tränen*** *humorvoll* don't make me weep

tränen: ***mir tränen die Augen*** my eyes are watering

Tränengas tear [tɪə] gas

Transfersumme transfer fee ['trænsfɜː‿fiː]

Transformator *Elektrotechnik*: transformer

transitiv transitive ['trænsətɪv]

transparent transparent [⚠ træns'pærənt]

transplantieren transplant [ˌtræns'plɑːnt]

Transport **1.** *Vorgang*: transport(ation) ['trænspɔːt (ˌtrænspɔː'teɪʃn)], *bes AE*, *Wirtschaft*: shipment **2.** (≈ *Straßentransport*) haulage ['hɔːlɪdʒ]: ***während des Transports*** in transit ['trænzɪt] **3.** (≈ *Filmtransport*) winding (mechanism) ['waɪndɪŋ(ˌmekənɪzm)]

Transportflugzeug **1.** transport ['trænspɔːt] plane **2.** (≈ *Truppentransporter*) troup carrier

transportieren **1.** *allg.*: transport [træns'pɔːt] **2.** ***der Film transportiert nicht*** the film won't wind [waɪnd] on

Transportmittel means (⚠ *Sg. und Pl.*) of transport ['trænspɔːt]

Transuse slowcoach, *AE auch* slowpoke

Trapez **1.** *Zirkus*: trapeze [trə'piːz] **2.** *Geometrie*: trapezium [trə'piːzɪəm], *AE* trapezoid ['træpɪzɔɪd]

Tratsch (≈ *Klatsch*) gossip ['gɒsɪp]

tratschen *umg.* gossip ['gɒsɪp]

Traube **1.** *einzelne Beere*: grape **2.** *mehrere am Stiel*: bunch of grapes

Traubensaft grape juice ['greɪp‿dʒuːs]

Traubenzucker glucose ['gluːkəʊz]

trauen[1] **1.** *allg.*: trust; ***ich trau ihr nicht*** I don't trust her **2.** ***ich traute meinen Ohren*** (*bzw.* ***Augen***) ***nicht*** I couldn't believe my ears (*bzw.* eyes) **3.** ***ich trau mich nicht*** (***raus***) I'm scared (to go out) **4.** ***die traut sich was!*** *bewundernd*: she's got nerve!, *im negativen Sinn* she's got a nerve!

trauen[2] **1.** marry (*Brautpaar*) **2.** ***sich trauen lassen*** get* married

Trauer sorrow, grief (***um, wegen*** at, over)

Trauerkloß *umg.* wet blanket ['blæŋkɪt]

trauern **1.** be* in mourning ['mɔːnɪŋ] **2.** ***sie trauert um ihre Mutter*** she's mourning for her mother

Traum **1.** *allg.*: dream; ***ein böser Traum*** a bad dream **2.** *übertragen* dream; ***mein Traum ist es, Schauspieler zu werden*** it's my dream to be an actor **3.** ***aus der Traum!*** well, that's the end of that **4.** ***das fällt mir nicht im Traum ein*** I wouldn't dream of doing it

traumatisch traumatic [trɔː'mætɪk]

Traumauto dream car

Traumberuf dream job [ˌdriːm'dʒɒb]

träumen **1.** *allg.*: dream* (***von*** of, about) **2.** ***ich hab schlecht geträumt*** I had a bad dream **3.** ***sie träumt davon, Dirigentin zu werden*** it's her dream is to be a conductor **4.** *beim Unterricht usw.*: daydream*

Träumer(in) dreamer

Traumfrau dream girl; ***meine Traumfrau*** *auch*: the woman of my dreams

traumhaft **1.** (≈ *wunderbar*) fantastic **2.** ***traumhaft schön*** absolutely beautiful

Traummann: ***mein Traummann*** the man of my dreams

Traumnote perfect mark

Traumwelt dream world

traurig *allg.*: sad (***über*** about, at)

Trauung **1.** marriage ceremony ['serəmənɪ] **2.** ***kirchliche Trauung*** church wedding; ☞ ***standesamtlich***

Trauzeuge, **Trauzeugin** witness (to a marriage)

Treff place to meet

treffen[1] **1.** meet* (*jemanden*) **2.** ***wo treffen wir uns?*** where shall we meet? **3.** ***das trifft sich gut*** that fits in well

treffen[2] **1.** (*Schuss usw.*) hit* (*jemanden, etwas*) **2.** ***nicht treffen*** *beim Schießen usw.*: miss **3.** ***da hast du genau das Richtige getroffen*** *übertragen* you've picked just the right thing **4.** ***du hast sie gut getroffen*** *auf Foto*: that's a really good photo of her **5.** ***es hat ihn schwer getroffen*** he took it quite badly

Treffen **1.** meeting **2.** *geselliges*: get-together **3.** ***wir haben ein Treffen ausgemacht*** we've arranged to meet

Treffer **1.** (≈ *Tor*) goal **2.** *Boxen usw.*: hit

Treffpunkt **1.** meeting place **2.** ***einen Treffpunkt ausmachen*** arrange a place to meet

treiben[1] **1.** ***Sport treiben*** do* sport **2.** ***was treibst du*** (***denn so***)***?*** what are you up to (these days)? **3.** ***treibs nicht zu toll!*** don't overdo it! **4.** ***er treibts mit ihr*** *salopp* he's having it off with her

treiben[2] **1.** ***ich lass mich nicht treiben*** I'm not going to be pushed **2.** ***was hat ihn dazu getrieben?*** what made him do it?

treiben[3] **1.** *im Wasser*: float, drift **2.** ***sich treiben lassen*** drift (*auch übertragen*) **3.** ***die Dinge treiben lassen*** *übertragen* let* things drift

T

Treiben 1. activity 2. *im negativen Sinn* goings-on (⚠ *Pl.*)
Treiber *für Computermaus usw.*: driver
Treibhaus hothouse, greenhouse
Treibhauseffekt greenhouse effect
Treibstoff fuel ['fjuːəl]
Trend trend (***zu*** towards); ***der Trend zum Sparen*** the trend towards saving
Trendwende change in trend, trend reversal
trennen 1. *allg.*: separate ['sepəreɪt] 2. ***sich trennen*** split* up, separate 3. ***sich von jemandem trennen*** split* up with someone 4. ***sich von etwas trennen*** give* something up 5. ***er kann sich von seinem Computer*** *usw.* ***nicht trennen*** he can't tear [teə] himself away from his computer *usw.* 6. ***trennen zwischen*** (≈ *unterscheiden*) distinguish [dɪ'stɪŋgwɪʃ] between
Trennung 1. *allg.*: separation 2. ***seit der Trennung*** since they (*bzw.* we) split up
Trennungszeichen hyphen ['haɪfn]
Treppe 1. stairs (⚠ *Pl.*), staircase 2. *aus Stein*: steps (⚠ *Pl.*) 3. ***eine Treppe*** a flight of stairs (*bzw.* steps) 4. (≈ *einzelne Stufe*) stair, *aus Stein*: step 5. ***sie wohnen zwei Treppen höher*** they live two floors (higher) up
Treppenhaus staircase; ***im Treppenhaus*** on the staircase, *am Eingang*: in the hall (-way)
Tresor 1. *allg.*: safe 2. *einer Bank*: bank vault
Tretauto pedal car ['pedl‿kɑː]
treten 1. *allg.*: step; ***auf etwas treten*** step (*oder* tread* [⚠ tred]) on something 2. *mit dem Fuß*: kick; ***nach jemandem*** (*bzw.* ***etwas***) ***treten*** kick (out) at someone (*bzw.* something) 3. ***aufs Gas treten*** *umg.* step on the gas
Tretmühle *übertragen* treadmill ['tredmɪl]
Tretroller *aus Leichtmetall*: (skate) scooter
treu 1. *gegenüber dem Partner*: faithful ['feɪθfl] 2. *Freund, Kunde usw.*: loyal ['lɔɪəl]
Treue 1. *allg.*: loyalty ['lɔɪəltɪ] 2. *eheliche usw.*: faithfulness
treulos 1. disloyal 2. ***du treulose Tomate!*** *umg.* what kind of friend are you?
Triangel triangle ['traɪæŋgl]
Triathlon triathlon [traɪ'æθlən]
Tribüne *für Zuschauer*: stand
Tribünenplatz seat in the stand, stand seat
Trichter funnel
Trick 1. *allg.*: trick; ***fauler Trick*** dirty trick 2. ***das ist der ganze Trick dabei*** that's all there is to it 3. *im Film*: special effect
Trickfilm 1. animated film 2. (≈ *Zeichentrickfilm*) cartoon
Trickfilmzeichner(in) cartoonist
Trickkiste box of tricks
trickreich artful, *bes. im negativen Sinn*: wily ['waɪlɪ]
tricksen 1. *im Sport*: swerve 2. ***das werden wir schon tricksen*** *umg.* we'll fix it (*durch Mogelei*: wangle ['wæŋgl] it) somehow
Trickskilauf freestyle skiing, hot-dogging
Trieb 1. (≈ *Instinkt*) drive 2. (≈ *Geschlechtstrieb*) sex drive 3. (≈ *Drang*) urge
Triebtäter sex offender
Triebwerk engine ['endʒɪn]
triefen 1. *allg.*: drip (***vor*** with) 2. ***mir trieft die Nase*** my nose keeps running 3. ***vor Charme*** *usw.* ***triefen*** ooze charm *usw.*
Trikot 1. (≈ *Sporthemd*) shirt, jersey; ***das gelbe Trikot*** *Tour de France*: the yellow jersey 2. *beim Ballett*: leotard ['liːətɑːd]
Trimm-dich-Pfad fitness trail
trimmen 1. ***sich trimmen*** keep* fit 2. ***sie trimmt sich auf jugendlich*** she's trying to (make herself) look young
trinken 1. drink* (*auch übermäßig Alkohol*) 2. ***einen Saft trinken*** have* a (glass of) juice; ***einen Tee trinken*** have* a cup of tea
Trinkgeld tip

Trinkgeld

Im Allgemeinen hinterlässt man in Restaurants in Großbritannien ein Trinkgeld (**tip**) von ca. 10 %. Steht auf der Rechnung bzw. Speisekarte **Service included** (inkl. Bedienung), würde man nur bei besonders gutem Service ein zusätzliches Trinkgeld geben.

In den USA ist das anders. Dort lebt die Bedienung fast ausschließlich von den Trinkgeldern, und 15 % der Rechnungssumme werden mehr oder weniger automatisch draufgeschlagen.

Trinkwasser drinking water
Tritt 1. kick; ***ein Tritt in den Hintern*** *umg.* a kick up the backside; ***ich hab ihm einen Tritt versetzt*** I gave him a kick 2. (≈ *Schritt*) step, *hörbar auch*: footstep
Trittleiter stepladder, steps (⚠ *Pl.*)
Triumph triumph ['traɪʌmf]
trivial trivial ['trɪvɪəl]
trocken 1. *allg.*: dry 2. ***trockener Humor*** dry sense of humour 3. ***da blieb kein Auge trocken*** we (*bzw.* they) just couldn't stop laughing 4. ***auf dem Trockenen sitzen*** (≈ *kein Geld haben*) be*

T

on the rocks **5.** ***sich trocken rasieren*** dry-shave
Trockenheit dryness
trockenlegen: ***ein Baby trockenlegen*** change a baby's nappy (*AE* diaper ['daɪəpə])
Trockenobst dried fruit [fruːt]
Trockenzeit dry season
trocknen dry
Trockner (≈ *Wäschetrockner*) drier
Trödelmarkt flea market
trödeln dawdle ['dɔːdl]
Trödler(in) **1.** junk dealer **2.** *umg.* (≈ *langsamer Mensch*) slowcoach, *AE* slowpoke
Trog trough [⚠ trɒf]
Trommel drum; ***Trommel spielen*** play (the) drums, play the drum
Trommelbremse *Auto usw.*: drum brake
Trommelfell *im Ohr*: eardrum
trommeln *allg.*: drum
Trommler(in) drummer
Trompete trumpet ['trʌmpɪt]; ***Trompete spielen*** play (the) trumpet (⚠ *meist mit* the)
Trompeter(in) trumpet player
Tropen tropics
Tropf *Medizin*: drip; ***am Tropf hängen*** be* on the drip
tröpfeln *allg.*: trickle, (*auch Wasserhahn*) drip **2.** ***es tröpfelt*** (≈ *regnet leicht*) it's drizzling (*BE auch* spitting)
Tropfen **1.** *allg.*: drop **2.** *Pl.*, *Medizin*: drops **3.** ***es ist ein Tropfen auf den heißen Stein*** it's a drop in the ocean ['əʊʃn]
tropfen drip
tropfnass dripping wet
Tropfsteinhöhle stalactite ['stæləktaɪt] cave
Trophäe trophy ['trəʊfɪ], cup
tropisch tropical ['trɒpɪkl]
Trost **1.** *allg.*: consolation [ˌkɒnsə'leɪʃn], comfort [⚠ 'kʌmfət]; ***zum Trost*** as a consolation **2.** ***er sucht Trost*** he's looking for a shoulder ['ʃəʊldə] to cry on **3.** ***das ist ein schöner Trost!*** some consolation! **4.** ***du bist wohl nicht ganz bei Trost!*** *umg.* have you gone mad?
trösten **1.** *allg.*: console [kən'səʊl], comfort [⚠ 'kʌmfət] **2.** (≈ *aufmuntern*) cheer up **3.** ***tröste dich, ich hab noch weniger bekommen*** if it's any consolation, I got even less **4.** ***das tröstet mich aber*** that's some consolation (at least)
trostlos **1.** *allg.*: depressing, *Aussicht auch*: hopeless **2.** *Wetter*: miserable ['mɪzrəbl]
Trott: ***es ist wieder der alte Trott*** it's back to the same old rut
Trottel idiot ['ɪdɪət], dope
trotten trot (along)
Trottinett ⒸⒽ (≈ *Kinderroller*) scooter
trotz in spite of, despite (⚠ *ohne* of)
Trotz **1.** stubbornness ['stʌbənnəs] **2.** ***aus Trotz*** just to be stubborn
trotzdem still; ***er ist trotzdem gekommen*** he still came, he came anyway
trotzig stubborn ['stʌbən]
Trotzkopf: ***er ist ein Trotzkopf*** he's just stubborn ['stʌbən]
trüb **1.** *Wetter, Tag, Farben usw.*: dull [dʌl] **2.** *Flüssigkeit*: cloudy **3.** ***du trübe Tasse!*** *umg.* you're a wet blanket ['blæŋkɪt]
Trubel (≈ *Gewirr*) chaos ['keɪɒs]
trüben: ***sich trüben*** (*Flüssigkeit*) go* cloudy
Trüffel *allg.*: truffle
trügerisch **1.** *allg.*: deceptive [dɪ'septɪv] **2.** (≈ *irreführend*) misleading **3.** (*Hoffnung usw.*) vain, illusory [ɪ'luːsərɪ]
Truhe chest [tʃest]
Trümmer **1.** *allg.*: ruins (⚠ *Pl.*) **2.** *eines Flugzeugs usw.*: wreckage [⚠ 'rekɪdʒ]
Trümmerfeld: ***es sieht wie ein Trümmerfeld aus*** it looks as if a bomb [⚠ bɒm] has hit the place
Trumpf **1.** trump (card) **2.** ***was ist Trumpf?*** what's trumps?
Trunkenheit **1.** drunkenness **2.** ***Trunkenheit am Steuer*** drink-driving, *bes. AE* drunk driving
Trupp **1.** *allg.*: troop, gang **2.** *Militär*: detachment **3.** *Polizei*: squad [skwɒd]
Truppe **1.** troops (⚠ *Pl.*) **2.** (≈ *Einheit*) unit ['juːnɪt] **3.** *Theater usw.*: company [⚠ 'kʌmpənɪ]
Truthahn turkey
Tscheche Czech [tʃek]; ***er ist Tscheche*** he's Czech; ***die Tschechen*** the Czechs; ☞ ***Nationalitäten***
Tschechien Czechia ['tʃekɪə], the Czech [tʃek] Republic
Tschechin Czech [tʃek] woman (*oder* lady *bzw.* girl); ***sie ist Tschechin*** she's Czech; ☞ ***Nationalitäten***
tschechisch, **Tschechisch** Czech [tʃek]
tschüs(s) bye, see you
T-Shirt T-shirt, tee-shirt
Tube **1.** tube [tjuːb]; ***eine Tube Zahnpasta*** a tube of toothpaste **2.** ***drück mal auf die Tube!*** *umg.* put your foot down!
Tuberkulose tuberculosis [tjuːˌbɜːkjʊ'ləʊsɪs], TB [ˌtiː'biː]
Tuch **1.** (≈ *Kopftuch*) scarf *Pl.*: scarfs *oder*, *bes. BE*, scarves [skɑːvz] **2.** (≈ *Stoff*) cloth [klɒθ] **3.** ***das ist für sie ein rotes Tuch*** *übertragen* it's like a red rag to a bull for her
tüchtig **1.** (≈ *fleißig*) hard-working **2.** ***die haben tüchtig zugelangt*** *beim Essen*: they had a real go at the food

T

Tücke: ***es hat so seine Tücken*** *Gerät usw.*: it's a bit tricky (to work)
tuckern 1. (*Fahrzeug*) chug along **2.** (*Motor*) put-put ['pʌtpʌt]
tückisch 1. malicious [mə'lɪʃəs], spiteful **2.** (≈ *hinterlistig*) insidious [ɪn'sɪdɪəs] (*auch Krankheit usw.*) **3.** (≈ *gefährlich*) dangerous ['deɪndʒərəs], treacherous ['tretʃərəs]
Tüftelei 1. fiddly work (⚠ *ohne* a) **2.** (≈ *Denkarbeit*) tricky problem, brainteaser
tüfteln: ***an etwas tüfteln*** work on something, *einer Denkaufgabe*: try to work something out
Tüftler(in) tinkerer; ***er ist ein Tüftler*** *auch*: he likes to fiddle about with things
Tugend virtue ['vɜːtʃuː]
Tulpe tulip ['tjuːlɪp]
tummeln: ***sich tummeln*** romp around, *im Wasser*: splash around
Tummelplatz playground
Tumor tumour ['tjuːmə]
Tümpel 1. pond **2.** *kleiner*: puddle
tun[1] **1.** *allg.*: do*; ***was tust du da?*** what are you doing?; ***das tut man nicht*** you don't do that; ***es gibt viel zu tun*** there's lots to do; ***ich hab noch zu tun*** I'm still busy ['bɪzɪ]; ***man tut, was man kann*** I (*oder* we) do our best **2.** ***sie kann tun und lassen was sie will*** she can do whatever she likes **3.** ***ein Bleistift*** *usw.* ***tuts auch*** a pencil *usw.* will do **4.** ***ich hab ihr nichts getan*** I didn't touch her; ***er tut dir schon nichts*** he won't hurt you **5.** *umg.* (≈ *stellen, legen usw.*) put*; ***tus da hin*** put it there
tun[2] **1.** *vortäuschend*: ***er tut nur so*** he's just pretending; ***tu doch nicht so!*** stop pretending, (≈ *mach kein Aufhebens*) don't make (such) a fuss **2.** ***sie tut sehr selbstsicher*** *usw.* she acts very confident ['kɒnfɪdənt] *usw.* **3.** ***das hat damit nichts zu tun*** that hasn't got anything to do with it **4.** ***es tut sich was*** things are happening
tünchen whitewash
Tunesien Tunisia [tjuː'nɪzɪə]
Tunesier Tunisian [tjuː'nɪzɪən]; ***er ist Tunesier*** he's Tunisian; ☞ ***Nationalitäten***
Tunesierin Tunisian [tjuː'nɪzɪən] woman (*oder* lady *bzw.* girl); ***sie ist Tunesierin*** she's Tunisian; ☞ ***Nationalitäten***
tunesisch Tunisian [tjuː'nɪzɪən]
Tunfisch tuna ['tuːnə] (fish)
tunken dip (***in*** in, into)
Tunnel tunnel ['tʌnl]
Tunte *im negativen Sinn* **1.** (≈ *Homosexueller*) fairy **2.** (≈ *Frau*) bitch
Tüpfelchen: ***das ist das Tüpfelchen auf dem i*** that's the icing ['aɪsɪŋ] on the cake
tupfen *allg.*: dab
Tupfen dot
Tür 1. *allg.*: door; ***vor der Tür*** at the door; ***es ist jemand an der Tür*** there's somebody at the door; ***an die Tür gehen*** answer ['ɑːnsə] the door; ***ich bin gerade zur Tür rein*** I've just this minute come in **2.** ***sie wohnen zwei Türen weiter*** they live two doors along **3.** ***Tag der offenen Tür*** open day, *AE* open house **4.** ***Weihnachten steht vor der Tür*** Christmas is just round the corner **5.** ***mit der Tür ins Haus fallen*** blurt it out
Turbine turbine ['tɜːbaɪn]
turbulent turbulent ['tɜːbjʊlənt]; ***es ging turbulent zu*** things got quite hectic (*oder* heated)
Turbulenzen turbulence ['tɜːbjʊləns] (⚠ *nur im Sg. verwendet*)
Türfalle Ⓒⓗ (≈ *Türklinke*) doorhandle
Türgriff doorhandle, doorknob [⚠ 'dɔːnɒb]
Türke 1. Turk [tɜːk]; ***er ist Türke*** he's Turkish; ☞ ***Nationalitäten*** **2.** *umg.* (≈ *türkisches Lokal*) Turkish place, Turkish restaurant ['restərɒnt]
Türkei Turkey ['tɜːkɪ]
türken (≈ *fälschen*) fake, fiddle (*Zahlen*)
Türkin Turkish woman (*oder* lady *bzw.* girl); ***sie ist Türkin*** she's Turkish; ☞ ***Nationalitäten***
Türkis, türkis, Türkisblau, türkisblau turquoise ['tɜːkwɔɪz]
türkisch, Türkisch Turkish
Türklinke doorhandle
Turm 1. *allg.*: tower ['taʊə] **2.** *Schach*: castle [⚠ 'kɑːsl], rook [rʊk]
türmen[1]: ***sich türmen*** (*Hefte usw.*) pile up
türmen[2] *umg.* (≈ *ausreißen*) skedaddle [skɪ'dædl], *BE auch* do* a bunk
turnen do* gymnastics [dʒɪm'næstɪks]
Turnen 1. *allg.*: gymnastics [dʒɪm'næstɪks] (⚠ *mit Sg.*) **2.** *in der Schule*: gym [dʒɪm], PE [ˌpiː'iː] (*Abk. für* **p**hysical **e**ducation)
Turner(in) gymnast ['dʒɪmnæst]
Turnhalle gym [dʒɪm], gymnasium [dʒɪm'neɪzɪəm] (⚠ *dt.* ***Gymnasium*** = grammar school, *AE* high school)
Turnhemd gym [dʒɪm] shirt
Turnhose gym [dʒɪm] shorts (⚠ *Pl.*); ***meine Turnhose ist dreckig*** my gym shorts are dirty
Turnier tournament ['tʊənəmənt]
Turnlehrer(in) gym [dʒɪm] teacher
Turnschuhe 1. *stabile, auch für Straße*: trainers, *AE* tennis shoes **2.** *aus Segeltuch*: plimsolls ['plɪmslz], *AE* sneakers
Turnverein gymnastics [dʒɪm'næstɪks] club, *AE* athletic club

T

Turnzeug gym [dʒɪm] kit
Türschild doorplate
Tusche 1. Indian (*AE* India) ink **2.** (≈ *Wasserfarbe*) watercolour ['wɔːtəˌkʌlə]
tuscheln whisper; ***über jemanden tuscheln*** gossip behind someone's back
Tuschkasten paintbox
Tussi *abwertend* chick, *bes. BE* bird
tut! *Hupe usw.*: beep-beep!, toot-toot!
Tüte 1. (plastic *oder* paper) bag **2.** *aus Karton*: carton ['kɑːtn]; ***eine Tüte Milch*** a milk carton **3.** ***kommt nicht in die Tüte!*** *umg.* no way!
tuten toot, blow* one's horn
TÜV: ***er muss zum TÜV*** *BE* he's got to go for an MOT [ˌeməʊ'tiː]

TÜV

MOT ist die Abkürzung für **Ministry of Transport** (= Verkehrsministerium), das für die Sicherheitsprüfung von Kraftfahrzeugen zuständig ist.

Typ¹ 1. (≈ *Menschentyp*) type; ***ein ruhiger Typ*** a quiet sort (of person) **2.** ***sie ist nicht der Typ dafür*** she's not the right kind of person (for it) **3.** ***er ist nicht mein Typ*** he's not my type **4.** ***sie sind vom Typ her völlig unterschiedlich*** they are totally different types of person **5.** *umg.* (≈ *Mann*) guy [gaɪ], *BE auch* bloke **6.** *umg.* (≈ *Freund*) man, *BE auch* bloke; ***das ist ihr neuester Typ*** he's her latest man **7.** ***dein Typ wird verlangt*** *umg.* you're wanted
Typ² (≈ *Modell*) model ['mɒdl]
Typhus typhoid ['taɪfɔɪd]
typisch 1. *allg.*: typical ['tɪpɪkl] **2.** ***ein typischer Fehler*** a common mistake **3.** ***das ist wieder mal typisch!*** that's just typical **4.** ***typisch Markus!*** that's just like Markus; ***typisch amerikanisch!*** that's typically (*oder* so) American
Tyrann tyrant ['taɪrənt]
tyrannisieren (≈ *quälen*) tyrannize [⚠ 'tɪrənaɪz], bully [⚠ 'bʊlɪ] (about)

U

U-Bahn 1. *als Transportmittel*: underground, *in London auch*: Tube, *AE* subway; ***mit der U-Bahn fahren*** go* by (*oder* take* the) underground *usw.* **2.** (≈ *Zug*) (underground) train, *AE* (subway) train
übel 1. (≈ *widerlich*) horrible ['hɒrəbl] **2.** ***mir ist übel*** I feel sick; ***dabei kann einem übel werden*** it's enough to make you sick **3.** ***nicht übel*** *umg.* not bad **4.** ***er ist ein übler Kerl*** *umg.* he's a nasty customer **5.** ***sie ist übel dran*** *umg.* she's in a bad way

> **übel nehmen**: ***du nimmst es mir doch nicht übel, oder?*** you're not offended, are you?

Übel: ***ein notwendiges Übel*** a necessary evil [ˌnesəsrɪ'iːvl]; ***das kleinere Übel*** the lesser of (the) two evils
Übelkeit sick feeling, nausea ['nɔːsɪə]
Übeltäter(in) *mst. humorvoll* offender
üben practise [⚠ 'præktɪs], *AE* practice; ***Klavier üben*** practise the piano; ***fleißig üben*** practise hard

über¹ 1. (≈ *oberhalb von*) above [ə'bʌv], over **2.** *werfen, springen usw.*: over **3.** (≈ *quer über*) across; ***über den Ärmelkanal*** across the Channel; ***über die Straße gehen*** cross the road
über² (≈ *mehr als*) over, more than; ***sie ist über vierzig*** she's over forty
über³ 1. ***ein Buch*** *usw.* ***über Eisbären*** a book *usw.* about polar bears **2.** ***ein Scheck über 3000 Euro*** a cheque for 3,000 euros **3.** ***wir haben über dich geredet*** we were talking about you **4.** ***er ist über seinen Hausaufgaben eingeschlafen*** he fell asleep over his homework **5.** ***übers Wochenende*** *usw.* over the weekend *usw.* **6.** ***wir sind über Frankfurt gefahren*** we went via ['vaɪə] Frankfurt **7.** ***es geht nichts über ein Schokoladeneis*** there's nothing like a choc-ice **8.** ***sie hat Freunde über Freunde*** she's got masses ['mæsɪz] of friends
überall 1. *allg.*: everywhere **2.** ***überall in der Stadt*** *usw.* all over town *usw.*
überallher: ***sie kamen von überallher*** they came from all over the place
überängstlich 1. overly concerned **2.** ***sie***

U

ist überängstlich *von Natur aus*: she's always worried ['wʌrɪd] about things
überanstrengen: ***sie hat sich überanstrengt*** she's been overdoing it
Überanstrengung overexertion [ˌəʊvərɪg'zɜːʃn]
überarbeiten **1.** ***einen Aufsatz*** *usw.* ***überarbeiten*** go* over an essay *usw.* again **2.** ***sich überarbeiten*** overwork [ˌəʊvə'wɜːk]
überbelichten overexpose (*Film*, *Foto*)
überbevölkert overpopulated [ˌəʊvə'pɒpjʊleɪtɪd]
Überbevölkerung overpopulation [ˌəʊvəˌpɒpjʊ'leɪʃn]
überbezahlt overpaid
überbieten **1.** *bei Auktion*: outbid [ˌaʊt'bɪd] **2.** ***an Frechheit ist er kaum zu überbieten*** when it comes to cheek, he's hard to beat
Überbleibsel *Pl.* (≈ *Essensreste*) leftovers
Überblick **1.** *allg.*: overview (***über*** of) **2.** ***den Überblick behalten*** keep* track; ***ich hab den Überblick verloren*** I've lost track (of things) **3.** ***mir fehlt der Überblick*** I don't know what's going on
überborden *bes.* Ⓒⓗ **1.** (*Freude*, *Erregung*, *Temperament*) be* exuberant [ɪg'zjuːbrənt] **2.** (*Fluss*) break* its banks **3.** ***überbordender Verkehr*** excessive [ɪk'sesɪv] (*oder* ever-increasing) traffic
überbrücken: ***er überbrückte die Zeit mit Lesen*** he filled in the time by reading
überbuchen overbook (*Flug*, *Hotel usw.*)
überdacht covered ['kʌvəd]
überdehnen stretch, pull (*Muskel usw.*)
überdenken: ***etwas überdenken*** think* something over
überdimensional outsized
Überdosis overdose ['əʊvədəʊs]; ***an einer Überdosis Schlaftabletten sterben*** die of an overdose of sleeping tablets
überdreht wound [waʊnd] up, overexcited [ˌəʊvərɪk'saɪtɪd]
überdurchschnittlich above average [əˌbʌv'ævərɪdʒ]
übereifrig overkeen
übereinander on top of each other; ***übereinander stapeln*** pile (up) on top of each other
übereinstimmen **1.** ***mit jemandem übereinstimmen*** agree with someone (***über*** on); ***wir stimmen überein*** we agree, we're in agreement **2.** (*Aussagen usw.*) agree
überempfindlich hypersensitive (***gegen*** to)
Überempfindlichkeit hypersensitivity [ˌhaɪpəˌsensə'tɪvətɪ]
überessen: ***sich überessen*** overeat*
überfahren **1.** knock [nɒk] down, run* over (*Tier*, *Person*) **2.** ***die Ampel überfahren*** shoot* the lights (⚠ *Pl.*)
Überfahrt crossing
Überfall **1.** *allg.*: attack (***auf*** on) **2.** *auf der Straße*: mugging **3.** *mit Waffe*: holdup **4.** ***ein Überfall auf eine Bank*** a bank robbery
überfallen **1.** *allg.*: attack **2.** *auf der Straße*: mug **3.** raid (*Bank*) **4.** invade (*Land*, *auch übertragen*: *Freunde usw.*) **5.** *mit Fragen usw.*: bombard [bɒm'bɑːd]
überfällig overdue [ˌəʊvə'djuː]; ***längst überfällig*** long overdue; ***das ist seit einer Woche überfällig*** it's a week overdue
überfliegen **1.** (≈ *schnell lesen*) skim (through) **2.** (*Flugzeug*) fly* over, *tief*: buzz
überfließen overflow
überflüssig **1.** *allg.*: superfluous [⚠ suː'pɜːflʊəs] **2.** (≈ *unnötig*) unnecessary
überfluten flood [flʌd] (*auch übertragen*)
überfordern: ***sie überfordern ihn*** they expect too much of him
überfordert **1.** ***damit ist sie überfordert*** it's too much for her **2.** ***ich fühle mich überfordert*** I don't think I can manage
überfragt: ***da bin ich überfragt*** you've got me there
überfressen: ***überfriss dich nicht!*** don't stuff yourself!
überführen **1.** (≈ *bringen*, *transportieren*) take*, transport [træn'spɔːt] (*beide auch Toten*) **2.** (≈ *als schuldig erweisen*) find* *someone* guilty ['gɪltɪ], convict *someone* [kən'vɪkt] (*beide + Gen.* of)
Überführung (≈ *Brücke*) flyover ['flaɪˌəʊvə], *bes. AE* overpass
überfüllt **1.** *Bus usw.*: (over)crowded **2.** *Regale usw*: crammed
Übergangslösung temporary solution
Übergangszeit transition(al period ['pɪərɪəd])
übergeben[1] **1.** hand over (***an*** to) **2.** *feierlich*: present [prɪ'zent] (***an*** to)
übergeben[2]: ***sich übergeben*** be* sick, *AE* throw* up; ***ich muss mich übergeben*** I'm going to be sick (*bzw.* throw up)
übergehen **1.** (≈ *ignorieren*) ignore **2.** (≈ *auslassen*) leave* out **3.** ***ich fühlte mich übergangen*** I felt left out
übergenau picky
Übergepäck excess [⚠ 'ekses] baggage
übergeschnappt *umg.* cracked (up), crazy
Übergewicht: ***(10 Kilo) Übergewicht haben*** be* (10 kilograms) overweight [ˌəʊvə'weɪt]

überglücklich over the moon (*über* about)
Übergröße outsize; ***Kleidung in Übergröße*** outsize clothes [kləʊ(ð)z] (⚠ *Pl.*)
überhaben: ***ich hab die Sache über*** I'm sick and tired of it
überhäufen: ***er überhäuft sie mit Geschenken*** he showers her with presents
überhaupt **1.** ***überhaupt nicht*** not at all; ***das interessiert mich überhaupt nicht*** I'm not in the least bit interested **2.** ***sie hat überhaupt keine Interessen*** she hasn't got any interests at all **3.** ***überhaupt nichts*** nothing at all, not a thing **4.** ***hast du ihn überhaupt gesehen?*** did you actually see him? **5.** ***wo wohnt sie überhaupt?*** where does she live anyway?
überheblich overbearing [ˌəʊvə'beərɪŋ], arrogant ['ærəgənt]
überheizt *Zimmer usw.*: overheated
überhitzen overheat (*auch übertragen*); ***sich überhitzen*** overheat
überhöht **1.** *Preise usw.*: excessive [ɪk'sesɪv] **2.** ***mit überhöhter Geschwindigkeit fahren*** speed*, break* the speed limit
überholen **1.** *im Auto usw.*: overtake* [ˌəʊvə'teɪk], pass **2.** *leistungsmäßig*: overtake* **3.** overhaul [ˌəʊvə'hɔːl] (*Maschine usw.*)
Überholspur overtaking (*AE* passing) lane; ***auf der Überholspur*** in the overtaking lane
überholt **1.** (≈ *veraltet*) outdated **2.** ***das ist längst überholt*** that's ancient ['eɪnʃənt]
überhören **1.** ***den Satz hab ich überhört*** I didn't catch (*oder* I missed) that sentence (⚠ *engl.* overhear = ***zufällig mitbekommen***) **2.** *absichtlich*: ignore **3.** ***das will ich überhört haben!*** I didn't hear that
überirdisch supernatural; ***ein überirdisches Wesen*** a supernatural being
überkandidelt over the top, over-the-top (⚠ *Letzteres nur vor dem Subst.*)
überkleben **1.** ***etwas überkleben*** stick (*oder* paste) something on (*oder* over) something; ***er hat das Loch mit einem Poster überklebt*** he's stuck a poster over the hole **2.** ***mit Ansichtskarten überklebt*** covered with picture postcards
überklug too clever by half
überkochen **1.** (*Milch usw.*) boil over **2.** ***er kochte vor Wut über*** he blew his top
überkommen: ***Mitleid*** *usw.* ***überkam ihn*** he was overcome by sympathy *usw.*
überkreuzen: ***sich überkreuzen*** (*Termine usw.*) clash
überkriegen: ***etwas überkriegen*** *umg.* (≈ *satt haben*) get* fed up with something
überkritisch overcritical [ˌəʊvə'krɪtɪkl]
überladen[1] overload [ˌəʊvə'ləʊd] (*Auto usw.*)
überladen[2] **1.** (≈ *übermäßig verziert*) cluttered **2.** *Schreibstil*: flowery
überlappen overlap [ˌəʊvə'læp]
überlassen **1.** ***überlass das mir*** leave that to me; ***das überlass ich dir*** that's up to you, I'll leave that to you **2.** ***jemandem etwas überlassen*** let* someone have something **3.** ***dem Zufall überlassen*** leave* to chance (⚠ *ohne* the)
überlastet **1.** ***überlastet sein*** *Person*: be* under strain, *durch Arbeit*: be* overworked **2.** *Gerät usw.*: overloaded
Überlastung **1.** *einer Person*: strain **2.** *eines Geräts usw.*: overloading
Überlauf *im Becken usw.*: overflow
überlaufen[1] **1.** *Flüssigkeit*: run* over, *Kochendes*: boil over **2.** ***das brachte das Fass zum Überlaufen*** that was the last straw
überlaufen[2] *Ort*: (over)crowded; ***mit Touristen überlaufen*** overrun with tourists
überleben **1.** *allg.*: survive [sə'vaɪv] **2.** ***das überlebe ich nicht*** *umg.* that'll be the death of me; ***du wirst es schon überleben*** you'll survive
Überleben survival [sə'vaɪvl]
Überlebende(r) survivor [sə'vaɪvə]
überlebensgroß larger than life, larger-than-life (⚠ *nur vor dem Subst.*)
überlegen[1] **1.** ***sich etwas (genau) überlegen*** think* (carefully) about something; ***ich überlegs mir*** I'll think about it **2.** ***er hat sichs anders überlegt*** he's changed his mind **3.** ***das würde ich mir zweimal überlegen*** I'd think twice about that **4.** ***das hättest du dir vorher überlegen sollen*** you should have thought about that before **5.** ***er sagte ohne lang zu überlegen zu*** he accepted without thinking twice
überlegen[2]: ***jemandem überlegen sein*** be* superior [suː'pɪərɪə] to someone (***an, in*** in)
Überlegenheitsgefühl sense of superiority
Überlegung: ***ohne Überlegung*** without thinking
überlesen **1.** (≈ *übersehen*) overlook [ˌəʊvə'lʊk] **2.** ***ein Heft*** *usw.* ***überlesen*** skim through a magazine *usw.*
überliefert **1.** *Bräuche, Kenntnisse usw.*:

U

traditional; ***überlieferte Bräuche*** *auch* customs which have been passed down **2. *aus dieser Zeit ist nichts überliefert*** no records ['rekɔːdz] of this period have survived **3. *es ist überliefert, dass ...*** records indicate that

überlisten outwit [ˌaʊt'wɪt]

übermitteln 1. transmit, send* (*Daten usw.*) (+ *Dativ* to) **2.** convey [kən'veɪ] (*Grüße usw.*) (+ *Dativ* to)

übermorgen the day after tomorrow

übermüdet overtired [ˌəʊvə'taɪəd]

übernächste(r, -s): ***übernächste Woche*** *usw.* the week *usw.* after next

übernachten 1. stay overnight **2. *ich übernachte bei Bernd*** I'm staying the night at Bernd's (place)

übernächtigt tired (from lack of sleep)

Übernachtung overnight stay; ***zwei Übernachtungen*** (***mit Frühstück***) two nights (with breakfast)

übernehmen 1. *allg.*: take* over (⚠ overtake = ***überholen***) **2.** take* on (*Arbeit usw.*) **3. *sich übernehmen*** *mit Arbeit*: take* on too much **4.** (≈ *sich überanstrengen*) overdo* it; ***sich beim Joggen übernehmen*** do* too much jogging

überprüfen check; ***er überprüfte, ob alles in Ordnung sei*** he checked to see whether everything was okay

Überprüfung 1. *allg.*: check(up) **2.** *genaue*: scrutiny ['skruːtɪnɪ] **3.** *einer Entscheidung*: reconsideration [ˌriːkənsɪdə'reɪʃn], review [rɪ'vjuː] **4.** *von Projektentwürfen, Ausgaben usw.*: revision

überqualifiziert overqualified [ˌəʊvə'kwɒlɪfaɪd]

überqueren cross

überraschen 1. surprise [sə'praɪz] **2. *er wurde beim Klauen überrascht*** he was caught stealing **3. *wir wurden vom Regen überrascht*** we were caught in the rain **4. *lassen wir uns überraschen*** let's wait and see

überraschend 1. *allg.*: surprising [sə'praɪzɪŋ] **2.** (≈ *unerwartet*) unexpected **3. *es kam für uns ganz überraschend*** it took us completely by surprise

überrascht surprised [sə'praɪzd] (***von*** by); ***er war ganz überrascht*** it was a complete surprise (for him)

Überraschung 1. surprise [sə'praɪz]; ***so eine Überraschung!*** what a surprise! **2. *eine kleine Überraschung*** (≈ *Geschenk*) a little something

überreagieren overreact (***auf*** to)

überreden persuade [pə'sweɪd]; ***ich überredete ihn*** (***dazu***) ***mitzukommen*** I persuaded him to come; ***er lässt sich nicht überreden*** he won't be persuaded

Überredungskünste powers of persuasion

überreichen: ***jemandem etwas überreichen*** present [prɪ'zent] someone with something

überreif overripe

überrumpeln: ***jemanden überrumpeln*** take* someone by surprise

überrunden *im Sport*: lap

Überschallflugzeug supersonic aircraft [ˌsuːpəsɒnɪk'eəkrɑːft]

Überschallgeschwindigkeit supersonic speed [ˌsuːpəsɒnɪk'spiːd]

überschattet: ***überschattet von*** *übertragen* overshadowed [ˌəʊvə'ʃædəʊd] by

überschätzen 1. overestimate [ˌəʊvə(r)'estɪmeɪt] **2. *er überschätzt sich*** he's not as good as he thinks

überschaubar 1. clear **2.** *Folgen, Risiko usw.*: calculable ['kælkjʊləbl]

überschlafen: ***ich werds überschlafen*** I'll sleep on it

Überschlag 1. *Turnen*: somersault [⚠ 'sʌməsɔːlt] **2.** *eines Flugzeugs usw.*: loop

überschlagen[1] **1. *sich überschlagen*** do* a somersault [⚠ 'sʌməsɔːlt], (*Auto*) overturn [ˌəʊvə'tɜːn] **2. *seine Stimme überschlug sich*** his voice cracked **3. *er überschlug sich vor Freundlichkeit*** *usw.* he was falling over himself to be friendly *usw.* **4. *ich muss das kurz überschlagen*** let me do a quick calculation

überschlagen[2]: ***mit übergeschlagenen Beinen*** with her (his, my *usw.*) legs crossed

überschnappen *umg.* flip, crack up

überschneiden 1. *sich überschneiden* (*Linien usw.*) intersect [ˌɪntə'sekt] **2. *sich überschneiden*** (*Termine*) clash

Überschreibemodus *Computer*: overwrite [⚠ 'əʊvəraɪt] (*oder* overstrike) mode

Überschrift 1. heading **2.** (≈ *Zeitungsüberschrift*) headline

Überschuss 1. *allg.*: surplus ['sɜːpləs] (***an*** of) **2.** (≈ *Gewinn*) profit ['prɒfɪt]

überschütten: ***sie überschüttet ihn mit Geschenken*** she showers him with presents

überschwappen 1. (*Flüssigkeit*) slop over (the edge) **2.** (*Glas usw.*) slop over

überschwemmen flood [flʌd] (*auch übertragen*)

Überschwemmung flooding ['flʌdɪŋ], floods [flʌdz] (⚠ *Pl.*)

übersehen 1. overlook [ˌəʊvə'lʊk] (*Fehler*

usw.) **2.** ***ich hab dich übersehen*** I didn't see you **3.** (≈ *ignorieren*) ignore
übersetzen translate [træns'leɪt] (***aus*** from, ***in*** into); ***falsch übersetzen*** translate wrong(ly); ***es soll ins Englische übersetzt werden*** it's to be translated into English (⚠ *ohne* the)
Übersetzer(in) translator [træns'leɪtə]
Übersetzung translation [træns'leɪʃn]; ***eine Übersetzung aus dem Deutschen ins Englische*** a translation from German into English (⚠ *ohne* the)
Übersicht **1.** *allg.*: overview ['əʊvəvju:] **2.** (≈ *Tabelle*) chart [tʃɑ:t] **3.** ***die Übersicht verlieren*** lose* [lu:z] track
übersichtlich clear
übersiedeln *bes.* Ⓐ (≈ *umziehen*) move (***nach*** to)
überspannt **1.** (≈ *übertrieben*) over the top, over-the-top (⚠ *nur vor dem Subst.*) **2.** (≈ *hysterisch*) hysterical [hɪ'sterɪkl]
überspielen **1.** (≈ *verdecken*) cover up **2.** ***eine Kassette überspielen*** record over a cassette
überspitzt **1.** exaggerated [ɪg'zædʒəreɪtɪd] **2.** ***überspitzt formulieren*** overstate [ˌəʊvə'steɪt]
überspringen **1.** ***eine Pfütze*** *usw.* ***überspringen*** jump over a puddle *usw.* **2.** (≈ *auslassen*) skip
überstehen **1.** get* over (*Krankheit usw.*) **2.** ***er hat das Schlimmste überstanden*** he's over the worst **3.** (≈ *überleben*) survive (*auch übertragen*) **4.** ***das wäre überstanden!*** thank goodness that's out of the way
übersteigen: ***das übersteigt meine Kräfte*** (*bzw.* ***Fähigkeiten*** *usw.*) that's beyond me
übersteigert exaggerated [ɪg'zædʒəreɪtɪd]
überstimmen outvote [ˌaʊt'vəʊt] (*jemanden*)
überstrapazieren: ***sich überstrapazieren*** wear* [weə] oneself out
überstreichen: ***eine Wand*** *usw.* ***überstreichen*** paint over a wall *usw.*
Überstunden overtime ['əʊvətaɪm] (⚠ *Sg.*); ***Überstunden machen*** do* (*oder* work) overtime
überstürzen: ***etwas überstürzen*** rush things
überstürzt *Entscheidung usw.*: rash
übertölpeln: ***jemanden übertölpeln*** take* someone in
übertönen drown out
übertragen[1] **1.** *allg.*: transfer [træns'fɜ:] (***in, auf*** to) **2.** ***eine Krankheit auf jemanden übertragen*** pass a disease on to someone **3.** *TV, Radio*: broadcast* ['brɔ:dkɑ:st]; ***live übertragen*** broadcast* live [⚠ laɪv] **4.** ***ins Englische übertragen*** translate into English (⚠ *ohne* the) **5.** ***das kann man nicht auf alle übertragen*** you can't apply it to everyone
übertragen[2]: ***in übertragener Bedeutung*** in the figurative ['fɪgərətɪv] sense
Übertragung **1.** *allg.*: transfer ['trænsfɜ:] (***auf*** to) **2.** *TV, Radio*: broadcast ['brɔ:dkɑ:st]
übertreffen **1.** *allg.*: excel [ɪk'sel]; ***sich selbst übertreffen*** excel oneself **2.** ***sie ist nicht zu übertreffen*** she's unbeatable **3.** ***es übertraf alle Erwartungen*** it exceeded [ɪk'si:dɪd] all expectations
übertreiben **1.** exaggerate [ɪg'zædʒəreɪt]; ***übertreib nicht so!*** stop exaggerating **2.** overdo* [ˌəʊvə'du:] (*Tätigkeit*); ***er hats mit dem Tennis übertrieben*** he's been overdoing the tennis **3.** ***sie übertreibts mit ihren Witzen*** she goes too far with her jokes **4.** ***man kanns auch übertreiben*** you can take things too far
Übertreibung exaggeration [ɪgˌzædʒə'reɪʃn]
übertrieben **1.** exaggerated [ɪg'zædʒəreɪtɪd] **2.** *Verhalten*: over the top, over-the-top (*Letzteres nur vor dem Subst.*)
übervorsichtig overcautious [ˌəʊvə'kɔ:ʃəs]
überwachen **1.** *Polizei*: keep* under surveillance [⚠ sə'veɪləns] **2.** *über Video usw.*: monitor ['mɒnɪtə] **3.** control (*Verkehr*)
Überwachungsanlage *im Geschäft usw.*: closed-circuit [ˌkləʊzd'sɜ:kɪt] television
überwältigen **1.** overpower (*Dieb usw.*) **2.** ***überwältigt werden von*** *einem Gefühl usw.*: be* overwhelmed [ˌəʊvə'welmd] by
überwältigend **1.** *allg.*: overwhelming **2.** ***es war nicht gerade überwältigend*** it was nothing to write home about
überweisen **1.** transfer [træns'fɜ:] (*Geld*); ***er hat ihr das Geld überwiesen*** he transferred the money to her account **2.** refer (*Patienten*) (***an*** to)
Überweisung **1.** *von Geld*: transfer ['trænsfɜ:], *per Post*: remittance [rɪ'mɪtəns] (*beide*: ***an*** to) **2.** *eines Falles, Patienten usw.*: referral [rɪ'fɜ:rəl] (***an*** to)
Überweisungsschein referral [rɪ'fɜ:rəl] slip
überwiegend **1.** ***es waren überwiegend Frauen*** it was mainly women **2.** ***die überwiegende Mehrheit*** the vast majority
überwinden **1.** overcome* (*Hindernis usw.*) **2.** ***ich musste mich dazu überwinden*** I had to force myself to do it **3.** ***er***

Ü

konnte sich nicht überwinden es zu tun he couldn't bring himself to do it

überwintern **1.** spend* the winter (***in*** in, at) **2.** (*Tier*) hibernate ['haɪbəneɪt]

überwuchert overgrown

überzeugen **1.** convince [kən'vɪns] (***von*** of); ***jemanden davon überzeugen, dass*** convince (*oder* persuade [pə'sweɪd]) someone that; ***sie lässt sich nicht überzeugen*** she won't be persuaded **2.** ***ich will mich selbst überzeugen*** I want to see for myself

überzeugend convincing, *Argument auch*: persuasive [pə'sweɪsɪv]

überzeugt **1.** ***sie ist sehr von sich selbst überzeugt*** she has a high opinion of herself **2.** ***ich bin noch nicht ganz überzeugt*** I'm not completely persuaded [pə'sweɪdɪd] (*oder* convinced) yet

überzeugte(r, -s) convinced [kən'vɪnst], *stärker*: ardent ['ɑːdnt] (*Sozialist usw.*)

Überzeugung **1.** ***ich bin der*** (***festen***) ***Überzeugung, dass*** I'm (firmly) convinced that **2.** ***aus Überzeugung*** out of conviction

überziehen[1] **1.** overdraw* [ˌəʊvə'drɔː] (*Konto*) (***um*** by); ***er hat sein Konto um 100 Euro überzogen*** he's overdrawn his account by 100 euros **2.** ***es überzieht sich*** it's clouding over

überziehen[2] **1.** put* on (*Jacke usw.*) **2.** ***er hat ihm eins übergezogen*** *umg.* he landed him one

Überziehungskredit overdraft facility ['əʊvədrɑːft‿fəˌsɪlətɪ]

überzogen: ***total überzogen*** completely over the top

Überzug **1.** *allg.*: cover ['kʌvə] **2.** *von Kissen*: pillowcase, pillowslip **3.** (≈ *dünne Schicht*) coat(ing) **4.** (≈ *Schokoladenüberzug usw.*) coating

üblich **1.** (≈ *gewöhnlich*) usual ['juːʒʊəl]; ***wie üblich*** as usual **2.** (≈ *normal*) normal ['nɔːml]; ***es ist ganz üblich, dass alle kommen*** it's quite normal for everyone to come **3.** ***es ist bei ihm so üblich*** that's his way of doing it

Übliche: ***das Übliche*** the usual ['juːʒʊəl] thing

üblicherweise usually ['juːʒʊəlɪ], normally

U-Boot submarine [ˌsʌbmə'riːn], *deutsches auch*: U-boat ['juːbəʊt]

übrig **1.** ***ist noch Saft übrig?*** is there any juice left? **2.** ***alles*** (*oder* ***das***) ***Übrige*** the rest (of it) **3.** ***alle*** (*oder* ***die***) ***Übrigen*** the rest (of them)

übrig bleiben **1.** be* left **2.** ***es blieb mir nichts anderes übrig*** (***,als zu***) I had no choice (but to); ***was blieb mir anderes übrig?*** what else could I do?

übrig haben: ***er hat nichts für Tiere übrig*** he doesn't like animals

übrig lassen **1.** ***jemandem etwas übrig lassen*** leave* something for someone **2.** ***ein paar Kartoffeln*** (*bzw.* ***etwas Wein*** *usw.*) ***übrig lassen*** *für später*: leave* a few potatoes (*bzw.* some wine *usw.*)

übrigens by the way (*mst. am Satzanfang*)

Übung **1.** (≈ *das Üben bzw. Geübtsein*) practice ['præktɪs] (⚠ *ohne* the); ***ich bin aus der Übung*** I'm out of practice; ***aus der Übung kommen*** get out of practice; ***Übung macht den Meister*** practice makes perfect **2.** *Turnen*: exercise ['eksəsaɪz]

Übungsbuch book of exercises (⚠ exercise book = ***Schulheft***)

Übungsplatz *Sport*: training ground

Übungssache: ***das ist reine Übungssache!*** it's all a matter of practice (*oder* training)

UEFA-Pokal UEFA [juː'eɪfə] Cup

Ufer **1.** (≈ *Flussufer*) bank **2.** (≈ *Meeresufer*) shore, (≈ *Seeufer*) *auch*: shores (⚠ *Pl.*) **3.** ***am Ufer*** on the riverbank *bzw.* on the edge of the lake *bzw.* on the shore

Ufo UFO [ˌjuːef'əʊ, 'juːfəʊ], unidentified flying object

Uhr **1.** *allg.*: clock **2.** (≈ *Armbanduhr*) watch [wɒtʃ] **3.** ***wie viel Uhr ist es?*** what time is it?; ***um wie viel Uhr?*** what time? **4.** ***rund um die Uhr*** around the clock; ***rund um die Uhr geöffnet*** open 24 hours

Uhrzeiger (clock *oder* watch) hand

Uhrzeigersinn **1.** ***im Uhrzeigersinn*** clockwise **2.** ***entgegen dem Uhrzeigersinn*** anticlockwise [ˌæntɪ'klɒkwaɪz], *AE* counterclockwise

Uhrzeit time

Uhu *Vogel*: eagle-owl ['iːgl‿aʊl]

UKW FM [ˌef'em] (*Abk. für* **f**requency **m**odulation)

ulkig funny

Ulme elm

Ultimatum ultimatum [ˌʌltɪ'meɪtəm]; ***jemandem ein Ultimatum stellen*** give* someone an ultimatum, *Militär auch*: deliver [dɪ'lɪvə] an ultimatum to someone

ultrahocherhitzt *bes. BE*; *Milch*: long-life (⚠ *nur vor dem Subst.*)

Ultraschall ultrasound ['ʌltrəsaʊnd]

um 1. *räumlich*: around, round **2. *um zehn* (*Uhr*)** at ten (o'clock); ***um zehn* (*herum*)** around ten **3. *es stieg um zwölf Euro*** it went up by twelve euros **4. *um drei Meter länger*** three metres longer **5. *es waren um die 50 da*** there were around 50 people there **6.** (≈ *in Bezug auf*) about; ***es geht um …*** it's about … **7. *um ehrlich zu sein*** to be honest **8. *um sein*** (≈ *zu Ende sein*) be* over; ***die Zeit ist um*** time's up (⚠ *ohne* the)

umarmen: **(*sich*) *umarmen*** embrace [ɪm'breɪs], hug (each other)

Umbau conversion

umbauen 1. *allg.*: (≈ *ändern*) alter ['ɔːltə], *völlig*: rebuild [riː'bɪld] **2. *umbauen zu oder in*** turn into **3.** redesign [ˌriːdɪ'zaɪn] (*Maschine usw.*) **4.** (≈ *neu gestalten*) remodel [ˌriː'mɒdl], convert (*auch Wohnung*) (***in, zu*** into) **5.** *übertragen* reorganize [riː'ɔːgənaɪz] **6.** *im Theater, auf Bühne*: change the set

umbenennen rename [riː'neɪm]

umbiegen 1. bend* (*Rohr usw.*) **2.** *im Auto*: turn round

Uhrzeit

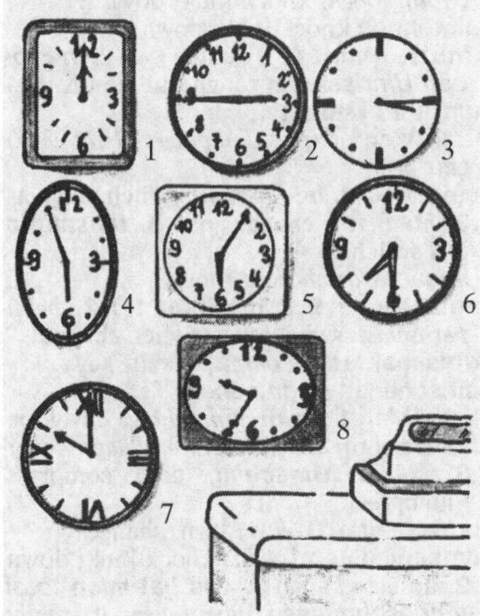

1 twelve (o'clock), noon, midnight
2 (a) quarter to three
3 (a) quarter past three
4 five (minutes) to six
5 five (minutes) past six
6 half past seven
7 ten (o'clock)
8 twenty-five to ten, nine thirty-five

umbilden reshuffle [riː'ʃʌfl] (*Kabinett, Regierung usw.*)

Umbildung *von Kabinett, Regierung usw.*: reshuffle ['riːˌʃʌfl]

umblättern turn (over) the page

umbringen 1. kill, murder **2. *sich umbringen*** kill oneself, commit suicide ['suːɪsaɪd] **3. *du wirst dich noch umbringen*** *umg.* you'll kill yourself

umbuchen change (*Flug usw.*)

umdrehen 1. *allg.*: turn round **2.** turn (*Schlüssel usw.*) **3. *jemandem den Arm umdrehen*** twist someone's arm **4. *er dreht jede Mark um*** *umg.* he counts every penny **5. *sich nach jemandem umdrehen*** turn round to look at someone **6.** (≈ *umkehren*) turn back

Umdrehung 1. *einer Schraube usw.*: turn **2.** *technisch, eines Motors usw.*: revolution [ˌrevə'luːʃn]; ***1000 Umdrehungen pro Minute*** 1,000 revolutions per minute (*Abk.* rpm) **3.** *eines Planeten*: rotation

umfahren knock [nɒk] down

Umfahrung Ⓐ **1.** (≈ *Umgehungsstraße*) bypass **2.** (≈ *Umleitung*) detour ['diːtʊə]

umfallen 1. *allg.*: fall* over **2.** (≈ *zusammenbrechen*) collapse [kə'læps] **3. *tot umfallen*** drop dead **4. *ich bin zum Umfallen müde*** I'm ready to drop

Umfang 1. *eines Kreises, der Erde*: circumference [sə'kʌmfrəns] **2.** (≈ *Größe*) size **3.** *eines Schadens usw.*: extent [ɪk'stent]

umfangreich extensive [ɪk'stensɪv]

umfassen (*Werk usw.*) comprise, consist of

umfassend comprehensive, extensive

Umfeld environment [ɪn'vaɪrənmənt]

umfliegen fly* round

umformatieren *Computer*: reformat [ˌriː'fɔːmæt]

umformulieren reword, rephrase

Umfrage survey ['sɜːveɪ], poll [pəʊl]

Umgang 1. (≈ *Bekanntenkreis*) friends (⚠ *Pl.*) **2. *er ist kein Umgang für dich*** he's no fit company ['kʌmpənɪ] for you **3. *der Umgang mit jemandem*** (*bzw.* ***etwas***) dealing with someone (*bzw.* something); ***im Umgang mit*** (in) dealing with

umgänglich easy to get along with

Umgangsformen 1. manners **2. *sie hat keine Umgangsformen*** she doesn't know how to behave

Umgangssprache colloquial [kə'ləʊkwɪəl] language; ***die englische Umgangssprache*** colloquial English (⚠ *ohne* the)

umgangssprachlich colloquial [kə'ləʊkwɪəl]

umgeben[1] surround [sə'raʊnd] (*ein Haus mit einer Hecke usw.*)

U

umgeben[2] surrounded [sə'raʊndɪd] (***von*** by)
Umgebung surroundings (⚠ *Pl.*)
umgehen[1] **1.** go* round (*Hindernis usw.*) **2.** bypass ['baɪpɑːs] (*Stadt*) **3.** get* round (*Schwierigkeit usw.*)
umgehen[2]: ***umgehen mit*** handle (*Ding*, *Maschine*, *Person*, *Tier*), use (*Maschine usw.*); ***sie weiß mit ihnen umzugehen*** she knows how to handle them
Umgehungsstraße 1. bypass ['baɪpɑːs] **2.** (≈ *Ringstraße*) ring road
umgekehrt 1. the other way round **2.** ***und umgekehrt*** and vice versa [ˌvaɪs(ɪ)'vɜːsə]
umgestürzt *Lastwagen usw.*: overturned
umgucken 1. ***sich umgucken*** (≈ *sich umsehen*) look round, have* a look round **2.** ***du wirst dich noch umgucken!*** you're in for a surprise or two!
umhaben have* on, wear* [weə]
Umhang cape
umhängen put* on (*Schal usw.*)
umhauen 1. ***jemanden umhauen*** knock [nɒk] someone flying **2.** ***es hat mich fast umgehauen*** *Alkohol*, *Gestank usw.*: it knocked me out, *Nachricht usw.*: I was floored ['flɔːd]
umhinkönnen: ***ich kann nicht umhin es zu tun*** I can't help doing it
umhören: ***ich werd mich umhören*** I'll keep my ears open, I'll ask around
umkehren (≈ *zurückkehren*) turn back
umkippen 1. (*Vase usw.*) tip over **2.** (*Boot*) overturn **3.** (≈ *ohnmächtig werden*) faint, keel over **4.** (≈ *umstoßen*) knock [nɒk] over **5.** (*Gewässer*) die
umklammern 1. (≈ *festhalten*) cling* onto **2.** *mit den Fingern*: clutch
umklappen fold (back)
Umkleide(raum) changing room, *bes. Sport und AE*: locker room
Umkleidekabine cubicle ['kjuːbɪkl], *AE* dressing room
umknicken 1. (≈ *brechen*) snap **2.** (≈ *biegen*) bend* **3.** ***ich bin*** (***mit dem Fuß***) ***umgeknickt*** I twisted my ankle
umkommen 1. die, be* killed **2.** ***wir sind vor Hunger*** *usw.* ***fast umgekommen*** we nearly died of hunger *usw.*
Umkreis: ***im Umkreis von 10 Kilometern*** within a radius ['reɪdɪəs] of 10 kilometres
umkreisen circle (round), orbit ['ɔːbɪt]
umkrempeln 1. turn up (*Ärmel usw.*) **2.** ***einen Strumpf*** *usw.* ***umkrempeln*** turn a sock *usw.* inside out **3.** ***du kannst ihn nicht völlig umkrempeln*** *umg.* you can't make a new person out of him
Umlaufbahn *eines Planeten*, *Satelliten*: orbit; ***auf seine Umlaufbahn bringen*** (*bzw.* ***gelangen***) put* (*bzw.* enter) into orbit
Umlaut umlaut ['ʊmlaʊt]
umlegen *umg.* (≈ *töten*) bump off
umleiten divert [daɪ'vɜːt]
Umleitung diversion, *AE* detour ['diːtʊə]
umlernen 1. (≈ *umschulen*) retrain **2.** ***umlernen müssen*** (≈ *umdenken müssen*) have* to change one's ideas
umliegend surrounding [sə'raʊndɪŋ]
ummelden: ***sich ummelden*** register ['redʒɪstə] one's change of address
ummodeln (≈ *umgestalten*) revamp [riː'væmp]
umorganisieren reorganize [riː'ɔːgənaɪz]
umpacken repack
umquartieren *umg.* shift
umräumen 1. (≈ *woanders hintun*) move **2.** rearrange (*Zimmer*, *Möbel usw.*)
umrechnen 1. convert [kən'vɜːt] (***in*** into) **2.** ***in Pfund umgerechnet*** in (terms of) pounds
Umrechnung *von Währungen usw.*: conversion
Umrechnungskurs exchange rate
Umrechnungstabelle conversion table
umreißen 1. (≈ *niederreißen*) pull down **2.** (≈ *umstoßen*) knock [nɒk] down
umrennen knock [nɒk] down
Umriss, **Umrisse 1.** outline (*Sg.*) **2.** ***in groben Umrissen*** in rough outline (⚠ *Sg.*)
umrühren stir [stɜː]
umrüsten adapt (*Computer*, *Gerät usw.*) (***auf*** to)
umsatteln 1. *im Studium*: switch subjects **2.** *im Beruf*: change jobs **3.** ***umsatteln auf*** switch to
Umsatz *Wirtschaft*: turnover
umschalten 1. switch (***auf*** to) **2.** *beim Fernsehen*: switch over, switch channels
Umschalttaste *Computer*: shift key
umschauen → ***umsehen***
Umschlag 1. (≈ *Briefumschlag*) envelope ['envələʊp] **2.** (≈ *Buchumschlag*) cover **3.** ***kalter Umschlag*** cold compress ['kɒmpres]
umschlagen (*Wetter*) turn, change
umschmeißen 1. *allg.*: knock [nɒk] down **2.** upset* (*Pläne*) **3.** ***das hat mich total umgeschmissen*** *übertragen* it really threw me
umschnallen 1. strap on (*Rucksack usw.*) **2.** put* on (*Gürtel*)
umschulen 1. ***er wird umgeschult*** he's being sent to another school **2.** (≈ *einen anderen Beruf lernen*) retrain [ˌriː'treɪn]
Umschulung 1. transfer ['trænsfɜː] (to another school) **2.** *berufliche*: retraining [ˌriː'treɪnɪŋ]

Umschulungskurs retraining course
umschütten spill*, knock [nɒk] over (*Glas usw.*)
Umschwung sudden change
umsegeln sail round
umsehen 1. ***sich umsehen*** look round, have* a look round; ***sie sah sich im Zimmer um*** she looked round the room **2.** ***er hat sich nach dem Mädchen umgesehen*** he looked round at (*suchend*: for) the girl **3.** ***er sieht sich nach Arbeit um*** he's looking for work **4.** ***du wirst dich noch umsehen!*** you're in for a surprise or two!
umsetzen: ***etwas in die Praxis umsetzen*** put* something into practice
Umsiedler(in) resettler [riːˈsetlə]
umso 1. ***je später*** *usw.*, ***umso schlechter*** *usw.* the later *usw.* the worse *usw.* **2.** ***umso besser*** so much the better
umsonst 1. (≈ *kostenlos*) free; ***er macht es umsonst*** he does it for nothing (*oder* for free) **2.** ***es war umsonst*** (≈ *vergeblich*) it was all for nothing
umspringen 1. (*Ampel usw.*) change (***auf*** to) **2.** ***mit jemandem grob*** *usw.* ***umspringen*** treat someone roughly *usw.*
Umstände 1. circumstances [ˈsɜːkəmstənsɪz]; ***unter diesen*** (*bzw.* ***keinen***) ***Umständen*** under the (*bzw.* no) circumstances **2.** ***unter Umständen geht das*** it might (possibly) work **3.** ***mach dir keine Umstände!*** don't go to any trouble
umständlich 1. (≈ *ungeschickt*) awkward [ˈɔːkwəd] **2.** (≈ *verwickelt*) complicated **3.** (≈ *langatmig*) longwinded [⚠ ˌlɒŋˈwɪndɪd] **4.** ***umständlicher gehts wohl nicht!*** *umg.* you can't get much more complicated than that!
Umstandswort adverb [ˈædvɜːb]
umsteigen 1. change (trains *bzw.* buses *usw.*); ***Sie müssen auf die 19 umsteigen*** you've got to change to the 19 **2.** (≈ *wechseln*) switch (***auf*** to) (*Fach, Diät usw.*)
umstellen 1. ***sich umstellen*** adjust [əˈdʒʌst] (***auf*** to); ***man muss sich umstellen*** you've got to get used to it **2.** adjust (*Gerät usw.*)
Umstellung adjustment [əˈdʒʌstmənt]
umstimmen: ***kannst du ihn nicht umstimmen?*** can't you change his mind?, can't you talk him out of it?
umstoßen knock [nɒk] down (*oder* over)
umstritten controversial [ˌkɒntrəˈvɜːʃl]
umstülpen 1. turn upside down (*Glas usw.*) **2.** turn inside out (*Tasche usw.*)
Umsturz *einer Regierung usw.*: overthrow [ˈəʊvəθrəʊ]
umstürzen 1. fall* over **2.** (≈ *umwerfen*) knock [nɒk] over **3.** overthrow* [ˌəʊvəˈθrəʊ] (*Regierung usw.*)
umtauschen 1. exchange (***gegen*** for), take* back to the shop **2.** exchange (*Währung*) (***in*** into, for)
umtun 1. (≈ *umbinden*) put* on **2.** ***sich nach etwas umtun*** look round for something
U-Musik light (*oder* popular [ˈpɒpjʊlə]) music
Umwälzung *politische usw.*: upheaval [ʌpˈhiːvl]
umwandeln 1. convert, transform [trænsˈfɔːm] (***in, zu*** into) **2.** ***sie ist wie umgewandelt*** she's a different person
Umwandlung conversion (***in*** into), transformation [ˌtrænsfəˈmeɪʃn] (***in*** into)
umwechseln exchange (*Währung*) (***in*** into, for)
Umweg 1. detour [ˈdiːtʊə] (***über*** via [ˈvaɪə]); ***einen Umweg machen*** (*oder* ***fahren***) make* a detour **2.** ***ich habs auf Umwegen erfahren*** I found out in a roundabout way
Umwelt environment [ɪnˈvaɪrənmənt]

Umwelt: einige Begriffe

Abfall	**waste**
Abfallbeseitigung	**waste disposal**
abgasarmes Auto	**low-emission car**
Abwasser	**sewage**
Abwasseraufbereitung	**sewage treatment**
Autoabgase	**(car) exhaust fumes/emissions**
Bodenerosion	**soil erosion**
Brandrodung	**fire clearance**
Düngemittel	**fertilizer**
Erderwärmung	**global warming**
FCKW	**CFC**
Kläranlage	**sewage plant**
Krebs erregend	**carcinogenic**
Luftverschmutzung	**air pollution**
Mülldeponie	**waste disposal site,** *AE* **sanitary (land)fill**
Ozonloch	**ozone hole**
Ozonwerte	**ozone levels**
Pestizide	**pesticides**
Regenwald	**rainforest**
saurer Regen	**acid rain**
Treibhauseffekt	**greenhouse effect**
Treibhausgas	**greenhouse gas**
umkippen (*Gewässer*)	**die**

U

umweltbewusst	**environmentally aware**
umweltfreundlich	**environmentally friendly, eco-friendly**
Umweltverschmutzung	**(environmental) pollution**
Waldsterben	**forest deaths, dying forests**
wieder verwertbar	**recyclable**
Wiederverwertung	**recycling**

umweltbelastend environmentally [ɪnˌvaɪrənˈmentəlɪ] (*oder* ecologically [ˌiːkəˈlɒdʒɪklɪ]) harmful, harmful to the environment
umweltbewusst environmentally [ɪnˌvaɪrənˈmentəlɪ] aware, environment-conscious [ɪnˈvaɪrənməntˌkɒnʃəs]
umweltfreundlich environment-friendly, eco-friendly [ˈiːkəʊˌfrendlɪ]
Umweltkatastrophe environmental disaster [ɪnˌvaɪrənmentl‿dɪˈzɑːstə]
Umweltpolitik environmental policy [ˈpɒləsɪ]
umweltschädlich harmful to the environment, environmentally (*oder* ecologically [ˌiːkəˈlɒdʒɪklɪ]) harmful, polluting [pəˈluːtɪŋ]
Umweltschutz conservation, care of the environment, environmentalism
Umweltschützer(in) environmentalist [ɪnˌvaɪrənˈmentlɪst], conservationist
Umweltsünder(in) (environmental) polluter [pəˈluːtə]
Umweltverschmutzung (environmental) pollution [pəˈluːʃn]
umweltverträglich environment-friendly, environmentally compatible [kəmˈpætəbl], eco-friendly [ˈiːkəʊˌfrendlɪ]
Umweltzerstörung destruction of the environment, *völlige*: ecocide [ˈiːkəʊsaɪd]
umwerfen 1. (≈ *umstoßen*) knock [nɒk] over **2.** ***er warf sich eine Jacke um*** he threw a jacket over his shoulders [ˈʃəʊldəz] **3.** throw* (*Pläne usw.*) **4.** ***es hat ihn umgeworfen*** *übertragen* it threw him
umwerfend 1. (≈ *sehr beeindruckend*) incredible [ɪnˈkredəbl] **2.** ***es war umwerfend komisch*** it was hilarious [hɪˈleərɪəs]
umwickeln: ***etwas mit Draht*** *usw.* ***umwickeln*** wind* [waɪnd] wire *usw.* round something
umziehen[1]: ***sich umziehen*** get* changed
umziehen[2] move [muːv] (***nach*** to)
Umzug 1. (≈ *Wohnungswechsel*) move (***nach*** to) **2.** (≈ *Straßenumzug*) parade, *feierlicher*: procession
unabhängig 1. independent [ˌɪndɪˈpendənt] (***von*** of) **2.** ***unabhängig voneinander*** independently of one another **3.** ***unabhängig davon, ob …*** regardless of whether …
Unabhängigkeit independence (***von*** of)
Unabhängigkeitstag *USA*: Independence Day (⚠ *ohne* the), Fourth of July
unabsichtlich 1. unintentionally [ˌʌnɪnˈtenʃnəlɪ] **2.** ***es war unabsichtlich*** it wasn't intentional, it wasn't done deliberately
unachtsam careless
unangemeldet: ***unangemeldet aufkreuzen*** turn up without warning
unangenehm 1. *allg.*: unpleasant [ʌnˈplezŋt] **2.** ***es ist mir unangenehm*** I feel awkward [ˈɔːkwəd] about it **3.** ***unangenehm auffallen*** make* a bad impression
Unannehmlichkeiten 1. *allg.*: trouble [ˈtrʌbl] (⚠ *Sg.*); ***jemandem Unannehmlichkeiten bereiten*** cause someone (a lot of) trouble **2.** ***Unannehmlichkeiten bekommen*** run* into difficulties
unansehnlich ugly
unanständig obscene [əbˈsiːn], *bes. Witz*: dirty; ***unanständiges Wort*** *auch*: four-letter word
Unanständigkeit obscenity [⚠ əbˈsenətɪ]
unappetitlich 1. *Essen usw.*: unappetizing **2.** (≈ *abstoßend*) off-putting
unartig naughty [ˈnɔːtɪ]
unaufdringlich unobtrusive [ˌʌnəbˈtruːsɪv]
unauffällig 1. (≈ *unbemerkt*) inconspicuously [ˌɪnkənˈspɪkjʊəslɪ] **2.** ***sich unauffällig verhalten*** keep* a low profile [ˈprəʊfaɪl] **3.** *Signal usw.*: discreet [dɪˈskriːt] **4.** *Farbe, Kleidung usw.*: discreet
unaufgefordert without being asked
unaufgeschlossen narrow-minded [ˌnærəʊˈmaɪndɪd]
unaufhörlich 1. incessant [ɪnˈsesnt] **2.** ***es regnete unaufhörlich*** it wouldn't stop raining
unaufmerksam 1. *allg.*: inattentive **2.** (≈ *gedankenlos*) thoughtless
unausstehlich unbearable [ʌnˈbeərəbl]
unbarmherzig merciless, pitiless, relentless [rɪˈlentləs]
unbeabsichtigt unintentional
unbeachtet unnoticed [ʌnˈnəʊtɪst]
unbedarft (≈ *naiv*) naive [naɪˈiːv]
unbedenklich 1. (≈ *sicher, risikolos*) safe, harmless **2.** ***sein Zustand ist unbedenklich*** his condition gives no cause for concern [kənˈsɜːn]

unbedeutend insignificant [ˌɪnsɪɡˈnɪfɪkənt]
unbedingt 1. ***du musst unbedingt kommen*** *usw.* you've got to come *usw.* 2. ***ich brauch es unbedingt*** I need it very badly 3. ***er will es unbedingt wissen*** he's desperate [ˈdespərət] to know 4. ***du musstest ja unbedingt den Mund aufmachen*** of course you had to open your mouth, didn't you? 5. ***unbedingt!*** absolutely [ˌæbsəˈluːtlɪ]! 6. ***nicht unbedingt*** not necessarily [ˌnesəˈserəlɪ] 7. Ⓐ, Ⓒⓗ *Strafe*: (≈ *ohne Bewährung*) unconditional; ***er wurde zu zwei Jahren Gefängnis unbedingt verurteilt*** he was sentenced to two years in prison
unbeeindruckt unimpressed
unbefangen (≈ *ungehemmt*) uninhibited [ˌʌnɪnˈhɪbɪtɪd]
unbefriedigend unsatisfactory [ˌʌnsætɪsˈfæktərɪ]
unbefriedigt dissatisfied [ˌdɪsˈsætɪsfaɪd]
unbefristet unlimited
Unbefugte(r) unauthorized [ʌnˈɔːθəraɪzd] person
unbegabt untalented [ʌnˈtæləntɪd]; ***er ist total unbegabt*** he's got no talent (at all)
unbegreiflich: ***es ist mir unbegreiflich*** I can't understand it; ***es ist mir unbegreiflich, dass …*** I can't understand why (*oder* how) …
unbegrenzt 1. unlimited [ʌnˈlɪmɪtɪd] 2. ***es ist zeitlich unbegrenzt*** there's no time limit
unbegründet unfounded [ʌnˈfaʊndɪd]
unbehaglich: ***mir war ganz unbehaglich zumute*** I felt very uneasy [ʌnˈiːzɪ]
unbehandelt *Obst usw.*: untreated
unbeherrscht 1. *Reaktion*: uncontrolled 2. ***er ist so unbeherrscht*** he has no self-control [ˌself‿kənˈtrəʊl]
Unbeherrschtheit lack of (self-)control
unbeholfen 1. (≈ *ungeschickt*) clumsy [ˈklʌmzɪ] 2. (≈ *hilflos*) helpless
unbekannt 1. *allg.*: unknown; ***sie ist mir unbekannt*** I don't know her 2. (≈ *nicht vertraut*) unfamiliar [ˌʌnfəˈmɪlɪə]; ***das ist mir unbekannt*** I'm not familiar with that 3. ***eine unbekannte Größe*** an unknown quantity [ˌʌnnəʊnˈkwɒntətɪ]
unbekannterweise: ***grüß ihn von mir unbekannterweise*** say hello to him from me, even though we haven't met
unbekümmert (≈ *sorglos*) carefree
unbeleckt 1. *umg.* clueless 2. ***von der Kultur unbeleckt*** untouched by civilization
unbeliebt unpopular [ʌnˈpɒpjʊlə] (***bei*** with); ***sich bei jemandem unbeliebt machen*** make* oneself unpopular with someone
unbemannt: ***unbemanntes Raumschiff*** unmanned spacecraft
unbemerkt unnoticed [ʌnˈnəʊtɪst]
unbenutzt *Handtuch usw.*: clean
unbeobachtet: ***ich fühlte mich unbeobachtet*** I didn't think anyone was looking
unbequem 1. *allg.*: uncomfortable [⚠ ʌnˈkʌmftəbl] 2. *Frage usw.*: awkward [ˈɔːkwəd]
unberechenbar unpredictable [ˌʌnprɪˈdɪktəbl]
unberechtigt *Kritik usw.*: unjustified
unberufen: ***unberufen!*** touch wood!
unberührt 1. *allg.*: untouched 2. ***die unberührte Natur*** unspoilt nature (⚠ *ohne* the) 3. ***es ließ mich unberührt*** it left me cold
unbeschädigt undamaged
unbeschränkt unlimited [ʌnˈlɪmɪtɪd]
unbeschreiblich 1. indescribable [ˌɪndɪˈskraɪbəbl] 2. ***unbeschreiblich gut*** (*bzw.* ***langweilig*** *usw.*) incredibly [ɪnˈkredəblɪ] good (*bzw.* boring *usw.*)
unbeschwert 1. carefree 2. ***unbeschwert leben*** live a carefree life
unbesiegt undefeated [ˌʌndɪˈfiːtɪd]
unbespielt *Kassette usw.*: blank, empty
unbestimmt 1. (≈ *vage*) vague [veɪɡ] 2. (≈ *ungewiss*) uncertain 3. ***auf unbestimmte Zeit*** indefinitely [ɪnˈdefənətlɪ]
unbestraft: ***er blieb unbestraft*** he got away with it
unbestritten: ***es ist unbestritten, dass …*** nobody denies [dɪˈnaɪz] the fact that …
unbeteiligt 1. (≈ *nicht dazugehörig*) uninvolved 2. (≈ *innerlich unbeteiligt*) indifferent, unconcerned
Unbeteiligte(r) innocent [ˈɪnəsnt] bystander
unbetont unstressed
unbewaffnet unarmed
unbeweglich 1. (≈ *regungslos*) motionless 2. *Gelenk usw.*: stiff 3. (≈ *geistig unflexibel*) rigid [ˈrɪdʒɪd], inflexible
unbewohnbar uninhabitable [ˌʌnɪnˈhæbɪtəbl], unfit for human [ˈhjuːmən] habitation
unbewohnt unoccupied, empty
unbewusst 1. *allg.*: unconscious [ʌnˈkɒnʃəs] 2. *Bewegung usw.*: involuntary 3. ***jemanden unbewusst beleidigen*** *usw.* offend someone *usw.* without realizing it
Unbewusste: ***das Unbewusste*** the unconscious [ʌnˈkɒnʃəs] (mind)
unbezahlbar 1. (≈ *zu teuer*) unaffordable 2. (≈ *nicht mit Geld zu bezahlen*) priceless 3. *Humor, witzige Person usw.*: priceless

U

unbezahlt unpaid
unbrauchbar *allg.*: useless ['juːsləs]
unbürokratisch 1. unbureaucratic [ˌʌnbjʊərəʊ'krætɪk] **2.** ***eine Angelegenheit unbürokratisch beilegen*** settle a matter unbureaucratically
und 1. *allg.*: and **2.** ***und?*** well? **3.** ***na und?*** so what? **4.** ***und und und*** I could go on **5.** ***wir überlegten und überlegten*** we racked our brains; ***ich suchte und suchte*** I searched high and low **6.** ***du und Kochen*** (*bzw.* ***Joggen*** *usw.*)? you do the cooking (*bzw.* go jogging *usw.*)?; ***der und hilfreich?*** him helpful?
undankbar 1. *Person*: ungrateful **2.** ***undankbare Aufgabe*** thankless task
undatiert undated
undefinierbar indefinable [ˌɪndɪ'faɪnəbl]
undemokratisch undemocratic
undenkbar unthinkable
undeutlich 1. *Schrift*: illegible [ɪ'ledʒəbl] **2.** (≈ *vage*) vague [⚠ veɪg] **3.** (≈ *verschwommen*) blurred [blɜːd] **4.** ***undeutlich sprechen*** mumble
undicht 1. *Leitung, Dach usw.*: leaking; ***das Dach*** *usw.* ***ist undicht*** the roof *usw.* leaks **2.** ***die Uhr ist undicht*** the watch isn't waterproof (*oder* watertight) **3.** ***die Verpackung*** *usw.* ***ist undicht*** the packaging *usw.* isn't airtight
Unding: ***das ist ein Unding*** that's absurd
undiszipliniert undisciplined [ʌn'dɪsɪplɪnd]
undurchdringlich 1. *allg.*: impenetrable [ɪm'penətrəbl] **2.** *Miene*: inscrutable [ɪn'skruːtəbl]
undurchsichtig 1. ***der Stoff*** *usw.* ***ist undurchsichtig*** you can't see through the material *usw.* **2.** ***undurchsichtiger Mensch*** shady character ['kærəktə] **3.** *Pläne usw.*: obscure [əb'skjʊə]
uneben uneven, *Straße, Weg auch*: bumpy
Unebenheit *in der Straße usw.*: bump
unecht 1. *Schmuck usw.*: fake **2.** ***es ist unecht*** *Haar usw.*: it's not real **3.** (≈ *nicht ehrlich*) insincere [ˌɪnsɪn'sɪə]
unehelich *Kind*: illegitimate [ˌɪlə'dʒɪtəmət]
unehrlich dishonest [⚠ dɪs'ɒnɪst]
Unehrlichkeit dishonesty [⚠ dɪs'ɒnəstɪ]
uneinig 1. ***sie sind*** (***sich***) ***uneinig*** they disagree (***über*** on) **2.** ***ich bin mit mir selbst noch uneinig*** I'm still undecided
Uneinigkeit disagreement; ***es herrscht Uneinigkeit zwischen …*** there's disagreement between …
uneinsichtig stubborn ['stʌbən]
unempfindlich 1. *allg.*: insensitive (***gegen, für*** to) **2.** (≈ *abgehärtet*) hardened (***gegen*** to) **3.** (≈ *strapazierfähig*) tough [tʌf]
unendlich 1. *allg.*: endless, *zeitlich auch*: never-ending **2.** ***das Warten schien unendlich*** the waiting seemed to go on forever **3.** ***unendlich lang*** endless **4.** ***unendlich viele Leute*** *usw.* countless people *usw.* **5.** ***unendlich viel Arbeit*** *usw.* no end of work *usw.* **6.** ***unendlich glücklich*** (*bzw.* ***wütend*** *usw.*) incredibly [ɪn'kredəblɪ] happy (*bzw.* angry *usw.*) **7.** ***unendliche Zahl*** infinite ['ɪnfɪnət] number **8.** ***auf unendlich einstellen*** *Kamera*: focus on infinity [ɪn'fɪnətɪ]
Unendlichkeit: ***die Unendlichkeit*** infinity [ɪn'fɪnətɪ] (⚠ *ohne* the)
unentbehrlich indispensable [ˌɪndɪ'spensəbl] (***für*** to)
unentschieden 1. ***unentschieden enden*** end in a draw **2.** *Frage*: open
Unentschieden *Sport*: draw, tie
unentschlossen 1. undecided [ˌʌndɪ'saɪdɪd] (***ob*** as to whether) **2.** ***er ist so unentschlossen*** he can never make up his mind
Unentschlossenheit indecisiveness
unerfahren 1. inexperienced **2.** ***da bin ich unerfahren*** I don't know anything about that
Unerfahrenheit lack of experience
unerfreulich unpleasant [ʌn'pleznt]
unerhört 1. *Frechheit usw.*: incredible [ɪn'kredəbl] **2.** ***er hatte unerhörtes Glück*** he was incredibly lucky **3.** (≈ *empörend*) outrageous [aʊt'reɪdʒəs], scandalous ['skændləs] **4.** ***unerhört!*** what a cheek!
unerklärlich 1. inexplicable [ˌɪnɪk'splɪkəbl] **2.** ***es ist*** (***mir***) ***unerklärlich*** it's a mystery ['mɪstrɪ] (to me)
unerlaubt without permission
unermüdlich untiring [ʌn'taɪərɪŋ]
unerreichbar 1. *Ziel usw.*: unattainable, out of reach (⚠ *nur nach dem Verb*) **2.** ***sie ist unerreichbar*** I can't get hold of her
unerreicht *Rekord, Leistung*: unequalled [ʌn'iːkwəld]
unersättlich *allg.*: insatiable [⚠ ɪn'seɪʃəbl]
unerschwinglich beyond my *usw.* means
unersetzlich irreplaceable [ˌɪrɪ'pleɪsəbl]
unerträglich unbearable [ʌn'beərəbl]
unerwartet unexpected; ***es kam ganz unerwartet*** *auch*: it took us all *usw.* by surprise
unerwünscht 1. undesirable [ˌʌndɪ'zaɪərəbl], unwelcome **2.** ***du bist hier uner-***

U

wünscht you're not welcome around here
unfähig 1. ***er ist unfähig stillzusitzen*** he's incapable of sitting still **2.** *Schüler, Mitarbeiter usw.*: incompetent [ɪn'kɒmpɪtənt]
Unfähigkeit incompetence [ɪn'kɒmpɪtəns]
unfair 1. unfair [ˌʌn'feə] **2.** ***das ist unfair*** that's not fair
Unfall accident ['æksɪdənt]; ***einen Unfall bauen*** cause an accident; ***bei einem Unfall verletzt werden*** be* hurt in an accident
unfallfrei 1. accident-free ['æksɪdənt‿friː] **2.** ***er ist jetzt zwanzig Jahre lang unfallfrei gefahren*** he's been driving for twenty years now without a single accident
Unfallstation casualty ['kæʒʊəltɪ] (ward)
Unfallstelle scene of the (*oder* an) accident
unfassbar: ***das ist für mich unfassbar*** I just can't believe (*oder* grasp) it
unfrankiert unstamped; ***es war unfrankiert*** *auch*: it didn't have a stamp
unfreiwillig 1. (≈ *gezwungen*) forced **2.** ***er musste unfreiwillig gehen*** he was forced to go **3.** *Witz usw.*: unintentional
unfreundlich unfriendly (*auch Wetter usw.*)
Unfreundlichkeit 1. *allg.*: unfriendliness **2.** (≈ *Unhöflichkeit*) rudeness
unfrisiert *Haar, Person*: unkempt
unfruchtbar 1. *Boden*: barren ['bærən], infertile **2.** *Diskussion, Bemühungen usw.*: fruitless ['fruːtləs]
Unfug 1. (≈ *Unsinn*) nonsense, *BE auch* rubbish **2.** ***Unfug treiben*** get* up to mischief [⚠ 'mɪstʃɪf]
Ungar Hungarian [hʌŋ'geərɪən]; ***er ist Ungar*** he's Hungarian, he's from Hungary ['hʌŋgərɪ]; ☞ ***Nationalitäten***
Ungarin Hungarian [hʌŋ'geərɪən] woman (*oder* lady *bzw.* girl); ***sie ist Ungarin*** she's Hungarian, she's from Hungary ['hʌŋgərɪ]; ☞ ***Nationalitäten***
ungarisch, Ungarisch Hungarian
Ungarn Hungary ['hʌŋgərɪ]
ungebildet uneducated [ʌn'edjʊkeɪtɪd]
ungeboren unborn
ungebräuchlich uncommon, unusual [ʌn'juːʒʊəl]
ungebraucht 1. *allg.*: unused [ˌʌn'juːzd] **2.** *Handtuch usw.*: clean
ungedeckt 1. *Scheck*: uncovered [ʌn'kʌvəd] **2.** *Spieler im Sport*: unmarked
Ungeduld impatience [ɪm'peɪʃns]; ***voller Ungeduld*** impatiently
ungeduldig impatient [ɪm'peɪʃnt]
ungeeignet 1. *Bewerber, Buch, Auto usw.*: unsuitable [ʌn'suːtəbl] (***für, zu*** for) **2.** ***er ist fürs Studium*** (***denkbar***) ***ungeeignet*** he's (totally) unsuited [ʌn'suːtɪd] to studying
ungefähr 1. (≈ *in etwa*) approximately [ə'prɒksɪmətlɪ] **2.** ***wo ungefähr?*** whereabouts? **3.** ***wann ungefähr?*** what sort of time? **4.** ***ungefähr um neun*** around nine **5.** ***kannst du es ungefähr beschreiben?*** can you give a rough [rʌf] description? **6.** ***es kommt nicht von ungefähr*** (***, dass ...***) it's no accident ['æksɪdənt] (that ...)
ungefährlich 1. harmless, not dangerous ['deɪndʒərəs] **2.** ***es ist nicht ganz ungefährlich*** it's not without its dangers
ungefragt: ***sie tat es ungefragt*** she did it unasked (*oder* without being asked)
ungehalten annoyed (***über*** about)
ungeheizt unheated
ungehemmt uninhibited, unrestrained
ungeheuer 1. (≈ *enorm, riesig*) incredible [ɪn'kredəbl]; ***ungeheure Schmerzen*** *usw.* incredible pain (⚠ *Sg.*) *usw.* **2.** ***ungeheuer wichtig*** *usw.* incredibly important *usw.*
Ungeheuer monster (*auch übertragen*)
ungehorsam disobedient [ˌdɪsə'biːdɪənt] (***gegenüber*** to)
Ungehorsam disobedience (***gegenüber*** to)
ungekämmt uncombed [⚠ ʌn'kəʊmd]
ungeklärt 1. *Problem usw.*: unsolved **2.** ***die Ursache ist noch ungeklärt*** we *usw.* still don't know the reason (why)
ungekocht raw, uncooked
ungekürzt 1. *Roman usw.*: unabridged **2.** ***ungekürzte Fassung*** *Film*: uncut version
ungelenkig awkward ['ɔːkwəd]
ungelernt *Arbeiter(in)*: unskilled
ungeliebt unloved [ˌʌn'lʌvd]
ungelogen 1. ***ungelogen!*** *umg.* I'm not kidding! **2.** ***ich bin ungelogen den ganzen Weg gerannt*** I ran the whole way, no kidding
ungemacht *Bett*: unmade
ungemütlich 1. *allg.*: uncomfortable [ʌn'kʌmftəbl] **2.** ***langsam wirds mir ungemütlich*** *übertragen* I'm beginning to feel a bit uncomfortable **3.** ***er kann schon ungemütlich werden*** he can get nasty ['nɑːstɪ]
ungenannt unnamed, nameless
ungenau 1. (≈ *nicht exakt*) imprecise [ˌɪmprɪ'saɪs], inaccurate [ɪn'ækjərət] **2.** (≈ *schlampig*) careless
Ungenauigkeit inaccuracy [ɪn'ækjərəsɪ] (*auch konkret*)
ungeniert 1. uninhibited **2.** ***sie fragte***

mich ganz ungeniert she asked me quite openly
ungenießbar 1. inedible [ɪn'edəbl] (*auch übertragen*) 2. ***er ist ungenießbar*** he's hard to take
ungenügend 1. *allg.*: insufficient [ˌɪnsə'fɪʃnt] 2. *Note*, *Leistung*: unsatisfactory [ˌʌnsætɪs'fæktərɪ]
ungenutzt, **ungenützt** unused [ˌʌn'juːzd]
ungepflegt untidy, *stärker*: scruffy
ungerade *Zahl*: odd (⚠ *nur vor dem Subst.*)
ungerecht unjust (***gegen*** towards)
ungerechtfertigt unjustified
Ungerechtigkeit injustice [ɪn'dʒʌstɪs]
ungern 1. ***er macht es ungern*** he's not very keen to do it 2. ***„Machst dus also?" - „Ungern."*** 'Will you do it then?' - 'I'd rather not.'
ungesalzen unsalted [ʌn'sɔːltɪd]
ungeschält *Obst*, *Gemüse*: unpeeled
ungeschehen: ***du kannst es nicht ungeschehen machen*** it can't be undone [ʌn'dʌn]
ungeschickt 1. *allg.*: clumsy ['klʌmzɪ] 2. (≈ *taktlos*) tactless
ungeschlagen unbeaten; ***ungeschlagen bleiben*** remain unbeaten
ungeschliffen *Person*: uncouth [⚠ ʌn-'kuːθ]
ungeschminkt 1. without makeup ['meɪkʌp]; ***ich bin noch ungeschminkt*** I haven't put my makeup on yet 2. ***die ungeschminkte Wahrheit*** the plain truth
ungeschoren: ***ungeschoren davonkommen*** (≈ *straffrei*) get* off scot-free [ˌskɒt'friː], (≈ *unverletzt*) escape unscathed [ʌn'skeɪðd]
ungeschult *auch Ohr*: untrained
ungeschützt unprotected

ungesellig unsociable [ʌn'səʊʃəbl]
ungestört 1. undisturbed 2. *Ort*: peaceful
ungestraft: ***er ist ungestraft davongekommen*** he went unpunished
ungesund unhealthy [ʌn'helθɪ]
ungesüßt unsweetened
ungewaschen unwashed
ungewiss 1. uncertain 2. ***jemanden im Ungewissen lassen*** keep* someone in the dark
Ungewissheit uncertainty [ʌn'sɜːtntɪ]
ungewöhnlich unusual [ʌn'juːʒʊəl]
ungewohnt 1. unfamiliar 2. ***es ist noch alles ungewohnt*** I haven't got used to it yet
ungewollt 1. unintentional 2. ***ungewollte Schwangerschaft*** unwanted pregnancy
Ungeziefer vermin ['vɜːmɪn] (⚠ *Pl.*)
ungezogen naughty ['nɔːtɪ]
ungezwungen relaxed
ungiftig non-toxic
unglaublich incredible [ɪn'kredəbl]
unglaubwürdig implausible [ɪm'plɔːzəbl]
ungleich 1. *Socken usw.*: odd (⚠ *nur vor dem Subst.*) 2. ***ungleiches Paar*** *Menschen*: odd match 3. ***sie sind ungleich lang*** *usw.* they're a different length *usw.*
ungleichmäßig 1. *allg.*: irregular 2. ***ungleichmäßig verteilen*** divide unevenly
Unglück 1. (≈ *Unfall*) accident ['æksɪdənt], (≈ *Katastrophe*) disaster [dɪ'zɑːstə] 2. (≈ *Unheil*) misfortune [mɪs'fɔːtʃən] 3. (≈ *Pech*) bad luck; ***das bringt Unglück!*** that's unlucky 4. ***zu allem Unglück*** to crown it all 5. ***ein Unglück kommt selten allein*** it never rains but it pours [pɔːz]
unglücklich 1. (≈ *traurig*) unhappy 2. ***du machst aber ein unglückliches Gesicht!*** you don't look too happy 3. *Zufall*, *Bewegung usw.*: unfortunate [ʌn'fɔːtʃən-

At the Railway Station Am Bahnhof

1	arrivals (*Pl.*)	Ankunft (= *ankommende Züge*)	7	platform	Bahnsteig
2	departures (*Pl.*)	Abfahrt (= *abfahrende Züge*)	8	travellers, *AE* travelers	Reisende (*Pl.*)
3	train	Zug	9	ticket office	Fahrkartenschalter
4	compartment	Abteil	10	(British Rail) employee	Bahnangestellter (der British Rail)
5	luggage, baggage	Gepäck	11	uniform	Uniform
6	luggage trolley, *AE* baggage cart	Kofferkuli	12	newsstand	Zeitungsstand

I'd like a return (ticket) to Edinburgh ['edɪnbərə], please. — Ich möchte bitte eine Rückfahrkarte nach Edinburg.

U

At the Railway Station
14:11
1 ARRIVALS
2 DEPARTURES
Trains
TICKETS
PLATFORM
4
← 1 to 4
← Passengers
Underground ↑
Taxis →
NEWSPAPERS
MAGAZINES
Way out ↑
3
4
5
6
7
8
9
10
11
12
I'd like a return to Edinburgh, please.

Arriving at the Airport

ət] **4.** ***unglücklich stürzen*** have* a bad fall

Unglücksrabe unlucky person

ungrammatisch ungrammatical

ungültig invalid [ɪn'vælɪd]; ***es ist ungültig*** *auch*: it's no longer valid, it has run out

ungünstig **1.** *Termin usw.*: inconvenient; *Zeitpunkt auch*: bad **2.** *Bedingungen usw.*: unfavourable [ʌn'feɪvrəbl] **3.** *Wetter*: bad

ungut: ***ungutes Gefühl*** funny feeling

unhaltbar *Schuss*: unstoppable

unhandlich unwieldy [ʌn'wiːldɪ]

unheilbar **1.** incurable [ɪn'kjʊərəbl] **2.** ***unheilbarer Krebs*** terminal cancer ['kænsə] **3.** ***unheilbar krank sein*** be* terminally ill

unheimlich **1.** *allg.*: weird [wɪəd], scary ['skeərɪ] **2.** ***es*** *usw.* ***ist mir unheimlich*** it *usw.* scares me **3.** ***ich hatte unheimlich Angst*** *usw.* I was incredibly [ɪn'kredəblɪ] scared *usw.* **4.** ***ich hab einen unheimlichen Hunger*** (*bzw.* ***Durst***) I'm dying of hunger (*bzw.* thirst) **5.** ***er hat sich unheimlich gefreut*** he was tickled to death, *BE auch* he was over the moon

unhöflich **1.** impolite **2.** *stärker*: rude

Unhöflichkeit **1.** impoliteness [ˌɪmpə'laɪtnəs] **2.** *stärker*: rudeness

unhygienisch unhygienic [ˌʌnhaɪ'dʒiːnɪk]

Uni university; ***an der Uni*** at university (⚠ *ohne* the); ***er geht auf die Uni*** he goes to university (⚠ *ohne* the)

uni plain; → ***einfarbig***

Uniform uniform ['juːnɪfɔːm]

Unikum **1.** *Person*: original [ə'rɪdʒnəl], real character ['kærəktə] **2.** *Gegenstand*: unique specimen [juːˌniːk'spesəmɪn]

uninteressant **1.** uninteresting **2.** ***es ist für mich uninteressant*** it doesn't interest me

uninteressiert uninterested (***an*** in); ***sie ist uninteressiert*** *auch*: she lacks interest

Union union ['juːnɪən]

Universität university [ˌjuːnɪ'vɜːsətɪ]; → ***Uni***

Universum universe ['juːnɪvɜːs]

Unkenntlichkeit: ***bis zur Unkenntlichkeit entstellt*** disfigured [dɪs'fɪgəd] beyond recognition [ˌrekəg'nɪʃn]

unklar **1.** *allg.*: unclear; ***es war unklar*** *auch*: it wasn't clear **2.** ***es ist mir völlig unklar, wie*** *usw.* I've no idea how *usw.* **3.** (≈ *ungewiss*) uncertain **4.** ***ich bin mir noch im Unklaren, ob*** *usw.* I haven't yet decided whether *usw.* (⚠ *ohne Komma*)

unklug unwise

unkompliziert uncomplicated

unkontrollierbar uncontrollable

unkontrolliert uncontrolled

unkonventionell unconventional

unkonzentriert: ***er ist unkonzentriert*** he lacks concentration

Unkosten costs, expense (⚠ *nur Sg.*); ***sich in Unkosten stürzen*** go* to great expense

Unkostenbeitrag contribution (towards expenses)

Unkraut **1.** weeds (⚠ *mst. Pl.*) **2.** ***Unkraut vergeht nicht!*** *umg.* you can't keep a good man (*bzw.* woman) down

unkritisch uncritical (***gegenüber*** of)

unkultiviert uncultured [ʌn'kʌltʃəd]

unkündbar **1.** *Stellung*: permanent ['pɜːmənənt] **2.** *Vertrag usw.*: irrevocable [ɪ'revəkəbl], binding **3.** ***sie ist unkündbar*** *umg.* she can't be sacked, they can't sack her

unleserlich illegible [ɪ'ledʒəbl]

unliniert, unliniiert *Papier*: plain, unruled

unlogisch illogical

Arriving at the Airport Ankunft am Flughafen

1	signposts	Wegweiser (*Pl.*)
	customs (*Pl.*)	Zoll
	passport control	Passkontrolle
	car rental	Autovermietung
	Raillink	Zu den Zügen
	exit	Ausgang
	taxis	Taxis
	baggage reclaim	Gepäck(aus)gabe
	toilets	Toiletten
2	(flight) arrivals (*Pl.*)	Ankunft (= *ankommende Flüge*)
3	baggage reclaim	Gepäck(ausgabe)
4	bag	Tasche
5	hand luggage, hand baggage	Handgepäck
6	escalator	Rolltreppe
7	phone box, *AE* phone booth	Telefonzelle
8	exchange booth	Wechselstube
	currency	Währung, Devisen
9	plane, aircraft	Flugzeug

How long will you be staying in Britain? Wie lange bleibst du in Großbritannien?

unlösbar *Problem*: insoluble [ɪn'sɒljʊbl]
unlöslich insoluble [ɪn'sɒljʊbl]
Unmenge 1. ***eine Unmenge von*** a huge number of **2.** ***es gab Eis*** *usw.* ***in Unmengen*** there were vast amounts of ice cream *usw.*
Unmensch 1. brute, monster **2.** ***sei kein Unmensch!*** *umg.* have a heart!
Unmenschlichkeit inhumanity [ˌɪnhjuː'mænətɪ]
unmissverständlich 1. unmistakable **2.** ***ich hab ihm unmissverständlich die Meinung gesagt*** I told him exactly what I thought
unmittelbar 1. *allg.*: immediate [ɪ'miːdɪət] **2.** ***unmittelbar darauf*** immediately afterwards **3.** ***in unmittelbarer Nähe von*** right next to
unmöbliert unfurnished
unmodern old-fashioned
unmöglich 1. *allg.*: impossible; ***das geht unmöglich*** that's impossible **2.** ***wir können ihn unmöglich einladen*** we can't possibly invite him **3.** ***sie kleidet sich unmöglich*** she wears [weəz] such impossible clothes **4.** ***er hat sich (vor ihr) unmöglich gemacht*** he made a fool of himself (in front of her)
unmoralisch immoral [ɪ'mɒrəl]
unmündig under-age
unmusikalisch unmusical [ʌn'mjuːzɪkl]
unnachsichtig severe [sɪ'vɪə] (***gegenüber*** towards)
unnahbar unapproachable [ˌʌnə'prəʊtʃəbl]
unnatürlich unnatural [ʌn'nætʃrəl]
unnötig 1. unnecessary [ʌn'nesəsərɪ] **2.** ***sich unnötig Sorgen machen*** worry needlessly
unnütz 1. useless ['juːsləs] **2.** ***unnützes Zeug*** rubbish
UNO UN [ˌjuː'en] (*Abk. für* **U**nited **N**ations)
unökonomisch uneconomical
unordentlich untidy [ʌn'taɪdɪ]
Unordentlichkeit untidiness
unorganisiert disorganized [dɪs'ɔːgənaɪzd]
unparfümiert fragrance-free [ˌfreɪgrəns'friː]
unparteiisch impartial [ɪm'pɑːʃl]
unpassend unsuitable [ʌn'suːtəbl]
unpersönlich impersonal [ɪm'pɜːsnəl]
unpopulär unpopular (***bei*** with)
unpraktisch 1. impractical **2.** ***er ist ziemlich unpraktisch*** he isn't very practical
unproblematisch unproblematical
unpünktlich 1. *allg.*: unpunctual [ˌʌn'pʌŋktʃʊəl] **2.** ***du kommst unpünktlich*** you're late **3.** ***der Flug ist unpünktlich*** the flight has been delayed
Unpünktlichkeit 1. unpunctuality [ˌʌnpʌŋktʃʊ'ælətɪ] **2.** ***diese Unpünktlichkeit!*** he *usw.* never turns up on time
unqualifiziert unqualified [ˌʌn'kwɒlɪfaɪd]
unrasiert unshaven
unrealistisch unrealistic
unrecht wrong [⚠ rɒŋ]; ***zur unrechten Zeit*** at the wrong moment ['məʊmənt] (*oder* time); ***etwas Unrechtes tun*** do* something wrong; ***jemandem unrecht tun*** do* someone wrong, do* someone an injustice [ɪn'dʒʌstɪs]
Unrecht 1. ***Unrecht haben*** be* wrong [rɒŋ] **2.** ***im Unrecht sein*** be* (in the) wrong **3.** ***zu Unrecht*** wrongly
unregelmäßig irregular [ɪ'regjʊlə]
unreif 1. *allg.*: unripe **2.** *Person*: immature
unrein 1. *allg.*: impure [ˌɪm'pjʊə], *Luft*: polluted [pə'luːtɪd] **2.** ***eine unreine Haut haben*** have* bad skin (⚠ *ohne* a) **3.** ***etwas ins Unreine schreiben*** make* a rough [rʌf] copy of something
unrichtig incorrect, wrong [⚠ rɒŋ]
Unruhe 1. (≈ *Nervosität*) restlessness **2.** (≈ *Besorgnis*) anxiety [æŋ'zaɪətɪ] **3.** (≈ *Lärm*) noise; ***ich kann bei dieser Unruhe nicht schlafen*** *usw.* I can't sleep *usw.* with all this noise going on **4.** ***politische Unruhen*** political unrest [ʌn'rest] (⚠ *Sg.*)
Unruheherd *bes. Politik*: trouble spot
Unruhestifter(in) troublemaker
unruhig 1. *Person*: restless **2.** (≈ *besorgt*) worried ['wʌrɪd] (***wegen*** about) **3.** (≈ *laut*) noisy
uns 1. (to) us; ***lass uns in Ruhe*** leave us alone; ***er schickte es uns*** he sent it to us **2.** ***bei uns*** at our place **3.** ***unter uns gesagt*** between you and me **4.** ourselves; ***wir haben uns amüsiert*** we enjoyed ourselves **5.** (≈ *einander*) each other
unsauber 1. *allg.*: dirty **2.** (≈ *unordentlich*) messy **3.** *im Sport*: unfair
unschädlich harmless (***für*** to)
unscharf *Foto*: blurred [blɜːd], out of focus
unscheinbar (≈ *unauffällig*) inconspicuous [ˌɪnkən'spɪkjʊəs]
unschlagbar unbeatable (***in*** at)
unschlüssig undecided (***über*** about)
unschuldig innocent ['ɪnəsnt] (***an*** of)
Unschuldige(r) innocent ['ɪnəsnt] person
Unschuldsengel *humorvoll* innocent little angel ['eɪndʒəl]
unselbständig, **unselbstständig** (≈ *hilflos*) helpless
unser our
unsereiner, **unsereins** people like us

unseretwegen 1. (≈ *uns zuliebe*) for our sake **2.** (≈ *wegen uns*) because of us
unseriös dubious ['djuːbɪəs]
unsicher 1. (≈ *ungewiss*) uncertain **2.** (≈ *nicht sicher*) unsafe, not safe **3.** (≈ *gehemmt*) self-conscious [ˌself'kɒnʃəs] **4.** ***ich bin mir unsicher, ob*** *usw.* I'm not sure whether *usw.* (⚠ *ohne Komma*) **5.** ***unsicher auf den Beinen*** a bit shaky **6.** ***die Gegend unsicher machen*** *humorvoll* terrorize the neighbourhood
Unsicherheit 1. *allg.*: uncertainty [ʌn'sɜːtntɪ] **2.** *einer Person*: self-consciousness [ˌself'kɒnʃəsnəs]
unsichtbar invisible [ɪn'vɪzəbl]
Unsinn 1. nonsense ['nɒnsəns]; ***Unsinn!*** nonsense!, *BE auch* rubbish!; ***red keinen Unsinn!*** stop talking nonsense (*oder* rubbish) **2.** ***Unsinn machen*** fool around
unsinnig silly, *stärker*: ridiculous [rɪ'dɪkjʊləs]
unsozial *Verhalten usw.*: antisocial
unsportlich 1. ***ich bin total unsportlich*** I'm not the sporting type **2.** (≈ *unfair*) unfair
unsterblich 1. *allg.*: immortal **2.** ***unsterblich verliebt*** hopelessly in love (***mit*** in)
Unsterblichkeit immortality [ˌɪmɔː'tælətɪ]
Unstimmigkeit 1. ***Unstimmigkeit, Unstimmigkeiten*** disagreement, disagreements (*Pl.*) **2.** (≈ *Fehler*) inconsistency [ˌɪnkən'sɪstənsɪ]
unsympathisch 1. unpleasant [ʌn'pleznt] **2.** ***er ist mir unsympathisch*** I don't like him
untätig 1. *allg.*: inactive [ɪn'æktɪv], *Vulkan auch*: dormant ['dɔːmənt] **2.** (≈ *müßig, träge*) idle **3.** ***untätig herumstehen*** stand* aroung doing nothing
untauglich unsuitable [ʌn'suːtəbl] (***für, zu*** for)
unten 1. down below; ***da unten*** down there **2.** *in einer Kiste usw.*: at the bottom **3.** *im Haus*: downstairs [ˌdaʊn'steəz]; ***nach unten gehen*** go* downstairs **4.** ***der ist bei mir unten durch*** *umg.* I'm through with him
unter 1. *allg.*: under, *räumlich auch*: underneath [ˌʌndə'niːθ]; ***unter der Erde*** under the earth; ***unter Wasser stehen*** be* flooded ['flʌdɪd] **2.** ***unter 16 Jahren*** under 16 (years of age); ***unter 10 Euro*** under (*oder* less than) 10 euros **3.** (≈ *bei, zwischen*) among [ə'mʌŋ]; ***es waren einige gute unter ihnen*** there were a few good ones among them **4.** ***unter der Woche*** during the week **5.** ***was verstehst du unter …?*** what do you understand by …? **6.** ***er ist unter der Nummer … erreichbar*** you can call (*oder* ring) him on …
Unter *Spielkarte*: jack
Unterarm forearm ['fɔːrɑːm]
unterbelichtet 1. *Foto*: underexposed [ˌʌndərɪk'spəʊzd] **2.** ***ein bisschen unterbelichtet*** *übertragen, umg.* a bit dim
Unterbewusstsein *the* subconscious [sʌb'kɒnʃəs]: ***im Unterbewusstsein*** subconsciously
unterbezahlt underpaid
unterbrechen 1. *allg.*: interrupt [ˌɪntə'rʌpt] **2.** cut* off (*Telefonleitung, Stromversorgung usw.*)
Unterbrechung 1. interruption **2.** (≈ *Pause*) break **3.** ***ohne Unterbrechung*** nonstop
unterbringen 1. find* a place for, put* (*Dinge*) **2.** ***jemanden unterbringen*** put* someone up, *bes. im Hotel usw.*: accommodate [ə'kɒmədeɪt] someone
Unterbringung (≈ *Unterkunft*) accommodation
unterbuttern: ***lass dich nicht unterbuttern*** don't let them *usw.* mess you about
unterdrücken 1. suppress [sə'pres], stifle ['staɪfl] (*Lachen usw.*) **2.** oppress (*Volk*)
unterdurchschnittlich below average ['ævərɪdʒ]
untere(r, -s) 1. *Ränge, Sitzreihen, Stockwerk, Flussabschnitt usw.*: lower **2.** *ganz unten*: bottom; → ***unterste(r, -s)***
untereinander 1. (≈ *miteinander*) among themselves (*bzw.* yourselves *usw.*), together; ***sie verstehen sich gut untereinander*** they get along well together **2.** ↔ *übereinander*: one below [bɪ'ləʊ] the other
unterentwickelt underdeveloped [ˌʌndədɪ'veləpt]
unterernährt malnourished [ˌmæl'nʌrɪʃt]
Unterernährung malnutrition [ˌmælnjʊ'trɪʃn]
unterfordert: ***ich fühl mich unterfordert*** I'm not being challenged (enough)
Unterführung 1. *für Fußgänger*: subway, *bes. AE*: pedestrian [pə'destrɪən] underpass (⚠ *AE* subway = ***U-Bahn***) **2.** *für den Verkehr*: underpass
Untergang 1. *eines Reichs*: fall **2.** *einer Kultur*: extinction **3.** *einer Person*: ruin ['ruːɪn], downfall
untergehen 1. (*Sonne usw.*) go* down, set* **2.** (*Schiff*) sink*, go* down **3.** (*Reich*) fall*, (*Kultur*) die out **4.** ***es ging im Lärm völlig unter*** it was drowned out by the noise **5.** ***in der Menge untergehen*** be* lost in the crowd
Untergeschoss, Ⓐ **Untergeschoß** basement

U

Untergewicht: ***(3 Kilo) Untergewicht haben*** be* (3 kilograms) underweight [ˌʌndəˈweɪt]
Untergrund *politisch usw.*: underground
unterhalb 1. below **2. *unterhalb von*** (*oder* + *Gen.*) below, *Fluss*: downstream from
unterhalten 1. *sich unterhalten* talk, chat [tʃæt] (***mit jemandem über etwas*** to someone about something) **2. *sich gut unterhalten*** (≈ *amüsieren*) have* a good time
unterhaltsam entertaining [ˌentəˈteɪnɪŋ]
Unterhaltskosten maintenance [ˈmeɪntənəns] costs
Unterhaltung 1. (≈ *Gespräch*) conversation **2.** (≈ *Vergnügen*) entertainment
Unterhaltungssendung (TV) show
Unterhaus *in GB*: House of Commons (*Sg.*), Commons (⚠ *Pl.*); ***das Unterhaus debattiert heute …*** the Commons are debating … today
Unterhemd vest, *AE* undershirt
Unterholz *im Wald*: undergrowth [ˈʌndəgrəʊθ]
Unterhose 1. underpants (⚠ *Pl.*); ***meine Unterhose hat ein Loch*** my underpants have got a hole in them **2.** (≈ *Damenunterhose*) pants, *AE auch* panties (⚠ *Pl.*)
unterirdisch 1. underground; ***unterirdischer Gang*** *usw.* underground passageway [ˈpæsɪdʒweɪ] *usw.* **2. *das Kabel verläuft unterirdisch*** the cable runs underground [ˌʌndəˈgraʊnd]
unterjubeln: ***jemandem etwas unterjubeln*** land someone with something
Unterkiefer lower jaw [dʒɔː]
Unterkleidung underwear [ˈʌndəweə]
unterkommen: ***wir sind bei Bekannten untergekommen*** friends of ours put us up
Unterkörper lower part of the body
unterkriegen: ***lass dich nicht unterkriegen!*** don't let it (*bzw.* them *usw.*) get you down
Unterkunft: ***(eine) Unterkunft*** accommodation [əˌkɒməˈdeɪʃn] (⚠ *ohne* an), a place to stay, *für länger*: a place to live
Unterlage 1. *für Schreibmaschine usw.*: mat **2.** *zum Schreiben*: something to rest on **3. *Unterlagen*** papers, documents [ˈdɒkjʊmənts]
unterlassen: ***das unterlässt du sofort*** stop it this minute
unterlaufen: ***mir ist ein Fehler unterlaufen*** I've made a mistake
unterlegen 1. *allg.*: inferior (*auch Technik usw.*) **2. *er ist dir unterlegen*** he isn't up to you (*oder* your skills)
Unterleib abdomen [ˈæbdəmən]
Unterleibchen Ⓐ vest, *AE* undershirt
Unterleibsschmerzen 1. abdominal [æbˈdɒmɪnl] pains **2.** *bei der Menstruation*: period [ˈpɪərɪəd] pains
Unterlippe lower lip
Untermiete: ***er wohnt in Untermiete*** he lives in lodgings, he rents a room
Untermieter(in) subtenant [ˌsʌbˈtenənt], lodger
unternehmen: ***etwas unternehmen*** *allg.*: do* something (***gegen*** about)
Unternehmen 1. (≈ *Firma*) company [⚠ ˈkʌmpənɪ] **2.** (≈ *Vorhaben*) venture, (≈ *Projekt*) project [ˈprɒdʒekt]
Unternehmensberater(in) management consultant [ˈmænɪdʒmənt‿kənˌsʌltənt]
Unternehmer businessman [ˈbɪznəsmæn] (⚠ undertaker = ***Leichenbestatter***)
Unternehmerin businesswoman [ˈbɪznəsˌwʊmən]
unternehmungslustig active [ˈæktɪv], *stärker*: adventurous [ədˈventʃərəs]
Unteroffizier(in) 1. *allg.*: non-commissioned officer **2.** *Dienstgrad*: sergeant [ˈsɑːdʒnt]
unterordnen 1. subordinate [səˈbɔːdɪneɪt] (*eine Sache einer anderen*) (+ *Dativ* to) **2. *sich unterordnen*** submit [səbmɪt] (+ *Dativ* to); ***er kann sich nicht unterordnen*** he can't take a subordinate [⚠ səˈbɔːdɪnət] role
unterprivilegiert underprivileged [ˌʌndəˈprɪvəlɪdʒd]
Unterprivilegierte(r) underprivileged [ˌʌndəˈprɪvəlɪdʒd] person; ***die Unterprivilegierten*** the underprivileged (⚠ *mit Pl.*)
Unterricht 1. classes, lessons (⚠ *beide Pl.*); ***was hast du heute für Unterricht?*** what classes have you got today?; ***der Unterricht fällt aus*** classes are cancelled; ***während des Unterrichts*** (≈ *einzelne Stunde*) during class (⚠ *hier Sg. und ohne* the) **2. *er gibt mir Unterricht in Englisch*** he's giving me English lessons [ˈɪŋglɪʃˌləsnz]
unterrichten 1. *an der Schule usw.*: teach*, be* a teacher **2.** (≈ *informieren*) inform
unterrichtsfrei 1. *unterrichtsfreie Stunde* free period **2. *morgen haben wir unterrichtsfrei*** there are no lessons tomorrow
Unterrichtsstunde lesson, class [klɑːs]
Unterrock slip (⚠ *dt.* ***Slip*** = *engl.* pants)
Untersatz 1. *für Gläser*: coaster **2. *fahrbarer Untersatz*** *humorv.* wheels (⚠ *Pl.*)
unterschätzen underestimate [ˌʌndə(r)ˈestɪmeɪt]
unterscheiden 1. distinguish [dɪˈstɪŋgwɪʃ]

U

(***von*** from, ***zwischen*** between) **2.** ***er kann Rot und Grün nicht unterscheiden*** he can't tell the difference ['dɪfrəns] between red and green; ***sie sind kaum zu unterscheiden*** you can hardly tell the difference **3.** ***sich unterscheiden von*** differ from **4.** ***sie unterscheiden sich dadurch, dass …*** the difference is that …

Unterscheidungsmerkmal distinguishing [dɪ'stɪŋgwɪʃɪŋ] mark

Unterschenkel lower leg

Unterschicht *der Gesellschaft*: lower class, lower classes (*Pl.*)

unterschieben: ***jemandem etwas unterschieben*** accuse [ə'kjuːz] someone of (doing) something

Unterschied **1.** difference ['dɪfrəns] (***zwischen*** between) **2.** ***im Unterschied zu dir*** unlike you **3.** ***einen Unterschied machen*** make* a distinction (***zwischen*** between) **4.** ***es ist ein Unterschied wie Tag und Nacht*** there's no comparison

unterschiedlich **1.** *Meinungen usw.*: differing **2.** ***sie sind unterschiedlich*** (***groß*** *usw.*) they vary (in size *usw.*) **3.** ***er behandelt sie unterschiedlich*** he treats them differently

unterschlagen **1.** embezzle [ɪm'bezl] (*Geld*) **2.** (≈ *verheimlichen*) hold* back (*Fakten usw.*)

unterschreiben sign [saɪn]

Unterschrift signature [⚠ 'sɪgnətʃə]

Unterschriftensammlung petition [pə'tɪʃn]

Unterseeboot submarine [ˌsʌbmə'riːn], *deutsches auch*: U-boat ['juːbəʊt]

Unterseite bottom (*oder* under) surface ['sɜːfɪs], bottom

Untersetzer *für Gläser*: coaster

unterste(r, -s) **1.** *Teil, Ebene usw.*: bottom (⚠ *nur hinter dem Subst.*), lowest **2.** *Dienstgrad usw.*: lowest

Unterste: ***das Unterste zuoberst kehren*** turn everything upside down

unterstellen[1] **1.** ***stells im Keller*** *usw.* ***unter*** put it in the cellar ['selə] *usw.* **2.** ***sich unterstellen*** *zum Schutz*: shelter (***vor*** from)

unterstellen[2]: ***willst du mir eine Lüge unterstellen?*** are you saying I lied?

unterstreichen *allg.*: underline

Unterstufe lower grades (⚠ *Pl.*)

unterstützen support [sə'pɔːt] (***bei*** in)

Unterstützung support [sə'pɔːt]; ***zur Unterstützung von*** in support of

untersuchen **1.** *allg.*: examine [ɪg'zæmɪn] (*auch Patienten*) **2.** ***sich untersuchen lassen*** have* a checkup ['tʃekʌp] **3.** investigate (*Kriminalfall usw.*) **4.** (≈ *testen*) test (***auf*** for)

Untersuchung **1.** *allg.*: examination [ɪgˌzæmɪ'neɪʃn] **2.** *medizinische*: checkup ['tʃekʌp] **3.** *polizeiliche*: investigation **4.** (≈ *Probe, Test*) test

untertags during the day

Untertasse saucer ['sɔːsə]; ***fliegende Untertasse*** flying saucer

untertauchen **1.** dive **2.** *U-Boot*: submerge [səb'mɜːdʒ] **3.** *übertragen* (*Verbrecher, politisch Verfolgter usw.*) disappear [ˌdɪsə'pɪə], go* into hiding, go* underground **4.** ***jemanden untertauchen*** *ins Wasser*: duck someone

Unterteil lower part, bottom

Untertitel subtitle ['sʌbˌtaɪtl]

untertreiben play down

Untertreibung understatement

untervermieten sublet [ˌsʌb'let]

Unterwäsche underwear ['ʌndəweə]

Unterwasser… *in Zusammensetzungen*: underwater (*camera, massage usw.*)

unterwegs **1.** on the way (***nach, zu*** to); ***unterwegs sah ich …*** on the way there I saw … **2.** (≈ *außer Haus*) out (and about) **3.** ***er ist*** (***geschäftlich***) ***viel unterwegs*** he's away a lot (on business) **4.** ***bei ihr ist was Kleines unterwegs*** *umg.* she's expecting

Unterwelt underworld (*auch übertragen*)

unterzeichnen sign [saɪn]

Untiefe (≈ *seichte Stelle*) shallow

Untier monster (*auch übertragen*)

untrennbar inseparable [ɪn'seprəbl]

untreu: ***er war ihr untreu*** he was unfaithful [ʌn'feɪθfl] to her

Untreue unfaithfulness, *bes. in der Ehe*: infidelity (***gegenüber*** to, towards)

untröstlich inconsolable [ˌɪnkən'səʊləbl] (***über*** about)

untypisch atypical [eɪ'tɪpɪkl] (***für*** of)

unüberhörbar unmistakable; ***es war unüberhörbar*** *auch*: you couldn't miss it

unüberlegt **1.** rash **2.** ***unüberlegt handeln*** behave rashly

unübersehbar **1.** *Menschenmenge usw.*: vast **2.** ***unübersehbarer Fehler*** glaring mistake **3.** ***die Folgen sind noch unübersehbar*** we can't foresee the consequences

unübersetzbar untranslatable

unübersichtlich **1.** (≈ *verwirrt*) confused **2.** ***unübersichtliche Kurve*** blind [blaɪnd] corner

unübertrefflich, unübertroffen unmatched

unüblich unusual [ʌn'juːʒʊəl]

ununterbrochen **1.** *allg.*: uninterrupted **2.**

U

(≈ *ständig*) continuous [kən'tɪnjʊəs] **3. *es regnete ununterbrochen*** it wouldn't stop raining; ***er redet ununterbrochen*** he never stops talking
unverantwortlich irresponsible [ˌɪrɪ'spɒnsəbl]
unverbesserlich incorrigible [ɪn'kɒrɪdʒəbl]
unverbindlich 1. *Angebot usw.*: without obligation (⚠ *immer hinter dem Subst. oder Verb*) **2.** *Auskunft usw.*: without guarantee [ˌgærən'tiː] (as to correctness) (⚠ *immer hinter dem Subst. oder Verb*) **3. *er hat nur ganz unverbindlich geantwortet*** he gave a rather non-committal answer
unverblümt: ***ich hab ihm unverblümt meine Meinung gesagt*** I told him exactly [ɪg'zæktlɪ] what I thought
unverdaulich indigestible [⚠ ˌɪndɪ'dʒestəbl]
unverdaut undigested [ˌʌndaɪ'dʒestɪd]
unverdient undeserved
unverdorben *allg.*: unspoilt
unverdünnt undiluted [ˌʌndaɪ'luːtɪd]
unverfroren brazen ['breɪzn]
Unverfrorenheit 1. brazenness ['breɪznnəs] **2. *diese Unverfrorenheit!*** the nerve!
unvergesslich unforgettable [ˌʌnfə'getəbl]
unvergleichlich incomparable [⚠ ɪn'kɒmprəbl]
unverhältnismäßig *groß usw.*: disproportionately; ***es war unverhältnismäßig viel*** it was a disproportionately large amount
unverheiratet unmarried, single
unverhofft 1. unexpected **2. *es kam ganz unverhofft*** I just wasn't expecting it
unverkäuflich: ***es ist unverkäuflich*** it's not for sale
unverletzt unhurt
unvermeidbar, **unvermeidlich** unavoidable
unvernünftig silly
unveröffentlicht unpublished
unverschämt 1. *allg.*: impudent ['ɪmpjʊdənt]; ***sie ist unverschämt*** *auch*: she's got some nerve **2. *wir hatten unverschämtes Glück*** we were incredibly [ɪn'kredəblɪ] lucky **3. *unverschämt teuer*** incredibly expensive **4. *er sieht unverschämt gut aus*** he's brutally handsome [⚠ 'hænsəm]
Unverschämtheit: ***sie hatte die Unverschämtheit zu …*** she had the nerve to …
unverschuldet through no fault of their (my, her *usw.*) own
unversehens suddenly
unversöhnlich irreconcilable [ˌɪrekən'saɪləbl]
unverstanden: ***ich fühl mich unverstanden*** they don't (*bzw.* he, she doesn't) understand (my problem)
unverständlich 1. (≈ *unbegreiflich*) incomprehensible [ɪnˌkɒmprɪ'hensəbl]; ***es ist mir unverständlich*** I can't understand it **2. *er murmelt so unverständlich vor sich hin*** you can't understand a word he's saying
unversucht: ***wir ließen nichts unversucht*** we left no stone unturned (***um zu*** in our attempt to)
unverträglich 1. *Person*: quarrelsome ['kwɒrəlsəm] **2.** *Essen*: indigestible [ˌɪndɪ'dʒestəbl]
Unverträglichkeit 1. quarrelsomeness **2.** *von Medizin*: intolerance [ɪn'tɒlərəns]
unvertretbar unacceptable [ˌʌnək'septəbl]
unverwechselbar unmistakable
unverwundbar invulnerable
unverwüstlich *allg.*: indestructible
unverzeihlich inexcusable [ˌɪnɪk'skjuːzəbl]
unvollendet unfinished
unvollständig incomplete
Unvollständigkeit incompleteness
unvorbereitet unprepared; ***unvorbereitet in die Prüfung gehen*** go* into the exam unprepared (*oder* without any preparation [ˌprepə'reɪʃn])
unvoreingenommen unbiased [ʌn'baɪəst]
Unvoreingenommenheit impartiality [ˌɪmpɑːʃɪ'ælətɪ]
unvorhergesehen unforeseen, unexpected
unvorsichtig careless
Unvorsichtigkeit carelessness
unvorstellbar unimaginable
unvorteilhaft *Kleidung usw.*: unbecoming
unwahr untrue
Unwahrheit 1. *allg.*: untruth [ʌn'truːθ] **2. *er sagt die Unwahrheit*** there's no truth in what he says
unwahrscheinlich 1. unlikely; ***ich halte es für unwahrscheinlich*** I think it's unlikely **2. *wir hatten unwahrscheinliches Glück*** we were incredibly lucky **3. *es war unwahrscheinlich gut*** it was incredibly good
Unwahrscheinlichkeit unlikelihood
Unwesen: ***sein Unwesen treiben*** be* on the rampage ['ræmpeɪdʒ]
unwesentlich irrelevant, unimportant
Unwetter storm, storms (*Pl.*)

unwichtig 1. *Detail usw.*: unimportant **2. *es ist unwichtig*** it's not important
unwiderstehlich irresistible [ˌɪrɪ'zɪstəbl]
unwillkommen unwelcome [ʌn'welkəm]
unwillkürlich 1. involuntary [ɪn'vɒləntrɪ] **2. *ich musste unwillkürlich lachen*** *usw.* I couldn't help laughing *usw.*
unwirklich unreal [ʌn'rɪəl]
Unwirklichkeit unreality [ˌʌnrɪ'ælətɪ]
unwirksam ineffective [ˌɪnɪ'fektɪv]
unwirtschaftlich uneconomical
unwissend ignorant ['ɪgnərənt]
Unwissenheit ignorance ['ɪgnərəns]
unwissentlich unknowingly [ʌn'nəʊɪŋlɪ]
unwohl 1. *mir ist unwohl* I don't feel well **2. *mir war dabei ganz unwohl*** I felt very uneasy (about it) **3. *ich fühl mich bei ihr unwohl*** I don't feel comfortable [⚠ 'kʌmftəbl] with her
Unzahl: ***eine Unzahl von*** a huge number of
unzählbar, unzählige countless, innumerable [ɪ'njuːmərəbl]
Unze ounce
unzerbrechlich unbreakable [ʌn'breɪkəbl]
unzerstörbar indestructible [ˌʌndɪ'strʌktəbl]
unzertrennlich inseparable [ɪn'seprəbl]
unzivilisiert uncivilized [ʌn'sɪvəlaɪzd]
unzufrieden dissatisfied [ˌdɪs'sætɪsfaɪd]
Unzufriedenheit dissatisfaction
unzugänglich *Gelände usw.*: inaccessible [ˌɪnək'sesəbl]
unzumutbar unacceptable [ˌʌnək'septəbl]
unzurechnungsfähig: ***für unzurechnungsfähig erklärt werden*** be* certified (insane)
unzusammenhängend disjointed
unzustellbar: ***falls unzustellbar, bitte zurück an Absender*** if undelivered please return to sender
unzuverlässig unreliable [ˌʌnrɪ'laɪəbl]
Unzuverlässigkeit unreliability [ˌʌnrɪlaɪə'bɪlətɪ]
unzweideutig unambiguous [ˌʌnæm'bɪgjʊəs]
Update *für Software usw.*: update
üppig 1. *Vegetation, Wachstum*: lush, luxuriant [lʌg'zjʊərɪənt] **2. *üppige Mahlzeit*** sumptuous ['sʌmptʃʊəs] meal **3.** *Lebensstil*: luxurious [lʌg'zjʊərɪəs] *Frau*: buxom ['bʌksəm], voluptuous [və'lʌptʃʊəs]
Urabstimmung strike ballot ['straɪkˌbælət]
Urahn, Urahne (earliest) ancestor ['ænsestə]; ***unsere Urahnen*** *auch*: our forefathers
uralt 1. ancient ['eɪnʃənt] **2. *seit uralten Zeiten*** since time immemorial [ˌɪmə'mɔːrɪəl]
Uran uranium [jʊ'reɪnɪəm]
Uranus *Planet*: Uranus ['jʊərənəs] (⚠ *ohne* the)
uraufführen: ***es wurde 1953 uraufgeführt*** it was first performed in 1953
Uraufführung premiere ['premɪeə]
urchig ⒸⒽ **1.** *Mensch*: unspoilt, rugged [⚠ 'rʌgɪd], (≈ *bodenständig*) earthy ['ɜːθɪ]; ***ein urchiger Typ*** a real original [ə'rɪdʒnəl] **2.** *Essen*: traditional **3.** *Lokal usw.*: rustic
Ureinwohner 1. *Pl.*: native ['neɪtɪv] inhabitants **2. *die Ureinwohner Australiens*** the Australian aborigines [ˌæbə'rɪdʒəniːz]
Urenkel 1. great-grandson [ˌgreɪt'grænsʌn] **2.** *Pl.*: great-grandchildren [ˌgreɪt'grænˌtʃɪldrən]
Urenkelin great-granddaughter
Urgeschichte: ***die Urgeschichte*** prehistory [ˌpriː'hɪstrɪ] (⚠ *ohne* the)
urgeschichtlich prehistoric [ˌpriːhɪ'stɒrɪk]
Urgestein primary ['praɪmərɪ] rocks (⚠ *Pl.*)
Urgroßeltern great-grandparents
Urgroßmutter great-grandmother
Urgroßvater great-grandfather
urig 1. *Mensch*: unspoilt, rugged ['rʌgɪd], (≈ *bodenständig*) earthy; ***ein uriger Typ*** a real original [ə'rɪdʒnəl] **2.** *Essen*: traditional **3.** *Lokal usw.*: rustic
Urin urine ['jʊərɪn]
Urinprobe urine specimen ['jʊərɪnˌspesəmɪn]
Urknall big bang, Big Bang
Urkunde 1. document ['dɒkjʊmənt] **2.** (≈ *Siegerurkunde*) certificate [sə'tɪfɪkət]
Urlaub 1. (≈ *Ferien*) holidays ['hɒlədeɪz] (⚠ *Pl.*), *AE* vacation **2. *im Urlaub*** on holiday, *bes. AE* on vacation (⚠ *beide ohne* the); ***in Urlaub gehen*** (*oder* ***fahren***) go* on holiday, *bes. AE* go* on vacation
Urlauber(in) holidaymaker, *AE* vacationer
Urlaubsfoto holiday (*AE* vacation) snap
Urlaubspläne holiday (*AE* vacation) plans
Urlaubszeit holiday season, *bes. AE* vacation period
Uroma great-granny [ˌgreɪt'grænɪ]
Uropa great-grandad [ˌgreɪt'grændæd]
urplötzlich (completely) out of the blue
Ursache 1. cause, reason; ***die Ursache des Streiks*** the cause of the strike, the reason for the strike **2. *Ursache und Wirkung*** cause and effect **3. *keine Ursache!*** not at all, you're welcome, *bei Entschuldigung*: that's all right

Ursprung **1.** origin ['ɒrɪdʒɪn], origins (*Pl.*) **2.** ***wir sind türkischen Ursprungs*** we're of Turkish origin; ***das Wort ist russischen Ursprungs*** the word goes back to Russian
ursprünglich **1.** original [ə'rɪdʒnəl] **2.** ***die ursprüngliche Begeisterung*** *usw.* the initial enthusiasm [ɪˌnɪʃl‿ɪn'θjuːzɪæzm] *usw.* **3.** ***ursprünglich wollte ich nicht*** at first I didn't want to **4.** *Natur*: unspoilt
Ursprünglichkeit **1.** *einer Landschaft usw.*: unspoilt state **2.** *von Lebensweise usw.*: naturalness ['nætʃrəlnəs]
Urteil **1.** (≈ *Strafurteil*) sentence ['sentəns] **2.** (≈ *Bewertung*) judgement ['dʒʌdʒmənt] **3.** (≈ *Meinung*) opinion (***über*** on)
urteilen **1.** *allg.*: judge [dʒʌdʒ]; ***über jemanden (etwas) urteilen*** judge someone (something); ***über etwas urteilen*** *auch* give* one's opinion on something; ***darüber kannst du nicht ~!*** you're no judge of that **3.** ***urteilen Sie selbst!*** see for yourself **3.** ***nach seinem Aussehen (seinen Worten) zu urteilen*** judging by his looks (by what he says)
urtümlich **1.** (≈ *ursprünglich*) original [ə'rɪdʒnəl] **2.** *Landschaft usw.*: unspoilt
Urtümlichkeit **1.** (≈ *Ursprünglichkeit*) original [ə'rɪdʒnəl] state **2.** *einer Landschaft usw.*: unspoilt state
Urwald jungle
urwüchsig **1.** (≈ *ursprünglich*) original [ə'rɪdʒnəl] **2.** (≈ *natürlich*) natural ['nætʃrəl]
Urzeit: ***die Urzeit*** primeval [praɪ'miːvl] times (⚠ *Pl.*)
USA USA [ˌjuːes'eɪ] (*Abk. für* **U**nited **S**tates of **A**merica), US [ˌjuː'es] (*Abk. für* **U**nited **S**tates); ***die USA sind Mitglied der Vereinten Nationen*** the US is a member of the United Nations; ☞ *Karte S. 294, 295*
US-Amerikaner(in) American (citizen)
US-Dollar U.S. dollar
User(in) *Computer, Internet*: user
Utopie impossible dream

V

vage vague [⚠ veɪg]
Vagina vagina [⚠ və'dʒaɪnə]
Vakuum vacuum ['vækjʊəm] (*auch übertragen*)
Valentinstag St Valentine's [snt'væləntaɪnz] Day (⚠ *ohne* the)
Vampir vampire ['væmpaɪə]
Vandale vandal ['vændl]; ***wie die Vandalen*** like vandals (⚠ *ohne* the)
Vandalismus vandalism ['vændəlɪzm]
Vanille vanilla [və'nɪlə]
Vanilleeis vanilla ice-cream
variabel variable ['veərɪəbl]
Variable *Mathematik*: variable ['veərɪəbl]
variieren vary ['veərɪ]
Vase vase [⚠ vɑːz]
Vater **1.** *allg.*: father ['fɑːðə]; ***wie der Vater, so der Sohn*** like father, like son (⚠ *ohne* the) **2.** *Anrede für Priester*: Father **3.** ***Vater Staat*** the State
Vaterfigur father figure ['fɑːðəˌfɪgə]
Vaterland home (*oder* native) country
väterlicherseits: ***mein Großvater väterlicherseits*** my paternal grandfather, my grandfather on my father's side
Vaterschaft **1.** *allg.*: fatherhood **2.** *juristisch*: paternity [pə'tɜːnətɪ]
Vaterschaftsurlaub paternity leave
Vaterunser: ***das Vaterunser (beten)*** (say*) the Lord's Prayer [ˌlɔːdz'preə]
Vati Daddy, Dad, *AE auch*: Pa [pɑː]
V-Ausschnitt V-neck; ***Pullover mit V-Ausschnitt*** V-neck sweater [ˌviːnek'swetə]
Vegetarier(in) vegetarian [ˌvedʒə'teərɪən], *umg.* veggie ['vedʒɪ]
vegetarisch vegetarian [ˌvedʒə'teərɪən]; ***vegetarische Kost*** vegetarian food
Vegetation vegetation [ˌvedʒə'teɪʃn]
vegetieren vegetate ['vedʒəteɪt]
Veilchen violet ['vaɪələt]
Velo Ⓒⓗ bicycle ['baɪsɪkl], *umg.* bike
Velours velour [və'lʊə]
Vene vein [veɪn]
Venedig Venice ['venɪs]
Ventil **1.** valve **2.** *für Aggressionen*: outlet
Ventilator fan
Venus *Planet*: Venus ['viːnəs] (⚠ *ohne* the)
verabreden **1.** ***ich hab mich mit Peter verabredet*** I'm meeting Peter, *zum Ausgehen*: I've got a date with Peter; ***ich bin***

schon verabredet I'm already meeting someone (*oder* a friend *bzw.* some friends) **2.** ***verabreden, etwas zu tun*** arrange (*oder* agree) to do something
Verabredung 1. (≈ *Termin*) appointment **2.** *zum Ausgehen*: date
verabschieden 1. ***sich*** **(*von jemandem*)** ***verabschieden*** say* goodbye (to someone) **2.** ***ich muss mich leider verabschieden*** I'm afraid I've got to go now
verachten 1. despise [dɪ'spaɪz] **2.** ***nicht zu verachten*** not to be sneezed at; ***ein Eis wäre nicht zu verachten*** I won't say no to an ice-cream
Verachtung contempt [kən'tempt]
veralbern: ***jemanden veralbern*** pull someone's leg
verallgemeinern generalize ['dʒenrəlaɪz]
Verallgemeinerung generalization
veralten 1. *allg.*: become* (out)dated (*oder* obsolete ['ɒbsəliːt]) **2.** (*Ansichten usw.*) become* antiquated ['æntɪkweɪtɪd]
veraltet out-of-date; ***es ist veraltet*** it's out of date (*nach dem Verb ohne Bindestriche*)
Veranda veranda [və'rændə], *AE auch*: porch
veränderlich 1. *allg.*: changeable (*auch Wetter usw.*) **2.** *Mathematik, Sprachwissenschaft*: variable ['veərɪəbl]; ***veränderliche Größe*** variable
verändern: **(*sich*)** ***verändern*** change
Veränderung change
verängstigt frightened ['fraɪtnd]
veranlagt 1. ***musikalisch*** *usw.* ***veranlagt*** musically *usw.* talented ['tæləntɪd] **2.** ***praktisch*** *usw.* ***veranlagt*** practically *usw.* minded
Veranlagung: ***es ist Veranlagung*** it's in the genes [dʒiːnz]
veranlassen: ***was hat ihn wohl dazu veranlasst?*** I wonder ['wʌndə] what made him do it
veranschaulichen illustrate ['ɪləstreɪt]
Veranschaulichung: ***zur Veranschaulichung*** by way of illustration [ˌɪlə'streɪʃn]
veranstalten organize ['ɔːgənaɪz]
Veranstalter(in) organizer
Veranstaltung *sportliche usw.*: event
verantworten 1. ***etwas verantworten*** be* responsible [rɪ'spɒnsəbl] for something **2.** ***du hast einiges zu verantworten*** you've got a lot to answer ['ɑːnsə] for
verantwortlich responsible [rɪ'spɒnsəbl] (***für*** for)
Verantwortung 1. responsibility (***für*** for); ***die Verantwortung übernehmen*** take responsibility (⚠ *ohne* the) **2.** ***auf eigene Verantwortung*** at your *usw.* own risk
verantwortungsbewusst responsible
verantwortungslos irresponsible
Verantwortungslosigkeit irresponsibility
verantwortungsvoll responsible [rɪ'spɒnsəbl]
veräppeln *umg.* **1.** ***jemanden veräppeln*** pull someone's leg **2.** (≈ *verspotten*) kid someone, *BE auch* take* the mickey out of someone
verarbeiten 1. process ['prəʊses] (*auch Daten*) **2.** ***Abfallprodukte zu Baustoffen verarbeiten*** make* (*oder* turn) waste products into building materials **3.** digest [daɪ'dʒest] (*Lehrstoff usw.*)
verärgern annoy [ə'nɔɪ], *stärker*: upset* [ʌp'set]
verärgert annoyed [ə'nɔɪd], *stärker*: upset
verarmen grow* poor
verarmt penniless, impoverished [ɪm'pɒvərɪʃt]
verarschen *salopp* **1.** take* the piss out of, *AE* make* a sucker out of; ***willst du mich verarschen?*** are you taking the piss?
verarzten see* to, fix up
verätzen *durch Säure usw.*: burn*
Verätzung (≈ *Wunde*) burn
Verb verb [vɜːb]
Verband[1] bandage ['bændɪdʒ]; ***einen Verband anlegen*** put* a bandage on
Verband[2] (≈ *Vereinigung*) association
Verbandkasten first-aid box
Verbandszeug 1. first-aid kit **2.** (≈ *Binde*) a bandage ['bændɪdʒ]
verbannen exile ['eksaɪl] (***nach*** to)
verbarrikadieren 1. barricade [ˌbærɪ'keɪd] **2.** ***sich verbarrikadieren*** barricade oneself (***in*** in)
verbauen 1. ruin ['ruːɪn], spoil* (*Gegend*) **2.** ***ich hab mir die Sache verbaut*** *übertragen* I've spoilt my chances
verbeißen 1. ***ich konnte mir das Lachen nicht verbeißen*** I couldn't keep a straight face **2.** ***er hat sich in seine Arbeit verbissen*** he's become obsessed with his work
verbergen hide* (***vor*** from)
verbessern 1. **(*sich*)** ***verbessern*** improve [ɪm'pruːv] **2.** correct (*Fehler*) **3.** ***sich verbessern*** *beim Sprechen*: correct oneself
Verbesserung improvement [ɪm'pruːvmənt]
Verbesserungsvorschlag suggestion [sə'dʒestʃən] for improvement
verbeugen: ***sich verbeugen*** bow [⚠ baʊ]
verbeulen dent
verbiegen: **(*sich*)** ***verbiegen*** bend*
verbieten 1. forbid*, *amtlich auch*: prohibit [prə'hɪbɪt] **2.** ***sie hats mir verboten*** she won't let me (do it)

verbilligen 1. lower the price of **2. *sich verbilligen*** go* down (in price)
verbilligt reduced [rɪ'djuːst]
verbinden 1. connect (*Kabel usw.*) **2.** link (*Orte usw.*) **3. *jemandem die Augen verbinden*** blindfold ['blaɪndfəʊld] someone **4.** combine (*Ausflug mit Besuch usw.*) **5. *womit verbindest du das?*** what do you associate [ə'səʊʃɪeɪt] it with? **6. *ich verbinde*** *Telefon*: I'm putting you through **7. (*sich*) *verbinden*** (*Substanzen*) combine
verbindlich 1. *Worte usw.*: friendly **2.** (≈ *verpflichtend*) binding ['baɪndɪŋ]
Verbindung 1. *zwischen Orten, Personen usw.*: link **2.** *telefonische usw.*: connection **3.** (≈ *Zusammenhang*) connection; ***in Verbindung mit*** in connection with **4.** *chemische usw.*: compound ['kɒmpaʊnd] **5. *in Verbindung bleiben*** keep* in touch
Verbindungstür connecting door
verbissen 1. (≈ *hartnäckig*) dogged [⚠ 'dɒgɪd] **2. *ein verbissenes Gesicht machen*** have* a look of determination
verbittert bitter, embittered
verblassen 1. *allg.*: turn (*oder* grow*) pale **2.** (*Farbe usw.*) fade
verbleit *Benzin*: leaded [⚠ 'ledɪd]
verblöden *umg.* **1.** (≈ *senil werden*) go* gaga ['gɑːgɑː] **2. *dabei verblödet man ja*** it's totally moronic [mə'rɒnɪk]
verblödet 1. demented [dɪ'mentɪd] **2.** (≈ *senil*) senile ['siːnaɪl]
verblüffen 1. *allg.*: amaze, astound [ə'staʊnd] **2.** (≈ *verwirren*) baffle, bewilder [bɪ'wɪldə] **3.** (≈ *sprachlos machen*) dumbfound [⚠ ˌdʌm'faʊnd], stupefy ['stjuːpɪfaɪ], *umg.* flabbergast ['flæbəgɑːst]
verblüffend amazing [ə'meɪzɪŋ]; ***sie sind sich verblüffend ähnlich*** they're amazingly alike
verblüfft amazed [ə'meɪzd]; ***ich war ganz verblüfft*** *auch*: I was completely taken aback [ə'bæk]
verblühen wither ['wɪðə], fade (away) (*auch übertragen*)
verbluten bleed* to death
verbocken: ***etwas verbocken*** *umg.* bungle something, botch something (up)
verbohrt pigheaded [ˌpɪg'hedɪd]
Verbohrtheit pigheadedness
verborgen hidden
Verbot *offizielles*: ban (***für*** *oder* ***von etwas*** on something)
verboten 1. *es ist verboten* it's not allowed; ***es ist verboten zu …*** you're not allowed to … **2. *Rauchen*** *usw.* ***verboten*** no smoking *usw.* **3. *du siehst ja verboten aus!*** *umg.* you look a real sight!
verbrannt 1. burnt **2.** *von der Sonne*: sunburnt
verbraten *umg.* blow* (*Geld*)
Verbrauch consumption (***von, an*** of)
verbrauchen use (up)
Verbraucher(in) consumer [kən'sjuːmə]
verbraucherfreundlich consumer-friendly
verbraucht 1. *allg.*: used up **2.** *Batterie*: flat **3.** *übertragen*; *Person*: worn out
Verbrechen 1. crime **2. *das ist doch kein Verbrechen!*** it's not a crime(, is it?)
verbrechen 1. *was hab ich denn verbrochen?* what have I done (wrong)? **2. *was hast du wieder verbrochen?*** what have you been up to this time? **3. *wer hat diesen Aufsatz verbrochen?*** who cooked up this essay?
Verbrecher(in) criminal ['krɪmɪnl]
verbreiten: (***sich***) ***verbreiten*** spread* [spred] (*auch Nachricht, Angst usw.*)
verbreitet widespread ['waɪdspred]
verbrennen 1. *allg.*: burn*; ***ich hab mir die Zunge verbrannt*** I've burnt my tongue **2.** cremate [krə'meɪt] (*Leiche*) **3. *sich verbrennen*** *aus Unachtsamkeit*: burn* oneself, get* burnt
Verbrennung (≈ *Wunde*) burn (***an*** on)
verbringen *allg.*: spend*; ***ich hab den ganzen Tag mit Einkaufen verbracht*** I spent the whole day shopping
verbrühen: ***sich die Hand*** *usw.* ***verbrühen*** scald [skɔːld] one's hand *usw.*
Verbrühung (≈ *Wunde*) scald [skɔːld]
verbummeln *umg.* **1. *den Morgen*** *usw.* ***verbummeln*** waste the (whole) morning *usw.* **2. *ich habs total verbummelt*** *Verabredung usw.*: I completely forgot [fə'gɒt] about it
verbummelt *umg.* **1.** (≈ *faul*) lazy, idle ['aɪdl] **2.** *Zeit usw.*: wasted
verbunden: **(*Sie sind*) *falsch verbunden*** I'm afraid you've got the wrong [rɒŋ] number
verbünden: ***sich verbünden*** (***mit***) ally [ə'laɪ] oneself (with, to), form an alliance [ə'laɪəns] (with)
Verbündete(r) ally [⚠ 'ælaɪ] *Pl.*: allies; ***Amerika und seine Verbündeten*** America and her allies
Verdacht 1. suspicion; ***ich habe den*** (***starken***) ***Verdacht, dass …*** I have a (strong) suspicion that …; ***Verdacht erregen*** arouse suspicion **2. *etwas auf Verdacht tun*** *umg.* do* something on spec [spek]
verdächtig 1. suspicious [sə'spɪʃəs]; ***es kommt mir etwas verdächtig vor*** it

V

seems a bit suspicious to me **2. *wenn Ihr etwas Verdächtiges seht*** if you see anything suspicious
Verdächtige(r) suspect [⚠ 'sʌspekt]
verdächtigen suspect [sə'spekt]; ***sie verdächtigen ihn, es gestohlen zu haben*** they suspect him of having stolen it
verdammt *umg.* **1. *verdammt (nochmal)!*** damn it [⚠ 'dæm‿ɪt]! **2. *verdammte Scheiße!*** *salopp* bloody hell [ˌblʌdɪ'hel]!, *AE* holy shit! **3. *es tut verdammt weh!*** it hurts like hell **4. *du hattest verdammtes Glück*** you were damn lucky [ˌdæm- 'lʌkɪ]
verdampfen evaporate [ɪ'væpəreɪt]
verdanken 1. *dir hab ich es zu verdanken, dass …* *auch kritisch* it's thanks to you that … **2. *das hast du mir zu verdanken*** you can thank me for it **3. *das hast du dir selber zu verdanken!*** it's your own fault
verdattert *umg.* flabbergasted ['flæbəgɑːstɪd]
verdauen 1. digest [daɪ'dʒest] (*Essen*) **2.** *emotional*: digest, come* to terms with
verdaulich 1. *schwer verdaulich* hard to digest [daɪ'dʒest] **2. *schwer verdaulich*** *übertragen; Buch usw.*: heavy-going [ˌhevɪ'gəʊɪŋ]; ***leicht verdaulich*** *übertragen; Buch usw.*: light
Verdauung digestion [daɪ'dʒestʃn]
verdecken cover up [ˌkʌvər'ʌp]
verderben 1. *allg.*: spoil*; ***es hat mir den Tag verdorben*** it spoilt my day **2. *das hat mir die Laune verdorben*** that's put me in a bad mood **3. *ich hab mir den Magen verdorben*** I've got an upset stomach [ˌʌpset'stʌmək] **4. *du wirst dir die Augen verderben*** you'll ruin your eyes **5. *mit mir hat er sichs verdorben*** I'm through with him **6.** (*Lebensmittel*) go* bad, (*Milch, Fleisch*) go* off
verdeutlichen (≈ *erklären*) explain
verdienen 1. earn [ɜːn] (*Geld*) **2.** deserve (*Lob, Strafe usw.*); ***womit hab ich das verdient?*** what did I do to deserve that?
verdonnern: ***jemanden dazu verdonnern, etwas zu tun*** make* someone do something
verdoppeln 1. *allg.*: double ['dʌbl] (*auch Preis*) **2.** redouble (*Anstrengungen usw.*) **3. *sich verdoppeln*** double
Verdopplung doubling ['dʌblɪŋ]
verdorben 1. *allg.*: spoilt **2.** *Magen*: upset **3. *der Reissalat*** *usw.* ***ist verdorben*** the rice salad *usw.* has gone off
verdorren dry up, wither ['wɪðə]
verdrängen 1. *psychisch*: suppress [sə'pres] **2.** push out (*jemanden*) (**aus** of)
verdreckt filthy
verdrehen 1. *allg.*: twist (*auch die Wahrheit usw.*) **2. *er hat die Augen verdreht*** he rolled his eyes **3. *sie hat ihm den Kopf verdreht*** *umg.* she's turned his head
verdreht *umg.* (≈ *durcheinander*) mixed up
Verdrehung *der Tatsachen usw.*: twisting
verdreifachen 1. treble ['trebl], triple ['trɪpl] **2. *sich verdreifachen*** treble, triple
verdreschen: ***jemanden verdreschen*** *umg.* give* someone a thrashing
verdrücken *umg.* **1.** polish off (*Essen*) **2. *sich verdrücken*** sneak off
Verdruss 1. *allg.*: annoyance [ə'nɔɪəns], displeasure [dɪs'pleʒə] **2. *er hat ihr viel Verdruss bereitet*** he caused her a lot of trouble ['trʌbl]
verduften *umg.* clear off
verdummen: ***zu viel Fernsehen verdummt*** too much television dulls the mind
verdunkeln 1. darken (*Zimmer usw.*) **2. *der Himmel verdunkelt sich*** the sky's getting dark
verdünnen 1. *allg.*: dilute [daɪ'luːt] **2.** thin (down) (*Farbe, Lack usw.*)
Verdünnungsmittel thinner
verdunsten evaporate [ɪ'væpəreɪt]
Verdunstung evaporation [ɪˌvæpə'reɪʃn]
verdursten die of thirst
verdutzt: ***sie war ganz verdutzt*** she was completely taken aback
verehren 1. admire **2.** (≈ *anbeten*) worship
Verehrer(in) 1. *allg.*: admirer [əd'maɪrə] **2.** *eines Stars*: fan
Verein 1. association [əˌsəʊsɪ'eɪʃn] **2.** (≈ *Klub*) club **3. *das ist ein seltsamer Verein*** they're a funny lot
vereinbaren arrange (*Treffen, Zeit usw.*)
Vereinbarung agreement
vereinfachen simplify
vereinfacht: ***vereinfacht ausgedrückt*** put simply
vereinheitlichen standardize ['stændədaɪz]
vereinigen 1. unite **2. *sich vereinigen*** unite
vereinigt united [juː'naɪtɪd]; ***die Vereinigten Staaten (von Amerika)*** the United States (of America) (⚠ *mit Sg.*); ☞ *Karte S. 294, 295*
vereinsamen become* isolated (*oder* lonely)
vereinsamt lonely (and isolated)
Vereinskamerad(in) clubmate; ***sie sind Vereinskameraden*** *auch* they belong to the same club
vereint: ***die Vereinten Nationen*** the United Nations (⚠ *meist mit Sg.*); ***das ver-***

V

einte Europa united Europe (⚠ *ohne* the)
vereinzelt **1.** (≈ *gelegentlich*) occasional [ə'keɪʒnəl] (⚠ *nur vor dem Subst.*) **2.** (≈ *hin und wieder*) now and then
vereisen **1.** (*Straße usw.*) freeze* over **2.** (*Fenster, Flugzeugflügel usw.*) ice up **3.** *örtliche Betäubung*: freeze* (*Körperstelle*)
vereist **1.** (≈ *zugefroren*) frozen over **2.** *Fenster usw.*: iced up
vereitern go* septic
vereitert septic
verenden (*Tier*) perish ['perɪʃ], die
verengen: ***sich verengen*** narrow
vererben **1.** ***jemandem etwas vererben*** leave* something to someone **2.** pass on (*Krankheit usw.*) (***auf*** to) **3.** ***es vererbt sich*** *Krankheit, Eigenschaft usw.*: it's hereditary [hə'redətrɪ]
vererbt *Eigenschaft usw.*: hereditary [hə'redətrɪ]
verewigen: ***sich verewigen in*** *Baumstamm usw.*: carve one's name into
verfahren: ***sich verfahren*** get* lost, lose* one's way
Verfahren **1.** *technisches*: process ['prəʊses] **2.** (≈ *Methode*) method [⚠ 'meθəd]
verfallen[1] (*Fahrkarte usw.*) expire [ɪk'spaɪə]
verfallen[2] *Gebäude usw.*: dilapidated [dɪ'læpɪdeɪtɪd]
Verfallsdatum **1.** *allg.*: expiry [ɪk'spaɪərɪ] date, *AE* expiration [ˌekspə'reɪʃn] date **2.** *von Gütern*: sell-by date, *von Lebensmitteln auch*: best-before date
verfälschen distort (*Wahrheit usw.*)
verfärben **1.** ***sich verfärben*** change colour **2.** ***die Wäsche hat sich verfärbt*** the washing has been dyed **3.** ***deine Socken haben die Wäsche verfärbt*** the dye from your socks has come off onto all the washing
verfassen **1.** write* [⚠ raɪt], compose (*beide auch Gedicht usw.*)**2.** draw* up (*Resolution usw.*)
Verfasser(in) author ['ɔːθə]
Verfassung *staatliche*: constitution
verfassungswidrig unconstitutional ['ʌnˌkɒnstɪ'tjuːʃnəl]
verfaulen rot (away)
verfault *Lebensmittel, Zähne usw.*: rotten
verfehlen: ***sich verfehlen*** miss each other
verfeinden **1.** ***sich verfeinden*** become* enemies **2.** ***sich mit jemandem verfeinden*** make* an enemy of someone
verfeindet: ***sie sind (vollkommen) verfeindet*** they're (sworn) enemies
verfeinern **1.** *allg.*: refine **2.** round off (*Soße usw.*)

V

verfilmen: ***die Geschichte wurde verfilmt*** they made a film out of the story
Verfilmung screen version
verfilzt *Haar*: matted
verflixt *umg.* **1.** ***verflixt!*** darn! **2.** ***diese verflixte Katze*** *usw.!* that darn cat *usw.!*
Verflossene *umg.* ex, ex-girlfriend *bzw.* ex-wife, *länger zurückliegend*: old flame
Verflossener *umg.* ex, ex-boyfriend *bzw.* ex-husband, *länger zurückliegend*: old flame
verfluchen curse
verflucht **1.** ***verflucht!*** damn [⚠ dæm]! **2.** ***diese verfluchte Arbeit!*** this damn work!
verfolgen **1.** pursue [pə'sjuː] (*Person*) **2.** hunt (*Kriminellen*) **3.** *politisch usw.*: persecute ['pɜːsɪkjuːt] **4.** follow (*Nachrichten, Spiel usw.*) **5.** ***der Gedanke*** *usw.* ***verfolgt mich*** I'm haunted ['hɔːntɪd] by the thought *usw.*
Verfolgungsjagd **1.** *allg.*: wild chase **2.** *im Auto*: car chase
Verfolgungswahn: ***an Verfolgungswahn leiden*** suffer from a persecution complex
verformen **1.** *unabsichtlich*: deform **2.** *technisch, durch Bearbeitung*: form, shape **3.** ***sich verformen*** deform, go* out of shape, (*Metall*) *auch* buckle, (*Holz*) warp [wɔːp]
verfressen greedy
Verfressenheit greediness
verfügbar available [ə'veɪləbl]
Verfügung **1.** ***zur Verfügung stehen*** be* available **2.** ***ich stelle mich zur Verfügung!*** at your service!
verführen **1.** *sexuell*: seduce [sɪ'djuːs] **2.** ***jemanden zu etwas verführen*** tempt someone to do something, *zu Drogen usw.*: lead* someone into (doing) something
verführerisch **1.** *Frau usw.*: seductive [sɪ'dʌktɪv] **2.** *Angebot usw.*: tempting
vergaffen: ***sich in jemanden vergaffen*** *umg.* fall* for someone
vergammelt **1.** *Person*: scruffy **2.** ***vergammelter Typ*** scruff, *stärker*: slob
vergangen **1.** ***am vergangenen Wochenende*** *usw.* last weekend *usw.* **2.** ***in vergangenen Zeiten*** in times past (⚠ *Wortstellung*)
Vergangenheit *allg.*: past
Vergangenheitsform past tense
vergänglich **1.** passing, transient ['trænzɪənt] **2.** ***alles ist vergänglich*** nothing lasts forever
vergasen gas
Vergasung (≈ *Tötung*) gassing
vergeben[1] (≈ *verzeihen*) forgive* [fə'gɪv];

jemandem etwas vergeben forgive someone for something

vergeben[2] **1.** give* away (*Stelle usw.*); ***ist die Stelle schon vergeben?*** has the vacancy been filled already? **2.** award [ə'wɔːd] (*Preis, Stipendium usw.*) (***an*** to) **3.** ***eine Chance vergeben*** miss an opportunity

vergeben[3] **1.** ***vergeben sein*** be* taken **2.** ***er*** (*bzw.* ***sie***) ***ist schon vergeben*** he's (*bzw.* she's) already spoken for

vergeblich **1.** (≈ *umsonst*) in vain **2.** ***es war vergeblich*** (≈ *sinnlos*) it was no use [juːs]

vergehen **1.** (*Zeit*) pass; ***wie die Zeit vergeht!*** time flies! **2.** (*Schmerzen*) pass, go* away **3.** ***dabei vergeht einem der Appetit*** it's enough to make you lose your appetite **4.** ***dir wird das Lachen bald vergehen!*** you'll soon be laughing on the other side of your face **5.** ***ich vergehe*** (***fast***) ***vor Hunger*** *usw.* I'm dying of hunger *usw.*

Vergehen offence, *AE* offense [ə'fens]

Vergeltung retaliation [rɪˌtælɪ'eɪʃn], retribution [ˌretrɪ'bjuːʃn]; ***als Vergeltung für*** in retaliation for; ***Vergeltung üben*** retaliate, take* revenge [rɪ'vendʒ] (*beide*: ***an*** on)

vergessen **1.** *allg.*: forget*; ***ich hab meinen Schirm vergessen*** *auch*: I've left my umbrella behind **2.** ***er vergisst leicht*** he's very forgetful [fə'getfl] **3.** *Wendungen*: ***das kannst du vergessen!*** forget it; ***den kannst du vergessen!*** he's useless ['juːsləs]; ***das werd ich dir nie vergessen*** I won't ever forget that

vergesslich forgetful [fə'getfl]

Vergesslichkeit forgetfulness [fə'getflnəs]

vergewaltigen rape (*eine Frau*)

Vergewaltigung rape

vergewissern: ***sich vergewissern*** make* sure, check (***ob*** that)

vergiften poison ['pɔɪzn]

Vergiftung poisoning ['pɔɪznɪŋ]

Vergissmeinnicht forget-me-not

Vergleich **1.** comparison [kəm'pærɪsn] **2.** ***im Vergleich zu*** compared with (*oder* to) **3.** ***das ist ja überhaupt kein Vergleich!*** there's no comparison

vergleichbar **1.** comparable [⚠ 'kɒmpərəbl] (***mit*** to, with) **2.** ***das ist überhaupt nicht vergleichbar*** you can't compare (the two)

vergleichen **1.** compare (***mit*** to, with); ***die Preise vergleichen*** compare prices (⚠ *ohne* the) **2.** ***er ist mit Peter nicht zu vergleichen*** he and Peter are completely different

vergleichsweise relatively ['relətɪvlɪ]

verglühen **1.** *allg.*: die out **2.** (*Rakete usw.*) burn* up **3.** (*Meteor*) burn* out

vergnügen: ***sich vergnügen*** enjoy oneself

Vergnügen **1.** pleasure ['pleʒə], enjoyment; ***mit*** (***dem größten***) ***Vergnügen!*** with (the greatest) pleasure!; ***vor Vergnügen lachen*** *usw.* laugh *usw.* with pleasure **2.** (≈ *Spaß*) fun; ***viel Vergnügen!*** have fun! (*auch ironisch*) **3.** ***es war kein reines Vergnügen*** it was no picnic **4.** ***ein teures Vergnügen*** an expensive business

Vergnügungspark **1.** *allg.*: amusement park **2.** *mit einem Thema, z. B. Raumfahrt*: theme [θiːm] park

Vergnügungsviertel **1.** entertainments district ['dɪstrɪkt] **2.** *mit Bordellen*: red-light district

vergolden **1.** *allg.*: gild [⚠ gɪld] (*auch übertragen*) **2.** gold-plate (*Metall, Schmuck usw.*)

vergoldet gold-plated, gilt [gɪlt]

vergönnen **1.** *allg.*: grant [grɑːnt]; ***es war ihr nicht vergönnt zu*** (+ *Inf.*) it was not granted to her to (+*Inf.*) **2.** ***er vergönnt es ihr nicht*** he begrudges [bɪ'grʌdʒɪz] her it

vergraben **1.** bury [⚠ 'berɪ] **2.** ***sie hat sich in ihre Bücher vergraben*** she's buried herself in her books

vergraulen **1.** put* off (*Leute*) **2.** ***vergraul's mir doch nicht*** don't spoil it for me

vergriffen *Buch*: out of print

vergrößern **1.** *allg.*: enlarge (*auch Foto, Kopie*) **2.** ***ein Foto vergrößern lassen*** get* an enlargement of a photo **3.** extend (*Raum, Fläche usw.*) **4.** *mit einer Lupe*: magnify ['mægnɪfaɪ] **5.** ***sich vergrößern*** grow*

Vergrößerung *Foto*: enlargement

Vergrößerungsglas magnifying glass

vergucken: ***sich in jemanden vergucken*** *umg.* fall* for someone

verhaften arrest

Verhaftung arrest

verhaken: ***sich an etwas verhaken*** get* caught [kɔːt] on something

verhalten **1.** ***sich verhalten*** act, behave, be*; ***er verhielt sich etwas merkwürdig*** he was acting (*oder* behaving) a bit strange (⚠ *hier nicht* strangely) **2.** ***ich weiß nicht, wie ich mich verhalten soll*** I'm not sure what to do

Verhalten behaviour [bɪ'heɪvjə]

verhaltensgestört maladjusted [ˌmælə'dʒʌstɪd]

Verhältnis[1] **1.** (≈ *Beziehung*) relationship (***zu*** with) **2.** (≈ *Affäre*) affair; ***er hat***

mit ihr ein Verhältnis he's having an affair with her
Verhältnis[2] **1.** ***im Verhältnis von 1:2*** in a ratio ['reɪʃɪəʊ] of 1:2 (*gesprochen* one to two) **2.** ***im Verhältnis zu dir*** *usw.* compared with you *usw.*
verhältnismäßig relatively ['relətɪvlɪ]
Verhältnisse **1.** (≈ *Umstände*) circumstances ['sɜːkəmstənsɪz] **2.** ***sie leben über ihre Verhältnisse*** they're living beyond their means
verhandeln negotiate [nɪ'gəʊʃɪeɪt]
Verhandlungen negotiations [nɪˌgəʊʃɪ'eɪʃnz]
verharmlosen play down
verhärten: ***sich verhärten*** *allg.*: harden
verhaspeln: ***sie hat sich verhaspelt*** *umg.* she got her words muddled
verhasst hated
verhätscheln coddle, pamper
verhätschelt pampered, spoilt
Verhau *umg.* mess; ***das ist ja ein Verhau!*** what a mess!
verhauen[1] (≈ *verprügeln*) beat* up
verhauen[2] **1.** *umg.* fluff (*Test usw.*) **2.** ***sich verhauen*** get* it wrong [rɒŋ]
verheddern **1.** ***sich verheddern*** get* tangled up **2.** ***sich verheddern*** *beim Sprechen*: get* in a muddle
verheerend **1.** *umg.* (≈ *scheußlich*) dreadful ['dredfl] **2.** *Folgen usw.*: disastrous [dɪ'zɑːstrəs]
verheilen heal (up) (completely); ***die Wunde verheilt schlecht*** the wound isn't healing very well
verheimlichen: ***er hat es (mir) verheimlicht*** he kept it a secret (from me)
verheiratet married (***mit*** to); ***glücklich verheiratet*** happily married
verheult **1.** *Augen*: red (from crying) **2.** *Gesicht*: tear-stained ['tɪə‿steɪnd]
verhext: ***es ist wie verhext*** it's jinxed [dʒɪŋkst]
verhindern **1.** prevent [prɪ'vent] **2.** ***wir konnten nicht verhindern, dass sie wegging*** we couldn't stop her from leaving
verhindert **1.** ***sie ist leider verhindert*** unfortunately she's unable to come (***wegen*** due to) **2.** ***ein verhinderter Maler*** *umg*; *negativ*: (≈ *Möchtegernmaler*) a would-be painter, *positiv*, *der seinen Beruf verfehlte*: a painter manqué ['mɒŋkeɪ]
verhöhnen: ***jemanden verhöhnen*** deride someone, jeer at someone
verhohnepipeln *umg.* make* fun of
verhökern *umg.* flog (off)
Verhör interrogation [ɪnˌterə'geɪʃn]
verhören **1.** ***jemanden verhören*** interrogate [ɪn'terəgeɪt] (*oder* question) someone **2.** ***sich verhören*** mishear* [ˌmɪs'hɪə]
verhungern **1.** die of starvation **2.** ***ich bin am Verhungern*** *umg.* I'm starved
verhunzen *umg.* make* a botch of
verhüten prevent [prɪ'vent]
Verhüterli *umg.* rubber
Verhütung **1.** *allg.*: prevention [prɪ'venʃn] (*auch von Verbrechen, Krankheiten usw.*) **2.** (≈ *Empfängnisverhütung*) contraception [ˌkɒntrə'sepʃn]
Verhütungsmittel contraceptive [ˌkɒntrə'septɪv]
verhutzelt shrivelled ['ʃrɪvld]
verirren: ***sich verirren*** get* lost
verjagen chase away
verjähren (*Vergehen, Verbrechen*) come* under the statute ['stætʃuːt] of limitations
verjubeln *umg.* blow* (*Geld*)
Verjüngungskur rejuvenation cure [rɪˌdʒuːvə'neɪʃn‿kjʊə]
verkabeln *für Fernsehen*: cable up
verkabelt: ***seid ihr verkabelt?*** have you got cable TV [ˌtiː'viː]?
verkalken **1.** (*Leitung, Kaffeemaschine usw.*) fur up, *bes. AE* clog up **2.** (*Arterien*) harden, *förmlich* calcify ['kælsɪfaɪ] **3.** (*Person*) go* senile ['siːnaɪl]
verkalkt **1.** *Kessel usw*: furred, *bes. AE* clogged **2.** *umg.* senile ['siːnaɪl]; ***er ist verkalkt*** he's (going) senile
verkalkulieren: ***sich verkalkulieren*** miscalculate [ˌmɪs'kælkjʊleɪt]
Verkalkung *umg.*; *bei älterer Person*: senility [sə'nɪlətɪ]
Verkalkungserscheinung sign [saɪn] of old age
verkappt: ***ein verkappter Nazi*** *usw.* a closet Nazi [ˌklɒzɪt'nɑːtsɪ] *usw.*
verkatert *umg.* hung over
Verkauf **1.** sale; ***zum Verkauf*** for sale **2.** (≈ *Verkaufsabteilung*) sales department
verkaufen **1.** *allg.*: sell*; ***er hat es mir verkauft*** he sold it to me **2.** ***es verkauft sich gut*** it's selling well **3.** ***er verkauft sich gut*** *übertragen* he's good at selling himself
Verkäufer(in) shop assistant, *AE* salesclerk
verkäuflich for sale
Verkehr **1.** *auf Straße*: traffic **2.** (≈ *Geschlechtsverkehr*) intercourse ['ɪntəkɔːs]
Verkehrsberuhigung traffic calming [⚠ 'træfɪkˌkɑːmɪŋ]
Verkehrschaos traffic chaos ['keɪɒs]
verkehrsfrei: ***verkehrsfreie Zone*** traffic-free area, *BE auch* pedestrian precinct ['priːsɪŋkt], *AE auch* pedestrian mall [mɔːl]
Verkehrsfunk travel news (⚠ *Sg.*)

V

Verkehrsinsel traffic island ['aɪlənd]
Verkehrsmeldung traffic report
Verkehrsmittel 1. ***ein Verkehrsmittel*** a means of transport ['trænspɔːt] (*AE* transportation [ˌtrænspɔː'teɪʃn]) **2.** ***öffentliche Verkehrsmittel*** public transport, *AE* public transportation (⚠ *beide Sg.*)
Verkehrsschild traffic sign [saɪn]
verkehrssicher *Auto*: roadworthy ['rəʊdˌwɜːðɪ]
Verkehrssünder(in) traffic offender
Verkehrstote(r) 1. road casualty ['kæʒʊəltɪ] **2.** ***Verkehrstote*** *Pl.*; *Statistik*: road deaths
Verkehrsunfall traffic (*oder* road) accident
Verkehrszeichen traffic sign [saɪn]
verkehrt 1. wrong [⚠ rɒŋ]; ***du machst es verkehrt*** you're doing it wrong; ***da liegst du verkehrt*** you're wrong there **2.** ***meine Uhr geht verkehrt*** my watch is wrong **3.** ***wir sind hier verkehrt*** we've come to the wrong place, *im Auto*: we've come the wrong way **4.** ***das ist gar nicht verkehrt*** that's not such a bad idea **5.** ***verkehrt herum*** the wrong way round, (≈ *mit der Innenseite nach außen*) inside out
verklagen 1. ***jemanden verklagen*** sue [suː] someone, take* someone to court (***wegen*** for) **2.** ***jemanden auf Schadenersatz*** *usw.* ***verklagen*** sue someone for damages *usw.*
Verklappung *von Gift ins Meer*: marine [mə'riːn] (*oder* ocean ['əʊʃn]) dumping
verklebt 1. *allg.*: sticky **2.** *Haar*: matted
verkleckern spill* (*Essen usw.*)
verkleiden[1]: ***sich verkleiden*** dress up; ***sich als Cowboy*** *usw.* ***verkleiden*** dress up as a cowboy *usw.*; ***sie haben sich verkleidet*** they're dressed up, they're in fancy dress (⚠ *ohne* a)
verkleiden[2] **1.** *an Außenseite*: (en)case (*Wand usw.*) **2.** *innen*: line **3.** (≈ *vertäfeln*) panel ['pænl] **4.** face (*Fassade*)
Verkleidung[1] **1.** *um nicht erkannt zu werden*: disguise [dɪs'gaɪz] **2.** *Kostüm für Karneval usw.*: fancy dress [ˌfænsɪ'dres]
Verkleidung[2] **1.** *an Außenseite*: casing **2.** (≈ *Innenverkleidung*) lining **3.** (≈ *Holzverkleidung*) panelling, *AE* paneling ['pænlɪŋ] **4.** (≈ *Fassadenverkleidung*) facing
verkleinern 1. reduce [rɪ'djuːs] (in size) (*auch Fotokopie usw.*) **2.** ***einen Raum verkleinern*** make* a room smaller **3.** ***sich verkleinern*** *allg.*: grow* smaller **4.** ***dadurch verkleinert sich das Zimmer*** it makes the room look smaller
verkleinert reduced
Verkleinerung *allg.*: reduction
verklemmen: ***das Fenster*** *usw.* ***hat sich verklemmt*** the window *usw.* is stuck
verklemmt *Person*: inhibited [ɪn'hɪbɪtɪd]
verklickern: ***jemandem etwas verklickern*** *umg.* put* someone straight on something
verknacken: ***er wurde (zu 3 Jahren) verknackt*** *umg.* he was done (for 3 years)
verknacksen: ***ich hab mir den Fuß verknackst*** *umg.* I've sprained my ankle
verknallen: ***sich in jemanden verknallen*** *umg.* fall* for someone
verknallt: ***sie ist in ihn verknallt*** *umg.* she's got a crush on him
verknautscht crumpled
verkneifen: ***ich konnte mir das Lachen nicht verkneifen*** I couldn't keep a straight face
verkniffen *Gesicht*: pinched; ***verkniffener Mund*** pinched lips
verknöchert: ***verknöcherter Kerl*** *umg.* old fossil ['fɒsl]
verknüpfen 1. (≈ *zusammenbinden*) tie (*oder* knot [⚠ nɒt]) together **2.** *übertragen* connect (***mit*** to, with), link (***mit*** to, with), combine (***mit*** with) **3.** *EDV*: link (***mit*** to, with), integrate ['ɪntɪgreɪt] (***mit*** with) **4.** *übertragen* ***mit Kosten*** (***Schwierigkeiten*** *usw.*) ***verknüpft sein*** involve costs (difficulties *usw.*) **5.** *übertragen* ***eng verknüpft sein mit*** be* (closely) bound up with
verknusen: ***ich kann ihn nicht verknusen*** *umg.* I can't stomach [⚠ 'stʌmək] him
verkochen overboil (*Gemüse usw.*)
verkohlen: ***er verkohlt dich*** he's having you on
verkommen 1. *Haus usw.*: dilapidated [dɪ'læpɪdeɪtɪd] **2.** *Person*: seedy **3.** *moralisch*: depraved [dɪ'preɪvd]
verkomplizieren: ***das verkompliziert die Sache nur*** that just makes things more complicated
verkorksen: ***ich hab mir den Magen verkorkst*** *umg.* I've got an upset stomach [⚠ ˌʌpset'stʌmək]
verkorkst *umg.*, *Mensch*: screwed up
verköstigen 1. ***jemanden verköstigen*** feed* someone, cater ['keɪtə] for someone **2.** ***Wein*** *usw.* ***verköstigen*** taste some wine *usw.*
verkrachen: ***sie haben sich verkracht*** *umg.* they've fallen out (with each other)
verkracht *umg.* **1.** *Politiker usw.*: failed **2.** ***eine verkrachte Existenz*** *Mensch*: a human wreck [⚠ ˌhjuːmən'rek]
verkraften 1. (≈ *bewältigen*) cope with **2.** ***sie hat es nur schwer verkraftet*** she

took it very hard **3. *das wirst du schon noch verkraften!*** you'll manage (all right)

verkrampfen 1. *die Muskeln haben sich verkrampft* the muscles ['mʌslz] are cramped **2. *sich verkrampfen*** (*Person*) tense up

verkrampft 1. *Person*, *innerlich*: uptight ['ʌptaɪt] **2.** *Lächeln*: forced

verkratzt: ***verkratzt*** scratched; ***völlig verkratzt*** covered in scratches

verkriechen 1. *sich verkriechen* disappear **2. *sich ins Bett verkriechen*** creep* away into bed **3. *sie verkriecht sich hinter ihren Büchern*** she hides away behind her books

verkrümeln: ***sich verkrümeln*** *umg.* sneak off

verkrümmt bent

verkrüppelt crippled

verkühlen: ***sich verkühlen*** catch* a chill (*oder* cold) (***beim Schwimmen*** *usw.* [while] swimming *usw.*)

verkünden 1. *allg.*: announce [ə'naʊns] **2.** *feierlich*: proclaim **3.** pronounce [prə'naʊns] (*Urteil*)

verkürzen 1. *allg.*: shorten **2.** reduce (*Arbeitszeit usw.*) **3. *sich die Zeit mit Kartenspielen verkürzen*** while away the time (by) playing cards

verkürzt 1. *allg.*: shortened **2. *verkürzte Arbeitszeit*** reduced working hours (⚠ *Pl.*)

verladen 1. load (*Güter*) (***auf*** onto, ***in*** into) **2. *jemanden verladen*** *umg.* (≈ *verschaukeln*) take* someone for a ride, (≈ *sitzen lassen*) leave* someone in the lurch [lɜːtʃ]

Verlag publishing company; ***er arbeitet in einem Verlag*** *auch*: he works in publishing

verlangen 1. *allg.*: demand [dɪ'mɑːnd] **2. *sie haben meinen Ausweis verlangt*** they asked to see my ID [ˌaɪ'diː] **3. *wie viel verlangen Sie?*** *als Bezahlung*: how much do you charge? **4. *das ist zu viel verlangt*** that's asking too much **5. *du wirst am Telefon verlangt*** you're wanted on the phone **6. *sie verlangte nach meinem Vater*** she asked to speak to my father

Verlangen 1. (≈ *Begierde*) desire (***nach*** for) **2. *auf Verlangen des Rektors*** at the headmaster's request [rɪ'kwest]

verlängern 1. extend (*Urlaub*, *Pass*, *Spielzeit usw.*) (***um*** by) **2.** lengthen (*Rock usw.*)

verlängert 1. *allg.*: extended **2. *verlängertes Wochenende*** long weekend, *mit Feiertag*, *in GB*: bank holiday weekend

Verlängerung *Sport*: extra time

Verlängerungsschnur extension cord

Verlass: ***auf sie ist kein Verlass*** you can't rely [rɪ'laɪ] on her

verlassen[1] *allg.*: leave*

verlassen[2] **1. *sich verlassen auf*** rely [rɪ'laɪ] on; ***ich verlass mich auf dich!*** I'm relying on you **2. *worauf du dich verlassen kannst*** you can take my word for it

verlassen[3] **1.** (≈ *einsam*) lonely **2.** (≈ *menschenleer*) deserted [dɪ'zɜːtɪd] (*auch Haus*)

verlässlich dependable [dɪ'pendəbl]

Verlauf 1. *einer Straße*, *eines Flusses usw.*: course [kɔːs] **2.** (≈ *Ablauf*) course, run; ***im Verlauf von*** in the course of **3.** (≈ *Entwicklung*) progress ['prəʊgres], development [dɪ'veləpmənt]

verlaufen[1] **1.** (*Weg*, *Grenze usw.*) run* (***entlang*** along) **2.** (*Ereignis usw.*) go*; ***es verlief alles glatt*** everything went smoothly

verlaufen[2] **1.** (*Farbe usw.*) run* **2.** (*Butter usw.*) melt, run*

verlaufen[3]: ***sich verlaufen*** get* lost

verlegen[1] **1.** embarrassed [ɪm'bærəst] **2. *sie sah verlegen weg*** she looked away in embarrassment **3. *verlegen machen*** embarrass

verlegen[2] **1.** mislay* [mɪs'leɪ] (*Schlüssel usw.*) **2.** lay* down (*Kabel*, *Teppichboden usw.*) **3. *das Spiel wurde auf morgen verlegt*** the game has been postponed to (*oder* until) tomorrow

Verlegenheit 1. embarrassment [ɪm'bærəsmənt]; ***er wurde rot vor Verlegenheit*** he went red with embarrassment **2. *du bringst mich in Verlegenheit*** you're embarrassing me

verleiden: ***jemandem etwas verleiden*** spoil* something for someone

verleihen (≈ *vermieten*) hire (out), *bes. AE* rent (out); ☞ *siehe auch Info unter* **leihen**

verleiten: ***du hast ihn dazu verleitet, das Zeug zu nehmen*** you talked him into taking the stuff

verlernen: ***hast du dein Englisch verlernt?*** have you forgotten how to speak English?

verletzen 1. (≈ *verwunden*) hurt*, injure ['ɪndʒə]; ***sie wurde tödlich verletzt*** she was fatally ['feɪtlɪ] injured **2. *sie hat sich verletzt*** she's hurt (*oder* injured) herself **3. *ich hab mich am Finger verletzt*** I've hurt my finger **4.** hurt* (*jemands Gefühle*, *Stolz usw.*); ***das hat sie sehr verletzt*** she was very hurt (by it)

verletzlich very sensitive ['sensətɪv]

Verletzte(r) injured ['ɪndʒəd] person, casualty ['kæʒʊəltɪ]

V

Verletzung injury ['ɪndʒərɪ]; ***es ist nur eine leichte Verletzung*** it's not a serious injury
verleumden slander ['slɑːndə]
Verleumdung slander ['slɑːndə]
verlieben 1. ***sich verlieben*** fall* in love (***in*** with) **2.** ***sich*** (***ineinander***) ***verlieben*** fall* in love (with each other)
verliebt: ***er ist verliebt*** he's in love (***in*** with)
verlieren 1. *allg.*: lose* [⚠ luːz] (⚠ *Schreibung mit einem* o) **2.** ***die Geduld*** *usw.* ***verlieren*** lose* patience *usw.* (⚠ *ohne* the) **3.** ***du hast hier nichts verloren*** *umg.* you 've got no business being here
Verlierer(in) loser [⚠ 'luːzə]
verloben: ***sich verloben*** get* engaged [ɪn'geɪdʒd] (***mit*** to)
verlobt engaged [ɪn'geɪdʒd] (***mit*** to)
Verlobte *Frau*: fiancée [⚠ fɪ'ɒnseɪ]
Verlobte(r) *Mann*: fiancé [⚠ fɪ'ɒnseɪ]
Verlobung engagement [ɪn'geɪdʒmənt]
verlockend tempting, enticing [ɪn'taɪsɪŋ]
verlogen 1. ***sie ist verlogen*** she's a liar ['laɪə] **2.** ***ein verlogener Typ*** a (real) liar
Verlogenheit 1. lying **2.** ***diese Verlogenheit!*** he's *usw.* such a liar
verloren 1. *allg.*: lost **2.** ***ohne ihre Brille ist sie verloren*** she's lost without her glasses **3.** ***der verlorene Sohn*** the prodigal son [ˌprɒdɪgl'sʌn] **4.** ***verloren gehen*** get* lost, be* lost
verlosen: ***etwas verlosen*** draw* lots for something, *in e-r Tombola*: raffle something (off)
Verlosung (≈ *Lotterie*) raffle
verlottert *Person, Aussehen*: scruffy
Verlust loss (***an*** of)
vermanscht *umg.* squashed
vermasseln *umg.* mess up
vermehren 1. ***sich vermehren*** (≈ *sich fortpflanzen*) reproduce [ˌriːprə'djuːs], breed* **2.** ***sich vermehren*** (≈ *zunehmen, anwachsen*) increase [ɪn'kriːs]
vermeiden avoid (***etwas zu tun*** doing something); ***es lässt sich nicht vermeiden*** it can't be avoided
Vermerk note
vermerken note, make* a note of
Vermesser(in) surveyor [sə'veɪə]
vermiesen: ***jemandem etwas vermiesen*** *umg.* spoil* something for someone
vermieten 1. rent (out) (*Wohnung usw.*) **2.** hire (out), *bes. AE* rent (out) (*Fahrrad usw.*)
Vermieter(in) owner (of the flat *usw.*)
verminen mine, lay* mines in
vermischen 1. mix **2.** ***sich vermischen*** mix
vermischt mixed
Vermischtes *als Aufschrift*: miscellaneous [⚠ ˌmɪsə'leɪnɪəs] (*Abk.* misc.)
vermissen 1. miss (*Person usw.*) **2.** ***ich vermisse meinen Schal*** I can't find my scarf
vermisst missing; ***jemanden als vermisst melden*** report someone missing
Vermisste(r) 1. missing person **2.** ***die Vermisste*** the missing woman (*bzw.* girl); ***der Vermisste*** the missing man (*bzw.* boy)
Vermittler(in) 1. (≈ *Schlichter*) mediator ['miːdɪeɪtə], arbitrator ['ɑːbɪtreɪtə] **2.** (≈ *Mittelsmann*) intermediary [ˌɪntə'miːdɪərɪ], go-between ['gəʊ͜bɪˌtwiːn] **3.** *Wirtschaft*: agent ['eɪdʒənt], *von Aufträgen*: negotiator [nɪ'gəʊʃɪeɪtə]
Vermittlungsgebühr commission
vermöbeln *umg.* clobber
vermodern decay [dɪ'keɪ]
Vermögen 1. fortune ['fɔːtʃən] **2.** ***ein Vermögen an Münzen*** *usw.* a fortune <u>in</u> coins *usw.* **3.** ***es hat mich ein Vermögen gekostet*** *umg.* it cost me a (small) fortune
vermummt *Demonstrant*: masked [mɑːskt]
vermurksen *umg.* make* a hash of
vermuten 1. *allg.*: suppose [sə'pəʊz], presume [prɪ'zjuːm], (≈ *argwöhnen*) suspect [sə'spekt] **2.** ***ich vermute, dass er krank ist*** I imagine [ɪ'mædʒɪn] (*oder* suspect) he's ill; ***ich vermute***: ***ja*** I imagine so, I would think so **3.** ***das habe ich fast vermutet*** I had an idea that would happen (*oder* that was the case *usw.*)
vermutlich: ***vermutlich war sie es*** it was probably her
Vermutung 1. ***meine Vermutung ist, dass*** my guess [ges] is that **2.** (≈ *Verdacht*) suspicion [sə'spɪʃn]
vernachlässigen neglect [nɪ'glekt]
Vernachlässigung neglect [nɪ'glekt]
vernagelt: ***er ist total vernagelt*** *umg.* he's a complete blockhead
vernarbt 1. scarred [skɑːd] **2.** *durch Akne, Pocken usw.*: pockmarked ['pɒkmɑːkt]
Vernarbung (≈ *Narbe*) scar
vernarrt: ***vernarrt in*** *umg.* crazy about
vernaschen 1. *umg.* lay* (*Mädchen*) **2.** ***er will sie*** (*oder* ***dich***) ***doch nur vernaschen*** he just wants to get a leg over, *AE* all he wants is a roll in the hay **3.** ***er vernascht sein ganzes Taschengeld*** he spends all his pocket money on sweets (*AE* candy)
vernascht: ***ihr seid total vernascht*** you're always eating sweets (*AE* candy)

Verneinen

Ich glaube nicht, dass das eine gute Idee ist.	**I don't think that's a very good idea.**
Ich habe jetzt keine Lust mehr schwimmen zu gehen.	**I've gone off the idea of going swimming.**
Vielleicht sollten wir das einfach vergessen.	**Maybe we should just forget it.**
Nein, ich glaube nicht, danke.	**No, I don't think so, thank you.**
Das ist nicht unbedingt mein Fall.	**I'm not really into that.**
Das ist eigentlich nicht so mein Ding.	**It's not really my kind of thing.**
Snowboarden? Kannst du vergessen!	**Snowboarding? No way!**

verneigen: ***sich verneigen*** bow [baʊ] (***vor*** to), (*Dame*) curtsey ['kɜːtsɪ] (***vor*** to)
verneinen: ***sie verneinte die Frage*** she answered no (to the question)
vernetzen **1.** *allg.*: link up **2.** network (*Computer*)
vernetzt **1.** *allg.*: linked-up **2.** *Computer*: networked; ***nicht vernetzt*** stand-alone **3.** ***ein eng vernetztes System*** a closely linked-up (*oder* connected) system ['sɪstəm]
vernichten destroy [dɪ'strɔɪ]
vernichtend **1.** *Blick*, *Antwort*: withering ['wɪðərɪŋ] **2.** ***vernichtender Schlag*** crushing blow **3.** ***vernichtende Kritik*** damning criticism [ˌdæmɪŋ'krɪtɪsɪzm]
Vernichtung destruction
verniedlichen play down
Vernunft: ***ich kann ihn nicht zur Vernunft bringen*** I can't bring him to his senses
vernünftig **1.** sensible ['sensəbl] (⚠ *dt.* ***sensibel*** = *engl.* sensitive) **2.** ***jeder vernünftige Mensch*** anyone with a bit of sense **3.** *Preis usw.*: reasonable **4.** (≈ *ordentlich*) decent ['diːsnt]; ***ich will was Vernünftiges essen*** I want something decent to eat
veröden **1.** (*Land usw.*) become* desolate ['desələt] **2.** (*Dorf usw.*) become* deserted [dɪ'zɜːtɪd] **3.** *Medizin*: treat by injection, obliterate [ə'blɪtəreɪt], sclerose ['sklɪərəʊs] (*Blutgefäße usw.*)
veröffentlichen publish
Veröffentlichung publication
verpachten lease [liːs] (***an*** to)
verpacken **1.** *in Karton usw.*: pack **2.** (≈ *einwickeln*) wrap up [⚠ ˌræp'ʌp]
Verpackung packaging ['pækɪdʒɪŋ]; ***eine hübsche Verpackung*** attractive packaging (⚠ *ohne* an)
Verpackungskosten packing charges
Verpackungskünstler(in) packaging artist
verpäppeln *umg.* pamper
verpassen[1] miss (*Bus*, *Chance usw.*)
verpassen[2]: ***ich hab ihm eine verpasst*** *umg.* I landed him one
verpatzen *umg.* mess up, make* a botch of
verpennen *umg.* **1.** (≈ *verschlafen*) oversleep* **2.** forget* (*Verabredung usw.*); ***ich habs total verpennt*** *auch*: I clean forgot
verpesten **1.** pollute [pə'luːt] (*die Umwelt usw.*) **2.** ***die Luft im Zmmer*** *usw.* ***verpesten*** *umg.* stink* the place out
verpetzen: ***jemanden verpetzen*** *umg.* tell* on (*BE auch* sneak on) someone
verpfeifen: ***jemanden verpfeifen*** *umg.*; *bei der Polizei*: blow* the whistle on someone
verpflanzen transplant [ˌtræns'plɑːnt] (*Pflanze*, *Organ*)
verpflegen **1.** feed* **2.** ***er verpflegt sich selbst*** he cooks for himself
Verpflegung food (and drink)
verpflichten: ***sich zu etwas verpflichten*** commit oneself to (doing) something
verpflichtet: ***ich fühl mich verpflichtet*** I feel obliged [ə'blaɪdʒd]
Verpflichtung **1.** commitment **2.** *moralische*: obligation [ˌɒblɪ'geɪʃn]
verpfuschen *umg.* **1.** bungle **2.** ***er hat sein Leben verpfuscht*** he's wrecked [⚠ rekt] his life
verpissen: ***verpiss dich!*** *salopp* piss off!
verplant: ***nächste Woche ist schon verplant*** I'm already fixed up for next week
verplappern: ***sich verplappern*** *umg.* blab
verplempern waste (*Zeit*, *Geld*)
verpönt: ***das ist verpönt*** it's frowned on
verprassen *umg.* blow* (*Geld usw.*) (***mit*** on)
verprügeln beat* up
verpulvern *umg.* blow* (*Geld usw.*)
verpuppen: ***sich verpuppen*** pupate [pjuː'peɪt], turn* into a chrysalis [⚠ 'krɪsəlɪs]
verputzen *umg.* polish off [ˌpɒlɪʃ'ɒf] (*Essen*)

verqualmen *umg.* **1.** smoke up (*Zimmer usw.*) **2.** spend* on cigarettes (*Geld*)
verqualmt *umg.* **1.** smoky **2.** ***der Saal war total verqualmt*** the hall was filled with smoke
verquollen *Gesicht usw.*: swollen ['swəʊlən]
verrammeln *umg.* barricade [ˌbærɪ'keɪd] (*Tür usw.*)
verramschen: ***er verramscht seine CDs*** *umg.* he's flogging his CDs (dirt cheap)
verraten 1. give* away (*Geheimnis usw.*) **2.** ***du darfst es keinem verraten*** you mustn't tell anyone **3.** ***soll ich dir was verraten?*** shall I tell you a secret? **4.** ***kannst du mir verraten, wie das geht?*** can you tell me how it's supposed to work? **5.** betray (*Person*)
Verräter(in) traitor (***an*** to)
verratzt: ***wir sind verratzt*** *umg.* we've had it
verräuchert, **verraucht** → ***verqualmt***
verrechnen 1. ***sich verrechnen*** miscalculate (***um*** by) **2.** ***das verrechnen wir mit den anderen Sachen*** we'll settle it all together
Verrechnungsscheck crossed cheque [tʃek], *AE* check for deposit [dɪ'pɒzɪt] only
verrecken *salopp* **1.** (*Tier*) perish **2.** (*Mensch*) kick the bucket, *BE auch* snuff it **3.** (*Auto usw.*) conk out **4.** ***nicht ums Verrecken!*** not on your life!
verregnet rainy
verreisen 1. go* away **2.** ***sie ist nach Berlin verreist*** she's gone to Berlin
verreißen (≈ *vernichtend kritisieren*) tear* [teə] to pieces (*Roman usw.*)
verreist away
verrenken 1. ***ich hab mir den Arm verrenkt*** I've twisted my arm **2.** ***sich den Hals verrenken*** crane one's neck (***nach*** to see)
Verrenkung 1. dislocation **2.** (≈ *Verstauchung*) sprain
verriegeln bolt [bəʊlt]
verringern 1. *allg.*: reduce [rɪ'djuːs] **2.** ***das Tempo verringern*** slow down **3.** ***sich verringern*** diminish [dɪ'mɪnɪʃ], decrease [ˌdiː'kriːs], go* down
Verriss *umg.* scathing ['skeɪðɪŋ] review
verrosten rust
verrostet rusty
verrotten rot (*auch übertragen*)
verrückt *umg.* **1.** *allg.*: mad, crazy **2.** ***verrückt nach*** (*oder* ***auf***) crazy about **3.** ***wie verrückt*** like crazy **4.** ***es macht mich allmählich verrückt*** it's driving me mad (*oder* crazy) **5.** ***mach dich nicht verrückt!*** don't get into a state **6.** ***ich werd verrückt!*** well, I'll be damned [dæmd], *BE auch* well blow me! **7.** ***verrückt spielen*** act up
Verrückte madwoman ['mædˌwʊmən], maniac ['meɪnɪæk]
Verrückter madman ['mædmən], maniac ['meɪnɪæk]
verrühren mix
verrutschen slip
Vers verse [vɜːs], (≈ *Zeile*) *auch*: line
versagen 1. *allg.*: fail **2.** ***seine Stimme versagte*** his voice failed him
Versagen 1. *allg.*: failure ['feɪljə] **2.** ***das Unglück ging auf menschliches Versagen zurück*** the accident was caused by human error [ˌhjuːmən'erə]
Versager(in) failure ['feɪljə]
versalzen[1] *Essen*: too salty ['sɔːltɪ]
versalzen[2]: ***jemandem etwas versalzen*** spoil* something for someone
versammeln: ***sich versammeln*** meet*
Versammlung meeting, assembly [ə'semblɪ]
Versand 1. (≈ *das Versenden*) dispatch, forwarding ['fɔːwədɪŋ], shipment **2.** (≈ *Versandhaus*, *Versandhandel*) mail-order business
Versandhaus mail-order company ['kʌmpənɪ], *AE* mail-order house
Versandhauskatalog mail-order catalogue
versauen *umg.* **1.** *allg.*: mess up **2.** ***er hat mir den Tag versaut*** he ruined my day
versaufen *umg.* booze away
versäumen 1. *allg.*: miss **2.** ***da hast du nichts versäumt*** you didn't miss much; ***da hast du was versäumt*** you really missed something
verschachern *umg.* sell* off
verschaffen 1. ***sich etwas verschaffen*** get* hold of something **2.** ***was verschafft mir die Ehre?*** *humorvoll* what have I done to deserve this honour?
verschämt bashful ['bæʃfl]
verschärfen 1. tighten up (*Gesetze*, *Kontrollen*, *Maßnahmen usw.*) **2.** aggravate ['ægrəveɪt] (*die Lage*, *Spannungen usw.*) **3.** stiffen (*Strafe*) **4.** ***das Tempo verschärfen*** increase [ɪn'kriːs] the pace **5.** ***sich verschärfen*** (*Lage*) become* tenser, *umg.* hot up, (*Rezession usw.*) aggravate, tighten its grip, (*Spannungen*) mount, increase; ***die Spannungen verschärfen sich*** tension is mounting
verschätzen: ***sich verschätzen*** misjudge (***um*** by)
verschaukeln: ***jemanden verschaukeln*** *umg.* take* someone for a ride

V

verscheißern: ***jemanden verscheißern*** *salopp* take* the mickey out of someone; → ***verarschen***
verschenken give* away
verscherbeln *umg.* flog
verscherzen **1.** ***sich eine Chance*** *usw.* ***verscherzen*** throw* away a chance *usw.* **2.** ***bei ihm hast dus dir verscherzt*** you've spoilt your chances with him
verscheuchen scare off
verscheuern *umg.* flog
verschieben **1.** *zeitlich*: postpone (***auf*** to, till) **2.** ***die Feier hat sich verschoben*** the party has been postponed (***auf*** to, till) **3.** move (*Möbel usw.*)
verschieden **1.** *allg.*: different ['dɪfrənt] (***von*** from, *bes. AE* to, than) **2.** ***verschiedener Meinung sein*** disagree (***über*** on, about) **3.** ***die Schuhe*** *usw.* ***sind verschieden groß*** the shoes *usw.* are a different size **4.** ***das ist von Tag zu Tag verschieden*** that varies ['veərɪz] from day to day
Verschiedenes **1.** various things (⚠ *Pl.*) **2.** *als Überschrift*: miscellaneous [ˌmɪsə'leɪnɪəs] (*Abk.* misc.)
verschießen: ***einen Elfmeter verschießen*** miss a penalty ['penltɪ]
verschimmeln go* mouldy ['məʊldɪ]
Verschiss: ***in Verschiss sein*** *salopp* be* in the doghouse (***bei*** with)
verschlafen[1] **1.** oversleep* **2.** (≈ *versäumen*) miss, (≈ *vergessen*) *auch*: forget*
verschlafen[2] (≈ *schläfrig*) sleepy
verschlampen *umg.* **1.** (≈ *verlegen*) mislay* **2.** ***ich habs total verschlampt*** (≈ *vergessen*) I clean forgot
verschlampt scruffy
verschlechtern: ***sich verschlechtern*** get* worse
Verschlechterung deterioration [dɪˌtɪərɪə'reɪʃn], worsening ['wɜːsnɪŋ]
Verschleiß **1.** wear and tear [ˌweər‿ən'teə] **2.** ***einen großen Verschleiß an Schuhen*** *usw.* ***haben*** get* through a lot of shoes *usw.*
verschleißen wear* out [ˌweər'aʊt]
verschleißfest, **verschleißfrei** wear-resistant ['weə‿rɪˌzɪstənt]
verschleudern: ***etwas verschleudern*** sell* something off cheap
verschließen **1.** close **2.** *mit Schlüssel*: lock
verschlimmbessern *humorvoll* **1.** disimprove [ˌdɪsɪm'pruːv] **2.** ***er hat es nur verschlimmbessert*** he's made it even worse than it was
verschlimmern: ***sich verschlimmern*** get* worse [wɜːs]
verschlingen **1.** gobble up (*auch übertragen Geld*) **2.** *übertragen* devour [dɪ'vaʊə] (*Buch usw.*)
verschlissen *Kleidung*: shabby, *BE auch* tatty
verschlossen **1.** *Raum usw.*: locked **2.** *Person*: withdrawn
verschlucken **1.** swallow ['swɒləʊ] **2.** ***sich verschlucken*** choke (***an*** on)
verschlungen: ***ineinander verschlungen*** entwined [ɪn'twaɪnd]
Verschluss **1.** *mit Schloss*: lock **2.** *für Flasche*: stopper **3.** *einer Kamera*: shutter
verschlüsselt coded
verschmerzen: ***das wirst du noch verschmerzen*** *umg.* you'll get over it
verschmieren **1.** (≈ *verstreichen*) spread* (***auf*** over) **2.** *aus Versehen*: smear [smɪə]
verschmiert smeared [smɪəd] (***mit*** with)
verschmitzt mischievous [⚠ 'mɪstʃɪvəs]
verschmust: ***er ist verschmust*** he likes cuddling
verschmutzen **1.** *allg.*: (≈ *schmutzig machen*) dirty, soil **2.** pollute [pə'luːt] (*Wasser, Luft*) **3.** (≈ *schmutzig werden*) get* dirty **4.** (*Wasser, Luft*) become* polluted
verschmutzt **1.** *allg.*: dirty **2.** *Luft*: polluted [pə'luːtɪd]
verschnaufen: ***ich muss mal verschnaufen*** *umg.* I need to get my breath [breθ] back
Verschnaufpause *umg.* breather ['briːðə]
verschneit **1.** *allg.*: snowy **2.** ***es ist alles verschneit*** everything's covered <u>in</u> snow
verschnörkelt *Schrift*: fancy ['fænsɪ]
verschnupft **1.** ***ich bin verschnupft*** I've got a cold **2.** *umg.* (≈ *beleidigt*) miffed
verschonen: ***verschone mich!*** spare me!
verschönern **1.** ***etwas verschönern*** make* something look nicer **2.** (≈ *verzieren*) embellish [ɪm'belɪʃ] **3.** ***sich verschönern*** (≈ *schöner werden*) improve [ɪm'pruːv] <u>in</u> appearance, (≈ *sich schöner machen*) prettify ['prɪtɪfaɪ] oneself
verschossen **1.** *Farbe*: faded **2.** ***sie ist in ihn verschossen*** *umg.* she's fallen for him
verschränken **1.** ***die Arme verschränken*** fold <u>one's</u> arms **2.** ***die Beine verschränken*** cross <u>one's</u> legs
verschrecken scare, frighten
verschreckt frightened
verschreiben **1.** ***jemandem etwas verschreiben*** prescribe something <u>for</u> someone **2.** ***sich verschreiben*** make* a mistake
verschreibungspflichtig: ***das ist verschreibungspflichtig*** you need a prescription for it
verschrien: ***sie ist als Lügnerin ver-***

V

schrien she's a notorious liar [nəʊˌtɔːrɪəs'laɪə]
verschroben strange
verschrotten scrap
verschulden: ***sich verschulden*** run* into debt [⚠ det]
verschuldet: ***er ist (hoch) verschuldet*** he's got (huge) debts [⚠ dets]
verschütten 1. spill* **2. *verschüttet werden*** be* buried [⚠ 'berɪd] (***von*** under)
verschwägert related by marriage (***mit*** to)
verschweigen: ***etwas verschweigen*** keep* something a secret
verschwenden waste
verschwenderisch 1. wasteful **2.** *Lebensstil usw.*: extravagant [ɪk'strævəgənt]
Verschwendung waste
verschwiegen 1. *Mensch*: discreet [dɪ'skriːt] **2. *verschwiegener Ort*** secluded place [sɪˌkluːdɪd'pleɪs]
Verschwiegenheit discretion [⚠ dɪ'skreʃn], secrecy ['siːkrəsɪ]
verschwinden 1. disappear [ˌdɪsə'pɪə] **2. *ich muss mal verschwinden*** *umg.* I'm just going to pay a visit, *AE* I'm just going to check the plumbing [⚠ 'plʌmɪŋ] **3. *verschwinden lassen*** *umg.* walk off with **4. *verschwinde!*** *umg.* get lost!
verschwistert: ***sie sind verschwistert*** (≈ *Bruder und Schwester*) they're brother and sister, (≈ *Schwestern*) they're sisters, (≈ *Brüder*) they're brothers
verschwitzen: ***ich habs total verschwitzt*** *umg.* I clean forgot
verschwitzt 1. sweaty ['swetɪ] **2. *total verschwitzt*** soaked in sweat [swet]
verschwollen swollen ['swəʊlən]
verschwommen 1. *Foto, Sicht*: blurred [blɜːd] **2.** *Vorstellung, Erinnerung*: hazy
Verschwörung conspiracy [kən'spɪrəsɪ]
verschwunden missing
Versehen: ***aus Versehen*** accidentally [ˌæksɪ'dentlɪ]
versehentlich by mistake
versenden send*, dispatch [dɪ'spætʃ], *Wirtschaft auch*: ship
versengen 1. *allg.*: scorch **2.** singe [sɪndʒ] (*Haare*)
versenken 1. sink* (*Schiff, Schatz usw.*) **2.** *in die Erde*: lower ['ləʊə] **3.** dump (*Abfall, Giftmüll*) (***im Meer*** into the sea, at sea) **4. *sich versenken in*** *übertragen* immerse oneself in, become* absorbed in
versessen 1. *versessen auf* mad about **2. *darauf versessen zu …*** desperate ['desprət] to …
versetzen 1. *versetzt werden* *als Schüler*: be* moved up (a class), *AE* be* promoted, *beruflich*: be* transferred (***nach*** to) **2. *er hat mich versetzt*** (≈ *ist nicht gekommen*) he stood me up **3. *jemandem einen Tritt versetzen*** give* someone a kick **4. *versetz dich mal in ihre Lage*** try to put yourself in her shoes (*oder* position)
verseucht contaminated [kən'tæmɪneɪtɪd]
versichern 1. *ich kann dir versichern, dass …* I can assure [ə'ʃʊə] you that … **2. *ich möchte mich bloß versichern*** I just want to make sure **3.** insure [ɪn'ʃʊə] (*Eigentum*) (***bei*** with)
versichert insured [ɪn'ʃʊəd]
Versicherung 1. insurance [ɪn'ʃʊərəns] **2.** *Firma*: insurance company
versickern seep away (***im Sand*** into the sand)
versieben: ***ich habs versiebt*** *umg.* (≈ *verpatzt*) I've blown it
versilbern 1. *Technik*: silver-plate **2.** *umg., übertragen* ***etwas versilbern*** turn something into cash
versilbert silver-plated
versinken *allg.*: sink* (***in*** into)
Version version (***von*** of)
versklaven enslave [ɪn'sleɪv] (*auch übertragen*)
versoffen *salopp* **1.** *Stimme*: boozy **2. *versoffener Typ*** boozer, dipso ['dɪpsəʊ]
versöhnen: ***sich versöhnen*** make* (it) up
Versöhnung reconciliation [ˌrekənsɪlɪ'eɪʃn]
versorgen 1. take* care of (*Familie, Kranken usw.*) **2.** provide, supply (***mit*** with)
verspannen: ***sich verspannen*** tense up
verspannt *allg.*: tense, tensed up
verspäten: ***sich verspäten*** be* late; ***sie hat sich um eine halbe Stunde verspätet*** she was half an hour late
verspätet 1. *allg.*: late **2.** *Glückwünsche usw.*: belated [bɪ'leɪtɪd] **3. (*um zwei Stunden*) *verspätet ankommen*** be* (two hours) late
Verspätung delay [dɪ'leɪ]; ***Verspätung haben*** be* (running) late; ***eine Stunde Verspätung haben*** be* an hour late (*oder* behind schedule ['ʃedjuːl]); ***bitte entschuldigen Sie meine Verspätung*** please excuse my being late (*oder* my lateness)
versperren: ***sie haben uns den Weg versperrt*** they blocked our way
verspielen 1. gamble away (*Geld*) **2. *er hat bei mir verspielt*** *umg.* I'm through with him **3. *sich verspielen*** *am Klavier usw.*: make* a mistake
verspielt *Tier, Kind usw.*: playful ['pleɪfl]

verspotten make* fun of, ridicule ['rɪdɪkjuːl]
versprechen[1] **1.** promise ['prɒmɪs]; ***du hast es mir versprochen*** you promised (me), *bei Geschenk usw.*: you promised it to me; ***versprichst dus mir?*** will you promise (to do it)? **2. *ich versprech mir nicht viel davon*** I'm not very hopeful
versprechen[2]: ***ich hab mich*** *usw.* ***versprochen*** it was a slip of the tongue [tʌŋ]
Versprechen promise ['prɒmɪs]
Versprecher slip of the tongue [tʌŋ]
Versprechung promise ['prɒmɪs]; ***alles Versprechungen!*** promises, promises!
verstaatlichen nationalize ['næʃnəlaɪz]
Verstand 1. (≈ *Vernunft*) common sense; ***der Verstand*** common sense (⚠ *ohne* the) **2.** (≈ *Denkkraft*) mind [maɪnd] **3. *den Verstand verlieren*** go* mad, lose* [luːz] one's mind; ***hast du den Verstand verloren?*** *umg.* are you out of your mind? **4. *er ist nicht ganz bei Verstand*** *umg.* he's not all there **5. *mit Verstand*** *tun usw.*: intelligently [ɪn'telɪdʒəntlɪ] **6. *ohne Verstand*** mindlessly
verständigen 1. *sich verständigen* communicate (***durch*** through) **2. *wir konnten uns nicht verständigen*** (≈ *verstehen*) we couldn't get through to each other **3. *jemanden verständigen*** let* someone know
Verständigungsschwierigkeiten: ***wir hatten Verständigungsschwierigkeiten*** we had difficulty communicating
verständlich 1. (≈ *einsichtig*) understandable; ***vollkommen verständlich*** perfectly understandable **2.** *Aussprache usw.*: intelligible [ɪn'telɪdʒəbl]; ***es war kaum verständlich*** you could hardly understand a word **3. *ich konnte mich kaum verständlich machen*** *wegen Lärm*: I could hardly make myself heard **4.** (≈ *bedeutungsmäßig zu verstehen*) comprehensible; ***schwer verständlich*** difficult to understand (*oder* grasp)
verständlicherweise understandably
Verständnis 1. *allg.*: understanding (***für*** of) **2.** (≈ *Mitgefühl*) sympathy ['sɪmpəθɪ]; ***ich hab Verständnis für dein Problem*** I can appreciate [ə'priːʃɪeɪt] (*oder* sympathize with) your problem **3. *für solche Leute*** *usw.* ***hab ich kein Verständnis*** I have no time for people *usw.* like that
verständnisvoll understanding
verstärken 1. *zahlenmäßig, materialmäßig*: reinforce [ˌriːɪn'fɔːs] (*Truppen, Konstruktion usw.*) (***um*** by) **2.** enlarge (*Chor, Orchester usw.*) (***um*** by) **3.** (≈ *steigern*) increase [ɪn'kriːs], intensify [ɪn'tensɪfaɪ], step up (*Bemühungen usw.*) **4.** add to (*Eindruck usw.*) **5.** *durch elektronischen Verstärker*: amplify ['æmplɪfaɪ] **6. *sich verstärken*** increase, (*Verdacht*) grow*
Verstärker amplifier ['æmplɪfaɪə]
verstaubt 1. dusty **2.** *Ideen usw.*: ancient ['eɪnʃənt]
verstauchen sprain; ***ich hab mir den Fuß verstaucht*** I've sprained my ankle
verstauen stow [stəʊ] away, *umg.* stash away
Versteck 1. hiding place **2. *Versteck spielen*** play hide-and-seek
verstecken 1. hide* **2. *sich verstecken*** hide* (***vor*** from)
verstehen 1. understand*; ***was verstehst du unter …?*** what do you understand by …?; ***verstanden?*** understand? **2. *falsch verstehen*** misunderstand* **3.** (≈ *hören*) hear*; ***ich versteh kein Wort*** *wegen Lärm*: I can't hear a word **4. *ich kann es gut verstehen*** I can understand it (*Verhalten usw.*) **5. *sie versteht was davon*** she knows a thing or two about it; ***was verstehst du schon davon?*** what do 'you know about it? **6. *sich mit jemandem verstehen*** get* on with someone **7. *wir verstehen uns schon*** *drohend*: we understand each other **8. *das versteht sich von selbst*** that goes without saying
versteifen 1. *sich versteifen* (*Gelenk usw.*) stiffen ['stɪfn] **2. *er hat sich darauf versteift*** he's set on (doing) it
versteigern auction ['ɔːkʃn]
Versteigerung auction ['ɔːkʃn]; ***auf einer Versteigerung*** at an auction
versteinert 1. fossilized **2. *er stand wie versteinert da*** he was rooted to the spot
verstellbar adjustable [ə'dʒʌstəbl]
verstellen 1. adjust [ə'dʒʌst] (*Stuhl, Gerät usw.*) **2. *der Kleine hat das Video verstellt*** the little one's been playing around with the video **3.** disguise [dɪs'gaɪz] (*Stimme usw.*) **4. *sich verstellen*** (*Person*) put* on an act
versteuern pay* tax on
verstimmt 1. *Instrument*: out of tune, out-of-tune (⚠ *Letzteres nur vor dem Subst.*) **2.** *Person*: peeved **3.** *Magen*: upset
verstohlen 1. *Blick usw.*: furtive ['fɜːtɪv] **2. *verstohlen anblicken*** sneak a look at
verstopft 1. *Nase*: blocked (up) **2.** *Abfluss, Straße*: clogged up **3.** *Person*: constipated
Verstopfung 1. *des Darms*: constipation [ˌkɒnstɪ'peɪʃn] **2. *Verstopfung haben*** be* constipated ['kɒnstɪpeɪtɪd]
verstört distraught [dɪ'strɔːt]; ***einen ver-***

störten Eindruck machen look distraught
verstoßen **1.** ***verstoßen gegen*** offend against (*die Ordnung, die guten Sitten usw.*), infringe [ɪn'frɪndʒ] (*Letzteres auch das Gesetz*); ***das verstößt gegen die Regeln*** (***die Gesetze***)that's against the rules (the law ⚠ *Sg.*) **2.** disown [dɪs'əʊn] (*Kind, Ehegatten*) **3.** ***jemanden verstoßen aus*** expel [ɪk'spel] someone from, cast* someone out of
verstrahlt (radioactively) contaminated [kən'tæmɪneɪtɪd]
verstreichen spread* [spred] (*Salbe usw.*)
verstricken: ***sich in Lügen*** *usw.* ***verstricken*** get* caught up in a web of lies *usw.*
verstümmelt **1.** *Arm usw.*: mutilated ['mjuːtɪleɪtɪd] **2.** *Nachricht usw.*: garbled
verstummen: ***plötzlich verstummte alles*** suddenly everything went quiet
Versuch **1.** attempt **2.** ***es ist einen Versuch wert*** it's worth a try **3.** *im Labor usw.*: experiment [ɪk'sperɪmənt] (***an*** on)
versuchen **1.** try **2.** ***versuchs doch mal!*** have a go, give it a try; ***versuchs mal mit Öl*** try some oil; ***lass mich mal versuchen!*** let me try, let me have a go **3.** (≈ *kosten*) try (*ein Gericht, Getränk*); ☞ *Info unter engl.* ***try***
Versuchskaninchen guinea pig ['gɪnɪ‿pɪg]
Versuchsperson **1.** test person **2.** ***Versuchspersonen*** (a) test group (⚠ *Sg.*)
Versuchstier laboratory [lə'bɒrətrɪ] animal
versucht: ***versucht sein zu …*** be* tempted to …
Versuchung **1.** temptation **2.** ***in Versuchung kommen*** be* tempted
versumpfen *umg.* end up boozing
versunken: ***in Gedanken versunken*** lost in thought (⚠ *Sg.*)
versüßen sweeten
vertauschen *aus Versehen*: mix up; ***du hast unsere Mäntel vertauscht*** *auch*: you've got our coats mixed up
verteidigen **1.** defend (*auch im Sport*) **2.** ***sich verteidigen*** defend oneself
Verteidiger(in) **1.** defender (*auch im Sport*) **2.** *bei Gericht*: defence counsel
Verteidigung **1.** *allg.*: defence **2.** ***zu meiner Verteidigung*** in my defence
verteilen **1.** hand out (*Geschenke usw.*) (***an*** to) **2.** *gleichmäßig*: share out (***an*** to) **3.** distribute [dɪ'strɪbjuːt] (*Flugblätter usw.*) **4.** *räumlich*: spread* [spred] out **5.** spread* (*Farbe usw.*) **6.** ***sich verteilen*** spread* out
vertelefonieren: ***ein Vermögen vertelefonieren*** spend* a fortune on phone calls
verteuern **1.** raise the price of **2.** ***sich verteuern*** go* up (in price)
vertiefen: ***er hat sich in seine Arbeit vertieft*** he's totally absorbed in his work
vertikal vertical ['vɜːtɪkl]
vertippen: ***sich vertippen*** make* a mistake, *auch am Computer usw.*: hit* the wrong key
vertrackt *umg.* **1.** *Situation*: tricky **2.** (≈ *kompliziert*) complicated
Vertrag contract ['kɒntrækt]; ***es steht im Vertrag*** it's in the contract
vertragen[1] **1.** ***ich vertrag die Sonne*** *usw.* ***nicht*** I can't take the sun *usw.*, (≈ *bin allergisch dagegen*) I'm allergic [ə'lɜːdʒɪk] to the sun *usw.* **2.** ***er verträgt keinen Spaß*** he can't take a joke **3.** ***sie verträgt nichts*** she can't take any alcohol
vertragen[2] **1.** ***sie vertragen sich nicht*** they don't get on (with each other) **2.** ***sie vertragen sich wieder*** they've made (it) up **3.** ***die Farben*** *usw.* ***vertragen sich nicht*** the colours *usw.* don't go together
verträglich *Person*: easy-going
vertrauen **1.** ***jemandem vertrauen*** trust someone **2.** ***auf die Zukunft vertrauen*** have* faith in the future
Vertrauen **1.** trust (***zu, in*** in) **2.** ***ich hab kein Vertrauen zu ihm*** I don't trust him **3.** ***Vertrauen in die Technologie*** *usw.* faith in technology *usw.* **4.** ***ich habs ihm im Vertrauen gesagt*** I told him in confidence ['kɒnfɪdəns] **5.** ***es ist nicht gerade Vertrauen erweckend*** it doesn't exactly inspire confidence ['kɒnfɪdəns]
vertrauensvoll **1.** trusting **2.** (≈ *zuversichtlich*) confidently ['kɒnfɪdəntlɪ]
vertraulich **1.** confidential [ˌkɒnfɪ'denʃl]; ***streng vertraulich*** strictly confidential **2.** ***vertraulich werden*** (≈ *zudringlich*) get* familiar [fə'mɪlɪə]
verträumen dream* away (*den Tag usw.*)
verträumt **1.** ***er ist verträumt*** he's a dreamer **2.** *Ort*: sleepy
vertraut **1.** ***sich mit etwas vertraut machen*** familiarize [fə'mɪlɪəraɪz] oneself with something **2.** ***sich mit dem Gedanken vertraut machen, dass …*** get* used to the thought that …
Vertrautheit familiarity [fəˌmɪlɪ'ærətɪ]
vertreiben **1.** ***jemanden vertreiben*** drive* (*oder* chase) someone away; ***sie ist aus ihrer Heimat vertrieben worden*** she was driven ['drɪvn] out of her home country **2.** ***sich die Zeit mit Fernsehen vertreiben*** pass the time watching TV [ˌtiː'viː]

Vertreibung expulsion [ɪk'spʌlʃn] (***aus*** from)
vertreten[1] **1.** stand* in for (*Kollegen usw.*) **2.** represent [ˌreprɪ'zent] (*Interessen usw.*)
vertreten[2]: ***sich die Beine vertreten*** stretch one's legs
Vertreter(in) *einer Firma*: sales rep
Vertretung *in der Schule*: supply teacher, *AE* substitute ['sʌbstɪtjuːt] (teacher)
Vertriebene(r) displaced person, exile ['eksaɪl]
vertrocknen dry up
vertrocknet dried up, dry
vertrödeln dawdle away, waste
vertrösten 1. ***jemanden vertrösten*** feed* someone with hopes (***auf*** of) **2.** ***jemanden auf später vertrösten*** put* someone off until later
vertrottelt 1. dopey ['dəʊpɪ] **2.** ***er ist ziemlich vertrottelt*** *älterer Mensch*: he's past it
vertun: ***sich*** (***schwer***) ***vertun*** make* a (big) mistake (***bei*** with)
vertuschen cover up
verübeln 1. ***er hats mir verübelt, dass ich kam*** he took offence at my coming **2.** ***ich kanns ihr nicht verübeln*** I can't blame her
verulken *umg.* make* fun of
verunglücken 1. have* an accident ['æksɪdənt] **2.** ***sie ist tödlich verunglückt*** she died in an accident
verunsichern 1. ***jemanden verunsichern*** (≈ *verwirren*) throw* someone **2.** ***du hast mich verunsichert*** I don't know what to think now **3.** (≈ *Angst machen*) unnerve
verunsichert: ***ich bin total verunsichert*** that's really thrown me
verursachen cause [kɔːz]
verurteilen 1. *gerichtlich*: sentence ['sentəns] (***zu*** to) **2.** (≈ *scharf kritisieren*) condemn [⚠ kən'dem]
verurteilt: ***zum Scheitern verurteilt*** doomed to fail
Verurteilte(r) convict ['kɒnvɪkt]
vervielfältigen copy (*Text usw.*)
vervollständigen complete
verwackelt *Foto*: blurred [blɜːd]
verwählen 1. ***sich verwählen*** misdial [ˌmɪs'daɪəl], dial ['daɪəl] the wrong number **2.** ***Sie müssen sich verwählt haben*** I think you've got the wrong number
verwahrlost 1. *Haus usw.*: neglected, *Garten auch*: overgrown **2.** *Person*: scruffy
verwalten 1. *allg.*: administer [əd'mɪnɪstə] (*auch Nachlass, Konkursmasse*) **2.** manage, run* (*Firma usw.*)
Verwaltung administration [ədˌmɪnɪ'streɪʃn]
verwandeln 1. transform (***in*** into); ***verwandeln in*** *auch*: turn into **2.** ***sich verwandeln*** change **3.** ***sich verwandeln in*** turn into **4.** ***den Elfmeter*** *usw.* ***verwandeln*** score (***zum 1:0*** to make it 1-0; *gesprochen* one-nil)
verwandt *allg.*: related (***mit*** to)
Verwandte(r) relative ['relətɪv], relation
Verwandtschaft 1. ***meine Verwandtschaft*** (≈ *Verwandten*) my relations (⚠ *Pl.*) **2.** ***die ganze Verwandtschaft*** the whole clan
verwarnen 1. *allg.*: warn, give* *someone* a warning **2.** *Sport*: caution ['kɔːʃn], book **3.** *Polizei*: caution
Verwarnung 1. *allg.*: warning **2.** *im Sport*: caution, *bes. Fußball*: yellow card; ***eine Verwarnung bekommen*** *bes. Fußball*: get* a yellow card, be* booked **3.** *Polizei*: caution ['kɔːʃn]
verwaschen *Jeans usw.*: faded
verwechseln 1. confuse (*Personen*), mix up (*auch Jacken usw.*); ***ich hab sie verwechselt*** *auch*: I got them mixed up **2.** ***ich hab ihn mit jemand anderem verwechselt*** I mistook him for someone else; ***sie hat das Salz mit dem Zucker verwechselt*** she mistook the salt for the sugar
Verwechseln: ***sie sehen sich zum Verwechseln ähnlich*** they look incredibly alike
Verwechslung mistake; ***es gab eine Verwechslung*** *auch*: there's been a mix-up
verwehen blow* away (*Blätter, Papier usw.*)
verweichlicht 1. ***sie sind verweichlicht*** they've grown soft **2.** ***verweichlichter Typ*** wimp, softie
verweigern 1. *allg.*: refuse [rɪ'fjuːz] **2.** ***jemandem seine Hilfe verweigern*** refuse to help someone **3.** ***die Nahrung verweigern*** refuse to eat **4.** ***er hat den Kriegsdienst verweigert*** he refused to do his military service
verweint 1. *Gesicht*: tear-stained ['tɪəsteɪnd] **2.** ***er hatte verweinte Augen*** his eyes were red from crying
verweisen 1. expel; ***von der Schule verwiesen werden*** be* expelled from school (⚠ *ohne* the) **2.** ***des Platzes verwiesen werden*** be* sent off
verwelken (*Blumen*) wilt
verwelkt *Blumen*: wilted
verwenden 1. use [juːz] (***für*** for) **2.** ***ich habs zum Putzen verwendet*** I used it to clean with (*oder* for cleaning)
Verwendung 1. use [⚠ juːs] **2.** ***dafür hab ich keine Verwendung*** it's no use to me

3. *es wird schon irgendwo eine Verwendung finden* we'll find a use for it somewhere
verwertbar 1. *allg.*: usable ['juːzəbl] **2.** *Wirtschaft*: (≈ *veräußerbar*) realizable ['rɪəlaɪzəbl]
verwerten 1. use [juːz] **2. *kannst du es irgendwie verwerten?*** can you make any use [⚠ juːs] of it?
verwest 1. rotted, decayed [dɪ'keɪd] **2. *halb verwest*** rotting, decaying
Verwesung decay [dɪ'keɪ]
verwickeln 1. *sich verwickeln* (*Schnur usw.*) get* tangled (up) **2. *in etwas verwickelt werden*** get* involved in something
verwickelt (≈ *kompliziert*) complicated
verwirklichen 1. realize (*Idee usw.*) **2. *sich verwirklichen*** (*Person*) fulfil oneself
Verwirklichung realization, fulfilment
verwirren confuse [kən'fjuːz]
verwirrend confusing
verwirrt confused
Verwirrung confusion [kən'fjuːʒn]
verwischen 1. (≈ *verschmieren*) smear [smɪə], smudge (*Schrift*) **2.** cover up (*Spuren*)
verwitwet widowed ['wɪdəʊd]
verwöhnen 1. spoil* **2. *er lässt sich gern verwöhnen*** he likes to be spoilt
verwöhnt spoilt
verworren (*Situation, Idee usw.*) confused, muddled
verwundbar vulnerable (*auch übertragen*)
verwunden wound [⚠ wuːnd]
verwundet wounded; ***er war am Bein*** *usw.* ***verwundet*** he had a wounded leg *usw.*
Verwundete(r) *im Kampf*: casualty ['kæʒʊəltɪ], *präziser*: wounded ['wuːndɪd] (person) (⚠ casualties *sind auch die* ***tödlich Verwundeten****, die* ***Gefallenen***)
verwunschen *Schloss usw.*: enchanted [ɪn'tʃɑːntɪd]
verwurschteln *umg.* mess up
verwüsten: ***etwas verwüsten*** devastate ['devəsteɪt] something, lay* waste to something
verzählen: ***sich verzählen*** miscount
verzahnt: (***ineinander***) ***verzahnt*** interlocked
verzapfen: ***er hat wieder einen Unsinn verzapft*** *umg.* he came up with a lot of nonsense again
verzaubern cast* a spell on
verzaubert enchanted [ɪn'tʃɑːntɪd]
Verzeichnis list
verzeihen 1. forgive*; ***er wird dir nicht verzeihen, dass du gelogen hast*** he won't forgive you for lying **2. *verzeihen Sie bitte, …*** *vor Frage usw.*: excuse me, … **3. *verzeihen Sie die Störung*** sorry to disturb you
Verzeihung 1. *Verzeihung!* (≈ *es tut mir leid*) sorry!, *AE auch* excuse me! **2. *Verzeihung, …*** *vor Frage usw.*: excuse me, … **3. *um Verzeihung bitten*** apologize [ə'pɒlədʒaɪz] (***jemanden*** to someone)
verzerren distort (*Gesicht, Klang, Tatsachen usw.*)
verzerrt *Gesicht, Klang usw.*: distorted
Verzerrung distortion
verzichten 1. *auf etwas verzichten* do* without something **2. *danke, ich verzichte*** thanks, but 'no thanks
verziehen 1. *das Gesicht verziehen* pull a face **2. *er verzog den Mund*** he twisted his mouth **3. *sie verzog keine Miene*** she didn't bat an eyelid **4. *sich verziehen*** *umg.* (≈ *verschwinden*) disappear [ˌdɪsə'pɪə] (***in*** into); ***verzieh dich!*** push off! **3. *sich verziehen*** (*Wolken usw.*) pass over, (*Gewitter*) blow* over
verzieren decorate ['dekəreɪt]
Verzierung decoration [ˌdekə'reɪʃn], *in der Architektur auch*: ornamentation; ***Verzierungen*** decoration *bzw.* ornamentation (⚠ *Sg.*)
verzogen *Kind*: spoilt
verzögern 1. delay [dɪ'leɪ] **2. *sich verzögern*** be* delayed
Verzögerung delay [dɪ'leɪ]
verzollen 1. *etwas verzollen* pay* duty on something **2. *haben Sie etwas zu verzollen?*** have you anything to declare?
verzweifeln 1. despair [dɪ'speə] **2. *nur nicht verzweifeln!*** don't give up!
Verzweifeln: ***ich bin am Verzweifeln*** I just don't know what to do
verzweifelt 1. desperate ['desprət] **2. *ich bin total verzweifelt*** I just don't know what to do
Verzweiflung desperation; ***aus Verzweiflung*** in (*oder* out of) desperation
verzweigen: ***sich verzweigen*** branch out [ˌbrɑːntʃ'aʊt], *bes. übertragen* ramify ['ræmɪfaɪ]
verzwickt *umg.*; *Problem usw.*: tricky
Veteran 1. *militärisch*: ex-serviceman [ˌeks'sɜːvɪsmən], *AE und übertragen* veteran ['vetərən] **2.** (≈ *Oldtimerwagen*) vintage car [ˌvɪntɪdʒ'kɑː]
Veterinärmedizin veterinary medicine [ˌvetrənərɪ'medsn]
Vetter cousin [⚠ 'kʌzn]
VHS → ***Volkshochschule***
vibrieren vibrate [vaɪ'breɪt]
Video 1. *allg.*: video ['vɪdɪəʊ] **2. *auf Video***

aufnehmen videotape ['vɪdɪəʊteɪp], *umg.* video
Videoclip video clip ['vɪdɪəʊ‿klɪp]
Videokamera camcorder, video camera
Videokassette video cassette ['vɪdɪəʊ‿kəˌset]
Videokonferenz videoconference ['vɪdɪəʊˌkɒnfrəns]
Videorekorder video ['vɪdɪəʊ] recorder, VCR [ˌviːsiː'ɑː], *umg.* video
Videothek video hire (shop), *AE* video store (*oder* shop)
Vieh 1. (≈ *Nutztiere*) livestock (⚠ *mit Sg. oder Pl.*) **2.** (≈ *Rinder*) cattle (⚠ *Pl.*) **3.** *umg.* (≈ *Tier*) creature ['kriːtʃə] **4.** ***er behandelt sie wie ein Stück Vieh*** he treats her like dirt
viehisch: ***sich viehisch benehmen*** *umg.* behave like a brute
Viehzeug *umg.* creatures ['kriːtʃəz] (⚠ *Pl.*)
Viehzucht stock farming (*oder* breeding), cattle breeding
viel 1. a lot of (⚠ ***mehr*** more, ***meist-*** most), lots of (⚠ *beide nur vor einem Subst.*); ***viel Arbeit*** a lot of work, lots of work; ***viele Autos*** a lot of cars, lots of cars **2.** a lot (⚠ *ohne Subst.*); ***sie liest viel*** she reads a lot **3.** *bei Frage und Verneinung im Sg.*: much (⚠ ***mehr*** more, ***meist-*** most); ***nicht viel*** not much; ***sie hat nicht viel Geld*** she hasn't got much money; ***hast du viel Geld?*** have you got much money? **4.** *bei Frage und Verneinung im Pl.*: many (⚠ ***mehr*** more, ***meist-*** most); ***nicht viele*** not many; ***er hat nicht viele Freunde*** he hasn't got many friends; ***hast du viele Freunde?*** have you got many friends? **5.** ***zu viel*** too much; ***so viel*** so much **6.** ***zu viele*** too many; ***so viele*** so many **7.** ***viel besser*** much better; ***viel zu klein*** much too small **8.** ***viele*** (≈ *viele Leute*) a lot of people, lots of people, many people **9.** ***es war alles ein bisschen viel*** it was all a bit too much

viel sagend *Blick usw.*: meaningful

Vielfalt (great) variety [və'raɪətɪ], diversity [daɪ'vɜːsətɪ]
Vielfraß *umg.* glutton ['glʌtn]
vielleicht 1. maybe, perhaps [pə'hæps]; ***vielleicht ist sie krank*** maybe (*oder* perhaps) she's ill, she might be ill **2.** ***weißt du vielleicht, wo er ist?*** do you know where he is (by any chance)? **3.** ***sie war vielleicht 16*** she would have been about sixteen **4.** ***glaubst du vielleicht, dass ich es war?*** you don't think it was me, do you? **5.** ***die hat vielleicht geguckt!*** you should have seen her face!; ***die haben vielleicht gelacht!*** you should have heard them laugh!; ***das war vielleicht peinlich!*** it was so embarrassing **6.** ***kannst du vielleicht mal ruhig sein?*** do you think you could be quiet?
vielmehr rather; ***er war schlank, oder vielmehr mager*** *auch*: he was slim, or I should say thin
vielseitig 1. (≈ *abwechslungsreich*) very varied ['veərɪd] **2.** *Mensch, Gerät usw.*: versatile ['vɜːsətaɪl]
vier 1. four **2.** ***vor vier Tagen*** four days ago **3.** ***alle vier Tage*** (once) every four days **4.** ***auf allen vieren*** (***kriechen***) *umg.* (crawl) on all fours **5.** ***alle viere von sich strecken*** *umg.* flop onto the bed *usw.* **6.** ***er will dich unter vier Augen sprechen*** he wants to talk to you privately
Vier 1. *Zahl*: (number) four **2.** ***eine Vier schreiben*** *etwa*: get a D **3.** *Bus, Straßenbahn usw.*: number four bus, number four tram *usw.*
Vierbettzimmer four-bed(ded) room
vierblättrig: ***vierblättriges Kleeblatt*** four-leaf clover ['kləʊvə]
Viereck quadrangle ['kwɒdræŋgl]
viereckig quadrangular [kwɒ'dræŋgjʊlə]
Vierer *Rudern*: four
vierfach 1. ***die vierfache Menge*** four times the amount **2.** ***der vierfache deutsche Meister X*** four times German champion X (⚠ *ohne* the) **3.** ***ein Formular in vierfacher Ausfertigung*** four copies of a form
Vierfüßer quadruped ['kwɒdrʊped]
vierhändig: ***vierhändig Klavier spielen*** play duets, play pieces for four hands
Vierlinge quadruplets ['kwɒdrʊpləts], quads
viermal four times; ***viermal am Tag*** (*bzw.* ***im Monat***) four times a day (*bzw.* a month)
viermotorig four-engine(d) [ˌfɔːr'endʒɪn(d)]
vierspurig *Straße*: four-lane
viert: ***wir waren zu viert*** there were four of us
vierte(r, -s) fourth; ***4. März*** 4(th) March, March 4(th) (⚠ *gesprochen* the fourth of March); ***am 4. März*** on 4(th) March, on March 4(th) (⚠ *gesprochen* on the fourth of March)
Vierte(r) 1. fourth **2.** ***er wurde Vierter*** he was fourth, *bei Rennen*: he came in fourth **3.** ***Heinrich IV.*** Henry IV (*gesprochen*

V

Henry the Fourth; IV *ohne Punkt!*) **4.** ***heute ist der Vierte*** it's the fourth today

viertel **1.** ***ein viertel Liter*** (a) quarter of a litre **2.** ***viertel acht*** (a) quarter past (*AE* after) seven; ***drei viertel acht*** (a) quarter to (*AE* of) eight

Viertel **1.** quarter ['kwɔːtə] (⚠ *wenn man Wein bestellt, sagt man im Englischen* a glass of white wine *usw., also nicht 'a quarter' usw.*) **2.** ***es ist Viertel vor acht*** it's (a) quarter to (*AE* of) eight

Viertelfinale *Sport*: quarter-final [ˌkwɔːtə-'faɪnl]

Vierteljahr three months (*Pl.*), quarter

Viertelstunde quarter of an hour

vierzehn **1.** fourteen [ˌfɔː'tiːn] **2.** ***in vierzehn Tagen*** in two weeks(' time), *BE auch* in a fortnight('s time)

vierzehnte(r, -s) fourteenth [ˌfɔː'tiːnθ]

vierzig forty ['fɔːtɪ]

Vierzigerjahre: ***in den Vierzigerjahren*** in the forties

vierzigste(r, -s) fortieth ['fɔːtɪəθ]

Vierzimmerwohnung three-bedroom flat (*AE* apartment)

Vietnam Vietnam [ˌviːet'næm]

Vietnamese Vietnamese [vɪˌetnə'miːz]; ***er ist Vietnamese*** he's (a) Vietnamese; ***die Vietnamesen*** the Vietnamese; ☞ ***Nationalitäten***

Vietnamesin Vietnamese [vɪˌetnə'miːz] woman (*oder* lady *bzw.* girl); ***sie ist Vietnamesin*** she's (a) Vietnamese; ☞ ***Nationalitäten***

vietnamesisch Vietnamese [vɪˌetnə'miːz]

Vignette (≈ *Gebührenmarke für Autobahn*) motorway sticker (*oder* permit ['pɜːmɪt])

Villa **1.** villa **2.** *bes. auf dem Land*: mansion

Violett, violett purple ['pɜːpl], *heller*: violet ['vaɪələt]

Violett, Lila, Purpur

Zwischen Violett, Lila und Purpur(rot) gibt es fließende Übergänge. Im Farbenkreis hat Violett einen größeren Blauanteil als das ins Rot gehende Purpur. Lila hingegen ist ein mit Weiß oder hellem Grau aufgehelltes Violett. Die Wahrnehmung für diese Farbnuancen ist zwischen einzelnen Personen oft unterschiedlich. Will man übersetzen, kommt erschwerend hinzu, dass diese Farben im Englischen anders eingeteilt werden als im Deutschen. Scheinbare Entsprechungen zwischen dem Deutschen und Englischen erweisen sich also als trügerisch. Hier soll es aber leichter gemacht und deshalb etwas geordnet werden:

Englisch	Deutsch
crimson	purpur(rot)
lilac	lila, fliederfarben
purple	violett, *heller*: lila
violet	lila, *dunkler*: violett

Deutsch	Englisch
lila	**lilac,** *dunkler*: **mauve**
purpur(rot)	**crimson**
violett	**purple,** *heller*: **violet**

☞ *Illu S. 786*

Violine violin [ˌvaɪə'lɪn]

Viper viper ['vaɪpə]

Virenschutzprogramm *Computer*: anti-virus program [ˌæntɪ'vaɪrəsˌprəʊgræm]

Virensuchprogramm *Computer*: virus ['vaɪrəs] scanner

virtuell *Computer*: virtual ['vɜːtʃʊəl]; ***virtuelle Realität*** virtual reality [rɪ'ælətɪ]

Virus virus ['vaɪrəs]

Visage *umg.* mug

visieren Ⓒⓗ (≈ *beglaubigen, abzeichnen*) certify ['sɜːtɪfaɪ] (*Dokument usw.*)

Vision vision ['vɪʒn]

Visitenkarte business card, *AE* (calling) card

visuell visual ['vɪʒʊəl]

Visum **1.** *für Reise*: visa ['viːzə] **2.** Ⓒⓗ (≈ *Unterschrift*) signature ['sɪgnətʃə]

vital **1.** (≈ *tatkräftig, voller Energie*) vigorous ['vɪgərəs], energetic [ˌenə'dʒetɪk] **2.** (≈ *rüstig*) spry **3.** (≈ *lebenswichtig*) vital ['vaɪtl], essential [ɪ'senʃl]

Vitamin **1.** vitamin ['vɪtəmɪn] **2.** ***Vitamin B*** *umg.* (≈ *Beziehungen*) connections (⚠ *Pl.*)

Vitamintablette vitamin pill ['vɪtəmɪn‿pɪl]

Vitrine **1.** (≈ *Schrank*) glass cabinet ['kæbɪnət] **2.** *im Museum*: showcase, display cabinet [dɪ'spleɪˌkæbɪnət]

Vize *umg.* **1.** *allg.*: number two **2.** *Sport*: runner-up, *Team*: runners-up (⚠ *Pl.*)

Vizekanzler(in) vice-chancellor [ˌvaɪs-'tʃɑːnsələ]

Vizemeister(in) runner-up, *Team*: runners-up (⚠ *Pl.*)

Vizepräsident(in) vice-president [ˌvaɪs-'prezɪdənt]

Vizeweltmeister(in) runner-up (*bzw., falls Team*: runners-up *Pl.*) in the World Cup

Vogel **1.** *allg.*: bird **2.** ***komischer Vogel*** *umg.* strange character ['kærəktə] **3.** ***du hast einen Vogel*** *umg.* you've got a screw loose [luːs] **4.** ***er hat ihr den Vogel ge-***

zeigt *umg.* he tapped his forehead [⚠ 'fɒrɪd] at her **5.** ***da hast du den Vogel abgeschossen!*** *umg.* that really takes the cake!
Vogeldreck bird droppings (⚠ *Pl.*)
Vogelkäfig birdcage
vögeln *salopp* screw [skruː]; ***mit jemandem vögeln*** screw someone
Vogelnest bird's nest
Vogelperspektive: ***etwas aus der Vogelperspektive sehen*** have* a bird's-eye view of something
Vogelscheuche 1. scarecrow ['skeəkrəʊ] **2.** *abwertend*; *Frau*: frump
Vogerlsalat Ⓐ (≈ *Feldsalat*) lamb's lettuce [⚠ 'læmz,letɪs]
Vokabel word (⚠ *engl.* vocabulary = ***Wortschatz***)
Vokabelheft vocabulary book
Vokal vowel ['vaʊəl]
Volk 1. (≈ *Nation*) people ['piːpl] (⚠ *meist Pl.*), nation; ***das deutsche Volk*** the German people, the Germans (⚠ *beide Pl.*); ***ein freies Volk*** a free people, a free nation; ***die Völker Asiens*** the people(s) of Asia **2.** ***das Volk*** (≈ *die Masse*) the people (⚠ *mit Pl.*) **3.** ***das ist ein komisches Volk*** *umg.* they're a strange lot
Völkermord genocide ['dʒenəsaɪd]
Völkerverständigung understanding among (the) nations
Volksabstimmung referendum [,refə'rendəm]
Volksbegehren petition [pɪ'tɪʃn] for a referendum [,refə'rendəm]
Volksfest 1. public festival **2.** (≈ *Rummel*) funfair
Volkshochschule 1. *Institution*: adult education institute **2.** *Kurse*: (adult) evening classes (⚠ *Pl.*); ***in die Volkshochschule gehen*** go* to evening classes
Volkslied folk [⚠ fəʊk] song
Volksmusik folk [⚠ fəʊk] music, traditional music
Volksrepublik people's republic; ***die Volksrepublik China*** the People's Republic of China
volkstümlich 1. *Musik, Politiker usw.*: (≈ *einfach und beliebt*) popular ['pɒpjʊlə]; ***sich volkstümlich geben*** act folksy [⚠ 'fəʊksɪ], act the man of the people **2.** (≈ *herkömmlich*) traditional **3.** *Gegenstände, Kunst*: folk [fəʊk] ʐ (⚠ *immer vor dem Subst.*), *abwertend* folksy
Volkswirtschaft, **Volkswirtschaftslehre** economics [,iːkə'nɒmɪks] (⚠ *mit Sg.*)
voll 1. *allg.*: full; ***voller, voll von*** full of; ***ein Koffer voll(er) Schuhe*** a case full of shoes; ***red nicht mit vollem Mund!*** don't speak with your mouth full! **2.** ***vier volle Wochen*** four whole weeks **3.** *umg.* (≈ *satt*) full **4.** *umg.* (≈ *betrunken*) plastered ['plɑːstəd] **5.** ***den kannste nicht für voll nehmen*** *umg.* you can't take him seriously

voll bepackt loaded (down with luggage)
voll besetzt (completely) full
voll fressen: ***sich voll fressen*** *umg.* stuff oneself, *salopp* stuff one's face
voll gefressen *umg.* completely stuffed
voll gestopft crammed, packed
voll hauen: ***sich den Bauch voll hauen*** *umg.* pig out (***mit*** on), make* a pig of oneself
voll kotzen: ***etwas voll kotzen*** *salopp* spew all over something
voll kriegen: ***sie kriegt den Hals nicht voll*** *umg.* she just can't get enough
voll laden load up
voll laufen: ***sich voll laufen lassen*** *umg.* get* tanked up
voll machen 1. fill (up) (*Eimer usw.*) **2.** *umg.* (≈ *beschmutzen*) mess up **3.** *umg.* ***ich hab mich mit Öl voll gemacht*** I've got oil all over me **4.** *umg.* ***sich*** (***die Hosen***) ***voll machen*** fill one's pants
voll packen: ***etwas voll packen*** pack something full (***mit*** of)
voll saufen: ***sich voll saufen*** *umg.* get* tight
voll schlagen: ***sich den Bauch voll schlagen*** *umg.* pig out (***mit*** on), make* a pig of oneself
voll schmieren 1. smear [smɪə] all over (*Wand usw.*) **2.** ***du hast dich mit Farbe voll geschmiert*** you're covered <u>in</u> paint
voll schreiben: ***er hat sechs Seiten voll geschrieben*** he wrote six whole pages
voll stopfen 1. stuff (***mit*** full of) **2.** ***sich*** (***den Bauch***) ***voll stopfen*** *umg.* stuff oneself
voll tanken 1. *allg.*: fill up **2.** *umg.* (≈ *sich betrinken*) get* tanked up

vollautomatisch fully automatic
Vollbremsung: ***eine Vollbremsung machen*** slam on the brakes
Volldampf: ***mit Volldampf voraus*** *umg.* full steam ahead [ə'hed]
voller: ***voller Wasser*** *usw.* full of water *usw.*
Volleyball(spiel) volleyball ['vɒlɪbɔːl] (match)

V

Vollgas 1. ***Vollgas geben*** step on it, *BE auch* put* one's foot down 2. ***mit Vollgas fahren*** drive* full tilt
Vollglatze: ***er hat eine Vollglatze*** he's completely bald [bɔːld]
Vollidiot(in) *umg.* complete idiot
völlig 1. complete, total 2. ***völlig unmöglich*** *usw.* absolutely impossible *usw.*
volljährig: ***sie ist volljährig*** she's of age; ***volljährig werden*** come* of age
vollkommen 1. ***vollkommener Unsinn*** *usw.* complete rubbish *usw.* 2. ***das ist vollkommen irrelevant*** *usw.* that's completely irrelevant [ɪ'reləvənt] *usw.* 3. (≈ *perfekt*) perfect ['pɜːfɪkt]
Vollkornbrot wholemeal bread [bred]
Vollmacht 1. full power(s *Pl.*), authority [ɔː'θɒrətɪ], *juristisch*: power of attorney [ə'tɜːnɪ] 2. (≈ *Urkunde*) proxy ['prɒksɪ] 3. ***Vollmacht haben*** be* authorized; ***jemandem Vollmacht erteilen*** authorize someone
Vollmilch full-cream milk, *AE* whole milk
Vollmilchschokolade milk chocolate
Vollmond full moon; ***heute ist Vollmond*** there's a full moon tonight
Vollnarkose general anaesthetic [ˌænəs'θetɪk]; ***in*** (*oder* ***unter***) ***Vollnarkose*** under a general anaesthetic
Vollpension full board and lodging
Vollrausch: ***einen Vollrausch haben*** be* blind drunk
vollständig 1. complete 2. ***vollständig zerstört*** *usw.* completely destroyed *usw.*
Vollständigkeit: ***der Vollständigkeit halber*** for the sake of completeness
Volltextsuche *Computer*: full-text search
Volltreffer 1. *beim Schießen usw.*: direct hit 2. *umg.* (≈ *Hit*) (absolute) hit
Vollwertkost wholefood, wholefoods (*Pl.*)
vollzählig 1. (≈ *vollständig*) complete 2. ***vollzählig sein*** be* present ['preznt] in full number 3. ***vollzählig erscheinen*** turn out (*oder* up) in full strength
Volontär(in) unpaid trainee [ˌtreɪ'niː]
Volontariat 1. (unpaid) traineeship 2. ***er macht ein Volontariat*** he's on work experience (⚠ *ohne* a)
Volt (≈ *elektrische Spannung*) volt [vəʊlt]
Volumen 1. *allg.*: volume ['vɒljuːm] 2. (≈ *Größe*) size 3. (≈ *Inhalt*) *auch* capacity [kə'pæsətɪ]
vom 1. *räumlich, örtlich*: from; ***sie ist vom Land*** she's from the country; ***der Wind weht vom Meer her*** the wind is blowing from the sea 2. *zeitlich*: from; ***vom 1. bis zum 10. Januar*** from 1 - 10 January (*gesprochen* from the first to the tenth of January) 3. *Ursache, Grund*: from; ***das kommt vom vielen Arbeiten*** that's from working too much, that's because I've (you've *usw.*) been working so much 4. ***er hat keine Ahnung vom Segeln*** he doesn't know the first thing about sailing 5. ***ich kenne sie nur vom Sehen*** I only know them by sight 6. ***links vom Bahnhof*** to the left of the (train) station
von 1. *räumlich und zeitlich*: from; ***von rechts*** from the right; ***von hinten*** from the back; ***von oben*** from above; ***von wo(her) kommt das?*** where does that come from?; ***von zehn bis drei*** from ten till three 2. ***zwei von ihnen*** two of them; ***ein Freund von mir*** a friend of mine; ***das ist nett von ihr*** that's nice of her 3. ***ein Film von Hitchcock*** a film by Hitchcock 4. ***das Haus von meiner Tante*** my aunt's [ɑːnts] house
voneinander from each other
vor 1. *zeitlich*: before; ***vor zehn Uhr*** before ten o'clock; ***fünf vor drei*** five to three 2. ***vor zwei Tagen*** two days ago; ***heute vor acht Tagen*** a week ago today 3. *räumlich*: in front [frʌnt] of; ***stells vors Bett*** put it in front of the bed; ***er steht vor der Tür*** he's at the door 4. ***er hats vor uns gesagt*** he said it in front of us 5. ***vor Angst zittern*** shake* with fear; ***ich konnte vor Lachen kaum sprechen*** I could hardly talk for laughing; ***vor lauter Arbeit komm ich zu nichts*** I can't do anything with all this work
vorab 1. (≈ *zunächst*) first, to begin with (⚠ *immer am Satzanfang*) 2. (*im Voraus*) in advance [əd'vɑːns]
Vorahnung premonition [ˌpriːmə'nɪʃn]; *schlimme*: *auch* foreboding [fɔː'bəʊdɪŋ]
vorangehen 1. (*Person*) lead* the way 2. (*Projekt usw.*) make* progress ['prəʊgres]; ***es geht gut*** (*bzw.* ***schlecht***) ***voran*** things are going well (*bzw.* things aren't going too well)
vorankommen 1. (***gut***) ***vorankommen*** make* progress; ***wie kommst du voran?*** how are you getting on? 2. ***im Leben*** (*bzw.* ***im Beruf***) ***vorankommen*** get* on in life (*bzw.* in one's career)
voraus: ***jemandem weit voraus sein*** be* streets ahead [ə'hed] of someone
Voraus: ***im Voraus*** in advance [əd'vɑːns]
vorausdenken think* (*oder* look) ahead [ə'hed]
vorausfahren drive* (on) ahead [ə'hed]
vorausgesetzt: ***vorausgesetzt, dass*** provided (that)
vorauslaufen run* (on) ahead [ə'hed]
Voraussage 1. *allg.*: prediction 2. *bei Wetter, Wirtschaft*: forecast* ['fɔːkɑːst]

voraussagen **1.** *allg.*: predict [prɪ'dɪkt] **2.** forecast* ['fɔːkɑːst] (*Wetter, Wahlergebnis usw.*)
vorausschauend **1.** *Mensch, Planung usw.*: foresighted ['fɔːsaɪtɪd] **2.** ***vorausschauend handeln*** *usw.* act *usw.* with foresight
voraussehen **1.** foresee* [fɔː'siː] **2.** ***es war vorauszusehen*** you could see it coming
voraussetzen **1.** (≈ *annehmen*) assume [ə'sjuːm] (***dass*** that) **2.** (≈ *erwarten*) expect; ***sie setzt gute Englischkenntnisse voraus*** she expects a good knowledge of English **3.** require [rɪ'kwaɪə] (*Qualifikationen usw.*)
Voraussetzung **1.** condition (***für*** of, for); ***unter der Voraussetzung, dass*** on condition that (⚠ *ohne* the) **2.** ***die Voraussetzungen erfüllen*** meet* the requirements
voraussichtlich probably; ***er kommt voraussichtlich morgen*** he'll probably come tomorrow, he's expected to come tomorrow
vorauszahlen: ***hundert Euro vorauszahlen*** pay* a hundred euros in advance [əd'vɑːns]
Vorauszahlung advance payment, advance
vorbei **1.** *zeitlich*: over; ***es ist vorbei*** it's all over; ***vorbei ist vorbei*** what's past is past **2.** ***die Schmerzen sind vorbei*** the pain has gone **3.** ***es ist sechs Uhr vorbei*** it's past (*BE auch* gone) six **4.** ***vorbei*** **(*an*)** past
vorbeibringen: ***etwas vorbeibringen*** drop something by (*oder* in)
vorbeidürfen: ***darf ich mal vorbei?*** could I get past, please?, excuse me, please
vorbeifahren **1.** drive* past **2.** ***vorbeifahren an*** pass, *auch absichtlich*: drive* past
vorbeigehen **1.** pass, *go past; ***vorbeigehen an*** pass, go* past **2.** ***im Vorbeigehen*** in passing **3.** (*Schuss usw.*) miss **4.** (≈ *aufhören*) pass, (*Schmerzen*) *auch*: go* away
vorbeikommen **1.** *zu Besuch*: drop by; ***bei jemandem vorbeikommen*** drop in on someone; ***komm doch mal vorbei*** why don't you drop by some time? **2.** ***vorbeikommen an*** pass, *Hindernis*: get* past; ***ich komm nicht vorbei*** I can't get past
vorbeilassen **1.** ***kannst du mal eben die Leute vorbeilassen?*** would you let these people pass, please? **2.** ***lässt du mich bitte mal vorbei?*** can I get past, please?
vorbeimüssen **1.** ***du musst am Bahnhof vorbei*** you have to go past the station **2.** ***ich muss sowieso an der Post vorbei*** I'll be passing the post office anyway
vorbeireden: ***aneinander vorbeireden*** talk at cross-purposes
vorbeischauen **1.** drop by **2.** ***bei jemandem vorbeischauen*** drop in on someone
vorbeischießen **1.** *mit Schusswaffe*: miss; ***vorbeischießen an*** miss **2.** (≈ *vorbeisausen*) shoot* past
vorbelastet **1.** *Person*; *allg.*: with a past (⚠ *nur hinter dem Subst.*) **2.** ***erblich vorbelastet sein*** have* a hereditary [he'redətrɪ] condition; ***da ist sie*** *usw.* ***erblich vorbelastet*** it runs in the family **3.** ***kriminell*** *usw.* ***vorbelastet*** with a criminal ['krɪmɪnl] *usw.* past (*oder* background)
Vorbemerkung preliminary remark [prɪˌlɪmɪnərɪ‿rɪ'mɑːk]
vorbereiten **1.** ***etwas vorbereiten*** prepare something, get* something ready ['redɪ] **2.** ***sich vorbereiten*** get* ready, prepare oneself (***auf, für*** for) **3.** ***sich auf eine Prüfung vorbereiten*** revise [rɪ'vaɪz] for an exam
vorbereitet: ***vorbereitet sein auf*** be* ready ['redɪ] (*oder* prepared) for
Vorbereitung preparation (***auf, für, zu*** for)
vorbestellen **1.** book ahead [ə'hed] **2.** ***einen Platz*** *usw.* ***vorbestellen*** book a seat *usw.* in advance [əd'vɑːns], reserve a seat *usw.*
Vorbestellung booking, reservation
vorbestraft: ***vorbestraft sein*** have* a criminal record ['rekɔːd]
vorbeugen[1] **1.** prevent [prɪ'vent] **2.** ***vorbeugen ist besser als heilen*** prevention is better than cure
vorbeugen[2]: ***sich vorbeugen*** bend* forward
Vorbild **1.** model ['mɒdl] **2.** (≈ *Beispiel*) example [ɪg'zɑːmpl]
vorbildlich **1.** exemplary [ɪg'zemplərɪ] **2.** ***ein vorbildlicher Schüler*** *usw.* a model pupil [ˌmɒdl'pjuːpl] *usw.*
Vorderachse *Auto*: front axle [⚠ ˌfrʌnt'æksl]
Vorderbein front leg [ˌfrʌnt'leg]
vordere(r, -s) **1.** front [frʌnt]; ***die vorderen Wagen*** *Eisenbahn*: the front coaches **2.** ***die vorderen Zimmer*** the rooms at the front
Vordereingang front [frʌnt] entrance
Vordergrund **1.** *von Bild usw.*: foreground **2.** ***im Vordergrund stehen*** (≈ *im Blickpunkt*) be* in the limelight
Vordermann **1.** ***mein Vordermann*** the person (*bzw.* driver *oder* car *usw.*) in front

of me **2.** ***etwas auf Vordermann bringen*** get* something shipshape
Vorderrad front wheel [ˌfrʌnt'wiːl]
Vorderradantrieb *Auto*: front wheel drive [⚠ ˌfrʌntwiːl'draɪv]
Vorderseite front [frʌnt]
Vordersitz front [frʌnt] seat
vorderste(r, -s) front [frʌnt], first; ***die vorderste Reihe*** the front row
Vorderteil front [frʌnt], front part
Vorderzahn front [frʌnt] tooth
vordrängeln **1.** ***sich vordrängeln*** push (forward) **2.** *in einer Schlange*: push in
vordrängen: ***sich vordrängen*** → ***vordrängeln***
voreilig: ***voreilige Schlüsse ziehen*** jump to conclusions
voreinander: ***sie haben Angst voreinander*** they're scared of each other
voreingenommen prejudiced ['predʒʊdɪst]
vorerst for the time being
vorexerzieren: ***jemandem etwas vorexerzieren*** demonstrate ['demənstreɪt] something to someone
Vorfahre ancestor ['ænsestə]
vorfahren **1.** ***vor das Haus*** *usw.* ***vorfahren*** drive* up to the house *usw.* **2.** ***fahren Sie bis zur Ampel vor*** drive as far as the traffic lights **3.** (≈ *vorausfahren*) drive* on ahead [ə'hed]
Vorfahrt: ***er hat die Vorfahrt*** he has (the) right of way
Vorfall **1.** (≈ *Ereignis*) incident ['ɪnsɪdənt], occurrence [ə'kʌrəns] **2.** *einer Bandscheibe usw.*: prolapse ['prəʊlæps]
vorfinden find*
vorflunkern: ***er hat dir was vorgeflunkert*** *umg.* he's been telling you fibs
Vorfreude anticipation [ænˌtɪsɪ'peɪʃn] (***auf*** of)
vorführen **1.** (***jemandem***) ***etwas vorführen*** demonstrate ['demənstreɪt] something (to someone) (*Gerät usw.*) **2.** show (*Film usw.*) **3.** perform [pə'fɔːm] (*Theaterstück*, *Trick usw.*)
Vorführung **1.** *eines Geräts usw.*: demonstration **2.** *eines Stücks usw.*: performance
Vorgabe **1.** *Sport*: handicap, start **2.** (≈ *Richtlinie*) guideline ['gaɪdlaɪn], instructions (*Pl.*)
Vorgang **1.** (≈ *Ablauf*, *Hergang*) proceedings [prə'siːdɪŋz] (⚠ *Pl.*) **2.** *Biologie*, *Chemie*, *Technik*: (≈ *Prozess*) process ['prəʊses] **2.** (≈ *Ereignis*) event, occurrence [ə'kʌrəns]
Vorgänger(in) predecessor ['priːdɪsesə]
Vorgarten front garden, *AE* front yard
vorgehen[1] **1.** ***meine Uhr geht fünf Minuten vor*** my watch is five minutes fast **2.** (≈ *Vorrang haben*) have* priority [praɪ'ɒrətɪ] **3.** ***er ging zum Lehrer vor*** he went up to the teacher
vorgehen[2] **1.** ***was geht hier vor?*** what's going on here? **2.** ***was ging wohl in ihr vor?*** I wonder what came over her
Vorgesetzte(r) superior [sʊ'pɪərɪə], *umg.* boss
Vorgeschmack foretaste (***von, auf*** of)
vorgestern **1.** the day before yesterday **2.** ***er ist von vorgestern*** he's behind the times
vorhaben **1.** ***was hast du heute vor?*** what are you doing today? **2.** ***ich hab einiges vor*** I've got quite a lot planned **3.** ***ich hab vor nach Rom zu gehen*** I'm planning to go to Rome **4.** ***was hast du damit vor?*** what are you going to do with that? **5.** ***was hat er wieder vor?*** what's he up to now?
Vorhaben **1.** *allg.*: intention, plan(s *Pl.*); ***sein Vorhaben durchführen*** carry out one's plans **2.** (≈ *Projekt usw.*) project ['prɒdʒekt]
vorhalten[1]: ***halt beim Gähnen die Hand vor!*** put your hand in front of your mouth when you're yawning
vorhalten[2]: ***jemandem etwas vorhalten*** accuse [ə'kjuːz] someone of something
Vorhand *Tennis*: forehand
vorhanden available
Vorhang curtain ['kɜːtn]
Vorhaut foreskin
vorher **1.** before; ***zwei Tage vorher*** two days before **2.** (≈ *zuerst*) first; ***vorher essen wir*** first we eat
vorherbestimmen **1.** *allg.*: determine [dɪ'tɜːmɪn] in advance, predetermine [ˌpriːdɪ'tɜːmɪn] **2.** (*Schicksal usw.*) predestine [ˌpriː'destɪn]
vorherig previous ['priːvɪəs]
Vorherrschaft predominance [prɪ'dɒmɪnəns], *politische auch*: supremacy [sʊ'preməsɪ]
Vorhersage **1.** *allg.*: prediction **2.** *Wetter*, *Wirtschaft*: forecast ['fɔːkɑːst]
vorhersagen predict [prɪ'dɪkt]
vorhersehen **1.** foresee* [fɔː'siː] **2.** ***wie vorherzusehen*** as expected **3.** ***es war vorherzusehen*** you could see it coming
vorheucheln: ***sie heuchelt euch doch nur was vor*** she's just putting on an act
vorheulen: ***jemandem etwas vorheulen*** *umg.* give* someone a sob story
vorhin **1.** earlier on **2.** (≈ *gerade*) just now
vorige(r, -s) **1.** previous ['priːvɪəs] **2.** ***vorige Woche*** *usw.* last week *usw.*
vorjammern: ***jemandem etwas vorjam-***

Vorlieben / Dinge, die man mag — Likes

Blau ist meine Lieblingsfarbe.	**Blue is my favourite colour.**
Ich mag Pommes mit Ketschup.	**I love French fries with ketchup.**
Ich gehe gern Skilaufen.	**I like going skiing.**
Ich fand die Szene mit dem Clown gut.	**I liked the scene with the clown.**
Ich spiele an den Wochenenden gern Hockey.	**I enjoy playing hockey at the weekends.**
Ich würde lieber in das Café da drüben gehen.	**I'd rather go to the café over there.**
Mir wäre es lieber, wenn ich nicht stehen müsste.	**I'd prefer not to have to stand.**
Mir sind Hunde lieber als Katzen.	**I like dogs more than cats.**
Ich hab nichts dagegen, in der Ecke zu sitzen.	**I don't mind sitting in the corner.**

mern moan about something to someone

vorkauen: ***jemandem etwas vorkauen*** *umg.* give* someone a long, boring description (*oder* explanation) of something

Vorkenntnisse 1. previous knowledge [ˌpriːvɪəs'nɒlɪdʒ] (⚠ *Sg.*) (***in*** of) **2.** (≈ *Erfahrung*) previous experience [ɪk'spɪərɪəns] (⚠ *Sg.*) (***in*** of)

vorknöpfen: ***sich jemanden vorknöpfen*** *umg.* take* someone to task

vorkommen[1] **1.** (≈ *geschehen*) happen; ***sowas ist mir noch nie vorgekommen*** that's never happened to me before **2.** (≈ *existieren*) be* found; ***sie kommen nur in Europa vor*** they're only found in Europe **3.** (*Wort usw.*) appear [ə'pɪə], crop up **4.** ***es kam mir komisch*** *usw.* ***vor*** it seemed strange *usw.* to me; ***es kam mir vor, als ob*** it seemed as if; ***es kommt dir nur so vor*** you're just imagining [ɪ'mædʒɪnɪŋ] it **5.** ***ich kam mir ziemlich dumm vor*** I felt pretty stupid **6.** ***er kommt sich klug vor*** he thinks he's clever

vorkommen[2] **1.** *nach vorn*: come* forward **2.** *in der Klasse*: come* to the front of the class

Vorlage 1. (≈ *Muster*) pattern ['pætn] **2.** ***etwas als Vorlage nehmen*** copy from something

vorlassen: ***jemanden vorlassen*** let* someone go first, let* someone in front

Vorläufer *übertragen* precursor [prɪ'kɜːsə]

vorläufig 1. (≈ *vorerst*) for the time being **2.** *Maßnahme usw.*: temporary ['temprərɪ]

vorlaut cheeky

vorlesen read* out; ***jemandem etwas vorlesen*** read* something out to someone

Vorlesung lecture (***über*** on)

vorletzte(r, -s) 1. last but one **2.** ***am vorletzten Samstag*** (on the) Saturday before last; ***vorletzte Nacht*** the night before last

Vorliebe 1. preference ['prefrəns] **2.** ***eine Vorliebe für etwas haben*** be* very fond of something

vorlügen: ***jemandem etwas vorlügen*** tell* someone (a pack of) lies

vorm → ***vor***

vormachen 1. ***jemandem etwas vormachen*** (≈ *zeigen*) show someone how to do something **2.** ***er macht dir was vor*** *zur Täuschung*: he's fooling you **3.** ***ich lass mir nichts vormachen*** he's (they're *usw.*) not going to make a fool of me **4.** ***machen wir uns nichts vor*** let's not kid ourselves

Vormarsch *militärisch*: advance [əd'vɑːns] (*auch übertragen*); ***auf dem Vormarsch sein*** be* on the advance, be* advancing (***auf*** on), *übertragen*: be* gaining ground, be* spreading ['spredɪŋ]

vormerken 1. ***sich etwas vormerken*** make* a note of something **2.** ***sich vormerken lassen*** put* one's name down (***für*** for)

Vormieter(in) 1. *allg.*: previous ['priːvɪəs] (*oder* last) tenant ['tenənt] **2.** ***mein Vormieter*** the tenant before me

Vormittag morning; ***am Vormittag*** in the morning; ***heute Vormittag*** this morning; ***gestern Vormittag*** yesterday morning

vormittags 1. *bestimmter Tag*: in the morning **2.** *regelmäßig*: in the mornings **3.** ***um 9 Uhr vormittags*** at 9 (o'clock) in the morning, at 9 am [ˌeɪ'em]

vorn 1. *allg.*: at the front [⚠ frʌnt], in front; ***nach vorn*** to the front, *fallen usw.*: forward ['fɔːwəd]; ***von vorn*** from the front **2.** ***weiter vorn*** further up, *im Buch usw.*: further back **3.** ***wieder von vorn anfangen*** start (all over) again **4.** ***von vorn bis***

V

Vorschläge unterbreiten

Warum fragst du ihn nicht?	**Why don't you ask him?**
Soll ich das für dich tun?	**Shall I do it for you?**
Möchtest du, dass ich mir das mal anschaue?	**Do you want me to have a look?**
Wie wärs, wenn wir in die Stadt gehen/fahren?	**How about/What about going into town?**
Hättest du Lust zum Abendessen zu kommen?	**Would you like to come round for dinner?**
Hast du Lust ins Kino zu gehen?	**How do you fancy going to see a film?**
Ich würde gern ein Eis essen. Du auch?	**I feel like an ice cream. How about you?**
Ich könnte dich hinbringen, wenn du willst.	**I could take you if you like.**

hinten from beginning to end; ***das ist von vorn bis hinten erlogen*** it's a pack of lies **5.** ***vorn liegen*** *im Rennen*: be* in front

Vorname first name; ***wie heißt du mit Vornamen?*** what's your first name?

vorne → ***vorn***

vornehm posh

vornehmen 1. ***sich vornehmen zu …*** decide to … **2.** tackle (*Aufgabe, Buch usw.*) **3.** ***nimm dir nicht zu viel vor!*** don't take on too much **4.** ***sich jemanden vornehmen*** *umg.* have* a word with someone

vornherein: ***von vornherein*** from the start

Vorort 1. suburb ['sʌbɜːb] **2.** ***er wohnt in einem Vorort*** he lives in <u>the</u> suburb<u>s</u> (⚠ *Pl.*)

vorprogrammieren preprogram(me) (*Videorecorder*)

Vorrang: ***Vorrang haben*** have* priority [praɪ'ɒrətɪ] (***vor*** over)

vorrangig priority (⚠ *nur vor dem Subst.*)

Vorrat 1. supply [sə'plaɪ] (***an*** of) **2.** ***etwas auf Vorrat kaufen*** stock up on something

vorrätig 1. available [ə'veɪləbl] **2.** ***nicht mehr vorrätig*** out of stock

Vorratskammer pantry ['pæntrɪ]

Vorraum 1. *allg.*: anteroom ['æntɪruːm] **2.** *Theater usw.*: foyer ['fɔɪeɪ], *bes. AE* lobby

Vorrichtung device [dɪ'vaɪs]

vorrücken 1. move [muːv] forward **2.** ***auf den zweiten Platz vorrücken*** move up to second place (⚠ *ohne* the)

Vorrunde qualifying round

vors → ***vor***

vorsagen 1. ***jemandem vorsagen*** whisper the answer to someone **2.** ***sie sagt das Wort vor, und wir sagen es nach*** she says the word first and we repeat it

Vorsaison start (*oder* beginning) of the season

Vorsatz resolution [ˌrezə'luːʃn]; ***einen (guten) Vorsatz fassen*** make* a (good) resolution; ***bei seinem Vorsatz bleiben*** stick* to one's resolution

vorsätzlich 1. *allg.*: intentional, deliberate [dɪ'lɪbərət] **2.** *juristisch*: wilful, *AE* willful; ***vorsätzlicher Mord*** premeditated [ˌpriː'medɪteɪtɪd] murder **3.** ***er hat es vorsätzlich getan*** he did it intentionally (*oder* deliberately)

Vorschau preview ['priːvjuː] (***auf*** of)

vorschicken 1. send* ahead (*Koffer usw.*) **2.** ***warum werd ich immer vorgeschickt?*** why do I always have to go?

vorschieben 1. *nach vorn*: push forward **2.** stick* out (*Kopf, Kinn usw.*) **3.** ***sich vorschieben*** *in der Schlange*: push in

Vorschlag suggestion [sə'dʒestʃən], proposal [prə'pəʊzl] (*Letzteres auch geschäftlich*)

vorschlagen 1. suggest [sə'dʒest]; ***ich schlage vor, dass wir gehen*** I suggest we go (⚠ *meist ohne* that); ***er schlug vor zu warten*** he suggested wait<u>ing</u> **2.** ***ich möchte dir etwas vorschlagen*** I'd like to propose [prə'pəʊz] (*oder* suggest) something to you **3.** nominate (*jemanden als Kandidaten*)

vorschreiben: ***ich lass mir nichts vorschreiben*** nobody's going to tell me what to do

Vorschrift rule, regulation; ***sich an die Vorschriften halten*** stick* to the rules

Vorschule nursery school, *AE* preschool

Vorschuss advance [əd'vɑːns] (***auf*** on)

vorschwärmen: ***jemandem von etwas vorschwärmen*** rave (on) about something to someone; ***jemandem vorschwärmen, wie …*** rave (on) about how…

vorschweben: ***mir schwebt … vor*** *umg.* I'm thinking of …

vorschwindeln 1. ***jemandem etwas vorschwindeln*** tell* someone lies 2. ***er hat mir vorgeschwindelt, dass er sie besucht hat*** he lied to me about visiting her

vorsehen: ***das war nicht vorgesehen*** that wasn't planned

vorsetzen[1] 1. ***er hat uns wieder Nudeln vorgesetzt*** he served up noodles again 2. ***was haben die uns diesmal vorgesetzt?*** *übertragen* what have they cooked up for us this time?

vorsetzen[2]: ***sich vorsetzen*** move up to the front [frʌnt], go* and sit* at the front

Vorsicht 1. care, caution 2. ***Vorsicht!*** careful!, look out! 3. ***es ist mit Vorsicht zu genießen*** it has to be taken with a pinch of salt 4. ***er ist mit Vorsicht zu genießen*** you have to watch him

vorsichtig 1. careful ['keəfl]; ***sei vorsichtig, dass du nicht fällst*** be careful you don't fall (⚠ *ohne* that) 2. ***vorsichtig fahren*** *usw.* drive* *usw.* carefully

vorsichtshalber to be on the 'safe side

vorsingen 1. ***kannst du uns das Lied vorsingen?*** can you sing the song to us? 2. ***morgen muss sie bei der Oper vorsingen*** she's got an audition [ɔː'dɪʃn] with the opera ['ɒprə] tomorrow

Vorsitzende(r) chairperson, *Mann auch*: chairman ['tʃeəmən], *Frau auch*: chairwoman

Vorsitzende(r)

Da **chairman** von Frauen oft als diskriminierend empfunden wurde, hat sich auch die geschlechtsneutrale Bezeichnung **chair** (eigentlich „Stuhl") für den Vorsitzenden oder die Vorsitzende etabliert.

vorsorgen 1. *allg.*: make* provisions, provide [prə'vaɪd] (*beide*: **für** for) 2. ***vorsorgen, dass ...*** see* to it that

Vorspann *Film*: credits ['kredɪts] (⚠ *Pl.*)

Vorspeise appetizer, *BE auch* starter

Vorspiel 1. *im Theater*: prologue ['prəʊlɒg] 2. *sexuelles*: foreplay

vorspielen 1. play (*Musikstück*); ***jemandem etwas vorspielen*** play something to someone 2. ***er spielt (dir) das nur vor*** *übertragen* he's just putting on an act

vorsprechen: ***sie hat uns den Satz vorgesprochen*** she said the sentence for us to repeat

vorspringen (*Balkon, Erker usw.*) jut out

Vorsprung 1. ***einen Vorsprung von 15 Sekunden haben*** lead* by 15 seconds 2. ***sie haben ein Tor Vorsprung*** they're one goal ahead [ə'hed] 3. ***jemandem 20 Meter Vorsprung geben*** give* someone a 20-metre start

vorspulen wind* [waɪnd] (the tape) forward

Vorstand 1. *Wirtschaft*: board of management (*oder* directors); ***im Vorstand sitzen*** be* on the board 2. *eines Vereins*: managing (*oder* executive [ɪg'zekjʊtɪv]) committee [kə'mɪtɪ] 3. *einer Partei*: executive 4. *eines Instituts*: board of governors ['gʌvnəz] (*oder* trustees [ˌtrʌs'tiːz]) 5. *einer Kirche*: (church) council ['kaʊnsl] 6. (≈ *Person*) *Wirtschaft*: director, board member, *einer Gesellschaft*: chairman, *Frau*: chairwoman, *AE* chief executive, CEO (*Abk. für* **c**hief **e**xecutive **o**fficer), *eines Instituts*: trustee, (≈ *Kirchenvorstand*) councillor, *AE auch* councilor, *einer Partei*: member of the executive

vorstehend: ***vorstehende Zähne*** protruding teeth [prəˌtruːdɪŋ'tiːθ], buck teeth

vorstellen[1] 1. introduce [ˌɪntrə'djuːs]; ***sie hat uns den neuen Lehrer vorgestellt*** she introduced the new teacher to us 2. ***sich vorstellen*** introduce oneself 3. ***sich etwas vorstellen*** imagine [ɪ'mædʒɪn] something; ***stell dir vor, ...*** just imagine, ...; ***stell dir das mal vor!*** can you imagine it? 4. ***wie stellst du dir das vor?*** how do you think that's going to work? 5. ***so stelle ich mir eine Party*** *usw.* ***vor*** that's my idea of a party *usw.* 6. ***was stellst du dir darunter vor?*** what does it mean to you?; ***ich kann mir nichts darunter vorstellen*** it doesn't mean a thing to me

vorstellen[2] put* forward (*Uhr*) (**um** by)

Vorstellung 1. (≈ *Begriff*) idea [aɪ'dɪə]; ***du hast manchmal komische Vorstellungen*** you 'do have some strange ideas; ***du machst dir keine Vorstellung*** you've no idea 2. *bei Bewerbung*: interview (**bei** with) 3. *Film*: showing 4. *Theater usw.*: performance

Vorstellungsgespräch interview (**bei** with); ***zu einem Vorstellungsgespräch gehen*** go* for an interview

Vorstellungskraft imagination [ɪˌmædʒɪ'neɪʃn], powers (⚠ *Pl.*) of imagination

vorstoßen 1. *militärisch usw.*: push ahead (*auch übertragen*), advance [əd'vɑːns] 2. *Sport*: attack 3. *übertragen* ***vorstoßen in*** venture (*oder* penetrate ['penɪtreɪt]) into; ***vorstoßen nach*** (*oder* ***zu***) press on as far as; ***vorstoßen bis*** advance as far as, reach

Vorstrafe previous ['priːvɪəs] conviction

vorstrecken 1. stretch out (*Arme usw.*) 2.

stick* out (*Hals, Kopf usw.*) **3.** ***er hat mir das Geld vorgestreckt*** he advanced me the money

Vortag: ***am Vortag*** the day before; ***am Vortag des Spiels*** the day before the match

vortasten: ***sich vortasten*** grope one's way forward; ***sich bis zur Tür vortasten*** grope one's way to the door

vortäuschen fake (*Krankheit usw.*)

Vorteil 1. advantage [əd'vɑːntɪdʒ]; ***es hat den Vorteil, dass es klein ist*** it has the advantage of being small; ***er ist dir gegenüber im Vorteil*** he has the advantage over you **2.** ***die Vor- und Nachteile*** the pros and cons [ˌprəʊz‿ən'kɒnz] **3.** ***sie ist nur auf den eigenen Vorteil bedacht*** she only thinks of her own interests (⚠ *Pl.*)

vorteilhaft 1. advantageous [⚠ ˌædvən'teɪdʒəs] (***für*** to) **2.** *Kleid usw.*: flattering

Vortrag 1. (≈ *Rede*) talk, lecture (***über*** on); ***einen Vortrag halten*** give* a talk (*oder* lecture) **2.** *Musik usw.*: recital [rɪ'saɪtl]

vortragen 1. recite (*Gedicht*) **2.** perform [pə'fɔːm] (*Musik-, Theaterstück usw.*)

Vortragssaal lecture hall

vortreten step forward, come* forward

Vortritt 1. ***jemandem den Vortritt lassen*** let* someone go first **2.** Ⓒⓗ (≈ *Vorfahrt*) right of way; ***er hat den Vortritt nicht beachtet*** Ⓒⓗ he failed to give way

vorüber: ***vorüber sein*** be* over

vorübergehen (*Schmerzen usw.*) pass

vorübergehend temporary ['temprərɪ]

Vorurteil prejudice [⚠ 'predʒʊdɪs]; ***voller Vorurteile*** full of prejudice (⚠ *Sg.*)

Vorväter forefathers

Vorverkauf: ***Karten im Vorverkauf besorgen*** buy* tickets in advance, book ahead

vorverlegen bring* forward

vorvorgestern three days ago

Vorwahl *Telefon*: dialling code, *AE* area code

Vorwand excuse [ɪk'skjuːs]; ***unter dem Vorwand, dass ...*** with the excuse that ...

vorwärmen warm up

vorwarnen: ***jemanden vorwarnen*** warn someone (in advance)

Vorwarnung (advance) warning

vorwärts 1. forward **2.** (***langsam***) ***vorwärts kommen*** make* (slow) progress ['prəʊgres] **3.** ***im Leben vorwärts kommen*** get* on in life

Vorweihnachtszeit pre-Christmas period [ˌpriː'krɪsməsˌpɪərɪəd], *BE auch* run-up ['rʌn‿ʌp] to Christmas

vorwerfen: ***er warf ihr vor, dass sie faul sei*** he accused her of being lazy

vorwiegend mainly

vorwitzig cheeky

Vorwort preface [⚠ 'prefəs]

Vorwurf 1. reproach **2.** ***er macht sich Vorwürfe*** he blames himself (***wegen*** for) **3.** (≈ *Beschuldigung*) accusation

vorwurfsvoll reproachful

Vorzeichen omen ['əʊmen]

vorzeichnen: ***kannst du es mir vorzeichnen?*** can you draw it for me?

vorzeigbar presentable [prɪ'zentəbl]

vorzeigen show

Vorzeitmensch: ***der Vorzeitmensch*** prehistoric man [ˌpriːhɪstɒrɪk'mæn] (⚠ *ohne* the)

vorziehen 1. pull forward (*Gegenstand*) **2.** *zeitlich*: bring* forward **3.** (≈ *bevorzugen*) prefer [prɪ'fɜː] **4.** ***er wird immer vorgezogen*** he always gets special treatment

Vorzimmer *Büro*: outer office

Vorzugsbehandlung special treatment

Voyeur(in) voyeur [vwaɪ'ɜː], peeping Tom

vulgär vulgar ['vʌlgə]

Vulkan volcano [vɒl'keɪnəʊ]

Vulkanausbruch volcanic eruption [vɒlˌkænɪk‿ɪ'rʌpʃn]

W

Waage 1. scales (⚠ *Pl.*), *bes. AE* scale (⚠ *Sg.*); ***eine Waage*** a pair of scales; ***sich auf die Waage stellen*** step on the scales **2.** *Sternzeichen*: Libra ['liːbrə]; ***ich bin*** (***eine***) ***Waage*** I'm (a) Libra

waagerecht 1. horizontal [ˌhɒrɪ'zɒntl] **2.** *im Kreuzworträtsel*: across

wabbelig wobbly

Wabe honeycomb [⚠ 'hʌnɪkəʊm]

wach 1. awake; ***die ganze Nacht wach liegen*** lie* awake all night **2.** ***wach wer-***

den wake* up; ***ist er schon wach?*** has he woken up yet?; ***sie ist morgens nicht wach zu kriegen*** you can't wake her up in the mornings **3.** (≈ *aufgeweckt*) alert

Wachablösung changing of the guard [gɑːd]

Wache guard [gɑːd]

wachen 1. ***bei jemandem wachen*** sit* up with someone **2.** ***sie wachte an seinem Bett*** she sat at his bedside

Wachhund watchdog

Wachmann 1. watchman ['wɒtʃmən] **2.** Ⓐ (≈ *Polizist*) policeman [pə'liːsmən]

Wacholder juniper ['dʒuːnɪpə]

Wachs 1. wax [wæks] **2.** ***er ist weich wie Wachs*** he's like putty ['pʌtɪ]

wachsen[1] (≈ *größer werden*) grow* [grəʊ]

wachsen[2] wax (*Boden, Skier usw.*)

Wachsfigur wax figure [ˌwæks'fɪgə], waxwork

Wachsfigurenkabinett waxworks ['wæks-wɜːks] (⚠ *mst. mit Sg.*)

Wachstum growth [grəʊθ]

Wachtel 1. quail [kweɪl] **2.** ***alte Wachtel*** *umg.* old crow [krəʊ]

Wächter 1. *allg.*: guard [gɑːd] **2.** (≈ *Parkwächter usw.*) attendant

Wachtmeister(in) constable ['kʌnstəbl]

Wach- und Schließgesellschaft *etwa*: security company

Wachzimmer Ⓐ (≈ *Wache*) police station

Wackelkontakt loose contact [ˌluːs'kɒntækt]

wackeln 1. (*Stuhl usw.*) be* wobbly **2.** (*Zahn, Schraube*) be* loose [luːs] **3.** (*Haus usw.*) shake* **4.** ***mit dem Kopf*** (*bzw.* ***den Ohren***) ***wackeln*** waggle one's head (*bzw.* one's ears) **5.** ***der Hund wackelte mit dem Schwanz*** the dog wagged its tail

wacklig 1. *Stuhl usw.*: wobbly **2.** *Zahn, Schraube*: loose [luːs] **3.** ***er ist ein bisschen wacklig auf den Beinen*** he's a bit unsteady [ʌn'stedɪ] on his feet

Wade calf [kɑːf] *Pl.*: calves [kɑːvz]

Waffe 1. weapon ['wepən] **2.** ***Waffen*** weapons, *von Streitkräften mst.*: arms

Waffel 1. waffle ['wɒfl] **2.** (≈ *Eiswaffel*) wafer ['weɪfə]

Waffeleisen waffle iron ['wɒflˌaɪən]

Waffenstillstand armistice ['ɑːmɪstɪs], ceasefire ['siːsˌfaɪə], truce [truːs]

wagen 1. (≈ *sich getrauen*) dare; ***er wagt es nicht sie anzurufen*** he daren't ['deənt] (*AE* doesn't dare to) ring her up (⚠ *BE ohne* to); ***er wagte es nicht sie anzurufen*** he didn't dare (to) ring her up; ***wie kannst du es wagen, das zu sagen?*** how dare you say that? **2.** ***er hat es nicht gewagt*** he didn't have the nerve **3.** ***sie wagt sich nicht aus dem Haus*** she daren't (*AE* doesn't dare to) leave the house **4.** (≈ *riskieren*) risk; ***ich wags*** I'll risk it, I'll take the risk

Wagen 1. (≈ *Auto*) car **2.** (≈ *Kinderwagen*) pram, *AE* baby carriage ['kærɪdʒ] **3.** *eines Zugs*: carriage **4.** *einer Straßenbahn*: car **5.** ***der Große Wagen*** *Sternbild*: the Plough [plaʊ], the Big Dipper; ***der Kleine Wagen*** the Little Dipper

Wagenheber jack

Waggon 1. carriage ['kærɪdʒ], *AE* car **2.** (≈ *Güterwaggon*) (goods) waggon ['wægən], *AE* (freight) car

waghalsig daredevil … ['deəˌdevl] (⚠ *immer vor dem Subst.*), risky

Wagon → ***Waggon***

Wähe Ⓒⓗ (≈ *dünner, flacher Kuchen*) (Swiss) flan

Wahl[1] choice; ***ich hab keine andere Wahl*** I have no choice; ***wenn ich die Wahl hätte*** if I could choose; ***es stehen vier Kuchen zur Wahl*** there's a choice of four cakes **2.** ***er ist in die engere Wahl gekommen*** he made it onto the shortlist

Wahl[2] **1.** *politische usw.*: election, elections (*Pl.*) **2.** ***zur Wahl gehen*** (go* to) vote

Wahlbeteiligung 1. (voter) turnout **2.** ***eine hohe*** (***geringe***) ***Wahlbeteiligung*** heavy (poor *oder* light) polling (⚠ *ohne* a)

wählen[1] **1.** choose* [tʃuːz] **2.** ***hast du schon gewählt?*** *bei Essen*: have you decided yet?

wählen[2] *Telefon*: dial ['daɪəl]

wählen[3] **1.** (≈ *seine Stimme abgeben*) vote **2.** ***jemanden*** (*bzw.* ***eine Partei***) ***wählen*** vote for someone (*bzw.* for a party) **3.** ***sie wählten ihn zum Präsidenten*** they elected him President

Wähler(in) voter

wählerisch choosy ['tʃuːzɪ]

Wahlfach optional subject, *AE* elective

Wahlkampf election campaign [kæm'peɪn]

Wahllokal polling ['pəʊlɪŋ] station

wahlweise: ***es gibt wahlweise Eis oder Obst*** there's a choice of ice cream or fruit

Wahlwiederholung redial [ˌriː'daɪəl]

Wahnsinn 1. madness **2.** ***das ist der reinste Wahnsinn!*** *umg.* it's absolutely crazy **3.** ***ja Wahnsinn!*** *umg.* incredible [ɪn'kredəbl] **4.** ***jemanden zum Wahnsinn treiben*** *umg.* drive* someone mad (*oder* potty, *bes. AE* crazy)

wahnsinnig 1. mad; ***wahnsinnig werden*** go* mad (***vor*** with) **2.** ***es macht mich wahnsinnig*** it's driving me mad **3.** ***wahnsinnige Schmerzen*** *usw.* incredible pain (⚠ *Sg.*) *usw.* **4.** ***es ist wahnsin-***

W

nig heiß *usw.* it's incredibly hot *usw.* **5.** ***sie hat sich wahnsinnig gefreut*** she was really pleased

Wahnsinnige **1.** madwoman **2.** ***wie eine Wahnsinnige*** like a maniac ['meɪnɪæk]

Wahnsinniger **1.** madman ['mædmən], lunatic ['luːnətɪk] **2.** ***wie ein Wahnsinniger*** like a maniac ['meɪnɪæk]

Wahnsinnsidee *umg.* crazy idea

Wahnsinnspreis ridiculous price

wahr **1.** true [truː], (≈ *wirklich*) *auch*: real [rɪəl]; ***der wahre Grund*** the real reason; ***davon ist kein Wort wahr*** it's completely untrue; ***da hast du ein wahres Wort gesprochen*** *umg.* that's very true **2.** ***wahr werden*** come* true **3.** ***das darf doch nicht wahr sein!*** *umg.* I don't believe it **4.** ***nicht wahr?*** that's right, isn't it? **5.** ***so wahr ich hier stehe!*** *umg.* I swear it ['sweər‿ɪt]

während **1.** *vor Subst.*: during; ***während des Spiels*** during the match **2.** *vor Nebensatz*: while; ***während wir spielten*** while we were playing **3.** *bei Gegensatz*: whereas, while; ***er ging, während ich zu Hause blieb*** he went whereas I stayed at home

während	**while / during**
while + Verb	
while we were watching TV, while he fed the baby, while you work	
during + Substantiv	
during the programme, during school, during the night, during winter	

wahrhaben: ***sie wollte es nicht wahrhaben*** she refused to believe it

Wahrheit **1.** truth [truːθ]; ***die Wahrheit sagen*** tell* the truth **2.** ***er nimmts mit der Wahrheit nicht so genau*** he's not the most honest ['ɒnɪst] of persons

wahrnehmbar perceptible [pə'septəbl], noticeable ['nəʊtɪsəbl]

wahrsagen **1.** prophesy ['prɒfəsaɪ] (*die Zukunft usw.*) **2.** tell (people's) fortunes ['fɔːtʃənz]; ***jemandem wahrsagen*** tell* someone's fortune; ***er hat sich von ihr wahrsagen lassen*** he had his fortune told by her

Wahrsager(in) fortune-teller ['fɔːtʃənˌtelə]

währschaft Ⓒⓗ **1.** *Bauer usw.*, *Mensch*: hard-working, reliable **2.** *Essen*: hearty ['hɑːtɪ], substantial **3.** ***einen währschaften Hunger haben*** be* very hungry **4.** *Haus usw.*: (≈ *gediegen aussehend*) solidly built

wahrscheinlich **1.** probably ['prɒbəblɪ]; ***wahrscheinlich sind sie verreist*** they're probably away **2.** ***das ist sehr wahrscheinlich*** that's very likely

Wahrscheinlichkeit probability, likelihood; ***aller Wahrscheinlichkeit nach*** in all probability (*oder* likelihood)

Währung currency ['kʌrənsɪ]

Währung

Für einige **Währungen** gibt es umgangssprachliche Bezeichnungen, z. B.

nickel	(*USA und Kanada*) 5-Cent-Stück
dime	(*USA und Kanada*) 10-Cent-Stück
quarter	(*USA und Kanada*) 25-Cent-Stück
buck	*amerikanischer oder australischer* Dollar
quid	*britisches* Pfund

Währungsumstellung currency ['kʌrənsɪ] changeover (*oder* conversion)

Wahrzeichen symbol ['sɪmbl]

Waise orphan ['ɔːfn]

Waisenhaus orphanage ['ɔːfənɪdʒ]

Waisenkind orphan ['ɔːfn]

Wal whale [weɪl]

Wald **1.** woods (*Pl.*), wood **2.** *großer*: forest ['fɒrɪst] **3.** ***ich seh den Wald vor lauter Bäumen nicht*** I can't see the wood for the trees

Waldbrand forest fire

Waldgebiet wooded area, woodland

Waldhorn French horn; ***ich spiele Waldhorn*** I play (the) French horn

waldig wooded

Waldlehrpfad nature trail

Waldorfschule Rudolf Steiner school

Waldschäden *Pl.* forest damage (⚠ *Sg.*)

Waldsterben dying of forests

Wales Wales [weɪlz]; ☞ *Karte S. 245*

Walfang whaling ['weɪlɪŋ]

Waliser Welshman ['welʃmən]

Waliserin Welsh woman *bzw.* girl

walisisch, **Walisisch** Welsh

Walkman® Walkman® ['wɔːkmən] (⚠ *Pl.* Walkmans® ['wɔːkmənz]), personal stereo [ˌpɜːsnəl'sterɪəʊ]

Walkman®

Als Pluralform hört man auch **Walkmen** nach dem Muster **man** *Plural*: **men**.

W

Wall 1. (≈ *Damm*) dam, embankment **2.** *militärisch*: rampart ['ræmpɑːt] **3.** *übertragen* bulwark [⚠ 'bʊlwək]
Wallfahrer(in) pilgrim
Wallfahrt pilgrimage ['pɪlgrɪmɪdʒ]
Wallfahrtsort place of pilgrimage
Walnuss walnut ['wɔːlnʌt]
Walross walrus ['wɔːlrəs]
wälzen 1. (≈ *rollen*) roll **2. *sich wälzen*** roll **3. *sich wälzen*** *vor Schmerz*: writhe [⚠ raɪð] (***vor*** with) **4. *sich im Dreck wälzen*** wallow ['wɒləʊ] in the dirt **5. *sich im Bett wälzen*** toss and turn (in bed) **6. *Bücher wälzen*** pore over books **7. *die Schuld auf jemanden wälzen*** shift the blame onto someone
Walzer waltz [wɔːls]; ***Walzer tanzen*** dance the (*oder* a) waltz, waltz
Wampe *umg.* paunch [pɔːntʃ]
Wand 1. *allg.*: wall [wɔːl] **2.** *Wendungen*: ***in meinen eigenen vier Wänden*** within my own four walls; ***da redet man gegen eine Wand*** it's like talking to a brick wall
wandelnd: ***ein wandelndes Lexikon*** a walking encyclop(a)edia [ɪnˌsaɪklə'piːdɪə]
Wanderer, **Wanderin 1.** *allg.*: wanderer ['wɒndərə] **2.** *bes. sportlich*: hiker, rambler
wandern 1. walk, go* on a walk (*oder* hike); ***wir wandern gern*** we like walking, we like going on walks (*oder* hikes) **2.** (*Gedanken, Blick*) wander ['wɒndə] **3. *es ist in den Müll*** *usw.* ***gewandert*** it ended up in the dustbin (*oder AE* garbage can) *usw.*
Wanderpokal challenge ['tʃælɪndʒ] cup
Wanderstiefel hiking (*oder* walking) boots
Wanderung 1. walk, hike **2. *eine Wanderung machen*** go* on a walk (*oder* hike)
Wanderweg walking trail, hiking trail
Wandschrank built-in cupboard [⚠ ˌbɪlt-ɪn'kʌbəd], *AE* closet [⚠ 'klɒzɪt]
Wange cheek
wann when; ***seit wann ist sie da?*** since when (*oder* how long) has she been here?; ***bis wann bleibt ihr?*** when are you staying till?, how long are you staying?
Wanne (≈ *Badewanne*) bath [bɑːθ] tub; ***er sitzt in der Wanne*** he's in the bath
Wanze 1. *Insekt*: bug, *AE* bedbug **2.** (≈ *Abhörgerät*) bugging device, bug
Wappen coat of arms, arms (*Pl.*)
Ware 1. product ['prɒdʌkt] **2. *Waren*** goods
Warenhaus department store (⚠ warehouse = ***Lagerhaus***)
Warenzeichen trademark
warm 1. *allg.*: warm [wɔːm]; ***mir ist zu warm*** I'm too warm; ***sich warm anziehen*** dress warmly **2. *warm werden*** warm up, get* warm **3.** *Essen, Getränk*: hot; ***das Essen warm stellen*** keep* the food hot **4. *warm machen*** heat up (*Essen usw.*) **5. *ich kann mit ihr nicht warm werden*** I can't warm to her

> **warm halten**: ***du solltest ihn dir warm halten*** you should keep in with him
> **warm laufen**: ***sich warm laufen*** warm up, do* a warm-up run

Wärme 1. *allg.*: warmth **2.** *Physik*: heat
wärmen 1. warm up (*jemanden, die Hände usw.*) **2.** heat up (*Essen, Getränk*) **3. *sich wärmen*** warm up **4. *ich wärm mir die Füße*** I'm warming my feet
Wärmflasche hot-water bottle
warmherzig warm-hearted [ˌwɔːm'hɑːtɪd]
Warmluft warm air; ***subtropische Warmluft*** subtropical air
Warmmiete rent including heating
Warmstart *Computer*: warm start [ˌwɔːm-'stɑːt]
Warmwasserhahn warm-water tap (*AE auch* faucet ['fɔːsɪt])
Warndreieck warning triangle ['traɪæŋgl]
warnen 1. *allg.*: warn [wɔːn] (***vor*** about, of); ***ich warnte ihn davor, rauszugehen*** I warned him not to go out; ***ich warne dich*** I'm warning you; ***du bist gewarnt*** you've been warned **2. *kannst du mich rechtzeitig warnen?*** (≈ *Bescheid geben*) can you give me plenty of warning?
Warnung warning ['wɔːnɪŋ]; ***lass dir das eine Warnung sein*** let that be a warning to you
Warschau Warsaw ['wɔːsɔː]
Wartehäuschen shelter, *für Bus*: bus shelter
Warteliste waiting list; ***auf der Warteliste stehen*** be* on the waiting list
warten 1. *allg.*: wait (***auf*** for); ***ich warte schon seit einer Stunde*** I've been waiting for an hour; ***jemanden warten lassen*** keep* someone waiting; ***warte mal!*** wait a minute! **2. *das Essen wartet*** (***auf euch***) dinner's ready **3. *worauf wartest du noch?*** what are you waiting for? **4. *da kannst du lange warten*** you could be in for a long wait **5. *darauf hab ich schon lange gewartet*** I've been waiting for that to happen **6. *na warte!*** just you wait!
Wärter(in) 1. *allg.*: attendant [ə'tendənt] **2.** *im Gefängnis*: warder, *AE* guard [gɑːd]
Wartesaal, **Wartezimmer** waiting room
Wartung *einer Maschine usw.*: maintenance ['meɪntənəns], servicing
warum 1. why; ***warum (auch) nicht?*** why not? **2. *warum nicht gleich so?*** that's it!

Warze wart [wɔːt]

was[1] **1.** *allg.*: what; **2. *was?*** what? **3. *was für ein Auto ist das?*** what kind of car is that? **4. *was kostet das?*** how much is it? **5. *was weiß ich*** how should I know? **6. *das war toll, was?*** it was great, wasn't it?; ***es schmeckt gut, was?*** it tastes good, doesn't it? **7. *was, du kennst ihn nicht?*** what, you (mean you) don't know him? **8. *was musst du auch plappern!*** why do you have to blab?

was[2] **1. *du weißt, was ich meine*** you know what I mean (⚠ *ohne Komma*) **2. *alles, was er hat*** everything he's got (⚠ *ohne* what); ***das Beste, was ich kenne*** the best I know (⚠ *ohne* what) **3. *das, was du gelernt hast*** what you learnt (⚠ *ohne* that) **4. *was auch immer*** whatever

was[3] (≈ *etwas*) something; ***ich will dir mal was sagen*** let me tell you something

Waschbär raccoon, racoon [rəˈkuːn], *AE auch* coon

Waschbecken washbasin [ˈwɒʃˌbeɪsn]

Waschbrett *auch als Musikinstrument*: washboard [ˈwɒʃbɔːd]

Waschbrettbauch washboard stomach [⚠ ˌwɒʃbɔːdˈstʌmək], *umg.* washboard abs [ˈæbz] (⚠ *Pl.*), *umg.* six-pack

Waschbrettbauch

Manch einer, der sich im Fitnessstudio abmüht, träumt von einem Bauch, bei dem sich die Muskeln abzeichnen – dem Waschbrettbauch. Leicht ist dieses Ziel nicht zu erreichen, doch hier sind schon mal die verschiedenen Begriffe im Englischen: **washboard stomach, washboard belly, washboard abs** (**abs** steht für **abdominal muscles** = Bauchmuskeln) und **rippling abs**. Man sagt auch **six-pack** (eigentlich ein Sechserpack Getränke) dazu und spielt damit auf die dann sichtbaren sechs Bauchmuskeln an.

Wäsche 1. (≈ *Schmutzwäsche*) laundry [ˈlɔːndrɪ]; ***es ist in der Wäsche*** it's in the wash **2.** (≈ *Tisch-*, *Bettwäsche*) linen [⚠ ˈlɪnɪn] **3.** (≈ *Unterwäsche*) underwear [ˈʌndəweə]; ***die Wäsche wechseln*** change one's underwear **4. *da hat sie dumm aus der Wäsche geguckt*** *umg.* you should have seen her face

Wäscheklammer clothes [kləʊ(ð)z] peg (*AE* pin)

Wäscheleine clothes line; ***es hängt an der Wäscheleine*** it's hanging on the line

waschen 1. wash **2. *sich waschen*** wash, get* washed **3. *sie wäscht sich die Haare*** *usw.* she's washing her hair *usw.*

Wäscherei laundry [ˈlɔːndrɪ]

Wäscheständer clothes [kləʊ(ð)z] horse

Wäschetrockner tumble drier [ˈdraɪə]

Waschlappen 1. flannel [ˈflænl], *AE* washcloth [ˈwɒʃklɒθ] **2.** *umg.* (≈ *Weichling*) wimp

Waschmaschine washing machine

Waschmittel washing powder

Waschpulver washing powder

Waschraum washroom

Waschsalon launderette [ˌlɔːndəˈret], *AE* laundromat [ˈlɔːndrəmæt]

Wasser 1. water; ***unter Wasser stehen*** be* flooded **2. *ins Wasser fallen*** *übertragen* fall* through **3. *er kann ihr das Wasser nicht reichen*** he can't hold a candle to her

Wasserball *Sport*: water polo

Wässerchen: ***er sieht aus, als könne er kein Wässerchen trüben*** he looks as if butter wouldn't melt in his mouth

wasserdicht waterproof, *Schiff*, *Technik auch*: watertight

Wasserfall 1. waterfall **2. *wie ein Wasserfall reden*** talk ten to the dozen [ˈdʌzn]

Wasserfarbe water colour

wasserfest waterproof

Wasserhahn tap, *AE auch* faucet [ˈfɔːsɪt]

wässerig 1. watery **2. *du machst mir den Mund wässerig!*** you're making my mouth water!

Wasserkessel kettle

Wasserkraftwerk hydroelectric [ˈhaɪdrəʊɪˌlektrɪk] power plant

Wasserleitung water pipe, water pipes (*Pl.*)

Wassermann *Sternzeichen*: Aquarius [əˈkweərɪəs]; ***ich bin (ein) Wassermann*** I'm (an) Aquarius, I'm an Aquarian

Wassermelone water melon [ˈwɔːtəˌmelən]

Wasserpistole water pistol [ˈwɔːtəˌpɪstl]

Wasserratte 1. *sie ist eine Wasserratte* *umg.* she loves the water **2.** *Tier*: water rat

Wasserscheide watershed [ˈwɔːtəʃed], *AE* divide [dɪˈvaɪd]

wasserscheu scared of water

Wasserski 1. *Sport*: water-skiing [ˈwɔːtəˌskiːɪŋ] **2. *Wasserski fahren*** water-ski, go* water-skiing

Einige Wassersportarten

Gerätetauchen	**scuba diving** [ˈskuːbə]
Kanufahren	**canoeing** [kəˈnuːɪŋ]

Kunstspringen	**diving**
Rudern	**rowing**
Schnorcheln	**snorkelling**
Schwimmen	**swimming**
Surfen, Wellenreiten	**surfing**
Synchronschwimmen	**synchronized swimming**
Wasserball	**water polo**
Wasserskilaufen	**water skiing**
Wildwassersport	**white water canoeing** ['waɪtˌwɔːtəkə'nuːɪŋ]
Windsurfen	**windsurfing**

Wasserstand water level
Wasserstoff hydrogen ['haɪdrədʒən]
Wasserverbrauch water consumption
Wasserverschmutzung water pollution
Wasserwaage spirit level ['spɪrɪtˌlevl], *AE* level
Wasserzeichen watermark
waten wade
Watsche *bes.* Ⓐ *umg.* clip round the ear
watscheln waddle [⚠ 'wɒdl]
Watschen *bes.* Ⓐ; → ***Watsche***
watschen: ***jemanden watschen*** *bes.* Ⓐ slap someone's face
Watt[1] *elektrische Leistung*: watt [wɒt]; ***1000 Watt*** 1,000 watts̲
Watt[2] (≈ *Wattenmeer*) mud flats (⚠ *Pl.*)
Watte 1. cotton wool [ˌkɒtn'wʊl], *AE* cotton **2. *jemanden in Watte packen*** *übertragen* handle someone with kid gloves [glʌvz]
Wattestäbchen cotton bud, *AE* Q-tip® ['kjuːtɪp]
WC toilet ['tɔɪlət], *AE* bathroom, restroom
weben weave*
Website *im Internet*: website, site
Webstuhl loom
Wechsel 1. *allg.*: change **2.** (≈ *Stabwechsel*) baton ['bætn] change **3.** (≈ *Spielerwechsel*) substitution
Wechselautomat change dispenser
Wechselgeld change
wechselhaft change̲able ['tʃeɪndʒəbl]
Wechselkurs exchange rate, rate of exchange
wechseln 1. *allg.*: change **2. *das Zimmer*** (*bzw.* ***die Schule*** *usw.*) ***wechseln*** change rooms̲ (*bzw.* schools *usw.*) (⚠ *mit Pl. und ohne* the) **3. *die Wohnung wechseln*** move̲ house (⚠ *ohne* the) **4. *das Thema wechseln*** change the subject **5. *das Hemd*** *usw.* ***wechseln*** put* on a clean shirt *usw.* **6. *Geld wechseln*** *in andere Währung*: change some money, *in Kleingeld*: get* some change; ***kannst du wechseln?*** can you change this? **7. *Euro in Pfund wechseln*** change euros̲ into̲ pounds **8. *sie hat den Freund gewechselt*** she's got a new boyfriend
Wechselstrom alternating current ['ɔːltəneɪtɪŋˌkʌrənt] (*Abk.* AC)
Wechselstube bureau de change [ˌbjʊərəʊ‿də'ʃɒndʒ], currency exchange office, *kleiner*: exchange booth

> **Wechselstube**
>
> Beim Geldtausch in einer Wechselstube sollte man beachten, dass meistens eine saftige Gebühr verlangt wird. Günstiger ist es auf einer Bank bzw. noch besser vom Geldautomaten mit einer EC-Karte.

Weckdienst *in Hotel*: alarm call service, wake-up service
wecken wake* (up)
Wecken *bes.* Ⓐ **1.** (≈ *längliches Brot*) loaf *Pl.*: loaves [ləʊvz] **2.** (≈ *kleines längliches Gebäck*) *etwa*: Viennese roll [ˌviːəniːz'rəʊl]
Wecker 1. alarm clock **2. *er geht mir auf den Wecker*** *umg.* he gets on my wick, *AE* he's a pain in the ass
Weckruf alarm call, wake-up call
wedeln 1. *der Hund wedelte mit dem Schwanz* the dog wagged its̲ tail **2.** *Skisport*: wedel ['veɪdl], do* parallel turns
weder 1. *weder … noch …* neither … nor …; ***er kann weder Englisch noch Französisch*** he speaks neither English nor French, he doesn't speak either English or French **2. *weder noch*** *als Antwort auf Frage*: neither(, I'm afraid)
Weg 1. *allg.*: way (*auch Richtung und übertragen*); ***es ist ein langer Weg*** it's a long way; ***auf dem Weg sein*** be* on the way; ***ich muss mich auf den Weg machen*** I must be on my̲ way; ***jemanden nach dem Weg fragen*** ask someone the way; ***im Weg sein*** be* in the way; ***geh mir aus dem Weg!*** get out of my way! **2.** (≈ *Pfad*) path [pɑːθ] **3.** *befahrbarer*: road **4.** *Wendungen*: ***jemandem über den Weg laufen*** bump into someone; ***er geht mir aus dem Weg*** he's trying to avoid me; ***ich trau ihm nicht über den Weg*** I don't trust him an inch
weg 1. (≈ *nicht mehr da*) gone [gɒn]; ***meine Schuhe sind weg*** my shoes have gone; ***er ist schon weg*** he's already gone (*oder* left) **2. *nichts wie weg!*** let's get out of here! **3. *Hände*** (*oder* ***Finger***) ***weg!*** hands

W

off! **4. *weit weg*** a long way away **5. *sie war ganz weg*** (≈ *begeistert*) she was tickled pink **6. *er ist weg*** *umg.* (≈ *weggetreten*) he's away with the fairies, *nach Alkohol usw.*: he's out for the count **7. *ich bin darüber weg*** I've got (*oder* I'm) over it

wegbleiben stay away

wegbringen take* away

wegdürfen: ***ich darf nicht weg*** I'm not allowed out

wegen 1. because of **2. *von wegen!*** *umg.* you must be joking!

wegfahren 1. (*Auto*) drive* off **2.** (*Person*) leave* **3.** *in Urlaub usw.*: go* away

wegfressen: ***er hat mir alles weggefressen*** *umg.* he's scoffed everything up

weggeben give* away

weggehen 1. *allg.*: go* away **2. *der Fleck geht nicht weg*** the stain won't come out

weggetreten *umg.* away with the fairies

weggucken look away

weghaben 1. *er hat einen weg* *umg.* (≈ *ist betrunken*) he's had one too many **2. *er hat einen (Knacks) weg*** *umg.* he's a bit screwy

weghören 1. try not to listen **2. *könnt ihr mal weghören?*** could you shut your ears for a minute?

wegjagen chase away

wegkommen 1. get* away **2. *gut*** (*bzw.* ***schlecht***) ***wegkommen*** *übertragen* come* off well (*bzw.* badly) **3. *mach, dass du wegkommst!*** *umg.* get out of here!

wegkriegen 1. get* rid of (*Fleck usw.*) **2. *eine Grippe*** *usw.* ***wegkriegen*** (≈ *bekommen*) get* <u>the</u> flu *usw.*

weglassen leave* out

weglaufen run* away

weglegen put* *something* aside

wegmachen 1. (≈ *entfernen*) remove [rɪ'muːv] **2.** get* rid of (*auch Baby*) **3. *sich wegmachen*** *umg.* clear off

wegmüssen: ***ich muss weg*** I've got to go

wegnehmen take* away

wegräumen clear away

wegrennen run* away

wegschicken send* away

wegschließen lock *something* away

wegschmeißen throw* away

wegschnappen 1. *jemandem etwas wegschnappen* snatch something away from someone **2. *sie hat mir den Freund weggeschnappt*** she pinched my boyfriend

wegschütten pour away [ˌpɔːr‿ə'weɪ]

wegsehen look away

wegstecken 1. put* away **2. *sie kann einiges wegstecken*** *umg.* she can take a lot

wegtun put* away

Wegweiser signpost ['saɪnpəʊst], (road) sign

wegwerfen throw* away

Wegwerfflasche non-returnable bottle

Wegwerfgesellschaft throwaway society

wegziehen 1. (≈ *umziehen*) move [muːv], leave* **2. *etwas wegziehen*** pull something away

wehe: ***wehe dir, wenn du es ihm sagst!*** if you tell him you'll be sorry!

wehen 1. (*Wind*) blow*; ***es weht ein kalter Wind*** there's a cold wind blowing **2.** (*Fahne*) flutter

Wehen *vor Geburt*: labour pains

wehleidig 1. self-pitying **2. *sei nicht so wehleidig!*** stop feeling so sorry for yourself

wehmütig 1. melancholy ['melənkəlɪ], (≈ *sehnsüchtig*) wistful **2. *wehmütig an etwas zurückdenken*** have* wistful memories <u>of</u> something, remember something with nostalgia [nɒ'stældʒə]

Wehr *in Fluss usw.*: weir [wɪə], dam

Wehrdienst military ['mɪlɪtrɪ] service

Wehrdienstverweigerer conscientious objector [⚠ kɒnʃɪˌenʃəs‿əb'dʒektə]

wehren 1. *sich wehren* defend oneself (***gegen*** against) **2. *sich mit Händen und Füßen wehren*** put* up a real struggle

wehrlos defenceless

Wehrpflicht: ***die Wehrpflicht*** compulsory [kəm'pʌlsrɪ] military service

wehrpflichtig liable for military service

wehtun 1. *es tut weh* it hurts; ***mir tut der Fuß weh*** <u>my</u> foot hurts **2. *ich hab mir wehgetan*** I've hurt myself **3. *du tust mir weh!*** you're hurting me!

Wehwehchen: ***sie rennt wegen jedem Wehwehchen zum Arzt*** she runs to the doctor <u>for</u> every little thing

Weib woman ['wʊmən] *Pl.*: women ['wɪmɪn]

Weibchen *Tier*: female ['fiːmeɪl]; ***es ist ein Weibchen*** it's a she

Weibergeschichten *eines Mannes*: amorous affairs [ˌæmərəs‿ə'feəz]

Weiberheld lady-killer

weibisch effeminate [ɪ'femɪnət]

weiblich 1. *allg.*: female ['fiːmeɪl] **2.** *Grammatik*: feminine ['femənɪn]

weich 1. *allg.*: soft **2.** *Ei*: soft-boiled **3. *weich werden*** (≈ *nachgeben*) give* in **4. *mir wurden die Knie ganz weich*** I went all weak in the knees

Weiche 1. *einer Gleisanlage*: points *Pl.*, *AE* switch **2. *die Weichen stellen*** *übertragen* set* the course [kɔːs] (***für*** for)

Weichkäse 1. *allg.*: soft cheese **2.** (≈ *Streichkäse*) cheese spread ['tʃiːzˌspred]
weichlich *Person*: soft, weak
Weichling *abwertend* weakling, *umg.* softie, sissy
Weide[1] *Grasfläche*: meadow ['medəʊ]
Weide[2] *Baum*: willow
weigern: ***sich weigern*** refuse [rɪ'fjuːz]
Weiher pond
Weihnachten Christmas [⚠ 'krɪsməs]; ***frohe Weihnachten!*** merry Christmas!; ***an*** (*oder* ***zu***) ***Weihnachten*** at (*oder* over) Christmas; ***was möchtest du zu Weihnachten?*** what would you like for Christmas?
weihnachtlich *Atmosphäre usw.*: Christmassy [⚠ 'krɪsməsɪ]
Weihnachtsbaum Christmas tree ['krɪsməs‿triː]
Weihnachtsfeier Christmas party
Weihnachtsferien Christmas holidays (⚠ *Pl.*), *AE* Christmas vacation [veɪ'keɪʃn]
Weihnachtsgeschenk Christmas present ['krɪsməsˌpreznt]
Weihnachtskarte Christmas card ['krɪsməs‿kɑːd]
Weihnachtslied Christmas carol ['krɪsməsˌkærəl]
Weihnachtsmann: ***der Weihnachtsmann*** Father Christmas [⚠ 'krɪsməs], Santa Claus ['sæntə‿klɔːz]
Weihnachtsmarkt Christmas fair [ˌkrɪsməs'feə]

Weihnachtsmann

In den englischsprachigen Ländern kommt der Weihnachtsmann in der Nacht vom 24. zum 25. Dezember, sodass man seine Geschenke erst am 1. Weihnachtstag erhält.

Weihnachtstag 1. ***der erste Weihnachtstag*** Christmas Day [ˌkrɪsməs'deɪ] **2.** ***der zweite Weihnachtstag*** Boxing Day ['bɒksɪŋ‿deɪ], *AE* the day after Christmas
Weihrauch incense ['ɪnsens]; *in der Bibel*: frankincense ['fræŋkɪnˌsens]
weil because [bɪ'kɒz] (⚠ while = ***während***)
Weilchen: ***es dauert noch ein Weilchen*** it'll take a little while (yet)
Weile 1. while; ***eine Weile*** for a while; ***vor einer Weile*** a while ago **2.** ***es kann noch eine Weile dauern*** it could take some time
Wein wine; ***ein Glas Wein*** a glass of wine
Weinberg vineyard [⚠ 'vɪnjəd]
weinen 1. cry **2.** ***er hat sie zum Weinen gebracht*** he made her cry
weinerlich *Kind, Stimme usw.*: whining
Weingummi wine gum
Weinhauer(in) Ⓐ (≈ *Winzer*) wine grower, vintner ['vɪntnə]
Weinkeller wine cellar ['waɪnˌselə]
Weintrauben grapes
weise wise
Weise 1. ***auf diese Weise*** this way **2.** ***in gewisser Weise*** in a way **3.** ***in keinster Weise!*** *umg.* no way!
weisen: ***weisen auf*** point to
Weise(r) wise man
Weisheit 1. wisdom ['wɪzdəm]; ***ich bin mit meiner Weisheit am Ende*** I'm at my wits' end **2.** (≈ *Spruch*) saying
Weisheitszahn wisdom ['wɪzdəm] tooth
weismachen: ***willst du mir weismachen, dass …?*** are you trying to tell me (that) …?
weiß 1. *allg.*: white **2.** ***er wurde ganz weiß*** he turned white as a sheet **3.** ***das Weiße vom Ei*** the white of an egg **4.** ***das Weiße im Auge*** the whites of one's eyes
weissagen prophesy ['prɒfəsaɪ], foretell [fɔː'tel]
Weißbier weissbier, wheat beer
weißblond *Haar*: ash-blond(e)
Weißbrot 1. white bread [bred] **2.** ***ein Weißbrot*** a white loaf
Weiße(r) white, white man (*bzw.* boy), *Frau*: white, white woman (*oder* lady *bzw.* girl); ***die Weißen*** the whites
weißen 1. *allg.*: paint white **2.** (≈ *tünchen*) whitewash (*Wände*)
weißhaarig white-haired
Weißrussland Belarus [ˌbelə'ruːs]
Weißwein white wine
Weißwurst veal sausage ['sɒsɪdʒ]
weit 1. far; ***weit weg*** far away **2.** ***ich sah ihn von weitem kommen*** I could see him coming in the distance **3.** ***fünf Meter weit springen*** jump five metres **4.** ***ein weiter Weg*** a long way **5.** *Kleid usw.*: wide, loose [luːs] **6.** ***weit offen*** wide open **7.** ***so weit, so gut*** so far so good **8.** ***das geht zu weit*** that's going too far **9.** ***die große weite Welt*** the big wide world **10.** ***es war weit und breit keiner zu sehen*** there was nobody in sight **11.** ***er ist bei weitem der Beste*** he's by far the best **12.** ***wie weit bist du?*** how far have you got? **13.** ***ich bin so weit*** I'm ready **14.** ***weit gefehlt!*** far from it

weit gereist widely-travelled
weit verbreitet widespread ['waɪdspred]

weitaus: ***weitaus besser*** *usw.* far (*oder* much) better *usw.*; ***die weitaus schlimmsten*** *usw.* the worst *usw.* by far

Weite 1. *allg.*: width [wɪdθ] **2.** (≈ *Durchmesser*) diameter [daɪ'æmɪtə]

weiter 1. *weiter!* (≈ *weitermachen!*) go on!, (≈ *weitergehen!*) keep moving! **2. *es ging immer weiter*** it just went on and on **3. *und so weiter*** and so on **4. *weiter nichts?*** is that all?; ***wenns weiter nichts ist*** if that's all **5. *ein weiteres Problem*** *usw.* another problem *usw.*; → ***Weitere(s)***

weiterarbeiten carry on (working)

Weiterbildung 1. *allg.*: further education **2.** *berufliche*: further training

weiterbringen: ***das bringt uns nicht weiter*** that doesn't help us at all

Weitere(s) 1. *allg.*: ***das*** (*oder* ***alles***) ***Weitere*** the rest, further information *usw.*; ***alles Weitere später*** I'll tell you the rest later **2. *bis auf weiteres*** for the time being, *offiziell*: until further notice **3. *ohne weiteres*** without further ado [ə'duː], *umg.* just like that; ***das kann ich ohne weiteres machen*** I can do that 'no problem

weitererzählen: ***nicht weitererzählen!*** don't tell anyone!

weiterfahren go* on, drive* on (***nach*** to; ***bis*** as far as)

weitergeben pass on

weitergehen 1. go* on, walk on **2. *weitergehen!*** keep moving! **3. *wie soll es weitergehen?*** where do we go from here?

weiterhelfen: ***jemandem weiterhelfen*** help someone (along)

weiterkämpfen continue fighting, fight* on (*beide auch übertragen*)

weiterkommen get* ahead; ***ich komm nicht weiter*** I'm not getting anywhere

weiterleiten 1. *allg.*: pass *something* on (***an*** to) **2.** forward (*Brief usw.*) (***an*** to) **3.** refer (*Antrag usw.*)

weiterlesen carry on reading; ***lies weiter!*** go on!

weitermachen 1. carry on (***mit*** with) **2. *mach nur so weiter!*** see where it gets you

weiters Ⓐ (≈ *ferner, weiterhin*) furthermore

weitersagen 1. pass on **2. *nicht weitersagen!*** don't tell anyone!

weiterschlafen sleep* on (***bis*** till)

weitersehen: ***dann sehen wir weiter*** and we'll take it from there

weiterverarbeiten process ['prəʊses]

weiterwissen: ***ich weiß nicht mehr weiter*** I don't know what to do (now)

weiterwollen: ***sie wollte nicht weiter*** she didn't want to go on

weiterwursteln *umg.* muddle on

weither: **(*von*) *weither*** from far away, *förmlich* from afar [ə'fɑː]

weitsichtig 1. *Augendefekt*: longsighted, *bes. AE* farsighted **2.** *übertragen* (≈ *vorausschauend*) farsighted

Weitspringer(in) long jumper, *AE* broad jumper

Weitsprung long jump, *AE* broad jump

Weitwinkel(objektiv) wide-angle lens ['waɪd,æŋgl,lenz]

Weizen wheat [wiːt]

Weizenbier wheat beer, weissbier

welch 1. (≈ *was für*) what; ***welche Farbe?*** what colour?; ***welch ein Anblick*** *usw.!* what a sight *usw.!* **2.** *auswählend*: which; ***welchen Mann meinst du?*** which man do you mean?; ***welchen hättest du gern?*** which one would you like? **3. *ich hab welches*** I've got some; ***hast du welches?*** have you got any? (⚠ *in Fragen* any)

welken (*Blume*) wilt

Wellblech corrugated iron [,kɒrʊgeɪtɪd-'aɪən]

Welle 1. *allg.*: wave **2.** *im Stadion*: Mexican wave **3. *wir haben grüne*** (*bzw.* ***rote***) ***Welle*** we've caught the green (*bzw.* red) phase

wellen: ***mein Haar wellt sich*** my hair's gone wavy

Wellenbad wave pool

Wellenlänge wavelength; ***wir haben die gleiche Wellenlänge*** we're on the same wavelength

Wellenlinie wavy line

Wellensittich budgerigar ['bʌdʒərɪgɑː], *umg.* budgie ['bʌdʒɪ]

wellig wavy

Welpe puppy

Welt 1. *allg.*: world; ***auf der Welt*** in the world; ***die schönste Frau der Welt*** the most beautiful woman in the world **2. *auf die Welt kommen*** be* born **3. *er ist in der Welt herumgekommen*** he's been around **4. *er wohnt am Ende der Welt*** he lives at the back of beyond **5. *nicht um alles in der Welt!*** not on your life! **6. *es kostet doch nicht die Welt*** it won't break the bank

Weltall universe ['juːnɪvɜːs]; ***das Weltall*** *auch*: space (⚠ *ohne* the)

Weltanschauung philosophy (of life), outlook on life, world view

Weltausstellung world exhibition

weltbekannt, weltberühmt world-famous

weltbewegend: ***es war nichts Weltbe-***

wegendes it was nothing to write home about
weltfremd *Ansichten usw.*: out-of-touch ..., out of touch (⚠ *Letzteres nur hinter dem Verb*), unworldly, naive [naɪ'iːv]; *Gelehrter usw.*: *auch* ivory-tower ...
Weltfriede(n) world peace
Weltkarte map of the world
Weltklasse: ***sie gehören zur Weltklasse*** they're world class players *usw.*
Weltkrieg 1. world war **2.** ***der Zweite Weltkrieg*** World War II (*gesprochen* World War Two), the Second World War
weltlich 1. *Freuden usw.*: (≈ *irdisch, sinnlich*) worldly **2.** (↔ *geistlich*) secular ['sekjʊlə]
Weltmacht superpower, world power
Weltmeister(in) world champion; ***sie ist Weltmeisterin im Fechten*** she's the world fencing champion
Weltmeisterschaft 1. *allg.*: world championship, world championships (*Pl.*) **2.** *Fußball*: World Cup
Weltraum: ***der Weltraum*** (outer) space (⚠ *ohne* the)
Weltraummüll space debris ['speɪsˌdebriː, *AE* 'speɪs‿dəˌbriː], space junk
Weltreich (world) empire ['empaɪə]
Weltreise round-the-world trip; ***eine Weltreise machen*** go* on a round-the--world trip
Weltrekord world record ['rekɔːd]
Weltrekordler(in) world record holder
Weltsprache world language
weltumspannend global ['gləʊbl], worldwide
Weltuntergang end of the world
weltweit worldwide, global ['gləʊbl]
Weltwunder: ***die sieben Weltwunder*** the Seven Wonders ['wʌndəz] of the World
Weltzeit Greenwich [⚠ 'grenɪtʃ] Mean Time

Weltzeit

Im Londoner Stadtbezirk Greenwich befindet sich das **Royal Greenwich Observatory**. Durch diese 1675 gegründete Sternwarte geht der Nullmeridian, eine gedachte Linie, die senkrecht zum Äquator verläuft und Ausgangsbasis für die Längeneinteilung der Erde ist.

wem → ***wer***[1]
wen → ***wer***[1], ***wer***[3]
Wende 1. (≈ *Wendepunkt*) turning point **2.** ***die Wende*** the fall of Communism in Eastern Europe, *im engeren Sinn*: the opening of the Berlin Wall [ˌbɜːlɪn'wɔːl]
Wendekreis 1. *Auto*: turning circle **2.** *Breitengrad*: tropic
Wendeltreppe spiral ['spaɪrəl] staircase
wenden[1] **1.** *allg.*: turn **2.** turn over (*Seite, Laken usw.*); ***bitte wenden!*** PTO (*Abk. für* **p**lease **t**urn **o**ver) **3.** *mit Auto usw.*: turn round, *um 180°*: make a U-turn ['juːtɜːn]
wenden[2]: ***an wen soll ich mich wenden?*** who should I ask (*oder* get in touch with)?
wendig 1. *Person*: agile ['ædʒaɪl] **2.** *Auto usw.*: manoeuvrable [mə'nuːvrəbl], *AE* maneuverable [mə'nuːvərəbl], agile
Wendung (≈ *Redewendung*) expression
wenig 1. little (⚠ ***weniger*** less, ***wenigst-*** least), not much; ***wir haben wenig Zeit*** (*bzw.* ***Chancen*** *usw.*) we haven't got much time (*bzw.* chance *Sg. usw.*) **2.** ***zu wenig*** not enough [ɪ'nʌf] **3.** ***wenige*** few, not many; ***nur wenige sind gekommen*** not many (people) came, only a few (people) came **4.** ***ein wenig*** a little **5.** ***nur ein wenig Zucker*** just a little sugar **6.** ***mit weniger auskommen*** get* by on less **7.** ***du wirst immer weniger*** *humorvoll* you 're fading away
wenigstens at least; ***du hättest wenigstens was sagen können*** you could at least have said something; ***glaube ich wenigstens*** at least I think so
wenn 1. (≈ *falls*) if; ***wenn er fragt, sag nichts*** if he asks don't say anything; ***wenn du meinst*** if you say so **2.** *zeitlich*: when; ***wenn du zurück bist, ruf mich an*** when you're back give me a ring **3.** ***immer wenn*** whenever, every time **4.** ***und wenn schon*** so what

wenn — when / if

wenn = when

Es steht fest, oder es wird als sicher angenommen, dass etwas geschehen wird:

when I die ...
when you get here ...

wenn, falls = if

Es ist nicht sicher, ob etwas geschehen wird:

if you decide to go ...
if he rings ...

Wenn: ***ohne Wenn und Aber!*** no ifs and buts!
wer[1] *in Fragen* **1.** who; ***wer war das?*** who was that? **2.** (≈ *welcher?*) which (one); ***wer von euch?*** which of you? **3. *wen meinst***

du? who do you mean? **4.** ***an wen hast du es geschickt?*** who did you send it to? **5.** ***wem hast dus gegeben?*** who did you give it to?; ***wem hat ers gesagt?*** who did he tell? **6.** ***von wem hast du das?*** who gave you that? **7.** ***von wem redest du?*** who are you talking about?

wer[2] **1.** ***ich weiß nicht, wer das ist*** I don't know who it is **2.** ***wer so was glaubt, ist dumm*** anyone who believes that is stupid

wer[3] *umg.* (≈ *jemand*) **1.** somebody ['sʌmbədɪ], someone; ***da ist wer für dich*** there's somebody to see you **2.** *in Fragen*: anybody ['enɪˌbɒdɪ], anyone; ***hast du wen gesehen?*** did you see anybody? **3.** ***sie ist wer*** she's not just anybody

Werbefernsehen TV commercials (⚠ *Pl.*)

werben 1. advertise ['ædvətaɪz] **2.** ***sie werben für Käse*** they're advertising cheese

Werbespot *Radio*, *TV*: commercial [kə'mɜːʃl], *umg. auch* promo ['prəuməu]

Werbung 1. advertising ['ædvətaɪzɪŋ] **2.** *im Fernsehen usw.*: commercials (⚠ *Pl.*) **3.** *im Internet*: banner ad, banner ads (*Pl.*) **4.** ***das ist eine gute Werbung für …*** *übertragen* that's good publicity for … (⚠ *ohne* a)

werden[1] **1.** *allg.*: get*; ***alt*** (*bzw.* ***müde, reich*** *usw.*) ***werden*** get* old (*bzw.* tired, rich *usw.*); ***es wird immer schlimmer*** *usw.* it's getting worse and worse *usw.* **2.** ***blind*** (*bzw.* ***grau, verrückt*** *usw.*) ***werden*** go* blind (*bzw.* grey, mad *usw.*) **3.** ***sie wurde Erste*** she came (in) first **4.** ***mir wird kalt*** I feel cold; ***mir wird schlecht*** I feel sick, I'm going to be sick **5.** ***was willst du werden?*** what do you want to be? (⚠ *nicht* become); ***er wird Lehrer*** he's going to be a teacher **6.** ***ich werde 15*** I'll be 15 in May *bzw.* August *usw.* (⚠ *meistens wird das aktuelle Alter angegeben, also* I'm 14 *usw.*) **7.** ***das wird doch nichts!*** that's not going to work

werden[2] **1.** *allgemeine Vorhersage*: 'll (*Abk. für* will); ***es wird schon klappen*** it'll work out; ***er wird uns fahren*** he'll drive us **2.** *in der Verneinung*: ***er wird nicht da sein*** he won't be there **3.** *bei spontaner Entscheidung*: 'll (*Abk. für* will); ***ich werde kommen*** I'll come; ***wir werden warten*** we'll wait **4.** *in der Verneinung*: ***ich werde nichts essen*** I won't eat anything **5.** *bei feststehendem Entschluss*: going to; ***wir werden siegen!*** we're going to win!; ***er wird uns abholen*** he's going to pick us up

werden[3] **1.** ***wir werden dafür bezahlt*** we're paid for it; ***er wird geprüft*** *jetzt gerade*: he's being tested **2.** ***es wird jeden Tag geduscht*** we (*bzw.* they) have a shower every day

werfen 1. throw* (***nach*** at) **2.** ***sie haben mit Steinen nach uns geworfen*** they threw stones at us **3.** ***sie werfen mit Geld um sich*** they throw their money about

Werft 1. *für Schiffe*: shipyard **2.** *für Flugzeuge*: hangar [⚠ 'hæŋə]

Werk (≈ *Kunstwerk, Buch usw.*) work

werkeln *umg.* potter about (***an*** with)

Werkstatt 1. *allg.*: workshop, *für Reparaturen auch*: repair shop **2.** (≈ *Autowerkstatt*) garage ['gærɑːʒ, *bes. AE* gə'rɑːʒ]

Werktag working day, *bes. AE* workday

werktags on weekdays, during the week

Werkzeug 1. tool **2.** ***mein Werkzeug*** *insgesamt*: my tools (⚠ *Pl.*)

Werkzeugkasten toolbox

Wermut 1. *Wein*: vermouth ['vɜːməθ, *bes. AE* vɜː'muːθ] **2.** *Pflanze*: wormwood ['wɜːmwʊd]

Wert 1. value ['væljuː] **2.** ***Schuhe im Wert von 1000 Euro*** 1000 euros worth of shoes **3.** ***das hat keinen Wert*** (≈ *Sinn*) that's pointless

wert 1. ***es ist etwa 50 Euro wert*** it's worth about 50 euros; ***es ist nicht viel wert*** it isn't worth much; ***es ist viel wert*** it's worth a lot, it's very valuable [⚠ 'væljʊbl] **2.** ***das ist nichts wert*** it's worthless

…wert *in Zusammensetzungen, nur im positiven Sinn*: worth …; ***besuchenswert*** worth visiting; ***lesenswert*** worth reading

wertlos 1. worthless ['wɜːθləs] **2.** (≈ *nutzlos*) useless [⚠ 'juːsləs]

Wertpaket insured package

Wertsachen valuables [⚠ 'væljʊblz]

Wertstoffhof *für Sondermüll*: recycling [ˌriː'saɪklɪŋ] centre (*AE* center)

Wertung 1. (≈ *Bewertung*) assessment [ə'sesmənt], evaluation [ɪˌvæljʊ'eɪʃn] **2.** (≈ *Beurteilung*) judg(e)ment ['dʒʌdʒmənt] **3.** (≈ *Güteklassifizierung*) rating **4.** *Sport*: (≈ *Punktezahl*) score, points (*Pl.*), (≈ *Wettbewerb*) competition [ˌkɒmpə'tɪʃn]

wertvoll valuable [⚠ 'væljʊbl]

Wertzuwachs 1. *allg.*: increase in value [ˌɪŋkriːs‿ɪn'væljuː] **2.** *von Kapital*: appreciation [əˌpriːʃɪ'eɪʃn]

Werwolf werewolf [⚠ 'weəwʊlf]

wesentlich 1. ***das ist ein wesentlicher Unterschied*** that's a big difference **2.** ***nichts Wesentliches*** nothing important

weshalb 1. (≈ *warum*) why **2.** ***…, weshalb er dann auch zustimmte*** which is why he finally agreed

Wespe wasp ['wɒsp]

Wespenstich wasp ['wɒsp] sting

Wespentaille wasp ['wɒsp] waist
wessen *Person*: whose [huːz]; ***wessen Geld ist das?*** whose money is this?
Wessi *salopp* Westerner, West German, Wessi
West **1.** west; ***aus West*** from the west; ***München West*** West Munich **2.** ***nach West*** west, westwards ['westwədz]
westdeutsch, **Westdeutsche(r)** **1.** *geographisch*: Western German **2.** *politisch*: West German; ☞ ***Nationalitäten***
Westdeutschland **1.** *als Landesteil*: Western Germany **2.** *politisch*: West Germany
Weste waistcoat [⚠ 'weɪskəʊt], *AE* vest (⚠ *BE* vest, *AE* undershirt = ***Unterhemd***)
Westen **1.** *Himmelsrichtung*: west; ***von Westen*** from the west **2.** *Landesteil*: West **3.** ***nach Westen*** west, westwards ['westwədz], *Verkehr usw.*: westbound **4.** ***der Wilde Westen*** the Wild West
Westentasche: ***er kennt es wie seine Westentasche*** *übertragen* he knows it like the back of his hand
Westeuropa West (*oder* Western) Europe ['jʊərəp]
Westeuropäer(in) West(ern) European; ☞ ***Nationalitäten***
westeuropäisch West(ern) European
Westfalen Westphalia [west'feɪlɪə]
westlich **1.** *allg.*: western (⚠ *nur vor dem Subst.*) **2.** *Wind*, *Richtung*: westerly **3.** ***in westlicher Richtung*** west, westwards ['westwədz], *Verkehr usw.*: westbound **4.** ***westlich von*** (to the) west of **5.** ***weiter westlich*** further (to the) west
westlichste(r, -s): ***der westlichste Punkt von Irland*** Ireland's westernmost point
westwärts west, westwards ['westwədz]
Westwind west(erly) wind
Wettbewerb competition [ˌkɒmpə'tɪʃn]
wettbewerbsfähig competitive [kəm'petətɪv]
Wette **1.** bet; ***eine Wette abschließen*** make* a bet **2.** ***die Wette gilt!*** you're on! **3.** ***wir sind um die Wette gerannt*** we raced each other, we had a race
wetten bet* (***auf*** on); ***ich hab mit ihm gewettet, dass …*** I bet him that …; ***was wettest du?*** how much do you (want to) bet?; ***ich wette*** (***mit dir um***) ***50 Euro*** I'll bet you 50 euros; ***ich wette, es regnet*** I bet it's going to rain; ***wetten, dass?*** wanna ['wɒnə] bet?
Wetter weather ['weðə]; ***bei diesem Wetter*** in this sort of weather; ***bei gutem Wetter gehen wir*** we'll go if the weather's good

Wetter

Zum Wetter sollte man sich in Großbritannien stets äußern können, denn es ist und bleibt das Thema Nr. 1. Hier einige nützliche Phrasen:

Isn't it a nice day? / Nice day, isn't it?
Schönes Wetter, nicht wahr?

What a lovely/beautiful day!
Tolles Wetter, nicht wahr?

Terrible/Awful/Dreadful weather, isn't it?
Scheußliches Wetter, nicht wahr?

Wetteraussichten weather outlook (⚠ *Sg.*)
Wetterbericht weather report
Wetterfrosch *umg.*; *Person*: weatherman
Wetterkarte weather map
Wettervorhersage weather forecast
Wettkampf contest ['kɒntest] (***gegen*** against; ***um*** for)
Wettlauf **1.** race **2.** ***ein Wettlauf mit der Zeit*** a race against the clock
wettmachen make* up for (***durch*** with, by)
Wettrennen race
Wettstreit **1.** contest ['kɒntest] (***um*** for) **2.** (≈ *Wettbewerb*) competition
wetzen **1.** sharpen (*Messer usw.*) **2.** (≈ *schleifen*) grind* [graɪnd] **3.** (*Vogel*) scratch, rub (*Schnabel*)
Whisky *schottischer*: whisky ['wɪskɪ], *irischer*, *amerikanischer*: whiskey ['wɪskɪ]
wichsen **1.** *vulgär* (≈ *onanieren*) (have* a) wank [wæŋk], *bes. AE* jerk off **2.** (≈ *polieren*) polish ['pɒlɪʃ]
Wichser *vulgär*, *auch Schimpfwort*: wanker
wichtig **1.** important [ɪm'pɔːtnt]; ***es ist mir sehr wichtig*** it's very important to me **2.** ***sich*** (*bzw.* ***etwas***) ***sehr wichtig nehmen*** take* oneself (*bzw.* something) very seriously **3.** ***sie macht sich gern wichtig*** she likes to think she's somebody special **4.** ***hast du nichts Wichtigeres zu tun*** (***, als es allen zu sagen***)***?*** haven't you got anything better to do (than tell everybody)?
Wichtigkeit importance [ɪm'pɔːtns]
Wichtigtuer(in) pompous ass [ˌpɒmpəs'æs]
wickeln **1.** wind* [waɪnd] (*Schnur usw.*) (***um*** round) **2.** wrap [⚠ ræp] (*Papier*, *Schal*, *Decke*); ***einen Schal um den Hals wickeln*** wrap a scarf round one's neck **3.** ***sich in eine Decke wickeln*** wrap oneself up in a blanket **4.** ***ein Baby wickeln***

change a baby's nappy (*bzw. AE* diaper ['daɪəpə])
Wickler (≈ *Lockenwickler*) curler
Widder 1. *Tier*: ram **2.** *Sternzeichen*: Aries ['eəriːz]; ***ich bin (ein) Widder*** I'm (an) Aries
wider: ***sie hat es wider Willen getan*** she did it against her will
Widerhaken 1. *allg.*: barbed hook **2.** *an Pfeil usw.*: barb
widerlich revolting, sickening
Widerling *umg.* creep
widerrufen 1. *allg.*: (≈ *zurücknehmen*) withdraw* **2.** cancel ['kænsl] (*Auftrag, Vertrag, Befehl*) **3.** retract (*Äußerung*) **4.** *gesetzlich*: annul [ə'nʌl]
widerspiegeln *auch übertragen* **1.** reflect **2.** ***sich widerspiegeln*** be* reflected
widersprechen contradict [ˌkɒntrə'dɪkt]; ***jemandem*** (*bzw.* ***sich***) ***widersprechen*** contradict someone (*bzw.* oneself)
Widerspruch 1. contradiction (***in sich*** in terms) **2.** ***kein Widerspruch!*** no arguments!
widersprüchlich 1. *allg.*: contradictory [ˌkɒntrə'dɪktərɪ], inconsistent [ˌɪnkən'sɪstənt] **2.** *Gefühle usw.*: conflicting [kən'flɪktɪŋ]
Widerstand resistance [rɪ'zɪstəns]
widerstandsfähig resistant [rɪ'zɪstənt] (***gegen*** to), robust [rəʊ'bʌst]
widerstehen 1. resist [rɪ'zɪst] **2.** ***bei Kuchen kann ich nicht widerstehen*** I can't resist when it comes to cakes
widerstreben: ***es widerstrebt mir*** I hate to have to do it
widerwillig (≈ *ungern*) reluctantly
widmen: ***jemandem etwas widmen*** dedicate ['dedɪkeɪt] something to someone
Widmung dedication [ˌdedɪ'keɪʃn]
wie[1] *in Fragen* **1.** how; ***wie gehts?*** how are you? **2.** ***wie ist er so?*** *als Typ*: what's he like?; ***wie ist die neue Schule?*** what's the new school like? **3.** ***wie nennt man …?*** what do you call …? **4.** ***wie das?*** how come? **5.** ***wie, du kommst nicht?*** what, (you mean) you're not coming? **6.** ***wie bitte?*** sorry?, pardon?, *AE* excuse me?, *überrascht*: say that again! **7.** ***das war Klasse, wie?*** that was great, wasn't it?; ***er ist nett, wie?*** he's nice, isn't he?

> **wie viel 1.** how much **2.** (≈ *wie viele*) how many? **3.** ***wie viel wiegst du?*** how much do you weigh? **4.** ***wie viel Uhr ist es?*** what's the time? **5.** ***wie viel größer*** *usw.?* how much bigger *usw.?*

> ## wie
> Bei Personen sollte man auf folgenden Unterschied achten:
>
> **How**
> fragt nach dem Wohlbefinden:
> **How are you?**
> **How is your mother?**
>
> **What like?**
> fragt nach dem Typ, der Persönlichkeit:
> **What's the new teacher like?**
> **What are your neighbours like?**

wie[2] **1.** *in Vergleichen*: as; ***so … wie*** as … as; ***du bist so alt wie ich*** you're as old as me (*oder* as I am) **2.** ***in Ländern wie Belgien*** *usw.* in countries like Belgium *usw.* **3.** ***wie gesagt*** as I was saying **4.** ***Fremdsprachen, wie z. B. …*** foreign languages, such as …
wie[3] **1.** (≈ *als*) when; ***wie ich das hörte*** when I heard that **2.** (≈ *während*) as, when; ***wie sie den Wagen parkte, lief er weg*** as she was parking the car, he ran away **3.** ***ich sah, wie er rauskam*** I saw him coming out **4.** ***wie er auch heißt*** whatever he's called **5.** ***wie du mir, so ich dir*** two can play at that game
wieder 1. again [ə'gen]; ***sie ist wieder da*** she's back again **2.** ***immer wieder*** again and again **3.** ***schon wieder!*** not again! **4.** ***was hast du wieder angestellt?*** what have you been up to this time?

> **wieder auftauchen** (*Person*) turn up again
> **wieder beleben** revive [rɪ'vaɪv]
> **wieder entdecken** rediscover [ˌriːdɪ'skʌvə]
> **wieder erkennen** recognize [⚠ 'rekəgnaɪz]; ***es ist nicht wieder zu erkennen*** you won't recognize it
> **wieder finden**: ***etwas wieder finden*** find* something again
> **wieder gutmachen 1.** ***etwas wieder gutmachen*** make* up for something **2.** ***wie kann ichs dir wieder gutmachen?*** how can I make it up to you?
> **wieder herstellen 1.** re-establish (*Verbindung usw.*) **2.** (≈ *erneut produzieren*) produce [prə'djuːs] again; ☞ ***wiederherstellen***
> **wieder verkaufen** resell [ˌriː'sel]

Wiederaufbau 1. *allg.*: reconstruction **2.** *wirtschaftlicher*: recovery [rɪ'kʌvərɪ]

Wiederaufbereitungsanlage *für abgebrannte atomare Brennstäbe*: reprocessing plant [riː'prəʊsesɪŋˌplɑːnt]
wiederbekommen get* *something* back
Wiederbelebungsversuch attempt at resuscitation [⚠ rɪˌsʌsɪ'teɪʃn]
wiederbringen bring* back
Wiedergabe 1. *von Ton*: sound (quality) **2.** *von Bild*: picture (quality)
wiedergeben give* back
wiedergewinnen win* back
wiederhaben: ***ich habs wieder*** I've got it back
wiederherstellen 1. *allg.*: restore, *gesundheitlich auch*: cure **2.** *Computer*: undelete [ˌʌndɪ'liːt] (*Text, Datei usw.*); ☞ ***wieder herstellen***
wiederholen 1. repeat (*auch Prüfung usw.*) **2.** revise (*Lernstoff*) **3.** ***sich wiederholen*** repeat oneself (*bzw.* itself)
wiederholt repeated
Wiederholung 1. *allg.*: repetition [ˌrepə'tɪʃn] **2.** *einer Sendung*: repeat **3.** *von Lernstoff*: revision **4.** *in Zeitlupe*: replay ['riːpleɪ]
Wiederholungsspiel replay ['riːpleɪ]
Wiederhören: ***auf Wiederhören*** bye [baɪ]
Wiederkäuer *Tier*: ruminant ['ruːmɪnənt]
wiederkommen come* back
wiedersehen 1. ***jemanden wiedersehen*** see* someone again **2.** ***wann sehen wir uns wieder?*** when can we meet up again?
Wiedersehen: (***auf***) ***Wiedersehen!*** goodbye!, bye!
Wiedervereinigung reunification [riːˌjuːnɪfɪ'keɪʃn]; ***seit der Wiedervereinigung*** since reunification (⚠ *ohne* the)
Wiege cradle ['kreɪdl]
wiegen[1] **1.** *allg.*: weigh [⚠ weɪ] **2.** ***was wiegst du?*** how much do you weigh?
wiegen[2] rock (*Baby*)
wiehern (*Pferd*) neigh [⚠ neɪ]
Wien Vienna [vɪ'enə]
Wiener(in) Viennese [ˌviːə'niːz]; ***sie ist Wienerin*** she's from Vienna
wienerisch Viennese [ˌviːə'niːz]
Wiese meadow ['medəʊ]
Wiesel weasel
wieso 1. *allg.*: why **2.** *umg.*; *bei Fragen*: how come?
wievielt 1. ***zum wievielten Mal?*** how many times? **2.** ***zu wievielt wart ihr?*** how many of you were there? **3.** ***den Wievielten haben wir heute?*** what's the date today?; ***am Wievielten hast du Geburtstag?*** which day is your birthday? **4.** ***der wievielte Wagen ist das?*** how many cars is that (now)?
wieweit (≈ *inwieweit*) to what extent
Wikinger(in) Viking ['vaɪkɪŋ]
wild 1. *allg.*: wild [waɪld] **2.** ***das macht sie wild*** (≈ *wütend*) it drives her wild **3.** ***wild sein auf etwas*** be* crazy about something **4.** ***wie wild schreien*** *usw.* scream *usw.* like crazy **5.** ***es ist halb so wild*** not to worry
Wild 1. game (*auch Fleisch*) **2.** (≈ *Reh, Rehe*) deer **3.** (≈ *Fleisch von Rotwild*) venison ['venɪsən]
Wilde(r) savage ['sævɪdʒ]
Wilderer poacher ['pəʊtʃə]
wildfremd: ***ein wildfremder Mensch*** a complete stranger
Wildleder suede [⚠ sweɪd], suede leather
Wildnis wilderness [⚠ 'wɪldənəs]
Wildpark 1. game park **2.** *mit Rotwild*: deer park
Wildschwein wild boar [ˌwaɪld'bɔː]
Wille 1. will; ***ein eiserner Wille*** an iron will **2.** ***er setzt immer seinen Willen durch*** he always gets his own way **3.** ***es war kein böser Wille*** it wasn't deliberate [dɪ'lɪbərət] **4.** ***beim besten Willen nicht*** not with the best will in the world **5.** ***letzter Wille*** will
willen 1. ***um seiner Mutter willen*** for his mother's sake **2.** ***um Gottes willen!*** *vorwurfsvoll*: for heaven's sake!, *betroffen*: goodness me!
willig willing
willkommen 1. ***willkommen!*** welcome!; ***willkommen in Österreich*** welcome to Austria **2.** ***du bist immer willkommen*** you're always welcome
wimmeln: ***es wimmelte von Fliegen*** (*bzw.* ***Menschen*** *usw.*) the place was swarming with flies (*bzw.* people *usw.*)
Wimmerl *bes.* Ⓐ (≈ *Pickel*) spot, pimple
Wimpel pennant ['penənt]
Wimper 1. eyelash **2.** ***ohne mit der Wimper zu zucken*** without batting an eyelid
Wimperntusche mascara [mæ'skɑːrə]
Wind 1. *allg.*: wind **2.** ***viel Wind um etwas machen*** make* a big fuss about something
Windel nappy, *AE* diaper ['daɪpə]
windelweich: ***er schlug ihn windelweich*** he made mincemeat out of him
winden 1. ***sich vor Schmerz winden*** writhe [⚠ 'raɪð] with pain (⚠ *Sg.*) **2.** ***sich vor Scham winden*** squirm with embarrassment
Windenergie wind power
windgeschützt wind-sheltered ['wɪndˌʃeltəd], sheltered, *hinter dem Verb*: sheltered from the wind
Windhund greyhound

W

windig windy
Windjacke windcheater ['wɪnd,tʃiːtə]
Windkraft 1. *allg.*: wind power **2.** ***mit Windkraft betrieben*** wind-powered
Windmühle windmill
Windpocken chickenpox (⚠ *Sg.*); ***sie hat Windpocken*** she's got chickenpox
Windschatten 1. *Sport usw.*: slipstream **2.** *Schifffahrt*: lee **3.** *Luftfahrt*: sheltered zone **4.** ***im Windschatten von etwas*** in (*oder* under) the lee of something
Windschutzscheibe windscreen, *AE* windshield ['wɪndʃiːld]
Windsurfen windsurfing
Windsurfer(in) windsurfer
Windung 1. *eines Weges, Flusses usw.*: bend; ***die Windungen des Weges*** *auch* the winding (⚠ *Sg.*) of the path **2.** *einer Spirale, Muschel*: whorl [wɜːl] **3.** *einer Schraube*: worm [wɜːm], thread [θred] **4.** *des Darms usw.*: convolution [,kɒnvə'luːʃn]
Winkel 1. angle; ***ein Winkel von 60°*** a 60° (*gesprochen* sixty-degree) angle; ***im rechten Winkel zu*** at right angles to **2.** *Instrument*: square **3.** (≈ *Ecke*) corner
Winkelmesser protractor [prə'træktə]
winken 1. wave **2.** ***sie winkte mit dem Schal*** she waved her scarf **3.** ***dem Kellner winken*** attract the waiter's attention
winklig 1. *Wohnung*: full of nooks [nʊks] and crannies **2.** *Altstadt*: full of winding ['waɪndɪŋ] streets **3.** *Gasse*: winding
winseln whine
Winter winter; ***der Winter*** winter (⚠ *ohne* the); ***im Winter*** in (the) winter
Winterferien winter holidays, *AE* winter vacation [veɪ'keɪʃn] (⚠ *Sg.*)
winterlich 1. wintery **2.** ***sich winterlich anziehen*** put* on one's winter clothes [kləʊ(ð)z]
Wintermode winter fashions (⚠ *Pl.*)
Winterreifen winter tyre (*AE* tire)
Wintersachen *Kleidung*: winter things, winter clothes [kləʊ(ð)z]
Winterschlaf hibernation [,haɪbə'neɪʃn] (⚠ *ohne* the); ***Winterschlaf halten*** hibernate
Winterschlussverkauf winter sales (⚠ *Pl.*), January sales (⚠ *Pl.*); ***es ist Winterschlussverkauf*** the January sales are on
Winterspiele: ***die Olympischen Winterspiele*** the Winter Olympics [ə'lɪmpɪks]
Wintersport 1. winter sport **2.** (≈ *Wintersportarten*) winter sports (⚠ *Pl.*)

Einige Wintersportarten

Abfahrtsskilauf	**downhill skiing**
Bobrennen	**bob(sleigh)** [sleɪ] **racing**
Eishockey	**ice hockey**
Eiskunstlauf	**figure skating**
Eisschnelllauf	**speed skating**
Eisstockschießen	**curling**
Rodeln	**tobogganing** [tə'bɒgənɪŋ]
Schlittschuhlaufen	**ice skating**
Skifahren, Skilaufen	**skiing**
Skifahren abseits der Piste	**off-piste skiing** [,ɒfpiːst'skiːɪŋ]
Skilanglauf	**cross-country skiing**
Skispringen	**ski jumping**
Tiefschneefahren	**deep snow skiing, deep powder skiing**

Winterzeit 1. *Jahreszeit*: wintertime (⚠ *ohne* the) **2.** *Uhrzeit*: winter time (⚠ *zwei Wörter*), *AE* standard time
Winzer(in) wine grower, vintner ['vɪntnə]
winzig tiny ['taɪnɪ]
Winzling tiny man (*bzw.* woman)
Wippe seesaw ['siːsɔː]
wippen 1. *auf und ab*: jig up and down **2.** (≈ *schaukeln*) rock
wir 1. we **2.** ***wir beide*** both of us; ***wir drei*** the three of us; ***wir alle*** all of us
Wirbel[1] *der Wirbelsäule*: vertebra ['vɜːtɪbrə] *Pl.*: vertebrae ['vɜːtɪbreɪ]
Wirbel[2]: ***mach keinen solchen Wirbel um …!*** don't make such a fuss about …
Wirbel[3] *im Haar*: crown
Wirbel[4] *in Fluss usw.*: eddy, *größerer*: whirlpool
wirbeln (*Schnee, Blätter usw.*) whirl [wɜːl]
Wirbelsäule spine
Wirbelsturm whirlwind
Wirbeltier vertebrate ['vɜːtɪbrət]
wirken 1. ***beruhigend*** *usw.* ***wirken*** have* a calming *usw.* effect **2.** ***wirkt es?*** is it working? **3.** ***es wirkt schnell*** it takes effect quickly **4.** ***das hat gewirkt!*** that did the trick (*oder* job)! **5.** ***sie wirkt schüchtern*** (*bzw.* ***älter*** *usw.*) she seems shy (*bzw.* older *usw.*) **6.** ***es wirkt Wunder*** it works wonders
wirklich 1. ***wirklich?*** really ['rɪəlɪ]? **2.** ***sie hat es wirklich gesagt*** she really 'did say it **3.** ***ich weiß es wirklich nicht*** I really don't know; ***es tut mir wirklich leid*** I'm really sorry **4.** (≈ *echt, wahr*) real

[rɪəl]; ***der wirkliche Grund*** the real reason

Wirklichkeit **1.** ***die Wirklichkeit*** reality (⚠ *ohne* the) **2.** ***in Wirklichkeit*** in actual fact

wirksam **1.** effective **2.** ***es ist wirksam gegen …*** it's good for …

Wirksamkeit effectiveness

Wirkung effect

wirkungslos: ***es war (total) wirkungslos*** it had no effect (at all)

wirr **1.** confused **2.** ***sie redete wirres Zeug*** she was rambling, she was raving

Wirrwarr confusion; ***es war ein totaler Wirrwarr*** it was complete chaos ['keɪɒs] (⚠ *ohne* a)

Wirsing(kohl) savoy [sə'vɔɪ] (cabbage [sə͵vɔɪ'kæbɪdʒ])

Wirt (≈ *Gastwirt*) landlord

Wirtin (≈ *Gastwirtin*) landlady

Wirtschaft **1.** economy **2.** (≈ *Wirtshaus*) pub

wirtschaften **1.** *allg.*: manage (one's affairs) **2.** ***sparsam wirtschaften*** economize [ɪ'kɒnəmaɪz], be* economical (***mit*** with) **3.** ***gut wirtschaften*** be* economical; ***schlecht wirtschaften*** mismanage [͵mɪs'mænɪdʒ]

wirtschaftlich economical [͵iːkə'nɒmɪkl]

Wirtshaus pub

Wisch *umg.* bumf

wischen **1.** wipe **2.** (≈ *aufwischen*) mop up **3.** ***wisch dir die Milch vom Mund*** wipe that milk off your mouth **4.** ***sie hat ihm eine gewischt*** *umg.* she landed him one **5.** Ⓒⓗ (≈ *fegen, kehren*) sweep* (the floor)

Wischer (≈ *Scheibenwischer*) wiper

Wischiwaschi *umg.* blah-blah

wissen **1.** know* (***von*** about) **2.** ***ich weiß schon*** I know, you don't have to tell me; ***weißt du schon, …?*** did you know …? **3.** ***woher weißt du das?*** how do you know that? **4.** ***weißt du, …*** *als Satzeinleitung*: you know, … **5.** ***ich weiß genau, dass …*** I know for a fact that … **6.** ***sie weiß immer alles besser*** she always knows best **7.** ***was weiß ich!*** how should I know? **8.** ***das musst du selbst wissen*** that's up to you **9.** ***nicht, dass ich wüsste*** not that I know of **10.** ***soviel ich weiß*** as far as I know **11.** ***man kann nie wissen*** you never know **12.** ***weißt du noch?*** can you remember? **13.** ***ich will von ihm nichts mehr wissen*** I don't want anything more to do with him

Wissen **1.** knowledge [⚠ 'nɒlɪdʒ] (***über*** of) **2.** ***meines Wissens*** as far as I know

Wissenschaft **1.** ***die Wissenschaft*** (≈ *Forschung*) research ['riːsɜːtʃ, rɪ'sɜːtʃ], *naturwissenschaftliche*: science [⚠ 'saɪəns] (⚠ *beide ohne* the); ***die Wissenschaft hat bewiesen …*** research has proved … **2.** (≈ *einzelne Disziplin, z.B. Biologie*) science

Wissenschaftler(in) **1.** *allg.*: academic [͵ækə'demɪk] **2.** (≈ *Naturwissenschaftler, -in*) scientist [⚠ 'saɪəntɪst] **3.** (≈ *Forscher, -in*) researcher [rɪ'sɜːtʃə]

wissenschaftlich **1.** (≈ *naturwissenschaftlich*) scientific [͵saɪən'tɪfɪk] **2.** (≈ *akademisch, geisteswissenschaftlich*) academic [͵ækə'demɪk]; ***wissenschaftliche Laufbahn*** academic career **3.** (≈ *gelehrt-wissenschaftlich*) scholarly ['skɒləlɪ] **4.** *Arbeitsweise*: methodical [mɪ'θɒdɪkl] **5.** ***wissenschaftliche(r) Assistent(in)*** *etwa*: assistant lecturer [ə͵sɪstənt'lektʃərə] **6.** ***das ist wissenschaftlich nicht haltbar*** that isn't scientifically tenable ['tenəbl]

Wissensgebiet field of knowledge [⚠ 'nɒlɪdʒ]

Wissenswertes useful ['juːsfl] facts (***über*** about)

wittern **1.** scent [sent], smell, get* wind of (*jemanden, ein Tier usw.*) **2.** *übertragen* (≈ *ahnen*) sense (*Gefahr, Verrat usw.*), see* (*eine Chance*) **3.** (≈ *Witterung aufnehmen*) (*Tier*) sniff the air

Witwe widow; ***sie ist Witwe*** she's a widow

Witwer widower ['wɪdəʊə]

Witz **1.** joke **2.** ***Witze machen*** crack jokes **3.** ***mach keine Witze!*** you're kidding! **4.** ***das soll wohl ein Witz sein*** is that supposed to be some kind of joke? **5.** ***das ist ja wohl ein Witz*** it's ridiculous [rɪ'dɪkjʊləs] **6.** ***der Witz an der Sache ist …*** the funny thing about it is …

Witzbold **1.** joker **2.** *abwertend* wise guy ['waɪz‿gaɪ] **3.** ***der ist vielleicht ein Witzbold!*** *ironisch* he's a joke

witzig **1.** *allg.*: funny **2.** (≈ *geistreich*) witty

witzlos: ***es ist (total) witzlos*** it's useless

wo[1] **1.** where; ***wo bist du?*** where are you? **2.** ***ich weiß, wo er ist*** I know where he is **3.** ***zu einer Zeit, wo ich kommen kann*** at a time when I can come **4.** ***wo ich dich gerade spreche*** while I'm talking to you **5.** ***jetzt, wo er zu Hause ist*** now that he's at home

wo[2]: ***ach wo!*** *umg.* oh no, no no

woanders, **woandershin** somewhere else

wobei **1.** ***wobei mir einfällt*** which reminds me **2.** ***wobei du schauen musst, dass …*** but you've got to watch that …

Woche week; ***während*** (*oder* ***unter***) ***der Woche*** during the week; ***zweimal die Woche*** twice a week

Wochenende weekend; ***am Wochenen-***

de on (*BE auch* at) the weekend; ***wir fahren übers Wochende weg*** we're going away for the weekend
Wochenkarte weekly (season) ticket
wochenlang *warten usw.*: for weeks
Wochentag weekday; ***an einem Wochentag*** on a weekday
wöchentlich **1.** *Aufsatz usw.*: weekly **2.** *schwimmen usw.*: every week, once a week
Wochenzeitung weekly (paper *oder* newspaper)
Wodka vodka ['vɒdkə]
wodurch **1.** how; ***wodurch kam das?*** how did it happen? **2.** ***wodurch er gewann*** by which he won
wofür **1.** ***wofür ich ihm dankte*** for which I thanked him **2.** ***wofür ich mich interessiere*** what I'm interested in **3.** ***wofür macht er das?*** what's he doing it for? **4.** ***wofür hältst du mich?*** who do you think I am?
woher **1.** ***woher hast du das?*** where did you get it from? **2.** ***woher weiß sie das?*** how does she know (that)?
wohin **1.** ***wohin geht er?*** where's he going? **2.** ***wohin damit?*** where does this go?
wohl[1] **1.** ***ich fühl mich nicht wohl*** I don't feel well **2.** ***ich fühl mich hier sehr wohl*** I feel quite happy here **3.** ***mir ist nicht wohl dabei*** I don't feel happy about it **4.** ***das wird dir wohl tun*** it'll do you good **5.** ***wohl oder übel*** whether we *bzw.* you *usw.* like it or not
wohl[2] **1.** ***das kann man wohl sagen!*** you can say that again **2.** ***du weißt sehr wohl, was ich meine*** you know very well what I mean **3.** ***das ist wohl das Beste*** I suppose that's the best thing **4.** ***er kommt wohl nicht*** I don't suppose he'll come **5.** ***was wohl?*** *ungeduldig*: what do you think?
Wohl: ***zum Wohl!*** cheers!
Wohlfahrtsmarke charity ['tʃærətɪ] stamp
wohlgemerkt mind you (⚠ *nur am Satzanfang oder -ende*)
wohlig **1.** *Gefühl usw.*: pleasant ['pleznt] **2.** (≈ *behaglich, gemütlich*) cosy, *AE* cozy ['kəʊzɪ]
Wohlstand **1.** ***der Wohlstand*** prosperity [prɒ'sperətɪ] (⚠ *ohne* the) **2.** ***ist bei dir der Wohlstand ausgebrochen?*** *umg.* have you won the lottery or what?
Wohltat: ***das ist eine Wohltat!*** ooh [uː], thatţs good!
Wohltäter(in) benefactor ['benɪfæktə], *Frau auch*: *förmlich* benefactress ['benɪfæktrəs]
wohltätig: ***für einen wohltätigen Zweck*** for a good cause, for charity ['tʃærətɪ]
Wohltätigkeitsspiel charity ['tʃærətɪ] match
Wohnblock block of flats, *AE* apartment house
wohnen **1.** live; ***ich wohne in der Schillerstraße*** I live in Schillerstraße (*ohne* the) **2.** *vorübergehend*: stay (***bei*** with)
Wohngemeinschaft: ***in einer Wohngemeinschaft leben*** share a flat (*bzw. AE* an apartment) *bzw.* a house with other people
Wohnheim **1.** *für Studenten*: hall (of residence ['rezɪdəns]), *AE* dormitory ['dɔːmətrɪ], *umg.* dorm **2.** *für Flüchtlinge, Obdachlose*: hostel ['hɒstl], shelter
Wohnküche kitchen-cum-living room, *bes. AE* combined kitchen and living room
Wohnmobil **1.** camper, *AE auch* RV [ˌɑːr'viː] (*Abk. für* **r**ecreational **v**ehicle) **2.** *größeres*: mobile home, *AE auch* motorhome
Wohnung flat, *AE* apartment; ☞ *Info unter* ***Häuser***
Wohnungsnot housing ['haʊzɪŋ] shortage
Wohnungssuche house-hunting, *BE auch* flat-hunting
Wohnviertel residential area [ˌrezɪ'denʃlˌeərɪə]
Wohnwagen **1.** caravan ['kærəvæn], *AE* trailer **2.** *zum Dauerwohnen*: mobile home, *AE auch* motorhome
Wohnzimmer living room, sitting room
wölben **1.** *technisch*: curve **2.** *Architektur*: vault [vɔːlt] **3.** ***sich wölben*** arch [ɑːtʃ], (*Bauch, Stirn usw.*) bulge [bʌldʒ], (≈ *sich verbiegen*) bend*
Wolf **1.** wolf [⚠ wʊlf] *Pl.*: wolves [wʊlvz] **2.** ***ein Wolf im Schafspelz*** *übertragen* a wolf in sheep's clothing ['kləʊðɪŋ]
Wölfin she-wolf [⚠ 'ʃiːwʊlf] *Pl.*: she-wolves
Wolke **1.** cloud **2.** ***ich bin aus allen Wolken gefallen*** *umg.* it knocked me sideways
Wolkenbruch cloudburst
Wolkenkratzer skyscraper
wolkenlos: ***ein wolkenloser Himmel*** a cloudless sky, clear skies (⚠ *Pl.*)
wolkig cloudy
Wolldecke (woollen [⚠ 'wʊlən]) blanket
Wolle **1.** wool [wʊl] **2.** ***sie hat sich mit ihm in die Wolle gekriegt*** *umg.* she's got into an argument with him
wollen[1] **1.** (≈ *beabsichtigen*) want; ***ich will in England studieren*** I want to study in

W

England (⚠ I will = ***ich werde***); ***ich will sie nicht sehen*** I don't want to see her **2.** ***ich wollte mal fragen, …*** I just wanted to ask … **3.** ***was ich sagen wollte*** what I was going to say, *berichtigend*: what I meant to say **4.** ***was willst du damit sagen?*** what do you mean by that? **5.** ***und du willst Griechisch können?*** and you think you know Greek? **6.** ***willst du aufhören!*** will you stop it! **7.** ***es will nicht aufgehen*** it won't open

wollen[2] **1.** (≈ *wünschen*) want; ***er will eine Katze*** he wants a cat **2.** ***ich will nach Hause*** I want to go home **3.** ***wo willst du hin?*** *jetzt gerade*: where are you going? **4.** ***sie will, dass ich es mache*** she wants me to do it **5.** ***was wollt ihr von uns?*** what do you want? **6.** ***mach, was du willst*** do what you like **7.** ***es will nicht mehr*** it won't work

wollen[3] (≈ *aus Wolle*) woollen [⚠ 'wʊlən]

Wolljacke cardigan ['kɑːdɪgən]

Wollmütze woolly hat [⚠ ˌwʊlɪ'hæt]

womit **1.** what … with; ***womit hast du das gemacht?*** what did you do it with? **2.** ***womit hab ich das verdient?*** what did I do to deserve that?

womöglich: ***womöglich ist er verreist*** he may (possibly) be away

wonach **1.** ***wonach ist dir?*** what do you feel like? **2.** ***wonach hat er gefragt?*** what was he asking about?

woran **1.** ***woran denkst du?*** what are you thinking about?; ***woran arbeitest du gerade?*** what are you working on right now?; ***woran ist er gestorben?*** what did he die of? **2.** ***woran sieht man das?*** how can you tell?; ***woran hast du sie erkannt?*** how did you recognize her? **3.** ***ich weiß nicht, woran ich (mit ihm) bin*** I don't know where I stand (with him)

worauf **1.** ***worauf wartest du (noch)?*** what are you waiting for? **2.** ***worauf du dich verlassen kannst*** just wait and see

woraus: ***woraus ist es (gemacht)?*** what's it made of?

Wort **1.** *allg.*: word **2.** ***mit anderen Worten*** in other words **3.** ***eine Zahl in Worten schreiben*** write* a figure out in words **4.** ***kein Wort drüber!*** don't breathe [briːð] a word! **5.** ***mir fehlen die Worte*** words fail me (⚠ *ohne* the) **6.** ***ich leg für dich ein gutes Wort ein*** I'll put in a good word for you **7.** ***ich glaub ihm kein Wort*** I don't believe a word he says **8.** ***du nimmst mir das Wort aus dem Mund*** you've taken the words right out of my mouth **9.** ***er dreht mir das Wort im Mund um*** he's twisted my words **10.** ***hast du Worte!*** would you believe it? **11.** ***sie brachte kein Wort raus*** she was completely tongue-tied ['tʌŋtaɪd]

Wortart part of speech, word class

Wörterbuch dictionary ['dɪkʃənrɪ]; ***schau im Wörterbuch nach*** look it up in the dictionary

wörtlich **1.** *Übersetzung usw.*: literal ['lɪtrəl] **2.** → ***wortwörtlich***

Wortschatz vocabulary [və'kæbjʊlərɪ]

Wortspiel play on words, pun

wortwörtlich **1.** ***das hat er wortwörtlich gesagt*** those were his exact words **2.** ***nimm nicht alles wortwörtlich*** don't take everything literally

worüber: ***worüber redet*** (*bzw.* ***lacht***) ***sie?*** what's she talking (*bzw.* laughing) about?

worum: ***worum gehts?*** what's it about?, *bei einem Problem*: what's the problem?

worunter: ***worunter leidet er?*** what's he suffering from?

wovon **1.** ***wovon redest du?*** what are you talking about? **2.** ***wovon leben sie?*** what do they live on?

wozu: ***wozu?*** what for?; ***wozu brauchst du das?*** what do you need it for?; ***wozu soll das gut sein?*** what's it for?

Wrack wreck [⚠ rek] (*auch übertragen*)

Wucher **1.** profiteering [ˌprɒfɪ'tɪərɪŋ] **2.** *bei Schuldzinsen*: usury ['juːʒərɪ]

Wucherpreis exorbitant [ɪg'zɔːbɪtənt] (*oder* extortionate [ɪk'stɔːʃnət]) price; ***das sind ja Wucherpreise!*** *umg.* it's daylight robbery! [ˌdeɪlaɪt'rɒbərɪ]

Wucht **1.** ***sie ist mit voller Wucht aufs Gesicht gefallen*** she fell flat on her face **2.** ***mit voller Wucht gegen eine Mauer rennen*** run* smack into a wall **3.** ***das ist ne Wucht!*** *umg.* it's brilliant!

wuchtig (≈ *sehr groß*) massive ['mæsɪv]

wühlen **1.** (*Person*) rummage ['rʌmɪdʒ] **2.** ***in der Schublade*** *usw.* ***wühlen*** rummage around in the drawer *usw.* (***nach*** for) **3.** ***im Dreck wühlen*** mess around in the dirt **4.** (*Tier*) burrow ['bʌrəʊ]

Wühltisch bargain ['bɑːgɪn] counter

Wulst **1.** (≈ *Verdickung*) bulge **2.** (≈ *Fettwulst*) roll of fat **3.** *an Flasche, Reifen*: bead [biːd]

wulstig *Lippen*: thick

wund **1.** sore; ***ich hab mir die Füße wund gelaufen*** my feet are sore from all that walking **2.** (≈ *offen*) raw [rɔː]; ***ich hab mir (beim Waschen) die Hände wund gerieben*** I've rubbed my hands raw (doing the washing)

Wunde **1.** wound [wuːnd] **2.** (≈ *Schnitt*) cut

Wunder 1. miracle ['mɪrəkl] **2.** ***kein Wunder!*** no wonder; ***es ist doch kein Wunder, dass er abhaut*** it's no wonder he's leaving **3.** ***du wirst noch dein blaues Wunder erleben*** *umg.* you're in for a surprise **4.** ***er glaubt, er sei wunder wer*** *umg.* he thinks he's it

wunderbar wonderful ['wʌndəfl]

Wunderkerze sparkler

Wunderkind child prodigy ['prɒdədʒɪ]

Wundermittel wonder cure ['wʌndə‿kjʊə]

wundern 1. ***es wundert mich*** I'm surprised [sə'praɪzd]; ***es würde mich wundern, wenn …*** I'd be surprised if …; ***mich wundert gar nichts mehr*** nothing surprises me any more **2.** ***ich hab mich gewundert, wer das war*** I wondered who that was **3.** ***du wirst dich noch wundern*** you're in for a surprise

wunderschön wonderful ['wʌndəfl], beautiful ['bju:təfl]

Wundertüte lucky bag [ˌlʌkɪ'bæg]

Wunsch 1. wish (***nach*** for) **2.** ***das war schon immer mein Wunsch*** that's what I've always wanted **3.** ***hast du 'noch einen Wunsch?*** *ironisch* anything else? **4.** ***die besten Wünsche zum Geburtstag*** best wishes for your birthday (⚠ *ohne* the)

Wunschdenken wishful thinking

wünschen 1. ***ich wünsche mir*** I would like, I want; ***was wünschst du dir zum Geburtstag?*** what do you want for your birthday? **2.** ***ich wünsch dir alles Gute*** I wish you all the best **3.** ***alles, was man sich wünschen kann*** everything you could wish for **4.** ***das wünsche ich meinem schlimmsten Feind nicht*** I wouldn't wish that on my worst enemy **5.** ***es lässt viel zu wünschen übrig*** it leaves much to be desired

wünschenswert desirable [dɪ'zaɪrəbl]

Wunschliste wish list

wunschlos: ***wunschlos glücklich*** perfectly happy

Wunschzettel Christmas [⚠ 'krɪsməs] list

Würde 1. dignity **2.** ***unter aller Würde*** beneath contempt [kən'tempt]

würdevoll dignified ['dɪgnɪfaɪd]

würdigen: ***er würdigte mich keines Blickes*** he didn't even look at me

Wurf[1] **1.** *allg.*: throw **2.** ***es ist dein Wurf*** *bei Brettspiel*: it's your go, it's your throw

Wurf[2]: ***ein Wurf Katzen*** (*bzw.* ***Hunde***) a litter of cats (*bzw.* dogs)

Würfel 1. (≈ *Spielwürfel*) dice *Pl.*: dice **2.** *aus Eis, auch Geometrie*: cube

Würfelbecher (dice) shaker, *AE* dice cup

würfeln 1. throw*; ***hast du schon gewürfelt?*** have you thrown yet? **2.** (≈ *Würfel spielen*) play dice **3.** *um Geld usw.*: throw* dice (***um*** for)

Würfelspiel 1. (≈ *Spiel mit Würfeln*) dice game **2.** *Partie*: game of dice **3.** (≈ *Brettspiel mit Würfeln*) (board) game with dice

Würfelzucker lump sugar

Wurfsendung 1. circular ['sɜ:kjʊlə] **2.** ***Wurfsendungen*** junk mail (⚠ *Sg.*)

würgen 1. strangle ['stræŋgl] (***zu Tode*** to death) **2.** ***der Kragen würgt mich*** this collar is choking ['tʃəʊkɪŋ] me **3.** *beim Essen*: choke **4.** *beim Erbrechen*: retch

Wurm 1. worm [⚠ wɜ:m] **2.** ***kleiner Wurm*** *umg.* (≈ *kleines Kind*) little mite, *AE* little tyke

wurmen: ***es wurmt mich*** *umg.* it gets to me

wurmstichig worm-eaten [⚠ 'wɜ:mˌi:tn]

Wurscht *umg.* **1.** ***es ist mir Wurscht*** I couldn't care less **2.** ***jetzt gehts um die Wurscht!*** this is it!

Wurst 1. sausage ['sɒsɪdʒ] **2.** → ***Wurscht***

Würstchen 1. (small) sausage ['sɒsɪdʒ] **2.** ***Frankfurter Würstchen*** frankfurter ['fræŋkfɜ:tə] **3.** ***Wiener Würstchen*** wiener ['wi:nə], vienna [vɪ'enə] (sausage) **4.** ***ein armes Würstchen*** *umg.* a poor soul [səʊl]

Würstchenbude *etwa* hot-dog (*oder* sausage ['sɒsɪdʒ]) stand

wursteln *umg.* muddle through

Wurstfinger podgy (*AE* pudgy) fingers

Würze 1. (≈ *Gewürz*) spice, seasoning (⚠ *nur im Sg. verwendet*) **2.** (≈ *Gewürzmischung*) seasoning, spices (*Pl.*) **3.** (≈ *Geschmack*) flavour ['fleɪvə], aroma

Wurzel 1. *allg.*: root **2.** ***Wurzeln schlagen*** take* root (⚠ *Sg.*) (*auch übertragen*) **3.** ***willst du hier Wurzeln schlagen?*** *umg.* are you going to stand around here all day?

würzen spice, season ['si:zn]

wuschelig *Haar*: curly, (≈ *kraus*) fuzzy

Wuschelkopf 1. *Haar*: fuzz [fʌz], mop of curly (*oder* fuzzy ['fʌzɪ]) hair **2.** *Person*: curlyhead ['kɜ:lɪhed]

Wust (≈ *Riesenmenge*) pile (***an, von*** of)

wüst 1. (≈ *wirr*) chaotic [keɪ'ɒtɪk] **2.** ***es war ein wüstes Durcheinander*** it was complete chaos ['keɪɒs] (⚠ *ohne* a) **3.** ***du siehst ja wüst aus!*** you look a real fright

Wüste desert [⚠ 'dezət]

Wut 1. fury ['fjʊərɪ] **2.** ***sie platzt vor Wut*** she's hitting the roof **3.** ***ich hab eine Wut auf ihn*** I'm really mad at him **4.** ***ich krieg die Wut, wenn ich so was sehe*** it makes me mad to see it **5. *ich hab eine Wut im Bauch!*** I'm absolutely furious

Wutanfall fit of rage (*oder* anger); ***einen Wutanfall bekommen*** blow* one's top

wütend furious ['fjʊərɪəs], mad (***auf*** at)

X

x 1. *x Leute haben angerufen* umpteen people have called **2. *Herr X*** Mr X [eks]

X-Beine 1. knock-knees [⚠ ˌnɒk'niːz] **2. *sie hat X-Beine*** she's knock-kneed

x-beliebig 1. any (… you like); ***du kannst eine x-beliebige Farbe auswählen*** you can choose any colour (you like) **2. *nenn mir eine x-beliebige Zahl*** give me a number - any number **3. *an einem x-beliebigen Ort*** anywhere

x-fach 1. *die x-fache Menge* n [en] times the amount **2. *es ist x-fach geprüft worden*** it's been tested umpteen times **3. *das x-fache*** umpteen times the amount

x-mal 1. umpteen times **2. *ich habs dir doch schon x-mal gesagt*** I've told you a hundred times

x-te: *zum x-ten Mal* for the hundredth time

Xylophon xylophone [⚠ 'zaɪləfəʊn]

Y

Yeti: *der Yeti* yeti ['jetɪ] (⚠ *ohne* the), the Abominable [ə'bɒmɪnəbl] Snowman

Ypsilon Y [waɪ], the letter Y

Yuppie yuppie ['jʌpɪ]

Z

zack *umg.* **1. *zack, wars weg*** it was gone just like that **2. *zack, zack!*** chop-chop!

Zack *umg.* **1. *er ist auf Zack*** he's on the ball **2. *jemanden*** (*bzw.* ***etwas***) ***auf Zack bringen*** knock [nɒk] someone (*bzw.* something) into shape

Zackenfrisur spike

zackig 1. jagged [⚠ 'dʒægɪd] **2. *ein bisschen zackig!*** *umg.* and make it snappy!

zaghaft 1. (≈ *ängstlich*) timid ['tɪmɪd] **2.** (≈ *vorsichtig*) cautious ['kɔːʃəs] **3.** (≈ *zögernd*) hesitant ['hezɪtənt], slow **4.** (≈ *auf zaghafte Weise*) gingerly '[dʒɪndʒəlɪ], timidly, cautiously, hesitantly

zäh 1. *Fleisch*: tough [⚠ tʌf]; ***zäh wie Leder*** tough as leather **2. *er ist ziemlich zäh*** he's pretty tough

Zahl 1. (≈ *Nummer*) number; ***achtstellige Zahl*** eight-figure number **2.** (≈ *Ziffer*) figure

zahlen 1. pay* (*Summe*, *Preis*) **2.** pay* for (*Ware*, *Dienstleistung*) **3. *zahlen, bitte!*** could I (*bzw.* we) have the bill, please? **4. *sie zahlen gut*** (*bzw.* ***schlecht***) they pay well (*bzw.* badly) **5. *was hast du dafür gezahlt?*** what did you pay for it? **6. *bar zahlen*** pay* cash

zählen 1. *allg.*: count; ***bis hundert zählen***

count to a hundred **2.** ***das zählt nicht*** *im Spiel*: that doesn't count **3.** ***die Dame zählt drei Punkte*** *beim Kartenspiel*: the queen counts as three points **4.** *im Sport*: keep* score **5.** ***für ihn zählt nur noch Geld*** all he cares about is money **6.** ***bei dieser Arbeit zählt Schnelligkeit*** what counts in this job is speed **7.** ***kann ich auf dich zählen?*** can I count on you? **8.** ***es zählt zu den Säugetieren*** it belongs to the class of mammals ['mæmlz] **9.** ***er zählt zu den besten Rockgitarristen*** he's one of the best rock guitarists around

Zahlengedächtnis: ***du hast ein gutes*** (*bzw.* ***schlechtes***) ***Zahlengedächtnis*** you're good (*bzw.* bad) at remembering figures

Zahlenschloss combination lock

Zähler *Gerät*: counter, meter

zahlreich **1.** numerous ['njuːmərəs], a large number of **2.** ***um zahlreiches Erscheinen wird gebeten*** we *usw.* hope to see as many of you as possible

Zahltag pay day

Zahlung **1.** payment **2.** ***etwas in Zahlung geben*** trade something in, *BE auch* give* something in part exchange

Zählung **1.** *allg.*: count **2.** *Vorgang*: counting **3.** (≈ *Volkszählung*) census ['sensəs] **4.** (≈ *Verkehrszählung*) (traffic) census

zahlungskräftig *Kunden, Publikum usw.*: solvent ['sɒlvənt]

Zahlwort numeral ['njuːmrəl]

zahm tame (*auch übertragen*)

zähmen tame (*Tier*)

Zähmung taming (*auch übertragen*)

Zahn **1.** *allg.*: tooth *Pl.*: teeth **2.** ***er hat schon die dritten Zähne*** he's got false teeth already **3.** ***sie hatte einen irren Zahn drauf*** *umg.* she was going at some lick, *AE* she was balling the jack

Zahnarzt, **Zahnärztin** dentist; ***beim Zahnarzt*** at the dentist

Zahnbürste toothbrush

Zahncreme toothpaste ['tuːθpeɪst]

zähneknirschend: ***sie hat zähneknirschend zugesagt*** she grudgingly agreed

Zahnfleisch **1.** gums (⚠ *Pl.*) **2.** ***er geht auf dem Zahnfleisch*** *umg.* he's on his last legs

Zahnfleischbluten bleeding gums (⚠ *Pl.*)

Zahnpasta toothpaste

Zahnradbahn rack (*oder* cog) railway

Zahnschmerzen toothache ['tuːθeɪk] (⚠ *Sg.*); ***ich hab Zahnschmerzen*** I've got (a) toothache

Zahnseide *zum Reinigen der Zwischenräume*: dental floss [ˌdentl'flɒs]

Zahnspange brace

Zahnstein tartar ['tɑːtə]

Zahnstocher toothpick

Zahnweh → ***Zahnschmerzen***

Zange pliers (⚠ *Pl.*); ***hast du eine Zange?*** have you got a pair of pliers?

zanken (*auch* ***sich zanken***) fight*, argue ['ɑːgjuː] (***über, um*** about)

Zäpfchen suppository [sə'pɒzɪtrɪ]

zapfen tap, draw* (*Bier usw.*)

Zapfen (≈ *Tannenzapfen usw.*) cone

Zapfenstreich **1.** *militärisch, Signal*: tattoo [tæ'tuː], *BE auch* last post, *AE auch* taps (*Pl.*) **2.** ***der große Zapfenstreich*** *Zeremonie*: the ceremonial tattoo **3.** (≈ *Ende der Ausgehzeit*) curfew ['kɜːfjuː]

Zapfsäule *an Tankstelle*: petrol ['petrəl] (*AE* gas) pump

zappelig fidgety ['fɪdʒətɪ]

zappeln **1.** wriggle [⚠ 'rɪgl] (around); ***hör auf zu zappeln!*** keep still! **2.** ***jemanden zappeln lassen*** keep* someone guessing

Zappelphilipp *umg.* fidget ['fɪdʒɪt]

zappen: ***sie zappt immer durch die Fernsehkanäle*** she's always hopping (*oder* zapping ['zæpɪŋ]) from one channel to another

zappenduster *umg.* **1.** pitch-dark **2.** ***es sieht zappenduster aus*** things look pretty grim

zart **1.** *Haut*: soft **2.** *Fleisch usw.*: tender **3.** ***ein zarter Kuss*** *usw.* a gentle kiss *usw.*

zartbitter *Schokolade*: plain, dark

zärtlich **1.** *Kuss, Berührung usw.*: tender **2.** *Mutter usw.*: affectionate **3.** ***zärtlich werden*** start getting intimate ['ɪntɪmət]

Zärtlichkeit **1.** (≈ *liebevolles Gefühl*) affection **2.** (≈ *Sanftheit*) tenderness **3.** ***Zärtlichkeiten austauschen*** become* intimate

Zauber **1.** magic ['mædʒɪk] (*auch übertragen*) **2.** (≈ *Bann*) (magic) spell

Zauberei magic ['mædʒɪk]

Zauberer **1.** *im Märchen*: magician [mə'dʒɪʃn] **2.** → ***Zauberkünstler(in)***

Zauberformel **1.** *eines Zauberers*: (magic) spell, charm [tʃɑːm] **2.** *übertragen* magic formula [ˌmædʒɪk'fɔːmjʊlə]

Zauberin *im Märchen*: sorceress ['sɔːsəres]

Zauberkünstler(in) conjurer [⚠ 'kʌndʒərə]

Zaubermittel magic cure

zaubern **1.** do* magic **2.** ***ich kann doch nicht zaubern!*** I'm not a magician **3.** ***ein leckeres Essen zaubern*** conjure up [ˌkʌndʒər'ʌp] a delicious meal (***aus*** out of)

Zauberspruch (magic) spell

Zaum, **Zaumzeug** bridle ['braɪdl]

Zaun fence

zaundürr *bes.* Ⓐ thin as a rake (⚠ *nur hinter dem Verb*)
z. B. (*Abk. für* ***zum Beispiel***) eg, e.g. [ˌiːˈdʒiː] (*Abk. für lateinisch* exempli gratia = for example)
Zebra zebra [ˈzebrə, ˈziːbrə]
Zebrastreifen zebra crossing
Zecke tick
Zeh, Zehe 1. toe [təʊ] **2.** ***jemandem auf die Zehen treten*** tread* [⚠ tred] on someone's toes
Zehennagel toenail [ˈtəʊneɪl]
Zehenspitze 1. tip of one's toe **2.** ***auf Zehenspitzen gehen*** *übertragen* tiptoe
zehn 1. ten **2.** ***vor zehn Tagen*** ten days ago **3.** ***alle zehn Tage*** (once) every ten days
Zehn 1. (number) ten **2.** *Bus, Straßenbahn usw.*: number ten bus, number ten tram *usw.*
Zehncentstück ten-cent piece
Zehneuroschein ten-euro note, *AE* ten--euro bill
zehnfach 1. ***die zehnfache Menge*** ten times the amount **2.** ***der zehnfache deutsche Meister X*** ten times German champion X (⚠ *ohne* the)
Zehnfingersystem: ***das Zehnfingersystem*** touch-typing (⚠ *ohne* the)
Zehnkampf decathlon [⚠ dɪˈkæθlɒn]
Zehnkämpfer(in) decathlete [⚠ dɪˈkæθliːt]
zehntausend 1. ten thousand **2.** ***die oberen zehntausend*** the upper crust
zehnte(r, -s) 1. tenth; ***10. Juni*** 10(th) June, June 10(th) (*gesprochen* the tenth of June); ***am 10. Juni*** on 10(th) June, on June 10(th) (*gesprochen* on the tenth of June)
Zehnte(r, -s) 1. tenth **2.** ***er war Zehnter*** he was tenth **3.** ***Pius X.*** Pius [ˈpaɪəs] X (*gesprochen* Pius the Tenth; X *ohne Punkt!*) **4.** ***heute ist der Zehnte*** it's the tenth today
Zehntel tenth
Zehntelsekunde tenth of a second
Zeichen 1. *allg.*: sign [saɪn] **2.** ***als Zeichen der Freundschaft*** as a mark of friendship **3.** (≈ *Symptom*) symptom [ˈsɪmptəm] **4.** (≈ *Schriftzeichen*) character [ˈkærəktə]
Zeichenblock sketch pad
Zeichenlehrer(in) art teacher
Zeichensetzung: ***die Zeichensetzung*** punctuation (⚠ *ohne* the)
Zeichensprache sign language [ˈsaɪnˌlæŋgwɪdʒ]
Zeichentrickfilm cartoon
zeichnen draw*
Zeichner(in) 1. *Kunst*: draughtsman [ˈdrɑːftsmən] *Pl.* draughtsmen [ˈdrɑːftsmən], *AE* draftsman [ˈdrɑːftsmən] *Pl.* draftsmen [ˈdrɑːftsmən], *Frau*: draughtswoman [ˈdrɑːftsˌwʊmən] *Pl.* draughtswomen [ˈdrɑːftsˌwɪmɪn], *AE* draftswoman [ˈdrɑːftsˌwʊmən], *Pl.* draftswomen [ˈdrɑːftsˌwɪmɪn] **2.** *von Aktien, Anleihen*: subscriber [səbˈskraɪbə] (+ *Gen.* for, to)
Zeichnung drawing
Zeigefinger forefinger, index finger
zeigen 1. show; ***jemandem etwas zeigen*** show someone something **2.** ***sie zeigte uns die Stadt*** she showed us around town **3.** ***zeig mal!*** let me see **4.** ***zeig mal, was du kannst!*** show us what you can do **5.** ***dem werd ichs zeigen!*** *umg.* I'll show him! **6.** ***ich zeigte ihm, wie man den Drucker benutzt*** I showed him how to use the printer **7.** ***es zeigt die Temperatur*** *usw.* it shows (*oder* gives) you the temperature *usw.* **8.** ***die Uhr zeigte zehn nach zwei*** the clock said ten past two **9.** ***auf etwas zeigen*** point at something **10.** ***es zeigte sich, dass …*** it turned out that … **11.** ***es wird sich schon zeigen*** we'll see **12.** ***so kann ich mich nicht zeigen*** I can't go out like that
Zeiger 1. *von Uhr*: hand **2.** *von Messinstrument*: needle
Zeile 1. line; ***ich hab jede Zeile gelesen*** I read [red] every word **2.** ***ich muss ihr ein paar Zeilen schreiben*** I must drop her a line **3.** ***zwischen den Zeilen lesen*** *übertragen* read* between the lines
Zeilenabstand *beim Schreiben, Eintippen*: (line) spacing
Zeit[1] **1.** *allg.*: time; ***ich hab keine Zeit*** I haven't got time; ***das kostet Zeit*** it takes time; ***mir fehlt die Zeit*** I haven't got the time; ***lass dir Zeit!*** take your time; ***vor langer Zeit*** a long time ago **2.** ***das hat Zeit*** there's no rush; ***das hat bis morgen Zeit*** that can wait till tomorrow **3.** ***hast du ein paar Stunden Zeit?*** can you spare a couple of hours? **4.** ***Zeit zum Essen*** time to eat **5.** ***es ist höchste Zeit, dass er anruft*** it's high time he rang (⚠ *Vergangenheitsform*) **6.** ***er ist in letzter Zeit krank gewesen*** he's been ill lately **7.** ***seit ewigen Zeiten*** for ages **8.** ***eine Zeit lang*** for a while; → ***zurzeit***

Zeit

Nach folgenden Zeitausdrücken folgt, im Gegensatz zum Deutschen, die Vergangenheitsform:

es ist Zeit, dass du gehst	**it's time you went (= it's time for you to go)**

es ist höchste Zeit, dass du gehst	**it's high time you went**
es wird Zeit, dass du gehst	**it's about time you went (= it's about time for you to go)**

Zeit[2] (≈ *Epoche*) time, age; ***eine Zeit der Armut*** a time of poverty; ***in der heutigen Zeit*** these days; ***zu Mozarts Zeit*** in Mozart's day; ***die Zeit des Barock*** the baroque [bə'rɒk] age (*oder* era ['ɪərə])
Zeitalter age, era ['ɪərə]; ***in unserem Zeitalter*** in our day and age
Zeitansage 1. time check, *AE* correct time **2.** *telefonische*: speaking clock, *AE* correct time
Zeitarbeit temporary ['temprərɪ] work
zeitaufwendig time-consuming
Zeitbombe time bomb [⚠ bɒm] (*auch übertragen*)
Zeitdruck 1. time pressure **2.** ***ich steh unter Zeitdruck*** I'm under pressure (to get this done)
Zeitfrage: ***es ist eine reine Zeitfrage*** it's just a question of time
Zeitgeist: ***der Zeitgeist*** the spirit of the times, the zeitgeist ['zaɪtgaɪst]
zeitgemäß 1. *allg.*: in keeping with the times, *bei Handlung in der Vergangenheit auch*: in keeping with the period ['pɪərɪəd] (⚠ *beide*: *immer hinter dem Verb*) **2.** (≈ *modern*) modern ['mɒdn], up-to-date, *hinter dem Verb*: up to date **3.** (≈ *aktuell*) current ['kʌrənt], topical ['tɒpɪkl] **4.** ***eine Barockoper zeitgemäß aufführen*** *auf die Gegenwart bezogen*: give* an up-to-date interpretation [ɪnˌtɜːprɪ'teɪʃn] of a baroque opera [bəˌrɒk'ɒprə], *auf die historische Epoche bezogen*: give* a period performance [ˌpɪərɪəd‿pə'fɔːməns] of a baroque opera
Zeitgenosse, **Zeitgenossin** contemporary [kən'temprərɪ]
zeitgenössisch contemporary [kən'temprərɪ]
zeitgleich 1. *allg.*; *Abläufe usw.*: simultaneous [ˌsɪml'teɪnɪəs] **2.** *Sport*: with the same time; ***zeitgleich ins Ziel kommen*** be* clocked at the same time **3.** *ablaufen, sich ereignen usw.*: simultaneously, at the same time
zeitig early ['ɜːlɪ]
Zeitkarte season ticket ['siːznˌtɪkɪt]
zeitlich 1. ***es passt zeitlich nicht*** it doesn't fit in (timewise) **2.** ***ich schaff es zeitlich nicht*** I can't fit it in, *bei Termin*: I'm not going to make it
Zeitlupe: ***in Zeitlupe*** in slow motion
Zeitlupentempo: ***im Zeitlupentempo*** in slow motion (⚠ *ohne* the)
Zeitlupenwiederholung *einer Spielszene*: *BE* action replay [ˌækʃn'riːpleɪ]
Zeitplan timetable, *bes. AE* schedule ['skedʒuːl]
Zeitpunkt 1. ***zu dem Zeitpunkt*** at that (point in) time **2.** ***jetzt ist nicht der richtige Zeitpunkt*** this isn't the right moment ['məʊmənt]
zeitraubend time-consuming
Zeitraum period ['pɪərɪəd] (of time)
Zeitrechnung calender ['kæləndə]; ***unserer Zeitrechnung*** of our time; ***vor unserer Zeitrechnung*** before the Christian era [ˌkrɪstʃən'ɪərə], BC [ˌbiː'siː] (= **B**efore **C**hrist); ***nach unserer Zeitrechnung*** after the birth of Christ, AD [ˌeɪ'diː] (= **A**nno **D**omini)
Zeitschrift magazine [ˌmægə'ziːn]
zeitsparend time-saving
Zeitung paper, newspaper ['njuːsˌpeɪpə]; ***die Zeitung lesen*** read* the paper(s); ***es steht in der Zeitung*** it's in the paper(s)
Zeitungsanzeige (newspaper) advertisement [əd'vɜːtɪsmənt], *umg.* (newspaper) ad [æd]
Zeitungsartikel newspaper article ['ɑːtɪkl]
Zeitungsauschnitt newspaper cutting (*oder* clipping)
Zeitungsbericht newspaper report
Zeitungskiosk newsstand
Zeitungspapier *altes*: newspaper
Zeitunterschied time difference
Zeitverschwendung waste of time
Zeitvertreib: ***zum Zeitvertreib*** to pass the time
Zeitwort verb
Zeitzeichen time signal
Zeitzünder time fuse
Zelle 1. *allg.*: cell [sel] **2.** (≈ *Telefonzelle*) telephone box, *AE* (telephone) booth
Zellophan® cellophane® ['seləfeɪn]
Zellteilung cell division ['sel‿dɪˌvɪʒn]
Zellulose cellulose ['seljʊləʊs]
Zelt 1. tent, (≈ *Festzelt*) *BE auch* marquee [mɑː'kiː] **2.** ***seine Zelte abbrechen*** *übertragen* pack one's bags and leave*
zelten camp, go* camping
Zelten camping
Zeltplatz campsite, camping site
Zellulose cellulose ['seljʊləʊs]
Zement cement [sə'ment]
Zenit zenith ['zenɪθ]; ***die Sonne steht im Zenit*** the sun is at it's zenith
zensieren 1. censor ['sensə] (*Film usw.*) **2.** grade (*Schularbeit usw.*)

Zensur 1. (≈ *Note*) mark, *bes. AE* grade **2.** censorship ['sensəʃɪp]; ***die Zensur*** censorship (⚠ *ohne* the); ***die Zensur der Presse*** press censorship
Zentimeter centimetre ['sentɪˌmiːtə]; ***zwanzig Zentimeter*** twenty centimetres
Zentimetermaß tape measure ['teɪpˌmeʒə]
Zentner metric hundredweight [ˌmetrɪk'hʌndrədweɪt], *AE* 50 *bzw.* 100 kilograms (⚠ *ein Zentner hat in Deutschland 50 kg, in Österreich und der Schweiz 100 kg*)
zentnerschwer: ***das ist ja zentnerschwer!*** *umg.* it weighs [weɪz] a ton [tʌn]!
zentral 1. *allg.*: central **2.** ***wir wohnen sehr zentral*** we're very central
Zentrale 1. *einer Firma*: head office **2.** *Telefon*: exchange, *einer Firma*: switchboard
Zentraleinheit *Computer*: CPU [ˌsiːpiː'juː] (*Abk. für* **c**entral **p**rocessing **u**nit)
Zentralheizung central heating
zentrieren centre (*Zeile usw.*)
Zentrum *allg.*: centre ['sentə]
Zepter sceptre, *AE* scepter [⚠ 'septə]
zerbeißen: ***etwas zerbeißen*** bite* something to pieces
zerbeult battered
zerbomben bomb [⚠ bɒm] (to pieces)
zerbombt bombed-out [⚠ 'bɒmd‿aʊt], hinter *dem Verb*: bombed out [⚠ ˌbɒmd'aʊt]
zerbrechen 1. *allg.*: break* **2.** ***sich den Kopf zerbrechen*** rack one's brains (***über*** over)
zerbrechlich fragile ['frædʒaɪl]; ***„Vorsicht, zerbrechlich!"*** 'fragile, handle with care'
zerbröckeln crumble
zerdeppern *umg.* smash
zerdrücken 1. *allg.*: squash [skwɒʃ] **2.** mash (*Kartoffeln*)
Zeremonie ceremony ['serəmənɪ]
zerfallen (*Bauwerk usw.*) fall* apart
zerfetzt *Kleidung usw.*: tattered
zerfleischen: ***etwas zerfleischen*** tear* [teə] something to pieces
zerfranst frayed
zerfressen 1. *von Motten*: moth-eaten **2.** *von Würmern*: worm-eaten [⚠ 'wɜːmˌiːtn]
zergehen melt; ***es zergeht auf der Zunge*** it melts in your mouth
zerhacken chop (up)
zerkleinern 1. (≈ *zerhacken*) chop up **2.** (≈ *zermahlen*) grind* [graɪnd]
zerklüftet *Berge, Küste usw.*: jagged [⚠ 'dʒægɪd], rugged [⚠ 'rʌgɪd]
zerknautschen crumple, squash [skwɒʃ]
zerknickt *Zweig usw.*: broken
zerknirscht remorseful [rɪ'mɔːsfl]
zerknittert crumpled, creased [kriːst]
zerknüllen crumple up (*Papier usw.*)
zerkratzen scratch
zerkrümeln crumble
zerlegen: ***etwas zerlegen*** take* something apart
zerlumpt *Kleider*: tattered
zermalmen crush
zermanschen *umg.* mash (*Bananen usw.*)
zermanscht 1. *Bananen usw.*: mashed **2.** *im negativen Sinn*: squashed [skwɒʃt]
zermürben: ***jemanden zermürben*** wear* [weə] someone down
zermürbend wearing ['weərɪŋ], *stärker*: nerve-racking
zerplatzen burst*
zerquetschen crush
Zerquetschte: ***80 Euro und ein paar Zerquetschte*** *umg.* just over 80 euros
zerrauft *Haar*: ruffled
zerreiben 1. *allg.*: grind*, crush **2.** *zu Pulver*: pulverize **3.** ***etwas mit*** (*oder* ***zwischen***) ***zwischen den Fingern zerreiben*** rub something with (*oder* between) one's fingers
zerreißen 1. tear* up [ˌteər'ʌp] (*Brief usw.*) **2.** ***ich hab mir den Rock zerrissen*** I've torn my skirt **3.** ***etwas zerreißen*** *umg.* (≈ *kritisieren*) tear* something to pieces **4.** ***da hätts mich fast zerrissen*** *umg.*; *vor Lachen*: I nearly ruptured myself **5.** ***ich kann mich doch nicht zerreißen!*** *umg.* I can't be in two places at the same time
zerren 1. ***sich einen Muskel*** *usw.* ***zerren*** pull a muscle [⚠ 'mʌsl] *usw.* **2.** ***zerren an*** pull at
Zerrung 1. *Muskel*: pulled muscle [⚠ 'mʌsl] **2.** *Sehne*: pulled tendon ['tendən]
zerrupft: ***du siehst aus wie ein zerrupftes Huhn!*** *umg.* you look as if you've been dragged through a hedge backwards
zersägen saw* up
zerschellen 1. *allg.*: be* smashed (to pieces) **2.** (*Flugzeug*) crash; ***an einem Berg zerschellen*** crash into a mountainside **3.** (*Schiff*) be* wrecked [⚠ rekt]
zerschlagen smash (to pieces)
zerschlissen *Kleider usw.*: worn-out
zerschmelzen melt away
zerschmettern smash (to pieces), shatter
zerschmettert: ***ich war am Boden zerschmettert*** *umg.* I was absolutely crushed
zerschneiden cut* up
zerschnippeln cut* up into little pieces

zersetzen: ***sich zersetzen*** decompose
zersiedeln overdevelop [ˌəʊvədɪ'veləp] (*eine Gegend usw.*)
zersplittern (*Holz usw.*) splinter
zerspringen (*Glas, Tasse usw.*) crack
zerstampfen **1.** (≈ *zertreten*) trample on **2.** mash (*Kartoffeln*)
Zerstäuber **1.** *allg.*: spray **2.** *für Parfüm*: atomizer ['ætəmaɪzə]
zerstochen *von Insekten*: covered in bites
zerstören destroy; ***durch Feuer*** *usw.* ***zerstört werden*** be* destroyed by fire *usw.*
Zerstörung destruction
zerstreiten **1.** ***sich zerstreiten*** fall* out (with each other) **2.** ***sich mit jemandem zerstreiten*** fall* out with someone
zerstreuen **1.** scatter (*Asche usw.*) **2.** ***sich zerstreuen*** (*Menge*) disperse, break* up
zerstreut **1.** *ständig*: absent-minded, scatterbrained **2.** *vorübergehend*: distracted
zerstückeln cut* up (into pieces)
zerteilen split* up (***in*** into)
Zertifikat certificate [sə'tɪfɪkət]
zertrampeln: ***etwas zertrampeln*** trample all over something
zertrümmern smash (up)
zerwühlt **1.** *Bett*: rumpled **2.** ***dein Haar ist ganz zerwühlt*** your hair's all messed up
zerzaust *Haar*: dishevelled [dɪ'ʃevld]
Zettel **1.** piece of paper **2.** *beschrieben*: note
Zeug *umg.* **1.** *allg.*: stuff **2.** ***dummes Zeug reden*** talk rubbish, *AE* talk garbage **3.** ***sie hat das Zeug dazu*** she's got what it takes
Zeuge **1.** witness **2.** ***er war Zeuge eines Unfalls*** he witnessed an accident
zeugen[1]: ***ein Kind zeugen*** father a child
zeugen[2]: ***zeugen von*** testify ['testɪfaɪ] to; ***das zeugt nicht gerade von Takt*** that isn't exactly the height [⚠ haɪt] of tact
Zeugin witness
Zeugnis **1.** (≈ *Schulzeugnis*) report, *AE* report card **2.** (≈ *Arbeitszeugnis*) reference ['refrəns]
Zicke *umg.* **1.** ***blöde Zicke*** silly cow **2.** ***mach keine Zicken!*** no nonsense!
zickig *umg.* **1.** (≈ *launisch*) bitchy **2.** (≈ *prüde*) prim, prudish
Zicklein kid
Zickzack: ***im Zickzack fahren*** zigzag ['zɪgzæg] (across the road)
Zickzacklinie zigzag ['zɪgzæg] (line)
Ziege **1.** goat, *weibliche auch*: nanny goat **2.** *umg. Frau*: cow; ***blöde Ziege*** silly old cow
Ziegel **1.** *allg.*: brick **2.** (≈ *Dachziegel*) tile
Ziegenbock billy goat
Ziegenpeter mumps [mʌmps] (⚠ *Sg.*)
ziehen[1] **1.** *allg.*: pull (***aus*** out of) **2.** ***ziehen an*** pull (at); ***jemanden an den Haaren ziehen*** pull someone's hair (⚠ *Sg.*) **3.** draw* (*Los*) **4.** take* (*Karte*) **5.** pull (*Messer usw.*) **6.** ***eine Linie ziehen*** draw* a line **7.** ***er hat mir zwei Zähne gezogen*** he pulled two (of my) teeth out **8.** ***zieh dir diesen Pulli übers T-Shirt*** put this jumper on over your T-shirt **9.** ***ein Gesicht ziehen*** pull a face **10.** ***einen ziehen lassen*** *salopp* fart, *BE auch* let* off
ziehen[2]: ***ziehen nach*** move to
ziehen[3]: ***hier ziehts*** there's a draught [⚠ drɑːft] (here)
Ziehharmonika concertina [ˌkɒnsə'tiːnə], accordion [ə'kɔːdɪən] (⚠ *Schreibung*)
Ziehung *Lotterie*: draw
Ziel **1.** *Sport*: finish, finishing line; ***als Zweiter durchs Ziel gehen*** finish second **2.** (≈ *Reiseziel usw.*) destination **3.** (≈ *Zielscheibe*) target ['tɑːgɪt] **4.** (≈ *Absicht usw.*) aim, goal; ***sich ein Ziel setzen*** set* oneself a goal; ***mein Ziel ist es zu …*** it's my aim (*oder* goal) to …; ***wir haben unser Ziel erreicht*** we've reached our goal
zielen **1.** aim (***auf*** at) **2.** ***er kann gut zielen*** he's got a good aim
Zielgerade home straight, *AE* home stretch
Zielgruppe target ['tɑːgɪt] group
Ziellinie *Sport*: finishing line
ziellos *umherirren usw.*: aimlessly
Zielscheibe target ['tɑːgɪt]
zielstrebig **1.** purposeful ['pɜːpəsfl], single-minded, determined [dɪ'tɜːmɪnd] **2.** ***er kümmert sich zielstrebig um seine Karriere*** he's pursuing [pə'sjuːɪŋ] his career with determination, he's very single-minded [ˌsɪŋgl'maɪndɪd] about his career
ziemlich **1.** quite [kwaɪt]; ***ziemlich klein*** *usw.* quite small *usw.* **2.** ***ziemlich viel*** quite a lot **3.** ***ziemlich viele*** quite a few **4.** ***ein ziemliches Durcheinander*** quite a mess **5.** ***ich weiß es mit ziemlicher Sicherheit*** I'm pretty sure about it **6.** ***so ziemlich*** *umg.* pretty well; ***ich bin so ziemlich kaputt*** I'm pretty well shattered
ziepen **1.** ***jemanden an den Haaren ziepen*** tug at someone's hair **2.** ***es ziept!*** *beim Kämmen*: it's pulling
zieren: ***zier dich nicht!*** don't be shy!
Zierfisch ornamental fish
zierlich **1.** *Finger usw.*: delicate ['delɪkət] **2.** *Mädchen*: dainty, *Frau auch*: petite [pə'tiːt]
Zierpflanze ornamental [ˌɔːnə'mentl] plant
Ziffer **1.** figure ['fɪgə] **2.** ***eine Zahl mit fünf Ziffern*** a five-figure number **3.** ***arabische*** (*bzw.* ***römische***) ***Ziffern*** Arabic

['ærəbɪk] (*bzw.* Roman) numerals ['njuːmrəlz]
Zifferblatt 1. (clock)face **2.** *einer Armbanduhr*: (watch)face
zig *umg.* umpteen; ***ich habs in zig Geschäften versucht*** I tried umpteen shops
Zigarette cigarette [ˌsɪgə'ret]
Zigarettenautomat cigarette machine
Zigarettenschachtel cigarette packet, *AE* cigarette pack
Zigarettenstummel cigarette end
Zigarre cigar [sɪ'gɑː]
Zigfache: ***das Zigfache*** *umg.* umpteen times [ˌʌmptiːn'taɪmz] the amount
zigmal *umg.* umpteen times
zigtausend: ***zigtausend Leute*** *usw. umg.* tens of thousands of people *usw.*
Zimmer 1. room; ***sie ist auf ihrem Zimmer*** she's in her room **2.** ***Zimmer mit Frühstück*** bed and breakfast [ˌbed‿ən-'brekfəst] (*Abk.* B & B [ˌbiː‿ən'biː])
Zimmerantenne indoor aerial ['eərɪəl], *bes. AE* indoor antenna
Zimmereinrichtung 1. furnishings (⚠ *Pl.*), (≈ *Möbel*) furniture ['fɜːnɪtʃə] **2.** (≈ *Innenausstattung*) interior [ɪn'tɪərɪə], décor ['deɪkɔː]
Zimmermädchen chambermaid ['tʃeɪmbəmeɪd], room maid
Zimmermann carpenter
Zimmerpflanze indoor plant, houseplant
zimperlich: ***sei nicht so zimperlich!*** don't make such a fuss!
Zimt cinnamon ['sɪnəmən]
Zink zinc [zɪŋk]
Zinken *umg.* (≈ *Nase*) conk, *AE* schnozzle
zinken mark (*Karten*)
Zinn 1. tin **2.** *Becher usw.*: pewter ['pjuːtə]
Zinne 1. *einzelne*: merlon ['mɜːlən] **2.** ***die Zinnen der Burg*** the battlements of the castle
Zinnsoldat tin soldier [ˌtɪn'səʊldʒə]
Zins[1] *für geliehenes Geld*: interest ['ɪntrəst]; ***die Zinsen*** the interest (⚠ *Sg.*)
Zins[2] Ⓐ, *auch* ⒸⒽ (≈ *Miete*) rent
Zip-Datei *Computer*: zip file ['zɪp‿faɪl]
Zipfel 1. *eines Tuchs usw.*: corner **2.** *umg.* (≈ *Penis*) willy
Zipfelmütze pointed hat
zippen zip (*Datei*)
zirka about, approximately (*Abk.* c.)
Zirkel 1. *mit einer Bleistiftspitze*: (pair of) compasses [⚠ 'kʌmpəsɪz] (⚠ *Pl.*); ***dieser Zirkel ist kaputt*** these compasses are broken **2.** *mit zwei Metallspitzen*: (pair of) dividers [dɪ'vaɪdəz] (⚠ *Pl.*)
Zirkumflex circumflex ['sɜːkəmfleks]
Zirkus 1. circus ['sɜːkəs] **2.** ***so ein Zirkus!*** *übertragen* what a carry-on! **3.** ***mach keinen Zirkus!*** don't make such a fuss!
Zirkuszelt big top
zirpen chirp
zischeln whisper, *zornig*: hiss
zischen 1. (*Sprudel*) fizz **2.** (*Fett*) sizzle **3.** *beim Sprechen*: hiss **4.** ***durch die Luft zischen*** whizz through the air **5.** ***einen zischen*** *umg.* (≈ *trinken*) knock one back
Zitat quotation, quote (***aus*** from)
Zither zither ['zɪðə]
zitieren quote (***aus*** from)
Zitrone lemon ['lemən]
Zitronensaft lemon juice ['lemən‿dʒuːs]
Zitronenscheibe slice of lemon
zittern 1. (*auch Stimme*) tremble, *stärker*: shake* (***vor Angst*** *usw.* with fear *usw.*); ***er zitterte am ganzen Körper*** he was trembling (*oder* shaking) all over **2.** ***ich hab ganz schön gezittert*** *umg.* I was scared as anything **3.** ***vor jemandem zittern*** be* scared of someone
zittrig shaky; ***er hat eine zittrige Schrift*** he's got shaky handwriting (⚠ *ohne* a)
Zitze teat
Zivi *umg.* → ***Zivildienstleistender***
zivil 1. (↔ *militärisch*) civilian **2.** ***die zivile Luftfahrt*** civil aviation [ˌsɪvl‚eɪvɪ'eɪʃn] (⚠ *ohne* the) **3.** *Preise*: (≈ *annehmbar*) reasonable
Zivil 1. ***in Zivil*** in plain clothes [kləʊ(ð)z] **2.** ***ein Polizist in Zivil*** a plainclothes policeman
Zivilbevölkerung civilian population
Zivildienst community service (for conscientious [ˌkɒnʃɪ'enʃəs] objectors); ***Zivildienst leisten*** do* (one's) community service

Zivildienst

Da es in Großbritannien keine Wehrpflicht gibt, gibt es auch keinen Zivildienst in unserem Sinne. **Community service** bedeutet (hauptsächlich von Sträflingen ausgeführter) Sozialdienst.

Zivildienstleistender conscientious [ˌkɒnʃɪ'enʃəs] objector doing community service
Zivilisation civilization [ˌsɪvəlaɪ'zeɪʃn]
zivilisiert civilized ['sɪvəlaɪzd]
Zivilist civilian [sə'vɪlɪən]
Znüni ⒸⒽ (≈ *Vormittagsimbiss*) mid-morning snack, *BE etwa*: elevenses [ɪ'levnzɪz]
zocken *umg.* gamble ['gæmbl]
Zocker(in) *umg.* gambler
Zoff *umg.* trouble ['trʌbl], strife; ***er hat mit***

ihr Zoff he's having a bit of a row [raʊ] with her
zögern hesitate ['hezɪteɪt]; ***ohne zu zögern*** without hesitating
zögernd 1. *allg.*: hesitating ['hezɪteɪtɪŋ] **2.** *Worte, Schritte, Fortschritt, Geständnis usw.*: halting ['hɔːltɪŋ] **3.** ***nur zögernd über etwas reden*** be* reluctant [rɪ'lʌktənt] to talk about something
Zölibat 1. celibacy ['seləbəsɪ] **2.** ***im Zölibat leben*** be* celibate ['seləbət]
Zoll[1] 1. (≈ *Steuer*) (customs) duty **2.** *Stelle*: customs (⚠ *mit Sg.*); ***etwas durch den Zoll bringen*** get* something through customs (⚠ *ohne* the)
Zoll[2] *Maßeinheit*: inch
zollfrei duty-free
Zollkontrolle customs check
Zollstock folding rule
Zone zone
Zoo zoo [zuː]
Zoologie zoology [zəʊ'ɒlədʒɪ]
Zoomobjektiv zoom lens [lenz]
Zopf 1. plait [⚠ plæt], *bes. AE* braid **2.** ***Zöpfe*** pigtails **3.** ***das ist doch ein alter Zopf*** *umg.* that's old hat (⚠ *ohne* an)
Zorn anger, rage
zornig 1. angry (***über etwas*** at *oder* about something; ***auf jemanden*** with someone), furious ['fjʊərɪəs] (***über etwas*** about something; ***auf jemanden*** with someone) **2.** ***sie wird immer gleich zornig*** she loses [⚠ 'luːzɪz] her temper easily, she's quick to lose her temper
Zote: ***Zoten reißen*** tell* dirty jokes
zottelig, zottig *Haare*: shaggy, straggly
zu[1] 1. to; ***zur Post gehen*** go* to the post office; ***zur Schule gehen*** go* to school (⚠ *ohne* the); ***zu einem Konzert gehen*** go* to a concert; ***er ist zu Stefan gegangen*** he's gone to Stefan's (place) **2.** ***zum Schwimmen gehen*** go* swimming **3.** ***zu Hause*** at home **4.** ***zu Fuß*** on foot, *AE auch* by foot **5.** ***zu Weihnachten*** *usw.* at Christmas *usw.* **6.** ***zu Beginn*** at the beginning **7.** ***sie haben zwei zu eins gewonnen*** they won two to one (*oder* two-one) **8.** ***wir waren zu dritt*** there were three of us **9.** ***CDs zu fünf Euro*** CDs for five euros **10.** ***was möchtest du zum Geburtstag?*** what would you like for your birthday? **11.** ***zum Braten brauchst du Fett*** you need fat for frying **12.** ***setz dich zu ihr*** go and sit with (*oder* next to) her
zu[2] (≈ *übermäßig*) too; ***zu sehr*** too much

> **zu viel 1.** too much; ***viel zu viel*** far too much **2.** ***es war einer zu viel*** there was one too many **3.** ***es war des Guten zu viel*** it was too much of a good thing **4.** ***es wurde mir zu viel*** it got too much for me **5.** ***ich krieg zu viel!*** *umg.* well blow me!, *AE* I'll be danged [dæŋd]!
> **zu wenig 1.** *allg.*: not enough [ɪ'nʌf]; ***viel zu wenig*** not nearly enough; ***du isst zu wenig*** you don't eat enough **2.** ***es war einer zu wenig*** we *usw.* were one short

zu[3] ↔ *offen*: shut; ***Tür zu!*** shut the door!; ***zu sein*** be* closed, be* shut
zu[4]: ***nur zu!*** go on!
zuallererst first of all
zubauen 1. build* up (*Gelände, Grundstück*) **2.** (≈ *versperren*) block, obstruct (*Blick, Aussicht*)
Zubehör accessories [ək'sesərɪz] (⚠ *Pl.*)
zubeißen 1. (*Tier*) bite* **2.** (≈ *die Zähne zusammenbeißen*) bite* hard
zubereiten 1. *allg.*: prepare **2.** ***das Essen zubereiten*** make* lunch (*bzw.* dinner)
Zubereitung *allg.*: preparation [ˌprepə'reɪʃn], *eines Essens auch*: cooking; ***die Zubereitung dauert …*** (the) preparation time is …
zubleiben stay closed, stay shut
Zubringerbus 1. *allg.*: feeder bus **2.** *zum Flughafen*: airport bus
Zucchini courgettes [kʊə'ʒet] (⚠ *Pl.*), *AE* zucchini [zʊ'kiːnɪ] (⚠ *Sg. und Pl.*)
Zucht 1. (≈ *Züchten*) breeding, *von Tieren auch*: rearing ['rɪərɪŋ], raising ['reɪzɪŋ] **2.** *von Pflanzen*: cultivation, growing **3.** *von Bienen, Bakterien usw.*: culture **4.** (≈ *Zuchtergebnis*) *von Tieren*: breed, stock, *von Pflanzen*: variety [və'raɪətɪ], *von Bienen, Bakterien*: culture **5.** ***Zucht und Ordnung*** strict discipline ['dɪsəplɪn], law and order
züchten 1. breed* (*Tiere*) **2.** grow* (*Pflanzen*)
Züchter(in) 1. *von Vieh*: breeder **2.** *von Pflanzen*: grower **3.** *von Bienen*: keeper
zuckeln *umg.* **1.** (*Auto*) chug [tʃʌg] along **2.** (*Person*) trundle along
zucken 1. *nervös*: twitch **2.** *vor Schmerz*: wince **3.** ***sie zuckte mit den Schultern*** she shrugged her shoulders ['ʃəʊldəz]
zücken 1. pull out (*Messer usw.*) **2.** *umg.* whip out (*Kuli, Geldbeutel usw.*)
Zucker 1. sugar ['ʃʊgə]; ***ein Löffel Zucker*** one teaspoon of sugar **2.** ***sie hat*** (*oder* ***leidet an***) ***Zucker*** she's got diabetes [ˌdaɪə'biːtiːz]
Zuckerhut 1. *allg.*: sugar loaf **2.** ***der Zuckerhut*** *in Rio de Janeiro*: Sugarloaf Mountain (⚠ *ohne* the)

zuckerkrank: ***sie ist zuckerkrank*** she's got diabetes [ˌdaɪəˈbiːtiːz], she's (a) diabetic [ˌdaɪəˈbetɪk]
Zuckerkrankheit diabetes [ˌdaɪəˈbiːtiːz]
Zuckerl *bes.* Ⓐ **1.** (≈ *Bonbon*) sweet, *AE* candy **2.** (≈ *zusätzlich Gebotenes*) goody
Zuckerlecken: ***das ist kein Zuckerlecken*** *umg.* it's no fun and games
Zuckerrübe sugar beet
Zuckerwatte candy floss, *AE* cotton candy
Zuckung **1.** *allg.*: twitch(ing), jerk [dʒɜːk] **2.** *krampfhafte*: convulsion [kənˈvʌlʃn], spasm [ˈspæzm] **3.** *eines Muskels*: twitch; ***nervöse Zuckungen*** a nervous twitch (⚠ *Sg.*)
zudecken cover up
zudrehen **1.** turn off (*Hahn*, *Wasser*) **2.** ***jemandem den Rücken zudrehen*** *abweisend*: turn one's back on someone
zudringlich **1.** pushy **2.** ***er wurde zudringlich*** *einer Frau gegenüber*: he started making passes
zudrücken: ***ein Auge zudrücken*** turn a blind eye
zueinander **1.** to each other, to one another **2.** ***zueinander stehen*** stick by each other
zuerst **1.** (≈ *als erste, -r, -s*) first; ***geh du zuerst*** you go first **2.** (≈ *anfangs*) at first; ***zuerst klappte es nicht*** at first it didn't work
Zufahrt **1.** access [ˈækses] **2.** (≈ *Zufahrtsstraße*) access road, *zu Haus*: drive(way)
Zufahrtsstraße **1.** *allg.*: access [ˈækses] road **2.** *zu Haus*: drive(way)
Zufall **1.** coincidence [kəʊˈɪnsɪdəns]; ***so ein Zufall!*** what a coincidence!; ***es war reiner Zufall*** it was pure coincidence (*oder* chance) **2.** ***durch Zufall*** by chance; ***wie es der Zufall wollte*** as chance would have it (⚠ *ohne* the)
zufallen **1.** (*Tür*) slam shut **2.** ***mir fallen die Augen zu*** I can't keep my eyes open
zufällig **1.** by chance; ***zufällig sah ich ihn*** by chance I saw him, I (just) happened to see him **2.** ***weißt du zufällig, ob*** *usw.?* do you happen to know whether *usw.?* **3.** ***es war rein zufällig*** it was pure coincidence [kəʊˈɪnsɪdəns]
Zufallsgenerator random generator
Zufallstreffer **1.** *Sport usw.*: fluke **2.** (≈ *Erfolg*) lucky strike
zufliegen (*Tür usw.*) slam shut
Zufluss **1.** influx [ˈɪnflʌks] (*auch übertragen*: *von Leuten*, *Kapital usw.*) **2.** (≈ *Nebenfluss*) tributary [ˈtrɪbjʊtrɪ]
zuflüstern: ***jemandem etwas zuflüstern*** whisper something to someone
zufrieden **1.** satisfied; ***sie ist mit nichts zufrieden*** she's never satisfied; ***bist du jetzt endlich zufrieden?*** are you quite satisfied (*oder* happy) now? **2.** ***ich bin damit zufrieden*** I'm happy with it

> **zufrieden geben**: ***sich mit etwas zufrieden geben*** settle for something
> **zufrieden lassen**: ***lass sie zufrieden*** leave her alone (*oder* in peace)
> **zufrieden stellen** **1.** satisfy **2.** ***sie ist schwer zufrieden zu stellen*** she's hard to please

Zufriedenheit satisfaction; ***zur vollsten Zufriedenheit*** to our *usw.* full satisfaction
zufriedenstellend satisfactory
zufrieren freeze* over
zufügen add; ***dem Essen etwas Salz zufügen*** add some salt to the food
Zug[1] **1.** train; ***mit dem Zug*** by train (⚠ *ohne* the); ***im Zug*** on the train **2.** ***Peter bringt mich zum Zug*** Peter's seeing me off at the station **3.** ***du sitzt im falschen Zug*** *übertragen* you're barking up the wrong tree **4.** ***der Zug ist abgefahren*** *übertragen* you've *usw.* missed the boat

Im Zug

Ist das der Zug nach Glasgow?	**Is this the train to Glasgow?**
Ist der Platz hier frei?	**Is this seat taken?**

In Großbritannien fragt man meist, ob der Platz besetzt, nicht ob er frei ist. Wenn er frei ist, antwortet man demzufolge mit **„no"**, wenn er besetzt ist mit **„yes"**.

Zug[2] **1.** (≈ *Luftzug*) draught [⚠ drɑːft]; ***im Zug sitzen*** sit* in a draught **2.** ***er nahm einen Zug an der Zigarette*** he took a drag on the cigarette **3.** (≈ *Schluck*) gulp (***aus*** from); ***sein Glas auf einen Zug leeren*** empty one's glass in one go **4.** ***in einem Zug*** (≈ *ohne Unterbrechung*) at one stroke, *BE auch* in one go **5.** *Schach usw.*: move (*auch übertragen*) **6.** ***ich kam nicht zum Zug(e)*** I never got a chance **7.** ***ein paar Züge schwimmen*** do* a few strokes (in the pool) **8.** ***etwas in groben Zügen beschreiben*** give* a rough [rʌf] description of something
Zugabe encore [ˈɒŋkɔː]; ***Zugabe!*** encore!
Zugabteil train compartment
Zugang **1.** *allg.*: access [ˈækses] (***zu*** to) **2.** ***kein Zugang!*** no entry, no admittance

zugänglich: ***es ist nicht zugänglich*** it's not open to the public
zugeben admit; ***gibs doch zu!*** go on, admit it!; ***er gab zu, es getan zu haben*** he admitted having done it
zugefroren **1.** *See usw.*: frozen over **2.** *Tür, Deckel usw.*: frozen shut
zugegeben: ***zugegeben, es war nichts Besonderes*** okay, it wasn't anything special
zugehen **1.** (*Fenster usw.*) shut*; ***es geht nicht zu*** it won't shut **2.** ***es ging sehr laut*** *usw.* ***zu*** it was very noisy *usw.* **3.** ***sie ging geradewegs auf ihn zu*** she went straight up to him **4.** ***geh zu!*** *umg.* get a move on!
zugehörig **1.** (≈ *dazugehörend*) *allg.*: accompanying [ə'kʌmpənɪɪŋ] **2.** ***zugehörige Teile*** accessory [ək'sesərɪ] parts **3.** *bei Kleidungsstücken, in Farbe, Form*: matching **4.** ***er fühlt sich uns nicht mehr zugehörig*** he doesn't feel he belongs to us any longer
zugeknöpft *Person*: uncommunicative [ˌʌnkə'mjuːnɪkətɪv]
Zügel **1.** *an Pferd*: rein [reɪn] **2.** *übertragen* ***die Zügel (fest) in der Hand haben*** have* things (firmly) under control; ***die Zügel lockern*** loosen ['luːsn] the reins
zugelassen: ***für Jugendliche nicht zugelassen*** (for) adults only
zugelaufen: ***zugelaufener Hund*** stray dog
zügeln **1.** (≈ *zurückhalten, beherrschen*) control (*Eifer, Wut usw.*) **2.** Ⓒⓗ (≈ *umziehen*) move (house)
zugeparkt *Straße*: lined with parked cars
zugerichtet: ***er war ziemlich übel zugerichtet*** he was in a pretty bad way
zugeschneit snowed in
Zugeständnis **1.** concession (+ *Dativ* to) **2.** ***Zugeständnisse machen*** *übertragen* make* allowances (***an*** for)
zugetan: ***sie ist Schokolade ziemlich zugetan*** she's very partial to chocolate
zugewachsen completely overgrown
zugig draughty [⚠ 'drɑːftɪ], *AE* drafty [⚠ 'drɑːftɪ]
zügig **1.** ***wir sind zügig vorangekommen*** we made fast progress ['prəʊgres] **2.** Ⓒⓗ *Schlagwort, Kandidat usw.*: (≈ *zugkräftig*) persuasive [pə'sweɪsɪv]
Zugluft draught [⚠ drɑːft]
zugreifen **1.** ***greift zu!*** help yourselves! **2.** (≈ *die Gelegenheit ergreifen*) go* for it; ***ich hab sofort zugegriffen*** I didn't wait to be asked twice **3.** ***zugreifen auf*** *Computer*: access ['ækses]
Zugrestaurant dining car, *AE auch* diner
Zugriff *auch Computer*: access (***auf, zu*** to)
Zugriffszeit access ['ækses] time
zugrunde **1.** ***zugrunde gehen*** (*Person*) go* to rack and ruin, (≈ *sterben*) die (***an*** of) **2.** ***er ist an Drogen zugrunde gegangen*** his life was ruined by drugs
zugucken → ***zusehen***
Zugunglück train crash
zugunsten: ***zugunsten der Obdachlosen*** *usw.* in aid of the homeless *usw.*
zugute: ***es kommt dem Kinderheim zugute*** it'll go to the children's home
Zugverbindung train connection
Zugvogel migratory ['maɪgrətrɪ] bird
zuhaben **1.** ***sie haben zu*** they're closed **2.** ***sie hat die Tür zu*** she's shut the door
zuhalten **1.** ***halt dir die Nase zu!*** hold your nose!; ***er hielt sich die Ohren zu*** he held his hands over his ears **2.** ***die Tür*** *usw.* ***zuhalten*** hold* the door *usw.* shut
Zuhälter pimp
Zuhause: ***er hat kein Zuhause*** he hasn't got a home, he hasn't got anywhere to live
zuhause Ⓐ, Ⓒⓗ at home; ***ist John zuhause?*** (≈ *daheim*) is John at home?, (≈ *im Haus*) is John in?; ***wir sind wieder zuhause*** we're back home again; ***sie ist in Genf zuhause*** she comes from Geneva [dʒə'niːvə]; ***tu, als ob du zuhause wärst!*** make yourself at home; ***bei uns zuhause*** (≈ *in meiner bzw. unserer Heimat*) where I (*bzw.* we) come from, (≈ *in meiner bzw. unserer Familie*) in my (*bzw.* our) family, (≈ *in unserem Haus, in unserer Wohnung, unserer Stadt usw.*) at our place
zuhören listen [⚠ 'lɪsn]; ***hör mir mal zu*** listen to me; ***genau zuhören*** listen carefully; ***du hast nicht zugehört*** you weren't listening
Zuhörer(in) listener [⚠ 'lɪsnə]
zuklappen **1.** (*Tür, Deckel usw.*) fall* shut **2.** ***ein Buch zuklappen*** shut* a book
zukleben seal (*Umschlag usw.*)
zuknallen **1.** (*Tür usw.*) slam shut **2.** ***er knallte die Tür zu*** he slammed the door
zukneifen: ***er kniff die Augen zu*** he narrowed his eyes
zuknöpfen button up (*Mantel usw.*)
zukommen **1.** ***es kam direkt auf mich zu*** *Auto usw.*: it came straight towards me **2.** ***es kommt einiges auf uns zu*** *an Arbeit*: we're in for quite a bit of work **3.** ***er hatte keine Ahnung, was auf ihn zukam*** he had no idea what was coming his way
zukriegen **1.** ***ich krieg den Koffer*** *usw.* ***nicht zu*** I can't shut the case *usw.* **2.**

ich krieg die Hose *usw.* ***nicht zu*** I can't do these trousers *usw.* up
Zukunft 1. future ['fjuːtʃə]; ***in Zukunft*** in future **2. *ein Beruf mit Zukunft*** a job with a future; ***die Arbeit hat keine Zukunft*** there's no future in that kind of work
zukünftig 1. (≈ *in Zukunft*) in future **2. *ihr zukünftiger Mann*** her future husband
Zukunftsaussichten future prospects
Zukunftsmusik: ***das ist alles noch Zukunftsmusik*** that's all still up in the air
Zukunftspläne plans for the future
Zulage 1. *allg.*: allowance, extra pay (⚠ *Letzteres immer ohne* an) **2.** (≈ *Prämie*) bonus **3.** (≈ *Gehaltszulage im Sinne von Gehaltserhöhung*) increase ['ɪŋkriːs]
zulangen 1. *langt zu!* *beim Essen*: help yourselves!; ***er hat kräftig zugelangt*** he really tucked in **2.** (≈ *mithelfen*) lend* a hand **3. *jemand, der zulangen kann*** someone who's not afraid of hard work
zulassen: ***zum Studium zugelassen werden*** get* a place at university, *AE* be* admitted to college *usw.*
zulässig 1. *allg.*: permissible [pə'mɪsəbl]; ***zulässige (Höchst)Belastung*** maximum permissible (*oder* safe) load; ***zulässige Höchstgeschwindigkeit*** maximum (permissible) speed **2.** *amtlich*: authorized ['ɔːθəraɪzd] **3. *das ist (nicht) zulässig*** that is (not) allowed (*oder* permitted, permissible)
Zulassungsprüfung entrance exam
Zulauf: ***es hat großen Zulauf*** it's very popular
zulaufen: ***uns ist ein Hund zugelaufen*** we've got a stray dog
zulegen 1. *er hat sich ein Handy zugelegt* he's got himself a mobile phone **2. *er hat sich einen Bart zugelegt*** he's grown a beard **3. *ich hab mir eine Erkältung zugelegt*** I've landed myself with a cold **4.** *umg.* (≈ *schneller laufen usw.*) step on it **5. *er hat ziemlich zugelegt*** *umg.* (≈ *zugenommen*) he's been putting the pounds on
zuleide: ***er würde niemandem was zuleide tun*** he wouldn't hurt anyone
zuletzt 1. last; ***wir machen das zuletzt*** we'll do that last **2. *sie kommt immer zuletzt*** she's always the last to arrive **3. *wann warst du zuletzt da?*** when were you last there?; ***ich hab ihn zuletzt am Freitag gesehen*** I last saw him on Friday (⚠ *Wortstellung*) **4. *bis zuletzt*** till the (very) end
zuliebe: ***ihr zuliebe*** for her sake
Zulieferer *von Bauteilen usw.*: (outside) supplier [sə'plaɪə]
zum → ***zu***[1]
zumachen 1. shut*, close (*Tür, Geschäft usw.*) **2.** do* up (*Mantel usw.*) **3.** put* down (*Schirm*) **4. *ich hab kein Auge zugemacht*** I didn't sleep a wink **5. *mach zu!*** *umg.* (≈ *beeil dich*) get a move on!
zumindest at least; ***er ist krank - glaube ich zumindest*** he's ill - at least I think he is
zumute 1. *mir ist nicht wohl zumute* I don't feel good **2. *mir ist nicht nach Tennis zumute*** I don't feel like (playing) tennis
zumuten 1. *das kannst du ihm nicht zumuten* you can't expect him to do that **2. *sich zu viel zumuten*** take* on too much
Zumutung: ***das ist eine Zumutung!*** it's a damn [dæm] cheek!, it's a bit much!
zunächst 1. (≈ *anfangs*) at first **2.** (≈ *als erstes*) first (of all)
zunähen sew up [⚠ ˌsəʊ'ʌp]
Zunahme increase ['ɪŋkriːs] (+ *Gen. oder* **an** in)
Zuname ↔ *Vorname*: surname ['sɜːneɪm], last (*oder* second) name
zündeln *bes.* Ⓐ play with matches, play with fire
zünden 1. (*Motor*) ignite, fire **2. *das Streichholz zündet nicht*** the match won't light **3. *hats bei dir endlich gezündet?*** *umg.* has the penny finally dropped?
Zunder 1. *brennen wie Zunder* burn* like tinder **2. *es gibt Zunder*** *umg.* she's (*oder* they're *usw.*) in for it
Zünder *Bombe, Mine*: detonator ['detəneɪtə]
Zündholz match
Zündholzschachtel matchbox
Zündkerze spark plug
Zündung ignition
zunehmen 1. *an Gewicht*: put* on weight **2.** (*Zahl, Probleme usw.*) increase, grow*
Zuneigung affection (***für, zu*** for)
Zunge 1. tongue [⚠ tʌŋ]; ***er streckte (mir) die Zunge raus*** he poked his tongue out (at me) **2. *sie hat eine spitze Zunge*** *übertragen* she's got a sharp tongue **3. *es liegt mir auf der Zunge*** *Wort*: it's on the tip of my tongue
Zungenbrecher tongue-twister
Zungenkuss French kiss
zunicken 1. *jemandem zunicken* nod at someone **2. *sie nickte uns freundlich zu*** she gave us a friendly nod
zuordnen 1. *den Bildern die richtigen Begriffe zuordnen* match the right

words up with the pictures **2.** ***die Eidechse wird den Reptilien zugeordnet*** the lizard ['lɪzəd] is classified ['klæsɪfaɪd] as a reptile ['reptaɪl] **3.** ***sie lässt sich schwer zuordnen*** *in eine bestimmte Kunstrichtung usw.*: (≈ *schwer einordnen*) she's hard to place (*oder* categorize ['kætɪgəraɪz])

zupacken 1. grab hold of it (*oder* him *usw.*) **2.** ***wir haben alle zugepackt*** we all rolled up our sleeves (and helped)

zuparken block (*Eingang usw.*)

zupfen 1. ***sie zupfte mich am Ärmel*** she tugged at my sleeve **2.** pluck (*Saite, Instrument, Augenbrauen*)

Zupfinstrument plucked instrument ['ɪnstrəmənt]

zuprosten: ***sie haben mir zugeprostet*** they raised their glasses to me

zur → ***zu***[1]

zurechnungsfähig (≈ *bei klarem Verstand*) accountable, of sound mind

zurechtbiegen 1. bend* into shape **2.** ***er hat die Sache wieder zurechtgebogen*** he got things straightened out again

zurechtfinden 1. ***ich hab mich schnell zurechtgefunden*** *in einer Stadt usw.*: I found my way around quickly **2.** ***findest du dich zurecht?*** *bei Arbeit usw.*: are you managing all right?; ***ich find mich überhaupt nicht mehr zurecht*** I don't know what's going on any more

zurechtkommen 1. *mit einer Sache*: manage, cope (***mit*** with) **2.** ***mit jemandem (gut) zurechtkommen*** get* on (well) with someone

zurechtmachen 1. ***sich zurechtmachen*** (≈ *sich herausputzen*) do* oneself up **2.** do* up (*Zimmer*)

zureden: ***kannst du ihm nicht gut zureden?*** can't you persuade [pə'sweɪd] him?

Zürich Zurich ['zʊərɪk]

zurichten: ***sie haben ihn übel zugerichtet*** they really made a mess of him

zurück 1. *allg.*: back **2.** ***London und zurück, bitte*** a return (*AE* a round trip) to London, please **3.** ***zurück!*** get back! **4.** ***fünf Punkte zurück sein*** be* five points behind **5.** ***zurück sein*** *in der Schule*: be* behind

Zurück: ***es gibt kein Zurück (mehr)*** there's no turning back (now)

zurückbekommen get* back

zurückbilden: ***sich zurückbilden*** (*Geschwulst usw.*) recede [rɪ'siːd], (*Muskeln*) atrophy ['ætrəfɪ], (*Körper- oder Pflanzenmerkmale usw.*) regress [rɪ'gres]

zurückbinden tie back

zurückbleiben 1. stay behind **2.** (≈ *nicht mithalten*) be* lagging behind

zurückblenden flash back (***auf*** to)

zurückblicken look back (***auf*** to)

zurückbringen 1. *hierher*: bring* back **2.** *woandershin*: take* back

zurückdenken think* back (***an*** to)

zurückdrehen 1. turn back (*Zeiger, Hahn usw.*) **2.** turn down (*Lautstärke*)

zurückerinnern: ***sich zurückerinnern (an)*** remember

zurückerstatten refund [rɪ'fʌnd]; ***haben sie dir das Geld zurückerstattet?*** did they refund you the money?

zurückfahren 1. go* back, *mit dem Auto auch*: drive* back **2.** ***jemanden zurückfahren*** drive* someone back

zurückfallen 1. (≈ *umfallen*) fall* back **2.** *im Rennen usw.*: fall* behind, drop back

zurückfinden: ***findest du den Weg zurück?*** will you find your way back?

zurückfliegen fly* back

zurückgeben give* back, return

zurückgeblieben backward ['bækwəd]

zurückgehen 1. go* back **2.** ***zwei Schritte zurückgehen*** take* two steps back **3.** ***es geht aufs Mittelalter zurück*** it goes back to the Middle Ages (⚠ *Pl.*)

zurückgewinnen win* back

zurückgezogen 1. *Dasein, Leben*: secluded [sɪ'kluːdɪd] **2.** ***zurückgezogen leben*** lead* a secluded life, live in seclusion

zurückhalten 1. ***sich zurückhalten*** hold* back **2.** ***sich mit dem Essen*** *usw.* ***zurückhalten*** go* easy on the food *usw.* **3.** (≈ *nicht freigeben*) hold* onto

zurückhaltend reserved

zurückholen fetch back

zurückkaufen buy* back

zurückkehren go* (*bzw.* come*) back, return

zurückkommen 1. come* back **2.** ***zurückkommen auf*** come* back to (*ein Thema*)

zurückkönnen: ***wir konnten nicht zurück*** we couldn't get back

zurückkriegen get* back

zurücklassen 1. leave* behind **2.** ***lass ihn zurück*** (≈ *zurückgehen*) let him go back

zurücklaufen run* back

zurücklegen 1. *an seinen Platz*: put* back **2.** *für jemanden*: put* aside, keep* **3.** ***leg den Kopf zurück*** put your head back **4.** ***fünf Kilometer zurücklegen*** walk (*bzw.* run*) five kilometres

zurücklehnen: ***sich zurücklehnen*** lean* back

zurückliegen 1. ***das liegt weit*** (*bzw.* ***zwei Jahre***) ***zurück*** that was a long time (*bzw.* two years) ago **2.** ***sie liegen 5:3 zu-***

rück they're 5-3 (*gesprochen* five--three) down
zurückmelden: ***sich zurückmelden*** report back (***bei*** to)
zurückmüssen **1.** ***ich muss zurück*** I've got to go back **2.** ***das Fahrrad muss zurück*** the bicycle's got to be taken back
zurücknehmen take* back (*auch Gesagtes*)
zurückrufen call back; ***ich ruf (dich) zurück*** I'll call (you) back
zurückschauen look back (***auf*** at)
zurückscheuen: ***er scheut vor nichts zurück*** he'll stop at nothing
zurückschicken send* back
zurückschieben push back
zurückschlagen **1.** *nach einem Schlag*: hit* (someone) back **2.** *übertragen* fight* back **3.** ***den Ball zurückschlagen*** hit* the ball back
zurückschrecken: ***er schreckt vor nichts zurück*** he'll stop at nothing
zurückschreiben write* back; ***hast du ihr zurückgeschrieben?*** did you write back to her?
zurückspielen *Sport*: play the ball back
zurückspringen **1.** jump back **2.** (*Ball*) bounce back
zurückspulen rewind* [riː'waɪnd]
zurückstehen **1.** ***das Haus steht zehn Meter von der Straße zurück*** the house is set back ten metres from the road **2.** ***er steht hinter den anderen zurück*** he's lagging behind the others, (≈ *hintanstehen*) he takes second place
zurückstellen **1.** put* back (*Gegenstand*) **2.** put* aside (*Ware*) **3.** ***seine Uhr zurückstellen*** put* one's watch back
zurückstoßen **1.** *allg.*: push back **2.** *übertragen* reject [rɪ'dʒekt] (*Person*)
zurücktreten **1.** step back **2.** *von einem Amt*: resign [rɪ'zaɪn]
zurückweichen step back (***vor*** from)
zurückweisen reject [rɪ'dʒekt]
zurückwerfen throw* back
zurückwollen want to go back
zurückzahlen pay* back; ***ich zahls dir zurück*** I'll pay you back
zurückziehen **1.** *allg.*: pull back (*auch Vorhänge*) **2.** withdraw* (*Antrag, Versprechen usw.*) **3.** ***sich zurückziehen*** *allg.*: withdraw* **4.** ***er hat sich auf sein Zimmer zurückgezogen*** he's disappeared into his room
Zuruf **1.** *allg.*: shout **2.** ***Zurufe*** *anfeuernde*: cheers, cheering (⚠ *Sg.*)
zurufen: ***jemandem zurufen*** call someone, call out to someone
zurzeit at the moment
Zusage **1.** (≈ *Versprechen*) promise [⚠ 'prɒmɪs] **2.** (≈ *Annahme*) acceptance
zusagen **1.** *bei Einladung*: accept [ək'sept]; ***alle haben zugesagt*** they've all said they'll come **2.** ***jemandem zusagen*** (≈ *gefallen*) appeal to someone; ***wird es ihr zusagen?*** *auch*: will she like it?; ***das würde ihr eher zusagen*** she'd prefer that
zusammen **1.** *allg.*: together; ***wir waren zusammen in Italien*** we went to Italy together **2.** ***das macht zusammen 35 Euro*** that's 35 euros all together **3.** ***bestellen wir die gemischte Grillplatte zusammen*** let's order the mixed grill between us **4.** ***Morgen zusammen!*** *Gruß*: morning everyone! **5.** ***zusammen sein*** be* together; ***sie sind wieder zusammen*** they're back together again
Zusammenarbeit **1.** cooperation [kəʊˌɒpə'reɪʃn] **2.** *im Team*: teamwork
zusammenarbeiten work together; ***ich kann mit ihm nicht zusammenarbeiten*** I can't work with him
zusammenballen: ***die Hände zusammenballen*** clench one's fists
zusammenbauen put* together, assemble
zusammenbeißen: ***die Zähne zusammenbeißen*** clench one's teeth, *übertragen* grit one's teeth
zusammenbekommen **1.** get* together (*eine Mannschaft usw.*) **2.** raise, *umg.* scrape together (*Geld*)
zusammenbleiben stay together
zusammenbrechen **1.** (*Person, Gebäude usw.*) collapse **2.** *psychisch*: break* down
zusammenbringen **1.** ***er brachte die beiden zusammen*** he brought the two of them together **2.** raise (*Geld*) **3.** ***er bringt keinen Satz zusammen*** he can't string a sentence together
Zusammenbruch collapse [kə'læps]
zusammenfahren **1.** *umg.* smash into (*Ampel usw.*) **2.** run* over, drive* into (*Person*) **3.** (*zwei Autos, Züge usw.*) collide **4.** *erschrocken*: jump, start (***vor*** with)
zusammenfallen **1.** (≈ *einstürzen*) collapse **2.** *zeitlich*: coincide [ˌkəʊɪn'saɪd]
zusammenfalten **1.** fold up **2.** ***die Hände zusammenfalten*** fold one's hands
zusammenfassen summarize, sum up
Zusammenfassung summary ['sʌmərɪ]
zusammenflicken *umg.* **1.** patch up (*Kleidung und übertragen Person*) **2.** cobble together (*Aufsatz, Arbeit usw.*)
zusammenfügen **1.** *allg.*: join (together), fit together **2.** *Technik*: assemble [ə'sembl]
zusammengedrängt crowded together

zusammengehören belong together
zusammengerechnet: ***alles zusammengerechnet*** all in all
zusammengeschustert *umg.* thrown together
zusammengesetzt **1.** ***zusammengesetzt aus*** made up of **2.** ***zusammengesetztes Wort*** compound ['kɒmpaʊnd] (word)
zusammenhaben: ***wir haben eine Mannschaft*** (*bzw.* ***das Geld***) ***zusammen*** we've got a team (*bzw.* the money) together
zusammenhalten **1.** (*zwei Teile usw.*) hold* together **2.** (*Gruppe usw.*) stick* together
Zusammenhang **1.** connection; ***im Zusammenhang mit*** in connection with (⚠ *ohne* the) **2.** ***etwas im Zusammenhang sehen*** see* something in context
zusammenhängen: ***es hängt damit zusammen, dass ...*** it's to do with the fact that ...
zusammenhauen **1.** ***jemanden zusammenhauen*** beat* someone up **2.** ***etwas zusammenhauen*** smash something to pieces
zusammenklappen **1.** fold up (*Stuhl usw.*) **2.** ***ein Buch zusammenklappen*** clap a book shut **3.** *umg.* (*Person*) collapse
zusammenkleben **1.** stick* together **2.** ***die Seiten kleben zusammen*** the pages are stuck together
zusammenknüllen screw up (*Papier usw.*)
zusammenkommen **1.** (*Personen*) get* together **2.** ***es kam alles zusammen*** everything happened at the same time **3.** ***es ist eine Menge Geld zusammengekommen*** quite a bit of money came in
zusammenkrachen *umg.* **1.** (*Gebäude usw.*) collapse [kə'læps] **2.** (*Autos*) crash
zusammenkratzen scrape together (*Geld*)
zusammenläppern: ***es läppert sich zusammen*** it all adds up
zusammenleben **1.** live together **2.** ***sie lebt mit ihm zusammen*** she lives with him
zusammenlegen **1.** (≈ *falten*) fold up **2.** (≈ *Geld sammeln*) club together
zusammennehmen **1.** ***ich musste meinen ganzen Mut zusammennehmen*** I had to muster (up) all my courage **2.** ***nimm dich zusammen!*** pull yourself together!
zusammenpacken pack (one's things) up
zusammenpassen **1.** (*Kleider usw.*) go* together **2.** ***sie passen nicht zusammen*** *Personen*: they aren't suited ['suːtɪd] **3.** ***es passt alles zusammen*** *ins Bild*: it all adds up
zusammenpferchen **1.** herd together (*auch übertragen*) **2.** ***zusammenpferchen in*** *übertragen* crowd into, coop up [ˌkuːp'ʌp] in
zusammenprallen **1.** (*Autos usw.*) crash **2.** (*Personen*) run* into each other **3.** ***zusammenprallen mit*** (*Auto usw.*) crash into, (*Person*) run* into
zusammenpressen press together; ***die Lippen zusammenpressen*** press one's lips together
zusammenquetschen **1.** squeeze together **2.** (≈ *zerquetschen*) squeeze
zusammenrechnen add up
zusammenreißen: ***reiß dich zusammen!*** pull yourself together!
zusammenrollen roll up
zusamenrotten: ***sich zusammenrotten*** gang up, (*Aufrührer*) form a mob
zusammenrücken **1.** ***rücken wir die Tische zusammen*** let's move the tables together **2.** (*Personen*) move up, make* room
zusammenrufen: ***alle zusammenrufen*** call everyone together
zusammenscheißen: ***er hat sie zusammengeschissen*** *salopp* he gave her a rocket, *AE* he chewed her ass out
zusammenschlagen: ***jemanden zusammenschlagen*** *umg.* clobber someone
zusammenschließen: ***sich zusammenschließen*** (≈ *sich vereinigen*) unite [juː'naɪt], *um etwas zu erreichen*: join forces, *zu einer Gruppe*: team up
zusammenschreiben **1.** ***das wird zusammengeschrieben*** it's (written as) one word **2.** ***einen Unsinn zusammenschreiben*** write* a lot of nonsense **3.** ***das hat er aus anderen Aufsätzen zusammengeschrieben*** he's pinched that from other essays
zusammenschrumpfen shrivel ['ʃrɪvl] up
zusammenschustern *umg.* cobble together
zusammensetzen **1.** ***sich zusammensetzen*** sit* together **2.** ***sie hat uns zusammengesetzt*** she put us next to each other
Zusammensetzung *Wort*: compound ['kɒmpaʊnd]
zusammensitzen sit* together
zusammenstauchen: ***ich hab ihn zusammengestaucht*** *umg.* I gave him a roasting
zusammenstecken **1.** ***die Haare zusammenstecken*** put* one's hair up **2.** ***dauernd zusammenstecken*** be* inseparable
zusammenstellen arrange (*Reise usw.*)
Zusammenstellung **1.** arrangement **2.**

von Berichten, Aufsätzen usw.: compilation [ˌkɒmpɪ'leɪʃn] **3.** (≈ *Übersicht*) survey ['sɜːveɪ], synopsis [sɪ'nɒpsɪs] **4.** (≈ *Tabelle*) table **5.** (≈ *Liste*) list
Zusammenstoß 1. *allg.*: crash **2.** ***Zusammenstöße*** *von Personen*: clashes
zusammenstoßen 1. crash (into each other) **2.** ***zusammenstoßen mit*** crash into
zusammenströmen flock together
zusammenstürzen collapse [kə'læps]
zusammentreiben round up
zusammentrommeln *umg.* round up
zusammentun: ***sich zusammentun*** team up, get* together
zusammenwachsen 1. grow* together **2.** (*Knochen*) knit [⚠ nɪt] (together)
zusammenwerfen *unterschiedslos*: lump together
zusammenwirken 1. (*Kräfte, Faktoren usw.*) combine **2.** (*Menschen*) cooperate [kəʊ'ɒpəreɪt], collaborate [kə'læbəreɪt], work together
zusammenzählen add up
zusammenziehen 1. *in eine Wohnung*: move in together **2.** ***sich zusammenziehen*** (*Muskeln usw.*) contract [kən'trækt]
zusammenzucken 1. *vor Schreck*: start, jump **2.** *vor Schmerz*: wince [wɪns]
Zusatz 1. *allg.*: addition **2.** *zu Nahrungsmitteln usw.*: additive ['ædətɪv], (≈ *Beimischung*) admixture [əd'mɪkstʃə]; ***Wein mit einem Zusatz von Glykol*** wine with added glycol ['glaɪkɒl] **3.** *schriftlicher*: addendum, *Pl.* addenda
Zusatzgerät *für Computer*: add-on ['ædɒn]
zusätzlich 1. additional, extra; ***zusätzliche Arbeit*** extra work **2.** (≈ *außerdem*) in addition **3.** ***zusätzlich etwas verdienen*** earn [ɜːn] a bit extra
Zusatzspeicher extended memory
zuschauen → ***zusehen***
Zuschauer(in) 1. *Sport*: spectator; ***die Zuschauer*** the spectators, the crowd (⚠ *mit Verb im Sg. oder Pl.*) **2.** *TV*: viewer ['vjuːə] **3.** ***die Zuschauer*** *Kino, Theater usw.*: the audience ['ɔːdɪəns] (⚠ *mit Sg. oder Pl.*); ***ein Zuschauer*** somebody in the audience
Zuschauerraum auditorium [ˌɔːdɪ'tɔːrɪəm]
zuschieben: ***jemandem die Schuld zuschieben*** put* the blame on someone
zuschießen: ***sie haben mir 200 Euro zum Fahrrad zugeschossen*** they gave me 200 euros towards the bike
Zuschlag *zur Fahrkarte*: supplement ['sʌplɪmənt]
zuschlagen 1. ***die Tür zuschlagen*** slam the door **2.** ***die Tür ist zugeschlagen*** the door slammed (shut) **3.** ***plötzlich schlug er zu*** suddenly he hit out **4.** ***ich hab sofort zugeschlagen*** *bei Angebot usw.*: I grabbed it *usw.* straightaway
zuschließen 1. lock up **2.** ***den Koffer*** *usw.* ***zuschließen*** lock the case *usw.* (up)
zuschnüren 1. lace up (*Schuhe*) **2.** tie up (*Paket usw.*)
Zuschrift letter, *als Antwort auch*: reply [rɪ'plaɪ]
Zuschuss 1. *allg.*: subsidy ['sʌbsədɪ] **2.** *von Eltern usw.*: contribution (***zu*** towards)
zuschütten 1. fill *something* up (*oder* in) (*Graben usw.*) **2.** fill in, close (*Grab*)
zusehen 1. watch **2.** ***wir sahen ihm bei der Arbeit zu*** we watched him working; ***ich sah zu, wie er es machte*** I watched how he did it **3.** ***ich kann nicht mehr zusehen*** I can't look any more **4.** ***sieh zu, dass dus nicht vergisst!*** make sure you don't forget!
Zusehen: ***allein vom Zusehen wird mir schlecht*** I feel sick just watching
zusperren 1. lock (*Tür usw.*) **2.** ***hast du zugesperrt?*** have you locked up?
zuspielen: ***jemandem den Ball zuspielen*** pass the ball to someone
zuspitzen: ***sich zuspitzen*** (*Lage*) come* to a head [hed]
Zustand 1. condition; ***in was für einem Zustand ist es?*** what sort of condition is it in? **2.** ***in was für einem Zustand ist sie?*** what sort of state is she in? **3.** *umg.* ***da kriegt man ja Zustände!*** it's enough to drive you nuts (*BE auch* spare); ***er kriegt Zustände, wenn er das sieht!*** he'll have a fit if he sees that
zustande: ***wie hast du das zustande gebracht?*** how did you manage that?
zuständig: ***ich bin dafür nicht zuständig*** it's not my job (*oder* responsibility)
zustecken: ***er steckte mir einen Zettel zu*** he slipped me a note
zusteigen get* on
zustellen 1. deliver [dɪ'lɪvə] (*Waren, eine Sendung usw.*) **2.** (≈ *blockieren*) block (*den Eingang usw.*)
Zustellung *von Waren usw.*: delivery [dɪ'lɪvərɪ]
zustimmen: ***jemandem zustimmen*** agree with someone
zustopfen 1. plug up (*Loch usw.*) **2.** ***sich die Ohren zustopfen*** plug one's ears
zustoßen 1. push *something* shut, *laut*: slam *something* (shut) (*Tür usw.*) **2.** *mit einem Messer usw.*: thrust, stab **3.** ***ihr muss etwas zugestoßen sein*** something must

have happened to her, *Unfall*: she must have had an accident; ***falls mir etwas zustoßen sollte*** if anything should happen to me

Zustrom **1.** *von Besuchern, Käufern*: stream, (≈ *Andrang*) rush **2.** *von Flüchtlingen, Touristen, Kapital*: influx ['ɪnflʌks] **3.** ***Zustrom kühler Meeresluft*** inflow of fresh sea air

Zutaten ingredients [ɪn'griːdɪənts]

zuteilen **1.** give*, *förmlicher*: assign [ə'saɪn], allot [ə'lɒt] (*alle*: + *Dativ* to) (*eine Arbeit, Aufgabe, Rolle*) **2.** allocate ['æləkeɪt] (+ *Dativ* to) (*Geld, eine Wohnung*) **3.** ***sie ist einer anderen Abteilung zugeteilt worden*** *im Vergleich zu bisher*: she's been moved [muːvd] to a different department

zutrauen **1.** ***traust du ihm das zu?*** do you think he can do it? **2.** ***ich traus ihr glatt zu*** I wouldn't put it past her **3.** ***das hätte ich ihm nicht zugetraut*** *bei etwas Negativem*: I didn't think he was like that, *anerkennend*: I didn't think he had it in him

Zutrauen **1.** confidence ['kɒnfɪdəns], trust (***zu*** in) **2.** ***ich hab kein Zutrauen zu ihm*** I don't trust him

zutraulich **1.** trusting **2.** *Tier*: friendly

zutreffen **1.** ***zutreffen auf*** apply to **2.** ***das trifft genau auf ihn zu*** that's him exactly

zutrinken: ***jemandem zutrinken*** drink* to someone

Zutritt **1.** *allg.*: access ['ækses] **2.** ***Zutritt verboten!*** no entry

zutun: ***ich hab kein Auge zugetan*** I didn't sleep a wink

zuverlässig **1.** reliable [rɪ'laɪəbl] **2.** ***sie sind absolut zuverlässig*** you can rely on them totally

Zuverlässigkeit reliability [rɪˌlaɪə'bɪlətɪ]

Zuversicht confidence ['kɒnfɪdəns]; ***er ist voller Zuversicht*** he's quite confident (***dass*** that)

zuversichtlich confident ['kɒnfɪdənt], optimistic

zuvor **1.** before; ***nie zuvor*** never before; ***besser als je zuvor*** better than ever before **2.** ***am Tag zuvor*** the day before, the previous ['priːvɪəs] day

zuvorkommen: ***sie ist mir zuvorgekommen*** she beat me 'to it (⚠ *betont ist* to)

zuvorkommend **1.** *allg.*: (very) obliging [ə'blaɪdʒɪŋ], accommodating **2.** (≈ *höflich*) courteous [⚠ 'kɜːtɪəs]

Zuwachs: ***sie haben Zuwachs bekommen*** *umg.* they've had a new arrival

zuwachsen (*Wunde usw.*) heal up, close

Zuwanderung immigration [ˌɪmɪ'greɪʃn], influx ['ɪnflʌks]

zuwenden **1.** ***jemandem den Rücken zuwenden*** turn one's back to (*bewusst abweisend*: <u>on</u>) someone **2.** ***jemandem das Gesicht zuwenden*** turn round to face (*oder* look at) someone **3.** *übertragen* ***sich jemandem zuwenden*** turn to someone **4.** *übertragen* ***sich*** *e-r Aufgabe usw.* ***zuwenden*** devote oneself to *a task usw.*

zuwerfen **1.** ***wirf mir den Ball zu!*** throw me the ball! **2.** slam (*Tür*)

zuwider: ***es ist mir zuwider*** I find it revolting

zuwinken: ***jemandem zuwinken*** wave at (*oder* to) someone

zuzahlen: ***ich musste 20 Euro zuzahlen*** I had to pay <u>an</u> extra 20 euro<u>s</u>

zuzeln *bes.* Ⓐ **1.** (≈ *lutschen, saugen*) suck **2.** ***er zuzelte stundenlang an einem Glas Wein*** he sipped away at his glass of wine for hours

zuziehen: ***er hat sich eine Erkältung zugezogen*** he's come down with a cold

Zuzüger(in) Ⓒⓗ **1.** (≈ *neues Mitglied*) newcomer **2.** (≈ *Zuwanderer*) incomer

Zuzügler(in) (≈ *Zuwanderer*) incomer

zuzüglich plus, not including

zuzwinkern: ***jemandem zuzwinkern*** wink <u>at</u> someone

Zvieri Ⓒⓗ (≈ *Nachmittagsimbiss*) afternoon snack

Zwang **1.** pressure; ***etwas unter Zwang tun*** do* something under pressure **2.** ***innerer Zwang*** inner compulsion **3.** ***tu dir nur keinen Zwang an!*** be my guest!, *bes. BE auch* don't mind me!

zwängen: ***sich in*** (*bzw.* ***durch***) ***etwas zwängen*** squeeze into (*bzw.* through) something

zwanghaft compulsive

Zustimmen

Das ist eine tolle Idee!	**That's a great idea.**
Ich bin ganz deiner Meinung.	**I totally agree with you.**
Ich glaube, du hast Recht.	**I think you're right.**
Ich glaube, es war richtig, dass du das gesagt hast.	**I think you were right to say that.**
Ich fand es gut, wie du es gesagt hast.	**I liked the way you put it.**

zwanglos *Treffen usw.*: relaxed
Zwangsernährung force-feeding
Zwangsidee obsession
Zwangsjacke straitjacket (*auch übertragen*)
zwangsläufig 1. *Ergebnis usw.*: inevitable [ɪn'evɪtəbl] **2.** ***es musste zwangsläufig so kommen*** it was bound to happen
zwanzig twenty
Zwanzigcentstück twenty-cent piece
Zwanzigerjahre: ***in den Zwanzigerjahren*** in the twenties
Zwanzigeuroschein twenty-euro note, *AE* twenty-euro bill
zwanzigste(r, -s) twentieth; ***20. April*** 20(th) April, April 20(th) (*gesprochen* the twentieth of April); ***am 20. April*** on 20(th) April, on April 20(th) (*gesprochen* on the twentieth of April)
zwar (⚠ *wird oft nicht übersetzt und durch Wortbetonung wiedergegeben*) **1.** ***ich bin zwar müde, aber ...*** I 'am tired, but ...; ***sie hat zwar gegessen, aber ...*** she 'did eat, but ... **2.** ***er kommt morgen, und zwar um sieben*** he's coming tomorrow - he'll be here at seven; ***sie will essen, und zwar sofort*** she wants to eat – right now
Zweck 1. purpose ['pɜːpəs]; ***seinen Zweck erfüllen*** (*Gerät usw.*) serve its purpose **2.** ***für private*** *usw.* ***Zwecke*** for private *usw.* use [juːs] (⚠ *Sg.*) **3.** ***das hat wenig Zweck*** that won't be much good; ***was hat es für einen Zweck?*** what's the point?; ***was hat es für einen Zweck, mit ihr zu reden?*** what's the point of talking to her?
zwecklos 1. ***es ist zwecklos*** it's useless ['juːsləs], it's no use **2.** ***es ist zwecklos, ihn zu fragen*** there's no point in asking him
zwei 1. two; ***vor zwei Tagen*** two days ago **2.** ***wir zwei*** the two of us **3.** ***dazu gehören zwei*** you need two people for that
Zwei 1. *Zahl*: (number) two **2.** ***eine Zwei schreiben*** *etwa*: get a B **3.** *Bus, Straßenbahn usw.*: number two bus, number two tram *usw.*
Zweibettzimmer twin-bedded room
Zweicentstück two-cent piece
zweideutig ambiguous [æm'bɪgjʊəs]
zweieinhalb two and a half
Zweier *Rudern*: two [tuː]
zweierlei: ***das ist zweierlei*** they're two completely different things
Zweieurostück two-euro piece
zweifach 1. ***die zweifache Menge*** double the amount, twice as much **2.** ***der zweifache deutsche Meister X*** two-times German champion X (⚠ *ohne* the) **3.** ***ein Formular in zweifacher Ausfertigung*** two copies of a form
Zweifamilienhaus two-family house, *AE auch* duplex ['duːpleks]
Zweifel 1. doubt [daʊt] **2.** ***ohne Zweifel*** undoubtedly **3.** ***ich hab da meine Zweifel*** I've got my doubts **4.** ***ich bin mir noch im Zweifel, ob ...*** I'm still not sure whether ...
zweifelhaft 1. *allg.*: doubtful ['daʊtfl] **2.** (≈ *verdächtig*) dubious ['djuːbɪəs]
zweifellos undoubtedly [ʌn'daʊtɪdlɪ], no doubt
zweifeln 1. ***an etwas zweifeln*** have* one's doubts about something **2.** ***er zweifelt an sich selbst*** he's lost faith in himself
Zweifelsfall: ***im Zweifelsfall*** if there's any doubt, if you're not sure
Zweig 1. branch **2.** *kleiner*: twig **3.** *übertragen* (≈ *Bereich*) branch
zweigleisig *Bahnstrecke*: double-track ..., *hinter dem Verb*: double-tracked
Zweigstelle branch [brɑːntʃ] (office)
Zweihunderteuroschein two-hundred-euro note, *AE* two-hundred-euro bill
Zweikampf 1. *allg.*: duel ['djuːəl] **2.** *Fußball*: ***einen Zweikampf gewinnen*** win* a tackle; ***der Zweikampf ist nicht seine Stärke*** he's not much of a tackler, he's not very good at tackling
zweimal 1. twice; ***zweimal am Tag*** twice a day **2.** ***das würd ich mir zweimal überlegen*** I'd think twice about it **3.** ***ich habs mir nicht zweimal sagen lassen*** I didn't wait to be asked twice
Zweieurostück two-euro piece
zweimotorig twin-engine(d) [ˌtwɪn'endʒɪn(d)]
Zweireiher double-breasted jacket [ˌdʌblbrestɪd'dʒækɪt]
zweiseitig *Fotokopie*: double-sided
zweisprachig 1. bilingual [baɪ'lɪŋgwəl] **2.** ***ich bin zweisprachig aufgewachsen*** I grew up bilingually
zweistellig 1. ***zweistellige Ziffer*** two-digit number ['tuːˌdɪdʒɪt'nʌmbə]; ***zweistellige Inflation*** double-digit inflation **2.** ***zweistelliger Dezimalbruch*** two-place decimal [ˌtuːpleɪs'desəml]
zweit 1. ***wir waren zu zweit*** there were two of us **2.** ***wir gingen zu zweit hin*** we went there together
Zweitälteste(r) second eldest (*oder* oldest)
Zweitbeste(r) second best
zweitbeste(r, -s): ***der zweitbeste Schüler*** the second best pupil
zweite(r, -s) second; ***2. April*** 2(nd) April, April 2(nd) (⚠ *gesprochen* the second of

April); ***am 2. April*** on 2(nd) April, on April 2(nd) (⚠ *gesprochen* on the second of April)
Zweite(r, -s) **1.** second **2.** ***er wurde Zweiter*** he was second, *bei Rennen*: he came in second **3.** ***jeder Zweite*** every other person **4.** ***Elizabeth II.*** Elizabeth II (*gesprochen* Elizabeth the Second; II *ohne Punkt!*) **5.** ***heute ist der Zweite*** it's the second today
zweitens secondly
zweitgrößte(r, -s) second largest (*bzw.* biggest, tallest)
zweitrangig second-rate
Zweitschlüssel spare key
Zweizimmerwohnung one-bedroom flat (*AE* apartment)

Zweizimmerwohnung

Im Englischen bestimmt man – besonders in einem eigenen Haus – die Größe der Wohnung oft nach der Anzahl der Schlafzimmer:

Zweizimmerwohnung	**one-bedroom flat** (*AE* **apartment**)
Dreizimmerwohnung *usw.*	**two-bedroom flat** (*AE* **apartment**)
Einzimmerwohnung	**one-room flat** (*AE* **apartment**)

Zwerchfell diaphragm [⚠ 'daɪəfræm]
Zwerg **1.** dwarf [dwɔːf] *Pl.*: dwarfs *oder* dwarves [dwɔːvz] **2.** (≈ *kleiner Mensch*) midget ['mɪdʒɪt]
Zwetsche, **Zwetschge** plum
Zwetschke Ⓐ plum
zwicken **1.** pinch; ***er zwickte mich in den Arm*** he pinched my arm **2.** ***das Hemd zwickt mich*** the shirt is pinching me **3.** *bes.* Ⓐ (≈ *entwerten*) punch (*Fahrkarte*)
Zwickmühle: ***in einer Zwickmühle sein*** be* in a fix
Zwieback rusk, *AE auch* zwieback ['zwiːbæk, 'zwaɪbæk]
Zwiebel **1.** onion [⚠ 'ʌnjən] **2.** (≈ *Blumenzwiebel*) bulb
Zwiebelsuppe onion [⚠ 'ʌnjən] soup
Zwielicht twilight ['twaɪlaɪt]
zwielichtig: ***eine zwielichtige Gestalt*** a shady character ['kærəktə]
Zwilling[1] twin; ***eineiige Zwillinge*** identical twins; ***zweieiige Zwillinge*** fraternal twins
Zwilling[2]: ***Zwillinge*** *Sternzeichen*: Gemini ['dʒemɪnaɪ]; ***ich bin (ein) Zwilling*** I'm (a) Gemini
Zwillingsbruder twin brother
Zwillingsschwester twin sister
zwingen **1.** force; ***jemanden zwingen, etwas zu tun*** force someone to do something, make* someone do something (⚠ *ohne* to); ***jemanden zum Reden zwingen*** force someone to talk **2.** ***ich lass mich nicht zwingen*** I won't be forced **3.** ***ich musste mich zwingen*** I had to force myself
Zwinger (≈ *Hundezwinger*) kennel ['kenl]
zwinkern **1.** *zum Zeichen*: wink **2.** *nervös usw.*: blink
zwischen **1.** *allg.*: between **2.** (≈ *mitten unter*) among; ***ich fands zwischen den Zeitungen*** I found it among the papers
Zwischenablage *Computer*: clipboard
Zwischenblutung irregular bleeding; ***Zwischenblutungen*** irregular bleeding (⚠ *Sg.*, *ohne* an)
Zwischending **1.** ***es ist so ein Zwischending*** it's a bit of both **2.** ***es ist ein Zwischending zwischen einem Löwen und einem Tiger*** it's somewhere between a lion and a tiger
zwischendrin (≈ *dazwischen*) right in the middle, in amongst them (*oder* it)
zwischendurch in between
Zwischenfall **1.** incident [⚠ 'ɪnsɪdənt] **2.** ***es verlief ohne Zwischenfälle*** it went off smoothly [⚠ 'smuːðlɪ]
Zwischenfrage: ***darf ich eine Zwischenfrage stellen?*** can I throw in a question?
Zwischenlager(stätte) temporary (*oder* interim ['ɪntərɪm]) storage site
zwischenlagern: ***radioaktive Abfälle zwischenlagern*** store radioactive waste temporarily
Zwischenlagerung: ***Zwischenlagerung von radioaktivem Material*** temporary storage of nuclear waste
zwischenlanden stop over
Zwischenlandung **1.** stopover **2.** ***ohne Zwischenlandung*** nonstop
Zwischenlösung temporary ['temprərɪ] solution
Zwischenmahlzeit **1.** snack (between meals) **2.** ***du musst mit diesen Zwischenmahlzeiten aufhören*** you must stop eating between meals
zwischenmenschlich: ***zwischenmenschliche Beziehungen*** human relations
Zwischenprüfung intermediate [ˌɪntə'miːdɪət] exam; ***wann machst du die Zwischenprüfung?*** when are you taking your intermediate exam?
Zwischenraum space
Zwischenruf (loud) interruption; ***Zwischenrufe*** heckling (⚠ *Sg.*)

Zwischenrunde intermediate round
Zwischenstadium intermediate stage [ˌɪntəˈmiːdɪət‿steɪdʒ]
Zwischenstation 1. stop **2. *wir haben in Berlin Zwischenstation gemacht*** we stopped over in Berlin
Zwischenzeit 1. *in der Zwischenzeit* in the meantime **2.** *Sport*: intermediate time
Zwischenzeugnis end-of-term report
zwitschern (*Vogel*) chirp [tʃɜːp]
Zwitter hermaphrodite [hɜːˈmæfrədaɪt]
zwölf *Zahl*: twelve [twelv]
Zwölf 1. (number) twelve **2.** *Bus, Straßenbahn usw.*: number twelve bus, number twelve tram *usw.*
zwölfte(r, -s) twelfth [twelfθ]; ***12. April*** 12(th) April, April 12(th) (⚠ *gesprochen* the twelfth of April); ***am 12. April*** on 12(th) April, on April 12(th) (⚠ *gesprochen* on the twelfth of April)
Zwölfte(r, -s) 1. twelfth [twelfθ] **2. *Gustav XII.*** Gustav XII (*gesprochen* Gustav the Twelfth; XII *ohne Punkt!*) **3. *heute ist der Zwölfte*** it's the twelfth today
Zyankali potassium cyanide [pəˌtæsɪəm-ˈsaɪənaɪd]
Zyklus cycle [ˈsaɪkl]
Zylinder 1. *allg.*: cylinder [ˈsɪlɪndə] **2.** *Hut*: top hat
zylindrisch cylindrical [səˈlɪndrɪkl]
zynisch cynical [ˈsɪnɪkl]
Zypern Cyprus [ˈsaɪprəs]
Zypresse *Baum*: cypress [ˈsaɪprəs] (tree)
Zypriot(in), zypriotisch Cypriot [⚠ ˈsɪprɪət]; ☞ ***Nationalitäten***
Zyste cyst [sɪst]

Anhang

Geographische Namen (Englisch – Deutsch)

Die folgende Tabelle beinhaltet wichtige Ländernamen und einige andere wissenswerte geographische Bezeichnungen. Wo die Kurzform für einen Ländernamen in der Alltagssprache häufiger anzutreffen ist als die amtliche Vollform, wurde die Kurzform gewählt. Kursives *the* bzw. *der*, *die*, *das* deutet darauf hin, dass die geographische Bezeichnung immer oder meist mit dem bestimmten Artikel verwendet wird.

A

Afghanistan [æf'gænɪstæn] Afghanistan
Africa ['æfrɪkə] Afrika
Albania [æl'beɪnɪə] Albanien
Algeria [æl'dʒɪərɪə] Algerien
America [ə'merɪkə] Amerika
Andorra [æn'dɔːrə] Andorra
Angola [æŋ'gəʊlə] Angola
Antarctica [ænt'ɑːktɪkə] *die* Antarktis
the **Arctic (Ocean)** ['ɑːktɪk (ˌɑːktɪk'əʊʃn)] *die* Arktis, *das* Nordpolarmeer
Argentina [ˌɑːdʒən'tiːnə] Argentinien
Armenia [ɑː'miːnɪə] Armenien
Asia ['eɪʃə] Asien
the **Atlantic (Ocean)** [ət'læntɪk (ətˌlæntɪk'əʊʃn)] *der* Atlantik, *der* Atlantische Ozean
Australia [ɒ'streɪlɪə] Australien
Austria ['ɒstrɪə] Österreich
Azerbaijan [ˌæzəbaɪ'dʒɑːn] Aserbaidschan
the **Azores** [ə'zɔːz] *Pl. die* Azoren

B

the **Bahamas** [bə'hɑːməz] *Pl. die* Bahamas
Bahrain [bɑː'reɪn] Bahrain
the **Balkans** ['bɔːlkənz] *Pl. der* Balkan
the **Baltic Sea** [ˌbɔːltɪk'siː] *die* Ostsee
Bangladesh [ˌbæŋglə'deʃ] Bangladesch
Barbados [bɑː'beɪdɒs] Barbados
Belarus [ˌbelə'ruːs] Belarus
Belgium ['beldʒəm] Belgien
Belize [be'liːz] Belize
Benin [be'nɪn] Benin
Bhutan [buː'tɑːn] Bhutan
Bolivia [bə'lɪvɪə] Bolivien
Bosnia ['bɒznɪə] Bosnien
Bosnia-Herzegovina ['bɒznɪəˌhɜːtsə'gɒvɪnə] Bosnien-Herzegowina
Botswana [bɒ'tswɑːnə] Botswana
Brazil [brə'zɪl] Brasilien
Britain ['brɪtn] Großbritannien
Bulgaria [bʌl'geərɪə] Bulgarien
Burkina Faso [bʊəˌkiːnə'fæsəʊ] Burkina Faso
Burma ['bɜːmə] Birma
Burundi [bʊ'rʊndɪ] Burundi
Byelorussia [bɪˌeləʊ'rʌʃə] Weißrussland

C

Cambodia [kæm'bəʊdɪə] Kambodscha
Cameroon [ˌkæmə'ruːn] Kamerun
Canada ['kænədə] Kanada
(*the*) **Cape Verde (Islands** *Pl.*) [ˌkeɪp'vɜːd('aɪləndz)] Kap Verde, *die* Kapverden
the **Caribbean (Sea)** [ˌkærə'biːən('siː)] *die* Karibik, *das* Karibische Meer
the **Central African Republic** ['sentrəlˌæfrɪkənrɪ'pʌblɪk] *die* Zentralafrikanische Republik
Chad [tʃæd] Tschad
Chechnia ['tʃetʃnɪə] Tschetschenien
Chile ['tʃɪlɪ] Chile
China ['tʃaɪnə] China
Colombia [kə'lɒmbɪə] Kolumbien
the **Comoros** ['kɒmərəʊz] *Pl. die* Komoren
Congo ['kɒŋgəʊ] Kongo
Costa Rica [ˌkɒstə'riːkə] Costa Rica
Côte d'Ivoire [ˌkəʊtdiː'vwɑː] Côte d'Ivoire, *die* Elfenbeinküste
Croatia [krəʊ'eɪʃə] Kroatien
Cuba ['kjuːbə] Kuba
Cyprus ['saɪprəs] Zypern
the **Czech Republic** [ˌtʃekrɪ'pʌblɪk] *die* Tschechische Republik, Tschechien

D

Denmark ['denmɑːk] Dänemark
Djibouti [dʒɪ'buːtɪ] Dschibuti
Dominica [ˌdɒmɪ'niːkə] Dominica
the **Dominican Republic** [dəˌmɪnɪkənrɪ'pʌblɪk] *die* Dominikanische Republik

E

Ecuador ['ekwədɔː] Ecuador
Egypt ['iːdʒɪpt] Ägypten
Eire ['eərə] *gälischer Name für die Republik Irland*
El Salvador [el'sælvədɔː] El Salvador
England ['ɪŋglənd] England
Equatorial Guinea [ˌekwə'tɔːrɪəl'gɪnɪ] Äquatorialguinea
Eritrea [ˌerɪ'treɪə] Eritrea
Estonia [e'stəʊnɪə] Estland
Ethiopia [ˌiːθɪ'əʊpɪə] Äthiopien
Europe ['jʊərəp] Europa

F

the **Falkland Islands** [ˌfɔːklənd'aɪləndz] *Pl. die* Falklandinseln
the **Federal Republic of Germany** [ˌfedərəlrɪˌpʌblɪkəv'dʒɜːmənɪ] *die* Bundesrepublik Deutschland
Fiji ['fiːdʒiː] Fidschi
Finland ['fɪnlənd] Finnland
France [frɑːns] Frankreich

G

Gabon [gæ'bɒn] Gabun
the **Gambia** ['gæmbɪə] Gambia
Georgia ['dʒɔːdʒə] Georgien
Germany ['dʒɜːmənɪ] Deutschland
Ghana ['gɑːnə] Ghana
Gibraltar [dʒɪ'brɔːltə] Gibraltar
Great Britain [ˌgreɪt'brɪtn] Großbritannien
Greece [griːs] Griechenland
Greenland ['griːnlənd] Grönland
Grenada [gre'neɪdə] Grenada
Guatemala [ˌgwɑːtə'mɑːlə] Guatemala
Guernsey ['gɜːnzɪ] *britische Kanalinsel*
Guinea ['gɪnɪ] Guinea
Guyana [gaɪ'ænə] Guyana

H

Holland ['hɒlənd] Holland
Honduras [hɒn'djʊərəs] Honduras
Hong Kong [ˌhɒŋ'kɒŋ] Hongkong
Hungary ['hʌŋgərɪ] Ungarn

I

Iceland ['aɪslənd] Island
India ['ɪndɪə] Indien
the **Indian Ocean** [ˌɪndɪən'əʊʃn] *der* Indische Ozean
Indonesia [ˌɪndəʊ'niːzɪə] Indonesien
Iran [ɪ'rɑːn] *der* Iran
Iraq [ɪ'rɑːk] *der* Irak
Ireland ['aɪələnd] Irland
Isle of Man [ˌaɪləv'mæn] *Insel in der Irischen See, die unmittelbar der englischen Krone untersteht, aber nicht zum Vereinigten Königreich gehört*
Isle of Wight [ˌaɪləv'waɪt] *englische Grafschaft, Insel im Ärmelkanal*
Israel ['ɪzreɪəl] Israel
Italy ['ɪtəlɪ] Italien

J

Jamaica [dʒə'meɪkə] Jamaika
Japan [dʒə'pæn] Japan
Jersey ['dʒɜːzɪ] *britische Kanalinsel*
Jordan ['dʒɔːdn] Jordanien

K

Kashmir [ˌkæʃ'mɪə] Kaschmir
Kazakhstan [ˌkæzæk'stɑːn] Kasachstan
Kenya ['kenjə] Kenia
Kiribati [ˌkɪrɪ'bɑːtɪ] Kiribati
Korea [kə'rɪə] Korea
Kosovo ['kɒsəvəʊ] *der* oder *das* Kosovo
Kuwait [kʊ'weɪt] Kuwait
Kyrgyzstan [ˌkɜːgɪz'stɑːn] Kirgisistan

L

Laos [laʊs] Laos
Latvia ['lætvɪə] Lettland
Lebanon ['lebənən] *der* Libanon
Lesotho [lə'suːtuː] Lesotho
Liberia [laɪ'bɪərɪə] Liberia
Libya ['lɪbɪə] Libyen
Liechtenstein ['lɪktənstaɪn] Liechtenstein
Lithuania [ˌlɪθjuː'eɪnɪə] Litauen
Luxembourg ['lʌksəmbɜːg] Luxemburg

M

Macedonia [ˌmæsɪ'dəʊnɪə] Mazedonien
Madagascar [ˌmædə'gæskə] Madagaskar
Madeira [mə'dɪərə] Madeira
Majorca [mə'dʒɔːkə] Mallorca
Malawi [mə'lɑːwɪ] Malawi
Malaysia [mə'leɪzɪə] Malaysia
the **Maldives** ['mɔːldɪvz] *Pl. die* Malediven
Mali ['mɑːlɪ] Mali
Malta ['mɔːltə] Malta
the **Marshall Islands** ['mɑːʃlˌaɪləndz] *die* Marshallinseln
Mauritania [ˌmɒrɪ'teɪnɪə] Mauretanien
Mauritius [mə'rɪʃəs] Mauritius
the **Mediterranean (Sea)** [ˌmedɪtə'reɪnjən('siː)] *das* Mittelmeer
Mexico ['meksɪkəʊ] Mexiko
the **Middle East** [ˌmɪdl'iːst] *der* Nahe Osten
Moldova [mɒl'dəʊvə] Moldau
Monaco ['mɒnəkəʊ] Monaco
Mongolia [mɒŋ'gəʊlɪə] *die* Mongolei
Montenegro [ˌmɒntɪ'niːgrəʊ] Montenegro
Morocco [mə'rɒkəʊ] Marokko
Mozambique [ˌməʊzæm'biːk] Mosambik
Myanmar ['mjænmɑː] Myanmar

N

Namibia [nə'mɪbɪə] Namibia
Nauru [nɑː'uːruː] Nauru
Nepal [nɪ'pɔːl] Nepal
the **Netherlands** ['neðələndz] *Pl. die* Niederlande
New Zealand [ˌnjuː'ziːlənd] Neuseeland
Nicaragua [ˌnɪkə'rægjʊə] Nicaragua
Niger ['naɪdʒə] *der* Niger (*Fluss in Westafrika*); [niː'ʒeə] Niger (*Republik in Westafrika*)
Nigeria [naɪ'dʒɪərɪə] Nigeria
Northern Ireland [ˌnɔːðn'aɪələnd] Nordirland
the **North Sea** [ˌnɔːθ'siː] *die* Nordsee
Norway ['nɔːweɪ] Norwegen

O

Oman [əʊ'mɑːn] Oman
the **Orkney Islands** [ˌɔːknɪ'aɪləndz] *Pl. die* Orkneyinseln

P

the **Pacific (Ocean)** [pə'sɪfɪk (pəˌsɪfɪk-'əʊʃn)] *der* Pazifik, *der* Pazifische (*oder* Stille) Ozean
Pakistan [ˌpɑːkɪ'stɑːn] Pakistan
Panama ['pænəmɑː] Panama
Papua New Guinea ['pæpʊəˌnjuː'gɪnɪ] Papua-Neuguinea
Paraguay ['pærəgwaɪ] Paraguay
Peru [pə'ruː] Peru
the **Philippines** ['fɪlɪpiːnz] *Pl. die* Philippinen
Poland ['pəʊlənd] Polen
Portugal ['pɔːtʃʊgl] Portugal
Puerto Rico [ˌpwɜːtəʊ'riːkəʊ] Puerto Rico

Q

Qatar ['kʌtɑː] Katar
Quebec [kwɪ'bek] *Provinz und Stadt in Kanada*

R

Romania [ruː'meɪnɪə] Rumänien
Russia ['rʌʃə] Russland
Rwanda [rʊ'ændə] Ruanda

S

Samoa [sə'məʊə] Samoa
San Marino [ˌsænmə'riːnəʊ] San Marino
Saudi Arabia [ˌsaʊdɪə'reɪbɪə] Saudi-Arabien
Scandinavia [ˌskændɪ'neɪvɪə] Skandinavien
Scotland ['skɒtlənd] Schottland
Senegal [ˌsenɪ'gɔːl] Senegal
Serbia ['sɜːbɪə] Serbien
the **Seychelles** [seɪ'ʃelz] *Pl. die* Seychellen
the **Shetland Islands** [ˌʃetlənd'aɪləndz] *Pl. die* Shetlandinseln
Siberia [saɪ'bɪərɪə] Sibirien
Sierra Leone [sɪˌerəlɪ'əʊn] Sierra Leone
Singapore [ˌsɪŋə'pɔː] Singapur
Slovakia [slə'vækɪə] *die* Slowakei
Slovenia [sləʊ'viːnɪə] Slowenien
Somalia [sə'mɑːlɪə] Somalia
South Africa [ˌsaʊθ'æfrɪkə] Südafrika
Spain [speɪn] Spanien
Sri Lanka [ˌsriː'læŋkə] Sri Lanka
St Lucia [ˌsnt'luːʃə] St. Lucia
St Vincent and the Grenadines [sntˌvɪnsnt‿ən‿ðə'grenədiːnz] St. Vincent und die Grenadinen
Sudan [suː'dɑːn] *der* Sudan
Suriname [ˌsʊərɪ'næm] Surinam

Swaziland ['swɑːzɪlænd] Swasiland
Sweden ['swiːdn] Schweden
Switzerland ['swɪtsələnd] *die* Schweiz
Syria ['sɪrɪə] Syrien

T

Tajikistan [tɑːˌdʒiːkɪ'stɑːn] Tadschikistan
Taiwan [ˌtaɪ'wɑːn] Taiwan
Tanzania [ˌtænzə'niːə] Tansania
Thailand ['taɪlænd] Thailand
Togo ['təʊgəʊ] Togo
Trinidad and Tobago [ˌtrɪnɪdædntəʊ'beɪgəʊ] Trinidad und Tobago
Tunisia [tjuː'nɪzɪə] Tunesien
Turkey ['tɜːkɪ] *die* Türkei
Turkmenistan [tɜːkˌmenɪ'stɑːn] Turkmenistan

U

Uganda [juː'gændə] Uganda
Ukraine [juː'kreɪn] *die* Ukraine
the **United Arab Emirates** [juː'naɪtɪdˌærəbe'mɪərəts] *Pl. die* Vereinigten Arabischen Emirate
the **United Kingdom (of Great Britain and Northern Ireland)** [juːˌnaɪtɪd'kɪŋdəm(‿əvˌgreɪt'brɪtn‿əˌnɔːðn'aɪələnd] *das* Vereinigte Königreich (von Großbritannien und Nordirland)
the **United States (of America)** [juːˌnaɪtɪd'steɪts (juːˌnaɪtɪdˌsteɪtsəvə'merɪkə)] *Pl. die* Vereinigten Staaten (von Amerika)
Uruguay ['jʊərəgwaɪ] Uruguay
Uzbekistan [ʊzˌbekɪ'stɑːn] Usbekistan

V

the **Vatican City** [ˌvætɪkən'sɪtɪ] *die* Vatikanstadt
Venezuela [ˌvenɪ'zweɪlə] Venezuela
Vietnam [ˌvjet'næm] Vietnam

W

Wales [weɪlz] Wales

Y

Yemen ['jemən] *der* Jemen
Yugoslavia [ˌjuːgəʊ'slɑːvɪə] Jugoslawien (*bis 2003*)

Z

Zambia ['zæmbɪə] Sambia
Zimbabwe [zɪm'bɑːbwɪ] Simbabwe

Geographische Namen (Deutsch–Englisch)

A

Afghanistan Afghanistan [æf'gænɪstæn]
Afrika Africa ['æfrɪkə]
Ägypten Egypt ['iːdʒɪpt]
Albanien Albania [æl'beɪnɪə]
Algerien Algeria [æl'dʒɪərɪə]
Amerika America [ə'merɪkə]
Andorra Andorra [æn'dɔːrə]
Angola Angola [æŋ'gəʊlə]
die **Antarktis** Antarctica [ænt'ɑːktɪkə]
Äquatorialguinea Equatorial Guinea [ˌekwə'tɔːrɪəl'gɪnɪ]
Argentinien Argentina [ˌɑːdʒən'tiːnə]
die **Arktis** *the* Arctic (Ocean) ['ɑːktɪk (ˌɑːktɪk'əʊʃn)]
der **Ärmelkanal** *the* English Channel [ˌɪŋglɪʃ'tʃænl]
Armenien Armenia [ɑː'miːnɪə]
Aserbaidschan Azerbaijan [ˌæzəbaɪ'dʒɑːn]
Asien Asia ['eɪʃə]
Äthiopien Ethiopia [ˌiːθɪ'əʊpɪə]
der **Atlantik**, *der* **Atlantische Ozean** *the* Atlantic (Ocean) [ət'læntɪk (ətˌlæntɪk'əʊʃn)]
Australien Australia [ɒ'streɪlɪə]
die **Azoren** *the* Azores [ə'zɔːz]

B

die **Bahamas** *the* Bahamas [bə'hɑːməz]
Bahrain Bahrain [bɑː'reɪn]
die **Balearen** *the* Balearic Islands [bælɪˌærɪk'aɪləndz]
der **Balkan** *the* Balkan States [ˌbɔːlkən'steɪts], *the* Balkans ['bɔːlkənz]
das **Baltikum** *the* Baltic States [ˌbɔːltɪk'steɪts]
Bangladesch Bangladesh [ˌbæŋglə'deʃ]
Barbados Barbados [bɑː'beɪdɒs]
Belarus Belarus [ˌbelə'ruːs]
Belgien Belgium ['beldʒəm]
Belize Belize [be'liːz]
die **Beneluxstaaten** *the* Benelux countries ['benɪlʌksˌkʌntrɪz]
Benin Benin [be'nɪn]
Bhutan Bhutan [buː'tɑːn]
Birma Burma ['bɜːmə]
Bolivien Bolivia [bə'lɪvɪə]
Bosnien Bosnia ['bɒznɪə]
Bosnien-Herzegowina Bosnia-Herzegovina ['bɒznɪəˌhɜːtsə'gɒvɪnə]
Botswana Botswana [bɒ'tswɑːnə]
Brasilien Brazil [brə'zɪl]
Bulgarien Bulgaria [bʌl'geərɪə]
die **Bundesrepublik Deutschland** *the* Federal Republic of Germany [ˌfedərəlrɪˌpʌblɪkəv'dʒɜːmənɪ]
Burkina Faso Burkina Faso [bʊəˌkiːnə'fæsəʊ]
Burundi Burundi [bʊ'rʊndɪ]

C

Chile Chile ['tʃɪlɪ]
China China ['tʃaɪnə]
Costa Rica Costa Rica [ˌkɒstə'riːkə]
Côte d'Ivoire Côte d'Ivoire [ˌkəʊtdiː'vwɑː]

D

Dänemark Denmark ['denmɑːk]
Deutschland Germany ['dʒɜːmənɪ]
Dominica Dominica [ˌdɒmɪ'niːkə]
Dschibuti Djibouti [dʒɪ'buːtɪ]
die **Dominikanische Republik** *the* Dominican Republic [dəˌmɪnɪkənrɪ'pʌblɪk]

E

Ecuador Ecuador ['ekwədɔː]
die **Elfenbeinküste** Côte d'Ivoire [ˌkəʊtdiː'vwɑː], *the* Ivory Coast [ˌaɪvərɪ'kəʊst]
El Salvador El Salvador [el'sælvədɔː]
England England ['ɪŋglənd]
Eritrea Eritrea [ˌerɪ'treɪə]
Estland Estonia [e'stəʊnɪə]
Europa Europe ['jʊərəp]

F

die **Falklandinseln** *the* Falkland Islands [ˌfɔːklənd'aɪləndz]
Fidschi Fiji ['fiːdʒiː]
die **Fidschiinseln** *the* Fiji Islands [ˌfiːdʒiː'aɪləndz]
Finnland Finland ['fɪnlənd]
Frankreich France [frɑːns]

G

Gabun Gabon [gæ'bɒn]
Gambia *the* Gambia ['gæmbɪə]
Georgien Georgia ['dʒɔːdʒə]
Ghana Ghana ['gɑːnə]
Gibraltar Gibraltar [dʒɪ'brɔːltə]
Grenada Grenada [gre'neɪdə]
Griechenland Greece [griːs]
Grönland Greenland ['griːnlənd]
Großbritannien Great Britain [ˌgreɪt'brɪtn], Britain ['brɪtn]
Guatemala Guatemala [ˌgwɑːtə'mɑːlə]
Guayana Guayana [gaɪ'ænə]
Guinea Guinea ['gɪnɪ]

H

Holland Holland ['hɒlənd]
Honduras Honduras [hɒn'djʊərəs]
Hongkong Hong Kong [ˌhɒŋ'kɒŋ]

I

Indien India ['ɪndɪə]
der **Indische Ozean** *the* Indian Ocean [ˌɪndɪən'əʊʃn]
Indonesien Indonesia [ˌɪndəʊ'niːzɪə]
der **Irak** Iraq [ɪ'rɑːk]
der **Iran** Iran [ɪ'rɑːn]
Irland Ireland ['aɪələnd]
Island Iceland ['aɪslənd]
Israel Israel ['ɪzreɪəl]
Italien Italy ['ɪtəlɪ]

J

Jamaika Jamaica [dʒə'meɪkə]
Japan Japan [dʒə'pæn]
der **Jemen** Yemen ['jemən]
Jordanien Jordan ['dʒɔːdn]
Jugoslawien Yugoslavia [ˌjuːgəʊ'slɑːvɪə] (*bis 2003*)

K

Kambodscha Cambodia [kæm'bəʊdɪə]
Kamerun Cameroon [ˌkæmə'ruːn]
Kanada Canada ['kænədə]
die **Kanalinseln** *the* Channel Islands ['tʃænlˌaɪləndz]
die **Kanaren**, *die* **Kanarischen Inseln** *the* Canaries [kə'neərɪz], *the* Canary Islands [kə'neərɪˌaɪləndz]
Kap Verde, *die* **Kapverden** (*the*) Cape Verde (Islands) [ˌkeɪp'vɜːd('aɪləndz)]
die **Karibik** *the* Caribbean (Sea) [ˌkærə'biːən('siː)]
Kasachstan Kazakhstan [ˌkæzæk'stɑːn]
Kaschmir Kashmir [ˌkæʃ'mɪə]
Katar Qatar ['kʌtɑː]
Kenia Kenya ['kenjə]
Kirgisistan Kirgyzstan [ˌkɜːgɪz'stɑːn]
Kiribati Kiribati [ˌkɪrɪ'bɑːtɪ]
Kolumbien Colombia [kə'lɒmbɪə]
die **Komoren** *the* Comoros ['kɒmərəʊz]
der **Kongo** Congo ['kɒŋgəʊ]
Korea Korea [kə'rɪə]
der oder *das* **Kosovo** Kosovo ['kɒsəvəʊ]
Kroatien Croatia [krəʊ'eɪʃə]
Kuba Cuba ['kjuːbə]
Kuwait Kuwait [kʊ'weɪt]

L

Laos Laos [laʊs]
Lesotho Lesotho [lə'suːtuː]
Lettland Latvia ['lætvɪə]
der **Libanon** (*the*) Lebanon (*meist ohne bestimmten Artikel gebraucht*) ['lebənən]
Liberia Liberia [laɪ'bɪərɪə]
Libyen Libya ['lɪbɪə]
Liechtenstein Liechtenstein ['lɪktənstaɪn]
Litauen Lithuania [ˌlɪθjuː'eɪnɪə]
Luxemburg Luxembourg ['lʌksəmbɜːg]

M

Madagaskar Madagascar [ˌmædə'gæskə]
Madeira Madeira [mə'dɪərə]
Malawi Malawi [mə'lɑːwɪ]
Malaysia Malaysia [mə'leɪzɪə]
die **Malediven** *the* Maldives ['mɔːldɪvz]
Mali Mali ['mɑːlɪ]
Mallorca Majorca [mə'dʒɔːkə]
Malta Malta ['mɔːltə]
Marokko Morocco [mə'rɒkəʊ]
Mauretanien Mauritania [ˌmɒrɪ'teɪnɪə]
Mauritius Mauritius [mə'rɪʃəs]
Mazedonien Macedonia [ˌmæsɪ'dəʊnɪə]
Mexiko Mexico ['meksɪkəʊ]

das **Mittelmeer** *the* Mediterranean (Sea) [ˌmedɪtəˈreɪnjən(ˈsiː)]
Moldau Moldova [mɒlˈdəʊvə]
Monaco Monaco [ˈmɒnəkəʊ]
die **Mongolei** Mongolia [mɒŋˈgəʊlɪə]
Montenegro Montenegro [ˌmɒntɪˈniːgrəʊ]
Mosambik Mozambique [ˌməʊzæmˈbiːk]
Myanmar Myanmar [ˈmjænmɑː]

N

der **Nahe Osten** *the* Middle East [ˌmɪdlˈiːst]
Namibia Namibia [nəˈmɪbɪə]
Nauru Nauru [nɑːˈuːruː]
Nepal Nepal [nɪˈpɔːl]
Neuseeland New Zealand [ˌnjuːˈziːlənd]
Nicaragua Nicaragua [ˌnɪkəˈrægjʊə]
die **Niederlande** *the* Netherlands [ˈneðələndz]
Niger Niger [niːˈʒeə]
Nigeria Nigeria [naɪˈdʒɪərɪə]
Nordirland Northern Ireland [ˌnɔːðnˈaɪələnd]
das **Nordpolarmeer** *the* Arctic (Ocean) [ˈɑːktɪk (ˌɑːktɪkˈəʊʃn)]
die **Nordsee** *the* North Sea [ˌnɔːθˈsiː]
Norwegen Norway [ˈnɔːweɪ]

O

Oman Oman [əʊˈmɑːn]
Österreich Austria [ˈɒstrɪə]
die **Ostsee** *the* Baltic Sea [ˌbɔːltɪkˈsiː]

P

Pakistan Pakistan [ˌpɑːkɪˈstɑːn]
Panama Panama [ˈpænəmɑː]
Papua-Neuguinea Papua New Guinea [ˈpæpʊəˌnjuːˈgɪnɪ]
Paraguay Paraguay [ˈpærəgwaɪ]
der **Pazifik**, *der* **Pazifische Ozean** *the* Pacific (Ocean) [pəˈsɪfɪk (pəˌsɪfɪkˈəʊʃn)]
Peru Peru [pəˈruː]
die **Philippinen** *the* Philippines [ˈfɪlɪpiːnz]
Polen Poland [ˈpəʊlənd]
Portugal Portugal [ˈpɔːtʃʊgl]
Puerto Rico Puerto Rico [ˌpwɜːtəʊˈriːkəʊ]

R

Ruanda Rwanda [rʊˈændə]
Rumänien Romania [ruːˈmeɪnɪə]
Russland Russia [ˈrʌʃə]

S

Sambia Zambia [ˈzæmbɪə]
Samoa Samoa [səˈməʊə]
San Marino San Marino [ˌsænməˈriːnəʊ]
Saudi-Arabien Saudi Arabia [ˌsaʊdɪəˈreɪbɪə]
Schottland Scotland [ˈskɒtlənd]
Schweden Sweden [ˈswiːdn]
die **Schweiz** Switzerland [ˈswɪtsələnd]
der **Senegal** Senegal [ˌsenɪˈgɔːl]
Serbien Serbia [ˈsɜːbɪə]
die **Seychellen** *the* Seychelles [seɪˈʃelz]
die **Shetland-Inseln** *the* Shetland Islands [ˌʃetləndˈaɪləndz]
Sibirien Siberia [saɪˈbɪərɪə]
Sierra Leone Sierra Leone [sɪˌerəlɪˈəʊn]
Simbabwe Zimbabwe [zɪmˈbɑːbwɪ]
Singapur Singapore [ˌsɪŋəˈpɔː]
Skandinavien Scandinavia [ˌskændɪˈneɪvɪə]
die **Slowakei** Slovakia [sləˈvækɪə]
Slowenien Slovenia [sləʊˈviːnɪə]
Somalia Somalia [səˈmɑːlɪə]
Spanien Spain [speɪn]
Sri Lanka Sri Lanka [ˌsriːˈlæŋkə]
der **Stille Ozean** *the* Pacific (Ocean) [pəˈsɪfɪk (pəˌsɪfɪkˈəʊʃn)]
St. Lucia St Lucia [ˌsntˈluːʃə]
St. Vincent und die Grenadinen St Vincent and the Grenadines [sntˌvɪnsntən‿ðəˈgrenədiːnz]
Südafrika South Africa [ˌsaʊθˈæfrɪkə]
der **Sudan** Sudan [suːˈdɑːn]
Surinam Suriname [ˌsʊərɪˈnæm]
Swasiland Swaziland [ˈswɑːzɪlænd]
Syrien Syria [ˈsɪrɪə]

T

Tadschikistan Tajikistan [tɑːˌdʒiːkɪˈstɑːn]
Taiwan Taiwan [ˌtaɪˈwɑːn]
Tansania Tanzania [ˌtænzəˈniːə]
Thailand Thailand [ˈtaɪlænd]
Togo Togo [ˈtəʊgəʊ]
Trinidad und Tobago Trinidad and Tobago [ˌtrɪnɪdædntəʊˈbeɪgəʊ]
Tschad Chad [tʃæd]
Tschechien, *die* **Tschechische Republik** *the* Czech Republic [ˌtʃekrɪˈpʌblɪk]
Tschetschenien Chechnia [ˈtʃetʃnɪə]
Tunesien Tunisia [tjuːˈnɪzɪə]
die **Türkei** Turkey [ˈtɜːkɪ]
Turkmenistan Turkmenistan [tɜːkˌmenɪˈstɑːn]

U

Uganda Uganda [juːˈgændə]
die **Ukraine** Ukraine [juːˈkreɪn]
Ungarn Hungary [ˈhʌŋgərɪ]
Uruguay Uruguay [ˈjʊərəgwaɪ]
Usbekistan Uzbekistan [ʊzˌbekɪˈstɑːn]

V

die **Vatikanstadt** *the* Vatican City [ˌvætɪkənˈsɪtɪ]
Venezuela Venezuela [ˌvenɪˈzweɪlə]
das **Vereinigte Königreich (von Großbritannien und Nordirland)** *the* United Kingdom (of Great Britain and Northern Ireland) [juːˌnaɪtɪdˈkɪŋdəm(‿əvˌgreɪtˈbrɪtn‿əˌnɔːðnˈaɪələnd]
die **Vereinigten Arabischen Emirate** *the* United Arab Emirates [juːˈnaɪtɪdˌærəbeˈmɪərəts]
die **Vereinigten Staaten (von Amerika)** *the* United States (of America) [juːˌnaɪtɪdˈsteɪts (juːˌnaɪtɪdˌsteɪtsəvəˈmerɪkə)]
Vietnam Vietnam [ˌvjetˈnæm]

W

Wales Wales [weɪlz]
Weißrussland White Russia [waɪtˈrʌʃə], Byelorussia [bɪˌeləʊˈrʌʃə]

Z

die **Zentralafrikanische Republik** *the* Central African Republic [ˈsentrəlˌæfrɪkənrɪˈpʌblɪk]
Zypern Cyprus [ˈsaɪprəs]

Zahlen

Cardinal Numbers		Kardinalzahlen
nought, *bes. AE* zero	**0**	null
one	**1**	eins
two	**2**	zwei
three	**3**	drei
four	**4**	vier
five	**5**	fünf
six	**6**	sechs
seven	**7**	sieben
eight	**8**	acht
nine	**9**	neun
ten	**10**	zehn
eleven	**11**	elf
twelve	**12**	zwölf
thirteen	**13**	dreizehn
fourteen	**14**	vierzehn
fifteen	**15**	fünfzehn
sixteen	**16**	sechzehn
seventeen	**17**	siebzehn
eighteen	**18**	achtzehn
nineteen	**19**	neunzehn
twenty	**20**	zwanzig
twenty-one	**21**	einundzwanzig
twenty-two	**22**	zweiundzwanzig
thirty	**30**	dreißig
thirty-one	**31**	einunddreißig
forty	**40**	vierzig
fifty	**50**	fünfzig
sixty	**60**	sechzig
seventy	**70**	siebzig
eighty	**80**	achtzig
ninety	**90**	neunzig
a *oder* one hundred	**100**	hundert
a hundred and one	**101**	hundert(und)eins
two hundred	**200**	zweihundert
three hundred	**300**	dreihundert
five hundred and seventy-two	**572**	fünfhundert(und)-zweiundsiebzig
a *oder* one thousand	**1000**	(ein)tausend
a *oder* one thousand and two	**1002**	(ein)tausend(und)zwei

1,000,000 a *oder* one million	**1 000 000** eine Million
2,000,000 two million	**2 000 000** zwei Millionen
1,000,000,000 a *oder* one billion	**1 000 000 000** eine Milliarde

NB: Das *and* in Zahlen über hundert kann im amerikanischen Englisch entfallen: *five hundred* (*and*) *twenty*.

Years		Jahreszahlen
ten sixty-six	**1066**	tausendsechsundsechzig
two thousand	**2000**	zweitausend
two thousand and eight	**2008**	zweitausend(und)acht

Ordinal Numbers / Ordinalzahlen

first	1st	erste
second	2nd	zweite
third	3rd	dritte
fourth	4th	vierte
fifth	5th	fünfte
sixth	6th	sechste
seventh	7th	siebte
eighth	8th	achte
ninth	9th	neunte
tenth	10th	zehnte
eleventh	11th	elfte
twelfth	12th	zwölfte
thirteenth	13th	dreizehnte
fourteenth	14th	vierzehnte
fifteenth	15th	fünfzehnte
sixteenth	16th	sechzehnte
seventeenth	17th	siebzehnte
eighteenth	18th	achtzehnte
nineteenth	19th	neunzehnte
twentieth	20th	zwanzigste
twenty-first	21st	einundzwanzigste
twenty-second	22nd	zweiundzwanzigste
twenty-third	23rd	dreiundzwanzigste
thirtieth	30th	dreißigste
thirty-first	31st	einunddreißigste
fortieth	40th	vierzigste
fiftieth	50th	fünfzigste
sixtieth	60th	sechzigste
seventieth	70th	siebzigste
eightieth	80th	achtzigste
ninetieth	90th	neunzigste
(one) hundredth	100th	hundertste
hundred and first	101st	hundertunderste
two hundredth	200th	zweihundertste
three hundredth	300th	dreihundertste
(one) thousandth	1000th	tausendste
nineteen hundred and fiftieth	1950th	(ein)tausendneun-hundertfünfzigste
two thousandth	2000th	zweitausendste

Fractions and other Mathematical Functions / Bruchzahlen und Rechenvorgänge

one *oder* a half	$^1/_2$	ein halb
one and a half	$1\,^1/_2$	anderthalb
two and a half	$2\,^1/_2$	zweieinhalb
one *oder* a third	$^1/_3$	ein Drittel
two thirds	$^2/_3$	zwei Drittel
one *oder* a quarter, one fourth	$^1/_4$	ein Viertel
three quarters, three fourths	$^3/_4$	drei Viertel
one *oder* a fifth	$^1/_5$	ein Fünftel
three and four fifths	$3\,^4/_5$	drei vier Fünftel
five eighths	$^5/_8$	fünf Achtel
seventy-five per cent, *AE* percent	75 %	fünfundsiebzig Prozent

(nought [nɔːt]) point four five	**0.45**	null Komma vier fünf
two point five	**2.5**	zwei Komma fünf

seven <u>and</u> *oder* <u>plus</u> eight are fifteen	**7 + 8 = 15**	sieben <u>und</u> *oder* <u>plus</u> acht ist fünfzehn
nine <u>minus</u> *oder* <u>less</u> four is five	**9 – 4 = 5**	neun <u>minus</u> *oder* <u>weniger</u> vier ist fünf
twice three <u>is</u> *oder* <u>makes</u> six	**2 × 3 = 6**	zwei mal drei ist sechs
twenty divided by five is four	**20 : 5 = 4**	zwanzig <u>dividiert</u> *oder* <u>geteilt</u> durch fünf ist vier

Bei Rechenaufgaben:

once	**1 ×**	ein mal
twice	**2 ×**	zwei mal
three times	**3 ×**	drei mal
four times	**4 ×**	vier mal
firstly, in the first place	**1.**	erstens
secondly, in the second place	**2.**	zweitens
thirdly, in the third place	**3.**	drittens

Temperature Conversion — Temperaturumrechnung

Celsius – Fahrenheit		Fahrenheit – Celsius	
°C	°F	°F	°C
100	212	200	93
60	140	140	60
40	104	100	38
30	86	80	27
20	68	60	16
10	50	50	10
0	32	32	0
- 10	14	0	- 18
- 15	5	- 4	- 20
- 20	- 4	- 15	- 26

Die Umrechnungswerte sind gerundet. Die exakte Umrechnungsformel lautet:

von Fahrenheit nach Celsius: (°F - 32) × 5/9 = °C
von Celsius nach Fahrenheit: (9/5 × °C) + 32 = °F

Britische und amerikanische Maße und Gewichte

Längenmaße

1 inch (in)	= 2,54 cm
1 foot (ft)	= 12 inches = 30,48 cm
1 yard (yd)	= 3 feet = 91,44 cm
1 (**statute**) **mile**	= 1760 yards
	= 1,609 km

Flächenmaße

1 square inch (sg in)	= 6,452 cm²
1 square foot (sg ft)	= 144 square inches
	= 929,029 cm²
1 square yard (sg yd)	= 9 square feet
	= 8361,26 cm²
1 acre	= 4840 square yards
	= 4046,8 m²
1 square mile	= 640 acres
	= 259 ha = 2,59 km²

Handelsgewichte

1 ounce (oz)		= 28,35 g
1 pound (lb)		= 16 ounces
		= 453,59 g
1 stone (st)		= 14 pounds
		= 6,35 kg
1 hundredweight		= 1 quintal
(cwt)	*BE*	= 112 pounds
		= 50,802 kg
	AE	= 100 pounds
		= 45,359 kg
1 long ton	*BE*	= 20 hundredweights
		= 1016,05 kg
1 short ton	*AE*	= 20 hundredweights
		= 907,185 g
1 metric ton		= 1000 kg

Raummaße

1 cubic inch (cu in)	= 16,387 cm³
1 cubic foot (cu ft)	= 1728 cubic inches
	= 0,02832 m³
1 cubic yard (cu yd)	= 27 cubic feet
	= 0,7646 m³

Britische Flüssigkeitsmaße

1 pint (pt)	= 0,568 l
1 quart (qt)	= 2 pints
	= 1,136 l
1 gallon (gall)	= 4 quarts
	= 4,5459 l

Amerikanische Flüssigkeitsmaße

1 pint (pt)	= 0,4732 l
1 quart (qt)	= 2 pints
	= 0,9464 l
1 gallon (gall)	= 4 quarts
	= 3,7853 l
1 barrel petroleum	= 42 gallons
	= 158,97 l

Unregelmäßige englische Verben

Infinitiv	*Übersetzung*	past tense	past participle
arise	*entstehen*	arose	arisen
awake	*aufwecken/aufwachen*	awoke	awoken
be	*sein*	was *bzw.* were	been
bear	*tragen/gebären*	bore	borne
beat	*schlagen*	beat	beaten
become	*werden*	became	become
begin	*anfangen*	began	begun
bend	*biegen*	bent	bent
bet	*wetten*	bet *oder* betted	bet *oder* betted
bid[1]	*bieten (bei Versteigerungen)*	bid	bid
bid[2]	*sagen (Lebewohl)*	bade *oder* bid	bidden
bind	*binden*	bound	bound
bite	*beißen*	bit	bitten
bleed	*bluten*	bled	bled
blow	*blasen, wehen*	blew	blown
break	*brechen*	broke	broken
breed	*züchten*	bred	bred
bring	*bringen*	brought	brought
broadcast	*TV usw.: senden*	broadcast	broadcast
build	*bauen*	built	built
burn	*brennen*	burnt *oder* burned	burnt *oder* burned
burst	*platzen*	burst	burst
bust	*kaputtmachen*	bust *oder* busted	bust *oder* busted
buy	*kaufen*	bought [bɔːt]	bought [bɔːt]
cast	*werfen*	cast	cast
catch	*fangen*	caught [kɔːt]	caught [kɔːt]
choose	*(aus)wählen*	chose	chosen
cling	*festhalten*	clung	clung
come	*kommen*	came	come
cost	*kosten*	cost	cost

Infinitiv	*Übersetzung*	past tense	past participle
creep	*schleichen*	crept	crept
cut	*schneiden*	cut	cut
deal	*handeln*	dealt [delt]	dealt [delt]
dig	*graben*	dug	dug
dive	*tauchen*	dived; *AE* dove	dived
do	*tun*	did	done
draw	*ziehen/zeichnen*	drew	drawn
dream	*träumen*	dreamt [dremt] *oder* dreamed	dreamt [dremt] *oder* dreamed
drink	*trinken*	drank	drunk
drive	*fahren*	drove	driven
dwell	*wohnen*	dwelt *oder* dwelled	dwelt *oder* dwelled
eat	*essen*	ate [et, eɪt]	eaten
fall	*fallen*	fell	fallen
feed	*füttern*	fed	fed
feel	*fühlen*	felt	felt
fight	*kämpfen*	fought	fought
find	*finden*	found	found
fit	*passen*	fitted, *AE auch* fit	fitted, *AE auch* fit
flee	*fliehen*	fled	fled
fling	*werfen*	flung	flung
fly	*fliegen*	flew	flown
forbid	*verbieten*	forbade [fə'bæd]	forbidden
forecast	*vorhersagen*	forecast *oder* forecasted	forecast *oder* forecasted
foresee	*vorhersehen*	foresaw	foreseen
forget	*vergessen*	forgot	forgotten
forgive	*vergeben*	forgave	forgiven
freeze	*gefrieren*	froze	frozen
get	*bekommen*	got	got, *AE* gotten
give	*geben*	gave	given
go	*gehen*	went	gone
grind	*schleifen/mahlen*	ground	ground
grow	*wachsen*	grew	grown
hang[1]	*(auf)hängen (Bild usw.)*	hung	hung
aber: ***hang***[2]	*(auf)hängen (≈ töten)*	hanged	hanged

Infinitiv	*Übersetzung*	past tense	past participle
have	*haben*	had	had
hear	*hören*	heard [hɜːd]	heard [hɜːd]
hide	*verstecken*	hid	hidden
hit	*schlagen*	hit	hit
hold	*halten*	held	held
hurt	*verletzen*	hurt	hurt
keep	*behalten*	kept	kept
kneel	*knien*	knelt, *bes. AE* kneeled	knelt, *bes. AE* kneeled
knit	*stricken*	knitted *oder* knit	knitted *oder* knit
know	*wissen*	knew	known
lay	*legen*	laid	laid
lead	*führen*	led	led
lean	*sich neigen/lehnen*	leant [lent] *oder* leaned	leant [lent] *oder* leaned
leap	*springen*	leapt [lept] *oder* leaped	leapt [lept] *oder* leaped
learn	*lernen*	learnt *oder* learned	learnt *oder* learned
leave	*verlassen*	left	left
lend	*verleihen*	lent	lent
let	*lassen*	let	let
lie	*liegen*	lay	lain
light	*anzünden*	lit *oder* lighted	lit *oder* lighted
lose	*verlieren*	lost	lost
make	*machen*	made	made
mean	*bedeuten/meinen*	meant [ment]	meant [ment]
meet	*treffen*	met	met
mistake	*verwechseln*	mistook	mistaken
misunderstand	*missverstehen*	misunderstood	misunderstood
mow	*mähen*	mowed	mown *oder* mowed
overcome	*überwältigen*	overcame	overcome
overdo	*übertreiben*	overdid	overdone
overeat	*sich überessen*	overate [ˌəʊvər'et]	overeaten
overhear	*mit anhören*	overheard [ˌəʊvə'hɜːd]	overheard [ˌəʊvə'hɜːd]
overrun	*über'laufen, herfallen über*	overran	overrun
oversleep	*verschlafen*	overslept	overslept
overtake	*überholen*	overtook	overtaken

Infinitiv	*Übersetzung*	past tense	past participle
overthrow	*stürzen (Regierung usw.)*	overthrew	overthrown
pay	*(be)zahlen*	paid	paid
plead	*bitten*	pleaded, *bes. AE* pled	pleaded, *bes. AE* pled
prove	*beweisen*	proved	proved, *AE* proven
put	*setzen, stellen, legen*	put	put
quit	*aufhören*	quit, *BE auch* quitted	quit, *BE auch* quitted
read	*lesen*	read [red]	read [red]
rebuild	*wieder aufbauen*	rebuilt	rebuilt
redo	*nochmals machen*	redid	redone
repay	*zurückzahlen*	repaid	repaid
rerun	*wiederholen*	reran	rerun
reset	*umstellen (Uhr)*	reset	reset
retell	*nacherzählen*	retold	retold
rewind	*zurückspulen*	rewound	rewound
rewrite	*umschreiben*	rewrote	rewritten
ride	*reiten, fahren*	rode	ridden
ring	*läuten*	rang	rung
rise	*aufsteigen/aufstehen*	rose	risen ['rɪzn]
run	*laufen*	ran	run
saw	*sägen*	sawed	sawn, *AE* sawed
say	*sagen*	said [sed]	said [sed]
see	*sehen*	saw	seen
seek	*suchen*	sought	sought
sell	*verkaufen*	sold	sold
send	*schicken*	sent	sent
set	*stellen, setzen, legen*	set	set
sew [səʊ]	*nähen*	sewed	sewn *oder* sewed
shake	*wackeln/schütteln*	shook	shaken
shear [ʃɪə]	*scheren*	sheared	shorn *oder* sheared
shed	*vergießen*	shed	shed
shine[1]	*scheinen, glänzen*	shone [ʃɒn]	shone [ʃɒn]
aber: ***shine***[2]	*putzen (Schuhe)*	shined	shined
shit	*scheißen*	shit *oder* shat	shit *oder* shat
shoot	*schießen*	shot	shot
show	*zeigen*	showed	shown
shrink	*schrumpfen*	shrank *oder* shrunk	shrunk

Infinitiv	*Übersetzung*	past tense	past participle
shut	*schließen*	shut	shut
sing	*singen*	sang	sung
sink	*sinken*	sank *oder* sunk	sunk
sit	*sitzen/sich setzen*	sat	sat
slay	*ermorden*	slew	slain
sleep	*schlafen*	slept	slept
slide	*gleiten*	slid	slid
sling	*aufhängen/ schleudern*	slung	slung
slit	*aufschlitzen*	slit	slit
smell	*riechen*	smelt *oder* smelled	smelt *oder* smelled
sow	*säen*	sowed	sown *oder* sowed
speak	*sprechen*	spoke	spoken
speed	*schnell fahren*	sped *bzw.* (≈ *beschleunigen*) speeded	sped *bzw.* speeded
spell	*buchstabieren*	spelt, *bes. AE* spelled	spelt, *bes. AE* spelled
spend	*ausgeben/verbringen*	spent	spent
spill	*ausschütten*	spilt, *bes. AE* spilled	spilt, *bes. AE* spilled
spin	(*sich*) *drehen*	spun	spun
spit	*spucken*	spat, *bes. AE* spit	spat, *bes. AE* spit
split	(*zer*)*spalten*	split	split
spoil	*verderben*	spoilt *oder* spoiled	spoilt *oder* spoiled
spread	*ausbreiten*	spread	spread
spring	*springen*	sprang, *AE auch* sprung	sprung
stand	*stehen*	stood	stood
steal	*stehlen*	stole	stolen
stick	*stecken/kleben*	stuck	stuck
sting	*stechen*	stung	stung
stink	*stinken*	stank *oder* stunk	stunk
stride	*schreiten*	strode	stridden
strike	*schlagen*	struck	struck
string	*aufreihen/besaiten*	strung	strung
strive	*sich bemühen*	strove	striven
swear	*fluchen/schwören*	swore	sworn
sweep	*kehren*	swept	swept
swell	(*an*)*schwellen*	swelled	swollen *oder* swelled

Infinitiv	*Übersetzung*	past tense	past participle
swim	*schwimmen*	swam	swum
swing	*schwingen*	swung	swung
take	*nehmen*	took	taken
teach	*lehren*	taught	taught
tear [teə]	*zerreißen*	tore	torn
tell	*erzählen*	told	told
think	*denken*	thought	thought
thrive	*gedeihen*	thrived *oder* throve	thrived *oder* thriven
throw	*werfen*	threw	thrown
thrust	*stoßen*	thrust	thrust
tread [tred]	*treten*	trod	trodden
unbend	*gerade biegen*	unbent	unbent
undercut	*unterbieten*	undercut	undercut
undergo	*erleben*	underwent	undergone
underlie	*zugrunde liegen*	underlay	underlain
underpay	*unterbezahlen*	underpaid	underpaid
understand	*verstehen*	understood	understood
undertake	*übernehmen*	undertook	undertaken
undo	*aufmachen*	undid	undone
unwind [ˌʌn'waɪnd]	(*sich*) *abwickeln*	unwound	unwound
upset	*ärgern/umkippen*	upset	upset
wake	(*auf*)*wecken/ aufwachen*	woke, *AE* waked	woken, *AE* waked
wear	*tragen, anhaben*	wore	worn
weave	*weben*	wove	woven
wed	*heiraten*	wedded *oder* wed	wedded *oder* wed
weep	*weinen*	wept	wept
wet	*nass machen*	wet *oder* wetted	wet *oder* wetted
win	*gewinnen*	won	won
wind [waɪnd]	*drehen*	wound	wound
withdraw	*abheben* (*Geld*)/ (*sich*) *zurückziehen*	withdrew	withdrawn
withstand	*standhalten*	withstood	withstood
wring	*auswringen*	wrung	wrung
write	*schreiben*	wrote	written

Verzeichnis der Info-Fenster

Englisch-Deutsch